Abbreviations اختصارات

فرهنگ انگلیسی ـ فارسی

adj	adjective
adv	adverb
apa	active participial adjective
Ar	Arabic
Arch	Archaic
col	colloquial
comp	comparative (degree)
conj	conjunction
def art	definite article
etc	et cetera ; and so forth
fem	feminine
Fr	French
Ger	German
Heb	Hebrew
indef art	indefinite article
int	interjection
inter	interrogative
It	Italian
L	Latin
n	noun
npl	noun plural *or* plural noun

p	past
part	participle
pl	plural
poet	poetical
pp	past participle
ppa	passive participial adjective
pr	pronoun
pref	prefix
prep	preposition
pres	present
rel	relative
Rus	Russian
s	singular
sl	slang
Sp	spanish
sup	superlative (degree)
US	United States
v	verb transitive and / or intransitive
v aux	verb auxiliary
vi	verb intransitive
vt	verb transitive
&	and
:	for example

Farhang Moaser Publishers

Farhang Moaser

English-Persian
Persian-English
Dictionary
(in one volume)

S. Haim

Edited in the
Research Unit of Farhang Moaser

Farhang Moaser Publishers
Tehran 2005

Farhang Moaser Publishers
45 Khiaban Daneshgah
Tehran 13147, Iran.
Tel. (+ 9821) 6465530, 6465520
Fax: (+ 9821) 6417018
E-mail: farhangmo@neda.net
Visit us at: www.farhangmoaser.com

Eleventh impression 2005

- This dictionary was edited in the Research Unit of Farhang Moaser.
- Typeset in the Computer Unit of Farhang Moaser.

سخن ناشر

امروزه نشر فرهنگ دوسویه یکی از کارآمدترین روش‌های عرضهٔ فرهنگ‌های دوزبانه به شمار می‌آید. این روش اگرچه در زبان‌های اروپایی کاملاً جا افتاده است و دامنهٔ آن روز به روز گسترده‌تر می‌شود اما در ایران چندان شناخته شده نیست. بی‌گمان ضرورت انتشار چنین فرهنگ‌هایی بر کسی پوشیده نیست. تولید و انتشار فرهنگ‌های دوسویهٔ متنوع در اندازه‌ها و حجم‌های کوچک و بزرگ در سراسر جهان خود گواه روشن این حقیقت است. ناگفته پیداست همهٔ کسانی که در جامعهٔ ما ـ دست‌کم ـ با یک زبان خارجی، مثلاً انگلیسی، سر و کار دارند تنها به معادل‌های فارسی واژه‌های انگلیسی نیازمند نیستند بلکه به دلایل گوناگون آموزشی و علمی و کاربردی، به‌معادل‌های انگلیسی واژه‌های فارسی نیز نیازمندند، و فرهنگ دوسویه می‌تواند این نیاز دوگانه را در آن واحد برآورده سازد. نکتهٔ مهم این است که شکل عرضهٔ چنین فرهنگی و اندازه و حجم و نوع صفحه‌آرایی آن نباید مراجعه‌کنندگان را با دشواری روبه‌رو کند. مؤسسه فرهنگ معاصر پس از بررسی‌های لازم بر آن شده است تا کمبود فرهنگ‌های دوسویه را، به اندازهٔ امکانات و توان خود، برطرف کند و کتاب حاضر را به عنوان نخستین تلاش خود در این زمینه به عموم علاقه‌مندان تقدیم می‌دارد.

فرهنگ حاضر در مجموع ۷۰،۰۰۰ مدخل (۴۰،۰۰۰ مدخل انگلیسی و ۳۰،۰۰۰ مدخل فارسی) را در خود جای داده است و می‌تواند نیازهای مراجعه‌کنندگان را در زمینه‌های گوناگون پاسخگو باشد.

فرهنگ معاصر

راهنمای استفاده از فرهنگ

انگلیسی ـ فارسی

توجه به نکات زیر، استفاده از این فرهنگ را آسانتر و سریعتر خواهد کرد.

□ این فرهنگ به ترتیب حروف الفبا و به صورت حرف بِه حرف نظم یافته است. به این ترتیب واژهٔ **happiness** که از **happy** مشتق شده است به جای این که در زیرمدخل **happy** بیاید، در محل الفبایی خود و قبل از این مدخل آمده است.

□ در ضبط **تلفّظ** مدخلهای انگلیسی از الفبای آوانگار بین‌المللی **(IPA)** استفاده شده است.

□ **حالتهای دستوری** مدخلهای انگلیسی با علائم اختصاری نشان داده شده‌اند: مثلاً *n* برای اسم، *adj* برای صفت، *v* برای فعل. فهرست علائم اختصاری در داخل جلد آمده است.

□ **شماره‌گذاری** در جلوِ معادلهای فارسی، نشان دهندهٔ حالت دستوری آنهاست. مثلاً در مدخل زیر:

surface *n, adj, vt, vi* ۱.سطح، رویه... ۲.سطحی، زمینی ۳.فرش کردن، پوشاندن... ۴.روی آب آمدن

شماره‌های ۱، ۲، ۳و ۴ معانی واژهٔ **surface** را به ترتیب در حالت اسم، صفت، فعل متعدی و فعل لازم نشان می‌دهند.

□ نشانهٔ **ویرگول** (،) برای جدا کردن واژه‌های فارسی تقریباً مترادف یا «هم معنا» به کار رفته است ولی برای جدا کردن واژه‌هایی که ارتباط معنایی با هم دارند اما به جای یکدیگر به کار نمی‌روند، از نشانهٔ **نقطه ـ ویرگول** (؛) استفاده شده است. مثلاً در مدخل زیر:

arid *adj* خشک، بایر، لم‌یزرع؛ بی‌مغز

واژه‌های «خشک»، «بایر» و «لم‌یزرع» را اغلب می‌توان به جای هم به کار برد، اما واژهٔ «بی‌مغز» نمی‌تواند به جای واژه‌های قبلی به کار رود.

□ نشانهٔ **پرانتز** ( ) در معادلهای فارسی به این معناست که آن معادل را می‌توان با مطلب داخل پرانتز و یا بدون آن خواند. مانند:

standpoint *n*
(نقطه) نظر

□ نشانهٔ **قلاّب** [ ] چندین کاربرد دارد:

۱.برای مشخّص کردن حوزه معنایی معادلهای فارسی. مانند:

sublimation *n*
[شیمی] تصعید؛ [روانشناسی] والایش

۲.برای محدود کردن حوزهٔ معنایی معادلهای فارسی. مانند:

succulent *adj*
[میوه یا گوشت] آبدار؛ [گیاه] گوشتی

۳.برای نشان دادن صیغه‌های فعل. مانند:

sew *vt, vi* [sewed;swen *or* sewed]

۴.برای نشان دادن شکلهای مختلف جمع اسمها. مانند:

scarf *n* [-fs *or* -ves]

۵.برای نشان دادن شکلهای مختلف مذکّر یا مونّث اسمها. مانند:

actress *n* [*fem of* actor]

□ نشانهٔ **مساوی** (=) برای ارجاع مدخلهای مترادف انگلیسی به کار رفته است. مثلاً در مدخل زیر:

succor = succour

واژهٔ **succour** مترادف مدخل **succor** است که می‌توان آن را در محل الفبایی خود در حرف **s** پیدا کرد.

□ نشانهٔ **دونقطه** (:) برای توضیح معنای معادلهای فارسی به کار رفته است. مانند:

soprano
[مو] سوپرانو: صدای زیر زنانه و پسرانه

Abbreviations اختصارات

فرهنگ انگلیسی ـ فارسی

adj	adjective	*p*	past
adv	adverb	*part*	participle
apa	active participial adjective	*pl*	plural
Ar	Arabic	*poet*	poetical
Arch	Archaic	*pp*	past participle
col	colloquial	*ppa*	passive participial adjective
comp	comparative (degree)	*pr*	pronoun
conj	conjunction	*pref*	prefix
def art	definite article	*prep*	preposition
etc	et cetera ; and so forth	*pres*	present
fem	feminine	*rel*	relative
Fr	French	*Rus*	Russian
Ger	German	*s*	singular
Heb	Hebrew	*sl*	slang
indef art	indefinite article	*Sp*	spanish
int	interjection	*sup*	superlative (degree)
inter	interrogative	*US*	United States
It	Italian	*v*	verb transitive and / or intransitive
L	Latin	*v aux*	verb auxiliary
n	noun	*vi*	verb intransitive
npl	noun plural *or* plural noun	*vt*	verb transitive
		&	and
			for example

Farhang Moaser
English-Persian

A,a

A,a /eɪ/ *n* اوّلین حرف الفبای انگلیسی
a /ə,eɪ/ *indef art* یک، ... ی
A rat یک موش، موشی
aback /əˈbæk/ *adv* واپس، به عقب، در عقب
be taken aback یکه خوردن
abacus /ˈæbəkəs/ *n* چرتکه
abandon /əˈbændən/ *vt* ترک کردن
abandonment *n* واگذاری، ترک
abase /əˈbeɪs/ *vt* پست کردن، تحقیر کردن
abase oneself خود را خوار کردن
abasement *n* پستی، خواری؛ تحقیر
abash /əˈbæʃ/ *vt* شرمنده‌کردن؛ دستپاچه‌کردن
abashment *n* شرمندگی؛ دستپاچگی
abate /əˈbeɪt/ *vt,vi* ۱.تخفیف دادن؛ موقوف کردن ۲.فرونشستن، موقوف شدن
abatement *n* کاهش، تخفیف، تنزل؛ گذشت؛ رفع، منع، بازداشت، جلوگیری
abbess /ˈæbes/ *n* [*fem of* abbot]
abbey /ˈæbɪ/ *n* دیر، خانقاه، رهبانگاه
abbot /ˈæbət/ *n* راهبِ کل
abbreviate /əˈbri:vɪeɪt/ *vt* مختصر یا مخفف کردن
abbreviation /əˌbri:vɪˈeɪʃn/ *n* اختصار؛ مخفف
abdicate /ˈæbdɪkeɪt/ *vt,vi* ۱.واگذار کردن، تفویض کردن؛ محروم کردن (از ارث) ۲.کناره‌گیری کردن، استعفا دادن
abdication /ˌæbdɪˈkeɪʃn/ *n* کناره‌گیری، استعفا
abdomen /ˈæbdəmən/ *n* شکم، بطن؛ گودال شکمی
abdominal /æbˈdɒmɪnl/ *adj* شکمی، بطنی
abducent /æbˈdu:sənt,-ˈdju:sənt/ *adj* دورکننده [در عضله]
abduct /əbˈdʌkt,æb-/ *vt* ربودن؛ گریزاندن از کسان
abduction /əbˈdʌkʃn,æb-/ *n* جنبش دست و پا به طرف بیرون [در فیزیولوژی]
abductor /əbˈdʌktər,æb-/ *n* عضلهٔ دورکننده

abecedarian /ˌeɪbi:si:ˈdeəri:ən/ *n,adj* ۱.ابجدخوان ۲.الفبایی
abed /əˈbed/ *adv* در بستر؛ روی رختخواب
aberrant /æˈberənt/ *adj* گمراه؛ غیرعادی
aberration /ˌæbəˈreɪʃn/ *n* گمراهی، انحراف؛ اشتباه؛ خبط دماغ
abet /əˈbet/ *vt* [-ted] تقویت کردن، تشویق نمودن؛ شرکت کردن در (جرم)
abetment *n* حمایت از عمل بد؛ شرکت در جرم؛ پشتیبانی، مساعدت
abettor *n* شریک جرم
abeyance /əˈbeɪəns/ *n* بی‌تکلیفی،وقفه، تعلیق
fall into abeyance مسکوت عنه ماندن
abeyant /əˈbeɪənt/ *adj* متوقف، بی‌تکلیف
abhor /əbˈhɔ:(r)/ *vt* [-red] تنفر یا بیم داشتن از
abhorrence /əbˈhɒrəns US: -ˈhɔ:r-/ *n* تنفر؛ بیم؛ اجتناب
abhorrent /əbˈhɒrənt US: -ˈhɔ:r-/ *adj* متنفر، منزجر؛ شنیع، زشت؛ مغایر، ناسازگار
abidance /əˈbaɪdəns/ *n* رعایت؛ ایستادگی (در انجام قول)؛ سکنی
abide /əˈbaɪd/ *vi,vt* [abode *or* abided] ۱.ساکن شدن، ماندن؛ ثابت بودن ۲.منتظر بودن؛ تحمل کردن
abide by one's word سر قول خود ایستادن، بر قول خود استوار بودن
abiding /əˈbaɪdɪŋ/ *adj* بی‌زوال، همیشگی، دایمی
ability /əˈbɪlətɪ/ *n* توانایی، قدرت؛ استعداد، لیاقت؛ استطاعت؛ صلاحیت
to the best of one's ability با منتهای توانایی
ab initio /ˌæb ˈɪnɪʃɪəʊ/ *adv,L* از ابتدا
abiogenesis /ˌeɪbaɪəʊˈdʒənɪsɪs, ˌæbi:əʊ-/ *n* خلق‌الساعه
abject /ˈæbdʒekt/ *adj* پست، خوار؛ فرومایه
abject poverty فقر خیلی زیاد
abjection /æbˈdʒekʃn/ *n* پستی، خواری؛ تحقیر

abjuration /ˌæbdʒʊəˈreɪʃn/ *n* نقض عهد، پیمان‌شکنی
abjure /əbˈdʒʊə(r)/ *vt,vi* ۱.با سوگند ترک کردن، صرف‌نظر کردن‌از ۲.نقض عهد کردن
ablactation /ˌæblækˈteɪʃn/ *n* عملِ از شیر گرفتن
ablation /æbˈleɪʃən/ *n* قطع (انساج)
ablative /ˈæblətɪv/ *n* مفعول به؛ مفعول‌عنه؛ مفعول‌منه
ablaze /əˈbleɪz/ *adj,adv* سوزان، مشتعل؛ خونگرم؛ در حال هیجان
able /ˈeɪbl/ *adj* قادر؛ قابل؛ صلاحیت‌دار
be able توانستن، قادر بودن
abloom /əˈblu:m/ *adj,adv* درحال شکوفه
ablush /əˈblʌʃ/ *adj,adv* سرخ، خجل
ablution /əˈblu:ʃn/ *n* شستشو؛ وضو، آبدست
abnegate /ˈæbnɪgeɪt/ *vt* انکار کردن، ترک کردن؛ به‌خود حرام کردن
abnegation /ˌæbnɪˈgeɪʃn/ *n* از خود گذشتگی
abnormal /æbˈnɔ:ml/ *adj* غیرعادی
abnormality /ˌæbnɔ:ˈmælətɪ/ *n* امر خلاف قاعده، چیز غیرعادی؛ بی‌قاعدگی
abnormity /æbˈnɔ:mɪtɪ/ *n* بی‌قاعدگی
aboard /əˈbɔ:d/ *prep,adv* ۱.رویِ، تویِ ۲.در کشتی؛ در قطار
close aboard نزدیکِ، چسبیده به
abode /əˈbəʊd/ [*p,pp of* abide]
abode /əˈbəʊd/ *n* جا، مسکن، سکنی، اقامت
take up one's abode منزل کردن
abolish /əˈbɒlɪʃ/ *vt* منسوخ یا موقوف کردن
abolition /ˌæbəˈlɪʃn/ *n* نسخ، الغا؛ برانداختگی، منسوخیت
A-bomb /ˈeɪ bɒm/ *n* بمب اتمی
abominable /əˈbɒminəbl US: -mən-/ *adj* مکروه
abominate /əˈbɒmɪneɪt US: -mən-/ *vt* تنفر داشتن (از)
abomination /əˌbɒmɪˈneɪʃn US: -mən-/ *n* کراهت، نفرت؛ زشتی؛ عمل شنیع؛ پلیدی، نجاست
aboriginal /ˌæbəˈrɪdʒənl/ *adj* بومی
aborigines /ˌæbəˈrɪdʒəni:z/ *npl* سکنهٔ اولیه؛ جانوران و گیاهان بومی
abort /əˈbɔ:t/ *vi* بچه سقط کردن؛ عقیم ماندن
abortifacient /əˌbɔ:təˈfeɪʃənt/ *adj,n* ۱.سقط‌آور ۲.داروی سقط جنین
abortion /əˈbɔ:ʃn/ *n* سقط، اسقاط (جنین)؛ عدم تکامل

abortive /əˈbɔ:tɪv/ *adj* عقیم، بی‌نتیجه؛ بیهوده [obortive attempt]؛ سقط‌شده
abound /əˈbaʊnd/ *vi* فراوان بودن، وفور داشتن
abound in (*or* with) فراوان داشتن
about /əˈbaʊt/ *prep,adv* ۱.در اطرافِ؛ نزدیکِ، در حدودِ، قریبِ؛ در خصوصِ، راجع به، دربارهٔ؛ در شُرفِ ۲.به اطراف؛ دور تا دور؛ تقریباً
He is up (or out) and about.
از بستر برخاسته و مشغول کار شده است.
be going about شایع بودن
bring about فراهم کردن
come about فراهم شدن؛ رخ دادن
set about دست (به‌کاری) زدن
above /əˈbʌv/ *prep,adv,adj,n* ۱.بالایِ، رویِ؛ متجاوز از؛ مافوقِ؛ منزه از؛ خارج از ۲.در بالا، در فوق ۳.بالایی؛ نامبرده، مذکور در فوق؛ بالاتر ۴.بالا؛ آسمان؛ مراتب فوق
keep one's head above water
از قرض یا خطر رهایی یافتن، قِسر دررفتن
be above oneself *Col*
خود را گم کردن (از غرور)
above all مخصوصاً، بالاتر از همه
above board /əˈbʌv bəʊd/ *adj,adv* بی‌حیله، آشکارا، علنی، علناً، پوست کنده
above-mentioned /əbʌvˈmenʃnd/ *adj* مذکور در فوق
above-named /ˌəbʌv ˈneɪmd/ *adj* نام‌بردهٔ بالا
abrade /əˈbreɪd/ *vt* خراشیدن، پاک کردن
abrasion /əˈbreɪʒn/ *n* حک؛ سایش
abrasive /əˈbreɪsɪv/ *adj,n* ۱.ساینده ۲.آلت خراش؛ مادهٔ ساینده
abreast /əˈbrest/ *adv* برابر، پهلو به پهلو؛ در جریان، آگاه
keep abreast of the times
با اوضاع و جریانات روز آشنا بودن، از اوضاع دنیا آگاه بودن
abridge /əˈbrɪdʒ/ *vt* مختصر کردن
abridgment *n* اختصار؛ خلاصه
abroach /əˈbrəʊtʃ/ *adj,adv* سوراخ؛ در جریان؛ منتشر
abroad /əˈbrɔ:d/ *adv* در خارجه؛ به خارجه؛ در نزد عموم؛ [به‌صورت اسم نیز به‌کار می‌رود مانند from abroad از خارجه]
publish abroad درهمه جا شهرت‌دادن
be all abroad از مرحله پرت بودن

abrogate /'æbrəgeɪt/ *vt* نسخ کردن
abrogation /,æbrə'geɪʃn/ *n* نسخ، الغا، بطلان
abrupt /ə'brʌpt/ *adj* زیاد سراشیب؛ ناگهانی.
بی‌تشریفات؛ درشت، شدیداللحن
abruption /ə'brʌpʃn/ *n* قطع ناگهانی؛ انتزاع
abruptly *adv* ناگهان؛ باشدتِ لحن، به تندی
abruptness *n* تندی؛ شدّت لحن
abscess /'æbses/ *n* دمل، ماده
abscission /æb'sɪʒən,-sɪʃ-/ *n* قطع
abscond /əb'skɒnd/ *vi* گریختن، رونشان ندادن
absence /'æbsəns/ *n* غیبت، غیاب؛ فقدان، عدم
absence of mind عدم حضور ذهن
absent /'æbsənt/ *adj* غایب؛ مفقود؛
پریشان‌خیال
absent *(vt)* **oneself** /æbsənt 'wʌnself/
غایب شدن، پنهان شدن
absentee /,æbsən'ti:/ *n* مالک غایب از ملک؛
شخص غایب
absent-minded /,æbsənt'maɪndɪd/ *adj* گیج
absinth(e) /'æbsɪnθ/ *n* (عرق) افسنطین
absolute /'æbsəlu:t/ *adj* مطلق؛ استبدادی؛
مستبد؛ قطعی، خالص
absolutely /'æbsəlu:tlɪ/ *adv* مطلقاً، قطعاً،
کاملاً، به‌کلی، به‌هیچ‌وجه؛ مستبدانه
absolve /əb'zɒlv/ *vt* آمرزیدن، عفو کردن؛
تبرئه کردن، آزاد کردن؛ معاف کردن
absorb /əb'sɔ:b/ *vt* جذب کردن
absorbed /æb'sɔ:rbd,-'zɔ:rbd/ *ppa* مجذوب،
مستغرق
absorbent /əb'sɔ:bənt/ *adj* جاذب
absorbent cotton /æb'sɔ:bənt 'kɒtn/ *adj*
پنبهٔ هیدروفیل
absorbing *apa* جالب
absorption /əb'sɔ:pʃn/ *n* جذب، آشام؛
مجذوبیت
absorptive *adj* جاذب، کشنده
abstain /əb'steɪn/ *vi* امتناع یا خودداری کردن
abstainer *n* پرهیزکننده؛ ممتنع
abstemious /əb'sti:mɪəs/ *adj* پرهیزکار،
مرتاض؛ پرهیزکارانه
abstention /əb'stenʃn/ *n* خودداری، پرهیز
four abstentions چهارنفر ممتنع
abstinence /'æbstɪnəns/ *n* پرهیز، خودداری؛
امساک، ریاضت
total abstinence پرهیز کامل از مشروبات الکلی
abstinent /'æbstɪnənt/ *adj* پرهیزکار،
پارسامنش

abstract /əb'strækt/ *vt* ربودن، بردن؛
خلاصه کردن؛ مجزا کردن؛ تجرید کردن
abstract /'æbstrækt/ *n,adj* ۱.خلاصه
۲.مطلق [در عدد]؛ خشک؛ انتزاعی، مجرّد
abstract noun اسم معنی
in the abstract به‌طور مجرد؛ فی‌الجمله
abstracted /æb'stræktɪd/ *ppa* مجزا؛
حواس‌پرت
abstraction /əb'strækʃn/ *n* تجرید؛ تجرّد؛
پریشانی حواس؛ دزدی، اختلاس؛ ربودگی
abstruse /əb'stru:s/ *adj* پیچیده
absurd /əb'sɜ:d/ *adj* بی‌معنی، مزخرف؛ محال
absurdity *n* امر محال؛ بیهودگی؛
حرف نامربوط
abulia /ə'bju:li:ə/ *n* گسیختگی اراده، بی‌ارادگی
abundance /ə'bʌndəns/ *n* فراوانی
in abundance فراوان، به‌فراوانی، به‌وفور
an abundance of فراوان؛ مقدار زیاد
abundant /ə'bʌndənt/ *adj* فراوان، بسیار، وافر
abuse /ə'bju:z/ *vt* بداستعمال کردن؛
سوءاستفاده کردن از؛ ضایع کردن؛ بدرفتاری کردن
با؛ فحش دادن به
abuse /ə'bju:s/ *n* دشنام، فحش؛ سوءاستفاده؛
بد رفتاری؛ تجاوز به عصمت؛ کار یا رسم بد
abusive /ə'bju:sɪv/ *adj* فحش‌آمیز؛ بدزبان
abusiveness *n* بد زبانی، فحاشی
abut /ə'bʌt/ *v* [-ted] مجاور بودن (با)
abutment /ə'bʌtmənt/ *n* پایهٔ جناحی؛
پشتیبان دیوار
abysmal /ə'bɪzməl/ *adj* ناپیمودنی
abyss /ə'bɪs/ *n* ورطه؛ هاویه؛ مغاک
Abyssinian /,æbɪ'sɪni:ən/ *adj,n* حبشی
acacia /ə'keɪʃə/ *n* اقاقیا؛ گل ابریشمی؛
گل فتنه؛ صمغ (عربی)
false acacia اقاقیا، اقاقی
silk-tasseled acacia گل ابریشمی
academic /,ækə'demɪk/ *adj,n*
۱.مربوط به فرهنگستان؛ ادبی؛ توأم با فرضیه یا قوانین خشک ۲.عضو فرهنگستان؛ دانشجوی دانشگاه
academical /,ækə'demɪkl/ *adj* = academic
academician /ə,kædə'mɪʃn US:
,ækədə'mɪʃn/ *n* عضو فرهنگستان یا آکادمی
academy /ə'kædəmɪ/ *n* فرهنگستان، آکادمی
acarus /'ækərəs/ *n* کرم(بیماری) جَرَب
acaudal /eɪ'kɔ:dl/ *adj* بی‌دُم
acaudate = acaudal

accede /əkˈsi:d/ *vi* جلوس کردن؛ نایل شدن؛ رضایت دادن
accede to وارث شدن؛ پیوستن با
accelerate /əkˈseləreɪt/ *vt,vi* ۱.تسریع کردن در ۲.تند(تر) شدن؛ گاز دادن
acceleration /ək,seləˈreɪʃn/ *n* شتاب؛ تسریع
accelerator /əkˈseləreɪtə(r)/ *n* پدالِ گاز
accent /ˈæksent, ˈæksənt/ *n* (نشان) تکیهٔ صدا
accent /ækˈsent/ *vt* با تکیه تلفظ کردن؛ دارای نشان تکیه کردن؛ تأکید کردن، اهمیت دادن
accentuate /əkˈsentʃʊeɪt/ *vt* با تکیه تلفظ کردن، تکیه دادن؛ تأکید کردن، اهمیت دادن
accept /ək,sept/ *vt* پذیرفتن، قبول کردن؛ قبولی (براتی را) نوشتن
accept as true باور کردن
acceptability /ək,septəˈbɪlətɪ/ *n* قابلیت قبول
acceptable /əkˈseptəbl/ *adj* پذیرفتنی، قابل قبول، پسندیده، مقبول، مستجاب
acceptance /əkˈseptəns/ *adj,n* قبول، پذیرش، اجابت؛ تصویب؛ قبولی برات
acceptation /,æksepˈteɪʃn/ *n* معنی مصطلح
acceptor /əkˈseptə(r)/ *n* قبولی‌نویس، پذیرا
access /ˈækses/ *n* دسترسی، راه، تقرب؛ (اجازه) دخول
easy of access در دسترس، قابل‌حصول
accessibility /ək,sesəˈbɪlətɪ/ *n* (امکان) نزدیکی، دسترسی، آمادگی برای پذیرایی
accessible /əkˈsesəbl/ *adj* قابل دسترسی؛ آمادهٔ پذیرایی، خوش محضر؛ قابل حصول
accession /ækˈseʃn/ *n* جلوس؛ دستیابی؛ [بیماری] ابتلا
accessory /əkˈsesərɪ/ *adj,n* [-ries] ۱.فرعی ۲.معاون جرم؛ [در جمع] لوازم
accessory to a riot همدست در فتنه
accidence /ˈæksɪdəns/ *n* (اصول) تغییرات صرفی
accident /ˈæksɪdənt/ *n* حادثه، سانحه
accidental /,æksɪˈdentl/ *adj* اتفاقی
accidentally /,æksiˈdentəlɪ/ *adv* به‌طور اتفاقی
acclaim /əˈkleɪm/ *vt,vi* ۱.تحسین کردن ۲.هلهله کردن؛ کف زدن
acclamation /,ækləˈmeɪʃn/ *n* تحسین، کف زدن
acclimate /ˈæklɪmeɪt/ *vt* خو دادن، عادت دادن (شخصی به آب و هوای تازه)

acclimatize /əˈklaɪmətaɪz/ *v* به آب و هوای تازه خو دادن یا گرفتن
acclivity /əˈklɪvətɪ/ *n* سربالایی، فراز
acclivous *adj* سربالا
accommodate /əˈkɒmədeɪt/ *vt,vi* ۱.منزل دادن؛ وفق دادن؛ تصفیه کردن؛ همراهی کردن ۲.تطبیق کردن
accommodating /əˈkɒmədeɪtɪŋ/ *apa* همراه، مهربان؛ خوش‌محضر؛ مناسب، موافق
accommodation /ə,kɒməˈdeɪʃn/ *n* تطبیق؛ جا، منزل؛ اصلاح، تصفیه؛ سازش با محیط
accommodator *n* پذیرایی‌کننده، جادهنده؛ وفق‌دهنده؛ اصلاح‌کننده
accompaniment /əˈkʌmpənɪmənt/ *n* همراهی؛ ضمیمه
accompany /əˈkʌmpənɪ/ *v* [-nied] همراهی کردن (با)؛ جفت کردن (با)
accompanied by همراه با، به‌اتفاقِ
accomplice /əˈkʌmplɪs US: əˈkɒm-/ *n* همدست؛ شریک یا معاون جرم
accomplish /əˈkʌmplɪʃ US: əˈkɒm-/ *vt* انجام دادن؛ به اتمام رساندن؛ وفا کردن به
accomplished *ppa* انجام‌شده؛ کامل (شده)؛ تربیت‌شده، فاضل
accomplishment /əˈkʌmplɪʃmənt US: əˈkɒm-/ *n* انجام، اتمام؛ هنر، کمال، فضیلت
accord /əˈkɔ:d/ *n,vt,vi* ۱.موافقت، سازگاری ۲.وفق دادن؛ آشتی دادن؛ تصفیه کردن؛ دادن ۳.هم رأی شدن
of one's own accord به‌دلخواه خود
accordance /əˈkɔ:dəns/ *n* مطابقت
in accordance with بر طبقِ، برحسبِ
accordant /əˈkɔ:dənt/ *adj* جور، مطابق، موافق
according to موافقِ، برطبقِ، بنابر، برحسبِ؛ به‌قولِ، به عقیدهٔ
according as بر حسب این که
accordingly *adv* بنابراین، از این‌رو؛ از همان قرار، بر طبق آن
accordion /əˈkɔ:dɪən/ *n* آکاردئون
accost /eˈkɒst US: əˈkɔ:st/ *vt* جلوی (کسی را) گرفتن، سر راه (کسی) سبز شدن، سر صحبت را با کسی باز کردن
accouchement /əˈku:ʃmənt/ *n,Fr* زایمان
accoucheur /əku:ˈʃə(r)/ *n,Fr* مردی که در زایمان زنی به ماما کمک می‌کند
accoucheuse /əku:ˈʃəs/ *Fr* = midwife

accuse /ə'kju:z/ *vt* تهمت زدن (به)، متهم ساختن؛ شکایت کردن از
the accused (شخص) متهم
accustom /ə'kʌstəm/ *vt* عادت دادن
accustom oneself عادت کردن
accustomed *ppa* معتاد؛ عادی
ace /eɪs/ *n* تک‌خال، آس؛ ذره، خرده
within an ace of ذره‌ای مانده به
acephalous /eɪ'sefələs/ *adj* بی‌سر
acerb /ə'sɜ:b/ *adj* ترش، دبش، گس؛ تند
acetabulum /ˌæsɪ'tæbjələm/ *n* [-la /-lə/] کاسهٔ مفصل، گوده
acetate /'æsɪteɪt/ *n* نمکِ جوهر سرکه
acetic acid /əsi:tɪk 'æsɪd/ جوهر سرکه
acetylene /ə'setɪli:n/ *n* آسِتیلن [لفظ فرانسه]
ache /eɪk/ *n,vi* درد (کردن)
I ache all over همه جای بدنم درد می‌کند
achene /eɪ'ki:n/ *n* فَندقه
achieve /ə'tʃi:v/ *vt* انجام دادن؛ رسیدن یا نایل شدن (به)
achievement *n* انجام؛ کار بزرگ
achromatic /ˌækrə'mætɪk/ *adj* بی‌رنگ
acid /'æsɪd/ *adj,n* ۱.ترش، حامض؛ ترشرو ۲.حموضت؛ جوهر
acid test آزمایش یا محک واقعی
acidity /ə'sɪdətɪ/ *n* حموضت، ترشی
acidosis /ˌæsɪ'dəʊsɪs/ *n* غلبهٔ اسیدِ خون
acidulated /ə'sɪdjʊleɪtɪd US: -ɪdʒʊl-/ *ppa* میخوش؛ کج‌خلق
acknowledge /ək'nɒlɪdʒ/ *vt* اعتراف کردن؛ تصدیق کردن؛ شناختن
acknowledge receipt of a letter رسید نامه‌ای را اعلام داشتن
acknowledgment /ək'nɒlɪdʒmənt/ *n* شناسایی؛ اعتراف؛ تصدیق؛ خبر وصول(نامه)
in acknowledgment of به پاداش، در ازایِ
acme /'ækmɪ/ *n* اوج، قله، منتها (درجه)
acne /'æknɪ/ *n* جوش صورت
acock /ə'kɒk/ *adv* کج، یکبر
aconite /'ækənaɪt/ *n* گل تاج‌الملوک
acorn /'eɪkɔ:n/ *n* بلوط
acoustic /ə'ku:stɪk/ *adj* مربوط به شنوایی، صوتی، صدایی
acoustical trumpet /əku:stɪkl 'trʌmpɪt/ سمعک
acoustics *n* صداشناسی، علم اصوات

account /ə'kaʊnt/ *n* حساب؛ گزارش، شرح؛ (بیان) علت؛ اهمیت
call to account بازخواست کردن از، موآخذه کردن از، حساب خواستن از
on account علی‌الحساب
on account of به‌علتِ، به‌واسطهٔ؛ ازبابت
on no account به‌هیچ‌وجه، اصلاً؛ به‌هیچ دلیل
make an account of اهمیت دادن به
take into account در حساب آوردن؛ در نظر گرفتن؛ اهمیت دادن به
take no account of اعتنا نکردن به
turn to account مورد استفاده قراردادن
on his account به‌خاطراو؛ بابت او
make little account of ناچیز دانستن
account /ə'kaʊnt/ *vi* حساب (پس) دادن؛ جواب دادن؛ ذکر علت کردن
accountable /ə'kaʊntəbl/ *adj* مسئول
accountancy /ə'kaʊntənsɪ/ *n* حسابداری
accountant /ə'kaʊntənt/ *n* حسابدار
account-book *n* دفتر حساب
accounting *n* حساب (داری)
accouterments = accoutrements
accoutrements /ə'ku:trəmənts/ *npl* تجهیزات نظامی سرباز بجز لباس و اسلحه
accredit /ə'kredɪt/ *vt* با استوارنامه فرستادن
accrete /ə'kri:t/ *v* با هم نمو کردن، افزوده شدن؛ به‌هم افزودن
accretion /ə'kri:ʃn/ *n* افزایش، نمای طبیعی
accrue /ə'kru:/ *vi* فراهم شدن؛ منتج گردیدن؛ تعلق گرفتن؛ افزوده شدن
benefits accruing from... مزایای حاصله از...
accumulate /ə'kju:mjʊleɪt/ *vt* ۱.اندوختن، جمع کردن ۲.جمع شدن
accumulation /əˌkju:mjʊ'leɪʃn/ *n* گردآوری، جمع‌آوری؛ انبوهی؛ توده، ذخیره
accumulator /ə'kju:mjʊleɪtə(r)/ *n* انباره، مخزن برق
accuracy /'ækjərəsɪ/ *n* درستی، دقت
accurate /'ækjərət/ *adj* درست، صحیح
accurately *adv* به‌درستی، بادقت
accusable *adj* قابل اتهام
accusation /ˌækju:'zeɪʃn/ *n* تهمت، اتهام؛ ادعا
bring an accusation against متهم ساختن
accusative /ə'kju:zətɪv/ *n,adj* ۱.حالت مفعولیت؛ مفعول ۲.مفعولی
accusatory /ə'kju:zətərɪ US: -tɔ:rɪ/ *adj* تهمت‌آمیز، اتهامی

acquaint /ə'kweɪnt/ *vt* آشنا ساختن، آگاهی دادن، خبر دادن (به)
 acquaint oneself آشنا شدن
acquaintance /ə'kweɪntəns/ *n* آشنایی؛ سابقه، آگاهی؛ آشنا(یان)
 make an acquaintance of آشنا شدن با
acquainted *ppa* آشنا؛ آگاه
acquiesce /,ækwɪ'es/ *vi* تن در دادن، تسلیم شدن؛ [با in] پذیرفتن
acquiescence /,ækwɪ'esns/; **-cency** *n* رضایت، سکوتِ موجب رضا، عدم مخالفت
acquiescent /,ækwɪ'esnt/ *adj* راضی؛ ساکت؛ مبنی بر رضایت
acquirable *adj* قابل حصول
acquire /ə'kwaɪə(r)/ *vt* به‌دست آوردن، حاصل کردن؛ فرا گرفتن
acquirement *n* تحصیل، اکتساب؛ هنر، فضیلت [جمع = فضایل]، کمال
acquisition /,ækwɪ'zɪʃn/ *n* تحصیل
acquisitive /ə'kwɪzətɪv/ *adj* اکتساب‌کننده، جوینده؛ اکتسابی
acquit /ə'kwɪt/ *vt* [-ted] تبرئه کردن؛ ادا کردن؛ [با oneself] حرکت کردن، رفتار کردن، از عهده برآمدن
acquittal /ə'kwɪtl/ *n* تبرئه، برائت؛ پرداخت
acquittance *n* مفاصا(نامه)؛ برائت
acre /'eɪkə(r)/ *n* جریب فرنگی [برابر با ۴۳۵۶۰ پای مربع]
 God's acre گورستان، قبرستان، مزار
acrid /'ækrɪd/ *adj* دبش، گس؛ تند، زننده
acrimonious /,ækrɪ'məʊnɪəs/ *adj* تلخ، تند
acrimony /'ækrɪmənɪ US: -məʊnɪ/ *n* تلخی، تندی، درشتی
acrobat /'ækrəbæt/ *n* بندباز؛ سیاست‌باز
acrobatics /,ækrə'bætɪks/ *n* ورزش خوبی [بدون اضافه خوانده شود]، حرکات آکروباتیک
acromion *n* [-mia] نوک شانه
acropolis /ə'krɒpəlɪs/ *n* دژ [در شهرهای قدیم یونان]
across /ə'krɒs US: ə'krɔ:s/ *prep,adv* ۱.از وسطِ؛ سرتاسرِ؛ در وسط؛ از رویِ ۲.از این سر به آن سر؛ سرتاسر، از این سو به آن سو؛ در وسط
 come across تصادف کردن با
act /ækt/ *n,vi,vt* ۱.عمل، کار، حرکت؛ پرده [در نمایش]؛ قانون؛ سند ۲.عمل کردن، حرکت کردن؛ اثر کردن؛ نمایش دادن ۳.شبیه (کسی را) درآوردن
 in the very act در حین ارتکاب عمل
 act for کفالت کردن به‌جایِ
acting /'æktɪŋ/ *apa* کفالت‌کننده؛ عامل
 acting director کفیل (اداره)
actinic(al) /æk'tɪnɪk(l)/ *adj* دارای خواص شیمیایی؛ مربوط به تابش شیمیایی؛ مربوط به اشعهٔ ماورای بنفش
action /'ækʃn/ *n* کار، عمل؛ اقدام؛ تأثیر؛ جنگ؛ (اقامه) دعوا، جریان حقوقی
 take action اقدام کردن
 in action دایر؛ مشغول‌کار؛ مشغول‌نبرد
 bring an action against someone بر علیه کسی اقامهٔ دعوی کردن
activate /'æktɪveɪt/ *vt* دارای خواص «رادیواکتیو» کردن
active /'æktɪv/ *adj* فعال، کاری، جدی؛ مؤثر؛ دایر؛ [در فعل] معلوم
 active service خدمت در جبهه
 active voice بنای معلوم، فعل معلوم
 on active service در جبهه
activity /æk'tɪvətɪ/ *n* [-ties] فعالیت، جدیت
actor /'æktə(r)/ *n* هنرپیشه
actress /'æktrɪs/ *n* [*fem of* actor]
actual /'æktʃʊəl/ *adj* واقعی، فعلی
actuality /,æktʃʊ'ælətɪ/ *n* واقعیت؛ امر واقعی
actually /'æktʃʊlɪ/ *adv* بالفعل؛ واقعاً
actuarial /,æktʃʊ'eərɪəl/ *adj* مربوط به آمارگری؛ ریاضی، آماری
actuary /'æktʃʊərɪ US: -tʃʊerɪ/ *n* آمارگر
actuate /'æktʃʊeɪt/ *vt* به‌کار انداختن، تحریک کردن
acuity /ə'kju:ətɪ/ *n* تیزی، حدّت
acumen /'ækju:men, ə'kju:mən/ *n* تیزهوشی؛ ذکاوت
acuminate /ə'kju:mənɪt,-neɪt/ *adj* نوک‌دار؛ نوک‌تیز
acute /ə'kju:t/ *adj* تیز، نوک‌تیز؛ زیرک؛ [پزشکی، هندسه] حاد، تند
acuteness *n* تیزی، حدّت
AD /,eɪ 'di:/ [anno domini] [از سال] میلادی
adage /'ædɪdʒ/ *n* ضرب‌المثل
adagio /ə'dɑ:dʒɪəʊ/ *adj,adv,It* [موسیقی] آهسته
Adam /'ædəm/ *n* آدم، حضرت آدم
 not to know one from Adam کسی را ابداً نشناختن
 Adam's ale (*or* wine) آب

Adam's apple برآمدگی گلو، جوزک، سیب حضرت آدم
adamant /'ædəmənt/ *n,adj* ۱.سنگ خارا؛ فلز سخت ۲.تسلیم نشو
adamantine *adj* سخت؛ قوی‌الاراده
adapt /ə'dæpt/ *vt* وفق دادن؛ جرح و تعدیل کردن
adaptability /ə,dæptə'bɪlətɪ/ *n* قابلیت توافق؛ قوهٔ سازگاری (با مقتضیات)؛ مناسبت
adaptable /ə'dæptəbl/ *adj* قابل وفق دادن؛ مناسب
adaptation /,ædæp'teɪʃn/ *n* توافق؛ جرح و تعدیل
add /æd/ *vt* افزودن، اضافه کردن، علاوه کردن؛ جمع کردن [گاهی با up]
addendum /ə'dendəm/ *n* [-da] ضمیمه
adder /'ædə(r)/ *n* افعی بی‌زهر امریکایی
addict /'ædɪkt/ *vt* خو دادن، عادت دادن
addict oneself عادت کردن
addict /'ædɪkt/ *n* شخص معتاد
opium addict شخص تریاکی یا عملی
addicted /ə'dɪktɪd/ *ppa* آموخته، معتاد
addiction /ə'dɪkʃn/ *n* آموختگی، اعتیاد؛ تمایل
Addison's disease
ناخوشی ادیسون [حالت مرضی در غدهٔ کلیوی که بیشتر بر اثر سل پیدا می‌شود]
addition /ə'dɪʃn/ *n* جمع، افزایش، اضافه؛ الحاق؛ ضمیمه
in addition to علاوه بر
additional /ə'dɪʃənl/ *adi* اضافی
addle /'ædl/ *adj,v* ۱.گندیده، ضایع، لق ۲.ضایع کردن یا شدن
addle-brained *adj* ابله، تهی‌مغز؛ گیج
address /ə'dres/ *vt* مخاطب ساختن
address a letter ۱.نامه‌ای را فرستادن ۲.نشانی روی نامه‌ای نوشتن
address oneself اشتغال ورزید
address /ə'dres US: 'ædres/ *n* نشانی، عنوان؛ خطابه؛ طرز خطاب؛ حسن معاشرت
pay one's addresses to someone
طلب همسری با کسی کردن
addressee /,ædre'si:/ *n* مخاطب؛ گیرندهٔ نامه
adduce /ə'dju:s US: ə'du:s/ *vt* اقامه کردن؛ ایراد کردن
adduce witnesses شاهد آوردن
adducent *adj* نزدیک‌کننده [در عضلات]
adenitis *n* التهاب غدّه
adenoids /'ædɪnɔɪdz US: -dən-/ *n*
(ورم) لوزهٔ سوم
adenoma /,æd'nəʊmə/ *n* بزرگ‌شدگیِ غدّه
adept /'ædept, ə'dept/ *adj* زبردست، ماهر، استاد
adequacy /'ædɪkwəsɪ/ *n* کفایت؛ مناسبت
adequate /'ædɪkwət/ *adj* کافی؛ مناسب
adequately *adv* به‌قدر کافی
adhere /əd'hɪə(r)/ *vi* چسبیدن؛ هواخواه بودن
adherence /əd'hɪərəns/ *n* هواخواهی، پیوستگی
adherent /əd'hɪərənt/ *adj,n* هواخواه
adhesion /əd'hi:ʒn/ *n* التصاق؛ چسبندگی؛ پیوستگی
adhesive /əd'hi:sɪv/ *adj* چسبنده
adieu /ə'dju: US: ə'du:/ *Fr,n* [-dieus *or* -dieux] بدرود، خداحافظی
make (*or* take) adieux خداحافظی کردن
adieu /ə'dju: US: ə'du:/ *Fr,int* خداحافظ
ad infinitum /,æd ,ɪnfɪ'naɪtəm/ *L* بی‌نهایت؛ تا نهایت
adipose /'ædɪpəʊs/ *adj,n* ۱.چرب، پیه‌دار، شحمی ۲.چربی حیوانی
adiposity /,ædɪ'pɒsətɪ/ *n* چربی؛ چاقی
adit /'ædɪt/ *n* مدخل، راه، راهرو
aditus /'ædɪtəs/ *n* مدخل، راه
adjacence /ə'dʒeɪsns/ *n* نزدیک، مجاورت، جوار
adjacent /ə'dʒeɪsnt/ *adj* نزدیک، مجاور، همسایه
adjacent to my house نزدیک خانهٔ من
adjectival /,ædʒek'taɪvl/ *adj*
[دستورزبان] صفتی
adjective /'ædʒɪktɪv/ *n* صفت
adjoin /ə'dʒɔɪn/ *vt* متصل کردن؛ متصل بودن به
adjoining *apa* مجاور، متصل
adjourn /ə'dʒɜ:n/ *v*
(صحبت را) به وقت دیگر موکول کردن
adjourn to another place *Col*
به جای دیگر رفتن و صحبت را در آنجا ادامه دادن
adjournment *n* تعطیل موقتی؛ خاتمه
adjudge /ə'dʒʌdʒ/ *vt* فتوا دادن در؛ مقرر داشتن بر؛ محکوم کردن
adjudged to pay محکوم به دادنِ
adjudgment *n* فتوا
adjudicate /ə'dʒu:dɪkeɪt/ *v*
فتوا دادن (در) داوری یا احقاق حق کردن

adjudication /ə,dʒu:dɪ'keɪʃn/ *n* احقاق حق
adjunct /'ædʒʌŋkt/ *n* معین، چیز فرعی، چیز الحاقی
adjure /ə'dʒʊə(r)/ *vt* سوگند دادن، قسم دادن؛ لابه کردن به
adjust /ə'dʒʌst/ *vt* تعدیل کردن، میزان کردن
adjustable /ə'dʒʌstəbl/ *adj* قابل تعدیل؛ درجه‌دار
adjustment *n* تعدیل؛ تطبیق
in adjustment درست، میزان، مرتب
out of adjustment نادرست، ناموزون، غلط
adjutancy /'ædʒʊtəncɪ/ *n* آجودانی
adjutant /'ædʒʊtənt/ *n* آجودان، معین
adjuvant /'ædʒəvənt/ *n* کمک دارو
administer /əd'mɪnɪstə(r)/ *vt,vi* ۱.اداره کردن؛ دادن (سوگند) ۲.کمک کردن
administer justice عدالت کردن
administration /əd,mɪnɪ'streɪʃn/ *n* اداره؛ اجرا
administrative /əd'mɪnɪstreɪtɪv US: -streɪtɪv/ *adj* اداری
administrator /əd'mɪnɪstreɪtə(r)/ *n* مدیر؛ رئیس
administratorship *n* مدیریت
administratrix /æd,mɪnɪ'streɪtrɪks, ,ædmɪnɪ-/ *n* [*fem of* administrator; *pl* -trices] مدیره؛ رئیسه
admirable /'ædmərəbl/ *adj* پسندیده، قابل تحسین؛ شگفت‌انگیز
admirably /'ædmərəblɪ/ *adv* به‌طور پسندیده؛ به خوبی
admiral /'ædmərəl/ *n* دریاسالار
real admiral دریادار
vice admiral دریابان
admiralty /'ædmərəltɪ/ *n* ادارهٔ نیروی دریایی؛ (ادارهٔ) دریا سالاری
admiralty-metal /ædmərəltɪ 'metl/ *n* مـفرغ
admiration /,ædmə'reɪʃn/ *n* پسند، تحسین؛ شگفت
be filled with admiration حظ کردن، تحسین کردن، در شگفت شدن
admire /əd'maɪə(r)/ *vt* پسندیدن، تحسین کردن، حظ کردن (از)؛ مرید (چیزی) بودن، ارادت (به چیزی) ورزیدن
admire *(vi)* **at** درشگفت شدن از
admiringly *adv* با تحسین و شگفت

admissibility /əd,mɪsə'bɪlətɪ/ *n* پذیرفتگی، قابل قبول بودن؛ روا بودن، مجاز بودن
admissible /əd'mɪsəbl/ *adj* قابل قبول؛ روا، مجاز
admission /əd'mɪʃn/ *n* دخول؛ اجازهٔ ورود؛ قبول، تصدیق؛ اعتراف
admit /əd'mɪt/ *vt* [-ted] پذیرفتن؛ اجازهٔ دخول دادن؛ تصدیق کردن
admit of اجازه دادن؛ روا دانستن
This does not admit of negligence
در این کار غفلت روا نیست
admittance /əd'mɪtns/ *n* (اجازهٔ) ورود
admittedly /əd'mɪtɪdlɪ/ *adv* مسلماً
admonish /əd'mɒnɪʃ/ *vt* نصیحت کردن
admonition /,ædmə'nɪʃn/ *n* نصیحت؛ اخطار؛ تنبیه
admonitory /əd'mɒnɪtrɪ US: -tɔ:rɪ/ *adj* نصیحت‌آمیز؛ توبیخی
ado /ə'du:/ *n* دردسر؛ هیاهو
adolescence /,ædə'lesns/ *n* دورهٔ جوانی، بلوغ
adolescent /,ædə'lesnt/ *adj,n* بالغ، جوان
adopt /ə'dɒpt/ *vt* قبول کردن، پذیرفتن، اختیار یا اتخاذ کردن، اقتباس کردن
adopted son پسرخوانده
He adopted her as his own child.
او را به فرزندی قبول کرد.
adoption /ə'dɒpʃn/ *n* اختیار، اتخاذ، قبول؛ اقتباس؛ فرزندخواندگی، تبنیّ
adorable /ə'dɔ:rəbl/ *adj* شایانِ ستایش، قابل پرستش؛ دلپذیر
adoration /,ædə'reɪʃn/ *n* ستایش؛ عشق‌ورزی
adore /ə'dɔ:(r)/ *vt* پرستیدن؛ دوست داشتن
adorn /ə'dɔ:n/ *vt* آرایش دادن، زینت دادن
adornment *n* آرایش؛ زینت
adrenal /ə'dri:nl/ *adj* روی گرده؛ نزدیک گُرده
adrift /ə'drɪft/ *adj,adv* ول در روی آب؛ دستخوش مقتضیات یا پیشامد
turn adrift بی‌پول روانه کردن، به امان خدا (یا پیشامد) واگذار کردن
adroit /ə'drɔɪt/ *adj* زرنگ،زیرک،ماهر
adulate /'ædjʊleɪt/ *vt* چاپلوسانه ستودن
adulation /,ædjʊ'leɪʃn US: ,ædʒʊ'l-/ *n* ستایش چاپلوسانه
adulator *n* [*fem* adulatress] مداح (متملق)، چاپلوس
adult /'ædʌlt,ə'dʌlt/ *adj* سالمند،بالغ

adult age سن بلوغ
adulterate /ə'dʌltəreɪt/ *vt* جا زدن؛ تحریف کردن
adulterate /ə'dʌltəreɪt/ *adj* جازده، قلب؛ حرامزاده
adulteration /əˌdʌltə'reɪʃn/ *n* دغل‌سازی، جا زدن؛ تحریف؛ چیز جازده
adulterer /ə'dʌltərə(r)/ *n* زانی، مرد زناکار
adulteress /ə'dʌltərɪs/ *n* [*fem of* adulterer] زن زناکار، زانیه
adulterine *adj* حرامزاده؛ ناشی از زنا؛ تقلبی
adulterous /ə'dʌltərəs/ *adj* زناکار؛ مربوط به زنا
adultery /ə'dʌltərɪ/ *n* زنای محصن یا محصنه؛ بی‌وفایی؛ بی‌عفتی
commit adultery زنا کردن؛ زنا دادن
advalorem /ˌæd və'lɔ:rəm/ *L* از روی بها
advance /əd'vɑ:ns US: -'væns/ *vt,vi,n* ۱.جلو بردن؛ ترقی دادن؛ اقامه کردن؛ اظهار کردن؛ مساعده دادن ۲.پیش رفتن؛ ترقی کردن ۳.پیش‌پرداخت، مساعده؛ ترقی
make advances پیشنهاد آشتی دادن
make an advance مساعده دادن
advance money پیش‌پرداخت، مساعده
in advance پیشاپیش، به‌طور مساعده
advanced /əd'vɑ:nsd US: -'vænsd/ *ppa* پیشرفته؛ ترقی‌کرده
advanced in years سالخورده
advance-guard /ædvæns 'gɑ:d/ *n* جلودار
advancement /əd'vɑ:nsmənt US: -'vænsmənt/ *n* پیشرفت؛ ترویج
advantage /əd'vɑ:ntɪdʒ US: -'væn-/ *n* سود، صرفه؛ استفاده؛ مزیت، تفوّق
take advantage of استفاده کردن از؛ اغفال کردن
of no advantage بی‌فایده، بی‌مصرف
to advantage سودمندانه؛ به خوبی
You have the advantage of me.
سرکار بنده را می‌شناسید ولی بنده سرکار را به جا نمی‌آورم.
turn to advantage به‌صرفه نزدیک کردن
advantageous /ˌædvən'teɪdʒəs/ *adj* سودمند، نافع، مفید؛ باصرفه، مقرون به صرفه
advent /'ædvənt/ *n* ظهور، آمدن، ورود
adventure /əd'ventʃə(r)/ *n,vt,vi* ۱.سرگذشت؛ مخاطره؛ ماجراجویی ۲.درمعرض مخاطره گذاشتن ۳.خود را به مخاطره انداختن
adventurer *n* اهل تشبث؛ ماجراجو

adventurous /əd'ventʃərɪs/ *adj* پرحادثه، مخاطره‌آمیز؛ دلیر، ماجراجو
adverb /'ædvɜ:b/ *n* قید، ظرف، معینِ فعل
adverb of place ظرف مکان
adverb of time ظرف زمان
adverbial /æd'vɜ:bɪəl/ *adj* قیدی، ظرفی
adversary /'ædvəsərɪ US: -serɪ/ *n* دشمن؛ رقیب
adverse /'ædvɜ:s/ *adj* مخالف، مغایر؛ زیان‌آور
adverse to مخالفِ، مخالف با
adversely *adv* به‌طور مخالف، بد
adversity /əd'vɜ:sətɪ/ *n* بدبختی، روز بد
advert /'ædvɜ:t/ *vi* عطف کردن، توجه کردن
advertise /'ædvətaɪz/ *v* آگهی دادن، با آگهی معرفی کردن
advertisement /əd'vɜ:tɪsmənt US: ˌædvər'taɪzmənt/ *n* آگهی، اعلان، خبر
advice /əd'vaɪs/ *n* صوابدید؛ پند؛ آگاهی
legal advice مشورت یا نظر قضایی
advisable /əd'vaɪzəbl/ *adj* مقتضی، مصلحت(آمیز)
advise /əd'vaɪz/ *vt* آگاهی دادن؛ مشورت دادن، توصیه یا تجویز کردن
advised *adj* سنجیده؛ عاقلانه
Be advised by me! سخن مرا بپذیرید!
adviser,-sor *n* مشاور، رایزن
advisory /əd'vaɪzərɪ/ *adj* مشورت‌آمیز؛ مشاور (پیشه)
advocacy /'ædvəkəsɪ/ *n* حمایت، طرفداری، دفاع
advocate /'ædvəkət/ *n* وکیل، مدافع
advocate for peace طرفدارِ صلح
advocate /'ædvəkeɪt/ *vt* حمایت کردن (از)
adynamia /ˌædə'neɪmi:ə/ *n* بی‌بنیگی و ضعف مفرط
adz(e) /ædz/ *n,vt* ۱.تیشه ۲.تیشه زدن، با تیشه صاف کردن
aegis /'i:dʒɪs/ *n* سپر؛ حمایت
aeon /'i:ən/ *n* (قرن) ابدیت؛ زمان لایتناهی؛ قوهٔ ازلی
aerate /'eəreɪt/ *vt* هوا دادن؛ گازدار کردن
aerial /'eərɪəl/ *adj,n* ۱.هوایی؛ بادی؛ پوچ؛ رقیق ۲.آنتن
aerial railway (*or* ropeway) سیم نقاله
aerify /'eərəfaɪ,eɪ'i:r-/ *vt* تبدیل به‌هوا یا گاز کردن
aerodrome /'eərədrəʊm/ *n* فرودگاه (هواپیما)

aerogram /'eərə,græm/ *n* مخابرهٔ بی‌سیم
aeronaut /,eərə'nɔ:t/ *n* هوانورد
aeronautic(al) /,eərə'nɔ:tɪk(l)/ *adj* مربوط به هوانوردی
aeronautics /,eərə'nɔ:tɪks/ *n* علم هوانوردی
aeroplane /'eərəpleɪn/ *n* هواپیما
aesthetic(al) /i:s'θetɪk(l)/ *adj* وابسته به زیبایی‌شناسی؛ دارای ذوق زیبایی
aesthetics *n* زیبایی‌شناسی
aestival /'i:stəvəl,i:'staɪvəl US: 'estəvəl, staɪvəl/ *adj,n* تابستانی
aestivate /'i:stəveɪt US: 'esteveɪt/ *vi* تابستان را به‌سر بردن
aetiology /,i:tɪ'ɒlədʒɪ/ *n* علت(شناسی)
afar /ə'fɑ:(r)/ *adv* (از) دور، دورا دور
affability /,æfə'bɪlətɪ/ *n* دلجویی، مهربانی
affable /'æfəbl/ *adj* مهربان، دلجو
affair /ə'feə(r)/ *n* امر، کار، مطلب، موضوع
affair of honour جنگ تن به تن
affect /ə'fekt/ *vt* تأثیر کردن بر؛ به خود بستن، بهانه کردن؛ مبتلا کردن
affect ignorance خود را به نادانی زدن
affected with دچار، مبتلا به
affectation /,æfek'teɪʃn/ *n* تظاهر؛ ناز
affection /ə'fekʃn/ *n* محبت؛ تأثیر؛ ابتلا
affectionate /ə'fekʃənət/ *adj* با محبت
afferent /'æfərənt/ *adj* به‌داخل برنده، به‌مرکز رساننده
affiance /ə'faɪəns/ *n* اطمینان؛ نامزدی
affianced *ppa* نامزد (شده)
affidavit /,æfɪ'deɪvɪt/ *n* اقرارنامه؛ سوگندنامه
affiliate /ə'fɪlɪeɪt/ *vt* مربوط ساختن، آشنا کردن؛ به عضویت پذیرفتن؛ به فرزندی منسوب کردن
affiliate oneself to (*or* with) a society خود را به انجمنی پیوستن
affiliation /ə,fɪlɪ'eɪʃn/ *n* تعیین نسب؛ پیوستگی؛ قبول
affinity /ə'fɪnətɪ/ *n* قرابت سببی؛ میلِ ترکیبی؛ وابستگی، نزدیکی
affirm /ə'fɜ:m/ *vt* به‌طور قطع اظهار کردن؛ تصدیق یا اثبات کردن
affirmation /,æfə'meɪʃn/ *n* اظهار مثبت؛ اثبات
affirmative /ə'fɜ:mətɪv/ *adj,n* ۱.مثبت؛ موجب ۲.طرف مثبت؛ کلمهٔ اثبات
answer in the affirmative پاسخ مثبت دادن، «بله» گفتن

affix /ə'fɪks/ *vt* ضمیمه کردن؛ چسباندن
affix one's seal to مهر کردن
affix one's signature to امضا کردن
affix /'æfɪks/ *n* لفظ معنی[اعم از پیشوند یا پسوند]
afflict /ə'flɪkt/ *vt* غمگین کردن؛ رنجور کردن
afflicted *ppa* محنت‌زده؛ مبتلا
affliction /ə'flɪkʃn/ *n* محنت، غمزدگی
afflictive /ə'flɪktɪv/ *adj* مصیبت‌آمیز، سخت؛ (در مجازات) ترهیبی
affluence /'æflʊəns/ *n* وفور (نعمت)؛ ریزش
affluent /'æflʊənt/ *adj,n* ۱.ریزنده، جاری؛ فراوان ۲.شاخهٔ رود، رود فرعی
afflux /'æflʌks/ *n* ریزش، جریان؛ انبوهی
afford /ə'fɔ:d/ *vt* دادن؛ تهیه کردن؛ از عهدهٔ ... برآمدن
I cannot afford to buy that. استطاعت خرید آنرا ندارم.
afforest /ə'fɒrɪst US: ə'fɔ:r-/ *vt* (تبدیل به) جنگل کردن
affranchise /ə'fræntʃaɪz/ *vt* آزاد کردن؛ معاف کردن
affray /ə'freɪ/ *n* نزاع (در شارع عام)
affright /ə'fraɪt/ *vt,n* ۱.ترساندن ۲.ترس، وحشت
affront /ə'frʌnt/ *n* توهین
put an affront upon (*or* offer an affront to) توهین کردن به
affrontive *adj* توهین‌آمیز
Afghan /'æfgæn/ *n* افغانی
afield /ə'fi:ld/ *adv* به صحرا؛ دور (از میهن)
afire /ə'faɪə(r)/ *adj,adv* در آتش، در حریق
aflame /ə'fleɪm/ *adj,adv* مشتعل، سوزان
afloat /ə'fləʊt/ *adj,adv* شناور؛ آب گرفته؛ در کشتی؛ شایع
life afloat زندگی ملوانی، زندگی در دریا
à fond /ə 'fɔ:n/ *Fr* کاملاً، به‌طور عمیق
afoot /ə'fʊt/ *adj,adv* سرپا، قادر به حرکت؛ دایر، در جریان
set afoot به جریان انداختن، دایر کردن
aforegoing *adj* پیش (رفته)، سابق
aforementioned /ə,fɔ:'menʃənd/ = aforesaid
aforenamed /əfɔ:'neɪmd/ *adj* نامبرده در پیش
aforesaid /ə'fɔ:sed/ *adj* مذکور (در پیش)
aforethought /ə'fɔ:θɔ:t/ *adj* عمدی
a fortiori /,eɪ ,fɔ:tɪ'ɔ:raɪ/ *L* به طریق اولی
afoul /ə'faʊl/ *adj,adv* به هم خورده

run afoul of تصادم کردن با
afraid /ə'freɪd/ *adj* ترسان
He is afraid of me از من می‌ترسد
I am afraid to go می‌ترسم بروم
I am afraid I cannot go متأسفانه باید بگویم که نمی‌توانم بروم
afresh /ə'freʃ/ *adv* از نو؛ مجدداً
African /'æfrɪkən/ *adj,n* افریقایی
aft /ɑ:ft US: æft/ *adv* در عقب کشتی
after /'ɑ:ftə(r) US: 'æf-/ *prep* بعد از؛ در عقبِ؛ در پیِ؛ از رویِ، مطابقِ
He was named after... نام ... را روی او گذاشتند
the day after tomorrow پس فردا
day after day روز به روز، هر روز
ask after جویای حال (کسی) شدن؛ سراغ از (کسی) گرفتن
after all عاقبت؛ روی هم رفته
after /'ɑ:ftə(r) US: 'æf-/ *adv* پس از آن؛ بعدها
long after مدتها پس از آن
soon after طولی نکشید که
after /'ɑ:ftə(r) US: 'æf-/ *conj* پس از آنکه، بعد از آنکه
after /'ɑ:ftə(r) US: 'æf-/ *adj* آینده، بعد؛ عقبی، پسین
the day after روز بعد، روز دیگر
aftermath /'ɑ:ftəmæθ, -mɑ:θ/ *n* چین دوم؛ نتیجه
afternoon /ˌɑ:ftə'nu:n US: ˌæf-/ *n* بعدازظهر، عصر
this afternoon امروز عصر، امروز بعدازظهر
Good afternoon! عصر (شما) بخیر!
afterthought /'æftəˌθɔ:t,'ɑ:f-/ *n* اندیشهٔ بعدی، فکر کاهل؛ چاره‌اندیشی پس از انجام کار
afterward(s) /'ɑ:ftəwədz US: 'æf-/ *adv* بعد از آن، سپس
again /ə'gen,ə'geɪn/ *adv* دوباره، باز
now and again گاهگاهی
as much again دو چندان
against /ə'genst, ə'geɪnst/ *prep* برضدِ، برعلیهِ، در برابرِ؛ به؛ روبرویِ، مقابلِ
strike against خوردن به
I was standing with my back against the wall. پشت به دیوار ایستاده‌بودم.
run (up) against تصادف کردن با
agape /ə'geɪp/ *adj,adv* مبهوت؛ با دهنِ باز
agate /'ægət/ *n* عقیق
age /eɪdʒ/ *n* سن؛ روزگار، عصر
at the age of 9 در سن ۹ سالگی
old age پیری، سالخوردگی
(come) of age بالغ (شدن)
under age خردسال، نابالغ، صغیر
aged /'eɪdʒɪd/ *adj* پیر، مسن
aged 4 ۴ ساله
agelong /'eɪdʒlɔ:ŋ/ *adj* دایمی؛ عصری
agency /'eɪdʒənsɪ/ *n* کارگزاری؛ نمایندگی؛ خبرگزاری؛ وسیله
through the agency of توسّطِ، به‌وسیلهٔ
Financial Agency ادارهٔ دارایی
agenda /ə'dʒendə/ *n* [*pl of* agendum] دستورجلسه، مواد مورد بحث
agent /'eɪdʒənt/ *n* عامل؛ نماینده، کارگزار؛ وکیل؛ واسطه؛ فاعل
free agent فاعل مختار
agglomerate /ə'glɒməreɪt/ *v* متراکم ساختن یا شدن
aggrandize /ə'grændaɪz/ *vt,vi* ۱.بزرگ(تر) کردن ۲.بزرگ(تر) شدن
aggravate /'ægrəveɪt/ *vt* بدتر کردن؛ شدید(تر) کردن
aggravation /ˌægrə'veɪʃn/ *n* تشدید؛ وخامت
aggregate /'ægrɪgeɪt/ *v* جمع کردن (یا شدن)؛ بالغ شدن (به)
aggregate /'ægrɪgət/ *adj,n* ۱.جمع شده ۲.انبوه، تراکم؛ مجموع؛ خرده‌سنگ [در بتون‌سازی]
in the aggregate روی هم‌رفته، به‌طور کلی
aggregation /ˌægrɪ'geɪʃn/ *n* اجماع؛ اجتماع
aggression /ə'greʃn/ *n* تجاوز، تخطی، درازدستی؛ حمله
aggressive /ə'gresɪv/ *adj* تجاوزی؛ مهاجم، تجاوزکار
aggressor /ə'gresə(r)/ *n* تجاوزکار
aggrieved /ə'gri:vd/ *ppa* آزرده؛ غمگین؛ محنت‌رسیده؛ ستمدیده
aghast /ə'gɑ:st US: ə'gæst/ *adj* مبهوت
agile /'ædʒail US: 'ædʒl/ *adj* چابک، زرنگ، جَلد
agility /ə'dʒɪlətɪ/ *n* چابکی، جَلدی
agio /'ædʒi:ˌəʊ/ *n* صَرفِ پول، توفیر کسر پول
agiotage /'ædʒi:ətɪdʒ/ *n* صرافی؛ دلالی برات؛ معاملات احتکاری بروات
agitate /'ædʒɪteɪt/ *vt* مضطرب کردن
agitation /ˌædʒɪ'teɪʃn/ *n* آشفتگی؛ هیجان
agitator /'ædʒɪteɪtə(r)/ *n* آشوبگر
aglow /ə'gləʊ/ *adj,adv* در تاب‌وتب، در هیجان
agnail /'ægneɪl/ *n* عقربک؛ درد ناخن

agnostic /æg'nɒstɪk/ *n* کسی که معتقد است انسان نمی‌تواند معرفتی نسبت به خدا و آخرت پیدا کند
ago /ə'gəʊ/ *adj* پیش، قبل
3 days ago سه‌روز پیش، سه‌روز قبل
agog /ə'gɒg/ *adj,adv* نگران، مشتاق
agoing *adj,adv* رونده؛ در حرکت
agonize /'ægənaɪz/ *vi* به خود پیچیدن، تقلا کردن، درد کشیدن
agonizing /'ægənaɪzɪŋ/ *apa* دردناک؛ اندوهناک
agony /'ægənɪ/ *n* عذاب؛ تقلا؛ غصه
agony of death حالت نزع، احتضار
agrarian /ə'greərɪən/ *adj* زمینی
agree /ə'gri:/ *vi* موافقت کردن، موافق بودن؛ وفق داشتن؛ قرار گذاشتن، حاضر شدن؛ مطابقه کردن؛ ساختن
I agree with you با شما موافق هستم
agree to a proposal با پیشنهادی موافق بودن
Wine does not agree with me. شراب به (مزاج) من نمی‌سازد.
agreeable /ə'gri:əbl/ *adj* مطبوع؛ خوشخو؛ موافق؛ سازگار
agreeably /ə'gri:əblɪ/ *adv* به‌طور دلپذیر
agreeably to مطابقِ، موافقِ، بر حسبِ
agreement /ə'gri:mənt/ *n* موافقت، توافق، سازش؛ پیمان، قرار(داد)
come to an agreement موافقت پیدا کردن، توافق حاصل کردن
enter into an agreement پیمان بستن، قرارداد منعقد کردن
agricultural /,ægrɪ'kʌltʃərəl/ *adj* فلاحتی
agriculture /'ægrɪkʌltʃə(r)/ *n* کشاورزی، فلاحت
agrimony /'ægrə,məʊnɪ/ *n* غافَت، دوای جگر
aground /ə'graʊnd/ *adj,adv* به زمین، به گِل‌نشسته
run aground به گِل نشستن
ague /'eɪgju:/ *n* تب و لرز، تب نوبه
ah! /ɑ:/ *int* آه، وه؛ آخ؛ آه
aha! /ɑ:'hɑ:/ *int* آهاً؛ وه
ahead /ə'hed/ *adj,adv* پیش، جلو
ahead of پیش از، جلوتر از
Go ahead! ادامه بدهید، بفرمایید!
look ahead درفکر آتیه بودن
ahem /ə'həm/ *int* اهم [صدای سرفهٔ مختصر]

aid /eɪd/ *n,vt* ۱.کمک، مساعدت؛ دستیار ۲.کمک کردن
first aid station تیمارگاه
aide-de-camp /,eɪd də 'kɒm US: 'kæmp/ *n,Fr* آجودان
aide-mémoire /,eɪd mem'wɑ:(r)/ *n,Fr* یادداشت؛ خلاصهٔ مطالب عمده
ail /eɪl/ *vt* به درد آوردن
What ails him? او را چه می‌شود؟
ailment /'eɪlmənt/ *n* ناخوشی، رنجِ، درد
aim /eɪm/ *n* نشان، هدف؛ آرزو، مرام
take aim قراول رفتن
aim /eɪm/ *vt,vi* ۱.هدف قرار دادن؛ متوجه ساختن ۲.قراول رفتن
He aimed it at me. اشاره‌اش به من بود، سخنش متوجه من بود.
aimless /'eɪmlɪs/ *adj* بی‌مقصد، بی‌اراده
air /eə(r)/ *n,vt* ۱.هوا، آهنگ؛ قیافه ۲.هوا دادن؛ نمایش دادن
Air Force نیروی هوایی
put on (*or* give oneself) airs خود را گرفتن، قیافه گرفتن
be put on the air به وسیلهٔ رادیو پخش شدن
in the air شایع؛ پا در هوا
air-borne /'eəbɔ:n/ *adj* با هواپیما برده شده؛ در پرواز
air-cock /'eəkɒk/ *n* بادنما
air-conditioned /'eəkən,dɪʃnd/ *adj* دارای وسایل تصفیه یا خنک کردن هوا
air-conditioning /'eəkəndɪʃnɪŋ/ *n* تصفیه هوا
aircraft /'eəkrɑ:ft/ *n* هواپیما
aircraft-carrier /'eəkræft kærɪə(r)/ *n* هواپیمابر
aircraftman /'eəkrɑ:ftmən/ *n* درجه‌دار [در نیروی هوایی]
air-cushion /'eəkʊʃn/ *n* تشک بادی
air-drain /'eədreɪn/ *n* گربه‌رو، ناه‌کش
air drome /'eədreʊm/ = aerodrome
air-gun /'eəgʌn/ *n* تفنگ بادی
air-hole /'eəhəʊl/ *n* منفذ؛ بادگیر؛ چاه هوایی
airiness /'eəri:nɪs/ *n* خودنمایی؛ نشاط
airing /'eərɪŋ/ *n* هواخوری؛ باد دادن
air-lift /'eəlɪft/ *n* باربری هوایی
air-line /'eəlaɪn/ *n* خط مستقیم، خط هوایی
air-mail /'eəmeɪl/ *n* پست هوایی
airman /'eəmən/ *n* [-men] خلبان

air-plane /'eəpleɪn/ = aeroplane
air-pocket /'eəpɒkɪt/ *n* چاه هوایی
air-port /'eəpɔːt; -pɔːt/ *n* ایستگاه هوایی، فرودگاه
air-pump /'eəpʌmp/ *n* تلمبهٔ باد خالی‌کن؛ پمپ باد
air-ship /'eəʃɪp/ *n* کشتی هوایی
air-tight /'eətaɪt/ *adj* مانع دخول هوا، کیپ
air-trap /'eətræp/ *n* سرپوش چاهک؛ بادگیر
airway /'eəweɪ/ *n* مسیر هواپیما؛ شرکتِ هواپیمایی
airworthy /'eəwɜːðɪ/ *adj* قابل پرواز
airy /'eərɪ/ *adj* هوایی؛ خوش‌هوا؛ سبُک؛ با روح؛ ظریف؛ پوچ؛ خودنما
aisle /aɪl/ *n* راهرو؛ کنار، جناح
ajar /ə'dʒɑː(r)/ *adj,adv* نیم باز
akimbo /ə'kɪmbəʊ/ *adv* دو دست بر کمر و آرنج‌ها بیرون
with arms akimbo = akimbo
akin /ə'kɪn/ *adj* منسوب؛ همجنس
alabaster /'æləbɑːstə(r) US: -bæs-/ *n* مرمر سفید
à la carte /ˌɑː lɑː 'kɑːt/ *Fr* باحق انتخاب و سفارش غذا از روی صورت
alacrity /ə'lækrətɪ/ *n* بشاشت و آمادگی
à la mode /ˌɑː lɑː 'məʊd/ *Fr* طبق مد یا رسم متداول
alarm /ə'lɑːm/ *n,vt* ۱.آژیر؛ شیپور حاضرباش؛ هراس؛ شماطهٔ ساعت ۲.از خطر آگاهانیدن
alarm-bell /ə'lɑːm bel/ *n* زنگ (اخبار) خطر
alarm-clock/ə'lɑːm klɒk/ *n* ساعت شماطه‌ای
alas /ə'læs/ *int* افسوس، آه
albatross /'ælbətrɒs US: -trɔːs/ *n* نوعی مرغ دریایی
albeit /ˌɔːl'biːɪt/ = although
Albert chain /'ælbət tʃeɪn/ زنجیر ساعت جیبی
albino /æl'biːnəʊ US: -'baɪ-/ *n* زال، آدم مو سفید
album /'ælbəm/ *n* آلبوم
albumen /'ælbjʊmɪn US: æl'bjuːmən/ *n* سفیدهٔ تخم‌مرغ
albumin /'ælbjʊmɪn US: æl'bjuːmɪn/ *n* آلبومین
albuminous *adj* آلبومینی
alchemy /'ælkəmɪ/ *n* علم کیمیا
alcohol /'ælkəhɒl US: -hɔːl/ *n* الکل
alcoholic /ˌælkə'hɒlɪk US:-'hɔːl/ *adj* الکلی
alcove /'ælkəʊv/ *n* شاه‌نشین؛ آلاچیق
alder /'ɔːldə(r)/ *n* [گیاه‌شناسی] توسه، توسکا
alderman /'ɔːldəmən/ *n* [-men] عضو انجمن شهرداری
ale /eɪl/ *n* آبجو انگلیسی
alembic /ə'lembɪk/ *n* انبیق
alert /ə'lɜːt/ *adj,n* ۱.هوشیار، گوش به زنگ ۲.نشان خطر؛ آژیر
on the alert مواظب، گوش به زنگ
alfalfa /æl'fælfə/ *n* یونجه
alfresco /æl'freskəʊ/ *adj,adv* در هوای آزاد
alga /'ælgə/ *n* جلبک
algebra /'ældʒɪbrə/ *n* جبر و مقابله
algebraic(al) /ˌældʒɪ'breɪɪk(l)/ *adj* جبری
algesia /æl'dʒiːziːə,-siːə/ *n* حساسیت زیاد نسبت به درد
alias /'eɪlɪəs/ *adv,n* ۱.در موارد دیگر؛ طور دیگر ۲.نام دیگر، نام عاریتی
alibi/'ælɪbaɪ/ *n,adv* ۱.غیبت از محل وقوع جرم ۲.جای دیگر
alien /'eɪlɪən/ *adj,n* بیگانه، اجنبی
alien to the purpose مخالف منظور
alienable *adj* قابل انتقال
alienate /'eɪlɪəheɪt/ *vt* واگذار کردن، انتقال دادن؛ بیزار کردن؛ بیگانه کردن
alienate /'eɪlɪəneɪt/ *adj* واگذارشده؛ برگردانده؛ برده(شده)، خراب (شده)
alienation /ˌeɪlɪə'neɪʃn/ *n* انتقال؛ بیگانگی
mental alienation دیوانگی
alight /e'laɪt/ *vi,adj* ۱.پایین آمدن؛ فرود آمدن ۲.روشن؛ شعله‌ور؛ سوزان؛ بشاش
alight on one's feet از خطر دررفتن، قِسِر در رفتن، سالم جَستن
align /ə'laɪn/ *vt,vi* ۱.در صف آوردن ۲.در صف آمدن
alignment *n* صف(بندی)؛ مسیر
alike /ə'laɪk/ *adj,adv* ۱.مانند هم، شبیه، یکسان ۲.یکجور، به‌تساوی؛ یکجا
aliment /'ælәmәnt/ *n* قوت، غذا؛ رزق
alimentary /ˌælɪ'mentərɪ/ *adj* مربوط به تغذیه
alimentation /ˌæləmen'teɪʃn/ *n* تغذیه؛ خواربار
alimony /'ælɪmənɪ US: -məʊnɪ/ *n* خرجی، نفقه
aliquant /'æləkwənt/ *adj* [ریاضیات] باقی‌آورنده

aliquant part عددی که عدد دیگر را عاد نمی‌کند
aliquot part /'æləkwət pɑ:t/ [ریاضیات] عاد
alive /ə'laɪv/ *adj* زنده؛ روشن؛ حساس
be alive to نسبت به (چیزی) حساس بودن، درک کردن
alizarin(e) /ə'lɪzərɪn/ *n* روناس؛ رنگ روناس
alkalescent /ælkə'lesənt/ *adj* دارای خاصیت قلیایی
alkali /'ælkəlaɪ/ *n* قلیا
alkaline /'ælkəlaɪn/ *adj* قلیایی
all /ɔ:l/ *adj,n,adv* ۱.همه، همهٔ، تمام؛ هر، هر گونه ۲.همگی؛ همه چیز ۳.تماماً، به کلّی
All Fools' Day [روز اول آوریل] روز شوخی
for all that با همهٔ این حرفها
all day long در تمام روز
all in all روی هم رفته
all who همهٔ آنهایی که، همهٔ کسانی که
All I know. آنچه (یا هرچه) من می‌دانم.
be all ears سراپا گوش بودن
That is all. همین است، همین بود.
in all روی هم، جمعاً
one and all همه با هم
at all ابداً، به هیچ وجه
all over سرتاسر، سراسر، به‌کلی
all right بسیار خوب؛ سالم، تندرست
all at once ناگهان، غفلتاً
all the better چه بهتر
for good and all به‌طور قطعی، برای همیشه
Not at all! [در جواب سپاسگزاری] قابل نبود، چیزی نیست، بفرمایید!
allay /ə'leɪ/ *vt* تخفیف دادن، آرام کردن
allegation /,ælɪ'geɪʃn/ *n* اظهار محض، ادعا
allege /ə'ledʒ/ *vt* (بی‌دلیل) اظهار کردن
allegiance /ə'li:dʒəns/ *n* بیعت، وفاداری
allegoric(al) /,ælɪ'gɒrɪk(l) US: ,ælɪ'gɔ:rək(l)/ *adj* رمزی، تمثیلی
allegory /'ælɪgərɪ US: -gɔ:rɪ/ *n* حکایت به طریق تمثیل، مَثَل
allegro /ə'leɪgrəʊ/ *adj,adv,It* [موسیقی] تند
allergy /'ælədʒɪ/ *n* حساسیت مفرط بدن نسبت به بعضی اجسام خارجی
alleviate /ə'li:vɪeɪt/ *vt* سبک کردن
alleviation /ə,li:vɪ'eɪʃn/ *n* تسکین، تخفیف
alleviative /ə'li:vɪeɪtɪv/ *adj,n* ۱.مُسکن ۲.داروی مُسکن
alley /'ælɪ/ *n* کوچه، راهرو
alliance /ə'laɪəns/ *n* اتفاق
in alliance متفق
allied /æ'laɪd, 'ælaɪd/ *ppa* [*pp of* ally] پیوسته، متفق؛ وابسته، منسوب
alligator /'ælɪgeɪtə(r)/ *n* نهنگ [امریکا]
all-in /,ɔ:l'ɪn/ *adj* شامل همه چیز، جامع
all-in-all *adj* گرامی، محبوب
alliteration /ə,lɪtə'reɪʃn/ *n* معلّی، تجانس آوایی
allocate /'æləkeɪt/ *vt* اختصاص دادن
allocation /,ælə'keɪʃn/ *n* اختصاص؛ بخش
allocution /ælə'kju:ʃn/ *n* خطابه؛ اندرز
allot /ə'lɒt/ *vt* [-ted] تخصیص دادن
allotment *n* تقسیم؛ تخصیص
all-out /'ɔ:laʊt/ *adv,Col* با تمام نیرو، با شتاب هرچه بیشتر
allow /ə'laʊ/ *vt,vi* ۱.اجازه دادن؛ جایز شمردن؛ منظور کردن؛ مرخصی دادن ۲.چیزی منظور کردن یا کم کردن
allowable /ə'laʊəbl/ *adj* روا، جایز
allowance /ə'laʊəns/ *n* فوق‌العاده
make allowance منظور کردن
alloy /'ælɔɪ,ə'lɔɪ/ *n,vt* ۱.بار، عیار؛ فلز مرکب ۲.عیار زدن، آمیختن
all-round /,ɔ:l'raʊnd/ *adj* همه‌فن‌حریف، همه‌کاره
allspice /'ɔ:lspaɪs/ *n* فلفل فرنگی شیرین
allude /ə'lu:d/ *vi* اشاره کردن
allure /ə'lʊə(r)/ *vt,n* ۱.به طمع انداختن ۲.کشش
allurement *n* تطمیع، اغوا
allusion /ə'lu:ʒn/ *n* اشاره؛ تلمیح
allusive /ə'lu:sɪv/ *adj* اشاره‌کننده
alluvial /ə'lu:vɪəl/ *adj* رسوبی
alluvium /ə'lu:vi:əm/ *n* آبرُفت
ally /ə'laɪ/ *vt,vi* ۱.متحد یا متفق کردن ۲.متفق یا متحد شدن
ally /'ælaɪ/ *n* هم‌پیمان، متفق
Alma Mater /ælmə 'mɑ:tə(r)/ *n* آموزشگاهی که شخص در آن پرورش یافته است
almanac /'ɔ:lmənæk US: 'æl-/ *adj* سالنامه، تقویم نجومی
almighty /ɔ:l'maɪtɪ/ *adj* قادر مطلق
almond /'ɑ:mənd/ *n* بادام
almost /'ɔ:lməʊst/ *adv* تقریباً
alms /ɑ:mz/ *n* صدقه، خیرات
almsgiving /'ɑ:mzgɪvɪŋ/ *n* صدقه (دادن)، خیرات

alms-house /ɑ:mzhaʊs/ *n* نوانخانه، دارالمساکین
almug /'ælməg,'ɔ:l-/ *n* (چوب) سندل
aloe /'æləʊ/ *n* [*pl* -oes] صبر زرد، چوب عود
aloft /ə'lɒft US: ə'lɔ:ft/ *adj,adv* بالا
alone /ə'ləʊn/ *adj,adv* تنها؛ یکتا
along /ə'lɒŋ US: ə'lɔ:ŋ/ *adv,prep* ۱.همراه؛ جلو ۲.در طولِ، درامتدادِ
get along پیش رفتن؛ به‌سر بردن
along with همراهِ
alongside /ə'lɒŋsaɪd US: əlɔ:ŋ'saɪd/ *adv* در کنار (کشتی)
alongside of در پهلویِ؛ در قبالِ
aloof /ə'lu:f/ *adj,adv* دور؛ درکنار
keep (*or* **hold oneself**) **aloof** دوری کردن، دوری جستن؛ فارغ بودن
alopecia /,ælə'pi:ʃi:ə/ *n* ریزش مو
aloud /ə'laʊd/ *adv* (با صدای) بلند
alpaca /æl'pækə/ *n* آلپاکا؛ مو یا پارچهٔ آلپاکا
alpenstock /'ælpənstɒk/ *n* چوب ویژهٔ کوه‌گردی
alphabet /'ælfəbet/ *n* الفبا
alphabetic(al) /,ælfə'betɪk(l)/ *adj* الفبایی
alphabetically /'ælfə'betɪklɪ/ *adv* به ترتیب حروف الفبا، الفبایی
Alpine /'ælpaɪn/ *adj* وابسته به کوه آلپ
already /ɔ:l'redɪ/ *adv* هم اکنون، نقداً؛ قبلاً؛ به این زودی
also /'ɔ:lsəʊ/ *adv,conj* ۱.نیز، همچنین، هم ۲.به علاوه، از این گذشته
altar /'ɔ:ltə(r)/ *n* مذبح؛ محراب
lead a woman to the altar با زنی ازدواج کردن
alter /'ɔ:ltə(r)/ *vt,vi* ۱.تغییر دادن، اصلاح کردن ۲.تغییر یافتن
alterable /'ɔ:ltərəbl/ *adj* تغییرپذیر؛ اصلاح‌پذیر
alteration /,ɔ:ltə'reɪʃn/ *n* تغییر، اصلاح
altercate /'ɔ:ltəkeɪt,'æl-/ *vi* مشاجره کردن، نزاع کردن
altercation /,ɔ:ltə'keɪʃn/ *n* مشاجره؛ ستیزه
alter ego /,æltər 'egəʊ US: 'i:gəʊ/ *L* دوست‌جانی، دوست‌صمیمی
alternate /ɔ:l'tɜ:nət US: 'ɔ:ltərnət/ *adj,n* ۱.یک‌در میان، متناوب؛ [هندسه] متبادل ۲.بدل، عوض
on alternate days یک روز در میان

alternate /'ɔ:ltəneɪt/ *vt* یک‌در میان قرار دادن، متناوب کردن؛ به‌نوبت عوض کردن
alternately *adv* متناوباً
alternation /,ɔ:ltə'neɪʃn/ *n* تناوب، نوبت
alternative /ɔ:l'tɜ:nətɪv/ *n,adj* ۱.شق (دیگر)؛ چاره ۲.منحصر به دو شِق
although /ɔ:l'ðəʊ/ *conj* اگرچه، هرچند، بااینکه
altitude /'æltɪtju:d US: -tu:d/ *n* بلندی، ارتفاع
alto /'æltəʊ/ *n* صدای اوج مردانه
altogether /,ɔ:ltə'geðə(r)/ *adv* به کلی، از همه جهت؛ روی هم‌رفته
altruism /'æltru:ɪzəm/ *n* رعایت حالِ دیگران
altruist /'æltru:ɪst/ *n* نوع‌پرست
alum /'æləm/ *n* زاج سفید
aluminium /,æljʊ'mɪnɪəm/ *n* آلومینیوم
alumna /ə'lʌmnə/ *n* دختر یا زن فارغ‌التحصیل
alumni /ə'lʌmnaɪ/ [*pl of* alumnus]
alumnus /ə'lʌmnəs/ *n* پسر یا مردی که در آموزشگاهی تحصیل کرده است
always /'ɔ:lweɪz/ *adv* همیشه
am /əm,æm/ *v* هستم [رجوع شودبه be]
am /,eɪ 'em/ [ante meridiem مخفف] پیش‌ازظهر
amalgam /ə'mælgəm/ *n* فلز آمیخته با جیوه؛ ترکیب
amalgamate /ə'mælgəmeɪt/ *vt* با جیوه آمیختن؛ [مجازاً] آمیختن، ترکیب کردن
amaranth /'æmərænθ/ *n* گل تاج خروس
amass /ə'mæs/ *vt* اندوختن، جمع کردن
amateur /'æmətə(r)/ *n* آماتور
amaze /ə'meɪz/ *vt* متحیر ساختن؛ مبهوت کردن
amazement *n* حیرت، بهت، شگفت
amazing *apa* شگفت‌آور
ambassador /æm'bæsədə(r)/ *n* سفیر کبیر
ambassadress /æm'bæsədrɪs/ *n* [*fem of* ambassador] زن سفیر کبیر
amber /'æmbə(r)/ *n* کهربا؛ زرد کهربایی
amber petroleum jelly وازلین زرد
ambidext(e)rous /,æmbɪ'dekstrəs/ *adj* ذوالیمینین؛ تردست
ambiguity /,æmbɪ'gju:ətɪ/ *n* ابهام
ambiguous /,æm'bɪgjʊəs/ *adj* مبهم
ambition /æm'bɪʃn/ *n* بلند همتی، جاه‌طلبی؛ آرزو، هدف
ambitious /æm'bɪʃəs/ *adj* جاه‌طلب، بلندهمت؛ ناشی از همت
amble /'æmbl/ *vi,n* یورغه (رفتن)

ambrosia /æm'brəʊzɪə US: -əʊʒə/ *n* خوراک بهشتی؛ شهد؛ مرهم یا روغن خوشبو
ambry /'æmbrɪ/ *n* گنجه، دولابچه
ambulance /'æmbjʊləns/ *n* آمبولانس
ambush /'æmbʊʃ/ *n* کمین؛ کمینگاه؛ دام
lie in ambush در کمین نشستن
ameliorate /ə'mi:lɪəreɪt/ *vt,vi* بهتر کردن یا شدن، اصلاح کردن یا شدن
amenable /ə'mi:nəbl/ *adj* مسئول؛ تابع
He is not amenable to reason.
دلیل و حرف حساب به‌گوشش نمی‌رود.
amend /ə'mend/ *vt* اصلاح کردن
amendment *n* اصلاح
amends /ə'mendz/ *npl* جبران، تلافی
make amends for جبران کردن
amenities *n* [*pl of* amenity] وسایل تفریح و آسایش
amenity /ə'mi:nətɪ,ə'menətɪ/ *n* مطبوعیت، خوشی [به جمع آن هم در بالا رجوع شود]
American /ə'merɪkən/ *adj,n* امریکایی
Americanism /ə'merɪkənɪzəm/ *n* اصطلاح امریکایی؛ املای امریکایی
Americanize /ə'merɪkə,naɪz/ *vt,vi* ۱.آمریکایی‌مآب یا آمریکایی‌نما کردن ۲.اصطلاحات امریکایی به‌کار بردن
amethyst /'æmɪθɪst/ *n* یاقوت ارغوانی
amiable /'eɪmɪəbl/ *adj* خوشخو، مهربان
amicable /'æmɪkəbl/ *adj* مسالمت‌آمیز، صلح‌طلبانه
amid(st) /ə'mɪd(st)/ *prep* در میانِ، وسطِ
amiss /ə'mɪs/ *adj* نادرست، غلط، بی‌مورد
take (it) amiss رنجیدن (از)
amity /'æmətɪ/ *n* مناسبات دوستانه
ammeter /'æmɪtə(r)/ *n* آمپرسنج
ammonia /ə'məʊnɪə/ *n* (محلول یا بخار) آمونیاک
ammonium chloride نشادر
ammunition /,æmjʊ'nɪʃn/ *n* مهمات
amnesia /æm'ni:zɪə US: -'ni:ʒə/ *n* فراموشی
amnesty /'æmnəstɪ/ *n* بخشش عمومی، گذشت
amoeba /ə'mi:bə *n* [-bae /-bi:/] جانور یک سلولی، آمیب
among(st) /ə'mʌŋ(st)/ *prep* در میانِ؛ در زمرهٔ؛ از جملهٔ
amorous /'æmərəs/ *adj* عاشقانه؛ عاشق‌پیشه
amorphous /ə'mɔ:fəs/ *adj* بی‌شکل
amortize /ə'mɔ:taɪz US: 'æmərtaɪz/ *vt* مستهلک کردن
amount /ə'maʊnt/ *n,vi* ۱.مَبلغ؛ مقدار، میزان ۲.بالغ شدن
amount to بالغ شدن بر، سر زدن به
amphibian /æm'fɪbɪən/ *n* جانور دوزیست
amphibious /æm'fɪbɪəs/ *adj* دوزیست
amphitheatre /'æmfɪθɪətə(r)/ *n* نمایشگاه گرد یا بیضی
ample /'æmpl/ *adj* فراوان؛ کافی
amplification /,æmplɪfɪ'keɪʃn/ *n* بسط، تفصیل
amplifier /'æmplɪfaɪə(r)/ *n* [دستگاه] تقویت‌کننده
amplify /'æmplɪfaɪ/ *vt* وسعت دادن، بزرگ کردن؛ به تفصیل شرح دادن
amplitude /'æmplɪtju:d US: -tu:d/ *n* فراوانی؛ وسعت؛ استعداد؛ [فیزیک] میدان نوَسان
amply /'æmplɪ/ *adv* به قدر کافی؛ فراوان
ampoule /'æmpu:l/ *n* آمپول
amputate /'æmpjʊteɪt/ *vt* بریدن، قطع کردن
amuck /ə'mʌk/ *adv* دیوانه‌وار
run amuck دیوانه‌وار در پی کشتار مردم دویدن
amulet /'æmjʊlɪt/ *n* تعویذ، طلسم
amuse /ə'mju:z/ *vt* سرگرم کردن، مشغول کردن؛ تفریح دادن
amusement *n* سرگرمی، تفریح
amusing *apa* مشغول‌کننده
an /ən,æn/ *indef art* یک، ... ی [در جلوحرف صدادار؛ مثال an apple]
anachronism /ə'nækrənɪzəm/ *n* اشتباه تاریخی
anaemia /ə'ni:mɪə/ *n* کم‌خونی
anaemic /ə'ni:mɪk/ *adj* دچار کم‌خونی
anaesthesia /,ænɪs'θi:zɪə/ *n* بیهوشی
anaesthetic /,ænɪs'θetɪk/ *n* داروی بیهوشی
anaesthetize /ə'ni:sθətaɪz/ *vt* بیهوش کردن
anagram /'ænəgræm/ *n* قلب؛ مقلوب
analogize /ə'nælədʒaɪz/ *vt* قیاس کردن
analogous /ə'næləgəs/ *adj* قابل قیاس
analogous to شبیه به؛ قابل مقایسه با
analogy /ə'nælədʒɪ/ *n* قیاس؛ شباهت
on the analogy of بر قیاسِ
analyse /'ænəlaɪz/ *vt* تجزیه کردن
analysis /ə'næləsɪs/ *n* [*pl* -yses /-əsi:z/] تجزیه
analyst /'ænəlɪst/ *n* متخصص تجزیه

analytic(al) /ˌænəˈlɪtɪk(l)/ *adj* تجزیه‌ای؛ تحلیلی
analyze /ˈænəlaɪz/ = analyse
anaphrodisiac /ænˌæfrəˈdɪziːˌæk/ *adj,n* دارویی که قوه‌باه را کم می‌کند
anaphylaxis /ˌænəfəˈlæksɪs/ *n* حساسیت مفرط نسبت به مواد آلبومینی
anarchic(al) /əˈnɑːkɪkl(l)/ *adj* بی‌قانون، بی‌نظم، بلبشو
anarchist /ˈænəkɪst/ *n* هرج‌ومرج‌طلب
anarchy /ˈænəkɪ/ *n* هرج‌ومرج
anasarca /ˌænəˈsɑːkə/ *n* استسقای عمومی یا لحمی
anatomic(al) /ˌænəˈtɒmɪk(l)/ *adj* تشریحی
anatomist /əˈnætəmɪst/ *n* کالبدشناس
anatomy /əˈnætəmɪ/ *n* کالبدشناسی، تشریح
ancestor /ˈænsestə(r)/ *n* نیا، جد
ancestral /ænˈsestrəl/ *adj* اجدادی
ancestress /ˈænsestrɪs/ *n* [*fem of* ancestor] جده
ancestry /ˈænsestrɪ/ *n* دودمان، اصل و نسب
anchor /ˈæŋkə(r)/ *n,vi* ۱.لنگر ۲.لنگر انداختن
anchorage /ˈæŋkərɪdʒ/ *n* لنگرگاه
anchovy /ˈæntʃəvɪ US: ˈæntʃəʊvɪ/ *n* ماهی کولی
ancient /ˈeɪnʃənt/ *adj* باستانی، قدیمی؛ کهنه؛ کهن؛ سالخورده
the ancients *n,pl* پیشینیان
anciently *adv* در عهد باستان
and /ənd,ænd/ *conj* وَ [حرف عطف]
andiron /ˈændaɪən/ *n* سه‌پایهٔ جلو بخاری
androgynous /ænˈdrɒdʒɪnəs/ *adj* نرماده؛ خنثی
anecdote /ˈænɪkdəʊt/ *n* حکایت
anemone /əˈnemənɪ/ *n* شقایق نعمان
aneurysm /ˈænjəˌrɪzem/ *n* اتساع شریان، انوریسما
anew /əˈnjuː US: əˈnuː/ *adv* از نو
angel /ˈeɪndʒl/ *n* فرشته، مَلَک
angelic(al) /ænˈdʒelɪk(l)/ *adj* فرشته‌ای؛ فرشته‌خو؛ آسمانی
anger /ˈæŋgə(r)/ *n,vt* ۱.خشم، غضب ۲.خشمگین کردن
angina /ænˈdʒaɪnə/ *n* آنژین
angle /ˈæŋgl/ *n,vi* ۱.گوشه، زاویه ۲.با قلاب ماهی گرفتن؛ دام گستردن
angle-iron /ˈæŋgl ˌaɪən,-ˌaɪərn/ *n* آهن نبشی، آهن زاویه
Anglicize /ˈæŋglɪsaɪz/ *vt* انگلیسی‌نما کردن
Anglo- /ˌæŋgləʊ/ انگلیس و ...
angrily /ˈæŋgrɪəlɪ/ *adv* با اوقات تلخی
angry /ˈæŋgrɪ/ *adj* خشمگین، اوقات تلخ
anguish /ˈæŋgwɪʃ/ *n* دلتنگی، غصه؛ درد
angular /ˈæŋgjʊlə(r)/ *adj* گوشه‌ای؛ گوشه‌دار، قناس؛ لاغر
anhidrosis /ˌænhɪˈdrəʊsɪs, -haɪ-/ *n* کاهش یا دفع عرق
anhidrotic /æhɪˈdrəʊtɪc/ *adj,n* داروی دافع عرق
anile /ˈænaɪl,ˈeɪnaɪl/ *adj* پیرزنانه، خرفت
animal /ˈænɪml/ *n* جانور، حیوان
animal /ˈænɪml/ *adj* حیوانی
animate /ˈænɪmeɪt/ *vt* روح دادن؛ بشاش کردن؛ تحریک کردن
animosity /ˌænɪˈmɒsətɪ/ *n* دشمنی، عداوت
aniseed /ˈænɪsiːd/ (نُقل) بادیان
ankle /ˈæŋkl/ *n* مچ پا
ankylosis /ˌæŋkəˈləʊsɪs/ *n* خشک‌کنندهٔ مَفصَل
annalist /ˈænəlɪst/ *n* تاریخچه‌نویس
annals /ˈænlz/ *npl* وقایع سالیانه
anneal /əˈniːl/ *vt* آهسته سرد کردن، آب دادن
annex /əˈneks/ *vt* ضمیمه کردن
annexation /ˌænekˈseɪʃn/ *n* الحاق، انضمام
annex(e) /ˈæneks/ *n* قسمت الحاقی؛ ضمیمه
annihilate /əˈnaɪəleɪt/ *vt* نابود کردن
annihilation /əˌnaɪəˈleɪʃn/ *n* نابودسازی؛ فنا
anniversary /ˌænɪˈvɜːsərɪ/ *n* سالگرد
annotate /ˈænəteɪt/ *vt* (در حاشیه) تفسیر کردن
annotation /ˌænəˈteɪʃn/ *n* حاشیه(نویسی)، تفسیر
announce /əˈnaʊns/ *vt* خبر دادن، اعلان کردن، اعلام کردن
announcement *n* آگهی، اعلام
announcer *n* گوینده [در رادیو]
annoy /əˈnɔɪ/ *vt* آزردن، اذیت کردن
annoyance /əˈnɔɪəns/ *n* ناراحتی
annoying *apa* ناراحت‌کننده
annual /ˈænjʊəl/ *adj* سالیانه؛ یکساله
annually *adv* سال به سال، سالیانه
annuity /əˈnjuːətɪ US: -ˈnuː-/ *n* سالواره
annul /əˈnʌl/ *vt* [-led] الغا کردن، گسیختن [فسخ کردن]
annulment *n* الغا، فسخ

anode /'ænəʊd/ *n* آنود، قطب مثبت
anoint /ə'nɔɪnt/ *vt* روغن‌مالی یا مسح کردن
anointment *n* تدهین، مسح
anomalous /ə'nɒmələs/ *adj* غیرعادی
anomaly /ə'nɒməlɪ/ *n* (امر) خلاف قاعده
anonym /'ænənɪm/ *n* نویسندهٔ گمنام
anonymity /,ænə'nɪmətɪ/ *n* بی‌نامی؛ گمنامی
anonymous /ə'nɒnɪməs/ *adj* بی‌نام؛ بی‌امضا
anorexia /,ænə'reksɪə/ *n* بی‌اشتهایی
anosmia /æn'ɒzmi:ə,-'ɒs-/ *n* فقدان شامه
another /ə'nʌðə(r)/ *adj,pr* ۱.دیگر، دیگری؛ جدا ۲.دیگری، یکی‌دیگر، شخص دیگر
one another یکدیگر، همدیگر
answer /'ɑ:nsə(r) US: 'ænsər/ *n,vt,vi* ۱.پاسخ، جواب ۲.پاسخ دادن، جواب دادن؛ عکس‌العمل نشان دادن ۳.مطابق درآمدن
It does not answer my purpose.
به کار من (یا به درد من) نمی‌خورد.
answer for مسئولیت (چیزی را) داشتن
ant /ænt/ *n* مورچه، مور
antagonism /æn'tægənɪzəm/ *n* مخالفت
antagonist /æn'tægənɪst/ *n* مخالف، رقیب
antagonistic /æn,tægə'nɪstɪk/ *adj* مخالفت‌آمیز
antagonize /æn'tægənaɪz/ *vi,vt* ۱.مخالفت کردن ۲.مخالف یا دشمن کردن
Antarctic Ocean /ænt'ɑ:ktɪk 'əʊʃn/ اقیانوس منجمد جنوبی
ante- /'æntɪ/ [پیشوند به معنی] پیش از
antecedence /,æntɪ'si:dəns/; **-dency** *n* پیشی، تقدم، سبقت
antecedent /,æntɪ'si:dnt/ *adj,n* ۱.پیشین، سابق ۲.مقدمه، سابقه؛ [دستورزبان] مرجع
antecedent to پیش از، سابق بر
antedate /,æntɪ'deɪt/ *vt* از حیث تاریخ جلوتر بودن از
Moses antedates Zoroaster.
موسی پیش از زردشت بوده است.
antelope /'æntɪləʊp/ *n* بز کوهی
ante meridiem /,æntɪ mə'rɪdɪəm/ *L* پیش‌ازظهر [a.m.]
antenna /æn'tenə/ *n* [-nael /-ni:l/] شاخک، سرو؛ آنتن، موج‌گیر
anterior /æn'tɪərɪə(r)/ *adj* جلو(ی)، مَقدم
anterior to پیش از
anthem /'ænθəm/ *n* سرود

ant-hill /'ænthɪl/ *n* تپه‌مورچه (تپه‌ای از خاک، برگ و غیره که مورچه‌ها برای ساختن لانه خود به وجود می‌آورند.)
anthology /æn'θɒlədʒɪ/ *n* گلچین ادبی
anthracite /'ænθrəsaɪt/ *n* زغال‌سنگ خشک
anthrax /'ænθræks/ *n* کفگیرک؛ سیاه‌زخم
anthropoid /'ænθrəpɔɪd/ *n* میمون آدم‌وار
anthropology /,ænθrə'pɒlədʒɪ/ *n* انسان‌شناسی
anti- /'æntɪ/ *pref* [پیشوند به معنی] ضدّ
anti-aircraft /,æntɪ 'eəkrɑ:ft US: -kræft/ *n* ضدهوایی
anticipate /æn'tɪsɪpeɪt/ *vt* پیش‌بینی کردن؛ سبقت جستن بر؛ پیشخور کردن؛ انتظار داشتن
anticipation /æn,tɪsɪ'peɪʃn/ *n* پیش‌بینی؛ انتظار؛ پیشدستی؛ سبقت؛ جلوگیری
in anticipation پیشاپیش، قبلاً
anticlimax /,æntɪ'klaɪmæks/ *n* بیان قهقرایی
antics /'æntɪks/ *npl* حرکات مسخره‌آمیز
antidote /'æntɪdəʊt/ *n* تریاق، پادزهر
antilogy /æn'tɪlədʒɪ/ *n* تناقض
antimony /'æntɪmənɪ US: 'æntɪməʊnɪ/ *n* سنگ سرمه
red antimony راسُخت
antipathy /æn'tɪpəθɪ/ *n* تنفر (طبیعی)
antipodes /æn'tɪpədi:z/ *npl* نقاط متقاطر در روی زمین
antipyrotic /,ænti:paɪ'rɒtɪk, ,æntaɪ-/ *adj,n* (داروی) ضدّ تب، تب‌بُر
antiquarian /,æntɪ'kweərɪən/ *adj,n* ۱.باستانی ۲.عتیقه‌جو
antiquary /'æntɪkwərɪ US: 'æntɪkwerɪ/ *n* عتیقه‌جو؛ عتیقه‌فروش
antiquated /'æntɪkweɪtɪd/ *ppa* کهنه، منسوخ
antique /æn'ti:k/ *adj,n* ۱.کهنه، باستانی ۲.اثر باستانی، عتیقه
antiquity /æn'tɪkwətɪ/ *n* روزگارِ باستان؛ کهنگی، قدمت؛ [در جمع] آثار و رسوم باستانی؛ عتیقه‌ها
antiseptic /,æntɪ'septɪk/ *adj,n* پَلشت بَر، گندزدا، ضدعفونی‌کننده
antisepticize /,æntɪ'septɪsaɪz/ *vt* ضدعفونی کردن
antithesis /æn'tɪθəsɪs/ *n* [*pl* -ses /-si:z/] ضد و نقیض؛ نقطهٔ مقابل
antitoxic /,æntɪ'tɒksɪk,,ænti:-/ *adj* ضد سم، ضد زهر

antitoxin /ˌæntɪ'tɒksɪn/ *n* مایهٔ ضد زهر
antler /'æntlə(r)/ *n* شاخ گوزن؛ بچه شاخ
antonym /'æntənɪm/ *n* متضاد
anvil /'ænvɪl/ *n* سندان
anxiety /æŋ'zaɪətɪ/ *n* دلواپسی، اضطراب، اندیشه؛ اشتیاق
anxious /'æŋkʃəs/ *adj* دلواپس، نگران؛ مشتاق، مایل
any /'enɪ/ *adj* ۱.هیچ [در پرسش] ۲.هر [در جمله مثبت] ۳.هیچ [با منفی]:
1. Have you any money?
2. Any botanist can tell you that.
3. I do not see any difference.
any /'enɪ/ *pr* هیچ‌کدام [در پرسش و نفی]
anybody /'enɪbɒdɪ/ *pr or n* ۱.هیچ‌کس، کسی [در پرسش و نفی] ۲.کسی، هر کس [در جملهٔ مثبت]
anyhow /'enɪhaʊ/ *adv* به هرحال، به هرجهت؛ به هر نوع که باشد
anyone /'enɪwʌn/ *pr* کسی؛ هرکس، هرکسی، همه کس؛ [درپرسش و جملهٔ منفی] هیچ‌کس
anything /'enɪθɪŋ/ *n* چیزی [در جمله مثبت]؛ هر کار؛ کاری، هیچ کار [در پرسش و نفی]
That was anything but funny ابداً خنده‌دار نبود
anyway /'enɪweɪ/ = anyhow
anywhere /'enɪweə(r) US: -hweər/ *adv* هرجا، جایی [در جمله مثبت]؛ هیچ کجا [در نفی و پرسش]
apace /ə'peɪs/ *adv* تند، زود
apart /ə'pɑ:t/ *adv* جدا؛ کنار
know apart از هم تشخیص دادن
apart from قطع نظر از، صرف نظر از
apartment /ə'pɑ:tmənt/ *n* منزل چنداتاقه؛ [در امریکا] آپارتمان، طبقه
apathetic /ˌæpə'θetɪk/ *adj* بی‌عاطفه؛ خونسرد
apathy /'æpəθɪ/ *n* بی‌عاطفگی، عدم احساسات؛ خونسردی، بی‌علاقگی
ape /eɪp/ *n,vt* ۱.میمون (بی‌دُم) ۲.تقلید کردن، ادا(ی کسی را) درآوردن
aperient /ə'pɪərɪənt/ *n* مُلیّن
aperture /'æpətʃə(r)/ *n* روزنه، شکاف
apex /'eɪpeks/ *n* نوک؛ رأس زاویه؛ اوج
aphorism /'æfərɪzəm/ *n* سخن موجز، کلمات قصار
aphrodisiac /ˌæfrə'dɪzɪæk/ *adj,n* (داروی) مبهی یا مقوی باه
aphtha /'ɑ:fθə/ *n* برفک، آفت
apiece /ə'pi:s/ *adv* هریک، دانه‌ای

apologetic /əˌpɒlə'dʒetɪk/ *adj* پوزش‌آمیز
apologize /ə'pɒlədʒaɪz/ *vi* پوزش خواستن، عذرخواهی کردن
apologize to پوزش خواستن از
apology /ə'pɒlədʒɪ/ *n* پوزش، عذرخواهی؛ مدافعه
make an apology to عذر خواستن از
apophysis /ə'pɑ:fɪsɪs/ *n* زایده
apoplectic /ˌæpə'plektɪk/ *adj* سکته‌ای
apoplexy /'æpəpleksɪ/ *n* سکتهٔ ناقص
apostasy /ə'pɒstəsɪ/ *n* ارتداد
apostate /ə'pɒsteɪt/ *adj,n* مرتد
aposteriori /ˌeɪˌpɒsterɪ'ɔ:raɪ/ *L* (به طریق برهان) اِنّی
apostle /ə'pɒsl/ *n* حواری
apostolic /ˌæpə'stɒlɪk/ *adj* وابسته‌به حواریون
apostrophe /ə'pɒstrəfɪ/ *n* آپوستروف، نشان حذف بدین شکل (')
apothecary /ə'pɒθəkərɪ US: -kerɪ/ *n* داروفروش
appal /ə'pɔ:l/ *vt* [-led] ترساندن
appalling *apa* ترسناک، مخوف
apparatus /ˌæpə'reɪtəs US: -'rætəs/ *n* دستگاه، اسباب؛ جهاز
apparel /ə'pærəl/ *n,vt* ۱.لباس ۲.پوشاندن
apparent /ə'pærənt/ *adj* آشکار، ظاهر؛ صوری
heir apparent وارث مسلم
apparently *adv* ظاهراً
apparition /ˌæpə'rɪʃn/ *n* منظر؛ خیال
appeal /ə'pi:l/ *vi,n* ۱.پناهنده یا متوسل شدن؛ استیناف دادن؛ تقاضا کردن ۲.تقاضا؛ توسل، مراجعه؛ جاذبه؛ استیناف، پژوهش‌خواهی
It does not appeal to me جلب توجه مرا نمی‌کند، چنگی بدل نمی‌زند
appeal for تقاضا کردن
appear /ə'pɪə(r)/ *vi* نمایان شدن؛ به‌نظر آمدن، حاضر شدن؛ منتشر شدن
It appears that چنین می‌نماید که
appearance /ə'pɪərəns/ *n* ظهور؛ حضور؛ ورود؛ ظاهر، نمایش
make (*or* put in) an appearance حضور به‌هم رساندن
at first appearance در نظر اول، در وهلهٔ اول
to all appearance آنچه به‌ظاهر پیدا است
put in an appearance خودنمایی کردن
for appearance sake برای حفظ ظاهر

judge by appearances به ظاهر حکم کردن
appease /ə'pi:z/ *vt* آرام کردن، تسکین دادن، فرو نشاندن، خواباندن
appeasement *n* فرونشانی، تسکین
appellant /ə'pelənt/ *n* پژوهش‌خواه، مستانف
appellate /ə'pelɪt/ *adj* استینافی
Appellate Court دادگاه استان یا استیناف
appellation /ˌæpə'leɪʃn/ *n* نام، لقب؛ تسمیه
appellee /æpə'lɪ/ *n* پژوهش‌خوانده
append /ə'pend/ *vt* ضمیمه کردن، پیوستن
appendage /ə'pendɪdʒ/ *n* ضمیمه
appendicitis /əˌpendɪ'saɪtɪs/ *n* آپاندیسیت
appendix /ə'pendɪks/ *n* [-dices /-dɪsi:z/] ضمیمه، ذیل، دنباله؛ آویزه
appertain /ˌæpə'teɪn/ *vi* مربوط بودن
appetite /'æpɪtaɪt/ *n* اشتها
appetizing /'æpɪtaɪzɪŋ/ *apa* اشتهاآور
applaud /ə'plɔ:d/ *v* تحسین کردن؛ کف زدن
applause /ə'plɔ:z/ *n* کف زدن، هلهله
apple /'æpl/ *n* سیب
apple of discord مایهٔ نقاق
appliance /ə'plaɪəns/ *n* اسباب
applicable /'æplɪkəbl/ *adj* قابل اجرا، عملی
applicable to شامل حالِ
applicant /'æplɪkənt/ *n* متقاضی
application /ˌæplɪ'keɪʃn/ *n* درخواست(نامه)، تقاضا(نامه)؛ کاربُرد، استعمال؛ اجرا؛ پشتکار
application to work ملازمت در کار، پشتکار
applied /ə'plaɪd/ *ppa* عملی
apply /ə'plaɪ/ *vt,vi* ۱.به‌کار بردن ۲.درخواست کردن؛ شامل (حال) بودن، قابل اجرا بودن
apply for a job or position درخواست کار یا تقاضای شغل کردن
apply oneself to مشغول شدن به
appoint /ə'pɔɪnt/ *vt* تعیین کردن، معین کردن؛ گماشتن، منصوب کردن؛ مقرر داشتن
appointed *adj* معین، مقرر، منصوب
He was appointed chief به ریاست منصوب شد
appointment /ə'pɔɪntmənt/ *n* تعیین، نصب؛ قرار (ملاقات)؛ کار؛ [در جمع] اثاثیه
apportion /ə'pɔ:ʃn/ *vt* (قسمت) دادن؛ واگذار کردن؛ اختصاص دادن
apposite /'æpəzɪt/ *adj* درخور، مناسب، بجا، مربوط
apposition /ˌæpə'zɪʃn/ *n* زدن (مُهر)، [دستورزبان] حالت عطف بیان یا بدل
in apposition to بَدَلِ
appositive *n* بَدَل
appraise /ə'preɪz/ *vt* ارزیابی کردن، تقویم کردن
appreciable /ə'pri:ʃəbl/ *adj* محسوس؛ شایان تقدیر
appreciate /ə'pri:ʃɪeɪt/ *vt,vi* ۱.قدردانی کردن (از)؛ تصدیق کردن ۲.ترقی قیمت پیدا کردن
appreciation /əˌpri:ʃɪ'eɪʃn/ *n* قدردانی، تقدیر؛ حق‌شناسی؛ درک؛ احساس
appreciative /əˌpri:ʃətɪv/ *adj* قدردان؛ مبنی بر قدردانی
apprehend /ˌæprɪ'hend/ *vt* دستگیر کردن؛ درک کردن؛ بیم داشتن از
apprehensible /ˌæprɪ'hensəbl/ *adj* قابل درک
apprehension /ˌæprɪ'henʃn/ *n* بیم (از آینده)، تشویش؛ درک؛ دستگیری
dull of apprehension دیرفهم، بطی‌الانتقال
apprehensive /ˌæprɪ'hensɪv/ *adj* بیمناک؛ نگران
apprentice /ə'prentɪs/ *n,vt* ۱.شاگرد، نوآموز ۲.شاگرد کردن
He was bound apprentice to me نزد من شاگرد شد
apprenticeship /ə'prentɪʃɪp/ *n* (دورهٔ) شاگردی
approach /ə'prəʊtʃ/ *v* نزدیک شدن (به)؛ داخل گفتگو شدن (با)
approach /ə'prəʊtʃ/ *n* نزدیکی؛ تماس، دسترسی؛ راه، معبر؛ وسیله
easy of approach زودیاب، (در) دسترس
make approaches وسایلِ نزدیک شدن یا دسترسی جستن
approbation /ˌæprə'beɪʃn/ *n* تصویب؛ تحسین
on approbation به شرط [در خریدن جنس]
appropriate /ə'prəʊprɪeɪt/ *vt* اختصاص دادن؛ به جیب زدن، خوردن
appropriate /ə'prəʊprɪət/ *adj* مقتضی
appropriation /əˌprəʊprɪ'eɪʃn/ *n* اختصاص (به خود)؛ چیز اختلاس‌شده
approval /ə'pru:vl/ *n* تصویب
meet the approval of به تصویب... رسیدن
on approval به‌شرط [درخریدن‌جنس]
approve /ə'pru:v/ *v* تصویب کردن
approve of پسندیدن، نکو یا جایز شمردن

approved school /ə'pru:vd 'sku:l/ دارالتأديب
approximate /ə'prɒksɪmeɪt/ *vi* نزدیک شدن
approximate /ə'prɒksɪmət/ *adj* تقریبی
approximately *adv* تقریباً
approximation /ə,prɒksɪ'meɪʃn/ *n* نزدیکی؛ شباهت زیاد، قرب به صحت؛ نتیجهٔ تقریباً درست
appurtenances /ə'pɜ:tɪnənsəz/ *npl* متعلقات
apricot /'eɪprɪkɒt/ *n* زردالو
April /'eɪprəl/ *n* آوریل (چهارمین ماه سال میلادی)
a priori /,eɪ praɪ'ɔ:raɪ/ *L* (به طریق برهان) لِمّی
apron /'eɪprən/ *n* پیشدامن، پیشبند
apropos /,æprə'pəʊ/ *adj,adv,Fr* بجا، بموقع
apropos of نسبت به، راجع به
apt /æpt/ *adj* مستعد؛ آماده؛ محتمل؛ مناسب
aptitude /'æptɪtju:d US: -tu:d/ *n* استعداد؛ مناسبت
aquarium /ə'kweərɪəm/ *n* نمایشگاه جانوران و گیاهان آبی، آکواریوم
aquatic /ə'kwætɪk/ *adj* آبی، آبزی
aqueduct /'ækwɪdʌkt/ *n* آب‌رو، مَسیل، گذرگاه آب
aquiferous /'ækwəfərəs/ *adj* آبخیز
aquiline /'ækwɪlaɪn/ *adj* قوشی، عقابی؛ مانند نوک عقاب، کج
Arab /'ærəb/ *n* عرب؛ اسب عربی
Arabia /ə'reɪbɪə/ *n* عربستان
Arabian /ə'reɪbɪən/ *adj,n* عربی؛ عرب
Arabic /'ærəbɪk/ *adj,n* (زبان) عربی
Arabic figures ارقام عربی چون 1,2,3
arable /'ærəbl/ *adj* قابل زرع
arbiter /'ɑ:bɪtə(r)/ *n* داور مطلق
arbitrament /ɑ:'bɪtrəmənt/ *n* حکمیت
arbitrarily *adv* به‌طور دلخواه
arbitrary /'ɑ:bɪtrərɪ US: 'ɑ:rbɪtrerɪ/ *adj* اختیاری، دلخواه؛ مطلق، استبدادی
arbitrate /'ɑ:bɪtreɪt/ *v* داوری کردن (در)؛ به داوری ارجاع کردن
arbitration /,ɑ:bɪ'treɪʃn/ *n* حکمیت، داوری
arbitrator /'ɑ:bɪtreɪtə(r)/ *n* داور، حَکَم [در اصطلاح قضایی]
arbo(u)r /'ɑ:bə(r)/ *n* آلاچیق، سایبان
arc /ɑ:k/ *n* قوس، کمان؛ طاق
arcade /ɑ:'keɪd/ *n* پاساژ، تیمچه
arch /ɑ:tʃ/ *n,vi,vt* ۱.طاق؛ قوس ۲.طاق زدن ۳.قوز کردن، کمان کردن
arch /ɑ:tʃ/ *adj* ناقلا، شوخ؛ [در ترکیب] عمده
archaeologist /,ɑ:kɪ'ɒlədʒɪst/ *n* باستان‌شناس
archaeology /,ɑ:kɪ'ɒlədʒɪ/ *n* باستان‌شناسی
archaic /ɑ:'keɪɪk/ *adj* کهنه، باستانی
archaism /'ɑ:keɪɪzəm/ *n* (استعمال) لغت یا عبارت کهنه
archbishop /,ɑ:tʃ'bɪʃəp/ *n* سراسقف، اسقف اعظم
arched *ppa* طاقدار؛ مقوس، قوسی
archer /'ɑ:tʃə(r)/ *n* تیرانداز؛ [با A] قوس
archery /'ɑ:tʃərɪ/ *n* تیراندازی؛ تیر و کمان
archipelago /,ɑ:kɪ'peləgəʊ/ *n* دریای پُرجزیره؛ مجمع‌الجزایر
architect /'ɑ:kɪtekt/ *n* معمار
architectural /,ɑ:kɪ'tektʃərəl/ *adj* مربوط به فن معماری
architecture /'ɑ:kɪtektʃə(r)/ *n* معماری
archives /'ɑ:kaɪvz/ *n* بایگانی،ضبط
archly /'ɑ:tʃlɪ/ *adv* موذیانه؛ از روی شوخی
archness *n* موذیگری، شیطنت
archway /'ɑ:tʃweɪ/ *n* گذرگاه طاقدار
Arctic Ocean اقیانوس منجمد شمالی
ardent /'ɑ:dnt/ *adj* گرم، سوزان؛ با حرارت؛ تند
ardour /'ɑ:də(r)/ *n* گرمی، شوق
arduous /'ɑ:djʊəs US: -dʒʊ-/ *adj* سخت؛ صعب‌الصعود، دارای شیب تند
are /ə(r),ɑ:(r)/ *v* هستیم؛ هستید؛ هستند
area /'eərɪə/ *n* مساحت، سطح؛ عرصه؛ فضا؛ میدان؛ حوزه، ناحیه
arena /ə'ri:nə/ *n* صحنه، میدان، عرصه؛ گود
aren't /ɑ:nt/ [مختصر are not]
argil /'ɑ:dʒɪl/ *n* خاک رس، خاک رست
argue /'ɑ:gju:/ *vi,vt* ۱.بحث کردن؛ استدلال کردن ۲.با دلیل ثابت کردن؛ با دلیل اغوا کردن
argument /'ɑ:gjʊmənt/ *n* بحث، مباحثه؛ دلیل
argumentation /,ɑ:gjʊmən'teɪʃn/ *n* استدلال؛ بحث
arid /'ærɪd/ *adj* خشک، بایر، لم‌یزرع؛ بی‌مغز
aright /ə'raɪt/ *adv* درست
set aright درست کردن، اصلاح کردن
arise /ə'raɪz/ *vi* [arose; arisen] رخ دادن، روی دادن، ناشی شدن؛ برخاستن
arisen /ə'rɪzn/ [*pp of* arise]
aristocracy /,ærɪ'stɒkrəsɪ/ *n* حکومت اشرافی؛ (طبقهٔ) اشراف

aristocrat /'ærɪstəkræt US: ə'rɪst-/ *n* عضو طبقهٔ اشراف؛ طرفدار (حکومت) اشراف
aristocratic /ˌærɪstə'krætɪk US: əˌrɪstə-/ *adj* اشرافی
arithmetic /ə'rɪθmətɪk/ *n* (علم) حساب
arithmetical /ˌærɪθ'metɪkl/ *adj* حسابی
ark /ɑ:k/ *n* کشتی (نوح)
arm /ɑ:m/ *n,vt,vi* ۱.دست [از بیخ شانه تا نوک انگشت]؛ بازو؛ بغل؛ شعبه؛ اسلحه؛ بخشی از نیروی نظامی ۲.مسلح کردن ۳.مسلح شدن
  fore arm ساعد، ارش
  upper arm بازو
  child in arms بچهٔ بغلی
  hold someone at arm's length باکسی کم‌محلی کردن یا فاصله گرفتن از کسی
armada /ɑ:'mɑ:də/ *n* ناوگان سنگین
armament /'ɑ:məmənt/ *n* مهمات کشتی جنگی؛ تسلیحات
arm-chair /'ɑ:mtʃeə(r)/ *n* صندلی دسته‌دار
armed *ppa* مسلح؛ مجهز
Armenian /ɑ:'mi:ni:ən/ *adj,n* ۱.ارمنی ۲.زبان ارمنی
armful /'ɑ:mfʊl/ *n* (یک) بغل
armhole /'ɑ:mhəʊl/ *n* جای آستین؛ زیر بغل
armistice /'ɑ:mɪstɪs/ *n* متارکه جنگ
armorial /ɑ:'mɔ:rɪəl/ **bearings** آرم یا نشانهای خانوادگی
armour /'ɑ:mə(r)/ *n,vt* ۱.زره، سلاح ۲.زره‌پوش کردن
armour-clad /'ɑ:mə klæd/ *adj* زره‌پوش، زره‌دار
armourer *n* اسلحه‌ساز؛ اسلحه‌دار
armour-plated /'ɑ:mə pleɪtɪd/ *adj* زره‌دار، زره‌پوش
armoury /'ɑ:mərɪ/ *n* اسلحه (خانه)
armpit /'ɑ:mpɪt/ *n* بغل، زیربغل
arms /ɑ:mz/ *npl* اسلحه؛ آرم؛ نشانهای نجابت خانوادگی؛ [نظامی] فَنگ
  small arms اسلحهٔ سبک
  under arms تحت‌السلاح؛ مسلح
  bear arms سربازی کردن
  take up arms مسلح شدن، جنگیدن
army /'ɑ:mɪ/ *n* ارتش؛ لشکر، سپاه
aroma /ə'rəʊmə/ *n* بوی خوش
aromatic /ˌærə'mætɪk/ *adj,n* ۱.خوشبو، معطر ۲.گیاه خوشبو؛ داروی خوشبو

arose /ə'rəʊz/ [*p of* arise]
around /ə'raʊnd/ *prep,adv* ۱.دورِ، گرداگردِ؛ در اطرافِ ۲.دور تا دور
arouse /ə'raʊz/ *vt* بیدار کردن؛ تحریک کردن
arraign /ə'reɪn/ *vt* تعقیب یا متهم کردن
arrange /ə'reɪndʒ/ *v* ترتیب دادن؛ چیدن؛ قرار گذاشتن
arrangement /ə'reɪndʒmənt/ *n* ترتیب، قرار
  make arrangements for something ترتیب کاری را دادن، مقدمات کاری را فراهم کردن
array /ə'reɪ/ *vt* آراستن؛ در صف آوردن؛ پوشاندن
  array (*n*) of troops صف‌آرایی
arrears /ə'rɪəz/ *npl* پس‌اُفت، عقب‌افتادگی
  arrears of taxes مالیاتهای عقب‌افتاده
  in arrears پس‌افتاده، معوق
arrearage /ə'ri:rɪdʒ/ *n* پس‌افت
arrest /ə'rest/ *vt,n* ۱.دستگیر کردن، جلب کردن؛ جلوگیری کردن از ۲.توقیف، دستگیری
arrival /ə'raɪvl/ *n* ورود
  on our arrival هنگام ورود ما
  new arrivals تازه واردین
arrive /ə'raɪv/ *vi* رسیدن، وارد شدن، آمدن
arrogance /'ærəgəns/ *n* تکبر، نخوت، خودبینی
arrogant /'ærəgənt/ *adj* متکبر، خودبین، بانخوت
arrow /'ærəʊ/ *n* تیر، خدنگ
arrow-head /'ærəʊ hed/ *n* پیکان؛ خط میخی
arrowroot /'ærəʊru:t/ *n* نوعی گیاه نشاسته‌ای
arsenal /'ɑ:sənl/ *n* قورخانه، زرادخانه
arsenic /'ɑ:snɪk/ *n* مرگ موش؛ زرنیخ
arson /'ɑ:sn/ *n* تولید حریق عمدی
art /ɑ:t/ *n* هنر، فن، صنعت؛ حیله
  black art جادو(یی)، سحر
art /ɑ:t/ *v* [دستورزبان] هستی
arterial /ɑ:'tɪərɪəl/ *adj* شریانی
  arterial road شاهراه
artery /'ɑ:tərɪ/ *n* سرخرگ، شریان
Artesian well /ɑ:ˌti:zɪən 'wel US: ɑ:r'ti:ʒn-/ چاه آرتزین
artful /'ɑ:tfl/ *adj* حیله‌گر؛ حیله‌آمیز؛ استاد(انه)
arthritis /ɑ:'θraɪtɪs/ *n* ورم مفاصل، باد مفاصل
artichoke /'ɑ:tɪtʃəʊk/ *n* انگنار، کنگر فرنگی
  Jerusalem artichoke یرالماسی، سیب‌زمینی ترشی
  prickly artichoke کنگر

article /'ɑ:tɪkl/ *n,vt* کالا؛ ماده؛ مقاله؛ حرف تعریف یا حرف تنکیر
articles of association [در شرکتها] اساس‌نامه
articulate /ɑ:'tɪkjʊleɪt/ *vt* شمرده تلفظ کردن
articulate /ɑ:'tɪkjʊlət/ *adj* شمرده؛ بندبند
articulation /ɑ:,tɪkjʊ'leɪʃn/ *n* مفصل (بندی)؛ تلفظ (شمرده)؛ طرز تکلم
artifice /'ɑ:tɪfɪs/ *n* استادی، مهارت؛ اختراع؛ نیرنگ، دسیسه، تزویر
artificial /,ɑ:tɪ'fɪʃl/ *adj* مصنوعی، ساختگی
artificially /,ɑ:tɪ'fɪʃəlɪ/ *adv* به‌طور مصنوعی
artillery /ɑ:'tɪlərɪ/ *n* توپخانه، آتشبار؛ توپ
artisan /,ɑ:tɪ'zæn US: 'ɑ:tɪzn/ *n* صنعتگر، افزارمند
artist /'ɑ:tɪst/ *n* اهل هنر، هنرپیشه
artistic /ɑ:'tɪstɪk/ *adj* هنری، صنعتی؛ هنردوست
artistry /'ɑ:tɪstrɪ/ *n* (زیبایی) صنعت
artless/'ɑ:tlɪs/ *adj* بی‌هنر؛ غیرصنعتی؛ بی‌تزویر
as /əz,æz/ *conj* چنانکه، به‌طوری که
Yours is as good as his.
مال شما به همان خوبیِ مال اوست.
as /əz,æz/ *adv* آن‌قدر؛ همان‌اندازه، همان‌قدر
as it is در حقیقت، آن چه هست
as /əz,æz/ *prep* مانندِ، چون؛ به‌رسم
as a chief با سمت ریاست؛ مانند یک نفر رییس
as for (امّا) راجع به
as /əz,æz/ *pr,rel* که [پس از such]
such cities as شهرهایی که
asbestos /æs'bestɒs,əz'bestəs/ *n* نبهٔ نسوز
ascend /ə'send/ *v* صعود کردن
ascend the throne بر تخت نشستن
ascendancy;-dency/ə'sendənsɪ/ *n* تسلط، استیلا، غلبه؛ برتری، تفوق
ascendant;-dent/ə'sendənt/ *adj,n* ۱.صعودکننده؛ مسلط، حکمفرما ۲.اوج؛ طالع؛ جدّ
ascension /ə'senʃn/ *n* صعود، بالا رفتن
ascent /ə'sent/ *n* سربالایی؛ صعود
ascertain /,æsə'teɪn/ *vt* محقَق کردن، تحقیق کردن؛ معلوم کردن؛ معیّن کردن
ascertainment *n* تحقیق؛ معیّن
ascetic /ə'setɪk/ *adj,n* ریاضت‌کش، مرتاض؛ زاهد(انه)
asceticism /ə'setɪsɪzəm/ *n* ریاضت
ascites /ə'saɪti:z/ *n* استسقای شکم
ascribe /ə'skraɪb/ *vt* نسبت دادن، اِسنادکردن، از ... دانستن، حمل کردن (بر)

ascription /ə'skrɪpʃn/ *n* اِسناد، اِتّصاف
asepsis /,eɪ'sepsɪs US: ə'sep-/ *n* بی‌آلایشی از میکروب، پاکی
aseptic /,eɪ'septɪk US: ə'sep-/ *adj* ضدِ عفونی(شده)، پاک
asepticize /ə'septɪsaɪz/ *vt* ضد عفونی کردن
ash /æʃ/ *n* زبان گنجشک
ash /æʃ/ *n* خاکستر [بیشتر در کلمات مرکب]
ashamed /ə'ʃeɪmd/ *adj* شرمنده، شرمسار، خجل
ashen /'æʃn/ *adj* خاکسترمانند؛ رنگ‌پریده
ashes /'æʃɪz/ *npl* خاکستر؛ خاک، تربت
lay in ashes سوزاندن، خاکستر کردن
ashore /ə'ʃɔ:(r)/ *adv* در ساحل؛ به‌کنار
ash-pan = dust-bin
ash-tray /'æʃtreɪ/ *n* زیرسیگاری
Asian /'eɪʃn US: 'eɪʒn/ *adj,n* آسیایی
Asiatic /,eɪʃɪ'ætɪk US: ,eɪʒɪ-/ *adj* آسیایی
aside /ə'saɪd/ *adv* (به) کنار، به یک طرف
set aside کنار گذاشتن؛ تخصیص دادن؛ الغا کردن، باطل کردن
all joking aside شوخی به کنار
ask /ɑ:sk US: æsk/ *v* پرسیدن، سؤال‌کردن؛ خواهش کردن؛ دعوت کردن
ask for trouble
برای خود دردسر درست کردن (یا خریدن)
Ask him a question! از او چیزی (یا سؤالی) بپرسید!
ask a person for a thing
چیزی (را) از کسی خواهش کردن یا خواستن
It asks for attention دقت می‌خواهد، توجه لازم دارد
Ask him in خواهش کنید بیاید تو
askance /ə'skæns/ *adv* از گوشهٔ چشم
askew /ə'skju:/ *adj,adv* با گوشهٔ چشم، کج
aslant /ə'slɑ:nt US: ə'slænt/ *adj,adv* کج، اُریب(وار)
asleep /ə'sli:p/ *adj* خواب، خوابیده
I fell asleep خوابم برد، به‌خواب رفتم
aslope /ə'sləʊp/ *adj,adv* سرازیر، (به‌طور) مایل
asp /æsp/ *n* افعی؛ سپیدار، سفیدار
asparagus /ə'spærəgəs/ *n* مارچوبه
aspect /'æspekt/ *n* سیما، منظر؛ جنبه، لحاظ
asperity/æ'sperətɪ/ *n* درشتی، خشونت؛ سختی
asperse /ə'spɜ:s/ *vt* هتک شرف کردن نسبت به
aspersion /ə'spɜ:ʃn US: -ʒn/ *n* هتک شرف
cast aspersions on لکه‌دار کردن
aspersive *adj* توهین‌آمیز

asphalt /'æsfælt US: -fɔ:lt/ *n,vt* ۱.اسفالت؛ قیر معدنی ۲.قیرریزی کردن، اسفالت کردن
asphyxia /əs'fɪksɪə US: æs'f-/ *n* خفگی
asphyxiant *adj,n* ۱.خفه‌کننده ۲.دوا یا عامل خناق‌آور
asphyxiate /æs'fɪksi:eɪt/ *vt* خفه کردن
aspirant /ə'spaɪərənt/ *adj,n* طالب
aspirant to (*or* for) طالبِ، آرزومندِ
aspirate /'æspəreɪt/ *vt* از حلق یا با نفس تلفظ کردن؛ خالی کردن
aspirate /'æspərət/ *adj,n* ۱.با نفس تلفظ‌شده؛ صدادار ۲.صدای حرف h ؛ مصمتی که با نفس تلفظ شود
aspiration /,æspə'reɪʃn/ *n* تنفس؛ آه؛ آرزو؛ تلفظ حلقی؛ صدای h یا حرف حلقی دیگر
aspire /ə'spaɪə(r)/ *vi* آرزو داشتن؛ هوس داشتن [با after یا for یا at]
ass /æs/ *n* خر، الاغ
wild ass گورخر، خرِ دشتی
assail /ə'seɪl/ *vt* حمله کردن بر
assailant /ə'seɪlənt/ *n,adj* حمله‌کننده
assassin /ə'sæsɪn US: -sn/ *n* آدم‌کش، قاتل
assassinate /ə'sæsɪneɪt US: -sən/ *vt* کشتن، به قتل رساندن
assassination /ə,sæsɪ'neɪʃn US: -sə'neɪʃn/ *n* آدم‌کشی، قتل
assault /ə'sɔ:lt/ *n,vt* ۱.حمله؛ تهدید (به ضرب) ۲.حمله کردن بر؛ هتک ناموس (کردن به)
assay /ə'seɪ/ *n,v* ۱.سنجش؛ عیارگیری ۲.عیار گرفتن، محک زدن
assemblage /ə'semblɪdʒ/ *n* جمع‌آوری؛ انجمن؛ مجموعه؛ عمل جفت کردن
assemble /ə'sembl/ *v* جمع کردن (یا شدن)؛ سوار کردن، جفت کردن؛ انجمن کردن
assembly /ə'semblɪ/ *n* مجلس؛ شیپور جمع
assent /ə'sent/ *n,vi* ۱.موافقت، رضایت؛ تصدیق ۲.موافقت کردن
assent to مورد موافقت قرار دادن
assert /ə'sɜ:t/ *vt* اظهار یا ادعا کردن
assert oneself ادعا و خودنمایی‌کردن؛ از حق خود دفاع کردن
assertion /ə'sɜ:ʃn/ *n* اظهار مثبت؛ اثبات
assertive /ə'sɜ:tɪv/ *adj* مثبت؛ قطعی
assess /ə'ses/ *vt* تشخیص دادن؛ ارزیابی کردن؛ مالیات بستن به
assessment *n* ارزیابی؛ تشخیص
assessor /ə'sesə(r)/ *n* ارزیاب

assets /'æsets/ *npl* دارایی؛ موجودی، تَرَکه
asseverate /ə'sevəreɪt/ *vt* جداً اظهار کردن
assiduity /,æsɪ'dju:ətɪ US: -'du:-/ *n* ملازمت، پشتکار
assiduous /ə'sɪdjʊəs US: -dʒʊəs/ *adj* پشتکاردار، ساعی؛ ساعیانه
assign /ə'saɪn/ *vt* حواله کردن؛ تعیین کردن؛ تخصیص دادن؛ نسبت دادن؛ انتقال دادن؛ واگذار کردن
assignee /əsaɪ'ni:,æsə'ni:/ *n* منتقل‌الیه [برای این معنی assign هم می‌گویند]
assignment *n* تعیین؛ واگذاری، انتقال؛ حواله؛ تخصیص؛ اسناد؛ اظهار
assimilate /ə'sɪməleɪt/ *vt* شبیه ساختن؛ برابر کردن؛ در بدن جذب کردن
assimilation /ə,sɪmə'leɪʃn/ *n* جذب و تحلیل؛ تشبیه
assist /ə'sɪst/ *v* کمک کردن، مساعدت کردن؛ حضور به هم رساندن
assistance /ə'sɪstəns/ *n* مساعدت
assistant /ə'sɪstənt/ *adj,n* معاون، دستیار، همدست
assizes /ə'saɪzɪz/ *npl* دادگاه جنایی و کشوری استان
associate /ə'səʊʃɪeɪt/ *vi,vt* ۱.معاشرت کردن ۲.پیوستن، ارتباط دادن، متحد کردن؛ شریک کردن
associate /ə'səʊʃɪət/ *adj,n* شریک؛ متحد؛ (عضو) پیوسته
association /ə,səʊsɪ'eɪʃn/ *n* انجمن، مجمع؛ شرکت؛ معاشرت؛ اتحاد
assort /ə'sɔ:t/ *vt* جور کردن؛ [در صیغه اسم مفعول] جورکرده، جور
assortment /ə'sɔ:tmənt/ *n* عمل جور کردن، طبقه‌بندی؛ مجموعهٔ جور؛ جورکردگی
assuage /æ'sweɪdʒ/ *vt* تخفیف دادن
assumably *adv* فرضاً
assume /ə'sju:m US: ə'su:m/ *vt* به‌خود بستن؛ فرض کردن؛ تقبل کردن؛ پذیرفتن
assumed *ppa* به‌خود بسته، عاریتی
assuming *apa* از خود راضی
assumption /ə'sʌmpʃn/ *n* فرض؛ خودبینی، تعهد، التزام؛ اتخاذ
assurance /ə'ʃɔ:rəns US: ə'ʃʊərəns/ *n* اطمینان؛ اعتماد به‌خود؛ بیمه (عمر)
assure /ə'ʃɔ:(r) US: ə'ʃʊər/ *vt* اطمینان دادن؛ بیمه کردن (عمر)

assuredly /əˈʃɔːrɪdlɪ US: əˈʃʊərədlɪ/ *adv* به‌طور حتم، حتماً
Assyrian /əˈsɪriːən/ *adj,n* آسوری
aster /ˈæstə(r)/ *n* مینا، گل مینا
asterisk /ˈæstərɪsk/ *n* نشان ستاره (*)
astern /əˈstɜːn/ *adv* در پاشنه (کشتی)؛ عقب
asthenia /æsˈθiːniːə,ˌæsθəˈnaɪə/ *n* ضعف، سستی
asthma /ˈæsmə US: ˈæzmə/ *n* تنگی نفس، آسم
astir /əˈstɜː(r)/ *adj,adv* در جنبش، در حرکت؛ در هیجان
astonish /əˈstɒnɪʃ/ *vt* متحیر ساختن
astonished *ppa* متحیر، درشگفت
astonishing *apa* حیرت‌انگیز
astonishment *n* شگفت، حیرت
astound /əˈstaʊnd/ *vt* مبهوت کردن
astray /əˈstreɪ/ *adj,adv* گمراه، سرگردان؛ منحرف؛ بیراه، دور از جاده
  go astray گمراه یا سرگردان یا بد راه شدن
  lead astray گمراه کردن؛ بدراه کردن
astride /əˈstraɪd/ *adv,prep* با پای گشاده
  ride astride a horse با پای گشاده در دو طرف اسب سوار شدن
astringent /əˈstrɪndʒənt/ *adj* قابض
astrologer /əˈstrɒlədʒə(r)/ *n* نجوم‌بین؛ طالع‌بین
astrology /əˈstrɒlədʒɪ/ *n* نجوم‌بینی؛ طالع‌بینی
astronomer /əˈstrɒnəmə(r)/ *n* هیئت‌دان، منجّم
astronomic(al) /ˌæstrəˈnɒmɪk(l)/ *adj* هیئتی؛ خیره‌کننده
astronomy /əˈstrɒnəmɪ/ *n* هیئت، علم نجوم
astute /əˈstjuːt US: əˈstuːt/ *adj* زیرک، تیز فهم
asunder /əˈsʌndə(r)/ *adv* (از هم) جدا، دو نیم
  break asunder شکستن، دونیم کردن
asylum /əˈsaɪləm/ *n,L* [*pl* -la] پناهگاه، نوانخانه، دارالمساکین
  lunatic asylum تیمارستان، دارالمجانین
at /ət,æt/ *prep* به؛ به سوی، به طرفِ؛ در؛ دم، نزدیکِ؛ از قرارِ؛ درموقعِ
  at work سرِ کار، مشغول کار
  at that همان طور، از همین قرار
  catch at چنگ زدن به؛ گرفتن
ate /et US: eɪt/ [*p of* eat]
atheism /ˈeɪθɪɪzəm/ *n* انکار هستی خدا، الحاد
atheist /ˈeɪθɪɪst/ *n* منکر خدا، ملحد
atheistic(al) /ˌeɪθɪˈɪstɪk(l)/ *adj* مبنی بر الحاد

Athenian /əˈθiːniːən/ *adj,n* آتنی؛ اهل آتن پایتخت یونان
athlete /ˈæθliːt/ *n* ورزشکار
athletic /æθˈletɪk/ *adj* ورزشی، قهرمانی
athletics /æθˈletɪks/ *npl* ورزش‌های قهرمانی
athwart /əˈθwɔːt/ *adv,prep* ۱.از این‌سو به آن سو؛ چنان که خنثی کند ۲.از وسطِ؛ بر خلافِ
Atlantic Ocean اقیانوس اطلس
atlas /ˈætləs/ *n* نقشه‌نامه؛ نخستین مهرهٔ گردن
atmosphere /ˈætməsfɪə(r)/ *n* جوّ؛ محیط
atmospheric(al) /ˌætməsˈferɪk(l)/ *adj* هوایی، جوّی
atom /ˈætəm/ *n* اتم، جوهر فرد، ذره
atomic(al) /əˈtɒmɪk(l)/ *adj* اتمی؛ ذره‌ای
atomizer /ˈætəmaɪzər/ *n* عطرپاش
atone /əˈtəʊn/ *vi* کفاره یا جبران کردن
atonement *n* کفاره؛ جبران
atonic /əˈtɒnɪk,eɪˈtɒn-/ *adj* بی‌قوّه، ضعیف؛ بی‌تکیه
atony /ˈætənɪ/ *n* سُستی؛ فقدان تکیه
atrabilious /ˌætrəˈbɪljəs/ *adj* سودایی
atrocious /əˈtrəʊʃəs/ *adj* شریر؛ بی‌رحم؛ بی‌رحمانه؛ خیلی بد
atrocity /əˈtrɒsətɪ/ *n* بی‌رحمی
atrophy /ˈætrəfɪ/ *n* نقصان قوهٔ نمو
atrophy /ˈætrəfɪ/ *vt,vi* ۱.لاغر کردن ۲.لاغر شدن، خشک شدن
attach /əˈtætʃ/ *vt* پیوستن، وصل کردن؛ ضمیمه کردن؛ توقیف کردن
  attach importance اهمیت دادن
attaché /əˈtæʃeɪ US: ˌætəˈʃeɪ/ *n* وابستهٔ سفارت
  attaché case کیف چرمی دستی
attachment *n* وابستگی، پیوستگی، تعلق؛ علاقه؛ ضمیمه؛ توقیف، ضبط
attack /əˈtæk/ *vt,vi,n* ۱.حمله کردن بر؛ مبادرت کردن به ۲.تاخت آوردن ۳.حمله، یورش؛ اصابت ناخوشی؛ مبادرت (به کار)
  He was attacked by fever. تب کرد، دچار تب شد.
attain /əˈteɪn/ *vt* رسیدن به، نایل شدن به
attainable /əˈteɪnəbl/ *adj* قابل حصول
attainment *n* کمال، فضیلت؛ نیل
attempt /əˈtempt/ *vt,n* ۱.کوشش کردن؛ قصد کردن ۲.کوشش؛ (سوء)قصد؛ مبادرت (به کار)
  make an attempt on the life of a person سوء قصد نسبت به‌کسی کردن
  In an attempt to escape,he... چون خواست (یا قصد کرد) بگریزد...

attend /ə'tend/ *v* توجه یا رسیدگی کردن (به)؛ حضور به‌هم رساندن (در)؛ ملازم (کسی) بودن
attendance /ə'tendəns/ *n* توجه، مواظبت؛ ملازمت؛ حضور
attendant /ə'tendənt/ *adj,n* همراه، ملازم؛ مواظب؛ وابسته؛ خدمتکار، نوکر، مستخدم مرد
attention /ə'tenʃn/ *n* توجه، دقت، رسیدگی
pay attention گوش دادن؛ اعتنا یا توجه کردن
Attention! خبردار! حاضرباش!
come to attention; stand at attention به حال خبردار ایستادن
attentive /ə'tentɪv/ *adj* مواظب، متوجه؛ ملتفت؛ خدمتگزار و مؤدب
attenuate /ə'tenjʊeɪt/ *vt,vi* ۱.رقیق کردن؛ لاغر کردن ۲.رقیق شدن
attest /ə'test/ *vi,vt* ۱. [با to] گواهی دادن، تصدیق کردن؛ برای خدمت نظام‌وظیفه نام‌نویسی کردن ۲.سوگند دادن
attic /'ætɪk/ *n* اتاق زیر سقف
attire /ə'taɪə(r)/ *vt,n* لباس (پوشاندن)
attitude /'ætɪtju:d US: -tu:d/ *n* وضع؛ طرز تلقی؛ نظر
attorney /ə'tɜ:nɪ/ *n* وکیل
power of attorney وکالت‌نامه
attorney-general /ətɜ:nɪ 'dʒenərəl/ *n* دادستان
attract /ə'trækt/ *vt* جلب کردن، جذب کردن
attraction /ə'trækʃn/ *n* کشش، جاذبه، ربایش؛ [در جمع] دیدنیها
attractive /ə'træktɪv/ *adj* جاذب، جالب توجه
attribute /ə'trɪbju:t/ *vt* نسبت دادن، اسناد کردن، حمل کردن (بر)
attribute /'ætrɪbju:t/ *n* صفت، نسبت؛ نشان
attribution /,ætrɪ'bju:ʃn/ *n* اسناد
attributive adjective /ə'trɪbjʊtɪv 'ædʒɪktɪv/ صفتِ مستقیم، فرع اسم [مانند big در a big dog]
attrition /ə'trɪʃn/ *n* فرسایش؛ اصل خسته کردن (دشمن)
aubergine /'əʊbəʒi:n/ *n,Fr* بادنجان
auburn /'ɔ:bən/ *adj* بور
au courant /əʊ ku:'rɑ:n/ *Fr* آشنا، درجریان
auction /'ɔ:kʃn,'ɒkʃn/ *vt* به‌مزایده گذاشتن
auction /'ɔ:kʃn,'ɒkʃn/ *n* حراج، مزایده
put up to auction; sell by auction به مزایده گذاشتن، حراج کردن
auctioneer /,ɔ:kʃə'nɪə(r)/ *n,v* ۱.حراج‌گذار ۲.حراج کردن

audacious /ɔ:'deɪʃəs/ *adj* بی‌پروا؛ بی‌باکانه؛ بی‌شرم؛ گستاخانه
audacity /ɔ:'dæsətɪ/ *n* بی‌پروایی؛ گستاخی؛ جسارت
audible /'ɔ:dəbl/ *adj* رسا، شنیدنی
audience /'ɔ:dɪəns/ *n* بار، اجازهٔ حضور؛ حضار؛ شنوندگان (رادیو)
have an audience of a person به حضور کسی بار یافتن
the audience of a book خوانندگان کتاب
audit /'ɔ:dɪt/ *n,vt* ۱.رسیدگی، ممیزی ۲.رسیدگی یا ممیزی کردن
auditor /'ɔ:dɪtə(r)/ *n* ممیز، بازرس حسابداری
auditorium /,ɔ:dɪ'tɔ:rɪəm/ *n,L* [*pl* -ria] تالار شنوندگان، جای جمعیت
auditory nerve /'ɔ:dɪtəʊrɪ 'nɜ:v/ عصب سامعه
auger /'ɔ:gə(r)/ *n* مَتّه
aught /ɔ:t/ *n* or *pr,adv* ۱.چیزی ۲.هیچ
For aught I know تا آنجاکه من می‌دانم
augment /ɔ:g'ment/ *vt,vi* ۱.افزودن، زیاد کردن ۲.زیاد شدن
augmentation /,ɔ:gmen'teɪʃn/ *n* افزایش، اضافه
augur /'ɔ:gə(r)/ *v,n* ۱.پیشگویی کردن؛ نشانه بودن ۲.فالگیر، کاهن
augur well نشانهٔ خوبی بودن
augury /'ɔ:gjʊrɪ/ *n* تَفأل، پیشگویی، کهانت؛ فال، اوغور؛ نشانه
august /ɔ:'gʌst/ *adj* باعظمت؛ عالی‌نسب
August /'ɔ:gəst/ *n* اوت (هشتمین ماه سال میلادی)
aunt /ɑ:nt US: ænt/ *n* عمه؛ خاله؛ زن‌دایی؛ زن‌عمو
aureate /'ɔ:ri:ɪt,-eɪt/ *adj* طلایی
au revoir /,əʊ rə'vwɑ:(r)/ *Fr* خداحافظ!
auricle /'ɔ:rɪkl/ *n* دهلیز قلب؛ گوشَک
auricular /ɔ:'rɪkjʊlə(r)/ *adj* گوشی؛ مربوط به شنوایی؛ مربوط به دهلیز قلب
auriferous /ɔ:'rɪfərəs/ *adj* زرخیز
aurora /ɔ:'rɔ:rə/ *n* سپیده‌دم، فجر
aurora australis فجر جنوبی
aurora borealis فجر شمالی
auscultation /,ɔ:skəl'teɪʃn/ *n* گوش کردن صداهای درونی بدن
auspice /'ɔ:spɪs/ *n* تَفأل از روی پرواز مرغ؛ فال؛ [در جمع] توجهات
auspicious /ɔ:'spɪʃəs/ *adj* فرخنده، خجسته، سعید؛ مبارک؛ مساعد

austere /ɒ'stɪə(r),ɔ:'stɪə(r)/ *adj* سخت؛ درشت؛ سختگیر؛ گس، دبش، ساده؛ ریاضت‌کش

austerity /ɒ'sterətɪ,ɔ:'sterətɪ/ *n* درشتی؛ سختگیری؛ سادگی؛ زُهد؛ ریاضت‌کشی

austral /'ɔ:strəl/ *adj* جنوبی

Australian /ɒ'streɪlɪən US: 'ɔ:s-/ *adj,n* استرالیایی

Austria /'ɒstrɪə US: 'ɔ:s-/ *n* اتریش

Austrian /'ɒstrɪən US: 'ɔ:s-/ *adj,n* اتریشی

autarchy /'ɔ:tɑ:kɪ/ *n* استقلال اقتصادی

authentic /ɔ:'θentɪk/ *adj* صحیح، معتبر، درست، موثق، قابل اعتماد

authenticate /ɔ:'θentɪkeɪt/ *vt* موثق دانستن، تصدیق کردن، رسمیت دادن

authenticity /,ɔ:θən'tɪsətɪ/ *n* صحت، درستی، اعتبار، سندیت، اصلیت

author /'ɔ:θə(r)/ *n* [*fem* -ess] مصنف، مؤلف؛ [مجازاً] مؤسس

authoritative /ɔ:'θɒrətətɪv US: -teɪtɪv/ *adj* آمرانه، مقتدرانه؛ مقتدر؛ معتبر

authority /ɔ:'θɒrətɪ/ *n* توانایی، اقتدار؛ اختیار، اجازه؛ مرجع، منبع موثق؛ [در جمع] اولیای امور

authorization /,ɔ:θəraɪ'zeɪʃn US: rɪ'z-/ *n* اجازه، اختیار؛ اعطای‌اختیار

authorize /'ɔ:θəraɪz/ *vt* اجازه دادن (به)، اختیار دادن (به)

authorized *ppa* مُجاز

authorship /'ɔ:θərʃɪp/ *n* نویسندگی؛ اصلیت کتابی از حیث مصنف آن

autobiography /,ɔ:təbaɪ'ɒgrəfɪ/ *n* زندگینامهٔ شخص به قلم خودش

autoclave /'c:təkleɪv/ *n* اتوکلاو [لفظ فرانسه]؛ نوعی قابلمه

autocracy /ɔ:'tɒkrəsɪ/ *n* حکومت مُطلق، حکومت مستقل

autocrat /'ɔ:təkræt/ *n* سلطان یا حاکم مطلق

autocratic /,ɔ:tə'krætɪk/ *adj* مطلق، استبدادی

autograph /'ɔ:təgrɑ:f US: -græf/ *n* دستخط خودمصنف

automat /'ɔ:təmæt/ *n* قسمتِ خودکار ماشین؛ [در امریکا] رستورانی که در آنجا با انداختن پول در جعبه‌ای خوراک برای شخص موجود می‌شود

automatic /,ɔ:tə'mætɪk/ *adj* خودکار؛ قهری؛ غیرارادی

automatically /,ɔ:tə'mætɪklɪ/ *adv* خودبه‌خود، به‌طور خودکار

automatism *n* حرکت خودبه‌خود، خودکاری؛ ملکه

automobile /'ɔ:təməbi:l,,ɔ:təmə'bi:l/ *n* اتومبیل

autonomous /ɔ:'tɒnəməs/ *adj* دارای حکومت داخلی مستقل

autonomy /ɔ:'tɒnəmɪ/ *n* استقلال داخلی

autoplasty /'ɔ:təplæstɪ/ *n* پیوند خود به خود، پیوند جلدی

autopsy /'ɔ:tɒpsɪ/ *n* کالبدگشایی، معاینهٔ جسد

autumn /'ɔ:təm/ *n* پاییز

autumnal /ɔ:'tʌmnəl/ *adj* پاییزه

auxiliary /ɔ:g'zɪlɪərɪ/ *adj* مُعین

avail /ə'veɪl/ *v,n* ۱.سودمند بودن (برایِ) ۲.سود، فایده

avail oneself of استفاده کردن از

be of avail سودمند بودن، به‌درد خوردن

of no avail; without avail بی‌فایده

availability /ə,veɪlə'bɪlətɪ/ *n* موجود بودن، فراهم بودن

available /ə'veɪləbl/ *adj* موجود، (در) دسترس، فراهم، قابل استفاده

avalanche /'ævəlɑ:nʃ US: -læntʃ/ *n* بهمن

avant propos /əvɑ:nt 'prɒpəʊz/ *Fr* مقدمه، دیباچه

avarice /'ævərɪs/ *n* آز، طمع

avaricious /,ævə'rɪʃəs/ *adj* حریص؛ طماع

avenge /ə'vendʒ/ *v* کینه‌جویی کردن (از)، تلافی درآوردن (برسرِ)

avenge oneself انتقام خود را کشیدن

avenue /'ævənju: US: -nu:/ *n* خیابان؛ راه

aver /ə'vɜ:(r)/ *vt* [-red] به‌طور قطع اظهار داشتن؛ محقق کردن

average /'ævərɪdʒ/ *n,adj,v* ۱.معدل، حد وسط ۲.متوسط ۳.معدل گرفتن از؛ روی هم‌رفته بالغ شدن؛ (سهم انفرادی در دادن) خسارت کشتی

on the average روی هم‌رفته، به‌طور متوسط

I average six hours a day.

روی هم‌رفته روزی شش ساعت کار می‌کنم.

averse /ə'vɜ:s/ *adj* مخالف؛ متنفِر

averse to مخالفِ؛ متنفِر از

aversion /ə'vɜ:ʃn US: ə'vɜ:rʒn/ *n* بیزاری، تنفِر

avert /ə'vɜ:t/ *vt* دفع کردن

aviary /'eɪvɪərɪ US: -vɪerɪ/ *n* جای نگاهداری پرندگان

aviate /'eɪvi:eɪt,'ævi:-/ *vi* هواپیمایی کردن

aviation /,eɪvɪ'eɪʃn/ *n* هواپیمایی

aviator /'eɪvɪeɪtə(r)/ *n* هوانورد
avid /'ævɪd/ *adj* حریص، آزمند
avidity /ə'vɪdətɪ/ *n* آز، حرص
avitaminosis /eɪ,vaɪtəmə'neʊsɪs, ,eɪvɪt,æmə'nəʊsɪs/ *n* ناخوشی که از فقدان ویتامین پیدا شود
avocation /,ævə'keɪʃn/ *n* کار یا مشغولیت فرعی
avoid /ə'vɔɪd/ *vt* اجتناب کردن از؛ الغا کردن
avoidable /ə'vɔɪdəbl/ *adj* اجتناب‌پذیر
avoidance /ə'vɔɪdəns/ *n* اجتناب
avouch /ə'vaʊtʃ/ *vt* تصدیق یا اقرار کردن
avow /ə'vaʊ/ *vt* اعتراف کردن؛ آشکار گفتن
avowal /ə'vaʊəl/ *n* اعتراف، اظهار صریح
avowedly /ə'vaʊɪdlɪ/ *adv* آشکارا؛ مسلماً
await /ə'weɪt/ *vt* منتظر بودن
I await you. منتظرِ شما هستم.
awake /ə'weɪk/ *vi,vt* [awoke; awoke *or* awaken],*adj* ۱.بیدار شدن ۲.بیدار کردن ۳.بیدار
awake to آگاه از، ملتفتِ
awaken /ə'weɪkən/ *v* بیدار کردن یا شدن
awakening /ə'weɪknɪŋ/ *n* بیداری، جنبش
award /ə'wɔ:d/ *vt,n* ۱.فتوی دادن، مقرر داشتن؛ اعطا کردن ۲.فتوی؛ رأی؛ جایزه؛ اعطا
aware /ə'weə(r)/ *adj* آگاه، باخبر
awash /ə'wɒʃ/ *adj* موج‌گرفته، آب‌گرفته
away /ə'weɪ/ *adv* کنار، به‌یک طرف؛ دور؛ بیرون، در سفر؛ پیوسته
far and away به مراتب، خیلی
give away بخشیدن؛ از دست دادن
Away with you! بروگم شو! دورشو!
awe /ɔ:/ *n,vt* ۱.حرمت، هیبت؛ ترس (آمیخته با احترام) ۲.ترساندن
stand in awe of ترس داشتن از؛ حرمت داشتن از

awesome /'ɔ:səm/ *adj* مایهٔ هیبت یا حرمت
awestruck /'ɔ:strʌk/ *adj* وحشت‌زده
awful /'ɔ:fl/ *adj* ترسناک؛ [در گفتگو] بسیاربد
awfully /'ɔ:flɪ/ *adv* [درگفتگو] بسیار(بد)
awhile /ə'waɪl US: ə'hwaɪl/ *adv* چندی، مدت کمی
awkward /'ɔ:kwəd/ *adj* بی‌لطافت؛ زشت؛ ناراحت؛ سخت؛ ناشی؛ غیراستادانه
awkward customer [درگفتگو] آدم‌ناتو
awl /ɔ:l/ *n* درفش؛ سوراخ‌کن
awning /'ɔ:nɪŋ/ *n* سایبان (کرباسی)، چادر
awoke /ə'wəʊk/ [*p,pp of* awake]
awry /ə'raɪ/ *adj,adv* ۱.کج؛ منحرف ۲.چپ چپ؛ بد، به غلط
go awry غلط افتادن؛ خطا رفتن
ax(e) /æks/ *n* تبر؛ تیشه
ax(e) to grind غرض، مقصود باطنی
axial /'æksi:əl/ *adj* محوری، محورمانند
axiom /'æksɪəm/ *n* قضیهٔ بدیهی؛ قاعدهٔ کلی؛ پند
axiomatic(al) /,æksɪə'mætɪk(l)/ *adj* بدیهی؛ حاوی پند
axis /'æksɪs/ *n* [axes] آسه، محور، قطب؛ مهرهٔ محوری
axle /'æksl/ *n* محورِ چرخ؛ میله
axle-shaft /'æksl ʃɑ:ft/ *n* میل پولوس
axle-tree /'æksl tri:/ *n* میلهٔ میان دوچرخ
axman /'æksmən/ تبردار، هیزم‌شکن
ay;aye /aɪ/ *int,n* [ayes] ۱.بله ۲.پاسخ مثبت؛ رأی مثبت
azalea /ə'zeɪlɪə/ *n* [گیاه‌شناسی] آزالیا
azote /'æzəʊt,ə'zəʊt/ *n* ازت، نیتروژن
azure /'æʒə(r),'æzjʊə(r)/ *n,adj,vt* ۱.لاجورد ۲.آبیِ‌آسمانی ۳.لاجوردی کردن
azymous /'æzaɪməs/ *adj* ورنیامده، فطیر

B,b

B,b /bi:/ *n* دومین حرف الفبای انگلیسی
BA /,bi:'eɪ/ = Bachelor of Arts درجهٔ لیسانس در علوم انسانی
baa /bɑ:/ *n,vi* بع‌بع (کردن)
babble /'bæbl/ *vi,vt* ۱.وِرور کردن؛ یاوه گفتن؛ وراجی کردن ۲.فاش کردن

babe /beɪb/ = baby
babel /'beɪbl/ *n* شلوغ پلوغ
baboon /bə'bu:n US: bæ-/ *n* نوعی میمون دُم کوتاه
baby /'beɪbɪ/ *n* بچه، کودک
babyhood *n* بچگی

babyish *adj* بچگانه؛ بچه‌صفت
Babylonian /ˌbæbəˈləʊniːən/ *adj* بابلی
baby-sitter /ˈbeɪbɪ sɪtə(r)/ *n* بچه نگهدار، پرستاربچه
baccalaureate /ˌbækəˈlɔːrɪət/ *n* درجهٔ لیسانس [bachelor]
bacchanal /ˈbækənl/ *adj,n* میگسار، عیاش
bacchanallia /ˌbækəˈneɪliːə/ *npl* عیاشی،مستی
bacchanalian /ˌbækəˈneɪliːən/ *adj* وابسته به عیاشی و میگساری
bachelor /ˈbætʃələ(r)/ *n* مرد بی‌زن
bachelor girl دختر عَزَبی که مستقلاً زندگی می‌کند
bachelor's-button /ˈbætʃələz bʌtn/ *n* ۱.گل اشرفی ۲.گل دکمه
bacillus /bəˈsɪləs/ *n* [*pl* -cilli /-laɪ/] باسیل، میکروب
back /bæk/ *n,adj* ۱.پشت، عقب؛ پشتیبان ۲.عقبی؛ پس‌افتاده؛ گذشته
- **at the back of** درعقبِ؛ به پشتیِ
- **on one's back** بستری
- **back rent** *US* اجارهٔ پس‌افتاده

back /bæk/ *adv* (به) عقب، پس؛ باز
- **give back** پس دادن
- **come (*or* go) back** برگشتن
- **go back on one's word** از قول خود عدول کردن
- **back and forth** پس‌وپیش، جلوعقب

back /bæk/ *vt,vi* ۱.پشتی کردن؛ پشت‌نویسی کردن ۲.پس رفتن؛ عقب زدن
- **back down** از ادعایی صرف‌نظر کردن
- **back out** جر زدن؛ نکول کردن
- **back up** یاری یا کمک کردن [دربازی]

backache /ˈbækeɪk/ *n* پشت درد
backbite /ˈbækbaɪt/ *v* غیبت کردن (از)، بدگویی کردن (از)
backbone /ˈbækbəʊn/ *n* تیرهٔ پشت، ستونِ فقرات؛ [مجازاً] پشت، استواری، استحکام
backdoor /ˈbækdɔː(r)/ *n,adj* ۱.درِ عقب؛ وسیلهٔ نهانی یا زیرجلی ۲.پنهان
backfall /ˈbækfɔːl/ *n* زمین‌خوردگی
backgammon /bækˈgæmən US: ˈbækgæmən/ *n* بازی تخته‌نرد
background /ˈbækgraʊnd/ *n* دورنما؛ زمینه؛ مایه
back-handed /ˈbækhændɪd/ *adj* با پشت دست زده‌شده؛ [مجازاً] کنایه‌دار، مبهم
backing *n* پشتیبانی؛ پشت، پوشش
back-pay /ˈbækpeɪ/ *n* حقوق عقب‌افتاده
backside /ˈbæksaɪd/ *n* سُرین، کفل؛ پشت
backslide /ˈbækslaɪd/ *vi* (از دین) برگشتن
backstairs /ˈbæksteəz/ *npl* پلکان عقب
backward /ˈbækwəd/ *adv,adj* ۱.عقب، به پشت؛ وارونه؛ از آخر ۲.عقبی؛ قهقرایی؛ کند؛ دیرآینده
backwarded *adj* عقب‌مانده
backwater /ˈbækwɔːtə(r)/ *n* آب راکد، مرداب
backwoods /ˈbækˈwʊdz/ *npl* اراضی جنگلی دور از شهر
bacon /ˈbeɪkən/ *n* دنده و مازهٔ خوک که خشک یا دودی کرده باشند
bacteria /bækˈtɪərɪə/ *n* [*pl of* bacterium] میکرب‌های گیاهی
bactericide /bækˈtiːrɪsaɪd/ *n* میکرب‌کش
bacteriology /bækˌtɪərɪˈɒlədʒɪ/ *n* میکرب‌شناسی
bacteriophage /bækˈtiːriːəfeɪdʒ/ *n* باکتری‌خور، میکرب‌خور
Bactrian /ˈbæktriːən/ *adj* باختری؛ دوکوهانه
bad /bæd/ *adj* [worse;worst] *,n* ۱.بد؛ لاوصول [bad debt] ۲.بدی
- **with bad grace** با بی‌میلی
- **bad faith** سوء نیت، عدم خلوص
- **bad form** بی‌تربیتی
- **bad language** دُشنام، فحش
- **bad shot** تیر خطارفته، حدس غلط

bade /bæd/ [*p of* bid]
badge /bædʒ/ *n,vt* ۱.نشان؛ نشانه ۲.نشان دادن؛ نشان گذاردن
badger /ˈbædʒə(r)/ *n,vt* ۱.گورکن [نام جانور] ۲.اذیت کردن
badly *adv* (به‌طور) بد؛ بسیار
badminton /ˈbædmɪntən/ *n* نوعی بازی شبیه به تنیس
bad-tempered /ˈbædtempəd/ *adj* بدخو، تندخو
baffle /ˈbæfl/ *vt* باطل کردن، برهم زدن؛ محروم کردن؛ از پیشرفت بازداشتن
baffle-board /ˈbæfl bɔːd/ *n* صداگیر، حایل
bag /bæg/ *n,vi,vt* [-ged] ۱.کیسه؛ کیف ۲.برآمدگی پیدا کردن ۳.در کیسه یا چنته شکاری ریختن

He let the cat out of the bag.
(از دهنش در رفت) و آن راز را فاش کرد.

bagatelle /ˌbægəˈtel/ *n* چیز ناقابل؛ نوعی بیلیارد
baggage /ˈbægɪdʒ/ *n* بُنهٔ سفر
baggy /ˈbægɪ/ *adj* کیسه‌ای؛ [در شلوار] زانو انداخته
bagman /ˈbægmən/ *n* کاسب یا بازرگان سیار
bagpipe /ˈbægpaɪp/ *n* نی‌انبان
bail /beɪl/ *n,vt* ۱.کفیل؛ ضمانت ۲.ضامن (کسی) شدن؛ [با out] به‌قید کفیل آزاد کردن
  go bail for someone کفالتِ کسی را کردن، کفیل کسی شدن
  on bail به قید کفیل
bail /beɪl/ *n,vt* ۱.دستهٔ سطل؛ چمچه ۲.با چمچه خالی کردن
  bail out با چتر پایین آمدن
bailiff /ˈbeɪlɪf/ *n* مأمور اجرای دادگاه بخش
bait /beɪt/ *n,vt,vi* ۱.طعمه ۲.اذیت کردن؛ طعمه دادن ۳.خوراک خوردن، نفس تازه کردن
baize /beɪz/ *n* نوعی ماهوت رومیزی
bake /beɪk/ *vt,n* ۱.پختن ۲.پخت
bakehouse /ˈbeɪkhaʊs/ = bakery
baker *n* نانوا، خباز
  baker's dozen سیزده (تا)
bakery /ˈbeɪkərɪ/ *n* دکان نانوایی
balance /ˈbæləns/ *n,vt* ۱.ترازو، میزان؛ موازنه؛ موجودی ۲.سنجیدن؛ به حال موازنه در آوردن
  be off one's balance تعادل خود را از دست دادن (و افتادن)
  balance-sheet ترازنامه
balance-wheel /bæləns wiːl US: -hwiːl/ *n* رقاصک ساعت
balcony /ˈbælkənɪ/ *n* بالکن؛ لژ بالا
bald /bɔːld/ *adj* طاس، بی‌مو؛ برهنه؛ [مجازاً] بی‌لطف، بی‌ملاحت
  bald as a coot مثل کدو [از حیث طاسی]
balderdash /ˈbɔːldədæʃ/ *n* چرند، یاوه
bald-headed /ˈbɔːld hədɪd/ *adj* طاس
baldness *n* طاسی؛ بی‌لطافتی
baldric /ˈbɔːldrɪk/ *n* بند، حمایل
bale /beɪl/ *n* عدل، لنگه؛ بلا؛ رنج، محنت
balk /bɔːk/ *n* مرز، زمین شخم نشده؛ [مجازاً] مایهٔ لغزش
ball /bɔːl/ *n* توپ؛ گلوله؛ (مجلس) رقص
ballad /ˈbæləd/ *n* نوعی قصیده یا ترجیع‌بند
ballast /ˈbæləst/ *n,vt* ۱.پاره سنگ؛ شن؛ شن‌ریزی؛ چیز سنگینی که در ته کشتی یا بالون میریزند ۲.شن‌ریزی کردن؛ ثابت واداشتن

ball-bearings /ˌbɔːl ˈbeərɪŋz/ *n* یاتاقان ساچمه‌ای
ballet /ˈbæleɪ/ *n* باله [نوعی رقص]
balloon /bəˈluːn/ *n* بالون؛ بادکنک
ballot /ˈbælət/ *n,vi* ۱.ورقهٔ رأی ۲.رأی مخفی دادن
  ballot box صندوق آرا
  take a ballot رأی مخفی گرفتن
balls /bɔːlz/ *npl* [زبان عامیانه] تخم، خایه
  make a balls of خراب کردن، بد انجام دادن
balm /bɑːm/ *n* بَلسان؛ مرهم
balsam /ˈbɔːlsəm/ *n* بَلسان؛ گل حنا
baluster /ˈbæləstə(r)/ *n* ستون، نرده (یا صراحی‌های پلکان)
balustrade /ˌbæləˈstreɪd/ *n* طارمی، نرده
bamboo /bæmˈbuː/ *n* (عصای) خیزران یا نی هندی
bamboozle /bæmˈbuːzl/ *vt* گول زدن
ban /bæn/ *n,vt* [-ned] ۱.حکمِ تحریم یا تکفیر یا توقیف؛ (آگهی) احضار ۲.توقیف کردن؛ لعن کردن
  put under the ban موقوف کردن؛ توقیف کردن
  lift the ban on رفع توقیف کردن از
banal /bəˈnɑːl US: ˈbeɪnl/ *adj* پیش پاافتاده، مبتذل
banality /bəˈnælətɪ/ *n* چیز مبتذل؛ ابتذال
banana /bəˈnɑːnə US: bəˈnænə/ *n* موز
band /bænd/ *n,vt,vi* ۱.دسته؛ باند ۲.متحد کردن ۳.متحد شدن
bandage /ˈbændɪdʒ/ *n,vt* ۱.نوارِ زخم‌بندی ۲.نوارپیچ کردن
bandbox /ˈbændbɒks/ *n* جعبهٔ مقوایی
  As if she has just come out of a bandbox. مثل اینکه تازه از لای زرورق درش آورده‌اند.
bandeau /ˈbændəʊ US: bænˈdəʊ/ *n* [*pl* -deaux -dəʊz US: -ˈdəʊz/] روبانِ سر، گیسوبند
banderole /ˈbændərəʊl/ *n* نوار چسب؛ پرچم دراز
bandit /ˈbændɪt/ *n* راهزن، قاطع طریق
bandmaster /ˈbændmæstə(r)/ *n* رئیس دستهٔ موزیک
bandoleer;-lier /ˌbændəˈlɪə(r)/ *n* جای فشنگ؛ حمایل
bandoline /ˈbændliːn dlɪn/ *n* روغن مو
band-saw /ˈbændsɔː/ *n* ارّه نواری
bandstand /ˈbændstænd/ *n* جایگاه دستهٔ موزیک

bandy /'bændɪ/ *v* انداختن (توپ)؛ مبادلهٔ (کلام) کردن، بحث کردن
bandy /'bændɪ/ *adj,n* (چوگان) کج
bane /beɪn/ *n* (مایه) هلاکت؛ زهر
baneful /'beɪnfʊl/ *adj* زهردار؛ مضر
bang /bæŋ/ *v* با صدا بستن یا بسته شدن
  go bang دررفتن، منفجر شدن
  He banged his head. سرش قایم صداکرد، (از خوردن به فلان چیز) سرش خرد شد.
bangle /'bæŋgl/ *n* النگو
banish /'bænɪʃ/ *vt* تبعید کردن؛ دور کردن
banishment *n* تبعید؛ تبعیدشدگی
banisters /'bænɪstəz/ *npl* = baluster
banjo /'bændʒəʊ/ *n* [موسیقی] بانجو
bank /bæŋk/ *n,vt* ۱.ساحل، کنار؛ پُشته، توده؛ بانک ۲.سد کردن؛ کپه کردن؛ در بانک گذاشتن
bankbill /'bæŋkbɪl/ *n* برات بانک؛ اسکناس
bank-book /'bæŋkbʊk/ *n* دفترچهٔ بانکی
banker *n* بانکدار
banking *n* بانکداری، کارِ بانکی
bank-note /'bænknəʊt/ *n* اسکناس
bankrupt /'bæŋkrʌpt/ *adj* ورشکسته، ورشکست
  go bankrupt ورشکست شدن
  bankrupt of عاری از، فاقد
bankruptcy /'bæŋkrəpsɪ/ *n* ورشکستگی، افلاس
banner /'bænə(r)/ *n* پرچم، عَلَم
banns /bænz/ *npl* پیش‌آگهی ازدواج
banquet /'bæŋkwɪt/ *n,v* ۱.مهمانی ۲.مهمانی‌کردن (برایِ)
bantam weight /'bæntəm weɪt/ *n* خروس‌وزن
banter /'bæntə(r)/ *n,vi* شوخی(کردن)
baptism /'bæptɪzəm/ *n* تعمید
baptist /'bæptɪst/ *n* تعمیددهنده
baptize /bæp'taɪz/ *vt* تعمید دادن
bar /bɑ:(r)/ *n,vt* [-red] ۱.میل، شمش؛ سد؛ مانع؛ کلون در؛ [با the] وکالت، هیئت وکلا؛ بار، بساط پیاله فروشان ۲.بستن، سد کردن؛ مانع شدن
  glazing-bar شیشهٔ پنجره
  be tried at (the) bar به‌طور علنی محاکمه شدن
barb /bɑ:b/ *n* ریش؛ ریشه؛ خار؛ پیکان؛ نیش
barbarian /bɑ:'beərɪən/ *n,adj* بیگانه؛ وحشی
barbaric /bɑ:'bærɪk/ *adj* وحشی، بربری؛ وحشیانه

barbarism /'bɑ:bərɪzəm/ *n* عبارتِ غیرمصطلح؛ وحشیگری، بربریّت
barbarity /bɑ:'bærətɪ/ *n* وحشیگری، بی‌رحمی
barbarize /'bɑ:bəraɪz/ *vt,vi* ۱.با تعبیرات غیرمصطلح آمیختن ۲.وحشیگری کردن
barbarous /'bɑ:bərəs/ *adj* وحشی، بی‌تربیت؛ وحشیانه؛ غیرمصطلح
barbecue /'bɑ:bɪkju:/ *n,vt* ۱.بریانی ۲.بریان کردن
barbed *adj* خاردار [در سیم]؛ ریشدار
bar-bell /'bɑ:bel/ *n* [ورزش] هالتر
barber /'bɑ:bə(r)/ *n* سلمانی (مردانه)
barberry /'bɑ:berɪ,-bərɪ/ *n* زرشک
bard /bɑ:d/ *n* شاعر(باستانی)؛ رامشگر
bare /beə(r)/ *adj,vt* ۱.برهنه؛ عاری؛ بی‌آرایش ۲.برهنه کردن
  I believe your bare word به صرف گفته شما باور می‌کنم
bareback /'beəbæk/ *adv* بی‌زین
  ride bareback اسب لخت سوار شدن
barefaced /'beəfeɪst/ *adj* روگشاده؛ بی‌حیا
barefoot(ed) /'beəfʊtɪd/ *adv* با پای برهنه
bareheaded /'beəhedɪd/ *adj* سربرهنه
barely *adv* به‌زحمت، زورکی
bareness *n* برهنگی؛ سادگی
bargain /'bɑ:gɪn/ *n,vi* ۱.معامله، دادوستد ۲.چانه زدن؛ طی کردن؛ قرارگذاشتن؛ [با for] آماده چیزی بودن یا انتظار آن را داشتن
  into the bargain علاوه برآنچه طی‌شده
  have a thing a(great)bargain چیزی را ارزان خریدن، بز گیر آوردن
  bargain for منتظر یا آمادهٔ (چیزی) بودن
barge /bɑ:dʒ/ *n* دوبه؛ کرجی
bargee /bɑ:'dʒi:/ *n* قایقران؛ آدم خشن
barium /'beərɪəm/ *n* [شیمی] باریوم
bark /bɑ:k/ *n,vt,vi* ۱.پوستِ درخت؛ عوعو، پارس ۲.پوست کندن ۳.عوعو کردن، پارس کردن
barley /'bɑ:lɪ/ *n* [غله] جو
barley-corn /'bɑ:lɪkɔ:n/ *n* دانهٔ جو، جودانه
barley-sugar /'bɑ:lɪʃʊgə(r)/ *n* آب نبات
barley-water /'bɑ:lɪwɔ:tə(r)/ *n* ماءالشعیر
barm /bɑ:m/ *n* مایهٔ آبجو، بوزک
Barmecide feast /'bɑ:mɪsaɪd 'fi:st/ *n* خورش دل‌ضعفه
barn /bɑ:n/ *n* انبار کاه صحرایی؛ طویله

He cannot hit a barn-door.
شتر (یا فیل) به آن بزرگی را هم نمی‌تواند بزند. [در تیراندازی]
barn-yard /'bɑ:n yɑ:d/ *n* حیاطِ رعیتی، جای نگهداری مرغ و خروس
barnacle /'bɑ:nəkl/ *n* جانوری که به ته کشتی یا به خاره‌های دریایی می‌چسبد
barometer /bə'rɒmɪtə(r)/ *n* هواسنج
baron /'bærən/ *n* [*fem* -ess] بارون
baronet /'bærənɪt/ *n* بارونت
barony /'bærənɪ/ *n* لقب بارونی
baroque /bə'rɒk US: bə'rəʊk/ *adj* بی‌تناسب
barque /bɑ:k/ *n* بارکاس، کرجی
barrack /'bærək/ *n* سربازخانه
barrage /'bærɑ:ʒ US: bə'rɑ:ʒ/ *n* سد(بندی)
barred /bɑ:d/ *ppa* مسدود؛ شن‌گرفته
barrel /'bærəl/ *n* بشکه؛ لوله (تفنگ)
barrel-organ /'bærəl ɔ:gən/ *n* ارگ دنده‌ای
barren /'bærən/ *adj* نازا؛ لم‌یزرع؛ بی‌ثمر
barricade /,bærɪ'keɪd/ *n* سنگربندی موقتی
barrier /'bærɪə(r)/ *n,vt* ۱.سد؛ حصار ۲.راه (کسی را) بستن
barring /'bɑ:rɪŋ/ *prep* بجز، به‌استثنایِ
barrister /'bærɪstə(r)/ *n* وکیل مدافع
barroom /'bɑ:rʊm/ *n* نوشابه‌فروشی، بار
barrow /'bærəʊ/ *n* زنبه؛ خاک‌کش؛ چرخ دستی؛ پُشته؛ توده؛ خوک اخته
barter /'bɑ:tə(r)/ *v,n* ۱.معاوضه کردن [با for] ۲.دادوستد
barter away با کالای دیگرمعاوضه کردن
basalt /'bæsɔ:lt US: bə'sɔ:lt/ *n* سیاه سنگ
base /beɪs/ *n* ته، پایه؛ پایگاه؛ [هندسه] قاعده؛ [شیمی] اصل نمک، قلیا
base /beɪs/ *vt* (بر اساس) قرار دادن
base oneself متکی شدن، تکیه کردن
base /beɪs/ *adj* فرومایه؛ بدل، قلب؛ [موسیقی] بم
baseball /'beɪsbɔ:l/ *n* بیس‌بال
base-born /'beɪs bɔ:n/ *adj* حرامزاده؛ فرومایه
baseless *adj* بی‌اساس، بی‌مأخذ
basement /'beɪsmənt/ *n* زیرزمین؛ طبقه زیر
bash /bæʃ/ *vt,Sl* محکم زدن
bashful /'bæʃfl/ *adj* کمرو، خجول، ترسو
basic /'beɪsɪk/ *adj* اساسی، اصلی؛ تهی؛ قلیایی
basil /'bæzl/ *n* ریحان
basin /'beɪsn/ *n* لگن؛ حوض؛ حوضهٔ رود
lavatoty basin دستشویی، مستراح
basis /'beɪsɪs/ *n* [-ses] مأخذ؛ پایه

bask /bɑ:sk US: bæsk/ *vi* آفتاب خوردن، گرم شدن
basket /'bɑ:skɪt US: 'bæskɪt/ *n* زنبیل، سبد؛ جیره
basket-ball /'bɑ:skɪtbɔ:l US: 'bæs-/ *n* بسکتبال
basque /bæsk/ *n* دامن کوتاه زنانه
bas-relief /,bæsrɪ'li:f,'bɑ: rɪli:f/ *n* برجستهٔ کوتاه، نقش کم برجسته
bass /bæs/ *adj,n* (صدای) بم
bassinet /,bæsɪ'net/*n* گهوارهٔ سبدی روپوش‌دار؛ کالسکهٔ بچه
bassoon /bə'su:n/ *n* قَرِهنیِ بم
bastard /'bɑ:stəd US: 'bæs-/ *adj,n* ۱.حرامزاده؛ دورگه؛ آمیخته؛ بَدَل ۲.بچهٔ حرامزاده
baste /beɪst/ *vt* روغن زدن به (گوشت سرخ کردنی) برای جلوگیری از سوختن آن؛ کوک زدن
bastinado /,bæstɪ'nɑ:dəʊ, -'neɪd-/*n*[-does] *,vt* ۱.فَلک؛ چوب فلک ۲.فلک کردن
bat /bæt/ *n* خفاش؛ چوگان؛ پاره آجر
bat /bæt/ *vt* برهم زدن
bat an eyelid چشم به هم زدن
batch /bætʃ/ *n* (یک) پخت؛ دسته
batch /bætʃ/ *vt* با آب و روغن نرم کردن
bate /beɪt/ *vt* حبس کردن (نفس)
bath /bɑ:θ US: bæθ/ *n* شستشو؛ حمام فرنگی، وان
take a bath شستشو یا آب‌تنی کردن
Bath chair صندلی چرخ‌دار برایِ پیران و بیماران
bathe /beɪð/ *v,n* ۱.شستشو کردن یا دادن ۲.شستشو
bathhouse /'bæθhaʊs,'bɑ:θ-/ *n* گرمابه، حمام
bathing-suit /'bæθɪŋ su:t/ *n* جامهٔ ویژهٔ آب‌تنی
bathing-tub = bath-tub
bathos /'beɪθɒs/ *n* سقوط از مطالب عالی به چیزهای پیش‌پاافتاده؛ دری‌وری
baths *npl* استخر(های) سرپوشیده
bath-tub *n* وان، حمام فرنگی
bating *prep* به استثنای، پس از وضع
baton /'bætɒn US: bə'tɒn/ *n* عصای افسران؛ [موسیقی] چوب میزانه
batsman /'bætsmən/ *n* گوی‌زن
battalion /bə'tælɪən/ *n* [نظامی]گردان
batten /'bætn/ *n,vt,vi* ۱.تختهٔ باریک؛ توفال ۲.بست زدن؛ پروراندن ۳.فربه شدن،نشوونما کردن
batter /'bætə(r)/ *vt* خرد کردن؛ از شکل انداختن

battery /'bætərɪ/ *n* باتری؛ [حقوق] ضرب
battle /'bætl/ *n,vi* نبرد (کردن)
battle cruiser نبرد ناو
battle-axe /'bætl æks/ *n* تبرزین
battle-cry /'bætl kraɪ/ *n* شعار (جنگی)
battledore /'bætldɔ:(r)/ *n* چوگان پهن
battle-field /'bætl fi:ld/ *n* میدان جنگ
battlement /'bætlmənt/ *n* کنگره، بارو
battleship /'bætl ʃɪp/ *n* ناو، کشتی جنگی
bauble /'bɔ:bl/ *n* چیز کم‌بها، بازیچه
baulk /bɔ:k/ = balk
bawdiness /'bɔ:dɪnɪs/ *n* زشتی، وقاحت
bawdry /'bɔ:drɪ/ *n* جاکشی؛ زشتی، وقاحت
bawdy /'bɔ:dɪ/ *adj* زشت، شنیع؛ هرزه
bawl /bɔ:l/ *v,n* فریاد (زدن)
bay /beɪ/ *n* خلیج؛ درخت غار؛ جلوخان
bay window شاه‌نشین پنجره‌دار
bay /beɪ/ *adj,n* ۱.کهر ۲.اسب کهر
bay /beɪ/ *vi,n* عوعو (کردن)
bring to bay عاجز کردن
bayonet /'beɪənɪt/ *n* سرنیزه
bazooka /bə'zu:kə/ *n* تفنگ ضدتانک، بازوکا
BC /,bi: 'si:/ = before Christ قبل از میلاد
be /bi:/ *vi* [was;been] بودن، [در صیغهٔ امر] باش، باشید
There is هست، می‌باشد، یافت می‌شود
He was killed. او کشته شد.
It is made ساخته می‌شود؛ ساخته شده است
He is to go قرار است برود
I am working (دارم) کار می‌کنم
If he were to... اگر او (بنا) بود...
beach /bi:tʃ/ *n* ساحل شن‌زار؛ ریگ کنار دریا
beachy *adj* شن‌زار، شن‌دار
beacon /'bi:kən/ *n* علامت؛ چراغ دریایی؛ برج دیده‌بان
bead /bi:d/ *n* مهره؛ دانهٔ تسبیح
tell one's beads; bid beads ورد خواندن، تسبیح گرداندن
beading *n* روکوب
beadle /'bi:dl/ *n* فرّاش؛ مستخدمِ جزء کلیسا یا دانشگاه
beady /'bi:dɪ/ *adj* مهره‌ای
beagle /'bi:gl/ *n* تولهٔ شکاریِ پاکوتاه
beak /bi:k/ *n* منقار (مرغ شکاری)
beaker /'bi:kə(r)/ *n* لیوان آزمایشگاه
beam /bi:m/ *n,vi* ۱.تیر؛ شاهین ترازو؛ نورد؛ پرتو ۲.پرتو افکندن
on one's beam ends در مضیقه [از حیث پول]؛ در خطر
beam-compass /'bi:m kʌmpəs/ *n* پرگار بازودار
beaming *adj* بَشّاش
beamy *adj* پرتوافکن؛ شاخدار
bean /bi:n/ *n* باقلا؛ لوبیا؛ دانه
bean-pod /'bi:n pɒd/ *n* خرنوب؛ غلاف باقلا
bear /beə(r)/ *n* خرس
bear /beə(r)/ *vt,vi* [bore; born(e)] ۱.بردن؛ دربرداشتن؛ زاییدن؛ تحمل کردن ۲.تاب آوردن [با out]؛ دخل داشتن، مربوط بودن [با on یا upon]؛ تأثیر داشتن
bear in mind در نظر داشتن
bear a hand همدستی یا کمک کردن
bear oneself نتیجه بخشیدن
born in the year متولد سالِ
The cost is to be borne by you. هزینهٔ آن به عهدهٔ شما است.
beard /bɪəd/ *n* ریش
bearded *adj* ریش‌دار؛ خاردار
bearer /'beərə(r)/ *n* حامل
bearer shares سهام بی‌نام
bearing /'beərɪŋ/ *n* بردباری؛ نشان نجابت خانوادگی؛ آرم؛ نسبت؛ معنی؛ یاتاقان
There is no bearing with him. رفتار او را نمی‌توان تحمل کرد.
bearish /'beərɪʃ/ *adj* خشن، خرس‌وار
beast /bi:st/ *n* چهارپا، جانور
beast of burden مال، حیوان باری
wild beast دد، وحش
beastliness /bi:stlɪnɪs/ *n* جانورخویی
beastly *adj* حیوان‌صفت؛ بد، کثیف
beat /bi:t/ *v* [beat,beaten] زدن؛ خوردن (به)؛ شکست دادن
beat a retreat کوس عقب‌نشینی زدن
beat time ضرب یا فاصله ضربی گرفتن
beat the air مگس را در هوا رگ زدن
beat down پایین آوردن؛ خرد کردن
beat up زدن (تخم‌مرغ)
beat about the bush به‌طور غیرِ مستقیم حرفی زدن یا کاری کردن
beaten /'bi:tn/ *ppa* [*pp of* beat] زده؛ کوبیده؛ چکش‌خورده؛ فرسوده
beatific /bɪə'tɪfɪk/ *adj* سعادت‌آمیز
beatitude /bɪ'ætɪtju:d US: -tu:d/ *n* سعادت جاودانی، برکت

beau /bəʊ/ *n* [*pl* beaux] جوانِ خودساز؛ کسی که مواظب زنان است
beautiful /'bju:tɪfl/ *adj* زیبا
beautifully /'bju:tɪflɪ/ *adv* به خوبی، قشنگ
beautify /'bju:tɪfaɪ/ *vt* زیبا یا قشنگ کردن
beauty /'bju:tɪ/ *n* زیبایی، جمال؛ زن زیبا
beauty-spot /'bju:tɪ spɒt/ *n* خال
beaver /'bi:və(r)/ *n* بیدَستَر؛ پوست بیدَستَر
became /bɪ'keɪm/ [*p of* become]
because /bɪ'kɒz US: -kɔ:z/ *conj* زیرا، زیراکه، چون‌که، برای اینکه
because of به واسطهٔ، در نتیجهٔ، به دلیلِ
beck /bek/ *n* اشاره، تکان سر یا دست
be at one's beck and call گوش به فرمان یا آمادهٔ خدمت بودن
beckon /'bekən/ *vi,vt* ۱.اشاره کردن ۲.با اشاره صدا زدن
become /bɪ'kʌm/ *vi,vt* [became, become] ۱.شدن ۲.درخور بودن برایِ، آمدن به
That hat does not become you. این کلاه به شما نمی‌آید (نمی‌زیبد).
What became of him? چه به‌سرش آمد؟، عاقبت او چه شد؟
becoming *apa* زیبنده، درخور
bed /bed/ *n* تختخواب، رختخواب؛ طبقه، لایه؛ ته، کف؛ پی
go to bed خوابیدن
She was brought to bed of a son. پسر زایید.
bed /bed/ *vi,vt* [-ded] ۱.خوابیدن ۲.خواباندن؛ قرار دادن
bedaub /bɪ'dɔ:b/ *vt* آلودن؛ رنگ کردن
bedbug /'bedbʌg/ *n* ساس
bedchamber /'bedtʃeɪmbə(r)/ *n* خوابگاه؛ شبستان
bedclothes /'bedkləʊz,-kləʊðz/ *npl* رختخواب
bedeck /bɪ'dek/ *vt* آرایش دادن
bedew /bɪ'du:,-'dju:/ *vt* تر کردن، نم زدن
bedfellow /'bedfeləʊ/ *n* همخواب؛ همبستر
bedim /bɪ'dɪm/ *vt* [-med] تیره کردن
bedlam /'bedləm/ *n* تیمارستان، دیوانه‌خانه
bedouin /'bedʊɪn/ *n,adj* (عرب) بَدوی
bedpan /'bedpæn/ *n* لگن بیمار بستری
bedpost /'bedpəʊst/ *n* پایه یا ستون تختخواب
bedraggle /bɪ'drægl/ *vt* روی زمین کشیدن
bedridden /'bedrɪdn/ *adj* روی زمین کشیدن

bed-rock /'bedrɒk/ *n* خارهٔ زیر؛ [مجازاً] اساس، بطون
bedroom /'bedru:m,-rʊm/ *n* خوابگاه، اتاق خواب
bedsheet /'bedʃɪt/ *n* ملافه، ملحفه
bedside /'bedsaɪd/ *n* کنارِ بستر، بالین
bedside table میز پاتختی
bedspread /'bedspred/ *n* روپوشِ پنبه‌دوزی‌شدهٔ تختخواب
bedstand = bedstead
bedstead /'bedsted/ *n* تختخواب
bedtime /'bedtaɪm/ *n* موقع خوابیدن، وقت خواب
bee /bi:/ *n* زنبور عسل، مگس انگبین
have a bee in one's bonnet گرفتار یا دیوانهٔ فکری بودن
beech /bi:tʃ/ *n* زان (بلوط)؛ مَمرز (درختی از تیرهٔ غان‌ها)؛ آلش (راش)
blue beech ممرز
beef /bi:f/ *n* گوشت گاو
beef-brained /'bi:f breɪnd/ *adj* کودن، کندذهن
beef-steak /'bi:f steɪk/ *n* گوشت ران گاو
beehive /'bi:haɪv/ *n* کندوی عسل
bee-line /'bi:,laɪn/ *n* خط مستقیم، کوتاهترین راه
been /bi:n US: bɪn/ [*pp of* be]
beer /bɪə(r)/ *n* آبجو
beer-brewing /'bi: bru:ɪŋ/ *n* آبجوسازی
beeswax /'bi:zwæks/ *n,vt* موم (اندود کردن)
beet /bi:t/ *n* چغندر
beetle /'bi:tl/ *n,vt,adj* ۱.تخماق؛ گوشت‌کوب؛ سوسک ۲.تخماق زدن ۳.آویخته؛ پرمو؛ اخم‌کننده
beetroot /'bi:tru:t/ *n* چغندر؛ ریشهٔ چغندر
befall /bɪ'fɔ:l/ *v* [-fell,-fallen] اتفاق افتادن، رخ دادن (برای)
befit /bɪ'fɪt/ *vt* [-ted] در خور بودن
befitting *apa* درخور، شایسته
before /bɪ'fɔ:(r)/ *prep,adv,conj* ۱.پیش از، قبل از؛ پیشِ ۲.جلو؛ قبل ۳.پیش از آنکه
long before مدتی پیش، مدت زیادی پیش
the night before شب قبل
Before I went پیش از آنکه بروم
beforehand /bɪ'fɔ:hænd/ *adv,adj* ۱.پیش، جلو؛ قبلاً ۲.آماده؛ راحت؛ مقدم
be beforehand with از پیش تهیه یا تأمین کردن، جلو انداختن

befoul /bɪˈfaʊl/ *vt* چرکین کردن
befriend /bɪˈfrend/ *vt* همراهی کردن با
beg /beg/ *vt,vi* [-ged] ۱.خواهش کردن از ۲.گدایی کردن
I beg your pardon! ببخشید!
I beg to inform you. محترماً به آگاهی شما می‌رسانم.
beg off عذر خواستن (از انجام کاری)
go begging طالب نداشتن
began /bɪˈgæn/ [*p of* begin]
beget /bɪˈget/ *vt* [got;got(ten)] تولید کردن، (به‌وجود) آوردن
beggar /ˈbegə(r)/ *n* گدا
beggarly *adj* گدامنش، پست؛ تهیدست
beggary /ˈbegərɪ/ *n* گدایی؛ گروه گداها
begin /bɪˈgɪn/ *v* [-gan;-gun] ۱.شروع کردن ۲.شروع شدن
to begin with اصلاً، اولاً، اصلش
beginner *n* مبتدی
beginning *n* آغاز، ابتدا، شروع
begone /bɪˈgɒn US: -ˈgɔ:n/ *int* دورشو
Tell him to begone! بگویید برود پی کارش!
begot(ten) /bɪˈgɒt(n)/ [به beget رجوع شود]
begrime /bɪˈgraɪm/ *vt* چرک یا سیاه کردن
begrudge /bɪˈgrʌdʒ/ *vt* غبطه خوردن به؛ مضایقه کردن از
beguile /bɪˈgaɪl/ *vt* فریب دادن، اغفال کردن؛ سرگرم کردن؛ گذراندن
begun /bɪˈgʌn/ [*pp of* begin]
behalf /bɪˈhɑ:f US: -ˈhæf/ *n* حق، خاطر
on behalf of (به‌نمایندگی) از طرفِ؛ در حقِ
behave /bɪˈheɪv/ *vi* رفتار یا سلوک کردن
behave *(vt)* **oneself** درست رفتار کردن، ادب نگاه داشتن
behaviour /bɪˈheɪvjə(r)/ *n* رفتار، حرکت
behead /bɪˈhed/ *vt* سر بریدن
beheld /bɪˈheld/ [*p,pp of* behold]
behest /bɪˈhest/ *n,Poet* امر، دستور
behind /bɪˈhaɪnd/ *prep,adv* ۱. (در) عقبِ؛ دیرتر از؛ عقب‌تر از ۲.عقب؛ پشت سر؛ باقی‌دار
behind the times کهنه؛ بی‌خبر از رسم روز
behind his back پشت سر او؛ بی‌آگاهی او
behind the scenes در نهان
behind /bɪˈhaɪnd/ *n,Col* نشیمنگاه
behindhand /bɪˈhaɪndhænd/ *adj,adv* پس‌اُفت‌دار؛ بی‌خبر از رسوم؛ کهنه
behold /bɪˈhəʊld/ *vt* [-held] دیدن؛ مشاهده کردن؛ [در وجه امری] ببین، اینک
beholden, to /bɪˈhəʊldən/ *adj* زیر منّت
behoof /bɪˈhu:f/ *n* سود؛ صرفه؛ مزیّت
behoove *or* **behove** /bɪˈhu:v US: bɪˈhəʊv/ *vt* واجب بودن؛ اقتضا کردن؛ شایسته بودن
being /ˈbi:ɪŋ/ *n* هستی، وجود؛ آفریده، مخلوق
being /ˈbi:ɪŋ/ [*pres part of* be]
for the time being عجالتاً، فعلاً
Such being the case در این‌صورت
belabour /bɪˈleɪbə(r)/ *vt* سخت زدن
belated /bɪˈleɪtɪd/ *adj* دیر رسیده
belch /beltʃ/ *vi,n* آرُغ (زدن)
beleaguer /bɪˈli:gə(r)/ *vt* محاصره کردن
belfry /ˈbelfrɪ/ *n* بُرج ناقوس
Belgian /ˈbeldʒən/ *adj,n* بلژیکی
belie /bɪˈlaɪ/ *vt* افترا زدن به؛ دروغ درآوردن؛ خیانت کردن به؛ عوضی نشان دادن
belief /bɪˈli:f/ *n* ایمان؛ گمان
believable *adj* باورکردنی
believe /bɪˈli:v/ *v* باور کردن؛ گمان کردن، معتقد بودن
believe in ایمان آوردن به
make believe وانمود کردن
belittle /bɪˈlɪtl/ *vt* تحقیر کردن
bell /bel/ *n,vt,vi* ۱.زنگ؛ کاسهٔ گل ۲.زنگ بستن به ۳.نعره زدن
belle /bel/ *n* [*fem of* beau] زن زیبا
belles-lettres /ˌbel ˈletrə/ *npl,Fr* ادبیات
bell-hop /ˈbelhɒp/ *US;Sl* = buttons پادو، شاگرد
bellflower /ˈbelflaʊə(r)/ *n* گل استکان
bellicose /ˈbelɪkəʊs/ *adj* جنگجو
bellicosity /ˌbelɪˈkɒsətɪ/ *n* جنگجویی
belligerent /bɪˈlɪdʒərənt/ *adj* متحارب
bell-metal /ˈbel metl/ *n* مفرغ
bellow /ˈbeləʊ/ *vi,n* ۱.ماغ کشیدن؛ نعره زدن ۲.ماغ؛ نعره
bellows /ˈbeləʊz/ *npl* دَم [در آهنگری]؛ فانوس [در عکاسی]
bell-pull /ˈbel pʊl/ *n* سیم یا طناب برای کشیدن زنگ
bell-tent /ˈbel tent/ *n* چادر قلندری
bell-wether /ˈbelweðə(r)/ *n* پیشاهنگ (گله)
belly /ˈbelɪ/ *n* شکم؛ کاسهٔ ساز
belly /ˈbelɪ/ *vt* باد کردن (بادبان)
belly-ache /ˈbelɪeɪk/ *n,vi* ۱.دل‌درد، شکم‌درد ۲. [زبان عامیانه] درد دل یا ناله کردن
belong /bɪˈlɒŋ US: -ˈlɔ:ŋ/ *vi* متعلق بودن

belongings *npl* دارایی؛ کسان

beloved /bɪˈlʌvd/ *adj* محبوب

beloved by(*or* of) all محبوبِ همه

below /bɪˈləʊ/ *prep,adv,adj,n* ۱.در زیرِ؛ پایین‌تر از، کوچکتر از(۲ و ۴) پایین ۳.پایینی

below one's breath به نجوا

below the mark نامرغوب؛ بدحال

belt /belt/ *n,vt* ۱.کمربند؛ بند؛ تسمه ۲.با بند بستن؛ شلاق زدن

belvedere /ˈbelvɪdi:(r)/ *n* کلاه‌فرنگی، کوشک

bemire /bɪˈmaɪ(r)/ *vt* گل‌آلود کردن

bemoan /bɪˈməʊn/ *v* سوگواری کردن (برایِ)، گریه کردن (برایِ)

bemuse /bɪˈmju:z/ = stupefy

bench /bentʃ/ *n* نیمکت؛ کارگاه؛ دستگاه

be raised to the Bench دادرس شدن

bend /bend/ *vt,vi* [bent] *,n* ۱.خم کردن، دولا کردن ۲.خم شدن؛ تعظیم کردن ۳.خمیدگی؛ زانو

bend effort کوشش یا بذل مساعی کردن

I am bent on going بر آنم که بروم، قصد دارم که بروم

beneath /bɪˈni:θ/ = below

benedictine /ˌbenɪˈdɪkʃn/ *n* پیرو فرقهٔ بندیکت

benediction /ˌbenɪˈdɪkʃn/ *n* دعای خیر؛ دعای اختتام

benedictory *adj* دعایی

benefaction /ˌbenɪˈfækʃn/ *n* نیکی، احسان؛ بخشش

benefactor /ˈbenɪfæktə(r)/ *n* بانیِ خیر؛ واقف

benefice /ˈbenɪfɪs/ *n* درآمد کلیسایی

beneficence /bɪˈnefɪsns/ *n* نیکوکاری

beneficent /bɪˈnefɪsnt/ *adj* نیکوکار، صاحب کرم

beneficial /ˌbenɪˈfɪʃl/ *adj* سودمند

beneficiary /ˌbenɪˈfɪʃerɪ US: -ˈfɪʃɪerɪ/ *n* ذی‌نفع؛ موقوف‌علیه؛ دارندهٔ درآمد کلیسایی؛ وظیفه‌خوار، وظیفه‌بگیر

benefit /ˈbenɪfɪt/ *n,vt,vi* ۱.سود، منفعت، استفاده، [در جمع] مزایا؛ اعانه ۲.احسان کردن (به) ۳.سود بردن

give a person the benefit of the doubt بی‌گناه پنداشتن کسی که دلیل کافی بر گناهکار بودن او در دست نیست

benefit performance نمایشی که درآمد آن به هنرپیشهٔ مخصوصی داده می‌شود یا به مصارف خیریه می‌رسد

I (was) benefited by his advice. از اندرز او استفاده کردم.

benevolence /bɪˈnevələns/ *n* نیکخواهی

benevolent /bɪˈnevələnt/ *adj* نیکخواه

benight /bɪˈnaɪt/ *vt* درتاریکی (جهل) انداختن؛ کور کردن

benign /bɪˈnaɪn/ *adj* مهربان؛ [پزشکی] بی‌خطر، خوب، خوش‌خیم

benignant /bɪˈnɪgnənt/ *adj* مهربان، لطیف

benignity /bɪˈnɪgnətɪ/ *n* مهربانی، شفقت؛ احسان

benison /ˈbenɪzən/ *n* برکت

bent /bent/ [*p,pp of* bend]

bent /bent/ *n* تمایل؛ کجی

benumb /bɪˈnʌm/ *vt* بی‌حس کردن

benzine /ˈbenzi:n/ *n* بنزین

bequeath /bɪˈkwi:ð/ *vt* به ارث گذاشتن

bequest /bɪˈkwest/ *n* میراث، ترکه

berate /bɪˈreɪt/ *vt* سرزنش کردن

bereave /bɪˈri:v/ *vt* [-reft *or* -reaved] محروم کردن

bereft of hope ناامید، مأیوس

bereaved *ppa* داغدیده؛ محروم

bereavement *n* فقدان؛ داغدیدگی

beret /ˈbereɪ US: bəˈreɪ/ *n* (کلاه) بِره

berry /ˈberɪ/ *n* دانه، حبه؛ میوهٔ انگوری

berth /bɜ:θ/ *n,vi* ۱.خوابگاه کشتی؛ محل؛ شغل ۲.پهلو گرفتن

give wide berth to دوری جستن از

beryl /ˈberəl/ *n* یاقوت کبود؛ زِبَرجَد

beseech /bɪˈsi:tʃ/ *vt* [-sought] التماس کردن به

beseem /bɪˈsi:m/ *vt* شایستهٔ ... بودن

beset /bɪˈset/ *vt* [-set] احاطه کردن

beside /bɪˈsaɪd/ *prep* در کنارِ؛ غیر از؛ گذشته از؛ ماورایِ

beside the mark خارج از موضوع

beside oneself از خود بی‌خود، دیوانه

besides /bɪˈsaɪdz/ *adv,prep* ۱.گذشته از این، به‌علاوه ۲.گذشته از، علاوه‌بر

besiege /bɪˈsi:dʒ/ *vt* محاصره کردن

besiegement *n* محاصره،گردگیری

besom /ˈbi:zəm/ *n* جارویِ باغبانی

besought /bɪˈsɔ:t/ [*p,pp of* beseech]

bespatter /bɪˈspætə(r)/ *vt* سرتاپا کثیف کردن؛ خیس کردن؛ توهین کردن (به)

bespeak /bɪˈspi:k/ *vt* [-spoke; -spoken] از پیش سفارش دادن؛ حاکی بودن از

bespoke /bɪˈspəʊk/ *adj* سفارشی (دوز)
best /best/ *adj* [*sup of* good] بهترین
best man ساقدوش (داماد)
best /best/ *adv* [*sup of* well] به بهترین شکل؛ بهتر از همه
best /best/ *n* بهترین قسمت؛ بهترین کار؛ حداکثر استفاده
one's best منتهای کوشش
with the best مانند همه کس
To the best of my knowledge تا آنجاکه من می‌دانم (یا می‌دانستم)
at best منتها، منتهای مراتب
bestead /bɪˈsted/ *vt,vi* ۱.یاری یا کمک کردن ۲.به‌درد خوردن
bestial /ˈbestɪəl US: ˈbestʃəl/ *adj* جانورخوی
bestiality /ˌbestɪˈælətɪ US: ˌbestʃɪ-/ *n* جانورخویی، حیوانیت
bestir /bɪˈstɜ:(r)/ *vt* [-red] جنباندن، به‌حرکت درآوردن
bestir oneself جنبیدن
bestow /bɪˈstəʊ/ *vt* بخشیدن؛ امانت گذاردن
bestowal /bɪˈstəʊəl/ *n* = bestowment
bestowment *n* بخشش، اعطا
bestride /bɪˈstraɪd/ *vt* با پاهای گشاده در دو طرف (چیزی) قرار گرفتن
bet /bet/ *n* گرو، شرط (بندی)
lay a bet شرط بستن، گرو بستن
bet /bet/ *vi,vt* [-ted] ۱.شرط بستن، گرو بستن ۲.بستن (شرط)
bet on سر (چیزی) شرط بستن
betake /bɪˈteɪk/ *vt* [-took; -taken] [با oneself] متوسل شدن
bethink /bɪˈθɪŋk/ *vt* [-thought] [با oneself] اندیشه کردن؛ به‌خاطر آوردن، به‌خود آمدن
betide /bɪˈtaɪd/ *v* رخ دادن (برایِ)
Woe betide him who... وای به‌حال آنکه...
betimes /bɪˈtaɪmz/ *adv* بهنگام، زود
betoken /bɪˈtəʊkən/ *vt* حاکی بودن از
betook /bɪˈtʊk/ [*p of* betake]
betray /bɪˈtreɪ/ *vt* گیر انداختن، لو دادن، تسلیم کردن
betroth /bɪˈtrəʊð/ *vt* نامزد کردن
betrothal /bɪˈtrəʊðl/ *n* نامزدی
better /ˈbetə(r)/ *adj* [*comp of* good] بهتر؛ بیشتر
better than بهتر از
I had better go بهتر است بروم، کاش بروم

the more the better هرچه بیشتر بهتر
better /ˈbetə(r)/ *adv* [*comp of* well] بهتر، به طرز بهتری؛ بیشتر
better off داراتر، آسوده‌تر
better /ˈbetə(r)/ *n* (چیز یا شخص) بهتر؛ بزرگتر؛ برتری، مزیّت
get the better of سبقت گرفتن بر
change for the better بهتر شدن
so much the better چه بهتر
better /ˈbetə(r)/ *v* بهتر کردن یا شدن
betterment *n* بهتری؛ اصلاح؛ ترقی ملک (به‌واسطهٔ ساختمان اساسی یا اعیان)
betting /ˈbetɪŋ/ *n* شرط‌بندی
between /bɪˈtwi:n/ *prep,adv* ۱.در میانِ، مابینِ ۲.در میان
stand *or* **go between** میانجی شدن
betwixt /bɪˈtwɪkst/ *Arch* = between
bevel /ˈbevl/ *n,adj,v* [-led] ۱.سطح اُریب؛ پَخ ۲.اریب، مایل ۳.اریب کردن یا شدن
beverage /ˈbevərɪdʒ/ *n* آشامیدنی
bevy /ˈbevɪ/ *n* دسته، گروه
bewail /bɪˈweɪl/ *v* سوگواری کردن (برایِ)؛ [با over یا for گفته میشود]
beware /bɪˈweə(r)/ *vt,vi* حذر کردن (از)
bewilder /bɪˈwɪldə(r)/ *vt* گیج یا گمراه کردن
bewitch /bɪˈwɪtʃ/ *vt* افسون کردن
beyond /bɪˈjɒnd/ *prep,adv* ۱.آن‌سویِ، ماورایِ؛ مافوقِ؛ بیش‌از ۲.دورتر؛ بیشتر
bezel /ˈbezəl/ *n* پخ؛ نگین‌دان
bezoar /ˈbɪzəʊ(r),-zɔ:(r)/ *n* سنگ پادزهر
biannual /baɪˈænjʊəl/ *adj* ششماهه
bias /ˈbaɪəs/ *n,adj* ۱.کجی؛ تمایل، تعصّب ۲.اریب
bias /ˈbaɪəs/ *vt* [-(s)ed] اریب کردن؛ مورد تمایل یا تعصّب قرار دادن
bib /bɪb/ *n,vi* [-bed] ۱.سینه‌بندِ بچه، پیش‌گیر ۲.میگساری کردن
Bible /ˈbaɪbl/ *n* کتاب مقدس
bibliographer /ˌbɪblɪˈɒgrəfə(r)/ *n* کتاب‌شناس
bibliography /ˌbɪblɪˈɒgrəfɪ/ *n* کتابهای وابسته‌به یک مبحث؛ کتاب‌شناسی
bicarbonate of soda /baɪˈkɑ:bənɪt ɒv ˈsəʊdə/ جوش شیرین، بی‌کربنات دوسود
bicentenary /ˌbaɪsenˈti:nərɪ US: -ˈsentənerɪ/ *n* جشن دویستمین سال
biceps /ˈbaɪseps/ *n* ماهیچهٔ دو سر
bicker /ˈbɪkə(r)/ *vi* پرخاش کردن؛ لرزیدن

bicolour(ed) /'baɪkʌlə(d)/ *adj* دورنگ، دورنگه
biconcave /baɪ'kɒkeɪv/ *adj* مقعّرالطرفین
biconvex /baɪ'kɒnveks, baɪkɒn'veks/ *adj* محدّبالطرفین
bicuspid /baɪ'kʌspɪd/ *adj,n* ۱.دوپایه ۲.دندان دوپایه
bicycle /'baɪsɪk(ə)l/ *n* دوچرخه
bid /bɪd/ *vt* [bade;bidden] فرمودن؛ امر کردن؛ دعوت کردن
  bid farewell خداحافظی کردن
  bid against someone روی دست کسی رفتن
  He bade me go. مرا فرمود بروم.
bid /bɪd/ *vt* [bid] پیشنهاد دادن
bid /bɪd/ *n* پیشنهاد مزایده؛ کوشش
bidden /'bɪdn/ [*pp of* bid]
bidder *n* پیشنهاددهنده
  highest bidder برندهٔ مزایده، حائز حداکثر
bide /baɪd/ *Arch* = abide
  bide one's time منتظر فرصت بودن
biennial /baɪ'enɪəl/ *adj* دوسال یک‌بار رخ‌دهنده؛ دو ساله
bier /bɪə(r)/ *n* تابوت
big /bɪg/ *adj* بزرگ، گنده
  big toe شست پا
  big heart کرامت و بزرگ‌منشی
bigamist /'bɪgəmɪst/ *n* مردِ دو زنه؛ زن دو شوهره
bigamous /'bɪgəməs/ *adj* دارای دو زن یا دو شوهر
bigamy /'bɪgəmɪ/ *n* داشتن دو زن یا دو شوهر
bight /baɪt/ *n* پیچ، حلقه؛ خلیج کوچک
bigness *n* بزرگی، گندگی
bigot(ed) /'bɪgət(ɪd)/ *n,adj* (شخص) متعصب
bigotry /'bɪgətrɪ/ *n* تعصّب
bigwig /'bɪgwɪg/ *n* شخص متنفذ یا کله‌گنده
bike /baɪk/ *Col* = bicycle
bilateral /,baɪ'lætərəl/ *adj* دوطرفه
bilaterally *adv* از دو طرف
bile /baɪl/ *n* زرداب، صفرا؛ خوی سودایی
bilge /bɪldʒ/ *n* شکم بشکه؛ ته کشتی
bilge /bɪldʒ/ *n,Sl* (حرف) چرند
biliary /'bɪli:erɪ/ *adj* صفراوی
bilingual /,baɪ'lɪŋgwəl/ *adj* دوزبانه
bilious /'bɪlɪəs/ *adj* صفرایی؛ سودایی
biliteral /baɪ'lɪtərəl/ *adj* دوحرفی
bilk /bɪlk/ *vt* گول زدن؛ طفره زدن از
bill /bɪl/ *n* نوک، منقار
bill /bɪl/ *n* لایحهٔ قانونی؛ صورت‌حساب؛ برات؛ آگهی؛ سند
  bill of exchange برات، سفته
  bill of fare صورتِ غذا
  bill of lading بارنامه (کشتی)
  bill of indictment کیفرخواست
billet /'bɪlɪt/ *n,vt* ۱.چوب هیزم؛ شمش فلز؛ جا، منزل (خارج از سربازخانه)؛ محل، کار، شغل، ۲.جا دادن
billiards /'bɪlɪədz/ *n* بیلیارد
billion /'bɪlɪən/ *n* بیلیون
billow /'bɪləʊ/ *n,vi* موج (زدن)
billposter /'bɪlpəʊstə(r)/ *n* آگهی‌چسبان
bimetallism /,baɪ'metəlɪzəm/ *n* اصل استعمال دو فلز برای واحد پول کشور
bimonthly /,baɪ'mʌnθlɪ/ *adj* ماهی دوبار یا دوماه یک‌بار واقع‌شونده
bin /bɪn/ *n* جا زغالی؛ صندوق؛ لاوک؛ تغار
binaural /baɪ'nɔ:rəl/ *adj* دوشاخه‌ای [در گوشی پزشکان]، مضاعف
bind /baɪnd/ *vt* [bound] بستن؛ صحافی کردن؛ موظف کردن
  bind over ملتزم کردن
  bound to go موظف به‌رفتن
binder *n* صحاف
binding *apa,n* ۱.الزام‌آور، اجباری؛ نافذ ۲.صحافی؛ جلد
binocular(s) /bɪ'nɒkjʊləz/ *n* دوربین دوچشمی
biographer /baɪ'ɒgrəfə(r)/ *n* نویسندهٔ شرح زندگی مردم، تذکره‌نویس
biography /baɪ'ɒgrəfɪ/ *n* شرح زندگی، ترجمه احوال، تذکره
biologic(al) /,baɪə'lɒdʒɪk(l)/ *adj* وابسته به علمِ حیات یا زیست‌شناسی
biology /baɪ'ɒlədʒɪ/ *n* علم حیات، زیست‌شناسی
biopsy /'baɪɒpsɪ/ *n* بافت‌برداری
biplane /'baɪpleɪn/ *n* هواپیمای دو باله
birch /bɜ:tʃ/ *n* درخت غوشه یاغان
bird /bɜ:d/ *n* پرنده، مرغ
  give a bird (to) هو کردن
bird-lime /'bɜ:dlaɪm/ *n* چسب، کشمشک
birth /bɜ:θ/ *n* تولد؛ پیدایش
  give birth to زاییدن؛ بوجود آوردن
  birth certificate زایچه

birthday /'bɜ:θdeɪ/ *n* روز میلاد یا مولود
birthplace /'bɜ:θpleɪs/ *n* مولد، زادبوم
birthright /'bɜ:θraɪt/ *n* حق نخست‌زادگی
bis /bɪs/ *adv* دوباره، مکرر
biscuit /'bɪskɪt/ *n* بیسکویت
bisect /baɪ'sekt/ *vt* دو نیم کردن
bisector *n* نیمساز، منصّف
bishop /'bɪʃəp/ *n* اسقف؛ فیل شطرنج
bison /'baɪsn/ *n* گاو کوهان‌دار
bit /bɪt/ *n* خُرده؛ لقمه؛ تیغه؛ دهنه
Wait a bit! یک کمی صبر کنید!
bit by bit کم‌کم، خُردخُرد
bits and pieces هَله‌هوله
give a person a bit of one's mind
بی‌پرده و به‌طور سرزنش‌آمیز با کسی صحبت کردن
take the bit between one's teeth
ورداشتن [در گفتگوی از اسب]؛ [مجازاً] از جا دررفتن
bit /bɪt/ [*p,pp of* bite]
bitch /bɪtʃ/ *n* سگ‌ماده؛ زن‌هرزه، جنده
bite /baɪt/ *vt* [bit;bitten] *,n* ۱.گازگرفتن، گزیدن؛ نیش زدن؛ زدن ۲.گاز، گزیدگی، نیش؛ لقمه
biting *apa* گزنده؛ زننده
bitten /'bɪtn/ [*pp of* bite]
bitter /'bɪtə(r)/ *adj* تلخ؛ طعنه‌آمیز
bitterly *adv* به‌تلخی؛ زارزار
bittern /'bɪtən/ *n* بوتیمار
bitumen /'bɪtjʊmən US: bə'tu:mən/ *n* قیر طبیعی
bituminous /bɪ'tju:mɪnəs US: -'tu:-/ *adj* قیری
bivouac /'bɪvʊæk/ *n* اردوی موقتی
biweekly *adj,adv* دوهفتگی، پانزده روزه؛ هفته‌ای دوبار
bizarre /bɪ'zɑ:(r)/ *adj* غریب؛ ناشی از هوس
blab /blæb/ *vi* [-bed] فضولی کردن
blabber /'blæbə(r)/ *n* آدم بی‌چاک دهن
black /blæk/ *adj,n,vt* ۱.سیاه ۲.سیاهی؛ دوده ۳.سیاه کردن
black mulberry شاه‌توت
be in a person's black books
مغضوب کسی بودن
look black چپ‌چپ (یا به غضب) نگریستن
black coffee قهوهٔ بی‌شیر
black frost سرمای سخت که گیاهان را سیاه می‌کند، سرما خشکه
black out سیاه کردن، قلم زدن
blackamoor /'blækəmɔ:(r), -mʊə(r)/ *n* سیاهِ زنگی

blackball /'blækbɔ:l/ *n* مهرهٔ سیاه، رأی منفی
blackberry /'blækbrɪ,-berɪ/ *n* توت جنگلی یا کوهی
blackbird /'blækbɜ:d/ *n* طُرقه؛ توکا
blackboard /'blækbɔ:d/ *n* تختهٔ سیاه
blackcherry /'blæktʃerɪ/ *n* آلبالو
blacken /'blækən/ *v* سیاه کردن؛ سیاه شدن
blackguard /'blægɑ:d/ *n,vt* ۱.آدم هرزه ۲.فحاشی کردن به
blackguardly *adj* بی‌شرف، فحاش
blackhead /'blækhed/ *n* جوشِ کوچک در صورت، جوش سرسیاه
blackleg /'blækleg/ *n,Col* اعتصاب‌شکن؛ قمارباز [اصطلاح امریکایی]
blacklist /'blæklɪst/ *vt* در لیست سیاه نوشتن
blackmail /'blækmeɪl/ *n* باج سبیل راهزنان
blackout /'blækaʊt/ *n* تاریکی کامل
blacksmith /'blæksmɪθ/ *n* آهنگر؛ نعلبند
bladder /'blædə(r)/ *n* آبدان، مثانه؛ بادکنک
blade /bleɪd/ *n* تیغه [در آلات بّرنده]
blame /bleɪm/ *vt,n* ۱.مقصر دانستن؛ سرزنش کردن ۲.تقصیر؛ سرزنش
I am not to blame. تقصیر از من نیست.
blame one's failure on another
دیگری را برای ناکامی خود مقصر دانستن
blameworthy /'bleɪmwɜ:ðɪ/ *adj* سزاوار سرزنش
blanch /blɑ:ntʃ US: blæntʃ/ *vt,vi* ۱.سفید کردن؛ پوست کندن ۲.رنگ باختن
bland /blænd/ *adj* نرم، ملایم؛ باادب
blandish /'blændɪʃ/ *vt* ریشخند یا نوازش کردن
blank /blæŋk/ *adj,n* ۱.سفید، ننوشته؛ ساده؛ بی‌دروپنجره؛ بی‌گلوله؛ خراب، زنگ‌زده ۲.جای ننوشته، سفیدی؛ ورقهٔ پوچ
blank cheque چک سفید؛ سفید مُهر
blank look نگاه بی‌حالت و مات که حاکی از نفهمیدن مطلبی باشد
blank verse شعر منثور، شعر بی‌قافیه
blank-book /'blæŋkbʊk/ *n* دفتر سفید، کتابچه
blanket /'blæŋkɪt/ *n* پتو
wet blanket کسی که جمعی را با خواندن آیهٔ یأس خاموش می‌کند
blanket /'blæŋkɪt/ *adj* کلی، عمومی [در سند بیمه]
blare /bleə(r)/ *vi* صدا کردن (شیپور)؛ جار زدن
blarney /'blɑ:nɪ/ *n,vt* ۱.چاپلوسی، مداهنه ۲.ریشخند کردن

blasé /'blɑ:zeɪ US: blɑ:'zeɪ/ *adj,Fr* زده، بیزار
blaspheme /blæs'fi:m/ *vi* کفر گفتن، بی‌حرمتی به مقدسات کردن
blasphemous /'blæsfəməs/ *adj* کفرآمیز
blasphemy /'blæsfəmɪ/ *n* کفر، ناسزا
blast /blɑ:st US: blæst/ *n,vt* ۱.تندباد؛ وزش؛ سوز؛ جریان هوا یا بخار؛ صدای شیپور ۲.منفجر کردن؛ در جریان باد یا (هوا) قرار دادن
in blast دایر، روشن [در گفتگوی از کوره]
blatant /'bleɪtnt/ *adj* پرصدا؛ جارزننده
blatant lie دروغ شاخدار
blaze /bleɪz/ *n,vi* ۱.زبانه، شعله؛ تابش ۲.افروختن؛ جلوه کردن
blaze /bleɪz/ *n,vt* ۱.غرّه (روی پیشانی اسب) ۲.نشاندار کردن؛ منتشر کردن [بیشتربا abroad]
blaze a trail جاده‌ای را صاف کردن، پیشقدم شدن
blazer /'bleɪzə(r)/ *n* ژاکت ورزش
blazer /'bleɪzə(r)/ *n,Col* دروغ شاخدار
blazing *apa* مشتعل
blazing hot خیلی گرم، سوزان
blazon /'bleɪzn/ *n* آرم [در سپر]
blazon /'bleɪzn/ = blaze *vt*
bleach /bli:tʃ/ *vt,vi* ۱.سفید کردن، شستن ۲.سفید شدن
bleachers /'bli:tʃəz/ *npl,US* نیمکت‌هایی که در هوای آزاد بـرای تـماشاچی‌ها می‌گذارند
bleak /bli:k/ *adj* بی‌پناه؛ سرد
blear /bli:r/ *adj* قی‌گرفته، تار
bleat /bli:t/ *vi* بع‌بع کردن
bleed /bli:d/ *vi,vt* [bled] ۱.خون آمدن؛ کشته شدن ۲.رگ زدن
bleed to death از خونریزی مردن
bleed white از هستی ساقط کردن
blemish /'blemɪʃ/ *n,vt* لکه(دار کردن)
blend /blend/ *v* [blended *or* blent] ,*n* ۱.آمیختن ۲.ترکیب، مخلوط
blepharitis /blefə'raɪtɪs/ *n* ورم پلک چشم
bless /bles/ *vt* [blessed *or* blest] دعای خیر کردن برای؛ مبارک خواندن
He has not a penny to bless himself with. آه ندارد که با ناله سودا کند.
(God) bless you! عافیت باشد!
blessed /'blesɪd/ *adj* مبارک؛ خجسته، خوشبخت
Blessed is he who... خوشا به (حال) کسی که...

blessing /'blesɪŋ/ *n* دعای سفره؛ برکت
ask blessing پیش از غذا دعا خواندن
blest /blest/ [*p,pp of* bless]
blew /blu:/ [*p of* blow]
blight /blaɪt/ *n,vi* ۱.زنگ گیاهی؛ شَته ۲.باد خوردن
blight /blaɪt/ *vt* خراب یا خنثی کردن
blind /blaɪnd/ *adj,n,vt* ۱.کور؛ تاریک؛ بن‌بست ۲.پرده ۳.کور کردن؛ خیره کردن؛ اغفال کردن
blind /blaɪnd/ *vi,Sl* بی‌پروا راندن
blindfold /'blaɪndfəʊld/ *vt,adj* ۱.چشم بستن ۲.چشم بسته
blinding *n* (ریختن) ماسه یا خاک برای گرفتن درزهای جاده
blindly *adv* کورکورانه؛ بی‌باکانه
blindman's-buff /'blaɪndmænz 'bʌf/ *n* نوعی بازی که در آن یکی از بازیگران با چشـم بسته سـعی مـی‌کند بـازیگران دیگـر را بگـیرد و شناسایی کند.
blindness *n* کوری؛ بی‌بصیرتی
blink /blɪŋk/ *vi,vt* ۱.چشمک زدن ۲.دیدن وناديده گرفتن؛ خاموش و روشن کردن
bliss /blɪs/ *n* خوشی، سعادت، برکت
blister /'blɪstə(r)/ *n,vi* تاول (زدن)
blithering /'blɪðərɪŋ/ *adj,Col* حسابی، یکپارچه؛ تمام؛ وراج؛ پَست
blitz /blɪts/ *n* حملهٔ سریع هوایی
blizzard /'blɪzəd/ *n* سوز برف؛ سوز و برف
bloat /bləʊt/ *vt,vi* ۱.دودی کردن ۲.باد کردن
blob /blɒb/ *n* لکه؛ قطره (چسبناک)
bloc /blɒk/ *n* بلوک؛ اتحادیه
block /blɒk/ *n,vt* ۱.کنده؛ قالب؛ قرقرهٔ طناب‌خور؛ (یک) رشته عمارت؛ سدّ، مانع؛ [مجازاً] آدم بی‌عاطفه ۲.مسدود کردن، بند آوردن؛ طرح یا قالب کردن
block note paper دستهٔ کاغذیادداشت
block letter حروف مقطع و درشت
blockade /blɒ'keɪd/ *n,vt* ۱.سدّ؛ محاصره ۲.محاصره کردن
run the blockade محاصره راشکستن، خارج و داخل شدن
blockage /'blɒkɪdʒ/ *n* عملِ مسدود کردن حساب
blocked *ppa* [حساب] مسدود شده
blockhead /'blɒkhed/ *n* آدم بی‌کله
blond(e) /blɒnd/ *adj* بور؛ سفیدپوست
blood /blʌd/ *n* خون؛ شیره؛ نسب

His blood is up. احساساتش تحریک شده است، خونش به جوش آمده است.

make one's blood run cold موی کسی را راست کردن

make bad blood between two persons میانهٔ دوکس را به هم زدن

brother of full blood برادر تنی

brother of half blood برادر ناتنی

bloodless /'blʌdlɪs/ *adj* بدون خونریزی؛ بی‌عاطفه

bloodletter /'blʌdletə(r)/ *n* رگ‌زن، فصّاد

blood-money /'blʌd mʌnɪ/ *n* خون‌بها

bloodshed /'blʌdʃed/ *n* خونریزی

bloodshot /'blʌdʃɒt/ *adj* قرمز، خون گرفته

bloodstained /'blʌdsteɪnd/ *adj* خون‌آلود

bloodstock /'blʌstɒk/ *n* اسبهایِ اصیل که برای اسب‌دوانی تربیت می‌کنند

bloodsucker /'blʌdsʌkə(r)/ *n* زالو؛ [مجازاً] لخت‌کن، غارتگر

bloodthirsty /'blʌdθɜ:stɪ/ *adj* تشنه به خون

blood-vessel /'blʌd vesl/ *n* رگ

bloody /'blʌdɪ/ *adj* خونی؛ سخت؛ خونخوار؛ ناشی از خونریزی

bloom /blu:m/ *n,vi* ۱.شکوفه؛ بحبوحهٔ (جوانی) ۲.شکوفه کردن

in bloom شکوفه‌دار

bloomers /'blu:məz/ *npl* شلوار گشادِ ورزشی زنانه

blooming /'blʊmɪŋ/ *apa* شکوفه‌دهنده؛ خرّم

blossom /'blɒsəm/ *n,vi* ۱.شکوفه؛ اول جوانی ۲.شکوفه کردن

in blossom شکوفه‌دار

blot /blɒt/ *n,vt,vi* [-ted] ۱.لک ۲.لکه‌دار کردن؛ خشک کردن؛ محو کردن [با out] ۳.مرکب پراندن

blotter *n* خشک‌کن؛ دفتر خشک‌کن‌دار

blotting-paper /'blɒtɪŋpeɪpə(r)/ *n* کاغذِ خشک‌کن

blouse /blaʊz US: blaʊs/ *n* بلوز

blow /bləʊ/ *vi,vt* [blew;blown] ۱.وزیدن؛ دمیدن؛ فوت کردن؛ نفس‌نفس زدن؛ سوختن ۲.نواختن؛ باد کردن؛ پاک کردن (بینی)؛ خاموش کردن [با out]؛ پراندن [با out]؛ خراب کردن [با down]؛ کندن [با off]

blow hot and cold تردید رأی‌داشتن؛ شُل‌کن و سفت‌کن درآوردن

blow out سوختن [در فیوز]

blow up باد کردن؛ ترکیدن

His hat blew off. کلاهش را باد برد.

blow /bləʊ/ *n* وزش؛ نواختن؛ تخمِ مگس؛ لاف؛ ضربت؛ مصیبت؛ شِکوه؛ هواخوری

come to blows; exchange blows دست به گریبان شدن، جنگ کردن

blowgun /'bləʊgʌn/ *n* تفنگ بادی، تُفک، پُفک

blown /bləʊn/ [*pp of* blow]

blow-out /'bləʊ aʊt/ *n* انفجار؛ خروج ناگهانی

blowtube /'bləʊtju:b/ *n* تفنگ‌بادی؛ نیچه (نیِ کوچک)

blowzy /'blaʊzɪ/ *adj* شلخته

blubber /'blʌbə(r)/ *n* چربیِ بال

blubber /'blʌbə(r)/ *vi* با صدا گریه کردن

bludgeon /'blʌdʒən/ *n,vt* ۱.چماق ۲.کتک زدن

blue /blu:/ *adj,n,vi* ۱.آبی ۲.نیل ۳.نیل زدن

dark blue آبی سیر، سُرمه‌ای

blue-jacket /'blu: dʒækɪt/ *n* سرباز نیروی دریایی

the blues پکری، افسردگی

bluff /blʌf/ *vi,vt,n,adj* ۱.لاف زدن ۲.از میدان در کردن ۳.توپ، لاف؛ پرتگاه کنار آب ۴.بی‌پرده؛ رک‌گو؛ پرتگاه(دار)

bluish /'blu:ɪʃ/ *adj* مایل به آبی

blunder /'blʌndə(r)/ *n,vi* ۱.اشتباه بزرگ ۲.اشتباه کردن؛ تصادف کردن، خوردن

blunt /blʌnt/ *adj,vt* ۱.کند؛ کودن؛ گستاخ، بی‌تعارف ۲.کند کردن؛ کلفت کردن؛ بی‌حس کردن

bluntly *adv* بی‌پرده؛ بدون تعارف

blur /blɜ:(r)/ *n,vt,vi* [-red] ۱.لکه ۲.لک کردن، مرکبی‌کردن؛ تارکردن ۳.لک شدن

blurt /blɜ:t/ *vt* نسنجیده گفتن، پراندن

blush /blʌʃ/ *vi,n* ۱.سرخ شدن (از خجالت) ۲.سرخی (چهره)

put to the blush خجالت دادن

at (*or* in) the first blush دروهلهٔ اول

Spare my blushes! خجالتم ندهید!

bluster /'blʌstə(r)/ *vi* غوغا کردن؛ لاف زدن

bo /bəʊ/ *int* [حرف ندای ترساندنی]

He can't say bo (or boo) to a goose! گربه را هم نمی‌تواند پیش کند پس او کجا و این کارها!

boa /'bəʊə/ *n* بوآ، اژدرمار؛ شال‌گردن خز

boar /bɔ:(r)/ *n* گراز یا خوک وحشی

board /bɔ:d/ *n,vt,vi* ۱.تخته؛ مقوا؛ تابلو؛ شام و ناهار؛ هیئت ۲.شام و ناهار دادن؛ سوار (کشتی) شدن ۳.شام و ناهار خوردن

above board به‌طور آشکار، بی‌حیله
go on board سوار کشتی شدن
go by the board بی‌نتیجه ماندن
board up تخته‌کوبی کردن
boarder *n* شاگرد شبانه‌روزی
boarding-house /'bəʊdɪŋ haʊs/ *n* شبانه‌روزی
boarding-school /'bəʊdɪŋ sku:l/ *n* آموزشگاه شبانه‌روزی
boast /bəʊst/ *vi* لاف زدن، بالیدن
boastful /bəʊstfʊl/ *adj* مغرور، لاف‌زن
boat /bəʊt/ *n* کرجی، قایق، کشتی کوچک
in the same boat در یک وضعیت، مواجه با همان اشکالات
boater /'bəʊtə(r)/ *n* نوعی کلاهِ حصیری
boatman /'bəʊtmən/ *n* کرجی‌بان، قایقران
boatswain /'bəʊsn/ *n* رئیس کارگران کشتی
bob /bɒb/ *n,vt,vi* [-bed] ۱.وزنهٔ لنگر ساعت؛ (گلولهٔ) شاقول؛ جسم شناور؛ منگله؛ خوشه؛ دُمِ بریده (اسب)؛ تکان؛ ضربت ۲.انداختن؛ آهسته زدن؛ کوتاه کردن (گیس) ۳.زیر و رو شدن (در آب)
bob /bɒb/ *n,Sl* شیلینگ
bobbin /'bɒbɪn/ *n* قرقره؛ ماسوره
bobby /'bɒbɪ/ *n,Sl* = policeman
bobtail /'bɒbteɪl/ *adj,n* (اسب) دُم‌کل
bode /bəʊd/ [*p,pp of* bide]
bode /bəʊd/ *v* از پیش آگهی دادن
bodice /'bɒdɪs/ *n* بالاتنه
bodily /'bɒdɪlɪ/ *adj,adv* ۱.جسمانی؛ بدنی ۲.جسماً؛ شخصاً؛ یکجا
bodkin /'bɒdkɪn/ *n* بندکش؛ میل؛ انبرک
body /'bɒdɪ/ *n* بدن؛ تنه؛ بالاتنهٔ لباس؛ هیئت؛ اتاقِ اتوبوس؛ [در ترکیب] کَس
body-guard /'bɒdɪgɑ:d/ *n* نگهبان؛ هنگ ویژه
body-snatcher /'bɒdɪˌsnætʃə(r)/ *n* مرده دُزد
bog /bɒg/ *n,vt* [-ged] ۱.گِلاب، سیاه‌آب، باتلاق ۲.در گل فرو بردن
boggle /'bɒgl/ *vi* درنگ کردن، رم کردن
bogle /'bəʊgl/ *n* لولو؛ مترس، مترسک
bogus /'bəʊgəs/ *adj* غیرواقعی، دروغی
bogy /'bəʊgɪ/ *n* غول؛ لولو
boil /bɔɪl/ *vt,vi,n* ۱.جوشاندن ۲.جوشیدن ۳.جوش؛ کورک، دمل
boil down مختصر کردن؛ کم کردن
boiler /'bɔɪlə(r)/ *n* دیگ (بخار)
boiling *apa,n* ۱.جوشنده؛ جوش‌زننده ۲.جوش، غلیان

boiling water آب جوش
boisterous /'bɔɪstərəs/ *adj* پرصدا، بلند؛ داد وبیدادکن؛ متلاطم؛ سخت
bold /bəʊld/ *adj* دلیر؛ جسور، گستاخ؛ گستاخانه
boldly *adv* بی‌باکانه؛ جسورانه
boll /bəʊl/ *n* غوزه؛ تخمدان
bollard /'bɒlɑ:d/ *n* طناب بند
bolster /'bəʊlstə(r)/ *n,vt* ۱.بالش، متکا ۲.نگهداشتن
bolt /bəʊlt/ *n,vt,vi* ۱.پیچ؛ کشوی در؛ تیر؛ آخرین تیر ترکش ۲.بستن؛ پرت کردن؛ تندتند قورت دادن ۳.دررفتن؛ پرت شدن
a bolt from the blue پیشامدِ ناگهانی
bolt;boult /bəʊlt/ *vt* بیختن، الک کردن
bomb /bɒm/ *n* بمب
bombard /bɒm'bɑ:d/ *vt* بمباران کردن؛ گلوله‌باران کردن
bombardment *n* بمباران؛ گلوله‌باران
bombast /'bɒmbæst/ *n* گزاف گویی، مبالغه
bombastic /bɒm'bæstɪk/ *adj* بلند، گزاف، قلنبه
bona fide /ˌbəʊnə 'faɪdɪ/ *L* جدّی
bona fides /ˌbəʊnə 'faɪdɪz/ *L* با حسن نیت، به‌طور جدّی
bond /bɒnd/ *n,vt* ۱.قید؛ سند؛ وجه‌الضّمان ۲.در انبار گذاشتن
bonded warehouse انبار گمرکی
bondage /'bɒndɪdʒ/ *n* بندگی، قید
bondholder /'bɒdhəʊldə(r)/ *n* سهم‌دار
bondmaid /'bɒdmeɪd/ *n* کنیز (زر خرید)
bondservant /'bɒndsɜ:vənt/ *n* غلام (زر خرید)
bondsman /'bɒndzmən/ *n* ضامن؛ برده
bondwoman /'bɒndwʊmən/ *n* کنیز، زن زرخرید
bone /bəʊn/ *n,vt* ۱.استخوان ۲.از استخوان پاک کردن
bone of contention موضوع دعوا
make bones پروا داشتن، تردید کردن
bone-meal /'bəʊn mi:l/ *n* کود استخوانی
bone-setter /'bəʊnsetə(r)/ *n* شکسته‌بند
bonfire /'bɒnfaɪə(r)/ *n* آتش بزرگ؛ آتش‌بازی
bonnet /'bɒnɪt/ *n* کلاه بی‌لبهٔ زنانه و بچگانه؛ کاپوت اتومبیل
bonny /'bɒnɪ/ *adj* خوشدل؛ زیبا
bonus /'bəʊnəs/ *n* انعام

bonvoyage /bɒnvɒɪ'ɑ:ʒ/ *Fr* خدا به‌همراه
bony /'bəʊnɪ/ *adj* استخوانی؛ استخوان‌دار
booby /'bu:bɪ/ *n* آدم ساده‌لوح و کودن
boo(h) /bu:/ *vt* چخ کردن؛ راندن؛ هو کردن؛ [به bo نیز رجوع شود]
booby-prize /'bu:bɪ praɪz/ *n* جایزه تسلی‌بخش
book /bʊk/ *n,vt* ۱.کتاب؛ دفتر ۲.ثبت کردن، از پیش ذخیره کردن
bring to book مورد مؤاخذه (و تنبیه) قرار دادن
bookbinder /'bʊkbaɪndə(r)/ *n* صحاف
bookbinding /'bʊkbaɪndɪŋ/ *n* صحافی
book-end /'bʊk end/ *n* غش‌گیرِ کتاب، حایلِ کتاب
bookish /'bʊkɪʃ/ *adj* کتابی، غیرمتداول
bookkeeper *n* دفتردار
bookkeeping *n* دفترداری
booklet /'bʊklɪt/ *n* کتابچه، جزوه
book-maker /'bʊk meɪkə(r)/ *n* کسی که زندگی خود را از راه شرط‌بندی در اسب‌دوانی تأمین می‌کند
bookseller /'bʊkselə(r)/ *n* کتابفروش
bookseller's /'bʊkseləz/ کتابفروشی
bookshelf /'bʊkʃelf/ *n* قفسه یا طاقچهٔ کتاب
bookshop /'bʊkʃɒp/ *n* کتابفروشی
bookstall /'bʊkstɔ:l/ *n* بساط کتابفروشی
book-store /'bʊk stəʊ(r)/ = bookshop
boom /bu:m/ *n,vi* ۱.غرش، غژّ ۲.غرّیدن؛ ترقی ناگهانی کردن
boomerang /'bu:məræŋ/ *n* چوب خمیده‌ای که پس از پرت شدن به جای اول برمی‌گردد؛ [مجازاً] دلیلی که به ضرر استدلال کننده تمام شود
boon /bu:n/ *n* احسان، بخشش؛ چیز خوب
boon companion (رفیق) اهل کیف
boor /bʊə(r)/ *n* روستایی، آدم بی‌تربیت
boorish /'bʊərɪʃ,'bɔ:rɪʃ/ *adj* بی‌تربیت، روستایی
boot /bu:t/ *n* پوتین؛ چکمه
boot *(vt)* **a person out of a place** با تیپا کسی را از جایی بیرون کردن
boot /bu:t/ *n,vi, Arch* ۱.سود، فایده ۲.سود داشتن؛ به‌درد خوردن
to boot به‌علاوه؛ (به‌طور) سرانه
bootblack /'bu:tblæk/ *n* واکسی، واکس‌زن
booth /bu:ð US: bu:θ/ *n* غرفه؛سایبان
bootjack /'bu:tdʒæk/ *n* چکمه‌کش

bootlegger /'bu:tlegə(r)/ *n* فروشنده مشروب قاچاق
bootless *adj* بی‌فایده
bootmaker /'bu:tmeɪkə(r)/ *n* چکمه‌دوز
boot-tree /'bʊt tri:/ *n* قالب چکمه یا پوتین
booty /'bu:tɪ/ *n* غنیمت، تاراج
borage /'bɒrɪdʒ US: 'bɔ:rɪdʒ/ *n* گل گاوزبان
borax /'bɔ:ræks/ *n* بوره، تنکار، کفشیر
borborygmus /bɔ:bə'rɪgməs/ *n* قُرقُر شکم
border /'bɔ:də(r)/ *n,vt,vi* ۱.کنار؛ لبه، حاشیه؛ زه، دوره؛ مرز ۲.سجاف کردن، حاشیه‌دار کردن ۳.در سرحد واقع شدن
It borders (up) on France با فرانسه هم مرز است
borderland /'bɔ:də(r)lænd/ *n* زمین مرزی
bore /bɔ:(r)/ *vt,n* ۱.سوراخ کردن؛ موی دماغ (کسی) شدن ۲.سوراخ؛ قطر داخلی لوله؛ [مجازاً] سرِ خر
I am bored. حوصله‌ام سر رفت.
bore /bɔ:(r)/ [*p of* bear]
boric acid /'bɔ:rɪk æsɪd/ *n* اسیدبوریک، جوهر بوره
born;borne /bɔ:n/ [*pp of* bear]
borough /'bʌrə US: -rəʊ/ *n* قصبه
borrow /'bɒrəʊ/ *vt* قرض کردن
bosh /bɒʃ/ *n,Sl* چرند
bosom /'bʊzəm/ *n,vt* ۱.آغوش؛ قلب ۲.در آغوش گرفتن
bosom friend دوست مَحرم یا صمیمی
boss /bɒs/ *n* قوز؛ قبهٔ سپر؛ گلمیخ
boss /bɒs/ *n* رئیس (حزب)، کارفرما
botanical /bə'tænɪkl/ *adj* وابسته به گیاه‌شناسی
botanist /'bɒtənɪst/ *n* گیاه‌شناس
botany /'bɒtənɪ/ *n* گیاه‌شناسی
botch /bɒtʃ/ *n,vt* ۱.وصله (بدنما) ۲.سرهم‌بندی کردن
both /bəʊθ/ *adj,pr* هر دو، هر دوِ
both he and I هم او و هم من
bother /'bɒðə(r)/ *vt,vi,n* ۱.دردسر دادن ۲.دلواپس بودن؛ اعتراض کردن ۳.دردسر، زحمت
bother one's head دردسربه‌خود دادن
bothersome /'bɒðə(r)səm/ *adj* دردسردار
bottle /'bɒtl/ *n,vt* ۱.بطری، شیشه؛ دسته (علف) ۲.در بطری ریختن
bottle up فرو نشاندن
bottom /'bɒtəm/ *n,adj,vt* ۱.ته، پایین؛ پایه ۲.تهی؛اساسی ۳.به (چیزی) ته انداختن؛ بنیاد نهادن

knock the bottom out of ردکردن، به زمین زدن
bough /baʊ/ *n* شاخه، ترکه
bought /bɔ:t/ [*p,pp of* buy]
boulder /'bəʊldə(r)/ *n* سنگ (ساییده شده)
boulevard /'bu:ləvɑ:d US: 'bʊl-/ *n,Fr* خیابان مشجر و پهن
bounce /baʊns/ *vi,n* ۱.بالا جستن؛ لاف زدن؛ برگشتن [چک] ۲.پرش؛ گزاف‌گویی
bound /baʊnd/ *vt,n* ۱.محدود کردن؛ در حدود (چیزی) واقع شدن ۲.حد
It is placed out of bounds.
ورود به آنجا ممنوع است.
bound /baʊnd/ *vi,n* جست (زدن)
bound /baʊnd/ *adj* عازم؛ مقیّد؛ موظف
bound /baʊnd/ [*p,pp of* bind]
boundary /'baʊndrɪ/ *n* مرز، سرحد
boundless /'baʊndlɪs/ *adj* بی‌پایان، بیکران
bounteous /'baʊntɪəs/ *adj* بخشنده، باسخاوت
bountiful /'baʊntɪfl/ *adj* باسخاوت، بخشنده
bounty /'baʊntɪ/ *n* بخشش؛ انعام، جایزه
bouquet /bʊ'keɪ/ *n* دستهٔ گل؛ عطر شراب
bourgeois /'bʊəʒwɑ: US: ˌbʊər'ʒwɑ:/ *n,Fr* عضو طبقهٔ متوسط
bout /baʊt/ *n* حالت؛ نوبت؛ زورآزمایی
bow /baʊ/ *vi,vt,n* ۱.خم شدن؛ تعظیم کردن؛ تن در دادن ۲.دولا کردن ۳.تعظیم، با سر سلام کردن
bowed down شکسته، تکیده
bow /bəʊ/ *n* کمان، قوس؛ کراوات پروانه‌ای، پاپیون
have two strings to one bow
بیش از یک وسیله داشتن
draw the long bow اغراق گفتن
bow /baʊ/ *n* سینه (کشتی)
bowel /'baʊəl/ *n* روده؛ شکم
bower /'baʊə(r)/ *n* آلاچیق
bowl /bəʊl/ *n* کاسه؛ جام؛ طاس، توپ بولینگ
bow-legged /'bəʊlegd/ *adj* پا چنبری
bowler /'bəʊlə(r)/ *n* نوعی کلاه (سیاه) گرد
bowman /'bəʊmən/ *n* = archer
bowshot /'bəʊʃɒt/ *n* تیر پرتاب
bowstring /'bəʊstrɪŋ/ *n,vt* ۱.زه، چله؛ طنابِ دار ۲.طناب انداختن
bowwow /ˌbaʊ'waʊ/ *n,vi* عوعو (کردن)، واق‌واق (کردن)
box /bɒks/ *n,vt* ۱.جعبه؛قوطی؛صندوق؛شمشاد؛ [در تماشاخانه] لُژ ۲.در جعبه یا صندوق گذاشتن

box /bɒks/ *n,vi* ۱.مشت؛ بوکس ۲.بوکس‌بازی کردن
a box on the ear سیلی، تپانچه
box-calf /'bɒks kɑ:f/ *n* خُرُم [لفظ روسی]، چرم گاو دبّاغی‌شده
boxer /'bɒksə(r)/ *n* بوکس‌باز
boxing /'bɒksɪŋ/ *n* بوکس، مشت‌بازی
box-office /'bɒks ɒfɪs/ *n* باجه، گیشه
boxwood /'bɒkswʊd/ *n* چوب شمشاد
boy /bɔɪ/ *n* پسر، پسر بچه؛ پادو
boycott /'bɔɪkɒt/ *n,vt* ۱.تحریمِ معاملات ۲.تحریم کردن
boyhood /'bɔɪhʊd/ *n* بچگی؛ پسربچه‌ها
boyish *adj* بچگانه؛ پسرانه
brace /breɪs/ *n,vt* ۱.بند؛ بست؛ دسته (مته)؛ جفت؛ نشان ابرو({ }) ؛ [در جمع] بند شلوار ۲.بستن؛ جفت کردن
brace oneself up خود را نیرو دادن
bracelet /'breɪslɪt/ *n* دستبند؛ بازوبند
bracing *adj* نیروبخش، فرح‌بخش
bracket /'brækɪt/ *n* دیوارکوب، پایه؛ طاقچه؛ سگدست؛ پرانتز
brackish /'brækɪʃ/ *adj* شورمزه
brag /bræg/ *vi* [-ged] *,n* ۱.لاف زدن ۲.لاف، فخر؛ لاف‌زن
braggart /'brægət/ *n* لاف‌زن
braid /breɪd/ *n,vt* ۱.قیطان؛ گلابتون؛ نوار، حاشیه؛گیسِ‌بافته ۲.بافتن؛ گیس‌باف زدن؛ قیطان‌دوزی کردن
brain /breɪn/ *n* مُخ، مغز (کله)، دماغ
brake /breɪk/ *n,vt* ترمز (کردن)
bramble /'bræmbl/ *n* بتهٔ خار؛ تمشک جنگلی
bran /bræn/ *n* سبوس، نخاله
branch /brɑ:ntʃ US: bræntʃ/ *n,vi,vt* ۱.شاخه؛ شعبه؛رشته ۲.منشعب شدن [بیشتر با out یا forth]؛ ۳.منشعب کردن
branchlet /'brɑ:ntʃlɪt,'bræntʃ-/ *n* شاخه کوچک، ترکه
branch-line /'brɑ:ntʃ laɪn/ *n* خط فرعی، شاخه
brand /brænd/ *n,vt* ۱.داغ؛ نشان؛ نیم‌سوز؛ رقم، نوع؛ لکهٔ بدنامی ۲.داغ زدن؛ انگ زدن؛ خاطرنشان کردن
branding-iron /'brændɪŋ aɪən/ *n* داغ آهن
brandish /'brændɪʃ/ *vt,n* ۱.تاب دادن؛ آختن، افشاندن ۲.تاب، حرکت
brand-new /'brændnju:/ *adj* به‌کلی نو، نوِ نو

brandy /'brændɪ/ *n* کنیاک
brash /bræʃ/ *adj,Col* پررو؛ جسور
brass /brɑ:s US: bræs/ *n* برنج
brassière /'bræsɪə(r) US: brə'zɪər/ *n,Fr* پستان‌بند
brat /bræt/ *n* بچه؛ کفِ شیر
bravado /brə'vɑ:dəʊ/ *n* [-do(e)s] لاف دلیری
brave /breɪv/ *adj,vt* ۱.دلیر، شجاع؛ دلیرانه ۲.شیر کردن، تشجیع کردن
bravely *adv* دلیرانه، شجاعانه
bravery /'breɪvərɪ/ *n* دلیری، شجاعت؛ جلوه
bravo /ˌbrɑ:'vəʊ/ *n,int* ۱.آدم‌کش مزدور ۲.آفرین، احسنت
brawl /brɔ:l/ *vi,n* دادوبیداد (کردن)
brawn /brɔ:n/ *n* ماهیچه؛ [مجازاً] نیرو، قوت
brawny *adj* ماهیچه‌دار؛ نیرومند
bray /breɪ/ *vi* عرعر کردن
bray /breɪ/ *vt* ساییدن، نرم کردن
brazen /'breɪzn/ *adj* برنجین؛ بی‌شرم
 brazen *(vt)* it out پررویی در کاری کردن
brazen-faced /'breɪzn feɪst/ *adj* بی‌شرم، پررو
brazier /'breɪzɪə(r)/ *n* منقل؛ برنج‌ساز
breach /bri:tʃ/ *n,vt* ۱.شکست، نقض؛ تجاوز؛ قهر؛ رخنه ۲.نقض کردن
 breach of trust خیانت در امانت
bread /bred/ *n* نان
breadth /bretθ/ *n* پهنا
breadthwise /'bredθweɪz/ *adv* از پهنا
bread-winner /'bredwɪnə(r)/ *n* نان‌آور؛ وسیلهٔ معاش
break /breɪk/ *vt* [broke;broken] شکستن؛ پاره کردن؛ قطع کردن؛ خواباندن (فتنه)؛ ورشکست کردن
 break even سراسر دررفتن
 break up منحل کردن؛ خُرد کردن
 break off قطع کردن؛ موقوف کردن
 break in pieces خُرد کردن
 break in رام کردن (اسب)
 break down از پا انداختن؛ تجزیه کردن
 break bread with a person با کسی نان و نمک خوردن
 break the news خبر (بدی) را افشا کردن
 break wind تیز دادن، باد ول کردن
break /breɪk/ *vi* شکستن، پاره شدن؛ از هم پاشیدن؛ طلوع کردن؛ برگشتن (صدا)؛ به‌هم زدن، قهر کردن
 break up منحل شدن؛ خرد شدن
 break out افشا شدن؛ منفجر شدن
 break in خود را داخل کردن؛ مصدّع شدن
 break into a shop دکانی را زدن
 break through برطرف کردن (مانع)
 break loose ول شدن؛ دررفتن
break /breɪk/ *n* شکست؛ شکستگی؛ شکاف؛ وقفه؛ انحراف؛ قطع؛ طلوع؛ خبط؛ تنفس؛ مُهلت
breakage /'breɪkɪdʒ/ *n* شکستگی
breakdown /'breɪkdaʊn/ *n* فروریختگی، آوار؛ شکستگی(بنیه)؛ تجزیه، تفکیک
breakfast /'brekfəst/ *n,vi* ۱.صبحانه ۲.صبحانه خوردن
breakneck /'breɪknek/ *adj* خطرناک
breakwater /'breɪkwɔ:tə(r)/ *n* موج‌شکن
bream /bri:m/ *n* ماهیِ سیم
breast /brest/ *n* پستان؛ سینه
 at the breast شیرخوار
 make a clean breast of اقرار کردن
breast-bone /'brestbəʊn/ *n* استخوان سینه
breast-pin /'brestpɪn/ *n* سنجاق کراوات
breastwork /'brestwɜ:k/ *n* سنگر سرباز ایستاده
breath /breθ/ *n* نفس؛ دم، نسیم
 get out of breath از نفس افتادن
 below one's breath آهسته، زیر لب
breathe /bri:ð/ *vi,vt* ۱.دم زدن، نفس کشیدن، تنفس کردن ۲.استنشاق کردن؛ دمیدن
 breathe after آرزو کردن
breathing-gap /bri:ðɪŋ gæp/ *n* فرصت سر خاراندن
breathless /'breθlɪs/ *adj* بی‌نفس؛ مشتاق
bred /bred/ [*p,pp of* breed]
breech /bri:tʃ/ *n* ته تفنگ یا توپ
breech-block /'bri:tʃ blɒk/ *n* گلنگدن
breeches /'brɪtʃɪz/ *npl* نیم‌شلواری؛ [در گفتگو] شلوار
 wear the breeches بر شوهر خود مسلط بودن
breech-loader /'bri:tʃ ləʊdə(r)/ *n* تفنگِ ته‌پر
breed /bri:d/ *vt,vi* [bred] ۱.پروراندن؛ تولید کردن؛ تربیت کردن ۲.بچه آوردن، زاد و ولد کردن
 ill-bred بی‌تربیت، بد بار آمده
 well-bred با تربیت، تربیت‌شده
breed /bri:d/ *n* نژاد، نسل، تخم، اصل
breeding /'bri:dɪŋ/ *n* تربیت؛ تخم(کشی)؛ نژاد
breeze /bri:z/ *n* نسیم؛ پس‌ماندهٔ زغال
breezy *adj* نسیم‌دار، خوش‌هوا

brethren /'breðrən/ [*pl of* brother]
brevet /'brevɪt US: brɪ'vet/ *n* درجهٔ افتخاری
brevity /'brevətɪ/ *n* اختصار، ایجاز
brew /bru:/ *vt,vi* ۱.ساختن (آبجو)؛ پختن (خیال) ۲.در دست تهیه بودن
brewer *n* آبجوساز
brewery /'brʊərɪ/ *n* آبجوسازی
briar /'braɪə(r)/ *n* ۱.نوعی چوب جنگلی ۲. brier
bribe /braɪb/ *n,vt* رشوه (دادن)
bribee /braɪ'bi:/ *n* رشوه‌گیر
bribery /'braɪbərɪ/ *n* رشوه (دادن)؛ ارتشا
brick /brɪk/ *n* آجر
He is a brick (Sl) آدم خوبی است.
brickbat /'brɪkbæt/ *n* سَقَط، پاره آجر
brick-burner /'brɪk bɜ:nə(r)/ *n* آجرپز
bricklayer /'brɪkleɪə(r)/ *n* بنّا
bridal /'braɪdl/ *adj* متعلق به عروس
bride /'braɪd/ *n* عروس
bride-chamber /'braɪdtʃeɪmbə(r)/ *n* حجله
bridegroom /'braɪdgrʊm/ *n* داماد
bridge /brɪdʒ/ *n,vt* ۱.پل؛ [در کشتی] صحنه فرماندهی؛ نوعی بازی ورق؛ خرک ساز ۲.پل زدن
bridle /'braɪdl/ *n,vt,vi* ۱.افسار؛ کلّگی ۲.دهنه کردن؛ جلوگیری کردن از ۳.یکه خوردن، خود را جمع کردن
give the horse the bridle جلوی اسب را ول کردن
brief /bri:f/ *adj,n,vt* ۱.مختصر ۲.خلاصه ۳.خلاصه کردن؛ از جریان امر آگاه کردن (وکیل)
in brief مختصراً، به‌طور خلاصه
brief-bag /'bri:f bæg/ *n* کیف دستی چرمی
briefly /bri:flɪ/ *adv* مختصراً
brier /'braɪə(r)/ *n* نوعی نسترن پرخار
brig /brɪg/ *n* نوعی کشتی دو دَکلی
brigade /brɪ'geɪd/ *n* تیپ؛ دسته
brigadier general /ˌbrɪgə'dɪə 'dʒenrel/ *n* سرتیپ
brigand /'brɪgənd/ *n* راهزن
bright /braɪt/ *adj* روشن، درخشان، آفتابی؛ زرنگ، زیرک؛ بشاش
brighten /'braɪtn/ *v* روشن کردن یا شدن؛ زرنگ کردن یا شدن
brightness *n* روشنی؛ زرنگی
brilliance;-ancy /'brɪlɪəns;-sɪ/ *n* درخشندگی؛ زیرکی یا استعداد برجسته
brilliant /'brɪlɪənt/ *adj,n* ۱.مشعشع، برجسته؛ زیرک ۲.برلیان
brilliantine /'brɪlɪənti:n/ *n* روغن مو
brim /brɪm/ *n* لب، لبه، کناره
filled to the brim لبالب، پر
brim *(vi)* **over** لبریز شدن
brimful /ˌbrɪm'fʊl/ *adj* لبالب، پر، مملو
brimstone /'brɪmstəʊn/ = sulphur
brine /braɪn/ *n* آب نمک
bring /brɪŋ/ *vt* [brought] آوردن؛ اقامه کردن
bring about فراهم‌کردن؛به‌وقوع‌رساندن
bring back برگرداندن، پس آوردن
bring forth زاییدن؛ مطرح کردن
bring home حالی کردن، ثابت کردن
bring round به‌هوش آوردن
bring to book بازخواست کردن از
bring to pass به‌وقوع رساندن
bring up تربیت کردن؛ مطرح کردن
brought forward منقول‌ازصفحه‌پیش
be brought to bed زاییدن
brink /brɪŋk/ *n* لب، کنار
briny 'braɪnɪ/ *adj* شورمزه، شور
briquet(te) /brɪ'ket/ *n* خوش‌سوز، خاکه زغال مخلوط با خاک رُس
brisk /brɪsk/ *adj,vt,vi* ۱.چابک؛ باروح؛ رایج؛ تند ۲.تیز کردن (آتش) ۳.تند شدن؛ زرنگ شدن [بیشتر با up]
brisket /'brɪskɪt/ *n* سینه [در گوشت]
briskness *n* جلدی؛ رواج
bristle /'brɪsl/ *n,v* ۱.موی زِبر ۲.سیخ کردن یا شدن
bristly /'brɪslɪ/ *adj* زبر؛ وِزّ کرده
Britain /'brɪtn/ *n* بریتانیا
Britannic /brɪ'tænɪk/ *adj* بریتانیایی
His Britannic Majesty اعلیحضرت پادشاه انگلستان
British /'brɪtɪʃ/ *adj,n* انگلیسی
the British Isles جزایر بریتانیا
brittle /'brɪtl/ *adj* ترد، شکننده
broach /brəʊtʃ/ *n,vt* ۱.سیخ ۲.سوراخ کردن (چلیک)
broad /brɔ:d/ *adj* پهن، گشاد؛ کلی، سربسته؛ سهل‌گیر؛ بی‌لطافت
It is 2 metres broad. دو متر پهنا دارد.
broad bean باقلا
broad jump پرش طولی

broadcast /brɔ:dkɑ:st US: -kæst/ *adj,adv,n* ۱.منتشر (شده) ۲.در همه جا ۳.انتشار؛ سخن‌پراکنی

broadcast /brɔ:dkɑ:st US: -kæst/ *vt* [-casted; -cast] (با رادیو) منتشرکردن، پراکندن

broadcloth /brɔ:dklɒθ US: -klɔ:θ/ *n* ماهوت

broaden /brɔ:dn/ *v* پهن کردن یا شدن

broadly *adv* به‌طور کلی، عموماً

broad-minded /brɔ:d 'maɪndɪd/ *adj* دارای فکرِ وسیع و سهل‌گیر نسبت به عقاید دیگران

broadness *n* بسط معنی، جامعیت؛ بی‌لطافتی (در سخن)؛ پهنا

broadways /brɔ:dweɪz/ = broadwise

broadwise /brɔ:dwaɪz/ *adv* از پهنا، از عرض

brocade /brə'keɪd/ *n* زری؛ دبیت گلدار

brogue /brəʊg/ *n* کفش گلف‌بازی

broil /brɔɪl/ *vt,vi,n* ۱.سرخ کردن، کباب‌کردن ۲.کباب شدن ۳.دادو بیداد، نزاع؛ کباب

broke /brəʊk/ [*p of* break]

broken /'brəʊkən/ [*pp of* break] شکسته‌شده؛ متناوب [broken service]

broker /'brəʊkə(r)/ *n* دلال

brokerage /'brəʊkərɪdʒ/ *n* دلالی

bromide /'brəʊmaɪd/ *n* برومور، بورمور

bronchi /'brɒŋkaɪ/[*pl of* bronchus]

bronchitis /brɒŋ'kaɪtɪs/ *n* برونشیت

bronchus /'brɒŋkəs/ *n* [-chi] نایچه

bronze /brɒnz/ *n* برنز

brooch /brəʊtʃ/ *n* سنجاق یا گل سینه

brood /bru:d/ *n,vi* ۱.همهٔ جوجه‌هایی که یک‌بار از تخم بیرون می‌آیند ۲.روی تخم خوابیدن؛ [مجازاً] توی فکر رفتن

There is something brooding. توطئه‌ای در کار است، چیزی در پس پرده است.

brooder *n* اسباب جوجه‌کشی

brooding-hen /bru:dɪŋ 'hen/ *n* مرغ کُرچ یا کرک

brook /brʊk/ *n,vt* ۱.جوی، جو ۲.تحمل کردن، تن در دادن به

brooklet *n* جوی کوچک

broom /bru:m/ *n* جارو؛ گُل پرطاووسی

broom-stick /bru:mstɪk/ *n* دسته جارو

broth /brɒθ US: brɔ:θ/ *n* آبگوشت

brother /'brʌðə(r)/ *n* برادر

brotherhood /'brʌðəhʊd/ *n* برادری

brother-in-law /'brʌðər ɪn lɔ:/ *n* برادرزن؛ برادرشوهر؛ شوهرخواهر؛ باجناق

brotherlike *adj,adv* برادروار

brotherly /'brʌðərlɪ/ *adj,adv* برادرانه

brought /brɔ:t/ [*p,pp of* bring] آورده (شده)

brow /braʊ/ *n* ابرو؛ جبین

browbeat /'braʊbi:t/ *vt* عتاب کردن

brown /braʊn/ *adj,vt,vi* ۱.قهوه‌ای، خرمایی ۲.سرخ کردن ۳.برشته شدن

browse /braʊz/ *n,vi,vt* ۱.سرشاخه، چرا ۲.چریدن ۳.چراندن

bruise /bru:z/ *vt,n* ۱.کوبیدن؛ ساییدن ۲.کوفتگی، ضربت

brunet /bru:'net/ *adj* [*fem*-te] سبزه (سبزه‌رو)

brunt /brʌnt/ *n* لطمه، سختی؛ بار، فشار

brush /brʌʃ/ *n,vt* ۱.برُس، ماهوت پاک‌کن، کفش پاک‌کن و امثال آنها؛ قلم مو ۲.پاک کردن؛ نقاشی کردن

brushwood *n* بته؛ خاشاک؛ بیشه

brusque /bru:sk/ *adj* تند، خشن، بی‌ادب؛ بی‌ادبانه

Brussels sprouts /ˌbrʌslz 'spraʊts/ کلم دکمه‌ای

brutal /'bru:tl/ *adj* جانورخوی

brutality /bru:'tælətɪ/ *n* جانورخویی، بی‌رحمی

brute /bru:t/ *n,adj* ۱.جانور ۲.حیوان‌صفت؛ بی‌رحم؛ بی‌روح

brutish /'bru:tɪʃ/ *adj* حیوانی؛ بی‌شعور؛ خشن

bubble /'bʌbl/ *n,vi,vt* ۱.حُباب ۲.غلغل زدن؛ خروشیدن ۳.گول زدن

bubo /'bju:bəʊ/ *n* [-es] خیارک

bubonic /bju:'bɒnɪk/ *adj* [پزشکی] خیارکی

buccaneer /ˌbʌkə'nɪə(r)/ *n* = pirate

buck /bʌk/ *n,vi* ۱.گوزن یا خرگوش نر؛ آدم خودساز؛ آب قلیایی؛خرکِ چوب‌بری؛ گفتگو، حرف؛ گزاف‌گویی ۲.حرف زدن؛ گزاف گفتن؛ قوز کردن و خیز گرفتن [در گفتگوی از اسب]

Buck up! بجنبید! فرز باشید!

bucket /'bʌkɪt/ *n* دلو

buckle /'bʌkl/ *n* سگک، شیرقلاب

buckler /'bʌklə(r)/ *n* سپر کوچک گرد

buckskin /'bʌkskɪn/ *n* پوست آهو یا گوزن

buckwheat /'bʌkwi:t US: -hwi:t/ *n* گندم سیاه، دیلار

bucolic /bju:'kɒlɪk/ *adj* چوپانی، دشتی

bud /bʌd/ *n,vi* [-ded] ۱.غنچه؛ جوانه ۲.غنچه کردن؛ جوانه زدن

budding poet جوجه شاعر

Buddhism /'bʊdɪzəm/ *n* دین بودا

Buddhist /'bʊdɪst/ *n,adj* بودایی
buddle /'bʌdl/ *n* لاوَک
budge /bʌdʒ/ *v* تکان دادن یا خوردن
budget /'bʌdʒɪt/ *n* بودجه
budgetary /'bʌdʒɪtərɪ US: -terɪ/ *adj* بودجه‌ای
buff /bʌf/ *n,adj,vt* ۱.چرم گاومیش ۲.زرد نخودی ۳.با چرم پرداخت کردن؛ خنثی کردن (ضربتی)
in buff برهنه
buffalo /'bʌfələʊ/ *n* [-(e)s] گاومیش
buffer /'bʌfə(r)/ *n* سپر، ضرب‌خور
buffet /'bʊfeɪ US: bə'feɪ/ *n,vt* ۱.قفسه (ظروف)؛ بوفه، بار؛ مشت ۲.مشت زدن
buffoon /bə'fu:n/ *n* لوده، مسخره
buffoonery /bə'fu:nərɪ/ *n* مسخرگی
buff-wheel /'bʌf wi:l/ *n* چرخ سنباده
bug /bʌg/ *n* بچه حشره؛ ساس
bugbear /'bʌgbeə(r)/ *n* لولو
bugle /'bju:gl/ *n,vi* ۱.شیپور؛ منجوق (بزرگ) ۲.شیپور زدن
bugler /'bju:glə(r)/ *n* شیپورزن
buglet *n* بوق دوچرخه
build /bɪld/ *vt* [built] ,*n* ۱.ساختن ۲.ساخت، ریخت
build up با سنگ یا آجر مسدود کردن
builder *n* خانه‌ساز، بنّا؛ مؤسس
building /'bɪldɪŋ/ *n* ساختمان، بنا
bulb /bʌlb/ *n* پیازگل، سوخ؛ لامپ الکتریک
bulbous /'bʌlbəs/ *adj* پیازی؛ پیازدار
Bulgarian /bʌl'geəri:ən/ *adj,n* بلغاری
bulge /bʌldʒ/ *n,vi,vt* ۱.برآمدگی، شکم؛ ته کشتی؛ افزایش موقتی، تورّم ۲.شکم دادن ۳.گنده کردن
bulk /bʌlk/ *n,vt* ۱.جثه؛ حجم؛ قسمت‌عمده ۲.وزن (چیزی) را بی‌ظرف معین کردن
bulk oil نفت بی‌ظرف
bulkhead /'bʌlkhed/ *n* تیغه [در کشتی]
bulky *adj* بزرگ، جثه‌دار
bull /bʊl/ *n* گاو نر
bulldog /'bʊldɒg/ *n* بولداگ [نوعی سگ]
bullet /'bʊlɪt/ *n* گلوله
bulletin /'bʊlətɪn/ *n* آگاهی‌نامهٔ رسمی؛ مجله
bullfinch /'bʊlfɪntʃ/ *n* سهره
bullion /'bʊlɪən/ *n* شمش
bullock /'bʊlək/ *n* گاو نر (اخته)
bully /'bʊlɪ/ *n,vt* ۱.لاف‌زن؛ زیردست آزار، قُلدر ۲.تهدید کردن؛ آزار کردن

bulrush /'bʊlrʌʃ/ *n* نی؛ پیزُر
bulwark /'bʊlwək/ *n* خاکریز؛ دیواره؛ سدّ؛ موج‌شکن؛ پناه
bumble-bee /'bʌmblbi:/ *n* زنبور درشت
bump /bʌmp/ *n,vi* ۱.ضربت؛ توسری؛ برآمدگی ۲.تصادم کردن
bumper /'bʌmpə(r)/ *n* پیالهٔ لبالب؛ سپر؛ ضرب‌خور
bumpkin /'bʌmpkɪn/ *n* روستایی؛ آدم بی‌دست‌وپا
bumptious /'bʌmpʃəs/ *adj* ازخودراضی
bun /bʌn/ *n* نوعی کلوچه یا کماج
bunch /bʌntʃ/ *n,vi,vt* ۱.خوشه؛ دسته ۲.دسته شدن؛ جمع شدن ۳.دسته کردن
bund /bʌnd/ *n* بند، سدّ، خاکریز
bundle /'bʌndl/ *n,vt* ۱.دسته؛ بقچه ۲.دسته کردن؛ در بقچه گذاشتن
bung /bʌŋ/ *n* پیچ درِ بشکه
bungalow /'bʌŋgələʊ/ *n* خانهٔ یک‌طبقه
bungle /'bʌŋgl/ *vt* سرهم‌بندی کردن
bunker /'bʌŋkə(r)/ *n,vt* ۱.انبار زغال (در کشتی) ۲.سوختگیری کردن
bunt /bʌnt/ *vt* شاخ زدن (به)
buoy /bɔɪ/ *n* گویه، رهنمای شناور
buoyancy /'bɔɪənsɪ/ *n* شناوری، سبکی
buoyant /'bɔɪənt/ *adj* شناور؛ بالا نگهدار؛ [مجازاً] سبک روح
burberry /'bɜ:bərɪ/ = raincoat
burden /'bɜ:dn/ *n,vt* ۱.بار؛ تکیه کلام ۲.تحمیل کردن
burdensome /'bɜ:dnsəm/ *adj* سنگین
bureau /'bjʊərəʊ US: bjʊ'reʊ/ *n* [*Fr* bureaux] دفتر؛ دایره؛ میز کشودار؛ [در امریکا] کمد، جالباسی
bureaucracy /bjʊə'rɒkrəsɪ/ *n* رعایت تشریفات اداری به‌حدِّ افراط، بوروکراسی، دیوانسالاری
burgess /'bɜ:dʒɪs/ *n* شهرنشین
burglar /'bɜ:glə(r)/ *n* کسی‌که شب به قصد ارتکاب جرمی وارد خانه‌ای شود
burglary /'bɜ:glərɪ/ *n* ورود به خانه‌ای در شب به قصد ارتکاب جرم
burial /'berɪəl/ *n* دفن، تدفین
burlap /'bɜ:læp/ *n* کرباس (کنفی یا چتایی)
burlesque /bɜ:'lesk/ *adj,n* ۱.مسخره‌آمیز ۲.نمایش خنده‌آور
burly /'bɜ:lɪ/ *adj* تنومند، ستبر
Burmese /bə'mi:z/ *adj,n* [*pl* -mese] اهل برمه

burn /bɜ:n/ *v* [burnt;burned] سوزاندن؛ سوختن
burn the candle at both ends شب و روز کار کردن، نیروی بدن را زیاد صرف کردن
burn /bɜ:n/ *n* سوختگی، سوزش؛ داغ
burner /ˈbɜ:nə(r)/ *n* سرپیچ
oil burner (بخاری یا اجاق) نفت‌سوز
burning-glass /ˈbɜ:nɪŋ glɑ:s/ *n* ذره‌بین، عدسی محدّب یا آیینهٔ مقعر
burnish /ˈbɜ:nɪʃ/ *vt* پرداخت کردن
burnt /bɜ:nt/ [*p,pp of* burn]
burr /bɜ:(r)/ *n* پرّه؛ متهٔ دندان‌سازی؛ حقهٔ شاه‌بلوط و مانند آن؛ سرِ خر؛ برآمدگی؛ سنگ چاقو تیزکنی
burrow /ˈbʌrəʊ/ *n,vt* ۱.سوراخ زیرزمینی، نقب ۲.سوراخ کردن
bursar /ˈbɜ:sə(r)/ *n* صندوقدارِ دانشکده
burst /bɜ:st/ *vi,vt* [burst] ,*n* ۱.ترکیدن؛ منفجر شدن ۲.ترکاندن ۳.انفجار؛ شیوع
burst out فریاد کردن؛ درگرفتن
burst out laughing زیر خنده زدن
bury /ˈberɪ/ *vt* دفن کردن
burying-ground /ˈberi:ɪŋ graʊnd/ = cemetery
bus /bʌs/ *n* اتوبوس
bush /bʊʃ/ *n* بوته، بُتّه؛ ریشِ انبوه؛ دُم انبوه؛ بیشه
bushel /ˈbʊʃl/ *n* پیمانه‌ای حدود ۳۶ لیتر
bushy /ˈbʊʃɪ/ *adj* انبوه؛ پردرخت، بوته‌دار
business /ˈbɪznɪs/ *n* کار، کسب
on business برای (انجام) کاری
business man (شخص) کاسب
buskin /ˈbʌskɪn/ *n* نوعی چکمه یا پوتین
buss /bʌs/ *n* بوسه، ماچ
bust /bʌst/ *n* مجسمهٔ نیم‌تنه؛ بالاتنه
bustard /ˈbʌstəd/ *n* هوبره
bustle /ˈbʌsl/ *vi* شلوغ کردن، این‌سو و آن‌سو رفتن
busy /ˈbɪzɪ/ *adj* مشغول؛ شلوغ
busy writing مشغولِ نوشتن
busy in; busy with; busy at مشغولِ
busy /ˈbɪzɪ/ *vt* مشغول کردن
busy-body /ˈbɪzɪbɒdɪ/ *n* آدم فضول
but /bʌt,bət/ *conj,prep,adv* ۱.ولی، اما؛ بلکه ۲.جز، مگر، غیر از ۳.فقط
but for your sake محض خاطر شما
all but تقریباً

butcher /ˈbʊtʃə(r)/ *n,vt* ۱.گوشت‌فروش، قصاب ۲.کُشتن
butchery *n* (دکان) گوشت‌فروشی، قصابی؛ کشتارگاه
butler /ˈbʌtlə(r)/ *n* آبدار؛ پیشخدمت
butler's pantry آبدارخانه
butt /bʌt/ *n,v* ۱.ته، بیخ؛ ته قنداقِ تفنگ؛ نوک، لبه؛ لولای فرنگی؛ آماج، هدف؛ شاخ؛ فشار، هُل؛ هدف انتقاد ۲.شاخ زدن، سرزدن (به)؛ خوردن (به)؛ ازسر یا لب جفت شدن (با)
butter /ˈbʌtə(r)/ *n,vt* ۱.کره ۲.کره زدن؛ مداهنه کردن
buttercup /ˈbʌtəkʌp/ *n* آلاله
butterfly /ˈbʌtəflaɪ/ *n* پروانه
buttery *adj* کره‌ای، روغنی
buttocks /ˈbʌtəks/ *npl* کَفَل
button /ˈbʌtn/ *n,v* ۱.دکمه ۲.دکمه کردن یا دکمه خوردن
She is a button short. یک دنده‌اش کم است.
buttonhole /ˈbʌtnhəʊl/ *n,vt* ۱. (جا) مادگی ۲.به‌حرف گرفتن و معطل کردن
buttons /ˈbʌtnz/ *n* شاگرد، نوکر، پادو
buttress /ˈbʌtrɪs/ *n* شمع،پشتیبان
buxom /ˈbʌksəm/ *adj* چاق و چلّه
buy /baɪ/ *vt,vi* [bought] ۱.خریدن ۲.خرید کردن
buyer *n* خریدار
buzz /bʌz/ *n,vi* ۱.وِزوز؛ همهمه ۲.وزوز کردن؛ وِرور کردن
Buzz off! بزن به‌چاک! جیم شو!
by /baɪ/ *prep,adv* ۱.توسّطِ، به‌وسیلهٔ، با، به‌واسطهٔ؛ پهلوی؛ تا [by noon]، به موجبِ، برطبقِ ۲.نزدیک؛ در کنار؛ از پهلو؛ از جلو
Divide 10 by 2 ده را به دو بخش کنید
by oneself تنها، به تنهایی
gone by گذشته
What goes by? چه خبر است؟
by and by یک وقتی در آینده، کم‌کم (ان‌شاءالله)
bye-bye /baɪ baɪ/ *n* لالا (یعنی خواب)؛ [در گفتگو] خداحافظ
bygone /ˈbaɪgɒn US: -gɔ:n/ *adj* گذشته؛ کهنه
by-law /ˈbaɪlɔ:/ *n* آیین‌نامه، قانون ویژه
by-pass /ˈbaɪpɑ:s US: -pæs/ *n* گذرگاه فرعی؛ لولهٔ فرعی؛ مجرای فرعی؛ خط دو راهی
by past /ˈbaɪpæst/ *adj* گذشته
bypath /ˈbaɪpɑ:θ US: -pæθ/ *n* جاده فرعی؛ جادهٔ ویژه

by-product /'baɪprɒdʌkt/ *n* محصول فرعی
byroad /'baɪrəʊd/ *n* جادهٔ فرعی؛ پس‌کوچه
bystander /'baɪstændə(r)/ *n* اطرافی، تماشاچی
by-way /'baɪweɪ/ *n* جادهٔ پرت؛ میان‌بُر
byword /'baɪwɜ:d/ *n* عبرت، ضرب‌المثل

C,c

C,c /si:/ *n* سوّمین حرف الفبای انگلیسی
cab /kæb/ *n* درشکه کرایه‌ای؛ تاکسی
cabal /kə'bæl/ *n* دسته‌بندی
cabaret *or* **-rei** /'kæbəreɪ US: ˌkæbə'reɪ/ *n,Fr* کاباره؛ میخانه
cabbage /'kæbɪdʒ/ *n* کلم (پیچ)
cabin /'kæbɪn/ *n* خوابگاه (کشتی)
cabinet /'kæbɪnɪt/ *n* اتاق کوچک؛ هیئت وزرا؛ قفسه؛ جعبهٔ کشودار
cabinet-maker /'kæbɪnɪt ˌmeɪkə(r)/ *n* کمدساز، قفسه‌ساز، مبل‌ساز
cable /'keɪbl/ *n,vt* ۱.کابل؛ طنابِ سیمی ۲.با سیم زیردریایی مخابره کردن
cabman /'kæbmən/ *n* درشکه‌ران
caboose /kə'bu:s/ *n* آشپزخانهٔ کشتی؛ [در امریکا] اتاق کارگران در قطار
cabotage /'kæbətɪdʒ/ *n* تجارت و دریانوردی‌ساحلی
cabstand /'kæbstænd/ *n* ایستگاه درشکه و تاکسی
cacao /kə'kɑ:əʊ,kə'keɪəʊ/ *n* درخت کاکائو
cache /kæʃ/ *n* جای پنهان کردنِ خوراکی
cachectic /kə'kəktɪk/ *adj* دارای مزاج ضعیف
cachet /kæ'ʃeɪ US: kæ'ʃeɪ/ *n,Fr* مُهر؛ نشان مشخص؛ کپسول پهن، کاشه
cachexia /kə'kəksi:ə/ *n* ضعف مزاج
cackle /'kækl/ *n* قُدقُد، صدای مرغ خانگی
cactus /'kæktəs/ *n* انجیر هندی
cad /kæd/ *n* آدم بی‌تربیت
caddish /'kædɪʃ/ *adj* اوباش‌وار
caddy;-die /'kædɪ/ *n* چای‌دان
cade /keɪd/ *adj* دست‌آموز، دست‌پرورده
cadet /kə'det/ *n* برادر یا پسر کهتر؛ دانش‌آموز دانشکده افسری
cadge /kædʒ/ *vi* دوره‌گردی کردن، گدایی کردن
cadre /'kɑ:də(r) US: 'kædrɪ/ *n,Fr* کادر، قاب، چهارچوب
caecum /'si:kəm/ *n* رودهٔ کور
café /'kæfeɪ US: kæ'feɪ/ *n,Fr* کافه؛ رستوران
cafeteria /ˌkæfɪ'tɪərɪə/ *n* کافه تریا
cage /keɪdʒ/ *n,vt* ۱.قفس ۲.در قفس نهادن؛ در زندان افکندن
cagey /'keɪdʒɪ/ *adj* ناقلا
Cain /keɪn/ *n* قابیل
raise Cain بلوا راه انداختن
cairn /keən/ *n* تودهٔ سنگ، تلّ سنگ
caisson /'keɪsn/ *n* صندوق یا واگن مهمات؛ پایهٔ زیر آبی
cajole /kə'dʒəʊl/ *vt* تملق گفتن (از)
cajolement *or* **cajolery** *n* ریشخند، چاپلوسی، مداهنه؛ فریب
cake /keɪk/ *n* کیک؛ قالب؛ چونه
calamint /'kæləmɪnt/ *n* فَرَنج مُشک، بادرَنج‌بویه (گیاهی از تیرهٔ نعناعیان)
calamitous /kə'læmɪtəs/ *adj* مصیبت‌آمیز
calamity /kə'læmətɪ/ *n* بلا، آفت
calcareous /kæl'keəri:əs/ *adj* آهکی
calcification /ˌkælsəfə'keɪʃn/ *n* آهک‌سازی؛ تحجّر
calcify /'kælsifaɪ/ *vt,vi* ۱.آهکی کردن؛ سنگی کردن ۲.آهکی شدن
calcination /ˌkælsɪ'neɪʃn/ *n* تکلیس، آهک‌مالی
calcine /'kælsaɪn/ *vt,vi* ۱.آهکی کردن ۲.آهکی شدن
calcium /'kælsɪəm/ *n* کلسیم
calculate /'kælkjʊleɪt/ *vt* حساب کردن
calculation /ˌkælkjʊ'leɪʃn/ *n* حساب؛ محاسبه؛ برآورد
calculus /'kælkjʊləs/ *n* [-li] حساب جامعه و فاضله؛ [طب] سنگ، ریگ
calendar /'kælɪndə(r)/ *n* سالنما، تقویم
calender /'kælɪndə(r)/ *n,vt* ۱.ماشین مهره‌کشی ۲.مهره کشیدن
calendula /kə'lendʒələ/ *n* گل اشرفی
calf /kɑ:f US: kæf/ *n* [calves] گوساله؛ نرمهٔ ساق پا

calibre *or* **-iber** /'kælɪbə(r)/ *n* قطر داخلی دهانهٔ فشنگ‌خور؛ استعداد؛ درجه اهمیت
calico /'kælɪkəʊ/ *n* چلوار
printed calico چیت
caliph *or* **-if** /'keɪlɪf/ *n* خلیفه
caliphate /'kælɪfeɪt/ *n* خلافت
calk /kɔ:k/ *n,vt* ۱.سیخک نعل؛ میخ یخ‌شکن ۲.نعل زدن
call /kɔ:l/ *vt,vi,n* ۱. صدا زدن؛ خواندن؛ نامیدن؛ دعوت کردن، احضار کردن ۲.فریاد زدن؛ دیدن کردن ۳.ندا؛ خبر؛ دیدنی مختصر؛ احضار
call the roll حاضروغایب کردن
call back to life زنده کردن
call bad names فُحش دادن
call in question تردید کردن در
call off لغو کردن؛ جلو (سگی را) گرفتن؛ منحرف کردن
call to mind به‌خاطر آوردن
call up خواستن (با تلفن)؛ احضار کردن؛ مطرح کردن؛ یاد آوردن
call a card تقاضای رو کردن ورق
call forth به کار انداختن
call over the coals سرزنش کردن
call to order به‌حفظ نظم دعوت کردن، نظم مجلسی را برقرار کردن
call for ایجاب کردن، مستلزم بودن
call for some one دنبال‌کسی‌فرستادن
make (*or* **pay**) **a call** دیدن کردن
at call آمادهٔ فرمان؛ عندالمطالبه
called Ali موسوم به‌علی،به‌نام علی
calligraphy /kə'lɪgrəfɪ/ *n* خوش‌نویسی؛ دستخط
calling /'kɔ:liŋ/ *n* پیشه، حرفه؛ دعوت؛ احضار
cal(l)ipers /'kælɪpəz/ *npl* قطرسنج
callosity /kæ'lɒsətɪ/ *n* پینه
callous /'kæləs/ *adj* پینه‌خورده؛ بی‌عاطفه
callow /'kæləʊ/ *adj* پر درنیاورده؛ [مجازاً] خام
calm /kɑ:m US: kɑ:lm/ *adj,n,vt,vi* ۱.آرام، ساکت ۲.آرامش ۳.آرام کردن ۴.ساکت شدن [با down]
calmative *adj,n* (داروی) مُسکِّن
calmly /'kɑ:mlɪ/ *adv* به‌آرامی
calmness *n* آرامش؛ متانت، ملایمت
calorie /'kælərɪ/ *n* واحد سنجش گرما
calorific /ˌkælə'rɪfɪk/ *adj* گرم‌کننده
calorimeter /ˌkælə'rɪmɪtə(r)/ *n* کالری‌سنج

calumniate /kə'lʌmnɪeɪt/ *vt* افترا زدن به
calumniator *n* مفتری
calumny /'kæləmnɪ/ *n* افترا؛ بدنامی
calve /kɑ:v US: kæv/ *vi* گوساله زاییدن
calves [*pl of* calf]
calvities /kæl'vɪʃi:-i:z/ *n* طاسی، داءالثعلب، ریزش‌مو
calyx /'keɪlɪks/ *n* [calyces /'keɪlɪsi:z/] غلاف یا کاسهٔ گل، حقهٔ گل
cambric /'keɪmbrɪk/ *n* نوعی پارچهٔ لطیف کتانی
came /keɪm/ [*p of* come]
camel /'kæml/ *n* شتر
camel-driver /'kæml draɪvə(r)/ *n* ساربان
cameleer /ˌkæmə'li:(r)/ *n* سرباز شترسوار
camellia /kə'mi:lɪə/ *n* (گل) کاملیا
camelopard /kə'meləpɑ:d/ *n* شترگاوپلنگ، زَرافه
camel's-thorn /'kæmlz θɔ:n/ *n* گَوَن، خارشتر
camera /'kæmərə/ *n* دوربین‌عکاسی
in camera *L* در اتاق خصوصی، در خلوت
camlet /'kæmlɪt/ *n* نوعی پارچهٔ پشمی با دوام، صوف، شالی
camouflage /'kæməflɑ:ʒ/ *n,Fr* استتار، پوشش
camp /kæmp/ *n,vi,vt* ۱.اردو(گاه) ۲.اردو زدن ۳.در اردو جا دادن
campaign /kæm'peɪn/ *n* عملیاتِ جنگی؛ [مجازاً] مبارزه
campanula /kəm'pænjʊlə/ *n* گل استکان
camphor /'kæmfə(r)/ *n* کافور
campus /'kæmpəs/ *n* [-pi] ,*US* زمین دانشکده، فضای کالج
can /kæn/ *v,aux* [*p* could]
I can go می‌توانم بروم
I could go می‌توانستم بروم
can /kæn/ *n,vt* [-ned] ۱.قوطیِ حلبی، حلب ۲.در حلب ریختن
canal /kə'næl/ *n* ترعه؛ مجرا؛ کانال؛ لوله
subterranean canal قنات، کاریز
canalize /'kænəlaɪz/ *vt* تبدیل به ترعه یا کانال یا قنات کردن
canary /kə'neərɪ/ *n* بلبل زرد، قناری
cancel /'kænsl/ *vt* [-celed *or* -celled] قلم زدن، حذف کردن؛ لغو کردن؛ موقوف کردن؛ باطل کردن (تمبر)؛ [حقوق] اقاله کردن

cancellation /ˌkænsəˈleɪʃn/ *n* الغا؛ فسخ؛ حذف؛ قلم‌خوردگی؛ حک؛ خط بطلان
cancer /ˈkænsə(r)/ *n* بیماری سرطان
cancerous /ˈkænsərəs/ *adj* سرطانی
candelabrum /ˌkændɪˈlɑːbrəm/ *n* [-bra] شمعدان چند شاخه؛ جار، لوستر
candid /ˈkændɪd/ *adj* بی‌تزویر؛ منصفانه؛ صاف‌وساده
candidate /ˈkændɪdət US:-deɪt/ *n* نامزد؛ داوطلب
candidature /ˈkændɪdətʃə(r)/ *n* نامزدی
candle /ˈkændl/ *n* شمع
candlestick /ˈkændlstɪk/ *n* شمعدان
candour /ˈkændə(r)/ *n* رُک‌گویی
candy /ˈkandɪ/ *n* نبات؛ شیرینی
cane /keɪn/ *n* نی؛ نیشکر؛ عصا
  cane -seated حصیری
  cane-seated chair صندلی حصیری
canine /ˈkeɪnaɪn/ *n* دندان ناب، [در جمع] انیاب؛ نیش
canister /ˈkænɪstə(r)/ *n* قوطی (چای)
canker /ˈkæŋkə(r)/ *n,vt* ۱.قانقاریای دهان ۲.فاسد کردن
canna /ˈkænə/ *n* گل اختر
cannibal /ˈkænɪbl/ *adj,n* آدم‌خوار
cannibalize /ˈkænɪbəlaɪz/ *vt* اوراق کردن
cannon /ˈkænən/ *n* توپ
cannonade /ˌkænəˈneɪd/ *n* شلیک پی‌درپی توپ
cannot /ˈkænɒt/ = can not
cannula /ˈkænjʊlə/ *n* لوله، میل
canny /ˈkænɪ/ *adj* محتاط، حسابگر
canoe /kəˈnuː/ *n* قایق پارویی
canon /ˈkænən/ *n* قانون (شرع)
canonical /kəˈnɒnɪkl/ *adj* شرعی
canopy /ˈkænəpɪ/ *n* آسمانه، سایبان
cant /kænt/ *n,v* ۱.سطح مایل، پَخ ۲.کج کردن؛ کج شدن
cant /kænt/ *n* زبان ویژه؛ لفاظی، ریا
can't /kɑːnt US: kænt/ [مختصر cannot]
cantaloup /ˈkæntəluːp/ *n* نوعی کرمک
canteen /kænˈtiːn/ *n* فروشگاه نوشابه و آذوقه در سربازخانه؛ قمقمه؛ جعبه سفری
canter /ˈkæntə(r)/ *n* ریاکار، زهدفروش
canter /ˈkæntə(r)/ *n* تاخت ملایم
cantharis *n* [tharides] الاکلنگ، ذراریح (نوعی حشره بالدار)
canticle /ˈkæntɪkl/ *n* سرود، تسبیح
cantilever /ˈkæntɪliːvə(r)/ *n* سگدست، پایه
canto /ˈkæntəʊ/ *n* بند [در شعر]
canton /ˈkæntɒn/ *n* بخش، بلوک
canvas /ˈkænvəs/ *n* پارچه کرباسی یا کتانی یا علفی؛ پارچه کاموا دوزی
  under canvas در چادر؛ با بادبانهای گشاده
canvass /ˈkænvəs/ *vi,n* ۱.تبلیغ کردن، بازاریابی کردن ۲.تبلیغ، بازاریابی
canyon /ˈkænjən/ *n* درّهٔ گود و باریک
caoutchouc /ˈkaʊtʃʊk/ *n* کائوچو
cap /kæp/ *n,vt,vi* [-ped] ۱.کلاه، کلاه پارچه‌ای زنانه و بچگانه؛ شبکلاه، سرپوش، کلاهک؛ چاشنی ۲.چاشنی گذاشتن (در)؛ پوشاندن
  cap a well درِ چاهی را گرفتن، چاهی را مهار کردن
  cap verses مشاعره کردن
  capped watch ساعت شکاری
capability /ˌkeɪpəˈbɪlətɪ/ *n* توانایی، قابلیت، استعداد؛ صلاحیت
capable /ˈkeɪpəbl/ *adj* قابل، لایق، توانا، با استعداد؛ صلاحیت‌دار
capacious /kəˈpeɪʃəs/ *adj* جادار
capacitate /kəˈpæsɪteɪt/ *vt* صلاحیت‌دار کردن؛ قابل یا لایق کردن
capacity /kəˈpæsətɪ/ *n* گنجایش، ظرفیت؛ استعداد؛ صلاحیت
  in the capacity of به سمتِ
cape /keɪp/ *n* دماغه، رأس؛ شنل
caper /ˈkeɪpə(r)/ *n,vi* ۱.جست‌وخیز ۲.جست‌وخیز کردن
  cut capers (از خوشی) ورجه وورجه کردن؛ کارهای احمقانه کردن
capillary /kəˈpələrɪ US: ˈkæpɪlərɪ/ *adj* مویین؛ شعری [capillary hair]
capital /ˈkæpɪtl/ *n,adj* ۱.سرمایه؛ پایتخت؛ سرستون، تاج؛ حرف بزرگ [مانند A] ۲.عمده؛ عالی
  make capital of پیراهن‌عثمان کردن
capitalism /ˈkæpɪtəlɪzəm/ *n* اصالت یا اصول سرمایه‌داری
capitalist *n* سرمایه‌دار
capitalize /ˈkæpɪtəlaɪz/ *vt* تبدیل به سرمایه کردن؛ با حروف بزرگ نوشتن؛ مورد استفاده قرار دادن
capitulation /kəˌpɪtʃʊˈleɪʃn/ *n* تسلیم؛ رئوس‌مطالب؛ [در جمع] پیمان اعطای حقوق و اختیارات ویژه به یک بیگانه در کشور دیگر، کاپیتولاسیون

caprice /kə'pri:s/ *n* هوس،هوسبازی
capricious /kə'prɪʃəs/ *adj* دمدمی‌مزاج، هوسباز
capriole /'kæpri:əʊl/ *n* جست‌وخیز
capsize /kæp'saɪz US: 'kæpsaɪz/ *vt,vi*
۱.واژگون کردن ۲.چپه شدن، واژگون شدن
capstan /'kæpstən/ *n* دوّار، چرخ لنگر
capsule /'kæpsju:l US: 'kæpsl/ *n* تخمدان؛ کپسول، پوشینه؛ چاشنی
captain /'kæptɪn/ *n* سروان؛ ناخدا؛ رئیس کشتی تجارتی؛ [در فوتبال] کاپیتان
captaincy /'kæptɪnsɪ/ *n* = captainship
captainship /'kæptɪnʃɪp/ *n* سروانی، ناخدایی
caption /'kæpʃn/ *n* عنوان؛ زیرنویس؛ حکم توقیف؛ گواهی مندرج در روی سند
captious /'kæpʃəs/ *adj* ایرادگیر
captivate /'kæptɪveɪt/ *v* شیفته کردن، مجذوب کردن
captive /'kæptɪv/ *n,adj* اسیر، دستگیر
take captive دستگیر کردن، اسیر کردن
captivity /kæp'tɪvətɪ/ *n* اسارت
captor /'kæptə(r)/ *n* [*fem* -tress] اسیرکننده؛ برندهٔ (جایزه)
capture /'kæptʃə(r)/ *n,vt* ۱.تسخیر؛ دستگیری؛ شکار ۲.اسیر کردن؛ تسخیر کردن، گرفتن
car /kɑ:(r)/ *n* ارّابه؛ واگن‌راه‌آهن؛ اتومبیل [مختصرِ motor car]
carafe /kə'ræf/ *n* تُنگ
caramel /'kærəmel/ *n* قند سوخته؛ نوعی شیرینی
carapace /'kærəpeɪs/ *n* کاسهٔ سنگ‌پشت
carat /'kærət/ *n* قیراط
18 -carat gold طلای ۱۸ عیار
caravan /'kærəvæn/ *n* کاروان، قافله؛ واگن بزرگ یدک که می‌توان در آن زندگی کرد
caraway seeds /'kærəweɪsi:dz/ زیرهٔ سیاه
carbolic acid /kɑ:ˌbɒlɪk 'æsɪd/ اسید فنیک، فِنُل
carbon /kɑ:bən/ *n* کربن، زغال
carbon paper کاربن، کپیه
carbonate of soda کربنات سدیم، کربنات دوسود، نمک قلیا
carbonic acid gas /kɑ:ˌbɒnɪk 'æsɪd gæs/ گاز اسید کربنیک
carboy /'kɑ:bɔɪ/ *n* قرّابه؛ تُنگ دهن گشاد
carbuncle /'kɑ:bʌŋkl/ *n* یاقوتِ آتشی؛ تاول چرکین، سیاه‌زخم؛ کورک
carburet(t)or /ˌkɑ:bjʊ'retə(r)/ *n* کاربوراتور

carcase;-cass /'kɑ:kəs/ *n* لاشه
carcinoma /ˌkɑ:sɪ'nəʊmə/ *n* آماس سرطانی
card /kɑ:d/ *n* ورق،برگ؛ ورقه، کارت
card /kɑ:d/ *n* شانهٔ پنبه‌زنی
cardamom /'kɑ:dəməm/ *n* هِل
cardboard /'kɑ:dbɔ:d/ *n* مقوای نازک
cardia /'kɑ:di:æ/ *n,L* دهانهٔ معده
cardiac /'kɑ:dɪæk/ *adj* قلبی، مربوط به قلب
cardigan /'kɑ:dɪgən/ *n* ژاکتِ کشباف پشمی
cardinal /'kɑ:dɪnl/ *adj,n* ۱.اصلی [cardinal number] ۲.مطران، کاردینال
cardinal points چهار جهت اصلی
carditis /kɑ:'daɪtɪs/ *n* التهاب عضلهٔ قلب
card-sharper /'kɑ:dʃɑ:pə(r)/ *n* [در بازی ورق] برگ‌زن، ورق‌زن
care /keə(r)/ *n,vi* ۱.توجه، مواظبت، نگهداری؛ اندیشه، دلواپسی ۲.در فکر بودن، توجه داشتن
in his care سپرده به‌دست او
take care ملتفت بودن؛ توجه کردن
care of توسطِ
care for توجه کردن؛ در فکر (کسی یا چیزی) بودن؛ علاقه داشتن به
care to do something مایل به انجام کاری بودن
I don't care به من چه، مرا چه پروا
career /kə'rɪə(r)/ *n,vi* ۱.دوره (زندگی)؛ خط‌مشی ۲.جولان دادن
careful /'keəfl/ *adj* مواظب، متوجه، ملتفت
carefully /'keəfəlɪ/ *adv* با دقت، به دقت
careless /'keəlɪs/ *adj* بی‌مبالات، بی‌احتیاط؛ بی‌پروا؛ بی‌غم؛ ناشی از غفلت
carelessly /'keəlɪslɪ/ *adv* از روی بی‌مبالاتی
carelessness *n* بی‌مبالاتی، غفلت
caress /kə'res/ *n,vt* ۱.نوازش ۲.نوازش کردن
care-taker /'keəteɪkə(r)/ *n* سرایدار، مُستحفظ
cargo /'kɑ:gəʊ/ *n* [-go(e)s] بار (کشتی)، محمولهٔ دریایی
caribou /'kærɪbu:/ *n* گوزن شمالی
caricature /'kærɪkətjʊə(r)/ *n* تصویر مضحک یا اغراق‌آمیز، کاریکاتور
caricaturist *n* کاریکاتوریست
caries /'keəri:z/ *n,L* کرم‌خوردگی (دندان)؛ پوسیدگی (استخوان)
carman *n* [-men] ارابه‌ران
carminative *adj,n* داروی بادشکن
carmine /'kɑ:maɪn/ *n* مادهٔ رنگیِ قرمزدانه؛ قرمزِ جگری

carnage /ˈkɑ:nɪdʒ/ *n* خونریزی بسیار
carnal /ˈkɑ:nl/ *adj* جسمانی؛ شهوانی
carnation /kɑ:ˈneɪʃn/ *n* گل میخک
carnival /ˈkɑ:nɪvl/ *n* کارناوال، کاروان شادی
carnivore /ˈkɑ:nɪvɔ:(r)/ *n* جانور گوشتخوار
carnivorous /kɑ:ˈnɪvərəs/ *adj* گوشتخوار
carol /ˈkærəl/ *n* نغمه‌سرایی
carousal /kəˈraʊzl/ *n* میگساری
carouse /kəˈraʊz/ *vi* میگساری کردن، عیاشی کردن
carp /kɑ:p/ *vi* عیبجویی کردن
carp /kɑ:p/ *n* ماهیِ گول، ماهی‌قنات
carpenter /ˈkɑ:pəntə(r)/ *n* نجارِ شیروانی‌ساز، چوب‌بر
carpentry /ˈkɑ:pəntrɪ/ *n* درودگری، چوب‌بری
carpet /ˈkɑ:pɪt/ *n,vt* ۱.قالی، فرش ۲.فرش کردن
carriage /ˈkærɪdʒ/ *n* درشکه؛ حمل؛ کرایه؛ وضع؛ [در ماشین] نورد، نرده
carriage-forward /ˈkærɪdʒ ˈfɔ:wəd/ *adv* کرایه‌ای که گیرندهٔ کالا در مقصد پرداخت می‌کند
carriage-way /ˈkærɪdʒ weɪ/ *n* درشکه‌رو؛ ماشین‌رو
carrier /ˈkærɪə(r)/ *n* مُکاری، متصدی حمل‌ونقل؛ ترک‌بند
carrion /ˈkærɪən/ *n* لاشه، جیفه
carrot /ˈkærət/ *n* هویج، زردک، هویج‌فرنگی
carry /ˈkærɪ/ *vt* بردن، حمل کردن؛ انتقال دادن؛ همراه داشتن
- carry away ربودن؛ از جا در بردن
- carry forward منقول ساختن؛ [به صورت اسم] مبلغ منقول
- carry into effect اجرا کردن
- carry on ادامه دادن، از پیش بردن
- carry over انتقال دادن؛ منقول ساختن
- carry out انجام دادن
- carry too far به درجهٔ جدّی رساندن
- carry one ده بر یک [در حساب]
- *Carry arms!* دوش فنگ!

cart /kɑ:t/ *n,vt* ۱.گاری، دوچرخه، ارابه ۲.با گاری بردن
carte blanche /ˌkɑ:t ˈblɒnʃ/ *n,Fr* اختیار نامحدود
cartel /kɑ:ˈtel/ *n* اتحادیهٔ کارخانه‌های صنعتی
carter *n* راننده گاری
cartful *n* آنچه در یک گاری جا بگیرد
cartilage /ˈkɑ:tɪlɪdʒ/ *n* غضروف
carton /ˈkɑ:tn/ *n* جعبه مقوایی
cartoon /kɑ:ˈtu:n/ *n* کارتون، تصویر مضحک؛ نقشه نمونه
cartridge /ˈkɑ:trɪdʒ/ *n* فشنگ
cartridge-case /ˈkɒtrɪdʒ keɪs/ *n* پوکهٔ فشنگ
carve /kɑ:v/ *vt* تراشیدن، کندن؛ قلم زدن
carving-knife /ˈkɑ:vɪŋ naɪf/ *n* کاردِ گوشت خردکنی، کارد آشپزخانه
cascade /kæˈskeɪd/ *n* آبشار کوچک
case /keɪs/ *n,vt* ۱.صندوق؛ جلد، قاب؛ پوشش، غلاف ۲.در صندوق گذاشتن؛ جلد کردن؛ قاب کردن
case /keɪs/ *n* حالت؛ مورد؛ امر؛ دعوا
- in any case در هرحال، در هر صورت
- as the case may be تا مورد چه‌باشد
- in case هرگاه، در صورتی‌که؛ چنانچه؛ مبادا؛ برای احتیاط، برای مبادا
- in cases where در مواردی که

casement /ˈkeɪsmənt/ *n or* **case window** پنجرهٔ در مانند، درِ پنجره‌ای
cash /kæʃ/ *n,vt* ۱.پول نقد، نقد ۲.نقد کردن
cash-book /ˈkæʃbʊk/ *n* دفترنقدی
cashier /kæˈʃɪə(r)/ *n* صندوقدار، تحویلدار
cashmere /ˌkæʃˈmɪə(r)/ *n* شال کشمیر(ی)، ترمه
cash-office /ˈkæʃ ɒfɪs/ *n* (دایره) صندوق
cash-register /ˈkæʃ redʒɪstə(r)/ *n* صندوق
casing /ˈkeɪsɪŋ/ *n* پوشش؛ لولهٔ جدار
casino /kəˈsi:nəʊ/ *n* کازینو؛ تفریحگاه؛ نوعی خانهٔ ییلاقی
cask /kɑ:sk US: kæsk/ *n* خمره چوبی، چلیک، بشکه
casket /ˈkɑ:skɪt US: ˈkæskɪt/ *n* جعبه جواهر، دُرج
Caspian Sea /ˈkæspi:ən ˈsi:/ دریای خزر
cassation /kæˈseɪʃn/ *n* تمیز، رسیدگی فرجامی
casserole /ˈkæsərəʊl/ *n* نوعی قابلمه یا دیزی
cassock /ˈkæsək/ *n* جُبّهٔ کشیشی
cast /kɑ:st US: kæst/ *vt* [cast] انداختن؛ قالب کردن؛ ریختن (تاس)
- cast about تکاپو کردن

cast /kɑ:st US: kæst/ *n* عملِ انداختن یا ریختن؛ دام؛ قالب، طرح؛ ریخت؛ (نقشهای) بازیگران
castaway /ˈkɑ:stəweɪ US: ˈkæst-/ *adj* (شخص) کشتی شکسته
caste /kɑ:st/ *n* فرقه مذهبی در هند

lose caste وجههٔ خود را ازدست دادن
castigate /'kæstɪgeɪt/ *vt* تنبیه کردن
casting /'kɑ:stɪŋ/ *n* تقسیم نقش‌های هنرپیشگان، رُل‌نویسی
casting-vote /ˌkæstɪŋ 'vəʊt/ *n* رأی قاطع
cast-iron /ˌkæst 'aɪən/ *n* چدن
castle /'kɑ:sl US: 'kæsl/ *n* دژ، قلعه؛ [در شطرنج] رُخ
build castles in the air(*or* in Spain) خیالات خام پختن
castor /'kɑ:stə(r) US: 'kæs-/ *n* بیدانجیر، کَرچک
castor;-ter /'kɑ:stə(r) US: 'kæs-/ *n* تُنگ کوچکِ سرکه؛ چرخ، قرقره
castrate /kæ'streɪt US: 'kæstreɪt/ *vt* اخـته کردن
castration /kæ'streɪʃn/ *n* اخته‌سازی
casual /'kæʒʊəl/ *adj* اتفاقی
casual labourer کارگر فصلی، کارگر موقت
casually *adv* تصادفاً، اتفاقاً
casualty /'kæʒʊəltɪ/ *n* قضاوبلا؛ [در جمع] تلفات و زخمی‌ها
casuistry /'kæzjʊɪstrɪ/ *n* حلِ مسایل اخلاقی و وجدانی با قوانین مذهبی و اجتماعی و غیره؛ سفسطه
cat /kæt/ *n* گربه
rain cats and dogs سخت باریدن
catacombs /'kætəku:mz US: -kəʊmz/ *npl* دخمه، سردابه
catafalque /'kætəfælk/ *n* عَماری، نخل
catalogue /'kætəlɒg US: -lɔ:g/ *n* کاتالوگ
catapult /'kætəpʌlt/ *n* منجنیق؛ تیرْکمان
cataract /'kætərækt/ *n* آبشار بزرگ؛ [طب] آب مروارید
catarrh /kə'tɑ:(r)/ *n* نَزله، زکام
catastrophe /kə'tæstrəfɪ/ *n* عاقبت داستان؛ بلا، فاجعه؛ حادثه
catch /kætʃ/ *vt,vi* [caught] ,*n* ۱.گرفتن، به‌چنگ آوردن؛ سرایت کردن؛ درک کردن؛ جلب کردن ۲.درگرفتن؛ گیر کردن ۳.دستگیره؛ معما
catch cold سرما خوردن، زکام شدن
catch hold of محکم گرفتن
catch up رسیدن؛ جبران کردن؛ به دام انداختن
catch at برای گرفتنِ چیزی کوشیدن
catch on گرفتن [مردم پسند شدن]
catching *apa* گیرا؛ جاذب
catchword /'kætʃwɜ:d/ *n* کلمهٔ پاورقی یا سرصفحه؛ ورد، تکیه کلام

catechism /'kætəkɪzəm/ *n* (تعلیم امور دینی با) سؤال‌وجواب
categorical /ˌkætə'gɒrɪkl US: -gɔ:r-/ *adj* قاطع، صریح
category /'kætəgərɪ US: -gɔ:rɪ/ *n* طبقه؛ مقوله
cater /'keɪtə(r)/ *vi* تهیه کردن سورسات
cater to... موافق سلیقهٔ... بودن
caterer *n* تهیه‌کنندهٔ سورسات، سورسات‌چی
caterpillar /'kætəpɪlə(r)/ *n* کرم درخت، کرم صدپا
caterwaul /'kætəwɔ:l/ *vi* جیغ کشیدن (مانند گربه)
catgut /'kætgʌt/ *n* زه، رودهٔ تابیده
cathedral /kə'θi:drəl/ *n* کلیسای جامع
cathode /'kæθəʊd/ *n* کاتود، قطب منفی
catholic /'kæθəlɪk/ *adj,n* ۱.جامع؛ مربوط به قاطبهٔ مسیحیون ۲.[با C] کاتولیک
cat-o-nine-tails /ˌkæt ə'naɪnteɪlz/ *n* نوعی تازیانه
cat's-paw /'kæts pɔ:/ *n* آلت دست
cattish;catty /'kætɪʃ;'kætɪ/ *adj* گربه‌صفت؛ کنایه‌گو؛ کنایه‌دار، گوشه‌دار
cattle /'kætl/ *n* گلهٔ گاو؛ گله، رمه
Caucasian /kɔ:'keɪzɪən US: kɔ:'keɪʒn/ *adj,n* قفقازی
caught /kɔ:t/ [*p,pp of* catch]
cauldron /'kɔ:ldrən/ *n* پاتیل
cauliflower /'kɒlɪflaʊə(r)/ *n* کلم‌گل
caulk /kɔ:k/ *vt* درز گرفتن، کلاف‌کوبی کردن
causative /'kɔ:zətɪv/ *adj* سببی
cause /kɔ:z/ *n,vt* ۱.سبب، علت؛ قضیه؛ امر ۲.سبب شدن
in the cause of در راهِ
cause to be killed به کشتن دادن
causeway /'kɔ:zweɪ/ *n* سنگفرش؛ گذرگاه خشک
caustic /'kɔ:stɪk/ *adj* سوزآور، سوزان؛ [مجازاً] طعنه‌آمیز
cauterize /'kɔ:təraɪz/ *vt* داغ کردن
caution /'kɔ:ʃn/ *n,vt* ۱.احتیاط، توجه ۲.آگاهانیدن
caution money وجه‌الضمان
cautious /'kɔ:ʃəs/ *adj* محتاط
cautiously /'kɔ:ʃəslɪ/ *adv* از روی احتیاط
cavalcade /ˌkævl'keɪd/ *n* دستهٔ سوار
cavalier /ˌkævə'lɪə(r)/ *n,adj* ۱.سوار؛ شوالیه ۲.مغرور؛ رشید

cavalry /'kævlrɪ/ *n* سواره نظام
cave /keɪv/ *n* غار
cave *(vi)* **in** فرو کشیدن؛ نشست کردن؛ گود شدن؛ [مجازاً] تن در دادن
cavern /'kævən/ *n* غار (بزرگ)
caviar(e) /'kævɪɑ:(r)/ *n* خاویار، تخم سگ‌ماهی
cavil /'kævl/ *vi* [-led] خرده‌گیری کردن
cavity /'kævətɪ/ *n* گودال، حفره
caw /kɔ:/ *n,vi* غارغار (کردن)
cayenne (pepper) /ˌkeɪen 'pepə(r)/ *n* (گرد) فلفل قرمز
cc = cubic centimetre
cease /si:s/ *vi,vt,n* ۱.بازایستادن، بند آمدن؛ موقوف شدن ۲.دست کشیدن از ۳.وقفه، ایست
Cease fire! آتش بس!
without cease لاینقطع
cedar /'si:də(r)/ *n* سرو (آزاد)
cede /si:d/ *vt* واگذار کردن
ceiling /'si:lɪŋ/ *n* سقف؛ [مجازاً] اوج، منتها درجه
celebrate /'selɪbreɪt/ *v* جشن گرفتن
celebrated *ppa* نامدار، مشهور
celebration /ˌselɪ'breɪʃn/ *n* جشن
celebrity /sɪ'lebrətɪ/ *n* شهرت
celerity /sɪ'lerətɪ/ *n* تندی؛ چابکی
celery /'selərɪ/ *n* کرفس
celestial /sɪ'lestɪəl US: -tʃl/ *adj* آسمانی؛ بهشتی؛ عالی
celestial latitude [هیئت] میل
apparent celestial latitude [هیئت] ارتفاع
celestial longitude [هیئت] بُعد، دوری
apparent celestial longitude [هیئت] سَمت
celibacy /'selɪbəsɪ/ *n* تجرّد، بی‌همسری
celibate /'selɪbət/ *adj,n* ۱.مجرّد، بی‌همسر ۲.شخص مجرد
cell /sel/ *n* حجره؛ زندان انفرادی؛ سلول، یاخته؛ کانون؛ مبدأ؛ باتری
cellar /'selə(r)/ *n* زیرزمین
cellular /'seljʊlə(r)/ *adj* سلولی؛ خانه‌خانه
celluloid /'seljʊlɔɪd/ *n* سلولوئید
cement /sɪ'ment/ *n,vt* ۱.سیمان؛ چسب ۲.سیمان کردن؛ چسباندن
cemetery /'semətrɪ US: 'semətərɪ/ *n* قبرستان
cenotaph /'senətɑ:f US: -tæf/ *n* قبر سرباز گمنام
censer /'sensə(r)/ *n* بخورسوز، مجمر
censor /'sensə(r)/ *n,vt* ۱.بازرس مطبوعات ونمایش‌ها ۲.سانسور کردن
censorship /'sensə(r)ʃɪp/ *n* سانسور
censure /'senʃə(r)/ *n,vt* عیبجویی (کردن)، انتقاد (کردن)؛ سرزنش (کردن)
census /'sensəs/ *n* سرشُماری
take census سرشماری کردن
cent /sent/ *n* سنت: یک‌صدم دلار
centenarian /ˌsentɪ'neərɪən/ *n* آدم صد ساله (به بالا)
centenary /sen'ti:nərɪ US: 'sentənerɪ/ *adj,n* (جشن یا یادبود) صدسالگی، صدمین سال
centennial /sen'tenɪəl/ *adj* صد سال به صد سال (رخ دهنده)
center /'sentə(r)/ = centre
centigrade /'sentɪgreɪd/ *adj* سانتیگراد
centigramme /'sentɪgræm/ *n* سانتیگرم
centimetre /'sentɪmi:tə(r)/ *n* سانتیمتر
centipede /'sentɪpi:d/ *n* هزارپا
central /'sentrəl/ *adj* مرکزی؛ اصلی؛ واقع در مرکز شهر یا نزدیک آن
centrality *n* مرکزیت؛ تمایل به مرکز
centralization /ˌsentrəlaɪ'zeɪʃn US: -lɪ'z-/ *n* تمرکز
centralize /'sentrəlaɪz/ *vt* تمرکز دادن
centre /'sentə(r)/ *n,vi,vt* ۱.مرکز؛ وسط؛ محل ۲.تمرکز یافتن ۳.تمرکز دادن
centrifugal force /senˌtrɪfjʊgl 'fɔ:s/ قوهٔ گریز از مرکز
centripetal /sen'trɪpɪtl/ *adj* مایل به مرکز
centurion /sen'tjʊərɪən/ *n* یوزباشی
century /'sentʃərɪ/ *n* قرن، سده
ceramic art /səræmik 'ɑ:t/ = ceramics
ceramics /sə'ræmɪks/ *n* سرامیک‌سازی، سفال‌سازی
cereal /'sɪərɪəl/ *n* غله، حبوبات
cerebral /'serɪbrəl US: sə'ri:brəl/ *adj* مغزی
ceremonial /ˌserɪ'məʊnɪəl/ *adj* رسمی؛ تشریفاتی
ceremonially /ˌsərɪ'məʊnɪəlɪ/ *adv* موافق آیین
ceremonious /ˌserɪ'məʊnɪəs/ *adj* مقید به آداب، تعارفی
ceremony /'serɪmənɪ US: -məʊnɪ/ *n* آیین، تشریفات؛ آدابِ ظاهری؛ تعارف
stand upon ceremony تعارف کردن
certain /'sɜ:tn/ *adj* معین؛ یقین، مسلّم، محقق؛ حتمی؛ بعضی

certain to happen حتمی‌الوقوع
in certain years در بعضی سالها(ی معین)
a certain Mary شخصی به نام مریم
make certain محقق کردن، یقین شدن
for certain = certainly
certainly /'sɜ:tnlɪ/ *adv* یقیناً، مسلماً، محققاً؛ البته؛ صحیح است
certainty /'sɜ:tntɪ/ *n* اطمینان؛ یقین
for a certainty بدون شک، یقیناً
certificate /sə'tɪfɪkət/ *n* گواهینامه
certify /'sɜ:tɪfaɪ/ *vt* تصدیق کردن، گواهی دادن
certitude /'sɜ:titju:d US: -tu:d/ *n* اطمینان، یقین
cervical /sɜ:'vaɪkl US: 'sɜ:vɪkl/ *adj* گردنی، مربوط به گردن
cessation /se'seɪʃn/ *n* ایست، توقف، تعطیل
cession /'seʃn/ *n* واگذاری
cesspit /'sespɪt/ *n* = cesspool
cesspool /'sespu:l/ *n* چاه مستراح، چاه مبال؛ توده کثافت
cf = confer *L* = compare
chafe /tʃeɪf/ *vt,vi* ۱.مالش دادن؛ خراشیدن؛ خشمگین کردن ۲.ساییده شدن؛ عصبانی شدن
chaff /tʃɑ:f US: tʃæf/ *n* کاه؛ پوشال؛ پوست
chaffer *vi* چانه زدن
chaffy *adj* کاهی؛ پوشالی
chafing-dish /'tʃeɪfɪŋ dɪʃ/ *n* آتشدان، منقل
chagrin /'ʃægrɪn US: ʃə'gri:n/ *n,vt* ۱.دلتنگی ۲.رنجاندن
chain /tʃeɪn/ *n,vt* ۱.زنجیر؛ رشته، سلسله ۲.زنجیر کردن؛ به‌هم پیوستن
chain armour *or* chain mail زره
in chains زندانی، در بند
chainlet /'tʃeɪnlɪt/ *n* زنجیر کوچک
chain-smoker /'tʃeɪnsməʊkə(r)/ *n* کسی‌که هر سیگار را با سیگار قبلی آتش می‌زند (یا آتش‌به‌آتش سیگار می‌کشد)
chair /tʃeə(r)/ *n* صندلی، کرسی
chairman /'tʃeəmən/ *n* [-men] رئیس (هیئت‌مدیره)
chalet /'ʃæleɪ/ *n* کلبه (سویسی)
chalice /'tʃælɪs/ *n* پیاله؛ کاسهٔ گل
chalk /tʃɔ:k/ *n,vt* ۱.گِل سفید؛ گچ ۲.خط کشیدن
challenge /tʃælɪndʒ/ *vt,n* ۱.به جنگِ (تن به تن) خواندن، به مبارزه طلبیدن؛ مورد اعتراض قرار دادن، مورد تردید قرار دادن؛ دعوت کردن ۲.مبارزطلبی

chamber /'tʃeɪmbə(r)/ *n,vt* اتاق؛ مجلس؛ [در قدیم] خوابگاه
chamberlain /'tʃeɪmbəlɪn/ *n* پیشکار؛ فرّاش خلوت، حاجب؛ خزانه‌دار
chamber-maid /'tʃeɪmbə meɪd/ *n* کُلفَت، خدمتکار زن
chamber-pot /'tʃeɪmbə pɒt/ *n* پیشابدان، لگن
chameleon /kə'mi:lɪən/ *n* بوقلمون، آفتاب‌پرست
chamois /'ʃæmwɑ: US: 'ʃæmɪ/ *n* بز کوهی
chamois-leather /'ʃæmwɑ: leðə(r)/ *n* جیر
champ /tʃæmp/ *vt* با صدا جویدن (دهنه)
champagne /ʃæm'peɪn/ *n* شامپانی
champion /'tʃæmpɪən/ *n,vt* ۱.قهرمان؛ مدافع ۲.دفاع کردن از؛ [به صورت صفت] عالی
championship /'tʃæmpɪənʃɪp/ *n* قهرمانی
chance /tʃɑ:ns US: tʃæns/ *n,adj,vi,vt* ۱.تصادف، اتفاق؛ بخت؛ فرصت ۲.تصادفی ۳.اتفاق افتادن؛ تصادفاً دیدن ۴.در معرض آزمایش یا مخاطره گذاشتن
The chances are against it هیچ احتمال ندارد
by chance اتفاقاً، تصادفاً؛ ناگاه
If I chance to go there اگر گذارم به آنجا بیفتد، اگر اتفاقاً آنجا بروم
chancellery /'tʃɑ:nsələrɪ US: 'tʃæns-/ *n* رتبه یا ادارهٔ chancellor؛ دیوان
chancellor /'tʃɑ:nsələ(r) US: 'tʃæns-/ *n* سردبیرِ سفارت؛ صدراعظم؛ رئیس دانشگاه
Chancellor of the Exchequer وزیر دارایی
Lord (High) Chancellor رئیس کل داوران [در انگلستان]
chancery /'tʃɑ:nsərɪ US: 'tʃæns-/ *n* دادگاهِLord Chancellor ؛ دفترخانه
chandelier /ˌʃændə'lɪə(r)/ *n* لوستر، شمعدان چندشاخه
chandler /'tʃɑ:ndlə(r) US: 'tʃænd-/ *n* شمع‌فروش
change /tʃeɪndʒ/ *vt,vi,n* ۱.عوض کردن، تغییر دادن؛ خرد کردن (پول) ۲.تغییر کردن؛ بریدن [در شیر] ۳.تبدیل؛ معاوضه؛ پول خرد
change hands دست‌به‌دست رفتن
change one's condition عروسی کردن
change for the better تبدیل به‌اَحسن کردن
changeable /'tʃeɪndʒbl/ *adj* تغییرپذیر، قابل تبدیل؛ ناپایدار

changeful /'tʃeɪndʒfʊl/ *adj* متغیر؛ بی‌ثبات
changeling /'tʃeɪndʒlɪŋ/ *n* بچهٔ عوضی یا عوض شده
change-over /'tʃeɪndʒ əʊvə(r)/ *n* تغییر رویه؛ انتقال
channel /'tʃænl/ *n* کانال، تنگه، مجرا؛ [مجازاً] وسیله
chant /tʃɑ:nt,tʃænt/ *n,vt* ۱.آهنگِ ساده؛ سرود ۲.(به‌طور یکنواخت) سرودن
chaos /'keɪɒs/ *n* هاویه؛ هرج‌ومرج، بی‌نظمی
chaotic /keɪ'ɒtɪk/ *adj* بی‌نظم، آشفته
chap /tʃæp/ *vi,vt* [-ped] *,n* ۱.ترکیدن، خشک شدن ۲.ترکاندن ۳.ترکیدگی؛ شکاف، ترک
chap /tʃæp/ *Col,n* مَردک، جوانک
chapel /'tʃæpl/ *n* نمازخانهٔ کوچک؛ نماز
chaperon /'ʃæpərəʊn/ *n* زن شوهردار یا کاملی که از دختر جوانی مواظبت می‌کند
chaplain /'tʃæplɪn/ *n* پیش‌نماز، ملاّ
chaplet /'tʃæplɪt/ *n* حلقهٔ گل یا زر یا گوهر برای سر؛ گردن‌بند تسبیحی
chapter /'tʃæptə(r)/ *n* باب، فصل، سوره
char /tʃɑ:(r)/ *v* [-red] زغال کردن، زغال شدن
character /'kærəktə(r)/ *n* سیرت، اخلاق باطن؛ شخصیت؛ صفتِ اختصاصی؛ حرف؛ خط؛ سمت؛[در نمایش] شخص
characteristic /,kærəktə'rɪstɪk/ *n* صفت اختصاصی یا ممیز، نشان ویژه
characterize /'kærəktəraɪz/ *vt* توصیف کردن، مشخص کردن؛ نشان اختصاصی بودن از
charcoal /'tʃɑ:kəʊl/ *n* زغال چوب
charge /tʃɑ:dʒ/ *n,vt* ۱.عهده، وظیفه؛ توجه؛ سفارش؛ اتهام؛ حمله؛ هزینه، حساب ۲.گماشتن، عهده‌دار کردن؛ سفارش کردن، توصیه کردن (به)؛ متهم کردن؛ مطالبه کردن (بها)؛ به حساب (چیزی یا کسی) گذاشتن؛ پر کردن؛ تحمیل کردن؛ مورد حمله قرار دادن
  in charge متصدی
  give a person in charge کسی را تحویل پاسبان دادن
  on charge of به اتهامِ
  charge oneself with عهده‌دارِ ... شدن
  charge a sum to (*or* against)... مبلغی را به حساب... گذاشتن
  be charged with متهم شدن به
  He charged me five Rials for it. پنج ریال پای من حساب کرد.

charge d'affaires /,ʃɑ:ʒeɪ dæ'feə(r)/ *n,Fr* کاردار سفارت
charger /'tʃɑ:dʒə(r)/ *n* اسب جنگی یا افسری
chariot /'tʃærɪət/ *n* ارّابه جنگی
charioteer /,tʃærɪə'tɪə(r)/ *n* ارّابه‌ران
charitable /'tʃærətəbl/ *adj* صدقه‌دهنده؛ خیرخواهانه [charitable deeds]
charity /'tʃærətɪ/ *n* دستگیری، صدقه؛ مؤسسه خیریه
charlatan /'ʃɑ:lətən/ *n* پزشکِ قلابی؛ شارلاتان، شیّاد
charlatanry *n* زبان‌بازی
charm /tʃɑ:m/ *n,vt* ۱.افسون، طلسم؛ فریبندگی ۲.افسون کردن؛ مفتون ساختن؛ محظوظ کردن؛ با طلسم مصون کردن
charming *apa* فریبنده، ملیح
charmless *adj* ساده، بی‌نمک
chart /tʃɑ:t/ *n,vt* ۱.نقشه (دریایی) ۲.با نقشه نشان دادن
charter /'tʃɑ:tə(r)/ *n,vt* ۱.فرمان؛ منشور؛ امتیاز؛ قرارداد اجارهٔ کشتی ۲.با قرارداد اجاره دادن یا اجاره کردن؛ دربست کرایه کردن
  chartered accountant حسابدار خبره
charwoman /'tʃɑ:wʊmən/ *n* کُلفَتِ روز(انه)
chary /'tʃeərɪ/ *adj* بااحتیاط، میانه‌رو؛ مضایقه‌کننده؛ احتیاط‌کارانه
  be chary of مضایقه کردن از
chase /tʃeɪs/ *vt,n* ۱.دنبال کردن؛ شکار کردن؛ بیرون کردن [با away یا off یا out] ۲.تعاقب؛ شکار
chase /tʃeɪs/ *vt* قلم زدن، منقوش کردن
chaser /'tʃeɪsə(r)/ *n* هواپیمای شکاری
chasm /'kæzəm/ *n* شکاف
chassis /'ʃæsɪ/ *n,Fr* شاسی
chaste /tʃeɪst/ *adj* پاکدامن، عفیف؛ ساده؛ محجوبانه
chasten /'tʃeɪsn/ *vt* تأدیب کردن
chastise /tʃæ'staɪz/ *vt* زدن، گوشمالی دادن، تنبیه کردن
chastisement *n* تنبیه، گوشمالی
chastity /'tʃæstətɪ/ *n* پاکدامنی، عفت
chat /tʃæt/ *n,vi* [-ted] ۱.صحبت، پچ‌پچ ۲.صحبت کردن
château /'ʃætəʊ US: ʃæ'təʊ/ *n,Fr* [-teaux] کوشک؛ قلعه
chattels /'tʃætls/ *npl* اسباب، اشیا؛ مال، کالا

chatter /'tʃætə(r)/ *vi,n* ۱.پچ‌پچ کردن؛ کوتاه کوتاه چهچه زدن ۲.پچ‌پچ، وراجی؛ چهچه کوتاه؛ (صدای) به هم خوردن دندان
chatter-box /'tʃætəbɒks/ *n* آدم وزّاج یا پرگو
chatty *adj* پرگو، وزّاج
chauffeur /'ʃəʊfə(r) US: ʃəʊ'fɜ:r/ *n,Fr* راننده (برای ماشین شخصی)
chauvinism /'ʃəʊvɪnɪzəm/ *n* میهن‌پرستی افراطی، شووینیسم
cheap /tʃi:p/ *adj* ارزان (فروش)
cheapen /'tʃi:pən/ *vt,vi* ۱.ارزان کردن ۲.ارزان شدن
cheapness *n* ارزانی
cheat /tʃi:t/ *vt,n* ۱.گول زدن، مغبون کردن ۲.آدم کلاهبردار، گول
check /tʃek/ *n,vt,vi* ۱.جلوگیری، منع؛ تطبیق، مقابله؛ بلیط یا چیز دیگری که در برابر سپردن اسباب و لباس به سپارنده می‌دهند؛ [در شطرنج] کیش ۲.جلوگیری کردن از، منع کردن؛ رسیدگی کردن؛ مقابله کردن؛ کیش کردن ۳.مکث کردن
checkers /'tʃekəz/ *npl* چکر [نوعی بازیِ شطرنجی که در انگلیس آن را draughts می‌گویند]
checkmate /'tʃekmeɪt/ *n* کیش و مات
cheek /tʃi:k/ *n* گونه؛ پررویی
cheek by jowl پهلوی یکدیگر،محرمانه
cheekiness *n* پررویی
cheeky *adj* پررو، گستاخ
cheep /tʃi:p/ *n,vi* جیرجیر (کردن)
cheer /tʃɪə(r)/ *n,vt,vi* ۱.خوشی، مایهٔ خوشی؛ فریاد آفرین، هورا ۲.تسلی دادن؛ با هورا تشویق کردن ۳.تسلی یافتن؛ خوشحال شدن؛ هلهله کردن
cheerful /'tʃɪəfl/ *adj* بَشّاش، امیدوار؛ با روح
cheerfully /'tʃɪəfəlɪ/ *adv* با خوشرویی
cheerfulness *n* خوشی، بشاشت
cheerio /,tʃɪər'əʊ/ *int* یاحق، خداحافظ
cheerless /'tʃɪəlɪs/ *adj* دلتنگ،افسرده،غمگین
cheery /'tʃɪərɪ/ *adj* بَشّاش
cheese /tʃi:z/ *n* پنیر
cheese-cloth /'tʃi:zklɔ:θ/ *n* مَلمَل (نوعی پارچه نخی بسیار نازک و لطیف)
cheesemonger /'tʃi:zmʌŋgə(r)/ *n* پنیرفروش
cheetah /'tʃi:tə/ *n* یوزپلنگ
chef /ʃef/ *n* سرآشپز [در کشتی و مهمانخانه و امثال آنها]
chemical /'kemɪkl/ *adj,n* ۱.شیمیایی ۲.مادهٔ شیمیایی، دارو
chemically /'kemɪklɪ/ *adv* از لحاظ شیمیایی
chemist /'kemɪst/ *n* شیمی‌دان؛ داروساز
chemistry /'kemɪstrɪ/ *n* شیمی
chemotherapy /,ki:məʊ'θerəpɪ/ *n* معالجهٔ شیمیایی، شیمی‌درمانی
cheque /tʃek/ *n* چک، حواله، برات
cheque-book /'tʃek bʊk/ *n* دسته چک
chequered *ppa* شطرنجی، پیچازی؛ [مجازاً] دارای تحولات
cherish /'tʃerɪʃ/ *vt* پروردن؛ نوازش کردن
cherry /'tʃerɪ/ *n* گیلاس
cherub /'tʃerəb/ *n* [-im] کَرّوب [جمع = کرّوبیان]؛ ملکهٔ مُقَرّب
chess /tʃes/ *n* شطرنج
chessboard /'tʃesbɔ:d/ *n* صفحهٔ شطرنج
chess-man /'tʃesmən/ *n* مهرهٔ شطرنج
chest /tʃest/ *n* صندوق، یخدان؛ سینه
chest of drawers جالباسی کشودار
get a thing off one's chest مطلبی را از دل درآوردن، دل خود را خالی کردن
chesterfield /'tʃestəfi:ld/ *n* نوعی نیمکت گود
chestnut /'tʃesnʌt/ *n* شاه بلوط
chestnut horse اسب کُرند یا کرنگ
chew /tʃu:/ *vt,n* ۱.جویدن ۲.تنباکوی‌جویدنی
chew the cud نشخوار کردن
chewing-gum /'tʃu:ɪŋ gʌm/ *n* سقز، آدامس
chicanery /ʃɪ'keɪnərɪ/ *n* مغالطه
chick /tʃɪk/ *n* جوجه کوچک؛ بچه، کوچولو
chicken /'tʃɪkɪn/ *n* جوجه
chicken-pox /'tʃɪkɪn pɒks/ *n* آبله‌مرغان
chick-pea /'tʃɪk pi:/ *n* نخودچی
chicory /'tʃɪkərɪ/ *n* کاسنی
chid /tʃɪd/ [*p,pp of* chide]
chidden /'tʃɪdn/ [*pp of* chide]
chide /tʃaɪd/ *vt,vi* [chid *or* chided; chid, chidden *or* chided] ۱.سرزنش‌کردن ۲.غرغر کردن؛ گله کردن
chief /tʃi:f/ *n,adj* ۱.رئیس ۲.عمده، مهم، اصلی
chief city پایتخت، مرکز شهرستان
engineer-in-chief سرمهندس
chiefly /'tʃi:flɪ/ *adv* به‌ویژه، مخصوصاً
chieftain /'tʃi:ftən/ *n* سردسته، رئیس
chiffonier /,ʃɪfə'nɪə(r)/ *n* قفسهٔ کوچک کشودار
chilblain /'tʃɪlbleɪn/ *n* ورم سرماخوردگی
child /tʃaɪld/ *n* [children] بچه؛ فرزند
with child آبستن، حامله

six months gone with child آبستنِ ششماهه
child bed /'tʃaɪld bed/ *n* = child birth
childbirth /'tʃaɪldbɜ:θ/ *n* زایمان، وضع حمل
childhood /'tʃaɪldhʊd/ *n* بچگی، طفولیت
childish *adj* بچگانه
childishly *adv* از روی بچگی
childlike /'tʃaɪldlaɪk/ *adj* بچگانه، ساده و بی‌آلایش
children /'tʃɪldrən/ [*pl of* child]
chill /tʃɪl/ *n,adj,vi,vt* ۱.سرما؛ خنکی؛ چایمان؛ [مجازاً] آیهٔ یأس ۲.چاییده، سرما خورده ۳.سرد شدن، چاییدن ۴.خنک کردن؛ سرمازده کردن؛ [مجازاً] دلسرد کردن
chilled *adj* سرد کرده، قرمه (شده)
chilly /'tʃɪlɪ/ *adj* سرد؛ چاییده؛ بی‌عاطفه
chime /tʃaɪm/ *n,vt,vi* ۱.ساز یا موزیک زنگ‌دار؛ زنگ؛ هماهنگی ۲.هماهنگ شدن ۳.زدن (زنگ)
chimerical /kaɪ'merɪkl/ *adj* واهی، پوچ
chimney /'tʃɪmnɪ/ *n* دودکش؛ لوله
chimney-sweeper /'tʃɪmnɪ ˌswi:pə(r)/ *n* بخاری پاک‌کن
chimpanzee /ˌtʃɪmpən'zi:, ˌtʃɪmpæn'zi:/ *n* شمپانزه
chin /tʃɪn/ *n* چانه، زنخدان
China /'tʃaɪnə/ *n* چین؛ [با c] چینی
China-man /'tʃaɪnə mən/ *n* چینی، اهل چین؛ [با c] چینی‌فروش
chinaware /'tʃaɪnəweə(r)/ *n* چینی‌آلات
chine /tʃaɪn/ *n* مازه؛ تیرهٔ پشت
Chinese /ˌtʃaɪ'ni:z/ *adj,n* چینی
chink /tʃɪŋk/ *n* رخنه، شکاف، چاک
chink /tʃɪŋk/ *n,vi* جلنگ‌جلنگ (کردن)
chip /tʃɪp/ *n,vt,vi* [-ped] ۱.خردهٔ چوب؛ قاچ نازک؛ ژتون؛ [در جمع] خلال سرخ کردهٔ سیب‌زمینی ۲.ترکانیدن؛ رنده کردن؛ لب‌پریده کردن ۳.ور آمدن، ورقه شدن؛ خرد شدن؛ لب پریده شدن
chip of the old block پسری که نشانهٔ پدر در اوست، تریشه همان کُنده
chipped *adj* لب پریده؛ پریده
chiragra *n* نقرس دست
chirp /tʃɜ:p/ *n,vi* جیک‌جیک (کردن)، جیرجیر (کردن)
chirrup /'tʃɪrəp/ *n* چهچهه؛ جیک‌جیک
chisel /'tʃɪzl/ *n* اسکنه؛ قلم درز
chit /tʃɪt/ *n* بچه؛ دخترک؛ یادداشت

chivalrous /'ʃɪvlrəs/ *adj* دلیر؛ دلیرانه؛ بلندهمت؛ متعارف در پیش بانوان
chivalry /'ʃɪvəlrɪ/ *n* سلحشوری، جوانمردی؛ تعارف در حضور بانوان
chloroform /'klɒrəfɔ:m US: 'klɔ:r-/ *n* کلروفرم
chock /tʃɒk/ *n,vt* ۱.تکهٔ چوبی که چرخی را از غلتیدن باز می‌دارد ۲.از حرکت بازداشتن؛ شلوغ کردن (اتاق با اثاثیه)
chocolate /'tʃɒklət/ *n* شکلات؛ رنگ شکلاتی؛ آشامیدنی گرم که با شکلات درست کنند
choice /tʃɔɪs/ *n,adj* ۱.انتخاب، اختیار، پسند ۲.برگزیده، ممتاز، عالی
make a choice of انتخاب کردن
at choice برحسب دلخواه، به اختیار خود
I have no choice but... چاره‌ای جز این ندارم که ...
choir /'kwaɪə(r)/ دستهٔ سرودخوانان (کلیسا)؛ دستهٔ رقصندگان
choke /tʃəʊk/ *vt,vi* ۱.خفه کردن؛ مسدود کردن ۲.خفه شدن؛ بسته شدن
choler /'kɒlə(r)/ *n* خشم، تندمزاجی
cholera /'kɒlərə/ *n* وبا
Asiatic *or* epidemic cholera وبای آسیایی
sporadic cholera وبای پاییزه،ثقل‌سرد
choleretic /'kɒlərətɪk/ *adj* موجب ترشّح صفرا
choleric /'kɒlərɪk/ = irascible
choose /tʃu:z/ *vt* [chose;chosen] برگزیدن، انتخاب کردن؛ صلاح دانستن؛ خوش داشتن
There is nothing to choose between them. چندان فرقی با هم ندارند. باجی به هم نمی‌دهند.
chop /tʃɒp/ *vt,vi* [-ped] ,*n* ۱.خردکردن؛ [با off] بریدن، جدا کردن؛ [با down] انداختن ۲.دخالت در گفتگو کردن [با in]؛ تغییر عقیده دادن [بیشتر chop and change] ۳.ضربت؛ تکه (گوشت)
chop-house /'tʃɒphaʊs/ *n* رستوران (ارزان)
chopper /'tʃɒpə(r)/ *n* ساطور؛ تبر
choppy /'tʃɒpɪ/ *adj* ترک‌دار؛متلاطم
chops *npl* آرواره، لب‌ولوچه
chopsticks /'tʃɒpstɪks/ *npl* چاپ استیک، چوب غذاخوری در چین و ژاپن
chord /kɔ:d/ *n* رباط؛ زه؛ وتر قوس
chorea /kɔ:'ri:ə/ *n* داءالرقص (نوعی بیماری که با حرکات غیرارادی اندام‌ها با شکل خاصی همراه است)
chores /tʃɔ:rəs/ *npl* کارهای عادی روزانه
choroid /'kɔ:rɔɪd/ *or* **choroid coat** /'kəʊrɒɪd kəʊt/ مَشیمیه: پردهٔ عروقی چشم که بین صلبیه و شبکیه قرار دارد

chorus /'kɔ:rəs/ *n,vi* ۱.گروه کُر، همسرایان، سرود جمعی، تهلیل؛ گروه رقصندگان ۲.با جمع خواندن؛ هم‌آواز شدن
in chorus با هم، دسته‌جمعی، یکجا، به اتفاق
chose /tʃəʊz/ [*p of* choose]
chosen /'tʃəʊzn/ [*pp of* choose] ,*ppa* برگزیده، منتخب
Christ /kraɪst/ *n* مسیح
christen /'krɪsn/ *vt* نامگذاری کردن، با تشریفات نام گذاردن
Christendom /'krɪsndəm/ *n* مسیحیان، جهان مسیحیت
Christian /'krɪstʃən/ *adj,n* مسیحی، عیسوی
Christian name اسم کوچک، اسم اول
Christianity /ˌkrɪstɪ'ænətɪ/ *n* مسیحیت
Christmas /'krɪsməs/ *n* عید میلاد مسیح
chrome /krəʊm/ *n* عنصر کروم
chronic /'krɒnɪk/ *adj* مزمن، کهنه
chronicle /'krɒnɪkl/ *n* ذکر وقایع به ترتیب تاریخ، وقایع‌نامه؛ [در جمع و با C] کتاب تواریخ ایام
chronological /ˌkrɒnə'lɒdʒɪkl/ *adj* به‌ترتیب تاریخ درست شده، زمانی
in chronological order به‌ترتیب تاریخ
chronologically /ˌkrɒnə'lɒdʒɪklɪ/ *adv* به‌ترتیب زمان یا تاریخ
chronology /krə'nɒlədʒɪ/ *n* ترتیب زمانی وقایع
chronometer /krə'nɒmɪtə(r)/ *n* کرونومتر، زمان‌سنج
chrysalis /'krɪsəlɪs/ *n* [-salises] نوچهٔ حشره، شفیره
chrysanthemum /krɪ'sænθəməm/ *n* گل‌داوودی
chubby /'tʃʌbɪ/ *adj* گوشتالو
chuck /tʃʌk/ *n,vi* قُدقُد (کردن)
chuck /tʃʌk/ *vt* آهسته زیر چانهٔ (کسی) زدن؛ ول کردن، انداختن، دست کشیدن از
chuck away از دست دادن،گم کردن
chuckle /'tʃʌkl/ *vi* با دهان بسته خندیدن
chum /tʃʌm/ *n,vi* هم‌اتاق (شدن)
chum up دوست یا آشنا شدن
chummy /tʃʌmɪ/ *adj* دوستانه
chump /tʃʌmp/ *n* کنده؛ تکهٔ بزرگ؛ کله
chunk /tʃʌŋk/ *n* تکهٔ کلفت
church /'tʃɜ:tʃ/ *n* کلیسا
churchyard /'tʃɜ:tʃjɑ:d/ *n* مقبرهٔ مجاور کلیسا
churlish *adj* بی‌ادب، روستایی
churn /tʃɜ:n/ *n,vt* ۱.ظرفِ کره‌سازی ۲.کره گرفتن از
skin churn خیک
chute /ʃu:t/ *n* ریزش؛ شیب تند
cicada /sɪ'kɑ:də/ *n* جیرجیرک دشتی، زَنجره
cicatrix /'sɪkətrɪks/ *n* [-trices] اثر زخم؛ نشان، داغ
cider /'saɪdə(r)/ *n* شراب یا شربت سیب
cigar /sɪ'gɑ:(r)/ *n* سیگار (برگ)
cigarette /ˌsɪgə'ret US: 'sɪgərət/ *n* سیگار
cinder /'sɪndə(r)/ *n* زغال نیمسوز؛ اخگر؛ جوش آهن؛ [در جمع] خاکستر
cine-camera /'sɪnɪ kæmərə/ *n* دوربین فیلمبرداری
cinema /'sɪnəmɑ:,'sɪnəmə/ *n* سینما
cinematic /ˌsɪnə'mætɪk/ *adj* سینمایی
cinematograph /ˌsɪnə'mætəgrɑ:f/ *n* دستگاه نمایش فیلم، آپارات
cinerarium /ˌsɪnə'reəri:əm/ *n* جایی که ظرف خاکستر مردگان را به امانت می‌گذارند
cinnamon /'sɪnəmən/ *n* دارچین
cipher /'saɪfə(r)/ *n* صفر، رمز
cipher *(vt)* **out** استخراج کردن (رمز)
circa /'sɜ:kə/ *prep* در حدودِ
circle /'sɜ:kl/ *n,vi,vt* ۱.دایره؛ محفل ۲.حلقه زدن ۳.احاطه کردن
circlet /'sɜ:klɪt/ *n* حلقهٔ تزیینی از زر یا گُل
circuit /'sɜ:kɪt/ *n* دورِ تمام؛ سیر، گردش؛ جریان؛ مدار، مسیر
short circuit اتصالی، مدار کوتاه (برق)
circular /'sɜ:kjʊlə(r)/ *adj,n* ۱.مدوّر ۲.بخشنامه
circularize /'sɜ:kjʊləraɪz/ *vt* بخشنامه فرستادن به
circulate /'sɜ:kjʊleɪt/ *vi,vt* ۱.گردش کردن؛ منتشر شدن ۲.انتشار دادن؛ رواج دادن؛ دایر کردن
circulation /ˌsɜ:kjʊ'leɪʃn/ *n* گردش، دوَران؛ انتشار؛ جریان؛ توزیع؛ رواج
circulatory /ˌsɜ:kjʊ'leɪtərɪ US: 'sɜ:kjələtɔ:rɪ/ *adj* مربوط به‌گردش خون
circumcise /'sɜ:kəmsaɪz/ *vt* ختنه کردن
circumcision /ˌsɜ:kəm'sɪʒn/ *n* ختنه
circumference /sə'kʌmfərəns/ *n* محیط دایره
circumlocution /ˌsɜ:kəmlə'kju:ʃn/ *n* استعمال الفاظ زاید برایِ فهماندن مطلبی

circumnavigate /ˌsɜːkəmˈnævɪgeɪt/ *vt*
دورِ (گیتی یا اقلیمی) کشتیرانی کردن
circumscribe /ˈsɜːkəmskraɪb/ *vt*
محیط کردن (بر)
circumspect /ˈsɜːkəmspekt/ *adj* با احتیاط
circumspection /ˌsɜːkəmˈspekʃn/ *n*
ملاحظهٔ اطراف کار، احتیاط در پیرامون کاری
circumstance /ˈsɜːkəmstəns/ *n* چگونگی، کیفیت، وضع، موقعیت؛ تشریفات؛ واقعهٔ ضمنی، پیشامد؛ شرط؛ [در جمع] مقتضیات
a matter of circumstance
چیز با اهمیت، امر مهم
in no circumstances به‌هیچ‌وجه، ابداً، هیچگاه
without circumstance بدون تعارف
under (*or* **in**) **the circumstances**
در این صورت، با این ترتیب
easy circumstances زندگی راحت
circumstantial /ˌsɜːkəmˈstænʃl/ *adj*
تفصیلی، مفصّل؛ ضمنی؛ مبنی‌بر قراین
circumstantial evidence اماره
circumvent /ˌsɜːkəmˈvent/ *vt*
پیشدستی کردن بر
circus /ˈsɜːkəs/ *n* سیرک؛ جولانگاه؛ میدان
cistern /ˈsɪstən/ *n* آب‌انبار؛ منبع
citadel /ˈsɪtədəl/ *n* ارگ؛ سنگر
citation /saɪˈteɪʃn/ *n* ذکر، ایراد؛ احضار
cite /saɪt/ *vt* ذکر کردن، ایراد کردن؛ استشهاد کردن از؛ احضار کردن
citizen /ˈsɪtɪzn/ *n* شهری؛ تابع، اهل
a good Iranian citizen یک ایرانی خوب
citizenship /ˈsɪtɪznʃɪp/ *n* تابعیت
citric acid /ˌsɪtrɪk ˈæsid/ جوهر لیموترش
citron /ˈsɪtrən/ *n* اترج؛ بالنک
citrous fruits /ˈsɪtrəs fruːts/ *n* مرکبات
cittern /ˈsɪtən/ *n* نوعی ساز زهی
city /ˈsɪtɪ/ *n* شهر
the City مرکز بازرگانی
civic /ˈsɪvɪk/ *adj* شهری؛ کشوری؛ اجتماعی
civics /ˈsɪvɪks/ *n* علم یا شیوهٔ کشورداری
civil /ˈsɪvl/ *adj* کشوری، مدنی؛ داخلی؛ حقوقی
civilian /sɪˈvɪlɪən/ *n,adj* شخصی، کشوری
civility /sɪˈvɪlətɪ/ *n* ادب؛ [در جمع] مهربانی
civilization /ˌsɪvəlaɪˈzeɪʃn US: -əlɪˈz-/ *n*
تمدن
civilize /ˈsɪvəlaɪz/ *vt* متمدن کردن
civilized /ˈsɪvəlaɪzd/ *ppa* متمدن، پیشرفته
clack /klæk/ *n,vi* تق‌تق (کردن)؛ قیل‌وقال (کردن)؛ قدقد (کردن)
clad /klæd/ [*ppa of* clothe] مُلبّس، در لباسِ
claim /kleɪm/ *n,vt* ۱.ادعا، دعوا؛ طلب، مطالبه؛ خواسته، مدعا به؛ حق ۲.ادعا کردن؛ مطالبه کردن
a claim on (*or* **against**) **someone**
ادعا بر علیه کسی
set up a claim to اقامهٔ دعوا کردن
put in a claim for something
مدعی مالکیت چیزی شدن
He claims to... مدعی است که...
claimant /ˈkleɪmənt/ *n* مدعی
clam /klæm/ *n* نوعی صدف خوراکی؛ بند؛ گیره
clamber /ˈklæmbə(r)/ *vi* با دست و پا بالا رفتن
clammy /ˈklæmɪ/ *adj* تر و چسبناک، خمیری
clamorous /ˈklæmərəs/ *adj* پر صدا؛ مصرّ
clamour /ˈklæmə(r)/ *n,vi* ۱.فریاد، غریو ۲.فریاد زدن، غریو برآوردن
They clamoured (vt) him down.
با هووجنجال او را ساکت کردند.
clamp /klæmp/ *n,vt* ۱.بند، عقربک؛ گیره، قید ۲.بند زدن
clan /klæn/ *n* خاندان؛ طایفه، قبیله؛ دسته
clandestine /klænˈdestɪn/ *adj* نهانی، زیرجلی
clang /klæŋ/ *n,vi* ۱.صدای فلز یا اسلحه ۲.صدا کردن، جَرنگ‌جَرنگ کردن
clangour /ˈklæŋə(r)/ *n* جَرنگ‌جَرنگ، جلنگ‌جلنگ
clank /klæŋk/ *n,vi* ۱.چکاچاک، صدای زنجیر ۲.صدا کردن
clannish /ˈklænɪʃ/ *adj* به‌هم پیوسته، قبیله‌دوست
clap /klæp/ *vi,vt* [-ped] ۱.کف زدن ۲.برهم زدن؛ با صدا بستن (در)
He was well clapped کف ممتدی برایش زدند
clapper /ˈklæpə(r)/ *n* زبانهٔ زنگ
claret /ˈklærət/ *n* شراب قرمز
clarification /ˌklærɪfɪˈkeɪʃn/ *n* وضوح؛ توضیح
clarify /ˈklærɪfaɪ/ *v* صاف کردن؛ صاف شدن؛ روشن کردن؛ روشن شدن
clarified butter روغن (کره)
clarinet,-ionet /ˌklærəˈnet/ *n* کلارینت، قره‌نی
clarion /ˈklærɪən/ *n* صدای بلند شیپور
clarity /ˈklærətɪ/ = clearness
clash /klæʃ/ *n,vi*
۱.صدای شکستگی در تصادم ۲.درق صدا کردن

clasp /klɑ:sp US: klæsp/ *n,vt* ۱.قَزَن‌قفلی، چفت؛سگک، شیرقلاب؛ گیره؛ سرچسب ۲.بستن، درآغوش گرفتن

clasp hands دو دست در هم کردن

class /klɑ:s US: klæs/ *n,vt* ۱.دسته، طبقه، کلاس؛ زمره؛ رده ۲.طبقه‌بندی کردن

classic(al) /ˈklæsɪk(l)/ *adj* کلاسیک

classics *npl* زبان و ادبیات یونانی و لاتین، علوم ادبی باستانی

classification /ˌklæsɪfɪˈkeʃn/ *n* طبقه‌بندی

classify /ˈklæsɪfaɪ/ *vt* دسته‌بندی کردن، طبقه‌بندی کردن

classmate /ˈklɑ:smeɪt/ *n* همکلاس

classroom /ˈklɑ:srʊm/ *n* اتاق درس، کلاس

clatter /ˈklætə(r)/ *n,vi* ۱.صدایِ تَق‌تَق؛ شلوغ ۲.صدا دادن

clause /klɔ:z/ *n* شرط، مادّه؛ قضیه

clavicle /ˈklævɪkl/ *n* ترقوّه، چنبر

claw /klɔ:/ *n,vt* ۱.پنجه، چنگال ۲.پنجول زدن؛ چاپلوسانه ستودن

clay /kleɪ/ *n,vt* ۱.خاک رُس، خاک کوزه‌گری ۲.گل‌مال کردن

clayey /ˈkleɪɪ/ *adj* گِلی؛ رُستی

clean /kli:n/ *adj,vt* ۱.پاک، تمیز؛ بی‌لکه ۲.پاک کردن، مرتب کردن

clean down گردگیری کردن (دیوار)

clean hands پاکی، بی‌گناهی

clean out (داخل چیزی را) تمیز کردن

clean record حسن پیشینه، حسن‌سابقه

clean up *Col* به دست آوردن (سود)

clean up نظافت کردن

clean-cut /ˌkli:n ˈkʌt/ = clear-cut

cleaned out *Col* به‌کلی بی‌پول

cleanliness /ˈklenlɪnɪs/ *n* پاکیزگی

cleanly /ˈkli:nlɪ/ *adj* پاک، تمیز

cleanness *n* پاکی

cleanse /klenz/ *vt* پاک کردن

clear /klɪə(r)/ *adj* روشن، واضح؛ زلال، صاف؛ آفتابی؛ شفاف؛ یقین؛ مبرّا؛ خالص؛ آزاد، باز، بی‌مانع؛ تسویه‌شده

I am not clear about that.
این موضوع در نزد من روشن نیست.

The ship is clear of its cargo.
کشتی خالی است، کشتی بار ندارد.

keep clear دور شدن؛ کنار رفتن

in clear آشکار، غیر رمزی

clear /klɪə(r)/ *vt,vi* ۱.روشن کردن؛ صاف کردن؛ پاک کردن؛ برچیدن (میز)؛ باز کردن؛ خلوت کردن؛ تبرئه کردن؛ از گمرک درآوردن؛ رها کردن؛ از پهلوی چیزی رد شدن؛ واریختن [با up]؛ پابه‌پا کردن ۲.روشن شدن؛ لا افتادن

The coast is clear. مانعی در کار نیست.

clear away برچیدن، جمع کردن، [مجازاً] برطرف کردن، رد شدن، ناپدید شدن

clear the air شک را برطرف کردن

clear itself صاف شدن، لا افتادن

clear off بیرون رفتن

clear up مرتب کردن؛ باز شدن، حل کردن

clear out خالی کردن؛ بیرون آوردن، بیرون رفتن، در رفتن

clear the desks آمادهٔ جنگ شدن

clearance /ˈklɪərəns/ *n* تصفیه، واریزی؛ مفاصا؛ تهاتر؛ رفع موانع

clearance sale /ˈkli:rəns seɪl/ *n* حراج، فروش و آب کردن اجناس غیرضروری و بنجل

clear-cut /ˌklɪər ˈkʌt/ *adj* روشن، صریح، مشخص

clearing /ˈklɪərɪŋ/ *n* تهاتر؛ تسویه؛ تبرئه

clearly /ˈklɪəlɪ/ *adv* آشکارا، به وضوح

clearness *n* روشنی، وضوح

clear-sighted /ˌklɪər ˈsaɪtɪd/ *adj* روشن‌بین، بصیر

cleat /kli:t/ *n* گیرهٔ طناب

cleavage /ˈkli:vɪdʒ/ *n* شکاف

cleave /kli:v/ *vt,vi* [clove *or* cleft; cloven *or* cleft] ۱.شکافتن؛ شکستن ۲.جدا شدن

cleaver /ˈkli:və(r)/ *n* ساطور؛ شکافنده

cleft /kleft/ [*p,pp of* cleave]

cleft /kleft/ *n* شکاف، رخنه؛ تَرَک

clemency /ˈklemənsɪ/ *n* بخشایندگی؛ ملایمت

clement /ˈklemənt/ *adj* بخشاینده؛ ملایم

clench /klentʃ/ *vt* از زیر پرچ کردن، محکم بستن؛ گره کردن (مشت)؛ قطع کردن

clergy /ˈklɜ:dʒɪ/ *n* روحانیون [با the]

clergyman /ˈklɜ:dʒɪmən/ *n* روحانی، کشیش

clerical /ˈklerɪkl/ *adj* مربوط به نویسندگی، انشایی؛ دفتری

clerk /klɑ:k US: klɜ:rk/ *n* کارمنددفتری، دبیر

clerk in holy orders = clergyman

clever /ˈklevə(r)/ *adj* زرنگ؛ ماهر؛ باهوش؛ حاکی از هوش و استعداد

cleverness *n* زرنگی، زیرکی

clew /klu:/ *n,vt* ۱.گلولهٔ نخ، گروهه؛ سررشته؛ سراغ ۲.گلوله کردن

click /klik/ *n,vi,vt* ۱.تیک ۲.تیک کردن، صدا کردن ۳.با صدا (پاشنه‌ها را) به‌هم زدن یا جفت کردن
client /'klaɪənt/ *n* موکّل؛ ارباب رجوع؛ صاحب کار؛ مشتری
cliff /klɪf/ *n* پرتگاه (در کنار دریا)
climate /'klaɪmɪt/ *n* آب‌وهوا
climatic /klaɪ'mætɪk/ *adj* آب‌وهوایی، اقلیمی [climatic conditions]
climax /'klaɪmæks/ *n* اوج، برگشتگاه
climb /klaɪm/ *v,n* ۱.بالا رفتن (از) ۲.صعود
climb down پایین آمدن از
clime /klaɪm/ *Poet* = climate
clinch /klɪntʃ/ = clench
cling /klɪŋ/ *vi* [clung] چسبیدن
cling on to محکم چسبیدن، محکم نگهداشتن
clinic /'klɪnɪk/ *n* آموزشِ طب بالینی؛ درمانگاه؛ کلینیک
clinical /'klɪnɪkl/ *adj* بالینی
clink /klɪŋk/ *n,vi* جلنگ‌جلنگ (کردن)
clinker /'klɪŋkə(r)/ *n* سوختهٔ زغال سنگ
clip /klɪp/ *vt* [-ped] *,n* ۱.چیدن؛ کوتاه کردن ۲.موزنی؛ پشم‌چینی؛ ضربت؛ گیره (کاغذ)؛ [در جمع] قیچی، پاره کردن بلیط
clipper /'klɪpə(r)/ *n* کشتی تندرو
clippers *npl* ماشین موزنی؛ قیچی باغبانی
clique /kli:k/ *n* دسته
cloak /kləʊk/ *n,vt* ۱.ردا، خرقه ۲.پوشاندن
cloak-room /'kləʊkrʊm/ *n* رخت‌کن
clock /klɒk/ *n* ساعت (دیواری)
clock /klɒk/ *v* وقت (چیزی) را نگهداشتن یا ثبت کردن
at six o'clock در ساعت شش
It is 5 o'clock. ساعت پنج است.
clockwise /'klɒkwaɪz/ *adj,adv* در جهت عقربه‌های ساعت
clockwork /'klɒkwɜ:k/ *n* (گردش) چرخ‌های ساعت؛ [به صورت صفت] ماشینی؛ فنری
clod /klɒd/ *n* کلوخ
clog /klɒg/ *n,vt* [-ged] ۱.پابند، مانع؛ کفشِ تخت‌چوبی ۲.مانع شدن، کند کردن؛ مسدود کردن
cloister /'klɔɪstə(r)/ *n* راهرو سرپوشیده؛ دیر، صومعه، رهبانگاه
close /kləʊs/ *adj* نزدیک، متّصل؛ بسته؛ تَنگ؛ شبیه؛ گرفته، دلتنگ‌کننده؛ دقیق؛ پنهان؛ خسیس؛ محدود؛ تنگ هم؛ انبوه
He is a close man about his own affairs. کسی سر از کارهای او در نمی‌آورد.
of a close texture سفت بافت
close /kləʊs/ *vt,vi* ۱.بستن؛ خاتمه دادن؛ اتصال دادن؛ [با down] تعطیل کردن ۲.به هم آمدن؛ گلاویز شدن؛ ختم شدن
close up مسدود کردن؛ پر کردن؛ جمع‌تر نشستن؛ به کلی بستن
close in نزدیک(تر) یا کوتاه(تر) شدن
close about احاطه کردن، فراگرفتن
close in upon نزدیک شدن به؛ فراگرفتن
close the ranks صفوف را محکمتر یا چسبیده به هم کردن
close with نزدیک شدن؛ دست به گریبان شدن؛ پذیرفتن، قبول کردن
close /kləʊz/ *n* پایان، خاتمه؛ گلاویزی
a close call *or* **a close thing** *Col* بلایی که نزدیک بود (یا نزدیک است) رخ دهد
close season فصلی که شکار یا چیز دیگر ممنوع است
close shave تراشیدن صورت از ته؛ [مجازاً] تصادف تقریبی
close to نزدیک، نزدیک به
bring to a close پایان دادن (به)
draw to a close پایان یافتن
lie close پنهان بودن، قایم شدن
press close فشار آوردن بر، سخت‌گیری کردن با
close /kləʊs/ *adv* نزدیک(تر)، جمع‌تر
close-fitting /ˌkləʊs 'fɪtɪŋ/ *adj* چسبان، قالبِ تن
closely /'kləʊzlɪ/ *adv* به دقت
closeness *n* نزدیکی؛ دقت؛ خسّت، خشک‌دستی؛ تنگی؛ گرفتگی‌هوا؛ احتیاط
closet /'klɒzɪt/ *n,vt* ۱.صندوقخانه؛ گنجه ۲.خلوت کردن با
closing *adj* نهایی، آخری
closure /'kləʊʒə(r)/ *n* خاتمه؛ بستگی؛ رأی کفایت مذاکرات
clot /klɒt/ *n,vi,vt* [-ted] ۱.لختهٔ خون ۲.دلمه شدن ۳.بستن
cloth /klɒθ US: klɔ:θ/ *n* پارچه
clothe /kləʊð/ *vt* [clothed *or* clad] پوشاندن
clothes /kləʊðz US: kləʊz/ *npl* رخت، لباس
clothes-line /'kləʊðzlaɪn, 'kləʊz-/ *n* طنابِ رخت
clothes-peg /'kləʊðzpeg, 'kləʊz-/ ;
clothes-pin /'kləʊðzpɪn,'kləʊz-/ *n* گیرهٔ لباس

clothing /'kləʊðɪŋ/ *n* لباس
cloud /klaʊd/ *n,vt,vi* ۱.ابر؛ لکه؛ تیرگی ۲.ابری یا موج‌دار کردن؛ تیره کردن ۳.تیره یا ابری شدن
under cloud of night در تاریکی شب
clouded brow جبین (پیشانی) چین‌دار
cloudy *adj* ابری؛ تیره؛ افسرده؛ لکه‌دار
It is cloudy. هوا گرفته است. هوا ابری است.
clout /klaʊt/ *n,vt* ۱.قاب‌دستمال؛ نقطهٔ نشانه؛ نعل روسی؛ میخ سرپهن برای نعل زدن ۲.نعل زدن؛ توسری زدن
clove /kləʊv/ *n* میخک؛ دانه (سیر یا پیاز)
clove /kləʊv/ [*p of* cleave]
cloven /'kləʊvn/ [*pp of* cleave] شکافته
show the cloven hoof بدجنسی خود را بروز دادن
clover /'kləʊvə(r)/ *n* شبدر
clown /klaʊn/ *n* لوده؛ روستایی
clownish *adj* بی‌تربیت؛ روستاصفت
cloy /klɔɪ/ *vt* سیر کردن، بیزار کردن
club /klʌb/ *n,vt,vi* [bed] ۱.چماق؛ خال گشنیزی، خاج؛ چوگان؛ کلوپ، باشگاه ۲.چماق زدن؛ دانگی دادن ۳.تشریک‌مساعی کردن
club-footed /ˌklʌb'fʊtɪd/ *adj* پاچنبری
clubhouse /'klʌbhaʊs/ *n* باشگاه
cluck /klʌk/ *n,vi* قُدقُد (کردن)
clue /klu:/ *n* کلید، سررشته؛ اثر
clump /klʌmp/ *n,vt* ۱.انبوه؛ کلوخ؛ نیم‌تخت ۲.انبوه کردن؛ نیم‌تخت انداختن
clumsy /'klʌmzɪ/ *adj* زشت؛ بی‌مهارت
clung /klʌŋ/ [*p,pp of* cling]
cluster /'klʌstə(r)/ *n,v* ۱.خوشه ۲.دسته کردن؛ دسته شدن
clutch /klʌtʃ/ *n,vt* ۱.کلاچ؛ چنگ ۲.چنگ زدن، به چنگال گرفتن
clutter /'klʌtə(r)/ *n* شُلوغ، دستپاچگی
clyster /'klɪstə(r)/ *n* اِماله، تنقیه
cm = centimetre(s)
Co = company
c/o = care of
coach /kəʊtʃ/ *n,vt,vi* ۱.کالسکه؛ دلیجان؛ واگن راه‌آهن؛ آموزگار خصوصی ۲.برای امتحان حاضر کردن [با up] ۳.سوار کالسکه شدن
coach-box /'kəʊtʃbɒks/ *n* جای کالسکه‌ران
coach-building /'kəʊtʃ bɪldɪŋ/ *adj* اتاق‌سازی اتومبیل
coachman /'kəʊtʃmən/ *n* درشکه‌ران، کالسکه‌ران
coagulant /kəʊ'ægjʊlənt/ *n* مادهٔ منعقدکننده
coagulate /kəʊ'ægjʊleɪt/ *v* بستن، دلمه کردن؛ دلمه شدن
coagulation /kəʊˌægjʊ'leɪʃn/ *n* انعقاد، بستگی
coal /kəʊl/ *n* زغال‌سنگ
carry coals to Newcastle زیره به کرمان بردن
coalesce /ˌkəʊə'les/ *vi* ائتلاف کردن، به هم پیوستن
coalescence /ˌkəʊə'lesns/ *n* ائتلاف
coalfield /'kəʊl fi:ld/ *n* کان یا ناحیهٔ زغال‌خیز
coalition /ˌkəʊə'lɪʃn/ *n* ائتلاف
coarse /kɔ:s/ *adj* زبر، خشن؛ بی‌ادب
coarseness *n* زبری؛ درشتی
coast /kəʊst/ *n,vi* ۱.ساحل؛ دوچرخه‌سواری در سرازیری بدون پا زدن ۲.سریدن؛ با دنده خلاص رفتن
coaster /'kəʊstə(r)/ *n* نوعی کشتی که در طول ساحل کالا به بنادر می‌برد
coasting /'kəʊstɪŋ/ = cabotage
coat /kəʊt/ *n,vt* ۱.کت، نیم‌تنه؛ پوشش؛ طبقه؛ روکش ۲.پوشاندن؛ روکش کردن؛ آستر کردن
coat of arms (لباس حاوی) نشان‌های نجابتِ خانوادگی؛ آرم
coat of mail زره نیم‌تنه
coat-hanger /'kəʊt hæŋə(r)/ *n* جارختی، جالباسی
coax /'kəʊks/ *vt,vi* ۱.تملق گفتن، ناز کسی را کشیدن، با زبان (به کاری) واداشتن ۲.چاپلوسی کردن
cob /kɒb/ *n,vt* [-bed] ۱.تکه بزرگ (زغال)؛ چوب ذرت؛ کاهگل ۲.به کفلِ (کسی) زدن
cobalt /'kəʊbɔ:lt/ *n* کبالت، فلز لاجورد
cobble /'kɒbl/ *n,vt,vi* ۱.قلوه‌سنگ صاف؛ زغال درشت ۲.با سنگ صاف فرش کردن؛ وصله کردن ۳.پینه‌دوزی کردن
cobbler /'kɒblə(r)/ *n* پینه‌دوز؛ کارگر ناشی
cobra /'kəʊbrə/ *n* کبرا، مار عینکی
cobweb /'kɒbweb/ *n* تار عنکبوت؛ آشغال، چیز گندیده؛ نکتهٔ گیرانداز‌نده، دام
coccyx /'kɒksɪks/ *n* دنبالچه
cochineal /ˌkɒtʃɪ'ni:l/ *n* قرمزدانه
cock /kɒk/ *n,vt* ۱.خروس؛ شیر(آب)؛ چخماق تفنگ ۲.سیخ کردن؛ کج نهادن
cock of the walk پهلوان میدان
cock lobster خرچنگ نر

cock -and-bull story آسمان‌وریسمان
cockade /kɒ'keɪd/ *n* گُل نوار؛ نشان کلاه
cock-a-doodle-do /ˌkɒk əˌdu:dl 'du:/ *n* قوقولی‌قو
cockerel /'kɒkərəl/ *n* جوجه‌خروس
cockle /'kɒkl/ *n* صدف (خوراکی)؛ [در جمع] احساسات
cockney /'kɒknɪ/ *n* کاکنی (ساکن بخش شرقی لندن)
cockney accent لهجهٔ کاکنی
cockpit /'kɒkpɪt/ *n* گود برای جنگ خروسها؛ میدان، گود؛ جای ویژهٔ خلبان
cockroach /'kɒkrəʊtʃ/ *n* سوسک حمام
cockscomb /'kɒkskəʊm/ *n* تاجِ خروس
cocksure /ˌkɒk'ʃɔ:(r) US: ˌkɒk'ʃʊər/ *adj* مطمئن، یقین؛ از خود خاطرجمع، غرّه؛ حتمی
cocktail /'kɒkteɪl/ *n* کوکتل، نوعی نوشیدنی الکلی
cocoa /'kəʊkəʊ/ *n* کاکائو
coco-nut /'kəʊkənʌt/ *n* نارگیل
cocoon /kə'ku:n/ *n* پیله
cod /kɒd/ *n* [cod] ماهیِ روغن
cod liver oil روغنِ ماهی
coddle /'kɒdl/ *vt* نوازش کردن؛ نیم‌پز کردن
code /kəʊd/ *n* (کتاب) قانون، مجمع‌القوانین
codfish /'kɒdfɪʃ/ *n* ماهیِ روغن
codification /ˌkəʊdɪfɪ'keɪʃn US: ˌkɒd-/ *n* تدوین قوانین، قانونگزاری
codify /'kəʊdɪfaɪ US: 'kɒdəfaɪ/ *vt* تدوین کردن؛ رمز کردن
coefficient /ˌkəʊɪ'fɪʃnt/ *n* ضریب
coerce /kəʊ'ɜ:s/ *vt* مجبور کردن
coercion /kəʊ'ɜ:ʃn US: -ʒn/ *n* اجبار، اضطرار
coercive /kəʊ'ɜ:sɪv/ *adj* مجبورکننده، جابر
coeval /ˌkəʊ'i:vl/ *adj* همسن؛ همزمان
coexist /ˌkəʊɪg'zɪst/ *vi* با هم زیستن
coexistence /ˌkəʊɪg'zɪstəns/ *n* همزیستی
coffee /'kɒfɪ US: 'kɔ:fɪ/ *n* قهوه
coffee-pot /'kɒfɪ pɒt/ *n* قهوه‌جوش، قهوه‌ریز
coffer /'kɒfə(r)/ *n* صندوق (پول)
coffin /'kɒfɪn/ *n,vt* ۱.تابوت، صندوق ۲.در تابوت گذاردن
cog /kɒg/ *n* دندانه؛ زبانه؛ نوعی قایق
cogency /'kəʊdʒənsɪ/ *n* زور؛ ضرورت
cogent /'kəʊdʒənt/ *adj* پرزور؛ متقاعدکننده
cogged *adj* دندانه‌دار
cogitate /'kɒdʒɪteɪt/ *vi* اندیشه کردن

cognac /'kɒnjæk/ *n* کنیاک
cognate /'kɒgneɪt/ *adj* همریشه؛ همجنس
cognation *n* خویشاوندی؛ بستگی
cognizance /'kɒgnɪzəns/ *n* آگاهی؛ درک
take cognizance رسماً آگاهی یافتن
cognizant /'kɒgnɪzənt/ *adj* آگاه، ملتفت
cog-wheel /'kɒgwi:l/ *n* چرخ دندانه‌دار
cohabit /kəʊ'hæbɪt/ *vi* با هم زندگی کردن [بدون ازدواج رسمی]
cohere /kəʊ'hɪə(r)/ *vi* به‌هم چسبیدن
coherence;-rency /ˌkəʊ'hɪərəns; -rənsɪ/ *n* چسبیدگی؛ ربط، ارتباط (مطالب)
coherent /ˌkəʊ'hɪərənt/ *adj* چسبیده؛ مرتبط
cohesion /kəʊ'hi:ʒn/ *n* چسبندگی؛ التصاق یا قوهٔ جاذبهٔ ذرّات
cohesive /kəʊ'hi:sɪv/ *adj* چسبنده
coil /kɔɪl/ *n,vt,vi* ۱.حلقه؛ چنبره؛ [در دوچرخه] فنر؛ سیم پیچاپیچ برق ۲.حلقه کردن ۳.حلقه شدن
coin /kɔɪn/ *n,vt* ۱.سکه، مسکوک ۲.سکه زدن؛ [مجازاً] تازه درست کردن
pay a man back in his own coin معاملهٔ به‌مثل با کسی کردن
coinage /'kɔɪnɪdʒ/ *n* (ضرب) سکه؛ سلسله‌بندی بهای مسکوکات؛ اختراع
coincide /ˌkəʊɪn'saɪd/ *vi* منطبق شدن؛ تصادف کردن
coincidence /kəʊ'ɪnsɪdəns/ *n* تصادف؛ انطباق
coincident /kəʊ'ɪnsɪdənt/ *adj* مصادف؛ منطبق‌شونده
coke /kəʊk/ *n* پوکهٔ زغال‌سنگ، کُک
Col /kɒl/ = Colonel
colander /'kʌləndə(r)/ *n* صافی
cold /kəʊld/ *adj,n* ۱.سرد؛ خونسرد؛ سرماخورده؛ مایهٔ دلسردی؛ بی‌مزه ۲.سرما(خوردگی)
cold in the head زُکام
catch cold سرما خوردن، زکام شدن
It is cold. (هوا) سرد است.
I feel cold. سردم است.
cold-blooded /ˌkəʊld 'blʌdɪd/ *adj* خونسرد؛ بی‌عاطفه
cold-hearted /ˌhəʊld 'hɑ:tɪd/ *adj* بی‌عاطفه
colic /'kɒlɪk/ *n,adj* ۱.قولنج ۲.قولنجی
colitis /kə'laɪtɪs/ *n* وَرَم قولون
collaborate /kə'læbəreɪt/ *vi* تشریک‌مساعی کردن

collaboration /kə,læbə'reɪʃn/ *n* همکاری، تشریک مساعی
collapse /kə'læps/ *n,vi* ۱.فروریختگی، آوار؛ اضمحلال ۲.فروریختن
collapsible; -sable /kə'læpsəbl/ *adj* فروریختنی؛ لەشدنی [مانند لولۀ خمیر]؛ تاشو، جمع‌شو
collar /'kɒlə(r)/ *n,vt* ۱.یقه؛ گردن‌بند ۲.گریبان گرفتن
collar-bone /'kɒlə bəʊn/ = clavicle
collate /kə'leɪt/ *vt* مقابله کردن
collateral /kə'lætərəl/ *adj* پهلویی، جنبی
collateral security /kə,lætərəl sɪ'kjʊərətɪ/ وثیقه
colleague /'kɒli:g/ *n* همقطار
colleagueship *n* همقطاری
collect /kə'lekt/ *vt,vi* ۱.جمع کردن؛ وصول کردن، دریافت کردن، تحویل گرفتن ۲.جمع شدن، [در گفتگو] آوردن
collection /kə'lekʃn/ *n* دریافت، وصول، تحصیلداری؛ مجموعه، کلکسیون؛ انبوه
collective /kə'lektɪv/ *adj* جامع؛ دسته‌جمعی
collective noun اسم جمع
collectively /kə'lektɪvlɪ/ *adv* جمعاً، (به‌طور) دسته جمعی
collector /kə'lektə(r)/ *n* تحصیلدار
college /kɒlɪdʒ/ *n* کالج، دانشکده
collegiate /kə'li:dʒɪət/ *adj* دانشکده‌ای
collide /kə'laɪd/ *vi* تصادف کردن
collie /'kɒlɪ/ *n* سگ گلۀ اسکاتلندی
collier /'kɒlɪə(r)/ *n* کارگر معدن زغال‌سنگ
colliery /'kɒlɪərɪ/ *n* معدن زغال‌سنگ (و ساختمانهای آن)
collision /kə'lɪʒn/ *n* تصادف
come into collision تصادف کردن
collocation /,kɒlə'keɪʃn/ *n* تلفیق یا ترکیب لغات
colloquial /kə'ləʊkwɪəl/ *adj* محاوره‌ای، مختصِ گفتگو
colloquy /'kɒləkwɪ/ *n* گفتگو
collusion /kə'lu:ʒn/ *n* تبانی
collutorium /,kɒlə'tɔ:ri:əm/ *or*
collutory /'kɒlətɔ:rɪ/ غِرغِره
colon /'kəʊlən/ *n* (نشان) دو نقطه (:)
colonel /'kɜ:nl/ *n* سرهنگ
colonial /kə'ləʊnɪəl/ *adj* مستعمراتی
colonist /'kɒlənɪst/ *n* مستعمره‌نشین
colonize /'kɒlənaɪz/ *vt* تحت استعمار درآوردن، تشکیل مستعمره دادن در
colonnade /,kɒlə'neɪd/ *n* ردیفِ ستون
colony /'kɒlənɪ/ *n* مستعمره، کوچ‌نشین؛ [مجازاً] رسته یا گروه هم‌پیشه
color /'kʌlə(r)/ *US* = colour
colossal /kə'lɒsl/ *adj* عظیم‌الجثه
colossus /kə'lɒsəs/ *n* [-si] مجسمۀ بسیار بزرگ
colour /'kʌlə(r)/ *n,vt,vi* ۱.رنگ؛ [در جمع] پرچم؛ شعار ۲.رنگ زدن؛ بد نشان دادن ۳.سرخ شدن
a man of colour = negro
under colour of به بهانۀ
give colour to واقع‌نما کردن
off colour *Col* کِسِل
colt /kəʊlt/ *n* کرۀ اسب
column /'kɒləm/ *n* ستون؛ ردیف
coma /'kəʊmə/ *n* اغما
comb /kəʊm/ *n,vt,vi* ۱.شانه؛ قشو؛ تاج خروس؛ [در بافندگی] دفتین ۲.شانه کردن؛ قشو کردن؛ [با out] خوب جستجو کردن، زیرورو کردن، جستجو کردن
combat /'kɒmbæt/ *n,vi* ۱.رزم، جنگ؛ مبارزه ۲.جنگ کردن؛ گلاویز شدن
combatant /'kɒmbətənt/ *n* مبارز
combative /'kɒmbətɪv/ *adj* جنگجو
combination /,kɒmbɪ'neɪʃn/ *n* ترکیب؛ دسته(بندی)؛ اتحاد؛ موتورسیکلت با سبد؛ زیرپوش یکپارچه برای تمام بدن
combine /kəm'baɪn/ *vt,vi* ۱.ترکیب کردن؛ جورکردن ۲.ملحق شدن؛ جور شدن؛ ترکیب شدن
combustible /kəm'bʌstəbl/ *adj,n* ۱.سوختنی ۲.قابل اشتعال
combustion /kəm'bʌstʃən/ *n* سوزش، احتراق
come /kʌm/ *vi* [came;come] آمدن؛ رسیدن؛ رخ دادن؛ ناشی شدن
years to come سالهای آینده
Come what may! هرچه بادا باد!
come to know فهمیدن
come about واقع شدن؛ فراهم شدن
come across بَرخوردن به
Come along! زود باشید؛ بیایید!
come away (*or* **off**) ورآمدن
come back برگشتن
come by به دست آوردن؛ نزدیک شدن

come into تصرف کردن
come of age بالغ شدن
come off well نیک انجام شدن
come over مسلط شدن بر
come round (*or* to) به‌هوش آمدن
come to an agreement موافقت پیدا کردن، توافق حاصل کردن
come up پیش آمدن؛ مطرح شدن
It came to pass. واقع شد.
It came true. راست (در) آمد.
comedian /kə'mi:dɪən/ *n* بازیگرِ (هنرپیشهٔ) کمدی
comedy /'kɒmədɪ/ *n* کمدی
comeliness *n* خوبرویی، قشنگی
comely /'kʌmlɪ/ *adj* خوبرو
comer /'kʌmə(r)/ *n* آینده، وارد
comet /'kɒmɪt/ *n* ستارهٔ دنباله‌دار
comfort /'kʌmfət/ *n,vt* ۱.دلداری، تسلی؛ راحت؛ دلخوشی ۲.دلداری دادن (به)؛ آسایش دادن
comfortable /'kʌmftəbl US: -fərt-/ *adj* راحت، راحت‌بخش؛ آسوده‌خاطر؛ تسلی‌بخش
comforter /'kʌmfətə(r)/ *n* تسلی‌دهنده؛ شال گردن پشمی؛ فریبنده
comic /'kɒmɪk/ *adj* خنده‌دار؛ کمدی‌نویس
comical /'kɒmɪkl/ *adj* مضحک، غریب
coming /'kʌmɪŋ/ *apa* آینده؛ آمدنی؛ دارای شانس موفقیت در آینده
comity /'kɒmɪtɪ/ *n* تعارف؛ خوشخویی
comma /'kɒmə/ *n* کاما، ویرگول، نام علامت (،)
command /kə'mɑ:nd US: -mænd/ *n,vt* ۱.فرمان، حکم، امر؛ سرکردگی ۲.فرمان دادن؛ تسلط داشتن بر؛ مشرف بودن بر؛ مستلزم بودن
commandant /ˌkɑmən'dænt/ *n* فرمانده
commandeer /ˌkɒmən'dɪə(r)/ *vt* به بیگاری گرفتن
commander /kə'mɑ:ndə(r) US: -'mæn-/ *n* فرمانده
commander-in-chief فرماندهٔ کل، سرفرمانده
commanding *apa* فرمان‌دهنده؛ آمرانه؛ دارای چشم‌انداز وسیع
commandment /kə'mɑ:ndmənt US: -mænd-/ *n* حکم
commando /kə'mɑ:ndə US: -'mæn-/ *n* کوماندو
commemorate /kə'memərəɪt/ *vt* به رسم یادگار نگه‌داشتن؛ یادآوری کردن

commemoration /kəˌmemə'reɪʃn/ *n* یادآوری، تذکر؛ یادگار؛ جشن یادگاری
in commemoration of به یادگارِ
commence /kə'mens/ *vt,vi* ۱.آغاز کردن ۲.شروع شدن
commencement *n* آغاز، شروع؛ ابتدا؛ جشن فارغ‌التحصیلی
commend /kə'mend/ *vt* ستایش یا تعریف کردن؛ سپردن
It doesn't commend itself to me. به مذاق من خوش نمی‌آید.
commendable *adj* تعریفی
commendation /ˌkɒmen'deɪʃn/ *n* ستایش، تقدیر، تعریف؛ [در جمع] سلام، درود
commensurate /kə'menʃərət/ *adj* متناسب؛ دارای مقیاس مشترک
comment /'kɒment/ *n,vi* ۱.نظریه؛ تفسیر ۲.نظریه دادن
commentary /'kɒməntrɪ US: -terɪ/ *n* تفسیر
commentator /'kɒmənteɪtə(r)/ *n* مفسّر
commerce /'kɒmɜ:s/ *n* بازرگانی
commercial /kə'mɜ:ʃl/ *adj* تجاری، تجارتی، مربوط به بازرگانی
commingle /kə'mɪŋgl/ *v* به‌هم آمیختن
commiserate /kə'mɪzəreɪt/ *v* دلسوزی کردن (بر)، رحم کردن (بر)
commiseration /kəˌmɪzə'reɪʃn/ *n* رحم، شفقت
commissariat /ˌkɒmɪ'seərɪət/ *n* ادارهٔ خواربار و کارپردازی ارتش، سررشته‌داری
commissary /'kɒmɪsərɪ US: -serɪ/ *n* مأمور خواربار و کارپردازی ارتش، مباشر
commission /kə'mɪʃn/ *n,vt* ۱.مأموریت؛ کارمزد؛ حق‌العمل (کاری)؛ کمیسیون؛ ارتکاب ۲.نمایندگی دادن، مأموریت دادن، مأمور کردن؛ دایر کردن
in commission دایر، آمادهٔ کار
out of commission غیردایر، غیرقابل استفاده
commission agent حق‌العمل‌کار
commission fee(s) کارمزد،حق‌العمل
commissionaire /kəˌmɪʃə'neə(r)/ *n* گماشته یا دربان (در سینما و تئاتر و هتل و غیره)
commissioner /kə'mɪʃənə(r)/ *n* مأمور؛ نماینده
commit /kə'mɪt/ *vt* [-ted] مرتکب شدن؛ تسلیم کردن؛ گرفتار کردن
commit to memory از بر کردن

commit to prison در زندان افکندن
commit to writing روی کاغذ آوردن
commitment *n* تعهد
committee /kə'mɪtɪ/ *n* کمیته
commodious /kə'məʊdɪəs/ *adj* جادار
commodity /kə'mɒdətɪ/ *n* کالا، جنس
commodore /'kɒmədɔ:(r)/ *n*
درجه‌ای بین ناوسروان و دریادار؛ ناخدای افتخاری چند کشتی که با هم در دریا گردش می‌کنند
common /'kɒmən/ *adj,n* ۱.عمومی؛ عادی؛ معمول؛ [در کسر] متعارفی؛ مشترک؛ عامیانه؛ [دستورزبان] عام ۲.زمین بی‌حصار و علفزار که برای بازی یا چرا از آن استفاده می‌کنند
common law عُرف
in common مشاع
commoner /'kɒmənə(r)/ *n*
شخص عادی یا عام؛ شاگرد غیرمجانی دانشکده
commonly /'kɒmənlɪ/ *adv* معمولاً، عرفاً
commonplace /'kɒmənplɪs/ *adj,n*
۱.پیش‌پاافتاده، مبتذل ۲.حرف مبتذل؛ چیز عادی
commons /'kɒmənz/ *npl* عوام
commonwealth /'kɒmənwelθ/ *n*
کشورهای مشترک‌المنافع
commotion /kə'məʊʃn/ *n* آشوب، اضطراب؛ شلوغی؛ هیجان
communal /'kɒmjʊnl,kə'mju:nl/ *adj*
همگانی، اشتراکی
commune /'kɒmju:n/ *n* کمون، خانهٔ اشتراکی، جمعیت اشتراکی
commune /kə'mju:n/ *vi*
صمیمانه گفتگو کردن؛ راز دل گفتن
communicable /kə'mju:nɪkəbl/ *adj*
ابلاغ‌کردنی، رساندنی؛ پُرگو
communicate /kə'mju:nɪkeɪt/ *vt,vi*
۱.ابلاغ کردن؛ فاش کردن ۲.گفتگو کردن؛ مکاتبه کردن
communicating rooms اتاقهای تودرتو
communication /kə,mju:nɪ'keɪʃn/ *n* ابلاغ؛ ارتباط؛ مکاتبه؛ خبر، ابلاغیه؛ مخابره؛ انتقال
communicative /kə'mju:nikətɪv US: -keɪtɪv/ *adj* خوش‌حرف، خوش‌مشرب
communion /kə'mju:nɪən/ *n* شرکت، اشتراک؛ آمیزش، ارتباط
hold communion with oneself
با خود تفکر کردن
communiqué /kə'mju:nɪkeɪ US: kə,mju:nə'keɪ/ *n,Fr* ابلاغیه

communism /'kɒmjʊnɪzəm/ *n* کمونیسم، اصول اشتراکی
communist /'kɒmjʊnɪst/ *n* کمونیست، طرفدار اصول اشتراکی
communistic /,kɒmjʊ'nɪstɪk/ *adj* کمونیستی
community /kə'mju:nətɪ/ *n* جماعت، جامعه
communize /'kɒmju:naɪz/ *vt* اشتراکی کردن
commutation /,kɒmju:'teɪʃn/ *n* تبدیل؛ تخفیف جرم
commutator /'kɒmju:teɪtə(r)/ *n* کموتاتور، وسیلهٔ تغییر (جهت) جریان برق
commute /kə'mju:t/ *vt* تبدیل کردن، تخفیف دادن
compact /'kɒmpækt/ *n* پیمان؛ پودردان زنانه
compact /kəm'pækt/ *adj,vt* ۱.(به‌هم) فشرده؛ خلاصه ۲.تنگِ هم قرار دادن
companion /kəm'pænɪən/ *n,vi* ۱.رفیق، همراه؛ لنگه ۲.همراهی کردن (با)؛ همنشینی کردن
companionship /kəm'pænɪənʃɪp/ *n* رفاقت، همراهی
company /'kʌmpənɪ/ *n* شرکت؛ مهمان؛ [نظامی] گروهان
in company with همراهِ، به اتفاقِ
part company with سوا شدن از
keep bad company با بدان همنشینی کردن
request the pleasure of the company of
[در دعوت‌نامه‌ها] از کسی برای حضور در مجلسی خواهش کردن
for company برای همراهی با شما، برای اینکه تنها نباشید
comparable /'kɒmpərəbl/ *adj* قابل مقایسه
comparative /kəm'pærətɪv/ *adj* تطبیقی؛ نسبی؛ [در صفت] تفضیلی
comparatively /kəm'pærətɪvlɪ/ *adv* نسبتاً
compare /kəm'peə(r)/ *vt,vi* ۱.برابر کردن، مقایسه کردن؛ مانند کردن ۲.برابری کردن، مانند بودن
compare to تشبیه یا مانند کردن به
compare with تطبیق یا برابر کردن با
as compared with نسبت به، در مقایسه با
comparison /kəm'pærɪsn/ *n* مقایسه، تطبیق، سنجش؛ تشبیه؛ مانند
in comparison with نسبت به، در مقایسه با
compartment /kəm'pɑ:tmənt/ *n* قسمت، کوپه
compass /'kʌmpəs/ *n,vt* ۱.حدود، وسعت، دایره؛ دوره؛ قطب‌نما؛ [موسیقی] دانگ؛ [در جمع] پرگار ۲.احاطه کردن، فرا گرفتن

compassion /kəm'pæʃn/ *n* دلسوزی، رحم، شفقت
have compassion on رحم کردن بر
compassionate /kəm'pæʃənət/ *adj* دلسوز، رحیم، شفیق؛ ارفاقی
compatibility /kəm,pætə'bɪlətɪ/ *n* سازگاری، سازش
compatible /kəm'pætəbl/ *adj* سازگار
compatriot /kəm'pætrɪət US: -'peɪt-/ *n* هم‌میهن
compeer /'kɒmpɪə(r)/ *n* همرتبه، قرین
compel /kəm'pel/ *vt* [-led] مجبور کردن
compelling *adj* جالب توجّه، گیرا، درخور تحسین
compendious /kəm'pendɪəs/ *adj* موجز، مختصرومفید، زبده
compendium /kəm'pendɪem/ *n* خلاصه
compensate /'kɒmpenseɪt/ *v* پاداش دادن؛ جبران کردن؛ تلافی درآوردن
compensation /,kɒmpen'seɪʃn/ *n* جبران، تلافی؛ پاداش، عوض؛ غرامت؛ موازنه
compensation account حساب پایاپای یا تهاتری
compete /kəm'pi:t/ *vi* رقابت کردن
competence /'kɒmpɪtəns/; **-tency** *n* صلاحیت، شایستگی
competent /'kɒmpɪtənt/ *adj* صلاحیت‌دار، صالح، شایسته
competition /,kɒmpə'tɪʃn/ *n* همکاری، رقابت، همچشمی؛ مسابقه
competitive /kəm'petətɪv/ *adj* مسابقه‌ای؛ قابل رقابت
competitor /kəm'petɪtə(r)/ *n* رقیب، همکار
compilation /,kɒmpɪ'leɪʃn/ *n* تألیف، گردآوری
compile /kəm'paɪl/ *vt* تألیف کردن، گرد آوردن
compiler *n* مؤلف، گردآورنده
complacence /kəm'pleɪsns/ *n* خوشنودی از (وضع) خود
complacent /kəm'pleɪsnt/ *adj* راضی؛ حاضربه خدمت
complain /kəm'pleɪn/ *vt* شکایت کردن
complainant /kəm'pleɪnənt/ *n* شاکی
complaint /kəm'pleɪnt/ *n* شکایت؛ ناله؛ کسالت
complaisance /kəm'pleɪzəns/ *n* خوش‌خویی، ادب؛ حاضرخدمتی
complaisant /kəm'pleɪzənt/ *n* مهربان، فروتن، حاضربه خدمت
complement /'kɒmplɪmənt/ *n* متمم، مکمل؛ عدهٔ کامل
complementary /,kɒmplɪ'mentrɪ/ *adj* مکمل
complete /kəm'pli:t/ *vt,adj* ۱.تکمیل کردن، انجام دادن ۲.کامل، تمام
completely /kəm'pli:tlɪ/ *adv* کاملاً، تماماً
completion /kəm'pli:ʃn/ *n* انجام (دادن)، تکمیل
complex /'kɒmpleks US: kəm'pleks/ *adj* پیچیده؛ مرکب؛ مخلوط
complexion /kəm'plekʃn/ *n* بَشَره؛ [مجازاً] سیما
complexity /kəm'pleksətɪ/ *n* پیچیدگی، درهمی؛ آمیختگی؛ ترکیب
compliance /kəm'plaɪəns/ *n* قبول
in compliance with از لحاظ رعایتِ
compliant /kəm'plaɪənt/ *adj* آمادهٔ انجام؛ فروتن
complicate /'kɒmplɪkeɪt/ *vt* پیچیده کردن
complication /,kɒmplɪ'keɪʃn/ *n* پیچیدگی؛ گرفتاری
complicity /kəm'plɪsətɪ/ *n* همدستی در جرم
compliment /'kɒmplɪmənt/ *vt* تعریف و ستایش کردن؛ تعارف کردن به
complimentary /,kɒmplɪ'mentrɪ/ *adj* تعارف‌آمیز؛ تعریف‌آمیز؛ تعارفی
compliments *npl* تعارُف؛ سلام
comply /kəm'plaɪ/ *vi* پذیرفتن، انجام دادن [با with باید گفته شود]
component /kəm'pəʊnənt/ *adj,n* (جزء) ترکیب‌کننده
comport /kəm'pɔ:t/ *vi* مطابقت کردن
comport *(vt)* **oneself** رفتار کردن؛ حرکت کردن
compose /kəm'pəʊz/ *vt* تصنیف کردن، ساختن؛ ترکیب کردن؛ چیدن (حروف)؛ تصفیه کردن؛ آرام کردن
composed *ppa* آسوده(خاطر)
composer /kəm'pəʊzə(r)/ *n* آهنگساز
composite /'kɒmpəzɪt/ *adj,n* (چیز) مرکب
a composite number عدد غیر اول
composition /,kɒmpə'zɪʃn/ *n* ترکیب؛ انشا؛ تصنیف؛ آهنگسازی؛ حروف‌چینی؛ سازش، قرارومدار
compositor /kəm'pɒzɪtə(r)/ *n* حروف‌چین
composure /kəm'pəʊʒə(r)/ *n* آرامش، آسودگی؛ خودداری، متانت

compost /'kɒmpɒst/ *n* کود گیاهی
compote /'kɒmpɒt/ *n* خوشاب، کمپوت
compound /'kɒmpaʊnd/ *adj,n* ۱.مرکب ۲.چیز مرکب؛ محوطه، حیاط
compound /kəm'paʊnd/ *vt,vi* ۱.ترکیب کردن؛ تصفیه کردن ۲.سازش کردن
comprehend /ˌkɒmprɪ'hend/ *vt* دریافتن؛ شامل بودن
comprehensible /ˌkɒmprɪ'hensəbl/ *adj* قابل درک
comprehension /ˌkɒmprɪ'henʃn/ *n* (قوهٔ) دریافتن یا ادراک؛ فهم
comprehensive /ˌkɒmprɪ'hensɪv/ *adj* جامع، فراگیر
compress /kəm'pres/ *vt* به‌هم فشردن
compress /'kɒmpres/ *n* کمپرس، حولهٔ تر
compressible *adj* قابل تراکم
compression /kəm'preʃn/ *n* به‌هم فشردن؛ به‌هم فشردگی، تراکم
compressor /kəm'presə(r)/ *n* کمپرسور، ماشین فشار
comprise /kəm'praɪz/ *vt* شامل‌بودن
compromise /'kɒmprəmaɪz/ *n,vi,vt* ۱.مصالحه، سازش؛ تسلیم ۲.مصالحه کردن، سازش کردن ۳.به مخاطره انداختن، مظنون شدن، رسوا کردن
compulsion /kəm'pʌlʃn/ *n* اجبار
compulsory /kəm'pʌlsərɪ/ *adj* اجباری
compunction /kəm'pʌŋkʃn/ *n* ناراحتیِ وجدان؛ تأسف، افسوس، پشیمانی
computation /ˌkɒmpju:'teɪʃn/ *n* محاسبه؛ تخمین
compute /kəm'pju:t/ *vt* حساب کردن
comrade /'kɒmreɪd US: ræd/ *n* رفیق، همدم
con /kɒn/ *vt* مطالعه کردن؛ حفظ کردن، از بر کردن [اغلب با over]
con /kɒn/ *prep,adv,n* ۱.برعلیه ۲.رأی مخالف
concave /'kɒŋkeɪv/ *adj* مُقعَّر، کاو
concavity /ˌkɒn'kævətɪ/ *n* سطح مُقعَّر
conceal /kən'si:l/ *vt* پنهان کردن
concealment *n* اخفا؛ پوشیدگی
concede /ken'si:d/ *vt* واگذار کردن، اعطا کردن؛ مسلم فرض کردن
conceit /kən'si:t/ *n* خودبینی
  out of conceit with ناراضی از
conceited /kən'si:tɪd/ *adj* خودبین، از خود راضی
conceivable /kən'si:vəbl/ *adj* تصور کردنی، متصوّر، قابل درک
conceive /kən'si:v/ *vt,vi* ۱.تصور کردن ۲.آبستن شدن
concentrate /'kɒnsntreɪt/ *vt,vi* ۱.تمرکز دادن؛ غلیظ کردن ۲.حواس خود را جمع کردن
concentration /ˌkɒnsn'treɪʃn/ *n* تمرکز؛ غلظت
concentric /kən'sentrɪk/ *adj* متحدالمرکز
concept /'kɒnsept/ *n* مفهوم؛ تصور عمومی
conception /kən'sepʃn/ *n* تصور؛ آبستنی
  have a conception of درک کردن
concern /kən'sɜ:n/ *n* ربط، دخل؛ امر؛ بابت؛ علاقه؛ نگرانی؛ شرکت، بنگاه
concern /kən'sɜ:n/ *vt* مربوط بودن به
  concern oneself علاقه‌مند شدن؛ دخالت کردن
  To whom it may concern به عنوانِ هر کس که کار به او مربوط باشد
concerned *ppa* علاقه‌مند؛ دلواپس
concerning *prep* دربارهٔ، راجع به
concert /'kɒnsət/ *n* کنسرت؛ هماهنگی
concerted /kən'sɜ:tɪd/ *adj* دسته‌جمعی
concession /kən'seʃn/ *n* امتیاز؛ واگذاری، اعطا؛ گذشت
concessionary /kən'seʃənərɪ US: -nerɪ/ *adj* امتیازی
concessioner *n* صاحب امتیاز
conciliate /kən'sɪlɪeɪt/ *vt* جلب کردن (به‌سوی خود)؛ خشم (کسی را) فرو نشاندن
conciliation /kənˌsɪlɪ'eɪʃn/ *n* دلجویی، استمالت، تصفیه؛ توافق
conciliatory /kən'sɪlɪətərɪ US: -tɔ:rɪ/ *adj* مسالمت‌آمیز
concise /kən'saɪs/ *adj* مختصر
conclude /kən'klu:d/ *vt,vi* ۱.خاتمه دادن؛ نتیجه گرفتن؛ منعقد کردن ۲.به پایان رسیدن
concluding *apa* آخر(ین)
conclusion /kən'klu:ʒn/ *n* پایان، انجام، خاتمه؛ عاقبت، نتیجه؛ انعقاد
  draw a conclusion نتیجه گرفتن
  try conclusions در افتادن
conclusive /kən'klu:sɪv/ *adj* قطعی، قاطع
concoct /kən'kɒkt/ *vt* درست کردن؛ جعل کردن
concoction /kən'kɒkʃn/ *n* ترکیب، ساخت؛ ترتیب؛ اختراع؛ جوشانده، پخته

concomitant /kən'kɒmɪtənt/ *adj,n* ملازم
concord /'kɒŋkɔ:d/ *n* توافق؛ هماهنگی
concordance /kən'kɔ:dəns/ *n* توافق، مطابقت؛ کشف‌الایات، فهرست
concordant /kən'kɔ:dənt/ *adj* هماهنگ
concordat /kən'kɔ:dæt/ *n* توافق دوستانه
concourse /'kɒŋkɔ:s/ *n* اجتماع؛ گروه
concrete /'kɒŋkri:t/ *adj,n* ۱.واقعی، غیرخیالی؛ ذات، سفت؛ [درعدد] مقید ۲.بتون، شفته
man in the concrete آدم واقعی
concrete /'kɒŋkri:t/ *vt,vi* ۱.با بتون اندودن یا ساختن ۲.سفت شدن
concubine /'kɒŋkjʊbaɪn/ *n* صیغه، زن صیغه‌ای، مُتعه
concur /kən'kɜ:(r)/ *vt* [-red] موافقت کردن، همرأی بودن؛ تصادف کردن
concurrence /kən'kʌrəns/ *n* موافقت؛ تصادف؛ برخورد؛ (نقطهٔ) تلاقی
concurrent /kən'kʌrənt/ *adj* موافق؛ هماهنگ؛ مصادف؛ با هم کارکننده؛ برابر
concurrently /kən'kʌrəntlɪ/ باهم، همزمان، در یک‌وقت، در همان‌وقت
concussion /kən'kʌʃn/ *n* تصادُم؛ ضربهٔ سخت (بر مُخ)
condemn /kən'dem/ *vt* محکوم کردن؛ علاج‌ناپذیر دانستن، جواب کردن؛ مورد اعتراض قرار دادن
condemnation /ˌkɒndem'neɪʃn/ *n* محکومیت؛ محکوم‌سازی؛ اعتراض
condensation /ˌkɒnden'seɪʃn/ *n* انقباض؛ خلاصه
condense /kən'dens/ *vt,vi* ۱.منقبض کردن؛ غلیظ کردن؛ خلاصه کردن، متراکم کردن ۲.منقبض شدن
condenser /kən'densə(r)/ *n* خازن، دستگاه متراکم‌کنندهٔ گاز و بخار
condescend /ˌkɒndɪ'send/ *vi* تمکین کردن، فروتنی کردن
condescension /ˌkɒndɪ'senʃn/ *n* فروتنی با زیردست، تمکین، مدارا
condign /ken'daɪn/ *adj* درخور
condiment /'kɒndɪmənt/ *n* ادویه، چاشنی
condition /kən'dɪʃn/ *n,vt* ۱.حالت، وضع [جمع = اوضاع] ؛ شرط ۲.مشروط کردن؛ قید کردن؛ لازمه (چیزی) بودن؛ درست کردن
out of condition خراب، معیوب
in working condition دایر، کارکننده
on condition به شرط
on (*or* upon) condition that به شرط اینکه
make it a condition شرط کردن
conditional /kən'dɪʃənl/ *adj* شرطی؛ نامعلوم؛ مقید
condole /kən'dəʊl/ *vi* (اظهار) همدردی کردن
condolence /kən'dəʊləns/ *n* عرض تسلیت [بیشتر به صیغه جمع]
condone /kən'dəʊn/ *vi* اغماض کردن
condor /'kɒndɔ:(r)/ *n* کرکس امریکایی
conduce /kən'dju:s US: -'du:s/ *vi* منجر شدن
conducive /kən'dju:sɪv US: -'du:s-/ *adj* موجب
conduct /'kɒndʌkt/ *n* رفتار؛ جریان
conduct /kən'dʌkt/ *vt,vi* ۱.انتقال دادن؛ رهبری کردن؛ اداره کردن ۲.کشیده شدن
conduct oneself رفتار یا سلوک کردن
conduction /kən'dʌkʃn/ *n* انتقال؛ هدایت گرما
conductor /kən'dʌktə(r)/ *n* رهبر، هادی؛ مباشر؛ مُدیر
conduit /'kɒndɪt US: 'kɒndju:ɪt, -dwɪt/ *n* آبگذر، مجرا؛ لولهٔ سیم‌پوش، لولهٔ برگمن
condyle /'kɒndaɪl/ *n* مهرهٔ مَفصل، برآمدگیِ استخوان
cone /kəʊn/ *n* مخروط؛ جوز کلاغ؛ قیف [برای بستنی قیفی]
coney /'kəʊnɪ/ = cony
confabulate /kən'fæbjʊleɪt/ *vi* گفتگو کردن
confection /kənˌfekʃn/ *n* شیرینی؛ معجون
confectioner *n* قناد، شیرینی‌پز
confectionery /kən'fekʃənərɪ US: -ʃənerɪ/ *n* قنادی
confederacy /kən'fedərəsɪ/ *n* اتحادیه؛ ایالات هم‌پیمان
confederate /kən'fedərət/ *adj,n* (کشور) هم‌پیمان یا متفق
confederate /kən'fedəreɪt/ *v* متفق کردن (یا شدن)؛ هم‌پیمان کردن (یا شدن)
confederation /kənˌfedə'reɪʃn/ *n* اتحاد، هم‌پیمانی
confederative *adj* اتحادی
confer /kən'fɜ:(r)/ *vt,vi* [-red] ۱.اعطا کردن ۲.مشورت کردن، مذاکره کردن
conference /'kɒnfərəns/ *n* مذاکره، تبادل‌نظر، مشورت؛ کنفرانس

conferment *n* اعطا

confess/kən'fes/ *vt* اقرار کردن؛ اقرار گرفتن از، گوش به‌اعتراف (کسی) دادن

confession/kən'feʃn/ *n* اعتراف

confetti /kən'fetɪ/ *npl*
پولک‌های رنگی کاغذی کـه در جشـن عـروسی روی سر عروس و داماد می‌ریزند

confidant/,kɒnfɪ'dænt/ *n* [-dante] محرم راز

confide/kən'faɪd/ *vt,vi*
۱.محرمانه گفتن (به) ۲.اعتماد داشتن

confide in اعتماد کردن به

confidence/'kɒnfɪdəns/ *n* اطمینان، اعتماد؛ قوت قلب، جرئت؛ رازگویی

have confidence in (*or* on) a person
به کسی اطمینان داشتن

confident/'kɒnfɪdənt/ *adj,n* ۱.مطمئن؛ گستاخ ۲.رازدار، محرم اسرار

confidential/,kɒnfɪ'denʃl/ *adj* محرمانه؛ رازدار

confidentially/,kɒnfɪ'denʃəlɪ/ *adv* محرمانه

configuration/kən,fɪgə'reɪʃn US: -fɪgjʊ'reɪʃn/ *n* ترکیب، شکل

confine/kən'faɪn/ *vt* منحصر کردن؛ قانع کردن؛ محبوس کردن

confined *ppa* محدود؛ تنگ؛ در بستر (زایمان) خوابیده

confines/'kɒnfaɪnz/ *npl* حدود

confinement *n* تحدید، تعیین حدود؛ توقیف؛ زایمان

confirm/kən'fɜ:m/ *vt* تأیید کردن، تصدیق کردن، ابرام کردن

confirmation/,kɒnfə'meɪʃn/ *n* تأیید، تصدیق، ابرام

confirmed *ppa* پابرجا، مُحرز؛ ریشه‌کرده، مزمن؛ مسلّم؛ معتاد

confiscate/'kɒnfɪskeɪt/ *vt* ضبط کردن، توقیف کردن

confiscation/,kɒnfɪ'skeɪʃn/ *n* ضبط، توقیف

conflagration/,kɒnflə'greɪʃn/ *n* حریق بزرگ

conflict/'kɒnflɪkt/ *n* زد و خورد، کشمکش؛ تصادف، برخورد؛ مغایرت

conflict/kən'flɪkt/ *vi* زد وخورد کردن؛ مخالف بودن

conflicting *apa* مغایر، مخالف

confluence/'kɒnflʊəns/ *n* تلاقی؛ انبوهی؛ گروهی

confluent/'kɒnflʊənt/ *adj,n* ۱.متلاقی ۲.شاخه یا ملتقای رود

conflux/'kɒnflʌks/ *n* = confluent

conform/kən'fɔ:m/ *vt,vi* ۱.مطابق کردن، وفق دادن، تطبیق کردن ۲.برابر بودن

conformable *adj* برابر، مطابق؛ حرف‌شنو؛ [با to] مطابقِ

conformably to بر طبقِ، بنابر

conformation/,kɒnfɔ:'meɪʃn/ *n* شکل؛ تطبیق

conformity/kən'fɔ:mətɪ/ *n* مطابقت

in conformity with برطبقِ

confound/kən'faʊnd/ *vt* مغشوش کردن؛ با یکدیگر اشتباه کردن؛ شرمسار کردن؛ دستپاچه کردن

confrère/'kɒnfreə(r)/ *Fr,n* همقطار، همکار

confront/kən'frʌnt/ *vt* مواجه شدن با؛ روبرو کردن، مقابله کردن، مواجهه دادن

confuse/kən'fju:z/ *vt*
با هم اشتباه کردن؛ گیج کردن

get confused گیج شدن، در اشتباه افتادن

confusion/kən'fju:ʒn/ *n* آشفتگی، اغتشاش؛ تشنج؛ اشتباه (کاری)

confute/kən'fju:t/ *vt* رد کردن؛ مُجاب کردن

congeal/kən'dʒi:l/ *v* منجمد شدن؛ منجمد کردن، سفت شدن؛ سفت کردن

congenial/kən'dʒi:nɪəl/ *adj* هم‌مشرب، دمخور

congenital/kən'dʒenɪtl/ *adj* مادرزاد، ذاتی

conger/'kɒŋgə(r)/ *or* **congerell** *n*
نوعی مارماهی بزرگ

congest/kən'dʒest/ *vi,vt* ۱.انبوه شدن ۲.انبوه کردن

congestion/kən'dʒestʃen/ *n* انبوهی، تراکم؛ احتقان؛ غلبهٔ خون

conglomerate/kən'glɒmərət/ *v* گرد کردن؛ گرد شدن

conglomeration/kən,glɒmə'reɪʃn/ *n*
گردآوری؛ توده، کومه

congratulate/kən'grætʃʊleɪt/ *vt*
تبریک گفتن (به)

I congratulate you on ...
به مناسبِ ... به‌شما تبریک می‌گویم، ... را به‌شما تبریک می‌گویم

congratulation/kən,grætʃʊ'leɪʃn/ *n*
شادباش، تبریک

congratulatory/kən'grætʃʊlətərɪ US: -tɔ:rɪ/ *adj* تهنیت‌آمیز، حاویِ تبریک

congregate /'kɒŋgrɪgeɪt/ *vi,vt* ۱.جمع شدن ۲.گرد آوردن
congregation /ˌkɒŋgrɪ'geɪʃn/ *n* جماعت
congressional /kən'greʃənl/ *adj* کنگره‌ای، مربوط به کنگره
congress /'kɒŋgres US: -grəs/ *n* کنگره، مجمع، مجلس
congress-man /'kɒŋgrəsmən/ *n* عضو کنگره
congruous /'kɒŋgrʊəs/ *adj* موافق
conic(al) /'kɒnɪk(l)/ *adj* مخروطی، کله‌قندی
coniferous /kə'nɪfərəs US: kəʊ'n-/ *adj* کاجی
conjecture /kən'dʒektʃə(r)/ *n,v* ۱.حدس، ظن؛ تخمین ۲.حدس زدن، گمان بردن
conjoin /kən'dʒɔɪn/ *v* پیوستن
conjoint /kən'dʒɔɪnt,'kɒndʒɔɪnt/ *adj* توأم، مشترک
conjugal /'kɒndʒʊgl/ *adj* ازدواجی
conjugate /'kɒndʒʊgeɪt/ *vt* صرف کردن
conjugation /ˌkɒndʒʊ'geɪʃn/ *n* صرف (فعل)؛ ترکیب
conjunction /kən'dʒʌŋkʃn/ *n* پیوستگی؛ قِران؛ حرف ربط، حرف عطف
in conjunction with به ضمیمهٔ، با
conjunctiva /ˌkɒndʒʌŋk'taɪvə/ *n* (غشا) ملتحمهٔ چشم
conjunctive /kən'dʒʌŋktɪv/ *adj,n* ۱.ربط‌دهنده ۲.کلمهٔ ربط ؛ رابطه
conjunctivitis /kɒnˌdʒʌŋktɪ'vaɪtɪs/ *n* ورم ملتحمهٔ چشم
conjuncture /kən'dʒʌŋktʃe(r)/ *n* همزمانی چند پیشامد
conjure /'kʌndʒə(r)/ *vt* با افسون حاضر کردن یا دور کردن ارواح، شعبده‌بازی کردن
conjure /kən'dʒʊə(r)/ *vt* درخواست کردن از
conjurer;-ror /'kʌndʒərə(r)/ *n* شعبده‌باز
conk /kɒŋk/ *vi* **out** *Col* از کار افتادن
connect /kə'nekt/ *vt,vi* ۱.متصل کردن، مربوط کردن ۲.متصل شدن، مربوط شدن
connection /kə'nekʃn/ = connexion
connective /kə'nektɪv/ *adj,n* ۱.ربط‌دهنده ۲.کلمهٔ ربط
connexion /kə'nekʃn/ *n* ارتباط؛ نسبت، ربط؛ زمینه؛ اتصال
in connexion with نسبت‌به؛ پیوسته‌به
connivance /kə'naɪvəns/ *n* غمض عین؛ چشمپوشی، اجازهٔ ضمنی
connive /kə'naɪv/ *vi* **at** نادیده گرفتن

connoisseur /ˌkɒnə'sɜː(r)/ *n* خبره
connotation /ˌkɒnə'teɪʃn/ *n* اشارهٔ ضمنی
connote /kə'nəʊt/ *vt* اشارهٔ ضمنی داشتن بر
connubial /kə'njuːbɪəl US: -'nuː-/ *adj* ازدواجی، وابسته به ازدواج
conquer /'kɒŋkə(r)/ *vt* پیروزی یافتن بر، شکست دادن؛ فتح کردن، تسخیر کردن
conqueror /'kɒŋkərə(r)/ *n* فاتح
conquest /'kɒŋkwest/ *n* فتح، غلبه، پیروزی
make the conquest of someone محبت کسی را به خود جلب کردن
consanguineous /ˌkɒnsæŋ'gwɪnɪəs/ *adj* همخون؛ نَسَبی
consanguinity /ˌkɒnsæŋ'gwɪnətɪ/ *n* قرابت نَسَبی
conscience /'kɒnʃəns/ *n* وجدان
guilty conscience عذاب وجدان
in all conscience وجداناً، به راستی
conscientious /ˌkɒnʃɪ'enʃəs/ *adj* باوجدان؛ جدّی، وظیفه‌شناس
conscious /'kɒnʃəs/ *adj* هوشیار؛ ملتفت
consciousness /'kɒnʃəsnɪs/ *n* هوشیاری
lose consciousness بیهوش شدن
conscript /'kɒnskrɪpt/ *n* سرباز وظیفه
conscript /kən'skrɪpt/ *vt* به خدمت وظیفه مجبور یا احضار کردن
conscription /kən'skrɪpʃn/ *n* سربازگیری
consecrate /'kɒnsɪkreɪt/ *vt* تخصیص دادن؛ تقدیس کردن
consecration /ˌkɒnsɪ'kreɪʃn/ *n* تخصیص، وقف؛ تقدیس؛ تبرّک
consecutive /kən'sekjʊtɪv/ *adj* پی‌درپی،متوالی
consecutively /kən'sekjʊtɪvlɪ/ *adv* متوالیاً
consensus /kən'sensəs/ *n* اجماع
consent /kən'sent/ *n,vi* ۱.رضایت، موافقت ۲.رضایت دادن
consequence /'kɒnsɪkwəns US: -kwens/ *n* نتیجه، لازمه؛ اهمیت؛ نفوذ، اعتبار
of consequence مهم، بانفوذ
consequent /'kɒnsɪkwənt/ *adj,n* ۱.منتج؛ دارای ترتیب منطقی ۲.نتیجه؛ تالی
consequential /ˌkɒnsɪ'kwenʃl/ *adj* منتج؛ مهم؛ ضمنی؛ به خود اهمیت‌دهنده
consequently /'kɒnsɪkwentlɪ/ *adv* در نتیجه
conservation /ˌkɒnsə'veɪʃn/ *n* بقا؛ نگهداری
conservatism /kən'sɜːvətɪzəm/ *n* محافظه‌کاری

conservative /kənˈsɜːvətɪv/ *adj* محافظه‌کار
conservatory /kənˈsɜːvətrɪ US: -tɔːrɪ/ *n* گلخانه؛ هنرستان موسیقی، کنسرواتوار
conserve /kənˈsɜːv/ *vt* نگهداشتن؛ مربا کردن
conserve(s) *n* مربا؛ پرورده
consider /kənˈsɪdə(r)/ *vt,vi* ۱.مورد رسیدگی قرار دادن، ملاحظه کردن؛ فرض کردن ۲.تأمل کردن
considerable /kənˈsɪdərəbl/ *adj* قابل توجه، نسبتاً زیاد، معتنابه
considerably /kənˈsɪdərəblɪ/ *adv* نسبتاً زیاد، بسیار، بس؛ به‌طور قابل‌ملاحظه
considerate /kənˈsɪdərət/ *adj* با ملاحظه
consideration /kənˌsɪdəˈreɪʃn/ *n* ملاحظه، توجه، تأمل؛ رعایت؛ [حقوق] پاداش، عوض
under consideration مورد رسیدگی یا بررسی
in consideration of به ملاحظهٔ؛ به پاداشِ
taking into consideration با در نظر گرفتنِ
considering /kənˈsɪdərɪŋ/ *prep* نظر به، به ملاحظهٔ
consign /kənˈsaɪn/ *vt* واگذارکردن، سپردن؛ به‌طور امانت فرستادن
consignee /ˌkɒnsaɪˈniː/ *n* گیرندهٔ کالا، محمول‌الیه
consignment *n* حمل، امانت‌فرستی؛ محموله؛ واگذاری
consist /kənˈsɪst/ *vi* مرکب بودن
It consists in عبارت است از...
consistence;-tency /kənˈsɪstəns; -sɪ/ *n* غلظت، قوام؛ استحکام، ثبات؛ سازگاری، توافق
consistent /kənˈsɪstənt/ *adj* سازگار، موافق، استوار، ثابت؛ منطقی؛ پیوسته
consistently /kənˈsɪstəntlɪ/ *adv* پیوسته
consolation /ˌkɒnsəˈleɪʃn/ *n* تسلیت
consolatory /kənˈsɒlətərɪ US: -tɔːrɪ/ *adj* تسلیت‌آمیز
console /kənˈsəʊl/ *vt* تسلی دادن، تسلیت دادن، دلداری دادن
consoletable /ˈkɒnsəʊlteɪbl/ *n* طاقچه؛ میز برای زیر تلویزیون و غیره
consolidate /kənˈsɒlɪdeɪt/ *vt,vi* ۱.محکم‌کردن؛ یک‌کاسه کردن ۲.سخت شدن؛ به‌هم پیوستن
consolidation /kənˌsɒlɪˈdeɪʃn/ *n* تحکیم؛ ترکیب
consols /ˈkɒnsɒlz/ *npl or*
consolidated annuities /kənˌsɒlɪdeɪtɪd əˈnjuːətɪz/ *n* دیون عمومی در انگلیس

consonance /ˈkɒnsənəns/ *n* همصدایی؛ موافقت
consonant /ˈkɒnsənənt/ *n* حرف بی‌صدا، صامت
consort /ˈkɒnsɔːt/ *n* همسر (شاه یا ملکه)
consort /kənˈsɔːt/ *vi* به‌هم پیوستن؛ موافق بودن، هماهنگ بودن
conspectus /kənˈspektəs/ *n* بازدید یا دورهٔ عمومی؛ خلاصه
conspicuous /kənˈspɪkjʊəs/ *adj* واضح؛ برجسته
conspiracy /kənˈspɪrəsɪ/ *n* توطئه
conspirator /kənˈspɪrətə(r)/ *n* همدست در توطئه یا فتنه
conspire /kənˈspaɪə(r)/ *vi* توطئه چیدن
constable /ˈkʌnstəbl US: ˈkɒn-/ *n* پاسبان، پلیس
constancy /ˈkɒnstənsɪ/ *n* ثبات
constant /ˈkɒnstənt/ *adj* پایدار، ثابت، پایا؛ همیشگی، دایمی؛ وفادار
constantly /ˈkɒnstəntlɪ/ *adv* پیوسته، دایماً
constellation /ˌkɒnstəˈleɪʃn/ *n* صورت فلکی، برج
consternation /ˌkɒnstəˈneɪʃn/ *n* بُهت، حیرت
constipate /ˈkɒnstɪpeɪt/ *vt* قبض کردن، جمع کردن
constipated /ˈkɒnstɪpeɪtɪd/ *adj* دچار یبوست
constipation /ˌkɒnstɪˈpeɪʃn/ *n* قبض، یبوست
constituency /kənˈstɪtjʊənsɪ/ *n* هیئت موکلان یا مؤسسان یک حوزه
constituent /kənˈstɪtjʊənt/ *adj,n* ۱.تشکیل‌دهنده ۲.عضو مجلس مؤسسان
constitute /ˈkɒnstɪtjuːt/ *vt* تشکیل دادن
constitution /ˌkɒnstɪˈtjuːʃn US: -ˈtuːʃn/ *n* تشکیل، تأسیس؛ مشروطیت، قانون اساسی؛ اساسنامه؛ نهاد، سرشت؛ ساختمان؛ مزاج
constitutional /ˌkɒnstɪˈtjuːʃənl US: -ˈtuː-/ *adj* اساسی؛ قانونی
constrain /kənˈstreɪn/ *vt* در فشار گذاشتن، مجبور کردن؛ حبس کردن
constraint /kənˈstreɪnt/ *n* اضطرار، فشار؛ توقیف
constrict /kənˈstrɪkt/ *vt* به‌هم فشردن
constriction /kənˈstrɪkʃn/ *n* انقباض؛ فشار
constrictor *n* عضلهٔ تنگ‌کننده
boa constrictor مار بوآ، اژدرمار

construct /kən'strʌkt/ *vt* ساختن، بنا کردن؛ ترکیب کردن؛ رسم کردن
construction /kən'strʌkʃn/ *n* ساختمان، بنا؛ ترکیب؛ تعبیر؛ ترسیم
constructive /kən'strʌktɪv/ *adj* بنا کننده؛ مثبت، سودمند؛ ساختمانی؛ تعبیری
construe /kən'stru:/ *vt,vi* ۱.ترکیب کردن؛ تجزیه کردن؛ تفسیر کردن، تعبیر کردن ۲.قابل تعبیر بودن
consul /'kɒnsl/ *n* کنسول
consular /'kɒnsjʊlə(r) US: -səl-/ *adj* کنسولی
consulate /'kɒnsjʊlət US: -səl-/ *n* کنسولگری
consul-general /'kɒnsl dʒenrəl/ *n* سرکنسول
consulship /'kɒnslʃɪp/ *n* سمت کنسول، کنسولی
consult /kən'sʌlt/ *vt* مشورت کردن با، مورد مشورت قرار دادن
consultation /,kɒnsl'teɪʃn/ *n* مشورت؛ مشاوره
consultative /kən'sʌltətɪv/ *adj* مشاوره(ای)
The National Consultative Assembly مجلس شورای ملی
consulting *adj* مشاور
consume /kən'sju:m US: 'su:m/ *vt,vi* ۱.مصرف کردن؛ سوزاندن ۲.تحلیل رفتن
consumer /kən'sju:mə(r)/ *n* مصرف‌کننده
consummate /'kɒnsəmeɪt/ *vt* انجام دادن، تمام کردن
consummate /kən'sʌmət/ *adj* کامل
consummation /,kɒnsə'meɪʃn/ *n* تکمیل؛ مقصد؛ کمال؛ دامادی، زفاف
consumption /kən'sʌmpʃn/ *n* مصرف؛ بیماری سِل
consumptive /kən'sʌmptɪv/ *adj,n* (شخص) مسلول
contact /'kɒntækt/ *n,vt* ۱.تماس، اتصال؛ مجاورت؛ ارتباط؛ واسطهٔ سرایت بیماری ۲.تماس گرفتن با
contact some one با کسی تماس گرفتن (یا تماس پیدا کردن)
contagion /kən'teɪdʒən/ *n* واگیره، سرایت
contagious /kən'teɪdʒəs/ *adj* واگیردار
contain /kən'teɪn/ *vt* شامل بودن
container /kən'teɪnə(r)/ *n* ظرف
contaminate /kən'tæmɪneɪt/ *vt* آلودن، آلوده کردن، کثیف کردن
contamination /kən,tæmɪ'neɪʃn/ *n* آلودگی
contemn /kən'tem/ *vt* تحقیر شمردن
contemplate /'kɒntempleɪt/ *vt,vi* ۱.در نظر داشتن؛ انتظار داشتن ۲.اندیشه کردن
contemplation /,kɒntem'pleɪʃn/ *n* اندیشه، تفکر
in contemplation مورد نظر، مطرح
contemplative /kən'templətɪv, 'kɒntempleɪtɪv/ *adj* اهل تفکر؛ معنوی؛ معقول [در علوم]
contemporaneous /kən,tempə'reɪnɪəs/ *adj* همزمان، معاصر
contemporary /kən'temprərɪ US: -pərerɪ/ *adj,n* همزمان، معاصر
contempt /kən'tempt/ *n* اهانت؛ خواری
hold in contempt خوار شمردن
contemptible /kən'temptəbl/ *adj* قابل تحقیر؛ خوار
contemptuous /kən'temptʃʊəs/ *adj* اهانت‌آمیز؛ مغرورانه
contend /kən'tend/ *vi* مجادله کردن، همچشمی کردن؛ معتقد بودن، مدعی بودن
content /'kɒntent/ *n* گنجایش، ظرفیت؛ حجم؛ مضروف، محتوی؛ مضمون، مندرجات [بیشتر به صیغه جمع]
content /kən'tent/ *adj,n,vt* ۱.خشنود، راضی؛ قانع ۲.رضایت ۳.راضی کردن، قانع کردن
content oneself with اکتفا کردن به
contented *ppa* قانع، خرسند
contention /kən'tenʃn/ *n* مجادله
contentious /kən'tenʃəs/ *adj* متنازع‌فیه
contentment *n* قناعت، خرسندی
contest /'kɒntest/ *n* مسابقه؛ نزاع؛ جدال
contest /kən'test/ *vt,vi* ۱.مورد تردید یا اعتراض قرار دادن ۲.مجادله کردن؛ هم‌چشمی کردن
contestant /kən'testənt/ *n* طرف منازعه
context /'kɒntekst/ *n* قرینه؛ زمینه
contiguity /,kɒntɪ'gju:ətɪ/ *n* مجاورت؛ تماس
contiguous /kən'tɪgjʊəs/ *adj* مجاور
continence /'kɒntɪnəns/ *n* احصان
continent /'kɒntɪnənt/ *n,adj* ۱.قطعه، قارّه ۲.پرهیزگار، پاکدامن
continental /,kɒntɪ'nentl/ *adj* قاره‌ای؛ مربوط به قطعهٔ اروپا بدون جزایر بریتانیا
contingency /kən'tɪndʒənsɪ/ *n* احتمال؛ پیشامد احتمالی، واقعهٔ ضمنی

contingent /kən'tɪndʒənt/ *adj,n* ۱.موکول [با on یا upon]، محتمل‌الوقوع، عارضی ۲.سهم در دادن سرباز یا بیگار

continual /kən'tɪnjʊəl/ *adj* دایمی

continually /kən'tɪnjʊəlɪ/ *adv* دایماً، همیشه

continuance /kən'tɪnjʊəns/ *n* دوام؛ ادامه

continuation /kən,tɪnjʊ'eɪʃn/ *n* ادامه؛ دنباله

continue /kən'tɪnju:/ *vt* ادامه دادن، دنبال کردن

continuity /,kɒntɪ'nju:ətɪ US: -'nu:-/ *n* پیوستگی، اتصال

continuous /kən'tɪnjʊəs/ *adj* پیوسته، مسلسل، متصل؛ متوالی

continuously /kən'tɪnjʊəslɪ/ *adv* پی‌درپی، پیوسته

contort /kən'tɔ:t/ *vt* از شکل انداختن، کج کردن

contortion /kən'tɔ:ʃn/ *n* پیچ، تاب

contour /'kɒntʊə(r)/ *n* طرح، محیط مرئی؛ دوره

contraband /'kɒntrəbænd/ *n* قاچاق

contrabandist *n* قاچاقچی

contract /'kɒntrækt/ *n* قرارداد، پیمان؛ مقاطعه؛ عقد

contract /kən'trækt/ *vt,vi* ۱.منقبض کردن؛ مخفف کردن؛ مقاطعه کردن؛ گرفتن (ناخوشی)؛ به هم رساندن (قرض) ۲.منقبض شدن؛ پیمان بستن

contractile /kən'træktaɪl US: -tl/ *adj* قابلِ انقباض، جمع‌شونده؛ منقبض‌کننده

contraction /kən'trækʃn/ *n* انقباض؛ اختصار، شکستگی [در کلمات]؛ کلمهٔ شکسته یا مختصر شده؛ گرفتار

contractor /kən'træktə(r)/ *n* مقاطعه‌کار، پیمانکار

contradict /,kɒntrə'dɪkt/ *vt* تناقض داشتن با؛ تکذیب کردن

contradict oneself دروغ در آمدن

contradiction /,kɒntrə'dɪkʃn/ *n* نقض؛ تکذیب، ردّ، انکار؛ تناقض‌گویی

contradictory /,kɒntrə'dɪktərɪ/ *adj* متناقض

contradistinction /,kɒntrədɪ'stɪŋkʃn/ *n* تشخیص

contraption /kən'træpʃn/ *n,Sl* اختراعِ غریب

contrariety /,kɒntrə'raɪɪtɪ/ *n* مغایرت؛ سخن متناقض

contrarily /'kɒntrərəlɪ US: -trereli/ *adv* از روی لجبازی و خودرأیی

contrariwise /'kɒntrərɪwaɪz US: -trerɪ-/ *adv* برعکس؛ به‌طور معکوس؛ از جهت مخالف؛ از روی لجبازی و خودرأیی

contrary /'kɒntrərɪ US: -trerɪ/ *adj,n,adv* ۱.مخالف؛ معکوس ۲.عکس ۳.در جهت مخالف

on the contrary برعکس

contrary to مخالفِ، برخلافِ؛ برعکسِ

contrary /kən'treərɪ/ *adj* خودرأی، لجباز

contrast /'kɒntrɑ:st US: -træst/ *n* مقابله؛ فرق نمایان، تباین

in contrast with در مقابلِ، دربرابرِ

contrast /kən'trɑ:st US: -træst/ *vt,vi* ۱.مقابله‌کردن ۲.فرق‌نمایان داشتن

contravene /,kɒntrə'vi:n/ *vt* نقض کردن؛ رد کردن

contravention /,kɒntrə'venʃn/ *n* تخلّف؛ نقض

contretemps /'kɒntrətɒm/ *n,Fr* حادثهٔ ناگوار

contribute /kən'trɪbju:t/ *v* شرکت کردن (در)؛ کمک کردن

contribution /,kɒntrɪ'bju:ʃn/ *n* سهم (دادن)، اعانه؛ شرکت، کمک از راه دادن (مقاله)؛ خراج

contributor *n* کمک‌کننده، مقاله‌دهنده، مقاله‌نویس

contributory /kən'trɪbjʊtərɪ US: -tɔ:rɪ/ *adj* کمک‌کننده؛ موجب

contrite /'kɒntraɪt/ *adj* پشیمان، توبه‌کار

contrition /kən'trɪʃn/ *n* پشیمانی، توبه

contrivance /kən'traɪvəns/ *n* تدبیر؛ شیوه

contrive /kən'traɪv/ *v* چاره کردن، تدبیر کردن؛ موفق شدن

control /kən'trəʊl/ *n,vt* [-led] ۱.نظارت؛ جلوگیری؛ بازدید، ممیزی؛ اختیار؛ [در ماشین] فرمان ۲.جلوگیری یا نظارت کردن

controller /kən'trəʊlə(r)/ *n* ممیّز، ناظر، بازبین

controversial /,kɒntrə'vɜ:ʃl/ *adj* جدالی؛ ستیزه‌جو

controversy /'kɒntrəvɜ:sɪ,kən'trɒvəsɪ/ *n* مباحثه، جدال

controvert /,kɒntrə'vɜ:t/ *vt* مورد مباحثه قرار دادن؛ رد کردن، منکر شدن

contumacious /,kɒntju:'meɪʃəs US: -tu:-/ *adj* خودسر

contumacy /'kɒntjʊməsɪ US: kən'tu:məsɪ/ *n* خودسری

contumely /'kɒntju:mlɪ US: kən'tu:məlɪ/ *n* اهانت

contuse /kən'tju:z US: -'tu:z/ *vt* کوفته کردن

contusion /kən'tju:ʒn US: -tu:-/ *vt* کوفتگی، ضغطه، ضربت

conundrum /kə'nʌndrəm/ *n* معما

convalesce /ˌkɒnvə'les/ *vi* بهبود یافتن

convalescence /ˌkɒnvə'lesns/ *n* نقاهت

convalescent /ˌkɒnvə'lesnt/ *adj* دارای نقاهت

convene /kən'vi:n/ *vt,vi* ۱.جمع کردن؛ دعوت کردن، احضار کردن ۲.جمع شدن، انجمن کردن

convenience /kən'vi:nɪəns/ *n* راحت، راحتی، آسایش؛ مناسبت

at your earliest convenience در نخستین فرصتی که می‌یابید

marriage of convenience ازدواج مصلحتی

convenient /kən'vi:nɪənt/ *adj* بی‌زحمت؛ مناسب

conveniently /kən'vi:nɪəntlɪ/ *adv* از روی مصلحت، بنابر مصلحت

convent /'kɒnvənt US: -vent/ *n* صومعه، دیر

convention /kən'venʃn/ *n* قرارداد، پیمان، عهد؛ انجمن؛ رسم

conventional /kən'venʃənl/ *adj* قراردادی، مطابق رسوم یا قواعد

converge /kən'vɜ:dʒ/ *vi,vt* ۱.به هم نزدیک شدن ۲.در یک نقطه جمع کردن

convergence /kən'vɜ:dʒəns/ *n* تقارب خطوط، همگرایی

convergent /kən'vɜdʒənt/ *adj* متقارب

conversant /kən'vɜ:snt/ *adj* آگاه؛ آشنا،بصیر

conversation /ˌkɒnvə'seɪʃn/ *n* گفتگو، مذاکره

conversational /ˌkɒnvə'seɪʃənl/ *adj* محاوره‌ای؛ مکالمه‌ای

converse /kən'vɜ:s/ *vi* گفتگو کردن

converse /'kɒnvɜ:s/ *adj,n* (قضیه) معکوس

conversely /'kɒnvɜ:slɪ/ *adv* برعکس

conversion /kən'vɜ:ʃn US: kən'vɜ:rʒn/ *n* قلب؛ تبدیل؛ تسعیر؛ تغییر مذهب

convert /kən'vɜ:t/ *vt* معکوس کردن؛ تسعیر کردن؛ به‌کیش دیگر درآوردن

convert /'kɒnvɜ:t/ *n* تازه کیش، نوآیین

converter *n* مبدّل

convertible /kən'vɜ:təbl/ *adj* تغییرپذیر؛ قابلِ تبدیل؛ قابل تسعیر

convex /'kɒnveks/ *adj* محدّب، کوژ

convexity /kɒn'veksətɪ/ *n* تحدّب، کوژی

convey /kən'veɪ/ *vt* ...ردن، رساندن؛ ...نتقال دادن

conveyance /kən'veɪəns/ *n* ...قل، انتقال(نامه)؛ ...صلح؛ ابلاغ؛ وسیلهٔ نقلیه

convict /kən'vɪkt/ *vt* ...مقصر دانستن

convict /'kɒnvɪkt/ *n* ...مقصر، محکوم

conviction /kən'vɪkʃn/ *n* ...محکومیت، ...مجرمیت؛ عمل متقاعد ساختن؛ مجاب شدگی؛ عقیدهٔ محکم

It carries conviction. ...متقاعدکننده است

convince /kən'vɪns/ *vt* ...متقاعد کردن

convinced *ppa* ...متقاعد

convivial /kən'vɪvɪəl/ *adj* ...خوش، ...خوش‌مشرب؛ وابسته به‌مهمانی

conviviality /kənˌvɪvɪ'ælətɪ/ *n* ...خوش‌مشربی

convocation /ˌkɒnvə'keɪʃn/ *n* ...احضار؛ ...مجلس، انجمن

convoke /kən'vəʊk/ *vt* ...دعوت کردن

convolution /ˌkɒnvə'lu:ʃn/ *n* ...پیچیدگی، حلقه

convolvulus /kən'vɒlvjʊləs/ *n* ...نوعی نیلوفر پیچ

convoy /'kɒnvɔɪ/ *n* ...قافله؛ بدرقه؛ محافظ

convoy /'kɒnvɔɪ/ *vt* ...بدرقهٔ...رفتن

convulse /kən'vʌls/ *vt* ...تکان دادن؛ ...متشنج کردن، پیچاندن

convulsion /kən'vʌlʃn/ *n* ...تشنج

convulsive /kən'vʌlsɪv/ *adj* ...تشنجی

cony /'kəʊnɪ/ ...خرگوش

coo /ku:/ *n,vi* ...بغبغو (کردن)

cook /kʊk/ *n,vt* ...۱.آشپز ۲.پختن

cooker /'kʊkə(r)/ *n* ...چراغ خوراک‌پزی

cookery /'kʊkərɪ/ *n* ...خوراک‌پزی

cookery book ...کتاب آشپزی یا طباخی

cookie;-ky /'kʊkɪ/ *n,US* ...کلوچه

cool /ku:l/ *adj,vt,vi* ...۱.خنک؛ [مجازاً] خونسرد، متین ۲.خنک کردن؛ آرام کردن ۳.خنک شدن؛ ملایم شدن

cooler /'ku:lə(r)/ *n* ...کولر، خنک‌کننده

cool-headed /ˌku:l'hedɪd/ *adj* ...خونسرد

coolie /'ku:lɪ/ *n* ...باربر، عمله

coolness *n* ...خنکی؛ خونسردی

coon /ku:n/ *n* ...سیاه‌امریکایی؛ شخص موذی؛ ...راکون: جانور کوچک گوشتخوار آمریکای شمالی ...با دم دراز سیاه حلقه‌وار

coop /ku:p/ *n* ...قفس، مرغدان؛ سبد؛ چلیک

cooper /'ku:pə(r)/ *n* ...چلیک‌ساز؛ سَطل‌ساز؛ ...هن‌ساز

cooperate /kəʊ'ɒpəreɪt/ *vi* همکاری کردن، تشریک مساعی کردن

cooperation /kəʊ,ɒpə'reɪʃn/ *n* همکاری، تشریک مساعی

cooperative /kəʊ'ɒpərətɪv/ *n* تعاونی

cooperative society شرکت تعاونی

co-opt /kəʊ'ɒpt/ *vt* با رأی داخلی انتخاب و به‌عدهٔ خود اضافه کردن

coordinate /,kəʊ'ɔ:dɪnət/ *n* همپایه

coordinate /,kəʊ'ɔ:dɪneɪt/ *v* همرتبه کردن؛ هماهنگ کردن؛ موزون ساختن؛ متناسب کردن

coordination /,kəʊ,ɔ:dɪ'neɪʃn/ *n* هماهنگی، تناسب

coot /ku:t/ *n* نوعی پرندهٔ آبی

copartner /,kəʊ'pɑ:tnər/ *n* شریک

cope /kəʊp/ *n,vi* ۱.ردا، جُبّه؛ کتیبه ۲.با ردا پوشانیدن؛ کتیبه گذاشتن ۳.از عهده برآمدن، حریف شدن

copier *n* رونویس‌کننده

coping /'kəʊpɪŋ/ *n* کتیبه؛ رگهٔ بالای جرز

copious /'kəʊpɪəs/ *adj* فراوان؛ وسیع؛ کثیرالتألیف

copper /'kɒpə(r)/ *n* مس

copper-plate /kɒpə 'pleɪt/ *n* صفحهٔ مس (قلم‌زده)

copper writing خط زیبا و خوانا

coppersmith /'kɒpəsmɪθ/ *n* مسگر

coppice /'kɒpɪs/ *n* بیشه

coprology /kɒ'prɒlədʒɪ/ *n* بحث در هزلیات؛ [معنی اصلی] مدفوع‌شناسی

copse /kɒps/ = coppice

copulate /'kɒpjʊleɪt/ *vi* جماع کردن

copy /'kɒpɪ/ *n,vt* ۱.رونوشت؛ نسخه، جلد؛ سرمشق؛ تقلید ۲.رونویس کردن، استنساخ کردن تقلید کردن

rough copy مسوّده، چرکنویس

fair copy پاکنویس

copy-book /'kɒpɪ bʊk/ *n* دفتر (سر)مشق

copying-ink /'kɒpɪɪŋ ɪnk/ *n* مرکب کاغذ کپی

copyist /'kɒpɪɪst/ *n* مستنسخ؛ مقلد

copyright /'kɒpɪraɪt/ *n* حق انحصاری اثر، کپی رایت

It is copyright حق طبع و تقلید آن محفوظ است

coquetry /'kɒkɪtrɪ/ *n* عشوه

coquette /kɒ'ket/ *n,vi* ۱.زن عشوه‌گر ۲.عشوه کردن

coquettish /kɒ'ketɪʃ/ *adj* عشوه‌گر، طناز

coral /'kɒrəl US: 'kɔ:rəl/ *n* مرجان

cord /kɔ:d/ *n,vt* ۱.ریسمان؛ زه، سیم؛ وتر؛ قیطان؛ راه [در پارچه] ؛ رباط ۲.با ریسمان بستن

spinal cord مغزتیره، نخاع شوکی

cordage /'kɔ:dɪdʒ/ *n* طناب‌های کشتی

cordial /'kɔ:rdɪəl US: 'kɔ:rdʒəl/ *adj* قلبی؛ مقوی؛ صمیمانه، دوستانه

cordiality /,kɔ:dɪ'ælətɪ US: ,kɔ:rdʒɪ-/ *n* صمیمیت، مودّت

cordially /'kɔ:drəlɪ US: -dʒəlɪ/ *adv* با صمیمیّت، قلباً

cordon /'kɔ:dn/ *n* نشان، روبان

corduroy /'kɔ:dərɔɪ/ *n* مخمل کبریتی؛ [در جمع] شلواری که از این پارچه درست شود

core /kɔ:(r)/ *n* تُفل؛ تخمدان؛ مغز؛ وسط سیم

hard core زیرسازی جاده، پی جاده

cork /kɔ:k/ *n,vt* ۱.چوب پنبه ۲.چوب‌پنبه گذاشتن (در)، بستن، نگه داشتن [بیشتر با up]

corkscrew /'kɔ:kskru:/ *n* پیچ سر بطری

corn /kɔ:n/ *n* غلّه؛ [در امریکا] ذرّت

corn /kɔ:n/ *n* میخچه

tread on a person's corns احساسات کسی را جریحه‌دار کردن

corn-cob /'kɔ:nkɒb/ *n* چوب ذرّت

corn-drill /'kɔ:n drɪl/ *n* بذرافشان

corned *ppa* نمک‌زده؛ قرمه‌شده

corner /'kɔ:nə(r)/ *n,vt* ۱.گوشه، کنج؛ مضیقه ۲.در مضیقه گذاشتن

turn the corner پیچیدن [در خیابان]

make a corner in احتکار کردن

corner-stone /'kɔ:nəstəʊn/ *n* سنگ زاویه؛ [مجازاً] بنیاد، پایه، کلید

cornet /'kɔ:nɪt/ *n* نوعی ساز بادی؛ نان قیفی؛ کلاه سفیدِ دختران تارک دنیا

corn-field /'kɔ:nfi:ld/ *n* گندمزار، مزرعه

corn-flour /'kɔ:n flaʊə(r)/ *n* آرد ذرت؛ آرد برنج

corn-flower /'kɔ:n flaʊə(r)/ *n* گل گندم

cornice /'kɔ:nɪs/ *n* گلویی، گچبری در زیر سقف؛ کتیبه

cornmeal /'kɔ:nmi:l/ *n* آرد گندم؛ آرد ذرّت

cornucopia /,kɔ:njʊ'kəʊpɪə/ *n* شاخ تزیینی (نماد یا نشانهٔ فراوانی)

corny *adj,Sl* کُهنه، قدیمی

corolla /kə'rɒlə/ *n* [گیاه‌شناسی] جام گل، کاسهٔ گل

corollary /kə'rɒlərɪ US: 'kɒrəlerɪ/ *n* قضیهٔ فرعی، نتیجه

corona /kəˈrəʊnə/ *n* هاله، اِکلیل؛لوسترگرد؛ تاج
coronary /ˈkɒrənrɪ US: ˈkɔːrənerɪ/ *adj* اکلیلی
coronation /ˌkɒrəˈneɪʃn US: ˌkɔːr-/ *n* تاجگذاری
coroner /ˈkɒrənə(r) US: ˈkɔːr-/ *n* مأمور جستجوی علت مرگ‌های ناگهانی، کشّاف؛ مأمور نظارت بر گنج‌های کشف‌شده
coronet /ˈkɒrənet US: ˈkɔːr-/ *n* تاج کوچک؛ تاج گل؛ پیشانی‌بند مرصّع
corporal /ˈkɔːpərəl/ *adj,n* ۱.جسمی ۲.سرجوخه
corporate /ˈkɔːpərət/ *adj* متحد؛ دارای شخصیت حقوقی؛ صنفی
corporate body or body corporate شخص حقوقی
corporation /ˌkɔːpəˈreɪʃn/ *n* شرکت یا بنگاهی که دارای شخصیت حقوقی باشد؛ هیئت مأمورین منتخب شهر؛ [در امریکا] شرکت با مسئولیت محدود؛ [در گفتگو] شکمِ گنده
corporeal /kɔːˈpɔːrɪəl/ *adj* جسمی
corps /kɔː(r)/ *n* [corps] هیئت؛ گروه، عده؛ لشکر
Corps Diplomatique *Fr* هیئت نمایندگان سیاسی (خارجه)
corpse /kɔːps/ *n* نعش، لاشه
corpulence;-cy /ˈkɔːpjʊləns;-sɪ/ *n* چاقی
corpulent /ˈkɔːpjʊlənt/ *adj* چاق
corpuscle /ˈkɔːpʌsl/ *n* ذرّه
corral /kəˈrɑːl US: ˈræl/ *n* اصطبل روباز
correct /kəˈrekt/ *adj,vt* ۱.درست، صحیح ۲.تصحیح کردن
correction /kəˈrekʃn/ *n* تصحیح؛ تأدیب
house of correction دارالتأدیب [زندان]
speak under correction سخنی را به احتیاط گفتن و احتمال نادرستی آن را دادن
correctional *adj* تأدیبی
correctly /kəˈrektlɪ/ *adv* به‌طور صحیح
correctness *n* درستی، صحت
corrector *n* مصحح؛ تأدیب کننده
correlate /ˈkɒrəleɪt US: ˈkɔːr-/ *vi,n* ۱.مربوط به‌هم بودن ۲.لازمه،قرین
correlation /ˌkɒrəˈleɪʃn US: ˌkɔːr-/ *n* ارتباط، بستگی
correlative /kɒˈrelətɪv/ *adj,n* ۱.به‌هم پیوسته؛ جفت؛ لازم‌وملزوم ۲.نظیر
correspond /ˌkɒrɪˈspɒnd US: ˌkɔːr-/ *vi* مطابق بودن [با to یا with]؛ مکاتبه کردن
correspondence /ˌkɒrɪˈspɒndəns US: ˌkɔːr-/ *n* مطابقت؛ مکاتبه؛ مکاتبات
correspondent /ˌkɒrɪˈspɒndənt US: ˌkɔːr-/ *n,adj* ۱.خبرنگار؛ طرف مکاتبه ۲.مطابق
corresponding *ppa* مطابق، متشابه؛ مترادف، [هندسه] متقابل
corridor /ˈkɒrɪdɔː(r) US: ˈkɔːr-/ *n* راهرو، کریدور
corroborate /kəˈrɒbəreɪt/ *vt* تأیید کردن، تقویت کردن
corroboration /kəˌrɒbəˈreɪʃn/ *n* تأیید، تقویت
corrode /kəˈrəʊd/ *vt,vi* کم‌کم فاسد کردن یا شدن
corrosion /kəˈrəʊʒn/ *n* فساد تدریجی
corrosive /kəˈrəʊsɪv/ *adj,n* ۱.خورنده، تباه‌کننده، اکّال ۲.مادهٔ اکّاله
corrugate /ˈkɒrəgeɪt US: ˈkɔːr-/ *vt,vi* ۱.چین دادن؛ موج‌دار کردن؛ راه‌راه کردن ۲.چین خوردن، موجی شدن
corrugated *ppa* چین‌دار، موجی
corrupt /kəˈrʌpt/ *adj,vt,vi* ۱.تباه، فاسدشده؛ تحریف‌شده؛ رشوه‌خوار ۲.فاسد یا معیوب کردن؛ تطمیع کردن، رشوه دادن ۳.تباه شدن، فاسد شدن
corruptible /kəˈrʌptəbl/ *adj* رشوه‌گیر
corruption /kəˈrʌpʃn/ *n* تباهی، فساد؛ تحریف؛ تباه‌سازی؛ رشوه یا ارتشا
corsage /kɔːˈsɑːʒ/ *n* بالاتنهٔ لباس زنانه
corset /ˈkɔːsɪt/ *n* کرست
a pair of corsets کرست سرهم [سینه‌بند و شکم‌بند]
cortège /kɔːˈteɪʒ/ *n,Fr* دستهٔ تشریفاتی (مشایعین)
cortex /ˈkɔːteks/ *n* [-tices] قشر مُخ، رویه
cosily *adv* به‌طور راحت
cosiness *n* راحت (بودن)
cosmetics /kɑzˈmetɪk/ *npl* روغن یا ماده‌ای که چهره و موی سر را زیبایی دهد
cosmic /ˈkɒzmɪk/ *adj* مربوط به‌عالم هستی؛ منظم
cosmogony /kɒzˈmɒgənɪ/ *n* (فرضیه) پیدایش جهان
cosmopolitan /ˌkɒzməˈpɒlɪtən/ *adj* جهانی
cosmos /ˈkɒzmɒs/ *n* گیتی و انتظام آن؛ گل ستاره‌ای
cost /kɒst US: kɔːst/ *n,v* [cost] ۱.بها، قیمت؛ هزینه؛ [در جمع] هزینهٔ دادرسی ۲.ارزیدن؛ تمام شدن؛ قیمت گذاری کردن

at cost مایه به مایه، به قیمت تمام شده
How much does it cost?
چقدر می‌ارزد، بهای آن چقدر است؟
It cost him dear(ly) برایش گران تمام شد
costermonger /'kɒstəmʌŋgə(r)/ *n*
میوه‌فروش یا سبزی‌فروش دوره‌گرد، طوّاف
costive *adj* یبوست‌دار، دچاریبوست
costly /'kɒstlɪ US: 'kɔ:st-/ *adj* گران، پرخرج؛ فاخر
costume /'kɒstju:m US: -tu:m/ *n* لباس؛ کت و دامن (زنانه)
costume jewellery/'kɒstu:m dʒu:əlrɪ, -tju:m-/ جواهر تزیینی بدلی
cosy /'kəʊzɪ/ *adj,n* ۱.راحت، گرم و نرم ۲.روقوری [tea-cosy]
cot /kɒt/ *n* تختخواب سفری یا بچگانه
cote /kəʊt/ *n* آغل؛ مُرغدان، کبوترخان
coterie /'kəʊtərɪ/ *n* گروه هم‌مسلکان
cottage /'kɒtɪdʒ/ *n* کلبه، خانهٔ روستایی؛ [در امریکا] عمارت ییلاقی که آب‌نما داشته باشد
cotton /'kɒtn/ *n,adj,vi* ۱.پنبه؛ نخ؛ پارچهٔ نخی ۲.پنبه‌ای، نخی ۳.رفاقت کردن، گرم گرفتن
sewing-cotton نخ دوزندگی،نخ خیاطی
cotton print چیت
cotton wool پنبه لایی، لایی پنبه
cotton-mill /'kɒtn mɪl/ *n* کارخانهٔ نخ‌ریسی
cotton-spinning/'kɒtn spɪnɪŋ/ *n* نخ‌ریسی
couch /kaʊtʃ/ *n,vt,vi* ۱.تخت؛ نیمکت ۲.خوابانیدن؛ پایین آوردن؛ با سخن ادا کردن؛ پنهان کردن ۳.دراز کشیدن؛ در کمین نشستن
cough /kɒf US: kɔ:f/ *n,vi* ۱.سرفه ۲.سرفه کردن
could /kəd,kʊd/ [*p of* can]
couldn't /'ku:dnt/ = could not
council /'kaʊnsl/ *n* شورا، هیئت، هیئت وزیران [Council of Ministers]
councillor /'kaʊnsələ(r)/ *n* عضو شورا
counsel /'kaʊnsl/ *n,vt,vi* ۱.مشورت؛ پند، تدبیر؛ وکیل ۲.مشورت یا پند دادن (به) ۳.مشورت کردن
take counsel with مشورت کردن با
counsel for the crown وکیلِ عمومی، دادیار
counsellor /'kaʊnsələ(r)/ *n* مشاور، رایزن
count /kaʊnt/ *vt,vi,n* ۱.شمردن، حساب کردن؛ فرض کردن ۲.به‌حساب آمدن؛ اهمیت داشتن ۳.شماره؛ جمع
I count on you به امید شما هستم

count out the House مذاکرات را به‌علت فقدان حد نصاب ختم کردن
count up جمع زدن
be counted out; take the count
پس از شمارش بلند نشدن [در مسابقهٔ بوکس]
count the cost
زیان یا خطر کاری را قبلاً سنجیدن
I lost count of it حسابش از دستم در رفت
count /kaʊnt/ *n* کنت [لقب فرانسوی که برابر است با لقب انگلیسی earl]
countenance/'kaʊntənəns/ *n,vt* ۱.سیما، قیافه؛ منظر؛ حمایت ۲.حمایت کردن، رو دادن
put (*or* stare) out of countenance
از رو بردن
keep in countenance حمایت کردن؛ رو دادن
counter /'kaʊntə(r)/ *n,adj,adv,v* ۱.پیشخوان، بساط؛ ژتون [در بازی]؛ سینهٔ اسب؛ ضربهٔ متقابل ۲.ضد، متقابل؛روبرو ۳.درجهت مخالف ۴.مخالفت کردن (با)، ضدیت کردن (با)؛ معاملهٔ به مثل کردن (با)؛ رد و بدل کردن (ضربت)
counter to مخالفِ، برضدِّ، برعکسِ
counteract /,kaʊntə'rækt/ *vt* بی‌اثر کردن، خنثی کردن
counterbalance/'kaʊntəbæləns/ *n,vt*
۱.وزنهٔ تعادل؛ نیروی برابر ۲.برابری کردن با؛ خنثی کردن
counterchange/kaʊntə'tʃeɪndʒ/ *v*
با هم عوض کردن یا شدن؛ تغییرجا دادن
countercharge/'kaʊntətʃɑ:dʒ/ *n*
تهمت متقابل
counter-claim /'kaʊntəkleɪm/ *n* دعوی متقابل
counterfeit /'kaʊntəfɪt/ *adj,n,vt* ۱.ساختگی، جعلی ۲.سکهٔ قلب؛ آدم متقلب ۳.تقلید کردن
counterfeiter *n* جاعل
counterfoil /'kaʊntəfɔɪl/ *n* ته‌چک؛ سوش
countermand /,kaʊntə'mɑ:nd US: -'mænd/ *n,vt* ۱.حکمِ ناسخ ۲.لغو کردن؛ فسخ کردن؛ احضار کردن؛ پس گرفتن
countermarch /'kaʊntəmɑ:tʃ/ *n*
تغییر جهت حرکت ارتش؛ تغییرِ رویّه
countermine /'kaʊntəmaɪn/ *n,vi,vt*
۱.نقب زیر نقب؛ توطئه متقابل ۲.نقب زیر نقب دیگری ساختن ۳.با دسیسهٔ متقابل خنثی کردن
counterpane /'kaʊntəpeɪn/ *n*
روتختی (پنبه‌دوزی)
counterpart /'kaʊntəpɑ:t/ *n* رونوشت، المثنی، همتا

counterpoise /ˈkaʊntəpɔɪz/
= counterbalance
countersign /ˈkaʊntəsaɪn/ *n,vt* ۱.نشانی ۲.امضا(ی متقابل) کردن
counterweight /ˈkaʊntəweɪt/ *n* وزنهٔ برابر، پارسنگ
countess /ˈkaʊntɪs/ *n* [*fem of* count] کُنتِس
countless /ˈkaʊntlɪs/ *adj* بی‌شمار، بی‌حساب
countrified /ˈkʌntrɪfaɪd/ *ppa* روستاصفت
country /ˈkʌntrɪ/ *n* کشور
in the country در ییلاق،درحومهٔ شهر
countryman /ˈkʌntrɪmən/ *n* دهاتی؛ هم‌میهن
country-seat /ˌkʌntrɪˈsi:t/ *n* عمارت ییلاقی
countryside /ˈkʌntrɪsaɪd/ *n* حومهٔ شهر
county /ˈkaʊntɪ/ *n* استان
county-town /kaʊntɪ ˈtaʊn/ *n* حاکم‌نشین استان
coup d'état /ˌku: deɪˈtɑ:/ *Fr* کودتا
coupé /ˈku:peɪ/ *n,Fr* کوپه
couple /ˈkʌpl/ *n,vt,vi* ۱.جفت، زن و شوهر یا دو نامزد ۲.جفت کردن؛ ارتباط دادن ۳.عروسی کردن
a couple of days (یکی) دو روز
coupled with توأم با، علاوه بر
couplet /ˈkʌplɪt/ *n* بیت
coupling /ˈkʌplɪŋ/ *n* اتصالی، وسیله اتصال
coupon /ˈku:pɒn/ *n,Fr* برش؛ کوپن
courage /ˈkʌrɪdʒ/ *n* جرئت، دلیری
man of courage مرد دلیر
courageous /kəˈreɪdʒəs/ *adj* دلیر، با جرئت؛ دلیرانه، مبنی برجرئت
courageously /kəˈreɪdʒəslɪ/ *adv* با جرئت
courier /ˈkʊrɪə(r)/ *n* پیک؛ چاپار؛ حمله‌دار؛ راهنمای مسافرین
course /kɔ:s/ *n,vt* ۱.راه، خط سیر؛ مجرا؛ جریان؛ دوره، رشته؛ میدان؛ بخش (غذا)؛ رگه، رگ ۲.دنبال کردن؛ به تاخت بردن
in the course of در ظرفِ، درطیِ
in course of در دستِ، تحتِ
of course البته؛ بدیهی است
courser *n,Poet* اسب تندرو
coursing /ˈkɔ:sɪŋ/ *n* شکار خرگوش با سگ شکاری
court /kɔ:t/ *n,v* ۱.حیاط؛ میدان؛ دربار؛ دادگاه؛ اظهار عشق ۲.عرض‌بندگی کردن (به)؛ طلب کردن
court of justice دادگاه
pay one's court ابراز عشق کردن
court favour توجه و التفات کسی را جلب کردن، خودشیرینی کردن
courteous /ˈkɜ:tɪəs/ *adj* مؤدب؛ مؤدبانه، مبنی بر ادب
courteously /ˈkɜ:tɪəslɪ/ *adv* مؤدبانه
courtesan /ˌkɔ:tɪˈzæn US: ˈkɔ:tɪzn/ *n* فاحشه
courtesy /ˈkɜ:təsɪ/ *n* ادب؛ تواضع؛ تنظیم؛ التفات؛ رضایت
courtier /ˈkɔ:tɪə(r)/ *n* درباری
courtly /ˈkɔ:tlɪ/ *adj* مؤدب، باوقار
court-martial /ˌkɔ:t ˈmɑ:ʃl/ *n,vt* ۱.دادگاه نظامی ۲.در دادگاه نظامی محاکمه کردن
courtship /ˈkɔ:t-ʃɪp/ *n* ابراز عشق، طلبِ همسری
courtyard /ˈkɔ:tjɑ:d/ *n* حیاط
cousin /ˈkʌzn/ *n* عموزاده؛ دایی‌زاده؛ عمه‌زاده؛ خاله‌زاده؛ اقوام دور
cove /kəʊv/ *n* خلیج کوچک؛ پناهگاهِ ساحلی؛ گلویی مقعر؛ [زبان عامیانه] آدم
covenant /ˈkʌvənənt/ *n,v* ۱.پیمان، شرط ۲.عهد بستن
cover /ˈkʌvə(r)/ *n,vt* ۱.پوشش؛ در؛ جلد؛ پاکت؛ پشتوانه؛ بهانه ۲.پوشانیدن؛ جبران یا تأمین کردن؛ شامل بودن؛ جفتگیری کردن با؛ پیمودن؛ هدف قرار دادن؛ پناه دادن
under cover سربسته، درپاکت، محفوظ
under cover of در پناهِ؛ به ضمیمهٔ
covered with پوشیده از
covering /ˈkʌvərɪŋ/ *n,apa* ۱.پوشش، سرپوش؛ جلد ۲.دربرگیرنده، شامل
covering letter نامه توضیحی، نامه وابسته
coverlet /ˈkʌvəlɪt/ *n* روپوش؛ روتختی (پنبه‌دوزی)، لحاف
covert /ˈkʌvət US: ˈkəʊvɜ:rt/ *adj* پوشیده؛ دزدانه یادزدیده [covert glance]
covet /ˈkʌvɪt/ *vt* طمع کردن
covetous /ˈkʌvɪtəs/ *adj* طمع کار(انه)
cow /kaʊ/ *n,vt* ۱.ماده گاو، گاو ماده ۲.ترساندن، تهدید کردن
coward /ˈkaʊəd/ *n* آدم ترسو، نامرد
cowardice /ˈkaʊədɪs/ *n* ترسویی
cowardly /ˈkaʊədlɪ/ *adj* ترسو، نامرد
cow-boy /ˈkaʊbɔɪ/ *n* گاوچران؛ گاوبان
cow-calf /kaʊ kɑ:f/ *n* گوسالهٔ ماده
cower /ˈkaʊə(r)/ *vi* از ترس دولا شدن
cowherd /ˈkaʊhɜ:d/ *n* گاوچران

cow-hide /'kaʊhaɪd/ *n* چرم؛ شلاق چرمی
cowl /kaʊl/ *n* لباس کلاه‌دار راهب؛ کلاهکِ دودکش
cow-pox /'kaʊpɒks/ *n* آبلهٔ گاوی
cowrie;cowry /'kaʊrɪ/ *n* کُس گربه (نوعی صدف ریز)
cowslip /'kaʊslɪp/ *n* (نوعی)گاو زبان
coxa /'kɒksə/ = hip
coxcomb /'kɒkskəʊm/ *n* شخص خودنما و نادان و جلف؛ گل‌تاج خروس
coxswain /'kɒksn/ *n* پیشکارِ جاشویان کشتی؛ سُکان‌گیر
coy /kɔɪ/ *adj* محجوب (و عشوه‌گر)
cozen /'kʌzn/ *vt* فریب دادن
crab /kræb/ *n,vi,vt* [-bed] ۱.خرچنگ؛ آدم ترشرو ۲.چنگ زدن ۳.سخت انتقاد کردن
crabbed /'kræbɪd/ *adj* ترشرو؛ پیچیده؛ [خطِ] خرچنگ قورباغه‌ای
crack/kræk/ *n,adj,vi,vt* ۱.ترک، شکاف؛ ضربت؛ صدای شلاق؛ لحظه؛ عیب؛ شوخی؛ آدم خشک‌مغز؛ [در جمع] شایعات ۲.ماهر، زبردست ۳.ترک خوردن؛ شکستن؛ صدا کردن ۴.ترکانیدن؛ به صدا درآوردن (شلاق)؛ باز کردن (شیشه)؛ لکه‌دار کردن
crack a joke مزه انداختن، شوخی کردن
crack up ستودن، تعریف کردن
crack-brained /'krækbreɪnd/ *adj* خشک‌مغز
cracker /'krækə(r)/ *n* لاف‌زن؛ شکننده؛ ترقّه؛ کلوچهٔ خشک
crackle /'krækl/ *vi* ترقّ‌وتروق‌کردن
cradle /'kreɪdl/ *n* گهواره؛ کلاف؛ لاوک
craft /krɑ:ft US: kræft/ *n* پیشه، صنعت؛ استادی، مهارت؛ حیله؛ کرجی؛ اهل حرفه
craftsma /'krɑ:ftsmən US: 'kræfts-/ *n* صنعتگر
crafty *adj* حیله‌گر؛ حیله‌آمیز
crag /kræg/ *n* پرتگاه؛ کمر
cram /kræm/ *vt,vi* [-med] ۱.چپانیدن؛ پُر خوراندن ۲.پر خوردن؛ با شتاب خود را برای امتحان آماده کردن
cramp /kræmp/ *n,vt,adj* ۱.عقربک، بند؛ قید؛ انقباضِ عضله ۲.در قید گذاشتن؛ عقربک زدن ۳.درهم برهم
crane /kreɪn/ *n,vt* ۱.درنا، کلنگ؛ جرّاثقال ۲.دراز کردن (گردن)
crane *(vi)* **at** شانه خالی کردن از
crane's-bill /'kreɪnzbɪl/ *n* شمعدانی
cranial /'kreɪnɪəl/ *adj* جمجمه‌ای
cranium /'kreɪnɪəm/ *n* [-nia] جمجمه
crank /kræŋk/ *n,vt* ۱.هِندل، پیچ وخم؛ وسواس ۲.خم کردن، هندل زدن [باup]
crankshaft /'kræŋkʃɑ:ft/ *n* میل‌لنگ
cranky *adj* سست؛ بی‌دوام؛ دمدمی
cranny /'krænɪ/ *n* شکاف، چاک
crape /kreɪp/ *n* کرپ ابریشمی سیاه؛ نوار سیاهِ دور کلاه
crapulent/'kræpjʊlent/ *adj* ناشی از پرخوری؛ پرخور
crapulous *adj* ناخوش از پرخوری
crash /kræʃ/ *n,vi* ۱.صدایِ شکستگی؛ ورشکستگی ناگهانی؛ پارچهٔ حوله‌ای ۲.با صدا شکسته شدن؛ سقوط کردن
crass /kræs/ *adj* زمخت؛ زیاد؛ کامل
crate /kreɪt/ *n* صندوق جگنی (برای ظروف)
crater /'kreɪtə(r)/ *n* دهانهٔ آتش‌فشان
crave /kreɪv/ *v* آرزو کردن؛ ایجاب کردن
craven /'kreɪvn/ *adj* ترسو، نامرد
cry craven تسلیم شدن، سپر انداختن
craving /'kreɪvɪŋ/ *n* آرزو، اشتیاق
crawl /krɔ:l/ *vi* خزیدن، بر شکم رفتن؛ چهار دست و پا رفتن
crayfish /'kreɪfɪʃ/ *n* خرچنگِ آب شیرین
crayon /'kreɪən/ *n,vt* ۱.مداد گچی؛ مداد رنگی ۲.با گچ یا مداد طرح کردن
craze /kreɪz/ *vt,vi* ۱.دیوانه کردن؛ تَرَک‌دار کردن ۲.دیوانه شدن؛ ترک برداشتن
crazy /'kreɪzɪ/ *adj* دیوانه؛ مودار؛ سست
crazy bone استخوان آرنج
creak /kri:k/ *n,vi* ۱.صدای لولا ۲.جیرجیر یا غژغژ کردن
cream /kri:m/ *n* خامه، سرشیر
creamery /'kri:mərɪ/ *n* لبنیات‌فروشی؛ لبنیات‌سازی
creamy *adj* خامه‌دار، چرب
crease /kri:s/ *n,vi* ۱.تا، چین ۲.تا برداشتن
create /kri:'eɪt/ *vt* آفریدن؛ [زبان عامیانه] دادوبیداد کردن
creation /kri:'eɪʃn/ *n* آفرینش، خلقت؛ انشا؛ ایجاد، تولید
creative /kri:'eɪtɪv/ *adj* آفریننده؛ دارای قوهٔ آفرینش؛ [باof] موجبِ
creator /kri:'eɪtə(r)/ *n* آفریننده، خالق
creature /'kri:tʃə(r)/ *n* آفریده، مخلوق؛ جانور؛ زبان‌بسته [حیوان]
crèche /kreɪʃ,kreʃ/ *n,Fr* شیرخوارگاه [در کارخانه‌ها]

credence /kri:dns/ *n* باور، اعتقاد
give credence to باور کردن
credentials /krɪ'denʃlz/ *npl* استوارنامه
credible /'kredəbl/ *adj* باورکردنی؛ معتبر
credit /'kredɪt/ *n,vt* ١.اعتبار؛ افتخار؛ (ستون) بستانکار؛ وعده، مهلت ٢.به بستانکار حساب (کسی) گذاشتن؛ نسیه دادن به؛ نسبت دادن
enter to some one's credit به بستانکار حساب کسی گذاشتن
on credit (به‌طور) نسیه، پسادست
man of credit شخص معتبر
give credit to باور کردن
credit sale فروش نسیه
letter of credit اعتبارنامهٔ (بانکی)
credit note برگ بستانکار
on six months' credit با شش‌ماه وعده
credit an amount to a person; credit a person with an amount مبلغی را به بستانکار حساب کسی گذاشتن
creditable /'kredɪtəbl/ *adj* معتبر
creditor /'kredɪtə(r)/ *n* بستانکار
credulity /krɪ'dju:lətɪ US: -'du:-/ *n* زودباوری
credulous /'kredjʊləs/ *adj* زودباور
creed /kri:d/ *n* عقیده؛ مرام
creek /kri:k US: krɪk/ *n* خور، خلیج کوچک؛ مرداب؛ [در امریکا] نهر؛ جلگهٔ باریک
creel /kri:l/ *n* سبد (ماهی‌گیری)
creep /kri:p/ *vi* [crept] خزیدن، سینه‌خیز رفتن؛ شاخه دوانیدن؛ لغزیدن؛ راه یافتن؛ احساس ویرویر یا مورمور کردن
creepy /'kri:pɪ/ *adj* وحشتزده، ترسیده
cremate /krɪ'meɪt/ *vt* سوزاندن (مرده)
crematorium /ˌkremə'tɔ:rɪəm/ *or*
crematory /'kremətərɪ US: -tɔ:rɪ/ *n* کورهٔ لاشه‌سوزی؛ کورهٔ آشغال‌سوزی
creosote /'krɪəsəʊt/ *n* جوهر قطران
crept /krept/ [*p,pp of* creep]
crescent /'kresnt/ *n,adj* ١.ماهِ نو، هلال ٢.هلالی؛ بزرگ‌شونده
cress /kres/ *n* شاهی، ترتیزک
crest /krest/ *n* کاکل؛ تاج، جِقّه؛ نوک، سر
crested lark /'krestɪd lɑ:k/ کاکلی
cretinism /'kretɪnɪzəm/ *n* خلقت و مشاعر ناقص در نتیجهٔ کمی ترشح در غدهٔ تیروئید
cretonne /'kretɒn/ *n* نوعی پارچه پرده‌ای
crevasse /krɪ'væs/ *n* شکاف
crevice /'krevɪs/ *n* تَرَک، شکاف

crew /kru:/ *n* کارکنان کشتی، جاشویان؛ [در هواپیما] خدمه
crib /krɪb/ *n,vt* [-bed] ١.علف‌دان؛ تختخواب یاقفس بچگانه؛ سبد؛ سدّ زیر آبی ٢.در قفس گذاشتن؛ از دیگران تقلید کردن یا دزدیدن
crick /krɪk/ *n* سیخ شدگی، خشکی
cricket /'krɪkɪt/ *n* جیرجیرک، زنجره؛ چارپایهٔ کوتاه، عسلی؛ بازی کریکت
It is not cricket ناجوانمردانه است
crier /'kraɪə(r)/ *n* جارچی؛ مأمور اخطارهای عمومی در دادگاه
crime /kraɪm/ *n* جنایت، تبهکاری؛ جرم
criminal /'krɪmɪnl/ *adj,n* ١.جنایی ٢.جانی، تبهکار؛ مجرم
crimp /krɪmp/ *vt* چین دادن
crimson /'krɪmzn/ *adj,n* قرمز لاکی
cringe /krɪndʒ/ *vi* چاپلوسانه فروتنی کردن؛ دولا شدن، قوز کردن
crinkle /'krɪŋkl/ *n,v* ١.پیچ؛ چین ٢.پیچیدن؛ چین خوردن؛ چین دادن
cripple /'krɪpl/ *n,vt* ١.لَنگ، چلاق، فلج ٢.لَنگ کردن، فلج کردن
crisis /'kraɪsɪs/ *n* [-ses] بحران
crisp /krɪsp/ *adj,vt,vi* ١.پیچیده، چین‌دار؛ خشک و تُرد؛ تازه، فرح‌بخش؛ قطعی ٢.چین دادن؛ خشک کردن ٣.فر خوردن
potato-crisps *npl* سیب‌زمینی سرخ‌کردهٔ خشک و تُرد (چیپس)
crisscross /'krɪskrɒs US: -krɔ:s/ *n,adj,adv* ١.خطوط متقاطع ٢.دارای خطوط متقاطع؛ [مجازاً] زودرنج، کج خلق ٣.برخلاف، در جهت مخالف
criterion /kraɪ'tɪərɪən/ *n* [-ria] ملاک، میزان، معیار، محک
critic /'krɪtɪk/ *n* نقاد؛خرده‌گیر؛انتقاد
critical /'krɪtɪkl/ *adj* بحرانی؛ وخیم، انتقادی
criticism /'krɪtɪsɪzəm/ *n* انتقاد
criticize /'krɪtɪsaɪz/ *vt* انتقاد کردن
critique /krɪ'ti:k/ *n* (فنّ) انتقاد
croak /krəʊk/ *n,vi* ١.صدای وزغ یا کلاغ ٢.غارغار کردن
crochet /'krəʊʃeɪ US: krəʊ'ʃeɪ/ *n* قلابدوزی
crock /krɒk/ *n,vt* ١.دوده؛ کوزه؛ اسب پیر ٢. [با up] از کار افتادن
crockery /'krɒkərɪ/ *n* بدل‌چینی
crocodile /'krɒkədaɪl/ *n* تمساح، سوسمار
crocus /'krəʊkəs/ *n* (بتهٔ) زعفران

croft /krɒft US: krɔ:ft/ *n* مزرعه یا باغچهٔ متصل به‌خانه
crone /krəʊn/ *n* پیرزن فرتوت، عجوزه
crony /'krəʊnɪ/ *n* دوست صمیمی
crook /krʊk/ *n,v* ۱.عصای سرکج؛ قلاب؛ کلاه‌بردار ۲.خم کردن؛ خم شدن
crookback /'krʊkbæk/ *n* آدم قوزپشت
crooked /'krʊkɪd/ *adj* کج؛ بدشکل؛ کج‌کار
croon /kru:n/ *v* زمزمه کردن
crop /krɒp/ *n,vt,vi* ۱.حاصل، محصول؛ چینه‌دان؛ موی کوتاه شده ۲.کوتاه کردن؛ درو کردن، چیدن ۳.بار دادن؛ ناشی شدن
crop up ظاهر شدن؛ درآمدن
cropper /'krɒpə(r)/ *n* ماشین اصلاح؛ [زبان عامیانه] سقوط، شکست
come a cropper پرت شدن؛ مردود شدن؛ ناکام شدن
a good cropper گیاه پُر حاصل
cropsickness *n* امتلاءِ معده، سوءِهاضمه
cross /krɒs US: krɔ:s/ *n,adj* ۱.صلیب؛ آمیزش نژادها در جانوران ۲.متقاطع؛ عرضی؛ کج خلق؛ پیوندی، دورگه
cross reference مراجعه یا ارجاع به قسمت دیگر [در یک کتاب]
We were at cross purposes
ما زبان همدیگر را نمی‌فهمیدیم
cross /krɒs US: krɔ:s/ *vt,vi* ۱.عبور کردن از؛ عبور دادن؛ خط زدن؛ قطع کردن؛ پیوند زدن؛ مخالفت کردن با؛ ممانعت کردن از ۲.عبور کردن؛ متقاطع شدن
cross swords دست و پنجه نرم کردن
Your letter crossed mine
قبل از وصول نامهٔ شما برای شما نامه نوشته بودم
cross-bar /'krɒsbɑ:(r) US: 'krɔ:s-/ *or* **-piece** تیر عرضی، تیر افقی
cross-bones /'krɒsbəʊnz US: 'krɔ:s-/ *npl* شکل جمجمه با دواستخوانِ متقاطع
cross-bred /'krɒsbred US: 'krɔ:s-/ *ppa* دورگه، پیوندی
cross-breed /'krɒsbri:d US: 'krɔ:s-/ *n* حیوان یا گیاه دورگه
crosscut /'krɒskʌt US: 'krɔ:s-/ *adj,vt* میان‌بُر (زدن)
cross-examination /'krɒs ɪg,zæmɪ'neɪʃn US: ,krɔ:s-/ *n* بازپرسی (از شهود)، پرسش و مقابله، روبروسازی
cross-eyed /'krɒsaɪd US: 'krɔ:s-/ *adj* لوچ، اَحْوَل
cross-grained /,krɒs 'greɪnd US: ,krɔ:s-/ *adj* دارای رگه‌های نامنظّم؛ [مجازاً] سرکش، خودسر
crossing /'krɒsɪŋ US: 'krɔ:s-/ *n* عبور؛ محل تقاطع
cross-legged /,krɒs 'legd US: ,krɔ:s-/ *n* پا روی پا انداخته
crossness *n* کج خلقی
cross-question /,krɒs 'kwestʃən US: ,krɔ:s-/ *vt* به طرق مختلف و به دقت بازپرسی کردن
cross-roads /'krɒsrəʊdz US: 'krɔ:s-/ *n* چهاراه، چارسو
crosswise /'krɒswaɪs US: 'krɔ:s-/ *adv* از وسط؛ از پهنا؛ چلیپاوار؛ در جهت مخالف
cross-word /'krɒs wɜ:d US: 'krɔ:s-/ *or*
cross-word puzzle جدول کلمات متقاطع
crotch /krɒtʃ/ *n* محل انشعاب
crotchet /'krɒtʃɪt/ *n* [موسیقی] سیاه
crotchety /'krɒtʃɪtɪ/ *adj* بوالهوس
crouch /kraʊtʃ/ *vi* دولا شدن، قوز شدن
croup /kru:p/ *n* کفل اسب؛ خُناق
crow /krəʊ/ *n,vi* ۱.کلاغ؛ بانگ خروس ۲.بانگ زدن، خواندن
crow-bar /'krəʊbɑ:(r)/ *n* اهرم، دیلم
crowd /kraʊd/ *n,vi* ۱.جمعیت ۲.ازدحام کردن
crowded *adj* شلوغ، پرجمعیت
crown /kraʊn/ *n,vt* ۱.تاج؛ جایزه؛ فرق سر؛ سکهٔ پنج‌شیلینگی ۲.تاج‌گذاری کردن؛ جایزه دادن؛ بالا(ی چیزی) قرار گرفتن؛ روکش کردن (دندان)
crown land (زمین) خالصه
crown prince ولیعهد
crucial /'kru:ʃl/ *adj* قاطع
crucible /'kru:sɪbl/ *n* بوته
crucifixion /,kru:sɪ'fɪkʃn/ *n* تصلیب، به چهارمیخ کشیدن
crucify /'kru:sɪfaɪ/ *vt* مصلوب کردن
crude /kru:d/ *adj* خام؛ ناتمام؛ خشن
crudity /'kru:dɪtɪ/ *n* خامی
cruel /krʊəl/ *adj* بی‌رحم
cruelly /'krʊəlɪ/ *adv* بی‌رحمانه
cruelty /'krʊəltɪ/ *n* بی‌رحمی
cruet /'kru:ɪt/ *n* شیشهٔ سرکه؛ تُنگ
cruise /kru:z/ *vi* گشت زدن
cruiser /'kru:zə(r)/ *n* رزمناو
battle cruiser نبرد ناو

crumb /krʌm/ *n,vt* ۱.خرده نان؛ مغز نان ۲.خرد کردن
crumble /ˈkrʌmbl/ *v* خرد کردن؛ خرد شدن
crumbly /ˈkrʌmblɪ/ *adj* خردشونده، ترد
crumpet /ˈkrʌmpɪt/ *n* نوعی کماج
crumple /ˈkrʌmpl/ *vt,vi* ۱.مُچاله کردن؛ از اطو انداختن ۲.خرد شدن
crunch /krʌntʃ/ *vt* با صدا جویدن
crupper /ˈkrʌpə(r)/ *n* تسمهٔ چرمی که به زین یا دهنهٔ اسب بسته می‌شود و از زیر دُم آن می‌گذرد، رانکی، پاردُم، کفل اسب
crusade /kru:ˈseɪd/ *n* جنگ صلیبی
crusader *n* سرباز جنگ صلیبی
cruse /kru:z/ *n, Arch* کوزه
crush /krʌʃ/ *vt,vi* ۱.له کردن؛ خرد کردن ۲.له شدن؛ ازدحام کردن
crust /krʌst/ *n,vi* ۱.پوست، قشر؛ چِرم ۲.پوست بستن؛ جرم گرفتن
crusty /ˈkrʌstɪ/ *adj* پوستی؛ پوست‌دار؛ تند
crutch /krʌtʃ/ *n* چوب زیر بغل
crux /krʌks/ *n* [cruxes] مسئلهٔ دشوار، معما
cry /kraɪ/ *n,vi* ۱.فریاد؛ گریه ۲.فریاد زدن؛ گریه کردن؛ جار زدن [متعدی هم هست. اینک چند مورد]:
  cry down تحقیر یا هو کردن
  cry one's heart out زارزار گریستن
  cry oneself to sleep زیر گریه خواب رفتن
cry-baby /ˈkraɪbeɪbɪ/ *n* نی‌نی کوچولو
crying /ˈkraɪɪŋ/ *apa* جارزننده، آشکار؛ مبرم
crypt /krɪpt/ *n* دخمه، غار؛ سرداب
cryptic(al) /ˈkrɪptɪk(l)/ *adj* مرموز
cryptogram /ˈkrɪptəgræm/ *n* رمز
crystal /ˈkrɪstl/ *n* بلور
crystalline /ˈkrɪstəlaɪn/ *adj* بلوری
crystallization /ˌkrɪstəlaɪˈzeɪʃn US: -lɪˈz-/ *n* تبلور
crystallize /ˈkrɪstəlaɪz/ *vt,vi* ۱.بلوری یا متبلور یا قلمی کردن ۲.متبلور شدن؛ شکل قطعی پیدا کردن
ct = cent
cub /kʌb/ *n* توله؛ [مجازاً] بچهٔ بی‌تربیت
cub reporter /ˈkʌb ˈrɪpɔ:tə(r)/ خبرنگار بی‌تجربه
cube /kju:b/ *n* توان سوم،عدد مکعب
  cube root ریشهٔ سوم، کعب، جذر مکعب
cubic(al) /ˈkju:bɪk(l)/ *adj* مکعب
cubicle /ˈkju:bɪkl/ *n* خوابگاه (جدا)
cubit /ˈkju:bɪt/ *n* ذراع، ارج
cuckoo /ˈkʊku:/ *n* کوکو، فاخته
cucumber /ˈkju:kʌmbə(r)/ *n* خیار
cud /kʌd/ *n* نشخوار
  chew the cud نشخوار کردن
cuddle /ˈkʌdl/ *vt* در آغوش گرفتن
cudgel /ˈkʌdʒl/ *n,vt* ۱.چماق ۲.چوب زدن، کتک زدن
cue /kju:/ *n* ته کلام؛ رویه؛ حال؛ اشاره؛ چوب بیلیارد
cuff /kʌf/ *n,vt* ۱.سردست؛ سرآستین، مشت ۲.مشت زدن
cuirass /kwɪˈræs/ *n* زره بالاتنه
cul-de-sac /ˈkʌl də sæk/ *n,Fr* کوچه بن‌بست
culinary /ˈkʌlɪnərɪ US: -nerɪ/ *adj* درخور آشپزخانه
cull /kʌl/ *vt* گلچین کردن
culminate /ˈkʌlmɪneɪt/ *vi* منجر شدن
  culminate in منجر شد به
culmination /ˌkʌlmɪˈneɪʃn/ *n* اوج
culpability /ˌkʌlpəˈbɪlətɪ/ *n* مجرمیت
culpable /ˈkʌlpəbl/ *adj* مقصر، مجرم
culprit /ˈkʌlprɪt/ *n* متهم؛ مقصر
cult /kʌlt/ *n* پرستش؛ آیین؛ هوس و جنون برای تقلید مُد یا یک رسم
cultivate /ˈkʌltɪveɪt/ *vt* زراعت کردن (در)؛ توسعه دادن؛ تربیت کردن؛ شخم کردن
cultivation /ˌkʌltɪˈveɪʃn/ *n* کشت؛ پرورش
cultural /ˈkʌltʃərəl/ *adj* فرهنگی
culture /ˈkʌltʃə(r)/ *n* فرهنگ؛ پرورش؛ کشت (میکروب)؛ تهذیب
culvert /ˈkʌlvət/ *n* نهر سرپوشیده
cumber /ˈkʌmbə(r)/ *vt* مزاحم شدن
cumbersome /ˈkʌmbəsəm/ *adj* پرزحمت
cumbrous /ˈkʌmbrəs/ *adj* پرزحمت
cum dividend /ˌkʊmˈdɪvɪdend/ به انضمام سودِ قابل پرداخت
cumulative /ˈkju:mjʊlətɪv US: -leɪtɪv/ *adj* جمع شونده؛ اضافی؛ یکجا؛ جمعی
cuneiform /ˈkju:nɪfɔ:m US: kju:ˈnɪəfɔ:rm/ *adj* میخی
cunning /ˈkʌnɪŋ/ *adj,n* ۱.زیرک؛ حیله‌گر ۲.زرنگی؛ حیله‌بازی
cup /kʌp/ *n,vt* [-ped] ۱.فنجان؛ جام (پیروزی)؛ پیاله؛ شاخِ خون‌گیری ۲.حجامت کردن
cupboard /ˈkʌbəd/ *n* قفسه، گنجه
cupboard love /ˈkʌbədlʌv/ عشق مصلحتی

cupful /'kʌpfʊl/ *n* (به اندازهٔ یک) فنجان
cupidity /kju:'pɪdətɪ/ *n* حرص مال‌اندوزی
cupper *n* فصّاد، رگ‌زن
cur /kɜ:(r)/ *n* سگ بازاری؛ [مجازاً] ناکس
curable /'kjʊərəbl/ *adj* علاج‌پذیر
curate /'kjʊərət/ *n* معاون کشیش بخش
curative /'kjʊərətɪv/ *adj* علاج‌بخش
curator /kjʊə'reɪtə(r) US: 'kjʊərətər/ *n* کتابدار؛ موزه‌دار
curb /kɜ:b/ *n,vt* ۱.افسار، عنان ۲.فرو نشاندن، جلوگیری کردن
curb(stone) /'kɜ:bstəʊn/ *n* سنگ جدول
curd /kɜ:d/ *n* شیر دَلمه، شیر بسته
curdle /'kɜ:dl/ *v* دَلمه کردن یا شدن
cure /kjʊə(r)/ *vt,vi,n* ۱.شفا دادن؛ نمک زدن ۲.بهبود یافتن ۳.شفا
curettage /kjʊ'retɪdʒ,,kjʊrə'tɑ:ʒ/ *n,Fr* کورتاژ، تراش
curette /kjʊ'ret/ *n,vt* ۱.چاقوی کورتاژ یا تراش ۲.کورتاژ کردن، تراشیدن
curfew /'kɜ:fju:/ *n* منع عبورومرور شبانه
lift the curfew عبور و مرورِ شب را آزاد کردن
curio /'kjʊərɪəʊ/ *n* خرده‌ریز صنعتی
curiosity /,kjʊərɪ'ɒsetɪ/ *n* حس کنجکاوی؛ تحفه
curious /'kjʊərɪəs/ *adj* کنجکاو؛ غریب
curl /kɜ:l/ *n,vt,vi* ۱.طرّه، حلقه ۲.فر دادن؛ پیچیدن ۳.حلقه شدن
curly *adj* فردار، پیچیده، مجعد
curmudgeon /kɜ:'mʌdʒən/ *n* خسیس
currant /'kʌrənt/ *n* کشمش بی‌دانه؛ مویز
currency /'kʌrənsɪ/ *n* پول؛ انتشار؛ شهرت
current /'kʌrənt/ *adj,n* ۱.جاری؛ رایج؛ شایع ۲.جریانِ دریایی؛ روش
curriculum /kə'rɪkjʊləm/ *n* [-la] دورهٔ تحصیلات
curriculum vitae /kə,rɪkjʊləm'vi:taɪ/ خلاصهٔ سوابق
currier *n* چرم‌ساز
currish /'kɜ:rɪʃ/ *adj* پست، فرومایه؛ ستیزه‌جو
curry /'kʌrɪ/ *vt* قشو کردن
curry favour with a person نزد کسی چاپلوسی و خودشیرینی کردن
curry /'kʌrɪ/ *n* کاری: زردچوبه هندی
curry-comb /'kʌrɪkəʊm/ *n* قشو
curse /kɜ:s/ *n,v* نفرین (کردن)؛ لعنت (کردن)؛ کفر (گفتن)

cursed /'kɜ:sɪd/ *or* **curst** *ppa* ملعون
cursive /'kɜ:sɪv/ *adj* پیوسته؛ روان
cursory /'kɜ:sərɪ/ *adj* سردستی؛ شتاب‌زده
curt /kɜ:t/ *adj* کوتاه و گستاخانه
curtail /kɜ:'teɪl/ *vt* کوتاه کردن (از آخر)؛ موقوف کردن؛ کم کردن
curtailment *n* اختصار؛ ترخیم
curtain /'kɜ:tn/ *n* پرده
curtain 8 pm = The curtain rises at 8 pm
پرده ساعت ۸ بالا می‌رود [نمایش ساعت ۸ شروع می‌شود]
curtain *(vt)* **off** با پرده جدا کردن
curtness *n* شدت لحن؛ اختصار
curts(e)y /'kɜ:tsɪ/ *n,vi* ۱.تواضع زنانه ۲.تواضع کردن
curvature /'kɜ:vətʃə(r) US: tʃʊər/ *n* انحنا
curve /kɜ:v/ *n,v* ۱.خطِ منحنی؛ انحنا ۲. خم کردن؛ خم شدن
cushion /'kʊʃn/ *n* نازبالش، مخده؛ بالشتک؛ صفحهٔ مانع اصطکاک
cuspidor /'kʌspɪdɔ:(r)/ *US* = spittoon
cuss /kʌs/ *Sl* = curse; person
custard /'kʌstəd/ *n* فرنی تخم‌مرغی
custodian /kʌ'stəʊdɪən/ *n* سرایدار، نگهبان
custody /'kʌstədɪ/ *n* نگهداری، حفاظت؛ حبس؛ توقیف؛ امانت
have custody of اماناً نگه‌داشتن
custom /'kʌstəm/ *n* رسم؛ [در جمع] حقوق گمرکی [که آن را custom duties نیز گویند]؛ سفارشی [custom clothes]؛ سفارشی‌دوز [custom tailors]
give one's custom to مشتری... شدن
customarily /'kʌstəmərəlɪ US: ,kʌstə'merəlɪ/ *adv* معمولاً، رسماً
customary /'kʌstəmərɪ US: -merɪ/ *adj* مرسوم؛ عادی
customer /'kʌstəmə(r)/ *n* مشتری
cut /kʌt/ *vt* [cut] *,n* ۱.بریدن؛ چیدن؛ بُر زدن؛ زیر (چیزی) زدن؛ در آوردن (دندان) ۲.برش، قطع؛ کاهش؛ قاش؛ قواره؛ حملهٔ زبانی
cut a figure جلوه کردن؛ عرض‌اندام کردن؛ نقشی را ایفا کردن، خود را جلوه دادن
cut a joke شوخی کردن؛ مزه انداختن
cut back [در سینما] دوباره نشان دادن (بخشی از صحنه)
cut down کم کردن، کاستن (از)
cut no figure *US* به حساب نیامدن، به‌درد نخوردن

cut off a corner (*or* **cut arcoss**) میان‌بُر زدن
cut oneself loose خرج خود را سوا کردن
cut out آماده کردن؛ حذف کردن؛ بس کردن، موقوف کردن
cut up خرد کردن؛ خراب کردن
cut up rough متغیر شدن، داد و بیداد راه انداختن
cut glass بلور، شیشهٔ تراشدار
cut stone سنگِ تراش(دار)
short cut (راه) میان‌بُر
I need a hair cut سرم اصلاح لازم دارد
cutaneous /kju:'teɪnɪəs/ *adj* پوستی، جلدی
cute /kju:t/ *adj* باهوش، زیرک؛ با نمک، فریبنده
cutlass /'kʌtləs/ *n* نوعی قمه یا شمشیر
cutler /'kʌtlə(r)/ *n* کاردفروش
cutlery /'kʌtlərɪ/ *n* کارد و چنگال(فروشی)
cutlet /'kʌtlɪt/ *n* کتلت
cutpurse /'kʌtpɜ:s/ *n* جیب‌بُر
cutthroat /'kʌtθrəʊt/ *n* آدم‌کش، قاتل
cutting /'kʌtɪŋ/ *ppa,n* ۱.بُرنده؛ تند، زننده
۲.قلمه؛ برش (روزنامه)
cuttle-fish /'kʌtlfɪʃ/ *n* ماهی مرکب
cwt [مختصر hundredweight]
cycle /'saɪkl/ *n,vi* ۱.گردش، دور؛ چرخ ۲.دوچرخه‌سواری کردن
cycling *n* دوچرخه سواری
cyclist /'saɪklɪst/ *n* دوچرخه‌سوار
cyclone /'saɪkləʊn/ *n* گردباد؛ تندباد
cylinder /'sɪlɪndə(r)/ *n* استوانه
cylindrical /sɪ'lɪndrɪkl/ *adj* استوانه‌ای
cymbal /'sɪmbl/ *n* سنج
cynical /'sɪnɪkl/ *adj* بدگمان نسبت به درستی و نیکوکاری بشر؛ غرغرو، عیبجو
cypher /'saɪfə(r)/ = cipher
cypress /'saɪprəs/ *n* درخت سرو
cyst /sɪst/ *n* کیست، کیسه؛ مثانه؛ تخمدان
cystalgia /sɪs'tældʒeə/ *n* درد مثانه
cystitis /sɪ'staɪtɪs/ *n* ورم مثانه
cystoscopy /sɪ'stɒskəpɪ/ *n* معاینهٔ مثانه
czar /zɑ:(r)/ *n* قیصر، تزار

D,d

D,d /di:/ *n* چهارمین حرف الفبای انگلیسی
dab /dæb/ *vt* [-bed] آهسته زدن؛ آهسته‌تر کردن، مالیدن
dabble /'dæbl/ *vt,vi* ۱.تر کردن؛ آغشتن ۲.آب‌بازی کردن؛ زدن (به آب یا جاده)؛ به‌طور تفریحی کاری را کردن
dad(dy) /'dædɪ/ *n* باباجان، آقاجان
daffodil /'dæfədɪl/ *n* نرگسِ زرد
dagger /'dægə(r)/ *n* خنجر
Dago /'deɪgəʊ/ *n,US,Sl* (کُنیه) اسپانیایی و پرتقالی و ایتالیایی
dahlia /'deɪlɪə US: 'dælɪə/ *n* گل کوکب
daily /'deɪlɪ/ *adj,adv,n* ۱.روزانه ۲.روز به روز ۳.روزنامهٔ یومیه
daily (help) مستخدم زن روز(انه)
daintiness *n* سلیقه یا ذوق لطیف
dainty /'deɪntɪ/ *adj,n* ۱.لذیذ؛ قشنگ؛ (دارای ذوق) لطیف، مشکل‌پسند ۲.خوراک لذیذ، نعمت
dairy /'deərɪ/ *n* کره‌سازی؛ شیرفروشی، لبنیات‌فروشی
dairy products لبنیات
dairy farm /'deərɪ fɑ:m/ *n* کارخانه لبنیات‌سازی
dairyman /'deərɪmən/ *n* لبنیات‌فروش
dais /'deɪɪs/ *n* شاه‌نشین
daisy /'deɪzɪ/ *n* گل مُروارید
oxeye daisy گلِ داودی
dale /deɪl/ *n* درّهٔ کوچک
dalliance /'dælɪəns/ *n* وقت‌گذرانی
dally /'dælɪ/ *vi* وقت گذرانیدن؛ طفره زدن؛ (عشق) بازی کردن؛ ور رفتن
dam /dæm/ *n,vt* [-med] ۱.بند، سدّ؛ جدار، حایل ۲.بستن، سد کردن
dam /dæm/ *n* مادر [درگفتگوی‌از حیوان]
damage /'dæmɪdʒ/ *n,vt* ۱.زیان؛ آفت؛ [در جمع] تاوان، خسارت ۲.زیان زدن، خسارت وارد آوردن بر،معیوب کردن
Damascus /de'mæskəs/ *n* دمشق
damask /'dæməsk/ *n,vt* ۱.حریر، کتانی گلدار؛ پارچهٔ رومیزی موجی ۲.گلدار کردن، موجدار کردن

dame /deɪm/ *n,Poet* بانو، کدبانو؛ مدیره؛ زن شوالیه
 Dame nature مادر طبیعت
damn /dæm/ *vt,n* ۱.بد دانستن؛ لعنت کردن ۲.لعنت، فحش
 Damn...! مرده‌شور ببرد...
 I'll be damned if I'll go (Col) سی سال نخواهم رفت
damnable /'dæmnəbl/ *adj* سزاوار لعنت؛ [در گفتگو] خیلی بد
damnation /dæm'neɪʃn/ *n* هلاکت
damp /dæmp/ *n,adj,vt* ۱.نم، رطوبت؛ [مجازاً] افسردگی ۲.مرطوب ۳.مرطوب ساختن؛ خفه کردن (آتش)
 cast a damp over مأیوس کردن، پَکَر کردن
 damp *(vt)* someone's spirits روح کسی را افسرده کردن، کسی را مأیوس کردن، کسی را پَکَر کردن
dampen /'dæmpən/ *vt* (دل) سرد کردن
damper /'dæmpə(r)/ *n* خفه‌کن، عایق؛ [مجازاً] مایهٔ سردی، آیهٔ یأس
dampness *n* نمناکی، رطوبت
damsel /'dæmzl/ *n* دوشیزه، دختر
damson /'dæmzn/ *n* آلوچه
dance /dɑ:ns US: dæns/ *n,v* ۱.رقص؛ رِنگ رقص ۲.رقصیدن؛ رقصاندن
 have a dance رقصیدن
 lead one a dance کسی را توی دردسر انداختن، کسی را دست به سر کردن، کسی را به رقص واداشتن
 give a dance مجلس رقص دایر کردن
dancer *n* رقص‌کننده، رقاص
dandelion /'dændɪlaɪən/ *n* گلِ زرد کوچکی که تخم آن را قاصد گویند
dandle /'dændl/ *vt* نوازش کردن
dandruff /'dændrʌf/ *n* شورهٔ سر
dandy /'dændɪ/ *n* ژیگولو
dandy /'dændɪ/ *adj,US,Col* ماه [یعنی خیلی خوب]
Dane /deɪn/ *n* دانمارکی، اهل‌دانمارک
danger /'deɪndʒə(r)/ *n* خطر
 He is in danger of losing his money. احتمال دارد که پولش از دست برود، پولش در خطر است.
 It is a danger to... برای... خطر دارد
 be at danger در معرض خطر بودن
dangerous /'deɪndʒərəs/ *adj* خطرناک
dangle /'dæŋgl/ *vi,vt* ۱.به‌دنبال افتادن، پرسه زدن ۲.آویزان کردن

Danish /'deɪnɪʃ/ *adj,n* دانمارکی
dank /dæŋk/ *adj* مرطوب و سرد
dapper /'dæpə(r)/ *adj* پاکیزه؛ زرنگ
dapple /'dæpl/ *vt,n* ۱.لکه‌لکه کردن، ابری کردن ۲.لکه، خال
dapple-grey /,dæpl'greɪ/ *adj* اَبرَش، خال‌خال، خاکستری
dare /deə(r)/ *vi,vt* [dared;durst] ۱.جرئت کردن ۲.به‌مبارزه طلبیدن؛ تشجیع کردن؛ مواجه شدن، مبارزه کردن با
 I dare say به جرئت می توان گفت، احتمال دارد
 He dare not go. جرئت ندارد برود.
dare-devil /'deədevl/ *adj,n* (آدم) بی‌پروا
daring /'deərɪŋ/ *n,adj* (با) جرئت
dark /dɑ:k/ *adj,n* ۱.تاریک؛ سبزه؛ سیر [در رنگ]؛ پوشیده ۲.تاریکی
 grow dark تاریک شدن
 at dark در شب، هنگام شب
 look on the dark side of things جنبهٔ بدِ اوضاع را دیدن، با عینک بدبینی به اوضاع نگاه کردن
 keep dark پنهان داشتن؛ پنهان بودن
 be in the dark about از (چیزی) سر درنیاوردن، از (چیزی) بی‌خبر بودن
 the Dark Continent قارهٔ سیاهان [یعنی افریقا]
 dark horse اسبی که برخلاف انتظار برنده می‌شود؛ طلای زیر خاکستر
darken /'dɑ:kən/ *v* تاریک کردن؛ تاریک شدن؛ تیره کردن؛ تیره شدن
darkling *adv,adj* ۱.در تاریکی ۲.در تاریکی واقع‌شونده؛ تیره، تاریک
darkness *n* تاریکی؛ جهل؛ نامعلومی
darling /'dɑ:lɪŋ/ *n* محبوب، عزیز
darn /dɑ:n/ *vt* رفو کردن
dart /dɑ:t/ *n,v* ۱.نیزه؛ تیر؛ حرکت تند، پرش ۲.نیزه یا تیر زدن؛ پرتاب کردن؛ پریدن
dash /dæʃ/ *vt,vi,n* ۱.خرد کردن؛ پرت کردن؛ زیر (چیزی را) خط کشیدن؛ [با off] تند نوشتن ۲.تصادم کردن؛ حمله کردن؛ خودنمایی کردن ۳.تصادم؛ ترشح؛ فعالیت؛ خط تیره (-)
 dash one's hopes امید کسی را ناامید کردن
 cut a dash خودنمایی کردن، جلوه کردن
 make a dash for عجله کردن برای پیدا کردن (چیزی)
 make a dash at حمله کردن به
dashboard /'dæʃbɔ:d/ *n* [در درشکه] گلگیر؛ [در اتومبیل] داشبرد

dashing *adj* بی‌باک؛ بی‌باکانه
dastard /ˈdæstəd/ *n* نامرد
dastardly /ˈdæstədlɪ/ *adj* نامرد؛ ناجوانمردانه
data /ˈdeɪtə,ˈdɑ:tə US: ˈdætə/ *npl* [*pl of* datum] مفروضات، دانسته‌ها؛ اطلاعات، سوابق
date /deɪt/ *n,vt,vi* ۱.تاریخ؛ وعدهٔ ملاقات، قرار ۲.تاریخ گذاشتن ۳.شروع شدن
out of date کهنه، منسوخ
up to date نو، امروزی، روزآمد
to date در این تاریخ، تا این تاریخ
date /deɪt/ *n* خرما
dated *pp,adj* مورّخ؛ تاریخ‌دار
date-palm /ˈdeɪt pɑ:m/ *n* درخت خرما، نخل
dative /ˈdeɪtɪv/ *adj* اعطایی؛ انتصابی
daub /dɔ:b/ *vt,n* ۱.اندودن؛ بد رنگ کردن ۲.اندود؛ نقاشی بد
daughter /ˈdɔ:tə(r)/ *n* (فرزند) دختر
daughter-in-law /ˈdɔ:tər ɪn lɔ:/ *n* عروس: زن پسر
daunt /dɔ:nt/ *vt* ترسانیدن
dauntless /ˈdɔ:ntlɪs/ *adj* بی‌باک، بی‌پروا
dauphin /ˈdɔ:fɪn/ *n* (لقب) پسر ارشد پادشاه فرانسه
davenport /ˈdævnpɔ:t/ *n* میزتحریر کوچک؛ [در امریکا] نیمکت
dawdle /ˈdɔ:dl/ *vi,vt* بیهوده (وقت) گذرانیدن
dawn /dɔ:n/ *n,vi* ۱.طلوع ۲.دمیدن، طلوع کردن؛ نمایان شدن
day /deɪ/ *n* روز؛ [در جمع] ایام
all day long در تمام روز
by day در روز، روزانه
by the day روزانه
the other day چند روز پیش
every other day یک‌روز در میان
day by day روز به روز، هر روز
this day week یک‌هفته از امروز
to a day دقیقاً، [در تعیین تاریخ]
day after day هر روز، همه روزه
day in (and) day out هر روز، پیوسته
daybook /ˈdeɪbʊk/ *n* روزنامه [در دفترداری]
day-boy /ˈdeɪbɔɪ/ *n* دانش‌آموز روزانه
daybreak /ˈdeɪbreɪk/ = dawn *n*
daylight /ˈdeɪlaɪt/ *n* (روشنی) روز
day-long /ˈdeɪlɔ:ŋ/ *adj,adv* ۱.یکروزه ۲.در تمامی روز، همه‌روزه
daytime /ˈdeɪtaɪm/ *n* روز، مدت روز
daze /deɪz/ *vt* گیج کردن؛ خیره کردن

dazzle /ˈdæzl/ *vt,vi* ۱.خیره کردن ۲.خیره شدن
DD = Doctor of Divinity دکتر در الهیات
deacon /ˈdi:kən/ *n* شمّاس، خادم معبد و کلیسا
dead /ded/ *adj,adv* ۱.مرده؛ راکد ۲.به‌کلی؛ درست، مستقیماً؛ بی‌برگشت، بی‌واکنش
half dead نیمه‌جان
dead drunk مست خراب، مست لایعقل
dead freight کرایه قسمتی از کشتی که قطع نظر از استفاده یا عدم استفاده از آن باید پرداخته شود
dead lift; dead pull کوشش بیهوده
dead heat برابری کامل در مسابقهٔ دو
dead hours ساعات خاموشی در شب
dead pan *Sl* قیافهٔ مات و بی‌حالت
dead weight وزن وسیلهٔ نقلیه بدون بار
the dead *(n)* **of night** نصف‌شب
deaden /ˈdedn/ *vt,vi* ۱.کشتن؛ بی‌حس کردن؛ بی‌رونق کردن ۲.بی‌حس شدن، بی‌جان شدن
deadlock /ˈdedlɒk/ *n* بن‌بست
deadly /ˈdedlɪ/ *adj,adv* ۱.کشنده، مهلک؛ متعلق به‌مرده؛ سرسخت ۲.مرده‌وار؛ سخت، زیاد
deadly sin گناه بزرگ، کبیره
deaf /def/ *adj* کر؛ سنگین‌گوش؛ پوک
be deaf to; turn a deaf ear to بی‌اعتنا بودن به
deafen /ˈdefn/ *vt* کر کردن
deafness *n* کری؛ سنگین‌گوشی
deal /di:l/ *n* مقدار، اندازه، قدر
a great (*or* good) deal of trouble زحمت زیاد، دردسر زیاد
deal /di:l/ *vi,vt* [dealt] ۱.معامله کردن؛ اقدام کردن؛ بحث کردن ۲.بخش کردن، دادن [با out]؛ توزیع کردن؛ مورد بحث قرار دادن
deal /di:l/ *n* معامله؛ برنامه، روش، ترتیب؛ [در بازی] دور، نوبت
give someone a square deal منصفانه با کسی رفتار کردن
deal a blow ضربت زدن
deal with بحث کردن در رفتار، معامله کردن با، اقدام یا رسیدگی کردن
deal /di:l/ *n* چوب کاج، چوب سفید
dealer /ˈdi:lə(r)/ *n* فروشنده، دلال
dealing /ˈdi:lɪŋ/ *n* معامله؛ رفتار
dealt /delt/ [*p,pp of* deal]
dean /di:n/ *n* ناظمِ دانشکده؛ شیخ
dear /dɪə(r)/ *adj* عزیز؛ گران (فروش)
I paid dear for it. برایم گران تمام شد.
dearth /dɜ:θ/ *n* کمیابی، گرانی
death /deθ/ *n* مرگ، درگذشت

catch one's death of cold سرمای سخت و مهلک خوردن
war to the death جنگ تا آخرین نفس
at death's door دم مرگ، درخطر مرگ
put to death کشتن، به‌قتل رسانیدن
death duties /'deθ dju:ti:z/ *npl* مالیات بر ارث
deathful *or* **-like** *adj* مرگبار
deathly /'deθlɪ/ *adj,adv* ۱.کشنده؛ مرگبار ۲.مرده‌وار
débâcle /deɪ'bɑ:kl/ *n,Fr* شکست ناگهانی؛ سقوط؛ درهم شکستن یخ (در رودخانه)
debar /dɪ'bɑ:(r)/ *vt* [-red] محروم کردن؛ باز داشتن
debark /dɪ'bɑ:k/ = disembark
debase /dɪ'beɪs/ *vt* پَست کردن، کم‌بها کردن
debatable /dɪ'beɪtəbl/ *adj* قابل بحث
debate /dɪ'beɪt/ *n,v* ۱.مناظره ۲.مباحثه کردن (در)
debauch /dɪ'bɔ:tʃ/ *vt,n* ۱.بدراه کردن ۲.هرزگی، فسق
debauchery /dɪ'bɔ:tʃərɪ/ *n* عیاشی، فسق، هرزگی
debenture /dɪ'bentʃə(r)/ *n* سهم قرضه
debilitate /dɪ'bɪlɪteɪt/ *vt* ضعیف کردن
debility /dɪ'bɪlətɪ/ *n* ناتوانی، ضعف
debit /'debɪt/ *n,vt* ۱.(ستون) بدهی ۲.به‌حساب بدهی (کسی) گذاشتن، بدهکار کردن
debit a person with a sum *or* **debit a sum to a person** مبلغی رابه حساب بدهی‌کسی گذاشتن (یا پای او نوشتن)
debit note برگ بدهکار(ی)
debonair /,debə'neə(r)/ *adj* مهربان، خوشخو
debris /'deɪbri: US: də'bri:/ *n,Fr* آثار؛ نخاله
debt /det/ *n* بدهی، قرض، دین
bad debt طلب لاوصول، طلب سوخته
in debt مقروض، بدهکار
get into debt مقروض شدن
debt of nature اجل، مرگ
debtor /'detə(r)/ *n* بدهکار، مدیون
début /'deɪbju: US: dɪ'bju:/ *n,Fr* نخستین عرض‌اندام در جامعه یا روی صحنه
débutant /'debju:tɑ:nt/ *n,Fr* کسی که برای نخستین بار به جامعه یا به صحنهٔ نمایش وارد می‌شود؛ [با داشتن حرف e در آخر] دختری که (به پادشاه یا به ملکه) معرفی می‌شود
decade /'dekeɪd/ *n* دهه،دورهٔ دهساله
decadence /'dekədəns/ *n* زوال، فساد؛ تنزل
decadent /'dekədənt/ *adj* زایل شونده؛ رو به انحطاط گذارنده
decamp /dɪ'kæmp/ *vi* کوچیدن؛ گریختن
decant /dɪ'kænt/ *vt* ظرف به ظرف کردن؛ آهسته خالی کردن
decanter *n* تُنگ
decapitate /dɪ'kæpɪteɪt/ *vt* سر بریدن
decay /dɪ'keɪ/ *n,vi,vt* ۱.پوسیدگی، زوال ۲.پوسیدن؛ رو به‌ضعف گذاشتن ۳.فاسد کردن
decease /dɪ'si:s/ *n,vi* ۱.مرگ، فوت ۲.مردن
deceased *ppa* مرده، (شخص) متوفی [با the]
deceit /dɪ'si:t/ *n* فریب؛ تقلب
deceitful /dɪ'si:tfl/ *adj* متقلب؛ فریبکار
deceive /dɪ'si:v/ *vt* فریب دادن، گول زدن
December /dɪ'sembə(r)/ *n* دسامبر (دوازدهمین ماه سال میلادی)
decency /'di:snsɪ/ *n* شایستگی، خوبی؛ محجوبیت؛ ظرافت
decent /'di:snt/ *adj* پاکیزه؛ محجوب؛ شایسته؛ به‌قدر کفایت خوب
deception /dɪ'sepʃn/ *n* فریب
deceptive /dɪ'septɪv/ *adj* فریب‌آمیز
decide /dɪ'saɪd/ *v* تکلیف (چیزی را) معین کردن؛ تصمیم گرفتن (در)؛ فتوا دادن
decided *ppa* معین، قطعی
decidedly /dɪ'saɪdlɪ/ *adv* به‌طور قطع
deciduous /dɪ'sɪdjʊəs,dɪ'sɪdʒʊəs/ *adj* خزان‌دار، برگ‌ریز
decigramme /'desəgræm/ *n* یک‌دهم گرم، دسی‌گرم
decilitre /'desɪli:tə(r)/ *n* یک‌دهم لیتر، دسی‌لیتر
decimal /'desɪml/ *adj,n* ۱.اعشاری ۲.اعشار
decimal point ممیز، نقطهٔ اعشار
decimate /'desɪmeɪt/ *vt* عدهٔ زیادی از (مردم) را کشتن
decimeter /'desɪmi:tə(r)/ *n* یک‌دهم متر، دسی‌متر
decipher /dɪ'saɪfə(r)/ *vt* از حالت رمز درآوردن، استخراج کردن
decision /dɪ'sɪʒn/ *n* تصمیم؛ رأی
arrive at (*or* **come to) a decision** تصمیم گرفتن
decisive /dɪ'saɪsɪv/ *adj* قطعی
deck /dek/ *n,vt* ۱.پل کشتی، عرشهٔ کشتی ۲.آراستن؛ زینت کردن

declaim /dɪ'kleɪm/ *vi* سخنوری کردن، با حرارت نطق کردن؛ رجزخوانی کردن
declamation /ˌdeklə'meɪʃn/ *n* سخنرانی، خطابه؛ رجزخوانی
declaration /ˌdeklə'reɪʃn/ *n* اظهار؛ اظهارنامه؛ اعلان
declare /dɪ'kleə(r)/ *vt* اظهار کردن؛ اعلان جنگ کردن [declare war]؛ قلمداد کردن؛ بیان کردن
declare off قطع معامله کردن (با)
declension /dɪ'klenʃn/ *n* زوال؛ تنزل؛ صرف اسم یا ضمیر
decline /dɪ'klaɪn/ *n,vi,vt* ۱.کاهش، تنزل، نقصان؛ زوال، انحطاط؛ افول ۲.خم شدن؛ رو به زوال گذاردن؛ تنزل کردن ۳.رد کردن؛ امتناع ورزیدن از؛ صرف کردن (اسم یا ضمیر)
declivity /dɪ'klɪvətɪ/ *n* سرازیری، نشیب
declutch /ˌdi:'klʌtʃ/ *vi* کلاچ اتومبیل را گرفتن
decode /ˌdi:'kəʊd/ *vt* از حالت رمز خارج کردن
décolleté /deɪ'kɒlteɪ US: -kɒl'teɪ/ *adj,Fr* یقه‌باز؛ دکلته‌پوش
decommission /ˌdi:kə'mɪʃn/ *vt* از کار انداختن، خواباندن
decompose /ˌdi:kəm'pəʊz/ *v* متلاشی کردن؛ متلاشی شدن
decomposition /ˌdi:kɒmpə'zɪʃn/ *n* انحلال، تجزیه؛ فساد، تلاشی
decorate /'dekəreɪt/ *vt* آرایش دادن؛ آذین بستن؛ اعطای نشان کردن (به)
decoration /ˌdekə'reɪʃn/ *n* آرایش؛ نشان
wear a decoration نشان زدن
decorative /'dekərətɪv US: 'dekəreɪtɪv/ *adj* تزیینی
decorator /'dekəreɪtə(r)/ *n* متخصص آرایش داخلی ساختمانها، دکوراتور
decorous /'dekərəs/ *adj* شایسته، مناسب
decorum /dɪ'kɔ:rəm/ *n* آداب(دانی)
decoy /'di:kɔɪ/ *n,vt* ۱.مُرغ دام، کفتر پرقیچی ۲.به‌دام انداختن
decrease /dɪ'kri:s/ *vi,vt* ۱.کم شدن ۲.کم کردن، کسر کردن
decrease /'di:kri:s/ *n* کاهش، نقصان، کسر
on the decrease رو به کاهش گذارنده
decree /dɪ'kri:/ *n,v* ۱.تصویب‌نامه؛ حکم ۲.مقرر داشتن

decrepit /dɪ'krepɪt/ *adj* خیلی پیر
decrepitude /dɪ'krepɪtju:d US: -tu:d/ *n* فرتوتی، از کارافتادگی
decry /dɪ'kraɪ/ *vt* تقبیح کردن؛ بی‌بها کردن
dedicate /'dedɪkeɪt/ *vt* اهدا کردن
dedication /ˌdedɪ'keɪʃn/ *n* اهدا؛ اختصاص
deduce /dɪ'dju:s/ *vt* استنتاج کردن
deduct /dɪ'dʌkt/ *vt* کسر کردن
deduction /dɪ'dʌkʃn/ *n* کسر، کاهش، وضع؛ استنتاج، قیاس
deductive /dɪ'dʌktɪv/ *adj* قیاسی
deed /di:d/ *n* عمل، کردار؛ قباله، سند
deem /di:m/ *vt* دانستن، فرض کردن
deep /di:p/ *adj,n* ۱.گود، عمیق؛ سیر؛ سنگین [deep sleep]؛ زیاد؛ غیرسطحی؛ تودار؛ ناقلا ۲.جای گود؛ ورطه؛ [با the] عمیقترین نقطهٔ دریا
How deep is that well? گودی (یا عمق) آن چاه چقدر است؟
It is 2 metres deep. گودی آن ۲ متر است، دو متر گودی دارد.
a deep thinker شخص فکور
go deep *(adj)* **into** تعمق کردن در
deepen /'di:pən/ *v* گود کردن؛ گود شدن
deeply /'di:plɪ/ *adv* گود؛ تا ته؛ از ته؛ بسیار، زیاد؛ سخت، به‌شدت
deep-rooted /ˌdi:p 'ru:tɪd/ *adj* ریشه‌کرده، عمیق
deep-seated /ˌdi:p 'si:tɪd/ *adj* عمیق؛ محرز
deer /dɪə(r)/ *n* [deer] گوزن
deface /dɪ'feɪs/ *vt* بدشکل کردن
de facto /ˌdeɪ 'fæktəʊ/ *adj,adv,L* بالفعل، قطع‌نظر از استحقاق، با در نظر گرفتن یک عمل انجام‌شده
defamation /ˌdefə'meɪʃn/ *n* افترا
defamatory /dɪ'fæmətrɪ US: -tɔ:rɪ/ *adj* افتراآمیز
defame /dɪ'feɪm/ *vt* رسوا کردن، مفتضح کردن
defatted /dɪ'fætɪd/ *adj* چربی گرفته [به معنی بی‌چربی]
default /dɪ'fɔ:lt/ *n,vi,vt* ۱.کوتاهی، قصور؛ غفلت؛ عدم حضور، غیبت ۲.کوتاهی کردن، قصور ورزیدن؛ حاضر نشدن ۳.از عهدهٔ پرداخت... برنیامدن؛ نکول کردن
judgment by default حکم غیابی
defeat /dɪ'fi:t/ *n,vt* ۱.شکست ۲.شکست دادن؛ الغا کردن

defect /ˈdi:fekt,dɪˈfekt/ *n* عیب، نقص
defective /dɪˈfektɪv/ *adj* ناقص
defence /dɪˈfens/ *n* دفاع؛ حمایت؛ بهانه؛ [در جمع] استحکامات
defenceless *adj* بی‌پناه، بیچاره
defend /dɪˈfend/ *vt* دفاع کردن (از)، حمایت کردن؛ دفع کردن
defendant /dɪˈfendənt/ *n* خوانده، مدعی‌علیه
defender *n* دفاع‌کننده، مدافع
defense /dɪˈfens/ *US* = defence
defensive /dɪˈfensɪv/ *adj* تدافعی
defer /dɪˈfɜ:(r)/ *vt,vi* [-red] ۱.به تعویق انداختن ۲.درنگ کردن، تن در دادن؛ احترام گذاردن
deference /ˈdefərəns/ *n* حرمت، احترام، شنوایی؛ تمکین
pay deference to حرمت گزاردن به، شنوایی داشتن از
in deference to به پاس احترامِ، به ملاحظهٔ
deferential /ˌdefəˈrenʃl/ *adj* حرمتگذار
deferred *ppa* عقب افتاده؛ معوّق
defiance /dɪˈfaɪəns/ *n* مبارزطلبی؛ بی‌اعتنایی؛ مخالفت
bid defiance to به مبارزه خواندن؛ شیر کردن، تشجیع کردن
in defiance of علی‌رغمِ
set at defiance = defy
defiant /dɪˈfaɪənt/ *adj* بی‌اعتنا؛ جسور
deficiency /dɪˈfɪʃnsɪ/ *n* نقص، کمبود، کسر؛ عدم
deficient /dɪˈfɪʃnt/ *adj* ناقص
deficit /ˈdefɪsɪt/ *n* کسر عمل، کسر بودجه، کمبود
defile /dɪˈfaɪl/ *vt* ملوث کردن؛ بی‌عفت کردن، بی‌صورت کردن
defile /dɪˈfaɪl/ *vi,n* ۱.به ستون یک رفتن ۲.گردنه، تنگه
define /dɪˈfaɪn/ *vt* تعریف کردن
definite /ˈdefɪnət/ *adj* معین، قطعی
definite article حرف تعریف [مانند the]
definitely /ˈdefɪnətlɪ/ *adv* به‌طور قطعی
definition /ˌdefɪˈnɪʃn/ *n* تعریف
definitive /dɪˈfɪnətɪv/ *adj* قطعی
deflate /dɪˈfleɪt/ *vt* ازباد خالی‌کردن؛ از حال تورم درآوردن، پایین آوردن
deflect /dɪˈflekt/ *v* کج کردن؛ کج شدن
deflower /ˌdi:ˈflaʊə(r)/ *vt* ازالهٔ بکارت کردن از، تصرف کردن

deforest /ˌdi:ˈfɒrɪst US: -ˈfɔ:r-/ *vt* از حالت جنگلی درآوردن، تسطیح کردن
deform /dɪˈfɔ:m/ *vt* از شکل طبیعی خارج کردن
deformity /dɪˈfɔ:mətɪ/ *n* بدشکلی، خلقتِ ناقص؛ تغییر شکل (مادرزادی)
defraud /dɪˈfrɔ:d/ *vt* گول زدن
defray /dɪˈfreɪ/ *vt* پرداختن
defrayal /dɪˈfreɪəl/ *n* = defrayment
defrayment *n* پرداخت
deft /deft/ *adj* زبردست، ماهر؛ ماهرانه
defunct /dɪˈfʌŋkt/ *adj* مرده، متوفی
defy /dɪˈfaɪ/ *vt* به‌مبارزه طلبیدن؛ بی‌اعتنایی کردن به؛ مخالفت کردن با؛ دشوار کردن، محال ساختن
degenerate /dɪˈdʒenəreɪt/ *vi* فاسد شدن، رو به انحطاط گذاردن
degenerate /dɪˈdʒenərət/ *adj* فاسد (شده)
degeneration /dɪˌdʒenəˈreɪʃn/ *n* افساد؛ فسادِ تدریجی، فساد نژادی
degradation /ˌdegrəˈdeɪʃn/ *n* پستی؛ تنزل
degrade /dɪˈgreɪd/ *vt* پست کردن، تنزل (رتبه) دادن؛ فاسد کردن
degree /dɪˈgri:/ *n* درجه؛ رتبه
by degrees کم‌کم، به‌تدریج
dehydrate /ˌdi:ˈhaɪdreɪt/ *vt* آب (چیزی را) گرفتن
deify /ˈdi:ɪfaɪ/ *vt* خدا ساختن
deign /deɪn/ *vt,vi* ۱.لطف کردن، محبت کردن؛ کسرِ خود ندانستن ۲.فروتنی کردن
deity /ˈdi:ɪtɪ/ *n* خدآیی، الوهیت
dejected /dɪˈdʒektɪd/ *ppa* افسرده، دل‌شکسته
dejection /dɪˈdʒekʃn/ *n* افسردگی
de jure /ˌdeɪ ˈdʒʊərɪ/ *adj,adv,L* بالاستحقاق، با تصدیق استحقاق، حقوقی، قانونی
delay /dɪˈleɪ/ *n,vi,vt* ۱.درنگ، دیرکرد، تأخیر؛ معطلی ۲.درنگ کردن، معطل کردن ۳.به تأخیر انداختن
delectation /ˌdi:lekˈteɪʃn/ *n* خوشی، لذت
delegate /ˈdelɪgeɪt/ *vt* به نمایندگی اعزام کردن؛ مأمور کردن
delegate /ˈdelɪgət/ *n* نماینده، وکیل، مأمور
delegation /ˌdelɪˈgeɪʃn/ *n* نمایندگی؛ اعزامِ نماینده؛ هیئت نمایندگان
delete /dɪˈli:t/ *vt* پاک کردن
deleterious /ˌdelɪˈtɪərɪəs/ *adj* زیان‌آور
deletion /dɪˈli:ʃn/ *n* محو؛ حذف

deliberate /dɪ'lɪbəreɪt/ *v* مشورت کردن؛ اندیشه کردن
deliberate /dɪ'lɪbərət/ *adj* سنجیده؛ دانسته؛ عمدی؛ بااحتیاط، باملاحظه
deliberation /dɪˌlɪbə'reɪʃn/ *n* سنجش؛ مشورت
deliberative /dɪ'lɪbərətɪv US: -reɪtɪv/ *adj* مبنی بر مشورت و تأمل، تدبیرآمیز
delicacy /'delɪkəsɪ/ *n* ظرافت، لطافت؛ سلیقه زیاد؛ نزاکت؛ چیز لذیذ
delicate /'delɪkət/ *adj* ظریف، لطیف؛ لذیذ؛ باریک [delicate situation]، حساس، زودرنج؛ دشوار
delicious /dɪ'lɪʃəs/ *adj* لذیذ
delight /dɪ'laɪt/ *n,vt,vi* ۱.خوشی، لذت، رغبت ۲.لذت دادن، مشعوف کردن ۳.لذت بردن
take delight in something از چیزی لذت بردن
delighted *ppa* مشعوف
delightful /dɪ'laɪtfl/ *adj* لذت‌بخش، مطبوع
delimit(ate) /di:'lɪmɪt/ *vt* حدود (چیزی را) تعیین کردن
delimitation /di:ˌlɪmɪ'teɪʃn/ *n* تحدید حدود
delineate /dɪ'lɪnɪeɪt/ *vt* طرح کردن، رسم کردن
delineation /dɪˌlɪnɪ'eɪʃn/ *n* طرح؛ توصیف
delinquency /dɪ'lɪŋkwənsɪ/ *n* غفلت؛ قصور
delinquent /dɪ'lɪŋkwənt/ *adj,n* غافل، مقصر، مجرم
delirious /dɪ'lɪrɪəs/ *adj* هذیانی
delirium /dɪ'lɪrɪəm/ *n* هذیان
deliver /dɪ'lɪvə(r)/ *vt* رهایی دادن؛ تحویل دادن؛ ایراد کردن (نطق)
deliver up (*or* over) تسلیم یا واگذار کردن
be delivered of زاییدن
deliverance /dɪ'lɪvərəns/ *n* رهایی
delivery /dɪ'lɪvərɪ/ *n* تحویل؛ تسلیم؛ قبض و اقباض؛ ادا، ایراد؛ وضع حمل
take delivery of تحویل گرفتن
dell /del/ *n* درهٔ کوچک
delphinium /del'fɪnɪəm/ *n* گُل زبان‌درقفا
delta /'deltə/ *n* دلتا، زمین آبرفتی واقع در دهانهٔ رودخانه
deltoid /'deltɔɪd/ *adj* سه‌گوش
delude /dɪ'lu:d/ *vt* اغفال کردن
deluge /'delju:dʒ/ *n* سیل، طوفان
delusion /dɪ'lu:ʒn/ *n* فریب، اغفال؛ خیال باطل، دلخوشی بی‌اساس
delusive /dɪ'lu:sɪv/ *adj* موهوم، بی‌اساس
de luxe /də 'lʌks,-'lʊks/ *adj,Fr* تجملی
delve /delv/ *v* کاوش یا بررسی کردن
demagogue /'deməgɒg/ *n* شخص عوام‌فریب یا هوچی
demagogy /'deməgɒgɪ/ *n* عوام‌فریبی
demand /dɪ'mɑ:nd US: -'mænd/ *n,vt* ۱.تقاضا؛ مطالبه ۲.تقاضا کردن، مطالبه کردن؛ احتیاج داشتن؛ ایجاب کردن
be in demand خریدار یا طالب داشتن
demarcate /'di:mɑ:keɪt/ *vt* تعیین حدود کردن؛ نشان گذاردن
demarcation /ˌdi:mɑ:'keɪʃn/ *n* تعیین حدود
demean /dɪ'mi:n/ *vt* خوار کردن
demeanour /dɪ'mi:nə(r)/ *n* رفتار، سلوک، وضع، حرکت
demented /dɪ'mentɪd/ *ppa* دیوانه
demerit /di:'merɪt/ *n* ناشایستگی؛ عیب
demesne /dɪ'meɪn/ *n* ملک شخصی یا متصرّفی؛ تصرّف مالکانه
demi- نیم، نیمه [در ترکیب]
demise /dɪ'maɪz/ *n,vt* ۱.واگذاری؛ مرگ ۲.انتقال دادن، (با وصیت) واگذاردن
demobilize /di:'məʊbəlaɪz/ *vt* از حالت بسیج به حالت صلح درآوردن
democracy /dɪ'mɒkrəsɪ/ *n* حکومتِ ملی، دموکراسی
democrat /'deməkræt/ *n* دمکرات
democratic /ˌdemə'krætɪk/ *adj* مبنی بر اصول دموکراسی، دموکراتیک؛ بی‌اعتنا نسبت به اختلافات طبقاتی
demolish /dɪ'mɒlɪʃ/ *vt* خراب‌کردن
demolition /ˌdemə'lɪʃn/ *n* ویرانی؛ ویران‌سازی، تخریب
demon /'di:mən/ *n* دیو؛ شیطان
demonstrate /'demənstreɪt/ *vt* ثابت کردن، مدلل کردن؛ شرح دادن
demonstration /ˌdemən'streɪʃn/ *n* اثبات؛ دلیل، برهان، شرح؛نمایش، تظاهر
demonstrative /dɪ'mɒnstrətɪv/ *adj,n* ۱.مثبت؛ اشاره‌کننده ۲.اسم اشاره [صفت یا ضمیر اشاره]
demoralize /dɪ'mɒrəlaɪz US: -'mɔ:r-/ *vt* فاقد حس شهامت و انضباط کردن، روحیه (کسی را) خراب کردن

demos /'di:mɒs/ *n* تودهٔ مردم، جمهور
demotion /ˌdi:'məʊʃn/ *n* تنزل درجه
demur /dɪ'mɜ:(r)/ *n,vt* [-red] مخالفت (کردن)، اعتراض (کردن)
demure /dɪ'mjʊə(r)/ *adj* سنگین، باوقار
demurrage *n* خسارت یا کرایهٔ بیکارماندگی و معطّلی (در کشتی و راه‌آهن)
den /den/ *n* غار، پناهگاه، مخفیگاه؛ کمینگاه
denature /di:'neɪtʃə(r)/ *vt* تقلیب کردن
denatured spirit الکل تقلیبی
deniable /dɪ'naɪəbl/ *adj* قابل تکذیب
denial /dɪ'naɪəl/ *n* انکار؛ تکذیب؛ رد
denizen /'denɪzn/ *n* ساکن، مقیم؛ بیگانهٔ بومی‌شده؛ جانور و گیاه اهلی‌شده
denominate /dɪ'nɒmɪneɪt/ *vt* نام گذاردن
denomination /dɪˌnɒmɪ'neɪʃn/ *n* نام(گذاری)؛ (اسم) جنس؛ واحد جنس؛ دسته، تیره
money of small denomination پول خرد
denominator /dɪ'nɒmɪneɪtə(r)/ *n* مخرجِ کسر
denote /dɪ'nəʊt/ *vt* دلالتَ کردن بر
denounce /dɪ'naʊns/ *vt* عیب گرفتن از، تقبیح کردن؛ متهم کردن؛ چغلی کردن؛ خاتمه (چیزی را) اعلان کردن
dense /dens/ *adj* غلیظ؛ متراکم؛ چگال
densely /'denslɪ/ *adv* به‌طور غلیظ؛ به‌طور انبوه یا متراکم؛ بسیار
densely crowded شلوغ، پرجمعیت
density /'densətɪ/ *n* (درجه) غلظت یا چگالی
dent /dent/ *n* گودی، تورفتگی؛ دندانه
dental /'dentl/ *adj* مربوط به دندان
dental cream خمیر دندان
dental surgeon جراح دندانپزشک
dentifrice /'dentɪfrɪs/ *n* گردِ دندان؛ خمیر دندان
dentine *n* عاج دندان
dentist /'dentɪst/ *n* دندانپزشک؛ دندانساز
dentistry /'dentɪstrɪ/ *n* دندانپزشکی؛ دندانسازی
denture /'dentʃə(r)/ *n* یک‌دست دندان مصنوعی
denude /dɪ'nju:d US: -'nu:d/ *vt* لخت کردن
denunciation /dɪˌnʌnsɪ'eɪʃn/ *n* اعلان الغا؛ اعلان خاتمه؛ تقبیح؛ اخطارِ تهدیدآمیز؛ اتهام؛ چغلی
deny /dɪ'naɪ/ *vt* انکار کردن، حاشا کردن؛ تکذیب کردن؛ روا نداشتن به
depart /dɪ'pɑ:t/ *vi* روانه شدن؛ کوچیدن؛ زایل شدن؛ منحرف شدن
the departed درگذشتگان، مردگان
department /dɪ'pɑ:tmənt/ *n* اداره؛ حوزه؛ رشته
departure /dɪ'pɑ:tʃə(r)/ *n* حرکت، عزیمت؛ رحلت؛ انحراف
depend /dɪ'pend/ *vi* مربوط بودن، موکول بودن؛ چشم داشتن، توکل کردن
Depend upon it. خاطرجمع باشید.
dependable *adj* قابل اعتماد
dependant /dɪ'pendənt/ = dependent
dependence /dɪ'pendəns/ *n* بستگی، تعلق؛ عدم‌استقلال، وابستگی؛ تابعیت؛ چشمداشت، توکل
dependency /dɪ'pendənsɪ/ *n* تابع؛ کشورِ غیرمستقل؛ وابستگی
dependent /dɪ'pendənt/ *adj,n* ۱.بسته، موکول؛ متعلق، مربوط؛ تابع؛ نیازمند ۲.وابسته، نان‌خور
depending *apa* موکول؛ نامعلوم
depict /dɪ'pɪkt/ *vt* رسم کردن؛ شرح دادن
deplete /dɪ'pli:t/ *vt* تهی کردن
depletion /dɪ'pli:ʃn/ *n* تهی‌سازی، تخلیه
deplorable /dɪ'plɔ:rəbl/ *adj* رقت‌انگیز، زار، پریشان
deplore /dɪ'plɔ:(r)/ *vt* دلسوزی کردن بر، رقت آوردن بر، اظهار تأسف کردن برایِ
deploy /dɪ'plɔɪ/ *vt* به‌حالت صف درآوردن (ستون)
depopulate /ˌdi:'pɒpjʊleɪt/ *vt* کم‌جمعیت کردن، ویران کردن
deport /dɪ'pɔ:t/ *vt* تبعید کردن
deport oneself رفتارکردن، سلوک‌کردن
deportment /ˌdɪ'pɔ:tmənt/ *n* رفتار
depose /dɪ'pəʊz/ *vt* معزول کردن؛ خلع کردن؛ گواهی دادن
deposit /dɪ'pɒzɪt/ *n,vt* ۱.سپرده، امانت؛ ته‌نشست؛ ذخیره ۲.سپردن، ودیعه گذاشتن؛ ته‌نشین کردن؛ ذخیره کردن
money on deposit پول سپرده
in deposit امانتی، به‌طور امانت
deposit money with (*or* in) the bank پول در بانک سپردن
depositary *n* امین
deposition /ˌdepə'zɪʃn/ *n* گواهیِ نوشته؛ ورقهٔ استشهاد؛ خلع
depositor /ˌdɪ'pɒzɪtə(r)/ *n* امانتگذار
depository /dɪ'pɒzɪtrɪ US: -tɔ:rɪ/ *n* انبار، مخزن، امین

depot /'depəʊ US: 'di:pəʊ/ *n* انبار؛ آمادگاه، دِپو؛ [در آمریکا] ایستگاه قطار یا اتوبوس
depraved /dɪ'preɪvd/ *adj* فاسد، بداخلاق
depravity /dɪ'prævətɪ/ *n* تباهی، هرزگی
deprecate /'deprəkeɪt/ *vt* بد دانستن
depreciate /dɪ'pri:ʃɪeɪt/ *vt* کم‌بها کردن؛ حقیر شمردن؛ مستهلک کردن
depreciation /dɪ,pri:ʃɪ'eɪʃn/ *n* کاهشِ بها، تنزل؛ استهلاک؛ خواری
depredation /,deprə'deɪʃn/ *n* غارت؛ خسارت
depress /dɪ'pres/ *vt* دلتنگ کردن؛ سست کردن؛ کساد کردن؛ گود کردن
depression /dɪ'preʃn/ *n* گودشدگی؛ کساد؛ انحطاط؛ سستی؛ افسردگی، تأثر
deprivation /,deprɪ'veɪʃn/ *n* محروم‌سازی؛ محرومیت؛ فقدان
deprive /dɪ'praɪv/ *vt* محروم کردن
depth /depθ/ *n* گودی، عمق؛ ورطه
  depth of winter چلهٔ زمستان
  I am out of my depth عقلم قد نمی‌دهد، سر در نمی‌آورم
deputation /,depjʊ'teɪʃn/ *n* هیئت نمایندگان
depute /dɪ'pju:t/ *vt* نمایندگی دادن، وکیل کردن؛ مأمور کردن
deputize /'depjʊtaɪz/ *vi* نمایندگی کردن
deputy /'depjʊtɪ/ *n* نماینده، وکیل؛ جانشین، قائم‌مقام؛ معاون
derail /dɪ'reɪl/ *vt* از خط بیرون انداختن
derange /dɪ'reɪndʒ/ *vt* برهم زدن، مختل کردن؛ دیوانه کردن
derangement *n* آشفتگی؛ اختلال؛ برهم‌زنی؛ دیوانگی
deration /di:'reɪʃn/ *vt* آزاد کردن [از جیره‌بندی]
Derby /'dɑ:bɪ US: 'dɜ:rbɪ/ *n* اسب‌دوانیِ سالیانهٔ داربی
derby /'dɜ:rbɪ/ *US* = bowler
derelict /'derəlɪkt/ *adj* متروک
deride /dɪ'raɪd/ *vt* استهزا کردن
derision /dɪ'rɪʒn/ *n* استهزا
derisive /dɪ'raɪsɪv/ *adj* مسخره‌آمیز
derivation /,derɪ'veɪʃn/ *n* اشتقاق؛ ریشه
derivative /dɪ'rɪvətɪv/ *n* کلمهٔ مشتق
derive /dɪ'raɪv/ *vt,vi* ۱.گرفتن؛ مشتق کردن ۲.سرچشمه گرفتن
derma /'dɜ:mə/ *n* زیر پوست، زیر جلد
dermatology /,dɜ:mə'tɒlədʒɪ/ مبحث امراض پوستی، پوست‌شناسی

derogate /'derəgeɪt/ *vi* کاستن
derogatory /dɪ'rɒgətrɪ US: -tɔ:rɪ/ *adj* خفّت‌آور، موهن
  It is derogatory to your dignity از شأن شما می‌کاهد
derrick /'derɪk/ *n* دکل حفّاری؛ جرثقیل
descant /'deskænt/ *vi* بسط مقال دادن
descend /dɪ'send/ *v* پایین آمدن (از)، نزول کردن؛ (به‌ارث) رسیدن
  descended from a noble family پاکزاد، بزرگ‌زاده
descendant /dɪ'sendənt/ *n* نسل
descent /dɪ'sent/ *n* نزول؛ سرازیری؛ حمله؛ نژاد؛ نسل؛ توارث
describe /dɪ'skraɪb/ *vt* شرح دادن، توصیف کردن؛ رسم کردن
description /dɪ'skrɪpʃn/ *n* شرح، توصیف؛ نوع
descriptive /dɪ'skrɪptɪv/ *adj* توصیفی
  descriptive geometry هندسهٔ ترسیمی
descry /dɪ'skraɪ/ *vt* مشاهده کردن
desecrate /'desɪkreɪt/ *vt* بی‌حرمت ساختن
desert /'dezət/ *n* بیابان، صحرا
deserts /dɪ'zɜ:ts/ *npl* شایستگی، لیاقت
  get one's deserts به سزای خود رسیدن، پاداش خود راگرفتن
desert /dɪ'zɜ:t/ *vt,vi* ۱.ترک کردن ۲.از خدمت فرار کردن
deserter *n* سرباز فراری
desertion /dɪ'zɜ:ʃn/ *n* ترک (خدمت)
deserve /dɪ'zɜ:v/ *vt* سزاوار بودن، شایسته یا لایق بودن، استحقاق داشتن
deservedly /dɪ'zɜ:vɪdlɪ/ *adv* بالاستحقاق، حقاً، به‌حق
desiccate /'desɪkeɪt/ *vt* خشک کردن
desideratum /dɪ,zɪdə'rɑ:təm/ *n* کمبود، چیز مورد نیاز
design /dɪ'zaɪn/ *n,vt* ۱.طرح؛ قصد، نیت، عمد ۲.طرح کردن؛ قصد کردن؛ درنظر گرفتن، تخصیص دادن
designate /'dezɪgneɪt/ *vt* تعیین کردن، نامزد کردن، معرفی کردن؛ تخصیص دادن
designation /,dezɪg'neɪʃn/ *n* معرفی؛ سِمت
designedly /dɪ'zaɪnɪdlɪ/ *adv* از روی قصد، عمداً
designer /dɪ'zaɪnə(r)/ *n* طرّاح
designing /dɪ'zaɪnɪŋ/ *apa* زیرک
desirability /dɪ,zaɪərə'bɪlətɪ/ *n* مرغوبیت

desirable /dɪ'zaɪərəbl/ *adj* مطلوب، مرغوب
desire /dɪ'zaɪə(r)/ *n,vt* ۱.میل، خواهش ۲.میل داشتن؛ آرزو کردن
desirous /dɪ'zaɪərəs/ *adj* مایل، آرزومند
desist /dɪ'zɪst/ *vi* دست برداشتن، دست کشیدن
desk /desk/ *n* میز تحریر
desolate /'desəleɪt/ *vt* ویران کردن
desolate /'desələt/ *adj* ویران، بی‌جمعیت؛ واگذارده، متروک؛ پریشان؛ دلتنگ‌کننده
desolation /ˌdesə'leɪʃn/ *n* ویرانی؛ ویران‌سازی؛ دلتنگی، پریشانی؛ ویرانه، جای ویران
despair /dɪ'speə(r)/ *n,vi* ۱.یأس، ناامیدی ۲.ناامید شدن
despatch /dɪ'spætʃ/ = dispatch
desperado /ˌdespə'rɑ:dəʊ/ *n* جانیِ از جان گذشته
desperate /'despərət/ *adj* نومید، مأیوس؛ بسیار سخت؛ وصول‌نشدنی، سوختنی
desperation /ˌdespə'reɪʃn/ *n* نومیدی
despicable /dɪ'spɪkəbl,'despɪkəbl/ *adj* پست، خوار، نکوهش‌پذیر، خوارشمردنی
despise /dɪ'spaɪz/ *vt* خوار شمردن
despite /dɪ'spaɪt/ *n* کینه؛ اهانت
in despite of باوجودِ؛ علی‌رغم
despite /dɪ'spaɪt/ *prep* با وجود؛ علی‌رغمِ
despoil /dɪ'spɔɪl/ *vt* غارت کردن
despond /dɪ'spɒnd/ *vi* دلسرد شدن
despondency /dɪ'spɒndənsɪ/ *n* دلسردی، افسردگی، نومیدی
despondent /dɪ'spɒndənt/ *adj* افسرده، دلسرد
despot /'despɒt/ *n* حاکم مطلق؛ ستمگر
despotic /dɪ'spɒtɪk/ *adj* مطلق، خودرأی؛ استبدادی؛ ستمگر(انه)
despotism /'despətɪzəm/ *n* استبداد
dessert /dɪ'zɜ:t/ *n* دسر، شیرینی و میوه و بستنی و غیره که پس از غذا می‌خورند
destination /'destɪ'neɪʃn/ *n* مقصد
destine /'destɪn/ *vt* در نظرگرفتن، معین کردن، مقدّر کردن؛ تخصیص دادن
destiny /'destɪnɪ/ *n* سرنوشت، تقدیر
destitute /'destɪtju:t US: -tu:t/ *adj* عاری؛ بی‌چیز
destitution /ˌdestɪ'tju:ʃn US: -'tu:ʃn/ *n* تهیدستی
destroy /dɪ'strɔɪ/ *vt* خراب کردن؛ معدوم کردن، هلاک کردن؛ باطل کردن
destroyer *n* ناوشکن
destruction /dɪ'strʌkʃn/ *n* خرابی، ویرانی؛ هلاکت؛ ویران‌سازی؛ اتلاف
destructive /dɪ'strʌktɪv/ *adj* مخرّب
destructive to moth کشندهٔ بید، بیدکُش
desuetude /dɪ'sju:ɪtju:d US: -tu:d/ *n* ترک، عدم استعمال؛ موقوف
in desuetude متروک
desultory /'desəltrɪ US: -tɔ:rɪ/ *adj* بی‌ترتیب، پرت، بی‌ربط؛ پرت‌گو
detach /dɪ'tætʃ/ *vt* جدا کردن؛ اعزام کردن
detachable /dɪ'tætʃəbl/ *adj* جداشدنی
detachable parts قطعات منفصله
detached *ppa* جدا؛ مستقل
detachment /dɪ'tætʃmənt/ *n* جداسازی؛ انفصال؛ کناره‌گیری؛ دسته، عده
detail /di:teɪl US: dɪ'teɪl/ *n* جزء، [در جمع] جزئیات تفصیل؛ ریز؛ گروه اعزامی
in detail به تفصیل، جزء به جزء
detail /di:teɪl US: dɪ'teɪl/ *vt* شرح دادن، به‌تفصیل گفتن؛ معرفی کردن؛ مأموریت دادن
detailed *ppa* مفصل؛ ریز
detain /dɪ'teɪn/ *vt* معطل کردن؛ نگه‌داشتن
detect /dɪ'tekt/ *vt* آشکار کردن
detection /dɪ'tekʃn/ *n* کشف؛ تفتیش
detective /dɪ'tektɪv/ *n* کاراگاه
detente /ˌdeɪ'tɑ:nt/ *n* تنش‌زادیی
detention /dɪ'tenʃn/ *n* بازداشت؛ نگهداری
house of detention بازداشتگاه
deter /dɪ'tɜ:(r)/ *vt* [-red] دچار ترس و تردید کردن، بازداشتن
deteriorate /dɪ'tɪərɪəreɪt/ *vt,vi* ۱.بدتر کردن؛ فاسد کردن ۲.فاسد شدن؛ رو به‌زوال گذاشتن
deterioration /dɪˌtɪərɪə'reɪʃn/ *n* زوال، فساد
determinate /dɪ'tɜ:mɪnət/ *adj* معین؛ ثابت
determination /dɪˌtɜ:mɪ'neɪʃn/ *n* تعیین؛ تصمیم
determine /dɪ'tɜ:mɪn/ *vt,vi* ۱.تعیین کردن، مشخص کردن ۲.تصمیم گرفتن
I determined on going. بر آن شدم که بروم، تصمیم گرفتم که بروم.
determined /dɪ'tɜ:mɪnd/ *ppa* مصمم؛ معیّن
deterrent /dɪ'terənt US: -'tɜ:-/ *adj* مانع، ترساننده، بازدارنده
detest /dɪ'test/ *vt* تنفر داشتن از
detestable /dɪ'testəbl/ *adj* نفرت‌انگیز
detestation /ˌdi:te'steɪʃn/ *n* (مایهٔ) نفرت

dethrone /ˌdi:ˈθrəʊn/ *vt* خلع کردن
dethronement *n* خلع، عزل
detonate /ˈdetəneɪt/ *v* با صدا منفجر شدن، با صدا منفجر کردن
detonation /ˌdetəˈneɪʃn/ *n* انفجار
detonator /ˈdetəneɪtə(r)/ *n* چاشنی
detour /ˈdi:tʊə(r) US: dɪˈtʊər/ *n,Fr* پیچ [در جاده]
  make a detour دور زدن
detract /dɪˈtrækt/ *v* کاستن
detraction /dɪˈtrækʃn/ *n* بدگویی؛ کسر(شأن)
detriment /ˈdetrɪmənt/ *n* زیان
detrimental /detrɪˈmentl/ *adj* زیان‌آور
deuce /dju:s US: du:s/ *n* دولو (ورق‌بازی)؛ بلا، آفت؛ شیطان
  the deuce of خیلی زیاد یا بزرگ
  play the deuce with برهم زدن
Deuteronomy *n* سِفر تثنیه
devastate /ˈdevəsteɪt/ *vt* ویران کردن، غارت کردن
develop /dɪˈveləp/ *vt,vi* ۱.توسعه دادن؛ قابل‌استفاده کردن، آمادهٔ بهره‌برداری کردن؛ ظاهر کردن (عکس) ۲.رو به‌تکامل گذاردن؛ آشکار شدن، پیش آمدن
development /dɪˈveləpmənt/ *n* توسعه، بسط؛ پیشرفت؛ پیشامد؛ ظهور
deviate /ˈdi:vɪeɪt/ *v* منحرف شدن؛ منحرف ساختن
deviation /ˌdi:vɪˈeɪʃn/ *n* انحراف، برگشت
device /dɪˈvaɪs/ *n* تدبیر، طرح؛ اختراع، اسباب؛ نقشه؛ شعار
devil /ˈdevl/ *n* شیطان؛ آدم شریر؛ پادو
  between the devil and the deep sea از دو طرف گرفتار، میان آب و آتش
  give the devil his due حق هر کس را [عادلانه] دادن، عیب و هنر کسی را از روی حقیقت گفتن
  go to the devil فنا شدن، خانه‌خراب شدن؛ [در صیغه امر] برو گم‌شو
  play the devil with برهم زدن
  printer's devil پادوی چاپخانه
  poor devil بیچاره، بدبخت
  devil a one هیچ‌کس
  How the devil? آخر چطور...؟
  I don't know who the devil he is? چه می‌دانم کیست؟
  a devil of a...! چه...؟

devilish /ˈdevəlɪʃ/ *adj* دیوخو، شیطان‌صفت
devil-may-care /ˈdevəl meɪ ˈkeə(r)/ *adj* لاقید
devious /ˈdi:vɪəs/ *adj* بیراهه، غیرمستقیم، کج؛ پرت؛ منحرف، گمراه
devise /dɪˈvaɪz/ *vt* تدبیر کردن، اندیشیدن، اختراع کردن
devoid /dɪˈvɔɪd/ *adj* تهی، عاری
devolve /dɪˈvɒlv/ *v* محول کردن؛ محول شدن؛ رسیدن
devote /dɪˈvəʊt/ *vt* وقف کردن؛ اختصاص دادن؛ فدا کردن؛ سپردن
devoted *ppa* فداکار؛ ارادتمند(انه)
devotee /ˌdevəˈti:/ *n* فدایی؛ هواخواه
devotion /dɪˈvəʊʃn/ *n* اختصاص، وقف؛ فداکاری، سرسپردگی؛ هواخواهی؛ [درجمع] نماز
devour /dɪˈvaʊə(r)/ *vt* دریدن؛ بلعیدن؛ با حرص خوردن؛ از پا درآوردن، نابود کردن؛ (کسی را) با چشم خوردن، (کسی را) به چشم خریدار نگاه کردن
  devoured by مستغرق، مجذوب
devout /dɪˈvaʊt/ *adj* دیندار؛ پارسامنش؛ مبنی بر دینداری؛ قلبی
dew /dju:US: ˈdu:/ *n* شبنم، ژاله
dew-point /ˈdju:pɔɪnt/ *n* درجهٔ انقباض
dexterity /dekˈsterətɪ/ *n* زبردستی، مهارت
dexterous /ˈdekstrəs/ *adj* زبردست، ماهر
diabetes /ˌdaɪəˈbi:ti:z/ *n* بیماری قند
diabetic /ˌdaɪəbetɪk/ *adj* دچار بیماری قند
diabolic(al) /ˌdaɪəˈbɒlɪk(l)/ *adj* دیوصفت
diadem /ˈdaɪədem/ *n* نیمتاج؛ حلقهٔ گل که بر سر گذارند؛ [مجازاً] شهریاری
diagnose /ˈdaɪəgnəʊz US: ˌdaɪəgˈnəʊs/ *vt* تشخیص دادن
diagnosis /ˌdaɪəgˈnəʊsɪs/ *n* [-ses] تشخیص (بیماری)
diagonal /daɪˈægənl/ *adj,n* ۱.مورّب، اریب ۲.قطر [در چهارضلعی]؛ راه اریب
diagram /ˈdaɪəgræm/ *n* نمودار، طرح
dial /ˈdaɪəl/ *n* ساعت آفتابی؛ صفحهٔ ساعت؛ [در تلفن] صفحهٔ شماره(گیر)
dial /ˈdaɪəl/ *vt* [-led] گرفتن (شمارهٔ تلفن)، تلفن کردن به
dialect /ˈdaɪəlekt/ *n* لهجه
dialogue /ˈdaɪəlɒg US: -lɔ:g/ *n* گفتگو، صحبت
diameter /daɪˈæmɪtə(r)/ *n* قطر دایره
diametrically /ˌdaɪəˈmetrɪklɪ/ *adv* در جهتِ قطر؛ کاملاً، عیناً، درست

diamond /'daɪəmənd/ *n* الماس؛ خال خشتی
diaper /'daɪəpə(r) US: 'daɪpər/ *n, US* کهنهٔ بچه
diaphragm /'daɪəfræm/ *n* حجاب حاجز، دیافراگم
diarrhoea /,daɪə'rɪə/ *n* اسهال
diary /'daɪərɪ/ *n* یادداشتِ روزانه؛ سفرنامه
diatribe /'daɪətraɪb/ *n* انتقاد تلخ
dibble /'dɪbl/ *n* بیلچهٔ نشاکاری
dice /daɪs/ *npl* [*pl of* die] تاس تخته نرد
dice /daɪs/ *vi,vt* ۱.نردبازی کردن ۲.شطرنجی کردن؛ خُرد کردن
dicer *n* نردباز، نرّاد
dictaphone /'dɪktəfəʊn/ *n* دیکتافون: دستگاه ضبط سخن، ماشین دیکته
dictate /dɪk'teɪt US: 'dɪkteɪt/ *vt* دیکته کردن؛ در دهان کسی گذاشتن؛ تلقین‌کردن
dictate /'dɪkteɪt/ *n* ندا، صدا، گفته
dictation /dɪk'teɪʃn/ *n* املا؛ دیکته؛ تلقین
dictator /dɪk'teɪtə(r) US: 'dɪkteɪtər/ *n* دیکتاتور
dictatorial /,dɪktə'tɔ:rɪəl/ *adj* دیکتاتوروار، آمرانه
dictatorship *n* دیکتاتوری
diction /'dɪkʃn/ *n* حسن انتخاب لغت
dictionary /'dɪkʃənrɪ US: -nerɪ/ *n* فرهنگ، لغت‌نامه، کتابِ لغت
did /dɪd/ [*p of* do]
didactic /dɪ'dæktɪk,daɪ-/ *adj* تعلیمی، یاددهنده؛ آموزگارمنش
die /daɪ/ *vi* مردن
die out, away, off پژمرده شدن، خاموش شدن؛ کم‌کم محو شدن، سست شدن
die in one's bed به مرگ طبیعی مردن
die in one's boots (*or* shoes) به مرگ غیرطبیعی مردن
die game دلیرانه و شرافتمندانه مردن
never say die مأیوس یا تسلیم نشدن
die-hard *adj* جان‌سخت؛ [مجازاً] سرسخت
die /daɪ/ *n* [dice] تاس تخته‌نرد
The die is cast. کار از کار گذشت.
die /daɪ/ *n* [dies] قالب؛ حدیده
diet /'daɪət/ *n,vt,vi* ۱.غذای ویژهٔ (پرهیزداران) ۲.پرهیز دادن ۳.غذای ویژه خوردن
differ /'dɪfə(r)/ *vi* فرق داشتن، اختلاف داشتن
difference /'dɪfrəns/ *n* فرق، تفاوت، اختلاف
What difference does it make? چه فرق می‌کند؟
make a difference between با دو چشم دیدن، از هم فرق گذاشتن

different /'dɪfrənt/ *adj* مختلف، گوناگون
differentiate /,dɪfə'renʃɪeɪt/ *vt* فرق گذاشتن؛ تشخیص دادن
difficult /'dɪfɪkəlt/ *adj* سخت، مشکل؛ سختگیر
difficulty /'dɪfɪkəltɪ/ *n* سختی، اشکال؛ زحمت
diffidence /'dɪfɪdəns/ *n* بی‌اعتمادی به خود
diffident /'dɪfɪdənt/ *adj* کمرو، مردد، ترسو
diffuse /dɪ'fju:z/ *vt* افشاندن، ریختن، پاشیدن؛ منتشر کردن، اشاعه کردن
diffuse /dɪ'fju:z/ *adj* پراکنده؛ پرتفصیل
diffusion /dɪ'fju:ʒn/ *n* ریزش، افاضه؛ انتشار؛ پرگویی، درازنویسی
dig /dɪg/ *vt* [dug] کندن؛ کاوش کردن
dig into, through, *or* under به‌وسیلهٔ کندن باز کردن، نقب زدن
dig out (با حفر یا کاوش) درآوردن
dig /dɪg/ *n, Col* سُک؛ سخن کنایه‌دار؛ [در جمع] منزل کرایه‌ای
digest /dɪ'dʒest,daɪ-/ *vt* هضم کردن؛ [مجازاً] خوب فهمیدن؛ تحمل کردن
digest /'daɪdʒest/ *n* خلاصه، چکیده
digestible /dɪ'dʒestəbl/ *adj* قابل هضم
digestion /dɪ'dʒestʃən/ *n* هضم؛ هاضمه
easy of digestion گوارا، زودهضم
digestive /dɪ'dʒestɪv,daɪ-/ *adj* هاضم، هاضمه
digger /'dɪgə(r)/ *n* حفرکننده
diggings *npl* حفریات؛ معدن طلا؛ [در گفتگو] منزل کرایه‌ای
digit /'dɪdʒɪt/ *n* رقم؛ پنجه؛ انگشت
dignified *ppa* باوقار؛ بزرگ
dignify /'dɪgnɪfaɪ/ *vt* بزرگ کردن
dignitary /'dɪgnɪtərɪ/ *n* شخصِ بزرگ، [در جمع] بزرگان، رجال، اعیان
dignity /'dɪgnətɪ/ *n* بزرگی، شأن، مقام، وقار
digraph /'daɪgrɑ:f US: -græf/ *n* دو حرفِ یکصدا؛ حرف مرکب
digress /daɪ'gres/ *vi* پرت شدن (از موضوع)؛ منحرف شدن
digression /daɪ'greʃn/ *n* انحراف؛ گریز
digressive *adj* منحرف شونده
dike; dyke /daɪk/ *n,vt* ۱.سد؛ دیواری که برای جلوگیری از طغیان آب دریا می‌سازند ۲.با خاکریز محصور کردن
dilapidated /dɪ'læpɪdeɪtɪd/ *adj* خراب؛ فکسنی

dilapidation /dɪˌlæpɪˈdeɪʃn/ *n* خرابی، خراب شدگی؛ فرسودگی؛ غرامت خرابی و فرسودگی و شکستگی
dilate /daɪˈleɪt/ *vt,vi* ۱.گشاد کردن، شرح و بسط دادن ۲.گشاد شدن
dilatory /ˈdɪlətərɪ US: -tɔːrɪ/ *adj* کند، بطی، آهسته
dilemma /dɪˈlemə,daɪ-/ *n* قیاسِ ذوحدین؛ وضعیت دشوار، بی‌تکلیفی
dilettante /ˌdɪlɪˈtæntɪ/ *n* [-ti] کسی که علم و هنر را با علاقه ولی به‌طور ناقص یاد می‌گیرد
diligence /ˈdɪlɪdʒəns/ *n* سعی و کوشش
diligent /ˈdɪlɪdʒənt/ *adj* کوشا، ساعی؛ ساعیانه
dilly-dally /ˈdɪlɪ dælɪ/ *vi* به تردید و دودلی وقت گذراندن
diluent /ˈdɪljuːənt/ *adj* رقیق‌کننده
dilute /daɪˈljuːt US: -ˈluːt/ *vt* رقیق کردن
dilution /daɪˈljuːʃn US: -ˈluː-/ *n* رقّت، رقیق‌شدگی
dim /dɪm/ *adj,vt,vi* [-med] ۱.تار، تاریک ۲.تار کردن ۳.تیره شدن
  take a dim view of با بدبینی نگریستن
dime /daɪm/ *n* سکهٔ ده سنتی
dimension /dɪˈmenʃn/ *n* اندازه، بُعد
  the 3 dimensions ابعاد سه‌گانه
diminish /dɪˈmɪnɪʃ/ *v* کم کردن؛ کم شدن
diminution /ˌdɪmɪˈnjuːʃn US: -ˈnuːʃn/ *n* کاهش، کسر، تقلیل؛ تصغیر؛ تحقیر
diminutive /dɪˈmɪnjʊtɪv/ *adj,n* ۱.مصغر؛ حقیر ۲.اسم تصغیر
dimness *n* تیرگی، تاری؛ بی‌رونقی
dimple /ˈdɪmpl/ *n,vt* ۱.فرورفتگی؛ چاه زنخدان ۲.گرد کردن
din /dɪn/ *n,vi* [-ned] ۱.صدای بلند؛ غوغا ۲.صدا کردن
dine /daɪn/ *vi,vt* ۱.ناهار خوردن؛ شام خوردن ۲.شام دادن؛ ناهار دادن
diner /ˈdaɪnə(r)/ *n* اتاق ناهارخوری در قطار
ding-dong /ˌdɪŋ ˈdɒŋ/ *n* دَنگ‌دَنگ؛ شماطه
dinghy;-gey /ˈdɪŋgɪ/ *n* قایق پارویی تفریحی کوچک
dingy /ˈdɪndʒɪ/ *adj* تیره‌رنگ؛ چرک
dining-room /ˈdaɪnɪŋ ruːm/ *n* اتاق ناهارخوری
dinner /ˈdɪnə(r)/ *n* ناهار یا شام، غذای عمدهٔ روز
dinner-jacket /ˈdɪnə dʒækɪt/ *n* اسموکینگ، لباس رسمی
dint /dɪnt/ *n* گودی
  by dint of به وسیلهٔ، به ضربِ
diocese /ˈdaɪəsɪs/ *n* اسقف‌نشین
dip /dɪp/ *vt,vi* [-ped] *,n* ۱.فرو بردن؛ اندازه گرفتن ۲.فرورفتن ۳.غسل؛ آبتنی؛ سرازیری؛ فرورفتگی؛ اندازه‌گیری با میل؛ درست کردن (شمع پیهی)؛ شستن و ضدعفونی کردن (گوسفند)؛ رنگ کردن (لباس)
  dip deep تعمّق کردن
  dip into نگاه مختصر کردن (در)
  dip deep into تعمق کردن در
diphtheria /dɪfˈθɪərɪə/ *n* دیفتری
diphthong /ˈdɪfθɒŋ US: -θɔːŋ/ *n* مصوت مرکب
diploma /dɪˈpləʊmə/ *n* دیپلم
diplomacy /dɪˈpləʊməsɪ/ *n* دیپلماسی
diplomat /ˈdɪpləmæt/ = diplomatist
diplomatic /ˌdɪpləˈmætɪk/ *adj* وابسته به آدابِ سفارت؛ سیاستمدارانه؛ سیاسی
  diplomatic body هیئت نمایندگانِ سیاسی بیگانه
diplomatist /dɪˈpləʊmətɪst/ *n* دیپلمات
diplopia /dɪˈpləʊpiːə/ *n* دوبینی
dipper /ˈdɪpə(r)/ *n* آبگردان؛ ملاقه؛ [با D] دب اکبر
dire /ˈdaɪə(r)/ *adj* ترسناک؛ شوم
direct /dɪˈrekt,daɪ-/ *adj,adv,vt* ۱.مستقیم؛ [دستورزبان] بی‌واسطه، صریح ۲.مستقیماً ۳.دستور دادن؛ اداره کردن؛ راهنمایی کردن؛ متوجه ساختن، نشان کردن؛ عنوان نوشتن (روی پاکت)
direction /dɪˈrekʃn,daɪ-/ *n* دستور؛ اداره؛ طرف، جهت؛ مسیر؛ تمایل
directly /dɪˈrektlɪ,daɪ-/ *adv* فوراً؛ مستقیماً
director /dɪˈrektə(r),daɪ-/ *n* مدیر، رئیس
directorate /dɪˈrektərət,daɪ-/ *n* هیئت مدیره؛ مدیریت
directorship /dɪˈrektərʃɪp/ *n* مدیریت، ریاست
directory /dɪˈrektərɪ,daɪ-/ *n* کتابچهٔ راهنما؛ دفتر تلفن
dirge /dɜːdʒ/ *n* نوحه، سرود عزا
dirigible /ˈdɪrɪdʒəbl/ *adj* راندنی
  dirigible balloon = airship
dirk /dɜːk/ *n* نوعی خنجر
dirt /dɜːt/ *n* چرک، کثافت؛ لکه
  as cheap as dirt به‌قیمت آبِ جوی، مُفت مسلّم
  fling dirt at [مجازاً] لجن‌مال کردن

yellow dirt [مجازاً] طلا، زَر
dirt road جادهٔ خاکی
dirt-cheap /ˌdɜ:t ˈtʃi:p/ *adj* بسیار ارزان، مفت
dirty /ˈdɜ:tɪ/ *adj,vt* ۱.کثیف، چرک ۲.کثیف کردن
disability /ˌdɪsəˈbɪlətɪ/ *n* عدم‌صلاحیت، عدم قابلیت، عدم‌توانایی
disable /dɪsˈeɪbl/ *vt* از کار انداختن
disablement *n* از کار افتادگی
disabuse /ˌdɪsəˈbju:z/ *vt* از اشتباه درآوردن، از حقیقت آگاه کردن
disadvantage /ˌdɪsədˈvɑ:ntɪdʒ US: -ˈvæn-/ *n* زیان؛ وضع نامساعد، مانع کامیابی
disadvantageous /ˌdɪsædvɑ:nˈteɪdʒəs US: -væn-/ *adj* زیان‌آور؛ بی‌صرفه؛ نامساعد
disaffected /ˌdɪsəˈfektɪd/ *adj* ناراضی، دارای نظر بد
disaffection /ˌdɪsəˈfekʃn/ *n* نارضایتی، سردی
disagree /ˌdɪsəˈgri:/ *vi* موافق‌نبودن
disagreeable /ˌdɪsəˈgri:əbl/ *adj* نامطبوع، ناسازگار، ناگوارا؛ ناپسند
disagreement /ˌdɪsəˈgri:mənt/ *n* مخالفت؛ اختلاف
disallow /ˌdɪsəˈlaʊ/ *vt* ردّ کردن
disappear /ˌdɪsəˈpɪə(r)/ *vi* ناپدید شدن، غایب شدن؛ نابود شدن
disappearance /ˌdɪsəˈpɪərəns/ *n* ناپدیدی
disappoint /ˌdɪsəˈpɔɪnt/ *vt* مأیوس کردن
disappointing *apa* یأس‌آور
disappointment /ˌdɪsəˈpɔɪntmənt/ *n* ناامیدی
disapprobation /ˌdɪsˌæprəˈbeɪʃn/ *n* تقبیح، مذمّت؛ عدم تصویب؛ نارضایتی
disapproval /ˌdɪsəˈpru:vl/ *n* تقبیح، مذمّت؛ عدم تصویب؛ نارضایتی
disapprove /ˌdɪsəˈpru:v/ *v* تقبیح کردن [با of]؛ تصویب نکردن
disarm /dɪsˈɑ:m/ *vt* خلع سلاح کردن
disarmament /dɪsˈɑ:məmənt/ *n* خلع سلاح
disarrange /ˌdɪsəˈreɪndʒ/ *vt* برهم زدن
disarrangement *n* بی‌ترتیبی
disaster /dɪˈzɑ:stə(r) US: -ˈzæs-/ *n* بدبختی، بلا
disastrous /dɪˈzɑ:strəs US: -ˈzæs-/ *adj* مصیبت‌آمیز، فجیع؛ مقرون به بدبختی؛ منحوس
disavow /ˌdɪsəˈvaʊ/ *vt* رد کردن
disavowal /ˌdɪsəˈvaʊəl/ *n* رد، انکار
disband /dɪsˈbænd/ *vt* منحل کردن
disbelief /ˌdɪsbɪˈli:f/ *n* بی‌اعتقادی
disbelieve /ˌdɪsbɪˈli:v/ *vt,vi* ۱.باور نکردن ۲.ایمان نیاوردن
disburden /dɪsˈbɜ:dn/ *vt* سبکبار کردن
disburse /dɪsˈbɜ:s/ *v* پرداخت کردن
disbursement *n* پرداخت؛ خرج
disc /dɪsk/ = disk
discard /dɪˈskɑ:d/ *vt* دور انداختن؛ رد کردن؛ ول کردن، ترک کردن
discern /dɪˈsɜ:n/ *vt* تشخیص دادن؛ درک کردن؛ مشاهده کردن
discerning *apa* با بصیرت، بصیر
discernment *n* تشخیص، بصیرت
discharge /dɪsˈtʃɑ:dʒ,ˈdɪstʃɑ:dʒ/ *vt,n* ۱.خالی کردن، در کردن؛ پیاده کردن (بار)؛ آزاد کردن؛ منفصل کردن، اخراج کردن؛ انجام دادن، ایفا کردن؛ ادا کردن (بدهی)؛ مرخص کردن (از بیمارستان) ۲.انفصال؛ تبرئه، مفاصا؛ تخلیه؛ شلیک؛ خروج؛ پرداخت، تصفیه؛ ایفا
discharge certificate برگ خاتمه خدمت
disciple /dɪˈsaɪpl/ *n* مرید؛ حواری
disciplinarian /ˌdɪsəplɪˈneərɪən/ *n* اهل انضباط
disciplinary /ˈdɪsɪplɪnərɪ US: -nerɪ/ *adj* انضباطی، انتظامی
discipline /ˈdɪsɪplɪn/ *n,vt* ۱.انضباط؛ تأدیب ۲.انضباط دادن
disclaim /dɪsˈkleɪm/ *v* ترک دعوا کردن؛ از خود ندانستن، از خود سلب کردن
disclose /dɪsˈkləʊz/ *vt* افشا کردن
disclosure /dɪsˈkləʊʒə(r)/ *n* افشا
discolour /dɪsˈkʌlə(r)/ *vt,vi* ۱.بی‌رنگ کردن، از جلا انداختن؛ لک کردن ۲.بدرنگ شدن
discomfit /dɪsˈkʌmfɪt/ *vt* خنثی کردن؛ دچار مانع کردن؛ شکست دادن
discomfort /dɪsˈkʌmfət/ *n,vt* ۱.ناراحتی ۲.ناراحت کردن
discommode /ˌdɪskəˈməʊd/ *vt* ناراحت کردن
discompose /ˌdɪskəmˈpəʊz/ *vt* برهم زدن، مضطرب کردن، پریشان کردن
discomposure /ˌdɪskəmˈpəʊʒə(r)/ *vt* آشوب؛ اضطراب؛ برهم‌زدگی؛ ناراحتی
disconcert /ˌdɪskənˈsɜ:t/ *vt* مشوش کردن؛ برهم زدن، باطل کردن
disconnect /ˌdɪskəˈnekt/ *vt* جدا کردن
disconsolate /dɪsˈkɒnsələt/ *adj* پریشان
discontent /ˌdɪskənˈtent/ *n* عدم رضایت
discontented *ppa* ناراضی

discontinue /ˌdɪskənˈtɪnjuː/ *vt* ادامه ندادن؛ قطع کردن
discontinuous /ˌdɪskənˈtɪnjʊəs/ *adj* بریده، جدا، منفصل، منقطع
discord /ˈdɪskɔːd/ *n* ناسازگاری، اختلاف
discordance /dɪˈskɔːdəns/ *n* ناهماهنگی، اختلاف؛ ناسازگاری
discordant /dɪˈskɔːdənt/ *adj* ناجور، ناهماهنگ، مخالف
discount /ˈdɪskaʊnt/ *n* تنزیل؛ کسر
discount /dɪsˈkaʊnt US: ˈdɪskaʊnt/ *vt* کسر کردن؛ با دادن تنزیل پیش از سررسید نقد کردن
discountenance /dɪsˈkaʊntɪnəns/ *vt* تصویب نکردن؛ منع کردن
discourage /dɪˈskʌrɪdʒ/ *vt* دلسرد کردن
discouragement *n* دلسردی، یأس، ناکامی؛ چشم‌ترسیدگی؛ فتور
discourse /ˈdɪskɔːs/ *n* سخنرانی
discourse /dɪˈskɔːs/ *vi* سخنرانی کردن
discourteous /dɪsˈkɜːtɪəs/ *adj* بی‌ادب؛ بی‌ادبانه، تند
discourtesy /dɪsˈkɜːtəsɪ/ *n* بی‌تربیتی، بی‌ادبی، تندی
discover /dɪsˈkʌvə(r)/ *vt* کشف کردن
discoverer *n* کاشف
discovery /dɪˈskʌvərɪ/ *n* کشف؛ اکتشاف
discredit /dɪsˈkredɪt/ *n,vt* ۱.بی‌اعتباری؛ بدنامی؛ تردید ۲.بی‌اعتبار ساختن
discreditable /dɪsˈkredɪtəbl/ *adj* بدنام کننده، ننگ‌آور
discreet /dɪˈskriːt/ *adj* با احتیاط
discrepancy /dɪˈskrepənsɪ/ *n* اختلاف
discretion /dɪˈskreʃn/ *n* نظر، صلاحدید؛ بصیرت؛ احتیاط؛ دلخواه
at the discretion of به‌دلخواهِ، به‌اختیارِ، به‌انصاف، برحسبِ نظرِ
discriminate /dɪˈskrɪmɪneɪt/ *v* فرق گذاشتن
discriminate against مورد تبعیض قرار دادن
discriminating *apa* ممیز؛ تبعیض‌آمیز
discrimination /dɪˌskrɪmɪˈneɪʃn/ *n* تشخیص؛ تبعیض
discursive /dɪˈskɜːsɪv/ *n* بی‌ترتیب
discus /ˈdɪskəs/ *n* حلقهٔ آهن؛ صفحهٔ آهن
discuss /dɪˈskʌs/ *vt* مورد بحث قرار دادن، مذاکره کردن راجع به
discussion /dɪˈskʌʃn/ *n* مذاکره

disdain /dɪsˈdeɪn/ *n,vt* ۱.اهانت؛ استغنا؛ تکبر؛ ناز ۲.ناقابل دانستن
disdainful /dɪsˈdeɪnfl/ *adj* اهانت‌آمیز؛ متکبر
disease /dɪˈziːz/ *n* ناخوشی، مرض
diseased /dɪˈziːzd/ *ppa* ناخوش؛ معیوب
disembark /ˌdɪsɪmˈbɑːk/ *vt,vi* ۱.پیاده کردن، از کشتی درآوردن ۲.پیاده شدن
disembody /ˌdɪsɪmˈbɒdɪ/ *vt* از جسم جدا کردن
disembowel /ˌdɪsɪmˈbaʊəl/ *vt* شکم (کسی را) دریدن
disenchant /ˌdɪsɪnˈtʃɑːnt US: ˌdɪsɪnˈtʃænt/ *vt* از شیفتگی درآوردن
disencumber /ˌdɪsɪnˈkʌmbə(r)/ *vt* رها کردن (ازبار یا مانع)، ازقید آزاد کردن
disengage /ˌdɪsɪnˈgeɪdʒ/ *v* از قید آزاد کردن؛ از قید آزاد شدن
disengaged *ppa* فارغ؛ اشغال‌نشده
disengagement *n* رهایی از قید
disentangle /ˌdɪsɪnˈtæŋgl/ *vt* از گیر درآوردن
disfavour /ˌdɪsˈfeɪvə(r)/ *n,vt* ۱.مغضوبیت ۲.مغضوب داشتن
disfigure /dɪsˈfɪgə(r) US: dɪsˈfɪgjər/ *vt* بدشکل کردن، از شکل انداختن، از زیبایی انداختن
disfigurement *n* از شکل‌افتادگی
disfranchise /dɪsˈfræntʃaɪz/ *vt* از حق رأی (یا انتخابات) محروم کردن
disgorge /dɪsˈgɔːdʒ/ *vt* از گلو درآوردن، بالا آوردن
disgrace /dɪsˈgreɪs/ *n,vt* ۱.رسوایی، ننگ؛ مغضوبیت ۲.از نظر انداختن
disgraceful /dɪsˈgreɪsfl/ *adj* ننگین، شرم‌آور
disgruntled /dɪsˈgrʌntld/ *adj* ناراضی؛ غرغرو
disguise /dɪsˈgaɪz/ *n,vt* ۱.لباسِ مبدل، هیئتِ مبدل؛ تغییر قیافه؛ ظاهر فریبنده؛ رودربایستی ۲.تغییر قیافه (یا هیئت) دادن؛ پنهان کردن
in disguise با لباسِ مبدل، با تغییر قیافه
throw off all disguise رودربایستی را کنار گذاشتن
blessing in disguise توفیق اجباری
under the disguise of به بهانهٔ، در لفافهٔ
make a disguise of پنهان کردن
disgust /dɪsˈgʌst/ *n,vt* ۱.تنفر، بیزاری ۲.متنفر کردن، بیزار کردن
disgusted with متنفر از
disgusting *apa* نفرت‌انگیز

dish /dɪʃ/ *n,vt* ۱.ظرف؛ بشقاب؛ خوراک ۲.در بشقاب ریختن
dish up طعام گذاردن
dishcloth /ˈdɪʃklɔ:θ/ *n* قاب دستمال
dishearten /dɪsˈhɑ:tn/ *vt* دلسرد کردن
dishevel(l)ed /dɪˈʃevld/ *adj* ژولیده
dishonest /dɪsˈɒnɪst/ *adj* نادرست
dishonesty /dɪsˈɒnɪstɪ/ *n* نادرستی، تقلب
dishonour /dɪsˈɒnə(r)/ *n,vt* ۱.بی‌احترامی؛ نکول برات ۲.بی‌احترامی کردن به؛ نکول کردن
dishonourable /dɪsˈɒnərəbl/ *adj* بی‌آبرو؛ پَست، بی‌شرفانه
dish-water /ˈdɪʃ wɜ:tə(r)/ *n* آب کثیف ظرفشویی
disillusion /ˌdɪslˈlu:zn/ *n,vt* ۱.وارستگی از اغفال، سرخوردگی ۲.از شیفتگی درآوردن؛ از اشتباه درآوردن
be disillusioned سَر خوردن، سرد شدن، از شیفتگی درآمدن
disinclination /ˌdɪsɪnklɪˈneɪʃn/ *n* عدم تمایل
disinclined /ˌdɪsɪnˈklaɪnd/ *adj* بی‌میل
disinfect /ˌdɪsɪnˈfekt/ *vt* ضدعفونی کردن
disinfectant /ˌdɪsɪnˈfektənt/ *adj* گندزدا
disinfection /ˌdɪsɪnˈfekʃn/ *n* گندزدایی
disingenuous /ˌdɪsɪnˈdʒenjʊes/ *adj* بی‌خلوص، باتزویر؛ حاکی از عدم خلوص
disinherit /ˌdɪsɪnˈherɪt/ *vt* از ارث محروم کردن
disintegrate /dɪsˈɪntɪgreɪt/ *v* خرد کردن؛ خرد شدن؛ تجزیه کردن؛ تجزیه شدن
disintegration /dɪsˌɪntɪˈgreɪʃn/ *n* تجزیه؛ خردشدگی
disinter /ˌdɪsɪnˈtɜ:(r)/ *vt* [-red] از خاک درآوردن
disinterested /dɪsˈɪntrəstɪd/ *adj* بی‌غرضانه
[disinterested advice]؛ بی‌علاقه؛ بی‌غرض
disjoin /dɪsˈjɔɪn/ *v* جدا کردن؛ جدا شدن
disjoint /dɪsˈdʒɔɪnt/ *vt* از مفصل در آوردن
disjointed /dɪsˈdʒɔɪntɪd/ *ppa* نامربوط، پرت
disjunctive /dɪsˈdʒʌŋktɪv/ *adj* [به حرف عطف گفته می‌شود] که دو چیز مخالف یا مختلف را به هم متصل کند مانند but
disk;disc /dɪsk/ *n* صفحه، دایره؛ دیسک
dislike /dɪsˈlaɪk/ *n,vt* ۱.نفرت، بی‌میلی ۲.تنفر داشتن از
dislocate /ˈdɪsləkeɪt US: ˈdɪsləʊkeɪt/ *vt* جابه‌جا کردن؛ برهم زدن، مختل کردن

dislocation /ˌdɪsləˈkeɪʃn US: ˌdɪsləʊˈkeɪʃn/ *n* خلع مفصلِ؛ جابه‌جا شدگی؛ خرابی
dislodge /dɪsˈlɒdʒ/ *vt* از جای خود بیرون کردن
disloyal /dɪsˈlɔɪəl/ *adj* بی‌وفا؛ غیرصادقانه
disloyalty /dɪsˈlɔɪəltɪ/ *n* بی‌وفایی، خیانت
dismal /ˈdɪzməl/ *adj* ملالت‌انگیز
dismantle /dɪsˈmæntl/ *vt* پیاده کردن (اجزای ماشین)؛ خالی از اثاثه کردن
dismay /dɪsˈmeɪ/ *vt* ترسانیدن
dismember /dɪsˈmembə(r)/ *vt* جزءجزء کردن، تجزیه کردن؛ بند از بند جدا کردن
dismiss /dɪsˈmɪs/ *vt* مرخص کردن، منفصل کردن
dismissal /dɪsˈmɪsl/ *n* انفصال؛ اخراج
dismount /ˌdɪsˈmaʊnt/ *vi,vt* ۱.پیاده شدن ۲.پیاده کردن؛ از اسب پرت کردن
disobedience /ˌdɪsəˈbi:dɪəns/ *n* نافرمانی
disobedient /ˌdɪsəˈbi:dɪənt/ *adj* نافرمان، متمرد
disobey /ˌdɪsəˈbeɪ/ *vt* سرپیچی کردن از، اطاعت نکردن
disoblige /ˌdɪsəˈblaɪdʒ/ *vt* خواهش کسی را رد کردن، مکدر کردن
disorder /dɪsˈɔ:də(r)/ *n,vt* ۱.بی‌نظمی؛ به‌هم‌خوردگی مزاج ۲.مختل کردن
disorderly /dɪsˈɔ:derlɪ/ *adj* بی‌نظم؛ ناامن
disorganization /dɪsˌɔ:gənaɪ- ˈzeɪʃn/ *n* بی‌نظمی؛ سازمان غیرمنظم؛ اخلال
disorganize /dɪsˈɔ:gənaɪz/ *vt* مختل کردن
disown /dɪsˈəʊn/ *vt* از خود ندانستن
disparage /dɪˈspærɪdʒ/ *vt* بی‌فضیلت دانستن
disparagement *n* انکار فضیلت
disparity /dɪˈspærətɪ/ *n* تفاوت کلی
dispassionate /dɪˈspæʃənət/ *adj* بی‌غرض، بی‌طرف، بی‌تعصب؛ بی‌غرضانه
dispatch /dɪˈspætʃ/ *vt,n* ۱.فرستادن، اعزام کردن؛ مخابره کردن؛ خلاص کردن، کشتن ۲.اعزام؛ حمل؛ مخابره؛ قتل؛ وسیلهٔ سریع حمل؛ پیغام
dispatch book دفتر نامه‌رسانی
dispatch-rider /dɪˈspætʃ raɪdə(r)/ *n* [نظامی] پیک سواره
dispel /dɪˈspel/ *vt* [-led] متفرق کردن، دور کردن
dispensable /dɪˈspensəbl/ *adj* چشم‌پوشیدنی، صرف‌نظر کردنی
dispensary /dɪˈspensərɪ/ *n* درمانگاه، داروخانه (عمومی)

dispensation /ˌdɪspenˈseɪʃn/ *n* بخش، توزیع؛ تقدیر؛ خواست خدا

dispense /dɪˈspens/ *vt* توزیع کردن؛ معاف کردن؛ پیچیدن و دادن (دارو)

dispense justice داد گستردن

dispense the need of لازم ندانستن

dispense with صرف‌نظر کردن از

dispenser *n* کمک داروساز

dispersal /dɪˈspɜːsl/ *n* پراکندگی

disperse /dɪˈspɜːs/ *vt,vi* ۱.متفرق کردن، پراکنده کردن ۲.متفرق شدن

dispersion /dɪˈspɜːʃn US: dɪˈspɜːrʒn/ *n* پراکندگی

dispirited *ppa* دلسرد، افسرده

displace /dɪsˈpleɪs/ *vt* از جای خود بیرون کردن؛ پس زدن

displacement /dɪsˈpleɪsmənt/ *n* جابه‌جایی، جانشینی، جایگزینی

display /dɪˈspleɪ/ *vt,n* ۱.نمایش دادن؛ آشکار کردن ۲.ابراز؛ تظاهر، جلوه

displease /dɪsˈpliːz/ *vt* مکدر کردن

displeased *ppa* رنجیده، مکدر

displeased with; displeased at ناراضیِ از، رنجیده از، رنجیده به واسطهٔ

displeasure /dɪsˈpleʒə(r)/ *n,vt* ۱.رنجش؛ خشم ۲.رنجانیدن

disport /dɪˈspɔːt/ *vt* **oneself** وجد کردن

disposal /dɪˈspəʊzl/ *n* اختیارِ؛ دسترسی؛ انهدام زباله و امثال آن

at your disposal در اختیار شما

dispose /dɪˈspəʊz/ *vt* مستعد کردن؛ مرتب کردن

dispose *(vi)* **of** مصرف کردن [فروختن یا واگذار کردن]؛کارِ (چیزی را) تمام کردن

disposition /ˌdɪspəˈzɪʃn/ *n* حالت، تمایل؛ مشیت؛ اختیار؛ تهیه؛ وضع، ترتیب، [در جمع]مقررات

dispossess /ˌdɪspəˈzes/ *vt* از تصرف محروم کردن، خلع ید کردن؛ بی‌بهره کردن

dispossession /ˌdɪspəˈzeʃn/ *n* خلع ید

disproof /dɪsˈpruːf/ *n* ردّ، تکذیب

disproportion /ˌdɪsprəˈpɔːʃn/ *n* عدم تناسب

disproportionate /ˌdɪsprəˈpɔːʃənət/ *adj* بی‌تناسب

disprove /ˌdɪsˈpruːv/ *vt* رد کردن

disputable /dɪˈspjuːtəbl/ *adj* قابل بحث، مشکوک

disputant /dɪˈspjuːtənt,ˈdɪspjʊtənt/ *n,adj* طرف منازعه

dispute /dɪˈspjuːt/ *n,vi,vt* ۱.نزاع ۲.نزاع یا مشاجره یا جدال کردن ۳.مورد بحث قرار دادن؛ منکر شدن

in dispute مورد بحث، مشکوک

disqualification /dɪsˌkwɒlɪfɪˈkeɪʃn/ *n* سلب قابلیت

disqualify /dɪsˈkwɒlɪfaɪ/ *vt* فاقد شرایط لازم دانستن

disquiet /dɪsˈkwaɪət/ *vt,n* ۱.ناراحت کردن، مضطرب ساختن ۲.ناراحتی، اضطراب، تشویش، بی‌قراری

disquietude /dɪsˈkwaɪətjuːd US: -tuːd/ *n* دلواپسی، ناراحتی

disquisition /ˌdɪskwɪˈzɪʃn/ *n* مقاله

disregard /ˌdɪsrɪˈɡɑːd/ *vt* بی‌اعتنایی کردن (به)، اهمیت ندادن

disrepair /ˌdɪsrɪˈpeə(r)/ *n* نیازمندِتعمیر، خرابی

in disrepair نیازمندِتعمیر، خراب

disreputable /dɪsˈrepjʊtəbl/ *adj* بی‌آبرو(کننده)، بی‌اعتبار(کننده)

disrepute /ˌdɪsrɪˈpjuːt/ *n* بی‌آبرویی

disrespect /ˌdɪsrɪˈspekt/ *n* بی‌احترامی

disrespectful /ˌdɪsrɪˈspektfl/ *adj* بی‌اعتنا؛ توهین‌آمیز

disrobe /dɪsˈrəʊb/ *vi* از تن درآوردن لباس (رسمی)

disrupt /dɪsˈrʌpt/ *vt* شکستن؛ گسیختن

disruption /dɪsˈrʌpʃn/ *n* تجزیه، فروپاشی

dissatisfaction /dɪˌsætɪsˈfækʃn/ *n* نارضایتی

dissatisfied /dɪˈsætɪsfaɪd/ *ppa* ناراضی

dissatisfied with ناراضی از

dissatisfy /dɪˈsætɪsfaɪ/ *vt* ناراضی کردن

dissect /dɪˈsekt/ *vt* پاره‌پاره کردن، تشریح‌کردن

dissection /dɪˈsekʃn/ *n* کالبدشکافی؛ قطع؛ تقطیع، تجزیه؛ موشکافی، تدقیق

dissemble /dɪˈsembl/ *vt,vi* ۱.پنهان کردن؛ وانمود کردن ۲.تلبیس کردن

dissembler /dɪˈsemblə(r)/ *n* آدم ریاکار

disseminate /dɪˈsemɪneɪt/ *vt* پاشیدن؛ منتشر کردن

dissemination /dɪˌsemɪˈneɪʃn/ *n* پخش؛ انتشار

dissension /dɪˈsenʃn/ *n* اختلاف، شقاق، نفاق

dissent /dɪˈsent/ *n* اختلاف عقیده

dissent *(vi)* **from** مخالف بودن با

dissertation /ˌdɪsəˈteɪʃn/ *n* مقاله، رساله؛ بحث

dissservice /dɪs'sɜ:vɪs/ *n* بدی
dissever /dis'sevə(r)/ *vt,vi* ۱.جدا کردن ۲.جدا شدن
dissimilar /dɪ'sɪmɪlə(r)/ *adj* بی‌شباهت
dissimilarity /ˌdɪsɪmɪ'lærətɪ/ *n* اختلاف، ناجوری
dissimulate /dɪ'sɪmjʊleɪt/ *vt,vi* ۱.پنهان کردن؛ فریب دادن ۲.ریا کردن، تزویر کردن
dissimulation /dɪˌsɪmjʊ'leɪʃn/ *n* ریا؛ تقیّه
dissipate /'dɪsɪpeɪt/ *vt* پراکنده کردن؛ برباد دادن، بیهوده صرف کردن؛ دور کردن
dissipation /ˌdɪsɪ'peɪʃn/ *n* اسراف؛ تفریحات جاهلانه؛ پراکنده‌سازی
dissociate /dɪ'səʊʃɪeɪt/ *vt* (از هم) جدا کردن
dissoluble /dɪ'sɒljʊbl/ *adj* تجزیه‌پذیر، جداشدنی
dissolute /'dɪsəlu:t/ *adj* هرزه، فاجر
dissolution /ˌdɪsə'lu:ʃn/ *n* تجزیه؛ تلاشی؛ فسخ؛ انحلال؛ زوال
dissolvable *adj* حل شدنی؛ فسخ‌پذیر؛ قابل تجزیه
dissolve /dɪ'zɒlv/ *v* آب کردن (یا شدن)، حل کردن (یا شدن)؛ منحل کردن (یا شدن)؛ فسخ کردن
dissonance /'dɪsənəns/ *n* عدم توافق
dissonant /'dɪsənənt/ *adj* ناجور
dissuade /dɪ'sweɪd/ *vt* منصرف کردن
distaff /'dɪstɑ:f US: 'dɪstæf/ *n* وسیله‌ای که پشمِ ریسیدنی را روی آن نگاه می‌دارند
distaff side طرفِ مادری
distance /'dɪstəns/ *n,vt* ۱.مسافت؛ فاصله ۲ .عقب گذاشتن
at a distance of two kilometres from در دو کیلومتریِ
in (*or* **from**) **the distance** از دور
keep one's distacnce دوری کردن
distant /'dɪstənt/ *adj* دور؛ متفاوت
distaste /dɪs'teɪst/ *n* بی‌میلی، تنفر
distasteful /dɪs'teɪstfl/ *adj* تنفرآور؛ بی‌مزه
distemper /dɪ'stempə(r)/ *n,vt* ۱.اختلال دماغی؛ ناخوشی؛ بدخویی؛ نزلهٔ سگ اغتشاش؛ رنگ لعابی ۲.رنگ لعابی زدن
distend /dɪ'stend/ *vt,vi* ۱.باد کردن؛ بسط دادن ۲ .بزرگ شدن؛ بسط یافتن
distension /dɪ'stenʃn/ *n* انبساط؛ بسط
distil /dɪ'stɪl/ *vt* [-led] تقطیر کردن
distillation /ˌdɪstɪ'leɪʃn/ *n* تقطیر، چکیده‌گیری؛ شیره
distillery /dɪ'stɪlərɪ/ *n* کارخانهٔ تقطیر
distinct /dɪ'stɪŋkt/ *adj* جُدا، مجزا؛ واضح
distinction /dɪ'stɪŋkʃn/ *n* فرق؛ امتیاز
make a distinction فرق قایل شدن
of distinction برجسته، مشهور
distinction without a difference ترجیع بلامرجّح
distinctive /dɪ'stɪŋktɪv/ *adj* مشخص؛ اختصاصی، مختص؛ مجزا؛ تشخیص‌دهنده
distinctly /dɪ'stɪŋktlɪ/ *adv* شمرده، واضح
distinguish /dɪ'stɪŋgwɪʃ/ *vt* تشخیص دادن، تمیز دادن، درک کردن؛ برجسته کردن
distinguished *ppa* برجسته
distort /dɪ'stɔ:t/ *vt* بدشکل کردن، از شکل انداختن؛ بد جلوه دادن؛ کش دادن
distortion /dɪ'stɔ:ʃn/ *n* کجی؛ تغییر شکل
distract /dɪ'strækt/ *vt* برگردانیدن، منصرف کردن؛ منحرف کردن؛ گیج کردن، آشفتن
distraction /dɪ'strækʃn/ *n* آشفتگی، گیجی
distrain /dɪ'streɪn/ *vi* مال کسی را گرو کشیدن، توقیف کردن
distrain upon گرو کشیدن
distraint /dɪ'streɪnt/ *n* گروکشی، توقیف
distress /dɪ'stres/ *n,vt* ۱.پریشانی؛ اضطرار، مضیقه؛ خطر ۲.پریشان کردن
distribute /dɪ'strɪbju:t/ *vt* توْزیع کردن
distribution /ˌdɪstrɪ'bju:ʃn/ *n* پخش، توزیع
distributive /dɪ'strɪbjutɪv/ *adj* [دستورزبان] توزیعی، دالّ بر فرد [مانند either, every,each]
district /'dɪstrɪkt/ *n* بخش، ناحیه؛ بلوک
distrust /dɪs'trʌst/ *n,vt* ۱.عدم‌اعتماد، سوءظن ۲.بدگمان بودن نسبت به
distrustful /dɪs'trʌstfʊl/ *adj* بی‌اعتماد، بدگمان
disturb /dɪ'stɜ:b/ *vt* مزاحم شدن؛ مضطرب کردن، آشفتن
disturbance /dɪ'stɜ:bəns/ *n* اضطراب؛ آشوب؛ مزاحمت
disunion /dɪs'ju:nɪən/ *n* انفصال
disunite /ˌdɪsju:'naɪt/ *vt,vi* ۱.جدا کردن ۲ .جدا شدن
disuse /dɪs'ju:s/ *n* عدم استعمال
fall into disuse موقوف شدن؛ منسوخ شدن
disuse /dɪs'ju:s/ *vt* موقوف کردن
ditch /dɪtʃ/ *n,vt* ۱.نهر؛ گودال ۲.در گودال انداختن
in the last ditch تا دَمِ آخر

ditch-water /ˈdɪtʃ wɔ:tə(r)/ *n* آبِ راکد

ditto /ˈdɪtəʊ/ *adj,adv,n* ایضاً، همان (چیز بالا)، همان‌طور

say ditto متفقّ‌القول، همزبان بودن

ditty /ˈdɪtɪ/ *n* تصنیف؛ سرود

diuretic /ˌdaɪjʊˈretɪk/ *n,adj* پیشاب‌آور، ادرارآور

divan /dɪˈvæn US: ˈdaɪvæn/ *n* نیمکت راحتی؛ محل استعمال دخانیات

dive /daɪv/ *vi,n* ۱.غوطه خوردن؛ شیرجه رفتن ۲.غوطه؛ شیرجه؛ [مجازاً] تفحص؛ فروشگاه زیرزمینی؛ نهانگاه

diver *n* غوّاص، شیرجه‌رونده

diverge /daɪˈvɜ:dʒ/ *vi* از هم دور شدن، واگراییدن؛ منحرف شدن

divergence;-gency /daɪˈvɜ:dʒəns;-dʒənsɪ/ *n* تباعد، واگرایی؛ انشعاب؛ اختلاف

divergent /daɪˈvɜ:dʒənt/ *adj* متباعد؛ منشعب، واگرا

divers /daɪˈvəs/ *adj* بعضی، متعدد

diverse /daɪˈvɜ:s/ *adj* گوناگون

diversify /daɪˈvɜ:sɪfaɪ/ *vt* گوناگون کردن، متنّوع کردن

diversion /daɪˈvɜ:ʃn US: daɪˈvɜ:rʒn/ *n* انحراف؛ تفریح، سرگرمی، مشغولیت

diversity /daɪˈvɜ:sətɪ/ *n* اختلاف، گوناگونی

divert /daɪˈvɜ:t/ *vt* برگردانیدن، منحرف کردن، سرگرم کردن

divest /daɪˈvest/ *vt* بی‌بهره کردن؛ لخت کردن

divide /dɪˈvaɪd/ *vt,vi,n* ۱.تقسیم کردن، پخش کردن؛ جدا کردن ۲.جدا شدن؛ تقسیم شدن ۳.مقسم آب

dividend /ˈdɪvɪdend *n* مقسوم، بخشی؛ سود سهم، سود سهام

dividers /dɪˈvaɪdəz/ *npl* پرگار تقسیم

divination /ˌdɪvɪˈneɪʃn/ *n* غیبگویی، فالگیری

divine /dɪˈvaɪn/ *adj,n,v* ۱.خدایی، الهی ۲.عالِمِ دین ۳.پیشگویی کردن؛ فالگیری کردن، فال گرفتن

diviner /dɪˈvaɪnə(r)/ *n* غیبگو؛ کاهن

diving /ˈdaɪvɪŋ/ *n* شیرجه، غواصی

divinity /dɪˈvɪnətɪ/ *n* الوهیت؛ علمِ دین؛ معبود؛ [با D و the] خدای برحق

divisibility /dɪˌvɪzəˈbɪlɪtɪ/ *n* قابلیت تقسیم

divisible /dɪˈvɪzəbl/ *adj* قابل تقسیم

division /dɪˈvɪʒn/ *n* تقسیم، بخش؛ قسمت؛ شقاق، اختلاف؛ لشکر

divisor /dɪˈvaɪzə(r)/ *n* قسوم‌علیه، بخش‌یاب

divorce /dɪˈvɔ:s/ *n,vt* .طلاق ۲.طلاق دادن

divulge /daɪˈvʌldʒ/ *vt* شا کردن، ابراز کردن

divulgement *n* شا

dizzy /ˈdɪzɪ/ *adj,vt* .گیج؛ بی‌فکر؛ یج‌کننده ۲.گیج کردن

do /du:/ خفف [ditto]

do /du:/ *vt,vi* [did;done] .کردن؛ انجام دادن؛ رست کردن [do one's hair]؛ به‌درد (کسی) ورردن ۲.رفتار کردن؛ بس بودن؛ به‌درد خوردن؛ ذران کردن، (در درس) کار کردن، خواندن

do by فتار کردن با

do out یز کردن؛ به‌حیله در کشیدن

do up نو درست کردن؛ لا زدن (گیس)؛ خانه خراب کردن؛ پیچیدن، بستن؛ ه‌صیغه اسم مفعول] خسته، مانده

have to do with ربوط بودن به

have done with مام کردن

I write as fast as you do. ن به (همان) تندی شما می‌نویسم.

I wished to see him,and I did so. خواستم او راببینم و دیدم.

Did he go? Yes he did. یا او رفت؟ (رفت).

He's done for (Col). ارش زار است.

That will do. س است، کافی است.

How do you do? احوال شما چطور است؟ از آشنایی سرکارخوشوقتم [جوابش هم همین است]

do away with وقوف کردن؛ کشتن

Nothing doing بری نبود (یا نیست)

do /du:/ *v,aux* عل معین]

I do not go. ی‌روم.

what did you eat? ه خوردید؟

I do know طور مسلم) می‌دانم

I did go حقاً رفتم؛ چرا، رفتم

Do say! گویید! [بالحن اصرار و خواهش]

docile /ˈdəʊsaɪl US: ˈdɒsl/ *adj* ر به‌راه، مطیع

docility /dəʊˈsɪlətɪ/ *n* ربه‌راهی، اطاعت

dock /dɒk/ *n,vt* .تعمیرگاه کشتی در دریا؛ رانداز؛ سرسره؛ قسمت گوشتی دُم اسب ۲.در عمیرگاه آوردن؛ دم بریدن؛ موی (کسی را) کوتاه ردن؛ بی‌بهره کردن

doctor /ˈdɒktə(r)/ *n* شک، طبیب؛ دکتر

doctorate /ˈdɒktərət/ *n* رجهٔ دکتری

doctrinaire /ˌdɒktrɪˈneə(r)/ *n* سی که نظریات و اصول خود را بدون توجه به تضیات می‌خواهد اجرا کند، اصولی

octrine /'dɒktrɪn/ *n* اصول، تعلیم
ocument /'dɒkjʊmənt/ *n,vt* ۱.مدرک، سند ۲.متکی به سند کردن
ocumentary /,dɒkjʊ'mentrɪ/ *adj* اَسنادی
ocumentary film /dɒkjʊ'mentrɪ 'fɪlm/ فیلم مستند
odder /'dɒdə(r)/ *vi* تلوتلو خوردن
odge /dɒdʒ/ *v* طفره رفتن؛ پیچیده سخن گفتن؛ از زیر (چیزی) دررفتن
oe /dəʊ/ *n* گوزن یا خرگوش ماده
oer /'du:ə(r)/ *n* کننده، فاعل
oes /dʌz,dəz/ *v,aux* انجام می‌دهد [از فعل do]
oesn't /'dʌznt/ = does not
off /dɒf US: dɔ:f/ *vt* برداشتن (کلاه)؛ کندن (لباس)
og /dɒg US: dɔ:g/ *n,vt* [-ged] ۱.سگ ۲.دنبال کردن، ردپا(ی کسی را) گرفتن
go to the dogs خانه خراب شدن
top dog شخص زبردست، شخص ظالم
under dog شخص توسری‌خور، شخص مظلوم
put on dog *Col* خود را گرفتن
help a lome dog over a stile درمانده‌ای را دستگیری کردن
He is a dog in the manger. نه خود خورَد نه کس دهد گَنده کند به سگ دهد.
og-tired /'dɒg taɪəd/ *adj* خسته وامانده
ogdays /'dɒgdeɪz US: 'dɔ:g-/ *npl* چلهٔ تابستان
ogged /'dɒgɪd US: 'dɔ:gɪd/ = stubborn
oggerel /'dɒgərəl US:'dɔ:gərəl/ *n* شعر بی‌مایه
ogma /'dɒgmə US: 'dɔ:gmə/ *n* عقیده (دینی)
ogmatic /dɒg'mætɪk US: dɔ:g'mætɪk/ *adj* قاطع، جزمی، نظری
ogmatism /'dɒgmətɪzəm US:'dɔ:gmətɪzəm/ فلسفهٔ جزمی؛ اظهار عقیدهٔ بدون دلیل
ogmatize /'dɒgmətaɪz US: 'dɔ:g-/ *v* آمرانه و بدون دلیل سخن گفتن
og's-ear /'dɔ:gz ɪə(r)/ *n* گوشهٔ برگشته در کاغذ
oily /'dɔɪlɪ/ *n* زیرگلدانی
oings /'du:ɪŋz/ *npl* کارها، اعمال
oldrums /'dɒldrəmz/ *npl* سکوت؛ افسردگی؛ منطقهٔ رکود
ole /dəʊl/ *n,vt* ۱.بخش؛ حصّه؛ حقوق مدت بیکاری ۲.به پیمانه دادن [با out]
o on the dole گرفتن حقوق ایام بیکاری
oleful /'dəʊlfl/ *adj* اندوهگین؛ غم‌انگیز

doll /dɒl US: dɔ:l/ *n* عروسک
dollar /'dɒlə(r)/ *n* دُلار
dolorous /'dɒlərəs US:'dəʊlərəs/ = sad
dolour /'dɒlə(r) US: 'dəʊlər/ *n,Poet* = sorrow
dolphin /'dɒlfɪn/ *n* ۱.دلفین، ماهی یونس ۲. dorado
dolt /dəʊlt/ *n* آدم کودن
doltish *adj* کودن، نادان
domain /dəʊ'meɪn/ *n* ملک؛ قلمرو، حوزه
public domain (زمین) خالصه
dome /dəʊm/ *n,vt* ۱.گنبد ۲.گنبد زدن (رویِ)
domestic /də'mestɪk/ *adj,n* ۱.خانگی؛ اهلی؛ وطنی ۲.نوکر
domesticate /də'mestɪkeɪt/ *vt* اهلی کردن؛ [به‌صیغه اسم مفعول] علاقه‌مند به کارهای خانه، خانه‌دار
domesticity /,dəʊme'stɪsətɪ,,dɒm-/ *n* زندگی در خانه
domicile /'dɒmɪsaɪl/ *n* اقامتگاه، مقرّ
domiciled *ppa* مُقیم، ساکن
dominance /'dɒmɪnəns/ *n* تسلط
dominant /'dɒmɪnənt/ *adj* مسلط، نافذ، مهم
dominate /'dɒmɪneɪt/ *vi,vt* ۱.حکمفرما بودن؛ مشرف بودن ۲.تحکم کردن بر
domination /,dɒmɪ'neɪʃn/ *n* تسلط؛ تحکم
domineer /,dɒmɪ'nɪə(r)/ *vi* تحکم کردن
dominie /'dɒmɪnɪ/ *n* [در اسکاتلند] آموزگار
dominion /də'mɪnɪən/ *n* سلطنت؛ ملک، قلمرو؛ حق مالکیت
domino /'dɒmɪnəʊ/ *n* [-es] لباسِ کلاه‌دار یا نقاب‌دار برای رقص؛ مهرهٔ دومینو؛ [در جمع] بازی دومینو
donate /dəʊ'neɪt US: 'dəʊneɪt/ *vt* هبه کردن
donation /dəʊ'neɪʃn/ *n* بخشش؛ هبه
done /dʌn/ [*pp of* do]
donkey /'dɒŋkɪ/ *n* الاغ
donkey-engine /'dɒŋkɪ endʒɪn/ *n* ماشین بخاری که در کشتی کار جرثقیل را می‌کند
donor /'dəʊnə(r)/ *n* بخشنده، واهب
don't /dəʊnt/ = do not
doom /du:m/ *n,vt* ۱.حکم؛ تقدیر؛ هلاکت ۲.محکوم (به فنا) کردن
doomsday /'du:mzdeɪ/ *n* روز رستاخیز
door /dɔ:(r)/ *n* در؛ راهرو
next door to تقریباً، نزدیکِ؛ جنبِ
show someone the door کفش کسی را جفت کردن

out of doors در هوای آزاد
within doors در خانه
door-keeper /ˈdɔː kiːpə(r)/ *n* دربان
doormat /ˈdɔːmæt/ *n* پادری، کفش پاک‌کن
door-plate /ˈdɔː pleɪt/ *n* پلاکِ در
doorpost /ˈdɔːpəʊst/ *n*; **door-tree** چوبدست ضخیم، باهو
doorway /ˈdɔːweɪ/ *n* جای در، درگاه
dope /dəʊp/ *n* روغن غلیظ؛ شربتِ مخدر؛ دارویی که به اسب مسابقه می‌دهند
dorado /dəˈrɑːdəʊ/ *n* ماهی طلایی دریایی
dormant /ˈdɔːmənt/ *adj* خوابیده
dormer /ˈdɔːmə(r)/ *n* پنجرهٔ عمودی در شیروانی
dormitory /ˈdɔːmɪtrɪ US: -tɔːrɪ/ *n* خوابگاهِ چند نفری
dormouse /ˈdɔːmaʊs/ *n* [-mice] موش زمستان خواب
dory /ˈdɔːrɪ/ *n* نوعی قایق پارویی
dose /dəʊs/ *n* (یک) خوراک دوا، بسته، انگاره
dot /dɒt/ *n,vt* [-ted] ۱.نقطه ۲.نقطه‌گذاری کردن، نقطه‌چین کردن
dot a man one *Col* کسی را زدن
dot and go one لنگان لنگان رفتن
dotage /ˈdəʊtɪdʒ/ *n* خَرَف، بی‌عقلی
dotard /ˈdəʊtəd/ *n* پیر یاوه‌گو
dote /dəʊt/ *vi* **on** ابلهانه دوست داشتن، شیفته (کسی) شدن
doth /dʌθ/ *Arch* = does
dotted /ˈdɒtɪd/ *ppa* منقوط؛ نقطه‌چین، نقطه‌دار
double /ˈdʌbl/ *adj,adv,n,v* ۱.دوبرابر؛ دولا؛ دوسر؛ دوپهلو، دورو ۲.دوترکه [ride double] ۳.مضاعف؛ لنگه؛ المثنی ۴.دوبرابر کردن؛ دوبرابر شدن؛ دولا کردن؛ دولا شدن؛ دور زدن
bookkeeping by double entry دفترداری دوبل
double up (به خود) پیچیدن؛ تا شدن
double-barrelled /ˌdʌbl ˈbærəld/ *adj* دولول
double-breasted /ˌdʌbl ˈbrestɪd/ *adj* دوطرف تکمه‌خور
double-dealer /ˌdʌbl ˈdiːlə(r)/ *n* آدم دورو
double-edged /ˌdʌbl ˈedʒd/ *adj* دودَم؛ [مجازاً] دوپهلو
double entendre /ˌdʌbl ɑːnˈtɑːndrə/ *n,Fr* سخن دوپهلو
double-faced /ˌdʌbl ˈfeɪst/ *adj* دورو
double-minded /ˌdʌbl ˈmaɪndɪd/ *adj* دودل، متلون

doublet /ˈdʌblɪt/ *n* جواهرِ بدل؛ قرینه؛ در جمع] جفت [در بازی نرد]
doubly /ˈdʌblɪ/ *adv* وبرابر
doubt /daʊt/ *n,vt* ۱.شک، تردید ۲.مورد تردید (یا اعتراض) قرار دادن
make no doubt قین داشتن، اطمینان داشتن
I doubt whether he will go. ر رفتن او شک دارم.
doubtful /ˈdaʊtfl/ *adj* شکوک؛ مردد
doubtless /ˈdaʊtlɪs/ *adv* ی‌شک، محققاً
douche /duːʃ/ *n,vt* .دوش ۲.زیر دوش واداشتن
dough /dəʊ/ *n* خمیر
doughnut *n* رعی شیرینی، دونات
doughty /ˈdaʊtɪ/ *adj* لیر
dour /dʊə(r)/ *n* سخت؛ سرسخت
douse *or* **dowse** /daʊs/ *vt* ر آب گذاشتن؛ اموش کردن
dove /dʌv/ *n* بوتر
dovecote /ˈdʌvkɒt,ˈdʌvkəʊt/ *n* بوترخان، فترخان
dovetail /ˈdʌvteɪl/ *n,vi* .زبانه، کام، مفاخته‌ای ۲.جفت شدن
dowager /ˈdaʊədʒə(r)/ *n* وه‌زنی که دارایی شوهرش به او رسیده باشد
dowdy /ˈdaʊdɪ/ *adj* .لباس
dower /ˈdaʊə(r)/ *n* خشی از دارایی مرد که پس از درگذشت او زنش می‌رسد؛ جهاز، جهیزیه
down /daʊn/ *n* ، نرم؛ کرک
down /daʊn/ *adv,adj,prep* .پایین، در زیر .افسرده، خوابیده ۳.پایین دستِ؛ پایینی؛ پایین‌رو
write, put, note *or* take down وی کاغذ آوردن؛ یادداشت کردن
pay down د دادن، فی‌المجلس دادن
down (the) wind ، جهت وزش باد
down train اری که به پایتخت می‌آید یا آن خارج می‌شود
down-drought دی که از دودکش به اتاق می‌وزد
down /daʊn/ *vt,Col* زمین زدن، زمین گذاشتن؛ سر کشیدن
down /daʊn/ *n* ستی، ادبار یشتر در جمع و در عبارت ups and downs به معنی ستی و بلندی» به کار می‌رود]؛ نفرت
have a down on *Col* ت داشتن از
be handed down تواتر رسیدن
get down ین رفتن؛ پیاده شدن

run down خوابیدن [در ساعت]
down in the mouth پکر، افسرده
be down up(on) سخت گرفتن بر
He is down for...
نامش را (برای فلان کار) در صورت نوشته‌اند.
He is down with fever. تب کرده و خوابیده است.
Down with your money. پول نقد بگذارید، بشمارید.
talk down خاموش کردن، ساکت کردن
Down with him! مرده باد! پست باد!
Down on your knees! زانو بزنید!
downcast /'daʊnkɑ:st US: 'daʊnkæst/ *adj*
افسرده؛ پایین افتاده
downfall /'daʊnfɔ:l/ *n* سقوط؛ زوال؛ بارش
downhearted /,daʊn'hɑ:tɪd/ *adj* دل‌شکسته
downhill /,daʊn'hɪl/ *adv,n* سرازیر(ی)
down-pipe /'daʊnpaɪp/ *n* ناودان (عمودی)
downpour /'daʊnpɔ:(r) *n* بارندگی زیاد
downright /'daʊnraɪt/ *adj,adv* ۱.صِرف،
محض؛ مطلق؛ رک؛ رک‌گو ۲.کاملاً، یکس
پوست‌کنده
downstairs /,daʊn'steəz/ *adv* در طبقه پایین
downtrod(den) /'daʊntrɒd(n)/ *adj*
پایمال‌شده
downward /'daʊnwəd/ *adj* پایین؛ رو به پایین
downward(s) *adv* (به‌طرف) پایین
downy /'daʊnɪ/ *adj* کرکی؛ نرم
dowry /'daʊərɪ/ *n* ۱.جهیزیه
۲. dower [معنی اول]
dowse /'daʊz/ *vi* میل زدن، گمانه زدن
doxology /dɒk'sɒlədʒɪ/ *n* حمد، تسبیح، سرود
doyen /'dɔɪən/ *n,Fr* مقدّم‌السفرا
doz [مختصر dozen]
doze /dəʊz/ *n,vi* چرت (زدن)
dozen /'dʌzn/ *n* دوجین
[مختصر Doctor]
drab /dræb/ *adj* خرمایی کمرنگ؛ یکنواخت
drachma /'drækmə/ *n*
دِرهم [در یونان باستان]؛ فرانک یونانی
draft /drɑ:ft US: dræft/ *n,vi* ۱.حواله، برات؛
طرح؛ پیش‌نویس؛ آبخور (کشتی) ۲.پیش‌نو
کردن، طرح کردن [به معانی draught نیز رجوع ش
draftsman /'drɑ:ftsmən US: 'dræfts-/ *n*
نقشه‌کش، طراح
drag /dræg/ *vt,vi* [-ged] *,n* ۱.کشیدن؛
لایروبی کردن ۲.کشیده شدن ۳.کشش؛ قلاب، اس
لایروبی، نوعی کالسکه؛ مانع، اسبابِ زحمت
drag-boat /'dræg bəʊt/ *n* قایق یا کشتی لایروب

dragée /dræ'ʒeɪ/ *n,Fr* نقل بادام؛
شیرینی شکلاتی؛ قرص دارویی
drag up /'dræg ʌp/ *Col* بدبار آوردن
draggled /'drægəld/ *adj* گِل‌آلود
dragon /'drægən/ *n* اژدها
dragon-fly /'drægənflaɪ/ *n* سنجاقک
dragoon /drə'gu:n/ *n* سربازِ سواره
drain /dreɪn/ *vt,vi,n* ۱.خشکاندن؛
زیرآب (چیزی) را زدن؛ زهکشی کردن؛ کشیدن
۲.خشک افتادن؛ آهسته چکیدن ۳.زهکش؛ آبگذر؛ لولهٔ
مخصوص تخلیهٔ ترشّحات زخم، فتیله؛ مصرف
drain (to the dregs) تا ته سرکشیدن
drainage /'dreɪnɪdʒ/ *n* زهکشی؛ فاضلاب
drake /dreɪk/ *n* اردک نر
dram /dræm/ *n* درم؛ جرعه؛ خرده
drama /'drɑ:mə/ *n* درام، شبیه؛ نمایشنامه
dramatic /drə'mætɪk/ *adj* دراماتیک؛
داستان مانند؛ برجسته
dramatis personae /,dræmətɪs pɜ:'səʊnaɪ/
npl,L فهرست (اسامی) بازیگران نمایش
dramatist /'dræmətɪst/ *vt* درام‌نویس
dramatize /'dræmətaɪz/ *vt*
به شکل درام درآوردن
drank /dræŋk/ [*p of* drink]
drape /dreɪp/ *vt* با پرده یا پارچه پوشاندن
drape /dreɪp/ *n* پرده
draper /'dreɪpə(r)/ *n* پارچه‌فروش
drapery /'dreɪpərɪ/ *n* پارچهٔ پرده‌ای
drastic /'dræstɪk/ *adj* مؤثر؛ قوی، کارگر
draught /drɑ:ft/ *n* کشش؛ جریانِ هوا،
کوران؛ شربت (دارو)؛ دام‌گستری؛ آبخور کشتی؛ [به
معانی draft نیز رجوع شود]
draughthorse /'dræfthɔ:s/ *n* یابو، بارکش
draughts *npl*
نوعی بازی که امریکایی‌ها checkers می‌گویند
draughtsman /'drɑ:ftsmən US: 'dræfts-/ *n*
نقشه‌کش؛ مهرهٔ بازیِ draughts [-men]
draughty /'drɑ:ftɪ US: 'dræftɪ/ *adj* در معرضِ
جریان هوا، کوران‌دار [a draughty room]
draw /drɔ:/ *v* [drew;drawn] کشیدن؛
چک کشیدن؛ دم کردن چای؛ دم کشیدن؛ پاک
کردن (اندرون مرغ)؛ جلب کردن؛ موجب شدن
draw the cloth سفره را برچیدن
This ship draws 2 feet.
آبخور این کشتی دو فوت است.
draw in در حلقه درآوردن؛ چروک کردن؛
تو کشیدن؛ کوتاه شدن (روز)

draw it fine
مجال (یا جای) خیلی کمی باقی گذاشتن
draw off عقب‌نشینی کردن
draw out تنظیم کردن؛ طرح کردن؛ امتداد دادن؛ در وصف آوردن؛ به‌زبان آوردن، به‌حرف آوردن؛ دراز شدن
draw on فراهم آوردن؛ کشیدن؛ برداشت کردن از، خوردن؛ کشیده شدن؛ نزدیک شدن؛ در دست کردن (دستکش)
draw to an end ته کشیدن، تمام شدن
draw up تنظیم کردن، تهیه کردن؛ توقف کردن؛ صف کشیدن؛ نزدیک شدن

draw /drɔ:/ *n* کشش؛ قرعه‌کشی
drawback /'drɔ:bæk/ *n* مانع؛ زیان؛ کسر
drawbridge /'drɔ:brɪdʒ/ *n* پل متحرک
drawee /drɔ:'i:/ *n* برات‌گیر
drawer /drɔ:(r)/ *n* کشو؛ برات‌کش؛ آبدار؛ [در جمع] زیرشلواری
drawing /'drɔ:ɪŋ/ *n* نقشه(کشی)، رسم؛ قرعه‌کشی
out of drawing غلط رسم‌شده
drawing-pin /'drɔ:ɪŋ pɪn/ *n* پونز
drawing-room /'drɔ:ɪŋ rʊm, -ru:m/ *n* سالن پذیرایی
drawl /drɔ:l/ *vi* کشیده حرف زدن
drawn /drɔ:n/ *ppa* [*pp of* draw] کشیده؛ ممتد؛ پوک؛ چروک
dray /dreɪ/ *n* گاری کوتاه لبه
dread /dred/ *n,vt* ترس (داشتن از)
dreadful /'dredfl/ *adj* ترسناک؛ بسیار بد
dreadnought /'drednɔ:t/ *n* رزم‌ناو بزرگ و سنگین اسلحه
dream /dri:m/ *n,vi,vt* [dreamt *or* dreamed] ۱.خواب ۲.خواب دیدن ۳.در خواب دیدن، به خواب گذراندن، به بطالت گذراندن
dreamt /dremt/ [*p,pp of* dream]
dreamy /'dri:mɪ/ *adj* خواب مانند؛ غیرواقعی
dreary /'drɪərɪ/ *adj* دلتنگ‌کننده
dredge /dredʒ/ *n,vt* ۱.لایروب ۲.لایروبی کردن، تنقیه کردن؛ با آرد پوشاندن؛ بیختن
dredger *n* (کشتی) لایروب
dregs /dregz/ *npl* دُرد؛ [در مفرد] باقیمانده
dregs of society پست‌ترین تودهٔ مردم
drench /drentʃ/ *vt* خیس کردن
dress /dres/ *n,vt,vi* [dressed *or* drest] ۱.لباس (مخصوص)؛ لباس زنانه ۲.پوشانیدن؛ بستن (زخم)، پانسمان کردن؛ درست کردن (موی سر) ۳.لباس پوشیدن
dress up س (ویژه) پوشیدن
dresser /'dresə(r)/ *n* خم‌بند؛ قفسه
dressing /'dresɪŋ/ *n* خم‌بندی، پانسمان؛ ایش؛ لباس؛ کود؛ پرداخت؛ لعاب؛ تأدیب؛ سُس چاشنی و چیزهای دیگری که به خوراک افزوده ی‌شود
dressing-gown /'dresɪŋ gaʊn/ *n* اسِ خانه
dressing-room /'dresɪŋ ru:m/ *n* خت‌کن؛ اق ویژهٔ آرایش
dressmaker /'dresmeɪkə(r)/ *n* ن) زنانه‌دوز
dressy /'dresɪ/ *adj* یک(پوش)، خوش‌لباس
drew /dru:/ [*p of* draw]
dribble /'drɪbl/ *v* کانیدن؛ چکیدن
driblet /'drɪblɪt/ *n* رده؛ مقدار کم
dried /draɪd/ *ppa* شکانیده
drier;dryer /'draɪə(r)/ *n* شکاننده (رنگ)
drift /drɪft/ *n,vi,vt* .تودهٔ بادآورده؛ خ آب‌آورده؛ جسم شناور؛ تمایل؛ روش؛ مفاد؛ شامد؛ جریان ۲.رانده شدن (از باد یا آب)؛ توده دن؛ دستخوشِ پیشامد بودن ۳.راندن؛ توده ردن، انبوه کردن
drill /drɪl/ *n,vt,vi* .مته، دریل؛ مشق، تمرین؛ خم‌افشان ۲.کندن (چاه)؛ مشق دادن ۳.تمرین کردن
drill(ing) *n* رچهٔ زمخت کتانی یا نخی
drilling *n* شق (نظامی)؛ حفر
drink /drɪŋk/ *vt* [drank;drunk], *n* .آشامیدن، رشیدن، خوردن ۲.آشامیدنی، مشروب؛ جرعه
drink in شوق و ولع گوش دادن
in drink ست
drink to the dregs ته آشامیدن
drink up *or* **off** ته سر کشیدن
drink anyone's health سلامتی‌کسی نوشیدن
drinkable /'drɪŋkəbl/ *adj,n* .آشامیدنی .مشروب، نوشابه
drinking-cup /'drɪŋkɪŋ kʌp/ *n* خوری؛ کاسه
drinking-fountain /'drɪŋkɪŋ faʊntɪn/ *n* حل عمومی در خیابان برای آب نوشیدن
drip /drɪp/ *vi,vt* [-ped] .چکیدن، چکه کردن .چکانیدن
dripping /'drɪpɪŋ/ *n* سکِ کباب
dripping wet /'drɪpɪŋ 'wet/ یسِ خیس، ل موش آب کشیده
drive /draɪv/ *vt,vi* [drove;driven], *n* .راندن؛ لو بردن؛ کوبیدن (میخ) ۲.سواری کردن؛ سواره ردش کردن؛ سخت کوشیدن، دوندگی کردن .سواری؛ راه درشکه‌رو؛ عقب‌نشانی؛ دوندگی؛ ایل؛ ظرفیت، قوه

drive away دفع کردن، دور کردن
drive into a corner در تنگنا گرفتار کردن؛ مجاب کردن
let drive at سوی هدف راندن، متوجه هدف کردن
drive mad دیوانه کردن
What is he driving at? چه می‌خواهد بگوید؟ مقصودش چیست؟
rivel /'drɪvl/ *vi* آب دهان روان ساختن؛ از دهان یا بینی جاری شدن؛ کودکانه حرف زدن؛ یاوه سرایی کردن
riven /'drɪvn/ [*pp of* drive]
river /'draɪvə(r)/ *n* راننده
riving *apa,n* ۱.راننده، محرّک؛ مؤثر ۲.رانندگی؛ سواری
rizzle /'drɪzl/ *n* بارانِ ریز
It drizzles باران ریز می‌بارد، ریزه ریزه باران می‌آید
roll /drəʊl/ *adj* مضحک؛ مسخره‌آمیز
romedary /'drɒmədərɪ US: -ədərɪ/ *n* شتر جمازه
rone /drəʊn/ *n,vi* ۱.زنبور عسل نر؛ سخن یکنواخت ۲.وزوز کردن؛ تنبلی کردن؛ یکنواخت سخن گفتن
roop /dru:p/ *vi* پایین افتادن؛ سر به زیر افکندن؛ سست شدن؛ بی‌جرئت شدن
rop /drɒp/ *n,vi,vt* [-ped] ۱.قطره، چکه؛ نقل یا آب‌نبات؛ آویز؛ سقوط؛ نشست؛ [در جمع] داروی چکاندنی ۲.افتادن؛ چکیدن؛ موقوف شدن؛ پایین افتادن ۳.انداختن، ول کردن؛ چکاندن؛ پیاده کردن
let drop وِل کردن، انداختن
drop away جدا شدن، پشت کردن
drop in سر زدن؛ دیدار تصادفی
drop off جدا شدن، پشت کردن؛ چرت زدن
drop through نقش برآب شدن
ropper *n* قطره‌چکان
ropping-tube /'drɒpɪŋ tju:b/ *n* قطره‌چکان
ropsical /'drɒpsɪkl/ *adj* استسقایی
ropsy /'drɒpsɪ/ *n* استسقا (نوعی بیماری که سبب جمع شدن مایعات در بدن می‌شود)
ross /drɒs US: drɔ:s/ *n* تفاله، پس‌مانده، کف فلز
roshky /'drɒʃkɪ/ *n* درشکه
rought /draʊt/ *n* خشکسالی
roughty *adj* خشک؛ بی‌باران
rove /drəʊv/ [*p of* drive]
rove /drəʊv/ *n* گله، رمه؛ جمعیت

drover *n* چوبدار، گله فروش
drown /draʊn/ *v* غرق کردن؛ غرق شدن؛ خفه کردن؛ خفه شدن
drowse /draʊz/ *vi* چرت زدن
drowse *(vt)* **away** به چرت گذراندن
drowsily /'draʊzəlɪ/ *adv* در حالت نیمخواب
drowsy /'draʊzɪ/ *adj* خواب‌آلود؛ نیمخواب؛ خواب‌آور؛ تنبل
drub /drʌb/ *vt* [-bed] کتک زدن
drudge /drʌdʒ/ *vi,n* ۱.جان کندن، حمالی کردن ۲.مزدور جان کن
drudgery /drʌdʒərɪ/ *n* جان‌کنی
drug /drʌg/ *n,vt* [-ged] ۱.دارو، دوا ۲.دارو خوراندن؛ دارویی کردن
drug in the market جنس بنجل
druggist /'drʌgɪst/ *n* داروساز؛ داروفروش
drum /drʌm/ *n,vi* [-med] ۱.کوس، طبل؛ استوانه؛ چلیک ۲.طبل زدن
drum *(vt)* **into one's head** با تکرار در گوش کسی فرو کردن
drum *(vt)* **up** با طبل احضار کردن؛ [در اصطلاح تئاتر] نقش خود را فراموش کردن
drummer *n* کوس‌زن، طبال، طبل‌زن
drunk /drʌŋk/ [*pp of* drink]
drunk /drʌŋk/ *ppa* مست
drunkard /drʌŋkəd/ *n* آدم مست
drunken /'drʌŋkən/ *adj* مست
drunkenness *n* مستی
dry /draɪ/ *adj,vt,vi* ۱.خشک؛ تشنگی‌آور؛ بی‌مزه؛ [مجازاً] بی‌عاطفه؛ خنک ۲.خشک کردن ۳.خشک شدن
dry cell باتریِ خشک
dry measure پیمانهٔ خشکبار
dry farming دیمکاری
dry up خشک افتادن؛ خاموش شدن؛ خوب خشک کردن
dry-cleaning /ˌdraɪ 'kli:nɪŋ/ *n* خشکشویی
dryness *n* خشکی
dry rot /ˌdraɪ 'rɒt/ *n* فساد چوب که علت آن وجود نوعی قارچ است؛ [مجازاً] فساد اخلاقی نامحسوس
dry-shod /'draɪʃɒd/ *adj,adv* بدون تر شدن پا
dual /'dju:əl US: 'du:əl/ *adj,n* دوتایی؛ تثنیه
dual ownership مالکیت مشترک (یا دونفری)
dub /dʌb/ *vt* [-bed] اعطا کردن لقب شوالیه
dub /dʌb/ *vt* [-bed] دوبله کردن (فیلم)
dubious /'dju:bɪəs US: du:-/ *adj* مشکوک؛ سست

dubitable *adj* مشکوک

ducal /'dju:kl US: 'du:kl/ *adj*
وابسته به دوک (duke)؛ مانند دوک

ducat /'dʌkət/ *n* نوعی سکهٔ زر

duchess /'dʌtʃɪs/ [*fem of* duke] دوشس

duchy /'dʌtʃɪ/ *n* قلمرو، دوک‌نشین

duck /dʌk/ *n* اردک (ماده)؛ غوطه

Like water off a duck's back چون گردکان بر گنبد

Like a duck to water
به همان سهولت که مرغابی در آب می‌رود

duck(s) and drake(s) بازی لب پر

make ducks and drakes of تلف کردن، بر باد دادن

duck /dʌk/ *v* غوطه دادن (یا خوردن)

ducking *n* غوطه؛ خیس‌شدگی

duckling /'dʌklɪŋ/ *n* جوجه اردک

duct /dʌkt/ *n* مجرا، لوله؛ کانال

ductile /'dʌktaɪl US: -tl/ *adj* چکش‌خور؛ نرم

ductility /dʌk'tɪlətɪ/ *n* خاصیت لوله شدن

dud /dʌd/ *n* چیز بی‌مصرف

dud cheque *Sl* چک بی‌محل

dudgeon /'dʌdʒən/ *n* رنجش

due /dju: US: du:/ *n,adj,adv* ۱.بدهی؛ حق؛ طلب؛ [در جمع] حقوق ۲.قابل پرداخت؛ مقتضی، لازم؛ مقرر ۳.درست، کاملاً

10 Rials is due me by him.
او ده ریال به من بدهی دارد.

due date وعده، سررسید

When does the bill fall due?
سررسید یا موعد پرداخت برات چه وقت است؟

in due course در موقع خود

He is due to arrive today.
قرار است امروز برسد (یا وارد شود).

due to در نتیجهٔ، به واسطهٔ

due to Edison منسوب به ادیسون

It is due to علت آن... است

duel /'dju:əl US: 'du:əl/ *n,vi*
۱.جنگ تن به‌تن، دوئل ۲.دو به‌دو جنگ کردن

duel(l)ist /'dju:əlɪst/ *n* استاد جنگ تن به‌تن

duet /dju:'et US: du:-/ *n*
قطعهٔ موسیقی برای دوخواننده یا دونوازنده

duffer /'dʌfə(r)/ *n* آدم کودن؛ آدم متقلب

dug /dʌg/ [*p,pp of* dig]

dug-out /'dʌg aʊt/ *n* قایق پارویی ساخته‌شده از تنهٔ درخت؛ پناهگاه موقتی

duke /dju:k US: du:k/ *n*
دوک [لقبی است در بعضی از کشورهای اروپایی]

dull /dʌl/ *adj,vt,vi* .گرفته، تیره؛ ...ند؛ سنگین؛ کودن؛ کمرنگ؛ کاسد، کساد ۲.کند ...ردن؛ تیره کردن؛ کسل کردن ۳.کند شدن؛ تیره ...دن

dullard /'dʌləd/ *n* ...دم کودن

dullness *n* ...ندی؛ تیرگی؛ کودنی؛ سنگینی؛ ...مرنگی؛ کساد

duly /'dju:lɪ US: 'du:lɪ/ *adv* ...چنان که باید؛ ...حقاً؛ به‌موقع

dumb /dʌm/ *adj* ...ل، گنگ؛ بی‌صدا

dumb show ...لال‌بازی، نمایش بی‌صدا

He was struck dumb. ...بهوت شد.

dumb-bell /'dʌmbel/ *n* ...مبل

dum(b)found /dʌm'faʊnd/ *vt* ...بهوت کردن

dumbness *n* ...نگی، لالی

dummy /'dʌmɪ/ *n* ...ترسک [مجازاً] آلت دست؛ ...در نمایش] نعش

dump /dʌmp/ *vt,vi,n* .آب کردن (کالای ...ران) در کشور دیگر ۲.با صدا افتادن ۳.توسری؛ ...شغال‌دان؛ انبار موقتی؛ آدم خپل؛ ژتون سُربی؛ پشیز

dumping *n* ...روش کالا در بازارِ خارجی ...ه قیمتی کمتر از بهای آن کالا در بازار داخلی، ...یمت شکنی، دامپینگ

dumpish *adj* ...فسرده، پکر

dumpling /'dʌmplɪŋ/ *n* ...خمیری که ...لوله می‌کنند و با گوشت و سبزی می‌پزند و ...اسیب یا میوه‌های دیگر لای آن می‌گذارند

dumps /dʌmps/ *npl* ...فسردگی، پکری

dump-truck /'dʌmp trʌk/ *n* ...کامیون خاک‌کش

dumpy /'dʌmpɪ/ *adj* ...خپل، کوتاه و کلفت

dun /dʌn/ *adj* ...خرمایی مایل به خاکستری

dun /dʌn/ *v* [-ned] ...طلبکاری کردن (از)

dunce /dʌns/ *n* ...چهٔ کودن

dunce's cap ...کلاه قیفی

dune /dju:n US: du:n/ *n* ...ودهٔ شن ساحلی

dung /dʌŋ/ *n,vt* ...کود (دادن)

dungeon /'dʌndʒən/ *n* ...سیاه‌چال

dunghill /'dʌŋhɪl/ *n* ...ودهٔ کود

duodenitis /dju:əʊdɪ'naɪtɪs, du:/ *n* ...رم اثناعشر

duodenum /ˌdju:ə'di:nəm US: ˌdu:ə-/ *n* ...ثناعشر

dupe /dju:p US: du:p/ *n,vt* .آدمِ گول‌خور؛ ...دم ساده‌لوح ۲.گول زدن

duplex /'dju:pleks US: 'du:plks/ *adj* ...و جزئی؛ ...و فتیله‌ای

duplicate /'dju:plɪkət US: 'du:pləkət/ *adj,n* ۱.دوجزئی، دوتایی؛ دوبرابر؛ دونسخه‌ای ۲.المثنی، نسخه دوم
in duplicate در دو نسخه
duplicate /'dju:plɪkeɪt US: 'du:pləkeɪt/ *vt* دونسخه کردن؛ پلی‌کپی کردن
duplicator /'dju:plɪkeɪtə(r) US: 'du:-/ *n* ماشین پُلی‌کپی
duplicity /dju:'plɪsətɪ US: du:'plɪsətɪ/ *n* دورویی
durability /'djʊərə'bɪlətɪ US: 'dʊərə'bɪlətɪ/ *n* دوام
durable /'djʊərəbl US: 'dʊərəbl/ *adj* بادوام؛ پایدار
duration /djʊ'reɪʃn US: dʊ'reɪʃn/ *n* مدت؛ استمرار
of short duration کم‌مدت، کوتاه
duress(e) /djʊ'res US:dʊ'res/ *n* اکراه
during /'djʊərɪŋ US: 'dʊər-/ *prep* در مدتِ
durst [*p of* dare]
dusk /dʌsk/ *n,v* ۱.تاریکی؛ هوای گرگ و میش ۲.تاریک شدن؛ تاریک کردن
dusky /'dʌskɪ/ *adj* تاریک، تیره
dust /dʌst/ *n,vt* ۱.خاک؛ گرد ۲.گردگیری کردن؛ خاک‌آلود کردن
make (*or* raise) a dust گرد و خاک بلند کردن؛ [مجازاً] هایهوی کردن
dust the eyes of فریب دادن
throw dust in one's eyes کسی را اغفال کردن
bite the dust زمین خوردن (مردن یا مجروح شدن)
dust one's jacket کسی را زدن
dustbin /'dʌstbɪn/ *n* ظرف خاکروبه و زباله
duster *n* گردگیر؛ گردپاش، شکرپاش
dustman /'dʌstmən/ *n* رفتگر
dustpan /'dʌstpæn/ *n* خاک‌انداز
dusty /'dʌstɪ/ *adj* خاک‌آلود؛ خشک، بی‌مزه
Dutch /dʌtʃ/ *adj,n* هلندی
Dutch treat میهمانی دانگی
Dutch courage جرئت ناشی از مستی
Dutchman /'dʌtʃmən/ *n* [-men] مرد هلندی؛ کشتی هلندی
Dutchwoman *n* [-men] زن هلندی
duteous /'dju:tɪəs US: 'du:/ = dutiful
dutiable /'dju:tɪəbl US: 'du:-/ *adj* گمرک‌دار
dutiful /'dju:tɪfl US: 'du:/ *adj* وظیفه‌شناس؛ مطیع
duty /'dju:tɪ US: 'du:tɪ/ *n* وظیفه؛ مأموریت
Customs duties حقوق (گمرکی)
be off one's duty سرِ خدمت نبودن
It does duty for... کار... را می‌کند
DV /ˌdi: 'vi:/ *L* = Deo volente ان‌شاءالله، اگر خدا بخواهد
dwarf /dwɔ:f/ *n,vt* ۱.کوتوله، قد کوتاه ۲.از رشد بازداشتن
dwarfish *adj* کوتاه(قد)؛ کوتوله‌مانند
dwell /dwel/ *vi* [dwelt] ساکن بودن، ساکن شدن، زندگی کردن
dwell upon زیاد بحث کردن (در)
dweller *n* ساکن
dwelling *n* خانهٔ مسکونی، سکنی
dwelt /dwelt/ [*p,pp of* dwell]
dwindle /'dwɪndl/ *v* کوچک شدن؛ کوچک کردن؛ ضعیف شدن؛ ضعیف کردن
dye /daɪ/ *n,vt,vi* ۱.رنگ ۲.رنگ کردن ۳.رنگ خوردن
of the deepest dye بدترین
dyeworks /'daɪwɜ:ks/ *n* کارخانهٔ رنگرزی
dyeing *n* رنگرزی، صباغی
dyer *n* رنگرز، صباغ
dye-stuff /'daɪstʌf/ *n* رنگ، مادهٔ رنگی، جوهر
dying *apa* مردنی؛ در حال مردن
dyke /daɪk/ = dike
dynamic /daɪ'næmɪk/ *adj* پویا؛ متحرک
dynamics /daɪ'næmɪks/ *npl* علم دینامیک، مبحث حرکت اجسام
dynamite /'daɪnəmaɪt/ *n* دینامیت
dynamo /'daɪnəməʊ/ *n* دینام
dynasty /'dɪnəstɪ US: 'daɪ-/ *n* سلسله
dysentery /'dɪsəntrɪ US: -terɪ/ *n* اسهال خونی
dyspepsia /dɪs'pepsɪə US: dɪs 'pepʃə/ *n* سوء هاضمه
dyspeptic /dɪs'peptɪk/ *adj* دچار سوءهاضمه
dysuria /dɪs'juri:ə/ *n* ادرار دردناک

E,e

E,e /iː/ *n* پنجمین حرف الفبای انگلیسی
each /iːtʃ/ *adj,pr* ۱.هر ۲.هریک، هر کدام، هریکی
each other یکدیگر، همدیگر
eager /ˈiːgə(r)/ *adj* مشتاق
eagerly *adv* مشتاقانه
eagerness *n* اشتیاق
eagle /ˈiːgl/ *n* عقاب، دال
eaglet /ˈiːglɪt/ *n* بچه عقاب، جوجه عقاب
ear /ɪə(r)/ *n* گوش؛ خوشه، دسته
be all ears سراپا گوش بودن
A word in your ear. حرف محرمانه (یا درِگوشی) با شما دارم.
I had his ear توجه اورا جلب کردم
I would give my ears. از گوشم التزام می‌دهم.
My ears were burning گوشم صدا می‌کرد [از من صحبت می‌کردند].
up to the ears; over head and ears غرق، سرا پا فرورفته
set two persons by the ears میانه دونفر را به هم زدن
ear-ache /ˈɪəeɪk/ *n* گوش‌درد
ear-drop /ˈɪədrɒp/ *n* گوشواره،آویز
ear-drum /ˈɪədrʌm/ *n* صماخ یا طبل گوش
earl /ɜːl/ *n* [*fem* countess] لقبی که برابر است با «کنت» در فرانسه
earldom /ˈɜːldəm/ *n* رتبه و قلمرو earl یا کنت
early /ˈɜːlɪ/ *adj,adv* ۱.زود؛ به موقع؛ پیشین، قدیمی؛ اولین؛ پیشرس ۲.زود؛ به‌موقع؛ در اوایل
earlier on پیشتر، سابقاً
You are early. شما زود آمده‌اید.
early rising زودخیزی، سحرخیزی
early riser; early bird آدم سحرخیز
early in the morning صبح زود
earmark /ˈɪəmɑːk/ *vt* تخصیص دادن
earn /ɜːn/ *vt* تحصیل کردن، دخل کردن؛ به‌دست آوردن؛ سزاوار بودن
earnest /ˈɜːnɪst/ *adj,n* ۱.جدی، دلگرم، مشتاق؛ واقعی ۲.بیعانه، پیش‌بها؛ [مجازاً] وثیقه، دلیل؛ جِد [جدی بودن]
in earnest (به‌طور) جدی، بدون شوخی
earnestly *adv* جداً؛ به التماس
earnest-money /ˈɜːrnɪst mʌnɪ/ *n* بیعانه، پیش‌بها
earnings *npl* درآمد، دخل
ear-ring /ˈɪərɪŋ/ *n* گوشواره؛ آویز
earshot /ˈɪəʃɒt/ *n* صدارس، گوش‌رس
earth /ɜːθ/ *n,vt* ۱.زمین؛ خاک ۲.با خاک پوشاندن [با up]؛ با زمین اتصال دادن
run to earth با کاوش کشف کردن؛ در لانه یا زیرزمین رفتن
Why on earth.... ? هیچ می‌شود فهمید چرا....؟
earthen /ˈɜːθn/ *adj* خاکی؛ سفالی
earthenware /ˈɜːθnweə(r)/ *n* ظروف سفالی
earthly /ˈɜːθlɪ/ *adj* زمینی؛ دنیوی، جهانی
earthquake /ˈɜːθkweɪk/ *n* زمین‌لرزه، زلزله
earthwork /ˈɜːθwɜːk/ *n* خاکریز(ی)
earthworm /ˈɜːθwɜːm/ *n* کرم خاکی
earthy *adj* خاکی؛ مادی
ear-trumpet /ˈɪətrʌmpɪt/ *n* سمعک
ear-wax /ˈɪəwæks/ *n* چرکِ گوش
ear-wig /ˈɪəwɪg/ *n* گوش‌خزک، گوش‌خیزک
ease /iːz/ *n,vt* ۱.آسانی، سهولت؛ آسایش؛ روانی ۲.آسوده کردن؛ آزاد کردن؛ تخفیف دادن
at (one's) ease به آسودگی، به‌فراغت
Stand at ease! [نظامی] آزاد!
be ill at ease بد گذراندن
ease nature سر قدم رفتن
ease off *or* **away** کم‌کم شل کردن
ease (*vi*) off سبک شدن، آسان شدن
easel /ˈiːzl/ *n* سه‌پایهٔ نقاشی
easily *adv* به‌آسانی
easiness *n* آسانی؛ راحتی
east /iːst/ *n,adv* ۱.خاور، مشرق ۲.سوی خاور
on the east از سمت مشرق
East Indies /iːst ɪnˈdiːz/ *npl* جزایر هند شرقی
Easter /ˈiːstə(r)/ *n* پاک: [لفظ فرانسه] عید قیامت مسیح
easterly /ˈiːstəlɪ/ *adj* شرقی، خاوری
eastern /ˈiːstən/ *adj* شرقی،خاوری
eastward /ˈiːstwɔːd/ *adj,adv* رو به خاور، شرقی
eastwards *adv* سوی‌خاور

easy /'i:zɪ/ *adj* آسان؛ آزاد؛ راحت [صندلی راحتی easy chair]؛ ملایم؛ روان، سلیس [easy style]
easy of belief زودباور
easy to forgive با گذشت
Stand easy! [نظامی] در جا راحت باش!
Take it easy. سخت نگیر، جوش نزن.
easygoing /,i:zɪ'gəʊɪŋ/ *adj* آسانگیر، لاقید
eat /i:t/ *vt* [ate; eaten] خوردن؛ ساییدن
eat one's heart out خون دل خوردن
eat one's words حرف خود را پس‌گرفتن
It eats its head off پول کاه و جُوَش را در نمی‌آورد
eatable /i:təbl/ *adj* خوردنی
eaten [*pp of* eat]
eater *n* خورنده
a good eater آدم خوش‌خوراک یا پرخور
eating-house /'i:tɪŋ haʊs/ *n* رستوران
eaves /i:vz/ *npl* پیشامدگی لبهٔ بام
eavesdrop /'iv:zdrɒp/ *v* استراق سمع کردن
ebb /eb/ *n,vi* ۱.جزر [که آن را ebb-tide نیز گویند] ۲. فروکشیدن
ebony /'ebənɪ/ *n* آبنوس
ebullition /,ebə'lɪʃn/ *n* جوش، غلیان
eccentric /ɪk'sentrɪk/ *adj* مختلف‌المرکز؛ خارج از مرکز؛ غریب؛ نامتعارف؛ نابهنجار
eccentricity /,eksen'trɪsətɪ/ *n* نامتعارف بودن؛ غرابت؛ کار غریب
ecchymosis /,ekə'məʊsɪs/ *n* [پزشکی] خون‌مردگی
Ecclesiastes /ɪ,kli:zi:'æsti:z/ *n* کتاب جامعه [به قلم حضرت سلیمان]
ecclesiastic /ɪ,kli:zɪ'æstɪk/ *n* عضو طبقه روحانیون
ecclesiastical /ɪ,kli:zɪ'æstɪkl/ *adj* کلیسایی؛ کشیشی
echo /'ekəʊ/ *n,vi,vt* [-ed] ۱.انعکاس صدا، پژواک؛ تقلید؛ تکرار؛ جواب تأثرآمیز ۲.منعکس شدن، پیچیدن ۳.منعکس کردن؛ تقلید کردن
eclampsia /ɪ'klæmpsi:ə/ *n* [پزشکی] تشنج آبستنی؛ اکلامپسی
eclipse /ɪ'klɪps/ *n,vt* ۱.کسوف؛ خسوف ۲.تاریک‌کردن؛ تحت‌الشعاع قرار دادن
eclipse of the sun کسوف
eclipse of the moon خسوف
economic /,i:kə'nɒmɪk,,ekə'nɒmɪk/ *adj* اقتصادی
economical /,i:kə'nɒmɪkl, ,ekə'nɒmɪkl/ *adj* صرفه‌جو؛ مقرون به صرفه
economically /,i:kə'nɒmiklɪ,,ekə'nɒmɪklɪ/ *adv* از لحاظ اقتصاد
economics /,i:kə'nɒmɪks,,ekə'nɒmɪks/ *n* اقتصادیات؛ علم اقتصاد
economist /ɪ'kɒnəmɪst/ *n* متخصص اقتصاد، اقتصاددان
economize /ɪ'kɒnəmaɪz/ *v* صرفه‌جویی کردن (در)
economy /ɪ'kɒnəmɪ/ *n* صرفه‌جویی؛ اقتصاد
ecstasy /'ekstəsɪ/ *n* وجد، نشوه، جذبه
ecstatic /ɪk'stætɪk/ *adj* به وجد درآمده
eczema /'eksɪmə US: ɪg'zi:mə/ *n* اگزما: آماس خارش‌دار پوست
eddy /'edɪ/ *n,vi* ۱.حرکت دوّار یا مارپیچ (آب، هوا، مه، خاک و غیره) ۲.چرخ زدن، چرخیدن
Eden /'i:dn/ *n* باغ عدن
edge /edʒ/ *n,vt* ۱.لبه، کنار؛ نبش؛ دوره؛ تیزی ۲.لبه‌دار کردن، تیز کردن؛ سُراندن
take the edge off something چیزی را کُند یا سست کردن
give a person the edge of one's tongue کسی را سرزنش کردن
edge *(vt)* **with plants** در حاشیه یا کنار... چیز کاشتن
edge one's way آهسته راه خود را پیدا کردن
on edge مشتاق، بی‌صبر
put an edge on تیز کردن
set on edge کند کردن (دندان)
on the edge of در شُرفِ
edged tool افزارِ تیز؛ آلت برنده
edgeways /'edʒweɪz/; **edgewise** /'edʒwaɪz/ *adv* از طرف لبه؛ لب به لب
edging /'edʒɪŋ/ *n* حاشیه؛ توری
edible /'edɪbl/ *adj,n* خوردنی،مأکول
edict /'i:dɪkt/ *n* فرمان، حکم
edification /,edɪfɪ'keɪʃn/ *n* تهذیب؛ ساختمان
edifice /'edɪfɪs/ *n* عمارت
edify /'edɪfaɪ/ *vt* تهذیب کردن
edit /'edɪt/ *vt* تنظیم وتصحیح و آمادهٔ چاپ کردن؛ ویراستن
edition /ɪ'dɪʃn/ *n* ویرایش؛ چاپ، طبع
editor /'edɪtə(r)/ *n* ویراستار؛ سردبیر؛ مدیر روزنامه
editorial /,edɪ'tɔ:rɪəl/ *n* سرمقاله
editorial *(adj)* **board** هیئت تحریریه
educate /'edʒʊkeɪt/ *vt* تربیت کردن
educated /'edʒʊkeɪtɪd/ *ppa* تحصیل‌کرده

education /ˌedʒʊˈkeɪʃn/ *n* آموزش و پرورش، تعلیم و تربیت؛ تحصیلات
educational /ˌedʒʊˈkeɪʃənl/ *adj* آموزشی؛ پرورشی؛ تربیتی
educator *n* مربی
eel /iːl/ *n* مارماهی
e'er /eə(r)/ *adv,Poet* [مختصر ever]
eerie; eery /ˈɪərɪ/ *adj* وهم‌آور
efface /ɪˈfeɪs/ *vt* پاک کردن، محو کردن؛ تحت‌الشعاع قرار دادن
effect /ɪˈfekt/ *n,vt* ۱.اثر، نتیجه؛ [در جمع] اسباب، اشیا ۲.اجرا کردن، انجام دادن، فراهم کردن
cause and effect علت و معلول
to the effect that دایر بر اینکه
carry into effect اجرا کردن
give effect to ترتیب اثر دادن به
take effect; come into effect مجری شدن، قابل اجرا شدن
with effect from... از تاریخِ
No effects محل ندارد، وجه خالی است [علامت بانکی آن N/E است]
effective /ɪˈfektɪv/ *adj* مؤثر؛ قابل اجرا
effective from از، از تاریخِ
effectual /ɪˈfektʃʊəl/ *adj* نتیجه‌بخش
effeminacy /ɪˈfemɪnəsɪ/ *n* زن‌صفتی، زن‌نمایی
effeminate /ɪˈfemɪnət/ *adj* زن‌صفت، نرم، سست؛ شهوانی؛ زنانه، زن‌نما
efferent /ˈefərənt/ *adj* بیرون‌بر، بیرون‌برنده
effervesce /ˌefəˈves/ *vi* جوشیدن؛ کف کردن؛ [مجازاً] جوش و خروش کردن
effervescence /ˌefəˈvesns/ *n* جوش؛ کف؛ هیجان
effervescent /ˌefəˈvesnt/ *adj* جوش‌زننده، جوشان
effete /ɪˈfiːt/ *adj* از کارافتاده
efficacious /ˌefɪˈkeɪʃəs/ *adj* نافع
efficacy /ˈefɪkəsɪ/ *n* خاصیت، اثر
efficiency /ɪˈfɪʃnsɪ/ *n* کارآیی؛ کفایت؛ لیاقت؛ سودمندی؛ کارکرد (ماشین)، راندمان
efficient /ɪˈfɪʃnt/ *adj* کارآمد، باکفایت، لایق، باعرضه؛ مؤثر، کافی
effigy /ˈefɪdʒɪ/ *n* تمثال، پیکر
effort /ˈefət/ *n* کوشش، جدّوجهد
make an effort کوشش کردن، جدوجهد کردن، دوندگی کردن
effrontery /ɪˈfrʌntərɪ/ *n* گستاخی، بی‌شرمی

effusion /ɪˈfjuːʒn/ *n* ریزش؛ افاضه؛ جریان؛ تظاهر
effusive /ɪˈfjuːsɪv/ *adj* بیرون‌ریزنده
eg /ˌiː ˈdʒiː/; **exempli gratia** *L* = for example مثلاً
egg /eg/ *n,vt* ۱.تخم‌مرغ ۲.(زرده) تخم زدن؛ اصرار کردن (به)، تحریک کردن [با on]، تیر کردن
in the egg در مرحله نخستین
put all one's eggs in one basket همه سرمایه خود را یکجا در معرض مخاطره گذاشتن، «سودا را یکجا کردن»
teach one's grandmother to suck eggs به لقمان حکمت آموختن
a bad egg آدم بی‌وجود یا بی‌عرضه؛ کار بیهوده، نقشهٔ عاطل
egg-plant /ˈeg plɑːnt/ *n* بادنجان
eggshell /ˈegʃəl/ *n* پوست تخم
egg-shaped /ˈeg ʃeɪpt/ *adj* تخم‌مرغی، بیضی
egoism /ˈegəʊɪzəm US: ˈiːg-/ *n* خودخواهی، سودجویی برای خویش، خودپرستی
egoistic /ˌegəʊˈɪstɪk US: ˌiːg-/ *adj* مبنی بر اصول خودپرستی
egotism /ˈegəʊtɪzəm/ *n* خودپرستی
egotist /ˈegəʊtɪst/ *n* آدم خودپرست
egress /ˈiːgres/ *n* خروج؛ دررو
egret /ˈiːgrɪt/ *n* نوعی مرغِ ماهیخوار سفید
Egypt /ˈiːdʒɪpt/ *n* مصر
Egyptian /ɪˈdʒɪpʃn/ *adj,n* مصری
eh /eɪ/ *int* اِ؛ دِ؛ ها؛ وه
eider /ˈaɪdə(r)/ *n* مُرغابی شمالی
eider-down /ˈaɪdədaʊn/ *n* لحافِ پر قو
eight /eɪt/ *adj,n* هشت
eighteen /eɪˈtiːn/ *adj,n* هجده، هیجده
eighteenth /ˌeɪˈtiːnθ/ *adj,n* (یک) هجدهم
eighth /eɪtθ/ *adj,n* هشتم
eighthly *adv* هشتم (آنکه)
eightieth /ˈeɪtɪəθ/ *adj,n* هشتادم
eighty /ˈeɪtɪ/ *adj ,n* هشتاد
either /ˈaɪðə(r) US: ˈiːðər/ *conj,adv,pr,adj* ۱.یا ۲.هم ۳.هریکی، هر کدام ۴.هریک از دو؛ هیچیک از دو [با منفی]
either he or I یا او یا من
If he does not go,I shall not either. او که نمی‌رود من‌هم نخواهم رفت.
ejaculation /ɪˌdʒækjʊˈleɪʃn/ *n* خروج یا جهش (منی)؛ وِرد یا سخن کوتاه
eject /ɪˈdʒekt/ *vt* بیرون کردن، دفع کردن

eke /i:k/ *vt* [با out] افزودن
elaborate /ɪ'læbərət/ *adj* اُستادانه درست‌شده، پُر کار
elaborate /ɪ'læbəreɪt/ *vt* استادانه ساختن
elapse /ɪ'læps/ *vi* منقضی شدن
elastic /ɪ'læstɪk/ *adj,n* ۱.کش‌سان، قابل ارتجاع ۲.کش، لاستیک
elasticity /,elæ'stɪsətɪ US: ɪ,læ-/ *n* کش‌سانی، جهندگی، خاصیت فنری، قوه ارتجاع
elated /ɪ'leɪtɪd/ *adj* مغرور
elation /ɪ'leɪʃn/ *n* غرور، شادی
elbow /'elbəʊ/ *n,vi* ۱.آرنج؛ زانویی ۲.آرنج زدن، هل دادن
  at one's elbow دم دست، درآستین
  out at elbows بدلباس؛ فقیر
elbow-room /'elbəʊru:m/ *n* آزادی عمل؛ فضای حرکت
elder /'eldə(r)/ *adj* بزرگتر، ارشد
  the elders *n* بزرگان، مشایخ
elderly /'eldəlɪ/ *adj* کامل، پا به سن‌گذاشته
eldest /'eldɪst/ *adj* [*sup of* old] ارشد
El Dorado /,el də'rɑ:dəʊ/ *n,Sp* سرزمین زر
elect /ɪ'lekt/ *vt,adj* ۱.انتخاب کردن؛ ترجیح دادن، مایل بودن، خواستن ۲.برگزیده، منتخب
election /ɪ'lekʃn/ *n* انتخاب
electioneering /ɪ,lekʃə'nɪərɪŋ/ *n* مبارزه انتخاباتی
elective /ɪ'lektɪv/ *adj* انتخابی؛ دارای حق انتخاب
elector /ɪ'lektə(r)/ *n* انتخاب‌کننده
electoral /ɪ'lektərəl/ *adj* مربوط به انتخاب (کنندگان)
  electoral college [در امریکا] هیئت انتخاب کنندگان رئیس‌جمهور
electorate /ɪ'lektərət/ *n* حوزه انتخابیه
electric /ɪ'lektrɪk/ *adj* الکتریکی، برقی
  electric light (چراغ) برق
  electric meter کنتور، برق‌سنج
electrical /ɪ'lektrɪkl/ *adj* برقی؛ سریع
electrically /ɪ'lektrɪklɪ/ *adv* با برق؛ ناگهان
electrician /ɪ,lek'trɪʃn/ *n* مکانیک برق
electricity /ɪ,lek'trɪsətɪ/ *n* برق، الکتریسیته
electrify /ɪ'lektrɪfaɪ/ *vt* الکتریکی کردن؛ [مجازاً] به هیجان آوردن
electrocute /ɪ'lektrəkju:t/ *vt* با برق کشتن
electron /ɪ'lektrɒn/ *n* الکترون: کوچکترین واحد منفی الکتریسیته

electro-plate /ɪ'lektrəpleɪt/ *vt* آبکاری کردن
elegance /'elɪgəns/ *n* ظرافت، لطافت، زیبایی؛ ذوق
elegant /'elɪgənt/ *adj* ظریف؛ زیبا؛ باذوق
elegy /'elədʒɪ/ *n* مرثیه؛ قصیده
element /'elɪmənt/ *n* جسمِ بسیط، عنصر؛ رکن، عامل اصلی؛ اصل؛ محیط طبیعی؛ [در جمع] قوا و آثار طبیعی
  He is out of his element به آن موضوع آشنا نیست و از این حیث ناراحت است
elemental /,elɪ'mentl/ *adj* عنصری؛ اصلی؛ مقدماتی
elementary /,elɪ'mentrɪ/ *adj* ابتدایی، مقدماتی؛ اصلی
elephant /'elɪfənt/ *n* پیل، فیل
elevate /'elɪveɪt/ *vt* بلند کردن؛ ترفیع دادن
elevated *ppa* مرتفع؛ عالی
elevation /,elɪ'veɪʃn/ *n* ارتفاع؛ ترفیع
elevator /'elɪveɪtə(r)/ *n* آسانسور، بالابر، [در انگلیس بیشتر lift برای این معنی به‌کار می‌برند]
eleven /ɪ'levn/ *adj,n* یازده
eleventh /ɪ'levnθ/ *adj,n* (یک) یازدهم
elf /elf/ *n* جنّ؛ بچه شیطان
elfin /'elfɪn/ = elfish; dwarf
elfish /'elfɪʃ/ *adj* بدذات، شیطان
elicit /ɪ'lɪsɪt/ *vt* بیرون آوردن
elide /ɪ'laɪd/ *vt* حذف کردن؛ لِه کردن
eligibility /,elɪdʒə'bɪlətɪ/ *n* شایستگی برای انتخاب
eligible /'elɪdʒəbl/ *adj* قابل قبول، واجد شرایط انتخاب شدن، شایسته انتخاب
eliminate /ɪ'lɪmɪneɪt/ *vt* حذف کردن، محو کردن؛ رفع کردن، برطرف کردن
elimination /ɪ,lɪmɪ'neɪʃn/ *n* رفع؛ حذف، محو
elision /ɪ'lɪʒn/ *n* حذف، تسهیل
élite /eɪ'li:t/ *n,Fr* نخبه، برگزیده
elixir /ɪ'lɪksə(r)/ *n* اکسیر؛ شربت
elk /elk/ *n* نوعی گوزن شمالی
ell /el/ *n* واحد طول تقریباً معادل ۱۱۵ سانتی‌متر
ellipse /ɪ'lɪps/ *n* بیضی، قطع ناقص
ellipsis /ɪ'lɪpsɪs/ *n* [-ses] حذف؛ علامتِ حذف [...]
elliptic /ɪ'lɪptɪk/ *adj* بیضوی، تخم‌مرغی
elliptical /ɪ'lɪptɪkl/ *adj* بیضوی؛ مقدّر؛ مختصر، موجز، فشرده
elm /elm/ *n* ناروَن
elocution /,elə'kju:ʃn/ *n* حُسن تقریر

elongate /iːlɒŋgeɪt US: ɪ'lɔːŋ-/ *vt,vi* ۱.دراز کردن ۲.دراز شدن

elongation /ˌiːlɒŋ'geɪʃn US: -lɔːŋ-/ *n* امتداد، تطویل

elope /ɪ'ləʊp/ *vi* (با عاشق خود) گریختن

eloquence /'eləkwəns/ *n* فصاحت

eloquent /'eləkwənt/ *adj* فصیح، بلیغ

else /els/ *adj,adv* دیگر؛ والاّ

Who else came? دیگر که آمد؟

No one else هیچ کس دیگر

elsewhere /ˌels'weə(r) US: -'hweər/ *adv* (در) جای دیگر

elucidate /ɪ'luːsɪdeɪt/ *vt* روشن کردن، توضیح دادن

elude /ɪ'luːd/ *vt* گریز زدن از، طفره رفتن از؛ رعایت نکردن

elusion /ɪ'luːʒən/ *n* طفره؛ اغفال

elusive /ɪ'luːsɪv/ *adj* طفره‌آمیز؛ گول‌زن، اغفال‌کننده؛ درهم برهم

Elysian /ɪ'lɪzɪən/ *adj* بهشتی

Elysium /ɪ'lɪzɪəm/ *n* [اساطیر] بهشت

emaciate /ɪ'meɪʃɪeɪt/ *vt* لاغر کردن؛ بی‌قوت کردن (زمین)

emanate /'eməneɪt/ *vi* صادر شدن؛ ناشی شدن

emanation /ˌemə'neɪʃn/ *n* صدور، تجلی

emancipate /ɪ'mænsɪpeɪt/ *vt* آزاد کردن

emancipation /ɪˌmænsɪ'peɪʃn/ *n* آزادی؛ آزادسازی، اعتاق

emasculate /ɪ'mæskjʊleɪt/ *vt* اخته کردن؛ [مجازاً] بی‌قوّت کردن

embalm /ɪm'bɑːm US: -bɑːlm/ *vt* حنوط کردن؛ خوشبو کردن

embankment /ɪm'bæŋkmənt/ *n* خاکریز؛ خاکریزی

embargo /ɪm'bɑːgəʊ/ *n* [-es] توقیف کشتی در بندر؛ ایست، بازداشت

lay an embargo on در بندر توقیف کردن

embark /ɪm'bɑːk/ *vt,vi* ۱.در کشتی سوار کردن؛ با کشتی بردن؛ گذاشتن (پول در گاری) ۲.سوار کشتی شدن

embark in (*or* upon) مبادرت کردن به

embarkation /ˌembɑː'keɪʃn/ *n* عمل سوار شدن در کشتی، عزیمت با کشتی؛ حمل با کشتی

embarrass /ɪm'bærəs/ *vt* دستپاچه کردن؛ درهم برهم کردن؛ مانع شدن؛ گرفتار کردن؛ پیچیده کردن

embarrassment *n* گرفتاری؛ دستپاچگی؛ مزاحمت؛ پریشانی

embassy /'embəsɪ/ *n* سفارت کبرا

embed /ɪm'bed/ *vt* [-ded] فرو کردن؛ جا دادن؛ محاط کردن؛ تو کار گذاشتن

embellish /ɪm'belɪʃ/ *vt* آرایش دادن، لعاب دادن

embellishment *n* آرایش، تزیین؛ پیرایه، لعاب، شاخ و برگ

embers /'embəz/ *npl* اخگر، خاکستر گرم

embezzle /ɪm'bezl/ *vt* اختلاس کردن

embezzlement *n* اختلاس

embitter /ɪm'bɪtə(r)/ *vt* اوقات (کسی را) تلخ کردن

emblem /'embləm/ *n* علامت؛ رمز

emblematic /ˌemblə'mætɪk/ *adj* رمزی؛ حـاکی

embodiment /ɪm'bɒdɪmənt/ *n* تجسم؛ تضمن؛ درج

embody /ɪm'bɒdɪ/ *vt* مجسم کردن؛ صورت خارجی دادن؛ ابراز کردن؛ متضمن بودن؛ یکی کردن

embolden /ɪm'bəʊldən/ *vt* تشجیع کردن، جسور کردن، جرئت دادن

embolism /'embəlɪzəm/ *n* انسدادِ رگ، آمبولی

embosom /ɪm'bʊzəm/ *vt* احاطه کردن

emboss /ɪm'bɒs US: -'bɔːs/ *vt* برجسته کردن

embrace /ɪm'breɪs/ *vt* در آغوش گرفتن؛ حسن تلقی کردن؛ در برداشتن؛ اختیار کردن

embrasure /ɪm'breɪʒə(r)/ *n* پخ درگاه، پشتِ درِ فارسی؛ مَزغَل

embrocate /'embrəʊˌkeɪt/ *vt* روغن‌مالی کردن

embrocation /ˌembrə'keɪʃn/ *n* روغن(مالی)

embroider /ɪm'brɔɪdə(r)/ *vt* برودری‌دوزی کردن، نقش انداختن

embroidery /ɪm'brɔɪdərɪ/ *n* برودری

embroil /ɪm'brɔɪl/ *vt* گرفتار کردن، آلوده کردن؛ درهم برهم کردن، پیچیده کردن

embryo /'embrɪəʊ/ *n* جنین؛ رویان، گیاهک؛ مرحلهٔ بدوی، جِرم، اصل

embryology /ˌembrɪ'ɒlədʒɪ/ *n* جنین‌شناسی

embryonic /ˌembrɪ'ɒnɪk/ *adj* جنینی؛ [مجازاً] بدوی

emend /ɪ'mend/ *vt* تصحیح کردن

emerald /'emərəld/ *n* زمرد

emerge /ɪ'mɜːdʒ/ *vi* بیرون آمدن؛ پدیدار شدن، ناشی شدن

emergence /ɪ'mɜ:dʒəns/ *n* خروج؛ ظهور
emergency /ɪ'mɜ:dʒənsɪ/ *n* پیشامدی که اقدام فوری را ایجاب نماید؛ اضطرار؛ فوریت
emery /'emərɪ/ *n* (سنگ) سنباده
emetic /ɪ'metɪk/ *adj* قی‌آور، مقی
emigrant /'emɪgrənt/ *n* مهاجر
emigrate /'emɪgreɪt/ *vi* مهاجرت کردن
emigration /ˌemɪ'greɪʃn/ *n* مهاجرت
eminence /'emɪnəns/ *n* بلندی
eminent /'emɪnənt/ *adj* بلند؛ بزرگ؛ برجسته
emissary /'emɪsərɪ/ *n* گماشتهٔ نهانی
emission /ɪ'mɪʃn/ *n* نشر؛ صدور، خروج؛ افاضه، فیضان؛ تجلی
emit /ɪ'mɪt/ *vt* [-ted] بیرون ریختن، افاضه کردن؛ نشر کردن، منتشر کردن
emolument /ɪ'mɒljʊmənt/ *n* درآمد، مواجب
emotion /ɪ'məʊʃn/ *n* هیجان، عاطفه
emotional /ɪ'məʊʃənl/ *adj* هیجانی؛ عاطفی، احساساتی؛ مهیج
emperor /'empərə(r)/ *n* امپراطور
emphasis /'emfəsɪs/ *n* تأکید
lay emphasis on تأکید کردن، اهمیت دادن
emphasize /'emfəsaɪz/ *vt* تأکید کردن (در)
emphatic /ɪm'fætɪk/ *adj* مؤکد
emphysema /ˌemfɪ'si:mə/ *n* تنفخ، انتفاخ، باد، ورم
empire /'empaɪə(r)/ *n* امپراطوری
empiric /ɪm'pɪrɪk/ *adj* تجربی، غیرعملی
emplacement /ɪm'pleɪsmənt/ *n* سکوی توپ
employ /ɪm'plɔɪ/ *vt* استخدام کردن؛ به‌کار بردن
employ oneself مشغول شدن
employ /ɪm'plɔɪ/ *n* خدمت، کار، استخدام
in the employ of در خدمتِ، کارمندِ
employee /ˌemplɔɪ'i:, ɪm'plɔɪi:/ *n* کارمند، مستخدم
employer /ɪm'plɔɪə(r)/ *n* کارفرما
employment /ɪm'plɔɪmənt/ *n* شغل؛ استخدام
out of employment بیکار
emporium /ɪm'pɔ:rɪəm/ *n* [-ria] بازارِ بزرگ، مرکز بازرگانی
empower /ɪm'paʊə(r)/ *vt* اختیار دادن، وکالت دادن
empress /'emprɪs/ [*fem of* emperor]
empty /'emptɪ/ *adj,v* ۱.تهی، خالی؛ اشغال‌نشده؛ بی‌بار؛ بی‌مغز؛ بی‌اساس ۲.خالی کردن؛ خالی شدن
emu /'i:mju:/ *n* شترمرغِ استرالیایی
emulate /'emjʊleɪt/ *vt* همچشمی یا رقابت (با کسی) کردن
emulation /ˌemjʊ'leɪʃn/ *n* همچشمی، رقابت
emulous /'emjʊləs/ *adj* رشک‌برنده
emulsion /ɪ'mʌlʃn/ *n* شیره [almond emulsion]، محلول چربی؛ امولسیون
enable /ɪ'neɪbl/ *vt* قادر کردن
in order to enable him برای اینکه بتواند
enact /ɪ'nækt/ *vt* مقرر داشتن؛ وضع کردن؛ (نقشی را) ایفا کردن
enactment *n* وضع؛ برقراری، تأسیس؛ حکم؛ قانون
enamel /ɪ'næml/ *n,vt* [-led] ۱.مینا، لعاب ۲.میناکاری کردن؛ لعاب دادن
enamour /ɪ'næmə(r)/ *vt* شیفته کردن
enamoured of شیفتهٔ، گرفتارِ
encamp /ɪn'kæmp/ *vi,vt* ۱.اردو زدن ۲.جا دادن (در اردو)، منزل دادن
encampment *n* اردوگاه؛ منزل موقت
encase /ɪn'keɪs/ *vt* پوشاندن
enchant /ɪn'tʃɑ:nt US: -'tʃænt/ *vt* افسون کردن؛ شیفته کردن
enchantment *n* فریفتگی، مجذوبیت، دلربایی، فریبندگی؛ طلسم، افسون
encircle /ɪn'sɜ:kl/ *vt* احاطه کردن
en clair /ˌɒn 'kleə(r)/ *adv,Fr* به زبان غیر رمز
enclose /ɪn'kləʊz/ *vt* در جوف قرار دادن، به پیوست فرستادن؛ احاطه کردن
enclosure /ɪn'kləʊʒə(r)/ *n* ضمیمه؛ محوطه؛ حصار
encompass /ɪn'kʌmpəs/ *vt* احاطه کردن، حلقه زدن؛ شامل بودن
encore /'ɒŋkɔ:(r)/ *int,n* دوباره، مکرر
encounter /ɪn'kaʊntə(r)/ *vt,n* ۱.مواجه شدن با ۲.زدوخورد
encourage /ɪn'kʌrɪdʒ/ *vt* تشویق کردن، دلگرم کردن؛ پروردن
encouragement *n* تشویق، دلگرمی
encroach /ɪn'krəʊtʃ/ *vi* تجاوزکردن، تخطی‌کردن
encroach (up) on سوءاستفاده کردن از
encroachment *n* تجاوز (تدریجی)
encumber /ɪn'kʌmbə(r)/ *vt* اسباب زحمت شدن، دست و پا (ی... را) گرفتن
encumbered with debts زیر بار قرض
encumbrance /ɪn'kʌmbrəns/ *n* بار، قید، مانع، اسباب زحمت؛ نان‌خور؛ قرض ملک

encyclopaedia /ɪnˌsaɪklə'pi:dɪə/ *n* دایرةالمعارف
end /end/ *n,vt,vi* ۱.پایان، انتها، آخر؛ منتهاالیه؛ مقصود؛ اجل ۲.خاتمه دادن ۳.به‌پایان رسیدن
in the end سرانجام؛ مآلا
come to an end به‌پایان رسیدن
draw to an end ته کشیدن
no end *Col* زیاد
no end of زیاد، بسیار؛ بزرگ
to the end that برای اینکه
without end بی‌نهایت، بی‌انتها
It is at an end به‌پایان رسیده است
make an end of موقوف یا تمام کردن
end *(vt)* up خاتمه دادن
put an end to موقوف کردن
on end راست؛ پی‌درپی
make both ends meet خرج و دخل را با هم مطابق کردن
have at one's finger's (*or* tongue's) end خوب از برداشتن
end in منجر شدن به، منتهی شدن به
endanger /ɪn'deɪndʒə(r)/ *vt* در خطر انداختن، در معرض خطر گذاشتن
endear /ɪn'dɪə(r)/ *vt* عزیز کردن
endearment *n* نوازش؛ محبوبیت
endeavour /ɪn'devə(r)/ *n,vi* ۱.کوشش ۲.کوشش کردن
endemic/en'demɪk/ *n* ناخوشی بومی یا محلی
ending *n* پایان، خاتمه؛ جزءِ آخر
endless /'endlɪs/ *adj* بی‌پایان، بی‌انتها
endorse /ɪn'dɔ:s/ *vt* پشت‌نویسی کردن؛ امضا کردن؛ تصدیق کردن
endorsement *n* پشت‌نویسی؛ ظهرنویسی؛ امضا؛ حواله؛ شرح پشت سند
endoscope /'endəˌskəʊp/ *n* [پزشکی] درون‌بین، آندوسکوپ
endoscopy *n* [پزشکی] درون‌بینی، آندوسکوپی
endow /ɪn'daʊ/ *vt* بخشیدن، اعطا کردن؛ وقف کردن
endowed with دارایِ
endowment *n* اعطا؛ وقف
endue /ɪn'dju: US: -'du:/ *vt* دارا کردن
endued with دارایِ
endurable /ɪn'djʊərəbl/ *adj* قابل تحمل، تحمل‌پذیر
endurance /ɪn'djʊərəns US: -'dʊə-/ *n* تحمل؛ دوام
endure /ɪn'djʊə(r) US: -'dʊər/ *vt,vi* ۱.تحمل کردن ۲.دوام داشتن
endways /'endwəɪz/ *adv* = endwise
endwise /'endwaɪz/ *adv* از سر، از جلو؛ راست، سر پا
enema /'enɪmə/ *n* اماله
enemy /'enəmɪ/ *n* دشمن
energetic /ˌenə'dʒetɪk/ *adj* جدّی، فعال؛ پرتوان
energy /'enədʒɪ/ *n* نیرو؛ فعالیت؛ انرژی
enervate /'enəveɪt/ *vt* سست کردن
enfeeble /ɪn'fi:bl/ *vt* ضعیف کردن
enfold /ɪn'fəʊld/ *vt* پیچیدن؛ در برگرفتن
enforce /ɪn'fɔ:s/ *vt* اجرا کردن؛ وادار کردن؛ تحمیل کردن
enforceable /ɪn'fɔ:səbl/ *adj* قابل اجرا
enforcement *n* اجرا
enfranchise /ɪn'fræt∫aɪz/ *vt* آزاد کردن؛ حق رأی در انتخابات دادن
engage /ɪn'geɪdʒ/ *vt,vi* ۱.استخدام کردن؛ نامزد کردن؛ متعهد کردن؛ مشغول کردن، جلب کردن ۲.متعهد شدن؛ داخل (جنگ) شدن؛ دست زدن (به کاری)؛ گیر کردن
engaged in داخلِ، گرفتارِ
engagement /ɪn'geɪdʒmənt/ *n* شغل؛ تعهد؛ قید، گرفتاری؛ نامزدی؛ زد و خورد
engaging *apa* جالب
engender /ɪn'dʒendə(r)/ *vt,vi* ۱.تولید کردن ۲.به‌وجود آمدن
engine /'endʒɪn/ *n* موتور، ماشین
engineer /ˌendʒɪ'nɪə(r)/ *n* مهندس
engineer-in-chief سرمهندس
engineering /ˌendʒɪ'nɪərɪŋ/ *n* مهندسی
England /'ɪŋglənd/ *n* انگلستان
English /'ɪŋglɪ∫/ *adj,n* انگلیسی
English Channel /'ɪŋglɪ∫ 't∫ænl/ دریای مانش
Englishman /'ɪŋglɪ∫mən/ *n* مرد انگلیسی
engrain /en'greɪn/; **in-** *vt* در جسمِ چیزی فرو کردن؛ در ذهن جانشین کردن
engrave /ɪn'greɪv/ *vt* قلم زدن، گراور کردن؛ [مجازاً] نشاندن، جایگیر ساختن
engraver *n* گراورساز
engraving /ɪn'greɪvɪŋ/ *n* گراور(سازی)
engross /ɪn'grəʊs/ *vt* اشغال کردن؛ [به صیغه اسم مفعول] مشغول؛ مجذوب
engulf /ɪn'gʌlf/ *vt* فراگرفتن

enhance /ɪn'hɑ:ns US: 'hæns/ *vt* زیادتر کردن، گرانتر کردن
enigma /ɪ'nɪgmə/ *n* معما ؛ رمز
enigmatic /ˌenɪg'mætɪk/ *adj* معمایی؛ مبهم
enjoin /ɪn'dʒɔɪn/ *vt* سفارش کردن به؛ قدغن کردن؛ مقرر داشتن؛ منع کردن
enjoy /ɪn'dʒɔɪ/ *vt* بهره‌مند شدن از
enjoy oneself خوش گذراندن
enjoyment /ɪn'dʒɔɪmənt/ *n* خوشی، لذت
enlarge /ɪn'lɑ:dʒ/ *v* بزرگ کردن؛ توسعه دادن؛ زیاد بحث کردن (در)
enlargement *n* افزایش، توسعه؛ بزرگ کردن؛ عکسِ بزرگ شده
enlighten /ɪn'laɪtn/ *vt* راهنمایی کردن؛ روشن کردن
enlightened *ppa* روشنفکر
enlightenment *n* تنویر افکار، روشنگری
enlist /ɪn'lɪst/ *vt* نام‌نویسی کردن
enlistment *n* نام‌نویسی؛ سربازگیری
enliven /ɪn'laɪvn/ *vt* روح دادن، جان بخشیدن
enmity /'enmətɪ/ *n* دشمنی؛ کینه
ennoble /ɪ'nəʊbl/ *vt* در زمرهٔ اشراف آوردن
ennui /ɒn'wi:/ *n,Fr* بیزاری
enormity /ɪ'nɔ:mətɪ/ *n* شرارت زیاد
enormous /ɪ'nɔ:məs/ *adj* بسیار بزرگ، عظیم‌الجثه؛ هنگفت
enough /ɪ'nʌf/ *adj,adv,n* ۱و۳.(مقدار) کافی ۲.به قدر کفایت
I am not strong enough to lift it. آن اندازه زور ندارم که آنرا بلند کنم.
boiled enough به‌قدر کفایت جوشیده
It is good enough for me برای من که خوب است
I have had enough سیر شدم
I had enough of him. از او بیزار شدم.
enquire /ɪn'kwaɪə(r)/ = inquire
enquiry /ɪn'kwaɪərɪ/ = inquiry
enrage /ɪn'reɪdʒ/ *vt* خشمگین کردن
enrapture /ɪn'ræptʃə(r)/ *vt* به‌وجد آوردن
enrich /ɪn'rɪtʃ/ *vt* توسعه دادن؛ پرقوت کردن (خاک)، حاصلخیز کردن
enrol; enroll /ɪn'rəʊl/ *vt* نام‌نویسی کردن؛ ثبت کردن
enrolment *n* نام‌نویسی؛ ثبت
en route /ˌɒn 'ru:t/ *adv,Fr* در راه
enshrine /ɪn'ʃraɪn/ *vt* محفوظ داشتن
ensign /'ensən/ *n* نشان؛ پرچم
enslave /ɪn'sleɪv/ *vt* برده کردن

enslavement *n* برده‌سازی؛ ابتلا
ensnare /ɪn'sneə(r)/ *vt* به دام انداختن
ensue /ɪn'sju: US: -'su:/ *vi* از پی آمدن، از دنبال آمدن، منتج شدن
ensure /ɪn'ʃɔ:(r), ɪn'ʃʊər/ *vt* مراقبت کردن در؛ تأمین کردن؛ به دست آوردن
entail /ɪn'teɪl/ *vt* ۱.حبس کردن (ملک)، وقف کردن (ملک) ۲.مستلزم بودن؛ موجب شدن
entangle /ɪn'tæŋgl/ *vt* گرفتار کردن، گیر انداختن؛ پیچیده کردن
entanglement *n* گرفتاری؛ پیچ، آشفتگی؛ شبکهٔ سیم خاردار
entente /ɒn'tɒnt/ *n,Fr* حسن تفاهم
enter /'entə(r)/ *vi,vt* ۱.داخل شدن، وارد شدن ۲.داخل شدن در؛ وارد کردن، ثبت کردن؛ نام (کسی) را ثبت کردن
enter into an agreement قراردادی منعقد کردن
enter upon متصرف شدن، بهره‌مند شدن از؛ وارد شدن در
enteritis /ˌentə'raɪtɪs/ *n* [پزشکی] التهاب روده
enterprise /'entəpraɪz/ *n* کاری که تهور می‌خواهد؛ تعهد؛ دست‌اندازی به کار، مبادرت
enterprising *apa* متهور در اقدام به کارهای بزرگ
entertain /ˌentə'teɪn/ *vt* پذیرایی کردن (از)؛ پذیرفتن؛ سرگرم کردن
entertainment *n* پذیرایی؛ مهمانی؛ نمایش؛ تفریح؛ سرگرم‌سازی
enthral(l) /ɪn'θrɔ:l/ *vt* اسیر کردن؛ گرفتار کردن، بنده کردن
enthrone /ɪn'θrəʊn/ *vt* بر تخت نشاندن
enthusiasm /ɪn'θju:zɪæzem US: -'θu:/ *n* اشتیاق؛ حرارت، اشتعال؛ ابراز احساسات
enthusiast /ɪn'θju:zɪæst US: -'θu:-/ *n* هواخواه جدّی و احساساتی؛ شخص مجذوب و شیفته
enthusiastic /ɪnˌθju:zɪ'æstɪk US: -ˌθu:-/ *adj* با حرارت، مجذوب، مشتاق
entice /ɪn'taɪs/ *vt* اغوا کردن
enticement *n* کشش، اغوا، فریب
entire /ɪn'taɪə(r)/ *adj* تمام، کامل؛ درست، دست‌نخورده؛ محض؛ یکدست
entirely *adv* تماماً، به‌کلی
entirety /ɪn'taɪərətɪ/ *n* تمامیت؛ مبلغ کل
in its entirety کلاً، کاملاً

entitle /ɪn'taɪtl/ *vt* حق دادن؛ ملقب ساختن؛ نامیدن، اسم گذاشتن
entitled to سزاوارِ، مستحقِ
entitled Sultan ملقب به سلطان
entity /'entətɪ/ *n* ذات؛ هستی، وجود؛ جوهر
entomb /ɪn'tu:m/ *vt* دفن کردن
entomology /ˌentə'mɒlədʒɪ/ *n* حشره‌شناسی
entourage /ˌɒntʊ'rɑ:ʒ/ *n,Fr* محیط، دوروبر
entrails /'entreɪlz/ *npl* امعا، اندرونه
entrance /'entrəns/ *n* دخول، ورود؛ حق یا اجازه ورود؛ مدخل
No entrance! ورود ممنوع!
entrance fee ورودیه، حق‌الورود
entrance /ɪn'trɑ:ns US: -'træns/ *vt* مدهوش کردن؛ زیاد شیفته کردن؛ زیاد مشعوف کردن؛ ربودن
entrant /'entrənt/ *n* تازه‌وارد، داخل‌شونده، داوطلب
entrap /ɪn'træp/ *vt* [-ped] در تله انداختن؛ اغفال کردن
entrap into با اغفال وادار کردن به
entreat /ɪn'tri:t/ *v* درخواست کردن (از)، التماس کردن (به)
entreaty /ɪn'tri:tɪ/ *n* التماس
entrench /ɪn'trentʃ/ *vt* در سنگر قرار دادن
entrenchment *n* سنگر (بندی)
entrust /ɪn'trʌst/ *vt* سپردن (به)، واگذار کردن (به)
entry /'entrɪ/ *n* دُخول، ورود؛ راهرو؛ مدخل؛ ثبت؛ قلم، فقره
make an entry وارد کردن، ثبت کردن
entwine /ɪn'twaɪn/ *vt* (به‌هم) پیچیدن، (در هم) بافتن؛ در آغوش گرفتن
enumerate /ɪ'nju:məreɪt US: ɪ'nu:-/ *vt* (یکایک) شمردن، معین کردن
enunciate /ɪ'nʌnsɪeɪt/ *vt* اعلام کردن؛ ادا کردن؛ تلفظ کردن
enunciation /ɪˌnʌnsɪ'eɪʃn/ *n* اعلام؛ ادا، تلفظ
envelop /ɪn'veləp/ *vt* پیچیدن
envelope /'envələʊp/ *n* پاکت
enviable /'envɪəbl/ *adj* غبطه‌آور
envious /'envɪəs/ *adj* حسود؛ رشک‌آمیز
environment /ɪn'vaɪərənmənt/ *n* محیط
environs /ɪn'vaɪərənz/ *npl* حومه، توابع
envisage /ɪn'vɪzɪdʒ/ *vt* مواجه شدن با
envoy /'envɔɪ/ *n* فرستاده (سیاسی)، مأمور
envoy extraordinary نماینده‌فوق‌العاده

envy /'envɪ/ *n,vt* ۱.رشک، حسادت، غبطه ۲.رشک ورزیدن به
envy a person something به چیزِ کسی رشک ورزیدن یا به آن غبطه خوردن
envy at another's wealth حسادت یا غبطه به مال دیگری
epaulet(te) /'epəlet/ *n* سردوشی
ephemeral /ɪ'femərəl/ *adj* بی‌دوام
epic /'epɪk/ *adj,n* (شعر) رزمی
epicurean /ˌepɪkjʊ'ri:ən/ *adj,n* اپیکوری؛ (آدم) خوشگذران
epidemic /ˌepɪ'demɪk/ *adj,n* ۱.همه‌گیر، وبایی ۲.ناخوشی همه‌گیر
epidermis /ˌepɪ'dɜ:mɪs/ *n* پوست برونی، بشره، روپوست
epigram /'epɪgræm/ *n* مضمون، نکته؛ هجو
epigrammatic /ˌepɪgrə'mætɪk/ *adj* نکته‌دار، هجوآمیز؛ کوتاه و نیشدار
epilepsy /'epɪlepsɪ/ *n* صرع، حمله
epileptic /ˌepɪ'leptɪk/ *adj,n* صرعی، حمله‌ای، مصروع
epilogue /'epɪlɒg US: -lɔ:g/ *n* شعر کوتاه یا نطق هنرپیشگان در پایان نمایش؛ آخرین بخش شعر یا داستان؛ موّخره
episcopal /ɪ'pɪskəpl/ *adj* اسقفی
episode /'epɪsəʊd/ *n* حادثه مهم؛ ضمنی؛ داستان فرعی؛ فقره؛ اپیزود
epistaxis /ˌepɪ'stæksɪs/ *n* خون‌دماغ
epistle /ɪ'pɪsl/ *n* نامه، رساله
epitaph /'epɪtɑ:f US: -tæf/ *n* کتیبهٔ روی گور
epithet /'epɪθet/ *n* صفت، لقب،نعت
epitome /ɪ'pɪtəmɪ/ *n* خلاصه (رئوس مطالب)
epizootic /ˌepɪzəʊ'ɒtɪk/ *adj,n* [در دامپروری] (ناخوشی) همه‌گیر
epoch /'i:pɒk US: 'epək/ *n* عصر، دوره؛ مبدأ تاریخ؛ [زمین‌شناسی] دوران
equable /'ekwəbl/ *adj* یکسان، یکنواخت؛ ثابت؛ ملایم
equal /'i:kwəl/ *adj,n* ۱.برابر، مساوی؛ یکسان؛ آرام؛ آماده؛ درخور ۲.همرتبه، قرین
equal to مساوی با؛ در خورِ؛ حریفِ
be equal to doing a thing از عهدهٔ کاری برآمدن
equal /'i:kwəl/ *vt* [-led] مساوی بودن (یا شدن) با
equality /ɪ'kwɒlətɪ/ *n* برابری، تساوی
on an equality برابر

equalize /'i:kwəlaɪz/ *vt* مساوی کردن؛ مانند کردن؛ یکنواخت کردن
equally /'i:kwəlɪ/ *adv* به‌طور مساوی، به‌یک درجه
equanimity /ˌekwə'nɪmətɪ/ *n* متانت
equate /ɪ'kweɪt/ *vt* مساوی دانستن، یکسان فرض کردن
equation /ɪ'kweɪʒn/ *n* معادله، همچندی
equator /ɪ'kweɪtə(r)/ *n* خط استوا
equatorial /ˌekwə'tɔ:rɪal/ *adj* استوایی
equerry /ɪ'kwerɪ, 'ekwərɪ/ *n* مأمور ویژهٔ خانواده سلطنتی؛ میراخور
equestrian /ɪ'kwestrɪən/ *adj,n* ۱.سواره [equestrian statue]؛ مربوط به اسب‌سواری ۲.چابک سوار
equidistant /ˌi:kwɪ'dɪstənt/ *adj* به‌یک اندازه دور
equilateral /ˌi:kwɪ'lætərəl/ *adj* متساوی‌الاضلاع
equilibrium /ˌi:kwɪ'lɪbrɪəm, ˌek-/ *n* موازنه، تعادل؛ آرامش، سکون
equine /'ekwaɪn/ *adj* اسبی، اسب‌سان
equinox /'i:kwɪnɒks,'ek-/ *n* اعتدال شب و روز
equip /ɪ'kwɪp/ *vt* [-ped] مجهز کردن
equipage /'ekwəpɪdʒ/ *n* کالسکه مجلل و ملتزمین رکاب و لوازم آنان
equipment *n* اثاثه [اثاثیه]؛ لوازم؛ تجهیز
equitable /'ekwɪtəbl/ *adj* منصفانه
equitably /'ekwɪtəblɪ/ *adv* منصفانه، عادلانه
equity /'ekwətɪ/ *n* انصاف، عدالت
equivalent /ɪ'kwɪvələnt/ *adj,n* هم‌ارز؛ معادل
  equivalent to معادلِ
equivocal /ɪ'kwɪvəkl/ *adj* دارای ایهام، دوپهلو
era /'ɪərə/ *n* (مبدأ) تاریخ؛ عصر
eradicate /ɪ'rædɪkeɪt/ *vt* از ریشه کندن
erase /ɪ'reɪz US: ɪ'reɪs/ *vt* پاک کردن، تراشیدن
eraser /ɪ'reɪzə(r) US: -sər/ *n* پاک‌کن
erasure /ɪ'reɪʒə(r)/ *n* پاک‌شدگی؛ حک
ere /eə(r)/ *prep,conj* ۱.قبل از ۲.قبل از آنکه
erect /ɪ'rekt/ *vt,adj* ۱.راست کردن؛ برپا کردن؛ بنا کردن؛ سوار کردن، نصب کردن؛ رسم کردن ۲.راست کرده، سیخ
erection /ɪ'rekʃn/ *n* تأسیس، بنا؛ نصب؛ اقامه؛ نعوظ
erector *n* ماشین سوارکن
ergo /'3:gəʊ/ *adv,L* بنابراین
ermine /'3:mɪn/ *n* (پوست) قاقم

erode /ɪ'rəʊd/ *vt* فرسودن، فاسد کردن
erosion /ɪ'rəʊʒn/ *n* فرسایش؛ ساییدگی
erotic /ɪ'rɒtɪk/ *adj* عاشقانه؛ شهوانی
err /3:(r) US: eər/ *vi* خطا کردن؛ گمراه شدن
errand /'erənd/ *n* پیغام، فرمان
  go on an errand پیِ کاری رفتن، عقب فرمانی رفتن، پیغام بردن
errata /ɪ'reɪte,ɪrɑ:tə/ *n* [*pl of* erratum] اغلاط؛ غلط‌نامه
erratic /ɪ'rætɪk/ *adj* جابه‌جاشونده، سیار؛ غریب
errhine /er'aɪn/ *adj,n* (داروی) عطسه‌آور، نَشوق
erroneous /ɪ'rəʊnɪəs/ *adj* مغلوط
erroneously *adv* اشتباهاً
error /'erə(r)/ *n* اشتباه، غلط
  make (*or* commit) an error اشتباه کردن، خطا کردن، سهو کردن
  Errors and omissions excepted [E. & O.E.] سهو و نسیان مرجوع است
erudite /'eru:daɪt/ *adj* دانشمند، متبحر
erudition /ˌeru:'dɪʃn/ *n* تبحر
erupt /ɪ'rʌpt/ *vi* منفجر شدن
eruption /ɪ'rʌpʃn/ *n* انفجار؛ فوران؛ خروج، درآمدن (دندان)
  skin eruption جوش، دانه، بثورات
eruptive *adj* دانه‌ای، دانه‌دار
erysipelas /ˌerɪ'sɪpɪləs/ *n* [پزشکی] باد سرخ
escalator /'eskəleɪtə(r)/ *n* پلکان متحرک
escapade /ˌeskə'peɪd,'eskəpeɪd/ *n* گریز از کار یا قواعد اخلاقی، پشت پازنی
escape /ɪs'keɪp/ *n,vi,vt* ۱.گریز، فرار؛ رهایی ۲.گریختن، فرار کردن؛ جان به‌در بردن ۳.گریختن از (پیش ِ)؛ دوری جستن از
  It escaped my memory از خاطرم رفت
  make good one's escape موفق به فرار شدن
escapement /ɪ'skeɪpmənt/ *n* [در ساعت] چرخ دنگ
eschew /ɪs'tʃu/ *vt* اجتناب کردن از
escort /'eskɔ:t/ *n,vt* ۱.مستحفظ، بدرقه؛ ملتزمین ۲.مشایعت کردن، همراهی کردن؛ محافظت کردن
escutcheon /ɪ'skʌtʃən/ *n* سپرِ آرم‌دار
  a blot on one's escutcheon لکه بدنامی
especial /ɪ'speʃl/ *adj* ویژه، مخصوص، خاص
especially /ɪ'speʃəlɪ/ *adv* به‌ویژه، مخصوصاً
espionage /'espɪənɑ:ʒ/ *n* جاسوسی

esplanade /,espləˈneɪd/ *n* گردشگاه ساحلی
espouse /ɪˈspaʊz/ *vt* عقد کردن؛ شوهر دادن؛ حمایت کردن از
esprit de corps /e,spri: de ˈkɔ:(r)/ *Fr* روح صمیمیت در میانِ اعضای یک جمعیت
espy /ɪˈspaɪ/ *vt* دیدن
Esq [رجوع شود به esquire]
Esquire /ɪˈskwaɪə(r)/ *n* لقبی که بعد از نام شخص مساوی است با .Mr در جلو آن [مثلاً J. Fox, Esq]، آقایِ
essay /ˈeseɪ/ *n* مقاله، لایحه؛ مبادرت؛ کوشش
essay /eˈseɪ/ *v* کوشش کردن؛ مبادرت کردن
essence /ˈesns/ *n* ماهیت؛ جوهر، اصل؛ وجود؛ عصاره؛ عطر
essential /ɪˈsenʃl/ *adj* ضروری؛ اصلی؛ ذاتی؛ ماهوی
essentially /ɪˈsenʃəlɪ/ *adv* اصلاً، ذاتاً
establish /ɪˈstæblɪʃ/ *vt* تأسیس کردن؛ ثابت کردن، پابرجا کردن؛ برقرار کردن
 establish one's health تقویت مزاج کردن
 established fact امر محقق یا محرز
establishment /ɪˈstæblɪʃmənt/ *n* تأسیس؛ بنگاه
estate /ɪˈsteɪt/ *n* ملک؛ دارایی؛ ماترک؛ شأن، وضع؛ وضعیت اجتماعی
esteem /ɪˈsti:m/ *n,vt* ۱.احترام؛ قدر ۲.فرض‌کردن، دانستن؛ محترم شمردن
 Assuring you of our highest esteem با تقدیم احترامات فائقه
 hold in esteem محترم داشتن
estimate /ˈestɪmət/ *n* برآورد، تخمین
estimate /ˈestɪmeɪt/ *vt* برآورد کردن، تخمین زدن
estimation /,estɪˈmeɪʃn/ *n* قدردانی؛ نظر؛ تخمین
estrange /ɪˈstreɪndʒ/ *vt* بیزارکردن؛ سرد کردن؛ رنجاندن؛ بیگانه کردن؛ دور کردن
estrangement *n* غریبه‌سازی؛ بیزاری؛ دوری؛ رنجش؛ قهرکردگی
estuary /ˈestʃʊərɪ US: -ʊerɪ/ *n* مصبی که تشکیل خلیج کوچک می‌دهد، خور
etc. [رجوع شود به مدخل بعدی]
et cetera /ɪt ˈsətərə, et-/ *L* و غیره، الی آخر [مختصر آن .etc است]
etch /etʃ/ *v* سیاه قلم کردن
eternal /ɪˈtɜ:nl/ *adj* ابدی
eternally /ɪˈtɜ:nəlɪ/ *adv* تا ابد
eternity /ɪˈtɜ:nətɪ/ *n* ابد، ازل؛ ابدیت، ازلیت
ether /ˈi:θə(r)/ *n* اثیر؛ اتر
ethereal /ɪˈθɪərɪəl/ *adj* اتری؛ اثیری؛ رقیق، لطیف؛ آسمانی
ethical /ˈeθɪkl/ *adj* اخلاقی؛ وابسته به علم اخلاق
ethics /ˈeθɪks/ *npl* علم اخلاق؛ اخلاقیات
Ethiopian /,i:θi:ˈəʊpi:ən/ *adj,n* حبشی
ethnologist /eθˈnɒlədʒɪst/ *n* قوم‌شناس
ethnology /eθˈnɒlədʒɪ/ *n* قوم‌شناسی
etiquette /ˈetɪket, -kət/ *n* آداب معاشرت، علم آداب
Eton /ˈi:tn/ *n* نام شهری در انگلستان و دانشگاه معروف آن
Eton collar /ˈi:tn kɒlə(r)/ یقه راست و بلند
Eton Jacket /ˈi:tn ˈdʒækɪt/ نیمتنهٔ کوتاه پسرانه
etymological /,etɪməˈlɒdʒɪkl/ *adj* مربوط به ریشه‌شناسی؛ اشتقاقی؛ صرفی
etymology /,etɪˈmɒlədʒɪ/ *n* ریشه‌شناسی؛ علم اشتقاق؛ صرف؛ شناسایی اقسام کلمه
eucalyptus /ju:kəˈlɪptəs/ *n* اوکالیپتوس
Eucharist /ˈju:kərɪst/ *n* عشای ربانی
Euclid /ˈju:klɪd/ *n* اقلیدس
eugenics /ju:ˈdʒenɪks/ *npl* اصلاح نژاد، به‌نژادی
eulogize /ˈju:lədʒaɪz/ *vt* ستودن، مدح کردن
eulogy /ˈju:lədʒɪ/ *n* ستایش، مدح
eunuch /ˈju:nək/ *n* خواجه، اخته
euphemism /ˈju:fəmɪzəm/ *n* حسن تعبیر
euphony /ˈju:fənɪ/ *n* خوش‌صدایی؛ عدم تنافر
Euphrates /ju:ˈfreɪti:z/ *n* فرات
eureka /jʊəˈri:kə/ *int* پیدا کردم [لفظ یونانی]
Eurhythmics /ju:ˈrɪðmiks/ *npl* تناسب حرکات بدنی (که به‌وسیلهٔ موسیقی پیدا می‌شود)
Europe /ˈjʊərəp/ *n* اروپا
European /jʊərəˈpɪən/ *adj,n* اروپایی
evacuate /ɪˈvækjʊeɪt/ *vt* تخلیه کردن؛ ترک کردن
evacuation /ɪ,vækjʊˈeɪʃn/ *n* تخلیه؛ ترک
evade /ɪˈveɪd/ *vt* طفره رفتن از
evaluate /ɪˈvæljʊeɪt/ *vt* ارزیابی کردن، تقویم کردن
evaluation /ɪ,væljʊˈeɪʃn/ *n* ارزیابی، تقویم
evanescent /,i:vəˈnesnt US: ,ev-/ *adj* به سرعت محوشونده، زود از خاطر گریزنده
evangelic(al) /,i:vænˈdʒelɪk(l)/ *adj* انجیلی

evangelist /ɪ'vændʒəlɪst/ *n* انجیل‌نویس
evaporate /ɪ'væpəreɪt/ *vt,vi* ۱.تبخیر کردن؛ ناپدید کردن؛ خشک کردن، کم آب کردن ۲.تبخیر شدن؛ ناپدید شدن
evaporation /ɪ,væpə'reɪʃn/ *n* تبخیر
evasion /ɪ'veɪʒn/ *n* طفره، گریز، تجاهل؛ بهانه؛ حیله
evasive /ɪ'veɪsɪv/ *adj* طفره‌آمیز
eve /i:v/ *n* شب (عید)
on the eve of در شرفِ، نزدیکِ
Eve /i:v/ *n* حوا
even /'i:vn/ *adj,vt* ۱.جفت؛ هموار، مسطح؛ هم‌تراز؛ مساوی؛ یکنواخت؛ بی‌خرده؛ منصفانه ۲.هموارکردن، تسویه کردن؛ برابر کردن
be even with someone انتقام خود را از کسی گرفتن
of even date دارای همان تاریخ
even /'i:vn/ *adv* حتی، هم
even if; even though ولو این که
even /'i:vn/ *Poet* = evening
evening /'i:vnɪŋ/ *n* غروب؛ شب
evening party شب‌نشینی
Good evening! سلام (شب گفته می‌شود)
evenly /'i:vnlɪ/ *adv* به‌طور هموار یا یکنواخت؛ (به‌طور) یکسان؛ منصفانه
event /ɪ'vent/ *n* واقعه، رویداد، اتفاق، حادثه، سرگذشت؛ نتیجه
in the event that هر گاه، در صورتی‌که
at all events در هر حال
eventful /ɪ'ventfl/ *adj* پرحادثه، مهم
eventide /'i:vntaɪd/ *n,Poet* شامگاه
eventual /ɪ'ventʃʊəl/ *adj* احتمالی؛ اتفاقی؛ موکول (به شرطی)؛ بعدی
eventuality /ɪ,ventʃʊ'ælətɪ/ *n* احتمال
eventually /ɪ'ventʃʊəlɪ/ *adv* مآلاً، عاقبت
ever /'evə(r)/ *adv* همیشه؛ هرگز
The best story I ever heard بهترین داستانی که تاکنون شنیده‌ام (یا بودم)
ever since از وقتی که؛ از آن‌وقت تاکنون
ever after (دیگر) از آن پس، از آن به بعد
as ever هر قدر (که)؛ مانند همیشه
more than ever بیش از پیش
for ever (and ever) همیشه، تا ابدالاباد
hardly ever خیلی به‌ندرت، خیلی کم
ever so بسیار
ever such a *Col* خیلی، های
yours ever [در نامه‌ها] ارادتمند شما

evergreen /'evəgri:n/ *adj* همیشه‌سبز، بی‌خزان،
everlasting /,evə'lɑ:stɪŋ US: -læst-/ *adj* جاودانی؛ بادوام
evermore /,evə'mɔ:(r)/ *adv,n* همیشه
every /'evrɪ/ *adj* هر [به معنی «همه»]
everyone همه کس
every other day یک روز درمیان
every three days; every third day سه‌روز یک‌بار، دو روز درمیان
every now and then هر چند وقت یک‌بار
every so often گاه و بی‌گاه
every way از هر لحاظ
everybody /'evrɪbɒdɪ/ *n* هر کس، همه کس
everyday /'evrɪdeɪ/ *n,adj* ۱.همه روز، هر روز ۲.معمولی، مبتذل
everything /'evrɪθɪŋ/ *n* همه‌چیز، هرچیز
everywhere /'evrɪweə(r) US: -hweə(r)/ *adv* همه‌جا، هرجا
evict /ɪ'vɪkt/ *vt* خلع ید کردن از
eviction /ɪ'vɪkʃn/ *n* خلع ید، اخراج
evidence /'evɪdəns/ *n,vt* ۱.مدرک؛ گواه؛ وضوح ۲.باگواهی ثابت کردن؛ معلوم کردن
call in evidence گواهی خواستن از
give (*or* bear) evidence of گواهی دادن یا دلالت کردن بر
in evidence جلب‌نظر کننده، معلوم
King's evidence لودهندهٔ شریک خود
evident /'evɪdənt/ *adj* معلوم، بدیهی
evidently *adv* از قرار معلوم، ظاهراً، بدیهی است که...
evil /'i:vl/ *adj,n* ۱.شر، بد، مضرّ؛ شرارت‌آمیز ۲.بدی؛ بلا
speak evil of بدگویی کردن از
evil-doer /'i:vəl dʊə(r)/ *n* بدکار، شریر
evince /ɪ'vɪns/ *vt* ابراز کردن
evoke /ɪ'vəʊk/ *vt* احضار کردن؛ موجب شدن؛ (به دادگاه بالاتر) بردن
evolution /,i:və'lu:ʃn US: ,ev-/ *n* تکاملِ تدریجی؛ بسط؛ ریشه‌گیری
evolutionary /,i:və'lu:ʃənrɪ US: ,evə'lu:ʃənerɪ/ *adj* تکاملی
evolve /ɪ'vɒlv/ *vt,vi* ۱.باز کردن، بیرون دادن؛ تکمیل کردن ۲.باز شدن، ظاهر شدن
ewe /ju:/ *n* میش
ewer /'ju:ə(r)/ *n* آفتابه
ex /eks/ *prep* از؛ در؛ بی، بدونِ
ex dividend بدون سود آیندهٔ سهام

ex- /eks/ *pref* سابق، پیشتر؛ معزول

exact /ɪg'zækt/ *adj,vt* ۱.درست، صحیح؛ دقیق؛ عین [exact copy] ۲.به‌زور مطالبه کردن؛ اقتضا کردن

exact sciences علوم دقیقه، علوم ریاضی

exacting *apa* سخت؛ سختگیر

exaction /ɪg'zækʃn/ *n* تحمیل، زیاده‌ستانی

exactitude /ɪg'zæktɪtju:d US: -tu:d/ *n* درستی، دقت

exactly /ɪg'zæktlɪ/ *adv* درست، بعینه، کاملاً؛ به‌دقت؛ همین‌طور است، درست است

exaggerate /ɪg'zædʒəreɪt/ *vt,vi* ۱.اغراق‌آمیز کردن ۲.اغراق گفتن

exaggeration /ɪg,zædʒə'reɪʃn/ *n* اغراق، مبالغه

exalt /ɪg'zɔ:lt/ *vt* بلند کردن؛ تمجید کردن؛ دلخوشی دادن؛ عالی کردن

exalted *ppa* بلند؛ متعال

exaltation /,egzɔ:l'teɪʃn/ *n* تجلیل؛ بلندی؛ ستایش

exam /ɪg'zæm/ *n,Col* = examination

examination /ɪg,zæmɪ'neɪʃn/ *n* امتحان؛ معاینه؛ بازپرسی، استنطاق

take an examination; sit for an examination امتحان دادن

give an examination (صورت) امتحان دادن (به)

examine /ɪg'zæmɪn/ *vt,vi* ۱.امتحان کردن؛ معاینه کردن؛ بازپرسی کردن از ۲.رسیدگی کردن [با into]

examiner *n* ممتحن؛ بازپرس؛ معاینه‌کننده

example /ɪg'zɒ:mpl US: -'zæmpl/ *n* نمونه، مثال؛ سرمشق؛ عبرت؛ نظیر، سابقه

set an example سرمشق شدن (یا گذاشتن)

take example عبرت گرفتن؛ سرمشق گرفتن

follow the example of تأسی کردن به

for example مثلاً، برای نمونه

exasperate /ɪg'zæspəreɪt/ *vt* اوقات (کسی را) تلخ کردن؛ شدیدتر کردن

excavate /'ekskəveɪt/ *vt* حفر کردن

excavation /,ekskə'veɪʃn/ *n* حفر؛ حفاری؛ گودبرداری، خاک‌برداری؛ حفره

excavator *n* حفار؛ ماشین‌حفاری

exceed /ɪk'si:d/ *vt* متجاوز بودن از؛ تخطی کردن از

exceed the speed-limit [در رانندگی] سرعت داشتن

exceedingly *adv* بی‌نهایت

excel /ɪk'sel/ *v* [-led] برتری داشتن (بر)، بهتر بودن (از)، پیشی جستن (از)، توفق جستن (بر)

excellence /'eksələns/ *n* برتری، خوبی، فضیلت، تفوق، مزیت

Excellency /'eksələnsɪ/ *n* جناب آقایِ [با Your یا His]

excellent /'eksələnt/ *adj* بسیار خوب، عالی

except /ɪk'sept/ *vt,vi* ۱.استثنا کردن ۲.اعتراض کردن

except /ɪk'sept/ *prep,conj* جز، بجز، مگر، به‌استثنایِ، غیر از

exception /ɪk'sepʃn/ *n* استثنا

There is no exception to that rule.

آن قانون استثنا ندارد.

with the exception of به استثنایِ،بجز

make an exception استثنا قایل شدن

take exception to اعتراض کردن به

excepting *prep* بجز، به استثنایِ

exceptional /ɪk'sepʃənl/ *adj* استثنایی

exceptionally /ɪk'sepʃənəlɪ/ *adv* استثنائاً

excerpt /'eksɜ:pt/ *n* موادِ اقتباس شده،مواد برگزیده

excess /ɪk'ses/ *n* افزونی، زیادتی، اضافه؛ [در جمع] زیاده‌روی، افراط، بی‌اعتدالی، شرارت

in excess of اضافه بر، متجاوز از

excess luggage اضافه بار

eat to excess پُر خوردن

excessive /ɪk'sesɪv/ *adj* افراطی، افراط‌آمیز، زیاد

excessively /ɪk'sesɪvlɪ/ *adv* به‌حد افراط

exchange /ɪks'tʃeɪndʒ/ *n,vt* ۱.معاوضه، مبادله؛ ارز؛ بورس ۲.معاوضه کردن، تسعیر کردن

exchange greetings سلام رد و بدل کردن، به یکدیگر سلام کردن

exchange of views تبادل نظر

in exchange for در عوضِ، به جایِ

telephone exchange مرکز تلفن

exchequer /ɪks'tʃekə(r)/ *n* خزانه‌داری

Chancellor of the Exchequer وزیر دارایی

excise /'eksaɪz/ *n,vt* ۱.مالیات بر مشروبات الکلی ساخت کشور، رسومات (که معمولاً آن‌را excise duty می‌گویند)؛ [با the و E] ادارهٔ رسومات ۲.مالیات بستن بر

excitable /ɪk'saɪtəbl/ *adj* تحریک‌پذیر، زودرنج

excite /ɪk'saɪt/ *vt* برانگیختن، تحریک کردن، تهییج کردن

excitement /ɪk'saɪtmənt/ *n* هیجان؛ انگیزش، تحریک، تهییج؛ آشوب، فتنه

exciting *apa* مهیج
exclaim /ɪk'skleɪm/ *vi* فریاد کردن؛ ندا دادن
exclamation /ˌekskləˈmeɪʃn/ *n* فریاد، بانگ؛ اظهار شگفت؛ حرف ندا
exclamatory /ɪk'sklæmətrɪ US: -tɔːrɪ/ *adj* ندایی؛ شگفت‌آور؛ توأم با فریاد
exclude /ɪk'skluːd/ *vt* خارج کردن، محروم کردن، راه ندادن؛ مستثنی کردن
excluding *prep* به استثنایِ، بجز
exclusion /ɪk'skluːʒn/ *n* جلوگیری‌از دُخول؛ محرومیت؛ استثنا
to the exclusion of به استثنایِ، بجز
exclusive /ɪk'skluːsɪv/ *adj* انحصاری؛ محدود و منحصر به یک عده؛ [درباب کسی گفته می‌شود] که با همهٔ طبقات نمی‌آمیزد
exclusive of به استثنایِ، بجز
exclusively /ɪk'skluːsɪvlɪ/ *adv* منحصراً
excogitation /eksˌkɒdʒɪ'teɪʃn/ *n* اندیشه؛ اختراع
excommunicate /ˌekskəˈmjuːnɪkeɪt/ *vt* تکفیر کردن
excommunication /ˌekskəˌmjuːnɪˈkeɪʃn/ *n* تکفیر، طرد
excrement /'ekskrɪmənt/ *n* مدفوع
excrescence /ɪk'skresns/ *n* گوشت زیادی، رشد زاید
excrete /ɪk'skriːt/ *vt* دفع کردن
excretion /ɪk'skriːʃn/ *n* دفع؛ مدفوع
excruciating /ɪk'skruːʃɪeɪtɪŋ/ *adj* سخت؛ دردناک
exculpate /'ekskʌlpeɪt/ *vt* تبرئه کردن
excursion /ɪk'skɜːʃŋ US: -ɜːrʒn/ *n* گردش (در بیرون شهر)، گشت
excusable /ɪk'skjuːzəbl/ *adj* قابل عفو، بخشیدنی، معذورداشتنی
excuse /ɪk'skjuːz/ *vt* بخشیدن، معذور داشتن؛ مرخص کردن
excuse oneself عذر خواستن
excuse /ɪk'skjuːs/ *n* پوزش، معذرت، عذر؛ بهانه؛ عذرخواهی
offer an excuse عذر آوردن
execrable /'eksɪkrəbl/ *adj* مکروه، زشت، نفرت‌انگیز، شنیع
execute /'eksɪkjuːt/ *vt* اجرا کردن؛ قانونی کردن؛ اعدام کردن
execution /ˌeksɪ'kjuːʃn/ *n* اجرا؛ امضا؛ اعدام
carry into execution اجرا کردن
executioner /ˌeksɪ'kjuːʃənə(r)/ *n* مأمور اعدام
executive /ɪg'zekjʊtɪv/ *adj,n* ۱.اجرایی ۲.قوهٔ مجریه [با the]
executive committee کمیتهٔ اجرایی، هیئت اجرایی
executor /ɪg'zekjʊtə(r)/ *n* وصی
executrix /ɪg'zekjʊtrɪks/ [*fem of* executor]
exemplary /ɪg'zemplərɪ/ *adj* سرمشق، نمونه
exempli gratia /ek'sempliː 'grɑːtiːɑː/ *L* مثلاً [مختصر آن .e.g است]
exempt /ɪg'zempt/ *adj,vt* ۱.بخشوده، معاف ۲.معاف کردن
exemption /ɪg'zempʃn/ *n* معافیت، بخشودگی
exercise /'eksəsaɪz/ *n,vt,vi* ۱.ورزش؛ مشق؛ تمرین؛ تکلیف؛ اِعمال ۲.به‌کار بردن، تمرین دادن، مشق دادن (به)؛ اعمال کردن ۳.ورزش کردن
take exercise ورزش کردن
exercised *ppa* دلواپس، نگران
exert /ɪg'zɜːt/ *vt* به‌کار بردن، اعمال کردن
exert oneself جد و جهد کردن، کوشش کردن
exertion /ɪg'zɜːʃn US: -ɜːrʒn/ *n* کوشش، جدو جهد؛ اعمال قوه، زور ورزی، فشار
ex gratia /ˌeks 'greɪʃə/ *L* بلاعوض
exhale /eks'heɪl/ *vt,vi* ۱.بیرون دادن ۲.بخار شدن؛ بیرون آمدن، نفوذ کردن؛ دم برآوردن
exhaust /ɪg'zɔːst/ *vt,n* ۱.تهی کردن؛ خشک انداختن؛ نیرو گرفتن از، شیره کشیدن از؛ تمام کردن؛ تحلیل بردن ۲.خروج (بخار)؛ مفرّ؛ تخلیه
exhausted /ɪg'zɔːstɪd/ *ppa* به‌کلی خسته، وامانده؛ مصرف‌شده، تمام شده
exhaustion /ɪg'zɔːstʃən/ *n* تخلیه؛ صرف، اتمام؛ تحلیل‌رفتگی، خستگی زیاد
exhaustive /ɪg'zɔːstɪv/ *adj* شامل همهٔ مطالب یا جزئیات، کامل
exhibit /ɪg'zɪbɪt/ *vt,n* ۱.نمایش دادن؛ ارائه دادن؛ جلوه دادن ۲.کالای نمایش‌دادنی؛ نمایش
exhibition /ˌeksɪ'bɪʃn/ *n* نمایش، نمایشگاه
make an exhibition of oneself خود را انگشت‌نما کردن
exhilarate /ɪg'zɪləreɪt/ *vt* نشاط دادن، بشاش کردن
exhilaration /ɪgˌzɪlə'reɪʃn/ *n* نشاط؛ روح‌بخشی

exhort /ɪg'zɔ:t/ *vt* نصیحت کردن؛ ترغیب کردن
exhortation /ˌegzɔ:'teɪʃn/ *n* نصیحت؛ ترغیب
exhume /eks'hju:m US: ɪg'zu:m/ *vt* از خاک درآوردن، نبش کردن
exigency /'eksɪdʒənsɪ/ *n* اقتضا، ضرورت؛ اضطرار؛ [در جمع] مقتضیات
exile /'eksaɪl/ *n,vt* ۱.تبعید؛ جلای وطن، غربت؛ شخص تبعید شده ۲.تبعید کردن
exist /ɪg'zɪst/ *vi* زیستن، وجود داشتن، (موجود) بودن؛ یافت شدن
existence /ɪg'zɪstəns/ *n* هستی، وجود
existing *apa* موجود، فعلی
exit /'eksɪt/ *n* خروج؛ مخرج؛ عزیمت؛ مرگ
exit /'eksɪt/ *vi,L* خارج می‌شود
exodus /'eksədəs/ *n* خروج
ex officio /ˌeks ə'fɪʃɪəʊ/ *adj,adv* از لحاظِ سِمت
exomphalos /eks'əʊmfələs/ فتقِ ناف؛ ناف برآمدگی
exonerate /ɪg'zɒnəreɪt/ *vt* تبرئه کردن؛ مرخص کردن؛ معاف کردن
exorbitant /ɪg'zɔ:bɪtənt/ *adj* فوق‌العاده، خیلی زیاد، گزاف
exorcize /'eksɔ:saɪz/ *vt* با دعا بیرون کردن، با سحر بیرون کردن
exotic /ɪg'zɒtɪk/ *adj* نامتعارف؛ خارجی
expand /ɪk'spænd/ *vt,vi* ۱.منبسط کردن؛ توسعه دادن ۲.منبسط شدن؛ توسعه یافتن
expanse /ɪk'spæns/ *n* پهنا، وسعت
expansion /ɪk'spænʃn/ *n* انبساط؛ بسط؛ توسعه، افزایش؛ وسعت، فضا
expansive /ɪk'spænsɪv/ *adj* وسیع؛ قابل انبساط؛ آزاده؛ صریح
expatiate /ɪk'speɪʃɪeɪt/ *vi* زیادگویی کردن؛ اطناب کردن
expatriate /eks'pætrɪət US: -'peɪt-/ *vt* به کشور دیگر تبعید کردن
expatriate oneself جلای وطن کردن؛ ترکِ تابعیت کردن
expect /ɪk'spekt/ *vt* انتظار داشتن؛ توقع داشتن از؛ [در گفتگو] گمان کردن
expect a baby حامله بودن
expectancy /ɪk'spektənsɪ/ *n* انتظار
expectant /ɪk'spektənt/ *adj* منتظر، متوقع؛ امیدوار؛ آبستن، باردار
expectation /ˌekspek'teɪʃn/ *n* انتظار، توقع
in expectation of به انتظارِ

expectorant /ɪk'spektərənt/ *adj,n* (داروی) خلط آور
expedience /ɪk'spi:dɪəns/; **-ency** *n* اقتضا، مصلحت
expedient /ɪk'spi:dɪənt/ *adj,n* ۱.مقتضی، مصلحت‌آمیز ۲.تدبیر؛ وسیله
expedite /'ekspɪdaɪt/ *vt* تسریع کردن (در)؛ زود انجام دادن
expedition /ˌekspɪ'dɪʃn/ *n* تسریع؛ سرعت؛ سفر؛ اردوکشی؛ هیئت اعزامی
expeditionary /ˌekspɪ'dɪʃənərɪ US: -nerɪ/ *adj* اعزامی
expel /ɪk'spel/ *vt* [-led] بیرون کردن
expend /ɪk'spend/ *vt* خرج کردن؛ صرف کردن
expenditure /ɪk'spendɪtʃə(r)/ *n* هزینه
expense /ɪk'spens/ *n* هزینه، خرج
at the expense of به هزینهٔ، به خرجِ
go to the expense of something پول برای چیزی خرج کردن، مایه گذاشتن
at his expense به زیان یا علیه او، به خاطر او
We had a laugh at his expense. به ریش او خندیدیم.
expensive /ɪk'spensɪv/ *adj* گران، پرخرج
experience /ɪk'spɪərɪəns/ *n,vt* ۱.تجربه؛ حادثه ۲.تجربه کردن
experienced *ppa* آزموده، مجرب
experiment /ɪk'sperɪmənt/ *n,vi* آزمایش (کردن)، تجربه (کردن)
experimental /ɪkˌsperɪ'mentl/ *adj* تجربی، تجربه‌ای
expert /'ekspɜ:t/ *n* کارشناس، متخصص
expiate /'ekspɪeɪt/ *vt* کفاره دادن، جبران کردن
expiration /ˌekspɪ'reɪʃn/ *n* انقضا
expire /ɪk'spaɪə(r)/ *vi* سپری شدن، منقضی شدن، سر آمدن؛ تمام کردن [مردن]
expiry /ɪk'spaɪərɪ/ *n* انقضا
explain /ɪk'spleɪn/ *vt* توضیح دادن؛ تعبیر کردن
explain away توجیه کردن
explanation /ˌeksplə'neɪʃn/ *n* توضیح
explanatory /ɪk'splænətrɪ US: -tɔ:rɪ/ *adj* توضیحی
expletive /ɪk'spli:tiv US: 'eksplətɪv/ *n* کلمه زاید
explicit /ɪk'splɪsɪt/ *adj* صریح؛ رک‌گو
explicitly /ɪk'splɪsɪtlɪ/ *adv* صریحاً
explode /ɪk'spləʊd/ *vi,vt* ۱.محترق شدن، منفجر شدن ۲.محترق کردن، منفجر کردن، ترکانیدن

exploit /ɪk'splɔɪt/ *vt* بهره‌برداری کردن از
exploit /'eksplɔɪt/ *n* کارِ برجسته
exploitation /,eksplɔɪ'teɪʃn/ *n* بهره‌برداری، انتفاع؛ استخراج؛ استثمار
exploration /,eksplə'reɪʃn/ *n* پیگردی، اکتشاف؛ کاوش، جستجو؛ معاینه
explore /ɪk'splɔ:(r)/ *v* پیگردی کردن (در)؛ جستجو کردن (در)؛ معاینه کردن
explosion /ɪk'spləʊʒn/ *n* انفجار؛ احتراق
explosive /ɪk'spləʊsɪv/ *adj,n* ۱.قابلِ انفجار، قابل احتراق ۲.ماده محترقه
exponent /ɪk'spəʊnənt/ *n* نماینده، نما
export /ɪk'spɔ:t/ *vt* صادر کردن
export /'ekspɔ:t/ *n* صدور؛ [در جمع] صادرات
exportation /,ekspɔ:'teɪʃn/ *n* صدور
exporter *n* صادرکننده
expose /ɪk'spəʊz/ *vt* در معرض (چیزی) قرار دادن، نشان دادن، سرِ راه گذاشتن بچه
  exposed to... در معرض
exposition /,ekspə'zɪʃn/ *n* شرح، بیان؛ عرض، نمایش؛ آشکارشدگی
expostulate /ɪk'spɒstʃʊleɪt/ *vi* دوستانه تعرض کردن
exposure /ɪk'spəʊʒə(r)/ *n* قرار دادن در معرض، قرار گرفتن در معرض
  exposure of a crime کشف جرم
  exposure to the rain باران خوردن
  with a southern exposure رو به جنوب
expound /ɪk'spaʊnd/ *vt* شرح دادن، توضیح دادن
express /ɪk'spres/ *vt* اظهار کردن؛ فهماندن؛ دلالت کردن بر؛ فشردن
  express oneself مقصودخودرا فهماندن
express /ɪk'spres/ *adj,adv,n* ۱.صریح؛ ویژه؛ تندرو ۲.باوسیلهٔ سریع ۳.وسیلهٔ سریع؛ قطارِ ویژهٔ تندرو
expression /ɪk'spreʃn/ *n* اظهار؛ بیان؛ عبارت، تعبیر، اصطلاح؛ حالت
  give expression to اظهار کردن
expressionless *adj* بی‌حالت
expressive /ɪk'spresɪv/ *adj* پرمعنی، رساننده (مقصود)؛ دالّ؛ با حالت
expressly /ɪk'spreslɪ/ *adv* صریحاً؛ مخصوصاً
expulsion /ɪk'spʌlʃn/ *n* اخراج
expunge /ɪk'spʌndʒ/ *vt* پاک کردن، تراشیدن
expurgate /'ekspəgeɪt/ *vt* منقح کردن، پیراستن

exquisite /ɪk'skwɪzɪt/ *adj* عالی، اعلی؛ دلپسند؛ لطیف؛ سخت؛ استادانه
extant /ek'stænt US: 'ekstənt/ *adj* موجود، باقی
extemporaneous /ek,stempə'reɪnɪəs/ *adj* ارتجالی، بالبداهه؛ بدیهه‌گو
extempore /ek'stempərɪ/ *adv,adj* ۱.بالبداهه ۲.ارتجالی؛ بدیهه‌گو
extend /ɪk'stend/ *vt,vi* ۱.تمدید دادن؛ توسعه دادن ۲.تمدید شدن؛ توسعه یافتن
extension /ɪk'stenʃn/ *n* تمدید؛ امتداد؛ بسط؛ توسعه؛ قسمت الحاقی
  by extension با تعمیم معنی، تَوَسُّعاً
extensive /ɪk'stensɪv/ *adj* پهناور، وسیع؛ بسیط؛ زیاد؛ جامع، شامل
extensively /ɪk'stensɪvlɪ/ *adv* زیاد؛ در همه جا؛ وسیعاً؛ در مقیاس وسیع
extent /ɪk'stent/ *n* وسعت؛ اندازه، حد
  to some extent تا اندازه‌ای، تا حدّی
extenuate /ɪk'stenjʊeɪt/ *vt* تخفیف دادن؛ کم‌تقصیر قلمداد کردن
extenuation /ɪk,stenjʊ'eɪʃn/ *n* کاهشِ اهمیت جرم
exterior /ɪk'stɪərɪə(r)/ *adj,n* ۱.خارجی ۲.بیرون، (صورت) ظاهر
exterminate /ɪk'stɜ:mɪneɪt/ *vt* به‌کلی نابود کردن
extermination /ɪk,stɜ:mɪ'neɪʃn/ *n* قلع و قمع
external /ɪk'stɜ:nl/ *adj* بیرونی، خارجی؛ ظاهری؛ پدیدار؛ صوری
externally /ɪk'stɜ:nəlɪ/ *adv* از بیرون؛ ظاهراً
extinct /ɪk'stɪŋkt/ *adj* خاموش؛ از بین‌رفته
extinction /ɪk'stɪŋkʃn/ *n* اطفا؛ خاموشی
extinguish /ɪk'stɪŋgwɪʃ/ *vt* خاموش کردن؛ مستهلک کردن؛ ملغی کردن؛ ساکت کردن
extinguisher *n* خاموش‌کننده؛ خفه‌کن؛ دستگاه آتش‌نشانی
extirpate /'ekstəpeɪt/ *vt* از ریشه درآوردن، برانداختن
extol /ɪk'stəʊl/ *vt* [-led] زیاد ستودن
extort /ɪk'stɔ:t/ *vt* به زور یا تهدید یا حیله گرفتن
extortion /ɪk'stɔ:ʃn/ *n* غصب، اخاذی
extortionate /ɪk'stɔ:ʃənət/ *adj* زیاده‌ستان؛ گزاف
extra /'ekstrə/ *adj,adv,n* ۱.زیادی؛ اضافی، فوق‌العاده؛ اعلی ۲.به‌طور اضافی ۳.هزینهٔ فوق‌العاده؛ فوق‌العاده [اصطلاح جراید]

extract /ɪk'strækt/ *n* شیره، عصاره، جوهر؛ زبده، خلاصه؛ قطعهٔ مستخرجه
extract /ɪk'strækt/ *vt* استخراج کردن؛ اقتباس کردن؛ خلاصه کردن؛ کشیدن (دندان)
extraction /ɪk'strækʃn/ *n* استخراج؛ کشش؛ اقتباس؛ تقطیر؛ اصل، ریشه
extradite /'ekstrədaɪt/ *vt* (مقصری را) به دولت متبوع خودش تسلیم کردن
extraneous /ɪk'streɪnɪəs/ *adj* بیگانه؛ نامربوط، بی‌ربط
extraordinary /ɪk'strɔ:dnrɪ US: -dənerɪ/ *adj,n* ۱.فوق‌العاده ۲.سفیر فوق‌العاده؛ [در جمع] فوق‌العادهٔ نظامیان
extravagance /ɪk'strævəgəns/ *n* زیاده‌روی، ولخرجی؛ کار یا سخن نامعقول
extravagant /ɪk'strævəgənt/ *adj* نامعقول؛ گزاف، مفرط؛ گزاف‌گو؛ ولخرج؛ افراط کار
extreme /ɪk'stri:m/ *adj,n* ۱.واقع در منتهاالیه؛ افراطی ۲.منتها درجه؛ دورترین نقطه؛ [ریاضیات] کرانه
  in the extreme بی‌نهایت
  take an extreme course; go to extremes افراط یا تفریط کردن
extremely /ɪk'stri:mlɪ/ *adv* بی‌نهایت
extremist افراطی [در سیاست]، [در جمع] افراطیون
extremity /ɪk'stremətɪ/ *n* انتها، سر؛ نهایت؛ مضیقه؛ [در جمع] افراط و تفریط
extricate /'ekstrɪkeɪt/ *vt* رها کردن؛ سوا کردن
extrinsic /ek'strɪnsɪk/ *adj* خارجی، عارضی
extrude /ɪk'stru:d/ *vt* بیرون انداختن
exuberance /ɪg'zju:bərəns US: -zu:-/ *n* وفور، فراوانی، فرط
exuberant /ɪg'zju:bərənt US: -zu:-/ *adj* فراوان؛ پرپشت
exude /ɪg'zju:d US: -'zu:d/ *v* تراوش کردن، بیرون دادن
exult /ɪg'zʌlt/ *vi* خوشحالی کردن
exultant /ɪg'zʌltənt/ *adj* خوشحال، ذوق‌زده
exultation /,egzʌl'teɪʃn/ *n* خوشی، شادی
eye /aɪ/ *n,vt* ۱.چشم؛ قوه تشخیص یا بینایی؛ سوراخ سوزن، حلقه ۲.نگاه کردن
  keep an eye on مواظبت کردن
  with an eye to نظر به، از لحاظِ
  in the eye of از لحاظِ، نظر به
  Eyes left! نظر به چپ!
  see eye to eye کاملاً موافقت کردن با
  make eyes at به چشم خاطرخواهی یا خریداری نگاه کردن (به)
  mind your eye! مواظب باشید! بپایید!
eyeball /'aɪbɔ:l/ *n* تخم چشم
eyebrow /'aɪbraʊ/ *n* ابرو
eye-glass /'aɪglæs/ *n* شیشه‌ای که برای کمک بینایی به‌کار می‌رود؛ عدسی
eye-glasses *npl* عینک فنری یا دستی
eyelash /'aɪlæʃ/ *n* مژگان، مژه
eyelet /'aɪlɪt/ *n* حلقه؛ سوراخ؛ روزنه
eyelid /'aɪlɪd/ *n* پلک چشم، جَفن
eyepiece /'aɪpi:s/ *n* [در میکروسکپ و دوربین] عدسی‌چشمی
eyeshot /'aɪʃɑ:t/ *n* چشم‌رس
eyesight /'aɪsaɪt/ *n* بینایی
eyesore /'aɪsəʊ(r)/ *n* چیز بدنما؛ مایهٔ نفرت
eye-wash /'aɪwɒʃ/ *n* داروی چشم؛ تظاهر
eyewitness /'aɪwɪtnɪs/ *n* شاهدِ عینی

F,f

F,f /ef/ *n* ششمین حرف الفبای انگلیسی
fable /'feɪbl/ *n,vi,vt* ۱.افسانه ۲.افسانه گفتن ۳.به طریق مثل گفتن
fabric /'fæbrɪk/ *n* ساختمان؛ کالبد؛ بافته
fabricate /'fæbrɪkeɪt/ *vt* ساختن؛ جعل کردن
fabrication /,fæbrɪ'keɪʃn/ *n* جعل؛ ساخت
fabulous /'fæbjʊləs/ *adj* افسانه‌ای
facade /fə'sɑ:d/ *n* نما؛ سردر
face /feɪs/ *n,vt,vi* ۱.صورت؛ رو؛ ظاهر؛ سطح ۲.روبرو شدن با؛ تراشیدن (سنگ)؛ روکش کردن ۳.رو کردن
  set one's face against مخالفت کردن با
  in the face of علی‌رغمِ؛ روبروِی
  save one's face آبروی خود را حفظ کردن، خود را از تنگ‌وتا نینداختن
  face value بهای اعتباری، بهای اسمی

on the face of it برحسب ظاهر، علی‌الظاهر
make faces at someone
ادا و اصول در جلو کسی درآوردن
wear two faces دو رو بودن
face it out جسورانه مقاومت کردن
pull (*or* wear) a long face
قیافه عبوس به‌خود گرفتن
face card [در بازی ورق] صورت
face down مورد عتاب یا تشر قرار دادن
to one's face تو روی شخص
About face! [نظامی] عقب‌گرد!
Left face! [نظامی] به چپ چپ!
face the music در محنت و آزمایش استوار بودن
face-lifting /'feɪs lɪftɪŋ/ *n*
جوان‌نما کردنِ صورت به‌وسیلهٔ صاف کردنِ چروکهای آن، جراحی پلاستیک صورت
facet /'fæsɪt/ *n* پخ، تراش، رویه
facetious /fə'si:ʃəs/ *adj* شوخ؛ فکاهی
facial /'feɪʃl/ *adj,n* ۱.وجهی، صورتی ۲.ماساژ صورت
facile /'fæsaɪl US: 'fæsl/ *adj* آسان؛ روان
facilitate /fə'sɪlɪteɪt/ *vt* آسان کردن
facility /fə'sɪlətɪ/ *n* سهولت؛ وسیله [جمع = وسایل]؛ روانی؛ حاضر خدمتی
facing /'feɪsɪŋ/ *n* نما
facsimile /fæk'sɪməlɪ/ *n* رونوشت عین، تقلید
in facsimile عیناً
fact /fækt/ *n* امر مسلم، حقیقت یا چگونگی امر؛ [در جمع] مراتب، کیفیت
in view of the fact that نظر به اینکه
in fact در حقیقت، در واقع
faction /'fækʃn/ *n* دسته‌بندی؛ نزاع؛ فساد
factious /'fækʃəs/ *adj* فتنه‌جو
factitious /fæk'tɪʃəs/ *adj* ساختگی
factor /'fæktə(r)/ *n* عامل، سازه؛ حق‌العمل کار
factory /'fæktərɪ/ *n* کارخانه
factotum /fæk'təʊtəm/ *n* کسی که برای همه نوع کار استخدام می‌شود
faculty /'fækltɪ/ *n* قوه (ذهنی)؛ توانایی؛ اختیار، اجازه؛ دانشکده
fad /fæd/ *n* هوس یا سرگرمی موقتی
fade /feɪd/ *vi,vt* ۱.پژمرده شدن، کمرنگ شدن؛ محو شدن ۲.پژمرده کردن
faeces /'fi:si:z/ *npl* مدفوع؛دُرد
faerie *or* **-ry** /'feərɪ/ *n,adj* ۱.(سرزمین) اجنّه یا پریان ۲.خیالی
fag /fæg/ *vi* [-ged] سخت‌کارکردن، جان مفت‌کندن
fag /fæg/ *n* (فقط به صورت مفرد) زحمت زیاد، حمالی مفت؛ آدم جان کن
fag-end /'fæg end/ *n* پس‌مانده
faggot /'fægət/ *n,vt* ۱.دسته (هیزم) ۲.دسته کردن
Fahrenheit /'færənhaɪt/ *n* (گرماسنج) فارنهایت
fail /feɪl/ *vi,vt* ۱.رد شدن؛ موفق نشدن؛ عاجز شدن؛ قصور کردن؛ کم شدن، تمام شدن؛ فرو کشیدن؛ غلط در آمدن؛ ورشکستن، فاقد بودن [با of یا in] ۲.نومید کردن؛ گول زدن
Do not fail to come. از آمدن کوتاهی نکنید. حتماً بیایید.
His life failed him عمرش وفا نکرد
without fail *(n)* حتماً، البته
failing /'feɪlɪŋ/ *prep* در نبودنِ؛ در صورت کوتاهی از
failing this;failing which وگرنه، والاّ
failure /'feɪljə(r)/ *n* قصور؛ عجز، درماندگی، ورشکستگی؛ عیب، نقص
heart failure سکتهٔ قلبی
fain /feɪn/ *adv* با میل و مسرت [همیشه با would گفته می‌شود]
faint /feɪnt/ *adj* ضعیف، سست؛ ناپیدا؛ تیره؛ کمرنگ؛ خفیف؛ آهسته
faint /feɪnt/ *n,vi* ضعف یا غش (کردن)
faint-hearted /,feɪnt 'hɑ:tɪd/ *adj* بزدل، ترسو
fair /feə(r)/ *adj,adv* ۱.زیبا؛ نسبتاً خوب؛ روشن؛ بور؛ منصف؛ منصفانه ۲.مؤدبانه؛ به‌طور روشن؛ بی‌طرفانه
the fair sex جنس لطیف [یعنی زن]
fair copy پاکنویس، نسخهٔ روشن
fair play [مجازاً] برابری، مساوات
by fair means با مدارا؛ بدونِ تزویر
be in a fair way احتمال داشتن، محتمل بودن؛ شانس داشتن
bid fair امیدواری یا احتمال دادن
copy out fair پاکنویس کردن
fair /feə(r)/ *n* نمایشگاه کالا؛ بازار (مکاره)
fairly /feəlɪ/ *adv* منصفانه؛ نسبتاً درست و حسابی، کاملاً؛ با جهت، به مناسبت
fairness *n* زیبایی؛ روشنی؛ انصاف
fair-spoken /'feə'spəʊkn/ *adj* خوش‌زبان، مؤدب
fair-weather /'feəweðə(r)/ *adj* بی‌وفا، نیمه‌راه
fairy /'feərɪ/ *n* پری
fairyland /'feərɪlænd/ *n* سرزمینِ پریان؛ [مجازاً] جای بسیار باصفا، بهشت روی زمین

faith /feɪθ/ *n* ایمان، عقیده؛ دین؛ وفاداری
break one's faith پیمان شکنی کردن
in good faith با نیت پاک، به‌درستی
put one's faith in ایمان آوردن به، عقیده داشتن به
bad faith سوءِ نیت، قصد فریب
faithful /ˈfeɪθfl/ *adj* با وفا؛ مؤمن؛ صادق
faithfully /ˈfeɪθfəlɪ/ *adv* از رویِ وفاداری؛ صادقانه؛ کاملاً؛ درست
Yours faithfully با تقدیم احترامات [بیشتردر نامه‌های تجارتی به‌کار می‌رود]
faithfulness *n* وفاداری؛ صداقت
faithless /ˈfeɪθlɪs/ *adj* بی‌دین؛ بی‌وفا، خائن
fake /feɪk/ *vt,n,Sl* ۱.جا زدن؛ جعل کردن ۲.دغا بازی؛ پیچ، حلقه
fakir /ˈfeɪkɪə(r) US: fəˈk-/ *n* درویش، مرتاض هندی
falchion /ˈfɔːltʃn,-ʃn/ *n* نوعی شمشیر کوتاه و پهن
falcon /ˈfɔːlkən US: ˈfælkən/ *n* باز، قوش؛ نوعی توپ قدیمی
falconer *n* قوش‌باز، بازدار
falconry /ˈfɔːlkənrɪ US: ˈfælkənrɪ/ *n* قوش‌بازی، بازداری، شکار با باز
faldstool /ˈfɔːldstuːl/ *n* صندلیِ بی‌دسته؛ کرسی متحرّک؛ چارپایهٔ تاشو
fall /fɔːl/ *vi* [fell;fallen] افتادن؛ ارزان شدن؛ بی‌عفت شدن؛ مرتد شدن؛ از اهمیت افتادن؛ موفق نشدن؛ سقوط کردن؛ واقع شدن، رخ دادن
When will that bill fall due? سررسید پرداخت آن برات کی است؟
fall away مرتد شدن؛ فاسد شدن
fall back [نظامی] عقب‌نشینی کردن
fall back upon متوسل شدن به
fall for *US,Sl* شیفتهٔ... شدن
fall in فرو ریختن؛ شکم دادن؛ در صف آمدن؛ مطابقت کردن؛ موافق شدن؛ واجب‌الادا شدن
fall in love with عاشق شدن به
fall into a rage از کوره در رفتن
fall off (از هم) جدا شدن؛ کم شدن، رو به‌کاهش گذاردن؛ فاسد شدن؛ عاصی شدن، مرتد شدن
fall out دعوا کردن، در افتادن؛ چنین اتفاق افتادن، چنین نتیجه دادن
fall out well خوب درآمدن
fall short کم آمدن؛ قاصر آمدن
fall sick ناخوش شدن
fall through به‌نتیجه نرسیدن
fall to دست به‌کار (غذا خوردن یا جنگ) شدن
fall to blows دست به‌گریبان شدن
fall under مشمول (چیزی) شدن
let fall انداختن، ول کردن
He fell asleep. خوابش برد.
fall /fɔːl/ *n* برگ‌ریزان، پاییز؛ سقوط؛ تنزل؛ شکست؛ [در جمع] آبشار
fallacious /fəˈleɪʃəs/ *adj* سفسطه‌آمیز، فریبنده
fallacy /ˈfæləsɪ/ *n* سفسطه؛ اغفال؛ خلل؛ اشتباه
fallen /ˈfɔːlən/ *ppa* [*pp of* fall] افتاده؛ کشته؛ دستگیرشده
fallibility /ˌfæləˈbɪlətɪ/ *n* استعداد خطا کردن
fallible /ˈfæləbl/ *adj* جایزالخطا
fallow /ˈfæləʊ/ *n* آیش
fallow /ˈfæləʊ/ *adj* زرد کمرنگ
fallow-deer نوعی گوزن زرد کوچک
false /fɔːls/ *adj* کاذب؛ دروغگو؛ عاریتی؛ غیرقانونی؛ قلب، بدل
false arch طاق‌نما
false colours [مجازاً] نعل وارونه
false step قدم عوضی، سکندری، لغزش
play a person false *(adv)* به کسی نارو زدن
falsehood /ˈfɔːlshʊd/ *n* کذب، (سخن) دروغ
falsely *adv* دروغی؛ خائنانه
falsification /ˌfɔːlsɪfɪˈkeɪʃn/ *n* تحریف؛ تکذیب؛ دغل، تقلب، تزویر
falsify /ˈfɔːlsɪfaɪ/ *vt* تحریف کردن؛ دروغ (چیزی را) ثابت کردن
falsity /ˈfɔːlsətɪ/ *n* دروغ؛ نادرستی، خیانت
falter /ˈfɔːltə(r)/ *vi* گیر کردن، لکنت پیدا کردن؛ با شبهه سخن گفتن
fame /feɪm/ *n* شهرت، نام؛ شایعه، خبر
house of ill fame فاحشه‌خانه
famed for... در... مشهور
familiar /fəˈmɪlɪə(r)/ *adj* آشنا، آگاه؛ خودمانی؛ اهلی
familiarity /fəˌmɪlɪˈærətɪ/ *n* آشنایی؛ مقامِ خودمانی؛ بصیرت، اطلاع؛ آزادی؛ گستاخی
familiarize /fəˈmɪlɪəraɪz/ *vt* آشنا کردن؛ عادت دادن؛ معلوم کردن؛ خودمانی کردن
familiarize oneself آشنا شدن
family /ˈfæməlɪ/ *n* خانواده، عائله؛ طایفه
family man مرد زن (وبچه) دار
in the family way = pregnant
famine /ˈfæmɪn/ *n* قحطی، قحط

famish /'fæmɪʃ/ *v* گرسنگی دادن، گرسنگی کشیدن؛ تنگی دادن، تنگی کشیدن
famous /'feɪməs/ *adj* نامدار، معروف؛ [در گفتگو] خوب، عالی
fan /fæn/ *n,vt* [-ned] ۱.بادبزن؛ پروانه ۲.باد زدن؛ باد دادن
fan the flame آتش را دامن زدن
fanatic /fə'nætɪk/ *n* شخص متعصب
fanatical /fə'nætɪkl/ *adj* متعصب؛ تعصب‌آمیز
fanaticism /fə'nætɪsɪzəm/ *n* تعصب
fancier /'fænsɪə(r)/ *n* خیالباف
flower-fancier; bird-fancier گل‌باز، مرغ‌باز
fanciful /'fænsɪfl/ *adj* خیالی؛ هوسباز؛ تفننی
fancy /'fænsɪ/ *n,adj* ۱.خیال؛ قوهٔ واهمه؛ هوس؛ تفنن ۲.فانتزی
take a fancy هوس کردن؛ میل کردن
take the fancy of خوش آمدن
the fancy مرغ‌بازان و گل‌بازان و مثل آنها
fancy dog سگِ دست‌پرورده
fancy man روزی خورِ فاحشه
fancy /'fænsɪ/ *vt* تصور کردن؛ هوس کردن (به)؛ از روی عشق پروردن
fancy oneself خود را کسی دانستن
Just fancy! فکرش را بکن!
fane /feɪn/ *n,Poet* معبد
fang /fæŋ/ *n* دندان ناب (سگ)؛ نیشِ مار؛ چنگال؛ ریشه یا شاخه دندان
fan-light /'fænlaɪt/ *n* پنجرهٔ نیم‌گرد کوچک
fantastic /fæn'tæstɪk/ *adj* خیالی؛ بوالهوس؛ غریب‌وعجیب؛ هوسباز
fantasy;phantasy /'fæntəsɪ/ *n* وهم؛ هوس؛ وسواس
far /fɑ:(r)/ *adj,adv* [farther *or* further; farthest *or* furthest] دور؛ به مراتب؛ زیاد؛ دوردست
how far چقدر (راه)؛ تا کجا
as far as page 50 تا صفحه پنجاه
As far as the eye can reach تا چشم کار می‌کند
so far تااینجا؛ تااین درجه؛ تاکنون
so far as تا آنجا که، تا آن اندازه که
in so far as تا آنجا که، آنقدر که
by far به مراتب
far -between دورادور؛ کم وقوع
Far from it! حاشا (که چنین باشد)
far and away به مراتب
a far cry راه بسیار دور

far-away /'fɑ:r əweɪ/ *adj* دور؛ دوررس؛ پرت؛ پریشان
farce /fɑ:s/ *n* نمایش مضحک؛ حرف مفت؛ کار بی‌مورد
farcical /'fɑ:sɪkl/ *adj* مضحک؛ عجیب
fare /feə(r)/ *n,vi* ۱.کرایه؛ غذا ۲.گذران کردن؛ غذا خوردن
Does it fare well or ill with him? به او خوش می‌گذرد یا بد؟
fare forth رفتن
farewell /,feə'wel/ *int,n* ۱.خداحافظ، خدانگهدار ۲.بدرود، وداع
bid farewell *or* **make one's farewells** خداحافظی کردن
far-fetched /'fɑ:'fetʃt/ *adj* دور (از حیث ارتباط یا تشبیه)، غیر مُمَثِّل
farm /fɑ:m/ *n,vt,vi* ۱.کشتزار، مزرعه ۲.اجاره کردن، مقاطعه کردن؛ اجاره دادن [با out] ۳.رعیتی کردن
farmer *n* برزگر، رعیت؛ اجاره کار
farmhouse /'fɑ:mhaʊs/ *n* خانهٔ رعیتی
farming *n* اجاره‌کاری؛ برزگری
farmstead /'fɑ:msted/ *n* علاقجات (یا دارایی) رعیتی
far-reaching /'fɑ: 'ri:tʃɪŋ/ *adj* دوررس؛ وسیع
farrier /'færɪə(r)/ *n* نعلبند
far-seeing /'fɑ: 'si:ɪŋ/ *adj* دوراندیش، بااحتیاط
far-sighted /'fɑ: saɪtɪd/ *adj* دوربین؛ مآل‌اندیش
farther /'fɑ:ðə(r)/ *adj,adv* [*comp of* far] دورتر؛ بیشتر
farthermost /'fɑ:ðəməʊst/ *adj* دورترین
farthest /'fɑ:ðɪst/ *adj,adv* [*sup of* far] دورترین؛ بیشترین؛ دورتر از همه
farthing /'fɑ:ðɪŋ/ *n* یک چهارمِ penny
It doesn't matter a farthing! هیچ اهمیّت ندارد!
fascinate /'fæsɪneɪt/ *vt* مجذوب کردن، مفتون کردن، شیفته کردن؛ افسون کردن
fascinating *apa* دلربا؛ سحرآمیز
fascism /'fæʃɪzəm/ *n* فاشیسم
fascist /'fæʃɪst/ *n* فاشیست
fashion /'fæʃn/ *n,vt* ۱.رسم؛ سبک، اسلوب، طرز، طریقه؛ مُد ۲.درست کردن
in fashion باب، متداول، مُد
out of fashion غیرمتداول، از مد افتاده

after the fashion of به‌سبکِ، به‌طریقِ
after (*or* in) a fashion یکجور، تا یک اندازه، نه چندان خوب
set the fashion مُد کردن، باب کردن
woman of fashion زن امروزی
fashionable /'fæʃnəbl/ *adj* متداول، مُد؛ شیک
fast /fɑ:st US: fæst/ *adj,adv,n,vi* ۱.تند؛ تندرو؛ [در رنگ] ثابت؛ ثابت‌قدم؛ سفت؛ ولخرج؛ بداخلاق ۲.تند؛ محکم ۳.روزه ۴.روزه گرفتن
take fast hold of محکم گرفتن
play fast and loose بی‌ثبات بودن
fast asleep در خواب سنگین
fasten /'fɑ:sn US: 'fæsn/ *vt,vi* ۱.بستن؛ محکم کردن، سفت کردن؛ دوختن (چشم)؛ نسبت دادن ۲.محکم شدن؛ چسبیدن؛ متمسک شدن
fasten off گره زدن (ته نخ)
fasten a quarrel upon someone برای نزاع با کسی پی بهانه گشتن
fastener /'fɑ:snə(r) US: 'fæs-/ *n* چفت، بست
fastening /'fɑ:snɪŋ US: 'fæs-/ *n* چفت‌وبست؛ کشو؛ [در جمع] آهن‌جامه، یراقِ در
fastidious /fə'stɪdɪəs US: fæ-/ *adj* مشکل‌پسند، ایرادگیر
fastness /'fɑ:stnɪs US: 'fæs-/ *n* محکمی؛ ثبات؛ قلعه
fat /fæt/ *adj,n,vt* ۱.فربه، چاق؛ چرب؛ با برکت ۲.روغن؛ دنبه؛ فربهی؛ فراوانی ۳.پروار کردن
a fat lot *Sl* خیلی، های، [به طعنه] هیچ، ابداً
fatal /'feɪtl/ *adj* کُشنده؛ مخرّب
fatalism /'feɪtəlɪzəm/ *n* کیش جبری
fatalist /'feɪtəlɪst/ *n* جبری، معتقد به جبر و تفویض
fatality /fə'tælətɪ/ *n* سرنوشت؛ حادثهٔ چاره‌ناپذیر، بلا؛ مرگِ غیرطبیعی
fate /feɪt/ *n* سرنوشت، تقدیر؛ قسمت؛ اجل؛ عاقبت
fated *ppa* مقدّر
fateful /'feɪtfl/ *adj* دستخوشِ تقدیر؛ مهم، قطعی؛ پربلا، پر سرگذشت
father /'fɑ:ðə(r)/ *n,vt* ۱.پدر؛ مؤسس؛ پیشوا ۲.خود را پدر (کسی) یا مسئول (کتابی) دانستن
father-in-law پدر شوهر؛ پدرزن
fatherland /'fɑ:ðəlænd/ *n* میهن، وطن
fatherly *adj* پدرانه
fathom /'fæðəm/ *n,vt* ۱.واحد عمق‌پیمایی برابر با ۶ پا (۱/۸ متر)، قلاج ۲.عمق‌پیمایی کردن؛ به‌کنه (چیزی) رسیدن

fatigue /fə'ti:g/ *n,vt* ۱.خستگی؛ کار سخت ۲.خسته کردن
fatness *n* فربهی؛ چربی؛ برکت
fatten /'fætn/ *vt,vi* ۱.فربه کردن، پرواری کردن ۲.فربه شدن
fatty /'fætɪ/ *adj* چربی‌دار؛ روغنی
fatuous /'fætʃʊəs/ *adj* بی‌شعور، احمق؛ احمقانه؛ خودپسند(انه)
faucet /'fɔ:sɪt/ *n* شیر آب، شیر
fault /fɔ:lt/ *n,vi* ۱.تقصیر؛ عیب؛ خطا؛ جابه‌جاشدگی ۲.جابه‌جا شدن
find fault with عیب جستن از
at fault گیج؛ خراب
to a fault زیاده از حد
The fault lies with him. تقصیر با او است.
faultfinder /'fɔ:ltfaɪndə(r)/ *n* عیبجو
faultfinding /'fɔ:ltfaɪndɪŋ/ *n* عیبجویی
faulty *adj* معیوب؛ ناقص؛ مقصر
fauna /'fɔ:nə/ *n* همه جانوران یک سرزمین
favour /'feɪvə(r)/ *n,vt* ۱.التفات؛ همراهی؛ نامه ۲.احسان کردن (به)؛ همراهی کردن، طرفداری کردن
by favour of توسطِ؛ با مساعدتِ
in favour of به نامِ، به حسابِ؛ برلهِ، به نفعِ
most-favoured کاملة‌الوداد
favourable /'feɪvərəbl/ *adj* مساعد
a favourable wind باد موافق،باد شرطه
favourable to مساعد براي؛ سودمند براي؛ همراه با
favourite /'feɪvərɪt/ *adj* مطلوب؛ طرفِ توجه؛ [راجع به زن] سوگلی
favouritism /'feɪvərɪtɪzəm/ *n* همراهی با شخص مورد توجه، پارتی‌بازی
favus /'feɪvəs/ *n* کچلی؛ سعفهٔ شهدیه: نوعی بیماری پوستی مسری
fawn /fɔ:n/ *n,adj,vi* ۱.آهوبره؛ بچه گوزن ۲.زرد مایل به قهوه‌ای ۳.دُم تکان دادن، مداهنه کردن، چاپلوسی کردن
fay /faɪ/ = fairy; elf
fealty /'fi:əltɪ/ *n* وفاداری؛بیعت
fear /fɪə(r)/ *n,vi,vt* ۱.ترس ۲.ترسیدن ۳.ترسیدن از
for fear of از ترس
for fear that (از ترس اینکه) مبادا
fearful /'fɪəfl/ *adj* ترسناک؛ حاکی از ترس
fearfully /'fɪəfəlɪ/ *adv,Col* بی‌نهایت
fearless *adj* بی‌ترس، بی‌پروا

feasible /'fi:zəbl/ *adj* شدنی، عملی
feast /fi:st/ *n,vi* ۱.مهمانی؛ جشن؛ عید ۲.خوش گذراندن
feat /fi:t/ *n* کار برجسته، فتح نمایان
feather /'feðə(r)/ *n,vt* ۱.پَر؛ پرندگانِ شکارکردنی ۲.پرزدن (به)؛ با پر آراستن؛ پرکندن
of that feather از آن رقم، آن‌جور
show the white feather از میدان دررفتن، جبن نشان دادن، زه زدن
feather one's nest بارِ خود را بستن، تأمین آتیه کردن
in high (*or* full) feather سرِخُلق، سرحال
featherweight /'feðəweɪt/ *n* پَر وَزن
feathery *adj* پرمانند: نرم یا سبک
feature /'fi:tʃə(r)/ *n* طرح صورت، سیما؛ ترکیب؛ شکل؛ قسمت برجسته؛ کیفیت؛ علامتِ مخصوص [بیشتر در جمع]
feature film /'fi:tʃə fɪlm/ *n* فیلم اصلی
febrifuge /'febrəfju:dʒ/ *n* تب‌بر
February /'febrʊərɪ US: -ʊerɪ/ *n* فوریه (دومین ماه سال میلادی)
fed /fed/ [*p,pp of* feed]
federal /'fedərəl/ *adj* پیمانی؛ اتحادی؛ متحد؛ همعهد؛ فدرال
federalism /'fedərəlɪzəm/ *n* اصولِ تشکیل چند کشور متحد با یک حکومت مرکزی
federate /'fedəreɪt/ *vt,vi* ۱.همپیمان کردن ۲.همپیمان شدن
federation /ˌfedə'reɪʃn/ *n* اتحاد(یهٔ چند کشور)، فدراسیون
federative *adj* اتحادی
fee /fi:/ *n* حق(الزحمه)، پای‌مزد؛ ورودیه
feeble /'fi:bl/ *adj* ضعیف؛ ناتوان؛ عاجز(انه)
feeble-minded /ˌfi:bl'maɪndɪd/ *adj* کم‌عقل
feed /fi:d/ *vt,vi* [fed] ,*n* ۱.غذا دادن؛ شیر دادن؛ چراندن؛ کار (برای ماشین و غیره) رساندن ۲.غذا خوردن ۳.تغذیه؛ خوراک؛ چرا
at one feed در یک‌خوراک یا وهله
be fed up سیر شدن؛ بی‌حوصله شدن
feed up (با غذا) فربه کردن
feeder /'fi:də(r)/ *n* غذادهنده؛ خورنده؛ مایه‌رسان [در ماشین‌آلات]؛ رودِ فرعی؛ شعبه، شاخه؛ بطری سر پستانک‌دار برای شیر دادن بچه [که آن را feeding-bottle نیز می‌گویند]
feel /fi:l/ *vt,vi* [felt] ,*n* ۱.احساس کردن، حس کردن؛ درک کردن؛ لمس کردن ۲.متأثر شدن؛ به‌نظر رسیدن؛ بودن؛ شدن [feel angry] ۳.حس لامسه؛ احساس
feel quite oneself سرحال بودن، تندرست بودن؛ خونسرد بودن
feel one's pulse نبض کسی‌را گرفتن؛ مزهٔ دهان کسی را فهمیدن
feel one's way کورمالی کردن
feel after (*or* for) something چیزی را (با دست) جستجو کردن
I feel cold. سردم است.
I feel like doing it. دلم می‌خواهد (یا میل دارم) آن کار را بکنم.
How do you feel? حال شما چطور است؟
feel of دستمالی کردن، لمس کردن
It feels soft. زیردست نرم است.
feeler /'fi:lə(r)/ *n* شاخک؛ پیشاهنگ؛ دیدبان؛ سخن استمزاجی
feeling /'fi:lɪŋ/ *n,adj* ۱.احساس، حس؛ عاطفه ۲.حساس؛ با عاطفه
good feeling خوش‌قلبی، مهربانی
feet /fi:t/ [*pl of* foot]
feign /feɪn/ *vt* وانمود کردن؛ بهانه آوردن، بهانه کردن؛ انگیختن
feign illness خود را به ناخوشی زدن
feign ignorance تجاهل کردن
feint /feɪnt/ *n,vi* تظاهر (کردن)؛ حملهٔ دروغی (کردن)
felicitate /fə'lɪsɪteɪt/ *vt* تبریک گفتن، شادباش گفتن
felicitous /fə'lɪsɪtəs/ *adj* مقتضی؛ لطیف، شیرین؛ خوش‌عبارت
felicity /fə'lɪsətɪ/ *n* سعادت؛ اقتضا، مناسبت؛ لطافت
feline /'fi:laɪn/ *adj* گربه‌ای؛ گربه‌سان
fell /fel/ [*p of* fall]
fell /fel/ *vt* انداختن، قطع کردن (درخت)
fell /fel/ *n* زمین بایر کوهستانی
fell /fel/ *adj,Poet* درنده‌خو؛ خوفناک
fellow /'feləʊ/ *n* مردکه، پسره، یارو [در گفتگو]، همقطار، شریک [بیشتر در جمع]؛ عضو؛ لنگه (کفش و غیره)؛ [درترکیب] هم
fellow citizen همشهری
fellow-creature همنوع
poor fellow! ای بیچاره!
hail-fellow well-met صمیمی
fellow-feeling /ˌfeləʊ 'fi:lɪŋ/ *n* حسِّ همنوعی
fellowship /'feləʊʃɪp/ *n* رفاقت، دوستی؛ عضویت (در انجمن اخوت یا انجمن دوستان)

fellow-student /'feləʊ stju:dnt/ *n* همشاگردی
felon /'felən/ *n* تبهکار، جانی
felonious /fə'ləʊnɪəs/ *adj* خیانت‌آمیز؛ جنایی؛ تبهکار
felony /'felənɪ/ *n* جنایت
felt /felt/ [*p,pp of* feel]
felt /felt/ *n* نمد
female /'fi:meɪl/ *adj,n* ماده؛ مادینه، مؤنث
feminine /'femənɪn/ *adj* مؤنث؛ زنانه
feminism /'femɪnɪzəm/ *n* عقیده به برابری زن با مرد و مبارزه در این راه، برابری‌طلبی زنان
femur /'fi:mə(r)/ *n* استخوان ران، فخذ
fen /fen/ *n* مرداب؛ زمین سیل‌گیر
fence /fens/ *n,vt,vi* ۱.حصار، پرچین؛ مُحَجّر؛ شمشیربازی؛ گیره، عایق؛ ضامن ۲.پناه دادن؛ محصور کردن؛ قُرُق کردن ۳.شمشیربازی کردن
  sit on the fence بی‌طرف ماندن
  come down on the right side of the fence طرفدار برنده شدن
  fence against جلوگیری کردن، دفع کردن
  fence with a question از دادنِ پاسخ مستقیم طفره رفتن
fencer *n* شمشیرباز
fencing /'fensɪŋ/ *n* شمشیربازی؛ مُحجّر؛ حصار
fend /fend/ *vt* دفع کردن [با off]
  fend for توجه کردن، خود را حفظ کردن
fender /'fendə(r)/ *n* (آهنِ) پیش‌بخاری؛ حایل؛ فنر؛ گلگیر
ferment /'fɜ:ment/ *n* خمیرمایه، ترش؛ [مجازاً] جوش‌وخروش
ferment /fə'ment/ *vt,vi* ۱.تخمیر کردن، ترش کردن؛ [مجازاً] به‌هیجان آوردن ۲.به‌هیجان آمدن
fermentation /,fɜ:men'teɪʃn/ *n* تخمیر؛ خروش
fern /fɜ:n/ *n* سرخس
ferocious /fə'rəʊʃəs/ *adj* درنده‌خو
ferocity /fə'rɒsətɪ/ *n* درنده‌خویی
ferret /'ferɪt/ *n,v* ۱.موش خرما،راسو ۲.کنجکاوی کردن؛ با راسو شکار کردن؛ جستجوی زیاد کردن، [با out] پیدا کردن
ferro-concrete /,ferəʊ'kɒŋkri:t/ *n* بتون مسلح، بتون آرمه
ferrule /'feru:l US: 'ferəl/ *n* ته غلاف؛ حلقه فلزی
ferry /'ferɪ/ *n,vt,vi* ۱.گذرگاه، معبر؛ جسر، کشتی گذاره ۲.عبور دادن ۳.رفت‌وآمد کردن
ferry-boat /'ferɪ bəʊt/ *n* جسر متحرک، کشتی گذاره
fertile /'fɜ:taɪl US: 'fɜ:rtl/ *adj* حاصلخیز، بارخیز؛ برکت‌دار؛ فراوان
  fertile in (*or* of) poets شاعرپرور
fertility /fə'tɪlətɪ/ *n* حاصلخیزی؛ فراوانی
fertilization /,fɜ:təlaɪ'zeɪʃn US: -lɪ'z-/ *n* عملِ کود دادن؛ بارورسازی؛ القاح؛ حاصلخیزی
fertilize /'fɜ:təlaɪz/ *vt* حاصلخیز کردن؛ کود دادن
fertilizer /'fɜ:təlaɪzə(r)/ *n* کود
ferule /'feru:l US: 'ferəl/ *n,vt* ۱.خط‌کش پهن ۲.کف‌دستی زدن
fervent /'fɜ:vənt/ *adj* با حرارت؛ مشتاق؛ ملتهب؛ سخت، زیاد
fervid /'fɜ:vɪd/ *adj* گرم؛ مشتاق
fervour /'fɜ:və(r)/ *n* گرمی، حمیت، غیرت؛ اشتیاق، شوق، التهاب
festal /'festl/ *adj* جشنی
fester /'festə(r)/ *vi,vt* ۱.چرک کردن؛ وخیم شدن ۲.فاسد کردن
festival /'festəvl/ *n* جشن؛ عید؛ فستیوال
festive /'festɪv/ *adj* درخور جشن؛ وابسته به‌عید؛ سرورانگیز
festivity /fe'stɪvətɪ/ *n* شادمانی؛ جشن
festoon /fe'stu:n/ *n* هلالِ گُل؛ دالبر
fetch /fetʃ/ *vt,vi,n* ۱.(رفتن و) آوردن؛ به (فلان مبلغ) فروش رفتن ۲.آمدن ۳.حیله؛ بهانه؛ کوشش
  fetch a sigh آه کشیدن
fetching /'fetʃɪŋ/ *apa* گیرنده، جالب
fête /feɪt/ *n,vt* ۱.مهمانی بزرگ ۲.مهمان کردن، پذیرایی کردن از
fetid /'fetɪd,'fi:tɪd/ *adj* بدبو
fetish /'fetɪʃ/ *n* بت؛ طلسم
fetlock /'fetlɒk/ *n* تیق؛ مُچ پای اسب
fetter /'fetə(r)/ *n,vt* ۱.بخو، زنجیر ۲.زنجیر کردن؛ مقید کردن
fettle /'fetl/ *n* حال، حالت
  in fine fettle سرِخُلق، سرحال
feud /fju:d/ *n* کینهٔ خانوادگی
feudal /'fju:dl/ *adj* تیولی؛ ملوک‌الطوایفی؛ فئودال، ارباب
feudalism /'fju:dəlɪzəm/ *n* اصول ملوک‌الطوایفی، فئودالیسم
feudality /fju:'dælɪtɪ/ *n* تیول؛ فئودالیسم
fever /'fi:və(r)/ *n* تب
feverish /'fi:vərɪʃ/ *adj* تب‌دار؛ تب‌خیز؛ ناشی از تب

few /fju:/ *adj,n* ۱.کم؛ [با a] چند، بعضی ۲.چند تن
few people عده‌کمی از مردم؛ کمتر کسی
a few books کتابی‌چند، چندکتاب
not a few بسیاری؛ خیلی‌ها
Few can go کمتر کسی می‌تواند برود
fez /fez/ *n* فینه، فس
fiancé /fɪ'ɒnseɪ US: ˌfi:ɑ:n'seɪ/ *Fr,n* نامزد [مؤنث آن fiancée است]
fiasco /fɪ'æskəʊ/ *n* شکست، ناکامی
fiat /'faɪæt US: 'fi:ət/ *n* حکم، امر
fib /fɪb/ *n* دروغ برای چیز جزئی
fibre;fiber /'faɪbə(r)/ *n* لیف، رشته؛ بافت
fibre (board) (مقوای) فیبر
fibrous /'faɪbrəs/ *adj* ریشه‌دار، لیف‌دار، ریشه‌ای؛ لیفی، لیف‌مانند
fickle /'fɪkl/ *adj* بی‌ثبات؛ متلون
fiction /'fɪkʃn/ *n* افسانه، قصه؛ جعل؛ وهم
fictitious /fɪk'tɪʃəs/ *adj* ساختگی؛ موهوم
fiddle /'fɪdl/ *n,v* ۱.ویلن ۲.زِرزِر کردن؛ (وقت)گذراندن؛ [زبان عامیانه] گوش (کسی را) بریدن
fiddlestick *n* کمان، آرشه
fiddlesticks /'fɪdlstɪks/ *int* چه مزخرفاتی
fidelity /fɪ'deləti US: faɪ-/ *n* وفاداری؛ درستی، صحت
fidget /'fɪdʒɪt/ *n,vi,vt* ۱.بی‌قراری ۲.بی‌قرار بودن، لولیدن ۳.ناراحت کردن
fidgety /'fɪdʒɪtɪ/ *adj* بی‌قرار، عصبانی
fiduciary /fɪ'dju:ʃi:,erɪ, -du:-/ *adj* امانتی، سپرده؛ امانت‌دار؛ اعتباری
fie /faɪ/ *int* تف؛ وای، اه
fief /fi:f/ *n* تیول
field /fi:ld/ *n,vt* ۱.میدان، زمین؛ صحرا؛ کشتزار؛ حوزه؛ فضا، دایره؛ رشته ۲.نگه داشتن و برگرداندن (توپ)
oil field منطقه نفت‌خیز، میدان نفتی
field allowance فوق‌العادهٔ خارج ازمرکز
field events مسابقه‌های‌میدانی(بجز دو)
field-artillery /'fi:ld ɑ:tɪlərɪ/ *n* توپخانهٔ صحرایی
field-day /'fi:ld deɪ/ *n* روزِ سان و مشق
field-glasses /'fi:ld glæsɪz/ *n* دوربین دوچشم
Field-Marshal /ˌfi:ld 'mɑ:ʃl/ *n* فیلد مارشال
fiend /fi:nd/ *n* دیو؛ روح پلید
opium fiend آدم تریاکی
fiendish *adj* دیوخو

fierce /fɪəs/ *adj* درنده(خو)؛ حریص، سبع؛ شدید؛ بی‌رحم، ستمکار
fierceness *n* درنده‌خویی
fiery /'faɪərɪ/ *adj* آتشین؛ آتش‌مزاج
fife /faɪf/ *n,vi* فلوت (زدن)
fifteen /ˌfɪf'ti:n/ *adj,n* پانزده
fifteenth /ˌfɪf'ti:nθ/ *adj,n* (یک) پانزدهم
fifth /fɪfθ/ *adj,n* (یک) پنجم
fifthly *adv* پنجم (آنکه)، خامساً
fiftieth /'fɪftɪəθ/ *adj,n* (یک) پنجاهم
fifty /'fɪftɪ/ *adj,n* پنجاه
fig /fɪg/ *n* انجیر
I don't care a fig. بی‌خیالش باش.
fight /faɪt/ *n,vi,vt* [fought] ۱.جنگ ۲.جنگ کردن ۳.جنگیدن برایِ؛ مبارزه کردن با؛ به‌جنگ انداختن
fight (it) out با جنگ خاتمه دادن، از راه جنگ یکسره کردن
fight off به زحمت دفع کردن، دور کردن
put up a good fight خوب جنگیدن
show fight تسلیم‌نشدن، سرجنگ داشتن
fight shy of کناره‌گیری کردن از
figment /'fɪgmənt/ *n* خیال؛ سخن جعلی
figurative /'fɪgərətɪv/ *adj* مجازی
figuratively *adv* مجازاً
figure /'fɪgə(r) US: 'fɪgjər/ *n,vt,vi* ۱.شکل، ترکیب؛ شخص؛ شبیه؛ نگاره؛ رقم؛ عدد ۲.ترسیم کردن؛ مُجسم کردن؛ حساب کردن؛ کنایه بودن از ۳.نمایان شدن؛ برجسته شدن، شاخص شدن
of figure برجسته؛ بانفوذ
figures of speech صنایع بدیعی
figure up (*or* out) با حساب درآوردن
figure out at بالغ شدن بر
figured *ppa* گلدار
figure-head /'fɪge hed/ *n* رئیس پوشالی؛ پیکر جلو کشتی
filament /'fɪləmənt/ *n* رشته؛ لیف
filature /'fɪlətʃə(r)/ *n* (ماشین) نخ‌کشی یا ابریشم پیچی
filch /fɪltʃ/ *vt* کش رفتن، دزدیدن
file /faɪl/ *n,vt* سوهان (زدن)
file /faɪl/ *n,vt* ۱.کاغذگیر؛پوشه؛ پرونده؛ ردیف، صف، ستون؛راسته، خط ۲.در بایگانی ضبط کردن
Indian *or* single file ستون یک
file past رژه رفتن
file-keeper /'faɪl ki:pə(r)/ *n* بایگان، ضبّاط
filial /'fɪlɪəl/ *adj* در خور فرزند

filibuster /ˈfɪlɪbʌstə(r)/ *n* نظامی غارتگر
filigree /ˈfɪlɪgriː/ *n* ملیله(دوزی)
filings /ˈfaɪlɪŋz/ *npl* بُراده
fill /fɪl/ *vt,vi,n* ۱.پر کردن؛ اجرا کردن؛ پیچیدن (نسخه) ۲.پر شدن؛ بزرگ شدن، [با out] باد کردن ۳.مقدار کافی؛ سیری
  fill oneself out خود را سیر کردن
  fill in پر کردن؛ درج کردن، نوشتن
  fill out تکمیل کردن؛ ریختن؛ بزرگ کردن، بزرگ شدن
  fill up لبریز کردن؛ تکمیل کردن؛ پر کردن، پر شدن؛ اشغال کردن
  eat one's fill of سیر خوردن
  filled up with admiration محظوظ، در حظ و شگفت
fillet /ˈfɪlɪt/ *n* گیس‌بند؛ نوار؛ پیشانی‌بند؛ برش، قاش؛ پشت مازه
fillip /ˈfɪlɪp/ *n,v* تلنگر (زدن)
filly /ˈfɪlɪ/ *n* کُرّه مادیان [مادیان جوان]
film /fɪlm/ *n,vt,vi* ۱.پوسته؛ پردهٔ نازک؛ فیلم؛ غبار چشم ۲.فیلم برداشتن از ۳.تار شدن
filter /ˈfɪltə(r)/ *n,v* ۱.صافی، فیلتر ۲.صاف کردن، صاف شدن
filth /fɪlθ/ *n* کثافت؛ نجاست؛ سخنِ زشت
filthy *adj* ناپاک، ملوث؛ زشت
filtration /fɪlˈtreɪʃn/ *n* تصفیه
fin /fɪn/ *n* پرک یا پره یا بالِ ماهی
final /ˈfaɪnl/ *adj* نهایی، غایی؛ قطعی
finale /fɪˈnɑːlɪ US: -ˈnælɪ/ *n,It* بخش آخر، فینال
finality /faɪˈnælətɪ/ *n* قطعیت؛ پایان
finalize /ˈfaɪnəlaɪz/ *vt* قطعیت دادن، صورت قطعی دادن (به)
finally /ˈfaɪnəlɪ/ *adv* در خاتمه
finance /ˈfaɪnæns,fɪˈnæns/ *n,vt* ۱.دارایی، مالیه؛ [در جمع] بنیه مالی ۲.بودجه (چیزی را) تهیه کردن
financial /faɪˈnænʃl,fɪˈnæ-/ *adj* مالی
financially /faɪˈnænʃəlɪ,fɪˈnæ-/ *adv* از لحاظ مالی
financier /faɪˈnænsɪə(r) US: ˌfɪnənˈsɪər/ *n* متخصص مالیه
finch /fɪntʃ/ *n* سِهره و مانند آن
find /faɪnd/ *vt* [found] پیدا کردن؛ دریافتن؛ تشخیص دادن
  I cannot find it in my heart to دلم طاقت نمی‌آورد که
  find out ملتفت شدن؛ پیدا کردن
  I find out him in clothes. (هزینه) لباسش را من می‌دهم.
  find one's feet ایستادن یا راه رفتن؛ [مجازاً] تکیه بر قوای خود کردن
  be found یافت شدن
  with all found به‌علاوه خوراک و لباس و منزل
  well found دارای وسایل کافی
find /faɪnd/ *n* یافت، کشف (گنج و مانند آن)؛ غنیمتِ یافته؛ محل پیدا کردن چیزی
finder *n* پیداکننده؛ عدسی کوچکِ تلسکوپ، دوربین عکاسی
finding *n* تشخیص؛ یافته
fine /faɪn/ *adj* خوب؛ قشنگ؛ لطیف؛ نرم؛ ریز؛ نازک؛ روشن، آفتابی؛ خالص؛ نوک‌تیز [fine nib]
  one of these fine days یکی از این‌روزها ان‌شاءلله، در آیندهٔ نزدیک
  fine arts فنون زیبا، هنرهای زیبا صنایع ظریفه
  18 carats fine هیجده عیار
  chop fine ریز خرد کردن
  cut fine با عدالت و دقت انجام دادن
fine /faɪn/ *n,vt* جریمه (کردن)
  in fine بالاخره؛ خلاصه
fine /faɪn/ *v* صاف کردن، صاف شدن؛ نازک کردن، نازک شدن؛ رقیق کردن، رقیق شدن
finely *adv* (به‌طور) نرم؛ ریز؛ به‌لطافت؛ به‌طور عالی؛ بادقت
  finely situated دارای موقعیت خوب
fineness *n* ظرافت، لطافت؛ باریکی؛ نرمی؛ نازکی؛ پاکی، عیار
finery /ˈfaɪnərɪ/ *n* زیور، لباسِ زرق‌وبرق‌دار
finesse /fɪˈnes/ *n* زرنگی؛ باریک‌بینی
finger /ˈfɪŋgə(r)/ *n,vt* ۱.انگشت ۲.انگشت زدن، دست زدن
  have at one's fingers'-ends خوب دانستن، فوت آب بودن
  His fingers are all thumbs. بی‌دست و پا است، خامدست است.
finger-bowl /ˈfɪŋgə bəʊl/ *n* ظرف انگشت‌شویی، ظرف مخصوص شستن دست‌ها هنگام غذا خوردن
finger-mark /ˈfɪŋgə mɑːk/ *n* اثر انگشت
finger-nail /ˈfɪŋgə neɪl/ *n* ناخن
finger-post /ˈfɪŋgə pəʊst/ *n* تیر راهنما
finger-print /ˈfɪŋgə prɪnt/ *n* اثر یا مهر انگشت
finger-stall /ˈfɪŋgə stɔːl/ *n* انگشت‌پوش
finger-tip /ˈfɪŋgə tɪp/ *n* سرانگشت، بَنان

finical /'fɪnɪkl/; **finicking** /'fɪnɪkɪŋ/ *adj* مشکل‌پسند، وسواسی، بهانه‌گیر
finis /'fɪnɪs/ *n,L* = end پایان
finish /'fɪnɪʃ/ *vt,vi,n* ۱.تمام کردن، به پایان رساندن؛ پرداخت کردن ۲.خاتمه یافتن ۳.دستکاری تکمیلی
  finish off تمام کردن؛ [در گفتگو] کار (کسی) را ساختن، خلاص کردن (یا کشتن)؛ دستکاری کردن
finishing touch /'fɪnɪʃɪŋ tʌtʃ/ دستکاری تکمیلی
finite /'faɪnaɪt/ *adj* محدود؛ متناهی
  finite verb فعل مسندی، فعل تمام، فعل صحیح
Finn /fɪn/ *n* اهل فنلاند، فنلاندی
finned /fɪnd/ *adj* پرک‌دار، پردار، بال‌دار
Finnish *adj,n* (زبان) فنلاندی
fiord;fjord /fɪ'ɔ:d/ *n* خلیج تنگ
fir /fɜ:(r)/ *n* صنوبر؛ کاج
fir-cone /'fɜ:kəʊn/ *n* چلغوزه، جوز صنوبر
fire /'faɪə(r)/ *n* آتش؛ حریق؛ شلیک
  on fire در حریق؛ در تاب‌وتب، مشتاق
  set on fire;set fire to آتش زدن
  strike fire آتش درآوردن (با مالش)
  cease fire آتش‌بس
fire /'faɪə(r)/ *vt,vi* ۱.آتش زدن؛ در کردن؛ منفجر کردن؛ آتش کردن (کوره)؛ انگیختن ۲.آتش گرفتن؛ شلیک شدن؛ دررفتن؛ به هیجان آمدن
  fire away شروع کردن، راه انداختن
  fire off در کردن، شلیک کردن
  fire up روشن کردن؛ آتشی شدن
  fire out بیرون کردن، بیرون انداختن
  fire salute توپ سلام انداختن، توپ شلیک کردن (برای ادای احترام)
  set the Thames on fire شاخ غول را شکستن
fire-alarm /'faɪərəlɑ:m/ *n* حریق‌نما، آژیر حریق
firearm /'faɪərɑ:m/ *npl* اسلحهٔ گرم
fire-balloon /'faɪəbəlu:n/ *n* فانوس هوایی
firebrand /'faɪəbrænd/ *n* نیمسوز؛ آدم فتنه‌انگیز
fire-brick /'faɪə brɪk/ *n* آجُر نسوز
fire brigade /'faɪə brɪgeɪd/ *n* مأمورین آتش‌نشانی
firecracker /'faɪəkrækə(r)/ *n* ترقّه
firedamp /'faɪədæmp/ *n* گاز معدنی، گاز معادن زغال‌سنگ که قابل احتراق است؛ متان
fire-drake /'faɪədreɪk/ *n* شهاب

fire-engine /'faɪərəndʒɪn/ *n* ماشین آتش‌نشانی
fire-escape /'faɪərɪskeɪp/ *n* پلکان یا نردبان نجات
fire-fighting /'faɪə faɪtɪŋ/ *n* آتش‌نشانی
firefly /'faɪəflaɪ/ *n* مگسی که ماده و نوزاد آن را «کرم شبتاب» glow-worm گویند
fire-guard /'faiə gɑ:d/ *n* پیش‌بخاری، حایل آتش
fire-irons /'faɪər aɪənz/ *npl* لوازم پای بخاری
fireman /'faɪə(r)mən/ *n*[-men] آتش‌نشان؛ سوخت‌انداز
fireplace /'faɪəpleɪs/ *n* بخاریِ دیواری
fireproof /'faɪəpru:f/ *adj* نسوز، ضدآتش
fireside /'faɪəsaɪd/ *n* پای بخاری؛ زندگی خانگی
firewood /'faɪəwʊd/ *n* هیزم
fireworks /'faɪəwɜ:ks/ *npl* آتش‌بازی
fireworshipper /'faɪəwɜ:ʃɪpə(r)/ *n* آتش‌پرست
firm /fɜ:m/ *n* شرکت؛ تجارتخانه
firm /fɜ:m/ *adj* محکم، استوار؛ قطعی [firm order]؛ راسخ؛ پابرجا؛ ثابت‌قدم
firmament /'fɜ:məmənt/ *n* فلک، چرخ، آسمان
firmly *adv* (به‌طور) محکم؛ باثَبات
firmness *n* محکمی؛ ثبات
first /fɜ:st/ *adj,adv* ۱.اول، نخستین ۲.در آغاز کار؛ اولاً
  at first در ابتدا، در وهلهٔ اول
  twenty-first بیست و یکم
  the first two دوتای اول، نخستین دوتا
  first aid کمک (های) اوّلیه
  first thing in the morning صبح پیش از هر کار دیگر
  in the first place اولاً، نخست آنکه
  at first hand مستقیماً، در محل
  first of all پیش از هر چیز دیگر
first-born /'fɜ:stbɜ:n/ *adj* نخست‌زاده، ارشد
first-class /,fɜ:st'klɑ:s/ *adj* درجه یک، بهترین
first-fruits /'fɜ:st fru:t/ *npl* نوبر
first-hand /,fɜ:st'hænd/ *adj* مستقیم، اصلی
firstly *adv* اولاً، نخست (آنکه)
first-rate /,fɜ:st 'reɪt/ *adj* عالی، درجه یک
firth /fɜ:θ/ *n* شاخهٔ باریک دریا
fiscal /'fɪskl/ *adj* مالی
fish /fɪʃ/ *n,vt* ۱.ماهی؛ ماهیان ۲.صید کردن؛ جستجو کردن

feel like a fish out of water
خود را غریب دیدن و ناراحت بودن
fisherman /'fɪʃəmən/ *n* [-men] ماهیگیر، صیاد؛ قایق ماهیگیری
fishery /'fɪʃərɪ/ *n* صید ماهی؛ جای ماهیگیری؛ شیلات
fishing-line /'fɪʃɪŋ laɪn/ *n* ریسمان ماهیگیری
fishmonger /fɪʃmʌŋgə(r)/ *n* ماهی‌فروش
fish-slice /'fɪʃ slaɪs/ *n* کفگیر ماهی‌گردانی
fishwife /'fɪʃwaɪf/ *n* زن ماهی‌فروش
fishy *adj* مربوط به ماهی؛ [مجازاً] مشکوک
fissure /'fɪʃə(r)/ *n* شکاف، شقاق
fist /fɪst/ *n,vt* مشت (زدن)
fisticuffs /'fɪstɪkʌfs/ *npl* جنگ با مشت
fit /fɪt/ *n* غش؛ حالت (مرضی ناگهانی)؛ عمل تکان‌دهنده یا رنجاننده
a fit of epilepsy (حالت) حمله
a fit of laughter قهقههٔ خنده
by fits (and starts) به‌طور غیرمنظم
When the fit is on him
وقتی که حالش را داشته باشد، وقتی که عشقش بکشد.
have a fit *Col* یکه خوردن؛ عصبانی شدن، خشمگین شدن
fit /fɪt/ *adj* در خور ، مناسب، شایسته، قابل؛ آمادهٔ خدمت؛ چسبان، به اندازه
fit /fɪt/ *v* [-ted] اندازه بودن (برایِ)؛ شایسته بودن (برایِ)؛ خوردن (به)؛ جور کردن، جور بودن؛ سوار کردن، جفت کردن
The hat does not fit me.
کلاه اندازهٔ سر من نیست (یا به من نمی‌آید).
fit in جور در آمدن
fit out (*or* up) مجهز کردن
fit on; have fitted on پرو کردن (لباس)
fitful /fɪtfl/ *adj* نامنظم، بگیر و ول‌کن، گاه‌گیر
fitness *n* مناسبت، شایستگی، لیاقت، صلاحیت؛ آمادگی برای خدمت
fitter /'fɪtə(r)/ *n* کمک مکانیک؛ پروکننده (لباس)
fitting /'fɪtɪŋ/ *adj* مناسب
fittings *npl* اثاثه؛ لوازم ثابت خانه از قبیل گاز و برق
five /faɪv/ *adj,n* پنج
fix /fɪks/ *vt,vi* ۱.کار گذاشتن، نصب کردن؛ ثابت کردن (رنگ)؛ تعیین کردن؛ دوختن (چشم)؛ درست کردن، تعمیر کردن ۲.ثابت شدن، ثابت ماندن؛ مستقر شدن؛ قرار گذاشتن
fix up درست کردن، مرتب کردن
fix (up)on اختیار کردن، تعیین کردن
fix /fɪks/ *n* گیر، تنگنا، حیص‌وبیص
be in a bad fix بد وضعی داشتن، وضعیت ناجوری داشتن
fixation /fɪk'seɪʃn/ *n* تعیین؛ تثبیت؛ استقرار؛ نصب؛ سفت‌شدگی
fixed /fɪkst/ *ppa* ثابت؛ معین؛ مقطوع
fixings *npl* اثاثه، لوازم
fixity /'fɪksɪtɪ/ *n* ثبات،قرار،دوام؛ [فیزیک] تاب گرما
fixtures /'fɪkstʃəz/ *n* اثاثهٔ ثابت؛ لوازم برق و لوله‌کشی
fizz /fɪz/ *n,vi* فِش یا فس (کردن)؛ [زبان عامیانه] شامپانی
fizzle /'fɪzl/ *n,vi* ۱.فیش آهسته؛ فِس؛ باد دررفتگی ۲.آهسته فس کردن، به نتیجه نرسیدن [باout]
fjord /fɪ'ɔ:d/ = fiord
flabbergast /'flæbəgɑ:st US: -gæst/ *vt* مبهوت کردن، گیج کردن
flabby /'flæbɪ/ *adj* سست، وِل
flaccid /'flæksɪd/ *adj* سست؛ چروک
flag /flæg/ *n,vt,vi* [-ged] ۱.پرچم، بیرق ۲.سست کردن، پژمرده کردن ۳.پژمرده شدن؛ خوابیدن
flag /flæg/ *n* (نوعی) زنبق
flagon /'flægən/ *n* تُنگِ دسته‌دار و لوله‌دار، نوعی قرابه برای فروش شراب
flagrant /'fleɪgrənt/ *adj* آشکار؛ رسوا؛ وقیح
flagstaff /'flægstæf/ *n* چوب پرچم
flagship *n* کشتی دریادار
flag(stone) /'flægstəʊn/ *n* سنگِ سنگفرش
flail /fleɪl/ *n* گندم‌کوب، خرمن‌کوب
flair /fleə(r)/ *n* شامه (سگ)؛ [مجازاً] قوهٔ تشخیص
flake /fleɪk/ *n,vi,vt* ۱.تکه؛ پوسته؛ دانه (برف)؛ گلولهٔ پشم ۲.پوسته‌پوسته‌شدن، ورآمدن [با off] ۳.ورآوردن؛ تنکه کردن
flaky *adj* ورقه ورقه
flamboyant /flæm'bɔɪənt/ *adj* زرق‌وبرق‌دار، نمایشی
flame /fleɪm/ *n,vi* ۱.شعله، الو، زبانهٔ آتش؛ [مجازاً] هیجان، شور ۲.زبانه کشیدن؛ به هیجان آمدن
burst into flame(s) آتش گرفتن
commit to the flames سوزاندن، آتش زدن

flame out برافروختن، افروخته شدن
flame up سرخ شدن (از شرم)
flaming *apa* شعله‌ور، ملتهب
flamingo /flə'mɪŋgəʊ/ *n* نوعی مرغ پادراز و گردن‌دراز آبی، پاخلان، مرغ آتشی، فلامینگو
Flanders /'flændəz/ *n* فلاندر: سواحل شمالی فرانسه و بلژیک و هلند
flange /flændʒ/ *n* لبهٔ بیرون آمدهٔ چرخ؛ پیچ سر تنبوشه
flank /flæŋk/ *n,vt* ۱.پهلو؛ طرف؛ تهیگاه؛ دامنه؛ جناح ۲.از جناح حفظ کردن؛ در جناحِ (چیزی) واقع شدن
flannel /'flænl/ *n* فلانل؛ کهنه زمین‌شویی و کیسهٔ حمام و امثال آنها؛ [در جمع] زیرپوش فلانل، شلوار فلانل؛ بازی کنان
flannelette /,flænə'let/ *n* (پارچه) فلانل‌نما، کرکی
flap /flæp/ *n* قسمت آویختهٔ هر چیز مانند نقاب جیب و لبه‌کلاه و درِ پاکت و غیره؛ [در گفتگو] هیجان
flap /flæp/ *vt,vi* [-ped] ۱.به‌هم زدن؛ (با بادبزن یا بال) راندن؛ تکان‌دادن ۲.بال زدن، پر زدن؛ جنبیدن
flare /fleə(r)/ *n,vi* ۱.روشناییِ خیره‌کننده و نامنظم؛ شعلهٔ بی‌حفاظ و آزاد؛ پهن‌شدگی ۲.با شعلهٔ نامنظم سوختن؛ از سر گشاد بودن [چون قیف]؛ [با up] از جا دررفتن
flaring *apa* زننده؛ خودنما؛ [در شعله] نامنظم، کورکوری
flash /flæʃ/ *n,vi,vt* ۱.برق (زدن)؛ نور (مختصر)؛ لحظه؛ ریزشِ آب؛ حوضچه؛ بروز ناگهانی؛ جلوه ۲.زدن [در گفتگوی از برق]؛ ناگهان شعله‌ور شدن؛ ریزش کردن، خطور کردن؛ خودنمایی کردن ۳.چون برق فرستادن؛ پاشیدن؛ تاباندن؛انداختن (نور) [مثلاً در صورت‌کسی]
in a flash به یک چشم برهم زدن
flashlight /'flæʃlaɪt/ *n* نور برق؛ چراغ قوه؛ نورافکن
flashy /'flæʃɪ/ *adj* زرق‌وبرق‌دار
flask /flɑ:sk US: flæsk/ *n* دبه(باروت)؛ قمقمه؛ تُنگ آزمایشگاه، فلاسک
flat /flæt/ *adj,n,adv* ۱.پهن؛ مسطح؛ دمر؛ نامنظم؛ پوست کنده؛ بی‌مزه؛ کساد؛ ثابت؛ بی‌روح؛ [موسیقی] بِمُل ۲.پهنا؛ زمین‌سیل‌گیر؛ منزل چنداتاقه، آپارتمان ۳.تخت؛ درست، بی‌کم و زیاد
His joke fell flat. شوخی او نگرفت.
flat-iron /'flætaɪən/ *n* اتو

flatten /'flætn/ *v* پهن کردن، پهن شدن؛ بی‌مزه کردن، بی‌مزه شدن
flatter /'flætə(r)/ *vi,vt* چاپلوسی کردن، تملق گفتن (از)
flatter into با تملق وادار به...کردن
flatter oneself به‌خود دلخوشی دادن
flatterer /'flætərə(r)/ *n* متملق
flattery /'flætərɪ/ *n* تملق، چاپلوسی
flaunt /flɔ:nt/ *vi,vt* ۱.خرامیدن؛ جولان دادن ۲.جلوه دادن
flavour /'fleɪvə(r)/ *n,vt* ۱.طعم، مزه و بو ۲.خوشمزه کردن
flavouring /'fleɪvərɪŋ/ *n* چیزی که برای دادن طعم مخصوص به غذا به‌کار می‌رود، چاشنی
flaw /flɔ:/ *n* مو، تَرَک؛ عیب، نقص
flax /flæks/ *n* بذرک؛ (لیف) کتان
flaxen /'flæksn/ *adj* بور، کتانی
flay /fleɪ/ *vt* پوست کندن؛ [مجازاً] غارت کردن؛ سخت انتقاد کردن
flea /fli:/ *n* کیک، کَک
send one away with a flea in his ear کسی را با لب‌ولوچهٔ آویزان روانه کردن
flea-bite /'fli: baɪt/ *n* گزیدگی یا نیش کَک؛ [مجازاً] لگد پشه، ناراحتی کوچک؛ هزینه مختصر
flea-bitten *adj* [در اسب] مگسی
fleck /'flek/ *n,vt* ۱.خال، لکه، گندمه ۲.خط‌دار کردن، لکه‌دار کردن
fled /fled/ [*p,pp of* flee]
fledged /fledʒd/ *adj* پر درآورده
fledg(e)ling /'fledʒlɪŋ/ *n* جوجهٔ تازه پر درآورده؛ [مجازاً] آدم بی‌تجربه
flee /fli:/ *v* [fled] فرار کردن (از)
fleece /fli:s/ *n,vt* ۱.پشم ۲.لخت کردن؛ چاپیدن
fleecy *adj* مانند پشم یا پنبه، انبوه
fleer /'fli:ə(r)/ *vt* استهزا کردن
fleet /fli:t/ *n,vi,adj* ۱.ناوگان ۲.زود گذشتن؛ شتاب کردن؛ تغییر مکان دادن ۳.زودگذر؛ تندرو
fleet-footed /'fli:t'fʊtɪd/ *adj* تندرو، بادپا
Fleet Street /'fli:t stri:t/ [در لندن] خیابانِ روزنامه‌نگاران، [مجازاً] ارباب جراید
Fleming /'flemɪŋ/ *n* اهل فلاندر
flesh /fleʃ/ *n* گوشت؛ مغز میوه؛ بشره؛ تن، جسم؛ شهوت؛ بشر
lose flesh لاغر شدن
put on flesh چاق شدن، حال آمدن

go the way of all flesh مردن
It makes one's flesh creep.
مو بر بدن انسان راست می‌کند.
in the flesh در جسم؛ در زندگی
fleshly *adj* جسمانی، شهوانی
flesh-pots /ˈfleʃ pɒts/ *npl* عیش و نوش
fleshy *adj* گوشتالو، مغزدار
fletch /fletʃ/ *vt* با پر آراستن
fleur-de-lis /ˌflɜ: də ˈli:/ *n,Fr* (نام) آرم سلطنتی فرانسه؛ [معنی اصلی] زنبق یا سوسن
flew /flu:/ [*P of* fly]
flex /fleks/ *n* سیم روپوش‌دار
flexibility /ˌfleksəˈbɪlətɪ/ *n* نرمی، قابلیت انحنا
flexible /ˈfleksəbl/ *adj* خم‌شو، نرم؛ کش‌دار، قابل تطبیق یا تغییر، انعطاف‌پذیر
flick /flɪk/ *n,vt* ۱.ضربت آهسته؛ تلنگر ۲.زدن؛ تکاندن؛ تکان دادن
flicker /ˈflɪkə(r)/ *vi* [در چراغ] سوسو زدن؛ [مجازاً] رُخ نمودن و نابود شدن
flicks *npl,Sl* سینما
flier /ˈflaɪə(r)/ = flyer
flight /flaɪt/ *n,vi,vt* ۱.پرواز؛ مهاجرت؛ گریز، فرار؛ رشته (پلکان)؛ مقام ۲.پرواز کردن ۳.تیر زدن (به)؛ پرتاب کردن
a flight of arrows تیرباران
take (to) flight گریختن
put to flight فرار دادن، گریزاندن
flighty /ˈflaɪtɪ/ *adj* بوالهواس، دمدمی؛ گیج؛ ترسو؛ بیهوده
flimsy /ˈflɪmzɪ/ *adj,n* ۱.سست، پیزری؛ ناقابل؛ پوچ، سطحی؛ نازک ۲.کاغذ کپی یا کاربن
flinch /flɪntʃ/ *vi,vt* ۱.شانه‌خالی‌کردن؛ خود را جمع کردن ۲.خودداری کردن از
fling /flɪŋ/ *vt,vi* [flung] ,*n* ۱.پرت کردن ۲.تند (بیرون) رفتن؛ جفتک زدن، لگد انداختن ۳.لگد. جفتک
fling open ناگهان (دری را) باز کردن
He's had his fling. آرد خود رابیخته است.
flint /flɪnt/ *n* سنگ چخماق
He skins a flint. از آب کره می‌گیرد.
flint-glass /ˈflɪnt glɑ:s/ *n* بلور
flint-lock /ˈflɪnt lɒk/ *n* تفنگ چخماقی
flinty *adj* چخماقی؛ سخت؛ سنگدل
flip /flɪp/ *v* [-ped] ,*n* ۱.تلنگر زدن (به)؛ آهسته (سیلی) زدن (به)؛ تلنگر؛ ضربت‌سبک
flippancy /ˈflɪpənsɪ/ *n* سبکی
flippant /ˈflɪpənt/ *adj* سبک؛ بی‌ملاحظه
flirt /flɜ:t/ *n,vi* لاس (زدن)
flirtatious /flɜ:ˈteɪʃəs/ *adj* لاسی
flit /flɪt/ *vi* [-ted] ,*n* ۱.کوچ کردن؛ تند رفتن، سبک پریدن ۲.کوچ، نقل مکان
flitch /flɪtʃ/ *n* دنده خوک که نمک زده و خشکانده و یا دودی‌کرده باشند
flivver /ˈflɪvə(r)/ *n,US;Sl* اتومبیل ارزان
float /fləʊt/ *vi,vt,n* ۱.شناور شدن، (روی آب) ایستادن؛ در هوا معلق بودن؛ رواج یافتن ۲.شناور ساختن، (روی آب) نگاه داشتن؛ به جریان انداختن؛ منتشر کردن ۳.جسم شناور؛ [در ماشین] شناور؛ بارکش یا ارابهٔ کوتاه؛ لباس چوب‌پنبه‌ای؛ ردیف چراغهای جلو صحنه نمایش
floating *apa* شناور، موّاج؛ متحرّک؛ متغیر، غیر ثابت
flock /flɒk/ *n,vi,vt* ۱.گله؛ گروه؛ دسته؛ گلولهٔ پشم یا پنبه ۲.جمع شدن، ازدحام‌کردن ۳.ازپشم یاپنبه پر کردن (تشک)
floe /fləʊ/ *n* تخته یخِ شناور
flog /flɒg/ [-ged] شلاق زدن
flog a dead horse کوشش بیهوده کردن
flogging *n* شلاق‌کاری
flood /flʌd/ *n,vt,vi* ۱.سیل؛ طوفان؛ مدّ؛ [مجازاً] وفور ۲.با سیل پوشاندن؛ موجب طغیان شدن ۳.طغیان کردن، مانند سیل آمدن
in flood در حال طغیان
flood-light /ˈflʌdlaɪt/ *vt* با نورافکن روشن کردن
floodlights *npl* نورافکن
flood-tide /ˈflʌd taɪd/ *n* مدّ
floor /flɔ:(r)/ *n,vt* ۱.کفِ اتاق؛ زمین؛ اشکوب، طبقه ۲.فرش کردن؛ به‌زمین زدن؛ مجاب کردن
take the floor صحبت کردن
floor-cloth /ˈflɔ: klɔ:θ/ *n* نوعی مشمع فرشی
floorer /ˈflɔ:rə(r)/ *n,Col* سؤال دشوار
flooring *n* مصالح فرش اتاق
floor-lamp /ˈflɔ: læmp/ *n* چراغ زمینی پایه‌دار
floor-walker /ˈflɔ: wɔ:kə(r)/ *US* = shopwalker
flop /flɒp/ *vi,vt* [-ped] ۱.سنگین راه رفتن؛ مذبوحانه جنبیدن، مذبوحانه دست و پا زدن؛ با صدای تپ افتادن ۲.پرت کردن
floppy *adj* سست؛ فاقد خودداری
flora /ˈflɔ:rə/ *n* همهٔ گیاهانِ یک سرزمین
floral /ˈflɔ:rəl/ *adj* متعلق به گُل

with a floral design گلدار
Florentine /'flɔ:rənti:n/ *n* اهل فلورانس ایتالیا
florid /'flɒrɪd US: 'flɔ:r-/ *adj* دارای رنگ روشن؛ زیاده از حد آراسته؛ قلنبه [در انشا]
florin /'flɒrɪn US: 'flɔ:rɪn/ *n* سکه نقره ۲ شیلینگی
florist /'flɒrɪst US: 'flɔ:r-/ *n* گلفروش
floss /flɒs US: flɔ:s/ *n* کج، ابریشمِ خام؛ تفالهٔ آهن
floss silk لاس ابریشم
flotilla /flə'tɪlə/ *n* ناوگان کوچک
flotsam /'flɒtsəm/ *n* کالای آب‌آورده
flounce /flaʊns/ *n,vi* ۱.[در لباس] والان، چین؛ تکان؛ تقلا ۲.تقلا کردن
flounder /'flaʊndə(r)/ *n,vi* ۱.نوعی ماهی پهن کوچک ۲.در گل تقلا کردن؛ [مجازاً] گیر کردن، اشتباه کردن
flour /'flaʊə(r)/ *n,vt* ۱.آرد؛ گرد ۲.آرد پاشیدن (رویِ)
flourish /'flʌrɪʃ/ *n,vi,vt* ۱.[در امضا یا خط] زینت؛ نمایش؛ موزیک شیپوری برای جلب‌توجه ۲.عمل آمدن، رشد کردن؛ در منتها درجهٔ شهرت بودن؛ صنایع بدیعی (زیاد) به‌کار بردن ۳.آرایش دادن؛ تاب دادن
floury /'flaʊərɪ/ *adj* آردی
flout /flaʊt/ *vt* مسخره کردن، مورد استهزا قرار دادن؛ اهانت کردن
flow /fləʊ/ *vi,n* ۱.جاری شدن؛ لبریز شدن؛ سلیس بودن؛ طغیان کردن؛ ناشی شدن ۲.جریان؛ طغیان؛ مدّ [ضدّ جزر]؛ روانی، سلاست
flower /'flaʊə(r)/ *n,vi* ۱.گل؛ [مجازاً] عنفوان [flower of youth]، بحبوحه ۲.گل کردن
in flower دارای شکوفه، گلدار
flower-bed /'flaʊə bed/ *n* تپه گل، باغچه
flowerpot /'flaʊəpɒt/ *n* گلدان کوزه‌ای
flowery /'flaʊərɪ/ *adj* گلدار؛ دارای صنایع بدیعی
flowing *apa* روان، سلیس؛ لبریز؛ آویخته
flown /fləʊn/ [*pp of* fly]
fluctuate /'flʌktʃʊeɪt/ *vi* بالا و پایین رفتن، نوسان کردن؛ دودل بودن
fluctuation /,flʌktʃʊ'eɪʃn/ *n* ترقی و تنزل، نوسان
flue /flu:/ *n* دودکش؛ لولهٔ آب‌گرم یا بخار
flu /flu:/ *Col* = influenza
fluency /'flu:ənsɪ/ *n* روانی، طلاقتِ زبان، فصاحت
fluent /'flu:ənt/ *adj* سلیس؛ فصیح
fluently *adv* با سلاست

fluff /flʌf/ *n,vt* ۱.کرک، پر یا موی نرم (که ذره ذره از چیزی جدا شود)؛ خواب پارچه؛ خز نرم ۲.کرکی‌کردن، خوابدار کردن
fluffy *adj* کرکی، نرم؛ پرمانند
fluid /'flu:ɪd/ *adj,n* ۱.سیال، روان؛ متغیر ۲.جسم سیال
fluidity /flu:'ɪdətɪ/ *n* سیالیت؛ میعان
fluke /flu:k/ *n* نوک پهن لنگر؛ [در بیلیارد] ضربه موفقیت‌آمیز غیرعمدی
fluke /flu:k/ *n* کرم کبد گوسفند
flummox /'flʌməks/ *vt,Sl* گیج کردن، در جواب عاجز کردن
flung /flʌŋ/ [*p,pp of* fling]
flunk(e)y /flʌŋkɪ/ *n* پادو، نوکر؛ چاپلوس جیفه‌خور
fluorescent /flɔ:'resnt US: flʊə'r-/ *adj* (لامپ) مهتابی
flurry /'flʌrɪ/ *n,vt* ۱.طوفان ناگهانی، بارندگی ناگهانی؛ [مجازاً] دستپاچگی ۲.دستپاچه کردن
flush /flʌʃ/ *vi,vt,n,adj* ۱.جاری شدن؛ سرخ شدن [از شرم] ۲.با جریان آب شستن یا پاک کردن؛ مغرور کردن؛ رویانیدن ۳.جریان؛ فراوانی؛ قرمزی صورت؛ شستشو با ریزش آب؛ غرور [flush of youth] ۴.لبریز؛ تروتازه؛ فراوان؛ همسطح
be flush of money پول زیاد داشتن
be flush with one's money پول خود را بی‌مضایقه خرج کردن
fluster /'flʌstə(r)/ *vt,n* ۱.عصبانی کردن؛ مضطرب کردن ۲.اضطراب، سراسیمگی
flute /flu:t/ *n,vi* فلوت (زدن)
fluted *ppa* راه‌راه، خیاره‌دار
fluting *n* خیاره؛ آرایش شیاری
flutist /'flu:tɪst/ *n* فلوت‌زن، نوازندهٔ فلوت
flutter /'flʌtə(r)/ *vi,vt,n* ۱.در جنبش بودن، در اهتزاز بودن؛ پرپر زدن؛ سراسیمه بودن ۲.به‌جنبش درآوردن؛ مضطرب ساختن ۳.لرزش، اهتزاز، حرکت نامنظم؛ هیجان
flutter the dove-cots آرامش مردم را برهم زدن
flux /flʌks/ *n* جریان؛ اسهال؛ تغییرات پی‌درپی
fly /flaɪ/ *n* مگس؛ طعمه؛ پرواز؛ بادخور پرچم؛ [در لباس] برگه
fly /flaɪ/ *vi,vt* [flew;flown] ۱.پریدن، پرواز کردن؛ گریختن؛ در اهتزاز بودن؛ حمله کردن ۲.پرواز دادن؛ افراشتن؛ هوا کردن (بادبادک)
fly to arms مسلح شدن
fly in the face of a person آشکارا با کسی مخالفت کردن

fly into a rage از جا دررفتن
fly open ناگهان باز شدن
fly asunder ترکیدن، شکستن
fly high بلندپروازی کردن
make the money fly ولخرجی کردن، ریخت و پاش زیاد کردن
fly at higher game هدف بزرگتری داشتن، همت بلندتری داشتن
fly in pieces خرد شدن، ریزریز شدن
fly-blown /'flaɪbləʊn/ *adj* دارای مَر [یعنی تخمِ مگس]؛ [مجازاً] بوگرفته؛ بی‌اعتبار
fly-catcher /'flaɪkætʃə(r)/ *n* (مرغ) مگس‌گیر
flyer; flier /'flaɪə(r)/ *n* پروازکننده؛ ماشین تندگرد؛ اسب تیزرو
flying /'flaɪɪŋ/ *apa* پرنده؛ پردار؛ سبک؛ تندرو؛ مختصر؛ سرپایی
flying colours (نشان) فیروزی
flying man هوانورد، خلبان
flyleaf /'flaɪli:f/ *n* برگ سفید در کتاب
fly-paper /'flaɪ peɪpə(r)/ *n* کاغذ مگس‌کش
fly-trap /'flaɪ træp/ *n* مگس‌گیر؛ گیاه حشره‌گیر
fly-wheel /'flaɪwi:l US: -hwi:l/ *n* چرخ طیّار
F. O. /,ef 'əʊ/ *n* [مخففِ Foreign Office]
foal /fəʊl/ *n,v* ۱.کرهٔ اسب یا اُلاغ ۲.(کره) زاییدن
foam /fəʊm/ *n,vi* ۱.کف؛ جوش ۲.کف کردن؛ جوش زدن
foamy *adj* کف‌دار؛ کف مانند
fob /fɒb/ *n,vt* [-bed] ۱.جیبِ ساعتی؛ بند ساعت ۲.گول زدن
fob off something on someone *or* **fob someone with something** چیزی را به کسی قالب کردن
f. o. b. = free on board فوب: تحویل روی کشتی در محل بارگیری
focal /'fəʊkl/ *adj* کانونی، مرکزی
fo'c's'le /'fəʊksl/ *n* [مخففِ forecastle]
focus /'fəʊkəs/ *n* [-ci *or* -cuses] کانون؛ مرکز
focus /'fəʊkəs/ *vt* [-cused *or* -cussed] در کانون متمرکز کردن؛ جمع کردن (حواس)
focusing-screen /'fəʊkəsɪŋ skri:n/ *n* [عکاسی] صفحهٔ تنظیم کانون
fodder /'fɒdə(r)/ *n* علوفه، علیق
foe /fəʊ/ *n* دشمن؛ مخالف
foe to health مضرّ برای بهداشت
foetus; fe- /'fi:təs/ *n* جنین
fog /fɒg US: fɔ:g/ *n,vt* [-ged] ۱.مه؛ [مجازاً] گیجی ۲.تیره کردن؛ سردرگم کردن
in a fog گیج، متحیر
fog-bank /'fɒg bæŋk/ *n* مِه دریا، سراب دریایی
fogginess *n* مه گرفتگی؛ تیرگی
foggy *adj* مه گرفته؛ تاریک
fogy /'fəʊgɪ/ *n* شخص قدیمی‌مسلک [بیشتر با old]
fogyish *adj* قدیمی مسلک
foible /'fɔɪbl/ *n* نقطهٔ ضعف (اخلاقی)
foil /fɔɪl/ *n,vt* ۱.شمشیر دُکمه‌دار یا کند؛ عجز؛ ردپای جانور؛ ورق، تنکه، جیوهٔ آیینه؛ چیزی که چیز دیگر را جلوه دهد ۲.بی‌اثر کردن، خنثی‌کردن؛ دفع کردن؛ شکست دادن
foist /fɔɪst/ *vt* جا دادن، سُرانیدن
foist off up(on) (به‌کسی) قالب کردن
fold /fəʊld/ *n,vt* ۱.آغلِ گوسفند؛ گله ۲.در آغل کردن
fold /fəʊld/ *n,vt,vi* ۱.تا، تاه؛ لا؛ چین؛ پیچ ۲.تاکردن، تا زدن ۳.تاشدن، تاخوردن
twofold دوبرابر، دوچندان؛ دولا
with folded arms دست به سینه
folder /'fəʊldə(r)/ *n* پوشه
folding screen /'fəʊldɪŋ 'skri:n/ *n* تجیر؛ پردهٔ تاشو
foliage /'fəʊlɪɪdʒ/ *n* شاخ و برگ
folio /'fəʊlɪəʊ/ *n,adj* ۱.برگ، ورق؛ دو صفحهٔ روبرو؛ صفحهٔ دوطرفی؛ کتابِ ورق بزرگ؛ شمارهٔ صفحه ۲.[به صورت صفت] ورق‌بزرگ
folk /fəʊk/ *n* [در صیغه مفرد] مردم؛ [در جمع] خویشاوندان
folk-dance /'fəʊk dæns/ *n* رقص باستانی (ملی)
folklore /'fəʊklɔ:(r)/ *n* عقاید و رسوم و افسانه‌های باستانی؛ توده‌شناسی؛ فولکور
follow /'fɒləʊ/ *v* ۱.پیروی کردن (از)؛ دنبال (کردن)؛ فهمیدن؛ نتیجه (چیزی) بودن ۲.از دنبال (کسی یا چیزی) آمدن؛ جانشین (کسی) شدن
follow a person's example به‌کسی تأسّی کردن
follow on (پس از وقفه) ادامه دادن
follow out به‌پایان رسانیدن، انجام دادن
follow one's nose تسلیم پیشامد شدن
follow in one's steps (*or* **footsteps**) رد کسی را گرفتن؛ [مجازاً] به کسی تأسی یا از او تقلید کردن
follow up تعقیب کردن
That does not follow این دلیل نمی‌شود
as follows به‌شرح زیر، به‌شرح ذیل

follower *n* پیرو؛ مُرید
following /'fɒləʊɪŋ/ *adj,n* ۱.آینده، بعدی؛ زیر، ذیل ۲.شرح زیر
  the following winter زمستان بعد
folly /'fɒlɪ/ *n* ابلهی، حماقت
foment /fəʊ'ment/ *vt* گرم نگاه داشتن (با کمپرس یا آب گرم)؛ [مجازاً] برانگیختن
fond /fɒnd/ *adj* مایل؛ شیفته؛ زودباور
  fond of books مایل به کتاب، عاشق کتاب
  fond mother مادری که از روی محبتِ زیاد اخلاق بچه خود را خراب می‌کند
fondle /'fɒndl/ *vt* نوازش کردن
fondling *n* بچهٔ نازپرورده؛ نوازش
fondness *n* اشتیاق؛ شیفتگی
font /fɒnt/ *n* حوض یا ظرف آبِ تعمیدی؛ ظرف آب مقدس؛ انبار لامپا
food /fu:d/ *n* غذا، خوراک
foodstuff /'fu:dstʌf/ *n* مادهٔ غذایی، خواربار
fool /fu:l/ *n* نادان، احمق؛ لوده
  play the fool with دست انداختن؛ (با انگولک) خراب کردن
  make a fool of دست انداختن
  fool's paradise خوشی بی‌اساس یا خیالی
  be a fool for one's pains جان مفت کندن
  April fool کسی که روز اولِ آوریل آلت شوخی و فریب واقع می‌شود
  send on fool's errand دنبال کار بیهوده فرستادن، دست به‌سر کردن؛ [معنی تقریبی] پی نخود سیاه فرستادن
fool /fu:l/ *vi,vt* ۱.نادانی کردن، لودگی کردن؛ ول گشتن ۲.گول زدن، استهزا کردن
  fool away تلف کردن، بیهوده گذراندن
  fool with دست انداختن؛ انگولک کردن
foolery /'fu:lərɪ/ *n* ابلهی؛ مسخرگی؛ نادان جماعت [بدون اضافه]
foolhardiness *n* تهوّر بیجا
foolhardy /'fu:lhɑ:dɪ/ *adj* متهورِ بیجا
foolish /'fu:lɪʃ/ *adj* نادان، احمق؛ ابلهانه
foolishly *adv* احمقانه، جاهلانه
foolishness *n* نادانی، ابلهی
fool-proof /'fu:l pru:f/ *adj* ساده و غیرقابلِ اشتباه (به‌طوری که احمقها هم می‌فهمند)
foolscap /'fu:lskæp/ *n* کلاه زنگوله‌دار یا قیفی
fool's-cap *n* ورق کاغذِ بزرگ
foot /fʊt/ *n* [feet] پا، قدم؛ دامنه؛ ته؛ پایه؛ فوت [۳۰/۴۸ سانتیمتر]
  regiment of foot هنگ پیاده
  on foot پیاده؛ در جنبش
  horse and foot سواره و پیاده نظام
  set on foot راه انداختن، دایر کردن
  carry one off his feet کسی را از زمین بلند کردن؛ کسی را سر غیرت آوردن
  on one's feet ایستاده (برای نطق)؛ سرپا، از بستر برخاسته؛ بی‌نیاز از دیگران
  put one's foot down پافشاری و اعتراض کردن
  He has one foot in the grave. پایش لب گور است.
foot /fʊt/ *vi,vt* ۱.پای کوبیدن، رقصیدن؛ (پیاده) رفتن ۲.پا زدن؛ کف انداختن؛ [با up]جمع زدن
  foot it *Col* پیاده رفتن
football /'fʊtbɔ:l/ *n* فوتبال
footboy /'fʊtbɔɪ/ *n* پادو، شاگرد، نوکر
foot-bridge /'fʊtbrɪdʒ/ *n* پل پیاده‌روها
footfall /'fʊtfɔ:l/ *n* صدای پا، (صدای) گام
foothold /'fʊtheʊld/ *n* زیرپایی؛ جای ثابت
footing /'fʊtɪŋ/ *n* جاپا؛ [مجازاً] مناسبات؛ وضع، موقعیت، زمینه
footlights /'fʊtlaɪts/ *npl* ردیف چراغهای جلو
footman /fʊtmən/ *n* [-men] نوکر، پادو، فراش، شاطر
footmark /'fʊtmɑ:k/ = footprint
footnote /'fʊtnəʊt/ *n* پانوشت، یادداشت ته‌صفحه، ذیل، زیرنویس
footpad /'fʊtpæd/ *n* راهزن پیاده
footpath /'fʊtpɑ:θ/ *n* پیاده‌رو یا گذرگاهی که در کشتزار بگذارند
footprint /'fʊtprɪnt/ *n* جای پا، ردّ پا
foot-soldier /'fʊt səʊldʒə(r)/ *n* سرباز پیاده
footsore /'fʊtsɔ:r,-səʊ(r)/ *adj* دارای پاهای زخمی [به‌ویژه بر اثر راه رفتن]
  I am footsore. از بس راه رفته‌ام پایم زخم شده (یا آبله درآورده است).
footstep /'fʊtstep/ *n* جای پا، ردپا؛ پی؛ قدم
footstool /'fʊtstu:l/ *n* عسلی، کرسی زیر پا
footwear /'fʊtweə(r)/ *n* پاافزار: مانند کفش و پوتین و غیره
fop /fɒp/ *n* آدم خودساز و جلف
foppish /fɒpɪʃ/ *adj* خودآرا؛ فیسو
for /fə(r)/ *prep,conj* ۱.برایِ، به‌جهتِ، به‌واسطهٔ؛ به‌جایِ، از طرفِ؛ در مقابل؛ برلهِ؛ مالِ ۲.برای اینکه، زیرا (که)
  What for? برای چه؟ چرا؟
  I bought it for 50 rials. آن را (به بهای) ۵۰ ریال خریدم.

word for word کلمه به کلمه
For all you say با این همه که می‌فرمایید
We left for... عازم ... شدیم.
for nothing مفت، رایگان
Alas for him! وای به حال او!
as for me و اما من
I for one... من یک نفر (که)...
for all the world عیناً، بعینه

forage /'fɒrɪdʒ US: 'fɔ:r-/ *n,v* ۱.علیق، علف ۲.جستجو و تلاش (برای خوراک یا علیق) کردن

forasmuch as /,fɔ:rəz'mʌtʃ əz/ *conj* چون که

foray /'fɒreɪ US: 'fɔ:reɪ/ *n,vi* تاخت‌و تاز (کردن)

forbade /fə'bæd US: fə'beɪd/ [*p of* forbid]

forbear /fɔ:'beə(r)/ *v* [-bore; -borne] خودداری کردن (از)، صرف‌نظر کردن (از)؛ تحمل کردن، حوصله کردن

forbearance /fɔ:'beərəns/ *n* خودداری، بردباری، تحمل؛ گذشت

forbid /fə'bɪd/ *vt* [-bade;-bidden] قدغن کردن، منع کردن
God forbid! خدا نکند!
Smoking is forbidden! استعمال دخانیات ممنوع!

forbidding *apa* زننده، نفرت‌انگیز؛ تهدیدآمیز

forbore /fɔ:'bɔ:(r)/ [*p of* forbear]

forborne /fɔ:'bɔ:n/ [*pp of* forbear]

force /fɔ:s/ *n,vt* ۱.زور، نیرو؛ جبر ۲.مجبور کردن؛ تحمیل کردن؛ با وسایل مصنوعی رساندن (میوه)
in force مُجری؛ دارای قوت یا اعتبار
come into force اجرا شدن
put in force به موقع اجرا گذاشتن
remain in force به‌قوت خود باقی بودن
force a smile خندهٔ زورکی کردن

forced *ppa* زورکی، اجباری
forced landing فرود اجباری
forced labour بیگاری

forceful /'fɔ:sfl/ *adj* قوی؛ با شخصیت

forceps /'fɔ:seps/ *n* فورسپس، انبر قابلگی؛ انبرک جراحی، پنس، کلبتین

forcible /'fɔ:səbl/ *adj* زورمند، مؤثر؛ عدوانی

forcibly /'fɔ:səblɪ/ *adv* به‌زور؛ با تأکید

ford /fɔ:d/ *n,vt,vi* ۱.گدار، گذار ۲.گذر کردن از ۳.به گدار زدن، به آب زدن

fordable /fɔ:dəbl/ *adj* قابل عبور

fore /fɔ:(r)/ *adj,adv,prep* ۱.پیشین ۲.در جلو ۳.در جلوِ

forearm /'fɔ:rɑ:m/ *n* ارش، ساعد

forearmed *adj* از پیش مسلح‌شده، آماده

forebode /fɔ:'bəʊd/ *vt* قبلاً خبر دادن (از)

foreboding *n* حسّ پیش از وُقوع که حاکی از پیشامد بدی باشد

forecast /'fɔ:kɑ:st US: -kæst/ *vt* [-cast] پیش‌بینی کردن

forecast /'fɔ:kɑ:st US: -kæst/ *n* پیش‌بینی، حدس قبلی

forecastle /'fəʊksl/ *n* قسمتِ جلوی کشتی که جای زندگی ملوانان است

forecited /'fəʊsaɪtɪd/ *adj* سابق‌الذکر، پیش‌گفته

foreclose /fɔ:'kləʊz/ *vt* [حقوق] محروم کردن؛ سلب کردن
foreclose a mortgage حق از گرو درآوردن ملکی را از مالک آن سلب کردن

foredoomed /fɔ:'du:md/ *adj* مقدّر؛ محکوم

forefather /'fɔ:fɑ:ðə(r)/ *n* نیا، جدّ

forefinger /'fɔ:fɪŋgə(r)/ *n* انگشت نشان، سبابه

forefoot /'fɔ:fʊt/ *n* [-feet] پای جلو

forego /fɔ:'gəʊ/ = forgo

foregoing *apa* بالا گفته (شده)، سابق‌الذکر

foregone conclusion /'fɔ:gɒn kən'klu:ʒn/ نتیجه غیرقابلِ جلوگیری و غیرقابل تردید؛ تصدیق بلاتصور

foreground /'fɔ:rgraʊnd/ *n* منظرهٔ جلو عکس؛ جای آشکار

forehead /'fɒrɪd,'fɔ:hed US: 'fɔ:rɪd/ *n* پیشانی

foreign /'fɒrən US: 'fɔ:r-/ *adj* بیگانه، خارجی
Foreign Office وزارت (امور) خارجه

foreigner *n* بیگانه

foreknowledge /,fɔ:'nɒlɪdʒ/ *n* آگاهی از پیش، اطلاع قبلی، علم غیب

foreleg /'fɔ:leg/ *n* [در حیوان] پاچهٔ جلو

forelock /'fɔ:lɒk/ *n* کاکل، موی پیشانی

foreman /'fɔ:mən/ *n* [-men] مباشر کارگران؛ سرکارگر

foremast /'fɔ:mæst/ *n* دکلِ نزدیک سینهٔ کشتی، پیش‌دکل

foremost /'fɔ:məʊst/ *adj,adv* ۱.جلوترین؛ بزرگترین ۲.جلوتر از همه
first and foremost قبل از هرچیز، اولاً

forenoon /'fɔ:nu:n/ *n* پیش‌ازظهر

forepart /'fɔ:pɑ:t/ *n* قسمت جلو

forepaw /'fɔ:pɔ:/ *n* [جانورشناسی] پنجه جلو، دست جلو

forerunner /ˈfɔːrʌnə(r)/ *n* پیشرو؛ نشانه
foresail /ˈfɔːseɪl;ˈfɔːsl/ *n* شراع صدر، بادبان جلو [در foremast]
foresaw /fɔːˈsɔː/ [*P of* foresee]
foresee /fɔːˈsiː/ *vt*[-saw;-seen] پیش‌بینی کردن
foreseen /fɔːˈsiːn/ [*pp of* foresee]
foreshadow /fɔːˈʃædəʊ/ *v* از پیش خبر دادن
foreshore /ˈfɔːʃɔː(r)/ *n* پیش ساحل
foresight /ˈfɔːsaɪt/ *n* پیش‌بینی، دوراندیشی، احتیاط؛ مگسک تفنگ
forest /ˈfɒrɪst US: ˈfɔːr-/ *n,vt* ۱.جنگل ۲.جنگل کردن
forestall /fɔːˈstɔːl/ *vt* سلف خریدن؛ احتکار کردن، به‌خود انحصار دادن؛ پیشدستی کردن بر
forester *n* جنگلبان؛ جنگل‌نشین
forestry *n* علم احداث جنگل
foretaste /ˈfɔːteɪst/ *n* مزه قبلی، [مجازاً] نمونه قبلی از یک واقعه خوش یا محنت‌انگیز؛ آزمایش قبلی
foretaste /ˈfɔːteɪst/ *vt* از پیش چسبیدن؛ از پیش آزمودن
foretell /fɔːˈtel/ *vt* [-told] پیشگویی کردن، از پیش خبر دادن
forethought /ˈfɔːθɔːt/ *n* دوراندیشی
foretold /fɔːˈtəʊld/ [*p,pp of* foretell]
forever /fəˈrevə(r)/ = for ever
forewarn /fɔːˈwɔːn/ *vt* از پیش اخطار کردن
foreword /ˈfɔːwɜːd/ *n* پیشگفتار
forfeit /ˈfɔːfɪt/ *n,adj,vt* ۱.جریمه، تاوان ۲.از دست‌رفته ۳.از دست دادن؛ (به‌طور) جریمه دادن
He forfeited his right. حق او ساقط شد.
forfeit to the State ضبط دولت
forfeiture /ˈfɔːfɪtʃə(r)/ *n* از دست‌دادگی، زیان؛ جریمه، تاوان؛ ضبط
forgather /fɔːˈgæðə(r)/ *vi* جمع شدن، انجمن کردن
forgave /fəˈgeɪv/ [*P of* forgive]
forge /fɔːdʒ/ *n,vt* ۱.کوره، کارخانه آهنگری ۲.بر سندان کوفتن؛ ساختن؛ [مجازاً] جعل کردن
forger /ˈfɔːdʒə(r)/ *n* سندساز، امضاساز؛ جاعل
forget /fəˈget/ *vt*[-got;-got(en)] فراموش‌کردن
forgetful /fəˈgetfl/ *adj* فراموشکار
forget-me-not /fəˈget miː nɒt/ *n* گُلِ فراموشم مکن
forgive /fəˈgɪv/ *vt* [-gave;-given] بخشیدن
forgiven /fəˈgɪvn/ [*pp of* forgive] بخشیده (شده)
forgiveness *n* بخشش، عفو
forgiving *apa* بخشنده، باگذشت
forgo /fɔːˈgəʊ/ *vt* [-went;-gone] صرف‌نظر کردن از، خودداری کردن از
forgot /fəˈgɒt/ [*p,pp of* forget]
forgotten /fəˈgɒtn/ [*pp of* forget]
fork /fɔːk/ *n,vi* ۱.چنگال؛ دوشاخه؛ (محل) انشعاب ۲.منشعب شدن
fork out *Sl* دادن، پرداختن [معمولاً با عدم تمایل]
forlorn /fəˈlɔːn/ *adj* بیچاره؛ بی‌کس
forlorn hope کاری که امید کامیابی در آن کم باشد
form /fɔːm/ *n,vt* ۱.شکل، فرم، صورت؛ قسم، نوع؛ رسم؛ طرز رفتار؛ نظم؛ خُلق؛ ورقه، برگ؛ عَرَض؛ نیمکت بی‌پشت؛ کلاس، طبقه؛ قالب، نمونه ۲.تشکیل دادن؛ درست کردن، ساختن
in due form به طرز شایسته
in form سرحال، آماده
out of form بدحالت، غیرآماده به کار
formed of مرکب از، متشکل از
formal /ˈfɔːml/ *adj* رسمی؛ اداری؛ صوری
formality /fɔːˈmæləti/ *n* آیین، تشریفات
formally /ˈfɔːməlɪ/ *adv* رسماً
format /ˈfɔːmæt/ *n,Fr* قطع، شکل، اندازه
formation /fɔːˈmeɪʃn/ *n* تشکیل؛ تشکل؛ شکل؛ شکل‌گیری، تکوین؛ [نظامی] دسته
formative /ˈfɔːmətɪv/ *adj,n* ۱.تشکیل‌دهنده؛ تکوینی ۲.حرف زاید
former /ˈfɔːmə(r)/ *adj,n* ۱.پیشین، سابق ۲.[با the] آن، آن‌یک، اوّلی
formerly *adv* پیشتر، سابقاً
formidable /ˈfɔːmɪdəbl/ *adj* قوی؛ مهیب؛ سخت؛ ژیان [a formidable lion]
formula /ˈfɔːmjʊlə/ *n* [-las *or* -lae] فرمول، قاعده؛ وِرد
formulate /ˈfɔːmjʊleɪt/ *vt* به‌شکل فرمول درآوردن، کوتاه کردن؛ تنظیم کردن
fornication /ˌfɔːnɪˈkeɪʃn/ *n* زنا، جنده‌بازی
forsake /fəˈseɪk/ *vt*[-sook;-saken] ترک کردن
forsaken /fəˈseɪkən/ [*pp of* forsake]
forsook /fəˈsʊk/ [*P of* forsake]
forsooth /fɔːˈsuːθ/ *adv* [در طعنه] حقا که
forswear /fɔːˈsweə(r)/ *vt,vi* [-swore;-sworn] ۱.انکار کردن (با سوگند) ۲.سوگند دروغ خوردن [گاهی با oneself]

forswore /fɔ:'swɔ:(r)/ [*P of* forswear]
forsworn /fɔ:'swɔ:n/ [*pp of* forswear]
fort /fɔ:t/ *n* دژ، قلعه (نظامی)
forte /'fɔ:teɪ US: fɔ:rt/ *n* هنر، شاهکار
forte /'fɔ:teɪ/ *adj,adv,It* [موسیقی] بلند
forth /fɔ:θ/ *adv* جلو، پیش؛ به‌بعد؛ بیرون
and so forth وغیره، و مانند آن
bring forth زاییدن؛ احداث کردن
set forth بیان کردن، شرح دادن
forthcoming /,fɔ:θ'kʌmɪŋ/ *adj* زودآینده، نزدیک
forthright /'fɔ:θraɪt/ *adj* رُک‌گو
forthwith /,fɔ:θ'wɪθ US: -'wɪð/ *adv* بی‌درنگ، فوراً
fortieth /'fɔ:tɪəθ/ *adj,n* چهلم
fortification /,fɔ:tɪfɪ'keɪʃn/ *n* استحکام؛ تقویت؛ [در جمع] استحکامات
fortify /'fɔ:tɪfaɪ/ *vt* دارای استحکامات کردن؛ تقویت کردن
fortissimo /fɔ:'tɪsɪməʊ/ *adj,adv,Fr* [موسیقی] خیلی بلند
fortitude /'fɔ:tɪtju:d US: -tu:d/ *n* بردباری، طاقت، صبر
fortnight /'fɔ:tnaɪt/ *n* دوهفته
fortnightly *adj,adv* دوهفته یکبار
fortress /'fɔ:trɪs/ *n* قلعهٔ نظامی، دژ
fortuitous /fɔ:'tju:ɪtəs US: -'tu:-/ *adj* اتفاقی، تصادفی
fortunate /'fɔ:tʃənət/ *adj* خوشبخت؛ مساعد، خوب
It was fortunate that (چه) خوب شد که
fortunately *adv* خوشبختانه
fortune /'fɔ:tʃu:n/ *n* بخت، اقبال؛ نصیب؛ فال؛ دارایی، ثروت
try one's fortune بخت‌آزمایی کردن، بخت خود را آزمودن
of fortune چیزدار، دولتمند
tell fortunes فال گرفتن
fortune-teller /'fɔ:tʃu:n telə(r)/ *n* فالگیر، طالع‌بین
forty /'fɔ:tɪ/ *adj,n* چهل
forty winks /'fɔ:tɪ'wɪŋks/ خواب مختصر پس از ناهار
forum /'fɔ:rəm/ *n* [در روم باستان] میدان، بازار؛ دادگاه
forward /'fɔ:wəd/ **-wards** *adv* جلو، پیش، به بعد؛ [نظامی] پیش!
carry forward [زیر carry نگاه کنید]
look forward پیشاپیش نگریستن
forward /'fɔ:wəd/ *adj,n,vt* ۱.جلویی، پیشی؛ آماده، مایل؛ گستاخ ۲.پیشرو ۳.حمل کردن، فرستادن
forward purchasing خرید سَلف
fossil /'fɒsl/ *n* سنگواره، مستحاثه، فسیل
fossilize /'fɒsəlaɪz/ *v* تبدیل به سنگواره کردن، تبدیل به سنگواره شدن
foster /'fɒstə(r) US: 'fɔ:-/ *vt* پرورش دادن، ترویج کردن، تشویق کردن؛ شیر دادن
foster-brother /'fɒstə 'brʌðə(r)/ *n* برادر رضاعی
foster-mother /'fɒstə 'mʌðə(r)/ *n* مادر رضاعی
fought /fɔ:t/ [*p,pp of* fight]
foul /faʊl/ *adj,n,adv* ۱.ناپاک، کثیف؛ زشت؛ گیرکرده؛ غیرمنصفانه؛ نامساعد؛ پُرغلط ۲.تصادم؛ [در بازی] خطا ۳.ناجوانمردانه
foul play نامردی؛ [در بازی] چِر
foul copy چرکنویس
fall foul of تصادم کردن با، حمله کردن به
run foul of تصادم کردن با
foul /faʊl/ *vt,vi* ۱.چرک کردن، لکه‌دار کردن؛ درهم گیر انداختن؛ مسدود کردن ۲.کثیف شدن؛ گیر کردن؛ نارو زدن
found /faʊnd/ [*p,pp of* find]
found /faʊnd/ *vt* تأسیس کردن، بنا نهادن
ill-founded بی‌پروپا، بی‌اساس
foundation /faʊn'deɪʃn/ *n* شالوده، پایه؛ اساس، پی‌ریزی؛ سازمان (خیریه)
founder /'faʊndə(r)/ *n* مؤسس، بانی (خیر)؛ ریخته‌گر
founder /'faʊndə(r)/ *vi,vt* ۱.از پا درآمدن؛ فروریختن؛ نشست کردن؛ غرق شدن؛ عاجز شدن ۲.لنگ کردن (اسب)؛ غرق کردن
foundling /'faʊndlɪŋ/ *n* بچه سرِراهی
foundry /'faʊndrɪ/ *n* کارخانهٔ ذوب فلز؛ چدن‌ریزی؛ ریخته‌گری
fount /faʊnt/ *n* منبع؛ انبار، مخزن
fountain /'faʊntɪn US: -tn/ *n* چشمه؛ فواره؛ انبار؛ محل آب‌برداری، منبع
fountain-head /'faʊntɪn hed/ *n* سرچشمه
fountain-pen /'faʊntɪn pen/ *n* قلم خودنویس
four /fɔ:(r)/ *adj,n* چهار
on all fours چهاردست و پا؛ مطابق

fourfold /ˈfɔ:fəʊld/ *adj,adv* چارلا؛ چهاربرابر
four-handed /ˌfɔ:ˈhændɪd/ *adj* چهاردستی، چهارتایی
four-in-hand /ˌfɔ:rɪn ˈhænd/ *n,adv* ۱.گردونهٔ چهاراسبه ۲.چهاراسبه
four-poster /fɔ: pəʊstə(r)/ *n* تختخوابی که در چهارگوشهٔ آن چهاردیرک نصب‌شده است
fourscore /ˈfɔ:ˈskɔ:r/ *n* هشتاد
foursome /ˈfɔ:səm/ *n* بازی گلف چهارنفری
fourteen /ˌfɔ:ˈti:n/ *adj,n* چهارده
fourteenth /ˌfɔ:ˈti:nθ/ *adj,n* (یک) چهاردهم
fourth /fɔ:θ/ *adj,n* (یک) چهارم
fourthly *adv* چهارم آنکه، رابعاً
fowl /faʊl/ *n* (گوشت) مرغ
fowler *n* صیاد طیور
fowling-piece /ˈfaʊlɪŋ pi:s/ *n* تفنگ مرغ‌زنی
fox /fɒks/ *n* روباه
foxhound /ˈfɒkshaʊnd/ *n* تازی روباه‌گیر
fox-terrier /ˌfɒks ˈterɪə(r)/ *n* نوعی تولهٔ شکاری
foxtrot /ˈfɒkstrɒt/ *n* رقص فوکس‌ترات
foxy /ˈfɒksɪ/ *adj* روبَه باز، دورو
fr = franc(s)
Fr = French
fracas /ˈfrækɑ: US: ˈfreɪkəs/ *n* غوغا
fraction /ˈfrækʃn/ *n* کسر، برخه؛ خرده
fractional /ˈfrækʃənl/ *adj* کسری
fractious /ˈfrækʃəs/ *adj* بدخو، زودرنج
fracture /ˈfræktʃə(r)/ *n,v* ۱.شکستگی، انکسار ۲.شکستن
fragile /ˈfrædʒaɪl US: -dʒl/ *adj* ترد؛ لطیف؛ شکننده
fragility /frəˈdʒɪlətɪ/ *n* نازکی، تردی، شکنندگی
fragment /ˈfrægmənt/ *n* پاره، قطعه
fragmentary /ˈfrægməntrɪ US: -terɪ/ *adj* جزءجزء؛ جسته‌گریخته، ناقص
fragrance /ˈfreɪgrəns/ *n* بوی خوش، عطر
fragrant /ˈfreɪgrənt/ *adj* خوشبو، معطر
frail /freɪl/ *adj,n* ۱.سست؛ ترد، شکننده؛ فانی ۲.سبد؛ تفت
frailty /ˈfreɪltɪ/ *n* ضعف (اخلاقی)
frame /freɪm/ *n,vt,vi* ۱.قاب، چارچوب؛ کالبد؛ استخوان‌بندی؛ هیکل، تنه؛ حالت موقتی ۲.قاب گرفتن؛ درست کردن؛ تنظیم یا تدوین یا ترکیب کردن؛ وفق دادن ۳.امیدبخش بودن
  frame of mind طرز فکر
framer *n* قابساز
frame-up /ˈfreɪm ʌp/ *n* پرونده‌سازی، توطئه
framework /ˈfreɪm wɜ:k/ *n* چوب‌بست، قالب استخوان‌بندی؛ چارچوب؛ چهاردیواری
franc /fræŋk/ *n* فرانک
France /frɑ:ns/ *n* (کشور) فرانسه
franchise /ˈfræntʃaɪz/ *n* حق انتخاب؛ امتیاز؛ معافیت، آزادی
Franco- /ˈfræŋkəʊ/ [در ترکیب] فرانسه
frank /fræŋk/ *adj* شکننده، تردرک‌گو؛ رک، پوست کنده
frankincense /ˈfræŋkɪnsens/ *n* کندر
frankly *adv* بی‌پرده، صراحتاً
frankness *n* رک‌گویی، صراحت
frantic /ˈfræntɪk/ *adj* دیوانه(وار)؛ عصبانی
fraternal /frəˈtɜ:nl/ *adj* برادروار
fraternity /frəˈtɜ:nətɪ/ *n* برادری؛ انـجمن اخوت
fraternize /ˈfrætənaɪz/ *vi* برادری کردن
fratricide /ˈfrætrɪsaɪd/ *n* برادرکشی؛ برادرکش
frau /fraʊ/ *n,Ger* مادام، بانو
fraud /frɔ:d/ *n* فریب؛ کلاه‌برداری؛ کلاه‌بردار
fraudulent /ˈfrɔ:djʊlənt US: -dʒʊ-/ *adj* کلاه‌بردار؛ فریب‌آمیز؛ نامشروع
fraught /frɔ:t/ *adj* مملو؛ دارا
fraulein /ˈfrɔɪlaɪn,ˈfrɔ:-,ˈfraʊ-/ *n,Ger* مادموازل، دوشیزه
fray /freɪ/ *n,vt,vi* ۱.نزاع ۲.ساییدن ۳.ساییده شدن
  He is eager for the fray.
  سرش برای نزاع درد می‌کند.
freak /fri:k/ *n* چیز غریب، [در جمع] غرایب؛ بوالهوسی
freakish /ˈfri:kɪʃ/ *adj* دمدمی؛ غریب
freckle /ˈfrekl/ *n,v* ۱.کک‌مک ۲.دارای کک‌مک کردن، دارای کک‌مک شدن
free /fri:/ *adj,adv,vt* ۱.آزاد؛ رها؛ بی‌مانع؛ مختار؛ مجانی، رایگان؛ معاف؛ عاری؛ جایز؛ بی‌تکلف، رُک؛ گستاخ ۲.رایگان، مجاناً ۳.آزاد کردن؛ بخشودن
  free living خوشگذرانی
  free agent فاعل مختار
  free of charge رایگان، مفت
  free thought آزاداندیشی، وارستگی از مذهب
  free will اختیار، طیب خاطر
  set free آزاد کردن
freebooter /ˈfri:bu:tə(r)/ *n* غارتگر، راهزن
freedman /fri:dmən/ *n* بندهٔ آزاد (شده)
freedom /ˈfri:dəm/ *n* آزادی

take freedoms with a person
با کسی زیاد خودمانی رفتار کردن
free-hand /fri:hænd/ *adj,n* ۱.بی‌اسباب، بی‌افزار ۲.آزادی‌عمل، اختیار
make a person free-hand of one's house
ورود به خانه خود را برای کسی آزاد گذاردن
freehanded /ˌfri:ˈhændɪd/ *adj* گشاده‌دست، سخی
freehold /fri:heʊld/ *n,adj* (ملک) مطلق
freely *adv* آزادانه، بی‌منت؛ مفت
freeman /ˈfri:mən/ *n* [-men]
کسی که دارای حقوق مدنی است، شهروندِ آزاد
Freemason /ˈfri:meɪsn/ *n* فراماسون
freemasonry /ˈfri:meɪsənrɪ/ *n*
اصول فراماسون‌ها؛ [مجازاً] همفکری، همدردی
free-spoken /ˈfri:ˈspəʊkn/ *adj* رک‌گو
free-thinker /ˌfri:ˈθɪŋkə(r)/ *n* کسی که دارای فکرآزاد و وارسته از مذهب است؛ آزاداندیش
free-wheel /ˈfri:ˈwi:l/ *vi* با دندهٔ خلاص رفتن
free-will /ˈfri:ˈwɪl/ *adj* ناشی از طیب خاطر
freeze /fri:z/ *vi,vt* [froze;frozen] ۱.یخ بستن، منجمد شدن؛ خشک شدن ۲.منجمد کردن؛ [دارایی، حساب و غیره] مسدود کردن [نگاه کنید به frozen]؛ تثبیت کردن
freeze to death از سرما مُردن
freeze one's blood مو را بر بدن راست کردن
It freezes یخ‌بندان است
freight /freɪt/ *n,vt* ۱.کرایه؛ بار (کشتی) ۲.کرایه کردن؛ حمل کردن
freight-car /ˈfreɪt kɑ:(r)/ *n* واگنِ باری
freighter *n* (کرایه‌کننده) کشتی باری؛ هواپیمای باری
French /frentʃ/ *adj,n* ۱.فرانسوی ۲.فرانسه، زبان فرانسه
French bean لوبیا؛ لوبیای سبز
take French leave بی‌خداحافظی رفتن
French window درِ پنجره‌ای، پنجره
Frenchman /ˈfrentʃmən/ *n* [-men]
(مرد) فرانسوی؛ کشتی فرانسوی
frenzied /ˈfrenzɪd/ *ppa* دیوانه(وار)
frenzy /ˈfrenzɪ/ *n,vt* ۱.دیوانگی (آنی)، شوریدگی؛ آشفتگی ۲.دیوانه کردن، شوریده کردن
frequency /ˈfri:kwənsɪ/ *n* تکرّر، کثرت وقوع؛ [فیزیک] بسامد
frequent /fri:ˈkwənt/ *adj* کثیرالوقوع؛ همیشگی
frequent /frɪˈkwent/ *vt*
زیاد به (جایی) رفتن یا رفت‌وآمد کردن
frequently *adv* غالباً، بارها
fresco /ˈfreskəʊ/ *n* [-(e)s]
نقاشی روی گچ خشک‌نشده
fresh /freʃ/ *adj,n* ۱.تازه؛ خنک؛ بی‌نمک، شیرین [fresh water]؛ تازه‌کار ۲.اوایل
break fresh ground کار نکرده‌ای را کردن، راه نرفته‌ای را رفتن
freshen /ˈfreʃn/ *vt,vi* ۱.تازه کردن؛ خنک کردن ۲.تازه شدن؛ خنک شدن
freshman /ˈfreʃmən/ *n* [-men]
دانشجوی نخستین سال دانشکده یا دانشگاه
freshness *n* تازگی؛ خنکی؛ خامی
freshwater /ˈfreʃwɔ:tə(r)/ *adj* متعلق به آب‌شیرین؛ [مجازاً] تازه‌کار، کارندیده، ناآزموده
fret /fret/ *vt,vi* [-ted] ۱.ساییدن؛ فرسودن؛ دل (کسی را) آزردن ۲.ساییده شدن؛ جوش زدن، سوختن
fretful /fretfl/ *adj* کج‌خلق، بداخلاق
fret-saw /ˈfret sɔ:/ *n* ارّهٔ منبت‌کاری
fretwork /ˈfretwɜ:k/ *n* منبت‌کاری
friar /ˈfraɪə(r)/ *n* راهب
friction /ˈfrɪkʃn/ *n* مالش؛ اصطکاک
Friday /ˈfraɪdɪ/ *n* آدینه، جمعه
fried /fraɪd/ [به fry نگاه کنید]
friend /frend/ *n* دوست، رفیق
make friends again آشتی کردن
friend at court پارتی، طرفدار بانفوذ
friendliness *n* رفاقت، مساعدت
friendly /ˈfrendlɪ/ *adj* (دارای احساسات) دوستانه، رفیق‌وار؛ تعاونی؛ مساعد
He is friendly with me. با من رفیق است.
friendship /ˈfrendʃɪp/ *n* دوستی، رفاقت
frieze /fri:z/ *n* کتیبه (آرایشی)
fright /fraɪt/ *n* ترس ناگهانی، هراس
take fright at ترسیدن از
She looked a fright in that hat.
ریخت عجیبی با آن کلاه پیدا کرده بود.
frighten /ˈfraɪtn/ *vt* ترساندن
frighten into doing something
با تهدید وادار به انجام کاری کردن
frightfully /ˈfraɪtfəlɪ/ *adv* به‌طور مخوف؛ [در گفتگو] خیلی [frightfully urgent]
frigid /ˈfrɪdʒɪd/ *adj* سرد؛ منجمد [Frigid Zone]؛ [مجازاً] خنک؛ خشک
frigidity /frɪˈdʒɪdətɪ/ *n* سردی؛ خنکی
frill /frɪl/ *n* توری؛ حاشیه؛ ریشه؛ پیرایهٔ غیرضروری
frilled *adj* حاشیه‌دار؛ ریشه‌دار

fringe /frɪndʒ/ *n,vt* ۱.ریشه؛ چتر زلف ۲.ریشه‌دار کردن
fringed with دارای حاشیهٔ...
frippery /ˈfrɪpərɪ/ *n* خرده ریز؛ زینت کم‌بها
frisk /frɪsk/ *n,vi* ۱.جست‌وخیز ۲.جست‌وخیز کردن
frisky *adj* جست‌وخیزکننده
fritter /ˈfrɪtə(r)/ *vt* خرد کردن؛ تلف کردن
frivolity /frɪˈvɒlətɪ/ *n* سبکی؛ سبکسری
frivolous /ˈfrɪvələs/ *adj* سبک؛ سبکسر؛ بی‌معنی؛ جزئی؛ احمق؛ احمقانه
friz /frɪz/ *or* **frizzle** /ˈfrɪzl/ *vi,vt* ۱.جزجز کردن ۲.سرخ کردن
frizzly *adj* فِردار، وِز کرده
fro /frəʊ/ *adv* پس، عقب [فقط در to and fro پس‌وپیش، عقب‌وجلو]
frock /frɒk/ *n* ردای راهبان؛ رولباسی زنان و کودکان و کارگران؛ نوعی نیمتنهٔ نظامی
frock-coat /ˌfrɒk ˈkəʊt/ *n* فراک، ردنگت
frog /frɒg US: frɔ:g/ *n* وزغ، قورباغه، غوک
frolic /ˈfrɒlɪk/ *n,vi* [-ked] ۱.خوشی، وجد ۲.خوشی کردن؛ جست‌وخیز کردن
frolicsome /ˈfrɒlɪksəm/ *adj* خوش
from /frəm,frɒm/ *prep* از؛ از رویِ؛ از پیشِ
with effect from; as from از تاریخ
frond /frɒnd/ *n* سعف یا سعفه [در نخل]
front /frʌnt/ *n,vi,vt* ۱.جلو، پیش؛ جبهه؛ کف (دست)؛ [مجازاً] رو؛ قیافه؛ طرز تلقی ۲.مواجه شدن ۳.روبرو کردن
frontage /ˈfrʌntɪdʒ/ *n* جلوخان، حریم؛ میدان، رو؛ منظره؛ وضع عمارت
frontal /ˈfrʌntl/ *adj* جلویی، از جلو
frontier /ˈfrʌntɪə(r) US: frʌnˈtɪər/ *n* مرز
frontiersman /ˈfrʌntɪəzmən US: frʌnˈtɪərzmən/ *n* مرزنشین
frontispiece /ˈfrʌntɪspi:s/ *n* تصویر و آرایش اول کتاب (روبروی سرصفحه)
frost /frɒst US: frɔ:st/ *n,vt* ۱.یخبندان؛ شبنم یخ‌زده؛ [مجازاً] سردی؛ [در گفتگو] شکست، بورشدگی ۲.سرمازده کردن؛ از شبنم پوشاندن
frost-bite /ˈfrɒstbaɪt/ *n* سرمازدگی
frost-bitten /ˈfrɒstbɪtn/ *adj* سرمازده
frosted *ppa* یخ‌زده؛ سرمازده؛ پوشیده از خاک قند و سفیدهٔ تخم‌مرغ
frosting = icing
frosty /ˈfrɒstɪ US: ˈfrɔ:stɪ/ *adj* بسیار سرد؛ یخ‌زده؛ لوس

froth /frɒθ/ *n,vi* ۱.کف؛ [مجازاً] یاوه، سخن بی‌معنی ۲.کف کردن
frothy *adj* کف‌دار؛ [مجازاً] بی‌مغز
frown /fraʊn/ *n,vi* اخم (کردن)، ترشرویی (کردن)
frowzy /ˈfraʊzɪ/ *adj* بدبو؛ کثیف
froze /frəʊz/ [*P of* freeze]
frozen /ˈfrəʊzn/ [*pp of* freeze] *ppa* یخ‌بسته؛ [حساب] مسدود
fructify /ˈfrʌktɪfaɪ/ *vi* میوه دادن
frugal /ˈfru:gl/ *adj* صرفه‌جو؛ کم‌خرج؛ ساده
frugal food غذای‌ساده و کم‌خرج، حاضری
frugality /fru:ˈgælətɪ/ *n* میانه‌روی؛ کم‌خرجی
fruit /fru:t/ *n,vi* ۱.میوه؛ [مجازاً] سود، ثمر ۲.میوه دادن
fruiterer /ˈfru:tərə(r)/ *n* میوه‌فروش
fruitful /ˈfru:tfl/ *adj* باردار؛ سودمند
fruition /fru:ˈɪʃn/ *n* برخورداری، تمتع، کامرانی، وصال
fruitless /ˈfru:tlɪs/ *adj* بی‌ثمر، بی‌نتیجه
fruity /ˈfru:tɪ/ *adj* دارای طعم انگور؛ [مجازاً] دارای هزلیات و شوخی
frump /frʌmp/ *n* زن بدلباس؛ زن امل
frumpish /ˈfrʌmpɪʃ/ *adj* = frumpy
frumpy *adj* شلخته؛ بدلباس؛ امّل
frustrate /frʌˈstreɪt US: ˈfrʌstreɪt/ *vt* خنثی کردن، بی‌نتیجه کردن؛ ناکام کردن
frustration /frʌˈstreɪʃn/ *n* عقیم‌گذاری؛ خنثی‌سازی؛ عجز؛ ناکامی
fry /fraɪ/ *vt* [fried] سرخ کردن؛ نیمرو کردن
fried eggs نیمرو
fry /fraɪ/ *n* [fry] بچه ماهی
small fry شخص یا اشخاص غیرمهم
frying-pan /ˈfraɪɪŋ pæn/ *n* یغلاوی، ماهی‌تابه
out of the frying-pan into the fire از چاله به چاه
ft [مختصرِ foot یا feet]
fuchsia /ˈfju:ʃə/ *n* گل‌آویز
fuddle /ˈfʌdl/ *vt* گیج کردن؛ سست کردن
fudge /fʌdʒ/ *v,n* ۱.(کار) سرهم‌بندی کردن ۲.چرند
fuel /ˈfju:əl/ *n,v* [-led] ۱.سوخت ۲.سوختگیری کردن
add fuel to the flames آتش را دامن زدن
fugitive /ˈfju:dʒətɪv/ *adj* گریزنده، فراری؛ ناپایدار؛ غیرثابت؛ آواره
Fuhrer /ˈfjʊərə(r)/ *n,Ger* پیشوا

fulcrum /'fʊlkrəm/ *n* [-cra] نقطهٔ اتکا؛ تکیه‌گاه
fulfil /fʊl'fɪl/ *vt* [-led] انجام دادن، برآوردن (حاجت)؛ اجرا کردن
fulfilment *n* انجام، تکمیل؛ اجرا
full /fʊl/ *adj,adv,n,vt,vi* ۱.پُر، مملو؛ کامل، تام، تمام؛ مفصل؛ تمام رسمی [full dress]؛ سیر ۲.کاملاً، بی‌کم و زیاد ۳.تمامی؛ پری ۴.چین‌دادن ۵.پر شدن [در گفتگوی از ماه]
full to the brim لبالب، پُر تا لب
brother of full blood برادر تنی
full stop نقطهٔ پایان جمله
at full length مفصلاً، به تفصیل
in full تمام‌وکمال، به تفصیل
full -time training کارآموزیِ تمام‌وقت
to serve full time تمام وقت خدمت کردن
full-blooded /ˌfʊl 'blʌdɪd/ *adj* پاک‌نژاد؛ قوی
fuller /'fʊlə(r)/ *n* قَصار، لکه‌گیر
fuller's earth نوعی گِل که برای پاک کردن پارچه‌های تازه‌بافته به‌کار می‌رود
full-fledged /ˌfʊl 'fledʒd/ *adj* پروبال‌درآورده؛ [مجازاً] دارای رشد کامل؛ تمام عیار
full-length /ˌfʊl 'leŋθ/ *adj* تمام قد، قدّی
fullness *n* پُری؛ سیری
fully *adv* کاملاً، تماماً؛ سیر
fulminate /'fʌlmɪneɪt US: 'fʊl-/ *vi* غرّیدن، دادوبیداد راه انداختن؛ اعتراض کردن
fulmination /ˌfʌlmɪ'neɪʃn US: 'fʊl-/ *adj* غرش؛ دادوبیداد
fulsome /'fʊlsəm/ اغراق‌آمیز و زننده، غلیظ
fumble /'fʌmbl/ *vi,vt* ۱.کورمالی کردن، جستجو کردن ۲.سرهم‌بندی کردن؛ مچاله کردن
fume /fju:m/ *n,vi,vt* ۱.دود، بخار [بیشتر در صیغه جمع]؛ [مجازاً] هیجان ۲.خشمگین شدن ۳.دود دادن، سیاه کردن
fumigate /'fju:mɪgeɪt/ *vt* دود دادن، بخور دادن؛ ضد عفونی کردن
fun /fʌn/ *n* شوخی، بازی، خوشمزگی؛ تفریح، سرگرمی؛ مسخرگی
make fun of; poke fun at مسخره کردن، دست انداختن
in fun به شوخی
funambulist /fju:'næmbjʊlɪst/ *n* بندباز
function /'fʌŋkʃn/ *n,vi* ۱.وظیفه؛ منصب؛ تابع ۲.کار کردن؛ دایر بودن
functionary /'fʌŋkʃənərɪ US: -nerɪ/ *n,adj* ۱.مأمور، گماشته، عامل ۲.وظیفه‌دار

fund /fʌnd/ *n,vt* وجه؛ سرمایه، تنخواه، صندوق؛ [در جمع] (سهام) قرضه دولتی ۲.وجه یا پشتوانه برای (چیزی) تهیه کردن
fundamental /ˌfʌndə'mentl/ *adj,n* ۱.اساسی، اصلی ۲.[در جمع] اصول، مبادی
fundamentally /ˌfʌndə'mentəlɪ/ *adv* اساساً
funeral /'fju:nərəl/ *r* آیین دفن، تشییع جنازه
That's my funeral. تو را در گور من نمی‌گذارند.
funeral pile *or* pyre تودهٔ هیزم که مرده را روی آن می‌سوزانند
funereal /fju:'nɪərɪəl/ *adj* غم‌انگیز
fungi /'fʌŋgaɪ/ [*pl of* fungus]
fungoid /'fʌŋgɔɪd/ *adj* قارچی، قارچ‌مانند
fungus /'fʌŋgəs/ *n* [-gi] گیاه قارچی، قارچ؛ دانه؛ گوشت زیادی
funicular /fju:'nɪkjʊlə(r)/ *adj* بندی، با بندکشیدنی
funicular railway قطاری که در دامنه کوه با کابل کشیده می‌شود
funk /fʌnk/ *n,v,Sl* ۱.هراس ۲.از زیر (کاری) در رفتن، ترسیدن
funnel /'fʌnl/ *n* قیف
funny /'fʌnɪ/ *adj* مضحک؛ غریب
funny-bone /'fʌnɪ bəʊn/ *n* استخوان آرنج
fur /fɜ:(r)/ *n,vt,vi* [-red] ۱.خز؛ پوست؛ جانور خزدار؛ جِرم، چرک؛ بارِ زبان ۲.خزدار کردن؛ باردار کردن (زبان)؛ از جرم پاک کردن ۳.جرم گرفتن؛ بار برداشتن
make the fur fly دعوا راه انداختن
fur and feather صیدهای زمینی و هوایی
furbelow /'fɜ:bɪləʊ/ *n* سجافِ چین‌دار
furbish /'fɜ:bɪʃ/ *vt* جلا دادن
furious /'fjʊərɪəs/ *adj* آتشی، از جا دررفته، سخت، متلاطم
furl /fɜ:l/ *vt* پیچیدن و بالا زدن (بادبان)
furlong /'fɜ:lɒŋ US: -lɔ:-ŋ/ *n* واحد طول تقریباً برابر با یک‌پنجم کیلومتر، میدان
furlough /'fɜ:ləʊ/ *n,vt* ۱.مرخصی (سرباز) ۲.مرخصی دادن به، مرخص کردن
on furlough در مرخصی
furnace /'fɜ:nɪs/ *n,vt* ۱.کوره؛ تنور ۲.در کوره نهادن
furnish /'fɜ:nɪʃ/ *vt* با مبل آراستن، مبله کردن؛ دارا کردن؛ آماده کردن؛ دادن
furnish with... دارایِ... کردن
furnished *ppa* دارای اثاثه، مبله
furnishings *npl* اثاثه، لوازم

furniture /'fɜ:nɪtʃə(r)/ *n* اثاثه، مبل؛ اسباب؛ مظروف؛ دارایی؛ لوازم

furore /fjʊ'rɔ:rɪ US: 'fju:rɔ:r/ خشم یا عشق مفرط

furrier /'fʌrɪə(r)/ *n* خزفروش، پوست‌فروش

furriery *n* خزفروشی؛ جامهٔ خز

furrow /'fʌrəʊ/ *n,vt* ۱.شیار؛ چروک؛ کَرت ۲.شیاردار کردن، شخم زدن؛ چین دادن؛ جوی کندن در

furry /'fɜ:rɪ/ *adj* خزپوش، خزمانند

further /'fɜ:ðə(r)/ *adj,adv* [*comp of* far] ۱.بیشتر، دیگر؛ دوم‌باره، ثانوی؛ دورتر ۲.بازهم؛ جلوتر، به‌علاوه

until further notice تا اطلاع ثانوی

further down پایین‌تر

further to دربِی، درتعقیبِ

further /'fɜ:ðə(r)/ *vt* پیش بردن، تقویت کردن؛ وسیله (چیزی را) فراهم کردن

furtherance /'fɜ:ðərəns/ *n* پیشرفت

furthermore /ˌfɜ:ðə'mɔ:(r)/ *adv* به‌علاوه

furthermost /ˌfɜ:ðə'məʊst/ *adj* دورترین

furthest /fɜ:ðɪst/ *adj,adv* [*sup of* far] ۱.دورترین ۲.دورتر از همه

furtive /'fɜ:tɪv/ *adj* نهانی

fury /'fjʊərɪ/ *n* خشم (زیاد)؛ دیوانگی؛ شدت

furze /fɜ:z/ *n* نوعی بوتهٔ خاردار و بی‌خزان

fuse /fju:z/ *n,v* ۱.فتیله؛ فیوز ۲.گداختن؛ ترکیب کردن، ترکیب شدن

fuselage /'fju:zəlɑ:ʒ US: 'fju:səlɑ:ʒ/ *n* بدنهٔ هواپیما

fusilier /ˌfju:zə'lɪə(r)/ *n* تفنگدار

fusillade /ˌfju:zə'leɪd US: -sə-/ *n* تیرباران؛ شلیکِ پی‌درپی

fusion /'fju:ʒn/ *n* گداز، ذوب؛ سیالیت؛ آمیزش، سازش؛ ترکیب

fuss /fʌs/ *n,vi* ۱.هیاهو، قیل‌وقال ۲.هیاهو راه انداختن؛ در چیزهای جزئی ناشکیبایی کردن، پرگویی کردن

fustian /'fʌstɪən US: -tʃən/ *n* متقال؛ لفاظی (بی‌مغز)

fusty /'fʌstɪ/ *adj* بوگرفته؛ کفک‌زده؛ [مجازاً] قدیمی مسلک

futile /'fju:taɪl US: -tl/ *adj* بیهوده، پوچ

futility /fju:'tɪlətɪ/ *n* بی‌فایدگی؛ کوشش بیهوده

future /'fju:tʃə(r)/ *adj,n* ۱.آینده ۲.آتیه؛ عاقبت، آخرت

future life عقبی، آخرت

deal in futures معاملهٔ سلف کردن

futurity /fju:'tjʊərətɪ US: -'tʊər-/ *n* آخرت؛ اتفاقات آینده

fuzzy /'fʌzɪ/ *adj* کرکی؛ وِزوزی؛ نامعلوم

G,g

G,g /dʒi:/ *n* هفتمین حرف الفبای انگلیسی

gab /gæb/ *n,vi* [-bed] ۱.پچ‌پچ؛ پرگویی، وراجی؛ دهان ۲.پرگفتن

gift of the gab طلاقت لسان؛ پرگویی

gabble /'gæbl/ *vi* ناشمرده حرف زدن

gaberdine /ˌgæbə'di:n/ *n* [پارچه] گاواردین

gable roof /'gæbl ru:f/ شیروانی

gad /gæd/ *vi* [-ded] هرزه‌گردی کردن

gadabout /'gædebaʊt/ *n* زن و دختر گردش برو یا دَدَری

gad-fly /'gædflaɪ/ *n* خرمگس

gadget /'gædʒɪt/ *n* ابزار، اسباب

gaff /gæf/ *n* نیزهٔ خاردار؛ چنگک

gag /gæg/ *n,vt* [-ged] ۱.چیزی (به‌ویژه پارچه‌ای) که در دهان کسی فروکنند تامانع‌حرف یافریادزدن او گردند؛ خوشمزگی یا شیرین‌کاری هنرپیشگان ۲.خفه کردن؛ از کار انداختن

gage /geɪdʒ/ *n,vt* ۱.گرو، وثیقه؛ [به‌معانی gauge نیز رجوع شود] ۲.وثیقه گذاردن

gaiety /'geɪətɪ/ *n* خوشدلی؛ شادمانی، تفریحات [بیشتر در جمع]؛ جلوه، زرق‌وبرق

gain /geɪn/ *n,vt,vi* ۱.سود، منفعت؛ حصول، تحصیل ۲.منفعت کردن؛ به دست آوردن ۳.سود بردن؛ جلو رفتن [در ساعت]

gain a victory پیروز شدن

gain ground پیشروی کردن

gain time دفع‌الوقت کردن

gain on نزدیک شدن به

gain over سوی خود کشیدن، ربودن

gainful /'geɪnfl/ *adj* سودمند، با صرفه

gainings *npl* درآمد، استفاده

gainsay /ˌgeɪn'seɪ/ *vt* انکار کردن، رد کردن

gait /geɪt/ *n* گام، مشی
gaiter /'geɪtə(r)/ *n* زنگال، گِتر
gala /gɑ:lə US: 'geɪlə/ *n* جشن؛ [به صورت صفت] مجلل، باشکوه
galaxy /'gæləksɪ/ *n* کهکشان
gale /geɪl/ *n* باد (نسبتاً تند)
It blows a gale. باد سختی می‌وزد.
gall /gɔ:l/ *n* زهره (گاو)، مراره؛ [مجازاً] کینه؛ گوشت تلخی؛ بدخویی؛ گستاخی
gall /gɔ:l/ *n,vt,vi* ۱.زخم؛ پوست‌رفتگی، تاول؛ رنجش ۲.ساییدن؛ آزردن ۳.آزرده شدن؛ پوست رفتن
gall /gɔ:l/ *n* مازو
gallant /'gælənt/ *adj* دلاور؛ باشکوه؛ خودنما
gallant /gə'lænt/ *adj* زن‌پسند، زن‌نواز؛عشقباز
gallantry /'gæləntrɪ/ *n* دلیری؛ تعارف در پیش زنان؛ زن‌نوازی؛ خوش لفظی؛ خودنمایی
gall-bladder /'gɔ:l blædə(r)/ *n* کیسهٔ صفرا
galleon /'gælɪən/ *n* نوعی کشتیِ بادبانی
gallery /'gælərɪ/ *n* راهرو؛ سرسرا؛ تالار؛ ایوانِ بالاخانه؛ لژِ بالا؛ اتاق نقاشی یا موزه؛ توده مردم [با the]؛ گالری
galley /'gælɪ/ *n* نوعی کشتی پارویی یا بادبانی که یک عرشه داشت و بیشتر به دست اسیران رانده می‌شد؛ نوعی کشتی جنگی باستانی؛ آشپزخانه کشتی
the galleys اعمال شاقه
galley-proof /'gælɪ pru:f/ *n* نمونه ستونی [اصطلاح چاپخانه]
gallivant /ˌgælɪ'vænt/ *vi* (ول) گشتن
gallon /'gælən/ *n* گالن [نام پیمانه]
gallop /'gæləp/ *n,vi,vt* ۱.تاخت، چارنعل ۲.تاختن، چارنعل رفتن ۳.چارنعل بردن
galloping *adj* سواره [در سلّ]
gallows /'gæləʊz/ *npl* (چوبه) دار
gallows-bird /'gæləʊz bɜ:d/ *n* جانی واجب‌الاعدام
gallstone /'gɔ:lstəʊn/ *n* سنگ صفرایی، حجر صفراوی
galore /gə'lɔ:(r)/ *adj,adv* فراوان
galosh /gə'lɒʃ/ *n* گالش
galvanic /gæl'vænɪk/ *adj* گالوانی؛ مربوط‌به جریان مستقیم‌برق، مربوط به‌برق متصل؛ با عمل شیمیایی یا به‌وسیله باتری تولیدشده؛ [مجازاً] برقی یا ناگهانی
galvanism /'gælvənɪzəm/ *n* گالوانیسم؛ برق یا الکتریسته که با عمل شیمیایی تولید شده باشد؛ معالجهٔ برقی
galvanize /'gælvənaɪz/ *vt* گالوانیزه کردن؛ لعابِ روی دادن، سفید کردن (آهن)؛ زیر برق گذاشتن؛ [مجازاً] تحریک کردن
galvanized iron آهن سفید
gambit /'gæmbɪt/ *n* گامبی، قربانی کردن یک پیاده در آغاز بازی شطرنج به‌منظور کسب امتیاز بعدی
gamble /'gæmbl/ *vi,vt* ۱.قمار کردن ۲.باختن [با away]
gambler /'gæmblə(r)/ *n* قمارباز، مُقامِر
gambling /'gæmblɪŋ/ *n* قماربازی، قمار
gambol /'gæmbl/ *n,vi* [-led] جست وخیز (کردن)
game /geɪm/ *n,adj* ۱.بازی؛ شکار ۲.دلیر(انه)؛ آماده، سرِحال، آمادهٔ جنگ
fair game شکار مجاز
die game دلیرانه جان دادن
game of chance بازی شانسی (مانند رولت)
play the game با شرافت رفتار کردن
make game of مسخره کردن
The game is up. بازی تمام شد. [مجازاً] نقشه نگرفت.
game for آمادهٔ، دارای حالِ
game /geɪm/ *v* بازی کردن، ساختن
game /geɪm/ *adj* چلاق، معیوب
game-cock /'geɪm kɒk/ *n* خروس جنگی
gamekeeper /'geɪmki:pə(r)/ *n* شکاربان، قرقچی
gamester /'geɪmstə(r)/ *n* قمارباز؛ آدم شوخ
gamp /gæmp/ *n,Col* چتر (فکسنی)
gamut /'gæmət/ *n* [موسیقی] گام؛ [مجازاً] حیطه، حدود
gander /'gændə(r)/ *n* غازِ نر
gang /gæŋ/ *n* دسته، جمعیت، گروه
ganglion /'gæŋglɪən/ *n* [ganglia] غدهٔ عصب؛ [مجازاً] مرکز نیرو و فعالیت
gang-plank /'gæŋplæŋk/ *n* تختهٔ یا پل موقت بین کشتی و ساحل
gangrene /'gæŋgri:n/ *n,vi,vt* ۱.قانقرایا ۲.فاسد شدن، قانقرایا شدن ۳.فاسد کردن
gangrenous /'gæŋgrɪnəs/ *adj* قانقرایایی
gangster /'gæŋstə(r)/ *n* گانگستر: عضو گروه تبهکاران
gangway /'gæŋweɪ/ *n* ۱.راهرو ۲. gang-plank
gaol /dʒeɪl/ *or* **jail** *n,vt* ۱.زندان؛ حبس ۲.زندانی کردن

gaol-bird کرم زندان، کسی که زندان خانه او شده است
gaoler /ˈdʒeɪlə(r)/ *n* زندانبان
gap /gæp/ *n* شکاف، رخنه، فاصله؛ آسیب، لطمه؛ [مجازاً] فرق بسیار
gape /geɪp/ *n,vi* ۱.خمیازه، دهن‌دره؛ نگاه خیره با دهان باز ۲.خمیازه کشیدن؛ خیره نگاه کردن [با at]
garage /ˈgærɑ:ʒ US: gəˈrɑ:ʒ/ *n* گاراژ
garb /gɑ:b/ *n* لباس مخصوص؛ هیئت، زی
garbed in ملبس به
garbage /ˈgɑ:bɪdʒ/ *n* پس‌مانده، روده
garble /ˈgɑ:bl/ *vt* تحریف کردن، ناقص کردن
garden /ˈgɑ:dn/ *n* باغ
garden seat صندلی یا نیمکت باغبانی
gardener *n* باغبان
gardenia /gɑ:ˈdi:nɪə/ *n* [گیاه‌شناسی] گاردنیا
gardening *n* باغبانی
garden-party /ˈgɑ:dn pɑ:tɪ/ *n* گاردن پارتی
gargantuan /gɑ:ˈgæntjʊən/ *adj* کلان، عظیم‌الجثه
gargle /ˈgɑ:gl/ *n,vt* غرغره (کردن)
gargoyle /ˈgɑ:gɔɪl/ *n* ناودانِ کله‌اژدری
garish /ˈgeərɪʃ/ *adj* زرق‌وبرق‌دار
garland /ˈgɑ:lənd/ *n* تاج گل، حلقهٔ گل
garlic /ˈgɑ:lɪk/ [گیاه‌شناسی] سیر
garlicky *adj* دارای (بوی) سیر
garment /ˈgɑ:mənt/ *n* (قسمتی از) لباس، جامه؛ [مجازاً] ظاهر
garner /ˈgɑ:nə(r)/ *n,Poet* انبارِ غله
garner /ˈgɑ:nə(r)/ *vt,Poet* انبار کردن، ذخیره کردن
garnet /ˈgɑ:nɪt/ *n* لعل
garnish /ˈgɑ:nɪʃ/ *n,vt* ۱.آرایش، تجمل؛ نثار ۲.آرایش دادن؛ نثار زدن (به)
garret /ˈgærət/ *n* اتاقِ زیرشیروانی یا سقف
garrison /ˈgærɪsn/ *n* پادگان
garrulity /gəˈru:lətɪ/ = garrulousness
garrulous /ˈgærələs/ *adj* وراج؛ دراز، مطول
garrulousness *n* پرگویی، پرحرفی، پرچانگی، وراجی
garter /ˈgɑ:tə(r)/ *n* کش جوراب، بند جوراب
gas /gæs/ *n* [-es] گاز، بخار؛ بنزین؛ [در گفتگو] سخنِ بیهوده
gas /gæs/ *vt,vi* [-sed] ۱.با گاز خفه کردن ۲.یاوه گفتن
gas-bag /ˈgæsbæg/ *n* کیسهٔ گاز؛ یاوه‌سرا
gasburner /ˈgæsbɜ:nə(r)/ *n* اجاق گازسوز
gaseous /ˈgæsɪəs/ *adj* گازی؛ گازدار؛ دوآتشه؛ [مجازاً] سست؛ بی‌دوام
gash /gæʃ/ *n,vt* ۱.زخم؛ جای زخم در صورت ۲.شکاف‌دار کردن
gas mask /ˈgæs mɑ:sk/ *n* ماسک ضدگاز
gas meter /ˈgæs mi:tə(r)/ *n* کنتورِ گاز
gasolene; -line /ˈgæsəli:n/ *n* گازولین؛ [در امریکا] بنزین
gasometer /gəˈsɒmɪtə(r)/ *n* مخزنِ گاز
gasp /gɑ:sp/ *vi,vt* ۱.نفس‌نفس زدن؛ آرزو کردن ۲.بانفس گفتن یا ادا کردن، با نفس بیرون دادن
gasp out life جان دادن، مردن
gassing *n* استعمال گاز
gassy /ˈgæsɪ/ *adj* گازدار؛ [مجازاً] بی‌مغز
gastralgia /gæˈstrældʒi:ə/ *n* دل‌درد، دردِ معده
gastric /ˈgæstrɪk/ *adj* معده‌ای
gastric juice عصیر معده، شیرهٔ معده
gastritis /gæˈstraɪtɪs/ *n* التهاب معده، گاستریت
gastrodynia /gæstrəʊˈdɪni:ə/ *n* درد معده
gastronomy /gæˈstrɒnəmɪ/ *n* خوراک‌شناسی؛ شکم‌چرانی
gasworks /ˈgæswɜ:ks/ *npl* کارخانهٔ گاز
gate /geɪt/ *n* درِ حیاط؛ دروازه؛ سد؛ [مجازاً] وسیله، باب
gatecrasher /ˈgeɪtkræʃə(r)/ *n* مهمان‌ناخوانده
gatekeeper /ˈgeɪtki:pə(r)/ *n* در(وازه)بان
gatepost /ˈgeɪtpəʊst/ *n* تیر دروازه
between you and me and the gatepost بین من و شما [محرمانه]
gateway /ˈgeɪtweɪ/ *n* دروازه؛ راهرو؛ مدخل
gather /ˈgæðə(r)/ *vt,vi* ۱.جمع کردن؛ چیدن؛ چین دادن؛ استنباط کردن ۲.جمع شدن؛ رسیدن (دمل)
gather up جمع کردن؛ آماده کردن؛ برداشتن، برچیدن
be gathered to one's fathers به رفتگان پیوستن [یعنی مردن]
gathering /ˈgæðərɪŋ/ *n* انجمن؛ اجتماع
gaud /gɔ:d/ *n* خرده‌ریز قشنگ، آرایهٔ ظریف و کوچک
gaudy /ˈgɔ:dɪ/ *adj* زرق‌وبرق‌دار؛ لوس
gauge /geɪdʒ/ *n,vt* ۱.اندازه، پیمانه، مقیاس؛ درجه؛ معیار ۲.اندازه گرفتن؛ کیل کردن
gaunt /gɔ:nt/ *adj* لاغر، بدقیافه
gauntlet /ˈgɔ:ntlɪt/ *n* دستکش بلند؛ دستکش آهن‌پوش، دستکش آهنی؛ [مجازاً] دعوت به جنگ

run the gauntlet در میان دو ردیف از مردم رفتن و از دو سو آزار دیدن
throw down the gauntlet (با انداختنِ دستکش) حریف را دعوت به جنگ کردن
gauze /gɔ:z/ *n* گاز، تنزیب؛ تور
gauzy *adj* گازمانند؛ لطیف
gave /geɪv/ [*p of* give]
gavel /'gævl/ *n* چکش چوبیِ حراج‌کنندگان یا رؤسای انجمن‌ها
gavotte /gə'vɒt/ *n* نوعی رقص تند
gawky /'gɔ:kɪ/ *adj* لندوک، زشت‌اندام؛ بی‌دست‌وپا؛ خامدست
gay /geɪ/ *adj* خوشدل، بشاش؛ شوخ؛ هرزه؛ زرق‌وبرق‌دار؛ پررو
feel gay خوش بودن، سرِ کیف بودن
gayety /'geɪɪtɪ/ = gaiety
gaze /geɪz/ *vi,n* ۱.خیره نگریستن، چشم دوختن ۲.نگاه خیره
gazelle /gə'zel/ *n* آهو، غزال
gazette /gə'zet/ *n* مجله رسمی؛ روزنامه
gazetteer /,gæzə'tɪə(r)/ *n* فرهنگِ جغرافیایی؛ روزنامه‌نویس، مجله‌نویس
gazing-stock /'geɪzɪŋ stɒk/ *n* مایهٔ عبرت
gear /gɪə(r)/ *n,vt* ۱.دنده؛ اسباب، لوازم ۲.دندانه‌دار کردن
in gear دایر؛ آماده؛ درهم گیر کرده
out of gear از دنده بیرون افتاده؛ خراب
gear up (*or* down) با عوض کردنِ دنده تند (یا کند) کردن
gear-box /'gɪə bɒks/ *n* جعبه دنده
geese /gi:s/ [*pl of* goose]
gee-up/dʒi:'ʌp/ *int* هو، هین، هی [در راندن اسب]
gelatin(e) /'dʒeləti:n/ *n* ژلاتین
gelatinous /dʒɪ'lætɪnəs/ *adj* ژلاتینی
gelignite /'dʒelɪgnaɪt/ *n* ژلین‌یت، انفجار شدید ناشی از اسید نیتریک و گلیسرین
gem /dʒem/ *n,vt* [-med] ۱.گوهر، جواهر ۲.جواهرنشان کردن، مرصع کردن
gemmed *ppa* گوهرنشان، مرصع
gendarme /'ʒɒndɑ:m/ *n,Fr* ژاندارم
gendarmerie /ʒɒn'dɑ:mərɪ/ *n,Fr* ژاندارمری
gender /'dʒendə(r)/ *n* [د] جنس
masculine gender (جنس) مذکر
common gender مذکر یا مؤنث، جنسِ مشترک [مانند teacher,child]
genealogical tree /dʒi:nɪə'lɒdʒɪkl 'tri:/ شجره‌نامه
genealogist /,dʒi:nɪ'ælədʒɪst/ *n* شجره‌نویس
genealogy /,dʒi:nɪ'ælədʒi/ *n* شجره؛ نسب‌نامه
genera /'dʒenərə/ [*pl of* genus]
general /'dʒenrəl/ *adj,n* ۱.عُمومی؛ کلی؛ سربسته ۲.سرتیپ؛ سرپاس؛ سرکرده؛ ژنرال
as a general rule; in general به‌طور کلی
director general رئیس کل، مدیر کل
generalissimo /,dʒenrə'lɪsɪməʊ/ *n,It* [-s] فرماندهٔ کل‌قوا
generality /,dʒenə'rælətɪ/ *n* عمومیت؛ نکتهٔ کلی، اصل کلی، [در جمع] کلیات؛ سربستگی، ابهام؛ اکثریت، قسمت عمده
generalization /,dʒenrəlaɪ'zeɪʃn/ *n* تعمیم؛ اطلاق؛ نتیجه کلی یا عمومی
generalize /'dʒenrəlaɪz/ *vt,vi* ۱.تحت قانون‌کلی در آوردن، تعمیم دادن؛ عمومی کردن ۲.سربسته حرف زدن؛ نتیجهٔ کلی گرفتن
generally /'dʒenrəlɪ/ *adv* عموماً، به‌طور کلی؛ معمولاً؛ (به‌طور) سربسته
generally speaking به‌طور کلی
generate /'dʒenəreɪt/ *vt* تولید کردن
generation /,dʒenə'reɪʃn/ *n* تولید، زاد و ولد؛ نسل، دوره، پشت
generative /'dʒenərətiv/ *adj* زایا، مولد؛ تولیدی
generator /,dʒenəreɪtə(r)/ *n* زاینده، تولیدکننده؛ برق‌زا، دینام؛ دیگ بخار
generic /dʒɪ'nerɪk/ *adj* نوعی، جنسی، کلی، کل
generosity /,dʒenə'rɒsətɪ/ *n* بخشندگی، سخاوت
generous /'dʒenərəs/ *adj* سخی، بخشنده؛ سخاوتمندانه؛ حاصلخیز
genesis /'dʒenəsɪs/ *n* پیدایش، تکوین
genetics /dʒɪ'netɪks/ *npl* مبحث تکوین و توارث، علم وراثت
Geneva /dʒə'ni:və/ *n* ژِنو
geneva /dʒə'ni:və/ *n* عرق اردج
genial /'dʒi:nɪəl/ *adj* خوش‌مشرب، مطبوع؛ ملایم؛ مساعد برای نمو
geniality /,dʒi:nɪ'ælətɪ/ *n* خوش‌مشربی؛ مطبوعیت
genie /'dʒi:nɪ/ *n* [genii] جِن
genii /'dʒi:ni:aɪ/ [*pl of* genie]
genital /'dʒenɪtl/ *adj* تناسلی
genitive /'dʒenətɪv/ *n* حالت اضافه
genius /'dʒi:nɪəs/ *n* [-es] نبوغ؛ نابغه
Genoa /'dʒenəʊə/ *n* جِنوا

Genoa cake نوعی کیک بادامی
genteel /dʒen'ti:l/ *adj* تقلیدکنندهٔ آداب و لباس‌وطرز زندگی اعیان و اشراف با وجود نداری
gentian /'dʒenʃn/ *n* [گیاه‌شناسی] کوشاد، جنتیانا
gentile /'dʒentaɪl/ *adj* غیرکلیمی
gentility /dʒen'tɪlətɪ/ *n* آقامنشی؛ نجابت [بیشتر در مقام طعنه گفته می‌شود]
gentle /'dʒentl/ *adj* نجیب، با تربیت؛ آبرومند(انه)؛ ملایم؛ رام؛ لطیف [the gentle sex]؛ نرم؛ آهسته
gentlefolk /'dʒəntlfəʊk/ *or* **-folks** *npl* خانواده‌های محترم
gentleman /'dʒentlmən/ *n* [-men] آقا، مرد معقول و باتربیت، رادمرد
gentlemanly *adj* آقامنش؛ آقاوار
gentleness /'dʒentlnɪs/ *n* ملایمت؛ نجابت
gentlewoman /'dʒentlwʊmən/ *n* [-women] بانو، زنِ باتربیت و معقول
gently /'dʒentlɪ/ *adv* به‌ملایمت، آهسته
gentry /'dʒentrɪ/ *n* محترمین، اعیان؛ [در مقام طعنه] مردم
genuine /'dʒenjʊɪn/ *adj* خالص، اصل، حقیقی؛ درست، موثق، صحیح؛ بی‌ریا
genuineness *n* درستی، صحت؛ اصل بودن؛ خلوص، صداقت
genus /'dʒɪ:nəs/ *n* [genera] جنس، نوع؛ دسته، طبقه
geographer /dʒɪ'ɒgrəfə(r)/ *n* جغرافیدان
geographical /,dʒɪə'græfɪkl/ *adj* جغرافیایی
geography /dʒɪ'ɒgrəfɪ/ *n* جغرافیا
geological /dʒɪə'lɒdʒɪkl/ *adj* مربوط‌به زمین‌شناسی، طبقات‌الارضی، معرفت‌الارضی
geologist /dʒɪ'ɒlədʒɪst/ *n* زمین‌شناس
geology /dʒɪ'ɒlədʒɪ/ *n* زمین‌شناسی
geometric(al) /dʒɪə'metrɪk(l)/ *adj* هندسی
geometry /dʒɪ'ɒmətrɪ/ *n* هندسه
georgette /dʒɔ:'dʒet/ *n* ژرژت، نوعی پارچهٔ ابریشمی
geranium /dʒə'reɪnɪəm/ *n* شمعدانی عطر؛ گل شمعدانی
germ /dʒɜ:m/ *n* نطفه؛ گیاهک؛ جوانه؛ میکرُب؛ مایه، اصل، منشأ
German /'dʒɜ:mən/ *adj* آلمانی
German measles سرخجه
the Germans *n* آلمانها
Germany /'dʒɜ:mənɪ/ *n* آلمان

germicide /'dʒɜ:mɪsaɪd/ *n* میکرب‌کش؛ میکرب‌کشی
germinate /'dʒɜ:mɪneɪt/ *vi* جوانه زدن
gerund /'dʒerənd/ *n* نوعی اسم مصدر که در پایان آن ing درمی‌آید [مانند going به‌معنی «رفتن»]
gesticulate /dʒe'stɪkjʊleɪt/ *vi* در ضمن صحبت اشارات دست و سر به کار بردن
gesture /'dʒestʃə(r)/ *n* ژست؛ اشارات و حرکاتِ در سخن گفتن، [مجازاً] حرکت، اقدام، عمل
get /get/ *vt,vi* [got;got *or* gotten] ۱.به‌دست آوردن، حاصل کردن؛ گرفتن؛ وادار کردن؛ گیرآوردن، مجاب کردن؛ کردن، ساختن [get ready] ۲.رسیدن؛ رفتن؛ آمدن؛ شدن [get rid]؛ سوار شدن
get about این‌سو و آن‌سو رفتن؛ از بستر بیماری برخاستن؛ منتشر شدن
get abroad منتشر شدن، پخش شدن
get across [مجازاً] حالی کردن، فهماندن
get ahead جلو افتادن، پیش رفتن
get along گذران کردن؛ به سر بردن
Get along with you! بروید پی کارتان! چه حرفها می‌زنید!
get at رسیدن به؛ گرفتن؛ دیدن [به‌معنی رشوه دادن]
get away در رفتن؛ برداشتن؛ [در صیغه امر] برو پی کارت! بیهوده مگو
get back دوباره به‌دست آوردن یا آمدن
get one's own back on someone تلافی سر کسی درآوردن
get by رد شدن
get done with به‌پایان رساندن
get down پیاده شدن
get down to work به‌کار پرداختن
get home [مجازاً] حالیِ... شدن
get in جمع‌آوری کردن (محصول)؛ وصول کردن؛ سوار شدن؛ انتخاب شدن؛ وارد شدن
get into سوار شدن در؛ پوشیدن
get into one's head حالی شدن
get married عروسی کردن
get off تبرئه کردن؛ رهایی یافتن؛ پیاده شدن (از)؛ حرکت یا عزیمت کردن؛ روانه کردن؛ عقب رفتن از
get off to sleep خواب رفتن؛ خواب کردن، خواباندن
get off with a girl با دختری روی هم ریختن
get on پیش رفتن؛ گذران کردن؛ ساختن، تا کردن؛ سوار شدن

get on one's feet (*or* legs) برای صحبت بر پا ایستادن

He is getting on for 7 پایش توی ۷ سال است. می‌رود توی ۷ سال.

get out بیرون رفتن؛ برخاستن؛ فاش شدن؛ رهایی یافتن؛ گفتن، از دهن در آوردن؛ در رفتن؛ [در صیغه امر] دورشو، برو پی کارت

get over فایق آمدن بر؛ (از سرخود) رفع کردن؛ طی کردن؛ از روی (چیزی) گذشتن؛ به پایان رساندن

get ready حاضر کردن؛ حاضر شدن

get round از سر خود وا کردن؛ پیشدستی کردن بر؛ قلق (کسی را) به دست آوردن

get round the law با کلاه شرعی از اجرای قانون طفره زدن

get there *Sl* به‌جایی رسیدن، موفق شدن

get through گذشتن از؛ به پایان رساندن، تمام کردن؛ گذراندن

get through with فارغ شدن از

Get to work! مشغول کار شوید!

get together فراهم آوردن؛ شور و مذاکره کردن

get up برخاستن، پاشدن؛ سوار شدن؛ بلند کردن؛ درست کردن (مو)؛ اتو کردن؛ راه انداختن، دایر کردن

well got-up خوب درست شده، پاکیزه، حسابی

He got his back up. سر قوز افتاد، لج‌کرد.

He got used to it. به آن عادت کرد.

I got it done. واداشتم (یا دادم) آن‌کار را کردند.

He has got a good book. کتاب خوبی دارد.

I have got to go. مجبورم بروم.

get-at-able /ˌgetˈætəbl/ *adj* رسیدنی، یافتنی، قابل حصول

get-up /ˈgetʌp/ *n* طرز؛ ترکیب، شکل

gew-gaw /ˈgjuː gɔː/ *n* چیز قشنگ و بی‌مصرف، بازیچه

geyser /ˈgiːzə(r) US: ˈgaɪzər/ *n* آب‌فشان، چشمهٔ آب‌گرم؛ آبگرمکن

ghastly /ˈgɑːstlɪ;ˈgæstlɪ/ *adj* رنگ پریده؛ مخوف، ترسناک

ghastly *(adv)* **pale** دارای رنگ مرده

ghee /giː/ *n* روغن، کرهٔ آب کرده

gherkin /ˈgɜːkɪn/ *n* خیارِ ریز، خیارترشی

ghetto /ˈgetəʊ/ *n* محلهٔ کلیمیان

ghost /gəʊst/ *n* شبح؛ روح، روان، جان؛ خیال، طیف؛ آدم لاغر؛ ذره

give up the ghost جان سپردن

ghostly /ˈgəʊstlɪ/ *adj* روح مانند؛ خیالی

ghoul /guːl/ *n* غول

giant /ˈdʒaɪənt/ *n,adj* ۱.آدم خیلی قدبلند ۲.غول‌مانند، خیلی بلند؛ عظیم‌الجثه

gibber /ˈdʒɪbə(r)/ *vi* تند و ناشمرده سخن گفتن، دست و پاشکسته حرف زدن

gibbet /ˈdʒɪbɪt/ *n,vt* ۱.صلابه، چوبهٔ دار ۲.دار زدن؛ [مجازاً] انگشت‌نما کردن

gibbon /ˈgɪbən/ *n* نوعی میمونِ کوچک در Malay

gibe /dʒaɪb/ *n,vi,vt* ۱.استهزا؛ طعنه ۲.بااستهزا طعنه زدن ۳.باطعنه استهزا کردن

giblets /ˈdʒɪblɪts/ *npl* دل و جگر غاز و مرغ خانگی که از آن غذا تهیه کنند

giddiness /ˈgɪdɪnɪs/ *n* گیجی، سرگیجه

giddy /ˈgɪdɪ/ *adj* گیج؛ بی‌فکر؛ سبک؛ ناپایدار؛ گیج‌کننده

gift /gɪft/ *n,vt* ۱.بخشش؛ پیشکشی؛ هبه؛ عیدی؛ نعمت، موهبت ۲.پیشکش کردن (به)، بخشیدن (به)

look a gift horse in the mouth به دندان اسب پیشکشی نگاه کردن

at a gift مفت، به‌طور پیشکش

by gift رایگان؛ به‌طور پیشکش

gifted /ˈgɪftɪd/ *adj* با قریحه، با استعداد، مؤید

gifted with wit دارای هوش خداداده

gig /gɪg/ *n* درشکهٔ تک‌اسبه و دوچرخه؛ نیزهٔ ماهیگیری؛ چیز غریب

gigantic /dʒaɪˈgæntɪk/ *adj* بسیار بزرگ؛ دیوپیکر؛ عظیم‌الجثه؛ غول‌مانند

giggle /ˈgɪgl/ *vi* نخودی خندیدن

gigolo /ˈʒɪgələʊ/ *n* ژیگولو

gild /gɪld/ *vt* [gilded *or* gilt] مطلا کردن؛ اکلیل زدن؛ [مجازاً] خوش‌نما کردن

gild the pill نیش را به صورتِ نوش درآوردن، چیز ناگواری را گوارا یا خوش‌نما کردن

gilded youth جوانان پولدار و خوشگذران

gilder /ˈgɪldə(r)/ *n* مطلاکار؛ اکلیل کار

gilding /ˈgɪldɪŋ/ *n* مطلاکاری

gill /gɪl/ *n* نفس‌کش یا جهاز تنفسی ماهی، گوشک [بیشتر در جمع]؛ آبشش

gill /dʒɪl/ *n* جیل: یک سی‌ودوم گالن

gilt /gɪlt/ [*pp of* gild] *,n* ۱.زراندود، مطلا ۲.اندودِ زر، پوشش طلا؛ زرق‌وبرق

gilt-edged /ˌgɪlt ˈedʒd/ *adj* لب طلایی؛ ممتاز

gimcrack /ˈdʒɪmkræk/ *adj* کم‌بها؛ زیبانما

gimlet /ˈgɪmlɪt/ *n* مته کوچک

gin /dʒɪn/ *n* [نوشابه الکلی] جین

gin /dʒɪn/ *n,vt* [-ned] ۱.ماشینِ پنبه پاک‌کنی ۲.پاک کردن، از پنبه دانه سوا کردن؛ گیر انداختن

ginger /'dʒɪndʒə(r)/ *n,vt,adj* ۱.زنجبیل ۲.زنجبیل‌زدن(به)؛ تندوتیز کردن [بیشتر با up] ۳.بور یا حنایی [ginger hair]

gingerbread /'dʒɪndʒəbred/ *n* نان زنجبیلی

gingerly /'dʒɪndʒəlɪ/ *adj,adv* با احتیاط

gingham /'gɪŋəm/ *n* چیتِ راه‌راه یا شطرنجی، محرمات؛ کتان راه راه

gingival /dʒɪn'dʒaɪvəl/ *adj* لثوی

gipsy,gypsy /'dʒɪpsɪ/ *n* کولی، غربال‌بند، غربتی؛ قبطی

giraffe /dʒɪ'rɑ:f US: dʒə'ræf/ *n* زرافه

gird /gɜ:d/ *vt* [girded *or* girt] کمربند بستن، کمر بستن؛ احاطه کردن؛ مجهز کردن

  gird on به کمر بستن (شمشیر)

  gird up one's loins آماده شدن

girder /'gɜ:də(r)/ *n* تیر حمال

girdle /'gɜ:dl/ *n,vt* ۱.کمربند؛ کمر ۲.کمربند بستن؛ احاطه کردن

girl /gɜ:l/ *n* دختر(بچه)؛ کلفت

  girl guides پیشاهنگی دختران

girt /gɜ:t/ [*p,pp of* gird]

girth /gɜ:θ/ *n* محیط، اندازه کمر؛ تنگِ اسب

gist /dʒɪst/ *n* جان (کلام)؛ لُب

give /gɪv/ *vt,vi* [gave;given] ۱.دادن (به)؛ بخشیدن ۲.تاب نیاوردن، فرو ریختن

  Give me a book. کتابی به من بدهید.

  give a person best پیش کسی لُنگ انداختن

  give away از دست دادن؛ بخشیدن

  give back پس دادن

  give birth to زاییدن؛ بوجود آوردن

  give chase دنبال کردن

  give an example سرمشق شدن

  give forth بیرون دادن؛ منتشر کردن

  give in تسلیم شدن؛ از پا درآمدن

  give in charge سپردن

  give off (بیرون) دادن

  give out بخش کردن؛ واماندن؛ کم آمدن، تمام شدن؛ انتشار دادن

  give oneself out to be... خود را ... معرفی کردن

  give over ترک کردن، واگذار کردن؛ موقوف شدن؛ جواب کردن (مریض)

  give rise to باعث شدن

  give to eat خوراک دادن (به)، خورانیدن

  give to understand فهماندن

  give up ول کردن، دست کشیدن از؛ تسلیم کردن؛ لو دادن؛ از دست دادن؛ مأیوس شدن از

  give way راه دادن؛ جا خالی کردن؛ عقب نشستن؛ ضعف نشان دادن؛ پایین آمدن؛ خراب شدن؛ تاب نیاوردن

  The window gave on the garden. پنجره رو به باغ باز می‌شد.

  given (over) to معتاد به

  Given health I will finish it. به شرط تندرستی آن را تمام خواهم کرد.

  given conditions شرایط معین

given /'gɪvn/ *adj* [زیر give آمده است]

gizzard /'gɪzəd/ *n* سنگدان

Gk [مختصر Greek]

glacial /'gleɪsɪəl US: 'gleɪʃl/ *adj* منجمد؛ سرد

  glacial epoch *or* **period** عصر یخ، دورهٔ یخچالی

glacier /'glæsɪə(r) US: 'gleɪʃər/ *n* تودهٔ یخ غلتان، رودخانهٔ یخ

glad /glæd/ *adj* خوشحال، شاد؛ سپاسگزار

  I shall be glad if you will write it. خواهشمندم آن را بنویسید.

gladden /'glædn/ *vt,vi* ۱.خوشحال کردن ۲.خوشحال شدن

glade /gleɪd/ *n* خیابان یا سبزه‌زار میان جنگل

gladiator /'glædɪeɪtə(r)/ *n* شمشیرزن؛ گلادیاتور

gladiolus /,glædɪ'əʊləs/ *n* [-es;-li] گلایول، سیف‌الغراب

gladly *adv* با مسرت؛ از روی میل

gladness *n* خوشحالی؛ طیب خاطر

gladsome /'glædsəm/ *adj* خوشي‌آور، سرورآمیز؛ خوش، دلخوش، مسرور

glamorus /'glæmərəs/ *adj* طلسم‌آمیز؛ سحرآمیز

glamour /'glæmə(r)/ *n,vt* ۱.طلسم؛ فریبندگی ۲.مسحور کردن

glance /glɑ:ns US: glæns/ *n,vi,vt* ۱.نظرِ اجمالی؛ اشاره؛ ضربت یکبری با شمشیر؛ برق ۲.نظر اجمالی کردن؛ برق زدن؛ اشاره شدن ۳.به یک نظر دیدن؛ متوجه ساختن (چشم)؛ بیرون دادن (روشنایی)

  glance one's eye over نگاه سطحی و فوری کردن (به)

gland /glænd/ *n* غده، دشپل

glanders /'glændəz/ *npl* مشمشه: بیماری مسری‌است که به انسان نیز سرایت‌می‌کند

glandular /ˈglændjʊlə(r) US: -dʒʊ-/ *adj* غده‌ای
glare /gleə(r)/ *n,vi* ۱.روشنایی‌زننده؛ نگاه غضب‌آلود ۲.خیره نگاه کردن، خیره نگریستن
glaring /ˈgleərɪŋ/ *apa* خیره کننده؛ زننده؛ آشکار؛ دریده [صفت چشم]
glass /glɑ:s US: glæs/ *n,vt* ۱.شیشه؛ لیوان؛ گیلاس؛ آیینه؛ دوربین یا ذره‌بین؛ عدسی ۲.شیشه انداختن؛ بی‌حالت کردن چشم
glass-blower /ˈglɑ:s bləʊə(r)/ *n* شیشه‌گر
glasses *npl* عینک
wear glasses عینک گذاشتن، عینک زدن
glassful /ˈglɑ:sfʊl/ *n* (به‌اندازه) یک‌لیوان
glasshouse /ˈglɑ:shaʊs/ *n* گرمخانه، گلخانه
glassware /ˈglɑ:sweə(r)/ *n* ظروف شیشه
glassy /ˈglɑ:sɪ/ *adj* شیشه‌ای؛ بی‌نور؛ بی‌حالت
glaze /gleɪz/ *n,vt,vi* ۱.لعابِ شیشه؛ مهره؛ برق ۲.شیشه انداختن، جام انداختن (به)؛ لعابی کردن؛ برّاق کردن؛ مهره کشیدن ۳.بی‌نور شدن
glazier /ˈgleɪzɪə(r) US: -ʒə(r)/ *n* شیشه‌بُر
glaziery *n* شیشه‌بری
gleam /gli:m/ *n,vi* ۱.روشناییِ ضعیف؛ تظاهر موقتی؛ ذره، روزنه [gleam of hope] ۲.پرتو افکندن
gleamy *adj* ابری و آفتابی با هم
glean /glɪ:n/ *v* (خوشه) برچیدن؛ [مجازاً] خردخرد جمع کردن، ریزه‌چینی کردن
gleaner *n* خوشه (بر)چین، ریزه‌خور
gleanings *npl* ریزه، باقیمانده
glee /gli:/ *n* خوشی؛ سرود سه‌چهارنفری
gleeful /gli:fl/ *adj* شادمان، خوشحال؛ سرورآمیز
glen /glen/ *n* درهٔ تنگ
glib /glɪb/ *adj* چرب و نرم؛ چرب‌زبان
glide /glaɪd/ *vi,n* ۱.سُر خوردن؛ آسان رفتن؛ سبک پریدن ۲.سُر
glider /ˈglaɪdə(r)/ *n* هواپیمای بی‌موتور؛ [معنی لغوی] سُر خورنده
glimmer /ˈglɪmə(r)/ *n,vi* ۱.روشناییِ ضعیف ۲.به‌طور نامنظم نور دادن
glimpse /glɪmps/ *n* نگاه آنی، نظر اجمالی
catch a glimpse of اجمالاً دیدن
glint /glɪnt/ = gleam
glissade /glɪˈseɪd US: -ˈsɑ:d/ *vi* روی دامنه‌های برف و یخ سُرخوردن
glisten /ˈglɪsn/ *vi* برق زدن
glitter /ˈglɪtə(r)/ *vi,n* ۱.برق زدن، درخشیدن ۲.برق، تلألؤ، تابش

glittering /ˈglɪtərɪŋ/ *apa* درخشنده؛ جذاب
gloaming /ˈgləʊmɪŋ/ *n* هوایِ گرگ و میش [با the]
gloat /gləʊt/ *vi* چشم‌چرانی کردن؛ خیره نگریستن [با over]
globe /gləʊb/ *n* کره، گوی؛ حُباب
globe-trotter /gləʊb trɒtə(r)/ *n* جهانگرد، سیاح
globular /ˈglɒbjʊlə(r)/ *adj* کرَوی؛ گوی‌مانند؛ دارای گلوله‌های ریز
globule /ˈglɒbju:l/ *n* گویچه، گلبول
gloom /glu:m/ *n* تیرگی؛ افسردگی، دلتنگی
gloomy /ˈglu:mɪ/ *adj* تاریک؛ دلتنگ‌کننده
glorification /ˌglɔ:rɪfɪˈkeɪʃn/ *n* تجلیل؛ حمد
glorify /ˈglɔ:rɪfaɪ/ *vt* جلال دادن، بزرگ خواندن، حمد گفتن، تسبیح خواندن
glorious /ˈglɔ:rɪəs/ *adj* مجلل، معزز؛ باشکوه؛ خیلی‌عالی [گاهی‌به شوخی]
glory /ˈglɔ:rɪ/ *n* جلال، عزت؛ افتخار؛ شکوه؛ حمد، ثنا؛ هاله، (حلقهٔ) نور
go to glory *Col* به‌رحمت ایزدی پیوستن
glory *(vi)* **in** بالیدن یا فخر کردن به
gloss /glɒs/ *n,vt* ۱.جلا، رونق؛ ظاهرِ فریبنده؛ تفسیر، تأویل، حاشیه ۲.برق انداختن، جلا دادن؛ مهره کشیدن؛ جلوهٔ ظاهر دادن [بیشتر با over]؛ (با تفسیر و تاویل) خوش‌نما کردن؛ عیب‌پوشی کردن از
glossary /ˈglɒsərɪ/ *n* فرهنگِ لغات دشوار یا فنی، فهرستِ معانی، واژه‌نامه
glossitis /gləʊˈsaɪtɪs/ *n* التهاب زبان
glossy /ˈglɒsɪ/ *adj* جلادار، براق، صیقلی، پرداخته؛ [مجازاً] موجه‌نما، خوش‌ظاهر
glottis /ˈglɒtɪs/ *n* دهانهٔ حنجره، چاکنای، گلوت
glove /glʌv/ *n* دستکش
throw down the glove به جنگِ تن به تن دعوت کردن
take up the glove قبول مبارزه کردن
take off the gloves to a person (*or* **handle him without gloves**) با کسی بدون ملاحظه و رودربایستی رفتار یا صحبت کردن
glow /gləʊ/ *vi,n* ۱.تابیدن، قرمز شدن؛ مشتعل بودن ۲.تابش، برافروختگی، التهاب؛ گرمی، شوق
glow with passion در آتش شهوت سوختن؛ در تاب و تب بودن
glower /ˈglaʊə(r)/ *vi,n* نگاه خیره یا غضب‌آلود (کردن)
glowing *apa* تابان، باحرارت

glowing fever تب تند یا سوزان

glow-worm /'gləʊ wɜ:m/ *n* کرمِ شب‌افروز، کرم شبتاب، چراغک

gloze /gləʊz/ *vi* از نظر عیب‌پوشی تأویل کردن [با over]

glucose /'glu:kəʊs/ *n* قند انگور، گلوکز

glue /glu:/ *n,vt* ۱.سریش؛ سریشم ۲.چسباندن؛ دوختن (چشم)

glum /glʌm/ *adj* افسرده، کدر، رنجیده

glut /glʌt/ *vt* [-ted] *,n* ۱.سیر کردن؛ (زیاد) پر کردن؛ فرونشاندن ۲.پُرخوری؛ عرضهٔ بیش از تقاضا

glut oneself پرخوردن، تپاندن

gluten /'glu:tn/ *n* مادهٔ چسبندهٔ گندم

glutinous /'glu:tənəs/ *adj* چسبناک، لزج

glutton /'glʌtn/ *n* آدم پرخور

a glutton for work کسی که همیشه برای کار کردن حریص و آماده است

gluttonous /'glʌtənəs/ *adj* شکم‌گنده، پرخور، حریص

gluttony /'glʌtənɪ/ *n* پرخوری

glycerin(e) /'glɪsəri:n US:-rɪn/ *n* گلیسرین

gnarled /nɑ:ld/ *adj* پُرگره

gnash /næʃ/ *vt* به‌هم فشردن

gnash the teeth دندان قروچه کردن

gnat /næt/ *n* پشه

strain at a gnat مته به خشخاش گذاشتن

gnaw /nɔ:/ *v* [gnawed;gnawn *or* gnawed] مانند موش جویدن، ساییدن، خردخرد جویدن [گاهی با at]؛ [مجازاً] آزردن

gnawing *apa,n* ۱.جونده، قرّاضه ۲.رنج (درونی)؛ مالش شکم

gnome /nəʊm/ *n* جنِ زیرزمینی؛ کوتوله، گورزاد

go /gəʊ/ *vi* [went; gone] رفتن؛ رواج داشتن، خرج شدن؛ به سر بردن

He goes او می‌رود

He has (or is) gone رفته است

go about گشتن؛ دور زدن؛ تغییر جهت دادن؛ [مجازاً] شایع بودن؛ تقلا کردن؛ مشغول شدن به

Go ahead! بفرمایید! [یعنی ادامه دهید]

Go along with you! (Col) برو پی کارت! بشنو و باور نکن!

go at جداً مشغول شدن به

go away with بردن، ربودن

go back برگشتن

go bad ضایع شدن، خراب شدن

go by پیروی کردن از؛ گذشتن

go down غروب کردن؛ غرق شدن؛ روی کاغذ آمدن؛ خوابیدن [در گفتگوی از باد]؛ پایین آمدن، تنزل کردن

go down on one's knees زانو زدن

go for (رفتن و) آوردن؛ مورد حمله قرار دادن

go for nothing هیچ به حساب نیامدن

go hungry گرسنه ماندن

go in for داوطلب (امتحانی) شدن

go in with... با... پیوستن

go into رسیدگی یا شرکت کردن در؛ پوشیدن

go off در رفتن، خالی شدن؛ برگذار شدن؛ از صحنه خارج شدن؛ فرار کردن؛ آب شدن [به فروش رفتن]؛ فاسد شدن

go off one's head دیوانه شدن

He went off خوابش برد

Go on! بفرمایید! سخن خود را ادامه دهید! بروید پی کارتان!

He is going on for 20. پایش توی ۲۰ سال است. می‌رود توی ۲۰ سال.

What's going on? چه خبر است؟

go out خاموش شدن؛ عقب کشیدن؛ به پایان رسیدن؛ داخل جامعه شدن؛ منتشر شدن

go out (of fashion) دیگر متداول نبودن، از مد افتادن

My heart goes out to him. دلم پیش اوست. با او همدردی می‌کنم.

It is gone out of commission از کار افتاده است

go out of print تمام شدن [در گفتگوی از کتاب چاپ شده]

go over به آن سو رفتن؛ گذر کردن؛ منتقل شدن؛ مرور کردن؛ واژگون شدن

go round دور زدن، به‌همه رسیدن

go through مرور کردن؛ بحث کردن؛ انجام دادن؛ [با with] به پایان رساندن

It went through 5 editions پنج (دفعه) چاپ خورد

go to law (به دادگاه) عارض شدن

go to pieces خرد شدن

go without supper بی‌شام ماندن، سر بی‌شام بر زمین نهادن

The clock went 4. ساعت ۴ ضربه زد.

go the way of all flesh رفتن به راهی که همه می‌روند [مردن]

let go ول کردن، آزاد کردن

It goes a long way towards... خیلی تأثیر یا مدخلیت در ... دارد

The story goes (چنین) گویند

That verse does not go to this tune. آن شعر به این آهنگ نمی‌خورد.

I am going to خیال دارم...

go /gəʊ/ *n* [goes] ,*Col* نیروی رفتن؛ تندی؛ جنبش؛ نوبت، مجال؛ پیشامد (بد)؛ سبک متداول، مد

It's no go. هیچ کاری نمی توان کرد.

goad /gəʊd/ *n,vt* ۱.سیخک، سُک ۲.سیخ زدن؛ تحریک کردن

goal /gəʊl/ *n* [فوتبال] دروازه؛ [در مسابقه] نشان، حد؛ مقصد، هدف

goalkeeper /'gəʊlki:pə(r)/ *n* دروازه‌بان

goat /gəʊt/ *n* بُز؛ آدم شهوانی

he-goat; she-goat بز نر؛ بز ماده

This gets my goat. US,Sl خیلی مرا عصبانی می‌کند. خیلی لَجم می‌گیرد.

goatee /gəʊ'ti:/ *n* ریشِ بزی

goatherd /'gəʊthɜ:d/ *n* بزچران

goatskin /'gəʊtskɪn/ *n* تیماج

gobble /'gɒbl/ *v,n* ۱.حریصانه و لپ‌لپ خوردن ۲.صدای بوقلمون

gobbler /'gɒblə(r)/ *n* بوقلمون نر

go-between /'gəʊ bɪtwi:n/ *n* واسطه؛ دلال

goblet /'gɒblɪt/ *n* گیلاس پایه‌دار

goblin /'gɒblɪn/ *n* جنّ

go-by /gəʊ 'baɪ/ *n* عبور از پهلوی کسی بدونِ توجه به او، عدم‌توجه؛ بدرود؛ طفره، گریز؛ سبقت‌جویی

give the go-by (to) اعتنا نکردن به

go-cart /'geʊkɑ:t/ *n* چارچوب غلتک‌دار که کودکان راه رفتن را با آن می‌آموزند، روروک

God /gɒd/ *n* خدا؛ [با g] رب‌النوع

Grant God خدا کند

God willing اگر خدا بخواهد

Would to God خدا می‌کرد، کاش

goddess /'gɒdɪs/ *n* الهه، ربة‌النوع

godhead /'gɒdhed/ *n* خدایی، الوهیت

godless /'gɒdlɪs/ *adj* خدانشناس، شریر، بی‌دین

godlike /'gɒdlaɪk/ *adj* خداوار؛ خداپسندانه

godliness *n* دینداری، خداشناسی

godly /'gɒdlɪ/ *adj* خداشناس، دیندار

go-down /'gəʊdaʊn/ *n* انبار

godsend /'gɒdsend/ *n* نعمت غیرمترقبه

godspeed /,god'spi:d/ *n* خدا به‌همراه، به‌امان حق

wish a person godspeed به شخصی که عازم سفر است «خدا به‌همراه» گفتن

goggle /'gɒgl/ *vi* خیره نگریستن؛ چپ نگاه کردن؛ چشم خود را غلتاندن

goggle-eyed *adj* دارای چشمانِ درشت و خیره

goggles /'gɒglz/ *npl* عینک ایمنی

goings-on /,gəʊɪŋ 'ɒn/ *npl* ترتیبات

goitre;-ter /'gɔɪtə(r)/ *n* بزرگ شدگی غدهٔ درقی یا تیروئید، گواتر

gold /'gəʊld/ *n* زر، طلا؛ پول؛ رنگ طلایی

gold-beater /'gəʊld bi:tə(r)/ *n* زرورق‌ساز

golden /'gəʊldən/ *adj* زرین؛ طلایی

golden mean میانه‌روی، برکناری از افراط و تفریط

golden wedding جشن پنجاهمین سال عروسی

goldfish /'gəʊldfɪʃ/ *n* ماهی طلایی یا قرمز

gold-leaf /,gəʊld 'li:f/ *or* **gold-foil** *n* زرورق

goldsmith /'gəʊldsmɪθ/ *n* زرگر

golf /gɒlf/ *n* بازی گلف

golliwog /'gɒlɪwɒg/ *n* نوعی عروسک زشت

golosh = galosh

gondola /'gɒndələ/ *n* کرجی ونیزی

gondolier /,gɒndə'lɪə(r)/ *n* کرجی‌بان [در کرجیهای ونیزی]

gone /gɒn US: gɔ:n/ [*pp of* go]

gong /gɒŋ/ *n* نوعی زنگ یا ناقوس پهن؛ [زبان عامیانه] مدال

good/gʊd/ *adj* [better;best] ,*n* ۱.خوب، نیک؛ مهربان؛ سودمند؛ معتبر؛ موجه [a good excuse]؛ نسبتاً زیاد ۲.خوبی، احسان؛ خیر؛ فایده؛ [با the] نیکان؛ [در جمع] کالا، جنس، اجناس

Good luck to you! خدا به‌همراه!

good news مژده، خبرِ خوش

good for nothing بی‌مصرف؛ بی‌عرضه؛ بی‌ارزش؛ [به صورت صفت مرکب نیز به‌کار می‌رود بدین شکل: good-for-nothing]

We had a good time به ما خوش گذشت

Be good enough to go with me. لطف کنید همراه من بیایید.

That is very good of you نهایتِ محبت است (از طرف شما)

hold good معتبر بودن

a good deal مقدار (نسبتاً) زیادی

a good many نسبتاً خیلی

a good beating یک کتک حسابی

a good turn نیکی، احسان

in good spirits سرِ خلق، سرِحال

good looks زیبایی، قشنگی

be in good train خوب جریان داشتن
good debt طلب وصول شدنی
Good Friday آدینه‌ای که یادگار مصلوب شدن حضرت عیسی است
of good birth (از خانواده) اصیل
take in good part خوب تلقی کردن، به معنی خوب گرفتن، نرنجیدن از
good mind حسن نیت
good will *or* **goodwill** حسن نیت؛ رضامندی، میل
make good جبران کردن
He as good as told me that... تلویحاً به من گفت...
We are 5 dollars to the good. پنج دلار توی جیب ما رفت، پنج دلار پیش هستیم.
It is too good for... برای (فلان کار) حیف است
Good morning! صبح شما بخیر!
Good afternoon! عصر شما بخیر!
Good evening! سلام! [هنگام شب گفته می‌شود]
Good night! شب (به) شماخوش! شب بخیر!
Good God! Good heavens!
Good gracious! ای داد! عجب! ای خدا!
do good نیکی کردن، احسان کردن
come to good نتیجهٔ خوب دادن
for good به‌طور قطعی، برای همیشه

good-bye /ˌgʊdˈbaɪ/ *int* خداحافظ، خدانگهدار
good-bye /ˌgʊdˈbaɪ/ *n* خداحافظی، وداع
good-humoured /ˌgʊdˈhju:məd/ *adj* خوش‌طبع
good-looking /ˌgʊdˈlʊkɪŋ/ *adj* قشنگ، زیبا
goodly /ˈgʊdlɪ/ *adj* قشنگ؛ عالی [در طعنه]
good-natured /ˌgʊd neɪtʃəd/ *adj* خوش‌طبع، خوش‌حالت
goodness /ˈgʊdnɪs/ *n* خوبی؛ احسان؛ مهربانی
for goodness's sake به‌خاطر خدا
goods /gʊdz/ *npl* کالا، جنس، اجناس
good-tempered /ˌgʊd ˈtempəd/ *adj* خوشخو
goodwill /ˌgʊdˈwɪl/ *n* سرقفلی [به good نیز رجوع شود]
goody /ˈgʊdɪ/ *n* قاقا [یعنی شیرینی]
goose /gu:s/ *n* [geese] غاز؛ ماده غاز؛ [مجازاً] آدم ساده لوح
wild goose chase کار غیرعملی و محال
cook a person's goose برای کسی آش پختن، کار کسی را ساختن
set the fox to watch the geese گوشت را به دست گربه سپردن
All his geese are swans همه چیز را اغراق‌آمیز می‌کند

gooseberry /ˈgʊzbərɪ US: ˈgu:sberɪ/ *n* نوعی انگور فرنگی
play gooseberry زاغ سیاه دو نفر را چوب زدن، موی دماغ کسی شدن
goose-step /ˈgu:s step/ *n* رژهٔ آلمانی [بدون خم کردن زانو]، قدم آهسته
gore /gɔ:(r)/ *n* خونِ بسته؛ مرغک
gore /gɔ:(r)/ *vt* شاخ زدن (به)
gorge /gɔ:dʒ/ *n,v* ۱.درهٔ تنگ ۲.حریصانه (غذا) خوردن
My gorge rises at it دلم بالا می‌آید (از دیدن آن)
gorgeous /ˈgɔ:dʒəs/ *adj* زرق و برق‌دار؛ با جلوه؛ مجلل؛ باطنطنه؛ مزین
gorilla /gəˈrɪlə/ *n* نسناس، گوریل
gorse /gɔ:s/ = furze
gory /ˈgɔ:rɪ/ *adj* پوشیده از خونِ بسته
gosling /ˈgɒzlɪŋ/ *n* جوجه غاز
gospel /ˈgɒspl/ *n* انجیل
gossamer /ˈgɒsəmə(r)/ *n* بندِ شیطان، لعاب عنکبوت، مخاط شیطان؛ [به صورت صفت] لطیف، نازک؛ سبک
gossip /ˈgɒsɪp/ *n,vi* ۱.شایعاتِ بی‌اساس؛ دری‌وری؛ بدگویی؛ صحبت دوستانه؛ کسی که دوست دارد از دیگران بدگویی کند ۲.شایعات بی‌اساس دربارهٔ دیگران منتشر کردن
Gothic /ˈgɒθɪk/ *adj,n* ۱.وابسته به «گُت‌ها» (گروه آلمانی‌نژاد که در سده‌های سوم تا پنجم میلادی به‌امپراطوری روم حمله کردند)؛ وحشی ۲.حروف سیاه‌قلم؛ زبان گوتیک؛ سبک معماری گوتیک
got(ten) /ˈgɒt(n)/ [*p,pp of* get]
gouge /gaʊdʒ/ *n,vt* ۱.اسکنه؛ مُقار ۲.با انگشت درآوردن [با out]
gourd /gʊəd/ *n* کدوی قلیانی
gourmand /ˈgʊəmənd/ *n* آدمِ خوش‌خوراک یا صاحب‌سلیقه در خوراک
gout /gaʊt/ *n* نقرس
gouty *adj* نقرس‌دار؛ متورم
govern /ˈgʌvn/ *v* حکومت کردن (بر)؛ نافذ بودن (در)؛ ناظر بودن بر
govern one's passions خودداری کردن
governing body هیئت حاکمه
governess /ˈgʌvənɪs/ *n* معلمهٔ سرِ خانه
government /ˈgʌvənmənt/ *n* حکومت؛ دولت

governmental /ˌgʌvnˈmentl/ *adj* دولتی
governor /ˈgʌvənə(r)/ *n* فرماندار، حاکم؛ رئیس بانک؛ رئیس زندان؛ [در بعضی ماشینها] پروانه
governor-general /ˌgʌvənə ˈdʒenrəl/ *n* استاندار
gown /gaʊn/ *n* لباس بلند زنانه؛ لباس شب؛ جامه ویژه داوران و علما
Gr. = Greek; Greece
grab /græb/ *vt,vi* [-bed] ,*n* ۱.ربودن ۲.چنگ زدن ۳.ربایش؛ غصب
grabber *n* پول جمع‌کن
grace /greɪs/ *n,vt* ۱.توفیق، فیض؛ زیبایی، وقار؛ مهلت؛ خوش‌نیتی، خصلت پسندیده؛ شکرانه پیش از غذا یا پس از آن ۲.آرایش یا زیبایی دادن؛ مفتخر کردن؛ تأیید کردن
be in a person's good graces مورد التفات کسی بودن
period of grace مهلت، ضرب‌الاجل
ask for 2 days' grace دو روز مهلت خواستن
graceful /ˈgreɪsfl/ *adj* خوش‌اندام؛ با وقار
graceless /ˈgreɪslɪs/ *adj* بی‌نزاکت، بی‌ظرافت
gracious /ˈgreɪʃəs/ *adj* فیض‌بخش، مهربان؛ مؤدب؛ خیرخواه
gradation /grəˈdeɪʃn US: greɪ-/ *n* درجه‌بندی، سلسله؛ پایه؛ انتقال تدریجی
grade /greɪd/ *n,vt,vi* ۱.پایه، درجه، رتبه؛ شیب؛ طبقه، کلاس؛ نمره؛ نوع، رقم ۲.درجه‌بندی کردن، جور کردن؛ نمره گذاشتن؛ شیب منظم دادن ۳.(در فلان پایه) قرار گرفتن
first-grade درجه‌یک، بهترین
on the up grade بالارونده
grade crossing گذرگاه هموار
gradient /ˈgreɪdɪənt/ *n* شیب
gradual /ˈgrædʒʊəl/ *adj* تدریجی
gradually /ˈgrædʒʊlɪ/ *adv* به‌تدریج، کم‌کم
graduate /ˈgrædʒʊeɪt/ *vi,vt* ۱.درجه گرفتن، فارغ‌التحصیل شدن ۲.درجه دادن؛ درجه‌بندی کردن؛ مدرّج کردن؛ تدریجاً تغییر دادن
graduate /ˈgrædʒʊət/ *n* صاحبِ درجه، فارغ‌التحصیل؛ پیمانهٔ درجه‌دار
graduation /ˌgrædʒʊˈeɪʃn/ *n* درجه‌بندی؛ (اعطای) درجه؛ فراغت از تحصیل
graft /grɑ:ft US: græft/ *n,vt* ۱.پیوند؛ قلمه؛ تشبث و حقه‌بازی ۲.پیوند زدن؛ جابه‌جا کردن؛ به‌هم پیوستن
grain /greɪn/ *n,vt,vi* ۱.دانه، حب؛ [در جمع] غله، حبوبات؛ خرده؛ جو؛ ذره؛ زِبری؛ بافت، خمیره؛ رگه، طبقه؛ مشرب؛ حالت؛ تمایل ۲.دانه‌دانه کردن؛ رنگ ثابت زدن ۳.دانه‌دانه شدن
of fine grain ریزدانه، ریزبافت
in grain جنساً
dye in grain رنگ ثابت زدن
against the grain از بیراهه
with a grain of salt با تردید، به‌قید احتیاط
gram /græm/ = gramme
grammar /ˈgræmə(r)/ *n* دستور (زبان)، صرف و نحو
grammar school دبیرستان
grammarian /grəˈmeərɪən/ *n* دستوردان، صرفی، نحوی
grammatical /grəˈmætɪkl/ *adj* دستوری، صرف و نحوی
gramme /græm/ *n* گرم [واحد سنجش]
gramophone /ˈgræməfəʊn/ *n* گرامافون
grampus /ˈgræmpəs/ *n* نوعی ماهیِ یونس
granary /ˈgrænərɪ/ *n* انبار غله
grand /grænd/ *adj* با شکوه، عالی، مجلل؛ مهم، برجسته؛ کل [grand total]
grand stand جایگاه تماشاچیان
grandchild /ˈgræntʃaɪld/ *n* نوه
granddaughter /ˈgrændɔ:tə(r)/ *n* نوه: دخترِ پسر، دخترِ دختر
grandee /grænˈdi:/ *n* اعیان‌زاده، اصیل
grandeur /ˈgrændʒə(r)/ *n* بزرگی، عظمت، شکوه، شأن؛ ابهت
grandfather /ˈgrændfɑ:ðə(r)/ *n* پدربزرگ، جد
great grandfather پدرجد، جد اعلی
grandiloquence /grænˈdɪləkwəns/ *n* آب و تاب
grandiloquent /grænˈdɪləkwənt/ *adj* پُر آب‌وتاب؛ قلنبه؛ قلنبه‌نویس
grandiose /ˈgrændɪəʊs/ *adj* بزرگ (نما)، عالی
grandma /ˈgrænmɑ:/ *n* [به‌زبان کودکان] مادربزرگ، ننه‌جان
grandmother /ˈgrænmɑ:ðə(r)/ *n* مادربزرگ، جده
grandpa /ˈgrænpɑ:/ *n* [به زبانِ کودکان] پدربزرگ، باباجان، بابابزرگ
grandparent /ˈgrænpeərənt/ *n* پدربزرگ، جد؛ مادربزرگ، جده
grandson /ˈgrænsʌn/ *n* نوه: پسرِ پسر یا پسرِ دختر

grange /greɪndʒ/ *n*
خانه ییلاقی با ساختمانهای زراعتی آن
granite /ˈgrænɪt/ *n* سنگ خارا
granny /ˈgrænɪ/ *n* مادربزرگ؛ پیرزن
grant /grɑːnt US: grænt/ *vt,n* ۱.بخشیدن، عطا کردن؛ پذیرفتن؛ مستجاب کردن؛ قایل شدن، مقرر داشتن، برقرار کردن؛ تصدیق کردن؛ (مسلم) فرض کردن؛ واگذار کردن (با امتیاز) ۲.بخشش؛ اعطا؛ قبول؛ امتیاز؛ اعانه
Granted that... فرض می‌کنیم که...
God grant that ... خدا کند که...
take for granted مسلم دانستن، (مسلم) فرض کردن، بدیهی دانستن
granulate /ˈgrænjʊleɪt/ *vt,vi* ۱.دانه‌دانه کردن، جودانه کردن ۲.دانه‌دانه شدن؛ گوشت نو آوردن
granulated *ppa* دانه‌دانه
granulated sugar شکر
granulated glass شیشه مات
granulation *n* [پزشکی] دانه‌دار شدن، گرانولاسیون
granule /ˈgrænjuːl/ *n* دانهٔ ریز؛ حب
grape /greɪp/ *n* انگور
grapefruit /ˈgreɪpfruːt/ *n* گریپ‌فروت؛ نوعی توسرخ
graph /grɑːf US: græf/ *n* نمودار، نمایشِ هندسی، گرافیک
graphic /ˈgræfɪk/ *adj* ترسیمی؛ شکلی؛ برجسته؛ مجسم‌کننده، روشن
graphics *n* فن استعمال گرافیک یا نمودار
graphite /ˈgræfaɪt/ *n* سربِ سیاه، گرافیت
grapnel /ˈgræpnəl/ *n* چنگک، قلاب
grapple /ˈgræpl/ *n,vi,vt* ۱.چنگک، قلاب ۲.گلاویز شدن ۳.با قلاب گرفتن؛ چنگ زدن به
grappling-iron /ˈgræplɪŋ aɪən/ = grapnel
grasp /grɑːsp US: græsp/ *vt,n* ۱.(محکم) گرفتن، در چنگ آوردن؛ درک کردن ۲.اخذ، چنگ(زنی)، قبض؛ درک، فهم
grasp the nettle دلیرانه با خطری مواجه شدن، در مقابل خطر سینه سپر کردن
grasp *(vi)* **at** چنگ زدن به؛ [مجازاً] مشتاقانه پذیرفتن
within grasp در دسترس؛ قابل درک
grass /grɑːs US: græs/ *n* علف؛ چمن
at grass در چرا، مشغول چریدن
put to grass چراندن
grass widow زنی که شوهرش او را ترک کرده باشد
Don't let the grass grow under your feet آب در دست داری نخور، معطل نکن
grasshopper /ˈgrɑːshɒpə(r) US: ˈgræs-/ *n* ملخ
grassy *adj* علفزار؛ چمنی، سبز
grate /greɪt/ *n,vt* ۱.بخاری یا اجاق دیواری ۲.دارای شبکهٔ آهنی کردن
grate /greɪt/ *vt* رنده کردن (پنیر و غیره)؛ (به‌هم) ساییدن
grate the teeth دندان قروچه کردن
grate *(vi)* **on** آزردن
grateful /ˈgreɪtfl/ *adj* سپاسگزار، ممنون
I am grateful to him از او سپاسگزارم
gratification /ˌgrætɪfɪˈkeɪʃn/ *n* خوشی، حظ، حظ نفس؛ ترضیه؛ پاداش
gratify /ˈgrætɪfaɪ/ *vt* محظوظ ساختن؛ راضی کردن؛ پاداش یا انعام دادن (به)
gratifying *apa* مایهٔ خوشی
grating /ˈgreɪtɪŋ/ *n,apa* ۱.شبکهٔ آهنی ۲.تیز و دلخراش
gratis /ˈgreɪtɪs/ *adj,adv* (به) رایگان
gratitude /ˈgrætɪtjuːd US: -tuːd/ *n* حق‌شناسی، سپاسگزاری، نمک‌شناسی
gratuitous /grəˈtjuːɪtəs US: ˈtuː-/ *adj* رایگان، مفت، بلاعوض؛ بی‌جهت
gratuitously *adv* بلاعوض
gratuity /grəˈtjuːətɪ US: ˈtuː-/ *n* انعام
grave /greɪv/ *n* گور، آرامگاه، قبر
grave /greɪv/ *adj* سخت، شدید؛ بزرگ، مهم؛ موقر؛ وخیم؛ [موسیقی] بم
grave /greɪv/ *vt* [graved; graved *or* graven] کندن، نقش کردن؛ درآوردن؛ جایگیر یا منقوش ساختن
gravel /ˈgrævl/ *n,vt* [-led] ۱.سنگریزه؛ ریگ ۲.با سنگریزه فرش کردن؛ شن ریختن در
gravely *adv* شدیداً؛ موقرانه
graven /ˈgreɪvn/ *ppa* تراشیده، کنده، منقوش [رجوع شود به grave]
gravestone /ˈgreɪvstəʊn/ *n* سنگِ گور
graveyard /ˈgreɪvjɑːd/ *n* گورستان، قبرستان
graving-dock /ˈgreɪvɪŋ dɒk/ *n* تعمیرگاه کشتی
gravitate /ˈgrævɪteɪt/ *vi* به‌حکم جاذبه حرکت کردن؛ کشیده شدن
gravitation /ˌgrævɪˈteɪʃn/ *n* گرایش، کشش، جاذبه، انجذاب، تمایل؛ میل به پستی
gravity /ˈgrævətɪ/ *n* گرانی، سنگینی، ثقل، وزن؛ جاذبهٔ زمین؛ وقار؛ اهمیت

centre of gravity گرانیگاه،مرکز ثقل
gravy /'greɪvɪ/ *n* شیرهٔ گوشت؛ سس یا خورشی که از شیرهٔ گوشت درست شود
gray /greɪ/ *adj* = grey
graze /greɪz/ *vt,vi* ۱.چرانیدن؛ چریدن در (علف)؛ خراشیدن ۲.چریدن
grazier /'greɪzɪə(r)/ *n* گاودار، گله‌دار، دامپرور
grease /gri:s/ *n* روغن؛ گریس؛ چربی
in grease پرواری، پروار
wool in the grease پشم نشسته، پشم ناشور، پشم تازه‌چین
grease/gri:s/ *vt* روغن‌زدن، گریس‌کاری کردن
grease the palm of a person سبیل کسی را چرب کردن، دَم کسی را دیدن
greasy /'gri:sɪ/ *adj* روغنی، چرب
great /greɪt/ *adj* بزرگ، کبیر
the Great Bear [هیئت] دب اکبر
Great Britain بریتانیای کبیر
great grandchild نتیجه [بچهٔ نوه]
greatcoat /'greɪtkəʊt/ = overcoat
greatly *adv* زیاد، بسیار، خیلی
greatness *n* بزرگی، عظمت؛ زیادی
Grecian/'gri:ʃn/ *n* یونانی، محصلِ زبان یونانی
Greece /gri:s/ *n* یونان
greed /gri:d/ *n* آز، حرص، طمع
greedily /gri:dɪlɪ/ *adv* حریصانه
greediness *n* حرص؛ پرخوری
greedy /'gri:dɪ/ *adj* حریص؛ پرخور
Greek /gri:k/ *adj,n* یونانی
It's Greek to me هیچ از آن سر در نمی‌آورم
green /gri:n/ *adj,n,vi,vt* ۱.سبز؛ نارس، کال؛ تازه‌نفس؛ بی‌تجربه، تازه‌کار؛ حسود ۲.سبزه، چمن ۳.سبز شدن ۴.سبز کردن
green eye رشک (ورزی)، حسد
greenback /'gri:nbæk/ *n,US* پشت سبز [کنایه از اسکناس]
greenery /'gri:nərɪ/ *n* سبزه؛ گلخانه؛ سبزی
greengage /gri:ngeɪdʒ/ *n* گوجه
greengrocer /'gri:ngrəʊsə(r)/ *n* سبزی‌فروش، میوه‌فروش
greengrocery /'gri:ngrəʊsərɪ/ *n* (دکان) سبزی‌فروشی یا میوه‌فروشی
greenhorn /'gri:nhɔ:n/ *n* آدم بی‌تجربه و گول‌خور، هالو
greenhouse /'gri:nhaʊs/ *n* گلخانه، گرمخانه
greenish /'gri:nɪʃ/ *adj* مایل به سبزی، کمی سبز
greenness *n* سبزی؛ کالی؛ خامی
greenroom /'gri:nru:m/ *n* استراحتگاهِ هنرپیشگان [در تماشاخانه]
greens *npl* سبزی؛ سبزیجات
greensward /'gri:n,swɔ:d/ *n* چمن
greenwood /'gri:nwʊd/ *n* جنگل سبز [که در قدیم جای متمردین و غارتگران بود]
greet /gri:t/ *vt* سلام کردن؛ [مجازاً] خوب تلقی کردن
greeting *n* سلام، درود
gregarious /grɪ'geərɪəs/ *adj* اجتماعی، جمعیت‌دوست؛ دسته‌ای، گله‌ای
grenade /grə'neɪd/ *n* نارنجک
grenadier /,grenə'dɪə(r)/ *n* سربازِ هنگ پیادهٔ Grenadier Guards ؛ نارنجک‌انداز
grew /gru:/ [*p of* grow]
grey /greɪ/ *adj* خاکستری؛ تیره؛ [دراسب] کبود
turn grey سفید شدن [در مو]
greybeard /'greɪbi:rd/ *n* ریش‌سفید
grey-headed /,greɪ 'hedɪd/ *adj* پیر، سابقه‌دار
greyhound /'greɪhaʊnd/ *n* تازی، سگ تازی
ocean greyhound کشتی تندرو
greyish /'greɪɪʃ/ *adj* مایل به خاکستری
grid /grɪd/ *n* میله، سیم؛ سیخ؛ شبکه
griddle /'grɪdl/ *n* فر کیک‌پزی
gridiron /'grɪdaɪən/ *n* سیخ خوراک‌پزی، گوشت کباب‌کن؛ خطوط مشبک و مانند آن؛ پایهٔ مشبک
grief /gri:f/ *n* غم، اندوه، غصه
come to grief به‌نتیجه نرسیدن
grievance /'gri:vns/ *n* شکایت، گله، ناله؛ تظلم
grieve /gri:v/ *vt,vi* ۱.غمگین کردن، محزون کردن؛ [در صیغه اسم مفعول] محزون، غصه‌دار ۲.غصه خوردن
grievous /'gri:vəs/ *adj* غم‌انگیز، تألم‌آور؛ سخت؛ زیان‌آور، مضرّ
griffin; griffon /'grɪfɪn;'grɪfən/ *n* شیردال [جانور افسانه‌ای]
grill /grɪl/ *n,vt,vi* ۱.سیخ شبکه‌ای برای گوشت کباب کردن ۲.کباب کردن ۳.کباب شدن؛ سوختن
grille /grɪl/ *n* روزنه مشبک؛ شبکه
grim /grɪm/ *adj* ترسناک؛ بی‌رحمانه؛ شوم؛ بدقیافه، عبوس؛ سخت؛ سخت‌گیر
grimace /grɪ'meɪs/ *n,vi* ۱.ادا (و اصول)، شکلک ۲.ادا (و اصول) درآوردن
grime /graɪm/ *n,vt* ۱.دوده؛ چرک ۲.چرک کردن، سیاه کردن

grimly *adv* با قیافهٔ عبوس

grimy /'graımı/ *adj* دوده‌ای، سیاه؛ کثیف

grin /grın/ *vi* [-ned] نیش وا کردن، پوزخند زدن

grin and bear it سوختن و ساختن، دندان روی جگر گذاشتن

grind /graınd/ *vt,vi* [ground] ۱.آسیاب کردن؛ تیز کردن [grind an axe]؛ ساییدن؛ تراش دادن [grind a lens] ۲.خرد یا نرم شدن؛ کار سخت و یکنواخت کردن

grind small خوب نرم کردن

axe to grind [مجازاً] منظور؛ غرض

grind a person in a subject مطلبی را خوب حالیِ کسی کردن

grinder /'graındə(r)/ *n* دندانِ آسیاب؛ سنگ رویِی آسیاب؛ آسیاب قهوه و مانند آن؛ چاقو تیزکن

grindstone/'graındstəʊn/ *n* سنگ چاقوتیزکن

grip /grıp/ *n,vt* [-ped] ۱.گیر، چنگ؛ چنگ‌زنی؛ مشت؛ ادراک؛ فشار؛ قبضه؛ گیره ۲.محکم گرفتن؛ گیر دادن، چسباندن؛ تأثیر کردن بر، گرفتن

come to grips دست به گریبان شدن

gripes /graıps/ *npl* زورِپیچ، قولنج

grippe /grıp/ *n,Fr* گریپ، آنفلوانزا

grisly /'grızlı/ *adj* مهیب

grist /grıst/ *n* گندم آسیابی، جو آسیابی

gristle /'grısl/ *n* غضروف

grit /grıt/ *n,vt* [-ted] ۱.سنگریزه؛ آشغال؛ رگه؛ طاقت، متانت؛ جرئت ۲.ساییدن، به‌هم فشردن

gritty *adj* ریگ‌دار؛ با جرئت

grizzle /'grızl/ *vi,Col* ناله و گریه کردن [در گفتگوی از کودکان]

grizzled /'grızld/ *adj* دارای موهای سفید (شده)؛ سفید (شونده)

grizzly /'grızlı/ *adj* (مایل به) خاکستری

groan /grəʊn/ *n,vi,vt* ۱.ناله ۲.نالیدن ۳.ناله‌کنان گفتن

grocer /'grəʊsə(r)/ *n* عطار، بقال، خواربارفروش

grocery *n* بقالی، عطاری، خواربارفروشی

grog /grɒg/ *n* عرقِ آمیخته با آب

groggy /'grɒgı/ *adj* متزلزل؛ مست

groin /grɔın/ *n* کش یا کشالهٔران

groom /gru:m/ *n,vt* ۱.مهتر ۲.تیمار کردن

groove /gru:v/ *n,vt* ۱.شیار، خط؛ جدول ۲.شیاردار کردن

grope /grəʊp/ *vi* کورمالی کردن

gross /grəʊs/ *adj,n* ۱.درشت؛ فاحش [gross fraud]؛ ناویژه، غیرخالص؛ درشت‌باف؛ گُنده، کلفت؛ سفت؛ بداخلاق؛ پرپشت ۲.قراص = ۱۴۴ عدد [جمع آن تغییر نمی‌کند]

in (the) gross به‌طورکلی، روی‌هم‌رفته

grotesque /grəʊ'tesk/ *adj,n* (شکل) غریب و عجیب و بی‌تناسب، (صورت) مضحک

grotto /'grɒtəʊ/ *n* [-toes *or* -tos] سرداب؛ غار، مغاره

grouch /graʊtʃ/ *n,vi* کج‌خلقی؛ آدم کج‌خلق و غرغرو ۲.غرغر یا بدخلقی کردن

ground /graʊnd/ *n,adj* ۱.زمین؛ میدان؛ زمینه؛ [در جمع] (الف) حیاط یا باغچه (ب) تفاله؛ [مجازاً] جهت، سبب؛ عنوان ۲.زمینی؛ تهی؛ اساسی .

above ground در حیات

break fresh ground زمین تازه‌ای را شخم زدن، [مجازاً] مبادرت به‌کار تازه‌ای کردن

cover much ground جامع‌الاطراف بودن

cut the ground from under one's feet زیر پای کسی را سست کردن، دلایل کسی را خنثی کردن

down to the ground *Col* ازهمه‌جهت

gain ground پیشرفت کردن

give ground عقب‌نشینی کردن

on the ground of به‌عنوانِ؛ به دلیلِ

ground floor طبقه همکف

ground staff کارکنان زمینی فرودگاه

shift one's ground عقیده یا حرف خود را تغییر دادن

stand one's ground در حرف یا عقیده یا دعاوی خود ایستادگی کردن

ground /graʊnd/ *vt,vi* ۱.(بنا) نهادن، کار گذاشتن؛ به گل نشاندن؛ کنار گذاشتن (اسلحه) ۲.به گل نشستن

well grounded دارای مایه خوب

ground /graʊnd/ [*p,pp of* grind] ,*adj*

ground glass شیشهٔ تگرگی یا دان‌دان

grounded *adj* بااساس؛ باجهت

grounding *n* مایه یا پایه [در تعلیم]

groundless/'graʊndlıs/ *adj* بی‌اساس؛ بی‌مورد

ground-nut = peanut

grounds *npl* تفاله؛ حیاط، باغچه

groundwork /'graʊndwɜ:k/ *n* زمینه؛ شالوده

group /gru:p/ *n,vt,vi* ۱.دسته، گروه، طبقه ۲.دسته(بندی)کردن ۳.جمع شدن، طبقه‌بندی شدن

group with other things در زمرهٔ چیزهای دیگر قرار دادن

grouse /graʊs/ *n* [grouse] باقرقره

grouse /graʊs/ *vi,n,Col* ۱.نالیدن، غر زدن ۲.ناله، غر
grove /grəʊv/ *n* درختستان، بیشه
grovel /ˈgrɒvl/ *vi* [-led] دمر خوابیدن، به خاک افتادن؛ سینه‌مال رفتن؛ پست شدن
grow /grəʊ/ *vi,vt* [grew;grown] ۱.رویدن؛ سبز شدن؛ بزرگ شدن؛ زیاد شدن؛ ترقی کردن؛ شدن، گشتن ۲.رویانیدن، کاشتن؛ عمل آوردن
 grow in years سالخورده شدن
 grow up بزرگ شدن، بالغ شدن
 grow into a habit عادت شدن
 grow a beard ریش گذاشتن
 It grew dark. (کم کم) تاریک شد.
 He has grown out of his clothes. لباسش برای او کوچک شده است.
grower [اسم‌فاعل grow که در ترکیب‌ها به‌کار می‌رود]
 fruit-grower میوه کار
 a fast grower گیاه تندرو
growl /graʊl/ *n,vi* ۱.خُرخُر ۲.خرخر کردن [مانند سگ]؛ غرغر کردن، لندلند کردن
grown /grəʊn/ [*pp of* grow]
grown-up /ˌgrəʊn ˈʌp/ *adj,n* بالغ، سالمند
growth /grəʊθ/ *adj* رشد؛ ترقی؛ کشت
grub /grʌb/ *n,vi,vt* [-bed] ۱.کرم حشره، نوزاد؛ آدم زحمتکش؛ [زبان عامیانه] نواله، خوراک ۲.زمین کندن؛ جان کندن ۳.کاویدن؛ [با up] در آوردن (ریشه)، از ریشه پاک کردن؛ از ریشه کندن
grubby /ˈgrʌbɪ/ *adj* کرم‌گرفته؛ چرک
grudge /grʌdʒ/ *n,vt* ۱.لج، لجاجت، غرض؛ غبطه ۲.از دادن (چیزی) دریغ کردن
 bear a grudge لجاجت یا کینه داشتن با
grudgingly *adv* اکراهاً، بامضایقه
gruel /ˈgru:əl/ *n* اُماج، آرد جو با شیر
 have (*or* get) one's gruel به‌سزای خود رسیدن
gruelling /ˈgru:əlɪŋ/ *adj* سخت، طاقت‌فرسا، کشنده
gruesome /ˈgru:səm/ *adj* ترسناک
gruff /grʌf/ *adj* خشن؛ ناهنجار
grum /grʌm/ *adj* بدخو، ترشرو
grumble /ˈgrʌmbl/ *vi,vt,n* ۱.غرغر کردن، لندلند کردن؛ ناله کردن ۲.با غرغر گفتن [با out] ۳.غرغر، ناله
grumbling *n,apa* غرغر(و)
grumpy /ˈgrʌmpɪ/ *adj* بدخو، عبوس، درشت؛ ایرادگیر، ناراضی
grunt /grʌnt/ *n,vi* ۱.خُرخر (خوک)؛ لندلند ۲.خرخر کردن؛ غریدن
gryphon /ˈgrɪfən/ = griffin
guano /ˈgwɑ:nəʊ/ *n* فضلهٔ مرغان دریایی یا کود آن
guarantee /ˌgærənˈti:/ *n,vt* ۱.ضمانت؛ تعهد؛ ضامن، پایندان؛ وثیقه، تضمین؛ متعهدله ۲.ضمانت کردن؛ تعهد کردن
guarantor /ˌgærənˈtɔ:(r)/ *n* ضامن، پایندان
guaranty /ˈgærəntɪ/ = guarantee *n*
guard /gɑ:d/ *n* نگهبانی؛ کشیک؛ محافظت؛ نگهبان، پاسدار؛ ضامن، پناه
 off one's guard غافل
 on one's guard مواظب؛ در پاسگاه
 to mount guard به نگهبانی رفتن
 to relieve guard نگهبانی را تحویل گرفتن
guard /gɑ:d/ *vt,vi* ۱.نگاه داشتن، پاییدن ۲.نگهبانی کردن، کشیک دادن؛ احتیاط کردن
guarded *ppa* محتاط؛ احتیاط‌آمیز
guardhouse /ˈgɑ:dhaʊs/ *n*; **guardroom** /ˈgɑ:dru:m/ پاسدارخانه، زندان
guardian /ˈgɑ:dɪən/ *n* نگهبان، مستحفظ؛ بزرگتر، ولی؛ [حقوق] قیم
guardianship *n* قیمومت؛ نگهبانی
guardsman /ˈgɑ:dzmən/ *n* [-men] گارد؛ سرباز عضو گارد
gubernatorial /ˌgu:bənəˈtɔ:rɪəl/ *adj* مربوط به فرماندار
gudgeon /ˈgʌdʒən/ *n* ماهی ریزِ قنات؛ [مجازاً] آدم زودباور و گول‌خور
guerdon /ˈgɜ:dn/ *n,Poet* پاداش
guerilla /gəˈrɪlə/ *n* جنگِ چریکی؛ [در جمع] کسانی که در این جنگ شرکت می‌کنند، چریک
guess /ges/ *n,vt* حدس (زدن)
 guess a riddle معمایی را حل کردن
 by guess; at a guess حدساً، از روی حدس
guesswork /ˈgeswɜ:k/ *n* حدس
guest /gest/ *n,v* ۱.مهمان ۲.مهمان کردن، مهمان شدن
guffaw /gəˈfɔ:/ *n* قاه‌قاهِ پرصدا و زشت
guidance /ˈgaɪdns/ *n* راهنمایی
guide /gaɪd/ *n,vt* ۱.راهنما، هادی؛ جلودار؛ پیشاهنگ ۲.راهنمایی کردن، هدایت کردن
 a guide to... راهنمایِ...
 Girl Guides پیشاهنگی دختران
guidebook /ˈgaɪdbʊk/ *n* کتاب راهنمای مسافران و جهانگردان
guide-post /ˈgaɪdpəʊst/ = finger-post
guild /gɪld/ *n* صنف

guilder /ˈgɪldə(r)/ *n* گیلدر: واحد پول هلند
guile /gaɪl/ *n* تزویر؛ خیانت
guileful /gaɪlfl/ *adj* مزور؛ خائنانه
guileless *adj* بی‌تزویر، ساده
guillotine /ˈgɪləti:n/ *n,vt* ۱.ماشین گردن‌زنی؛ ماشین کاغذبری؛ گیوتین ۲.گردن زدن
guilt /gɪlt/ *n* تقصیر؛ مجرمیت
guiltless *adj* بی‌گناه؛ عاری، فاقد
guilty *adj* گناهکار، مقصر، مجرم؛ حاکی از تقصیر؛ گناه‌آلود
guilty of... محکوم به، مرتکبِ ...
guinea /ˈgɪnɪ/ *n* گینی: سکه زر که برابر است با ۲۱ شیلینگ
guinea-fowl /ˈgɪnɪfaʊl/ *n* مرغ شاخدار
guinea-pig /ˈgɪnɪpɪg/ *n* نوعی خوک که مانند موش است، خوک هندی
guise /gaɪz/ *n* ظاهر، هیئت، شکل؛ عنوان، بهانه، لفافه
guitar /gɪˈtɑ:(r)/ *n* گیتار[نوعی ساز]
gulch /gʌltʃ/ *n,US* درهٔ گود و باریک
gulf /gʌlf/ *n* خلیج؛ [مجازاً] ورطه؛ فاصله
gull /gʌl/ *n,vt* ۱.شخص ساده‌لوح؛ مرغ نوروزی، یاعو ۲.فریب دادن
gullet /ˈgʌlɪt/ *n* مری؛ مجرا
gullible /ˈgʌləbl/ *adj* گول‌خور، ساده‌لوح
gully /ˈgʌlɪ/ *n* مجرا، راه آب
gulp /gʌlp/ *n,vt* ۱.قُلپ، جرعه ۲.قورت دادن، قُلپ‌قُلپ خوردن [بیشتر با down]
at one gulp به‌یک نفس، به‌یک جرعه
gum /gʌm/ *n,vt* [-med] ۱.انگم، صمغ؛ چسب؛ لثه دندان [بیشتر به صیغه جمع] ۲.چسب زدن
gum arabic صمغ عربی
gum elastic کائوچو، لاستیک
chewing gum آدامس، سقز
gumboil /ˈgʌmbɔɪl/ *n* [دندان] پیله
gumboot /ˈgʌmbu:t/ *npl* گالش، پوتین لاستیکی
gummy *adj* چسبنده؛ صمغی
gumption /ˈgʌmpʃn/ *n,Col* هوش و استعداد
gun /gʌn/ *n* تفنگ؛ توپ
stand (*or* stick) to one's guns موقعیت خود را حفظ کردن
It blows great guns. باد سختی می‌وزد.
gunboat /ˈgʌnbeʊt/ *n* ناو کوچک توپدار
gun-carriage /ˈgʌn kærɪdʒ/ *n* عراده توپ
gun-cotton /ˈgʌn kɒtn/ *n* باروت پنبه
gunman /ˈgʌnmən/ *n,US,Col* دزد مسلح

gun-metal /ˈgʌn metl/ *n* مفرغ
gunned *adj* توپ‌دار
gunner /ˈgʌnə(r)/ *n* توپچی
gunnery /ˈgʌnərɪ/ *n* توپخانه؛ علم توپخانه
gunny /ˈgʌnɪ/ *n* گونی
gunpowder /ˈgʌnpaʊdə(r)/ *n* باروت
gun-running /ˈgʌnrʌnə(r)/ *n* ورود اسلحه قاچاق
gunshot /ˈgʌnʃɒt/ *n* توپ‌رس؛ گلوله
gunsmith /ˈgʌnsmɪθ/ *n* تفنگ‌ساز
gunwale /ˈgʌnl/ *n* لبهٔ بالایِ دیوار کشتی
gurgle /ˈgɜ:gl/ *vi* غلغل کردن؛ شرشر کردن
gush /gʌʃ/ *vi,n* ۱.روان شدن؛ جوشیدن ۲.ریزش؛ جوش؛ وزش
gusher *n* چاه‌نفت با فشارطبیعی زیاد
gusset /ˈgʌsɪt/ *n* [در خیاطی] مرغک
gust /gʌst/ *n* تندباد؛ [مجازاً] بروز احساسات
gusto /ˈgʌstəʊ/ *n* ذوق؛ لذت؛ طعم
gusty *adj* توفانی؛ بامزه
gut /gʌt/ *n* روده؛ زه؛ [مجازاً] باطن؛ جرئت؛ [در جمع] ارزش واقعی، مغز
gut /gʌt/ *vt* [-ted] روده درآوردن از، پاک کردن (ماهی)؛ خالی یا بی‌اسباب کردن
gutta-percha /ˌgʌtəˈpɜ:tʃə/ *n* (نوعی) کائوچو
gutter /ˈgʌtə(r)/ *n,vi* ۱.آبروِ شیروانی؛ جوی کنار خیابان؛ شیار، جدول ۲.گداختن؛ جاری شدن
gutter-snipe /ˈgʌtəsnaɪp/ *n* بچهٔ ولگرد، بچهٔ پابرهنه
guttural /ˈgʌtərəl/ *adj* گلویی
guy /gaɪ/ *n,vt* ۱.طناب، مهار؛ آدم [a nice guy]؛ شخص بدهیکل؛ مترسک ۲.با تمثال نمایش دادن؛ مسخره کردن
guzzle /ˈgʌzl/ *v* حریصانه خوردن
gymnasium /dʒɪmˈneɪzɪəm/ *n* ورزشگاه؛ باشگاه ورزشی
gymnast /ˈdʒɪmnæst/ *n* ژیمناست؛ ورزشکار
gymnastic /dʒɪmˈnæstɪk/ *adj* ژیمناستیکی؛ ورزشی
gymnastics *npl* ژیمناستیک؛ورزش
gynecological /ˌgaɪnəkəˈlɒdʒɪkl/ *adj* مربوط به بیماریهای زنان
gynecology /ˌgaɪnəˈkɒlədʒɪ/ *n* دانش بیماری زنان، پزشکی زنان
gypsy /ˈdʒɪpsɪ/ = gipsy
gyrate /ˌdʒaɪˈreɪt US: ˈdʒaɪreɪt/ *vi* چرخ زدن
gyves /gaɪvz/ *npl* بخو، زنجیر

H,h

H,h /eɪtʃ/ *n* هشتمین حرف الفبای انگلیسی

ha /hɑ:/ *int* ها؛ وه؛ ها

haberdasher /hæbədæʃə(r)/ *n* خرازی‌فروش؛ فروشندهٔ یقه و کراوات و پیراهن و غیره

haberdashery *n* خرازی؛ خرازی‌فروشی

habiliments *npl* لباس

habit /'hæbɪt/ *n,vt* ۱.خو، عادت ۲.جامه پوشاندن

riding habit لباس سواری زنانه

habitable /'hæbɪtəbl/ *adj* قابل سکونت، قابل زندگی، آباد

habitat /'hæbɪtæt/ *n* جای طبیعی، جای اصلی

habitation /ˌhæbɪ'teɪʃn/ *n* سکونت؛ منزل

habitual /hə'bɪtʃʊəl/ *adj* عادی

It is habitual with me عادت من است

habitually /hə'bɪtʃʊəlɪ/ *adv* بر حسب عادت

habituate /hə'bɪtʃʊeɪt/ *vt* عادت دادن

habituate oneself to خو گرفتن به

habitué /hə'bɪtʃʊeɪ/ *n,Fr* بینندهٔ همیشگی

hack /hæk/ *vt,vi,n* ۱.خرد کردن ۲.(ضربت) زدن ۳.اسب کرایه‌ای؛ نویسندهٔ مزدور

hacking cough /ˌhækɪŋ 'kɒf/ سرفهٔ خشک و تک‌تک

hackney /'hæknɪ/ *n* مالِ سواری، اسبِ سواری

hackney-carriage درشکه کرایه‌ای

hackneyed /'hæknɪd/ *adj* کهنه شده

had /hæd/ [*p,pp of* have]

haddock /'hædək/ *n* نوعی ماهیِ کوچک [در جمع تغییر نمی‌کند]

Hades /'heɪdi:z/ *n* جهانِ مردگان

hadn't /'hædnt/ = had not

haematemesis /hi:mə'temɪsɪs/ *n* استفراغ خون

haematic /hɪ'mætɪk/ *adj* خونی؛ خوندار

haematology /hi:mə'tɒlədʒɪ/ *n* خون‌شناسی

haematoma /ˌhi:mə'təʊmə/ *n* کیسه یا ورم خونی، غدهٔ خونی

haemorrhage /'hemərɪdʒ/*n* خونریزی، نزف‌الدم

haemorrhoids /'hemərɔɪdz/ *n,pl* بواسیر

haft /ha:ft US: hæft/ *n* دستهٔ چاقو یا کارد، قبضه

hag /hæg/ *adj* عجوزه جادوگر؛ پیرزن زشت

haggard /'hægəd/ *adj* فرسوده؛ (دارای چشمان) فرورفته

haggis /'hægɪs/ *n* نوعی خوراک اسکاتلندی که با دل و جگر گوسفند و بلغور جو درست می‌کنند

haggle /'hægl/ *vi* چانه زدن

Hague /heɪg/ *n*

The Hague لاهه [پایتخت هلند]

hail /heɪl/ *n* تگرگ

It hails (vi) تگرگ می‌بارد

hail /heɪl/ *n,int,vt,vi* ۱.سلام، درود؛ خوشامد ۲.سلام بر شما باد؛ خوش آمدید ۳.سلام کردن؛ لقی کردن؛ خطاب کردن (باسلام) ۴.خبر ورود ادن؛ رسیدن، آمدن

hail-fellow /'heɪl 'feləʊ/ *n* وست صمیمی

hail-stone /'heɪl stəʊn/ *n* دانه) تگرگ

hair /heə(r)/ *n* و، زلف؛ حصیر مویی

hair cut صلاح (سر)

lose one's hair ستپاچه شدن

not turn a hair خم به ابرو نیاوردن

hair'sbreadth /'heəzbredθ/ *n* یک) سرِ مو

hairbrush /'heəbrʌʃ/ *n* رس (موی) سر

hairdresser /'heədresə(r)/ *n* سلمانی برای مرد و زن

hair-dressing saloon *US* رایشگاه، غازهٔ سلمانی

hairiness *n* وشیدگی از مو؛ شباهت به مو؛ اصیت مویی

hairpin /'heəpɪn/ *n* سنجاق سر، پنس

hair-splitting /'heə splɪtɪŋ/ *n* وشکافی

hair-spring /'heəsprɪŋ/ *n* ر (پاندول)

hair-stroke /'heə strəʊk/ *n* ط نازک (و سربالا) در نوشتن، نازُک کاری

hairy *adj* ویی؛ پُرمو؛ کرکدار

hake /heɪk/ *n* [hake] نس cod [ماهیِ روغن]

halberd /'hælbəd/ *n* رزین

halberdier /ˌhælbədi:(r)/ *n* رزین‌دار

halbert /'hælbət/ = halberd

halcyon /'hælsɪən/ *adj* ام، بی‌باد

hale /heɪl/ *adj* وش‌بنیه؛ زنده‌دل

half /hɑ:f US: hæf/ *n* [halves] *,adj,adv* م، ف

half an hour نیم‌ساعت
one's better half زن (شخص)
half cooked نیم‌پخته
half mad اندکی دیوانه، خُل
half past two (ساعت) دوونیم
not half bad *Col* خیلی‌خوب
do by halves به‌طور ناقص انجام دادن
in halves نصف‌نصف، بالمناصفه
go halves نصف کردن
half-back /'hɑ:fbæk/ *n* [در فوتبال] هافبک، بازیکن خط میانی
half-baked /'hɑ:fbeɪkt/ *adj* نیم‌پخته؛ [مجازاً] خام، بی‌تجربه؛ ناقص
half-blood /'hɑ:fblʌd/ *n* برادر یا خواهر ناتنی
brother of half-blood برادر ناتنی
half-bred /'hɑ:fbred/ *adj* دورگه
half-breed /'hɑ:fbri:d/ *n* آدم دورگه
half-brother /'hɑ:fbrʌðə(r)/ *n* برادر ناتنی
half-caste /'hɑ:fkɑ:st/ *n* بچهٔ (هندی) دورگه که پدرش اروپایی باشد
half-cock /ˌhɑ:f'kɒk/ *n* [در تفنگ] چخماق در حال نیم پا
half-crown /ˌhɑ:f'kraʊn/ *n* سکهٔ ۲ شیلینگ و نیمی
half-hearted /ˌhɑ:f'hɑ:tɪd/ *adj* سرد، بی‌شور و شوق؛ بی‌میل؛ بی‌خلوص
half-mast /ˌhɑ:f'mɑ:st/ *n* حالت نیمه افراشته
at half-mast نیمه افراشته
half-pay /ˌhɑ:f'peɪ/ *n* حقوق ناتمام
half-penny /'heɪpnɪ US: 'hæfpenɪ/ *n* سکهٔ نیم‌پنی [اگر مقصود مبلغ نیم‌پنی باشد جمع آ halfpence می‌شود]
half-pennyworth /'heɪpnɪwɜ:θ/ *n* آنچه به نیم پنی بخرند [این کلمه ha'p'orth نیز گفته می‌شود]
half-seas-over /ˌhɑ:f si:z 'əʊvə(r)/ *adj* نیم‌مست
half-sister /'hɑ:f sɪstə(r)/ *n* خواهر ناتنی
half-way /ˌhɑ:f 'weɪ/ *adj* (واقع در) نیمه راه
meet half-way (با کسی) مدارا یا مصالحه و سازش کردن
half-witted /'hɑ:f 'wɪtɪd/ *adj* مخبط؛ خُل
half-yearly /'hɑ:f jɪəlɪ/ *adj,adv* ششماهه
halibut /'hælɪbət/ *n* نوعی ماهیِ پهن
hall /hɔ:l/ *n* سالن، تالار؛ سرسرا، راهرو؛ عمارت؛ ناهارخوری
hall-mark /'hɔ:lmɑ:k/ *n* انگ، نشان؛ عیار
hallo /hə'ləʊ/ *int* [تلفن] آلو، سلام

halloo /hə'lu:/ *int,n,v* ۱و۲.ای، اهوی، یاالله ۳.هی کردن
hallow /'hæləʊ/ *vt* مقدس کردن؛ [به صیغه اسم مفعول] مقدس
hallucination /həˌlu:sɪ'neɪʃn/ *n* خیال، وهم؛ خطای حس؛ توهّم
halo /'heɪləʊ/ *n* [-es] هاله؛ حلقهٔ نور
haloed *adj* دارای هاله
halt /hɔ:lt/ *n,vi,vt* ۱.ایست، مکث؛ سکته ۲.ایست کردن، مکث کردن، تأمل کردن؛ دودل بودن؛ سکته داشتن ۳.ایست دادن
halter /'hɔ:ltə(r)/ *n* آبخوری، افسار؛ ریسمانِ دار
halve /hɑ:v US: hæv/ *vt* دونیم کردن
halyard /'hæljəd/ *n* ریسمان بادبان
ham /hæm/ *n* ران خوک (که نمک زده و خشک کرده باشند)؛ پشت زانو
hamlet /'hæmlɪt/ *n* دهکده
hammer /'hæmə(r)/ *n,vt* ۱.چکش؛ چخماق تفنگ ۲.چکش زدن؛ با چکش فرو کردن
come under the hammer چوب حراج خوردن
hammer and tongs به‌شدت، با قوت
hammer out (زورکی) ساختن
hammer into a person's head به‌زور در کلهٔ کسی فرو کردن
hammock /'hæmək/ *n* ننو
hamper /'hæmpə(r)/ *n,vt* ۱.سبد، زنبیل ۲.مانع جنبیدن (چیزی) شدن؛ جلوگیری کردن از، مزاحم شدن
hamstring /'hæmstrɪŋ/ *n,vt* [-ed *or* -strung] ۱.پیِ زیر زانو ۲.پیِ زانو(ی کسی) را بریدن، فلج کردن
hand /hænd/ *n,vt* ۱.دست؛ عقربه؛ دسته؛ دستخط؛ امضا؛ کمک، کارگر؛ [مجازاً] دخالت ۲.دادن؛ کمک کردن
at hand نزدیک؛ دم دست
at first hand مستقیماً، در وهلهٔ نخست
at the hand of به‌دستِ، به‌وسیلهٔ، عملِ
in hand در دست اقدام؛ در جریان
off hand بی‌مطالعه، بی‌تهیه
on hand موجود؛ مانده، نکرده
on the other hand از طرف دیگر
out of hand غیرقابل جلوگیری؛ فوراً
under the hand of به امضایِ
He is a good hand at... در... عامل یاکهنه کار است

He lives from hand to mouth
هرچه در می‌آورد خرج می‌کند، دست به‌دهن است
change hands دست به‌دست رفتن
take a hand at شرکت کردن در (بازی)
better hand پیشی، تقدم
hand to hand دست به‌یقه
hand and foot با دقت و توجه کامل
hand in glove; hand and glove صمیمی، محرم
bear (*or* lend) a hand کمک کردن
ask for a lady's hand
تقاضای ازدواج با بانویی کردن
win a lady's hand
موافقت زنی را برای ازدواج جلب کردن
My hands are full دستم خالی نیست
I have... on my hands
... روی دستم مانده یا بر عهدهٔ من است
To keep his hand in برای اینکه دستش کند نشود
hand a lady into a carriage
بانویی را در سوار شدن درشکه کمک کردن
hand over تحویل دادن؛ واگذاردن
hand down به ارث گذاشتن
Hand off! دست زدن موقوف! دست خر کوتاه!
not to do a hand's turn
کمترین کار یا کمکی نکردن
with a heavy hand ظالمانه

hand-bag /hænd bæg/ *n* کیفِ دستی
hand-barrow /hænd bærəʊ/ *n* زنبه دستی
handbill /'hændbɪl/ *n* آگهی دستی
handbook /'hændbʊk/ *n* کتاب دستی، راهنما
handbreadth /'hændbredθ/ *n* پهنای دست
hand-cart /'hændkɑ:t/ *n* ارابه یا چرخ دستی
handcuff /'hændkʌf/ *n,vt* ۱.دستبند، بخو ۲.دستبند زدن
handful /'hændfʊl/ *n* مشت؛ تنی چند
handicap /'hændɪkæp/ *n,vt* [-ped]
۱.[در بازی] آوانس؛ [مجازاً] مانع ۲.در وضع نامساعد قرار دادن
handicraft /'hændɪkrɑ:ft US: -kræft/ *n*
صنعت دستی
handily /'hændɪlɪ/ *adv* در جای مناسب، در محل مناسب؛ ماهرانه، به‌راحتی، به‌سهولت
handiness *n* سهولتِ استعمال
handiwork /'hændɪwɜ:k/ *n* کارِ دستی
handkerchief /'hæŋkətʃɪf, -tʃi:f/ *n* دستمال
handle /'hændl/ *n,vt* ۱.دسته، دستگیره؛ دستاویز ۲.دست زدن، دستمالی کردن؛ جابه‌جا کردن، برداشتن و گذاشتن؛ با دست استعمال کردن؛ اقدام کردن در؛ اداره کردن؛ بحث کردن در؛ خرید و فروش کردن؛ رفتار کردن با؛ رام کردن، تربیت کردن
handling charges هزینهٔ باربری، هزینهٔ گذاشت و برداشت، هزینهٔ نقل و انتقال

handlebar /'hændlbɑ:(r)/ *n* دسته، فرمان
hand-made /ˌhænd'meɪd/ *adj* دستباف؛ دست‌دوز
handmaid /ˌhænd'meɪd/ *Arch* = maid-servant
handorgan /'hændɔ:gən/ *n* ارگ دستی
hand-out /'hændaʊt/ *n* اطلاعاتی که (از طرف دوایر دولتی) به جراید داده می‌شود
hand-rail /'hænd reɪl/ *n* نرده، دست‌انداز
hand-saw /'hændsɔ:/ *n* ارهٔ دستی
handsome /'hænsəm/ *adj* زیبا، قشنگ، خوش‌اندام؛ سخاوتمندانه؛ زیاد
handspike /'hændspaɪk/ *n* اهرم چوبی
handspring /'hændsprɪŋ/ *n* معلقِ روی دست
hand-to-hand /'hænd tə 'hænd/ *adj,adv* دست به‌یقه
hand-to-mouth /'hænd tə maʊθ/ *adj* دست به‌دهن، گنجشک‌روزی، کردی خوردی
hand-tool /'hænd tu:l/ *n* دست‌افزار، ابزاردست
handwriting /'hændraɪtɪŋ/ *n* دستخط
handy /'hændɪ/ *adj* سهل‌الاستعمال؛ موجود؛ زرنگ در کارهای دستی؛ سودمند
hang /hæŋ/ *vt,vi* [hung] ۱.آویزان کردن؛ دار زدن [در این معنی گذشته و اسم مفعول آن hanged می‌شود]؛ چسباندن (کاغذ دیواری)؛ خم کردن، پایین انداختن (سر) ۲.آویزان شدن؛ معلق بودن؛ معطل کردن؛ مردد بودن؛ انگل شدن
hang about در نزدیکی یا دور و بر (منتظر) بودن؛ گشتن، پرسه زدن
hang up مسکوت یا معوق گذاشتن
hang back بی‌میلی نشان دادن
hang behind لک و لِک کردن
hang on to something به چیزی چسبیدن؛ در چیزی خوب دقت کردن
hang over پشامدگی داشتن
hang over someone در انتظار کسی بودن، در کمین کسی بودن، قریب‌الوقوع بودن
hang together با هم مربوط بودن؛ با هم پیوسته بودن، با هم متحد بودن
Let it go hang! اهمیت ندهید! پشمش بدان! بی‌خیالش باش!

hangar /'hæŋə(r)/ *n* آشیانهٔ هواپیما
hangdog /'hæŋdɒg/ *adj* شرمنده، ترسو
hanger /'hæŋə(r)/ [در ترکیب]
coat-hanger; dress-hanger جالباسی، جارختی
paper-hanger کاغذ چسبان
hanger-on /,hæŋər 'ɒn/ *n* [hangers-on] انگل، مفتخور
hanging /'hæŋɪŋ/ *adj,n* ۱.آویزان؛ افسرده؛ معلق؛ دارزدنی ۲.اعدام؛ (در جمع) پرده، کاغذدیواری
hangman /'hæŋmən/ *n* [-men] دارزن، دژخیم
hangnail /'hæŋneɪl/ *n* ریشهٔ ناخن
hang-over /'hæŋeʊvə(r)/ *n* حالت خماری
hank /hæŋk/ *n* کلاف؛ حلقه
hanker /'hæŋkə(r)/ *vi* هوس داشتن؛ آرزو کردن، هوس کردن [با after]
hanky /'hæŋkɪ/ *n* [در زبان کودکان] دستمال
hanse /hæns/ *n* اتحادیه بازرگانی یا سیاسی
Hansard /'hænsɑ:d/ *n* مذاکراتِ رسمی پارلمان انگلیس
hansome /'hænsəm/; **-cab** *n* نوعی درشکهٔ دوچرخه
hap /hæp/ *n* اتفاق، قضا
haphazard /hæp'hæzəd/ *n,adj* ۱.اتفاق، تصادف ۲.اتفاقی، اللهبختی
at haphazard; by haphazard اتفاقاً، اللهبختی
hapless /'hæplɪs/ *adj* بدبخت
haply /'hæply/ *adv,Arch* شاید، تصادفاً
ha'p'orth /'heɪpəθ/ *n* = halfpennyworth
happen /'hæpən/ *vi* رخ دادن، اتفاق افتادن، واقع شدن؛ تصادف کردن
as it happens از قضا
I happened to be at home اتفاقاً من در خانه بودم
happening /'hæpənɪŋ/ *n* رویداد، اتفاق
happily /'hæpɪlɪ/ *adv* خوشبختانه
happiness *n* خوشی؛ سعادت
happy /'hæpɪ/ *adj* خوش، خوشحال؛ سعید، خوشبخت؛ قانع؛ مبارک
a happy chance حسنِ تصادف
happy tidings مژده، خبرِ خوش
Happy New Year! سال نو مبارک!
happy-go-lucky /,hæpɪ gəʊ 'lʌkɪ/ *adj* بی‌غم
harangue /hə'ræŋ/ *n,vi* ۱.سخنرانی با صدای بلند ۲.با صدای بلند نطق کردن

harass /'hærəs US: hə'ræs/ *vt* به‌ستوه آوردن، عاجز کردن
harbinger /'hɑ:bɪndʒə(r)/ *n* منادی، پیشرو
harbour /'hɑ:bə(r)/ *n,vt,vi* ۱.بندرگاه، لنگرگاه ۲.پناه دادن؛ پرورش دادن ۳.پناه بردن
harbourage /'hɑ:bərɪdʒ/ *n* پناه(گاه)
hard /hɑ:d/ *adj,adv* ۱.سخت، دشوار؛ سفت؛ سختگیر؛ خسیس؛ دیرگشا، کور [a hard knot] ۲.سخت [Work hard]
hard labour کارسخت، اعمال شاقه
be hard (up) on a person به کسی سختگیری کردن
be hard put to it در فشار بودن
hard cash سکه، پول نقد
hard luck بختِ بد، بدبختی
a hard fact حقیقت ثابت و مسلم
hard of hearing سنگین گوش
I am hard up for money. از بی‌پولی در مضیقه هستم.
hard and fast rule قانون خشک یا سخت، قانون غلاظ و شداد
It will go hard with him. برای او بدخواهد شد.
hard by نزدیک، در نزدیکی
hard-bitten /,hɑ:d 'bɪtn/ *adj* سرسخت
hard-boiled /,hɑ:d 'bɔɪld/ *adj* سفت، سفت‌پز؛ [در گفتگو] بی‌عار و پررو
harden /'hɑ:dn/ *vt,vi* ۱.سخت کردن؛ سفت کردن ۲.سخت شدن؛ سفت شدن
hard-featured /,hɑ:d'fi:tʃəd/ *adj* بدقیافه؛ زشت
hard-headed /,hɑ:d 'hedɪd/ *adj* سخت، کاسب‌منش
hard-hearted /,hɑ:d 'hɑ:tɪd/ *adj* سخت‌دل
hardihood /'hɑ:dɪhʊd/ *n* بی‌باکی، گستاخی
hardily *adv* جسورانه؛ گستاخانه
hardiness *n* طاقت؛ بنیه؛ پررویی
hardly /'hɑ:dlɪ/ *adv* مشکل؛ به‌زحمت؛ سخت
hardness *n* سختی؛ سفتی
hardship /'hɑ:dʃɪp/ *n* سختی، مشقت
hard-tack /'hɑ:dtæk/ *n* (*or* hard tack) نوعی بیسکویت سخت و کلفت که سربازها و پی‌گردها می‌خورند
hardware /'hɑ:dweə(r)/ *n* فلزآلات
hardwood /'hɑ:dwʊd/ *n* چوب جنگلی؛ چوب درختان خزان‌دار
hardy /'hɑ:dɪ/ *adj* دلیر(نما)، با تهور؛ پرطاقت؛ خوش‌بنیه
hare /heə(r)/ *n* خرگوش (صحرایی)

run with the hare and hunt with the hounds شریک دزد و رفیق قافله شدن، دو دستماله رقصیدن
hare-brained /'heəbreɪnd/ *adj* بی پروا
hare-lipped /ˌheə'lɪpt/ *adj* لب‌شکری
haricot bean /ˌhærɪkəʊ 'bi:n/ *n* لوبیا
hark /hɑ:k/ *int,vi* گوش! گوش بدهید
harlequin /'hɑ:lɪkwɪn/ *n* دلقک، مسخره
harlot /'hɑ:lət/ *n* فاحشه
harlotry *n* فاحشگی
harm /hɑ:m/ *n,vt* ۱.آسیب، اذیت، آزار ۲.صدمه زدن، اذیت کردن
There is no harm in it صدمه‌ای نمی‌زند، عیبی ندارد
harmful /'hɑ:mfl/ *adj* زیان‌آور، مضرّ
harmless *adj* بی‌ضرر؛ بی‌گناه
harmonic /hɑ:'mɒnɪk/ *adj* هماهنگ
harmonica /hɑ:'mɒnɪkə/ *n* سازدهنی
harmonious /hɑ:'məʊnɪəs/ *adj* موزون، خوش‌آهنگ؛ سازگار، موافق
harmonium /hɑ:'məʊnɪəm/ *n* [موسیقی] گارمن
harmonize /'hɑ:mənaɪz/ *vt,vi* ۱.هماهنگ کردن؛ جفت کردن ۲.هماهنگ شدن؛ جفت شدن
harmony /'hɑ:mənɪ/ *n* هماهنگی
harness /'hɑ:nɪs/ *n,vt* ۱.ستام، یراق ۲.یراق کردن؛ آمادهٔ کار کردن
in harness حین انجام وظیفه؛ یراق شده
harp /hɑ:p/ *n,vi* ۱.چنگ ۲.چنگ زدن
harp on the same string پیوسته روی یک موضوع بحث کردن
harper; harpist *n* نوازندهٔ چنگ، چنگی
harpoon /hɑ:'pu:n/ *n* نیزه بلند که به طناب بسته برای گرفتن بال پرتاب می‌کنند
harpsichord /'hɑ:psɪkɔ:d/ *n* چنگِ پیانویی
harpy /'hɑ:pɪ/ *n* آدمِ درنده‌خو
harridan /'hærɪdən/ *n* پیرزن تندخو؛ فاحشهٔ از کار افتاده و بدخو
harrier /'hærɪə(r)/ *n* تولهٔ خرگوش‌گیری
harrow /'hærəʊ/ *n,vt* ۱.مازو، شانهٔ زمین صاف‌کن ۲.مازو کشیدن، صاف کردن؛ [مجازاً] آزردن؛ جریحه‌دار کردن
harrowing /'hærəʊɪŋ/ *apa* دلخراش
harry /'hærɪ/ *vt* چاپیدن؛ به‌ستوه آوردن
harsh /hɑ:ʃ/ *adj* تند، خشن، سختگیر؛ درشت، زمخت، زبر
harshly /'hɑ:ʃlɪ/ *adv* به‌درشتی، با خشونت
harshness *n* تندی، خشونت
hart /hɑ:t/ *n* گوزن نر (که بیش از ۵ سال داشته باشد)
harum-scarum /ˌheərəmskeərəm/ *n,adj* (آدم) لاابالی و بی‌فکر، هردمبیل
harvest /'hɑ:vɪst/ *n,vt* ۱.(وقت) خرمن، حصاد، برداشتِ محصول؛ [مجازاً] نتیجه، حاصل ۲.درو کردن، جمع کردن
harvest home سرود و جشن در پایان خرمن‌برداری
harvester *n* دروگر؛ ماشین‌درو
has /hæz/ *v* (او) دارد [به مصدر آن have رجوع شود]
hash /hæʃ/ *vt,n* ۱.خرد کردن، قیمه کردن ۲.قیمه؛ چیزِ درهم برهم
make a hash of خراب کردن
settle a person's hash کسی را سر جای خود نشاندن، زهر چشم از کسی گرفتن
hasn't /'hæzənt/ = has not
hasp /hɑ:sp US: hæsp/ *n,vt* چفت (کردن)
hassock /'hæsək/ *n* زیرزانویی؛ تشکچه
hast /hæst/ *v* (تو) داری
haste /heɪst/ *n,vi* شتاب (کردن)، عجله (کردن)
in haste با شتاب، باعجله
hasten /'heɪsn/ *vt,vi* ۱.شتابانیدن؛ جلو انداختن؛ با عجله‌بردن ۲.شتاب کردن
hastily /'heɪstɪlɪ/ *adv* با عجله
hasty /'heɪstɪ/ *adj* شتابزده، عجول، دستپاچه؛ معجلانه؛ بی‌تأمل
hat /hæt/ *n* کلاه
send round the hat کشکولِ گدایی برای کسی دست گرفتن
talk through one's hat *Sl* خودستایی کردن، لاف زدن، چرند گفتن
hatband /'hætbænd/ *n* روبان دور کلاه
hat-box /'hætbɒks/ *n* جا کلاهی، جعبهٔ کلاه
hatch /hætʃ/ *n* دریچه؛ درِ کوچک
hatch /hætʃ/ *vt,vi,n* ۱.از تخم درآوردن؛ [مجازاً] درست کردن (دوز و کلک) ۲.از تخم بیرون آمدن ۳.جوجه‌کشی؛ همهٔ جوجه‌هایی که یکبار از تخم بیرون می‌آیند
The eggs are hatched. جوجه‌ها از تخم درآمده‌اند.
hatch /hætʃ/ *n* هاشور
hatchet /'hætʃɪt/ *n* تبرِ کوچک
bury the hatchet تیغ در خاک نهادن، دست از جنگ کشیدن، آشتی کردن
hatchway /'hætʃweɪ/ *n* دریچه؛ درِ کوچک
hate /heɪt/ *vt* تنفر داشتن از، دشمن داشتن

I hate it از آن بدم می‌آید یا متنفرم
hateful /ˈheɪtfl/ *adj* تنفرآمیز، زشت؛ متنفر
hatred /ˈheɪtrɪd/ *n* دشمنی؛ تنفر
hatter /ˈhætə(r)/ *n* کلاه‌دوز، کلاه‌فروش
hauberk /ˈhɔ:bɜ:k/ *n* زره
haughtily /ˈhɔ:tɪlɪ/ *adv* با تکبر؛ با مناعت
haughtiness *n* تکبر؛ مناعت
haughty /ˈhɔ:tɪ/ *adj* مغرور، متکبر؛ تکبرآمیز؛ با مناعت
haul /hɔ:l/ *vt,n* ۱.کشیدن؛ تغییر جهت دادن ۲.کشش
haul at (*or* upon) کشیدن
haul over the coals سخت سرزنش کردن، سخت مواخذه کردن از؛ عیب گرفتن از
haunch /hɔ:ntʃ/ = hip *n*
haunt /hɔ:nt/ *vt,vi,n* ۱.زیاد در (جایی) رفت و آمد کردن ۲.ماندگار شدن ۳.پاتوق
haunted *ppa* جن‌دار، جن‌زده
have /həv,hæv/ *vt* [had] داشتن؛ مجبور بودن؛ وادار کردن
Thou hast; he has داری؛ دارد
He hasn't got (Col) او ندارد
[امریکایی‌ها به‌جای آن جمله زیر را دارند *"He does not have"*]
I have to go باید بروم، مجبورم بروم
Have it translated بدهید ترجمه کنند
He had his fortune told رفت پیش فالگیر، فالگیر فالش را گرفت
This action had his approval. این کار به تصویب او رسید.
I won't have you say that. اجازه نمی‌دهم (یا نمی‌توانم تحمل کنم) که شما این حرف را بزنید.
have by heart از حفظ داشتن
I have a warm coat on نیمتنه گرمی پوشیده‌ام (یا دربر دارم)
I had my leg broken پایم شکست
She had a baby بچه‌ای زایید
have up به دادگاه بردن، احضار کردن؛ بازخواست یا مؤاخذه کردن از
I have nothing to do with it به‌من ربطی ندارد، به من مربوط نیست
have at مورد حمله قرار دادن
Have it out with him کار را با او یکسره (یا تصفیه) کنید
You've been had کلاه سرتان رفته است
I had rather (or better) go بهتر است بروم، بهتر بود اگر می‌رفتم

Rumour has it that... شایعه‌ای هست که ...
have /həv,hæv/ *v,aux*
I have eaten خورده‌ام
That I may have eaten که خورده باشم
I had eaten خورده بودم
Had I gone اگر رفته بودم
Had I known اگر می‌دانستم
have /həv,hæv/ *n,Col* گوش‌بُری
the haves and have-nots داراها و ندارها
haven /ˈheɪvn/ *n* بندرگاه؛ پناهگاه
haven't /ˈhævnt/ = have not
haversack /ˈhævəsæk/ *n* کیسهٔ پارچه‌ای سرباز، کوله‌پشتی، دوش‌توبره
havoc /ˈhævək/ *n,vt* [-ked] ۱.غارت و ویرانی ۲.غارت کردن؛ ویران کردن
cry havoc حکم غارت دادن
make havoc with; play havoc among ویران کردن، خراب کردن؛ از بین بردن
haw /hɔ:/ *n,vi* ۱.کویج، عوسج، ولیک، زالزالک ۲. [به hum نگاه کنید]
hawk /hɔ:k/ *n,vi,vt* ۱.باز، قوش ۲.با باز شکار کردن؛ سینه صاف کردن ۳.دوره بردن و فروختن
hawker *n* دستفروش، دوره‌گرد
hawk-eyed /ˌhɔ:k ˈaɪd/ *adj* تیزبین، تیزنظر
hawser /ˈhɔ:zə(r)/ *n* طناب (فولادی)
hawthorn /ˈhɔ:θɔ:n/ *n* خفچه، عوسج، ولیک
hay /heɪ/ *n* علف خشک، یونجه خشک
haycock *n* = haystack *n*
hayloft /ˈheɪlɔ:ft/ *n* انبار علف
hay-rack /ˈheɪræk/ *n* علف‌دان، جای یونجه
haystack /ˈheɪstæk/ *n* کومهٔ علف خشک، تودهٔ علف یا یونجه خشک
hazard /ˈhæzəd/ *n,vt* ۱.قمار؛ مخاطره؛ تصادف ۲.به‌مخاطره انداختن؛ حدس زدن
run the hazard خود را در معرضِ مخاطره قرار دادن، دل به دریا زدن
hazardous /ˈhæzədəs/ *adj* مخاطره‌آمیز؛ تصادفی، اتفاقی
haze /heɪz/ *n,vt* ۱.مِه کم، غبار؛ [مجازاً] تیرگی (ذهن)؛ ابهام؛ گیجی ۲.مه‌دار کردن؛ تیره کردن
hazel /ˈheɪzl/ *n* درخت فندق
hazel eyes چشمهای میشی
hazel-nut /ˈheɪzlnʌt/ *n* فندق
haziness *n* تیرگی؛ گیجی؛ ابهام
hazy /ˈheɪzɪ/ *adj* مِه‌آلود؛ گیج

H.B.M = His (Her) Britannic Majesty
اعلیحضرت پادشاه (یا علیاحضرت ملکه) انگلستان
H-bomb /'eɪtʃ bɒm/ *n* بمبِ هیدروژنی
he /hi:/ *pr* او، وی [آن مرد]
H.E. = His Excellency
head /hed/ *n* سر؛ رأس؛ رئیس؛ دانه؛ نوک، منتهاالیه؛ جلو؛ دماغه؛ عنوان، مبحث، موضوع؛ اوج؛ نفر
2 heads of sheep دو رأس گوسفند
5 rials per head نفری ۵ ریال
heads or tails شیر یا خط
I cannot make head or *tail of ...*
سر از ... در نمی‌آورم.
head first سر به‌جلو؛ ازسر، باسر
plunge head first شیرجه رفتن
off one's head دیوانه؛ از جا دررفته
go to the head (of) مست کردن
He talks over my head.
سخنان او بیرون از حدود فهم من است.
by the head and ears به‌زور
head over heels واژگون؛ [مجازاً] سراسیمه؛ سر از پا نشناخته
head and shoulders یک سر و گردن
lose one's head دیوانه شدن، عصبانی شدن
keep one's head خونسرد بودن
keep one's head above water
از زیر بار قرض رهایی یافتن
make head پیش رفتن
make head against ... از عهدهٔ ... برآمدن
on your head به‌گردن خودتان
over the heads of بالاتر از، برتر از
He talked my head off.
از بس حرف زد سرم را بُرد.
We laid our heads together.
با هم مشورت کردیم.
head /hed/ *vt,vi* ۱.سرگذاشتن به (چیزی)؛ در رأسِ (چیزی) واقع شدن؛ رهبری کردن؛ پیش افتادن از؛ دور زدن؛ مواجه شدن با؛ مقاومت کردن با؛ با سر زدن (توپ) ۲.روی کردن؛ عازم شدن؛ سرچشمه گرفتن؛ رسیدن (دمل)
head off مانع شدن از
headed by به ریاستِ
headache /'hedeɪk/ *n* سردرد
head-dress /'hed dres/ *n* روسری آرایشی
header /'hedə(r)/ *n* شیرجه
take a header شیرجه رفتن
headgear /'hedgɪə(r)/ *n* روسری؛ کلگی
heading /'hedɪŋ/ *n* عنوان، سرصفحه؛ فصل؛ تاریخ ونشانی نویسندهٔ نامه درگوشه سمت راست آن؛ سرپوش،در
headland /'hedlənd/ *n* دماغه؛ پرتگاه
headlight /'hedlaɪt/ *n* چراغِ جلو
headline /'hedlaɪn/ *n* سطرِ درشت در بالای صفحه؛ سرصفحه، عنوان
headlong /'hedlɒŋ/ *adv,adj* ۱.باکله، سر به‌جلو؛ به‌دستپاچگی، سراسیمه ۲.تند، شتاب‌زده؛ بی‌پروا
headman /'hedmən/ *n* [-men] رئیس، بزرگتر؛ [در ده] کدخدا
headmaster /hed'mɑ:stə(r)/ *n*
مدیر (آموزشگاه)
headmistress /hed'mɪstrɪs/ *n* مدیره، رئیسه
head-office *n* ادارهٔ مرکزی، مرکز
head-on /ˌhed 'ɒn/ *adj,adv* از سر؛ نوک به نوک
head-phones /'hedfəʊnz/ *npl* هِدفون؛ رادیوی گوشی
head-piece /'hed pi:s/ *n* خُود؛ کلاه؛ سرصفحه؛ آرایش گل و بوته؛ آبخوری؛ [مجازاً] کله، ادراک؛ آدم با کله
headquarters /ˌhed'kwɔ:təz/ *npl* ادارهٔ‌مرکزی
Police Headquarters ادارهٔ کل شهربانی
headstone /'hedstəʊn/ *n* سنگ عمودی قبر
headstrong /'hedstrɒŋ US: -strɔ:ŋ/ *adj*
خودرأی، لجوج
headwaters /'hedwɔ:təz/ *npl* سرچشمه
headway /'hedweɪ/ *n* پیشرفت
make headway پیشرفت کردن
heady /'hedɪ/ *adj* بی‌پروا؛ خودسر؛ [در نوشابه] گیرنده، سنگین
heal /hi:l/ *vt,vi* ۱.شفا دادن؛ التیام دادن ۲.شفا یافتن، خوب شدن، گوشت نو آوردن
healing *n,adj* شفا(دهنده)
health /helθ/ *n* تندرستی؛ مزاج
good health تندرستی، صحت مزاج
in good health تندرست، سالم
drink a health to به‌سلامتی کسی نوشیدن
inquire after a person's health
از کسی احوالپرسی کردن
Public Health بهداری
healthful /'helθfl/ *adj* صحت‌بخش؛ سودمند
healthy /'helθɪ/ *adj* تندرست، سالم؛ صحت‌بخش؛ گواه بر تندرستی
heap /hi:p/ *n,vt* ۱.توده، کپه، کومه؛ گروه ۲.توده کردن، انبوه کردن [بیشتر با up]

struck all of a heap *Col* مبهوت
heaps of times *Col* هزاربار
heaps better *Col* یک‌عالم بهتر، خیلی بهتر
heap up wealth مال اندوختن
hear /hɪə(r)/ *vt,vi* [heard] ۱.شنیدن؛ گوش کردن؛ اجابت کردن ۲.خبر داشتن
His prayer was heard. دعایش مستجاب شد.
hear out تا آخر گوش دادن
I have heard of that book. وصف آن کتاب را شنیده‌ام.
Hear! Hear! احسنت! [گاهی به طعنه]
heard /hɜ:d/ [*p,pp of* hear]
hearer *n* شنونده، مستمع
hearing /'hɪərɪŋ/ *n* شنوایی، سامعه؛ دادرسی
He is not within hearing. صدا به او نمی‌رسد.
hearken /'hɑ:kən/ *vi* گوش دادن
hearsay /'hɪəseɪ/ *n* شایعه، مسموعات، سخن افواهی؛ تواتر
by hearsay افواهاً، تواتراً
hearse /hɜ:s/ *n* نعش‌کش
heart /hɑ:t/ *n* دل، قلب
lose heart مأیوس شدن
lose one's heart دل‌باختن
win the heart of a person کسی را شیفته یا عاشق خود کردن
after one's own heart موافق دلخواه
set one's heart on آرزو کردن
at heart باطناً
by heart از بر، از حفظ
learn by heart از بر کردن
It did my heart good. دلم حال آمد.
heart and soul با دل و جان، با همهٔ قوا
have a thing at heart زیاد دلبستگی به چیزی داشتن
have one's heart in one's mouth زهره‌ترک شدن، سخت تکان خوردن
heart-to-heart ساده و صادقانه
heartache /'hɑ:teɪk/ *n* غصه
heartbeat /'hɑ:tbi:t/ *n* ضربان قلب
heart-break /'hɑ:t breɪk/ *n* غم زیاد
heart-breaking /'hɑ:t breɪkɪŋ/ *adj* اندوه‌آور؛ [در گفتگو] کمرشکن
heartbroken /'hɑ:tbrəʊkən/ *adj* دل‌شکسته
heartburn /'hɑ:tbɜ:n/ *n* ترش‌کردگی، سوزش سردل
hearten /'hɑ:tn/ *vt,vi* ۱.دل دادن، تشجیع کردن، تشویق کردن ۲.دل پیدا کردن

heart failure /'hɑ:t feɪljə(r)/ *n* سکتهٔ قلبی
heartfelt /'hɑ:tfelt/ *adj* قلبی، خالصانه
hearth /hɑ:θ/ *n* آتشدان، اُجاق؛ کف یا دهانهٔ کوره؛ [مجازاً] خانه
heartily /'hɑ:tɪlɪ/ *adv* از دل، قلباً، با حسن نیت؛ به‌جرئت؛ به‌طور حسابی
heartless *adj* بی‌عاطفه
heart-rending /'hɑ:t rendɪŋ/ *adj* دل‌آزار؛ مخوف
heartsick /'hɑ:tsɪk/ *adj* بیمارِ دل
heart-strings /'hɑ:t strɪŋz/ *npl* تاروپود قلب، عمیقترین احساسات
heart-whole /'hɑ:t həʊl/ *adj* فارغ از عشق
heart-wood /'hɑ:twʊd/ *n* مغز چوب، میان چوب
hearty /'hɑ:tɪ/ *adj* قلبی؛ خوش‌بنیه؛ زیاد؛ مقوی؛ محکم؛ باغیرت
heat /hi:t/ *n,v* ۱.گرما، گرمی، حرارت؛ تندی؛ خشم؛ هیجان؛ بحران؛ شوق ۲.گرم‌کردن، گرم شدن
heat stroke گرمازدگی
at a single heat در یک‌وهله، با یک‌زور
be on heat فحل آمدن
heater *n* بخاری
heath /hi:θ/ *n* خلنگ؛ بوته
heath-cock /'hi:θ kɒk/ *n* خروس کولی
heathen /'hi:ðn/ *adj,n* کافر، بت‌پرست، مشرک؛ وحشی
heathenish /'hi:ðənɪʃ/ *adj* کفرآمیز؛ کافر کیش
heathenism *n* کافری
heather /'heðə(r)/ *n* خلنگ، خاربن، بوته
take to the heather سرِ گردنه رفتن، یاغی شدن
heating *n,apa* ۱.عملِ گرم کردن ۲.گرم‌کننده
central heating system دستگاهِ حرارت مرکزی
heat rash /'hi:t ræʃ/ *n* عرق‌سوز
heat-stroke /'hi:t streʊk/ *n* گرمازدگی
heave /hi:v/ *vt,vi,n* [heaved *or* hove] ۱.(به‌زور) بلند کردن یا کشیدن؛ متورم کردن؛ جابه‌جا کردن ۲.بالا آمدن، ور غلپیدن؛ نفس‌نفس زدن ۳.خیز، برآمدگی؛ زور (برای بلند کردن چیزی)؛ زورِ استفراغ
heaven /'hevn/ *n* آسمان؛ بهشت
move heaven and earth زمین و آسمان (یا زمین و زمان) را به‌هم دوختن
heaven's will خواست خدا
Heaven forbid. خدا نکند.

Heaven save us from danger
خدا ما را از خطر مصون بدارد
Would to Heaven کاش، خدا می‌کرد
Good heavens! آه! ای داد!
heavenly /'hevnlɪ/ *adj* آسمانی؛ بهشتی
heaves *npl* یلپیک: بیماری تنفسی اسبان
heavily /'hevɪlɪ/ *adv* به‌سنگینی؛ زیاد؛ به‌افسردگی؛ به‌زحمت؛ به‌سختی
heaviness *n* سنگینی؛ زیادی؛ غلظت؛ افسردگی؛ کندی، کودنی
heavy /'hevɪ/ *adj* سنگین؛ زیاد؛ شدید؛ متلاطم؛ پرزور؛ به‌هم چسبیده؛ دیرهضم؛ ابری، دلتنگ‌کننده؛ حزن‌آور؛ افسرده؛ سفت، غلیظ؛ زشت
Time hangs heavy وقت دیر می‌گذرد
heavy-armed /,hevɪ 'ɑ:md/ *adj* سنگین اسلحه
heavy-handed /,hevɪ 'hændɪd/ *adj* خامدست؛ جابر
heavy-hearted /,hevɪ 'hɑ:tɪd/ *adj* دلتنگ
hebetate /'hebɪteɪt/ *vt,vi* ۱.کند کردن، خرف کردن ۲.کند شدن
hebetude /'hebɪtju:d/ *n* کندذهنی، خرفتی
Hebraic /hi:'breɪɪk/ *adj* عبری، عبرانی
Hebrew /'hi:bru:/ *adj,n* ۱.عبری، عبرانی ۲.زبان عبری
the Hebrews عبرانی‌ها
hecatomb /'hekətu:m/ *n* کشتار زیاد، کشتار دسته‌جمعی
heckle /'hekl/ *vt,n* ۱.شانه کردن (کتان) ۲.شانه
hectare /'hekteə(r)/ *n* هکتار [ده هزار متر مربع]
hectic /'hektɪk/ *adj,n* ۱.دقی، سلی؛ [مجازاً] هیجان‌آمیز ۲.تب دق، تب لازم؛ بیمارِ تب لازمی
hectic fever تب دق، تب لازم
hector /'hektə(r)/ *n,v* ۱.لاف‌زن ۲.لاف زدن، گردن‌کلفتی کردن؛ تهدید یا آزار کردن
he'd /hi:d/ = he had; he would
hedge /hedʒ/ *n,vt,vi* ۱.پرچین، حصارِ باغی؛ بازداشت ۲.با پرچین محصور کردن؛ دفاع کردن ۳.پنهان شدن؛ خود را حفظ کردن
hedge of thorns خاربست
on every hedge در هر رهگذر
hedge off دور کردن، دفع کردن
hedge on a question از دادن جواب صریح طفره رفتن
hedgehog /'hedʒhɒg/ *n* خارپشت

hedonism /'hi:dənɪzəm/ *n* اعتقاد به اینکه اصل خوبی در خوشی و لذت است؛ مکتب اصالت لذت
heed /hi:d/ *n,v* ۱.اعتنا ۲.اعتنا کردن، محل گذاشتن
Take heed of... متوجه... باشید.
heedless *adj* بی‌اعتنا، بی‌توجه
hee-haw /'hi: hɔ:/ *n* عرعر؛ قاه‌قاه
heel /hi:l/ *n,vt* ۱.پاشنه؛ پای عقب جانور ۲.پاشنه انداختن به [heel a shoe]
down at heel پاشنه‌ساییده؛ شلخته
She is out at heels. پاشنهٔ جورابش سوراخ است، فقیر است.
to heel پیرو، مطیع، تسلیم
at (*or* on) the heels of در پیِ
kick (*or* cool) one's heels چشم به‌راه یا منتظر ایستادن
take to one's heels ; show a clean pair of heels پاشنه را ور کشیدن، گریختن
kick up one's heels از خوشی جفتک انداختن
heel /hi:l/ *vi,vt* ۱.یکبر شدن، کج شدن ۲.یکبرکردن، کج کردن
heel-tap /'hi:ltæp/ *n* ته پیاله؛ پاشنه، نعلکی
hefty /'heftɪ/ *adj,Col* تنومند، قوی
hegemony /hɪ'gemənɪ/ *n* تفوّق، استیلا
heifer /'hefə(r)/ *n* گوسالهٔ ماده
heigh /heɪ,haɪ/ *int* هی، جانمی
heigh-ho /,heɪ 'həʊ/ *int* های‌های، آه
height /haɪt/ *n* بلندی، ارتفاع؛ [مجازاً] اوج، بحبوحه؛ زمین بلند
heighten /'haɪtn/ *vt,vi* ۱.بلند(تر) کردن، بالا بردن؛ زیاد کردن ۲.بالا رفتن؛ بلند(تر) شدن؛ زیاد شدن
heinous /'heɪnəs/ *adj* شنیع؛ شریر
heir /eə(r)/ *n* وارث
heir to the crown ولیّ عهد، ولیعهد
heir-at-law /'eər ət 'lɔ:/ *n* وارث قانونی
heiress *n* [*fem of* heir] وارثه
heirless *adj* بی‌وارث
heirloom /'eəlu:m/ *n* اثاثه‌ای که از چند پشت در خانواده‌ای مانده باشد، اثاثه ارثی، مرده ریگ (نیاکان)؛ صفت موروثی
held /held/ [*p,pp of* hold]
helical /'helɪkl/ *adj* مارپیچ، دورگرد
helicoid(al) /'hi:ləkɔɪd(l)/ *adj* مارپیچ، حلزونی

helicopter /'helɪkɒptə(r)/ *n* هلیکوپتر
heliograph /'hi:lɪəgrɑ:f/ *n* تلگراف آفتابی
heliotrope /'hi:lɪətrəʊp/ *n* گل آفتاب‌پرست
helium /'hi:lɪəm/ *n* هلیوم: گاز سبک و غیرقابل احتراقی که در بالن به کار می‌رود
helix /'hi:lɪks/ *n* [helices] مارپیچ؛ منحنی حلزونی؛ چنبرهٔ گوش بیرونی
hell /hel/ *n* دوزخ، جهنم
Like hell های! چه‌جور! بسیار
he'll /hi:l/ = he will
Hellas /'heləs/ *n* [نام قدیمی] یونان
Hellenic /he'li:nɪk/ *adj,n* ۱.یونانی ۲.زبان یونانی قدیم
Hellenism /'helənɪzəm/ *n* اصطلاح و فرهنگ و تمدن یونانی؛ یونانی‌گرایی
hellish /'helɪʃ/ *adj* دوزخی؛ خبیث، دیوخو
hello /hə'ləʊ/ = hallo
helm /helm/ *n* سکان؛ [مجازاً] زمام
those at the helm زمامداران
helmet /'helmɪt/ *n* کلاه‌خود؛ کلاه آتش‌نشانان و پاسبانان و غواصان
helmsman /'hlmzmən/ *n* [-men] سکان‌دار، راننده؛ مُدیر، گرداننده
helot /'helət/ *n* بَرده، غلام، رعیت
help /help/ *n,vt* ۱.کمک، مساعدت؛ (کارگر) کمکی؛ چاره ۲.کمک کردن، مساعدت کردن (با)؛ چاره کردن
lady help زنی که بانوی خانه را در کارهای خانه کمک می‌کند
be a help to کمک بودن برای
be of help کمک بودن، مفید بودن
There is no help for it (or *It cannot be helped*) چاره ندارد
Help him on with his coat. کمکش کنید تا نیمتنه‌اش را بپوشد.
I can't help it جلوی آن را نمی‌توانم بگیرم، چاره‌ای ندارم
I cannot help speaking نمی‌توانم حرف نزنم، ناگزیرم از سخن گفتن
She could not help but grieve. نمی‌توانست غصه نخورد.
Who can help...? امان از دستِ...
Help him to apples سیب پیش ایشان بگذارید
Help yourself! بفرمایید! [یعنی خودتان بردارید (یا بکشید) و میل کنید]
helper *n* همدست، کمک؛ مشوّق
helpful *adj* سودمند، مفید؛ ممدّ

helping *n* پُرس: یک‌خوراک
helpless *adj* بیچاره؛ بی‌کس؛ علاج‌ناپذیر
helplessness *n* بیچارگی
helpmate /'helpmeɪt/ *or* **-meet** *n* شریکِ زندگی، همسر [زن یا شوهر]
helter-skelter /,heltə 'skeltə(r)/ *adv* به‌طور درهم‌وبرهم؛ به‌دستپاچگی
helve /helv/ *n* دستهٔ تبر یا تیشه
hem /hem/ *n,vt* [-med] ۱.حاشیه، سجاف؛ لبهٔ توگذاشته ۲.تو گذاشتن
hem in (*or* about) احاطه کردن
hem /hem/ *int,vi* اِهم (کردن)
hemi- [در ترکیب به‌معنی «نیم»]
hemiplegia /'hemɪpli:dʒi:ə/ *n* فـلج یک‌سویه
hemisphere /'hemɪsfɪə(r)/ *n* نیمکره
hemistich /'hemɪstɪk/ *n* مصرع
hemlock /'hemlɒk/ شوکران
hemophilia /,hi:mə'fɪlɪə/ *n* [پزشکی] (استعداد مفرط به‌خونریزی به‌واسطهٔ) رقت خون، هموفیلی
hemoptysis /hɪ'mɒptɪsɪs/ *n* تُف خونی
hemostatic /,hi:mə'stætɪk/ *adj,n* ۱.خون‌بند، بندآورندهٔ خون ۲.داروی خون‌بند
hemp /hemp/ *n* بوتهٔ شاهدانه، کنف
hempen *adj* کنفی
hempseed /'hempsi:d/ *n* شاهدانه
hemstitch /'hemstɪtʃ/ *vt* ژور زدن (کنار حوله و مانند آن)
hen /hen/ *n* مرغ (خانگی)، ماکیان؛ [در ترکیب] ماده
henbane /'henbeɪn/ *n* شوکران، بذرالبنگ
hence /hens/ *adv* از این‌رو؛ از این پس؛ دیگر
Hence it is... از این (جا) است که...
five years hence پنج سال دیگر
(Get thee) hence! برو گم شو!
henceforth /,hens'fɔ:θ/ *or*
henceforward *adv* از این پس، زین سپس
henchman /'hentʃmən/ *n* [-men] پیرو
hen-coop /'hen ku:p/ *n* مرغدانی
henna /'henə/ *n* حنا
henpecked /'henpekt/ *adj* مقهور نفوذِ زن، زن‌ذلیل
hepatic /hɪ'pætɪk/ *adj* جگری، کبدی؛ سودمند برای جگر؛ جگری‌رنگ
hepatitis /,hepə'taɪtɪs/ *n* التهاب کبد؛ هپاتیت
heptagon /'heptəgən US: -gɒn/ *n* هفت‌ضلعی

heptarchy /'heptɑ:kɪ/ *n* حکومت هفت‌تنی
her /hɜ:(r)/ *pr* [*fem of* his *or* him] ۱.اش، ش [مال آن زن] ۲.او را، آن زن را، به او
herald /'herəld/ *n,vt* ۱.پیشرو، منادی، چاووش، مبشر؛ پیک، قاصد ۲.آگاهی از وقوع (چیزی) دادن
heraldry *n* (علم) نشانهای نجابت خانوادگی
herb /hɜ:b US: ɜ:rb/ *n* گیاه، علف
herbaceous /hɜ:'beɪʃəs/ *adj* گیاهی؛ علف‌دار
herbage /'hɜ:bɪdʒ US: ɜ:r-/ *n* گیاه، رُستنی
herbalist /'hɜ:bəlɪst US: 'ɜ:r-/ *n* گیاه‌فروش، فروشندهٔ گیاهان طبی
herbivore /'hɜ:bɪvɔ:(r)/ *n* (جانور) گیاهخوار
herbivorous /hɜ:'bɪvərəs/ *adj* علفخوار، علف‌چر، گیاه‌چر
Herculean /,hɜ:kjʊ'li:ən/ *adj* بسیار دشوار؛ خطیر؛ رستم‌وار؛ هرکول‌وار
herd /hɜ:d/ *n,vi,vt* ۱.رمه؛ گروه؛ توده ۲.دسته شدن، به گروهی پیوستن ۳.چراندن
herdsman /'hɜ:dzmən/ *n* [-men] رمه‌دار
here /hɪə(r)/ *adv* اینجا
  Here (am I) حاضر(م)، بله، لبیک
  Here it is این است، این است‌ها
  here and there تک و توک
  here below در این جهان
  neither here nor there بی‌اثر، بی‌اهمیت
  Here's to you به سلامتی شما
hereabouts /,hɪərə'baʊts/ *adv* در همین نزدیکیها، در این حوالی
hereafter /,hɪər'ɑ:ftə(r)/ *adv* از این پس
hereby /,hɪə'baɪ/ *adv* بدین‌وسیله
hereditament /,herɪ'dɪtəmənt/ *n* مال موروث، میراث؛ دارایِ غیرمنقول
hereditary /hɪ'redɪtrɪ/ *adj* موروثی؛ اجدادی؛ دارای حق موروثی
heredity /hɪ'redətɪ/ *n* انتقال موروثی، وراثت
herein /,hɪər'ɪn/ *adv* در این (نامه)
hereinafter /,hɪərɪn'ɑ:ftə(r)/ *adv* در سطور بعد
hereinbefore /,hɪərɪnbɪ'fɔ:(r)/ *adv* پیش از این
hereof /hɪər'ɒv/ *adv* از این، متعلق به این
  the books hereof کتابهای اینجا. [مثلاً کتابهای این کتابخانه]
hereon /hɪər'ɒn/ *adv* بر این؛ در نتیجهٔ این
here's /hɪəz/ = here is
heresy /'herəsɪ/ *n* رفض؛ بدعت
heretic /'herətɪk/ *n* رافضی، بدعت‌گذار
heretical /hɪ'retɪkl/ *adj* رافضی‌منش؛ مبنی بر رفض
hereto /,hɪə'tu:/ *adv, Arch* به این (نامه)
  hereto attached پیوسته بدین (نامه)
heretofore /,hɪətu:'fɔ:(r)/ *adv* پیشتر، سابقاً؛ تاکنون، تا این تاریخ
hereunder /,hɪər'ʌndə(r)/ *adv* در زیر، ذیلاً
  as hereunder به شرح زیر
hereupon /,hɪərə'pɒn/ *adv* در نتیجهٔ این، از این رو؛ متعاقب این
herewith /,hɪə'wɪð/ *adv* لفاً، جوفاً، با این نامه (یا ورقه یا سند یا پیمان‌نامه)
heritable /'herɪtəbl/ *adj* قابل توارث
heritage /'herɪtɪdʒ/ *n* میراث، مالِ موروث، مرده ریگ؛ سهم (موروثی)
hermaphrodite /hɜ:'mæfrədaɪt/ *n,adj* نرماده، نروماده، خنثی، نرموک، دوجنسی
hermaphroditism /hɜ:'mæfrədaɪ,tɪzəm/ *n* نرمادگی، خنثایی، دوجنسیتی
hermetic /hɜ:'metɪk/ *adj* محکم‌بسته
hermetically /hɜ:'metɪklɪ/ *adv* به‌طور محکم
hermit /'hɜ:mɪt/ *n* (زاهد) گوشه‌نشین
hermitage /'hɜ:mɪtɪdʒ/ *n* گوشهٔ عزلت
hernia /'hɜ:nɪə/ *n* (باد) فتق
hernial *adj* فتقی؛ فتق‌دار
hero /'hɪərəʊ/ *n* [-es] گُرد، پهلوان، قهرمان (داستان)
heroic /hɪ'rəʊɪk/ *adj,n* ۱.پهلوانانه، شجاعانه؛ دلیر؛ [در شعر] رزمی ۲.شعر رزمی
heroically /hɪ'rəʊɪklɪ/ *adv* با دلیری اخلاقی، جوانمردانه
heroin /'herəʊɪn/ *n* هروئین
heroine /'herəʊɪn/ *n* [*fem of* hero] زنی که قهرمان داستانی باشد
heroism *n* قهرمانی، گُردی، شجاعتِ اخلاقی، فداکاری
heron /'herən/ *n* ماهیخوار، حواصیل
herpes /'hɜ:pi:z/ *n* تبخال؛ دانه
Herr /heə(r)/ *n* [*pl* Herren /'herən/], *Ger* آقا
herring /'herɪŋ/ *n* شاه ماهی [در جمع herring یا herrings می‌شود]
herring-bone /'herɪŋbəʊn/ *adj* جناغی [herring-bone pattern]
hers /hɜ:z/ *pr* [*fem of* his] [مال آن زن] مال او
herself /hɜ:'self/ *pr* [*fem of* himself] خودش، خودِ آن زن؛ خودش را، به خودش

Hertzian waves /'hɜ:tsɪən 'weɪvz/ امواج الکترومغناطیسی

he's /hi:z/ = he is; he has

hesitancy /'hezɪtənsɪ/ *n* دودلی، تردید؛ درنگ، تأمل؛ گیر

hesitant /'hezɪtənt/ *adj* دودل، مردد

hesitate /'hezɪteɪt/ *vi* تأمل کردن، درنگ کردن؛ مردد بودن؛ در صحبت گیر کردن

hesitatingly *adv* تأمل‌کنان

hesitation /,hezɪ'teɪʃn/ *n* درنگ؛ تردید؛ گیر

Hesperus /'hespərəs/ *n* ستارهٔ شام، ناهید، زهره

Hessian /'hesɪən US: 'heʃn/ *n* پارچه کنفی یا چتایی

heterodox /'hetərədɒks/ *adj* مخالفِ عقایدِ عمومی؛ بدعت‌گذار

heterodoxy *n* بدعت (گذاری)

heterogeneous /,hetərə'dʒi:nɪəs/ *adj* جوراجور، نامتجانس، متباین

heterogenesis /,hetərə'dʒenɪsɪs/ *n* تناسل ناجور

hew /hju:/ *vt,vi* [hewed; hewed *or* hewn] ۱.بریدن، تراشیدن؛ خرد کردن ۲.ضربت زدن

hew up تراشیدن، درآوردن

hew out بریدن و درآوردن؛ [مجازاً] به زحمت درست کردن یا تأمین نمودن

hew asunder جدا کردن، شکستن

hewer *n* بُرنده؛ تراشنده؛ کارگر معدن زغال‌سنگ

hewer of stone = stonecutter

hewn /hju:n/ [*pp of* hew,*ppa*] بریده؛ تراشیده

hexagon /'heksəgən US: -gɒn/ *n* شش‌گوش، شکل شش‌گوشه

hexagonal /heks'ægənl/ *adj* شش‌گوشه

hexahedron /,heksə'hi:drən/ *n* [-dra] جسم شش‌وجهی، (جسم) مکعب

hexameter /heks'æmɪtə(r)/ *n* شعر شش‌وتدی

hey /heɪ/ *int* هی، ای؛ وه؛ هلا؛ ها

heyday /'heɪdeɪ/ *int,n* ۱.عجب! به‌به ۲.روزهای گیرودار؛ اوج ترقی؛ ریعان جوانی

H.H. = His (Her) Highness

hiatus /haɪ'eɪtəs/ *n* وقفه؛ فاصله

hibernate /'haɪbəneɪt/ *vi* به خواب زمستانی رفتن

hiccough /'hɪkʌp/ = hiccup

hiccup /'hɪkʌp/ *n,vi* ۱.سکسکه، فواق؛ هق‌هق ۲.سکسکه کردن؛ هکهک کردن، هق‌هق کردن

hickory /'hɪkərɪ/ *n* (چوب) گردوی امریکایی

hid /hɪd/ [*p,pp of* hide]

hidalgo /hɪ'dælgəʊ/ *n* [در اسپانیا] آقا، رادمرد، جنتلمن

hidden /'hɪdn/ [*pp of* hide] پنهان، نهفته، نهان، مخفی، پوشیده

hide /haɪd/ *vt,vi* [*p* hid; *pp* hidden] ۱.پنهان کردن ۲.پنهان شدن، مخفی شدن

hide /haɪd/ *n,vi* ۱.پوست (خام)؛ چرم ۲.شلاق زدن؛ پوست کندن

save one's hide جان سالم به‌در بردن

hide /haɪd/ *n* کمینگاه عکسبرداری

hide-and-seek /,haɪdn'si:k/ *n* بازی قایم‌موشک

hidebound /'haɪdbaʊnd/ *adj* کوتاه‌فکر، پیرو احادیث و عادات؛ محدود

hideous /'hɪdɪəs/ *adj* زشت، زننده؛ شنیع؛ سهمگین، مهیب

hiding /'haɪdɪŋ/ *n* پنهانی، اختفا؛ کتک، شلاق‌کاری

be in hiding پنهان بودن یا ماندن

hiding-place /'haɪdɪŋ pleɪs/ *n* نهانگاه، کمینگاه

hie /haɪ/ *vi,Poet* شتابیدن

hierarch /'haɪərɑ:k/ *n* رئیس روحانی

hierarchy /'haɪərɑ:kɪ/ *n* سلسله‌مراتب؛ حکومت و درجه‌بندیِ سرانِ روحانی

hieroglyph /'haɪərəglɪf/ *n* هیروگلیف، حروف شکلی، خط تصویری؛ نشانِ مرموز

higgle /'hɪgl/ *vi* = haggle

higgledy-piggledy /,hɪgldɪ 'pɪgldɪ/ *adj* درهم برهم

high /haɪ/ *adj,adv,n* ۱.بلند؛ عالی (مرتبه)، بلندپایه؛ بزرگ؛ زیاد؛ گران؛ سخت، سنگین؛ نیرومند؛ هوایی [high ball]؛ بوگرفته، اندکی فاسد شده [high meat] ۲.بلند؛ تند؛ گران؛ سخت ۳.بلندی؛ جای بلند

How high is that building? بلندی آن عمارت چقدر است؟

It is... high. بلندی آن... است.

the Most High God خدای متعال

a high opinion حسن ظن

with a high hand آمرانه، مقتدرانه

high and dry در خشکی؛ [مجازاً] دور از جریان حوادث کهنه

ride the high horse خود را گرفتن

play high بازی کلان کردن

high water طغیان کامل آب؛ مدّ کامل

high tide مدّ کامل
high day روز عید، روز جشن
high road جادهٔ اصلی، شاهراه
high seas دریای وسیع و آزاد
It is high time you were gone
تاحالا می‌بایستی رفته باشید، درست وقت رفتن است
high noon عین ظهر، ظهرِ ظهر
high colour سرخی، خجالت
high school دبیرستان
on high در آسمان، در بالا؛ به آسمان
Assuring you of our highest esteem
با تقدیم احترامات فائقه
the Highest اعلی‌علیین
high-ball /ˈhaɪbɔːl/ *n,US;Col* ویسکی سودا
high-born /ˈhaɪbɔːn/ *adj* اصیل، پاکزاد
highboy /ˈhaɪbɔɪ/ *n* گنجهٔ بلند کشودار، قفسهٔ بلند پایه‌دار
high-bred /ˈhaɪbred/ *adj* با تربیت؛ اصیل
highbrow /ˈhaɪbraʊ/ *n*
کسی که خود را با فرهنگ‌تر از دیگران می‌داند
highfalutin /ˌhaɪfəˈluːtn/ *adj* قلنبه، باطمطراق
high-flown /ˌhaɪ ˈfləʊn/ *adj* گزاف، اغراق‌آمیز؛ قلنبه، پرآب وتاب
high-handed /ˌhaɪ ˈhændɪd/ *adj* تحکم‌آمیز
highland /ˈhaɪlənd/ *n* زمینِ کوهستانی و بلند
highlander *n* ساکن کوهستان، کوه‌نشین
highly /ˈhaɪlɪ/ *adv* بسیار، زیاد؛ قویا [recommend highly]؛ با احترام
think highly of a person
نظر خوب نسبت به کسی داشتن
high-minded /ˌhaɪ ˈmaɪndɪd/ *adj* بزرگ‌منش
highness /ˈhaɪnɪs/ *n* بلندی؛ زیادی
His Highness جنابِ آقایِ
His Royal Highness والاحضرت همایونی
high-pitched /ˌhaɪ ˈpɪtʃt/ *adj* تیز؛ سراشیب [a high-pitched roof]
high-pressure /ˌhaɪ ˈpreʃə(r)/ *adj* پُرفشار
high-proof /ˌhaɪ ˈpruːf/ *adj* سنگین، تند
high-spirited /ˌhaɪ ˈspɪrɪtɪd/ *adj* دلیر؛ باهمت
high-strung /ˌhaɪ ˈstrʌŋ/ *adj* عصبانی؛ حساس
highway /ˈhaɪweɪ/ *n* بزرگراه، شاهراه؛ شارعِ عام
highway robbery راهزنی
highwayman /ˈhaɪweɪmən/ *n* [-men]
راهزن (سواره)
hike /haɪk/ *n,Col* گردش بیرون شهر

hilarious /hɪˈleərɪəs/ *adj* خوش، سرخوش، بانشاط؛ نشاط‌آور
hilarity /hɪˈlærətɪ/ *n* خوشی، نشاط
hill /hɪl/ *n* تپه، تل؛ تودهٔ خاک
hillock /ˈhɪlək/ *n* تپهٔ کوچک
hilly /ˈhɪlɪ/ *adj* کوهستانی؛ سراشیب
hilt /hɪlt/ *n* دسته، قبضه
up to the hilt تا دسته؛ تماماً
him /hɪm/ *pr* او را [آن مرد را]، به او
H.I.M. = His (Her) Imperial **Majesty** اعلیحضرت (یا علیاحضرت)
himself /hɪmˈself/ *pr* [*fem* herself] خودش، خود آن مرد؛ خود(ش) را
hind /haɪnd/ *adj* پسین، عقبی
hind quarters کفل، پایین‌تنه
hind /haɪnd/ *n* گوزن ماده از ۳ سال به بالا
hinder /ˈhɪndə(r)/ *adj* پسین، عقبی
hinder /ˈhɪndə(r)/ *vt* بازداشتن، ممانعت کردن، جلوگیری کردن، عقب انداختن
hindmost /ˈhaɪndməʊst/ *adj* [*sup of* hind]
عقب‌ترین، پسین؛ دورترین
hindrance /ˈhɪndrəns/ *n* مانع
hinge /hɪndʒ/ *n,vi* ۱.لولا؛ [مجازاً] محور، مدار ۲.مربوط بودن
off the hinges دچار اختلال (جسمی یا دماغی)، مختل
hinged *ppa* لولادار
hint /hɪnt/ *n,v* اشاره (کردن)
give a hint of; hint *(vi)* **at** اشاره کردن به
hinterland /ˈhɪntəænd/ *n,Ger*
زمینِ ماورای ساحل
hip /hɪp/ *n* قسمت میانِ ران و تهیگاه [معنی تقریبی] لنبر یا کفل؛ مفصل ران
hip /hɪp/ *n,vt* [-ped] ۱.افسردگی، حالت مالیخولیایی ۲.افسرده کردن، افسردن
hip,hip,hurrah! *int* هورا
Hippocrates /hɪˈpɒkrəˌtiːz/ *n* بقراط
hippodrome /ˈhɪpədrəʊm/ *n*
میدان اسب‌دوانی؛ اسپریس؛ سیرک
hippopotamus /ˌhɪpəˈpɒtəməs/ *n*
اسب آبی [گاهی به‌طور مختصر hippo گفته می‌شود]
hire /ˈhaɪə(r)/ *vt,n* ۱.کرایه کردن [hire a carriage]، مزدور کردن، اجیر کردن، گرفتن [hire a servant]؛ (موقتاً یا برای مدت کوتاهی) اجاره کردن [hire a cinema hall]؛ کرایه دادن [با out] ۲.کرایه؛ مزد
horses for hire اسب(های) کرایه‌ای
let out on hire کرایه دادن

hire-purchase /ˌhaɪə ˈpɜːtʃəs/ *n*
خرید اقساطی

hireling /ˈhaɪəlɪŋ/ *n,adj*
مزدور

hirsute /ˈhɜːsjuːt US: suːt/ *adj* پرمو، پشمالو

his /hɪz/ *pr* [their(s)] اش، ش؛
مال او [مال آن مرد]

his house خانه‌اش، خانهٔ آن مرد

a friend of his یکی از دوستان او

hiss /hɪs/ *n,vi,vt* ۱.فس، هیس [صدای حرف سین]؛ فیش [صدای مار]؛ فش [صدای آبی که روی چیز داغ بریزد]؛ سوت ۲.هیش یا فیش کردن ۳.با سوت هو کردن یا از صحنه خارج نمودن [با off]

histology /hɪˈstɒlədʒɪ/ *n* بافت‌شناسی

historian /hɪˈstɔːrɪən/ *n* مورّخ

historic /hɪˈstɒrɪk/ *adj* تاریخی؛ مشهور

historical /hɪˈstɒrɪkl US: ˈstɔːr-/ *adj*
تاریخی؛ مربوط به تاریخ

history /ˈhɪstrɪ/ *n* تاریخ

histrionic /ˌhɪstrɪˈɒnɪk/ *adj* نمایشی

hit /hɪt/ *vt,vi* [hit] ,*n* ۱.زدن؛ خوردن به، تصادف کردن با؛ درست حدس زدن؛ جور در آمدن با؛ متأثر ساختن ۲.خوردن؛ اصابت کردن، برخورد کردن؛ تصادفاً رسیدن؛ ضربت زدن؛ موافق بودن ۳.ضربت؛ (حسن) تصادف، برخورد؛ موفقیت

hit the right nail on the head
درست حدس زدن؛ درستش را گفتن

hit someone below the belt
[در بوکس] ضربهٔ خطا وارد آوردن؛ [مجازاً] ناجوانمردی کردن، استفاده نامشروع کردن

He hit his aim. به مقصود خود رسید.

hit the mark درست حدس زدن؛
همان کار را که باید کرد کردن

hit off تقلید کردن؛ پیدا کردن؛ بی‌زحمت ساختن

hit it off سازگاری کردن

hit (up) on موفق به پیدا کردنِ (چیزی) شدن

hit or miss همین طوری، هرچه باداباد

hitch /hɪtʃ/ *n,vt,vi* ۱.تکان؛ کشش؛ درنگ؛ خفت، کمند؛ گره، گیر، محظور ۲.تکان دادن، هُل دادن؛ به‌طور موقت بستن یا گره زدن؛ کشیدن؛ گنجاندن ۳.گیر کردن؛ تکان خوردن؛ تپق زدن

hitch up بالا انداختن، بالا کشیدن

hitch-hiker /ˈhɪtʃ haɪkə(r)/ *n,US,Sl*
کسی که در کنارِ جاده ایستاده از صاحبان وسایط نقلیه خواهش می‌کند او را (مجاناً) سوار کنند

hither /ˈhɪðə(r)/ *adv,adj* ۱.اینجا، این‌طرف ۲.این‌طرفی

hitherto /ˌhɪðəˈtuː/ *adv* تاکنون

hive /haɪv/ *n,vt,vi* ۱.کندو ۲.در کندو نگاه داشتن؛ ذخیره کردن (عسل) ۳.با هم زیستن

hives /haɪvz/ *npl* دانه؛ کهیر

ho /həʊ/ *int* ها، ای؛ به؛ هو

hoar /hɔː(r)/ *adj* سفید شده؛ موسفید

hoard /hɔːd/ *n,vt* ۱.اندوخته، ذخیره ۲.گرد کردن، احتکار کردن [با up]

hoarder *n* جمع‌کننده، محتکر

hoar-frost /ˈhɔːfrɒst US:-frɔːst/ *n*
شبنم یخ‌زده

hoarse /hɔːs/ *adj* خشن، گرفته، خرخری [hoarse voice]؛ سینه گرفته

hoarseness *n* گرفتگی صدا یا سینه

hoary /ˈhɔːrɪ/ *adj* سفیدِ مایل به خاکستری؛ پیر، دارای سیمای پیرانه و محترم

hoax /həʊks/ *n,vt* ۱.شوخیِ فریب‌آمیز ۲.به شوخی گول زدن

hob /hɒb/ *n* طاقچه بغل اتاق یا بخاری؛ میخ سرپهن

hobble /ˈhɒbl/ *vi,vt,n* ۱.لنگیدن، سکته داشتن ۲.کلاف کردن (اسب)؛ لنگانیدن ۳.لنگی؛ دشواری، اشکال، گیر؛ پابند، بخو، کلاف

hobbledehoy /ˈhɒbldɪhɔɪ/ *n*
جوان بی‌دست‌وپا، پسری که فقط قد کشیده است

hobble-skirt /ˈhɒbl skɜːt/ *n* دامنِ تنگ

hobby /ˈhɒbɪ/ *n* کارِ ذوقی، مشغولیت

hobby-horse /ˈhɒbɪhɔːs/ *n* اسب چوبی

hobgoblin /hɒbˈgɒblɪn/ *n* جنِ زشت و موذی

hobnail /ˈhɒbneɪl/ *n* میخ سرپهن

hob-nob /ˈhɒbnɒb/ *vi* [-bed] هم‌پیاله شدن؛
با هم صحبت دوستانه کردن

hobo /ˈhəʊbəʊ/ *n,US,Sl* کارگر دوره‌گرد

Hobson's choice /ˌhɒbsnz ˈtʃɔɪs/
پیشنهادی که چاره‌ای جز قبول آن نیست

hock /hɒk/ *n,vt* ۱.مَفصلِ خرگوشی ۲.پی بریدن، لنگ کردن

hock /hɔk/ *n* شراب سفید آلمانی

hockey /ˈhɒkɪ/ *n* هاکی: نوعی چوگان بازی با اُصول فوتبال

hocus-pocus /ˌhəʊkəs ˈpəʊkəs/ *n*
حقه‌بازی و اغفال

hod /hɒd/ *n* ناوه؛ سطل حمل زغال در منازل

hodge-podge /ˈhɒdʒpɒdʒ/ = hotch-potch

hoe /həʊ/ *n,vt* ۱.کج بیل ۲.بیل زدن؛ از گیاه هرزه پاک کردن؛ کندن [با up]

hog /hɒg/ *n* خوک (پرواری یا اخته)

go the whole hog کار را تمام کردن، سنگ تمام در ترازو گذاشتن

hoggish /hɒgɪʃ/ *adj* خوک صفت

hogshead /'hɒgzhed US:'hɔ:g-/ *n* پیمانه‌ای برابر با ۲۳۸/۵ لیتر، چلیک بزرگ

hoist /hɔɪst/ *vt,n* ۱.بلند کردن ۲.اسباب برای بلند کردن چیزهای سنگین؛ هل یا تکان (برای بالا بردن چیزی)

hold /həʊld/ *vt,vi* [held] *,n* ۱.نگاه داشتن (در دست)؛ منعقد کردن (جلسه)؛ جا گرفتن؛ دارا بودن، داشتن (عقیده‌ای)؛ متصرف بودن؛ بر آن بودن، معتقد بودن؛ دانستن [hold responsible] ؛ جلوگیری کردن از؛ اشغال کردن ۲.دوام داشتن؛ (در جای خود) ماندن؛ چسبیدن، پیوستن؛ دست نگاه داشتن ۳.گیر، نگاهداری؛ دستگیره؛ پناه(گاه)؛ نفوذ؛ انبار یا ته کشتی

hold aloof کناره‌گیری کردن

hold back (پنهان) نگاه داشتن؛ جلوگیری کردن از؛ کنار کشیدن

hold by (*or* to) (به چیزی) چسبیدن؛ پسندیدن

hold down مطیع نگاه‌داشتن؛ برای اثبات مالکیت در تصرف داشتن

hold forth مطرح کردن؛ سخنرانی کردن

hold good معتبر بودن، شامل حال بودن

Hold (hard)! (Col) صبر کنید! عجله نکنید!

hold in جلوگیری کردن، خودداری کردن

hold on ادامه دادن؛ (محکم) نگاه‌داشتن؛ صبر کردن

hold one's ground (*or* one's own) ایستادگی کردن، موقعیت خود را حفظ کردن

hold out ایستادگی کردن، پایدار ماندن؛ راضی نشدن، تسلیم نشدن؛ دراز کردن (دست)

hold over به تعویق انداختن؛ برای بعد نگاه داشتن

hold the stage (for a long time) مدت زیادی روی صحنه ماندن [در گفتگوی از نمایش(نامه)]

hold up (بلند) نگاه داشتن؛ جلو (اسب را) گرفتن؛ خود را نگاه داشتن؛ خوب ماندن [در گفتگوی از هوا]

hold with پسندیدن، موافق بودن با

hold water با عقل جور درآمدن؛ از امتحان درست درآمدن

catch hold of محکم نگاه‌داشتن

get hold of گیر آوردن

holdall /'həʊldɔ:l/ *n* چمدان، کیف

hold back /həʊld 'bæk/ *n* مانع؛ گیره؛ بند

holding /'həʊldɪŋ/ *n* دارایی، علاقه؛ سهام متصرفی؛ اجاره‌داری

hold-up /'həʊld ʌp/ *n,Col* حمله و راهزنی، راهزنی با تهدید؛ معطلی، وقفه

hole /həʊl/ *n,vt* ۱.سوراخ؛ حفره ۲.سوراخ کردن؛ کندن؛ در لانه کردن

a square peg in a round hole کسی که مناسبِ سمت خود نیست

make a hole in زیاد مصرف کردن

pick holes in عیب‌جویی کردن از

hole (out) a ball توپی را در حفره انداختن

hole-and-corner /ˌhəʊl ən 'kɔ:nə(r)/ *adj* نهانی؛ دزدانه

holiday /'hɒlədeɪ/ *n* (روز) تعطیل

make holiday کار را تعطیل کردن

holiness *n* تقدّس، پاکی

His Holiness مقام مقدس (پاپ)

hollow /'hɒləʊ/ *adj,n,vt,vi* ۱.پوک، میان‌تهی؛ گود، گودافتاده؛ پوچ، فریبنده ۲.گودی، حفره ۳.پوک کردن؛ خالی کردن [گاهی با out] ۴.پوک شدن

holly /'hɒlɪ/ *n* درخت راج

hollyhock /'hɒlɪhɒk/ *n* گل خطمی فرنگی

holm /həʊm/ *n* جزیرهٔ کوچک

holm-oak /'həʊm əʊk/ *n* سندیان، بلوط

holocaust /'hɒləkɔ:st/ *n* قتل‌عام با سوزاندن

holograph /'hɒləgrɑ:f US: -græf/ *n* وصیت‌نامهٔ خود نوشت

holster /'həʊlstə(r)/ *n* جلد طپانچه

holy /'həʊlɪ/ *adj,n* ۱.مقدس؛ پاک، مبرّا ۲.قدس؛ چیز مقدس

Holy Spirit روح‌القدس

homage /'hɒmɪdʒ/ *n* کرنش، تعظیم

pay homage کرنش یا تعظیم کردن

home /həʊm/ *n,adj,adv* ۱.خانه؛ میهن ۲.خانگی؛ وطنی ۳.(به) خانه؛ به میهن خود؛ تا نقطه مقصود

I went home رفتم (به) خانه

at home در خانه یا وطن؛ راحت

Make yourself at home راحت باشید، اینجا را مانند خانه خود بدانید

be at home to friends برای پذیرایی دوستان در منزل بودن

be at home with (on,in) a subject با موضوعی آشنا بودن

Secretary of State for Home Affairs وزیر کشور، وزیر امور داخله

Home Office وزارت کشور

home rule حکومت به دست خود اهالی

bring a charge home to a person اتهامی را به گردن کسی گذاشتن

home /həʊm/ *vi,vt* ۱.به خانه برگشتن، به خانه رفتن ۲.خانه دادن (به)
homing pigeon کبوترِ جَلد
homeless *adj* بی‌خانه، دربه در
homelike /'həʊmlaɪk/ *adj* راحت (چون خانه خود)
homely /'həʊmlɪ/ *adj* ساده؛ خانگی؛ زشت
homemade /ˌhəʊm'meɪd/ *adj* وطنی، ساخت میهن
Homeric /həʊ'merɪk/ *adj* هومروار؛ منسوب به Homer یا اشعار وی
Homeric laughter قاه قاهِ خنده
homesick /'həʊmsɪk/ *adj* دلتنگ برای وطن
homespun /'həʊmspʌn/ *adj* بافت میهن، وطنی
homestead /'həʊmsted/ *n* خانه با متعلقات آن؛ خانهٔ رعیتی
homeward /'həʊmwəd/ *adv* سوی خانه، به طرف منزل
homewards /'həʊmwədz/ = homeward
homicide /'hɒmɪsaɪd/ *n* آدم‌کشی؛ آدم‌کش
homily /'hɒmɪlɪ/ *n* وعظ؛ نطق کسل‌کننده
hominy /'hɒmɪnɪ/ *n* ذرت جوشانده
homogeneous /ˌhɒmə'dʒɪ:nɪəs/ *adj* همجنس؛ یکجور، متشابه
homologous /hə'mɒləgəs/ *adj* مانند، نظیر، متشابه
homonym /'hɒmənɪm/ *n* کلمه‌ای که تلفظ آن با کلمه دیگر یکسان ولی معنی آن متفاوت است
homonymous /hə'mɒnɪməs/ *adj* هم‌تلفظ؛ همنام، هم اسم؛ مبهم
homophone /'hɒməfəʊn/ *n* ۱.حرف هم‌صدا ۲. homonym
Hon /ɒn,ɑ:n/ [مختصرِ Honourable]
hone /həʊn/ *n,vt* ۱.سنگ تیغ تیزکن ۲.با سنگ تیز کردن
honest /'ɒnɪst/ *adj* درستکار، امین؛ درست(کارانه)؛ حلال، مشروع
honestly *adv* از روی درستکاری؛ واقعاً، حقیقتاً
honesty /'ɒnəstɪ/ *n* درستی، امانت
honey /'hʌnɪ/ *n,vt* ۱.انگبین، عسل ۲.شیرین کردن؛ چرب و نرم کردن
honey-bee /'hʌnɪbi:/ *n* زنبور عسل
honeycomb /'hʌnɪkəʊm/ *n* شانهٔ عسل، شان عسل
honeycombed *ppa* خانه خانه
honeydew /'hʌnɪdju:/ *n* شهد گیاهی، عسلک، مادهٔ انگبینی که روی گیاهان می‌نشیند
honeyed /'hʌnɪd/ *or* **-nied** *ppa* عسلی، [مجازاً] چرب و نرم؛ شیرین؛ ملایم
honeymoon /'hʌnɪmu:n/ *n,vi* ۱.ماهِ عسل ۲.ماه عسل را به‌سر بردن
honeysuckle /'hʌnɪsʌkl/ *n* پیچ امین‌الدوله یا گل آن
honk /hɒŋk/ *n* صدای غاز یا بوق ماشین
honor /'ɒnə(r)/ [زیر honour آمده]
honorarium /ˌɒnə'reərɪəm/ *n* پای‌مزد، حق‌القدم؛ حق‌الوکاله
honorary /'ɒnərərɪ US: 'ɒnərerɪ/ *adj* افتخاری
honorific /ˌɒnə'rɪfɪk/ *adj* تجلیلی
honour /'ɒnə(r)/ *n,vt* ۱.احترام؛ افتخار؛ شرف؛ جلال؛ آبرو؛ پاکدامنی، عفت؛ [در جمع] درجه، نشان ۲.احترام کردن (به)؛ مفتخر ساختن؛ درجه یا نشان دادن؛ پذیرفتن (برات)؛ [املای امریکایی این کلمه honor است]
do the honours of the table وظایف میزبانی را بجا آوردن
in honour of به افتخارِ
I have the honour to inform you that محترماً آگاهی می‌دهد که
Upon my honour به شرافتم سوگند
dress of honour خلعت
His Honour جنابِ... [عنوان داوران و دادرسان]
honourable /'ɒnərəbl/ *adj* محترم، ارجمند؛ آبرومندانه
honourably /'ɒnərəblɪ/ *adv* محترمانه
hood /hʊd/ *n* باشلق؛روسری؛ روپوش؛ کلاهک دودکش؛ کُروک درشکه؛ کروک یا کاپوت اتومبیل
hooded *adj* باشلق‌دار؛ کاکل‌دار
hoodwink /'hʊdwɪŋk/ *vt* اغفال کردن
hoof /hu:f/ *n* [hoofs;hooves] *,vt* ۱.سُم ۲.با سم زدن؛ [با out] بیرون انداختن؛ پیاده رفتن [با it]
beef on the hoof گاوهای زنده
hoofed *adj* سُم‌دار
hook /hʊk/ *n,vt* ۱.قلاب؛ چنگک ۲.با قلاب گرفتن؛ با چنگک کشیدن؛ کج کردن؛ ربودن
hook and eye قزن‌قفلی، نروماده
by hook or by crook با کفش و کلاه، به هر وسیله که باشد
hookah /'hʊkə/ *n* قلیان

hooked *adj* سرکج، قلاب مانند

hooligan /'hu:lɪgən/ *n* هوچی؛ لات

hooliganism /'hu:lɪgənɪzəm/ *n* هوچی‌گری

hoop /hu:p/ *n,vt* ۱.حلقهٔ (دور چلیک)؛ تسمه؛ چنبر؛ حلقهٔ غلتاندنی ۲.تسمه یا حلقه زدن؛ احاطه کردن

hoopoe /'hu:pu:/ *n* هدهد

hoot /hu:t/ *vi,vt,n* ۱.داد زدن؛ هو کردن؛ بوق زدن ۲.با هو وجنجال از میدان در کردن ۳.هو؛ فریاد؛ صدایِ جغد؛ صدای بوق

hooter *n* بوق ماشین

hop /hɒp/ *n,vi,vt* [-ped] ۱.رازک ۲.لی‌لی کردن ۳.جستن یا پریدن از؛ جهانیدن

hop off حرکت کردن، راه افتادن [در گفتگوی از هواپیما]

Hop it! (Sl) بزن به چاک!

hope /həʊp/ *n,v* ۱.امید ۲.امیدوار بودن (به)؛ انتظار داشتن

I hope to see you there امیدوارم شما را آنجا ببینم

I hope he will soon recover امیدوارم بزودی بهبود یابد

I hope in God به خدا امیدوارم، امیدم به خدا است

hopeful /'həʊpfl/ *adj* امیدوار؛ امیدبخش

hopefulness *n* امیدواری

hopeless /'həʊplɪs/ *adj* نومید؛ بیچاره؛ چاره‌ناپذیر

hopelessness *n* ناامیدی، نومیدی، یأس؛ بیچارگی

hopper /'hɒpə(r)/ *n* ناودانِ آسیاب؛ قیف

hopscotch /'hɒpskɒtʃ/ *n* بازیِ اکردوکر

horde /hɔ:d/ *n* گروه

horizon /hə'raɪzn/ *n* (خط) افق

horizontal /,hɒrɪ'zɒntl US: ,hɔ:r-/ *adj* افقی، ترازی

horizontally /,hɒrɪ'zɒntəlɪ/ *adv* به‌طور افقی

hormone /'hɔ:məʊn/ *n* هورمون

horn /hɔ:n/ *n,vt* ۱.شاخ؛ بوق؛ شیپور؛ دبهٔ باروت؛ دماغه (سندان) ۲.شاخ زدن

French horn نوعی شیپور یا ساز بادی

He drew in his horns غلاف کرد؛ باد به زخمش خورد

take the bull by the horns در مقابل بلا سینه سپر کردن

the horns of a dilemma حیص بیص، دو شق نامطلوب در یک قضیه

horned *ppa* شاخدار

hornet /'hɔ:nɪt/ *n* زنبور سرخ، زنبور درشت

bring a hornet's nest about one's ears چوب در لانه زنبور کردن؛ دشمن برای خود تراشیدن

horny *adj* شاخی؛ پینه خورده

horoscope /'hɒrəskəʊp US: 'hɔ:r-/ *n* طالع؛ جدول ساعات

cast a horoscope طالع دیدن، رمل انداختن

horrible /'hɒrəbl US: 'hɔ:r-/ *adj* ترسناک؛ خیلی بد

horrid /'hɒrɪd/ *adj* ترسناک؛ نفرت‌انگیز

horrify /'hɒrɪfaɪ US: 'hɔ:r-/ *vt* ترساندن، هول دادن

horror /'hɒrə(r) US: 'hɔ:r-/ *n* ترس، وحشت؛ لرز، مورمور؛ تنفرِ آمیخته با بیم

He was filled with horror. لرزه بر اندامش افتاد.

Chamber of Horrors «اتاق وحشت‌انگیز» نام نمایشگاه یا موزه جنایی [در لندن]

horror-stricken /'hɒrə strɪkn/ ;

horror-struck /'hɒrə strʌk/ *adj* وحشتزده؛ رمیده

horse /hɔ:s/ *n* اسب؛ خرک؛ پایه

come off one's high horse از خر سیاه شیطان پایین آمدن

put the cart before the horse سرنا را از ته گشادش زدن

horseback /'hɔ:sbæk/ *n*

on horseback سواره، با اسب

horse-chestnut /,hɔ:s 'tʃestnʌt/ *n* شاه بلوط هندی

horse-drawn /'hɔ:s drɔ:n/ *adj* اسبی [a horse-drawn waggon]

horse-flesh /'hɔ:sfleʃ/ *n* اسب (به‌طور کلی)

horse-fly /'hɔ:s flaɪ/ *n* مگس‌اسب؛ خرمگس

horse laugh /'hɔ:s lɑ:f/ *n* خنده خرکی

horseman /'hɔ:smən/ *n* [-men] اسب سوار

horsemanship /'hɔ:smənʃɪp/ *n* اسب‌سواری

horseplay /'hɔ:spleɪ/ *n* شوخی خرکی

horsepower /'hɔ:spaʊə(r)/ *n* نیروی اسب، اسبِ بخار [مختصر آن h.p. است]

horse-race /'hɔ:sreɪs/ *n* (مسابقه) اسبدوانی

horse-radish /'hɔ:s rædɪʃ/ *n* ترب کوهی، ریشه خردل

horseshoe /'hɔ:sʃu:/ *n* نعل اسب

horsewhip /'hɔ:swɪp/ *n* شلاق؛ تازیانه

horsewoman /'hɔ:swʊmən/ زن اسب‌سوار

horsy /'hɔ:sɪ/ *adj* مربوط به اسب(دوانی)؛ دارای هیئت سوارکاری یا مهتری

horticulture /'hɔ:tɪkʌltʃə(r)/ *n* گُل‌پروری؛ بُستانکاری؛ فن پرورش گُل

horticulturist /ˌhɔ:tɪ'kʌltʃərɪst/ *n* گُل‌پرور؛ بُستانکار؛ پرورش‌دهندهٔ گُل

hosanna /həʊ'zænə/ *n* هلهله، حمد

hose /həʊz/ *n,vt* ۱.جوراب (و اجناس کشباف)؛ لولهٔ خرطومی ۲.با لوله آب دادن

hosier /'həʊzɪə(r) US: -ʒə(r)/ *n* فروشندهٔ جامه‌های کشباف؛ جوراب فروش

hosiery /'həʊʒɪərɪ/ *n* جوراب، کشباف

hospice /'hɒspɪs/ *n* مسافرخانه، منزل؛ بیمارستان؛ مسکین‌خانه

hospitable /hɒ'spɪtəbl/ *adj* مهمان‌نواز

hospital /'hɒspɪtl/ *n* بیمارستان

hospitality /ˌhɒspɪ'tælətɪ/ *n* مهمان‌نوازی

host /həʊst/ *n* گروه؛ سپاه؛ میزبان؛ مسافرخانه‌دار، مهمانخانه‌دار

host /həʊst/ *n* نان [در عشاءِ ربانی]

hostage /'hɒstɪdʒ/ *n* گرو، گروگان

hostel /'hɒstl/ *n* شبانه‌روزی دانشگاه

hostelry /'hɒstəlrɪ/ *Arch* = inn

hostess /'həʊstɪs/ *n* [*fem of* host] زن میزبان؛ زن مهمانخانه‌دار

hostile /'hɒstaɪl US: -tl/ *adj* دشمن؛ متعلق به دشمن؛ خصومت‌آمیز؛ متخاصم

hostility /hɒ'stɪlətɪ/ *n* دشمنی، خصومت؛ [در جمع] عملیات جنگی

hostler /'hɒslə(r)/ = ostler

hot /hɒt/ *adj,adv* ۱.گرم، داغ؛ تند؛ با حرارت؛ برانگیخته؛ مهیج؛ تازه ۲.گرماگرم، داغ داغ

hot temper تندخویی

give one hot خوب از جلو کسی درآمدن یا او را گوشمالی دادن

hot on the trail سخت در تعقیب

hotbed *n* تخته پهن

hotblooded /ˌhɒt'blʌdɪd/ *adj* خونگرم؛ تندخو

hotchpotch /'hɒtʃpɒtʃ/ *n* آش درهم جوش، آش شله‌قلمکار؛ چیز درهم برهم

hotel /həʊ'tel/ *n* هتل، مهمانخانه، مسافرخانه

hotfoot /ˌhɒt'fʊt/ *adv* سراسیمه، باشتاب

hot-headed /ˌhɒt 'hedɪd/ *adj* تند، عجول؛ بی‌پروا

hothouse /'hɒthaʊs/ *n* گرمخانه

hotly *adv* گرماگرم؛ باشتاب

hotness *n* گرمی؛ حرارت؛ تندی

hot-press /'hɒt pres/ *vt* مهره کشیدن؛ منگنه کردن

hot-tempered /ˌhɒt 'tempəd/ *adj* تندخو

hough *or* **hock** /hɒk/ *n* مفصل خرگوشی

hound /haʊnd/ *n,vt* ۱.سگ شکاری؛ آدم پست و بدبخت ۲.با سگ (تازی) شکار کردن؛ [با on] تحریک به دویدن کردن

follow the hounds; ride to hounds با دسته‌ای از سگهای تازی شکار کردن

hour /'aʊə(r)/ *n* ساعت؛ وقت

half an hour نیم ساعت

keep good (*or* early) hours زود خوابیدن و زود برخاستن

after hours بعد از ساعات رسمی

hourglass /'aʊəglɑ:s/ *n* ساعت ریگی، ساعت شنی

hour-hand /'aʊəhænd/ *n* عقربهٔ ساعت‌شمار

hourly /'aʊəlɪ/ *adj,adv* ساعت‌به‌ساعت(رخ‌دهنده)

house /haʊs/ *n* [houses /'haʊzɪz/] خانه؛ مجلس؛ خاندان، آل

keep the house ر خانه ماندن

open house درِ خانه باز [مهمان‌نواز]

house /haʊz/ *vt* منزل دادن (به)؛ پناه دادن؛ انبار کردن؛ جا دادن

house-agent /'haʊs eɪdʒənt/ *n* دلال (اجاره یا فروش) خانه

house-bound /'haʊs baʊnd/ *adj* خانه‌نشین، بیمار

housebreaker /'haʊsbreɪkə(r)/ *n* دزد روز؛ کسی که کارش خراب کردنِ خانه‌های کهنه است [در امریکا house-wrecker نامیده می‌شود]

household /'haʊshəʊld/ *n,adj* ۱.اهلِ خانه، خانواده ۲.خانگی؛ خودمانی

householder /-həʊldə(r)/ *n* خانه‌دار

housekeeper /'haʊski:pə(r)/ *n* (زن) خانه‌دار

housekeeping *n* خانه‌داری

housemaid /'haʊsmeɪd/ *n* کلفت، خدمتکار

housemaster /'haʊsmɑ:stə(r)/ *n* رئیس شبانه‌روزی

house-mistress /'haʊsmɪstrɪs/ *n* رئیسهٔ شبانه‌روزی؛ بانوی‌خانه، کدبانو

house-physician /'haʊs fɪzɪʃn/ *n* [در بیمارستان] پزشک مقیم

house-top /'haʊstɒp/ *n* بام خانه

house-warming /'haʊswɜ:mɪŋ/ *n* ولیمهٔ خانهٔ تازه

housewife /'haʊswaɪf/ *n* [-wives] کدبانو؛ زن خانه‌دار

housewife /'haʊswaɪf/ *n* جای سوزن و نخ، سوزن‌دان

housewifery /haʊswɪfərɪ/ *n* خانه‌داری
housework /'haʊswɜ:k/ *n* کارِ خانه، خانه‌داری
housing /'haʊzɪŋ/ *n* تهیهٔ جا و منزل؛ زین‌پوش؛ [در جمع] سُتام، یراق
hove /həʊv/ [*p,pp of* heave]
hovel /'hɒvl/ *n* کلبه، خانهٔ رعیتی؛ خانه غیرقابل زندگی
hover /'hɒvə(r) US: 'hʌvər/ *vi* در جا پَرزدن؛ پلکیدن [در همین نزدیکی‌ها بودن یا حرکت کردن]؛ [مجازاً] مردد بودن، نامعلوم بودن
how /haʊ/ *adj,adv* چگونه، چطور
How far? تا کجا؛ چقدر راه
How long? تا کی، تا چه وقت، چقدر؟
How many? چند؛ چندتا
How much? چقدر، چه اندازه؟
How old are you? چند سال دارید؟
How often? چند وقت به چند وقت؟
How about this one? این یکی چطور؟
How are you? احوال شما چطور است؟
How do you do? [در زیر do آمده است]
how /haʊ/ *conj* چنان که، آن طوری که
howdah /'haʊdə/ *n* هودج
however /haʊ'evə(r)/ *adv,conj* ۱.هرچند، هرقدر هم ۲.ولی، لیکن
howbeit /haʊ'bi:ɪt/ *Arch* = nevertheless
howl /haʊl/ *n,vi* ۱.زوزه؛ جیغ ۲.زوزه کشیدن؛ جیغ کشیدن
howler /'haʊlə(r)/ *n* اشتباهِ خنده‌آور
howsoever /,haʊsəʊ'evə(r)/ *adv,conj* هر جور، به هر ترتیب؛ هرقدر، هرچند
hoyden /'hɔɪdn/ *n* دختری که دارای اطوار پسرانه است
hp /,eɪtʃ 'pi:/ [مختصرِ horse-power]
hr [مختصرِ (hour(s]
hub /hʌb/ *n* توپی [در چرخ]؛ [مجازاً] مرکز
hubbub /'hʌbʌb/ *n* شُلوغ، ولوله، غریو، جنجال، هایهو
hubby /'hʌbɪ/ *n,Col* شوهر
huckster /'hʌkstə(r)/ *n,vi,vt* ۱.دوره‌گرد، خرده‌فروش ۲.چانه زدن؛ دوره‌گردی کردن ۳.جار زدن
huddle /'hʌdl/ *vi,n* ۱.ازدحام کردن، به‌هم فشار آوردن؛ خود را جمع کردن ۲.تودهٔ درهم‌برهم
hue /hju:/ *n* ته رنگ، رنگِ کم
hue and cry هیاهو، صدای بگیربگیر
raise a hue and cry against هو کردن، با هووجنجال با (کسی) مخالفت کردن
huff /hʌf/ *n,vi,vt* ۱.تغیّر، اوقات تلخی ۲.رنجیدن؛ قهر کردن ۳.متغیر کردن؛ تشر زدن به
in a huff با قهر و تغیّر
huffy *adj* زودرنج؛ کج خلق
hug /hʌg/ *vt* [-ged] *,n* ۱.در آغوش گرفتن، بغل کردن ۲.بغل‌گیری
huge /hju:dʒ/ *adj* بسیار بزرگ، کلان، گنده، عظیم‌الجثه؛ زیاد
hulk /hʌlk/ *n* لاشه کشتی که استفاده انبار از آن شود؛ [پیشتر] کشتی کهنه‌ای که استفاده زندان از آن می‌شد؛ [مجازاً] آدم تنومند و بدهیکل
hull /hʌl/ *n,vt* ۱.پوست ۲.پوست کندن
hull /hʌl/ *n* بدنهٔ کشتی
The ship is hull down. بدنه کشتی دیگر پیدا نیست (و تنها دکل‌های آن نمودار است).
hullabaloo /,hʌləbə'lu:/ *n* هیاهو
hullo /hə'ləʊ/ *int* اَلو [در تلفن]
hum /hʌm/ *vt,vi* [-med] *,n* ۱.زمزمه کردن ۲.وزوز کردن؛ [مجازاً] به راه افتادن؛ فعال بودن، مشغول بودن ۳.زمزمه؛ وزوز؛ صدای فرفره یا چرخ
hum and haw اِهم یا من‌من کردن
human /'hju:mən/ *adj* انسانی؛ شایستهٔ طبیعت بشری
human being انسان، آدم، بشر
humane /hju:'meɪn/ *adj* شایستهٔ انسان؛ بامروت؛ مربوط به (افکار) بشر؛ انسانی
humanism /'hju:mənɪzəm/ *n* اومانیسم، بشردوستی؛ (دلبستگی به) مسایل مربوط به نوع بشر؛ خیرخواهی از لحاظ انسانیت؛ مذهب نوع‌پرستی، ادبیات و فرهنگ (روم و یونان باستان)
humanist /'hju:mənɪst/ *n* اومانیست، بشردوست؛ مطالعه‌کننده طبیعت یا امور انسانی؛ دانش‌آموز فرهنگ روم و یونان در قرن‌های ۱۴ تا ۱۶
humanitarian /hju:,mænɪ'teərɪən/ *n* بشردوست؛ طرفدارِ کاهش آلام بشر
humanitarianism /hju:,mænɪ'teərɪənɪzəm/ *n* بشردوستی از روی مسلک
humanity /hju:'mænətɪ/ *n* انسانیت، آدمیت، بشریت
the Humanities ادبیات (باستانی)
humanize /'hju:mənaɪz/ *vt* انسانی کردن؛ مانند شیر مادر کردن، باب خوردن طفل کردن (شیر گاو)
humankind /,hju:men'kaɪnd/ = mankind

humanly /'hju:mənlɪ/ *adv* در حدود توانایی بشر

humble /'hʌmbl/ *adj,vt* ۱.فروتن، متواضع؛ پست؛ عاجزانه ۲.پست کردن

humble oneself فروتنی کردن

humbly /'hʌmblɪ/ *adv* با تواضع؛ عاجزانه

humbug /'hʌmbʌg/ *n,vt,vi* [-ged] ۱.لاف، دروغ؛ لاف‌زن ۲.فریب دادن ۳.لاف زدن

humdrum /'hʌmdrʌm/ *adj* کسل‌کننده؛ یکنواخت

humerus /'hju:mərəs/ *n* [*pl of* humeri /'hju:mərai/] استخوان بازو

humid /'hju:mɪd/ *adj* مرطوب، آبدار

humidify /hju:'mɪdɪfaɪ/ *vt* مرطوب ساختن

humidity /hju:'mɪdətɪ/ *n* رطوبت، نمناکی؛ مقدار رطوبت هوا

humiliate /hju:'mɪlɪeɪt/ *vt* پست کردن؛ خوار کردن؛ جریحه‌دار کردن

humiliating *apa* توهین‌آمیز

humiliation /hju:,mɪlɪ'eɪʃn/ *n* تحقیر؛ پستی

humility /hju:'mɪlətɪ/ *n* فروتنی، تواضع

humming-bird /'hʌmɪŋbɜ:d/ *n* مرغ مگس‌خوار

hummock /'hʌmək/ *n* پشته، تپهٔ گرد

humor /'hju:mər/ [زیر humour آمده است]

humorist /'hju:mərɪst/ *n* آدم بذله‌گو؛ فکاهی‌نویس

humorous /'hju:mərəs/ *adj* فکاهی؛ شوخ

humorously /'hju:mərəslɪ/ *adv* ازروی خوشمزگی؛ به‌طور فکاهی

humour /'hju:mə(r)/ *n,vt* ۱.خلط، آب؛ رطوبت؛ مشرب، خو، خُلق؛ شوخی، لطف؛ حسّ درک شوخی یا لطایف ۲.راضی کردن، دل (کسی را) به دست آوردن [املای امریکایی این کلمه humor است]

good humour خوش‌خلقی، خوش‌طبعی

ill humour بدخلقی، بدخویی

I am not in the humour for (or to) work. حال کار کردن ندارم.

He is out of humour سرِ خُلق نیست، سردماغ نیست، دل و دماغ ندارد

hump /hʌmp/ *n,vt* ۱.قوز؛ کوهان ۲.قوز کردن؛ اوقات (کسی را) تلخ کردن

two-humped دوکوهانه

humpback /'hʌmpbæk/ *n* آدم قوزپشت

humpbacked *adj* قوزپشت، گوژپشت

humph /hʌmf/ *int,vi* ۱.پیف [هنگام تردید یا نارضایتی] ۲.پیف کردن

humpty-dumpty /'hʌmptɪ'dʌmptɪ/ *n* آدم کوتاه و کلفت، آدم خپل یا گرد و قلنبه

humus /,hju:məs/ *n* گیاه‌خاک

Hun /hʌn/ *n* هون، قومی که در سده‌های چهارم و پنجم میلادی در اروپا تاخت‌وتاز کردند؛ [مجازاً] آدم وحشی و مخرّب تمدن

hunch /hʌntʃ/ *vt,n* ۱.خم کردن؛ قوز کردن ۲.قوز؛ قلنبه، تکهٔ کلفت؛ ظن

hunchback /'hʌntʃbæk/ *n* = humpback

hunchbacked *adj* قوزپشت

hundred /'hʌndrəd/ *n,adj* صد

a hundred and one هزارویک

hundredfold /'hʌndrədfəʊld/ *adv* صدبرابر

hundredth /'hʌndrədθ/ *adj,n* (یک) صدم

hundredweight /'hʌndredweɪt/ *n* وزنه‌ای که در انگلیس برابر با ۱۱۲ پاوند و در امریکا برابر با ۱۰۰ پاوند است [مختصر آن cwt است]

hung /hʌŋ/ [*p,pp of* hang]

Hungarian /hʌŋ'geərɪən/ *adj,n* مجاری، اهل هنگری یا مجارستان

Hungary /'hʌŋgərɪ/ *n* مجارستان

hunger /'hʌŋgə(r)/ *n,vt,vi* ۱.گرسنگی ۲.گرسنگی دادن ۳.گرسنگی خوردن

hunger for (*or* after) آرزو کردن

hungry /'hʌŋgrɪ/ *adj* گرسنه؛ حریص؛ مشتاق

I feel hungry. گرسنه هستم.

go hungry گرسنه‌ماندن، گرسنگی‌کشیدن

hunk /hʌŋk/ *n* تکهٔ بزرگ و بدقواره

hunt /hʌnt/ *v,n* ۱.شکار کردن؛ جستجو کردن (در)، گشتن؛ دنبال یا تلاش کردن ۲.شکار؛ جستجو

hunt down دنبال کردن و گرفتن، عاجز کردن، گرفتار کردن

hunt out با جستجو یافتن

hunt up جستجو کردن

hunt for (*or* after) جستجو کردن، پیِ... گشتن

hunter *n* شکارچی؛ اسبی که در شکارِ روباه می‌برند؛ ساعت شکاری

hunting *n* شکار (روباه)

hunt dog سگ شکاری، توله

huntress /'hʌntrɪs/ [*fem of* hunter]

huntsman /'hʌntsmən/ *n* [-men] شکارچی، صیاد؛ شکارگردان؛ تازی‌بان

hurdle /'hɜ:dl/ *n* سبدِ ترکه‌ای؛ چپر، پرچین؛ [اسب‌دوانی] مانع

the hurdles = hurdle-race

hurdle-race /'hɜ:dl reɪs/ *n* اسب‌دوانی با مانع
hurdy-gurdy /'hɜ:dɪ gɜ:dɪ/ *n* ساز بزرگی که با چرخ برده و با گرداندن دسته نواخته می‌شود
hurl /hɜ:l/ *vt* پرتاب کردن [به‌طور حقیقی و مجازی]
hurly-burly /'hɜ:lɪ bɜ:lɪ/ *n* آشوب، غوغا
hurrah /hʊ'rɑ:/ *int* هورا، آفرین
hurray /hʊ'reɪ/ = hurrah
hurricane /'hʌrɪkən US: -keɪn/ *n* تندباد، گردباد
hurricane lamp چراغِ بادی، چراغ دریایی
hurried *ppa* زود (انجام یافته)؛ شتاب‌زده، دستپاچه
in a hurried state با شتاب یا عجله
hurriedly *adv* باشتاب، به عجله
hurry /'hʌrɪ/ *n,vi,vt* ۱.شتاب، عجله ۲.عجله کردن ۳.شتابانیدن
Make a hurry. عجله کنید.
I am in a hurry for it آن‌را زود می‌خواهم، عجله دارم
Hurry up! زود باشید! شتاب کنید!
hurt /hɜ:t/ *v* [hurt] ,*n* ۱.آزار رساندن (به)، اذیت کردن، صدمه زدن (به) ۲.آسیب، صدمه، اذیت، [مجازاً] لطمه
My teeth hurt. دندانهایم درد می‌کند.
I hurt my hand. دستم آسیب دید.
My words hurt his feelings. سخنان من به او برخورد.
get hurt آزار دیدن، اذیت شدن
hurtful /hɜ:tfl/ *adj* آسیب‌رسان، مضرّ [بعد از آن to می‌آید یعنی (برایِ)]
hurtle /'hɜ:tl/ *v* پرت کردن یا شدن؛ خوردن (به)
husband /'hʌzbənd/ *n,vt* ۱.شوهر ۲.با صرفه‌جویی اداره کردن، با صرفه‌جویی خرج کردن، رساندن
husbandman /'hʌzbəndmən/ = farmer
husbandry /'hʌzbəndrɪ/ *n* کشاورزی؛ خانه‌داری، صرفه‌جویی؛ حسن اداره
hush /hʌʃ/ *n,v* ۱.خاموشی، سکوت ۲.ساکت کردن، ساکت شدن
hush up ساکت نگاه داشتن، سروصدا(ی چیزی را) در نیاوردن
hush-money /'hʌʃ mʌnɪ/ *n* حق‌السکوت
husk /hʌsk/ *n,vt* ۱.پوست؛ آشغال ۲.پوست کندن
huskily /'hʌskɪlɪ/ *adv* با صدای گرفته
husky /'hʌskɪ/ *adj* پوست‌دار؛ پوستی؛ خشک؛ خشن، خرخری؛ [در گفتگو] درشت و قوی
husky /'hʌskɪ/ *n* سگ اسکیمو؛ مرد خوش‌بنیه [اصطلاح امریکایی]
hussar /hʊ'zɑ:(r)/ *n* سربازِ سواره‌نظام سبک‌اسلحه
hussy /'hʌsɪ/ *n* زن یا دختر گستاخ و بی‌تربیت
hustle /'hʌsl/ *n,v* تنه (زدن به)؛ هل (دادن)؛ شتاب (کردن)
hut /hʌt/ *n,vt,vi* [-ted] ۱.کلبه؛ خانه چوبی موقت ۲.در کلبه جا دادن ۳.در کلبه زندگی کردن
hutch /hʌtʃ/ *n* قفس (خرگوش)؛ جعبه، صندوق؛ کلبه؛ تُغار
huzzah /hə'zɑ:/ = hurrah
hyacinth /'haɪəsɪnθ/ *n* سنبل
hybrid /'haɪbrɪd/ *adj,n* ۱.دورگه؛ پیوندی؛ نامتجانس ۲.جانور دورگه؛ گیاه پیوندی
hybridize /'haɪbrɪdaɪz/ *v* پیوند زدن؛ از دو جنس با هم جفت کردن یا شدن
Hydra /'haɪdrə/ *n* [در افسانه] مارِ نُه سر؛ [مجازاً] شرّ صعب‌العلاج
hydragogue /'haɪdrəgɔ:g/ *adj* مدّر، پیشاب‌آور
hydrant /'haɪdrənt/ *n* لولهٔ آب‌برداری؛ شیر آتش‌نشانی
hydraulic /haɪ'drɔ:lɪk/ *adj* مربوط به علم انتقال آب یا آب‌رسانی؛ زیر آب سفت شونده؛ هیدرولیکی، آبی، روغنی
hydraulic brake ترمز روغنی
hydraulic press منگنهٔ آبی
hydraulic machine ماشین آبی، دستگاه آبی
hydraulics *npl or s* هیدرولیک، علمِ خواص آب متحرک، علم آب‌رسانی
hydrocarbon /ˌhaɪdrə'kɑ:bən/ *n* هیدروکربور
hydrochloric acid /ˌhaɪdrə'klɒrɪk æsɪd/ جوهرنمک
hydrogen /'haɪdrədʒən/ *n* هیدروژن
hydrogen peroxide آب اکسیژنه
hydrography /haɪ'drɒgrəfɪ/ *n* نقشه‌برداری یا تشریح آب‌های روی زمین
hydroid /'haɪdrɔɪd/ *adj,n* (جانور) مرجانی
hydrology /haɪ'drɒlədʒɪ/ *n* آب‌شناسی، مبحث آب
hydrometer /ˌhaɪ'drɒmɪtə(r)/ *n* آلت سنجش وزن مخصوص مایعات، مایع‌سنج

hydropathy /haɪ'drɒpəθɪ/ *n* علاج با آب، آب درمانی

hydrophobia /ˌhaɪdrə'fəʊbɪə/ *n* گزیدگی سگِ هار؛ ترس از آب، آب‌هراسی

hydroplane /'haɪdrəpleɪn/ *n* هواپیمای دریایی

hydrostatic /ˌhaɪdrə'stætɪk/ *adj* هیدروستاتیکی؛ مربوط به فشارِ آب ساکن

hydrous /'haɪdrəs/ *adj* آبدار

hyena *or* **hyaena** /haɪ'i:nə/ *n* کفتار [نام جانور]

hygiene /'haɪdʒi:n/ *n* (علم) بهداشت، حفظ‌الصحه

hygienic /haɪ'dʒi:nɪk/ *adj* بهداشتی، صحی

hygienist /'haɪdʒi:nɪst/ *n* متخصص بهداشت

Hymen /'haɪmən/ *n* نام رب‌النوع عروسی؛ [با h] پردهٔ بکارت

hymn /hɪm/ *n,vi* ۱.سرود ۲.سرود خواندن

hymnal /'hɪmnəl/ *n* کتاب سرود

hyperacidity /ˌhaɪpərə'sɪdɪtɪ/ *n* حموضت زیاد، زیادی اسید (معده)

hyperbola /haɪ'pɜ:bələ/ *n* [هندسه] هذلولی، قطع زاید

hyperbole /haɪ'pɜ:bəlɪ/ *n* مبالغه، اغراق

hypercritical /ˌhaɪpə'krɪtɪkl/ *adj* بیش از حد خُرده‌گیر

hyphen /'haɪfn/ *n,vt* ۱.خط پیوند ۲.hyphenate [چون در north-east]

hyphenate /'haɪfəneɪt/ *vt* با خط پیوند چسباندن یا نوشتن

hypnology /hɪp'nɒlədʒɪ/ *n* خواب‌شناسی

hypnotic /hɪp'nɒtɪk/ *adj,n* ۱.خواب‌آور؛ مصنوعی ۲.داروی خواب‌آور؛ شخص هیپنوتیسم شده؛ هیپنوتیسمی

hypnotism /'hɪpnətɪzəm/ *n* هیپنوتیسم

hypnotist /'hɪpnətɪst/ *n* متخصص هیپنوتیسم؛ هیپنوتیسم‌گر

hypnotize /'hɪpnətaɪz/ *vt* خواب کردن (به وسیلهٔ هیپنوتیسم)

hypochondria /ˌhaɪpə'kɒndrɪə/ *n* مالیخولیا، مراق؛ خود بیمارانگاری

hypochondriac /ˌhaɪpə'kɒndrɪæk/ *n* مالیخولیایی؛ خودبیمارانگار

hypocrisy /hɪ'pɒkrəsɪ/ *n* دورویی، ریا

hypocrite /'hɪpəkrɪt/ *n* (آدم) ریاکار

hypocritical /ˌhɪpə'krɪtɪkl/ *adj* ریاکار؛ ریاکارانه

hypodermic /ˌhaɪpə'dɜ:mɪk/ *adj* زیرپوستی [hypodermic injection]؛ واقع در زیر پوست

hypodermic syringe سرنگ برای تزریق زیرپوست

hypogastric /ˌhaɪpə'gæstrɪk/ *adj* زیرشکمی

hypotenuse /haɪ'pɒtənju:z US: -tnu:s/ *n* [هندسه] زه، وتر

hypothecary /haɪ'pɒθəkerɪ/ *adj* رهنی

hypothesis /haɪ'pɒθəsɪs/ *n* [-ses] فرض؛ فرضیه

hypothetical /'haɪpə'θetɪkl/ *adj* فرضی

hyssop /'hɪsəp/ *n* زوفا: گیاهی خودرو ازتیرهٔ نعناعیان

hysteria /hɪ'stɪərɪə/ *n* هیستری؛ غش و حمله که پیشتر گمان می‌کردند نتیجه اختناق زهدان است؛ [مجازاً] هیجان و ابراز احساسات شدید و بی‌دلیل

hysterical /hɪ'sterɪkl/ *adj* هیستریایی؛ حمله‌ای؛ تشنجی؛ عصبانی؛ دستخوش هیجان و احساسات

hysterics /hɪ'sterɪks/ *npl* حملهٔ هیستری؛ حمله و تشنج؛ هیجان و عصبانیت

I,i

I,i /aɪ/ *n* نهمین حرف الفبای انگلیسی

I /aɪ/ *pr* من

iambic /aɪ'æmbɪk/ *adj* دارای وتدِ مجموع یا یک وتد کوتاه و یک وتد بلند

ibex /'aɪbeks/ *n* بزکوهی، تکه، مرال

ib; ibid [مختصرِ ibidem]

ibidem /'ɪbɪdem/ *adv* درهمان‌جا

ibis /'aɪbɪs/ *n* نوعی لک‌لک

ice /aɪs/ *n,vt* ۱.یخ؛ بستنی، شیرینیِ گلسه ۲.سرد کردن؛ شکرپوش کردن

break the ice تشریفات و رودربایستی را کنار گذاشتن؛ سدّ را شکستن

It has cut no ice. کاری از پیش نبرده‌است. ارزش یا اهمیتی نداشته است.

iceberg /'aɪsbɜ:g/ *n* تودهٔ یخ شناور

ice-boat /'aɪsbəʊt/ *n* قایق رویخی

icebox /'aɪsbɒks/ *n* یخدان، یخچال
ice-breaker /'aɪs breɪkə(r)/ *n* کشتی یخ‌شکن
ice-cream /ˌaɪs 'kri:m/ *n* بستنی
Icelander /'aɪslændə(r)/ *n* اهل ایسلاند
ichthyology /ˌɪkθi:ɒlədʒɪ/ *n* ماهی‌شناسی
icicle /'aɪsɪkl/ *n* قلمِ یخ، یخ‌پاره
icing /'aɪsɪŋ/ *n* پوشش شکر و سفیدهٔ تخم‌مرغ در روی شیرینی
icon /'aɪkɒn/ *n* شمایل
iconoclast /aɪ'kɒneklæst/ *n* شمایل‌شکن؛ براندازندهٔ عقاید غلط
icteric /ɪk'terɪk/ *adj* یَرقانی
icterus /'ɪktərəs/ *n* زردی، یرقان
icy /'aɪsɪ/ *adj* یخی؛ یخزار؛ بسیار سرد؛ خنک
I'd /aɪd/ = I would; I had
idea /aɪ'dɪə/ *n* تصور؛ اندیشه، فکر؛ عقیده، نظر؛ مقصود، معنی؛ خبر؛ طرز فکر؛ نمونه واقعی؛ [در جمع] مُثُل
 form an idea of تصور کردن
 with the idea of به‌نیتِ
 I gave up the idea.
 از آن خیال منصرف شدم (یا صرف‌نظر کردم).
 get ideas into one's head
 وعده(ها) به‌خود دادن، «خبرهایی» را انتظار داشتن
 What an idea! چه حرفها!
ideal /aɪ'dɪəl/ *n,adj* ۱.کمالِ مطلوب، ایده‌ال، هدف (زندگی)؛ نمونهٔ کامل فرضی ۲.خیالی؛ فرضی؛ معنوی؛ مطابق نمونهٔ واقعی؛ مبنی بر کمال مطلوب
idealism /aɪ'dɪəlɪzəm/ *n* آرمانگرایی؛ اصالت تصور؛ انکار وجود خارجی اشیا، فلسفهٔ فکریه؛ معنویت، ایده‌الیسم
idealist /aɪ'dɪəlɪst/ *n* آرمانگرا؛ معنوی؛ منکر وجودِ خارجی و حقیقی اشیا، معتقد به خیال و تصور؛ ایده‌الیست
idealistic /ˌaɪdɪə'lɪstɪk/ *adj* آرمانگرایانه؛ معنوی، فکری، ایده‌الیستی
idealization /aɪˌdɪəlaɪ'zeɪʃn US: -lɪ'z-/ *n* کمال مطلوب
idealize /aɪ'dɪəlaɪz/ *vt* به کمال مطلوب رسانیدن؛ تصورکردن؛ حالت خیالی به (چیزی) دادن
ideally /aɪ'dɪəlɪ/ *adv* مطابق آرزو یا کمالِ مطلوب؛ فکراً، تصوراً
idem /'ɪdem/ *adv* در همان‌جا؛ همان کلمه، ایضاً
identical /aɪ'dentɪkl/ *adj* یکسان، یکی، همانند
identification /aɪˌdentɪfɪ'keɪʃn/ *n* تعیین هویت، شناسایی
identify /aɪ'dentɪfaɪ/ *vt* هویت (چیزی را) تعیین‌کردن، تشخیص دادن، شناختن؛ یکی دانستن، یکی کردن، همسان ساختن؛ مربوط ساختن
identity /aɪ'dentətɪ/ *n* عینیت، این همانی؛ هویت، شخصیت
ideogram /'ɪdɪəgræm/ = ideograph
ideograph /'ɪdɪəgrɑ:f US: -græf/ *n* نشانی که به‌جای خط به‌کار می‌رود، خط رمزی
ideology /ˌaɪdɪ'ɒlədʒɪ/ *n* مرام، مسلک؛ بحث در تصورات، مبحث فکریات؛ خیال، نظر
ides /aɪdz/ *npl* روز پانزدهم [در مارس و مه و ژوئیه و اکتبر]، روز سیزدهم [در ماههای دیگر]
id est /ˌɪd 'est/ *L* = that is
 یعنی [مختصر آن i.e. است]
idiocy /'ɪdɪəsɪ/ *n* خبط دماغ، ابلهی
idiom /'ɪdɪəm/ *n* اصطلاح، شیوه (زبان)، تعبیر ویژه، زبانزد؛ لهجه؛ اسلوب ویژه
idiomatic /ˌɪdɪə'mætɪk/ *adj* اصطلاحی؛ مصطلح
idiosyncrasy /ˌɪdɪə'sɪŋkrəsɪ/ *n* حالت (دماغی) یا طرز فکر ویژه هرکس، خصیصه فردی
idiot /'ɪdɪət/ *n* آدم مخبط، احمق
idiotic /ˌɪdɪ'ɒtɪk/ *adj* احمق؛ ابلهانه
idle /'aɪdl/ *adj,vi* ۱.بیکار؛ تنبل؛ بیهوده ۲.به بطالت وقت گذراندن
 idle hours ساعتهای بیکاری
 idle rumours شایعاتِ بی‌اساس
 idle wheel چرخ دلاله، چرخ میان
 idle *(vt)* **away** به‌بطالت گذراندن
idleness *n* بیکاری؛ تنبلی؛ بطالت
idler *n* آدم بیکار، آدم تنبل
idly /'aɪdlɪ/ *adv* به‌بطالت؛ از روی تنبلی
idol /'aɪdl/ *n* بُت، صنم
idolater /aɪ'dɒlətə(r)/ *n* بت‌پرست
idolatress /aɪ'dɒlətrɪs/ [*fem of* idolater]
idolatrous /aɪ'dɒlətrəs/ *adj* بت‌پرست؛ مربوط به بت‌پرستی؛ ناشی از بت‌پرستی
idolatry /aɪ'dɒlətrɪ/ *n* بت‌پرستی
idolize /'aɪdəlaɪz/ *vt* چون بت‌پرستیدن
idyll /'ɪdɪl US: 'aɪdl/ *n* شرحِ مختصری از زندگی روستایی به نظم یا نثر
ie [مراجعه شود به id est]
if /ɪf/ *conj* اگر؛ هرگاه؛ آیا؛ کاش
 If I were you اگر من جای شما بودم
 Ask him if he likes to go.
 از او بپرسید (آیا) میل دارد برود یا نه.

if so اگر چنین است
if any اگر باشد، اگر داشته باشد
if possible در صورت امکان
if and when هرگاه، هرآینه اگر
as if چنان... که گویی، مانند اینکه
igloo /ˈɪglu:/ *n* کلبه برفی اسکیمو
igneous /ˈɪgnɪəs/ *adj* آذرین؛ آتشفشانی
ignite /ɪgˈnaɪt/ *vt,vi* ۱.آتش زدن، روشن کردن؛ سرخ کردن ۲.آتش گرفتن
ignition /ɪgˈnɪʃn/ *n* افروزش
ignoble /ɪgˈnəʊbl/ *adj* فرومایه؛ بی‌شرفانه
ignominious /ˌɪgnəˈmɪnɪəs/ *adj* بدنام؛ بد، زشت
ignominy /ˈɪgnəmɪnɪ/ *n* رسوایی؛ کار زشت
ignoramus /ˌɪgnəˈreɪməs/ *n* آدم نادان
ignorance /ˈɪgnərəns/ *n* نادانی، جهل
feign ignorance تجاهل کردن
ignorant /ˈɪgnərənt/ *adj* نادان، جاهل؛ جاهلانه
ignorantly /ˈɪgnərəntlɪ/ *adv* جاهلانه
ignore /ɪgˈnɔ:(r)/ *vt* نادیده پنداشتن
iguana /ˈɪgwɑ:nə/ *n* سوسمار درختی
iliac /ˈɪli:æk/ *adj* حِرقفی، مربوط به تهیگاه
Iliad /ˈɪli:əd/ *n* ایلیاد [نام رزمنامهٔ یونانی منسوب به Homer]
ilium /ˈɪli:əm/ *n* استخوان تهیگاه، استخوان حِرقفی
ilk /ɪlk/ *adj,Pr* همان (سنخ یا خانواده)
ill /ɪl/ *adj,adv,n* ۱.ناخوش، بیمار؛ بد؛ زیان‌آور ۲.به‌بدی؛ به‌طورناقص ۳.بدی، بد؛ آسیب
He was taken ill; He fell ill.
ناخوش شد، به‌بستر بیماری افتاد.
He is ill with fever. تب دارد.
ill will بدخواهی، بدنیتی
ill breeding بی‌تربیتی
ill fame بدنامی، رسوایی
ill health ناخوشی، ناتندرستی
speak ill of بدگویی کردن از
behave ill بدرفتاری کردن
take ill رنجیدن از
do an ill turn to someone به کسی بدی کردن
ill at ease ناراحت، گرفتار
I'll /aɪl/ [مختصرِ I will]
ill advised /ˌɪl ˈedvaɪzd/ *adj* مبنی بر بی‌احتیاطی؛ غیرعاقلانه
ill-bred /ˌɪl ˈbred/ *adj* بی‌تربیت
ill-disposed /ˌɪl ˈdɪspəʊzd/ *adj* بدنیت؛ نامساعد

illegal /ɪˈli:gl/ *adj* غیرقانونی؛ نامشروع
illegality /ˌɪlɪˈgælətɪ/ *n* کارخلاف قانون
illegally /ˌɪlɪˈgəlɪ/ *adv* از راه غیرقانونی، به‌طور نامشروع
illegibility /ɪˌledʒəˈbɪlətɪ/ *n* ناخوانا بودن، ناخوانایی
illegible /ɪˈledʒəbl/ *adj* ناخوانا
illegibly /ɪˈledʒəblɪ/ *adv* به‌طور ناخوانا
illegitimacy /ˌɪlɪˈdʒɪtɪməsɪ/ *n* حرامزادگی؛ نامشروعی، نادرستی
illegitimate /ˌɪlɪˈdʒɪtɪmət/ *adj* حرامزاده؛ ناحق، نامشروع؛ غلط
ill-fated /ˌɪl ˈfætɪd/ *adj* بدبخت؛ شوم، موجب بدبختی
ill-favoured /ˌɪl ˈfeɪvəd/ *adj* زشت، نفرت‌انگیز
ill-gotten /ˌɪl ˈgɒtn/ *adj* نامشروع، حرام
ill-humoured /ˌɪl ˈhju:məd/ *adj* بدخو، بدخلق
illiberal /ɪˈlɪbərəl/ *adj* نظرتنگ؛ کوته‌فکر؛ متعصب؛ پست
illiberality /ɪˌlɪbəˈrælətɪ/ *n* نظرتنگی، تنگ‌چشمی، کوته‌فکری؛ تعصب
illicit /ɪˈlɪsɪt/ *adj* ممنوع، قاچاقی، قاچاق؛ نامشروع، ناروا، غیرمجاز
illimitable /ɪˈlɪmɪtəbl/ *adj* بی‌پایان
illiteracy /ɪˈlɪtərəsɪ/ *n* بی‌سوادی
illiterate /ɪˈlɪtərət/ *adj* بی‌سواد؛ حاکی از بی‌سوادی
ill-judged /ˌɪl ˈdʒʌdʒd/ *adj* غیرعاقلانه
ill-looking /ˌɪl ˈlʊkɪŋ/ *adj* زشت، بدنما
ill-mannered /ˌɪl ˈmænəd/ *adj* بی‌تربیت
ill-matched /ˌɪl ˈmætʃd/ *adj* ناجور، تابه‌تا
ill-mated /ˌɪl ˈmeɪtɪd/ *adj* ناجور
ill-natured /ˌɪl ˈneɪtʃəd/ *adj* بدخو، کج‌طبع
illness /ˈɪlnɪs/ *n* ناخوشی، بیماری
illogical /ɪˈlɒdʒɪkl/ *adj* غیرمنطقی
ill-omened /ˌɪl ˈəʊmənd/ *adj* شوم، مشئوم، نحس
ill-starred /ˌɪl ˈstɑ:d/ *adj* بداختر، بدبخت
ill-tempered /ˌɪl ˈtempəd/ *adj* بدخو
ill-timed /ˌɪl ˈtaɪmd/ *adj* نابهنگام، بیگاه
ill-treat /ˌɪl ˈtri:t/ *vt* بدرفتاری (با کسی) کردن
illuminate /ɪˈlu:mɪneɪt/ *vt* روشن کردن؛ چراغانی کردن، آذین‌بستن؛ تذهیب کردن
illumination /ɪˌlu:mɪˈneɪʃn/ *n* تنویر (فکر)؛ چراغانی، آذین‌بندی؛ تذهیب؛ اشراق

illumine /ɪ'lu:mɪn/ *vt* روشن کردن؛ دارای فکر روشن کردن
ill-use /ˌɪl 'ju:z/ *vt* بدرفتاری (با کسی) کردن
illusion /ɪ'lu:ʒn/ *n* خطای حسی، خبط بصر؛ اغفال؛ چشم‌بندی؛ تور صورت
illusive /ɪ'lu:sɪv/ *adj* فریبنده، موهوم
illusory /ɪ'lu:sərɪ/ *adj* غیرواقعی؛ فریبنده
illustrate /'ɪləstreɪt/ *vt* روشن ساختن، شرح دادن؛ با مثال یا شکل حالی کردن؛ [به صیغهٔ اسم مفعول] مصوّر
illustration /ˌɪlə'streɪʃn/ *n* شرح، توضیح، مثال؛ نگاره، شکل، عکس
illustrative /'ɪləstrətɪv US: ɪ'lʌs-/ *adj* نشان‌دهنده؛ توضیح‌دهنده، توضیحی؛ دارای عکس یا تصویر
illustrator /'ɪləstreɪtə(r)/ *n* توضیح‌دهنده، نشان‌دهنده؛ تصویرکش
illustrious /ɪ'lʌstrɪəs/ *adj* برجسته، نامی، مشهور؛ غرّا
I'm /aɪm/ = I am هستم
image /'ɪmɪdʒ/ *n,vt* ۱.مجسمه، تمثال؛ شکل؛ نقش، عکس؛ بت؛ تصویر ذهنی؛ تصور؛ تشبیه؛ کنایه ۲.منعکس کردن، نشان دادن؛ تصور کردن؛ تصویر کردن
imagery /'ɪmɪdʒərɪ/ *n* شکل و مجسمه [به‌طور کلی]؛ تصویرسازی ذهنی؛ شبیه‌سازی؛ صنایع بدیعی
imaginable /ɪ'mædʒɪnəbl/ *adj* تصورکردنی، قابل تصور
imaginary /ɪ'mædʒɪnərɪ/ *adj* موهوم، فرضی، خیالی، تصوری
imagination /ɪˌmædʒɪ'neɪʃn/ *n* تصور، انگار، پندار، خیال؛ قوهٔ تخیل یا تصور
imaginative /ɪ'mædʒɪnətɪv US: -əneɪtɪv/ *adj* تصوری، تخیلی؛ برخوردار از تخیل قوی؛ تصورکننده؛ خیالی
imaginative faculty قوهٔ تصور، قوهٔ تخیل
imagine /ɪ'mædʒɪn/ *vt* تصور کردن، فرض کردن؛ گمان کردن
imbecile /'ɪmbəsi:l/ *adj,n* ۱.بی‌کله، ابله، ضعیف‌العقل؛ ناتوان، سست؛ ابلهانه ۲.آدم ابله؛ شخص کودن یا خرف
imbecility /ˌɪmbə'sɪlətɪ/ *n* کودنی؛ ابلهی
imbed /ɪm'bed/ = embed
imbibe /ɪm'baɪb/ *vt* آشامیدن؛ جذب کردن؛ فرو بردن؛ [مجازاً] فرا گرفتن
imbroglio /ɪm'brəʊlɪəʊ/ *n* پیچ، گیر، مسئلهٔ غامض؛ سوءِتفاهم
imbue /ɪm'bju:/ *vt* آغشتن، اشباع کردن؛ رنگ زدن؛ ملهم کردن
imitate /'ɪmɪteɪt/ *vt* تقلید کردن؛ پیروی کردن از، تأسی کردن به
imitation /ˌɪmɪ'teɪʃn/ *n* تقلید، پیروی؛ چیز تقلیدی، بدل، شبیه، چیز تقلبی
in imitation of به تقلیدِ، از رویِ
imitative /'ɪmɪtətɪv US: teɪtɪv/ *adj* تقلیدی؛ تقلیدکننده؛ بدل
imitator /'ɪmɪteɪtə(r)/ *n* مقلد
immaculate /ɪ'mækjʊlət/ *adj* بی‌آلایش؛ بی‌عیب؛ یکدست؛ پاکدامن، معصوم
immaterial /ˌɪmə'tɪərɪəl/ *adj* غیرمادی، معنوی؛ جزئی، بی‌اهمیت، ناچیز
immature /ˌɪmə'tjʊə(r) US: -tʊər/ *adj* نارس؛ رشدنکرده؛ نابالغ
immaturity /ˌɪmə'tjʊərətɪ US: -tʊər-/ *n* نارسی، عدم رشد
immeasurable /ɪ'meʒərəbl/ *adj* بی‌اندازه؛ بی‌قیاس؛ بی‌کران
immediate /ɪ'mi:dɪət/ *adj* بی‌درنگ، فوری؛ بی‌واسطه
immediate heir وارث بلافصل
immediately *adv* بی‌درنگ، فوراً، بلافاصله؛ بی‌واسطه؛ مستقیماً
Immediately he saw me همین‌که مرا دید
immemorial /ˌɪmə'mɔ:rɪəl/ *adj* یاد نیاوردنی، بسیار قدیم، خیلی پیش
from immemorial times از زمان خیلی قدیم، از عهد دقیانوس
immense /ɪ'mens/ *adj* بی‌اندازه، گزاف؛ پهناور، وسیع
immensely *adv* بی‌اندازه
immensity /ɪ'mensətɪ/ *n* زیادی؛ بزرگی
immerse /ɪ'mɜ:s/ *vt* فرو بردن؛ غوطه دادن؛ گرفتار کردن، مستغرق ساختن
immersion /ɪ'mɜ:ʃn US: -ʒn/ *n* عمل فرو بردن، فروبری؛ غوطه‌وری؛ شناوری؛ فرورفتگی، مجذوبیت؛ پوشیدگی، احتجاب
immigrant /'ɪmɪgrənt/ *n* مهاجر
immigrate /'ɪmɪgreɪt/ *vi* مهاجرت کردن (به کشور دیگر)، توطن کردن
immigration /ˌɪmɪ'greɪʃn/ *n* مهاجرت، توطن
imminence /ˌɪmɪ'nəns/ *n* نزدیکی، مشرف بودن، قرابت وقوع؛ خطر تهدیدکننده
imminent /'ɪmɪnənt/ *adj* مُشرف، نزدیک، قریب‌الوقوع؛ تهدیدکننده

immobile /ɪ'məʊbaɪl US: -bl/ *adj* بی‌حرکت، ثابت، جنبش‌ناپذیر
immobility /,ɪmə'bɪlətɪ/ *n* بی‌جنبشی، بی‌حرکتی
immobilize /ɪ'məʊbəlaɪz/ *vt* جمع کردن، از رواج انداختن؛ از حرکت انداختن؛ ثابت نگاه داشتن
immoderate /ɪ'mɒdərət/ *adj* بی‌اندازه، بیش از حد؛ بی‌اعتدال، افراطی
immodest /ɪ'mɒdɪst/ *adj* بی‌حیا؛ جسورانه؛ شرم‌آور، زشت
immodesty *n* بی‌شرمی، بی‌حیایی
immolate /'ɪməleɪt/ *vt* کشتن؛ قربانی کردن
immolation /,ɪmə'leɪʃn/ *n* کشتار؛ قربانی
immoral /ɪ'mɒrəl US: ɪ'mɔ:rəl/ *adj* بداخلاق؛ غیراخلاقی
immorality /,ɪmə'rælətɪ/ *n* بداخلاقی
immortal /ɪ'mɔ:tl/ *adj* فناناپذیر، باقی
immortality /,ɪmɔ:'tælətɪ/ *n* فناناپذیری، بقا
immortalize /ɪ'mɔ:təlaɪz/ *vt* جاوید کردن
immovable /ɪ'mu:vəbl/ *adj* غیرمنقول؛ بی‌حرکت، ثابت؛ پایدار
immovables /ɪ'mu:vəblz/ *npl* دارایی غیرمنقول
immune /ɪ'mju:n/ *adj* مصون
immunity /ɪ'mju:nətɪ/ *n* مصونیت؛ آزادی
immunize /'ɪmjʊnaɪz/ *vt* مصون ساختن
immunology /,ɪmjʊ'nɒlədʒɪ/ *n* [پزشکی] مبحث مصونیت، ایمنی‌شناسی
immure /ɪ'mjʊə(r)/ *vt* محصور کردن، در چاردیوار نگاه داشتن
immutability /ɪ,mju:tə'bɪlətɪ/ *n* تغییرناپذیری
immutable /ɪ'mju:təbl/ *adj* تغییرناپذیر
imp /ɪmp/ *n* بچهٔ شیطان؛ جنّ کوچک
impact /'ɪmpækt/ *n* برخورد، تماس، اصابت
impair /ɪm'peə(r)/ *vt* آسیب زدن، خراب کردن
impale /ɪm'peɪl/ *vt* به میخ کشیدن
impalpable /ɪm'pælpəbl/ *adj* بسیار نرم، غیرمحسوس به لامسه؛ [مجازاً] درک‌نکردنی
impanel; em- /ɪm'pænl/ *vt* در صورت نوشتن، جزو صورت نوشتن
impart /ɪm'pɑ:t/ *vt* (سهم) دادن؛ رساندن
impartial /ɪm'pɑ:ʃl/ *adj* بی‌طرف؛ بی‌طرفانه، منصفانه
impartiality /,ɪm,pɑ:ʃɪ'ælətɪ/ *n* بی‌طرفی
impartially *adv* بی‌طرفانه

impassable /ɪm'pɑ:səbl US: -'pæs-/ *adj* غیرقابل عبور، گذرنکردنی، بی‌گدار
impasse /'æmpɑ:s US: 'ɪmpæs/ *n* کوچهٔ بن‌بست؛ جایی که فرار از آن ممکن نیست
impassible *adj* تألم‌ناپذیر، بی‌حس نسبت به درد؛ بی‌تأثر، بی‌عاطفه
impassioned /ɪm'pæʃnd/ *adj* برانگیخته از احساسات
impassive /ɪm'pæsɪv/ *adj* تألم‌ناپذیر، بی‌حس؛ بی‌عاطفه؛ خونسرد
impatience /ɪm'peɪʃns/ *n* ناشکیبایی، بی‌صبری، بی‌طاقتی
impatient /ɪm'peɪʃnt/ *adj* ناشکیبا، بی‌صبر، بی‌حوصله، بی‌طاقت
impatiently *adj* از روی بی‌صبری
impeach /ɪm'pi:tʃ/ *vt* متهم کردن؛ اعتراض کردن به، عیب گرفتن از
impeachment *n* اتهام؛ اعتراض
impeccable /ɪm'pekəbl/ *adj* بی‌عیب؛ معصوم
impecunious /,ɪmpɪ'kju:nɪəs/ *adj* بی‌پول، کم پول
impede /ɪm'pi:d/ *vt* مانع شدن؛ کند کردن، عقب انداختن
impediment /ɪm'pedɪmənt/ *n* مانع، محظور؛ گیر، لکنت
impel /ɪm'pel/ *vt* [-led] وادار کردن؛ راندن، سوق دادن
impending /ɪm'pendɪŋ/ *adj* مُشرف
impending over مشرف‌بر؛ تهدیدکننده
impenetrable /ɪm'penɪtrəbl/ *adj* سوراخ‌نشدنی؛ غیرقابل نفوذ؛ بی‌عاطفه، سرایت‌ناپذیر؛ درک‌نکردنی
impenitence /ɪm'penɪtəns/ *n* عدم توبه، عدم پشیمانی
impenitent /ɪm'penɪtənt/ *adj* لجوج در گناهکاری، غیرتایب؛ مبنی‌بر عدم پشیمانی
imperative /ɪm'perətɪv/ *adj,n* ۱.امری؛ آمرانه؛ ضروری؛ حاکم ۲.امر، وجه امری
imperatively *adv* آمرانه
imperceptible /ɪmpə'septəbl/ *adj* غیرقابلِ مشاهده؛ جزئی؛ غیرمحسوس؛ آهسته
imperfect /ɪm'pɜ:fɪkt/ *adj* ناقص، ناتمام
imperfection /,ɪmpə'fekʃn/ *n* نقص؛ عیب
imperfectly *adv* به‌طور ناقص
imperial /ɪm'pɪərɪəl/ *adj* شاهنشاهی
imperialism /ɪm'pɪərɪəlɪzəm/ *n* طرز حکومت امپراطوری؛استعمارگری؛امپریالیسم

imperialist /ɪmˈpɪərɪəlɪst/ *n* طرفدارِ حکومت امپراطوری؛ استعمارگر؛ امپریالیست

imperialistic /ɪmˌpɪərɪəˈlɪstɪk/ *adj* مبنی‌بر طرفداری از حکومت امپراطوری؛ استعمارگرانه؛ امپریالیستی

imperil /ɪmˈperəl/ *vt* [-led] در مخاطره انداختن، در معرض خطر گذاشتن

imperious /ɪmˈpɪərɪəs/ *adj* آمرانه؛ متکبر

imperishable /ɪmˈperɪʃəbl/ *adj* نیست‌نشدنی، فناناپذیر؛ فاسدنشدنی

impersonal /ɪmˈpɜːsənl/ *adj* غیرشخصی؛ فاقد شخصیت یا وجود شخصی

impersonal verb فعلی که فاعل معینی ندارد [چنانکه در it rains (می‌بارد)]

impersonate /ɪmˈpɜːsəneɪt/ *vt* شخصیت دادن، صورت خارجی دادن (به)؛ نقش (کسی را) ایفا کردن

impersonation /ɪmˌpɜːsəˈneɪʃn/ *n* ایفای نقش؛ جعل هویت

impertinence /ɪmˌpɜːtɪnəns/ *n* گستاخی

impertinent /ɪmˈpɜːtɪnənt/ *adj* بی‌ربط؛ نابهنگام؛ گستاخانه؛ گستاخ

imperturbable /ˌɪmpəˈtɜːbəbl/ *adj* تشویش‌ناپذیر

impervious /ɪmˈpɜːvɪəs/ *adj* مانع از دخول (آب)، بی‌منفذ؛ تأثرناپذیر

This cloth is impervious to water.

آب (یا نم) دراین پارچه نفوذ نمی‌کند.

one who is impervious to arguments کسی که دلیل به خرجش نمی‌رود یا در او تأثیر نمی‌کند

impetuosity /ɪmˌpetʃʊˈɒsətɪ/ *n* بی‌پروایی، تهور

impetuous /ɪmˈpetʃʊəs/ *adj* تهورآمیز، تند؛ بی‌پروا، متهور؛ سخت

impetus /ˈɪmpɪtəs/ *n* نیروی جنبش، قوهٔ حرکت (آنی)؛ محرّک

impiety /ɪmˈpaɪətɪ/ *n* بی‌دینی، خدانشناسی، شرارت

impinge /ɪmˈpɪndʒ/ *vi* خوردن، برخورد کردن، تصادف کردن؛ تجاوز کردن

impious /ˈɪmpɪəs/ *adj* بی‌دین، خدانشناس

impish /ˈɪmpɪʃ/ *adj* جن مانند؛ شیطان‌صفت

implacability; implacableness *n* سختی، سنگدلی

implacable /ɪmˈplækəbl/ *adj* نرم‌نشدنی، سنگدل؛ کینه‌دار

implant /ɪmˈplɑːnt/ *vt* نشاندن؛ غرس کردن

implausible /ɪmˈplɔːzəbl/ *adj* ناموجه

implement /ˈɪmplɪment/ *n,vt* ۱.آلت؛ اسباب ۲.انجام دادن، تکمیل کردن

implicate /ˈɪmplɪkeɪt/ *vt* فهماندن؛ گرفتار کردن، داخل کردن؛ به‌هم پیچیدن

implication /ˌɪmplɪˈkeɪʃn/ *n* اشاره (ضمنی)، دلالت، مفهوم (ضمنی)، استنباط؛ گرفتاری، آلودگی؛ همدستی

implicit /ɪmˈplɪsɪt/ *adj* ضمنی، تلویحی؛ مطلق، بی‌شرط، بلااعتراض

implicitly *adv* تلویحاً، ضمناً

implied *ppa* (ضمناً) مفهوم، مقدر؛ تلویحی

implore /ɪmˈplɔː(r)/ *vt* التماس کردن به

imploringly *adv* لابه‌کنان، به التماس

imply /ɪmˈplaɪ/ *vt* تلویحاً فهماندن، دلالت کردن بر، اشاره داشتن بر؛ در برداشتن

impolite /ˌɪmpəˈlaɪt/ *adj* بی‌ادب؛ مخالف ادب، بی‌ادبانه

impolitely *adv* بی‌ادبانه

impoliteness *n* بی‌ادبی

impolitic /ɪmˈpɒlətɪk/ *adj* مخالفِ مصلحت، غیرعاقلانه، غیرمقتضی

import /ɪmˈpɔːt/ *vt* واردکردن [import goods]؛ معنی دادن

import /ˈɪmpɔːt/ *n* کالای وارد شده، [در جمع] واردات؛ معنی، مفهوم؛ اهمیت؛ عمل وارد کردن؛ ورود

importance /ɪmˈpɔːtns/ *n* اهمیت؛ نفوذ

of great importance بسیار مهم

important /ɪmˈpɔːtnt/ *adj* مهم، عمده

importation /ˌɪmpɔːˈteɪʃn/ *n* عمل وارد کردن

importer *n* واردکننده

importunate /ɪmˈpɔːtʃʊnət/ *adj* مصرّ، مبرم؛ مصرّانه؛ فشارآور

importune /ˌɪmpɔːˈtjuːn/ *v* مصرّانه خواستن؛ عاجز کردن؛ سماجت کردن (به)

importunity *n* اصرار زیاد

impose /ɪmˈpəʊz/ *vt,vi* ۱.تحمیل کردن؛ وضع کردن (مالیات) ۲.اعمال نفوذ کردن، سوءاستفاده کردن

impose upon فریب دادن؛ سوءاستفاده کردن از

imposing *apa* باهیبت؛ بانفوذ

imposition /ˌɪmpəˈzɪʃn/ *n* تحمیل؛ وضع؛ عوارض؛ فریب

impossibility /ɪmˌpɒsəˈbɪlətɪ/ *n* عدم امکان

impossible /ɪmˈpɒsəbl/ *adj* غیرممکن

It is impossible to live there. نمی توان در آنجا زندگی کرد، زندگی کردن در آنجا غیرممکن است.

impost /ˈɪmpəʊst/ *n* گمرک ورودی

impostor /ɪmˈpɒstə(r)/ *n* شیاد

imposture /ɪmˈpɒstʃə(r)/ *n* شیادی

impotence /ˈɪmpətəns/ *n* ناتوانی، ضعف؛ سستی کمر، عَنَن

impotent /ˈɪmpətənt/ *adj* ناتوان؛ عِنین

impound /ɪmˈpaʊnd/ *vt* در محوطه نگاه داشتن؛ ضبط کردن

impoverish /ɪmˈpɒvərɪʃ/ *vt* فقیر کردن؛ بی‌قوّت کردن (خاک)؛ بی‌خاصیت کردن

impracticable /ɪmˈpræktɪkəbl/ *adj* غیرعملی؛ غیرقابل عبور

imprecate /ˈɪmprəkeɪt/ *vt* لعنت کردن، نفرین کردن

imprecate a calamity upon a person بلایی را به دعا برای کسی خواستن

imprecation /ˌɪmprɪˈkeɪʃn/ *n* لعنت، نفرین

impregnable /ɪmˈpregnəbl/ *adj* غیرقابل تسخیر، حصین؛ حمله‌ناپذیر

impregnate /ˈɪmpregneɪt US: ɪmˈpreg-/ *vt* تلقیح کردن؛ تزریق کردن؛ آغشته کردن

impregnation *n* تلقیح

impresario /ˌɪmprɪˈsɑːrɪəʊ/ *n* مدیرِ کنسرت و اپرا و امثال آنها

impress /ˈɪmpres/ *n* مهر، نشان؛ طبع

impress /ɪmˈpres/ *vt* نشان گذاردن، جایگیر ساختن؛ تأثیر کردن بر، متأثر کردن

impress on the mind خاطرنشان کردن

impression /ɪmˈpreʃn/ *n* اثر، تأثیر؛ گمان، عقیده؛ نقش، مُهر

under the impression that بر این عقیده که

impressionable /ɪmˈpreʃənəbl/ *adj* تأثیرپذیر، حساس

impressive /ɪmˈpresɪv/ *adj* مؤثر، برانگیزندهٔ احساسات

imprest /ɪmˈprest/ *n* مساعده (دولتی)؛ تنخواه‌گردان

imprint /ˈɪmprɪnt/ *n* چاپ؛ اثر، نقش، مهر

imprint /ɪmˈprɪnt/ *vt* جایگیر ساختن، نشاندن؛ زدن؛ چاپ کردن، مهر زدن

imprison /ɪmˈprɪzn/ *vt* زندانی کردن، حبس کردن

imprisonment /ɪmˈprɪznmənt/ *n* حبس

improbability /ɪmˌprɒbəˈbɪlətɪ/ *n* عدم‌احتمال، استبعاد؛ چیزغیرمحتمل

improbable /ɪmˈprɒbəbl/ *adj* غیرمحتمل، دور، بعید، مستبعد، نامعقول

impromptu /ɪmˈprɒmptjuː US: -tuː/ *adj,adv* بالبداهه، بداهتاً

improper /ɪmˈprɒpə(r)/ *adj* نادرست؛ نامناسب؛ غیرمتعارفی [improper fraction]

improperly *adv* به‌طور ناشایسته یا نامناسب؛ به‌طور نادرست، به‌طور غلط

impropriety /ˌɪmprəˈpraɪətɪ/ *n* ناشایستگی؛ نادرستی؛ سخن ناشایسته، کار ناشایسته

improve /ɪmˈpruːv/ *vt,vi* ۱.بهبود دادن، اصلاح کردن؛ ترقی دادن؛ آباد کردن ۲.بهتر شدن؛ اصلاحات کردن [با upon یا on]

improvement *n* بهبود؛ اصلاح؛ آبادی

improvidence /ɪmˈprɒvɪdəns/ *n* بی‌احتیاطی

improvident /ɪmˈprɒvɪdənt/ *adj* بی‌احتیاط؛ ولخرج

improvise /ˈɪmprəvaɪz/ *vt* بالبداهه ساختن، بداهتاً گفتن؛ از پیش خود ساختن؛ با عجله درست کردن؛ سردستی درست کردن

imprudence /ɪmˈpruːdns/ *n* بی‌احتیاطی، بی‌تدبیری؛ کار غیرعاقلانه

imprudent /ɪmˈpruːdnt/ *adj* بی‌احتیاط؛ غیرعاقلانه

impudence /ˈɪmpjʊdəns/ *n* بی‌شرمی

impudent /ˈɪmpjʊdənt/ *adj* بی‌شرم؛ گستاخانه

impugn /ɪmˈpjuːn/ *vt* مورداعتراض قرار دادن، مورد تکذیب قرار دادن

impulse /ˈɪmpʌls/ *n* تکانه؛ قوهٔ محرک آنی؛ جنبش، حرکت

impulsion /ɪmˈpʌlʃn/ *n* تکانش؛ محرّکِ ذهنی؛ قوهٔ آنی؛ تحریک، سوق

impulsive /ɪmˈpʌlsɪv/ *adj* تکانشی؛ ناشی از قوهٔ محرّک آنی؛ سوق دهنده

impunity /ɪmˈpjuːnətɪ/ *n* بخشودگی؛ مصونیت

impure /ɪmˈpjʊə(r)/ *adj* ناپاک، کثیف؛ ناصاف؛ غیرخالص؛ بی‌عفت

impurity /ɪmˈpjʊərətɪ/ *n* ناپاکی؛ کثافت

imputation /ˌɪmpjuːˈteɪʃn/ *n* اِسناد؛ اتهام

impute /ɪmˈpjuːt/ *vt* نسبت دادن

in /ɪn/ *prep,adv,adj* ۱.در، توی؛ به [in my name]؛ در ظرفِ ۲.تو؛ درخانه؛ باب شده، معمول، مُد ۳.درونی، داخلی

in proof of برای اثباتِ

in bands دسته دسته

in so far as تا آنجاکه، تا حدی که

in itself به‌خودی خود، فی حد ذاته
blind in one eye از یک چشم کور
in that در اینکه؛ به واسطه اینکه
I do not have it in me. از من بر نمی‌آید.
از من ساخته نیست.
Summer is in. تابستان رسیده (یا فرا رسیده) است.
In with it! بیاوریدش تو!
the ins *(n)* **and outs** پیچ وخم؛ گوشه و کنار؛ ته و تو، جزئیات

in [مختصرِ inch]

inability/ˌɪnəˈbɪlətɪ/ *n* ناتوانی، عدم قدرت؛ بی‌لیاقتی

inaccessibility/ˌɪnəkˌsesəˈbɪlətɪ/ *n* دسترس نبودن

inaccessible/ˌɪnəkˈsesəbl/ *adj* غیرقابلِ دسترسی، دور از دسترس

inaccuracy/ɪnˈækjərəsɪ/ *n* عدم صحت، نادرستی

inaccurate/ɪnˈækjərət/ *adj* نادرست

inaction/ɪnˈækʃn/ *n* بیکاری؛ بی‌حرکتی

inactive/ɪnˈæktɪv/ *adj* بیکار، بی‌حرکت؛ سست

inactivity/ˌɪnækˈtɪvətɪ/ *n* بیکاری، عدم فعالیت؛ بی‌جنبشی، بی‌حرکتی؛ سستی

inadequacy/ɪnˈædɪkwəsɪ/ *n* عدم کفایت؛ نقص؛ بی‌کفایتی

inadequate/ɪnˈædɪkwət/ *adj* غیرکافی؛ نامناسب؛ بی‌کفایت، نالایق

inadmissible/ˌɪnədˈmɪsəbl/ *adj* ناروا، غیرجایز، ناپسندیده، نپذیرفتنی

inadvertence/ˌɪnədˈvɜːtəns/ *n* سهو
by inadvertence سهواً، از روی ندانستگی

inadvertent/ˌɪnədˈvɜːtənt/ *adj* بی‌ملاحظه؛ غیرعمدی، سهوشده

inadvertently/ˌɪnədˈvɜːtəntlɪ/ *adv* سهواً

inadvisable/ˌɪnedˈvaɪzəbl/ *adj* مخالفِ مصلحت، غیرمقتضی

inalienable/ɪnˈeɪlɪənəbl/ *adj* انتقال‌ناپذیر

inane/ɪˈneɪn/ *adj* تهی، پوچ؛ بی‌معنی

inanimate/ɪnˈænɪmət/ *adj* بی‌جان، جامد، بی‌روح؛ کاسد، کساد

inanition/ˌɪnəˈnɪʃn/ *n* لاغری و ضعف

inanity/ɪˈnænətɪ/ *n* بطالت؛ کار بیهوده

inapplicable/ɪnˈæplɪkəbl/ *adj* غیرقابل اجرا، غیرعملی؛ نامناسب

inappreciable/ˌɪnəˈpriːʃəbl/ *adj* جزئی، نامحسوس، ناچیز؛ بی‌بها

inapprehensible/ˌɪnæprɪˈhensebl/ *adj* نفهمیدنی، نامفهوم؛ غیرقابل احساس

inapprehensive/ˌɪnæprɪˈhensɪv/ *adj* بی‌نگرانی، بی‌دلواپسی؛ بی‌ادراک

inappropriate/ˌɪnəˈprəʊprɪət/ *adj* غیرمقتضی، بیجا، نامناسب

inapt/ɪnˈæpt/ *adj* نامناسب؛ ناقابل، بی‌استعداد

inaptitude/ɪnˈæptɪtjuːd US: -tuːd/ *n* بی‌استعدادی، عدم استعداد

inarticulate/ˌɪnɑːˈtɪkjʊlət/ *adj* بی‌مفصل؛ ناشمرده؛ غیرلفظی

inasmuch as/ˌɪnəzˈmʌtʃ əz/ *adv* چون که، از آنجایی که، تا آنجایی که

inattention/ˌɪnəˈtenʃn/ *n* بی‌توجهی، بی‌اعتنایی

inattentive/ˌɪnəˈtentɪv/ *adj* بی‌توجه، بی‌اعتنا، غفلت‌کار؛ بی‌ادب

inaudible/ɪnˈɔːdəbl/ *adj* نارسا

inaugural/ɪˈnɔːgjʊrəl/ *adj* گشایشی، افتتاحی [an inaugural speech]

inaugurate/ɪˈnɔːgjʊreɪt/ *vt* آیین‌گشایش (چیزی را) به‌جا آوردن، افتتاح کردن؛ رسماً آغاز کردن؛ با تشریفات وارد مقامی کردن

inauguration/ɪˌnɔːgjʊreɪʃn/ *n* (آیین) گشایش، (مراسم) افتتاح؛ مراسم برقراری

inauspicious/ˌɪnɔːˈspɪʃəs/ *adj* نحس؛ شوم، مشئوم، منحوس

inborn/ˌɪnˈbɔːn/ *adj* ذاتی، جبلی، فطری

inbred/ˌɪnˈbred/ *adj* ذاتی، جبلی

inbreeding/ˈɪnbriːdɪŋ/ *n* تولیدمثل درون گروهی

incalculable/ɪnˈkælkjʊləbl/ *adj* شمرده‌نشدنی؛ نامعلوم؛ غیرقابل تخمین

incandescence/ˌɪnkænˈdesns/ *n* سفیدشدگی (در اثر گرمای زیاد)

incandescent/ˌɪnkænˈdesnt/ *adj* سفیدشونده از گرما، دارای نورسفید
incandescent lamp چراغ‌برق‌یاتوری

incantation/ˌɪnkænˈteɪʃn/ *n* افسون؛ جادو؛ ورد

incapability/ɪnˌkeɪpəˈbɪlətɪ/ *n* ناتوانی، عجز، بی‌لیاقتی

incapable/ɪnˈkeɪpəbl/ *adj* نالایق، بی‌عرضه؛ عاجز، ناتوان
I am incapable of lying. دروغ گفتن از من برنمی‌آید.

incapacitate /ˌɪnkəˈpæsɪteɪt/ *vt* از توان انداختن؛ فاقد صلاحیت کردن
incapacity /ˌɪnkəˈpæsətɪ/ *n* عدم صلاحیت، ناشایستگی؛ ناتوانی
incarcerate /ɪnˈkɑ:səreɪt/ *vt* زندانی کردن
incarnate /ˈɪnkɑ:neɪt/ *vt* مجسم کردن
incarnate /ɪnˈkɑ:neɪt/ *adj* مجسم
incarnation /ˌɪnkɑ:ˈneɪʃn/ *n* تجسم، نمونه مجسم
incautious /ɪnˈkɔ:ʃəs/ *adj* بی‌احتیاط، عجول؛ عجولانه، تند
incendiarism /ɪnˈsendɪərɪzəm/ *n* تولید حریق؛ [مجازاً] فتنه‌انگیزی
incendiary /ɪnˈsendɪərɪ/ *n* مسببِ آتش‌سوزی؛ آدم فتنه‌انگیز، مفسد
incense /ˈɪnsens/ *n* بخور؛ [مجازاً] چاپلوسی
incense /ɪnˈsens/ *vt* خشمگین کردن
incentive /ɪnˈsentɪv/ *adj,n* محرّک، باعث
inception /ɪnˈsepʃn/ *n* آغاز، شروع
incessant /ɪnˈsesnt/ *adj* پیوسته، لاینقطع، پی‌درپی
incessantly *adv* دایماً، پی‌درپی
incest /ˈɪnsest/ *n* زنا با محارم
incestuous /ɪnˈsestjʊəs/ *adj* مرتکب زنا با محارم
inch /ɪntʃ/ *n* اینچ [واحد طول برابر با ۲/۵۴ سانتیمتر]
by inches خردخرد؛ گره گره
every inch تماماً، به تمام معنی
within an inch of خیلی نزدیک به
incidence /ˈɪnsɪdəns/ *n* برخورد، تلاقی؛ وُرود؛ میدان، رسایی
incident /ˈɪnsɪdənt/ *n,adj* ۱.رویداد، واقعه (ضمنی) ۲.لازم؛ فرعی، ضمنی
incidental /ˌɪnsɪˈdentl/ *adj* فرعی، ضمنی؛ جزئی؛ اتفاقی؛ لازم
It is incidental to... لازمهٔ ... است
incidentally /ˌɪnsɪˈdentlɪ/ *adv* ضمناً؛ لزوماً
incinerate /ɪnˈsɪnəreɪt/ *vt* (سوزاندن و) خاکستر کردن
incinerator /ɪnˈsɪnəreɪtə(r)/ *n* کوره‌ای که آشغال یا لاشهٔ مرده را در آن سوزاند خاکستر می‌کنند
incipient /ɪnˈsɪpɪənt/ *adj* نخستین؛ تازه
incision /ɪnˈsɪʒn/ *n* بُریدگی، چاک، شکاف؛ [مجازاً] برندگی
incisive /ɪnˈsaɪsɪv/ *adj* بُرنده؛ نافذ

incisor /ɪnˈsaɪzə(r)/ *n* دندان پیش، ثنیه [جمع = ثنایا]
incite /ɪnˈsaɪt/ *vt* انگیختن، اغوا کردن
incitement /ɪnˈsaɪtmənt/ *n* تحریک؛ انگیزه
incivility /ˌɪnsɪˈvɪlətɪ/ *n* بی‌تربیتی
inclemency /ɪnˈklemənsɪ/ *n* سختی
inclement /ɪnˈklemənt/ *adj* سخت؛ شدید؛ طوفانی؛ سرد
inclination /ˌɪŋklɪˈneɪʃn/ *n* سرازیری؛ تمایل
incline /ɪnˈklaɪn/ *vt,vi* ۱.خم کردن، کج کردن؛ متمایل کردن، مستعد کردن؛ شیب دادن ۲.متمایل بودن؛ سرازیر شدن
incline one's ear گوش فرا دادن
incline to green به سبزی زدن
incline /ˈɪŋklaɪn/ *n* سرازیری، شیب؛ سطح مایل
inclined *ppa* متمایل، مستعد؛ مایل
inclined plane سطح مایل (یا شیبدار)
inclose /ɪnˈkləʊz/ = enclose
inclosure /ɪnˈkləʊʒə(r)/ = enclosure
include /ɪnˈklu:d/ *vt* در برداشتن؛ شامل بودن؛ گنجاندن؛ شمردن
including /ɪnˈklu:dɪŋ/ *apa* به انضمامِ، با
inclusion /ɪnklu:ʒn/ *n* گنجایش؛ تضمن؛ دخول
inclusive /ɪnˈklu:sɪv/ *adj* شامل، دربردارنده؛ جامع، کلی؛ احاطه‌کننده
inclusive of با، شاملِ
from July 2 to July 4 inclusive از دوم تا چهارم ژوئیه [با روز چهارم]، از دوم لغایت چهارم ژوئیه
incognito /ˌɪŋkɒgˈnɪ:təʊ US: ɪŋˈkɒgnətəʊ/ *adj,adv* ۱.ناشناس ۲.باهیئت مبدل، با نام مستعار
incognizant /ɪnˈkɒgnɪzənt/ *adj* بی‌خبر
incoherence /ˌɪnkəʊˈhɪərəns/ *n* بی‌ارتباطی
incoherent /ˌɪŋkəʊˈhɪərənt/ *adj* بی‌ارتباط، ول
incombustible /ˌɪŋkəmˈbʌstəbl/ *adj* غیرقابل اشتعال، نسوختنی
income /ˈɪŋkʌm/ *n* درآمد
incomer *n* واردشونده، [در جمع] واردین؛ مهاجر
incoming /ˈɪnkʌmɪŋ/ *n,adj* ۱.وُرود؛ [در جمع] درآمد ۲.وارد(شونده)؛ تازه‌آمده، مهاجر
incommensurate /ˌɪŋkəˈmenʃərət/ *adj* بی‌تناسب؛ غیرکافی
incommode /ˌɪŋkəˈməʊd/ *vt* ناراحت کردن
incommunicable /ˌɪŋkəˈmju:nɪkəbl/ *adj* نگفتنی، غیرقابل ابلاغ

incomparable /ɪnˈkɒmprəbl/ *adj* بی‌مانند، بی‌نظیر، غیرقابل مقایسه
incompatibility /ˌɪŋkəmˌpætəˈbɪlətɪ/ *n* ناسازگاری، منافات
incompatible /ˌɪŋkəmˈpætəbl/ *adj* ناسازگار؛ منافی؛ مانعةالجمع
incompetence /ɪnˈkɒmpɪtəns/; **-tency** *n* عدم صلاحیت؛ بی‌لیاقتی
incompetent /ɪnˈkɒmpɪtent/ *adj* فاقد صلاحیت
incomplete /ˌɪŋkəmˈpliːt/ *adj* ناتمام، تکمیل‌نشده، ناقص
incomprehensible /ɪnˌkɒmprɪˈhensəbl/ *adj* نفهمیدنی
incompressible /ˌɪŋkəmˈpresəbl/ *adj* تراکم‌ناپذیر، کوچک‌نشدنی؛ خلاصه‌نشدنی
inconceivable /ˌɪŋkənˈsiːvəbl/ *adj* غیرقابل تصور
inconclusive /ˌɪŋkənˈkluːsɪv/ *adj* غیرقطعی، بی‌نتیجه
incongruity /ˌɪŋkɒŋˈgruːətɪ/ *n* ناجوری، ناسازگاری؛ عدم تطابق
incongruous /ɪnˈkɒŋgrʊəs/ *adj* ناجور؛ متباین؛ بی‌پروپا؛ ناشایسته
inconsequent /ɪnˈkɒnsɪkwənt/ *adj* فاقد ارتباط منطقی، گسیخته؛ نامعقول
inconsequential /ɪnˌkɒnsɪˈkwenʃl/ *adj* بی‌ربط؛ بی‌نتیجه؛ غیرمهم، بی‌اهمیت
inconsiderable /ˌɪŋkənˈsɪdrəbl/ *adj* ناچیز، جزئی، بی‌اهمیت، ناقابل
inconsiderate /ˌɪŋkənˈsɪdərət/ *adj* بی‌ملاحظه، سهل‌انگار؛ ناشی از بی‌ملاحظگی
inconsistency /ˌɪnkənˈsistənsɪ/ *n* تناقض، تباین
inconsistent /ˌɪnkənˈsɪstənt/ *adj* متناقض، ناجور، ناموافق؛ بی‌پروپا؛ بی‌ثبات، متلون
It is inconsistent of you از شما بعید است
inconsolable /ˌɪŋkənˈsəʊləbl/ *adj* تسلی‌ناپذیر
inconspicuous /ˌɪŋkənˈspɪkjʊəs/ *adj* ناپیدا، غیربرجسته
inconstancy /ɪnˈkɒnstənsɪ/ *n* ناپایداری، بی‌ثباتی، بی‌وفایی
inconstant /ɪnˈkɒnstənt/ *adj* بی‌ثبات، بی‌وفا
incontestable /ˌɪŋkənˈtestəbl/ *adj* مسلم، بی‌چون‌وچرا، غیرقابل‌بحث، محقق
incontinence /ɪnˈkɒntɪnəns/ *n* ناپرهیزگاری، هرزگی، بی‌عفتی؛ [پزشکی] عجز از جلوگیری و ضعف در نگاهداری (پیشاب و غیر آن)
incontinent /ɪnˈkɒntɪnənt/ *adj* ناپرهیزگار؛ فاقد خویشتن‌داری
incontrovertible /ˌɪŋkɒntrəˈvɜːtəbl/ *adj* مسلم
inconvenience /ˌɪŋkənˈviːnɪəns/ *n,vt* ۱.زحمت، ناراحتی؛ تصدیع ۲.ناراحت کردن، تصدیع دادن
inconvenient /ˌɪŋkənˈviːnɪənt/ *adj* موجب زحمت، ناراحت
inconvertible /ˌɪnkənˈvɜːtəbl/ *adj* تبدیل‌ناپذیر، غیرقابل تسعیر
incorporate /ɪnˈkɔːpəreɪt/ *vt,vi* ۱.یکی‌کردن، ترکیب کردن؛ درج کردن، جزو (چیز دیگر) قرار دادن؛ متشکل کردن، تأسیس کردن، شخصیت حقوقی دادن ۲.یکی شدن، جزو شدن، ترکیب شدن
incorporate /ɪnˈkɔːpərət/ *adj* ترکیب‌شده، متشکل؛ دارای شخصیت حقوقی
incorporation /ɪnˌkɔːpəˈreɪʃn/ *n* یکی‌سازی، ترکیب؛ پیوستگی؛تشکیل
incorporeal /ˌɪŋkɔːˈpɔːrɪəl/ *adj* غیرمادی، بی‌جسم؛ غیرمحسوس
incorrect /ˌɪŋkəˈrekt/ *adj* نادرست
incorrigible /ɪnˈkɒrɪdʒəbl US: -ˈkɔːr-/ *adj* اصلاح‌ناپذیر
incorruptible /ˌɪŋkəˈrʌptəbl/ *adj* غیرقابل تطمیع، رشوه‌نگیر
increase /ɪnˈkriːs/ *vt,vi* ۱.افزودن، زیاد کردن ۲.زیاد شدن، افزایش یافتن
increase /ˈɪŋkriːs/ *n* افزایش، اضافه
incredible /ɪnˈkredəbl/ *adj* باورنکردنی
incredibly /ɪnˈkredəblɪ/ *adv* به‌طور باورنکردنی؛ [در گفتگو] خیلی‌زیاد
incredulity /ˌɪŋkrɪˈdjuːlətɪ US: -ˈduː-/ *n* دیرباوری
incredulous /ɪnˈkredjʊləs US: -dʒuː-/ *adj* دیرباور
increment /ˈɪŋkrəmənt/ *n* افزایش؛ ترقی
incriminate /ɪnˈkrɪmɪneɪt/ *vt* به جرمی متهم کردن، گناهکار قلمداد کردن؛ گرفتار کردن
incrustation /ˌɪnkrʌˈsteɪʃn/ *n* پوسته، قشر؛ اندود؛ [مجازاً] خویِ دیرینه
incubate /ˈɪŋkjʊbeɪt/ *v* روی (تخم) خوابیدن؛ جوجه درآوردن (از)
incubation /ˌɪnkjʊˈbeɪʃn/ *n* عمل یا حالت روی تخم خوابیدن؛ جوجه‌کشی؛ نهفتگی، کمون

incubator /'ɪŋkjʊbeɪtə(r)/ *n* ماشین جوجه‌کشی؛ انکوباتور
incubus /'ɪŋkjʊbəs/ *n* کابوس
inculcate /'ɪnkʌlkeɪt US: ɪn'kʌl-/ *vt* به‌زورِ تکرار جایگیر ساختن، تلقین کردن
incumbency /ɪn'kʌmbənsɪ/ *n* تصدی، عهده‌داری؛ وجوب
incumbent /ɪn'kʌmbənt/ *adj* واجب، فرض
It is incumbent on you to... برشما فرض است که...
incumbrance /ɪn'kʌmbrəns/ = encumbrance
incur /ɪn'kɜ:(r)/ *vt* [-red] دیدن، متحمل شدن [incur a loss]
incurable /ɪn'kjʊərəbl/ *adj* علاج‌ناپذیر
incursion /ɪn'kɜ:ʃn US: -ʒn/ *n* تهاجم
incurved /,ɪn'kɜ:vd/ *adj* خمیده سوی درون
indebted /ɪn'detɪd/ *adj* مرهون، ممنون؛ بدهکار
indebtedness *n* بدهکاری؛ مرهونیت
indecency /ɪn'di:snsɪ/ *n* ناشایستگی؛ سخن زشت؛ بی‌شرمی
indecent /ɪn'di:snt/ *adj* ناشایسته؛ بی‌شرم
indecision /,ɪndɪ'sɪʒn/ *n* دودلی
indecisive /,ɪndɪ'saɪsɪv/ *adj* غیرقطعی، بی‌نتیجه؛ بی‌عزم؛ مردد
indecorous /ɪn'dekərəs/ *adj* ناشایسته
indecorum /,ɪndɪ'kɔ:rəm/ *n* عدم رعایتِ آیینِ معاشرت؛ کار ناشایسته
indeed /ɪn'di:d/ *adv* به‌راستی، حقیقتاً
indefatigable /,ɪndɪ'fætɪgəbl/ *adj* خستگی‌ناپذیر؛ پایدار، ثابت
indefeasible /,ɪndɪ'fi:zəbl/ *adj* الغا نشدنی، پابرجا، بطلان‌ناپذیر
indefensible /,ɪndɪ'fensəbl/ *adj* دفاع‌ناپذیر
indefinable /,ɪndɪ'faɪnəbl/ *adj* غیرقابل تعریف؛ غیرقابل تشریح
indefinite /ɪn'defɪnət/ *adj* نامحدود؛ نامعین؛ مبهم
indefinite article حرف نکره یا تنکیر [که منحصر است به a یا an]
indelible /ɪn'deləbl/ *adj* پاک‌نشدنی
indelicacy /ɪn'delɪkəsɪ/ *n* بی‌ظرافتی، خشونت؛ بی‌سلیقگی در گفتار و آداب
indelicate /ɪn'delɪkət/ *adj* بی‌ظرافت، بی‌نزاکت، خشن؛ بی‌ادبانه
indemnification /ɪn,demnɪfɪ'keɪʃn/ *n* پرداختِ غرامت؛ تضمینِ خسارت؛ تاوان
indemnify /ɪn'demnɪfaɪ/ *vt* تاوان (چیزی را) دادن، غرامت دادن (به)؛ تأمین مالی دادن (به)
indemnity /ɪn'demnətɪ/ *n* تاوان، غرامت؛ بخشودگی؛ تضمین خسارت
indent /ɪn'dent/ *vt* ۱.دارای بریدگی یا دندانه کردن؛ توگذاشتن، عقب‌تر گذاشتن؛ سفارش دادن؛ در دو نسخه تنظیم کردن؛ گذاردن (نقش در چیزی)
indent upon a person for goods درخواست یا سفارش کالا به‌کسی دادن
indent /'ɪndent/ *n* تقاضا، سفارش جنس
indentation /,ɪnden'teɪʃn/ *n* دندانه؛ کنگره
indented *ppa* دندانه‌دار؛ عقب‌برده، توگذاشته
indenture /ɪn'dentʃə(r)/ *n,vt* ۱.سند دونسخه‌ای ۲.با قرارداد استخدام کردن، به شاگردی گرفتن
independence /,ɪndɪ'pendəns/ *n* استقلال
independent /,ɪndɪ'pendənt/ *adj* مستقل
independent of بی‌نیاز از؛ قطع نظر از
independently /,ɪndɪ'pendəntlɪ/ *adv* مستقلانـه
indescribable /,ɪndɪ'skraɪbəbl/ *adj* غیرقابل تشریح، وصف‌ناپذیر
indestructible /,ɪndɪ'strʌktəbl/ *adj* فناناپذیر
indeterminate /,ɪndɪ'tɜ:mɪnət/ *adj* نامعین، نامعلوم؛ مبهم
index /'ɪndeks/ *n,vt* ۱.انگشتِ نشان، سبابه؛ شاخص؛ زبانه ترازو؛ فهرست؛ [ریاضیات] نما؛ نماینده [تبصره : جمع این کلمه در موارد عادی indexes و در موارد علمی indices می‌شود]
card index برگه‌دان
India /'ɪndɪə/ *n* هندوستان، هند
Indiaman /'ɪndɪəmən/ *n* [-men] کشتی‌ای که دربازرگانی با هند به‌کار می‌رود
Indian /'ɪndɪən/ *adj,n* هندی
Indian club میلِ چوبی برای ورزش
Indian corn ذرت، بلال
Indian file ستون یک
Indian ink مرکب‌چین
india-rubber /,ɪndɪə'rʌbə(r)/ *n* لاستیک؛ مدادپاک‌کن
indicate /'ɪndɪkeɪt/ *vt* نشان دادن؛ دلالت کردن بر؛ تعیین کردن؛ ایجاب کردن
indication /,ɪndɪ'keɪʃn/ *n* نشانه، اشاره؛ خبر؛ دلالت؛ تعیین، ذکر؛ [پزشکی] مورد استعمال
indicative /ɪn'dɪkətɪv/ *adj,n* (وجه) اخباری
indicative of نشانه، حاکی از
indicator /'ɪndɪkeɪtə(r)/ *n* نماینده، شاخص؛ مقیاس؛ فشارسنج؛ تابلوی زنگ خبر [که آن‌را indicator-board نیز گویند]

indices /ˈɪndɪsiːz/ [رجوع شود به index]

indict /ɪnˈdaɪt/ *vt* با تنظیمِ ادعانامه (یا کیفرخواست) تعقیب کردن

indictable /ɪnˈdaɪtəbl/ *n* قابل تعقیب

indictment /ɪnˈdaɪtmənt/ *n* تنظیمِ کیفرخواست

bill of indictment کیفرخواست، ادعانامه

indifference /ɪnˈdɪfrəns/ *n* بی‌علاقگی، خونسردی؛ لاقیدی

indifferent /ɪnˈdɪfrənt/ *adj* خونسرد، بی‌علاقه؛ بی‌طرف؛ بی‌اهمیت

indigence /ˈɪndɪdʒəns/ *n* تنگدستی

indigenous /ɪnˈdɪdʒɪnəs/ *adj* بومی

indigenous to Iran بومیِ ایران

indigent /ˈɪndɪdʒənt/ *adj* تهیدست

indigestible /ˌɪndɪˈdʒestəbl/ *adj* سنگین، ثقیل، ناگوارا، هضم‌نشدنی

indigestion /ˌɪndɪˈdʒestʃən/ *n* سوءِهاضمه، تُخَمه، رودل

indignant /ɪnˈdɪgnənt/ *adj* اوقات تلخ؛ رنجیده

indignation /ˌɪndɪgˈneɪʃn/ *n* خشم، غیظ، اوقات تلخی، تغیر، رنجش

indignity /ɪnˈdɪgnətɪ/ *n* توهین؛ خواری

indigo /ˈɪndɪgəʊ/ *n* نیل

indigo leaves وسمه

indigo-plant /ˈɪndɪgəʊ plɑːnt/ *n* بوتهٔ نیل

indirect /ˌɪndɪˈrekt/ *adj* غیرمستقیم؛ کج؛ [دستورزبان] غیرصریح، باواسطه

indirectly /ˌɪndɪˈrektlɪ/ *adv* به‌طور غیرمستقیم

indiscreet /ˌɪndɪˈskriːt/ *adj* بی‌احتیاط

indiscretion /ˌɪndɪˈskreʃn/ *n* بی‌احتیاطی؛ بی‌عقلی؛ افشای راز

indiscriminate /ˌɪndɪˈskrɪmɪnət/ *adj* ناشی از عدم تشخیص؛ به‌یک چشم نگاه‌کننده

indiscriminately *adv* بدون فرق‌گذاری

indispensable /ˌɪndɪˈspensəbl/ *adj* واجب، حتمی، ضرور(ی)، لازم‌الاجرا

indisposed /ˌɪndɪˈspəʊzd/ *ppa* بی‌میل، نامستعد؛ به‌هم خورده، اندکی ناخوش، کسل، دارای کسالت

indisposition /ˌɪndɪspəˈzɪʃn/ *n* به‌هم‌خوردگی (مزاج)، کسالت ؛ بی‌میلی، بیزاری؛ عدم استعداد

indisputable /ˌɪndɪˈspjuːtəbl/ *adj* مسلم، بی‌چون‌وچرا؛ غیرقابل بحث

indisputably /ˌɪndɪˈspjuːtəblɪ/ *adv* بی‌چون‌وچرا

indissoluble /ˌɪndɪˈsɒljʊbl/ *adj* حل‌نشدنی؛ منحل‌نشدنی، پایدار

indistinct /ˌɪndɪˈstɪŋkt/ *adj* نامعلوم؛ ناشمرده

indite /ɪnˈdaɪt/ *vt, Arch* انشا کردن؛ ساختن (شعر)؛ نوشتن، تحریر کردن

individual /ˌɪndɪˈvɪdʒʊəl/ *adj,n* ۱.انفرادی؛ اختصاصی، مختص، خاص؛ شخصی؛ منحصر به فرد ۲.تک، فرد؛ شخص، نفر

individualism /ˌɪndɪˈvɪdʒʊəlɪzəm/ *n* فردگرایی، اصالت استقلالِ فردی، اصالت فرد؛ خودپسندی

individuality /ˌɪndɪˌvɪdʒʊˈælətɪ/ *n* فردیت، شخصیت، وجود مستقل؛ حالت ویژه یا ذوق شخصی

individualize /ˌɪndɪˈvɪdʒʊəlaɪz/ *vt* فردیت یافتن؛ متمایز شدن

individually /ˌɪndɪˈvɪdʒʊəlɪ/ *adv* انفراداً، بالانفراد؛اصالتاً (از طرف خود)، شخصاً؛ اختصاصاً؛ به‌طور مجزا

indivisible /ˌɪndɪˈvɪzəbl/ *adj* غیرقابل تقسیم، بخش‌ناپذیر

Indo-china /ˈɪndəʊ ˈtʃaɪnə/ *n* هندوچین

indoctrinate /ɪnˈdɒktrɪneɪt/ *vt* تلقین کردن

indolence /ˈɪndələns/ *n* سستی، تنبلی؛ فقدان درد

indolent /ˈɪndələnt/ *adj* سست، کاهل؛ بی‌درد

indomitable /ɪnˈdɒmɪtəbl/ *adj* رام‌نشدنی، سخت، سرکش

indoor /ˈɪndɔː(r)/ *adj* خانگی؛ درونی، داخلی

indoors /ˌɪnˈdɔːz/ *adv* درخانه، در توی خانه؛ در زیر سقف

indorse /ɪnˈdɔːs/ = endorse

indubitable /ɪnˈdjuːbɪtəbl/ *adj* بی‌شبهه

induce /ɪnˈdjuːs US: -ˈduːs/ *vt* وادار کردن، اغوا کردن؛ موجب شدن

inducement *n* موجب؛ وسیله (تشویق)

induct /ɪnˈdʌkt/ *vt* برقرار کردن؛ مستقر داشتن؛ وارد کردن؛ برای (سِمتی) معرفی کردن

induction /ɪnˈdʌkʃn/ *n* استقرا؛ اقامه؛ ذکر؛ برقراری؛ القا

inductive /ɪnˈdʌktɪv/ *adj* استقرایی

indu /ɪnˈdjuː/ = endue

indulge /ɪnˈdʌldʒ/ *vt,vi* ۱.رو دادن، آزاد گذاردن؛ پروردن [indulge a hope]؛ راضی کردن ۲.تسلیم (نفس) شدن؛ زیاده‌روی کردن

indulge oneself in drinking در خوردن مشروب زیاده‌روی کردن

indulgence /ɪn'dʌlgəns/ *n* عدم جلوگیری، مساهله، اغماض؛ آزادی؛ اجازه
indulgent /ɪn'dʌldʒənt/ *adj* گذشت‌کننده، اغماض‌کننده، سهل‌گیر؛ مبنی بر اغماض
industrial /ɪn'dʌstrɪəl/ *adj* صنعتی
industrial school هنرستان
industrialize *vt* صنعتی کردن
industrious /ɪn'dʌstrɪəs/ *adj* ساعی
industry /ɪn'dəstrɪ/ *n* سعی و کوشش، اشتغال به کارهای سودمند؛ صنعت، صناعت، پیشه و هنر
inebriate /ɪ'ni:brɪeɪt/ *vt* مست کردن
inebriate /ɪ'ni:brɪət/ *adj* مست
inedible /ɪn'edɪbl/ *adj* غیرقابل خوردن
ineffable /ɪn'efəbl/ *adj* نگفتنی
ineffective /,ɪnɪ'fektɪv/ *adj* بی‌اثر
ineffectual /,ɪnɪ'fektʃʊəl/ *adj* بیهوده، بی‌نتیجه، بی‌اثر، غیرمؤثر
inefficiency /,ɪnɪ'fɪʃnsɪ/ *n* بی‌کفایتی؛ عدم حسن نتیجه
inefficient /,ɪnɪ'fɪʃnt/ *adj* بی‌کفایت، ناقابل؛ بی‌فایده
inelastic /,ɪnɪ'læstɪk/ *adj* شق، سفت؛ سخت؛ ناکش‌سان
inelegance /,ɪn'elɪgəns/ *n* بی‌ظرافتی
inelegant /,ɪn'elɪgənt/ *adj* نازیبا، بی‌ظرافت؛ بی‌ذوق؛ ناشی از بی‌ظرافتی
ineligible /ɪn'elɪdʒəbl/ *adj* غیرقابل قبول، فاقد شرایط انتخاب
inept /ɪ'nept/ *adj* بیجا، چرند؛ نامناسب
inequality /ɪn'ɪkwɒlətɪ/ *n* نابرابری، عدم تساوی؛ ناهمواری
inequitable /ɪn'ekwɪtəbl/ *adj* غیرعادلانه؛ غیرمنصف
inequity /ɪn'ekwətɪ/ *n* بی‌عدالتی
ineradicable /,ɪnɪ'rædɪkəbl/ *adj* ریشه‌کن‌نشدنی، قلع و قمع‌ناپذیر
inert /ɪ'nɜ:t/ *adj* بی‌حرکت، فاقد نیروی جنبش؛ بی‌حال؛ بی‌اثر
inertia /ɪ'nɜ:ʃə/ *n* خاصیتِ جبر؛ بی‌حالی، تنبلی
inestimable /ɪn'estɪməbl/ *adj* فوق‌العاده گرانبها
inevitable /ɪn'evɪtəbl/ *adj* غیرقابل اجتناب؛ حتمی (الوقوع)، مسلم
inevitably /ɪn'evɪtəblɪ/ *adv* به‌ناچار؛ حتماً
inexact /,ɪnɪg'zækt/ *adj* نادرست
inexcusable /,ɪnɪk'skju:zəbl/ *adj* نابخشودنی، غیرموجه
inexhaustible /,ɪnɪg'zɔ:stəbl/ *adj* خستگی‌ناپذیر؛ پایان‌ناپذیر
inexorable /,ɪn'eksərəbl/ *adj* سخت، نرم‌نشدنی، سنگدل
inexpedient /,ɪnɪk'spi:dɪənt/ *adj* غیرمقتضی، غیرمقرون به مصلحت
It is inexpedient to... مصلحت نیست که...
inexpensive /,ɪnɪk'spensɪv/ *adj* کم‌خرج
inexperience /,ɪnɪk'spɪərɪəns/ *n* بی‌تجربگی
inexperienced *adj* ناآزموده، بی‌تجربه
inexpert /ɪn'ekspɜ:t/ *adj* بی‌تخصص
inexpiable /ɪn'ekspɪəbl/ *adj* غیرقابل کفاره؛ جبران‌ناپذیر؛ سخت
inexplicable /,ɪnɪk'splɪkəbl/ *adj* غیرقابل توضیح؛ دشوار، لاینحل
inexpressible /,ɪnɪk'spresəbl/ *adj* اظهارنکردنی، نگفتنی
inextinguishable /,ɪnɪk'stɪŋgwɪʃəbl/ *adj* خاموش نشدنی؛ تسکین‌ناپذیر
inextricable /,ɪnɪk'strɪkəbl/ *adj* نگشودنی؛ لاینحل؛ پیچاپیچ
infallibility /ɪn,fælə'bɪlətɪ/ *n* مصونیت از خطا
infallible /ɪn'fæləbl/ *adj* مصون از خطا، منزه از گناه
infamous /'ɪnfəməs/ *adj* رسوا؛ افتضاح‌آور، زشت؛ محروم از حقوق مدنی
infamy /'ɪnfəmɪ/ *n* رسوایی
infancy /'ɪnfənsɪ/ *n* کودکی؛ صغر
infant /'ɪnfənt/ *n* کودک؛ صغیر
infanticide /ɪn'fæntɪsaɪd/ *n* کودک‌کشی؛ کودک‌کش
infantile /'ɪnfəntaɪl/ *adj* بچگانه
infantilism /ɪn'fæntɪlɪzəm/ *n* کندی رشدِ جسمانی و عقلانی، بقای آثار کودکی، کودک ماندگی
infantry /'ɪnfəntrɪ/ *n* پیاده‌نظام
infantry-man /'ɪnfəntrɪmən/ *n* سربازِ پیاده‌نظام
infatuate /ɪn'fætʃʊeɪt/ *vt* احمق کردن؛ شیفته کردن
infatuated with شیفتهٔ...
infatuation /ɪn,fætʃʊ'eɪʃn/ *n* حماقت؛ شیفتگی
infect /ɪn'fekt/ *vi* آلوده کردن؛ عفونی کردن؛ مبتلا کردن
infect a person with an opinion عقیده‌ای را به‌کسی تلقین کردن
infection /ɪn'fekʃn/ *n* عفونت؛ آب کشیدگی (زخم)؛ آلودگی، سرایت

infectious /ɪn'fekʃəs/ *adj* عفونی؛ واگیردار، مسری

infective *adj* عفونی(کننده)

infer /ɪn'fɜ:(r)/ *vt* [-red] استنباط کردن؛ اشاره کردن (یا داشتن) بر، دلالت کردن بر

inference /'ɪnfərəns/ *n* استنباط؛ نتیجه

inferior /ɪn'fɪərɪə(r)/ *adj,n* ۱.پست، نامرغوب؛ پایین(رتبه) ۲.زیردست

inferior to پست‌تر از، پایین‌تر از

inferiority /ɪn,fɪərɪ'ɒrətɪ US: -'ɔ:r-/ *n* پستی؛ کهتری

inferiority complex عقدهٔ کهتری

infernal /ɪn'fɜ:nl/ *adj* دوزخی؛ شریر؛ شریرانه، شنیع

inferno /ɪn'fɜ:nəʊ/ *n* دوزخ؛ [مجازاً] جای وحشتناک، دوزخ‌وار

infest /ɪn'fest/ *vt* هجوم بردن به، تولید زحمت کردن در، اذیت کردن

infested with vermin شپش‌گرفته، جانورگرفته

infidel /'ɪnfɪdəl/ *n,adj* کافر، غیرمؤمن، بی‌دین

infidelity /,ɪnfɪ'delətɪ/ *n* کافری؛ پیمان‌شکنی

infiltrate /'ɪnfɪltreɪt/ *vi,vt* ۱.تراوش کردن، نشت کردن؛ آهسته نفوذ کردن ۲.با تراوش گذراندن، صاف کردن

infiltration /,ɪnfɪl'treɪʃn/ *n* تراوش، نفوذ، عبور تدریجی؛ پالایش به وسیلهٔ تراوش

infinite /'ɪnfɪnət/ *adj* لایتناهی

infinite quantity فضا، ذات لایتناهی

The Infinite *n* [ریاضیات] بی‌نهایت

infinitely /'ɪnfɪnətlɪ/ *adv* بی‌نهایت، به‌مراتب

infinitesimal /,ɪnfɪnɪ'tesɪml/ *adj* بی‌اندازه خرد، غیرقابل سنجش

infinitive /ɪn'fɪnətɪv/ *n* مصدر

infinitude /ɪn'fɪnɪtju:d US: -tu:d/ *n* نامحدودی، عظمت بی‌پایان

infinity /ɪn'fɪnətɪ/ *n* نامحدودی؛ بی‌نهایت

an infinity of reasons دلایل بی‌شمار

to infinity الی غیرنهایت؛ بی‌نهایت

infirm /ɪn'fɜ:m/ *adj* ناتوان، علیل؛ بی‌ثبات، سست؛ نامعتبر

infirm of purpose سست اراده

infirmary /ɪn'fɜ:mərɪ/ *n* بیمارستان آموزشگاه یا کارخانه، پرستارخانه

infirmity /ɪn'fɜ:mətɪ/ *n* ناتوانی، ضعف؛ سستی؛ علیلی؛ نقص

inflame /ɪn'fleɪm/ *vt,vi* ۱.به‌هیجان آوردن؛ ملتهب‌کردن، قرمزکردن ۲.آتش گرفتن؛ خشمگین شدن

inflamed with anger خشمگین

inflammable /ɪn'flæməbl/ *adj* آتشگیر، قابل اشتعال یا التهاب؛ [مجازاً] آتش‌مزاج

inflammation /,ɪnflə'meɪʃn/ *n* التهاب، آماس؛ افروختگی، اشتعال؛ تهییج، انگیزش

inflammatory /ɪn'flæmətrɪ US: -tɔ:rɪ/ *adj* فتنه‌انگیز؛ التهابی، التهاب‌آور

inflate /ɪn'fleɪt/ *vt* باد کردن؛ متورم ساختن؛ زیاد ستودن، مغرور کردن

inflation /ɪn'fleɪʃn/ *n* تورّم؛ غرور

inflect /ɪn'flekt/ *vt* صرف کردن؛ کج کردن؛ منحرف کردن

inflection /ɪn'flekʃn/ = inflexion

inflexible /ɪn'fleksəbl/ *adj* غیرقابل انحنا، نرم‌نشدنی؛ ثابت

inflexion /ɪn'flekʃn/ *n* خم‌سازی؛ خمیدگی، انحنا؛ صرف، تصریف؛ تغییرشکل؛ تلحین؛ انعطاف

inflexional /ɪn'flekʃənl/ *adj* صرفی، صرف‌دار، قابل صرف، منصرف

inflict /ɪn'flɪkt/ *vt* وارد آوردن، زدن [inflict a blow]؛ تحمیل کردن

infliction /ɪn'flɪkʃn/ *n* تحمیل؛ کیفر؛ رنج

inflow /'ɪnfləʊ/ *n* ریزش درونی

influence /'ɪnflʊəns/ *n,vt* ۱.نفوذ؛ تأثیر؛ تفوق ۲.تحت تأثیر خود قرار دادن، تحت‌نفوذ خود قرار دادن

undue influence اعمال نفوذ ناروا

influential /,ɪnflʊ'enʃl/ *adj* بانفوذ، متنفذ؛ مؤثر

influenza /,ɪnflʊ'enzə/ *n* گریپ، آنفلوانزا، نزلهٔ وبایی یا همه‌گیر

influx /'ɪnflʌks/ *n* ریزش، جریان، هجوم

infold /ɪn'fəʊld/ = enfold

inform /ɪn'fɔ:m/ *vt,vi* ۱.آگاهی دادن، اطلاع دادن (به)، مستحضر داشتن ۲.خبر بردن

inform against someone از دست کسی شکایت کردن

informal /ɪn'fɔ:ml/ *adj* غیررسمی

informality /,ɪnfɔ:'mælətɪ/ *n* غیررسمی بودن؛ بدون تشریفات؛ اقدام غیررسمی

informally /ɪn'fɔ:məlɪ/ *adv* به‌طور غیررسمی

informant /ɪn'fɔ:mənt/ *n* مخبر

information /,ɪnfə'meɪʃn/ *n* آگاهی، خبر، اطلاع، اطلاعات؛ کفایت؛ تهمت

a piece of information یک خبر

information on (*or* about) something اطلاع از (یا دربارهٔ) چیزی

informed *ppa* آگاه، باخبر
well-informed بصیر، بااطلاع، مطلع
informer *n* خبررسان، خبردهنده، مخبر
infra /ˈɪnfrə/ *adv,L* پایین؛ پایین‌تر؛ بعدها
infraction /ɪnˈfrækʃn/ = infringement
infra dig /ˌɪnfrə ˈdɪg/ *Col*= infradig-nitatem
L مادون شئونات شخص، ناشایسته
infra-red /ˌɪnfrə ˈred/ *adj* مادونِ قرمز
infrequency /ɪnˈfriːkwənsɪ/ *n* ندرت وقوع
infrequent /ɪnˈfriːkwənt/ *adj* کم‌وقوع، کمیاب
infringe /ɪnˈfrɪndʒ/ *vt,vi* ۱.نقض کردن،
infringe a rule] تجاوز کردن از، تخلف کردن از
۲.تجاوز کردن، تخطی کردن
infringe upon تجاوز کردن به
infringement /ɪnˈfrɪndʒmənt/ *n* تخلف؛
تجاوز (به‌حق طبیعی دیگران)
infuriate /ɪnˈfjʊərɪeɪt/ *vt* زیاد خشمگین کردن، آتشی کردن
infuse /ɪnˈfjuːz/ *vt,vi* ۱.ریختن؛ دم کردن، خیساندن؛ القا کردن؛ [مجازاً] تزریق کردن ۲.خیس خوردن
infusion /ɪnˈfjuːʒn/ *n* ریزش؛ القا؛
عمل خیساندن؛ چیز خیسانده یا دم کرده
ingenious /ɪnˈdʒiːnɪəs/ *adj* مبتکر، خلاق؛
استادانه، ماهرانه
ingenious mind مغز مبتکر
ingenuity /ˌɪndʒɪˈnjuːətɪ US: -ˈnuː-/ *n*
هوش (ابتکار)، استادی، هنرمندی
ingenuous /ɪnˈdʒenjʊəs/ *adj* صاف و ساده،
بی‌تزویر، رک‌گو
ingle-nook /ˈɪŋgl nʊk/ *n* گوشه‌ای از اتاق که نزدیک بخاری یا اجاق است
inglorious /ɪnˈglɔːrɪəs/ *adj* شرم‌آور،
افتضاح‌آمیز، پست
ingot /ˈɪŋgət/ *n* شمش (زر یا سیم)
ingraft /ɪnˈgrɑːft/ *vt* = graft
ingrain /ɪnˈgreɪn/ = engrain
ingratiate /ɪnˈgreɪʃɪeɪt/ *vt*
طرف توجه قرار دادن
ingratiate oneself خودشیرینی کردن
ingratitude /ɪnˈgrætɪtjuːd US: -tuːd/ *n*
ناسپاسی، بی‌حقوقی، نمک ناشناسی، نمک به حرامی
ingredient /ɪnˈgriːdɪənt/ *n* جزء، جزءِ ترکیبی،
[در جمع] اجزا؛ [مجازاً] عوامل، عناصر
ingress /ˈɪngres/ *n* دخول، ورود؛ مدخل
ingrowing /ˈɪngrəʊɪŋ/ *adj*
در گوشت فرورونده

inhabit /ɪnˈhæbɪt/ *vt* ساکن شدن در
inhabitable /ɪnˈhæbɪtəbl/ *adj* قابل سکونت
inhabitant /ɪnˈhæbɪtənt/ *n* ساکن، اهل،
[جمع] سکنه، اهالی
inhale /ɪnˈheɪl/ *vt* استنشاق کردن
inherence /ɪnˈhɪərəns/ *n* لزوم ذاتی
inherent /ɪnˈhɪərənt/ *adj* ذاتی، لاینفک
inherit /ɪnˈherɪt/ *vt* وارث شدن
inheritance /ɪnˈherɪtəns/ *n* ارث، میراث؛
وراثت، توارث
inhibit /ɪnˈhɪbɪt/ *vt* جلوگیری کردن از،
نهی کردن؛ فرونشاندن
inhibition /ˌɪnhɪˈbɪʃn/ *n* جلوگیری، منع،
نهی، قدغن
inhibitory /ɪnˈhɪbɪtrɪ US: -tɔːrɪ/ *adj*
نهی‌آمیز، مبنی بر منع یا نهی
inhospitable /ˌɪnhɒˈspɪtəbl/ *adj* مهمان‌نانواز،
درِ خانه بسته؛ بی‌پناه
inhuman /ɪnˈhjuːmən/ *adj* بی‌عاطفه؛
وحشیانه، غیرانسانی
inhumanity /ˌɪnhjuːˈmænətɪ/ *n* وحشیگری
inimical /ɪˈnɪmɪkl/ *adj* خصومت‌آمیز؛ مضر
inimitable /ɪˈnɪmɪtəbl/ *adj* غیرقابل تقلید،
بی‌نظیر
iniquitous /ɪˈnɪkwɪtəs/ *adj* شریر، گناهکار؛
شرارت‌آمیز
iniquity /ɪˈnɪkwətɪ/ *n* شرارت، گناه
initial /ɪˈnɪʃl/ *adj,n* ۱.نخستین؛ اصلی؛ ابتدایی
۲. [در جمع] امضای مختصر، پاراف
initial /ɪˈnɪʃl/ *vt* [-led] پاراف کردن،
به‌طور مختصر امضا کردن
initially /ɪˈnɪʃəlɪ/ *adv* در آغاز، در ابتدا
initiate /ɪˈnɪʃɪeɪt/ *vt* آشنا کردن؛ شروع کردن؛
تازه وارد کردن
initiate /ɪˈnɪʃɪət/ *adj* تازه وارد؛ محرمِ راز
initiation /ɪˌnɪʃɪˈeɪʃn/ *n* آشناسازی؛
وارد کردن یا وارد شدن کسی در جایی با تشریفات
initiative /ɪˈnɪʃətɪv/ *n* (قوهٔ) ابتکار؛ پیشقدمی
take the initiative پیشقدم شدن
on one's own initiative مبتکراً
inject /ɪnˈdʒekt/ *vt* تزریق کردن؛
اماله کردن
injection /ɪnˈdʒekʃn/ *n* تزریق؛ تنقیه، اماله
injector *n* آلت تزریق
injudicious /ˌɪndʒuːˈdɪʃəs/ *adj* بی‌خرَد،
بی‌احتیاط؛ غیرعاقلانه
injunction /ɪnˈdʒʌŋkʃn/ *n* قدغن؛ دستور

injure /'ɪndʒə(r)/ *vt* آسیب زدن (به)؛ اذیت کردن، لطمه وارد آوردن بر
injurious /ɪn'dʒʊərɪəs/ *adj* زیان‌آور، مضر، موذی؛ صدمه‌زننده؛ برخورنده
injury /'ɪndʒərɪ/ *n* آسیب، اذیت؛ صدمه، لطمه، خسارت؛ تخطی، تجاوز
injustice /ɪn'dʒʌstɪs/ *n* بی‌عدالتی
ink /ɪŋk/ *n,vt* ۱.مرکب، جوهر ۲.مرکب زدن، جوهری کردن
inkling /'ɪŋklɪŋ/ *n* اشاره، اطلاع مختصر
ink-pad /'ɪŋkpæd/ *n* (جای)استامپ، تامپون، مرکب‌زن، جای مهر
ink-pot /'ɪŋkpɒt/ *n* دوات، مرکب‌دان
inkstand /'ɪŋkstænd/ *n* (جای قلم و) دوات
ink-well /'ɪŋkwel/ *n* دوات (کار گذاشته)
ink /ɪŋk/ *adj* مرکبی؛ مرکب‌دار
inlaid /,ɪn'leɪd/ [*p,pp of* inlay]
inland /'ɪnlənd/ *adj,adv* ۱.درونی، داخلی ۲.دور از دریا، دور از مرز
inlay /,ɪn'leɪ/ *vt* [inlaid] نشاندن، کار گذاشتن؛ منبت‌کاری کردن
inlay gems in; inlay with gems گوهرنشان کردن، مرصع کردن
inlaid with gold زرنشان
inlaid with gems گوهرنشان، مرصع
inlay /'ɪnleɪ/ *n* مرصع (کاری)؛ خاتم(کاری)
inlayer *n* خاتم‌کار؛ مرصع ساز
inlet /'ɪnlet/ *n* خلیج کوچک؛ مدخل
inmate /'ɪnmeɪt/ *n* مقیم؛ هم‌منزل
inmost /'ɪnməʊst/ *adj* درونی؛ صمیمانه
inn /ɪn/ *n* مسافرخانه
innate /ɪ'neɪt/ *adj* ذاتی، فطری، جبلی، مادرزاد، غریزی
inner /'ɪnə(r)/ *adj* درونی؛ باطنی؛ روحی
the inner man روح؛ [به شوخی] شکم
innermost /'ɪnə(r)məʊst/ *adj* میانی، درونی
innings /'ɪnɪŋz/ *npl* دور، نوبت؛ دورهٔ تصدی؛ اراضی مستحدثه
innkeeper /'ɪnki:pə(r)/ *n* صاحب مسافرخانه
innocence /'ɪnəsns/ *n* بی‌گناهی
innocent /'ɪnəsnt/ *adj* بی‌گناه؛ بی‌ضرر
innocent of *Col* فاقدِ، عاری از
innocuous /ɪ'nɒkjʊəs/ *adj* بی‌ضرر
innovate /'ɪnəveɪt/ *vi* بدعت گذاردن
innovate in باب کردن، معمول کردن
innovation /,ɪnə'veɪʃn/ *n* بدعت (گذاری)
innovator /,ɪnəveɪtə(r)/ *n* بدعت‌گذار
innuendo /,ɪnju:'endəʊ/ *n* [-es] اشاره، کنایه
innumerable /ɪ'nju:mərəbl/ *adj* بی‌شمار
inoculable /ɪ'nɒkjʊləbl/ *adj* قابل تلقیح
inoculate /ɪ'nɒkjʊleɪt/ *vt* تلقیح کردن
inoculate someone against smallpox آبله کسی را کوبیدن
inoculate someone with an opinion عقیده‌ای را به کسی تزریق کردن
inoculation /ɪ,nɒkjʊ'leɪʃn/ *n* مایه‌کوبی، تلقیح
inoffensive /,ɪnə'fensɪv/ *adj* بی‌ضرر
inoperable /,ɪn'ɒpərəbl/ *adj* غیرقابل عمل
inoperative /,ɪn'ɒpərətɪv/ *adj* بی‌اثر، بی‌خاصیت
inopportune /,ɪn'ɒpətju:n US: -tu:n/ *adj* نابهنگام، بیجا، بی‌موقع، نامناسب
inordinate /ɪ'nɔ:dɪnət/ *adj* بی‌اندازه
inorganic /,ɪnɔ:'gænɪk/ *adj* غیرآلی
in-patient /'ɪnpeɪʃnt/ *n* بیماری که در بیمارستان می‌ماند؛ بستری
inquest /'ɪnkwest/ *n* بازجویی (در مرگ‌های ناگهانی)
inquire; en- /ɪn'kwaɪə(r)/ *v* تحقیق کردن؛ جویا شدن، استفسار کردن
inquire into بازجویی کردن، تحقیق کردن
inquire after a person's health احوالپرسی از کسی کردن
inquiry ;en- /ɪn'kwaɪərɪ/ *n* پرسش، استفسار، استعلام؛ بازجویی، رسیدگی، تحقیق
make inquiries into رسیدگی کردن
inquisition /,ɪnkwɪ'zɪʃn/ *n* جستجو، رسیدگی (قضایی)
inquisitive /ɪn'kwɪzətɪv/ *adj* کنجکاو، فضول
inquisitor /ɪn'kwɪzɪtə(r)/ *n* مامور تحقیق
inroad /'ɪnrəʊd/ *n* تاخت و تاز
make inroads on غارت کردن؛ [مجازاً] تمام کردن، نابود کردن
insalivation /ɪn,sælə'veɪʃn/ *n* آمیختگی بابزاق
insalubrious /,ɪnsə'lu:brɪəs/ *adj* ناسازگار؛ بد آب وهوا
insane /ɪn'seɪn/ *adj* دیوانه؛ معیوب
insane asylum تیمارستان
insanitary /ɪn'sænɪtrɪ US: -terɪ/ *adj* غیرصحی، غیربهداشتی
insanity /ɪn'sænətɪ/ *n* دیوانگی؛ نادانی
insatiable /ɪn'seɪʃəbl/ *adj* سیری‌ناپذیر، راضی‌نشو؛ تسکین‌ناپذیر

insatiate /ɪn'seɪʃɪət/ *adj* سیری‌ناپذیر
inscribe /ɪn'skraɪb/ *vt* نوشتن، نقش کردن؛ نشاندن، فرو کردن؛ ثبت کردن (سهام)؛ [هندسه] محاط کردن
inscription /ɪn'skrɪpʃn/ *n* نوشته، کتیبه
inscrutable /ɪn'skru:təbl/ *adj* پوشیده، مرموز؛ پیمایش‌ناپذیر
insect /'ɪnsekt/ *n* حشره
insect powder گرد حشره‌کش
insecticide /ɪn'sektɪsaɪd/ *n* حشره‌کش
insecure /,ɪnsɪ'kjʊə(r)/ *adj* ناامن، نامحفوظ؛ سست، متزلزل
insecurity /,ɪnsɪ'kjʊərətɪ/ *n* ناامنی
insensate /ɪn'senseɪt/ *adj* بی‌حس، بی‌جان؛ بی‌عاطفه؛ کودن؛ ناشی‌از کودنی
insensibility /ɪn,sensə'bɪlətɪ/ *n* بی‌هوشی، بی‌حسی؛ بی‌عاطفگی؛ نامحسوسی
insensible /ɪn'sensəbl/ *adj* بی‌هوش؛ بی‌حس؛ نامحسوس؛ بی‌عاطفه؛ بی‌خبر؛ بی‌معنی
insensitive /ɪn'sensətɪv/ *adj* غیرحساس
inseparable /ɪn'seprəbl/ *adj* جدانشدنی، تجزیه‌ناپذیر؛ لاینفک، لازم
insert /ɪn'sɜ:t/ *vt* درج کردن، جا دادن؛ گذاشتن
insertion /ɪn'sɜ:ʃn/ *n* درج؛ مواد افزوده
inset /'ɪnset/ *n* برگ یا اوراقِ اضافی؛ نقشهٔ کوچکی که در نقشهٔ بزرگتر جای دهند؛ توری و غیر آن که به لباس بگذارند
inset /'ɪnset/ *vt* [-set] افزودن، گذاشتن
inshore /,ɪn'ʃɔ:(r)/ *adj,adv* نزدیکِ دریاکنار
inside /ɪn'saɪd/ *n,prep* ۱.تو، داخل، باطن؛ بغل؛ [درگفتگو] شکم ۲.توی، در
inside out وارونه؛ کاملاً
inside /'ɪnsaɪd/ *adj* تویی، درونی، داخلی
inside /ɪn'saɪd/ *adv* در درون، تو
inside of a week *Col* (در) کمتر از یک هفته
insider /ɪn'saɪdə(r)/ *n* کسی که به واسطه مقامش زودتر از دیگران کسب اطلاعات می‌کند؛ محرم
insidious /ɪn'sɪdɪəs/ *adj* بی‌سر و صدا، غافلگیر؛ موذیانه؛ خیانت‌آمیز
insight /'ɪnsaɪt/ *n* بصیرت؛ اطلاع
insignia /ɪn'sɪgnɪə/ *npl* نشان، نشانها
insignificance /,ɪnsɪg'nɪfɪkəns/ *n* ناچیزی، ناقابلی، بی‌اهمیتی؛ کمی؛ بی‌معنی بودن
insignificant /,ɪnsɪg'nɪfɪkənt/ *adj* بی‌معنی؛ ناچیز، جزئی، بی‌اهمیت، ناقابل، کم
insincere /,ɪnsɪn'sɪə(r)/ *adj* غیرصمیمی
insincerity /,ɪnsɪn'serətɪ/ *n* عدم خلوص، ریا
insinuate /ɪn'sɪnjʊeɪt/ *vt* جا دادن، آهسته داخل کردن؛ به اشاره فهمانیدن
insinuate oneself into a person's favour خود را پیش کسی طرف توجه قرار دادن، خود را پیش کسی جا کردن
insinuation /ɪn,sɪnjʊ'eɪʃn/ *n* اشاره؛ دخول تدریجی
insipid /ɪn'sɪpɪd/ *adj* بی‌مزه؛ بی‌نمک؛ بی‌روح
insipidity /,ɪnsɪ'pɪdətɪ/ *n* بی‌مزگی
insist /ɪn'sɪst/ *vi* اصرار کردن، پافشاری کردن؛ جداً عقیده داشتن
insist on going اصرار به رفتن کردن
He insisted on me to go (به من) اصرارکرد که‌بروم
insistence /ɪn'sɪstəns/ *n* اصرار
insistent /ɪn'sɪstənt/ *adj* مصرّ؛ مصرّانه
insolence /'ɪnsələns/ *n* گستاخی
insolent /'ɪnsələnt/ *adj* گستاخ، جسور، مغرور؛ جسارت‌آمیز، اهانت‌آمیز
insoluble /ɪn'sɒljʊbl/ *adj* حل‌نشدنی
insolvency /ɪn'sɒlvənsɪ/ *n* اعسار، درماندگی
insolvent /ɪn'sɒlvənt/ *adj* معسر، درمانده
insomnia /ɪn'sɒmnɪə/ *n* بی‌خوابی
insomuch /,ɪnsəʊ'mʌtʃ/ *adv* این‌قدر، آن‌قدر، به اندازه‌ای
insomuch as به اندازه‌ای که، از بس که؛ چون که
inspect /ɪn'spekt/ *vt* بازرسی کردن
inspection /ɪn'spekʃn/ *n* بازرسی، تفتیش؛ معاینه
inspector /ɪn'spektə(r)/ *n* بازرس
inspiration /,ɪnspə'reɪʃn/ *n* شهیق، استنشاق؛ دم، نفس؛ الهام، وحی
inspire /ɪn'spaɪə(r)/ *vt* ملهم کردن
inspired *ppa* ملهم، الهام شده؛ فرمایشی، دستوری [inspired article]
inspirit /ɪn'spɪrɪt/ *vt* روح دادن (به)؛ تشویق کردن، غیرت دادن
inst /ɪnst/ [مخففِ instant]
instability /,ɪnstə'bɪlətɪ/ *n* نااستواری، تزلزل
install /ɪn'stɔ:l/ *vt* نصب کردن؛ گماشتن، منصوب نمودن؛ جادادن
installation /,ɪnstə'leɪʃn/ *n* نصب؛ برقراری؛ تأسیس؛ دستگاه؛ [در جمع] تأسیسات
installment /ɪn'stɔ:lmənt/ = instalment
instalment /ɪn'stɔ:lmənt/ *n* قسط؛ قسمت، جزو
by instalments به اقساط

instance /'ɪnstəns/ *n,vt* ۱.مورد؛ نمونه، مثل، شاهد؛ وهله ۲.به‌طور نمونه گفتن، شاهد آوردن
at the instance of به‌تقاضایِ
for instance مثلاً، برای نمونه
Court of First Instance دادگاهِ شهرستان، محکمهٔ بدایت
instant /'ɪnstənt/ *n* دم، لحظه؛ هنگام
the instant (that) همینکه
on the instant فوراً، بی‌درنگ
not for an instant هرگز، هیچگاه
instant /'ɪnstənt/ *adj* آنی؛ مبرم؛ مربوط به ماه جاری [مختصر آن inst است]
the 5th inst پنجم ماه جاری
instantaneous /ˌɪnstən'teɪnɪəs/ *adj* آنی
instantly /'ɪnstəntlɪ/ *adv,conj* ۱.فوراً، آناً ۲.همینکه، به محض اینکه
instead /ɪn'sted/ *adv* در عوض
instead of به جایِ، به عوضِ، در عوضِ
instep /'ɪnstep/ *n* پشت پا
instigate /'ɪnstɪgeɪt/ *vt* تحریک کردن
instigation /ˌɪnstɪ'geɪʃn/ *n* تحریک
instil(l) /ɪn'stɪl/ *vt* [instilled] تلقین کردن، تزریق کردن، القا کردن
instinct /'ɪnstɪŋkt/ *n* غریزه، فراست حیوانی
instinct /ˌɪn'stɪŋkt/ *adj* دارا، پر
instinct with دارایِ، پراز
instinctive /ɪn'stɪŋktɪv/ *adj* غریزی
institute /'ɪnstɪtju:t US: -tu:t/ *n,vt* ۱.بنگاه (فرهنگی یا علمی)؛ انجمن، شورا ۲.برقرار کردن؛ تأسیس کردن؛ گماشتن
institution /ˌɪnstɪ'tju:ʃn US: -tu:ʃn/ *n* بنگاه، مؤسسه؛ تأسیس، برقراری؛ رسم
instruct /ɪn'strʌkt/ *vt* دستور دادن؛ تعلیم دادن، چیز یاد دادن (به)؛ آگاه کردن
instruction /ɪn'strʌkʃn/ *n* تعلیم، آموزش؛ [در جمع] دستور
instructive /ɪn'strʌktɪv/ *adj* آموزنده، عبرت‌انگیز
instructor /ɪn'strʌktə(r)/ *n* آموزگار؛ مشاق؛ کتاب اطلاعات یا راهنما
instrument /'ɪnstrʊmənt/ *n* آلت، ادات؛ وسیله؛ سند
musical instrument آلت موسیقی، ساز؛ [در جمع] آلات یا ادوات موسیقی
instrumental /ˌɪnstrʊ'mentl/ *adj* سازی، آلتی؛ مفید، سودمند
instrumentality /ˌɪnstrʊmən'tælətɪ/ *n* وسیله
by the instrumentality of به‌وسیلهٔ
insubordinate /ˌɪnsə'bɔ:dɪnət/ *adj* نافرمان
insubordination /ˌɪnsəˌbɔ:dɪ'neɪʃn/ *n* سرپیچی
insubstantial /ˌɪnsəb'stænʃl/ *adj* غیرواقعی، خیالی، بی‌اساس؛ سست
insufferable /ɪn'sʌfrəbl/ *adj* تحمل‌ناپذیر
insufficiency /ɪn'sə'fɪʃnsɪ/ *n* کمی، عدم کفایت؛ بی‌کفایتی
insufficient /ˌɪnsə'fɪʃnt/ *adj* کم، غیرکافی؛ بی‌کفایت
insufficiently /ˌɪnsə'fɪʃntlɪ/ *adv* کم
insular /'ɪnsjʊlə(r) US: -sələr/ *adj* جزیره‌ای؛ جزیره‌نشین؛ محدود، کوتاه؛ تنگ‌نظر
insularity /ˌɪnsjʊ'lærətɪ/ *n* تنگ‌نظری
insulate /'ɪnsjʊleɪt/ *vt* مجزا کردن؛ عایق‌دار کردن، روپوش‌دار کردن
insulation /ˌɪnsjʊ'leɪʃn/ *n* تجزیه؛ محدودیت؛ مقرّه‌گذاری؛ پوشش
insulator /'ɪnsjʊleɪtə(r)/ *n* مقرّه، عایق
insulin /'ɪnsjʊlɪn US: -səl-/ *n* انسولین
insult /'ɪnsʌlt/ *n* توهین، فحش
insult /ɪn'sʌlt/ *vt* توهین کردن (به)، فحش دادن (به)
insuperable /ɪn'su:pərəbl US: 'su:-/ *adj* برطرف نشدنی؛ غیرقابل عبور
insupportable /ˌɪnsə'pɔ:təbl/ *adj* تحمل‌ناپذیر، غیرقابل تحمل
insurance /ɪn'ʃɔ:rəns US: -'ʃʊər-/ *n* بیمه
insure /ɪn'ʃɔ:(r)/ *vt* بیمه کردن
the insured بیمه شده
insurer /ɪn'ʃɔ:rə(r)/ *n* بیمه‌گر
insurgent /ɪn'sɜ:dʒənt/ *n,adj* یاغی، متمرد، شورشی
insurmountable /ˌɪnsə'maʊntəbl/ *adj* برطرف‌نشدنی، حل‌نشدنی
insurrection /ˌɪnsə'rekʃn/ *n* طغیان، قیام، شورش
insusceptible /ˌɪnsə'septəbl/ *adj* تأثیرناپذیر، غیرمحسوس؛ نامستعد
intact /ɪn'tækt/ *adj* دست‌نخورده، بی‌عیب
intake /'ɪnteɪk/ *n* [در لوله] مدخل آبگیری؛ مقدار آب یا گازی که با لوله گرفته می‌شود
intangibility /ɪnˌtændʒə'bɪlətɪ/ *n* لمس‌ناپذیری
intangible /ɪn'tændʒəbl/ *adj* لمس‌ناپذیر، نامحسوس؛ بغرنج
integer /'ɪntɪdʒə(r)/ *n* عدد صحیح

integral/ˈɪntɪgrəl/ *adj* درست، بی‌کسر، بی‌خرده
integral part جزءِ لازم، جزءِ مکمل
integrate/ˈɪntɪgreɪt/ *vt* کامل کردن؛ جمعاً قلمداد کردن، جمله کردن
integrity /ɪnˈtegrətɪ/ *n* درستی، راستی، تمامیت، بی‌عیبی
integument /ɪnˈtegjʊmənt/ *n* پوشش، پوست
intellect /ˈɪntəlekt/ *n* عقل؛ هوش، فهم
intellectual/ˌɪntɪˈlektʃʊəl/ *adj* عقلانی؛ معنوی؛ خردمند، هوشمند؛ دانشمند
intelligence/ɪnˈtelɪdʒəns/ *n* هوش، زیرکی، فراست؛ بصیرت؛ آگاهی، خبر
intelligent/ɪnˈtelɪdʒənt/ *adj* باهوش، زیرک؛ باخبر، بااطلاع؛ حاکی از هوش
intelligentsia/ɪnˌtelɪˈdʒentsɪə/ *n* روشنفکران [با the]
intelligibility /ɪnˌtelɪdʒəˈbɪlətɪ/ *n* مفهوم بودن، وضوح
intelligible/ɪnˈtelɪdʒəbl/ *adj* قابل فهمیدن، مفهوم؛ معنوی، معقول
intelligibly *adv* به‌طور قابل درک
intemperance/ɪnˈtempərəns/ *n* زیاده‌رَوی، بی‌اعتدالی [به‌ویژه در خور و نوش]
intemperate/ɪnˈtempərət/ *adj* زیاده‌رو، بی‌اعتدال، افراطی؛ نامعتدل
intend /ɪnˈtend/ *vt* قصد کردن، قصد داشتن، در نظر داشتن، خیال داشتن
intended/ɪnˈtendɪd/ *n,Col* نامزد
intense/ɪnˈtens/ *adj* زیاد، سخت، شدید، قوی؛ جدّی؛ [رنگ] سیر [intense blue]
intensely/ɪnˈtenslɪ/ *adv* زیاد، شدیداً؛ جداً
intensification/ɪnˌtensɪfɪˈkeɪʃn/ *n* افزون‌سازی؛ تشدید؛ تقویت
intensify/ɪnˈtensɪfaɪ/ *vt,vi* ۱.سخت کردن؛ افزودن؛ قوی کردن ۲.شدید شدن، زیاد(تر) شدن
intensity/ɪnˈtensətɪ/ *n* شدت؛ زیادی
intensive/ɪnˈtensɪv/ *adj* تشدیدی؛ مشدّد؛ پرقوت؛ متمرکز (به یک نقطه)، شدید
intent /ɪnˈtent/ *n,adj* ۱.نیت، قصد ۲.ساعی؛ متوجه؛ جدی؛ مشتاقانه
to all intents and purposes عملاً ؛ از هر لحاظ
intention/ɪnˈtenʃn/ *n* قصد، منظور، خیال، غرَض، نیت؛ تصور
with the intention of به‌قصدِ، به‌منظورِ
intentional/ɪnˈtenʃənl/ *adj* عمدی، قصدی، ارادی
intentionally/ɪnˈtenʃənəlɪ/ *adv* عمداً، قصداً
inter /ɪnˈtɜ:(r)/ *vt* [-red] = bury
interact /ˌɪntərˈækt/ *vi* برهم تأثیر داشتن؛ عملِ متقابل کردن
interactive/ˌɪntərˈæktɪv/ *adj* عامل بر یکدیگر، مؤثر بر یکدیگر
inter alia /ˌɪntər ˈeɪlɪə/ *L* جزو چیزهای دیگر
interbreed /ˌɪntəˈbri:d/ *v* با هم جفت(گیری) کردن
intercalary/ɪnˈtɜ:kələrɪ/ *adj* افزوده؛ کبیسه
intercalate/ɪnˈtɜ:kəˌleɪt/ *vi* درج کردن
intercede /ˌɪntəˈsi:d/ *vt* وساطت کردن، شفاعت کردن، میانه‌گیری کردن
They interceded for him with the king.
از او نزد پادشاه شفاعت کردند.
intercept /ˌɪntəˈsept/ *vt* قطع کردن، جدا کردن؛ در بین راه گیر آوردن
intercession/ˌɪntəˈseʃn/ *n* میانجیگری، شفاعت، وساطت
intercessor/ˌɪntəˈsesə(r)/ *n* شفیع
interchange/ˌɪnəˈtʃeɪndʒ/ *vt* با هم مبادله کردن؛ به‌جای هم گذاشتن
interchange views تبادلِ نظر کردن
interchange/ˈɪntətʃeɪndʒ/ *n* مبادله؛ تناوب
interchangeable/ˌɪntəˈtʃeɪndʒəbl/ *adj* قابل معاوضه، قابل مبادله
intercollegiate/ˌɪntəkəˈli:dʒɪət/ *adj* میان دانشکده‌ای، معمول در بین دانشکده‌ها
intercourse/ˈɪntəkɔ:s/ *n* آمیزش؛ مراوده؛ مذاکره؛ مبادله
interdependence; -dency
/ˌɪntədɪˈpendəns;-sɪ/ *n* وابستگی به یکدیگر
interdependent/ˌɪntədɪˈpendənt/ *adj* موکول به هم
interdict /ˈɪntədɪkt/ *n* قدغن، نهی
interdict /ˌɪntəˈdɪkt/ *vt* قدغن کردن، نهی کردن؛ محروم کردن؛ محجور کردن
interest /ˈɪntrəst/ *n,vt* ۱.بهره، سود، نفع، منفعت؛ صرفه؛ مصلحت [جمع = مصالح]؛ دلبستگی؛ علاقه؛ خوشمزگی ۲.علاقه‌مند ساختن؛ ذی‌نفع کردن، سهیم کردن؛ جلب توجه (کسی را) کردن
put out to interest به‌بهره گذاشتن
take an interest in علاقه‌داشتن به
It is of interest to me.
من به آن علاقه‌مندم. برای من سودمند است.
return with interest بهتر تلافی کردن

in the interest(s) of به‌نفعِ
interested /ˈɪntrəstɪd/ *ppa* علاقه‌مند، ذی‌نفع؛ مایل، مجذوب؛ غرض‌آلود
interesting *apa* جالب توجه، بامزه، گیرنده
interfere /ˌɪntəˈfɪə(r)/ *vi* دخالت کردن؛ مزاحم شدن؛ مانع شدن، معارض شدن
interference /ˌɪntəˈfɪərəns/ *n* دخالت، مداخله؛ تصادف؛ معارضه؛ مانع
interfering *apa* مزاحم
interfuse /ˌɪntəˈfjuːz/ *v* به‌هم آمیختن
interim /ˈɪntərɪm/ *adj,n* ۱.موقتی ۲.فاصله، خلال مدت؛ ضمن
in the interim درضمن، در این اثنا
interior /ɪnˈtɪərɪə(r)/ *adj,n* ۱.درونی، داخلی؛ باطنی ۲.درون، تو، داخل؛ امور داخله
Ministry of the Interior *or* **Department of the Interior** وزارت کشور [در انگلیس وزارت کشور را Home Office می‌گویند]
interject /ˌɪntəˈdʒekt/ *vt* در میان آوردن
interjection /ˌɪntəˈdʒekʃn/ *n* حرفِ ندا، صوت، [در جمع] اصوات
interlace /ˌɪntəˈleɪs/ *v* به‌هم پیچیدن؛ در هم بافتن (یا بافته شدن)؛ تقاطع کردن
interlard /ˌɪntəˈlɑːd/ *vt* با عبارات بیگانه آمیختن
interleave /ˌɪntəˈliːv/ *vt* برگ سفید لای صفحات (کتابی) گذاشتن
interline /ˌɪntəˈlaɪn/ *vt* چیزهایی در میان سطرهای (سند یا کتابی) نوشتن
interlinear /ˌɪntəˈlɪnɪə(r)/ *adj* میان سطری، بین سطوری؛ تحت‌اللفظی
interlock /ˌɪntəˈlɒk/ *v* به‌هم اتصال دادن، به‌هم اتصال پیدا کردن
interlocutor /ˌɪntəˈlɒkjʊtə(r)/ *n* طرف صحبت، طرف گفتگو، کلیم
interlocutory *adj* موقتی، غیرقطعی، تمهیدی
interlcutory decree [حقوق] قرار
interloper /ˈɪntələʊpə(r)/ *n* کسی که برای سود خود در کار دیگران مداخله می‌کند
interlude /ˈɪntəluːd/ *n* میان‌پرده [بی‌اضافه]، قطعهٔ موسیقی اتصالی؛ فاصله
intermarriage /ˌɪntəˈmærɪdʒ/ *n* ازدواج بین قبایل و نژادهای مختلف؛ ازدواج با خویشاوندان
intermarry /ˌɪntəˈmærɪ/ *vi* با هم ازدواج کردن [به ترتیبی که در intermarriage گفته شد]
intermeddle /ˌɪntəˈmedl/ *vi* مداخله کردن
intermediary /ˌɪntəˈmiːdɪərɪ US: -dɪerɪ/ *adj,n* ۱.میانجیگری‌کننده؛ وساطت‌آمیز ۲.میانجی، واسطه
intermediate /ˌɪntəˈmiːdɪət/ *adj,n* ۱.متوسط ۲.واسطه، میان منزل
interment /ɪnˈtɜːmənt/ *n* دفن
intermezzo /ˌɪntəˈmetsəʊ/ *n* میان پردهٔ موسیقی؛ قطعهٔ موسیقی اتصالی
interminable /ɪnˈtɜːmɪnəbl/ *adj* پایان‌ناپذیر؛ بسیار دراز و خسته‌کننده
intermingle /ˌɪntəˈmɪŋgl/ *v* به‌هم آمیختن
intermission /ˌɪntəˈmɪʃn/ *n* بادخور، فاصله، فترت
without intermission پیوسته، لاینقطع
intermittent /ˌɪntəˈmɪtənt/ *adj* متناوب؛ نوبتی؛ نوبه‌ای
intermittently /ˌɪntəˈmɪtəntlɪ/ *adv* متناوباً
intern /ɪnˈtɜːn/ *vt* توقیف کردن
internal /ɪnˈtɜːnl/ *adj* درونی، داخلی؛ باطنی، ذاتی؛ ذهنی
internal-combustion engines /ɪnˌtɜːnl kəmˈbʌstʃn ˌendʒɪnz/ *n* ماشینهای درون‌سوز
internally /ɪnˈtɜːnəlɪ/ *adv* از درون؛ باطناً
international /ˌɪntəˈnæʃnəl/ *adj* بین‌المللی، انترناسیونال
internationalism /ˌɪntəˈnæʃnəlɪzəm/ *n* اصالت مصالح بین‌المللی؛ انترناسیونالیسم
intern(e) /ɪnˈtɜːn/ *n,Fr* کارورز، پزشک یا جرّاح مقیم، انترن
internecine /ˌɪntəˈniːsaɪn/ *adj* متضمن تلفات از دو طرف
internment /ɪnˈtɜːnmənt/ *n* نگاهداری، توقیف
interpellate /ɪnˈtɜːpeleɪt/ *vt* استیضاح کردن
interpellation /ɪnˌtɜːpəleɪʃn/ *n* استیضاح
interplay /ˈɪntəpleɪ/ *n* اثر متقابل؛ فعل و انفعال
interpolate /ɪnˈtɜːpəleɪt/ *vt* با عبارت بیگانه تحریف کردن، با عبارت تازه تحریف کردن
interpose /ˌɪntəˈpəʊz/ *vi,vt* ۱.مداخله کردن، با میان گذاشتن؛ در میان واقع شدن، مانع شدن ۲.به میان آوردن؛ به‌طور معترضه گفتن
interposition /ˌɪntəpəˈzɪʃn/ *n* مداخله، پادرمیانی
interpret /ɪnˈtɜːprɪt/ *vt* تفسیر کردن، تعبیر کردن؛ ترجمهٔ شفاهی کردن
interpretation /ɪnˌtɜːprɪˈteɪʃn/ *n* تفسیر، تعبیر، گزار، گزارش؛ تأویل؛ ترجمهٔ شفاهی، دیلماجی

interpreter *n* مترجم حضوری، دیلماج
interregnum /ˌɪntəˈregnəm/ *n* [-na] روزگار فترت
interrogate /ɪnˈterəgeɪt/ *vt* مورد پرسش یا بازرسی قرار دادن، استنطاق کردن (از)
interrogation /ɪnˌterəˈgeɪʃn/ *n* پرسش، استفهام؛ بازپرس، استنطاق
interrogative /ˌɪntəˈrɒgətɪv/ *adj* استفهامی [an interrogative pronoun]
interrogatory /ˌɪntəˈrɒgətrɪ/ *adj* استفهامی، پرسش‌وار
in an interrogatory tone به لحن پرسش
interrupt /ˌɪntəˈrʌpt/ *vt* گسیختن، قطع کردن؛ جلوگیری کردن از، مانع شدن
interruption /ˌɪntəˈrʌpʃn/ *n* قطع، قطع تسلسل؛ انقطاع؛ وقفه، تعطیل موقتی
intersect /ˌɪntəˈsekt/ *vt,vi* ۱.از وسط بریدن؛ تقسیم کردن ۲.تقاطع کردن
intersecting *apa* متقاطع
intersection /ˌɪntəˈsekʃn/ *n* تقاطع؛ محلِ تقاطع
intersperse /ˌɪntəˈspɜːs/ *vt* گُله گُله پاشیدن، نثار کردن
interstate /ˌɪntəˈsteɪt/ *adj* میان‌ایالتی؛ واقع در میانِ کشورها یا ایالت‌ها
interstice /ɪnˈtɜːstɪs/ *n* درز، شکاف، چاک، ترک؛ فاصله
intertwine /ˌɪntəˈtwaɪn/ *v* به‌هم پیچیدن
interurban /ˌɪntərˈɜːbən/ *adj* میان شهری، واقع در میان شهرها
interval /ˈɪntəvl/ *n* فاصله؛ مدت؛ ایست، وقفه؛ اختلاف
at an interval of به فاصله
at short intervals به فواصل کم
at long intervals دیر دیر
intervene /ˌɪntəˈviːn/ *vi* مداخله کردن؛ در میان واقع شدن؛ در ضمن روی دادن
intervention /ˌɪntəˈvenʃn/ *n* مداخله
interview /ˈɪntəvjuː/ *n,vt* مصاحبه (داشتن با)
interweave /ˌɪntəˈwiːv/ *vt* [-wove; -woven] درهم بافتن
intestate /ɪnˈtesteɪt/ *adj* بی‌وصیت
intestinal /ɪnˈtestɪnl/ *adj* روده‌ای
intestine /ɪnˈtestɪn/ *n* روده
intimacy /ˈɪntɪməsɪ/ *n* آشناییِ نزدیک، محرمیت؛ کاری که شایسته اشخاص محرم است [مانند بوسه]
intimate /ˈɪntɪmət/ *adj,n* ۱.صمیمی، نزدیک، محرم؛ درونی؛ شخصی، خصوصی ۲.دوست صمیمی
intimate /ˈɪntɪmeɪt/ *vt* اشاره کردن، فهماندن؛ خبر دادن
intimation /ˌɪntɪˈmeɪʃn/ *n* اشاره؛ آگاهی، خبر
intimidate /ɪnˈtɪmɪdeɪt/ *vt* ترساندن، تشر زدن به؛ با تهدید وادار کردن
intimidation /ɪnˌtɪmɪˈdeɪʃn/ *n* تهدید، اخافه
into /ˈɪntə; ɪntuː/ *prep* توي، در؛ به
translate into English به انگلیسی ترجمه کردن
stay far into the night ساعات زیادی در شب بیدار ماندن
intolerable /ɪnˈtɒlərəbl/ *adj* غیرقابل تحمل
intolerance /ɪnˈtɒlərəns/ *n* عدم تحمل؛ زیرِ بار نرفتن، تعصب
intolerant /ɪnˈtɒlərənt/ *adj* زیر بار نرو، بردبار، بی‌تحمل، متعصب
be intolerant of... زیر بار... نرفتن
intonation /ˌɪntəˈneɪʃn/ *n* زیروبم (ساختن) صدا؛ قرائت با لحن
intone /ɪnˈtəʊn/ *vt* با لحن خواندن
intoxicant /ɪnˈtɑksɪkənt/ *adj,n* مسکر، (نوشابه) مستی‌آور
intoxicate /ɪnˈtɒksɪkeɪt/ *vt* مست کردن؛ از خود بیخود کردن
intoxicating *apa* مست‌کننده
intoxication /ɪnˌtɒksɪˈkeɪʃn/ *n* مست‌سازی؛ مستی؛ مسمومیت الکلی
intractable /ɪnˈtræktəbl/ *adj* سرکش، رام نشدنی؛ سخت؛ بهبودناپذیر
intransigent /ɪnˈtrænsɪdʒənt/ *adj* سختگیر
intransitive /ɪnˈtrænsətɪv/ *adj,n* ۱.لازم ۲.فعل لازم
intrench /ɪnˈtrentʃ/ = entrench
intrepid /ɪnˈtrepɪd/ *adj* بی‌باک؛ دلیرانه
intrepidity /ˌɪntrɪˈpɪdətɪ/ *n* بی‌باکی، تهور
intricacy /ˈɪntrɪkəsɪ/ *n* پیچیدگی
intricate /ˈɪntrɪkət/ *adj* پیچیده، بغرنج، پیچ درپیچ، تودرتو
intrigue /ɪnˈtriːg/ *n,vi,vt* ۱.دسیسه؛ پشت هم‌اندازی؛ عشقبازیِ نهانی ۲.در نهان عشقبازی کردن؛ دسیسه کردن ۳.فریفتن
intrinsic /ɪnˈtrɪnsɪk/ *adj* ذاتی، باطنی
introduce /ˌɪntrəˈdjuːs US: -ˈduːs/ *vt* معرّفی کردن؛ معمول کردن؛ داخل کردن؛ آشنا کردن؛ شروع کردن

introduction /ˌɪntrəˈdʌkʃn/ *n* مقدمه؛ معرّفی؛ معمول‌سازی؛ ابداع؛ داخل‌سازی
introductory /ˌɪntrəˈdʌktərɪ/ *adj* مقدماتی
introspect /ˌɪntrəˈspekt/ *vi* به باطن خود نگریستن
introspection /ˌɪntrəˈspekʃn/ *n* خویشتن‌نگری؛ درون‌نگری
introvert /ˌɪntrəˈvɜːt/ *vt* متوجهِ درون کردن
intrude /ɪnˈtruːd/ *vi,vt* ۱.سرزده آمدن ۲.فرو کردن؛ تحمیل کردن
intrude upon a person's privacy مخلّ آسایش (یا مزاحم) کسی شدن
intruder *n* مخلّ، مزاحم
intrusion /ɪnˈtruːʒn/ *n* دخولِ سرزده؛ فضولی؛ تجاوز، تعدی
intrusive /ɪnˈtruːsɪv/ *adj* فضول؛ فضولانه
intrust /ɪnˈtrʌst/ = entrust
intuition /ˌɪntjuːˈɪʃn/ *n* انتقال، درک مستقیم؛ اشراق، شهود
intuitive /ɪnˈtjuːɪtɪv/ *adj* شهودی، دارایِ قوهٔ درک مستقیم؛ مستقیماً درک‌شده
inundate /ˈɪnʌndeɪt/ *vt* زیر گرفتن، پوشانیدن [در گفتگوی از سیل یا رودخانه]
inundated with letters غرقِ نامه
inundation /ˌɪnənˈdeɪʃn/ *n* سیل، طغیان آب
inured /ɪˈnjʊəd/ *adj* معتاد؛ پینه‌خورده؛ به سختی عادت‌کرده
invade /ɪnˈveɪd/ *vt* موردِ تاخت و تاز قرار دادن، مورد تجاوز قرار دادن
invader *n* مهاجم؛ متجاوز
invalid /ɪnˈvælɪd/ *adj* باطل، کان لم یکن؛ نامعتبر، غیروارد، سست
invalid /ˈɪnvəliːd/ *adj,n* ۱.علیل؛ ویژهٔ مردم ناتوان ۲.آدم علیل
invalid /ˈɪnvəlɪd/ *vt* علیل کردن؛ به واسطهٔ ناتوانی از خدمت رها کردن
invalidate /ɪnˈvælɪdeɪt/ *vt* باطل کردن
invalidation /ɪnˌvælɪˈdeɪʃn/ *n* باطل‌سازی، ابطال
invalidity /ˌɪnvəˈlɪdətɪ/ *n* عدم اعتبار، بطلان؛ فساد
invaluable /ɪnˈvæljʊəbl/ *adj* گرانبها
invariable /ɪnˈveərɪəbl/ *adj* تغییرناپذیر، ثابت، نامتغیر
invariably /ɪnˈveərɪəblɪ/ *adv* به‌طور ثابت، به‌طور تغییرناپذیر؛ مطلقاً، همواره

invasion /ɪnˈveɪʒn/ *n* تاخت و تاز، تهاجم، استیلا؛ تاراج؛ تجاوز
invective /ɪnˈvektɪv/ *n* سخنِ سخت، حرف سخت، پرخاش، فحش
inveigh /ɪnˈveɪ/ *vi* سخت مورد حمله قرار دادن [با against]
inveigle /ɪnˈveɪgl/ *vt* (با فریب) اغوا کردن؛ گمراه کردن
invent /ɪnˈvent/ *vt* اختراع کردن؛ جعل کردن
invention /ɪnˈvenʃn/ *n* اختراع؛ جعل
inventive /ɪnˈventɪv/ *adj* اختراعی
inventor /ɪnˈventə(r)/ *n* مخترع؛ جاعل
inventory /ˈɪnvəntrɪ/ *n,vt* ۱.صورتِ موجودی، فهرست، سیاهه ۲.سیاهه کردن، صورت برداشتن از
inverse /ˌɪnˈvɜːs/ *adj,n* ۱.وارونه، معکوس ۲.عکس، قلب
inversely /ɪnˈvɜːslɪ/ *adv* معکوساً
inversion /ɪnˈvɜːʃn/ *n* قلب، برگردانی
invert /ɪnˈvɜːt/ *vt* برگرداندن، قلب کردن، وارونه کردن، معکوس کردن
inverted commas نام‌این دوعلامت « » که دال بر نقل قول است؛ گیومه
invertebrate /ɪnˈvɜːtɪbreɪt/ *adj* بی‌مهره، غیر ذی‌فَقار؛ [مجازاً] نااستوار
invest /ɪnˈvest/ *vt,vi* ۱.گذاردن، به کار انداختن (سرمایه)؛ منصوب کردن؛ اعطا کردن ۲.پول گذاردن
invest a person with insignia of office نشان به کسی دادن
invested with دارایِ
investigate /ɪnˈvestɪgeɪt/ *vt* رسیدگی کردن
investigation /ɪnˌvestɪˈgeɪʃn/ *n* رسیدگی، بازجویی
investigator /ɪnˈvestɪgeɪtə(r)/ *n* رسیدگی‌کننده، بازجو، مأمور تحقیق
investiture /ɪnˈvestɪtʃə(r)/ *n* اعطا(ی منصب)؛ نصب؛ خلعت
investment /ɪnˈvestmənt/ *n* سرمایه‌گذاری؛ سرمایهٔ به‌کار انداخته؛ اعطا(ی منصب)
investor *n* سرمایه‌گذار
inveterate /ɪnˈvetərət/ *adj* دیرینه، مزمن، ریشه‌کرده، کهنه؛ خوگرفته
invidious /ɪnˈvɪdɪəs/ *adj* منزجرکننده؛ تبعیض‌آمیز؛ حسادت‌انگیز
invigorate /ɪnˈvɪgəreɪt/ *vt* نیرو دادن، قوت دادن؛ روح بخشیدن

invincibility /ɪnˌvɪnsəˈbɪlətɪ/ *n* شکست‌ناپذیری
invincible /ɪnˈvɪnsəbl/ *adj* شکست‌ناپذیر
inviolable /ɪnˈvaɪələbl/ *adj* مصون؛ واجب‌الحرمة؛ منزه؛ نگفتنی
inviolate /ɪnˈvaɪələt/ *adj* نقض نشده؛ درست، دست نخورده
invisibility /ɪnˌvɪzəˈbɪlətɪ/ *n* ناپدیدی
invisible /ɪnˈvɪzəbl/ *adj* نامرئی، دیده‌نشدنی، ناپدید، غیرمرئی، نامعلوم
invitation /ˌɪnvɪˈteɪʃn/ *n* دعوت
invite /ɪnˈvaɪt/ *vt* دعوت کردن؛ جلب کردن
inviting /ɪnˈvaɪtɪŋ/ *apa* جالب، کشنده
invocation /ˌɪnvəˈkeɪʃn/ *n* دُعا؛ استدعا؛ استمداد؛ وِرد؛ حکم احضار
invoice /ˈɪnvɔɪs/ *n,vt* ۱.سیاهه، فاکتور، صورت حساب ۲.سیاهه کردن
invoke /ɪnˈvəʊk/ *vt* دعا کردن به؛ خواستن؛ استمداد کردن از؛ احضار کردن؛ استناد کردن به
involuntary /ɪnˈvɒləntrɪ/ *adj* بی‌اختیار، غیرارادی؛ اضطراری
involution /ˌɪnvəˈlu:ʃn/ *n* پیچیدگی؛ لف
involve /ɪnˈvɒlv/ *vt* گرفتار کردن، وارد کردن؛ متضمن بودن، مستلزم بودن
involved *ppa* گرفتار؛ پیچیده؛ وارد؛ مورد بحث
invulnerable /ɪnˈvʌlnərəbl/ *adj* زخم‌ناپذیر؛ شکست‌ناپذیر؛ قاطع
inward /ˈɪnwəd/ *adj* درونی؛ باطنی؛ روحی، روحانی
inwardly *adv* باطناً؛ دردل
inwards /ˈɪnwədz/; **inward** *adv* سوی درون، به‌طرف داخل؛ به‌باطن (یا درون خود)
inwrought /ˌɪnˈrɔ:t/ *ppa* توکار (گذاشته شده)؛ نقشه‌دار
iodine /ˈaɪədi:n US: -daɪn/ *n* یُد
iota /aɪˈəʊtə/ *n* نام حرف نهم الفبای یونانی برابر با i در انگلیسی؛ ذره
IOU /ˌaɪ əʊ ˈju:/ *n* سند بدهکاری، سفته یا سند ذمه که در آن حروف IOU یا I owe you «من به شما بدهکارم» با مبلغ بدهی نوشته می‌شود
ipso facto /ˌɪpsəʊˈfæktəʊ/ *adv,L* به‌واسطهٔ ماهیت خود عمل؛ بالفعل
irascibility /ɪˌræsəˈbɪlətɪ/ *n* آتش‌مزاجی
irascible /ɪˌræsəbl/ *adj* آتشی‌مزاج، سودایی؛ تند، خشم‌آمیز
irate /aɪˈreɪt/ *adj* خشمگین، آتشی
ire /ˈaɪə(r)/ *n,Poet* خشم، غضب
iridescence /ˌɪrɪˈdesns/ *n* نمایش قوسِ قُزحی
iridescent /ˌɪrɪˈdesnt/ *adj* قوسِ قزحی، رنگین کمانی
iris /ˈaɪərɪs/ *n* جنس زنبق یا سوسن؛ عنبیه
Irish /ˈaɪərɪʃ/ *adj,n* ایرلندی
Irishman /ˈaɪərɪʃmən/ *n* [-men] مرد ایرلندی
irk /ɜ:k/ *vt* خسته کردن؛ رنجه کردن
irksome /ˈɜ:ksəm/ *adj* خستگی‌آور
iron /ˈaɪən/ *n,vt* ۱.آهن؛ اتو؛ [در جمع] زنجیر ۲.اتو کردن؛ زنجیر کردن
an iron nail میخ‌آهنی، میخ آهن
a man of iron آدم سخت یا با عزم
iron rations جیرهٔ بسیار کم که سرباز در وقت ضرورت می‌تواند از آن استفاده کند
(too) many irons in the fire چند کار یا گرفتاری با هم، چند هندوانه در یک‌دست
iron-clad /ˌaɪən ˈklæd; ˈaɪən ˌklæd/ *adj,n* زره‌پوش
iron-foundry /ˈaɪən faʊndrɪ/ *n* آهن‌ریزی، کارخانهٔ ذوب آهن
ironical /aɪˈrɒnɪkl/ *adj* طعنه‌آمیز؛ طعنه‌زن
iron-monger /ˈaɪənmʌŋgə(r)/ *n* فروشندهٔ آهن‌آلات
iron-mongery /ˈaɪənmʌŋgərɪ/ *n* آهن‌آلات
iron-mould /ˈaɪən məʊld/ *n* زنگ آهن، سیاهیِ آهن؛ لکه (مرکب)
ironsmith /ˈaɪənsmɪθ/ *n* آهنگر
ironwork /ˈaɪənwɜ:k/ *n* آهن‌کاری ساختمان
ironworks /ˈaɪənwɜ:ks/ *n,s or pl* کارخانهٔ آهن‌سازی، کارخانهٔ آهن‌ریزی
irony /ˈaɪərənɪ/ *n* طعنه؛ استهزا
irradiate /ɪˈreɪdɪeɪt/ *vt,vi* ۱.درخشان کردن ۲.تابیدن، بیرون دادن
irrational /ɪˈræʃənl/ *adj* نامعقول، غیرمنطقی؛ بی‌عقل؛ غیرناطق؛ [ریاضیات] گنگ، اصمّ
irreconcilable /ɪˈrekənsaɪləbl/ *adj* وفق‌ناپذیر؛ اصلاح‌ناپذیر؛ نرم‌نشدنی
irrecoverable /ˌɪrɪˈkʌvərəbl/ *adj* وصول‌نشدنی؛ اصلاح‌ناپذیر؛ جبران‌ناپذیر
irredeemable /ˌɪrɪˈdi:məbl/ *adj* غیرقابل ابتیاع؛ از گرو در نیامدنی؛ نقد نشدنی؛ جبران‌ناپذیر؛ چاره‌ناپذیر
irreducible /ˌɪrɪˈdju:səbl/ *adj* تقلیل‌ناپذیر؛ غیرقابل تحویل

irrefutable /ˌɪrɪ'fju:təbl/ *adj* انکارناپذیر، غیرقابل تکذیب
irregular /ɪ'regjʊlə(r)/ *adj* بی‌قاعده، نامرتب؛ نامنظم؛ غیررسمی
irregularity /ɪˌregjʊ'lærətɪ/ *n* بی‌قاعدگی، بی‌ترتیبی، بی‌نظمی؛ کارخلاف قاعده
irregularly *adv* به‌طور نامنظم
irrelevance /ɪ'reləvəns/; **-vancy** *n* بی‌ربطی، نامربوطی، بی‌مناسبتی
irrelevant /ɪ'reləvənt/ *adj* بی‌ربط، نامربوط
irreligious /ˌɪrɪ'lɪdʒəs/ *adj* بی‌دین، لامذهب؛ ناشی از بی‌دینی
irremediable /ˌɪrɪ'mi:dɪəbl/ *adj* چاره‌ناپذیر، بی‌درمان، علاج‌ناپذیر
irremovable /ˌɪrɪ'mu:vəbl/ *adj* غیرقابل عزل؛ انتقال‌ناپذیر
irreparable /ɪ'repərəbl/ *adj* جبران‌ناپذیر، مرمت‌ناپذیر
irreplaceable /ˌɪrɪ'pleɪsəbl/ *adj* بی‌جانشین، تعویض‌ناپذیر
irrepressible /ˌɪrɪ'presəbl/ *adj* غیرقابل جلوگیری
irreproachable /ˌɪrɪ'prəʊtʃəbl/ *adj* غیرقابل سرزنش، بی‌گناه
irresistible /ˌɪrɪ'zɪstəbl/ *adj* مقاومت‌ناپذیر، سخت [enemy irresistible]
irresolute /ɪ'rezəlu:t/ *adj* بی‌عزم، بی‌تصمیم؛ دودل، مردّد
irresolution /ɪˌrezə'lu:ʃn/ *n* بی‌عزمی؛ تردید رأی
irrespective /ˌɪrɪ'spektɪv/ *adj* بی‌اعتنا، بی‌توجه؛ قطع‌نظر شده
irrespective of صرف‌نظر از؛ بدون توجه به
irresponsible /ɪrɪ'spɒnsəbl/ *adj* غیرمسئول
irretrievable /ˌɪrɪ'tri:vəbl/ *adj* غیرقابل استرداد؛ جبران‌ناپذیر
irreverence /ɪ'revərəns/ *n* بی‌حرمتی
irreverent /ɪ'revərənt/ *adj* احترام‌نگذار، بی‌ادب؛ مغایر حرمت، بی‌ادبانه
irrevocable /ɪ'revəkəbl/ *adj* غیرقابل برگشت؛ پابرجا، قطعی
irrigate /'ɪrɪgeɪt/ *vt* آبیاری کردن؛ مشروب کردن؛ شستشو دادن (زخم)
irrigation /ˌɪrɪ'geɪʃn/ *n* آبیاری؛ شستشو
irrigator *n* آبیار؛ اسباب آبیاری؛ اسباب شستشوی زخم
irritable /'ɪrɪtəbl/ *adj* قابل تحریک؛ زود غضب، تند(مزاج)
irritant /'ɪrɪtənt/ *adj,n* ۱.تحریک‌کننده؛ سوزش‌آور ۲.عامل محرّک
irritate /'ɪrɪteɪt/ *vt* خشمگین کردن؛ بی‌حوصله کردن؛ به سوزش یا خارش در آوردن؛ تحریک کردن
irritation /ˌɪrɪ'teɪʃn/ *n* عصبانیت؛ آزردگی؛ تحریک؛ هیجان؛ سوزش، خارش؛ حساسیت زیاد
irruption /ɪ'rʌpʃn/ *n* تاخت و تاز
is /ɪz/ *v* است؛ هست [سوم شخص مفردِ be در زمان حال]
There is هست، یافت می‌شود
He is to stay قرار است بماند
It is made ساخته می‌شود؛ ساخته شده است
He is going (دارد) می‌رود، در حال رفتن است؛ قرار است برود
ischium /'ɪskɪəm/ *n* (استخوان) وَرک
ischiuria /ɪs'kju:reə/ *n* حبسِ ادرار
isinglass /'aɪzɪŋglɑ:s/ *n* مادهٔ ژلاتینی که در ساختن سریشم به‌کار می‌برند
island /'aɪlənd/ *n* جزیره؛ سکو یا پناهگاه وسط خیابان
islander *n* جزیره‌نشین
isle /aɪl/ *n* جزیره (کوچک)
British Isles جزایر بریتانیایی
islet /'aɪlɪt/ *n* جزیرهٔ کوچک
ism /'ɪzəm/ *n* اصالت، اصول؛ رویه
isn't /'ɪznt/ [مختصرِ is not]
isolate /'aɪsəleɪt/ *vt* جُدا کردن، مجزا کردن؛ در قرنطینه نگاه‌داشتن؛ منفرد کردن؛ عایق‌دار کردن
isolation /ˌaɪsə'leɪʃn/ *n* جدایی، انفراد؛ انزوا؛ جداسازی؛ تجزیه
isolation hospital بیمارستان امراض مسری
isolationist /ˌaɪsə'leɪʃənɪst/ *n* طرفدار عدم مداخله در سیاست کشورهای بیگانه
isosceles /aɪ'sɒsəli:z/ *adj* دوساق یکی، متساوی‌الساقین
Israel /'ɪzreɪl/ *n* اسرائیل: ۱.بنی‌اسرائیل ۲.کشور نوبنیاد یهود
Israelite /'ɪzri:əlaɪt/ *n* اسرائیلی
issue /'ɪʃu:/ *vt,vi,n* ۱.صادر کردن؛ انتشار دادن ۲.خارج شدن؛ جاری شدن؛ صادر شدن؛ منتج شدن ۳.صدور؛ انتشار؛ تحویل، تقسیم؛ جریان؛ سرانجام، نتیجه؛ درزو، ممرّ؛ دهانه؛ مسئله، موضوع دعوا؛ شماره (منتشر شده)
of no issue بی‌نتیجه، بیهوده
at issue موضوع بحث

join issue with a person با کسی وارد مرافعه شدن، با کسی وارد دعوا شدن

isthmus /ˈɪsməs/ *n* [-es] برزخ، تنگهٔ خاکی

it /ɪt/ *pr* آن [آن چیز، آن جانور، آن کودک]؛ آن را

It rains. می‌بارد.

It is cold. سرد است.

It is a good day. روز خوبی است.

It happened اتفاق افتاد

It is I منم، این منم

It is true that راست است که

That is it همین است، درست است

Who is it? کیست؟ این کیست؟

What is it? چیست؟ آن چیست؟

Italian /ɪˈtæliən/ *adj.n* ایتالیایی

italic /ɪˈtælɪk/ *adj* ایتالیک، [در گفتگوی از حروف] یکبری، خوابیده، کج [مانند *am*]

italicize /ɪˈtælɪsaɪz/ *vt* باحروف ایتالیک نوشتن، باحروف خوابیده نوشتن

italics *npl* حروف ایتالیک، حروف خوابیده

Italy /ˈɪtəlɪ/ *n* ایتالیا

itch /ɪtʃ/ *n.vi* ۱.خارش؛ جرب، جِکّه؛ [مجازاً] کِرم، میل مفرط ۲.خارش کردن، خارش داشتن، خاریدن؛ خارش آوردن

itching palm دستِ بگیر

itchy *adj* خارش‌دار

item /ˈaɪtəm/ *n* قلم [جمع = اقلام]، فقره؛ بابت

itemize /ˈaɪtəmaɪz/ *vt* قلم به قلم نوشتن

iterate /ˈɪtəreɪt/ *vt* تکرار کردن

itinerant /aɪˈtɪnərənt/ *adj* گردنده، سیار، در به در

itinerary /aɪˈtɪnərərɪ US: -rerɪ/ *n* خط سیر؛ سفرنامه، سیاحت‌نامه

its /ɪts/ [مضاف‌الیهِ it] اش

its nest; its leg لانه‌اش؛ پایش

it's /ɪts/ = it is; it has

itself /ɪtˈself/ *pr* خودش [خود آن چیز یا جانور]، خود

in itself به‌خودیِ خود، فی‌حد ذاته

by itself خود به‌خود؛ تنها

of itself خود به‌خود، خودش

I've /aɪv/ = I have

ivory /ˈaɪvərɪ/ *n* عاج، دندانِ فیل؛ رنگ عاج یا شیری

ivy /ˈaɪvɪ/ *n* پاپیتال، پیچک

J,j

J,j /dʒeɪ/ *n* دهمین حرف الفبای انگلیسی

jab /dʒæb/ *vt* [-bed] فرو کردن؛ سُک زدن

jabber /ˈdʒæbə(r)/ *n.vi* وِرور (کردن)، سخن تند و ناشمرده (گفتن)، پچ‌پچ (کردن)

jack /dʒæk/ *n.vt* ۱.جک، خرک؛ کارگر؛ مرد(ک)؛ ملوان یا ملاح کهنه‌کار [که معمولاً Jack tar گفته می‌شود]؛ آدمک؛ پرچم ملی در جلو کشتی؛ [با J] ژاک، یعقوب ۲.با جک بلند کردن [بیشتر با up]

Jack is as good as his master خون کارفرما از خون کارگر رنگین‌تر نیست

Jack tar ملوان (عادی)

before one can say Jack Robinson به‌یک چشم برهم زدن

jack of all trades آدم همه کاره

jack in office آدم تازه به منصب رسیده که خودرا کسی می‌داند و بدمنصبی کرده هیاهو راه می‌اندازد

every man jack هرکس، همه کس

jackal /ˈdʒækɔːl US: -kl/ *n* شغال

jackanapes /ˈdʒækəneɪps/ *n* بچهٔ گستاخ، بچهٔ شیطان؛ آدم خودبین

jackass /ˈdʒækæs/ *n* نره‌خر؛ [مجازاً] نادان

jackboot /ˈdʒækbuːt/ *n* چکمهٔ بلند

jackdaw /ˈdʒækdɔː/ *n* زاغچه، زاغی

jacket /ˈdʒækɪt/ *n* ژاکت؛ گرمکن؛ پوست، پوشش

dust a person's jacket کسی را کتک زدن

jack-in-the-box /ˈdʒæk ɪn ðə bɒks/ *n* علی‌ورجه، آدمکِ توی جعبه

jack-knife /ˈdʒæknaɪf/ *n* چاقوی بزرگ جیبی

jade /dʒeɪd/ *n* یشم سبز؛ اسب پیر؛ [به‌شوخی یا تحقیر] زن

the lying jade اکاذیب، شایعات

jaded /ˈdʒeɪdɪd/ *adj* فرسوده، خسته

jag /dʒæg/ *n.vt* [-ged] ۱.دندانه؛ بریدگی ۲.دندانه‌دار کردن؛ ناهموار بریدن

jagged /ˈdʒægɪd/ *ppa* دندانه‌دار؛ ناهموار، اره مانند؛ دارای بریدگی

jaggy *adj* دندانه‌دار؛ ارّه‌ای

jaguar /ˈdʒægjʊə(r)/ *n* جگوار؛ پلنگِ امریکایی [نوعی یوزپلنگ]

jail /dʒeɪl/ = gaol
jam /dʒæm/ *n,vt,vi* [-med] ۱.مربا؛ فشردگی ۲.چپاندن، فرو کردن؛ فشردن؛ بی‌حرکت کردن ۳.گیر کردن، بی‌حرکت شدن؛ سفت شدن
jam(b) /dʒæm/ *vi* پارازیت‌انداختن‌در
jamb /dʒæm/ *n* تیر عمودی چارچوب
jamboree /ˌdʒæmbəˈriː/ *n* شادی، کیف
Jan /dʒæn/ [مختصرِ January]
jangle /ˈdʒæŋgl/ *n,v* ۱.جنجال، صدای ناهنجار ۲.زدن (زنگ)؛ صدای ناهنجار (از خود) درآوردن
janitor /ˈdʒænɪtə(r)/ *n* دربان؛ سرایدار
January /ˈdʒænjʊərɪ US: -jʊerɪ/ *n* ژانویه (اولین ماه سال میلادی)
Japan /dʒəˈpæn/ *n* ژاپن؛ [با j] نوعی لاک که در ساختن روغن جلا به‌کار می‌رود
Japanese /ˌdʒæpəˈniːz/ *adj* ژاپنی
japonica /dʒəˈpɒnɪkə/ *n* بِهِ ژاپنی؛ گلابی ژاپنی
jar /dʒɑː(r)/ *n* کوزه یا شیشهٔ دهن‌گشاد؛ پارچ
jar /dʒɑː(r)/ *n,vi,vt* [-red] ۱.تکان؛ صدای ناهنجار؛ [مجازاً] عدم توافق ۲.تکان خوردن؛ اثر نامطلوب گذاشتن ۳.تکان دادن
jar on someone('s nerves) اعصاب کسی را خرد کردن
jar against something با چیزی مخالف بودن، با چیزی تناسب نداشتن، با چیزی توافق نداشتن
jarful *n* (به‌اندازهٔ یک) کوزه یا شیشه
jargon /ˈdʒɑːgən/ *n* سخنِ نامفهوم، سخن غیرمصطلح؛ زبان حرفه‌ای
jarring *apa* تکان‌دهنده؛ ناهنجار، خشن، ناموزون
jasmine /ˈdʒæsmɪn US: ˈdʒæzmən/ *n* گل یاس
jasper /ˈdʒæspə(r)/ *n* یشم
jaundice /ˈdʒɔːndɪs/ *n* یرقان، زردی؛ [مجازاً] کج‌بینی و حسادت و تعصب
jaunt /dʒɔːnt/ *n,vi* ۱.گردش، مسافرت کوچک ۲.سفر کوچک کردن
jaunting-car /ˈdʒɔːntɪŋ kɑː(r)/ *n* درشکهٔ دوچرخهٔ ایرلندی
jaunty /ˈdʒɔːntɪ/ *adj* مغرور، گستاخ؛ لاقید؛ زرنگ
Javanese /ˌdʒævəˈniːz/ *adj* جاوه‌ای، وابسته به جزیره جاوه [Java]
javelin /ˈdʒævlɪn/ *n* نیزهٔ پرت کردنی، زوبین
jaw /dʒɔː/ *n,v* ۱.آرواره، فک ۲.پرحرفی کردن (برایِ)
upper jaw آروارهٔ زبرین، فک اعلی
lower jaw آروارهٔ زیرین، فک اسفل
Hold your jaw! دِرِ دهان خود را ببندید!
the jaws of death چنگال مرگ
jawbone /ˈdʒɔːbəʊn/ *n* استخوان آرواره
jaw-breaker /ˈdʒɔːˌbreɪkə(r)/ *n,Col* لغتی که تلفظ آن دشوار است
jay /dʒeɪ/ *n* زاغ کبود؛ [مجازاً] نادان وراج
jay-walker /ˈdʒeɪ wɔːkə(r)/ *n,US,Col* کسی که بدون توجه به وسایل نقلیه از وسط خیابان عبور می‌کند
jazz /dʒæz/ *n,vt,vi* ۱.موسیقی جاز؛ رقص جاز؛ [مجازاً] شلوغ‌پلوغ، بی‌پروایی ۲.جاز زدن؛ [با up] جلوه‌گر ساختن، با روح ساختن ۳.با موسیقی جاز رقصیدن
jealous /ˈdʒeləs/ *adj* حسود؛ غیور؛ رشک‌آمیز؛ مواظب
jealously /ˈdʒeləslɪ/ *adv* از روی حسادت، حسودانه
jealousy /ˈdʒeləsɪ/ *n* حسادت، رشک، حسد؛ غیوری
jean /dʒiːn/ *n* کتان نخی
jeep /dʒiːp/ *n,US* [اتومبیل] جیپ
jeer /dʒɪə(r)/ *n,vi* ۱.طعنه؛ استهزا ۲.طعنه زدن
Jehovah /dʒɪˈhəʊvə/ *n,Heb* یهوه [نام اصلی خدا به‌زبان عبری]
jejune /dʒɪˈdʒuːn/ *adj* تهی؛ خشک؛ بی‌مغز؛ بی‌مزه، بی‌لطافت
jejunum /dʒɪˈdʒuːnəm/ *n* رودهٔ تهی، معای صایم
jelly /ˈdʒelɪ/ *n,vt,vi* ۱.ژله، دلمه، لرزانک ۲.منجمد کردن ۳.دلمه شدن، بستن
jellyfish /ˈdʒelɪfɪʃ/ *n* ستارهٔ دریایی
jemmy /ˈdʒemɪ/ *n* دیلمِ دزدان
jenny /ˈdʒenɪ/ *n* نوعی ماشین نخ‌ریسی
jeopardize /ˈdʒepədaɪz/ *vt* به‌مخاطره انداختن
jeopardous *adj* مخاطره‌آمیز
jeopardy /ˈdʒepədɪ/ *n* مخاطره
be in jeopardy در (معرض) خطر بودن
jeremiad /ˌdʒerɪˈmaɪæd/ *n* شرح غم‌انگیز، درددل
Jericho /ˈdʒerəkəʊ/ *n* اریحا
Go to Jericho! برو گم شو! برو تون و طبس!
jerk /dʒɜːk/ *n,vt,vi* ۱.تکان (تند)؛ کشش ۲.تکان تند دادن؛ زود کشیدن؛ [با out] زود ادا کردن؛ منقبض کردن ۳.تکان خوردن، صدا کردن
physical jerks ورزش بدنی
jerkin /ˈdʒɜːkɪn/ *n* نوعی نیمتنهٔ ضخیم مردانه که غالباً چرمی و زیپ‌دار است
jerky *adj* نامنظم رونده

jerry-built /ˈdʒerɪ bɪlt/ *adj* غیرمحکم، معمارساز(ی)، پوشالی
jersey /ˈdʒɜ:zɪ/ *n* زیرپیراهنی؛ ژاکت کشباف
Jerusalem /dʒɪˈru:sələm/ *n* اورشلیم
jessamine /ˈdʒesəmɪn/ *n* = jasmine
jest /dʒest/ *n,vi* ۱.شوخی؛ طعنه؛(اسباب)مسخره ۲.شوخی کردن؛ کنایه گفتن؛ طعنه زدن
in jest به‌شوخی، به‌طور غیرجدی
jester /ˈdʒestə(r)/ *n* دلقک، لوده؛ شخص بذله‌گو
jesting *apa* شوخی‌آمیز؛ شوخ
jestingly *adv* به‌شوخی
Jesus /ˈdʒi:zəs/ *n* عیسی
jet /dʒet/ *n* کهربای سیاه، سنگ موسی؛ فواره؛ جریان بخار یا گاز؛ شیر، دهانه؛ ژیگلور
jet /dʒet/ *vi* [-ted] فواره زدن؛ جاری شدن، بیرون ریختن
jet(-propelled plane) هواپیمای جت
jetsam /ˈdʒetsəm/ *n* کالایی که برای سبک کردن کشتی به دریا می‌ریزند
jettison /ˈdʒetɪsn/ *vt* به‌دریا ریختن
jetty /ˈdʒetɪ/ *n* اسکله، بارانداز
Jew /dʒu:/ *n* یهودی، کلیمی
jewel /ˈdʒu:əl/ *n* گوهر، جواهر، سنگ گرانبها؛ زینت‌آلات
jewel /ˈdʒu:əl/ *vt* [jewe(l)led] جواهرنشان کردن، مرصع کردن
jewel(l)er /ˈdʒu:ələ(r)/ *n* جواهری، جواهرفروش؛ ساعت‌ساز
jewel(le)ry /ˈdʒu:əlrɪ/ *n* جواهرآلات؛ جواهرسازی؛ ساعت‌سازی
Jewess /ˈdʒu:ɪs/ *n* [*fem of* Jew]
Jewish /ˈdʒu:ɪʃ/ *adj* یهودی
Jewry /ˈdʒʊərɪ/ *n* (ملت) یهود، قاطبهٔ یهود؛ محلهٔ کلیمیان
Jew's-harp /dʒu:z hɑ:p/ *n* نوعی ساز که با دندان نگاه می‌دارند و با انگشت می‌زنند، زنبورک
Jezebel /ˈdʒezəbl,-bel/ *n* سلیطه؛ زن بی‌شرم؛ زنی که سرخاب استعمال می‌کند
jib /dʒɪb/ *n* بادبان سه گوش کوچک
the cut of one's jib ظاهر شخص
jib /dʒɪb/ *vi* [-bed] پیش نرفتن، [در اسب] گهگیر شدن؛ وا زدن؛ سر خوردن
jibe /dʒaɪb/ = gibe
jiff /dʒɪf/; **jiffy** /ˈdʒɪfɪ/ *n,Col* آن، لحظه
jig /dʒɪg/ *n,vi,vt* [-ged] ۱.نوعی رِنگ تند ۲.با رِنگ تند رقصیدن ۳.بالا و پایین انداختن
jiggle /ˈdʒɪgl/ *n* تکان آهسته

jilt /dʒɪlt/ *n,vt* ۱.نامزد یا معشوقهٔ بی‌وفا ۲.ترک کردن، ول کردن
Jim Crow /ˌdʒɪm ˈkrəʊ/ *US* = negro
jingle /ˈdʒɪŋgl/ *n,vi* ۱.جرنگ، جلنگ؛ شعر سبک با قافیه‌های ساده ۲.جلنگ‌جلنگ کردن
jingo /ˈdʒɪŋgəʊ/ *n* [-es] کسی که به‌عنوان میهن‌پرستی از سیاست جنگجویانه دولت خود طرفداری می‌کند
by jingo [عبارتی است که در مقام سوگند و تأکید یا در ابرازشگفت‌به‌کار می‌رود]
jinks /dʒɪŋks/ *npl* جست‌وخیز، خوشی، بازی [بیشتر گفته می‌شود high jinks]
jinrikisha /dʒɪnˈrɪkʃɑ:/ *n* نوعی درشکهٔ دوچرخه (که آدم آن‌را می‌کشد)
jitney /ˈdʒɪtnɪ/ *n,adj,US,Sl* ۱.سکهٔ پنج‌سنتی؛ اتومبیلی که پنج‌سنت کرایهٔ آن است ۲.ارزان
jitters /ˈdʒɪtəz/ *npl,US,Col* وحشت، عصبانیت [با the]
job /dʒɒb/ *n* کار؛ سمت، شغل
on the job مشغولِ کار، سرگرم کار
by the job به‌طور مقاطعه‌کاری یا پارچه کاری
make a (good) job of خوب انجام دادن، موفق شدن در
That's a good job خوب شد
job lot کالای جور به‌جور که چکی خرید و فروش می‌شود
be out of a job بیکار بودن
job /dʒɒb/ *vi,vt* [-bed] ۱.کارمزدی کردن ۲.یکجا خریدن و به خرده‌فروش فروختن؛ استفاده نامشروع کردن از
Job /dʒəʊb/ *n* ایوب
jobber /ˈdʒɒbə(r)/ *n* دلال (سهام)؛ پارچه کار، مقاطعه‌کار؛ استفاده‌چی
jockey /ˈdʒɒkɪ/ *n,vt,vi* ۱.سوارکار ۲.گول زدن؛ با زرنگی فراهم کردن ۳.حیله به‌کار زدن
Jockey Club [انگلستان] باشگاه سوارکاران
jocose /dʒəʊˈkəʊs/ *adj* شوخی‌آمیز؛ شوخ
jocosity /dʒəʊˈkɒsətɪ/ *n* شوخی، خوش‌طبعی، خوشدلی
jocular /ˈdʒɒkjʊlə(r)/ *adj* شوخ، شوخی‌آمیز
jocularity /ˌdʒɒkjʊˈlærətɪ/ *n* شوخی
jocund /ˈdʒɒkənd/ *adj* خوش، فرحناک
jocundity /dʒəʊˈkʌndətɪ/ *n* خوشی، خوشدلی؛ سخن نشاط‌آمیز
jog /dʒɒg/ *n,vt,vi* [-ged] ۱.تکانِ آهسته؛ بالا و پایین‌اندازی ۲.آهسته تکان دادن؛ به‌کار انداختن ۳.سنگین رفتن

jog on (*or* along) پیش رفتن
jog trot /'dʒɒgtrɒt/ *n* یورتمهٔ آهسته؛ [مجازاً] پیشرفت یکنواخت
John Bull /,dʒɒn 'bʊl/ *n* (نمونه) مرد انگلیسی یا ملت انگلیس
johnny /'dʒɒnɪ/ *n,Col* مردکه
join /dʒɔɪn/ *v* پیوستن، متصل کردن؛ متصل شدن؛ وصلت‌دادن،با هم پیوند دادن،(به‌هم) ملحق‌کردن؛(به‌هم) ملحق شدن؛ شرکت کردن (در)
join a club عضوِ باشگاهی شدن
join hands تشریک مساعی کردن
join in marriage وصلت دادن
join-up به‌خدمت ارتش رفتن
joiner /'dʒɔɪnə(r)/ *n* نجار، درودگر
joinery *n* درودگری، نجاری
joint /dʒɔɪnt/ *n,adj* ۱.بند، مفصل؛ [در گوشت] عضو؛ زانو(یی)؛ لولا؛ قفل ۲.مشترک؛ توأم؛ مشاع؛ متصل
out of joint در رفته؛ مختل
joint owner شریک ملک
with the joint views of با (جلب) نظرِ
in joint partnership به‌شراکت
joint /dʒɔɪnt/ *vt* به‌هم پیوستن؛ خرد کردن، از هم سوا کردن، بندبند کردن
jointed *ppa* مفصل‌دار، بندبند
jointly /dʒɔɪntlɪ/ *adv* مشترکاً؛ توأماً
jointly and severally مشترکاً و منفرداً، متضامناً
joint-stock /dʒɔɪnt 'stɒk/ *adj* سهامی
joist /dʒɔɪst/ *n* تیر؛ الوار
joke /dʒəʊk/ *n,vi* ۱.شوخی ۲.شوخی کردن
in joke به‌شوخی
joker /'dʒəʊkə(r)/ *n* بذله‌گو؛ [در بازی‌ورق] ژوکر، شیطان؛ [زبان عامیانه] مردکه
jokingly *adv* به‌شوخی، شوخی‌کنان
jollification /,dʒɒlɪfɪ'keɪʃn/ *n* خوشی، عیش
jollify /'dʒɒləfaɪ/ *vi,vt* ۱.عیش کردن، مستی کردن ۲.خوش ساختن
jollity /'dʒɒlətɪ/ *n* خوشی، عیش، کیف
jolly /'dʒɒlɪ/ *adj,adv* ۱.دلخوش؛ سرخوش؛ خوشی‌دهنده؛ [در گفتگو] بسیار خوب [گاهی به طعنه] ۲.بسیار
jolt /dʒəʊlt/ *v,n* ۱.تکان دادن، تکان خوردن ۲.تکان، تلق‌تلق
Jonah /'dʒəʊnə/ *n* یونس؛ [مجازاً] آدم بدقدم
jonquil /'dʒɒŋkwɪl/ *n* نوعی نرگس زرد
jostle /'dʒɒsl/ *n,v* تنه (زدن)، هل (دادن)، تکان دادن

jot /dʒɒt/ *n,vt* [-ted] ۱.خرده، ذره؛ نقطه ۲.با شتاب یادداشت کردن
jotting *n* یادداشت سردستی
journal /'dʒɜ:nl/ *n* روزنامه؛ مجله؛ دفتر روزانه؛ [در جمع] مذاکرات روزانه
journalism /'dʒɜ:nəlɪzəm/ *n* روزنامه‌نگاری، جریده‌نگاری، ژورنالیسم
journalist /'dʒɜ:nəlɪst/ *n* روزنامه‌نگار، ژورنالیست
journey /'dʒɜ:nɪ/ *n,vi* ۱.سفر ۲.سفر کردن، مسافرت کردن
journey-man /'dʒɜ:nɪmən/ *n* کارگرِ مزدور، شاگرد مزدور
joust /dʒaʊst/ *n,vi* نیزه‌بازیِ سواره (کردن)
Jove /dʒəʊv/ = Jupiter
jovial /'dʒəʊvɪəl/ *adj* خوش(گذران)، اهل کیف؛ خوشبخت، سعید
jovial meeting مجلس خوشی و کیف
joviality /,dʒəʊvɪ'ælətɪ/ *n* خوشی، عیش ونوش
jowl /dʒaʊl/ *n* آرواره (زیرین)؛ گونه؛ چانه؛ غبغب گاو
joy /dʒɔɪ/ *n,vi* ۱.خوشی ۲.خوشحالی کردن، شادمانی کردن
filled with joy بسیار شادمان
joy-bells /'dʒɔɪ belz/ *npl* زنگ شادی
joyful /'dʒɔɪfl/ *adj* سرورآمیز؛ شادمان
joyfully /'dʒɔɪfəlɪ/ *adv* با خوشی، بانشاط
joyless *adj* بی‌نشاط؛ غمگین
joyous /'dʒɔɪəs/ *adj* سرورآمیز
joyride /'dʒɔɪraɪd/ *n* سواری با اتومبیل دیگری به‌ویژه اگر بی‌اطلاع وی باشد
Jr [مختصرِjunior]
jubilant /'dʒu:bɪlənt/ *adj* خوشحال؛ نشاط‌آمیز؛ فیروز؛ فرخنده
jubilate /'dʒu:bəleɪt/ *vi* خوشحالی کردن، شادی کردن
jubilation /,dʒu:bɪ'leɪʃn/ *n* شادمانی، هلهله
jubilee /'dʒu:bɪli:/ *n* جشن، روزِ شادی
silver jubilee جشن‌بیست‌وپنجمین‌سال
the Diamond Jubilee جشنِ شصتمین سالِ سلطنت ویکتوریا ملکهٔ انگلیس
Judaism /'dʒu:deɪɪzəm US: -dɪɪzəm/ *n* یهودیت
judge /dʒʌdʒ/ *n,v* ۱.دادرس، قاضی، داور؛ خبره ۲.داوری کردن (در)؛ فتوا دادن، حکم دادن؛ دادرسی کردن

judg(e)ment /'dʒʌdʒmənt/ *n* داوری، دادرسی، قضا(وت)؛ حکم، فتوا، رأی (دادگاه)؛ تشخیص؛ عقیده
pass a judg(e)ment حکم دادن، رأی دادن
judg(e)ment debt محکوم به، دادخواسته
judicature /'dʒu:dɪkətʃə(r)/ *n* قوهٔ قضایی؛ حوزهٔ قضایی
judicial /dʒu:'dɪʃl/ *adj* قضایی؛ قاطع، قطعی؛ داوری‌کننده
judiciary /dʒu:'dɪʃərɪ US: -ʃɪerɪ/ *n* قوهٔ قضایی
judicious /dʒu:'dɪʃəs/ *adj* خردمند، عاقل؛ عاقلانه، ناشی از تشخیص درست
judiciously *adv* عاقلانه، با تشخیص صحیح
jug /dʒʌg/ *n,vt* [-ged] ۱.کوزه؛ پارچ ۲.در کوزه پختن (خرگوش)
jugful /dʒʌgfʊl/ *n* (به‌اندازهٔ) یک‌کوزه
juggle /'dʒʌgl/ *n,vi,vt* ۱.تردستی، حقه‌بازی؛ فریب ۲.تردستی کردن، چشم‌بندی کردن ۳.فریب دادن؛ شعبده‌بازی کردن‌با؛ با زرنگی درست کردن
juggler /'dʒʌglə(r)/ *n* شعبده‌باز؛ شیاد
jugglery *n* چشم‌بندی
jugular /'dʒʌgjʊlə(r)/ *adj* گلویی
jugular vein شاهرگ گردن، ورید وداج
juice /dʒu:s/ *n* آب(میوه)؛ شیره، عصیر؛ [در گفتگو] بنزین؛ برق
lemon-juice آبِ لیمو، آبلیمو
juicy /'dʒu:sɪ/ *adj* آبدار، پرآب
jujube /'dʒu:dʒu:b/ *n* عناب
Julian /,dʒu:lɪən/ *n* جولیوسی، منسوب به Julius Caesar امپراطور روم
July /dʒu:'laɪ/ *n* ژوئیه (هفتمین ماه سال میلادی)
jumble /'dʒʌmbl/ *n,v* ۱.درهم برهمی؛ مخلوط ۲.به‌هم آمیختن
jumble sale /'dʒʌmbl seɪl/ *n* فروش اشیای ارزان برای مصرف خیریه
jump /dʒʌmp/ *n,vi,vt* ۱.پرش، جست؛ ترقی ناگهان ۲.جستن، پریدن ۳.پریدن از؛ پراندن؛ طفره‌رفتن از؛ ول کردن، حذف کردن
jump at دو دستی گرفتن یا پذیرفتن
jump the rails از خط بیرون جستن
jump (up) on به‌باد ملامت گرفتن
Let us see which way the cat jumps ببینیم در روی چه پاشنه‌ای می‌گردد
jumper /'dʒʌmpə(r)/ *n* رولباسی کارگران و ملوانان؛ نوعی ژاکت (کشباف) زنانه
jumpy *adj* جهنده؛ عصبانی، غلغلکی؛ بی‌قرار؛ حساس؛ هیجان‌آور

junction /'dʒʌŋkʃn/ *n* اتصال؛ پیوندگاه، ملتقا؛ دوراهی؛ چهارراه؛ انشعاب
juncture /'dʒʌŋktʃə(r)/ *n* موقع یا موقعیت ویژه
at this juncture در این موقع، در این گیرودار
June /dʒu:n/ *n* ژوئن (ششمین ماه سال میلادی)
jungle /'dʒʌŋgl/ *n* جنگل
junior /'dʒu:nɪə(r)/ *adj,n* ۱.کهتر، غیرِ ارشد، کوچکتر؛ پایین‌رتبه ۲.(شخص) کهتر یا پایین‌رتبه؛ دانش‌آموز سال سوم دانشکده
juniority *n* کهتری، صغر
juniper /'dʒu:nɪpə(r)/ *n* اردج، عَرعَر
junk /dʒʌŋk/ *n* خرده‌ریز؛ آشغال
junket /'dʒʌŋkɪt/ *n* ماستی که به آن شیرینی می‌زنند؛ [در امریکا] گردش و سورِ دانگی
junketing *n* خوشگذرانی، سور، مهمانی؛ گردش و سور دانگی
Juno /'dʒu:nəʊ/ *n* ژونو [نام زن ژوپیتر در اساطیر روم]
junta /'dʒʌntə US:'hʊntə/ = junto
junto /'dʒʌntəʊ/ *n* دسته‌بندی سیاسی
Jupiter /'dʒu:pɪtə(r)/ *n* [نجوم] برجیس، مشتری؛ [در اساطیر] ژوپیتر: خدای خدایان
jural /'dʒʊrəl/ *adj* حقوقی، قانونی
juridical /dʒʊə'rɪdɪkl/ *adj* قضایی؛ حقوقی
jurisdiction /,dʒʊərɪs'dɪkʃn/ *n* اختیارِ قانونی؛ حق (قضاوت)؛ قلمرو، حوزه؛ صلاحیت
jurisprudence /,dʒʊərɪs'pru:dns/ *n* علم (تفسیر) قانون؛ رویهٔ قضایی
jurisprudent *n* قانون‌دان
jurist /'dʒʊərɪst/ *n* قانون‌دان؛ فقیه
juror /'dʒʊərə(r)/ *n* عضو هیئت منصفه
jury /'dʒʊərɪ/ *n* هیئت منصفه
jury-man /dʒʊərɪmən/ *n* عضو هیئت منصفه
just /dʒʌst/ *adj,adv* ۱.عادل، منصف؛ درست؛ منصفانه؛ بجا ۲.بعینه؛ الان، الساعه؛ تازه، جخت
just now همین حالا، اندکی پیش
just then (درست) همان وقت
Thank you just the same باز هم سپاسگزارم
justice /'dʒʌstɪs/ *n* عدالت، انصاف
court of justice دادگاه
do justice to a dinner ناهاری را با لذت خوردن
do oneself justice منتهای استعداد خود را بروز دادن
Ministry of Justice وزارت دادگستری
Justice of the Peace رئیس دادگاه بخش، امین صلح

justifiable /ˌdʒʌstɪˈfaɪəbl, ˈdʒʌstɪfaɪəbl/ *adj* قابل تصدیق، توجیه‌پذیر، موجه؛ بمورد
justification /ˌdʒʌstɪfɪˈkeɪʃn/ *n* مجوّز؛ توجیه؛ تصدیق؛ درستی، حقانیت
in justification of his action برای توجیه (یا اثبات درستی) کار او
justificatory *adj* توجیه‌آمیز، مثبت، مؤید
justify /ˈdʒʌstɪfaɪ/ *vt* به‌مورد دانستن؛ تصدیق کردن، حق دادن (به)؛ توجیه کردن؛ تبرئه کردن
justly /dʒʌstlɪ/ *adv* حقاً، انصافاً؛ با استحقاق، به‌حق؛ درست، به‌درستی
justness *n* درستی، حقانیت
jut /dʒʌt/ *n,vi* [-ted] ۱.پیشرفتگی، پیشامدگی ۲.پیش‌رفتن، پیشرفتگی داشتن، جلو رفتن
jute /dʒu:t/ *n* چتایی
juvenescence /ˌdʒu:vəˈnesəns/ *n* جوانی، تازگی
juvenescent /ˌdʒu:vəˈnesənt/ *adj* جوان‌شونده
juvenile /ˈdʒu:vənaɪl/ *adj* جوان؛ درخور جوانی؛ جوان‌نما
juvenility *n* جوانی؛ جوانان
juxtapose /ˌdʒʌkstəˈpəʊz/ *vt* پهلوی هم گذاشتن
juxtaposition /ˌdʒʌkstəpəˈzɪʃn/ *n* به‌هم نزدیک‌سازی؛ الحاق

K,k

K,k /keɪ/ *n* یازدهمین حرف الفبای انگلیسی
kaiser /ˈkaɪzə(r)/ *n* قیصر
kale /keɪl/ *n* کلم، کلم‌پیچ
kaleidoscope /kəˈlaɪdəskəʊp/ *n* کلایدسکوپ: لوله‌ای که چون بگردانند مناظر زیبایی را نشان می‌دهد، شهر فرنگِ دستی
kangaroo /ˌkæŋgəˈru:/ *n* کانگورو
kaolin /ˈkeɪəlɪn/ *n* خاکِ چینی
kedge /kedʒ/ *n,vt* ۱.لنگرِ سبک ۲.جهت (کشتی) را تغییر دادن
keel /ki:l/ *n,v* ۱.تیر ته کشتی، حمال کشتی ۲.وارونه کردن؛ وارونه شدن
lay down a keel شروع به ساختمان کشتی کردن
on an even keel به‌طور هموار
keen /ki:n/ *adj* تیز؛ پرزور، سخت، شدید؛ حساس؛ تلخ؛ زیرک؛ مشتاق
keen on going مشتاق رفتن
keen on football مایل به فوتبال
keen interest علاقه شدید
keen /ki:n/ *n,v* ۱.نوحه؛ سوگواری ۲.(برای کسی) نوحه خواندن
keenly /ˈki:nlɪ/ *adv* زیرکانه؛ با اشتیاق؛ به‌طور حساس یا تند
keenness *n* تیزی؛ تندی؛ زیرکی؛ حساسیت؛ شدت؛ آرزومندی، اشتیاق
keen-set /ˈki:n set/ *adj* مشتاق، گرسنه
keen-sighted /ki:n ˈsaɪtɪd/ *adj* تیزبین
keep /ki:p/ *vt,vi* [kept] *,n* ۱.نگاه‌داشتن، محافظت کردن؛ ادامه دادن؛ (برای فروش) موجود داشتن؛ توقیف کردن؛ مانع شدن؛ پنهان داشتن؛ پیش گرفتن [keep one's way]؛ مضایقه کردن؛ نشاندن: به‌طور صیغه نگاه داشتن ۲.ماندن؛ خراب نشدن؛ احتراز کردن؛ دایر بودن؛ مداومت کردن، پافشاری کردن ۳.قوت، خوراک؛ علیق؛ گیره
Keep at it! ول نکنید! مداومت کنید!
keep away دور کردن؛ مانع (از آمدن) شدن؛ دور شدن (یا ماندن)؛ خودداری کردن
keep back دفع کردن؛ مانع شدن؛ [در صیغه امر] جلو نیایید! نزدیک نشوید!
keep books دفترداری کردن
keep cold دستپاچه نشدن
Keep down! بلند نشوید! بنشینید! بخوابید!
keep early (*or* good) hours زود خوابیدن و زود برخاستن
keep late (*or* bad) hours دیر خوابیدن و دیر برخاستن
keep in در خانه ماندن؛ توقیف کردن؛ جلوگیری‌کردن‌از؛ روشن نگاه‌داشتن؛ میانه خوب‌داشتن
keep house خانه‌داری کردن؛ در خانه ماندن
keep off دور داشتن؛ دوری کردن
keep on ادامه دادن؛ باز هم نگاه‌داشتن
He kept on speaking هی حرف (می)زد
Keep on until you get to... همین‌طور بروید تا به ... برسید
keep on at a person کسی را با سرزنش یا تقاضاهای پی‌درپی به‌ستوه آوردن

keep one's hair on *Sl* دستپاچه نشدن، خونسرد بودن
keep one's head خونسرد بودن
keep shop دکانداری کردن
keep to رعایت کردن؛ وفا کردن به
keep to one's word سرِ قول خود ایستادن، به قول خود وفا کردن
Keep to the right دست راست بروید
He keeps (himself) to himself
سر در گریبان خود دارد، با دیگران کاری ندارد یا معاشرت نمی‌کند
keep up خوب نگاه داشتن؛ خودداری کردن، تحمل کردن
keep up appearances
ظاهر خود را حفظ کردن، صورت خود را با سیلی سرخ نگاه داشتن
keep up with someone
با کسی برابر بودن (یا شدن)
keep up with the times
موافق اوضاع و آداب روز رفتار کردن
for keeps *Sl* برای نگهداری همیشگی، به‌عنوان یادگار
keeper /'ki:pə(r)/ *n* نگهدارنده، [در ترکیب] دار، بان [چنان‌که در bookkeeper دفتردار]
keeping /'ki:pɪŋ/ *n* نگهداری، حفاظت، عهده؛ قوت، خوراک؛ سازش، موافقت
in my keeping در حفاظت من
in safe keeping در جای امن
That woman was in keeping.
آن زن را نشانده بودند.
in keeping with موافقِ
out of keeping ناجور، ناموافق
keepsake /'ki:pseɪk/ *n* یادگار(ی)
for a keepsake به‌طور یادگار، به‌عنوان یادگار
keg /keg/ *n* چلیک ده گالنی یا کمتر
kelp /kelp/ *n* کتانجک، اشنه دریایی؛ خاکستر کتانجک یا گیاه دریایی
ken /ken/ *n* نظر؛ بینش، بصیرت؛ دید
in ken در چشم‌رس؛ در حدود دانش
out of ken دور از چشم‌رس؛ بیرون از حدود دانش یا آگاهی
kennel /'kenl/ *n,vi,vt* ۱.لانهٔ سگ یا روباه ۲.در لانه زندگی کردن ۳.در لانه کردن
kept /kept/ [*p,pp of* keep]
kept /kept/ *ppa* نگاهداشته؛ نشانده
kerb /kɜ:b/ *n* جدوَل، حاشیهٔ پیاده‌رو
kerbside /'kɜ:bsaɪd/ *n* کنار جاده

kerchief /'kɜ:tʃɪf/ *n* روسری، دستمالِ روی سر
kernel /'kɜ:nl/ *n* هسته، مغز هسته؛ تخم
kerosene /'kerəsi:n/ *n* نفت چراغ
kerseymere /'kɜ:zɪmi:(r)/ *n* پارچهٔ کشمیری؛ نوعی صوف
kestrel /'kestrəl/ *n* نوعی بازِ کوچک، چرخ
ketch /ketʃ/ *n* کرجی دو دکلی
ketchup /'ketʃəp/ *n* سُس گوجه‌فرنگی
kettle /'ketl/ *n* کتری، قوری؛ دیگچه
a pretty kettle of fish وضع ناجور
kettledrum /'ketldrʌm/ *n* دهل، نقاره
key /ki:/ *n* کلید؛ آچار؛ [موسیقی] مایه، دانگ؛ شستی پیانو و مانند آن؛ پیچ یا گوشی‌ساز
the key to... راه حلّ ...
key up *vt* تحریک کردن؛ کوک کردن
keyboard /'ki:bɔ:d/ *n* ردیفِ شستی‌های پیانو؛ ردیف حروف؛ صفحهٔ کلید
keyhole /'ki:həʊl/ *n* سوراخ کلید
key-map /'ki: mæp/ *n* نقشهٔ راهنما
keynote /'ki:nəʊt/ *n* [موسیقی] معرّف مایه؛ نت پایه؛ [مجازاً] اصل مهم
keystone /'ki:stəʊn/ *n* سنگ سرِ طاق، سنگ میان طاق؛ [مجازاً] اساس، مدار
kg = kilogramme
khaki /'kɑ:kɪ/ *adj,n* ۱.خاکی ۲.پارچه ارتشی
kick /kɪk/ *n,v* ۱.لگد؛ کیف، [در نوشابه] گیرندگی ۲.لگد زدن؛ (توپ) زدن؛ اعتراض کردن (به)، ناراضی بودن (از)
a good kick توپ‌زن خوب
Do not kick down the ladder
به‌دوستانی که باعث پیشرفت شما شده‌اند بی‌وفایی نکنید
He got the kick (Sl). (با تیپا) بیرونش کردند.
more kicks than halfpence
مجازات بیش از انعام، نیش بیش از نوش
kick off [فوتبال] ضربه آغاز بازی
kick one's heels بیهوده منتظر ایستادن
kick up a row آشوب راه انداختن
kicker *n* لگدزن؛ اسبِ لگدزن
kid /kɪd/ *n* بزغاله؛ پوست بزغاله، شِورو؛ [در گفتگو] بچه، کوچولو
kiddy *n,Col* بچه
kid-glove /'kɪd glʌv/ *adj* از لای زرورق بیرون‌آمده؛ ملایم
kidnap /'kɪdnæp/ *vt* رُبودن یا دزدیدن (بچه‌ها)
kidnapper *n* بچه دزد
kidney /'kɪdnɪ/ *n* گُرده، کلیه؛ قلوه؛ [مجازاً] مزاج؛ خوی؛ جنس

kidney-bean لوبیا(قرمز)

kill /kɪl/ *vt,vi* ۱.کشتن، به قتل رساندن؛ رد کردن؛ بی‌اثر کردن، خنثی کردن ۲.گوشت خوب داشتن (یا دادن)

kill off از بین بردن

kill two birds with one stone با یک تیر دو نشان زدن

kill time وقت را به‌نوعی گذراندن

killer *n* قاتل؛ [در ترکیب] کُش

kiln /kɪln/ *n* کوره

kilo /'ki:ləʊ/ [مختصرِ kilogramme]

kilogram(me) /'kɪləgræm/ *n* کیلوگرم

kilometre;-ter /'kɪləmi:tə(r) US: kɪ'lɒmɪtə(r)/ *n* کیلومتر

kilowatt /'kɪləwɒt/ *n* کیلووات

kilt /kɪlt/ *n* دامن مردانه

kimono /kɪ'məʊnəʊ US: -nə/ *n* کیمونو

kin /kɪn/ *n,adj* ۱.خویش، خویشاوند؛ خویشی ۲.منسوب

kin to me خویش من، وابسته به من

next of kin نزدیکترین خویشاوند، وارث

kind /kaɪnd/ *n* نوع، قسم

What kind of a bird is this? این چه نوع پرنده‌ای است؟

of a different kind نوعی دیگر

Nothing of the kind ابداً، چنین چیزی نیست

human kind نوع بشر، جنس آدمی

in kind جنساً؛ عیناً

taxes in kind مالیات جنسی

kind /kaɪnd/ *adj* مهربان؛ شفقت‌آمیز

Will you be kind enough (or so kind as) to... خواهش دارم لطفاً...

This is very kind of you عین مرحمت است، خیلی التفات کردید

kindergarten /'kɪndəgɑ:tn/ *n* کودکستان

kind-hearted *adj* خوش‌قلب

kindle /'kɪndl/ *vt,vi* ۱.روشن کردن؛ برافروختن، به‌هیجان آوردن ۲.روشن شدن؛ به‌هیجان آمدن

kindling /'kɪndlɪŋ/ *n* چوب سفید، بته، گیرانک

kindly /'kaɪndlɪ/ *adv,adj* ۱.لطفاً؛ از روی محبت ۲.مهربان، لطیف؛ شفقت‌آمیز؛ رئوف

kindness *n* مهربانی، محبت

kindred /'kɪndrɪd/ *n,adj* ۱.خویشی، وابستگی؛ خویشاوندان ۲.منسوب؛ متشابه، مربوط

kine /kaɪn/ [جمع قدیمیِ cow]

kinetic /kɪ'netɪk/ *adj* جنبشی

kinetics *n* علم جنبش و نیرو، جنبش‌شناسی، سینتیک

king /kɪŋ/ *n* پادشاه؛ [در بازی] شاه

King of Terrors = death

kingdom /'kɪŋdəm/ *n* پادشاهی، سلطنت؛ [در تاریخ طبیعی] مولود

the United Kingdom بریتانیا و ایرلند (شمالی) [مختصر آن .U. K است]

gone to kingdom come *Col* به‌رحمت ایزدی پیوسته، مرده

kingfisher /'kɪŋfɪʃə(r)/ *n* ماهی‌خورَک، مرغ ماهیخوار

kingly *adj* شاهانه، ملوکانه

kink /kɪŋk/ *n,vi,vt* ۱.پیچ، تاب، گره؛ [مجازاً] وسواس ۲.گره افتادن ۳.پیچ‌دار کردن

kinky *adj* تاب‌دار، گره‌دار

kinsfolk /'kɪnzfəʊk/ *n* بستگان

kinship /'kɪnʃɪp/ *n* خویشاوندی، نسبت

kinsman /'kɪnzmən/ *n* [-men] خویشاوند نزدیک

kinswoman /'kɪnzwʊmən/ *n* [-women] [مونثِ kinsman]

kiosk /'ki:ɒsk/ *n* ساختمان کوچک برای فروش روزنامه یا ایستادن دسته موزیک؛ دکه، باجه، کیوسک

kipper /'kɪpə(r)/ *n* ماهیِ دودی، ماهی خشکانده

kirk /kɜ:k/ *n* کلیسا

kismet /'kɪzmet,'kɪs-/ *n* قسمت، سرنوشت

kiss /kɪs/ *n,vt* ۱.بوسه، ماچ ۲.بوسیدن، بوسه زدن، ماچ کردن

She gave me a kiss. مرا بوسید.

kiss the dust (به خواری) کشته شدن

kiss the rod به تنبیه تن در دادن

kit /kɪt/ *n* [کوتاه شدهٔ کلمه kitten]

kit /kɪt/ *n* لاوَک؛ تغار؛ سطل؛ کوله‌پشتی؛ اسباب کار؛ دارودسته

kitchen /'kɪtʃɪn/ *n* آشپزخانه

kitchen-garden (باغچه) سبزیکاری

kite /kaɪt/ *n* کایت؛ بادبادک؛ گوشت‌ربا، زغن؛ آدم درنده‌خو یا طفیلی یا دغل‌باز

kith /kɪθ/ *n* **and kin** کس وکار

kitten /'kɪtn/ *n* بچه گربه

kitty /'kɪtɪ/ *n* بچه گربه، پیشی

klaxon /'klæksn/ *n* بوق الکتریکی پرصدا

kleptomania /,kleptə'meɪnɪə/ *n* جنون دزدی

kleptomaniac /ˌkleptəˈmeɪnɪæk/ *n*
کسی‌که جنون دزدی دارد، دزد بالفطره
km [مختصر kilometre]
knack /næk/ *n* لِم، بند، فنّ، مهارت، فوت کاسه‌گری؛ سلیقه
knapsack /ˈnæpsæk/ *n* کوله‌پشتی، توشه‌دان، کوله‌بار، دوش توبره، چنته، پشتواره
knave /neɪv/ *n* آدم رذل یا بی‌شرف، متقلب؛ [در بازی ورق] سرباز
knavery /ˈneɪvərɪ/ *n* دغلبازی، بی‌شرفی؛ رفتار یا کردار پست
knavish /ˈneɪvɪʃ/ *adj* فرومایه، پست‌فطرت؛ فریب‌آمیز؛ بی‌شرفانه
knavishly *adv* بی‌شرفانه
knead /ni:d/ *vt* خمیر کردن، ورز دادن، سرشتن؛ مشت‌ومال دادن
knee /ni:/ *n* زانو؛ [در صنایع] زانو یا زانویی؛ پیچ
 give a knee to پشتی کردن، تأیید کردن
 on one's knees زانوزنان: ۱.نمازکنان ۲.لابه‌کنان
 bring a person to his knees
کسی را به زانو درآوردن
 Down on your knees! زانو بزنید!
knee-breeches /ˈni: brɪtʃɪz/ *npl* نیم‌شلواری
kneecap /ˈni:kæp/ *n* کاسهٔ زانو؛ زانوپوش
knee-deep /ˌni: ˈdi:p/ *adj* گود تا سرِ زانو
knee-high /ˌni: ˈhaɪ/ *adj* بلند تا سرزانو
kneel /ni:l/ *vi* [-knelt]
زانو زدن [معمولاً با down]
knell /nel/ *n,vi,vt* ۱.صدای زنگ، ناقوس (مرگ)؛ [مجازاً] خبر بد ۲.صدای غم‌انگیز دادن ۳.با صدای ناقوس آگاهی دادن؛ با صدای غم‌انگیز اخطار کردن
knelt /nelt/ [*p,pp of* kneel]
knew /nju: US: nu:/ [*p of* know]
knickerbockers /ˈnɪkəbɒkəz/ *npl*
نیم‌شلواری گشاد که در سَرِ زانو جمع می‌شود [مختصر آن knickers است]
knickers /ˈnɪkəz/ *npl* ۱. knickerbockers ۲.تُنکه
knick-knack /ˈnɪk næk/ *n*
چیزِ قشنگ و کم‌بها، چیز نادان‌فریب
knife /naɪf/ *n* [knives] ,*vt* ۱.چاقو؛ کارد؛ [در ماشین] تیغه ۲.چاقو زدن؛ با چاقو بریدن
 war to the knife جنگ سخت، جنگ خونین
 get one's knife into a person
حمله و انتقاد سخت به کسی کردن
 before you can say knife خیلی زود، فوراً، برقی؛ ناگهان
knight /naɪt/ *n* شوالیه، سلحشور؛ لقبی که به پاداش خدمتگزاری به‌پادشاه یا کشور یا به واسطهٔ ابراز شایستگی به‌کسی داده می‌شد؛ [در شطرنج] اسب
knight errant /ˌnaɪtˈerənt/ *n* [knights-]
شوالیهٔ دربه‌در یا مخاطره‌جو
knighthood /ˈnaɪthʊd/ *n* سِمتِ شوالیه؛ گروه سلحشوران و شوالیه‌ها
knightly /ˈnaɪtlɪ/ *adj,adv* شوالیه‌وار؛ سلحشوروار
knit /nɪt/ *vt* [knitted *or* knit] بافتن؛ درهم کشیدن (ابرو)؛ چسباندن؛ به‌هم پیوستن
 knit up [مجازاً] به‌وسیله بافتن تعمیر کردن؛ به‌پایان رساندن، خاتمه دادن، سرش را هم آوردن
 hand-knit دستبافت
 well-knit خوشبافت؛ خوش‌ترکیب
knitted [*p,pp of* knit]
 knit work کشباف
knitter *n* بافنده، کشباف، جولاه؛ ماشینِ کشبافی
knitting *n* کشبافی، جوراب‌بافی، بافندگی؛ کشباف؛ چیزِ بافته
knitting-needle /ˈnɪtɪŋ ni:dl/ *n*
میلِ جوراب‌بافی؛ میل کشبافی
knives /naɪvz/ [*pl of* knife]
knob /nɒb/ *n* دستگیرهٔ گرد؛ قبه، قپه؛ دکمه؛ برآمدگی، قوز؛ گره؛ پشته، تپهٔ گرد؛ تکه؛ [زبان عامیانه] کله، سر
knobbed *adj* قپه‌دار؛ متورم؛ قوزدار؛ دستگیره‌دار
knock /nɒk/ *vi,vt,n* ۱.زدن، کوبیدن، کوفتن؛ تصادم‌کردن؛ تق‌تق‌کردن؛ بدگویی کردن، عیبجویی کردن [اصطلاح امریکایی] ۲.زدن، کوبیدن، درآوردن، [در گفتگو] متعجب کردن ۳.صدای در، دق‌الباب؛ ضربت؛ تق‌تق؛ [در گفتگو] عیبجویی
 knock about ول گشتن، دربه‌در بودن؛ این طرف و آن طرف انداختن
 knock against خوردن به، زدن به
 knock at a door در زدن، در کوفتن
 knock down به زمین زدن؛ از پا درآوردن؛ خراب کردن؛ [در حراج] چوب (چیزی را) برای کسی زدن؛ پایین آوردن (بها)؛ به دادن تخفیف مجبور کردن؛ قطعه قطعه کردن (محموله)
 knock in فرو کردن [با ضربه]

knock on the head خنثی کردن، باطل کردن، نقش بر آب ساختن

knock one on the head مشت بر سر کسی کوفتن

knock off کسر کردن، زدن؛ تعطیل کردن؛ با عجله تمام کردن، با عجله نوشتن

knock the dust off one's coat گرد لباس کسی را گرفتن

knock out [در بوکس] با مشت یا بوکس از پا درآوردن، ناکار کردن؛ [مجازاً] شکست دادن؛ خالی کردن (پیپ و مانند آن)

knock together به‌هم خوردن؛ به هم زدن؛ به هم چسباندن

knock up بالا زدن؛ با کوبیدن در بیدار کردن؛ خسته کردن، از پا درآوردن؛ سرهم‌بندی کردن، به‌عجله حاضر کردن

knockabout /'nɒkəbaʊt/ *adj* پرصدا، شلوغ؛ بادوام، شلاق‌خور؛ متضمن زدوخورد

knock-down /'nɒk daʊn/ *adj* به‌زمین‌زننده؛ گیج‌کننده؛ دندان‌شکن؛ حداقل [در بها]

knocker /'nɒkə(r)/ *n* چکشِ در، کوبه

knock-kneed /ˌnɒk 'ni:d/ *adj* دُچارِ پیچ‌خوردگی زانو

knock-out /'nɒk aʊt/ *adj,n* (ضربه) قطعی [رجوع شود به knock out]

knoll /nəʊl/ *n* تپهٔ کوچک

knot /nɒt/ *n,vt,vi* [-ted] ۱.گره؛ غده؛ چیز سفت یا قلنبه؛ [مجازاً] عقده، مشکل، نکتهٔ عمده؛ منگله؛ دسته، گروه؛ میل دریایی [۶۰۸۰ پا]، گرهٔ دریایی [۱۸۵۳ متر] ۲.گره زدن، بستن؛ چین دادن ۳.گره خوردن

cut the Gordian knot کاری را با قلدری و از غیرراه خودش انجام دادن

tie a knot گره زدن، گره بستن

sword-knot شرابهٔ شمشیر

knotted *ppa* گره‌دار؛ پیچیده

knotty *adj* پرگره، گره‌دار؛ [مجازاً] پیچیده، بسته، دشوار

knout /naʊt/ *n* شلاق

know /nəʊ/ *v* [knew;known] دانستن، آگاهی داشتن (از)؛ ملتفت بودن؛ بلد بودن؛ شناختن؛ [با of] سراغ داشتن

I know his house. خانهٔ او را بلدم.

know by heart از بر بودن، از بر داشتن، از حفظ دانستن (یا داشتن)

know for certain یقین داشتن

come to know آگاهی یافتن

let know آگاه کردن، خبردادن به

I know him او را می‌شناسم

know about اطلاع داشتن از

As far as I know تا آنجاکه من می‌دانم

He is in the know (n,Col) سرش توی کار است، اطلاع ویژه دارد

little knowing that غافل از اینکه

He knew that... او می‌دانست که...

Had I known... اگر می‌دانستم...

make known شناساندن، معرفی کردن

known by all معروفِ همه

known to the police دارای (سوءِ) سابقه در شهربانی

known as معروف به

Be it known مخفی نماند، دانسته باد

knowing /'nəʊɪŋ/ *apa* فهمیده؛ هشیار، زیرک؛ زیرکانه [a knowing look]

knowingly *adv* عمداً؛ زیرکانه

knowledge /'nɒlɪdʒ/ *n* دانش، معرفت، علم؛ خبر، اطلاع؛ شناسایی

the knowledge that دانستن اینکه

To (the best of) my knowledge آنچه من می‌دانم، در حدود اطلاع من

It came to my knowledge that... من آگاهی یافتم که...

knowledgeable /'nɒlɪdʒəbl/ *adj* بااطلاع، بصیر

known /nəʊn/ [*pp of* know] ۱.دانسته؛ شناخته ۲.معلوم [ضدمجهول]، معروف، مشهور؛ [زیر know نیز آمده است]

the known *(n)* **and the unknown** معلوم و مجهول

knuckle /'nʌkl/ *n* بند انگشت؛ برآمدگی در بند انگشت

knuckle *(vi)* **down to work** به‌کار چسبیدن، به کار جدی پرداختن

knuckle under (*or* down) to someone تسلیم کسی شدن

knuckleduster /'nʌkldʌstə(r)/ *n* بوکس برنجی، پنجه بوکس

kodak /'kəʊdæk/ *n* نوعی دوربین عکاسی

kohlrabi /ˌkəʊl'rɑ:bɪ/ *n* کلم قمری

Korean /kəʊ'rɪən/ *adj* منسوب به‌کره (Korea)، کره‌ای

kowtow /ˌkaʊ'taʊ/ *vi* به سبک چینی‌ها سجود کردن

Kt [مختصرِ Knight]

kudos /'kju:dɒs/ *n* اعتبار، احترام

L,l

L,l /el/ *n* دوازدهمین حرف الفبای انگلیسی
label /ˈleɪbl/ *n,vt* ۱.برچسب ۲.برچسب زدن(به)؛ نشان کردن؛ [مجازاً] در زمرهٔ ... قرار دادن، طبقه‌بندی کردن؛ کنیه دادن، نامیدن
labial /ˈleɪbɪəl/ *adj* لبی، شفهی
labia majora /ˈlæbɪə məˈjɔːrə/ *n* لبهای بزرگ فرج، شفتین کبرای فرج
labia minora /ˈlæbɪə mɪˈnɔːrə/ *n* لبهای کوچک فرج، شفتین صغرای فرج
labor /ˈleɪbə(r)/ [املای امریکاییِ labour]
laboratorial *adj* آزمایشگاهی
laboratory /ləˈbɒrətrɪ/ *n* آزمایشگاه، لابراتوار
laborious /ləˈbɔːrɪəs/ *adj* زحمتکش، ساعی؛ پرزحمت، دشوار؛ حاکی از تکلف یا رنج
labour /ˈleɪbə(r)/ *n,vi,vt* ۱.کار؛ زحمت؛ (درد) زایمان؛ کارگر(ان) ۲.زحمت کشیدن، سخت کار کردن؛ گرفتار شدن؛ درد بردن؛ کند حرکت کردن ۳.به‌زحمت ساختن؛ مفصلاً بحث کردن

- **false labour pain** ماه درد (زایمان)
- **in labour** در حال زایمان، سَرِ زا
- **labour office** اداره کارگزینی
- **labour party** حزب کارگر
- **labour union** اتحادیه کارگران
- *He was labouring under that mistake.* آن اشتباه برایش اسباب زحمت شده بود.
- **labouring man** کارگر

labourer *n* کارگر ساده
laburnum /ləˈbɜːnəm/ *n* قِصاص
labyrinth /ˈlæbərɪnθ/ *n* هزارتُو، جای پرپیچ وخم، ماز؛ پلکانِ مارپیچ؛ بطن پیچیدهٔ گوش؛ [مجازاً] پیچیدگی؛ چیز بغرنج؛ لابیرنت
labyrinthine /ˌlæbəˈrɪnθaɪn/ *adj* پیچاپیچ؛ بغرنج، پیچیده، سردرگم
lac /lɑːk/ *n* [Hindu] لک: صدهزار (روپیه)
lace /leɪs/ *n,vt* ۱.بند کفش؛ تور، توری؛ یراق ۲.بستن؛ توری یا حاشیه گذاشتن؛ با یراق آراستن؛ شلاق زدن
laced *ppa* بندی، بنددار؛ شبکه‌دار؛ توری‌دار؛ راه‌راه، طوقی؛ یراق‌دار
lacerate /ˈlæsəreɪt/ *vt* پاره کردن، دریدن؛ [مجازاً] جریحه‌دار کردن
laceration /ˌlæsəˈreɪʃn/ *n* عملِ پاره کردن، عمل دریدن؛ دریدگی؛ زخم، ریش؛ آزردگی
lachrymal /ˈlækrɪml/ *adj* اشکی؛ ویژهٔ اشک؛ اشک‌آور

- **lachrymal gland** غدهٔ اشکی

lachrymatory /ˈlækrɪməˌtɔːrɪ/ *adj* اشکی؛ اشک‌آور
lachrymose /ˈlækrɪməʊs/ *adj* گریان؛ گریه‌آور، سوزناک
lack /læk/ *n,vt,vi* ۱.عدم، فقدان؛ نیازمندی ۲.نداشتن، فاقد بودن؛ کم داشتن ۳. [تنها به صورت وجه وصفی با ing] کم بودن؛ نبودن؛ نیازمند بودن، [با in] نداشتن

- **lack of money** بی‌پولی
- **for lack of shoes** از بی‌کفشی
- **in lack of** محتاج به، فاقدِ
- *It lacks one finger.* یک انگشت ندارد. یک انگشت کم دارد.
- *Money was lacking.* پول نبود.
- *He is lacking in courage.* جرئت ندارد. کم جرئت است.

lackadaisical /ˌlækəˈdeɪzɪkl/ *adj* بی‌حال؛ بی‌حال‌نما
lackey /ˈlækɪ/ *n* نوکر، پادو، فراش، چاکر؛ رجاله؛ چاپلوس
lack-lustre /ˈlæk lʌstə(r)/ *adj* بی‌نور
laconic /ləˈkɒnɪk/ *adj* کوتاه، موجز، لبّ؛ کوته‌نویس، کم‌گو
laconically /ləˈkɒnɪklɪ/ *adv* به‌طور موجز
laconicism /ləˈkɒnɪsɪzəm/ *or* **laconism** /ˈlækənɪzəm/ *n* ایجاز؛ سخن پرمغز
lacquer /ˈlækə(r)/ *n,vt* ۱.لاک الکل؛ جلا ۲.لاک الکل زدن
lacquey /ˈlækiː/ *n* = lackey
lacrosse /ləˈkrɒs US: -ˈkrɔːs/ *n* [در کانادا] لکراس: نوعی توپ‌بازی
lactation /lækˈteɪʃn/ *n* ترشح شیر؛ شیردهی
lactic /ˈlæktɪk/ *adj* شیری، مربوط به شیر

- **lactic acid** اسیدلاکتیک

lacuna /ləˈkjuːnə/ *n* [-nae] شکاف، فضا، جای تهی؛ گودی؛ [مجازاً] نقیصه
lacy /ˈleɪsɪ/ *adj* تورمانند، شبکه‌ای

lad /læd/ *n* جوانک، پسربچه
ladanum /'lædnəm/ *n* لادن عنبری
ladder /'lædə(r)/ *n* نردبان؛ دررفتگی در جوراب
ladderproof /'lædə pru:f/ *adj* [جوراب] در نرو
laddie /'lædɪ/ = lad
lade /leɪd/ *vt* [laded;laden] بار کردن، در کشتی نهادن
lade a ship with cotton پنبه بار کشتی کردن
lade water out of a tub آب طشتی را خالی کردن (یا کشیدن)
laden with fruit پربار
laden with sorrow اندوهگین
laden with honours غرقِ احترامات یا افتخارات
lading /'leɪdɪŋ/ *n* عمل بار کردن؛ بار کشتی
bill of lading بارنامهٔ کشتی
ladle /'leɪdl/ *n,vt* ۱.ملاقه، ملعقه، چمچه، آب‌گردان ۲.با ملاقه کشیدن [با out]
lady /'leɪdɪ/ *n* بانو، خانم؛ معشوقه؛ [با L] لقب برخی بانوان در انگلیس [برابر Lord]
ladies and gentlemen! خانمها، آقایان!
lady-in-waiting زنی که خدمتکارِ شاهزاده خانم یا ملکه‌ای باشد، خادمه
lady's man مردی که مایل به آمیزش با زنان است
lady help بانوی خدمتکار
lady doctor پزشکِ زن
[بهتر است به جای آن woman doctor گفته شود]
ladybird /'leɪdɪbɜ:d/ *n* کفشدوزک، پینه‌دوز
[امریکاییها این حشره را ladybug می‌گویند]
ladylike /'leɪdɪlaɪk/ *adj* مثل یک خانم، باوقار
ladylove /'leɪdɪlʌv/ *n* معشوقه
ladyship /'leɪdɪʃɪp/ *n* بانویی، خانمی
Your Ladyship! بانوی ارجمند!
[به زنی که لقب Lady دارد گفته می‌شود]
lady's-maid /'leɪdɪz meɪd/ *n* خادمه، کلفت
lag /læg/ *vi* [-ged] ,*n* ۱.کند رفتن، لک ولک کردن [با behind] ۲.کندی؛ عقب‌افتادگی؛ درنگ
old lag *Sl* آدم زندان دیده
lag /læg/ *n,vt* [-ged] ۱.تختهٔ سرپوش، تکه‌ای از سرپوش دیگ بخار؛ تختهٔ چلیک ۲.تخته‌پوش کردن، سرپوش گذاشتن
lager /'lɑ:gə(r)/ *n* نوعی آبجو کم‌مایه که اصل آن از آلمان است
laggard /'lægəd/ *n* آدم تنبل و کنددست
lagoon /lə'gu:n/ *n* جای کم عمق در دریا نزدیک به کرانه، مرداب
laic(al) /'leɪɪk(l)/ *adj* عامی، عام؛ غیرروحانی

laid /leɪd/ [*p,pp of* lay]
laid-up /,leɪd 'ʌp/ *adj* از کارافتاده، خوابیده
lain /leɪn/ [*pp of* lie]
lair /leə(r)/ *n* لانهٔ جانوردرنده
laird /leəd/ *n* ملاک اسکاتلندی
laissez-aller /,leɪseɪ 'ælеɪ/ *n,Fr* آزادی؛ بلبشویی
laissez-faire /,leɪseɪ 'feə(r)/ *n,Fr* عدم مداخلهٔ دولت در کار (بازرگانی) مردم
laissez-passer /,leɪseɪ 'pɑ:seɪ/ *n,Fr* پروانهٔ عبور
laity /'leɪətɪ/ *n*
the laity مردم کوچه و بازار، افراد غیرحرفه‌ای
lake /leɪk/ *n* دریاچه
laker *n* ماهی دریاچه [به ویژه قزل‌آلایی که از دریاچه‌ها می‌گیرند]؛ کشتی دریاچه‌رو
lakh /læk,lɑ:k/ = lac
lama /'lɑ:mə/ *n* لاما: کشیش بودایی
lamb /læm/ *n,vi* ۱.بره ۲.بره زاییدن
lambency /'læmbənsɪ/ *n* ملایمت [در گفتگوی از نور] ؛ تابندگی ملایم
lambent /læmbənt/ *adj* ملایم، بی‌سوزش؛ با نور ملایم تابنده
lambkin /'læmkɪn/ *n* بره کوچک
lambskin /'læmskɪn/ *n* پوست بره
lame /leɪm/ *adj,vt* ۱.لنگ، شَل؛ [مجازاً] غیر موجه [lame excuse] ؛ معیوب؛ سکته‌دار [lame verse] ۲.لنگ کردن؛ فلج کردن
He is lame of (or in) a leg. یکْ‌پای او لنگ یا شل است.
a lame duck آدم لنگ و عاجز؛ کشتی شُکان شکسته؛ چیز بی‌مصرف
go lame لنگیدن
lamellar /'læmələ(r)/ *or*
lamellate /'læməleɪt/ *adj* ورقه‌ورقه، لایه‌لایه
lamely *adv* لنگان لنگان؛ [مجازاً] به‌طور ناقص؛ با سکته
lameness *n* لنگی؛ سکته؛ نقص
lament /lə'ment/ *v* سوگواری کردن (برایِ)، عزاداری کردن (برایِ)؛ اظهار تأسف کردن (برایِ)
They lamented for him (or over his death). در مرگ او سوگواری کردند.
lamentable /'læməntəbl/ *adj* رقت‌آور، اسفناک، تأسف‌آور
lamentable condition حالِ زار یا رقت‌آور
lamentation /,læmen'teɪʃn/ *n* سوگواری؛مرثیه
lamina /'læmənə/ *n* لایه، ورقه

laminate /'læmɪneɪt/ *vt,vi* ۱.ورقه(ورقه) کردن؛ روی هم قرار دادن (چند ورقه از چیزی) ۲.ورقه ورقه شدن
lamp /læmp/ *n* لامپا، چراغ؛ لامپ (برق)
lampblack /'læmpblæk/ *n* دودهٔ لامپا
lampion /'læmpi:ən/ *n* چراغ موشی
lamplight /'læmplaɪt/ *n* روشنایی چراغ
lamplighter /'læmplaɪtə(r)/ *n* چراغچی، کسی که چراغهای خیابان را روشن می‌کرد
lampoon /læm'pu:n/ *n,vt* ۱.هجو ۲.هجو کردن
lamp-post /'læmp pəʊst/ *n* تیر چراغ
lamprey /'læmprɪ/ *n* نوعی مارماهی
lampshade /'læmpʃeɪd/ *n* حباب، آباژور
lance /lɑ:ns/ *n,vt* ۱.نیزه؛ ضربتِ نیزه ۲.نیزه زدن؛ نیشتر زدن
lance-corporal /,lɑ:ns 'kɔ:pərəl/ *n* [نظامی] درجه‌دار
lancer *n* نیزه‌دار؛ سربازسوار
lancet /'lɑ:nsɪt/ *n* نشتر، نیشتر
land /lænd/ *n,vt,vi* ۱.زمین؛ خشکی؛ سرزمین؛ ملک ۲.به‌خشکی آوردن، به خشکی انداختن؛ ساده کردن؛ بردن (جایزه)؛ گرفتار کردن؛ زدن ۳.به خشکی آمدن؛ پیاده شدن؛ فرود آمدن
by land از راه خشکی
I landed him one in the eye.
ضربتی به چشمش زدم.
land of the rising sun
سرزمین آفتاب تابان [لقب کشور ژاپن]
landau /'lændɔ:/ *n* نوعی درشکهٔ اسبی چهارچرخه که پوشش آن دو قسمت دارد
landed *adj* زمینی، ملکی؛ ملک‌دار
landed property ملک، مستغل
the landed interest ملاکین
landfall /'lændfɔ:l/ *n*
ورود به خشکی (طبق حساب ناخدای کشتی)
landholder /'lændhəʊldə(r)/ *n* اجاره‌دار، مستأجر؛ ملاک
landing /'lændɪŋ/ *n* [هواپیما] فرود؛ ورود به خشکی؛ فرودگاه؛ پاگرد
landing-gear /'lændɪŋ gɪə(r)/ *n* آرّادهٔ هواپیما، چرخها و قسمتهای زیرین هواپیما که هنگام فرود به‌کار گرفته می‌شوند
landing-net /'lændɪŋ net/ *n* دام کیسه‌ای
landing-stage /'lændɪŋ steɪdʒ/ *n* فرودگاه؛ اسکله، بارانداز؛ صفه
landlady /'lændleɪdɪ/ *n* زن مهمانخانه‌دار، مدیرهٔ مهمانخانه، مدیرهٔ شبانه‌روزی، زن میزبان؛ زنِ صاحب ملک، موجره

land-locked /'lændlɒkt/ *adj* محاط در خشکی
landlord /'lændlɔ:d/ *n* صاحب ملک، موجر؛ مالک، ملاک؛ مهمانخانه‌دار، مدیر مهمانخانه، مدیر شبانه‌روزی
landlubber /'lændlʌbə(r)/ *n* آدم دریا ندیده
landmark /'lændmɑ:k/ *n* نشان مرزی؛ راهنما؛ [مجازاً] واقعه برجسته؛ فصل تاریخی
landowner /'lændəʊnə(r)/ *n* ملاک، صاحب ملک
landscape /'lændskeɪp/ *n* دورنما، چشم‌انداز
landslide /'lændslaɪd/ *n* ریزش (سنگ از کوه)؛ [مجازاً] تغییر ناگهانی در افکار عمومی
landslip /'lændslɪp/ *n* ریزش (سنگ از کوه)
landsman /'lændzmən/ *n*
کسی که زندگی و شغلش در خشکی است
landward /'lændwəd/ *adj,adv* رو به خشکی
lane /leɪn/ *n* کوچه؛ آبراهه
language /'læŋgwɪdʒ/ *n* زبان؛ کلام؛ تکلم؛ عبارت، کلمه‌بندی
bad language فحش، حرف بد
languid /'læŋgwɪd/ *adj* سست، بی‌حال
languish /'læŋgwɪʃ/ *vi* سست شدن، بی‌حال شدن؛ افسرده شدن؛ ضعیف شدن (از غم یا عشق)، تحلیل رفتن
languishing look نگاه حاکی از بیماری عشق، چشمان بیمار
languor /'læŋgə(r)/ *n* سستی، ضعف، فتور؛ خستگی؛ نرمی
languorous /'læŋgərəs/ *adj* سست؛ خسته؛ سستی‌آور؛ خستگی‌آور
lank /læŋk/ *adj* لندوک، دراز و باریک؛ [موی سر] صاف و بی‌موج
lanky /'læŋkɪ/ *adj* دراز و زشت، بلند و لاغر، لندوک
lanneret /'lænəret/ *n* چرخ، چرغ
lantern /'læntən/ *n* فانوس؛ لنتر، چراغ
lantern-jawed /,læntən 'dʒɔ:d/ *adj*
دارای چانهٔ دراز و صورت کشیده و لاغر
lanyard /'lænjəd/ *n* ریسمان دورِ گردن ملوانان؛ [در کشتی] بند کوتاه
lap /læp/ *n,vt,vi* [-ped] ۱.دامن؛ نرمهٔ گوش؛ قسمتی از یک‌چیز که‌قسمتی از چیز دیگر را می‌پوشاند؛ [در مسابقه دو] دور ۲.پیچیدن؛ احاطه کردن، پوشاندن؛ (در دامن) نوازش کردن؛ روی هم قرار دادن؛ پرداخت‌کردن ۳.(روی چیزی) قرار گرفتن، افتادن
The parts lap over each other
قسمتها روی هم می‌افتند

lapped in luxury غرق نعمت
lap/læp/ *v* [-ped] ,*n* ۱.با زبان (چیزی را) آشامیدن؛ سر کشیدن؛ با صدا (به چیزی) خوردن؛ لُپ‌لپ (چیزی را) خوردن؛ شلپ‌شلپ کردن ۲.لپ‌لپ، لیس، لیسه؛ خوردن موج به کنار دریا
lap-dog /'læpdɒg/ *n* سگِ دامن پرورده
lapel /lə'pel/ *n* برگردان (یقه)
lapful *n* آنچه در یک دامن جا گیرد
a lapful of straw یک دامن کاه
lapis /'læpɪs/ *n,L* [lapides] سنگ
lapis infernalis سنگِ جهنم
lapis lazuli /ˌlæpɪs 'læzjʊlɪ US: -'læzəlɪ/ *n* سنگ لاجورد
Laplander /'læplændə(r)/ *or* **Lapp** /læp/ *n* اهلِ Lapland در شمال اسکاندیناوی
lappet /'læpɪt/ *n* دامن؛ نرمهٔ گوش؛ آویز؛ گوشت زیادی؛ قسمت آویخته (کلاه زنانه)؛ برگردان یقه
lapse /læps/ *n,vi* ۱.لغزش، خطا؛ برگشت؛ انحراف؛ ارتداد؛ مرور [lapse of time] ؛ مدت؛ انقضا؛ سلب ۲.افتادن، سقوط کردن، برگشتن؛ سلب یا ساقط یا زایل شدن (حق)؛ باطل شدن؛ گذشتن، سپری شدن، منقضی شدن؛ از دست رفتن، منتقل شدن؛ روان شدن
lapse from duty ترک وظیفه
His right of ownership lapsed.
حق مالکیت از او سلب شد.
lapsus /'læpsəs,'lɑ:psʊs/ *n,L* لغزش، سهو
lapsus calami سهو قلم
lapsus linguae لغزش زبان
lapwing /'læpwɪŋ/ *n* مرغ زیبا؛ هدهد
larboard /'lɑ:bɔ:d/ *n* سمت چپِ کشتی [که حالا به‌جای آن port گویند]
larcenous /'lɑ:sənəs/ *adj* سرقت‌آمیز
larceny /'lɑ:sənɪ/ *n* دزدی، سرقت
larch /lɑ:tʃ/ *n* سیاه کاج، شربین
lard /lɑ:d/ *n,vt* ۱.روغن خوک ۲.چربی خوک لای (گوشت) گذاشتن
larded with Arabic words آمیخته با لغات عربی، پر از لغات عربی
larder /'lɑ:də(r)/ *n* دولابچه؛ گنجه
large /lɑ:dʒ/ *adj,adv* ۱.بزرگ؛ درشت [a large apple]؛ زیاد؛ وسیع؛ آزاد(ه)؛ بلند [large views] ۲.با لاف و گزاف [talk large]
to a large extent تا حد زیادی
at large آزادانه؛ به‌تفصیل؛ به‌طور کلی
by and large روی هم‌رفته، با در نظر گرفتن همه جهات
gentleman at large بیکارالدوله
large-hearted /ˌlɑ:dʒ 'hɑ:tɪd/ *adj* بخشنده؛ بلندنظر
largely *adv* تا درجهٔ زیادی، بیشتر؛ آزادانه؛ سخاوتمندانه
largeness *n* بزرگی؛ درشتی
large-sized /lɑ:dʒ 'saɪz/ *adj* بزرگ
largess(e) /lɑ:'dʒes/ *n,Arch* بخشش، بخشندگی
lark /lɑ:k/ *n,vi* ۱.چکاوک، غزلاق؛ شوخی، تفریح ۲.مسخره‌بازی درآوردن، شوخی کردن
larkspur /'lɑ:kspɜ:(r)/ *n* گل زبان در قفا
larva /'lɑ:və/ *n* [*pl* -vae /vi:/] کرم حشره
larval /'lɑ:vl/ *adj* دارای حالت کرم
in a larval state در حالت کرمی
laryngeal /læ'rəndʒi:əl/ *adj* مربوط به خشک‌نای یا حنجره
laryngitis /ˌlærɪn'dʒaɪtɪs/ *n* التهاب حنجره، لارنژیت
larynx /'lærɪŋks/ *n* [larynges] خشک‌نای، خرخره، حنجره، حلقوم
lascivious /lə'sɪvɪəs/ *adj* شهوانی، هرزه؛ شهوت‌انگیز
lash /læʃ/ *n,vt,vi* ۱.شلاق (به ویژه قسمت نرم آن)؛ ضربه (شلاق)؛ مژگان؛ [مجازاً] زخم‌زبان ۲.زدن (با شلاق)؛ خوردن به؛ سرزنش کردن، زخم‌زبان زدن (به)؛ بستن (با تسمه یا ریسمان)؛ تکان دادن (دُم) ۳.خوردن؛ لگد پراندن [با out]
sentenced to the lash محکوم به (خوردن) شلاق
lash into a fury خشمگین کردن
lashing /'læʃɪŋ/ *n* شلاق‌زنی؛ سرزنش
lashings *npl,Col* مقدار زیاد
lass(ie) /'læsi:/ *n* دختر، زن جوان
lassitude /'læsɪtju:d/ *n* سستی؛ بی‌میلی
lasso /læ'su:/ *n* [(e)s] کمند، خِفت
lasso /læ'su:/ *vt* [-ed] با کمند گرفتن
last /lɑ:st/ *adj,adv,n* ۱.آخر، آخرین؛ گذشته [last week]؛ اخیر ۲.آخرِ همه؛ آخرین بار ۳.آخرین شخص؛ دم آخر
last night دیشب، شب گذشته
last month ماه گذشته، آن ماه
last year پارسال، سال گذشته
the last but one یکی به آخر مانده
breathe one's last نفس آخر را کشیدن، مردن
at last بالاخره، سرانجام، آخرالامر
last-mentioned اخیرالذکر

last /lɑ:st/ *vi* طول کشیدن؛ دوام داشتن، دوام کردن؛ (خوب) کار کردن؛ زیستن؛ بس بودن، کفایت کردن

last /lɑ:st/ *n,vt* ۱.قالب (کفش) ۲.قالب کردن

Stick to your last! به رشتهٔ خود بچسبید، پا از حد خود بیرون نگذارید!

lasting *apa* بادوام، ماندنی

lastly *adv* بالاخره، در پایان

Lat [مختصرِ Latin]

latch /lætʃ/ *n,vt* ۱.کلون، چفتِ درِ حیاط؛ قفل یا کشو فنری، چفت فنری ۲.چفت کردن، کلون (در) را انداختن

leave the door on the latch کلون در را انداختن، درِ خانه را چفت کردن

latchkey /'lætʃki:/ *n* کلید درِخانه

late /leɪt/ *adv,adj* ۱.دیر[arrive late]؛ تادیرگاه، زیاد ۲.دیر؛ دیرآینده؛ دیررس، عقب؛ اخیر؛ مرحوم، متوفی؛ بعدی

It is late دیر شد(ه است)

be late دیر آمدن؛ دیر کردن

I was late دیر کردم، دیرم شد

It is too late دیر شده است، کار از کار گذشته است

late dinner شام

your late father مرحوم پدرتان

the late prime minister نخست‌وزیر سابق (یا مستعفی)

of late در این روزها، اخیراً

later ۱.بعدها [بیشتر با on گفته‌می‌شود] ۲.دیرتر

latest جدیدترین

sooner or later دیر یا زود

on Monday at the latest منتها تا دوشنبه

lately /'leɪtlɪ/ *adv* به‌تازگی، اخیراً

lateness *n* تأخیر، دیرشدگی

latent /'leɪtnt/ *adj* پنهان، نهان

lateral /'lætərəl/ *adj* پهلویی، ضلعی؛ افقی

laterally *adv* از پهلو، یکبری

latex /'leɪteks/ *n* شیرِ گیاهی؛ لاستیک خام

lath /lɑ:θ/ *n* [laths] توفال، تخته

lathe /leɪð/ *n,vt* ۱.چرخِ تراش، دستگاه خراطی ۲.تراشَ دادن، خراطی کردن

lather /'lɑ:ðə(r)/ *n,vt,vi* ۱.کفِ صابون؛ عرق اسب ۲.صابون زدن ۳.کف کردن

Latin /'lætɪn/ *adj,n* لاتینی؛ لاتین

latitude /'lætɪtju:d/ *n* عرض جغرافیایی؛ [در جمع] نواحی؛ [مجازاً] رهایی از قیود، آزادی د... تفسیر و تعبیر؛ بی‌قیدی، سهل‌انگاری

latitudinal /,lætɪ'tju:dɪnl/ *adj* واقع در عرض جغرافیایی، عرضی

latitudinarian /,lætɪtju:dɪ'neərɪən/ *n,adj* (کسی) که در مسایل دینی و تعبیرات اصول مربوطه سخت نمی‌گیرد

latrine /lə'tri:n/ *n* مستراح [در سربازخانه‌ها و بیمارستانها]

latter /'lætə(r)/ *adj* آخر، آخری، عقب‌تر؛ دومی، این (یک)، اخیرالذکر

latter half نیمه دوم

The former is a merchant, the latter a teacher. (از آن دونفر) اولی بازرگان و دومی آموزگار است، آن (یک) بازرگان و این (یک) آموزگار است.

latterly *adv* این روزها، اخیراً

lattice /'lætɪs/ *n* شبکه

lattice window /,lætɪs 'wɪndəʊ/ *n* پنجرهٔ مشبک

latticed /'lætɪst/ *adj* شبکه‌دار، مشبک

laud /lɔ:d/ *n* ستایش، حمد خدا

laudable /'lɔ:dəbl/ *adj* ستوده، پسندیده، قابل تمجید

laudably /'lɔ:dəblɪ/ *adv* به‌طور قابل ستایش

laudanum /'lɔ:dənəm/ *n* افیون دارویی

laugh /lɑ:f US: læf/ *vi,vt,n* ۱.خندیدن، خنده کردن ۲.با خنده ادا کردن ۳.خنده

laugh at something به‌چیزی خندیدن یا لبخند زدن؛ چیزی را استهزا کردن

laugh away با خنده گذراندن؛ با خنده و استهزا کنار گذاشتن

laugh down با خنده از رو بردن

laugh in one's sleeve زیر لب خندیدن

laugh on the other (*or* **wrong) side of the mouth** از حالت خوشی به‌حالت گریه در آمدن

laugh off با خنده دور کردن

laugh one out of a habit با استهزا عادتی را از سرِ کسی بیرون کردن

break into a laugh زیر خنده زدن

get the laugh of a person خنده و مسخره را تحویل خود مسخره‌کننده دادن

join in the laugh در خندهٔ دیگران شرکت کردن، خود را از تنگ وتا نینداختن

laughable /lɑ:fəbl/ *adj* خنده‌دار

laughing /'lɑ:fɪŋ US: 'læfɪŋ/ *n,apa* ۱.خنده، خندیدن ۲.خندان، خوش‌خنده؛ خنده‌آور

(This is) no laughing matter خنده ندارد؛ شوخی نیست، جدّی است

laughing-gas /'lɑ:fɪŋ gæs/ *n* گاز خنده‌آور
laughing-stock /'lɑ:fɪŋ stɒk/ *n* مایهٔ خنده، موضوع خنده، مضحکه، مسخره
laughter /'lɑ:ftə(r) US: 'læf-/ *n* خنده
  burst into a laughter زیرخنده زدن
launch /lɔ:ntʃ/ *vt,vi,n* ۱.به آب انداختن (کشتی)؛ انداختن، پرت کردن؛ روانه کردن، مأمور کردن؛ (به) راه انداختن؛ صادر کردن؛ زدن (ضربت) ۲.روانه شدن؛ غوطه‌ور شدن، فرو رفتن؛ راه افتادن؛ به آب افتادن؛ جستن ۳.قایقِ بزرگ موتوری؛ عمل به آب انداختن (کشتی)
  launch a threat تهدید کردن
  launch an attack حمله (آغاز) کردن
  launch into politics داخل سیاست شدن
  launch out دل به‌دریا زدن، دست به‌کار بزرگی‌زدن
launder /'lɔ:ndə(r)/ *vt* شستن و اتو کشیدن
  These sheets launder (vi) well.
  این شمدها خوب شسته می‌شوند.
laundress /'lɔ:ndrɪs/ *n* زن رختشوی و اتوکش
laundry /'lɔ:ndrɪ/ *n* رختشویخانه
  the laundry رختهای شستنی
laundryman /'lɔ:ndrɪmən/ *n* [-men] مردی که در رختشویخانه کار می‌کند
laureate /'lɒrɪət/ *adj* دارای تاجی از برگهای غار
  Poet Laureate شاعر درباری یا جایزه‌دار
laurel /'lɒrəl/ *n* درخت غار؛ برگ غار که نشان افتخار بود
  laurel cherry غار گیلاس [بی‌اضافه]
  win laurels جایزه گرفتن
lava /'lɑ:və/ *n* [زمین‌شناسی] گدازه
lavatory /'lævətrɪ/ *n* دستشویی یا مستراح
lave /leɪv/ *vt,Poet* شستن
lavender /'lævəndə(r)/ *n* نوعی سنبل؛ اسطوخودوس
lavish /'lævɪʃ/ *adj,vt* ۱.ولخرج، مسرف؛ فراوان(دهنده)؛ بی‌بندوبار ۲.زیاد خرج کردن، اسراف کردن، زیاد مصرف کردن
  lavish of money ولخرج، پول تمام‌کن
  lavish of one's praise زیاد ستایش‌کننده
  lavish care on زیاد توجه کردن (از)
lavishly *adv* با اسراف و ولخرجی
law /lɔ:/ *n* قانون؛ شریعت؛ حقوق
  common law عُرف
  go to law دادخواهی کردن، عارض شدن
law-abiding /'lɔ: əbaɪdɪŋ/ *adj* پیرو یا مطیع قانون

law court /'lɔ:kɔ:t/ *n* دادگاه، محکمه
lawful /'lɔ:fl/ *adj* قانونی؛ مشروع، حلال، روا، جایز، مجاز؛ حلال‌زاده
lawfully /'lɔ:fəlɪ/ *adv* قانوناً؛ شرعاً؛ به‌طور مشروع یا حلال، به‌طور مجاز
lawgiver /'lɔ:gɪvə(r)/ *n* قانونگذار؛ شارع
lawless *adj* غیرقانونی؛ متمرد
lawlessness *n* بی‌قانونی؛ تمرد
lawn /lɔ:n/ *n* چمن؛ نوعی کتان نازک
lawn-mower /'lɔ:nməʊə(r)/ *n* چمن‌زن، ماشین چمن‌زنی
lawn-tennis /,lɔ:n 'tenɪs/ *n* بازی تنیس
lawsuit /'lɔ:su:t/ *n* دادخواهی، مرافعه، دعوی
lawyer /'lɔ:jə(r)/ *n* وکیل؛ مشاورِ حقوقی؛ حقوقدان
lax /læks/ *adj* سست، شل؛ فاسد، هرزه؛ آسان‌گیر، اهمال‌کار؛ لینت‌دار
laxative /'læksətɪv/ *adj,n* ۱.ملین، لینت‌دهنده ۲.داروی ملین
laxity /'læksətɪ/ *n* نرمی، سستی؛ لینت؛ آسان‌گیری، اهمال(کاری)
lay /leɪ/ *vt,vi* [laid] ,*n* ۱. گذاشتن؛ قرار دادن؛ کار گذاشتن، نصب کردن؛ طرح کردن؛ مطرح‌کردن؛ [مالیات] وضع کردن؛ [میز] چیدن یا آراستن؛ [دام] گستردن؛ [گرد] خواباندن، فرو نشاندن؛ [سیم یا لوله] کشیدن؛ [فرش] پهن کردن ۲.تخم گذاشتن؛ شرط‌بستن؛ توطئه چیدن؛ آماده شدن ۳.وضع (طبیعی)
  lay about one به‌هر دری زدن؛ سخت جنگیدن
  lay aside کنار گذاشتن؛ پس‌انداز کردن؛ نداختن؛ ترک کردن
  lay by کنار گذاشتن؛ پس‌انداز کردن
  lay down خریدن و اندوختن، خواباندن؛ زمین گذاشتن، کنار گذاشتن (اسلحه هنگام تسلیم)؛ در کف نهادن، فدا کردن؛ گذاشتن (پول در شرط‌بندی)؛ طرح کردن؛ مشخص کردن؛ تنظیم کردن؛ وضع کردن
  lay in ذخیره کردن
  lay off موقتاً از خدمت بر کنار کردن؛ استراحت کردن
  lay on blows ضربت زدن
  lay on paint رنگ زدن
  lay on the table از دستور خارج کردن
  lay it on (a bit thick) چاپلوسی کردن؛ گزافه گفتن
  lay out در معرض دیدن قرار دادن؛ آمادهٔ دفن کردن؛ خرج کردن؛ پهن کردن؛ خیابان‌بندی کردن، جدول‌بندی کردن؛ [در گفتگو] نقش زمین کردن، با ضربه بی‌حس کردن

lay out oneself به خود زحمت دادن
lay up اندوختن، ذخیره کردن؛ از کار انداختن، خواباندن [برای تعمیر]
laid up بستری، خوابیده
lay a snare دام نهادن
lay hands on someone
دست روی کسی بلند کردن
lay hands on something بر چیزی‌دست یافتن، چیزی را یافتن، چیزی را تصرف کردن
lay hands upon something جای چیزی‌را معلوم‌کردن، چیزی‌را پیداکردن؛ چیزی‌را تأییدکردن
lay a finger on someone دست به‌کسی زدن
lay to heart به‌دل گرفتن
lay one's hopes on امید بستن به
lay to (*or* at) a person's door
به‌گردن کسی گذاشتن
lay bare برهنه کردن؛ ابراز کردن
lay claim to ادعا کردن
lay the fire
جمع‌آوری هیزم و زغال برای روشن کردن آتش
lay low خواباندن؛ پست کردن
lay open آشکار کردن؛ پاره کردن
lay (fast) by the heels تعقیب کردن؛ در بند کردن، در زندان نهادن
lay an information against someone
اعلام جرم نسبت به کسی کردن
lay into a person *Col* کسی‌راکتک حسابی زدن
lay a wager شرط بستن
lay 50 rials شرط ۵۰ ریال بستن
I will lay you a bet that... شرط می‌بندم که...
ay /leɪ/ [گذشتهٔ فعل lie «دراز کشیدن»]
ay /leɪ/ *adj* عام، عامی؛ غیرروحانی؛ غیروارد [در پیشه یا حرفه‌ای]، بی‌تخصص
ay /leɪ/ *n* تصنیفی که‌جنبهٔ گزارش دارد
ayer /'leɪə(r)/ *n,vt* ۱.لایه، بن‌لاد، چینه؛ ورقه؛ رگه؛ شاخهٔ خوابانده، نهال ۲.خواباندن
daily layer مرغ هر روز تخم‌کن
ay figure /ˌleɪ 'fɪgə(r)/ *n*
مانکن چوبی [به manikin نگاه کنید]
ayman /'leɪmən/ *n* [-men] فرد عادی؛ شخصِ غیرروحانی؛ کسی که متخصص در پیشه‌ا نباشد، شخص غیروارد
y-off /'leɪ ɒf/ *n* فصل کم کاری
y out /'leɪ aʊt/ *n* طرح؛ بساط؛ خیابان‌بندی، باغچه‌بندی
azarus /'læzərəs/ *n* گدا(ی بیمار)، لازاروس، [در انجیل] عازر که توسط عیسی احیا شد

laze /leɪz/ *vi* تنبلی کردن
lazily *adv* به‌تنبلی، تنبلانه
laziness *n* تنبلی، کاهلی
lazy /'leɪzɪ/ *adj* تنبل؛ مناسب برای تنبلی
lazy moments اوقاتی‌که به بیکاری و بطالت بگذرد
lazy-bones /'leɪzɪbəʊnz/ *n,Col* آدم تنبل
lb(s) [زیر pound آمده است]
lea /li:/ *n,Poet* چمن
lead /led/ *n* سرب؛ گلوله سربی
red lead سرنج
black lead = graphite
lead pencil مداد معمولی سربی
swing the lead *Sl* از زیر کار در رفتن
lead /li:d/ *vt,vi* [led] *,n* ۱.رهبری یا راهنمایی یا هدایت کردن؛ بردن؛ سوق دادن؛ وادار کردن؛ پیشوا بودن؛ ریاست داشتن بر؛ پیشقدم بودن؛ به‌سر بردن ۲.کشیده شدن، منجر شدن، منتج شدن؛ پیش افتادن ۳.راهنمایی، هدایت، رهبری؛ سرمشق؛ پیشقدمی؛ پیشوایی؛ ریسمان (سگ)
His dog was led سگ او بند در گردن داشت، سگ را با بند می‌بردند
lead captive به اسارت بردن
lead out of danger با راهنمایی از خطر رهانیدن
Where does this road lead to?
این راه به کجا می‌رود؟
lead the way پیشقدم شدن
lead astray گمراه کردن
lead one a dance گربه رقصاندن
lead by the nose آلت (اجرای مقاصد خود) قرار دادن
lead off پیشقدم شدن، آغاز کردن
follow the lead of دنبالِ... رفتن، به... تأسی کردن
It leads up to the same subject
می‌کشد به همان موضوع
The party is led by him. او پیشوای حزب است.
take the lead پیشقدم شدن
Whose lead is it? [در بازی] نوبت کیست؟ دست کیست؟
leaded *ppa* سرب گرفته
leaden *adj* سربی (رنگ)؛ [مجازاً] سنگین؛ کند [leaden sword]
leader /'li:də(r)/ *n* پیشوا، رئیس؛ رهبر؛ سردسته؛ سرمقاله
leadership /'li:dəʃɪp/ *n* پیشوایی
leading /'li:dɪŋ/ *apa,n* ۱.عمده، مهم، مقدم؛ بزرگ؛ رهنما ۲.رهنمایی، هدایت؛ نفوذ

leading article سرمقاله

leading-strings /ˌli:dɪŋ ˈstrɪŋs/ *npl* ریسمانی که توسط آن به کودکان راه رفتن می‌آموختند

lead-poisoning /ˈled pɔɪznɪŋ/ *n* مسمومیت از سرب

leaf /li:f/ *n* [leaves] برگ؛ ورق؛ ورقه؛ لنگه (در)

gold leaf زرورق

fall of the leaf برگ‌ریزان، پاییز

take a leaf out of a person's book کسی را الگو قرار دادن

turn over a new leaf فصل تازه‌ای در زندگی (یا رفتار) باز کردن

leafage /ˈli:fɪdʒ/ *n* (شاخ و) برگ

leafless *adj* بی‌برگ، برهنه

leaflet /ˈli:flɪt/ *n* نشریه، ورقه؛ برگچه

leafy *adj* پُربرگ؛ برگ‌مانند

league /li:g/ *n,v* ۱.پیمان، عهد؛ اتفاق؛ مجمع، اتحاد؛ (واحد طول برابر با) سه میل ۲.به اتحادیه یا انجمنی پیوستن، متحد کردن؛ متحد شدن

in league هم‌پیمان، همعهد، متحد

leak /li:k/ *n,vi* ۱.رخنه، سوراخ؛ تراوش، نشت، نشر، چکه ۲.نشت کردن، تراوش کردن، در رفتن؛ چکه کردن، آب پس دادن؛ [مجازاً] فاش شدن [با out]

spring a leak چکه کردن

leakage /ˈli:kɪdʒ/ *n* تراوش، نشت، نشر، چکه؛ کمبود، کسری، دررفتگی

leaky *adj* سوراخ‌دار، نشتی؛ چکه‌کن؛ [مجازاً] فضول، دهن‌لق

leal /li:l/ *adj* صادق، باوفا

lean /li:n/ *adj* لاغر؛ بی‌چربی؛ بی‌برکت؛ کم‌حاصل؛ سبک؛ باریک

lean /li:n/ *vi,vt* [leaned;leant] ۱.تکیه کردن، تکیه زدن، پشت دادن؛ کج شدن، مایل شدن؛ طرفداری کردن ۲.تکیه دادن

lean over به جلو خم شدن

leaning column ستون مایل

leanness *n* لاغری؛ خشکی

lean-to /ˈli:n tu:/ *n* چارطاقی؛ ساباط

leap /li:p/ *n,vi,vt* [leaped *or* leapt] ۱.جست، پرش ۲.جستن، پریدن، خیز گرفتن؛ جفت زدن ۳.جستن از، پریدن از؛ جهانیدن

take a leap in the dark دل به‌دریا زدن

by leaps and bounds شلنگ‌انداز، به سرعت

leap-day /ˈli:p deɪ/ *n* روز افزوده در سال کبیسه [روز ۲۹ ماه فوریه]

leap-frog /ˈli:p frɒg/ *n* جفتک چارکش

leapt /lept/ [*p,pp of* leap]

leap-year /ˈli:p jɪə(r)/ *n* سالِ کبیسه

learn /lɜ:n/ *vt* [learnt *or* learned] آموختن، یاد گرفتن؛ آگاهی یافتن از، خبر گرفتن از؛ [درس] روان کردن، حاضر کردن

learn by heart از بر کردن، حفظ کردن

learned *adj* دانا، عالِم؛ عالمانه؛ علمی

learnedly *adv* دانشمندانه

learner *n* دانش‌آموز (مبتدی)

learning *n* دانش، علم

of great learning دانشمند

learnt /lɜ:nt/ [*p,pp of* learn]

lease /li:s/ *n,vt* ۱.اجاره ۲.اجاره دادن [گاهی با out] ؛ اجاره کردن

take on lease اجاره کردن

put out on lease اجاره دادن

a new lease of life زندگی دوباره

leasehold /ˈli:shəʊld/ *n* اجاره‌داری

leaseholder /ˈli:shəʊldə(r)/ = lessee

leash /li:ʃ/ *n,vt* ۱.ریسمان، بند ۲.با ریسمان به‌هم بستن

a leash of hounds سه (لنگه) تازی

least /li:st/ *adj* [*sup of* little] ,*n,adv* ۱.کمترین؛ کوچکترین ۲.کمترین کار یا چیز؛ [با the] کمینه ۳.کمتر از همه؛ به کمترین درجه

The least that you can do کوچکترین کاری که می توانید بکنید

at least ست کم، اقلاً

not in the least ه‌هیچ‌وجه، ابداً

leather /ˈləðə(r)/ *n* چرم

goat leather تیماج

leather gloves ستکش چرمی

sheep leather میشن

leathern *adj* چرمی

leathery /ˈleðərɪ/ *adj* چرم‌نما؛ سفت، پی‌مانند

leave /li:v/ *n* جازه؛ مرخصی

I beg leave to... جازه می‌خواهم که...

leave (of absence) رخصی

sick leave رخصی به علت ناخوشی

be on leave ر مرخصی بودن

proceed on leave مرخصی رفتن

by your leave اجازهٔ شما

take leave of درود گفتن با

take one's leave رخصی‌گرفتن‌و رفتن

take leave of one's senses یوانه شدن

leave /li:v/ *vt,vi* [left] ۱.وانهادن، ترک کردن؛ باقی گذاردن، زیاد آوردن؛ رها کردن، ول کردن؛ دست کشیدن از، بس کردن؛ به ارث گذاشتن ۲.عازم شدن، حرکت کردن

leave for Paris عازمِ پاریس شدن

leave hold (*or* go) رها کردن

5 from 7 leaves 2 ۵ از ۷ کم شود می‌ماند ۲

leave unsaid ناگفته گذاردن

Leave a card on him کارتی در خانه برای او بگذارید

leave the door open در را بازگذاشتن

leave off دست کشیدن از؛ کنار گذاشتن؛ نپوشیدن؛ موقوف شدن

leave out جا گذاشتن، انداختن، ول کردن؛ صرف‌نظر کردن از

Leave it over عجالتاً بگذارید بماند

Leave word with the servant به نوکر بسپارید (یا پیغام بدهید)

He ate what was left of the lion. آنچه از شیر باقی مانده بود او خورد.

His behaviour leaves much to be desired خیلی مانده است تا رفتارش آن‌چنان که باید و شاید بشود

leaved برگ‌دار [در ترکیب]

five-leaved پنج برگه، پنج برگ

leaven /'levn/ *n,vt* ۱.خمیر مایه، خمیرترش؛ [مجازاً] عامل مؤثر ۲.ور آوردن، ترش زدن به؛ [مجازاً] تحت تأثیر درآوردن؛ آلودن

leavings /'li:vɪŋz/ *npl* پس‌مانده؛ ریزه

Lebanese /ˌlebə'ni:z/ *adj,n* [-nese] لبنانی

Lebanon /'lebənən/ *n* لبنان

lecherous /'letʃərəs/ *adj* هرزه، شهوت‌پرست، فاسق؛ ناشی از هرزگی

lechery /'letʃərɪ/ *n* هرزگی، شهوت‌پرستی

lectern /'lektən/ *n* [در کلیسا] رحل

lecture /'lektʃə(r)/ *n,vi,vt* ۱.سخنرانی، کنفرانس؛ درس با جزوه؛ اندرز ۲.سخنرانی کردن ۳.با جزوه درس دادن؛ سرزنش کردن

read one a lecture کسی را سرزنش کردن

lecturer /'lektʃərə(r)/ *n* سخنران؛ دانشیار

led /led/ [*p,pp of* lead]

ledge /ledʒ/ *n* طاقچه؛ لبه؛ برآمدگی؛ تخته‌سنگ ساحلی؛ رگه

ledger /'ledʒə(r)/ *n* دفترِ کل

led horse (اسب) یدک، کتل

lee /li:/ *n* سمت پناه‌دار کشتی؛ جای محفوظ از باد؛ [مجازاً] پناه، حمایت

under the lee of در پناهِ

leech /li:tʃ/ *n* زالو؛ [مجازاً] انگل

apply a leech (to) زالو انداختن

leek /li:k/ *n* تره (فرنگی)

leer /lɪə(r)/ *vi,n* ۱.چپ‌چپ نگاه کردن ۲.نگاه دزدانه، نگاه توأم با هیزی

leeringly *adv* از گوشهٔ چشم، چپ

lees /li:z/ *npl* دُرد، لِرد

leeward /'li:wəd/ *adj,adv,n* (سوی) سمتِ پناه‌دار کشتی

leeway /'li:weɪ/ *n* کج‌شدگی (کشتی یا هواپیما) بر اثر باد، انحراف؛ [مجازاً] مهلت؛ عقب‌افتادگی

left /left/ *adj,adv,n* ۱.چپ ۲.در سمت چپ ۳.سمت چپ؛ (نمایندگان) دست چپ

on the left در سمت چپ

Keep to the left دست چپ بروید

left /left/ [*p,pp of* leave]

left-hand /'left hænd/ *adj* واقع در دست چپ؛ دست‌چپی، ایستاده در دست چپ

marry with the left hand وصلتِ ناجور کردن، با غیرِ هم کُفو پیوند کردن

left-handed /ˌleft 'hændɪd/ *adj* چپ دست

left-handed marriage عروسی با پست‌تر از خود، عروسی با غیرهم کفو

left-handed compliment تعارفِ خشک وخالی

left-handed screw پیچ چپ‌گرد

leftward /'leftwəd/ *adj,adv* (واقع) در سمت چپ

leg /leg/ *n* پا؛ ساق پا؛ پایه؛ ساقه؛ پاچه؛ [هندسه] ساق؛ [مجازاً] قسمت

give a person a leg up کسی را (در سوار شدن یا بالا رفتن) کمک کردن

take to one's legs گریختن

on one's legs برپا ایستاده؛ از بستر برخاسته، بهبود یافته

all legs زیاد قد کشیده، لندوک

a leg to stand on بهانه یا عذر (موجه)، دستاویز

He is on his last legs. پایش لب‌گور است. کار و بارش خوب نیست.

walk a person off his legs کسی را از پا انداختن [در راه رفتن]

feel one's legs نیروی ایستادن پیدا کردن، نیروی راه رفتن پیدا کردن

make leg تواضُع کردن [با خم کردن یک پا و پس بردن پای دیگر]

four-legged چهارپا؛ چهارپایه

legacy /'legəsɪ/ *n* میراث، ترَکه

legal /'li:gl/ *adj* قانونی؛ حُقوقی؛ شرعی؛ مشروع

legality /li:ˈgælətɪ/ *n* مطابقت با قانون
legalization /ˌli:gəlaɪˈzeɪʃn/ *n* تصدیق (امضا)، شناسایی رسمی
legalize /ˈli:gəlaɪz/ *vt* تصدیق کردن (امضا)، به‌رسمیّت شناختن، قانونی کردن
legally *adv* قانوناً؛ شرعاً
legate /ˈlegɪt/ *n* نمایندهٔ پاپ
legatee /ˌlegəˈti:/ *n* موصی‌له، میراث‌بر، وارث
legation /lɪˈgeɪʃn/ *n* سفارت(خانه)
legend /ˈledʒənd/ *n* افسانه، داستان؛ شرح روی سکه و مدال
legendary /ˈledʒəndrɪ/ *adj* افسانه‌ای
legerdemain /ˌledʒədəˈmeɪn/ *n* تردستی، حقه‌بازی، شعبده؛ حیله
leggings /ˈlegɪŋz/ *npl* زنگال
leggy /ˈlegɪ/ *adj* پابلند، لندوک
leghorn /ˈleghɔ:n/ *n* نوعی حصیر؛ کلاه حصیری؛ نوعی مرغ خانگی
legibility /ˌledʒəˈbɪlətɪ/ *n* خوانایی، روشنی
legible /ˈledʒəbl/ *adj* خوانا، روشن
legibly /ˈledʒəblɪ/ *adv* به‌طور خوانا
legion /ˈli:dʒən/ *n* سپاه، هنگ؛ گروه بسیار؛ لژیون
legionary /ˈli:dʒənərɪ/ *n,adj* ۱.سربازِ legion ۲.هنگی، سپاهی
legislate /ˈledʒɪsleɪt/ *vi* قانون وضع کردن
legislation /ˌledʒɪsˈleɪʃn/ *n* (وضع) قانون
legislative /ˈledʒɪslətɪv/ *adj* قانونگذار، مقنن؛ قانونی؛ تقنینی
legislative assembly هیئت مقننه
legislator /ˈledʒɪsleɪtə(r)/ *n* قانونگذار، مقنن؛ عضو هیئت مقننه
legislature /ˈledʒɪsleɪtʃə(r)/ *n* هیئت مقننه، مجلس
legitimacy /lɪˈdʒɪtɪməsɪ/ *n* درستی؛ حقانیت؛ قانونی بودن؛ حلال‌زادگی
legitimate /lɪˈdʒɪtɪmət/ *adj* حلال‌زاده؛ درست، برحق، قانونی، مشروع؛ معقول؛ دارای حق مشروع
legitimate claims دعاویِ بر حق (یا حقه)
legitimately /lɪˈdʒɪtɪmətlɪ/ *adv* به‌طور مشروع یا قانونی، به‌طور صحیح، درست
leg-of-mutton /ˈleg ə ˈmʌtn; -əv-/ *adj* [بادبان] سه‌گوش
legume /ˈlegju:m/ *n* سبزی، گیاهِ خوردنی؛ دانه، حبوبات چون لوبیا و باقلا
leguminous /lɪˈgju:mɪnəs/ *adj* بقولاتی، حبوباتی، بنشنی، لوبیایی
leisure /ˈleʒə(r)/ *n* فرصت، مجال
at one's leisure سرِ فرصت، هنگام فراغت
at leisure فرصت‌دار، فارغ، بیکار
leisure hours ساعت فراغت یا بیکاری
leisurely *adv,adj* سرفرصت (انجام شده)
lemon /ˈlemən/ *n* لیموترش
lemon squash شربت آبلیمو
lemonade /ˌleməˈneɪd/ *n* لیموناد، شربت آبلیمو
lemon-juice /ˌlemən ˈdʒu:s/ *n* آبلیمو
lemur /ˈli:mə(r)/ *n* میمون پوزدراز (در ماداگاسکار)
lend /lend/ *vt* [lent] وام دادن، قرض دادن، عاریه دادن [lend a book] ، اجاره دادن
lend assistance کمک دادن
lend a hand کمک کردن
lending library کتابخانه عمومی
It lends itself to that purpose به‌درد آن کار می‌خورد
lender *n* قرض‌دهنده
length /leŋθ/ *n* درازا، طول؛ قد؛ اندازه؛ تکه، قطعه؛ قواره
10 metres in length به‌طول ده متر
length of time مدت، طول زمان
keep a person at arm's length از کسی دوری کردن، از کسی فاصله گرفتن
He fell his length. نقش زمین شد.
He went to the length of saying... (دامنه سخن را) بدانجا کشید که گفت...، حتی گفت...
at length به تفصیل؛ بالاخره
at full length به تفصیل؛ دراز کشیده
dress length قواره
He went all lengths. هر کاری که می توانست بکند کرد.
lengthen /ˈleŋθən/ *vt,vi* ۱.دراز کردن؛ طولانی کردن ۲.دراز شدن
lengthily *adv* مفصلاً
lengthiness *n* درازی، تفصیل
lengthwise /ˈleŋθwaɪz/ *adv* از درازا، از طول
lengthy *adj* مطوّل، مفصل؛ پرگو
lenience;leniency /ˈli:nɪəns; -ənsɪ/ *n* نرمی، مُدارا، ملایمت، آسان‌گیری، ارفاق
lenient /ˈli:nɪənt/ *adj* آسان‌گیر، بامدارا، ملایم؛ نرم، سبک، خفیف
leniently /ˈli:nɪəntlɪ/ *adv* به نرمی، با مدارا
lenity /ˈlenɪtɪ/ *n* ملایمت، مدارا؛ رحم
lens /lenz/ *n* عدسی، شیشه عدسی

lent /lent/ [*p,pp of* lend]

Lent /lent/ *n* چلهٔ روزه و پرهیز در نصارا

lentil /'lentl/ *n* عدس، مرجمک

leonine /'lɪənaɪn/ *adj* به‌شکل شیر، مانند شیر

leopard /'lepəd/ *n* پلنگ

leper /'lepə(r)/ *n* مبروص؛ جذامی

leprosy /'leprəsɪ/ *n* جذام؛ بَرَص

leprous /'leprəs/ *adj* مبروص؛ جذامی

lese-majesty /ˌleɪz'mædʒesteɪ US: ˌli:z'mædʒɪstɪ/ *n* خیانت (به پادشاه یا دولت)

lesion /'li:ʒn/ *n* تغییرِ جسمی (در بافتها)؛ زیان، خسارت

less /les/ *adj,n,adv,prep* [*comp of* little *or* small] ۱.کمتر؛ کوچکتر، خردتر ۲و۳.کمتر ۴.منها، منهایِ، (فلان‌قدر) کم

less in size کوچکتر، خردتر

in less than no time خیلی زود

none the less با این حال، با وجود این

much less (*or* still less) تا چه رسد

more or less کم یا بیش

a year less 5 days یک‌سال ۵ روز کم

lessee /le'si:/ *n* اجاره‌دار، مستأجر

lessen /'lesn/ *vi,vt* ۱.کم(تر) شدن؛ کوچک(تر) شدن ۲.کم(تر) یا کوچک(تر) کردن؛ کم گرفتن

lesser /'lesə(r)/ *adj* کمتر؛ کوچکتر

the Lesser Bear دُب اصغر

lesson /'lesn/ *n,vt* ۱.درس؛ [مجازاً] عبرت؛ سرزنش ۲.درس (عبرت) دادن؛ سرزنش کردن

lessor /'lesɔ:(r)/ *n* موجر

lest /lest/ *conj* مبادا؛ [با fear] که

I feared lest I might wake him ترسیدم (که) او را بیدار کنم

let /let/ *vt,vi* [let] *,n* ۱.گذاشتن، اجازه دادن؛ رها کردن، ول کردن؛ اجاره دادن، واگذار کردن [گاهی با out] ۲.به اجاره رفتن ۳.اجاره

house to let خانهٔ اجاره‌ای

Let us play (بیایید) بازی کنیم

Let it be بگذارید باشد، باشد

let alone به حال خود واگذاردن

Let alone... (فلان‌چیز هم) به‌کنار، (آن هم) هیچ

let by اجازهٔ رد شدن دادن (به)

let blood رگ زدن، خون گرفتن

let down پایین کردن؛ (پایین) انداختن؛ [مجازاً] روی (کسی را) زمین انداختن، مأیوس کردن

let someone down gently به تدریج و تدبیر خواهش کسی را رد کردن

let fall انداختن؛ رسم کردن

let fly پرتاب کردن

let go رها کردن؛ مرخص کردن، آزاد کردن [گاهی با of]

let in اجازهٔ دخول دادن (به)؛ مغبون کردن

let in for... گرفتار یا دچارِ ... کردن

Let me know به من اطلاع دهید

let loose ول کردن، آزاد کردن

let off در کردن، خالی کردن؛ رد کردن، روان ساختن؛ بخشیدن

let out اجازهٔ بیرون آمدن دادن (به)؛ خالی کردن؛ آشکار ساختن؛ گشاد کردن؛ اجاره دادن؛ مشت پراندن؛ تندی کردن

let drop a hint حرفی زدن، اشاره‌ای کردن، به‌کنایه گفتن

Let go of my hand دستم را ول کن

let slip ول کردن، آزاد کردن؛ از دست دادن (فرصت)

let up *Col,US* ایستادن، بازایستادن [مثلاً در گفتگوی از باران]

get a let for one's house مستأجر برای خانه خود پیدا کردن

let /let/ *n, Arch* مانع

lethal /'li:θl/ *adj* مرگ‌آور

lethal chamber اتاق راحت کشتن جانوران

lethargic /lə'θɑ:dʒɪk/ *adj* چرتی، خواب‌آلوده؛ بی‌حال

lethargy /'leθədʒɪ/ *n* خواب‌آلودگی؛ مرگِ کاذب؛ [مجازاً] بی‌علاقگی؛ بی‌حالی، سنگینی

lethe /'li:θi:/ *n* فراموشی

letter /'letə(r)/ *n* نامه؛ حرف [جمع = حروف]؛ سند، نوشته؛ [در جمع] ادبیات؛ [مجازاً] نصّ، لفظ

letter of advice آگهی(نامه)

letter of invitation دعوت‌نامه

to the letter حرف به حرف؛ دقیقاً

man of letters ادیب؛ دانشمند

letter-box /'letəbɒks/ *n* صندوق پست

letter-card /'letəkɑ:d/ *n* کاغذ پستی که بی‌پاکت می‌فرستند، کاغذ کارت‌نما

lettered /'letəd/ *adj* باسواد؛ ادیب

letterhead /'letəhed/ *n* کاغذ مارک‌دار

letter-perfect /ˌletə 'pɜ:fɪkt/ *adj* کاملاً از بر

letterpress /'letəpres/ *n* مواد چاپ شده بجز عکس؛ نوشته مربوط به عکسها

letter-weight /'letəweɪt/ *n* وزنه (کاغذگیر)

letter-writer /'letəraɪtə(r)/ *n* راهنمایِ نامه‌نگاری؛ نامه‌نویس

letter-writing /'letəraɪtɪŋ/ *n* نامه‌نگاری
lettuce /'letɪs/ *n* کاهو
leucorrhoea /lu:kə'ri:ə/ [پزشکی] لوکوره، ترشح مادهٔ سفید چسبناک از مهبل
Levant /lɪ'vænt/ *n* کرانهٔ خاور مدیترانه
levee /'levɪ/ *n* سلام عام، بار عام (برای مردان)
 hold a levee بار عام دادن
levee /'levɪ/ *n,US* خاکریز، بند، سدّ
level /'levl/ *n,adj* ۱.تراز؛ سطح ۲.هموار؛ مسطح؛ همتراز، برابر، همپایه، هم‌شأن، همسر؛ یکنواخت، یکدست
 spirit level تراز الکلی
 on a level در یک تراز، برابر
 on the level *Col* درست و حسابی
 level land زمین هموار، جلگه
 level crossing گذرگاه هموار
 one's level best منتهای کوشش
level /'levl/ *vt* [-led] تراز کردن، میزان کردن، برابر کردن؛ مسطح کردن؛ نشان کردن
 level with the ground با خاک یکسان کردن
lever /'li:və(r)/ *n,vt* ۱.اهرُم؛ دسته، میله؛ دیلم ۲.اهرم کردن
leverage /li:vərɪdʒ/ *n* طرز به‌کار بردنِ اهرُم؛ سود مکانیکی اهرم؛ دستگاه اهرمی؛ [مجازاً] وسیله، نفوذ، نیرو
leviathan /lɪ'vaɪəθn/ *n,Heb* جانور بزرگ دریایی؛ آدم پرزور؛ کشتیِ بزرگ
levitation /,levɪ'teɪʃn/ *n* پرواز [در عالم خواب]
Leviticus /lɪ'vɪtɪkəs/ *n* سِفر لاویان
levity /'levətɪ/ *n* سبکی، رفتار سبک؛ خفت مزاج، دمدمی مزاجی
levy /'levɪ/ *n,vt* ۱.مالیات(بندی)؛ تحمیل؛ سربازگیری؛ صورت مشمولین ۲.بستن، وضع کردن (مالیات)؛ جمع‌آوری کردن، وصول کردن؛ به زور گرفتن؛ گرفتن (سرباز)
 capital levy قسمتی از ثروت کشور که جبراً توسط دولت گرفته می‌شود
 levy on a person's property به منظور تأمینِ مدعابه دارایی کسی را توقیف کردن، تأمین مدعابه کردن
 levy war تدارکات برای جنگ دیدن
lewd /lju:d US: lu:d/ *adj* هرزه، شهوت‌پرست؛ ناپاک
lewdness *n* هرزگی، شهوت‌پرستی
lexicographer /,leksɪ'kɒgrəfə(r)/ *n* لغت‌نویس، فرهنگ‌نویس
lexicography /,leksɪ'kɒgrəfɪ/ *n* لغت‌نویسی، فرهنگ‌نویسی
lexicology /,leksəkɒlədʒɪ/ *n* علم لغت، واژگان‌شناسی
lexicon /'leksɪkən/ *n* فرهنگ یا قاموس [به‌ویژه برای عبری یا عربی یا یونانی]
liability /,laɪə'bɪlətɪ/ *n* بدهی؛ مسئولیت، تعهد؛ آمادگی؛ استعداد
 liability to disease استعداد ناخوشی
 liability for military service مشمولیت برای خدمت نظام وظیفه
liable /'laɪəbl/ *adj* مسئول؛ مشمول؛ محکوم؛ در معرض، محتمل؛ سزاوار
 liable for damages مسئول خسارت
 liable to fine مشمول جریمه
 He is liable to become sick مستعد یا آمادهٔ ناخوش شدن است
liaison /lɪ'eɪzn US: 'lɪəzɒn/ *n,Fr* رابطهٔ نامشروع؛ بستگی؛ سفت‌شدگی
 liaison officer مأمور (یا افسر) رابط
liar /'laɪə(r)/ *n* (آدم) دروغگو
libation /laɪ'beɪʃn/ *n* ریختن شراب به نشانه هدیه به خدایان
libel /'laɪbl/ *vt* [-led] توهین کردن به؛ هجونامه یا توهین‌نامه (برای کسی) چاپ کردن
libel /'laɪbl/ *n* هجو؛ افترا، توهین
 a libel upon مایهٔ بی‌آبروییِ
libellous /'laɪbələs/ *adj* بدنام کننده
liberal /'lɪbərəl/ *adj,n* ۱. بلندنظر، آزاداندیش؛ بخشنده؛ بی‌تعصب؛ روشنفکر؛ آزاد(ی خواه)؛ لیبرال؛ کافی، زیاد؛ سخاوتمندانه ۲.عضو حزب آزادیخواه
 be liberal with one's money زیاد پول خرج کردن
 liberal education آموزش و پرورشی که برای روشن کردن فکر باشد نه برای مقاصد پیشه‌ای یا فنی
liberalism /'lɪbərəlɪzəm/ *n* اصول آزادگی و آزادفکری، آزادیخواهی، لیبرالیسم
liberality /,lɪbə'rælətɪ/ *n* آزادگی، آزاداندیشی؛ بی‌غرضی، بی‌تعصبی؛ بخشندگی
liberalize /'lɪbrəlaɪz/ *vt* دارای فکر آزاد و روشن کردن؛ آزادیخواه کردن
liberate /'lɪbəreɪt/ *vt* آزاد کردن
liberation /,lɪbə'reɪʃn/ *n* آزادسازی؛ آزادی
liberator /'lɪbəreɪtə(r)/ *n* آزادکننده، آزادی‌بخش
libertine /'lɪbəti:n/ *n* آدم افسارگسیخته؛ رند

liberty /'lɪbətɪ/ *n* آزادی؛ اختیار؛ ترک آداب در نتیجه خودمانی شدن
liberty of conscience آزادی عقیده یا فکر
liberty of the press آزادی مطبوعات
I have the liberty to say that اجازه می‌خواهم بگویم
at liberty آزاد؛ مجاز
set at liberty آزاد کردن
take liberties with a woman زیاد با زنی خودمانی رفتار کردن و روی خود را به او باز کردن
librarian /laɪ'breərɪən/ *n* کتابدار
library /'laɪbrərɪ/ *n* کتابخانه
libretto /lɪ'bretəʊ/ *n,It* [*pl* -ti] اشعار اُپرا
Libyan /'lɪbɪən/ *adj,n* اهل لیبی
lice /laɪs/ [*p of* louse]
licence /'laɪsns/ *or* **-cense** *n* اجازه؛ پروانه، جواز؛ سوءاستفاده از آزادی، افسارگسیختگی
poetic licence ضرورت شعری
license /'laɪsns/ *vt* اجازه دادن (به)، پروانه دادن (به)
licensee /ˌlaɪsən'si:/ *n* پروانه‌دار، صاحب جواز
licentiate /laɪ'senʃɪət/ *n* دارندهٔ پروانه یا جواز یا گواهینامه؛ لیسانسیه
licentious /laɪ'senʃəs/ *adj* هرزه، شهوتران؛ ناشی از هرزگی
lichen /'laɪkən/ *n* گلسنگ
lick /lɪk/ *vt,n* ۱.لیسیدن؛ فرا گرفتن [با up]؛ [در گفتگو] عقب گذاشتن ۲.لیس، لیسه؛ لیسه‌گاه نمکی
lick into shape صاف کردن، از ناهنجاری درآوردن، سروصورت دادن
lick the dust زمین خوردن؛ مردن
give oneself a lick and a promise گربه شور کردن
at full lick به‌سرعت تمام
licorice /'lɪkərɪs/ *n* = liquorice
lictor /'lɪktə(r)/ *n* [در تاریخ روم] تبردار، مأمور اجرا، یساوُل
lid /lɪd/ *n* سر، در، سرپوش؛ پلک
lie /laɪ/ *n,vi* ۱.دروغ ۲.دروغ گفتن
a white lie دروغ مصلحت‌آمیز یا تعارف‌آمیز؛ دروغ کوچک و بی‌ضرر
give a person the lie; give the lie to a person کسی را به دروغگویی متهم‌کردن
lie away با دروغگویی از دست دادن
lie /laɪ/ *vi* [lay;lain], *n* ۱.دراز کشیدن، خوابیدن؛ افتادن؛ ماندن؛ واقع شدن (یا بودن)، قرار گرفتن؛ وارد بودن (ایراد و غیره)؛ مدفون بودن ۲.وضع طبیعی، موقعیت
lie down خوابیدن؛ راحت کردن
lie on the face دَمَر خوابیدن
lie on the back بر پشت خوابیدن، طاقباز خوابیدن
lie on the table از دستور خارج شدن
It lies on the east of... در خاورِ ... واقع (شده) است.
The difference lies in this that... تفاوت در این جا است که...
The rest lies with you. باقیِ آن با خودتان است.
As far as in me lies تا آنجاکه در توانِ من است
In order to find how the land lies برای اینکه ببینم در روی چه پاشنه‌ای می‌گردد
lie in of زاییدن
lie low خود را به‌موش‌مردگی زدن
lie over معوق ماندن، موکول ماندن
lie down under تحمل کردن
lie up خوابیدن [به علت کسالت]؛ از کار افتادن
You must lie on the bed you have made خود کرده را تدبیر نیست، بچه‌ای راکه زاییده‌ای بزرگ‌کن
lief /li:f/ *adv* با میل، به‌طیب خاطر
liege /li:dʒ/ *n,adj* ۱.تیول‌دار، ارباب؛ رعیت ۲.شایستهٔ اربابی؛ موظف به خدمتگذاری
liegeman /'li:dʒmən/ *n* [-men] رعیت جان نثار، بیعت‌کننده
lien /lɪən/ *n* حق حبس، حق گروکشیِ ملک در برابر بستانکاری
lien on goods حق حبس کالا
lieu /lu:/ *n*
in lieu of به جایِ، در عوضِ
Lieut /lu:t/ = Lieutenant
lieutenant /lef'tenənt US: lu:'t-/ *n* ستوان؛ نایب، وکیل؛ [نیروی دریایی] ناوبان
lieutenant colonel سرهنگ دوم؛ ناخدا دو
lieutenant governor بخشدار، نایب‌الحکومه
lieutenant-general /lef'tenənt 'dʒenrəl/ *n* سپهبد
life /laɪf/ *n* [lives] جان؛ زندگی، حیات؛ روح؛ نیرو؛ عمر؛ مدت، دوام؛ شرح زندگی، تذکره
a matter of life and death موضوع حیاتی و مماتی
restore to life زنده کردن
for one's life از بیم جان
Upon my life به جان خودم (سوگند)

single life انفراد، تجرّد

married life زندگی زناشویی، تأهل

live a long life عمر دراز کردن

for life مادام‌العمر

to the life با کمال دقت

take one's own life خودکشی کردن

I had the time of my life (Sl) به قدر یک عمر خوش گذراندم

life imprisonment حبس ابد

life interest [حقوق] عُمریٰ

lifebelt /'laɪfbelt/ *n* کمربند نجات

life-blood /'laɪfblʌd/ *n* خونی که لازمهٔ زندگیست؛ [مجازاً] نیرو

lifeboat /'laɪfbəʊt/ *n* قایق نجات

life-buoy /'laɪfbɔɪ/ *n* گویهٔ شناور؛ کمربند نجات

lifeguard /'laɪfgɑ:d/ *n* نگهبان، گارد؛ نجات غریق

life-jacket /'laɪf dʒækɪt/ *n* جلیقهٔ نجات

lifeless *adj* بی‌جان، بی‌روح؛ بی‌آبادی

lifelike /'laɪflaɪk/ *adj* زنده‌نما، واقع‌نما

lifeline /'laɪflaɪn/ *n* طناب نجات

lifelong /'laɪflɒŋ/ *adj* برابر با یک عمر، همیشگی

life-preserver /'laɪf prɪzɜ:və(r)/ *n* چماقِ تەسربی؛ وسیله نجات (از قبیل جلیقهٔ نجات و غیره)

life-size(d) /'laɪf saɪz(d)/ *adj* قدّی، تمام قد، به‌اندازهٔ خودِ آدم زنده، تمام قد

a life-sized picture عکس تمام قد

lifetime /'laɪftaɪm/ *n* عمر، مدت زندگی

lift /lɪft/ *vt,vi,n* ۱.بلند کردن؛ بالا بردن؛ دزدیدن؛ برچیدن (خیمه)؛ کندن ۲.بالا آمدن، بلند شدن ۳.آسانسور؛ (عمل) بلند کردن سواری؛ خیز، درجهٔ بلندی

lift up one's eyes چشم خود را بلند کردن، بالا نگریستن

give one a lift کسی را سواری دادن یا سوار کردن؛ کسی را دستگیری کردن

ligament /'lɪgəmənt/ *n* رَباط

ligature /'lɪgətʃə(r)/ *n,vt* ۱.(شریان) بند ۲.بستن؛ به‌هم پیوستن

light /laɪt/ *n,adj* ۱.روشنایی، نور؛ چراغ؛ آتش سیگار؛ روزنه، دریچه؛ [مجازاً] روشنی، تنویر؛ لحاظ، جنبه، نظر؛ [در جمع] استعداد ۲.روشن [light blue]

see the light چشم به‌دنیا گشودن

stand in one's light جلو روشنایی یا ترقی کسی را گرفتن

in a good light روشن، پیدا

bring to light روشن کردن، معلوم کردن

throw light upon روشن کردن، کمک به توضیح (چیزی) کردن

in the light of از لحاظِ؛ نظر به؛ به کمکِ

the light of one's countenance حسن‌نظر؛ موافقت؛ خوش‌بینی [گاهی به طعنه]

strike a light کبریت زدن

light and shade سایه روشن

high lights روشن‌ترین قسمتهای تصویر

light /laɪt/ *vt,vi* [lit *or* lighted] ۱.روشن کردن؛ آتش زدن (سیگار) ۲.روشن شدن، منور شدن

light up سیگار آتش کردن؛ چراغ(های) خانه یا خیابان را روشن کردن

lighting-up time موقع قانونی روشن کردن چراغهای وسایل نقلیه

light /laɪt/ *adj,adv* سبک؛ آهسته

light expense هزینه کم، خرج جزئی

light woman زن سبک یا بی‌عفت

light sleeper کسی که خوابش سبک است

light heart دلِ امیدوار، امیدواری

light of foot سبک پا، تندرو

make light of سبک گرفتن

light /laɪt/ *vi* [lit *or* lighted] فرود آمدن، پایین آمدن؛ وارد آمدن، رسیدن؛ [با on] تصادفاً دیدن

light-armed /,laɪt 'ɑ:md/ *adj* سبک اسلحه

lighten /'laɪtn/ *v* سبک کردن؛ سبک شدن؛ آسوده کردن؛ آسوده شدن

lighten /'laɪtn/ *v* روشن کردن؛ روشن شدن

lighter /'laɪtə(r)/ *n,vt* ۱.فندک؛ قایق باری ۲.با قایق باری حمل کردن

light-fingered /,laɪt 'fɪŋgəd/ *adj* چابک‌دست؛ کف‌زن؛ تردست

light-footed /,laɪt 'fʊtɪd/ *adj* چابک، سبک‌پا

light-handed /,laɪt 'hændɪd/ *adj* ماهر، تردست

light-headed /,laɪt 'hedɪd/ *adj* گیج، بی‌فکر

light-hearted /,laɪt 'hɑ:tɪd/ *adj* بی‌غم؛ امیدوار

lighthouse /'laɪthaʊs/ *n* فانوس دریایی

lightly *adv* به‌سبکی؛ آهسته؛ کم [eat lightly]؛ به‌چابکی؛ با خونسردی؛ خوشدلانه؛ بی‌جهت

light-minded /,laɪt 'maɪndɪd/ *adj* سبک‌مغز، سبک

lightness *n* سبکی؛ کمی؛ آهستگی؛ چابکی؛ خوشدلی

lightning /'laɪtnɪŋ/ *n* برق، آذرخش
lightning-rod /'laɪtnɪŋ rɒd/ *or*
-conductor *n* برق‌گیر، میل برق‌گیر
lights /laɪts/ *npl* شُش گوسفند یا خوک که به سگ و گربه می‌خورانند؛ جگر سفید
lightship /'laɪtʃɪp/ *n* شناورِ چراغ‌دار
lightsome /'laɪtsəm/ *adj* خوشدل، شوخ؛ چابک، سبک؛ ظریف
lightweight /'laɪtweɪt/ *adj* سبک‌وزن
lignite /'lɪgnaɪt/ *n* زغال‌سنگِ چوب‌نما
likable /'laɪkəbl/ *adj* دوست داشتنی
like /laɪk/ *vt* دوست‌داشتن، میل‌داشتن
I should like to know میل داشتم بدانم، می‌خواستم بدانم
How do you like it? آیا از آن خوشتان می‌آید؟
As you like هرجور میل شما باشد
likes *(n)* **and dislikes** آنچه شخص بدانها مایل یا از آنها بیزار است، حب و بغض
like /laɪk/ *prep,adj,n* ۱.مانندِ، مثلِ، شبیه به، چون؛ به اندازهٔ، به قدرِ؛ درخورِ ۲.همانند، متشابه؛ شبیه، مانند خود آدم؛ همجنس ۳.مانند، مثل، نظیر
like that این‌طور، این‌جور
in like manner همین‌طور، به همین نحو
more *(or* **most) like** شبیه‌تر(ین)
What is it like? چه جور چیزی است؟
Something like 100 rials حدود صدریال
I do not feel like working. حال (یا حوصلهٔ) کار کردن ندارم.
Don't do the like! چنین کاری را نکنید!
and the like و مانند آن، و امثال آن
like /laɪk/ *conj* = as چنان‌که، به‌طوری که
likelihood /'laɪklɪhʊd/ *n* احتمال
in all likelihood احتمال کلی دارد، به احتمال قوی
likely /'laɪklɪ/ *adj* محتمل؛ راست‌نما
It is not likely he will come احتمال ندارد (که) بیاید
a likely boy یک‌بچه خوش‌آتیه
liken /'laɪkən/ *vt* تشبیه کردن
likeness /'laɪknɪs/ *n* شباهت؛ شکل، شبیه
likewise /'laɪkwaɪz/ *adv,conj* ۱.همان‌طور ۲.نیز، همین‌طور هم
liking /'laɪkɪŋ/ *n* میل، تمایل؛ ذوق
have a liking for میل داشتن (به)
lilac /'laɪlək/ *n* یاس کبود، یاس درختی (یا شیروانی)؛ بنفش کمرنگ
liliaceous /ˌlɪli:'eɪʃəs/ *adj* سوسنی، زنبقی

Liliputian /ˌlɪlɪ'pju:ʃn/ *adj* کوتوله؛ قدکوتاه
lilt /lɪlt/ *v,n* ۱.سراییدن؛ به‌طور موزون خواندن ۲.سرود موزون
lily /'lɪlɪ/ *n* سوسن؛ زنبق
lily of the valley سوسن
limb /lɪm/ *n* اندام، عضو [دست یا پا]؛ [در گفتگو] بچهٔ شیطان
escape with life and limb جان‌سالم به‌در بردن
limber /'lɪmbə(r)/ *n,vt* ۱.پیش قطار ۲.به‌پیش قطار بستن (توپ)
limber /'lɪmbə(r)/ *adj,v* ۱.نرم، انحناپذیر ۲.نرم کردن، نرم شدن
limbo /'lɪmbəʊ/ *n* کنار دوزخ، اعراف؛ (جای) فراموشی و غفلت
lime /laɪm/ *n,vt* ۱.آهک؛ چسب، کشمشک ۲.با آهک کود دادن؛ چسب زدن؛ به‌وسیله چسب گرفتن [پرنده]
lime /laɪm/ *n* لیموترش، لیموی عمانی
lime-burner /'laɪm bɜ:nə(r)/ *n* آهک‌پز
limejuice /'laɪmdʒu:s/ *n* آبلیمو
lime-kiln /'laɪm kɪln/ *n* کورهٔ آهک‌پزی
limelight /'laɪmlaɪt/ *n* روشناییِ سفید که از داغ کردنِ آهک به‌دست می‌آید و برای روشن کردن (قسمتی از) صحنه نمایش به کار می‌رود، روشنایی صحنه؛ [مجازاً] شهرت [با the]
limestone /'laɪmstəʊn/ *n* سنگ آهک
lime-twig /'laɪm twɪg/ *n* شاخهٔ چسب‌دار؛ دام
limit /'lɪmɪt/ *n,vt* ۱.حد [جمع = حُدود]؛ پایان؛ اندازه، وسعت ۲.محدود کردن؛ منحصر کردن
There is no limit to it حد ندارد، حدی برای آن متصور نیست
within limits به اعتدال
within the limits of در حدودِ
limitation /ˌlɪmɪ'teɪʃn/ *n* تحدید؛ محدودیت؛ شرط؛ حد؛ مرور زمان
limited *ppa* محدود
limited monarchy (سلطنت) مشروطه
limited liability company شرکت با مسئولیت محدود
limitless *adj* بی‌حد، بی‌پایان
limn /lɪm/ *vt,Arch* تصویر کردن
limousine /'lɪməzi:n/ *n* لیموزین
limp /lɪmp/ *vi* لنگیدن؛ سکته داشتن
limp /lɪmp/ *adj* نرم، خم‌شو؛ [مجازاً] سست
limpet /'lɪmpɪt/ *n* جانور نرم‌تنی که به خاره‌ها می‌چسبد، صدف کوهی
limpid /'lɪmpɪd/ *adj* زلال، صاف؛ روشن

limpidity /lɪm'pɪdətɪ/ *n* زلالی، روشنی
limpingly *adv* لنگان‌لنگان
limy /'laɪmɪ/ *adj* آهکی؛ چسبناک
linchpin /'lɪntʃpɪn/ *n* میخ محور، میخ آسه
linden /'lɪndən/ *n* زیرفون
line /laɪn/ *n,vt,vi* ۱.خط؛ سطر؛ بند، ریسمان؛ سیم؛ لوله؛ فرد یا مصراع؛ صف؛ قطار، ردیف؛ رشته؛ [در جمع] زمینه، حدود، طرح؛ سرنوشت؛ دودمان، نسب؛ رویه، طرز فکر؛ یک سِری جنس ۲.خط کشیدن، خط زدن؛ در صف آوردن [با up]؛ تراز کردن ۳.در صف آمدن [با up]
in line موافق، مطابق
come (*or* fall) into line در صف آمدن؛ [مجازاً] موافقت کردن
all along the line در امتداد تمامی خط؛ [مجازاً] در همه جا (کامیاب)
drop someone a line دو کلمه (یا دو سطر) کاغذ برای کسی نوشتن
by rule and line با دقت
draw the line (somewhere) حدود کار را معلوم کردن
draw the line at امتناع کردن از
read between the lines معنی پوشیدهٔ نوشته یا سخنی را دریافتن
hard lines سختی، بدبختی
line /laɪn/ *vt* آستر کردن
line one's purse (*or* pocket) جیب خود را پر کردن
lineage /'lɪnɪɪdʒ/ *n* دودمان، نسب
lineal /'lɪnɪəl/ *adj* (واقع در خط) عمودی، پشته‌ای، شجره‌ای؛ موروثی
lineament /'lɪnɪəmənt/ *n* نشانِ ویژه، خط، طرح(بندی)، سیما، [در جمع] خطوط چهره
linear /'lɪnɪə(r)/ *adj* خطی؛ طولی
linear metre متر طولی، متر کرباسی
linear measure مقیاس طول
lineman /'laɪnmən/ *n* [-men] مأمور خطوط آهن، مأمور خطوط هوایی تلفن
linen /'lɪnɪn/ *n* کتان؛ رختِ شستنی [پیراهن و زیرشلواری و مانند آن]
wash one's dirty linen in public نزاعهای خانگی را برملا کردن
liner /'laɪnə(r)/ *n* کشتیِ بخار (که وابسته به یک رشته کشتیهای مسافری باشد)
linesman /'laɪnzmən/ *n* [-men] مأمور خطوط آهن، مأمور خطوط هوایی تلفن؛ [در فوتبال] خط‌نگهدار
line-up /'laɪn ʌp/ *n* صف ترتیب جای بازیکنان؛
linger /'lɪŋgə(r)/ *vi* درنگ کردن؛ تأخیر کردن؛ لنگ کردن؛ دیر (راه) رفتن؛ فس‌فس کردن؛ طول کشیدن
lingo /'lɪŋgəʊ/ *n* [-es] زبان بیگانه
lingua franca /,lɪŋgwə 'fræŋkə/ *n* زبان آمیخته
lingual /'lɪŋgwəl/ *adj* زبانی، ذولقی
linguist /'lɪŋgwɪst/ *n* زبان‌شناس
linguistic /lɪŋ'gwɪstɪk/ *adj* زبانی؛ مربوط به زبان‌شناسی
linguistics *n* زبان‌شناسی
liniment /'lɪnɪmənt/ *n* مرهم رقیق
lining /'laɪnɪŋ/ *n* آستر؛ [در ماشین] لنت
link /lɪŋk/ *n,vt,vi* ۱.حلقهٔ زنجیر؛ دکمهٔ سردست؛ [مجازاً] رابطه، وسیلهٔ پیوند ۲.به‌هم پیوستن؛ مربوط ساختن؛ جفت کردن ۳.متصل شدن
link one's arm in another's دست در دست دیگری انداختن
link /lɪŋk/ *n* مشعل
links /lɪŋks/ *n* زمین‌بازی گلف
linn /lɪn/ *n* ۱.آبشار یا حوضچه‌ای که زیر آن درست می‌شود ۲.ravine
lino /'laɪnəʊ/ *n* [مختصرِ linoleum]
linoleum /lɪ'nəʊlɪəm/ *n* مشمع‌فرشی، مشمع کف اتاق
linotype /'laɪnətaɪp/*n* نوعی ماشین‌حروف‌چینی
linseed /'lɪnsi:d/ *n* بَزرَک، بذرکتان
linsey-woolsey /'lɪnzɪ 'wʊlzɪ/ *n* نوعی پارچه پشم و نخ یا پشم و کتان
lint /lɪnt/ *n* تنزیب؛ پارچهٔ زخم‌بندی، کهنه
lintel /'lɪntl/ *n* نعل درگاه، کف طاق، تیر سردر، سنگ سردر
lion /'laɪən/ *n* شیر؛ برج اسد
lion's share بزرگترین یا بهترین بخش
lioness *n* ماده شیر؛ [مجازاً] شیرزن
lion-hearted /,laɪən 'hɑ:tɪd/ *adj* شیردل
lionize /'laɪənaɪz/ *vt* دور (کسی) را گرفتن، شهرت برای (کسی) قایل شدن
lip /lɪp/ *n* لب؛ لبه؛ [زبان عامیانه] بی‌شرمی
curl one's lip با جمع کردن لب کسی را مسخره کردن، دهن‌کجی کردن
hang on a person's lips چشم به‌دهان کسی دوختن و تمام حرفهایش را گوش دادن
lip-deep /'lɪp di:p/ *adj* زبانی، غیرصمیمی
lipoma /lɪ'pəʊmə/ *n* سلعهٔ شحمی، تومور چربی
lip-service /'lɪp sɜ:vɪs/ *n* عبادت زبانی

lipstick *n* ماتیک، روژلب

liquefaction /ˌlɪkwɪˈfækʃn/ *n* گدازش

liquefy /ˈlɪkwɪfaɪ/ *vt,vi* ۱.مایع کردن ۲.مایع شدن

liqueur /lɪˈkjʊə(r) US: -ˈkɜːr/ *n* لیکور

liquid /ˈlɪkwɪd/ *n,adj* ۱.مایع، آبگونه ۲.آبکی؛ شُل؛ روان، سلیس؛ روشن، صاف؛ [مجازاً] قابل تغییر؛ نقدشدنی، قابل تبدیل به پول

liquid measure پیمانهٔ مایعات

liquidate /ˈlɪkwɪdeɪt/ *vt,vi* ۱.واریز کردن، تصفیه کردن؛ پرداختن؛ فارغ شدن از، شرّ (چیزی) را کندن؛ (نزدیک به) پول کردن ۲.حسابهای خود را واریختن، برچیدن

liquidation /ˌlɪkwɪˈdeɪʃn/ *n* واریزی، تصفیه

go into liquidation حساب بدهی‌های خود را واریختن، برچیدن

liquidator /ˈlɪkwɪdeɪtə(r)/ *n* مدیر تصفیه

liquor /ˈlɪkə(r)/ *n* مشروب، نوشابه

liquorice /ˈlɪkərɪs/ *n* شیرین‌بیان

extract of liquorice عصارهٔ شیرین‌بیان

lira /ˈlɪərə/ *n* [lire] لیر [پول ایتالیایی]

lisp /lɪsp/ *vi* حرف (س) یا (ز) را مانند (ث) تلفظ کردن، سر زبانی یا نوک زبانی حرف زدن

lissom(e) /ˈlɪsəm/ *adj* نرم؛ چابک

list /lɪst/ *n,vt* ۱.صورت، فهرست ۲.در صورت نوشتن، فهرست کردن

the free list صورت مجانی‌ها؛ صورت کالاهای بی‌گمرک

list /lɪst/ *n,vi* ۱.یکبر شدگی (کشتی)؛ تمایل؛ میل ۲.یکبر شدن، کج شدن

list /lɪst/ *vt,Arch* خواستن، میل داشتن؛ خوش داشتن

list /lɪst/ *Poet* = listen

listen /ˈlɪsn/ *v* گوش‌دادن؛ گوش‌کردن، پذیرفتن

listen in [رادیو] گوش دادن

listener *n* شنونده

He is not a good listener. شنوندهٔ خوبی نیست. متکلم وحده است.

listless /ˈlɪstlɪs/ *adj* بی‌حال؛ بی‌علاقه

lists /lɪsts/ *npl* میدان مبارزه

lit /lɪt/ [*p,pp of* light] روشن

litany /ˈlɪtənɪ/ *n* دعا یا مناجات تهلیل‌دار

liter /ˈliːtə(r)/ = litre

literacy /ˈlɪtərəsɪ/ *n* سواد

literal /ˈlɪtərəl/ *adj* حرفی؛ تحت‌اللفظی؛ لغوی؛ جدی؛ فاقد قوهٔ تخیل یا ابتکار، تابع لفظ و صورت

literally /ˈlɪtərəlɪ/ *adv* لفظ به لفظ، کلمه به کلمه؛ جداً، بی‌تعارف، بی‌اغراق

literary /ˈlɪtərərɪ/ *adj* آدبی؛ ادیب؛ ادیبانه

literate /ˈlɪtərət/ *adj* باسواد

literature /ˈlɪtrətʃə(r) US -tʃʊər/ *n* ادبیات؛ نوشتجات

lithe /laɪð/ *adj* نرم، انحناپذیر

lithograph /ˈlɪθəgrɑːf/ *n,v* ۱.چاپ سنگی ۲.چاپ سنگی کردن

lithographic print /lɪθəgrɑːfɪk prɪnt/ چاپ سنگی

lithography /lɪˈθɒgrəfɪ/ *n* (فن) چاپ سنگی، لیتوگرافی

lithotomy /lɪˈθɒtəmɪ/ *n* عمل درآوردن سنگ‌مثانه، سنگ درآری، لیتوتومی

Lithuanian /ˌlɪθuːˈeɪnɪən/ *adj* اهل لیتوانی

litigant /ˈlɪtɪgənt/ *n* طرف دعوا

the litigants طرفین دعوا، متداعیین

litigate /ˈlɪtɪgeɪt/ *vi,vt* ۱.دادخواهی کردن، عارض شدن ۲.مورد اعتراض یا دادخواهی قرار دادن

litigation /ˌlɪtɪˈgeɪʃn/ *n* مرافه، دادخواهی

litigious /lɪˈtɪdʒəs/ *adj* مرافعه‌جو؛ متنازع‌فیه

litmus /ˈlɪtməs/ *n* ماده آبی رنگی که چون اسید به آن بزنند قرمز می‌شود، تورنسل

litotes /ˈlaɪtəʊtiːz/ *n* اثباتِ چیزی با نفی متضاد آن چنانکه به‌جای It is a hard task گویند It is no easy task

litre *or* **liter** /ˈliːtə(r)/ *n* لیتر

litter /ˈlɪtə(r)/ *n* تختِ روان؛ برانکار

litter /ˈlɪtə(r)/ *n,vt* ۱.آشغال، چیزهای غیرضروری؛ تخته پهن؛ همه توله‌هایی که سگ یا خوک در یک وهله می‌زاید ۲.روی تخته‌پهن خواباندن [بیشتر با down]؛ ریخته و پاشیده کردن؛ زاییدن

in a litter ریخته و پاشیده

little /ˈlɪtl/ *adj* کوچک [در برابر big]، کوچولو؛ مختصر؛ قدکوتاه؛ بچگانه، پست [برای «کوچکتر» smaller و برای «کوچکترین» smallest باید گفت]

the little ones بچه‌ها، کوچولوها

the little people اجنه

the Little Bear دب اصغر

little /ˈlɪtl/ *adj,adv* [less;least] *,n* ۱.کم ۲.کم، هیچ، ابداً؛ [با a] یک‌کمی، قدری ۳.چیز یا مقدار کم؛ مدت کم

little knowing that غافل از اینکه

Wait a little! یک کمی صبر کنید!

not a little زیاد، بسیار

little by little کم‌کم، اندک‌اندک

what little مقدار کمی که، هرقدر کم
littleness *n* کوچکی
littoral /ˈlɪtərəl/ *adj,n* ۱.ساحلی ۲.زمین ساحلی، دریاکنار
liturgy /ˈlɪtədʒɪ/ *n* آداب‌نماز؛ کتاب‌نماز؛ نماز عشای ربانی
livable /ˈlɪvəbl/ *adj* مناسب برای زندگی؛ قابل معاشرت
live /lɪv/ *vi,vt* ۱.زندگی کردن؛ زیستن؛ زنده بودن؛ گذران کردن؛ منزل داشتن؛ محو نشدن، فراموش نشدن ۲.به‌سر بردن، گذراندن
live to a great age (*or* live to be old) زیاد عمر کردن
live on به زندگی ادامه دادن، باز هم زنده بودن
live down به مرور زمان فراموش کردن
live upon one's wife('s upon earnings) از درآمد زن خود گذران کردن
live up to one's principles موافق مرام خود زیستن، موافق مرام خود رفتار کردن
live up to one's income به اندازهٔ درآمد خود خرج کردن
live in (*or* out) پیش کارفرمای خود غذا خوردن (یا نخوردن)
live a bad life بد زندگی کردن
live out the night شب را به سر بردن، شب را صبح کردن
Long live! زنده باد! پاینده باد!
live /laɪv/ *adj* زنده؛ سرزنده؛ روشن؛ برق‌دار [a live wire]؛ کهنه نشده، قابل توجه؛ عمل نکرده [a live shell]؛ نکنده، بکر؛ دارای جانور؛ آتش نزده [a live match]
livelihood /ˈlaɪvlɪhʊd/ *n* معاش
liveliness *n* سرزندگی؛ چابکی، فعالیت؛ زنده‌دلی؛ روشنی
livelong /ˈlɪvlɒŋ US: ˈlaɪvlɔːŋ/ *adj,Poet*
the livelong night تمامیِ شب، «همه شب»
lively /ˈlaɪvlɪ/ *adj* با روح، زنده، جالب توجه؛ سرزنده، چابک؛ فعال، زنده‌دل؛ روشن [a lively colour]؛ واقع‌نما؛ نشاط‌انگیز
liven /ˈlaɪvn/ *v* با روح کردن؛ با روح شدن؛ فعال کردن؛ فعال شدن [با up]
liver /ˈlɪvə(r)/ *n* جگر (سیاه)، کبد
hot liver طبع شیر خشتی
white liver نامردی، جُبن
liveried /ˈlɪvərɪd/ *adj* اونیفورم پوشیده
liverish /ˈlɪvərɪʃ/ *adj* دُچارِ ناخوشی کبد
livery /ˈlɪvərɪ/ *n* اونیفورم
take up one's livery اونیفورم مستخدمی پوشیدن
livery (stable) اصطبل برای کرایه دادن اسب یا نگهداری اسبهای مردم
liveryman /ˈlɪvərɪmən/ *n* [-men] عضوِ شرکت یا صنفی که لباس مخصوص دارند
livestock /ˈlaɪvstɒk/ *n* دامهای روستایی، چارپایان رعیتی
livid /ˈlɪvɪd/ *adj* سربی رنگ؛ کبود
living /ˈlɪvɪŋ/ *apa,n* ۱.زنده؛ معاصر؛ معمول؛ روشن؛ کامل؛ سرزنده، باروح ۲.زندگی؛ معاش
the living زندگان
within living memory تا آنجا که مردمان زنده (یا معاصر) در یاد دارند
living-room /ˈlɪvɪŋ ruːm/ *n* اتاق نشیمن
lizard /ˈlɪzəd/ *n* بزمجه، مارمولک
llama /ˈlɑːmə/ *n* لاما: نوعی شتر کوچک و بی‌کوهان در امریکای جنوبی
LLD = Doctor of Laws دکتر در حقوق
lo /ləʊ/ *int,Arch* هان، اینک
load /ləʊd/ *n,vt* ۱.بار ۲.بار کردن؛ [تفنگ] پر کردن؛ سنگین کردن؛ جا زدن
loaded with غرقِ، مملو از
loaded dice تاسی که یک سوی آن‌را سنگین کرده باشند، تاس تقلبی
loading *n* بارگیری
breech-loading gun تفنگ ته پر
loadstone /ˈləʊdstəʊn/ *n* آهنربای طبیعی یا معدنی
loaf /ləʊf/ *n* [loaves] گرده نان، قرص
a loaf of sugar یک کله قند
loaf /ləʊf/ *vi,vt* ۱.ولگردی کردن، بیهوده وقت گذراندن ۲.به بطالت گذراندن [با away]
loafer *n* ولگرد
loam /ləʊm/ *n* خاک رُس و شنِ آمیخته با گیاه پوسیده، خاک گلدانی
loamy *adj* آمیخته با خاک رس و شن و مواد گیاهی
loan /ləʊn/ *n,vt* ۱.وام، قرضه، قرض؛ [برای غیر از پول] عاریه؛ اقتباس ۲.وام دادن، قرض دادن، عاریه دادن
on loan به عنوانِ وام، به عنوان قرض
have the loan of وام گرفتن
loath /ləʊθ/ *adj* بی‌میل، بیزار
nothing loath راضی، مایل

loathe /ləʊð/ *vt* نفرت داشتن از، بیزار بودن از، بد دانستن
loathful = loathsome
loathing *n* بیزاری، نفرت
loathsome /'ləʊðsəm/ *adj* نفرت‌انگیز
loaves /ləʊvz/ [*pl of* loaf]
lob /lɒb/ *vi,v* [-bed] ۱.سنگین راه رفتن ۲.[در تنیس یا کریکت] بد زدن گوی به‌طوری که رو به هوا رود
lobby /'lɒbɪ/ *n,vt* ۱.راهرو؛ سرسرایی که نمایندگان در آنجا مردم را ملاقات می‌کنند ۲.بـ دیدن نمایندگان و خواهش لایحه‌ای را گذراندن
lobe /ləʊb/ *n* قسمتِ پهن و گِردی که از چیزی آویخته باشد؛ لخته، پره؛ تکه، قسمت، فص [در گوش] نرمه
lobster /'lɒbstə(r)/ *n* خرچنگ دریایی
lobster-pot /'lɒbstə pɒt/ *n* دام خرچنگ
local /'ləʊkl/ *adj,n* ۱.محلی؛ موضعی؛ داخلی؛ منحصر به یک جا ۲.اخبارِ محلی؛ قطار محلی
local colour شرح زمان و مکان که داستانی را واقع‌نما می‌سازد، صَبغهٔ محلی
localism /'ləʊkəlɪzəm/ *n* اصطلاح یا لهجه محلی؛ آیین محلی، عادات محلی؛ محدودیت فکر
locality /ləʊ'kælətɪ/ *n* محل، موضع؛ مکانِ جغرافیایی؛ جای وقوع
localization /ˌləʊkəlaɪ'zeɪʃn US: -lɪ'z-/ *n* تخصیص به یک جا؛ تمرکز؛ تعیین محل (دارای خصوصیات)
localize /'ləʊkəlaɪz/ *vt* محلی کردن؛ در محل ویژه‌ای متمرکز کردن
locally /'ləʊkəlɪ/ *adv* در محل؛ به‌طور موضعی
locate /ləʊ'keɪt US: 'ləʊkeɪt/ *vt* تعیینِ محل (چیزی را) کردن؛ قرار دادن
Where is that village located?
آن ده در کجا واقع شده است؟
location /ləʊ'keɪʃn/ *n* محل، مکان، موقعیت؛ (تعیین) مسیر یا محل؛ اقامت
loch /lɒk/ *n* [در اسکاتلند] دریاچه
lochia /ləʊki:ə/ *n* [پزشکی] نفاس، ترشح بعد از زایمان
lock /lɒk/ *n,vt,vi* ۱.قفل، قفل مغزی؛ [در تفنگ] وسیلهٔ آتش‌رسانی؛ سد دریچه‌دار برای بالا و پایین بردن کشتی ۲.قفل کردن؛ محکم نگا داشتن ۳.[دندان] قفل شدن، کلید شدن
combination lock قفل رمزی
under lock and key در جای امن (نگهداری‌شده)
lock away در جای قفل شده نگاه‌داشتن
lock in از بیرون در را (روی کسی)بستن
lock out پشت در (یا بیرون) نگاه‌داشتن
lock up در جای امن نگاه داشتن؛ در محلی محصور کردن؛ حبس کردن (سرمایه)
lock /lɒk/ *n* طره (مو)؛ دسته (پشم یا پنبه)
locker /'lɒkə(r)/ *n* کمد (خصوصی)؛ رختکن؛ محفظه؛ [در کشتی] جای نگهداری لباس و اسباب، صندوق
go to (*or* be in) Davy Jones's locker غرق شدن
locket /'lɒkɪt/ *n* قاب فلزی برای نگهداری عکس یا مو و آویختن آن از گردن
lockjaw /'lɒkdʒɔ:/ *n* کلید شدنِ دندانها
lockout /'lɒkaʊt/ *n* بستنِ کارخانه به روی کارگران، تعطیل کار از طرف کارفرما
locksmith /'lɒksmɪθ/ *n* قفل‌ساز
lockup /'lɒkʌp/ *n* بازداشتگاه، زندان
locomotion /ˌləʊkə'məʊʃn/ *n* حرکت از جایی به جای دیگر، نقل؛ نیروی حرکت
locomotive /'ləʊkəməʊtɪv/ *n,adj* ۱.لکوموتیو ۲.مربوط به حرکت؛ متحرک، سیار؛ محرّک
locum tenens /ˌləʊkəm 'ti:nenz;-'tenenz/ *n* جانشین، قایم‌مقام
locus /'ləʊkəs/ *n* [loci /'ləʊsaɪ/] مکان هندسی
locust /'ləʊkəst/ *n* ملخ؛درخت اقاقیا
locution /lə'kju:ʃn/ *n* شیوهٔ سخن‌گویی، عبارت‌سازی؛ عبارت، اصطلاح
lode /ləʊd/ *n* رگه (معدن)
lodestar *or* **load-** /'ləʊdstɑ:(r)/ *n* ستارهٔ قطبی؛ [مجازاً] راهنما
lodestone /'ləʊdstəʊn/ = loadstone
lodge /lɒdʒ/ *n,vt,vi* ۱.منزل، جا؛ اتاق دربان یا باغبان یا نوکر؛ مجمع فراماسون‌ها ۲.جا دادن، منزل دادن؛ پذیرایی کردن (از)؛ سپردن، گذاشتن (پول)؛ قرار دادن ۳.منزل کردن؛ جا گرفتن
Where do you lodge? در خانهٔ کی منزل گرفته‌اید؟
lodge a complaint عرضحال دادن، شکایت کردن، دادخواهی کردن
lodg(e)ment /'lɒdʒmənt/ *n* تسلیم عرضحال؛ جمع شدن کثافت
lodger *n* مستأجر (قسمتی از خانه)
lodging /'lɒdʒɪŋ/ *n* اتاقِ کرایه‌ای، منزل
lodging-house /'lɒdʒɪŋ haʊs/ *n* خانه‌ای که اتاقهای آن به اجاره واگذار می‌شود
loft /lɒft US: lɔ:ft/ *n* اتاق زیرِ شیروانی یا نزدیک سقف؛ جای علف و کاه در نزدیکی سقف؛ طویله؛ ایوان، تالار کلیسا؛ کبوترخان

loftily /'lɒftɪlɪ/ *adv* با مناعت؛ مغرورانه
loftiness *n* بلندی؛ مناعت؛ غرور
lofty /'lɒftɪ US:'lɔ:ftɪ/ *adj* بلند؛ بزرگ؛ مغرورانه؛ عالی (نما)، آب‌وتاب‌دار
log /lɒg US: lɔ:g/ *n* کنده (درخت)؛ [در کشتی] سرعت‌سنج؛ شرح روزانه سفر کشتی
log /lɒg US: lɔ:g/ *vt* [-ged] بریدن و الوار کردن (درختان جنگلی)؛ در دفتر روزنامه دریاپیمایی ثبت کردن
loganberry /'ləʊgənbrɪ US: -berɪ/ *n* نوعی توت که از پیوند تمشک و توت جنگلی به دست می‌آید
logarithm /'lɒgərɪðəm US:'lɔ:g-/ *n* لُگاریتم، انساب
the base of a logarithm پایهٔ لُگاریتم
common logarithm لُگاریتم به‌پایهٔ ۱۰
logbook /'lɒgbʊk/ *n* روزنامهٔ دریاپیمایی؛ دفتر ثبت روزانه
loggerhead /'lɒgehed/ *n* آدم‌کودن
at loggerheads مخالف و دعوایی
logic /'lɒdʒɪk/ *n* (علم) منطق
logical /'lɒdʒɪkl/ *adj* منطقی
logically /'lɒdʒɪklɪ/ *adv* منطقاً
logician /lə'dʒɪʃn/ *n* منطق‌دان،[در جمع] منطقیون
loincloth /'lɔɪnklɒθ/ *n* لُنگ
loins /lɔɪnz/ *npl* کمر؛ صُلب؛ [در صیغه مفرد] گوشت گُرده گوسفند
loiter /'lɔɪtə(r)/ *vi* درنگ کردن، تأخیر کردن؛ تنبلانه راه رفتن
loiter away *(vt)* **one's time** وقت خود را بیهوده گذرانیدن
loll /lɒl/ *vi,vt* ۱.لم دادن، لمیدن؛ بیرون افتادن [با out] ۲.آویختن، (زبان را) بیرون انداختن [با out]
London /'lʌndən/ *n* لندن
London ivy دود ومه لندن
London particular *Col* مه لندنی
Londoner /'lʌndənə(r)/ *n* لندنی
lone /ləʊn/ *adj* تنها، تک؛ دلتنگ
play a lone hand دست تنها (یا بی‌کمک دیگران) کار کردن
loneliness *n* تنهایی؛ دلتنگی
lonely /'ləʊnlɪ/ *adj* تنها، بی‌کس، دلتنگ؛ خلوت، متروک، وحشتناک
lonesome /'ləʊnsəm/ *adj* دلتنگ(کننده)
long /lɒŋ US: lɔ:ŋ/ *adj,adv* ۱.دراز، طولانی؛ [لباس] بلند؛ مفصل؛ قدیم ۲.مدتها؛ مدت زیادی، مدتی

long measure مقیاس درازا
long sight دوربینی
a long custom یک رسم دیرینه
How long is it? طول آن چقدر است؟
It is 2 metres long دومتر است، طول آن دومتر است
3 months long ۳ ماهه
a long arm نفوذ عمیق یا دوررس
long head دوراندیشی و زیرکی
long tongue عادت وراجی
long face لب ولوچهٔ افتاده
make a long nose با گذاشتن شست بر بینی و دراز کردن انگشتان دیگر کسی را مسخره کردن (و او را «دماغ سوخته» خواندن)
be long in doing something کاری را زیاد طول دادن
take long views دوراندیش بودن
long odds تفاوت زیاد در مسابقه
long dozen سیزده تا
long wind درازنفسی؛ طاقت زیاد دویدن
in the long run سرانجام، عاقبت
before long به زودی، به همین زودی
I won't be long طول نخواهم داد، زود بر می‌گردم
It will not take long طولی نخواهد کشید، مدت زیادی نمی‌خواهد
It is long since I finished it خیلی وقت است آن را به پایان رسانده‌ام
for long مدت زیادی، خیلی
the long and the short of it آنچه گفتنی است؛ نتیجه کلی
Long live! زنده باد! پاینده باد!
How long? تا کی، چندوقت، چقدر؟
long ago مدتی پیش، مدت زیادی پیش
not long ago چندی پیش، اخیراً
all day long در تمامِ روز
so long as; as long as مادامی که؛ به شرطی که
He no longer went there (هیچ) دیگر آنجا نرفت
I don't need it any longer دیگر احتیاجی به آن ندارم
at (the) longest منتها
long /lɒŋ US: lɔ:ŋ/ *vi* آرزو داشتن، اشتیاق داشتن
long for something اشتیاق یا آرزوی چیزی را داشتن
longbow /'lɒŋbəʊ/ *n* کمانِ دستی (که اندازه قد تیرانداز است)
draw the longbow اغراق گفتن؛ افسانه جعل کردن

longcloth /'lɒŋklɒθ/ *n* چلوار

longevity /lɒn'dʒevətɪ/ *n* عمر طولانی

longhand /'lɒŋhænd/ *n* [خط] با دست

long-headed /ˌlɒŋ'hedɪd/ *adj* زیرک، دوراندیش

longing /'lɒŋɪŋ US: 'lɔ:ŋɪŋ/ *n,adj* ۱.آرزو، اشتیاق ۲.حاکی از اشتیاق

longish *adj* کمی‌دراز

longitude /'lɒndʒɪtju:d US: -tu:d/ *n* طول جغرافیایی

longitudinal /ˌlɒndʒɪ'tju:dɪnl US: -'tu:dnl/ *adj* طولی؛ مربوط به طول جغرافیایی

long-lived /ˌlɒŋ 'lɪvd/ *adj* معمر، زیاد عمرکرده؛ دیرپاینده

long-shoreman /'lɒŋʃɔ:mən US: 'lɔ:ŋ-/ *n* [-men] کارگر بندری یا ساحلی

long-sighted /ˌlɒŋ 'saɪtɪd/ *adj* دوراندیش

long-sightedness *n* دوراندیشی

long-suffering /ˌlɒŋ'sʌfərɪŋ/ *adj* شکیبا، بردبار

longways /'lɒŋweɪz US: 'lɔ:ŋ-/ = longwise

long-winded /ˌlɒŋ 'wɪndɪd/ *adj* مطوّل؛ پرگو

longwise /'lɒŋwaɪz/ *adv* از درازا، طولاً

loofah /'lu:fə/ *n* لیف (درختی)

look /lʊk/ *vi,vt,n* ۱.نگاه کردن؛ مواظب بودن، ملتفت بودن؛ رو کردن؛ اشاره داشتن؛ به نظر آمدن [look brave] ۲.دیدن؛ نشان دادن، با نگاه فهماندن ۳.نگاه؛ سیما؛ نمود؛ [در جمع] (زیبایی) ظاهر

I look at him به او نگاه می‌کنم

I look to him امید من به او است

look to نظر افکندن به؛ مواظب (چیزی) بودن

look daggers at someone نگاه زهرآلود یا غضب‌آلود به کسی کردن

It looks like rain گویا خیالِ باریدن دارد

look black متغیر به نظر آمدن

It looks as if... چنین می‌نماید که...

look a person in the face توی صورت کسی خیره نگاه کردن

He looks malice بدخواهی (یا سوءِ قصد) از سیمای وی پیدا است

He does not look his age. به اندازهٔ سنش به نظر نمی‌آید.

look oneself again بهبود یافتن

look about به هرسو نگاه کردن

look after مواظبت کردن

look back سرد شدن؛ سرخوردن

look down با نگاه از رو بردن؛ پایین آمدن، ارزان شدن

look down one's nose at someone *Col* با حقارت به‌کسی نگاه کردن، چپ به‌کسی نگاه کردن

look down (up) on حقیر شمردن، پست‌تر از خود دانستن

look for... پیِ ... گشتن

look forward to something انتظار چیزی را داشتن

look into رسیدگی کردن (به)

look on a person with... به دیدهٔ... به کسی نگاه کردن

look in سر زدن، دیدارِ کوتاه کردن

look on تماشا کردن؛ رو به... بودن

look out مواظب بودن؛ منتظر بودن؛ گوش به زنگ بودن

Look out! خبردار! بپا!

look over معاینه کردن، بازرسی کردن؛ صرف‌نظر کردن از

look round جوانب کار را دیدن

Look sharp زود باشید، بجنبید

look through به دقت دیدن

look through and through هی نگاه کردن، برانداز کردن

look up پیدا کردن، نگاه کردن، جستجو کردن؛ احترام گذاردن؛ بالا رفتن، ترقی کردن؛ سرزدن به

look one up and down کسی را برانداز کردن

He was looked upon as a sage او را حکیم می‌شمردند

have a look at نگاه کردن

by the look of it از ظاهر آن

look-in /'lʊk ɪn/ *n* شانس‌بُرد؛ سرکشی، رسیدگی

looker-on /lʊkər 'ɒn/ *n* ناظر، تماشاچی

looking-glass /'lʊkɪŋ glæs/ *n* آیینه، آینه

look-out /'lʊk aʊt/ *n* مراقبت؛ دیدگاه؛ دیدبان؛ چشم‌انداز، دورنما، امید

keep a look-out (*or* **be on the look-out**) **for....** مراقبِ... بودن

It is his own look-out خود او باید مراقب آن باشد، مربوط به خود اوست

loom /lu:m/ *n* کارگاه بافندگی

loom /lu:m/ *vi* از دور نمودار شدن؛ بزرگ و تیره نمودار شدن

loon /lu:n/ *n* نوعی اسفرودِ بی‌دُم، مرغِ غوّاص

loop /lu:p/ *n,vt,vi* ۱.حلقه یا پیچ (در طناب و رسم‌الخط و غیره)؛ گره؛ چرخ؛ مادگی ۲.حلقه کردن ۳.پیچ خوردن، چرخ خوردن؛ حلقه زدن

loop-hole /'lu:phəʊl/ *n* مَزغَل، کلوخ‌انداز؛ سوراخ، روزنه؛ [مجازاً] راه گریز، مفر

loose /lu:s/ *adj* شل؛ لق؛ قابل انتقال؛ [یقه] جدا؛ [لباس] گشاد، آزاد؛ کنده شدنی؛ [پیچ] هرز؛ سست؛ بی‌ربط

of a loose texture شل‌بافت

loose bowels شکمِ روش، لینت

loose tongue دهن لق؛ عادت افشای اسرار

be at a loose end بی‌تکلیف بودن، کار معینی نداشتن

come loose ول شدن، ور آمدن

a loose fish [مجازاً] آدم هرزه

ride with a loose rein عنان اسب را رها کردن؛ [مجازاً] آزادی عمل دادن

work loose هرز شدن

on the loose ول، مشغول کیف

loose /lu:s/ *vt* ول کردن، آزاد کردن؛ شل کردن، هرز کردن؛ لق کردن؛ باز کردن (گره)

loose-fitting /'lu:s 'fɪtɪŋ/ *adj* گشاد

loose-leaf /ˌlu:s 'li:f/ *adj* کلاسوری؛ جدابرگ

loosely *adv* به‌طور شل و وِل؛ آزادانه؛ گشادگشاد؛ [در اصطلاح لغت‌نویسی] با مسامحه، تسامحاً

loosen /'lu:sn/ *vt,vi* ۱.باز کردن؛ شل کردن، لینت دادن؛ سست کردن؛ ول کردن، آزاد کردن ۲.شل شدن؛ باز شدن؛ نرم شدن

looseness *n* شلی؛ لقی؛ آزادی؛ هرزگی؛ بی‌ربطی؛ سستی؛ مسامحه

loot /lu:t/ *n,vt* ۱.اخاذی از دشمن هنگام جنگ، تاراج، غارت ۲.غارت کردن

lop /lɒp/ *vt,vi* [-ped] ۱.تراش کردن، شاخه زدن، قطع کردن [بیشتر با off] ۲.آویزان شدن، ول بودن

lope /ləʊp/ *vi* خیز برداشتن، شلنگ برداشتن

lop-eared /ˌlɒp 'ɪed/ *adj* آویخته گوش

lop-sided /ˌlɒp 'saɪdɪd/ *adj* کوتاه و بلند، بی‌قرینه؛ سبک و سنگین

loquacious /lə'kweɪʃəs/ *adj* پرگو، وراج

loquacity /lə'kwæsətɪ/ *n* وراجی

lord /lɔ:d/ *n* لرد [لقبی است در انگلستان]؛ آقا، ارباب؛ [در جمع] اعیان، اشراف؛ [با L] خداوند

the Lord's prayer دعای ربانی

the Lord's day روز خداوند که به عقیده نصارا یکشنبه است

lord *(vi)* **it** خداوندی یا اختیارداری کردن

I will not be lorded over by him.

زیربارِ بزرگی او نمی‌روم.

lordly /'lɔ:dlɪ/ *adj* مثل یک‌لرد؛ مغرور

lordship /'lɔ:dʃɪp/ *n* لردی، آقایی، بزرگی، خداوندی؛ ملک

Your Lordship *or* **His Lordship**

جناب آقای لرد...

lore /lɔ:(r)/ *n* دانستنی‌ها؛ علم

lorgnette /lɔ:'njet/ *n* عینک دسته بلند

lorn /lɔ:n/ *Poet* = forlorn

lorry /'lɒrɪ US: 'lɔ:rɪ/ *n* کامیون، باری [در امریکا بیشتر truck می‌گویند]

lose /lu:z/ *vt,vi* [lost] ۱.گم کردن؛ از دست دادن؛ تلف کردن؛ ضرر کردن؛ باختن؛ شکست خوردن در ۲.تلفات دادن

lose interest بی‌میل شدن

It lost me my office

مقام (اداری) خود را روی این کار گذاشتم

We lost sight of him

(کم‌کم) از نظر ما ناپدید شد، او را گم کردیم

losing game بازی‌ای که باختِ آن مسلم باشد

be lost to از دست دادن

Sleep was lost to me خواب به من حرام شد

loser *n* بازنده؛ ضررکننده؛ شکست‌خورنده

a bad loser (آدم) بدقمار

loss /lɒs US: lɔ:s/ *n* زیان، ضرر، خسارت؛ فقدان؛ [در جمع] تلفات یا ضایعات

be at a loss گیج بودن، متحیر بودن

sell at a loss به ضرر فروختن

lost /lɒst US: lɔ:st/ [*p,pp of* lose]

lost /lɒst US: lɔ:st/ *ppa* گم‌شده؛ شکست‌خورده

be lost upon اثر نکردن در، مورد توجهِ... واقع نشدن

lost labour کوشش بیهوده

lot /lɒt/ *n* قرعه؛ بخش، بهره، قسمت، فال؛ سرنوشت؛ پارچه یا قطعه (زمین)؛ دسته؛ [در گفتگو] مقدار زیاد

*I threw (*or *cast) my lot with him.*

با بخت او شریک شدم.

by lot با قرعه(کشی)

draw (*or* cast) lots قرعه انداختن (یا کشیدن)، پشک انداختن

*The lot fell upon (*or *came to) me.*

قرعه به نام من اصابت کرد.

a lot (*or* lots) of money پولِ بسیار، پول زیاد، خیلی پول

Take the whole lot همه رابرای خودبردارید

That's the lot همین است، همین بود

a bad lot آدم بی‌شرف، آدم ناتو

a lot *adv* زیاد
lots better خیلی بهتر
loth /ləʊð/ = loath
lotion /'ləʊʃn/ *n* محلول، لوسیون
lottery /'lɒtərɪ/ *n* بخت‌آزمایی، لاتاری
lotus /'ləʊtəs/ *n* درخت کنار یا سدر؛ نوعی نیلوفر آبی در مصر
lotus-eater /'ləʊtəs iːtə(r)/ *n* کسی که زندگی را به چرت یا کیف می‌گذراند
loud /laʊd/ *adj,adv* ۱.بلند؛ زرق وبرق‌دار؛ پرصدا؛ شلوغ‌کن ۲.با صدای بلند، بلند
loud speaker بلندگو
loudly *adv* بلند، با صدای بلند
loudness *n* بلندی (صدا)
lounge /laʊndʒ/ *vi,n* ۱.لم دادن؛ ول گشتن ۲.اتاق برای لم دادن (در باشگاه یا مهمانخانه)
lounge away *(vt)* **one's time** وقت را بیهوده (یا به‌لمیدن) گذراندن
lounge-suit کت و شلوار معمولی
lour /'laʊə(r)/ *vi* اخم‌کردن؛ تیره شدن
louse /laʊs/ *n* [lice] شپش؛ شپشه
lousy /'laʊzɪ/ *adj* شپشو؛ اکبیری
lout /laʊt/ *n* آدم بی‌دست و پا؛ شخص بی‌تربیت
loutish *adj* بی‌دست وپا؛ بی‌تربیت
lovable /'lʌvəbl/ *adj* دوست داشتنی
love /lʌv/ *n,vt,vi* ۱.محبت، دوستی؛ عشق؛ معشوقه ۲.دوست داشتن، عاشق بودن
love for (*or* **of**) **mankind** محبت به نوع بشر
be in love with a girl عاشقِ دختری بودن
fall in love with عاشقِ... شدن
make love عشق ورزیدن، همبستر شدن
My love جانم، عزیزم
a love of a child بچهٔ دوست داشتنی
for the love of به عشقِ، به خاطرِ
send one's love to a person سلام دوستانه به کسی فرستادن
play for love سرِ هیچ بازی کردن، سرسلامتی مزاج بازی کردن
There is no love lost between them با هم بدند
love-affair /'lʌvəfeə(r)/ *n* عشق‌بازی
love-child /'lʌvtʃaɪld/ *n* بچه حرامزاده
loveless *adj* فارغ از عشق
loveliness *n* شیرینی، دلربایی
lovelorn /'lʌvlɔːn/ *adj* غمزدهٔ عشق، مهجور
lovely /'lʌvlɪ/ *adj* دوست داشتنی، شیرین؛ خوب، باصفا [lovely weather]، دلکش

love-match /'lʌvmætʃ/ *n* عروسی مبنی بر عشق
love-potion /'lʌvpəʊʃn/ *n* داروی عشق، مهردارو
lover /'lʌvə(r)/ *n* دوستدار؛ عاشق؛ فاسق؛ [در جمع] عاشق و معشوق
lovesick /'lʌvsɪk/ *adj* بیمارِ عشق
loving /'lʌvɪŋ/ *apa* دوستدار؛ محبت‌آمیز
loving-cup /'lʌvɪŋ kʌp/ *n* پیالهٔ بزرگِ شرابخوری که دو دسته دارد
loving-kindness /,lʌvɪŋ 'kaɪndnɪs/ *n* مهربانی، محبت
lovingly *adv* از روی محبت
low /ləʊ/ *adj,adv* ۱.پست؛ کوتاه؛ آهسته، بم [low voice]؛ پایین؛ کم، نازل؛ زمینی [a low ball]؛ یقه‌باز، دکلته؛ افسرده؛ پیش‌پا افتاده، مبتذل؛ بی‌مزه، خنک؛ [در غذا] ساده ۲.آهسته؛ پایین؛ به‌طور پست؛ دیر، عقب؛ به‌بهای نازل
low comedy کمدی سراسر خنده
the Low Countries هلند (و بلژیک)
low-water mark نشان جزر کامل؛ [مجازاً] افتضاح به معنی واقعی کلمه
in low spirits افسرده
in low water [مجازاً] بی‌پول
have a low estimate of حقیر شمردن؛ خوش‌گمان نبودن نسبت به
run low (به) ته کشیدن
lie low تخت خوابیدن؛ پنهان ماندن
be laid low زمین خوردن؛ کشته شدن، مردن؛ در بستر بیماری ماندن
low /ləʊ/ *n,vi* ماغ (کشیدن)
low-born /,ləʊ'bɔːn/ *adj* فرومایه، بداصل
low-bred /,ləʊ'bred/ *adj* بی‌تربیت، پست
low-brow /'ləʊbraʊ/ *n* بی‌فرهنگ،هنرناشناس
low-browed *adj* کوته جبین؛ بی‌فرهنگ؛ [سر در خانه] کوتاه و دلتنگ‌کننده
low-down /'ləʊdaʊn/ *adj* بی‌شرف؛ بی‌شرفانه
lower /'ləʊə(r)/ *vt,vi* ۱.پایین آوردن؛ کاستن (از)، کم کردن؛ پست کردن، رسوا کردن؛ بم کردن؛ ضعیف کردن ۲.پایین آمدن؛ تنزل یافتن؛ پست شدن
lower /'ləʊə(r)/ *adj* زیرین، زیری، تحتانی؛پست‌تر
the lower world عالم اموات؛ دنیای دون
Lower House; Lower Chamber مجلس عوام انگلیس؛ مجلس نمایندگان امریکا
Lower Egypt مصر سفلی
lower /'laʊə(r)/ = lour

lowermost /'ləʊəməʊst/ *adj* پایین‌ترین، اسفل
Lowlander /'ləʊləndə(r)/ *n* اهل جنوب خاورِ اسکاتلند که آن را Lowlands می‌نامند
lowliness *n* پستی، فروتنی
lowly /'ləʊlɪ/ *adj,adv* ۱.پست، حقیر؛ فروتن؛ بی‌ادعا ۲.از روی افتادگی
low-necked /,ləʊ 'nekt/ = décolleté
lowness *n* پستی؛ کوتاهی؛ بمی (صدا)، آهستگی؛ کمی، پایینی؛ فرومایگی
low-pressure /'ləʊ preʃə(r)/ *adj* کم‌فشار
loyal /'lɔɪəl/ *adj* باوفا، وفادار، صادق؛ وظیفه‌شناس؛ صادقانه
loyalist /'lɔɪəlɪst/ *n* دولت دوست؛ کسی که هنگام شورش از دولت طرفداری می‌کند
loyally /'lɔɪəlɪ/ *adv* وفادارانه، صادقانه
loyalty /'lɔɪəltɪ/ *n* وفاداری، صداقت
lozenge /'lɒzɪndʒ/ *n* قرص؛ [هندسه] لوزی
£.s.d /,el es 'di:/ *n* لیره و شیلینگ و پنس؛ پول، دولت، ثروت
Lt [مخففِ Lieutenant]
Ltd [مخففِ Limited]
lubber /'lʌbə(r)/ *n* آدم کودن؛ ملوان تازه‌کار
lubberly *adj* بی‌دست وپا، مهمل
lubricant /'lu:brɪkənt/ *adj,n* ۱.نرم‌کننده، لغزان یا روان سازنده ۲.روغن
lubricate /'lu:brɪkeɪt/ *vt* روغن زدن (به)، روان کردن، لیز کردن، نرم کردن
lubricating-oil /'lu:brɪkeɪtɪŋ ɔɪl/ گریس، روغن (برای روان ساختن) ماشین
lubrication /,lu:brɪ'keɪʃn/ *n* روغن‌زنی؛ نرم‌سازی، روان‌سازی
lubricator *n* روغن‌دان؛ روغن‌زن
lucent /'lu:sənt/ *adj* (نیم) شفاف
lucerne /lu:'sɜ:n/ *n* یونجه
lucid /'lu:sɪd/ *adj* روشن، واضح؛ سالم
lucidity /lu:'sɪdətɪ/ *n* روشنی،وضوح
Lucifer /'lu:səfə(r)/ *n* ستارهٔ بامداد؛ شیطان؛ [با l] کبریت
luck /lʌk/ *n* بخت، اقبال؛ خوشبختی
 good luck خوشبختی
 bad luck; hard luck بدبختی
 Good luck to you! خدا به‌همراه!
 bring good luck خوش یمن بودن
 for luck به‌عنوان تبرّک
 in luck خوشبخت
 out of luck بدبخت
 We are down on our luck (Col). بخت به ما پشت کرده است.
luckily *adv* خوشبختانه
luckless *adj* بدبخت؛ قرین بدبختی
lucky /'lʌkɪ/ *adj* خوشبخت؛ قرینِ خوشبختی؛ خوش‌یمن
lucrative /'lu:krətɪv/ *adj* پرسود
lucre /'lu:kə(r)/ *n* سود؛ جیفه
ludicrous /'lu:dɪkrəs/ *adj* مضحک؛ چرند
lug /lʌg/ *vt* [-ged] به‌زور کشیدن
luge /lu:ʒ/ *n,Fr* لوژ: نوعی سورتمهٔ بی‌غلتکِ یکنفره
luggage /'lʌgɪdʒ/ *n* بنهٔ سفر، جامه‌دان [امریکاییها بیشتر به جای این کلمه baggage می‌گویند]
 luggage booth صندوق عقب ماشین
lugger /'lʌgə(r)/ *n* کشتی کوچک که یک یا چند بادبان چارگوش دارد
lug-sail /'lʌgseɪl/ *n* بادبان چارگوش
lugubrious /lə'gu:brɪəs/ *adj* غم‌انگیز
lukewarm /,lu:k'wɔ:m/ *adj* نیم‌گرم، ولرم؛ [مجازاً] سرد، غیرصمیمانه
lull /lʌl/ *vt,vi,n* ۱.آرام کردن ۲.ساکت شدن، فرو نشستن ۳.آرامش
 lull to sleep خواب کردن، خواباندن
lullaby /'lʌləbaɪ/ *n,vt* ۱.لالایی، لای لای ۲.با لالایی خواب کردن
lumbago /lʌm'beɪgəʊ/ *n* کمردرد
lumber /'lʌmbə(r)/ *n,vt,vi* ۱.تیرِ بریده، الوار؛ خرت‌وپرت ۲. چوب بریدن
lumber /'lʌmbə(r)/ *vi* سنگین و باصدا راه رفتن
lumberman /'lʌmbəmən/ *n* [-men] چوب‌بُر؛ چوب‌فروش، الوارفروش
lumber-room /'lʌmbə ru:m/ *n* انبار خرت‌وپرت
luminary /'lu:mɪnərɪ US: -nerɪ/ *n* جسم‌روشن، نیر
luminosity /,lu:mɪ'nɒsətɪ/ *n* روشنایی؛ وضوح
luminous /'lu:mɪnəs/ *adj* درخشان؛ روشن؛ شب‌نما [luminous paint]؛ واضح
lump /lʌmp/ *n,vt,vi* ۱.کلوخه؛ تکه، برآمدگی؛ [مجازاً] آدم تنه‌لش ۲.یکجا گرفتن، یکجا سفارش‌دادن؛ چکی گرفتن؛ روی هم حساب کردن؛ یکجا (پول) گذاشتن؛ به‌ناچار تحمل کردن ۳.یکجا شدن، یک کاسه شدن
 lump sugar حبه‌قند
 a lump sum مبلغ یکجا
 in a lump sum یکجا
 in the lump روی هم رفته، یکجا
 lump in one's throat عقده در گلو
lumpish /'lʌmpɪʃ/ *adj* تنه‌لش؛ کودن

lumpy *adj* قلنبه قلنبه؛ ناهنجار، کلفت؛ متلاطم، موج‌دار
lunacy /'lu:nəsɪ/ *n* دیوانگی
lunar /'lu:nə(r)/ *adj* قمری
lunatic /'lu:nətɪk/ *n* دیوانه
lunatic *(adj)* **asylum** تیمارستان
lunch /lʌntʃ/ *n,vi* ۱.ناهار ۲.ناهار خوردن
luncheon /'lʌntʃən/ *n* ناهار
lung /lʌŋ/ *n* شُش، ریه، جگرسفید؛ میدان، تفرجگاه
lunge /lʌndʒ/ *n,vi* ۱.ضربه شمشیر؛ حمله ۲.یورش بردن، حمله کردن
lupus /'lu:pəs/ *n* سل پوست، قرحهٔ آکله؛ [هیئت] سرحان [با L]
lurch /lɜ:tʃ/ *n,vi* ۱.[در بازی] عقب‌ماندگی زیاد ۲.تکان، یله ۳.یله رفتن؛ به یکسو تکان خوردن
leave in the lurch گرفتار گذاشتن، (کسی را در جایی) کاشتن
lure /lʊə(r)/ *n,vt* ۱.کبوترِ پرقیچی، پرمُشت؛ [مجازاً] دام، دانه ۲.به دام انداختن؛ تطمیع کردن
lurid /'lʊərɪd/ *adj* رنگ پریده؛ ترسناک
throw a lurid light on به‌طور مخوف یا غم‌انگیز شرح دادن
lurk /lɜ:k/ *vi* در کمین نشستن؛ پنهان ماندن
lurking-place /'lɜ:kɪŋ pleɪs/ *n* نهانگاه
luscious /'lʌʃəs/ *adj* خوشمزه، لذیذ؛ خوشایند؛ زننده
lush /lʌʃ/ *adj* پرپشت؛ پرآب
lust /lʌst/ *n,vi* ۱.شهوت ۲.شهوت داشتن
lust after (*or* **for**) **something** شهوت چیزی را داشتن یا آرزوی آن را کردن
luster /'lʌstə(r)/ = **lustre**
lustful *adj* شهوانی
lustily /'lʌstɪlɪ/ *adv* با بنیهٔ خوب
lustre /'lʌstə(r)/ *n* برق، جلا؛ تابش، درخشندگی؛ پرداخت؛ [در شمشیر] آب، جوهر؛ [مجازاً] شکوه؛ آب‌وتاب، لعاب؛ جار، چراغ‌آویز، لوستر؛ (آویزهٔ) چلچراغ
lustrous /'lʌstrəs/ *adj* برّاق، درخشان
lusty /'lʌstɪ/ *adj* خوش‌بنیه، تندرست؛ تند، سنگین [a lusty drink]؛ با روح، سرزنده

lute /lu:t/ *n,vi* ۱.عود ۲.عود زدن
luxation /lʌks'eɪʃn/ *n* دررفتگی مفصل، جابه‌جاشدگی مفصل
luxuriance /lʌg'ʒʊərɪəns/ *n* فراوانی، وفور؛ پرپشتی، انبوهی
luxuriant /lʌg'ʒʊərɪənt/ *adj* فراوان، سرشار؛ پرپشت، انبوه، کیپ؛ پرصنعت
luxuriate /lʌg'ʒʊərɪeɪt/ *vi* خوش‌گذراندن؛ لذت بردن
luxuriate in description آزادانه شرح دادن، در شرح چیزی بیداد کردن
luxurious /lʌg'ʒʊərɪəs/ *adj* خوشگذران، عیاش؛ با تجمل، مفصل
a luxurious life زندگی تجملی، خوشگذرانی
luxury /'lʌkʃərɪ/ *n* خوشگذرانی، عیاشی؛ نعمت، وفور؛ تجمل؛ چیز تجملی؛ لذت؛ [در جمع] وسایل خوشگذرانی، نعمات
lycée /'li:seɪ US: li:'seɪ/ *n,Fr* دبیرستان دولتی
Lyceum /laɪ'si:əm/ *n* نام باغی در آتن که ارسطو در آن درس می‌گفت؛ جای سخنرانی و آموزش؛ بنگاه ادب
lye /laɪ/ *n* آب قلیایی
lying-in /ˌlaɪɪŋ 'ɪn/ *n* زایمان، وضع حمل
lying-in hospital زایشگاه
lymph /lɪmf/ *n* لنف، لنف: خلط آبکی؛ شیرهٔ غذایی
lymphangitis /ˌlɪmfæn'dʒaɪtɪs/ *n* [پزشکی] التهاب غدد لنفاوی
lymphatic /lɪm'fætɪk/ *adj,n* ۱.لنفاوی: ترشح‌کنندهٔ لنف یا بلغم ۲.مجرای لنف‌بر
lynch /lɪntʃ/ *vt* بدون دادرسی قانونی اعدام کردن
lynch law مجازاتِ بدون دادرسی که مردم از پیش خود معین کنند
lynx /lɪŋks/ *n* سیاه‌گوش
lynx-eyed /ˌlɪŋks 'aɪd/ *adj* تیزبین
lyre /'laɪə(r)/ *n* بربط، چنگ
lyric /'lɪrɪk/ *n* شعر غنایی، غزل
lyric /'lɪrɪk/; **lyrical** *adj* تغزلی؛ غنایی؛ احساساتی
lyrics *npl* غزلیات، اشعار غنایی

M,m

M,m /em/ *n* سیزدهمین حرف الفبای انگلیسی
ma /mɑ:/ *n* [مختصر mamma]
MA = Master of Arts
درجهٔ فوق لیسانس در ادبیات و علوم‌انسانی
ma'am /mæm,mɑ:m/ *n,Col* بانو، خانم [در طرز خطاب نوکر به خانمش یا دکاندار به زن‌های مشتری]
macabre /mə'kɑ:brə/ *adj* خوفناک
dance macabre (رقص) مرگ
macadam /mə'kædəm/ *n*
قلوه‌سنگ (برای سنگفرش)
macaroni /ˌmækə'rəʊnɪ/ *n* ماکارونی
macaroon /ˌmækə'ru:n/ *n* نان غرابی
macaw /mə'kɔ:/ *n* نوعی طوطی بزرگ
mace /meɪs/ *n* پوست جوز؛ گرز
mace-bearer /'meɪs beərə(r)/ *n* گرزدار، چاووش
Macedonian /ˌmæsɪ'dəʊnɪən/ *adj* مقدونی
macerate /'mæsəreɪt/ *vt* در آب نرم کردن، خیساندن؛ لاغر کردن، کشتن (نفس)
machination /ˌmækɪ'neɪʃn/ *n* دسیسه، دوز و کلک، توطئه، فتنه
machine /mə'ʃi:n/ *n* ماشین
sewing-machine چرخ خیاطی
machine /mə'fi:n/ *vt* ماشین کردن، چاپ کردن؛ با ماشین ساختن؛ چرخ کردن
machine-gun /mə'ʃi:n gʌn/ *n,vt* ۱.مسلسل ۲.به مسلسل بستن
machinery /mə'ʃi:nərɪ/ *n* ماشین‌آلات؛ دستگاه
machinist /mə'ʃi:nɪst/ *n* ماشین‌کار؛ چرخ‌کار؛ ماشین‌ساز
mackerel /'mækrəl/ *n* ماهیِ خال‌مخالی
mackerel sky آسمانی که لکه‌های سفیدِ ابر آن را پوشانده باشد
mackintosh /'mækɪntɒʃ/ *n* [لباس] بارانی
mad /mæd/ *adj* [-der] دیوانه؛ عصبانی؛ شیفته؛ هار [a mad dog]؛ احمقانه؛ سخت، شدید
drive mad دیوانه کردن
like mad دیوانه‌وار؛ باحالت خشم
be mad about,for, *or* **after...** شیفتهٔ ... شدن
madam /'mædəm/ *n* بانو، خانم
madame /mə'dɑ:m US: mə'dæm/ *n,Fr*
بانو، خانم [به بانوان شوهردار و غیرانگلیسی گفته می‌شود] [mesdames /meɪ'dɑ:m/]
madcap /'mædkæp/ *n* آدم دیوانه و بی‌پروا
madden /'mædn/ *vt* دیوانه کردن
made /meɪd/ [*p,pp of* make]
made /meɪd/ *ppa* ساخته؛ ساختگی
well-made خوش‌ساخت
mademoiselle /ˌmædmwə'zel/ *n,Fr*
دوشیزه، مادموازل [mesdemoiselles]
made-up /'meɪd ʌp/ *adj* جعلی، ساختگی
madly *adv* دیوانه‌وار
madman /'mædmən/ *n* [-men; *fem* -woman; *pl* -women] دیوانه، آدم دیوانه
madness *n* دیوانگی؛ عصبانیت
madonna /mə'dɒnə/ *n* تصویر حضرت مریم
madrigal /'mædrɪgl/ *n* تصنیف عاشقانه
maelstrom /'meɪlstɒm/ *n* گرداب
magazine /mægə'zi:n US: 'mægəzi:n/ *n*
مجله؛ مخزن مهمات؛ [در تفنگ] جعبه‌خزانه
magdalene /'mægdəli:n/ *n* فاحشهٔ توبه کرده
maggot /'mægət/ *n* کرم حشره؛ [مجازاً] وسواس؛ هوس
magi /'meɪdʒaɪ/ [*pl of* magus]
magian /'meɪdʒiən/ *n,adj* مجوس؛ ساحر
magic /'mædʒɪk/ *n,adj* ۱.جادو(یی)، سحر ۲.سحرآمیز
black magic جادوگری به وسیلهٔ دیو
magic lantern فانوس شعبده
white magic جادوگری به وسیلهٔ فرشته
magical /'mædʒɪkl/ *adj* سحرآمیز
magician /mə'dʒɪʃn/ *n* جادو(گر)، ساحر
magisterial /ˌmædʒɪ'stɪərɪəl/ *adj* آمرانه، تحکم‌آمیز، مطلق؛ صادرشده از کلانتری یا دادگاه بخش
magistrate /'mædʒɪstreɪt/ *n* رئیس کلانتری؛ رئیس دادگاه بخش
Magna Charta /'mægnə 'kɑ:tə/ *n,L*
فرمان آزادی شخصی و سیاسی که در سال ۱۲۱۵ میلادی پادشاه انگلستان را وادار به امضای آن کردند
magnanimity /ˌmægnə'nɪmətɪ/ *n* علوّ طبع، بلندهمتی، استغنای طبع
magnanimous /mæg'nænɪməs/ *adj*
بزرگوار، بلندنظر، آقامنش
magnate /'mægneɪt/ *n* شخصِ بانفوذ و متمول؛ [در جمع] اعیان، اشراف

magnesia /mæg'ni:ʃə/ *n* (اکسید دو) منیزی، تباشیر فرنگی
magnesium /mæg'ni:zɪəm/ *n* منیزیوم
magnet /'mægnɪt/ *n* آهنربا، مغناطیس
magnetic /mæg'netɪk/ *adj* مغناطیسی؛ [مجازاً] جذاب
magnetism /'mægnɪtɪzəm/ *n* خاصیتِ آهنربایی؛ مانیتیسم؛ [مجازاً] کشندگی
animal magnetism مغناطیس حیوانی
magnetize /'mægnətaɪz/ *vt* آهنربا کردن؛ [مجازاً] تحت نفوذ خود درآوردن
magneto /mæg'ni:təʊ/ *n* [در ماشینهای درون‌سوز] مگنت
magnificence /mæg'nɪfɪsns/ *n* شکوه، عظمت
magnificent /mæg'nɪfɪsnt/ *adj* باشکوه، عالی، باعظمت؛ بزرگ
magnifier /'mægnɪfaɪə(r)/ *n* بزرگ‌کننده؛ ذره‌بین، عدسی
magnify /'mægnɪfaɪ/ *vt* بزرگ کردن، درشت نشان دادن؛ اغراق‌آمیز کردن
magnifying-glass /'mægnifaɪɪŋ gla:s/ *n* ذره‌بین
magniloquence /mæg'nɪləkwəns/ *n* آب‌وتاب (در سخن یا انشا)
magniloquent /mæg'nɪləkwənt/ *adj* پرآب‌وتاب، باطنطنه؛ قلنبه‌نویس، قلنبه‌گو
magnitude /'mægnɪtju:d US: -tu:d/ *n* بزرگی، عظمت؛ حجم؛ [هیئت] قدر؛ [مجازاً] اهمیت
magpie /'mægpaɪ/ *n* کلاغ زاغی
magus /'meɪgəs/ *n* [magi] مجوس، مغ؛ جادو(گر)، ساحر
Magyar /'mægjɑ:(r)/ *n* مجار
mahogany /mə'hɒgənɪ/ *n* چوب ماهون (یا ماغون)
maid /meɪd/ *n* دختر، دوشیزه؛ خدمتکار، کلفت
old maid پیردختر، دختر ترشیده
maid of honour ندیمهٔ درباری
maiden /'meɪdn/ *n,adj* ۱.دختر، دوشیزه، باکره ۲.دست‌نخورده، درست؛ بکر، تازه؛ امتحان‌نشده؛ [اسب] جایزه‌نبرده
maiden speech نخستین نطق هرکس
maiden name نام‌خانوادگی زن پیش از شوهر کردن
maidenhair /'meɪdnheə(r)/ *n* [گیاه‌شناسی] پرِ سیاوش
maidenhood /'meɪdnhʊd/ *n* دوشیزگی
maidenly *adj* دوشیزه‌وار، محجوب
maidservant /'meɪd,sɜ:vənt/ *n* خدمتکار، کلفت
mail /meɪl/ *n,vt* ۱.زره ۲.زره‌پوش کردن، زره‌دار کردن
the mailed fist نیروی مسلح
mail /meɪl/ *n,vt* ۱.پست؛ کیسهٔ نامه‌های پستی ۲.با پست فرستادن
mail-coach /'meɪl kəʊtʃ/ *n* دلیجان پستی
maim /meɪm/ *vt* فلج کردن؛ چلاق کردن
main /meɪn/ *adj,n* ۱.عمده، اصلی، مهم ۲.شاه‌لوله؛ خط اصلی؛ نکتهٔ اصلی؛ دریا؛ نیرو
in the main به‌طور کلی؛ اساساً
mainland /'meɪnlænd/ *n* قارهٔ بدون جزیره [مثلاً قارهٔ اروپا در برابر جزایر بریتانیا]
mainly *adv* اساساً، بیشتر
mainmast /'meɪnma:st/ *n* شاه‌دکل
mainspring /'meɪnsprɪŋ/ *n* شاه‌فنر
maintain /meɪn'teɪn/ *vt* نگهداری (و تعمیر) کردن؛ ابقا کردن؛ ادامه دادن؛ برقرار داشتن؛ عقیده داشتن؛ حمایت کردن از
maintenance /'meɪntənəns/ *n* نگهداری (و تعمیر)؛ قوت، گذران، خرجی
maize /meɪz/ *n* ذرت
majestic /mə'dʒestɪk/ *adj* باعظمت؛ شاهانه
majesty /'mædʒəstɪ/ *n* بزرگی، عظمت، شأن؛ پادشاهی
His Majesty اعلیحضرت
Her Majesty علیاحضرت
Your Majesty اعلیحضرتا! علیاحضرتا!
major /'meɪdʒə(r)/ *adj,n,vi* ۱.بزرگتر، اعظم؛ ارشد [در گفتگوی از دو برادر در یک آموزشگاه]؛ کبیر، بالغ ۲.شخص‌کبیر؛ [نظامی] سرگرد ۳.تخصص پیدا کردن
major (term) کبری
major-domo /'meɪdʒə'dəʊməʊ/ *n* ناظر یا پیشکار [درخانه‌های امرا و بزرگان]
major-general /,meɪdʒə 'dʒenrəl/ *n* سرلشکر
majority /mə'dʒɒrətɪ US: -'dʒɔ:r-/ *n* اکثریت؛ پایهٔ سرگردی؛ کبر
by a majority vote به اکثریت آرا
make /meɪk/ *v* [made] ,*n* ۱.ساختن، درست‌کردن، آماده کردن، تهیه کردن؛ طرح کردن؛ درآوردن [make money]؛ قرار دادن؛ باعث شدن؛ وادار کردن، مجبور کردن؛ پیمودن، طی کردن؛ رسیدن به (بندر)؛ شدن؛ (پیش) رفتن؛ رفتار کردن، حرکت کردن ۲.ساخت، ترکیب؛ حالت
make a noise صدا کردن، شلوغ کردن

What do you make that to be?
آن را چه می‌دانید؟
make a friend of someone
با کسی دوست شدن
make laugh خنداندن
make little of چندان سودی نبردن از، ناچیز شمردن، به حساب نیاوردن
make much of استفاده زیاد کردن از؛ مهم دانستن، حساب بردن از
I don't know what to make of it. هیچ (از آن چیزی) نمی‌فهمم. نمی‌دانم (این حرکت) یعنی چه.
What difference does it make?
چه تفاوتی می‌کند؟
make something do (*or* **make do with something)** با چیزی تا کردن یا به‌سر بردن
make a good teacher
معلم خوبی از آب درآمدن، آموزگار خوبی شدن
2 and 2 make 4 ۲ و ۲ می‌کند ۴، دو و دو ۴ می‌شود
I made him go. او را وادار به رفتن کردم. او را وادار کردم برود.
It will make against us. به ضرر ما تمام خواهد شد.
make believe وانمود کردن
make away with بر باد دادن؛ کار کسی را ساختن
What do you make the time?
چه ساعتی است؟ ساعت شما چند است؟
make for پیش رفتن به سوی؛ کمک کردن (به)؛ پیش بردن؛ مورد حمله قرار دادن
make off در رفتن، گریختن
make out درست کردن، تنظیم کردن؛ ثابت کردن؛ مقصود (کسی) را فهمیدن؛ تشخیص دادن
make over واگذار کردن، انتقال دادن؛ از نو درست کردن
make up ساختن، ترکیب کردن؛ تکمیل کردن؛ جعل کردن؛ گریم کردن [رجوع شود به make-up]؛ تنظیم کردن؛ صفحه‌بندی کردن، آمادهٔ چاپ کردن؛ [با for] جبران کردن
make up one's mind تصمیم گرفتن، برآن شدن
make up to a person
پیش کسی خودشیرینی کردن
make it up آشتی کردن
make it up to a person
خسارت کسی را جبران کردن
American make ساخت امریکا
make-believe /'meɪk ˌbɪliːv/ *n* بهانه، وانمود
maker /'meɪkə(r)/ *n* سازنده، [در ترکیب] ساز
Maker صانع (کل)، آفریدگار

makeshift /'meɪkʃɪft/ *n* بدل، چارهٔ موقتی
make-up /'meɪk ʌp/ *n* گریم؛ صفحه‌بندی؛ ساختمان یا حالت دماغی
makeweight /'meɪkweɪt/ *n* کمبود، کسری؛ [مجازاً] آدم کم ارزش، نخودی
making /'meɪkɪŋ/ *n* وسیله پیشرفت؛ [در جمع] شرایط یا علایم
mal- [پیشوندی است به معنی «بد» یا «نا» چنانکه در maladminister «بد اداره کردن»]
Malacca-cane /mə'lækə keɪn/ *n* عصای چوب خیزران
malaceous /mə'leɪʃəs/ *adj* [گیاه‌شناسی] از خانواده سیبها، از سیبیان
malachite /'mæləkaɪt/ *n* مرمرسبز
malady /'mælədɪ/ *n* ناخوشی
malapropos /ˌmælæprə'pəʊ/ *adv,Fr* نابهنگام، بی‌موقع
malar /'meɪlə(r)/ *adj* گونه‌ای، وجنی
malaria /mə'leərɪə/ *n* مالاریا
malarial /mə'leərɪəl/ *adj* مالاریایی؛ نوبه‌خیز
Malay /mə'leɪ/ *adj,n* ۱.وابسته به مالاکا (Malacca) ۲.زبان مالاکا؛ اهل مالاکا
malcontent /'mælkəntent/ *adj* ناراضی، آمادهٔ شورش
male /meɪl/ *adj,n* نر، نرینه، مذکر؛ مردانه
the males پسران و مردان، ذکور
malediction /ˌmælɪ'dɪkʃn/ *n* لعنت
malefactor /'mælɪfæktə(r)/ *n* بدکار، تبهکار، جانی، جنایتکار
malevolence /mə'levələns/ *n* بدخواهی
malevolent /mə'levələnt/ *adj* بدخواه؛ بدخواهانه
malfeasance /ˌmæl'fiːzns/ *n* کار خلاف قانون، خطای اداری
malformation /ˌmælfɔː'meɪʃn/ *n* خلقت ناقص
malformed /ˌmæl'fɔːmd/ *adj* بدشکل؛ ناقص‌الخلقه
malice /'mælɪs/ *n* بدخواهی؛ سوءِنیت
malicious /mə'lɪʃəs/ *adj* بدخواه، بداندیش، کینه‌جو؛ بدخواهانه
malign /mə'laɪn/ *adj,vt* ۱.زیان‌آور؛ خطرناک؛ بدخواه ۲.بدگویی کردن از
malignancy /mə'lɪgnənsɪ/ *n* بدخواهی، کینه‌جویی، خباثت؛ [در طب] بدخیمی
malignant /mə'lɪgnənt/ *adj* بدخواه؛ کینه‌جو؛ خبیث؛ [در طب] بدخیم خطرناک

malignity /məˈlɪgnətɪ/ *n* کینهٔ دیرینه؛ [در طب] بدخیمی؛ رویداد بد
malinger /məˈlɪŋgə(r)/ *vi* تمارض کردن، از زیر کار دررفتن
mallard /ˈmælɑːd/ *n* نوعی اردک وحشی
malleable /ˈmælɪəbl/ *adj* چکش‌خور؛ [مجازاً] نرم، سازگار
malleolus /məˈliːələs/ *n* قوزک
mallet /ˈmælɪt/ *n* چکشِ چوبی؛ کلوخ‌کوب؛ چوگان؛ مشته
mallow /ˈmæləʊ/ *n* پنیرک
malnutrition /ˌmælnjuːˈtrɪʃn US: -nuː-/ *n* سوءِتغذیه
malodorous /ˌmælˈəʊdərəs/ *adj* بدبو
malpractice /ˌmælˈpræktɪs/ *n* سهل‌انگاری در معالجه، معالجهٔ غلط؛ کار غیرقانونی برای استفاده شخصی
malt /mɔːlt/ *n,vt,vi* ۱.مالت، سمنوی‌جو ۲.مالت کردن؛ مالت زدن (به) ۳.مالتی شدن
Malta fever /ˈmɔːltə fiːvə(r)/ *n* تبِ مالت
Maltese /ˌmɔːlˈtiːz/ *adj,n* ۱.مالتی ۲.اهل مالت؛ زبان مالت
maltreat /ˌmælˈtriːt/ *vt* بدرفتاری (به کسی) کردن؛ بد به‌کار بردن
maltreatment *n* بدرفتاری
mam(m)a /məˈmɑː/ *n* ماما(ن)، ننه
mammal /ˈmæml/ *n* پستاندار
mammon /ˈmæmən/ *n* مال دنیا، جیفه
mammonish *adj* مال‌پرست، دنیاپرست
mammoth /ˈmæməθ/ *n,adj* ۱.ماموت: نوعی فیل بزرگ که در زمانهای پیشین در جهان می‌زیسته است ۲.کلان، عظیم‌الجثه
mammy /ˈmæmɪ/ *n* ننه؛ [در امریکا] دده سیاه پرستار
man /mæn/ *n* [men] مرد؛ آدم، انسان؛ شخص، کس؛ تن، نفر، سر؛ مهره؛ کارگر؛ نوکر؛ سرباز [بیشتر در جمع]
  man cook آشپز مرد، مرد آشپز
  play the man مردانگی کردن
  as one man با یک‌زبان، به اتفاق
  to a man همه، تا نفر آخر
  man and boy از زمان بچگی، چه در کودکی چه در بزرگی
  a man about town شخص پولداری که وقت خود را به خوشگذرانی و تماشا صرف می‌کند
  the man in the street مردم عادی
  I am not your man. من مردش (یا اهلش) نیستم.

man /mæn/ *vt* [-ned] با کارگر یا جاشو مجهز کردن [man a ship]
manacle /ˈmænəkl/ *n,vt* ۱.دستبند [بیشتر در جمع] ۲.دستبند زدن(به)
manage /ˈmænɪdʒ/ *vt,vi* ۱.اداره کردن، گرداندن؛ ترتیب دادن، سروصورت دادن؛ از عهدهٔ... برآمدن؛ درست به‌کار بردن؛ تربیت کردن (اسب)؛ درست کردن؛ نگهداری کردن ۲.کار صورت دادن، موفق شدن
  manage to do it موفق به انجام آن شدن
  manage a person حریف کسی شدن
  managing director مدیرعامل
manageable /ˈmænɪdʒəbl/ *adj* اداره‌کردنی؛ رام (شدنی)؛ تربیت‌پذیر
management /ˈmænɪdʒmənt/ *n* اداره؛ (حوزه)مدیریت یا ریاست؛کاردانی، حسن‌تدبیر؛ حیله
manager /ˈmænɪdʒə(r)/ *n* مُدیر، رئیس
  a good manager آدم خانه‌دار، آدم صرفه‌جو
man-at-arms /ˌmæn ət ˈɑːmz/ *n* سرباز سواره
mandarin /ˈmændərɪn/ *n* مامور کشوری یا لشکری در چین؛ [با M] زبان رسمی و اصلی چینی‌ها
mandate /ˈmændeɪt/ *n,vt* ۱.حکم قیمومت؛ دستور مردم به (وکیل) مجلس ۲.تحت‌قیمومت درآوردن
mandatory /ˈmændətərɪ/ *adj,n* ۱.متضمن حکم یا دستور؛ وابسته به قیمومت ۲.قیم، سرپرست [در این معنی mandatary نیز نوشته می‌شود]
mandible /ˈmændɪbl/ *n* آروارهٔ پرنده؛ آروارهٔ زیرین پستاندارها و ماهی‌ها
mandolin /ˈmændəlɪn/ *n* ماندولین
mandrake /ˈmændreɪk/ *n* مِهرگیاه، مردم گیاه
mandrill /ˈmændrɪl/ *n* نوعی بوزینه بزرگ و زشت در افریقای غربی
mane /meɪn/ *n* یال
man-eater /ˈmæn iːtə(r)/ *n* آدمخوار، ماهی‌کوسه
manes /ˈmeɪniːz/ *npl* ارواح نیاکان (که مورد پرستش رومیان قدیم بودند)
manful /ˈmænfl/ *adj* دلیر، شجاع؛ مردانه
manganese /ˈmæŋgəniːz/ *n* منگنز، سنگ سیاه شیشه‌گران
mange /meɪndʒ/ *n* گری، جرب
mangel-wurzel /ˈmæŋgl wɜːzl/ *Ger,n* چغندرِ علوفه‌ای
manger /ˈmeɪndʒə(r)/ *n* آخور

mangle /'mæŋgl/ *n,vt* ۱.ماشینِ مهره‌کشی؛ ماشینِ اتوکشی به وسیله بخار ۲.مهره کشیدن؛ با بخار اتو کردن

mangle /'mæŋgl/ *vt* از شکل انداختن؛ناقص کردن

mango /'mæŋgəʊ/ *n* [-goes *or* -gos] انبه؛ درخت انبه

mangrove /'mæŋgrəʊv/ *n* درخت کرنا

mangy /'meɪndʒɪ/ *adj* گردار، گر، جرب‌دار؛ چرک، اکبیری

man-handle /'mænhændl/ *vt* با نیروی انسان حرکت دادن یا گرداندن؛ [در گفتگو] بدرفتاری (به کسی) کردن

man-hole /'mænhəʊl/ *n* [تأسیسات] دریچهٔ بازدید

manhood /'mænhʊd/ *n* مردی، آدمیت

mania /'meɪnɪə/ *n* جنون؛ عشق مفرط؛ شیدایی

maniac /'meɪnɪæk/ *adj,n* (آدم) دیوانه؛ شیدا

maniacal /mə'naɪəkl/ *adj* دیوانه، بیخود؛ شیداگونه

Manichaean /,mænɪ'ki:ən/ *adj,n* مانوی، پیرو دین مانی

manicure /'mænɪkjʊə(r)/ *n,vi* ۱.مانیکور ۲.مانیکور کردن

manicurist /'mænɪkjʊərɪst/*n* متخصص مانیکور

manifest /'mænɪfest/ *n,vt,vi* ۱.آشکار، واضح ۲.آشکار ساختن، معلوم کردن؛ ثابت کردن ۳.حاضر شدن (روح)

manifest /'mænɪfest/ *n* صورت بارِ کشتی، اظهارنامه (بارکشتی)

manifestation /,mænɪfe'steɪʃn/ *n* اظهار، ابراز؛ ظهور، تجلی؛ تظاهر؛ مظهر

manifesto /,mænɪ'festəʊ/ *n* بیانیه، اعلامیه

manifold /'mænɪfəʊld/ *adj,vt* ۱.چندبرابر، متعدد؛ گوناگون؛ دارای چند شکل ۲.چندین نسخه (از چیزی) برداشتن

He is a manifold traitor. از چند جهت خائن است. چند طرفه خائن است.

manifold /'mænɪfəʊld/ *n* لولهٔ چند سوراخه؛ لولهٔ چندشاخه؛ اتاقی که چند راه (یا در رو) دارد

manikin /'mænɪkɪn/ *n* کوتوله؛ مدل کالبد شناختی بدن انسان؛ مانکن نوعی

manilla /mə'nɪlə/ *n* سیگار برگ

Manilla hemp الیاف درختی در جزایر مانیل که از آن طناب می‌بافند

manipulate /mə'nɪpjʊleɪt/ *vt* دستکاری کردن؛ با دست درست کردن؛ با تدبیر یا استادی انجام دادن؛ زیر نفوذ خود درآوردن

manipulate accounts حساب‌سازی کردن

manipulation /mə,nɪpjʊ'leɪʃn/ *n* دستکاری؛ ساختن چیزی با دست؛ تیاری (تریاک)؛ [مجازاً] زرنگی، استادی

mankind /,mæn'kaɪnd/ *n* نوع بشر

mankind /'mænkaɪnd/ *n* مردها، ذکور

manlike /'mænlaɪk/ *adj* آدم‌وار؛ مردصفت

manliness *n* مردانگی، جوانمردی

manly /'mænlɪ/ *adj* مردانه؛ درخور انسان

manna /'mænə/ *n* منّ؛ ترنجبین و شیرخشت و مانند آنها

mannequin /'mænɪkɪn/ *n* مانکن

manner /'mænə(r)/ *n* طریقه، طور، سبک؛ [در جمع] اطوار

in what manner? چگونه؟ چطور؟

in this manner بدین طریق، این‌طور

after the manner of به سبکِ

all manner of همه‌جور، همه‌رقم

adverb of manner قید وصفی

to the manner born فطرتِ آشنا به آداب و آماده برای موقعیت

good manners آداب، حسن سلوک

mannerism /'mænərɪzəm/ *n* سبک ویژه شخصی، شیوهٔ عادی؛ ادا و اصول

mannerly /'mænəlɪ/ *adj* باتربیت، مؤدب

mannish /'mænɪʃ/ *adj* (دارای اداهای) مردانه

manoeuvre /mə'nu:və(r)/ *n,v* ۱.مانور جنگی؛ تدبیر؛ نقشه؛ زیرکی؛ تمهید ۲.مشق کردن، مشق دادن؛ مانور دادن؛ باتدبیر (کاری را) انجام دادن

man-of-war /'mæn əv 'wɔ:(r)/ *n* [men-] [لغت قدیمی] کشتی جنگی

manometer /mə'nɒmɪtə(r)/ *n* فشارسنج، مانومتر

manor /'mænə(r)/ *n* ملک اربابی یا تیولی

manorial /mə'nɔ:rɪəl/ *adj* مالکانه؛ ملکی

man-power /'mænpaʊə(r)/ *n* نیروی نفراتی، نیروی انسانی

mansard /'mænsɑ:d/ *n* شیروانیِ چارترک

manse /mæns/ *n* خانهٔ کشیش یا پیش‌نمازِ کلیسا در اسکاتلند

mansion /'mænʃn/ *n* خانه بزرگ و مجلل؛ عمارتی که دارای چند آپارتمان باشد

manslaughter /'mænslɔ:tə(r)/ *n* قتل غیرعمدی

mantel (piece) /'mæntlpi:s/ *n* نمای بخاری، طاقچه‌روی بخاری

mantilla /mænˈtɪlə/ *n* نوعی روسری زنانه
mantis /ˈmæntɪs/ *n* آخوندک
mantle /ˈmæntl/ *vt,vi,n* ۱.شنلِ زنانه؛ [مجازاً] پوشش؛ توری (چراغ) ۲.پوشاندن ۳.سرخ شدن [در گفتگوی از چهره]
man-trap /ˈmæntræp/ *n* تلهٔ آدم‌گیر
manual /ˈmænjʊəl/ *adj,n* ۱.دستی ۲.کتاب دست (یا دستی)، کتاب مبانی؛ [در ارگ] جاانگشتی
manufactory /ˌmænjʊˈfæktərɪ/ *n* کارخانه
manufacture /ˌmænjʊˈfæktʃə(r)/ *vt,n* ۱.ساختن؛ عمل آوردن ۲.ساخت؛ [در جمع] مصنوعات
manufacture rags into paper از کهنه کاغذ ساختن (یا عمل آوردن)
manufacturer *n* صاحب کارخانه
manufacturing *apa* صنعتی، کارخانه‌دار [a manufacturing city]
manumit /ˌmænjʊˈmɪt/ *vt* آزاد کردن
manure /məˈnjʊə(r)/ *n,vt* ۱.کود، رشوه ۲.کود دادن
manuscript /ˈmænjʊskrɪpt/ *n* ۱.دستخط؛ کتاب خطی [مختصر آن MS است که در جمع MSS می‌شود] ۲.خطی، با دست نوشته شده
in manuscript خطی، دستی
Manx /mæŋks/ *adj* منسوب به Isle of Man «جزیره انسان»
many /ˈmenɪ/ *adj* [more;most] بسیار، خیلی؛ متعدد
many people خیلی از مردم
a great(*or* good) many persons خیلی اشخاص، بسیاری از مردم
It was one too many یکی زیاد بود
be one too many for پیشدستی کردن بر؛ زرنگتر بودن از
How many چندتا، چند
I have as many books as you (have). هرچند (یا هرقدر) شما کتاب دارید من هم دارم.
3 times as many سه برابرِ
I have twice as many books as he has. من دوبرابرِ او کتاب دارم.
four mistakes in as many lines چهارغلط در چهارسطر
so many چندین، این قدر، به قدری
many a time چندین بار، بارها
many a man بسا اشخاص، بساکسا
many of them بسیاری از آنها
the many توده، بیشتر مردم
many-coloured رنگارنگ
many-leaved پُربرگ، صدبرگ
many-sided چند پهلو
map /mæp/ *n,vt* [-ped] ۱.نقشهٔ جغرافیا ۲.نقشه برداشتن از، رسم کردن؛ جزء‌به‌جزء معین کردن [معمولاً با out]
maple /ˈmeɪpl/ *n* افرا؛ چوب افرا
mar /mɑ:(r)/ *vt* [-red] آسیب زدن، از شکل انداختن؛ منغص کردن، خراب کردن
maraud /məˈrɔ:d/ *vi* حمله و تلاش کردن (برای غارت)
marauder /məˈrɔ:də(r)/ *n* غارتگر
marble /ˈmɑ:bl/ *n* سنگِ مرمر؛ مهره
marbled /ˈmɑ:bld/ *adj* مرمرنما، ابری
marble-hearted /mɑ:bld ˈhɑ:tɪd/ *adj* سنگدل
Marcel wave /mɑ:slˈweiv/ نوعی فر مصنوعی
march /mɑ:tʃ/ *vi,vt,n* ۱.قدم رفتن ۲.نظامی‌وار بردن، حرکت دادن، کوچاندن ۳.مارش؛ راه‌پیمایی؛ [مجازاً] جریان، پیشرفت؛ موزیک مارش
marching orders [نظامی] فرمان حرکت، [در گفتگو] دستور، حکم
march past رژه (رفتن)
march /mɑ:tʃ/ *n,vi* ۱.مرز، سرحد، زمین‌مرزی [بیشتر در جمع] ۲.هم‌مرز بودن
March /mɑ:tʃ/ *n* مارس (سومین ماه سال میلادی)
marcher *n* مرزنشین
marchioness /ˌmɑ:ʃəˈnes/ *n* مارکیز (لقب اشرافی در اروپا برای همسر مارکی)
mare /ˈmeə(r)/ *n* مادیان
a mare's nest حرف مفت، ادعای پوچ، حقه‌بازی
margarine /ˌmɑ:dʒəˈri:n US: ˈmɑ:rdʒərɪn/ *n* مارگارین، کرهٔ نباتی
margin /ˈmɑ:dʒɪn/ *n* حاشیه؛ [مجازاً] جا؛ تفاوت احتیاطی؛ تفاوت بابت سود
marginal /ˈmɑ:dʒɪnl/ *adj* حاشیه‌ای
marginal note حاشیه، حشو، یادداشت
marguerite /ˌmɑ:gəˈri:t/ *n* گل داودی
marigold /ˈmærɪgəʊld/ *n* گلِ همیشه‌بهار
French marigold گل جعفری
marine /məˈri:n/ *adj,n* ۱.دریایی، آبزی [marine animals]؛ وابسته‌به کشتیرانی ۲.مجموع کشتی‌های بازرگانی یک کشور؛ سرباز نیروی دریایی
Tell that to the marines به کسی بگویید که باور کند
mariner /ˈmærɪnə(r)/ = sailor

marionette /ˌmærɪəˈnet/ *n*
عروسکِ خیمه‌شب‌بازی
marital /ˈmærɪtl/ *adj* زوجی،
مربوط به زناشویی؛ نکاحی
marital relations روابط زناشویی
maritime /ˈmærɪtaɪm/ *adj* دریایی؛
واقع در نزدیکی دریا
marjoram /ˈmɑːdʒərəm/ *n* مرزنگوش،
مرزنجوش؛ آویشن، گلپر
sweet marjoram مرزنگوش، مرزنجوش
mark /mɑːk/ *n,vt* ۱.نشان، علامت؛ اثر، داغ؛
هدف؛ مُهر؛ خط؛ [در آموزشگاه] نمره ۲.نشان کردن؛ علامت گذاشتن (بر)، خط زدن؛ حساب (چیزی را) نگاه داشتن؛ ظاهر کردن، ابراز کردن؛ دلالت کردن بر؛ مشخص کردن
beside (*or* wide of) the mark
خارج از موضوع؛ پرت؛ نادرست
up to the mark درست در جای خود؛ سَرحال
mother's mark خال (مادرزاد)
make one's mark مشهور شدن، موفق شدن
(God) save the mark استغفرالله
It is marked with spots.
به وسیله خال‌هایی نشان‌دار است.
He was marked out for leadership.
برای ریاست ساخته شده بود.
mark out a ground
حدود زمینی را تعیین کردن یا نشان دادن
mark off جدا کردن (با خط)
mark the prices
بهای اجناس را روی آنها گذاشتن
mark something down *or* up
بهای کمتر یا بیشتر بر چیزی گذاشتن
mark time درجا زدن
mark /mɑːk/ *n* مارک: واحد پول آلمان
marked /mɑːkt/ *ppa* نشاندار، مارک‌دار؛
محسوس، قابل‌ملاحظه؛ برجسته
marker /ˈmɑːkə(r)/ *n*
کسی که حساب برد و باخت بازی (بیلیارد) را نگاه می‌دارد؛ نشان
market /ˈmɑːkɪt/ *n,vt* [-ted] ۱.بازار ۲.فروختن
bring one's eggs (*or* hogs) to a bad market در نقشه خود کامیاب نشدن؛
دست استمداد بدجایی دراز کردن
in the market در معرض فروش
There is no market for... بازارِ... کساد است
market-garden باغ سبزیکاری
marketable /ˈmɑːkɪtəbl/ *adj* فروش رفتنی

marketing *n* فروش (در بازار)
market-place /ˈmɑːkɪt pleɪs/ *n* بازار
marksman /ˈmɑːksmən/ *n* [-men]
تیرانداز ماهر
marl /mɑːl/ *n* خاکِ آهک‌دار
marline-spike /ˈmɑːlɪnspaɪk/ *n*
ریسمان واکن، طناب‌گشا
marmalade /ˈmɑːməleɪd/ *n* مربای پرتقال
marmoset /ˈmɑːməzet/ *n*
نوعی بوزینهٔ امریکایی
marmot /ˈmɑːmət/ *n* نوعی موش‌خرما
maroon /məˈruːn/ *vt*
در کرانه یا جای ویرانی ول کردن
maroon /məˈruːn/ *n,adj* ۱.نارنجک پرصدا؛
زرشکی ۲.زرشکی؛ [چشم] میشی
mar-plot *n* انگشت به شیر زن، کار خراب‌کن
marquee /mɑːˈkiː/ *n* چادر بزرگ
marquis;marquess /ˈmɑːkwɪs/ *n*
مارکی (لقبی اشرافی پایین‌تر از duke و بالاتر از earl یا count)
marquise *n* مارکیز (لقبی اشرافی در
اروپا برای همسر مارکی)
marriage /ˈmærɪdʒ/ *n* عروسی، ازدواج؛
زناشویی؛ [مجازاً] یگانگی
give in marriage شوهر دادن
take in marriage به حبالهٔ نکاح درآوردن
marriage lines قبالهٔ ازدواج
marriageable /ˈmærɪdʒəbl/ *adj* قابل ازدواج،
بالغ؛ درخورِ عروسی
marriageable age سن (قانونی برای) ازدواج
married /ˈmærɪd/ *ppa* زن‌دار، متأهل؛ شوهردار
married accommodation جا برای شخص
زن‌دار یا شوهردار، منزل دونفره، منزل متأهلی
get married عروسی کردن
married life زندگی زناشویی
marrow /ˈmærəʊ/ *n* مغز (استخوان)؛
کدوی مسمایی [گاهی vegetable marrow گفته می‌شود]
spinal marrow مغز تیره، نخاع
marry /ˈmærɪ/ *vi,vt* ۱.عروسی کردن،
ازدواج کردن؛ زن گرفتن؛ شوهر کردن ۲.عروسی کردن با، به حبالهٔ نکاح درآوردن، گرفتن، اختیار کردن؛ زن دادن، شوهر دادن؛ برای هم عقد کردن، به عقد هم درآوردن
marry off شوهر دادن، بیرون کردن
Mars /mɑːz/ *n* بهرام، مریخ؛
[در اساطیر] نام رب‌النوع جنگ

Marseillaise /ˌmɑːsəˈleɪz/ *n,Fr* مارسیز: سرود ملی فرانسه
marsh /mɑːʃ/ *n* مرداب، باتلاق
marshal /ˈmɑːʃl/ *n* مارشال؛ رئیس تشریفات؛ [در مهمانیها و غیره] ناظم؛ [در امریکا] الف. مأمور قضایی که کارهای معینی بدو سپرده شده است ب.رئیس شهربانی، رئیس آتش‌نشانی
marshal /ˈmɑːʃl/ *vt* [-led] به ترتیب نشاندن، راهنمایی کردن (با تشریفات)؛ مرتب کردن
marsh-mallow /ˌmɑːʃˈmæləʊ/ *n* گل خطمی
marshy /ˈmɑːʃɪ/ *adj* مردابی، باتلاقی
marsupial /mɑːˈsuːpɪəl/ *adj* [جانورشناسی] کیسه‌دار
mart /mɑːt/ *n* مرکزِ بازرگانی؛ بازار
marten /ˈmɑːtɪn US: -tn/ *n* دله، سمور
martial /ˈmɑːʃl/ *adj* جنگی؛ نظامی
martial law (قانون) حکومت‌نظامی
Martian /ˈmɑːʃn/ *adj* مریخی
martin /ˈmɑːtɪn US: -tn/ *n* نوعی پرستو
martinet /ˌmɑːtɪˈnet US: -tnˈet/ *n* آدم مقرراتی، سختگیر، خشک
martyr /ˈmɑːtə(r)/ *n,vt* ۱.شهید ۲.به شهادت رساندن
martyrdom /ˈmɑːtədəm/ *n* شهادت
marvel /ˈmɑːvl/ *n,vi* [-led] ۱.شگفتی؛ نمونهٔ عجیب ۲.در شگفت بودن (یا شدن)، در حیرت بودن
marvellous /ˈmɑːvələs/ *adj* شگفت‌انگیز، عجیب؛ [در گفتگو] عالی
marvellously *adv* به‌طور عجیب
marvel-of-Peru /ˈmɑːvl əv pəˈruː/ *n* گل لاله عباسی
Mary /ˈmeərɪ/ *n* مریم
marzipan /ˈmɑːzɪpæn, ˌmɑːzɪˈpæn/ *n* نوعی کیک بادامی
mascot /ˈmæskət/ *n* برکتِ خانه
masculine /ˈmæskjʊlɪn/ *adj,n* ۱.مذکر [masculine gender]، نرینه؛ مردانه؛ مردصفت ۲.جنس مذکر، اسم مذکر
mash /mæʃ/ *n,vt* ۱.خیساندهٔ مالت؛ نوالهٔ گرم که به اسب می‌دهند ۲.نرم کردن؛ خمیر کردن؛ خیساندن
mashed potatoes پورهٔ سیب‌زمینی
mask /mɑːsk US: mæsk/ *n,vt* ۱.نقاب، ماسک؛ صورتک؛ [مجازاً] پرده، لفافه ۲.نقاب‌دار کردن؛ پوشیدن، پنهان کردن
wear a mask ماسک زدن
under the mask of به بهانهٔ، در لفافهٔ

masked *ppa* نقاب‌دار، ماسک‌دار، ماسکه؛ دارای هیئت مبدل؛ پوشیده؛ مستتر
masked ball بالماسکه
masochism /ˈmæsəkɪzəm/ *n* آزارطلبی، مازوخیسم؛ رضا به جفای معشوق
mason /ˈmeɪsn/ *n* سنگتراش؛ بنّای سنگ‌کار؛ عضو فراماسون
masonic /məˈsɒnɪk/ *adj* مربوط به فراماسون‌ها
masonry /ˈmeɪsənrɪ/ *n* سنگ‌کاری، سنگتراشی؛ مصالح ساختمانی از قبیل سنگ و سیمان و آجر
masque /mɑːsk US: mæsk/ *n* نوعی نمایش بدون گفتگو که بازیگران آن نقاب می‌زدند
masquerade /ˌmɑːskəˈreɪd US: ˌmæsk-/ *n,vi* ۱.رقصِ با نقاب و هیئتهای مبدل، [مجازاً] بهانه، نمایشِ ظاهر ۲.در جامه یا هیئت مبدل درآمدن؛ دررقصِ با نقاب شرکت کردن
mass /mæs/ *n,vt,vi* ۱.توده؛ گروه؛ مقدار، اندازه؛ بخش عمده، اکثریت؛ [فیزیک] جرم؛ [ریاضیات] مجموع ۲.توده کردن، جمع کردن؛ تمرکز دادن ۳.توده شدن، جمع شدن
in the mass یکجا، مجموعاً
mass-meeting میتینگ مفصل
mass bombing بمباران دسته‌جمعی
the masses توده (مردم)
Mass /mæs/ *n* آیین عشای‌ربانی
massacre /ˈmæsəkə(r)/ *n,vt* ۱.قتل‌عام ۲.دسته‌جمعی کشتن
massage /ˈmæsɑːʒ US: məˈsɑːʒ/ *n,vt* ماساژ (دادن)، مشت‌ومال (دادن)
massive /ˈmæsɪv/ *adj* بزرگ، جسیم؛ سنگین؛ توپر؛ برجسته
massy *adj* توپر، سنگین
mast /mɑːst US: mæst/ *n* دکل، دیرک؛ تیر
three-masted سه دکله
master /mɑːstə(r) US: ˈmæs-/ *n,vt* ۱.آقا، ارباب؛ استاد، کارفرما؛ [در کشتی بازرگانی] ناخدا؛ رئیس؛ صاحب؛ خداوند؛ آموزگار؛ مرشد ۲.ماهر شدن در؛ تسلط یافتن بر؛ رام کردن
master builder معمار؛ بنّای مقاطعه‌کار
master mariner ناخدای کشتی بازرگانی
master physician سرپزشک
master mind فکر بزرگ، عقل کل
master workman سرکارگر، استادکار
masterful /ˈmɑːstəfl US: ˈmæs-/ *adj* رئیس مآب؛ رئیس مآبانه؛ استادانه، ماهرانه
masterhood /ˈmɑːstəhʊd/ *n* آقایی، استادی

master-key /'mɑ:stəki:/ *n* شاه کلید
masterly /'mɑ:stəlɪ/ *adj* استادانه، ماهرانه
masterpiece /'mɑ:stəpi:s/ *n* شاهکار
mastership /'mɑ:stəʃɪp/ *n* ریاست؛ استادی؛ آموزگاری؛ اختیارداری؛ آقایی
mastery /'mɑ:stərɪ/ *n* تسلط، مهارت، تبحر؛ تصاحب؛ پیروزی
mast-head /'mɑ:sthed/ *n* سر دکل
masticate /'mæstɪkeɪt/ *vt* جویدن؛ خمیر کردن
mastication /ˌmæstɪ'keɪʃn/ *n* مضغ، عمل جویدن
mastiff /'mæstɪf/ *n* نوعی سگِ بزرگ که گوشها و لبهای آویخته دارد
mastoid /'mæstɔɪd/ *adj* پستانی، حلمی
mastoid bone استخوان پس‌گوشی، استخوان حلمی (شکل)
masturbate /'mæstəbeɪt/ *vi* جلق زدن
masturbation /ˌmæstə'beɪʃn/ *n* جلق، استمنا
mat /mæt/ *n,vt,vi* [-ted] ۱.بوریا، حصیر؛ پادری؛ دستهٔ مو و مانند آن؛ زیربشقابی، زیرگلدانی ۲.باحصیر پوشاندن؛ درهم گیر انداختن ۳.کرک شدن، درهم گیر کردن
mat /mæt/ *adj,n* ۱.مات، بی‌جلا ۲.حاشیهٔ دور قاب‌عکس
matador /'mætədɔ:(r)/ *n* [گاوبازی] گاوباز، ماتادور
match /mætʃ/ *n* کبریت؛ فتیله
match /mætʃ/ *n,v* ۱.حریف، مانند، لنگه؛ همسر؛ مسابقه؛ پیوند، وصلت ۲.وصلت دادن؛ همسر بودن (برای)؛ حریف (کسی) بودن؛ به مسابقه واداشتن؛ خوردن (به)، جور بودن (با)
I am no match for him. من حریف او نیستم (یا نمی‌شوم).
They are well matched. خوب به‌هم می‌آیند؛ حریف یکدیگر هستند.
matchbox /'mætʃbɒks/ *n* قوطی کبریت
matchless *adj* بی‌مانند، بی‌نظیر
matchlock /'mætʃlɒk/ *n* تفنگ فتیله‌ای
matchmaker /'mætʃmeɪkə(r)/ *n* دلال ازدواج، دلاله
matchwood /'mætʃwʊd/ *n* خرده‌چوب؛ چوبی که در ساختن کبریت به کار می‌رود
make matchwood of خرد کردن
mate /meɪt/ *n,vt,vi* ۱.لنگه؛ جفت، همسر؛ کمک؛ شاگرد؛ همکار، همقطار، رفیق؛ همدم؛ حریف ۲.جفت کردن، وصلت دادن ۳.جفتگیری کردن؛ وصلت کردن؛ رفاقت کردن
cook's mate کمک آشپز
mate /meɪt/ *n,vt* مات (کردن)
material /mə'tɪərɪəl/ *n,adj* ۱.چیز، کالا، جنس؛ ماده؛ پارچه؛ مواد (چاپ کردنی)؛ اسناد، مطالب؛ [در جمع] مصالح ۲.مادی، جسمانی؛ مهم، عمده؛ کلی
building materials مصالح ساختمانی
material to happiness لازمهٔ خوشی
a material noun اسم جنس
materialism /mə'tɪərɪəlɪzəm/ *n* ماده‌گرایی؛ مادیت؛ اصالت ماده؛ فلسفه مادی؛ ماتریالیسم
materialist /mə'tɪərɪətɪst/ *n* ماده‌گرا؛ (آدم) مادّی؛ ماتریالیست
materialistic /məˌtɪərɪə'lɪstɪk/ *adj* ماده‌گرایانه؛ مبنی بر مادیت؛ ماتریالیستی
materiality *n* مادیت، جنبه مادی؛ اهمیت؛ ضرورت؛ [در جمع] مادیات
materialize /mə'tɪərɪəlaɪz/ *vt,vi* ۱.مادّی کردن؛ مادی انگاشتن؛ مجسم کردن ۲.مجسم شدن؛ صورت خارجی به خود گرفتن، جامهٔ عمل پوشیدن
materially *adv* اساساً، اصلاً؛ به‌طور عمده؛ از لحاظ مادی؛ واقعاً
They differ materially. تفاوت کلی با هم دارند.
maternal /mə'tɜ:nl/ *adj* مادری، مادرانه؛ امّی
maternal uncle دایی
maternal aunt خاله
maternally /mə'tɜ:nəlɪ/ *adv* مادرانه، مادروار
maternity /mə'tɜ:nətɪ/ *n* مادری؛ زایشگاه [در این معنی مختصرِ maternity hospital یا maternity home است]
mathematical /ˌmæθə'mætɪkl/ *adj* ریاضی
mathematician /ˌmæθəmə'tɪʃn/ *n* ریاضی‌دان
mathematics /ˌmæθə'mætɪks/ *npl* or *s* ریاضیات
matin /'mætɪn/ *adj* بامدادی، سحری
matins /'mætɪnz US: 'mætnz/ *npl* نماز صبح، دعای صبح
matriarch /'meɪtrɪɑ:k/ *n* رئیسهٔ خاندان، مادر تیره یا خانواده
matrices /'meɪtrɪsi:z/ [*pl of* matrix]
matricidal *adj* مادرکش؛ مبنی بر مادرکشی
matricide /'mætrɪsaɪd/ *n* مادرکشی؛ مادرکش
matriculate /mə'trɪkjʊleɪt/ *v* در دانشکده یا دانشگاه پذیرفتن یا پذیرفته شدن
matriculation /məˌtrɪkjʊ'leɪʃn/ *n* (اجازه) دخول در دانشگاه؛ امتحان ورودی دانشگاه
matrimonial /ˌmætrɪ'məʊnɪəl/ *adj* ازدواجی

matrimony /ˈmætrɪmənɪ US: -məʊnɪ/ *n* ازدواجی، وضع ازدواجی
matrix /ˈmeɪtrɪks/ *n* [matrices] قالب؛ زهدان
matron /ˈmeɪtrən/ *n* زن خانه‌دار، کدبانو؛ زن شوهردار (یا شوهر کرده)؛ [در بیمارستان یا آموزشگاه] مدیره، رئیسه
matronly *adj* بانومنش، موقر
matted /ˈmætɪd/ *ppa* حصیری؛ درهم‌برهم؛ کرک شده [matted hair]
matter /ˈmætə(r)/ *n,vi* ۱.ماده، جسم؛ چرک، جراحت؛ چیز، کالا؛ موضوع، مطلب؛ امر، قضیه، مسئله؛ باره، خصوص، بابت، باب؛ موجب ۲.اهمیت داشتن
printed matter مواد چاپی، مطبوعات
matter in hand موضوع مورد بحث
in this matter در این باب، در این امر
for that matter از آن بابت
matter of course چیز عادی یا بدیهی
matter of fact حقیقت امر
As a matter of fact حقیقت امر این است که، خوب بخواهید بدانید، راستش را بخواهید
No matter چیزی نیست، اهمیت ندارد
No matter what he says هرچه می‌خواهد بگوید
no matter how قطع نظر از اینکه چه‌جور
What is the matter? چه خبر است؟ چه موضوعی است؟ چه شده است؟
What is the matter with him? او را چه می‌شود؟ چشه؟
a matter of 10 years نزدیک ده سال، در حدود ده سال
It does not matter. اهمیت ندارد.
It does not matter when you go. هروقت بروید رفته‌اید.
Does it matter to you? آیا برای شما اهمیت دارد (یا فرقی می‌کند)؟
matter-of-fact /ˈmætər əv ˈfækt/ *adj* ساده؛ عاری از لطافت
matting /ˈmætɪŋ/ *n* حصیربافی؛ حصیر، بوریا؛ پوشش حصیری
mattock /ˈmætək/ *n* کلنگِ دوسر، کلنگ روسی
mattress /ˈmætrɪs/ *n* تشک
maturate /ˈmætjʊreɪt/ *vi* بالغ شدن، رسیدن
mature /məˈtjʊə(r) US: -ˈtʊər/ *adj,vt,vi* ۱.رسیده؛ بالغ، رشدکرده؛ [در قبض] موعد رسیده، واجب‌الادا، حال (شده) ۲.به حد بلوغ رساندن، به حد رشد رساندن؛ تکمیل کردن؛ رسانیدن (ماده) ۳.به حد کمال رسیدن، بالغ شدن؛ حال شدن، واجب‌الادا شدن
It will mature tomorrow. موعد (یا سررسید) پرداخت آن فردا است.
of mature age بالغ، رشد کرده
of mature years سالخورده
maturely *adv* به‌طور کامل یا بالغ
maturity /məˈtjʊərətɪ US: -ˈtʊə-/ *n* رسیدگی، بلوغ، رشد، کمال؛ سررسید، وعده (پرداخت)
The bill has come to maturity. وعده پرداخت برات رسیده است.
maudlin /ˈmɔːdlɪn/ *adj* احساساتی (در نتیجه مستی)
maul /mɔːl/ *vt* کوبیدن، خرد کردن؛ ناقص کردن، خراب کردن
maunder /ˈmɔːndə(r)/ *vi* مِن‌مِن کردن، جویده حرف زدن، حرف‌های بی‌معنی زدن؛ بی‌حالانه راه رفتن
mausoleum /ˌmɔːsəˈliːəm/ *n* مقبرهٔ عالی، بقعه
mauve /məʊv/ *n,adj* ارغوانیِ روشن، قفایی
maw /mɔː/ *n* چینه‌دان، حوصله؛ [در چارپایان] شیردان؛ [به شوخی] شکم
mawkish /ˈmɔːkɪʃ/ *adj* کسل‌کننده
maxillary /ˈmæksələrɪ/ *adj* آرواره‌ای، فکی
maxim /ˈmæksɪm/ *n* پند، گفتهٔ اخلاقی؛ مثل؛ قاعدهٔ کلی، اصل
maximize /ˈmæksɪmaɪz/ *vt* به‌حداکثر رساندن
maximum /ˈmæksɪməm/ *n* [-ma] حداکثر، منتها
maximum price حداکثر بها، بیشینه بها
may /meɪ/ *v,aux* [might] ممکن است [به مدخل زیر رجوع شود]
He may come late ممکن است دیر بیاید [برای «ممکن نیست دیر بیاید» باید cannot به کار ببریم]
He might have died ممکن بود مرده باشد، ممکن بود بمیرد
May I go? (اجازه می‌دهید) بروم؟
One may say... می‌توان گفت...
You might have come می‌توانستید بیایید؛ باید آمده باشید
In order that I may go برای اینکه بروم
May you live to... ان‌شاءالله زنده باشید تا...
[may فعل معین است و جز برای حال و گذشته صیغه دیگری ندارد حتی مصدر هم ندارد پس برای صیغه‌های کسری از to be possible «ممکن بودن» استفاده می‌شود.]
It will be possible for me to go ممکن است بروم

May /meɪ/ *n* مه (پنجمین ماه سال میلادی)؛ [مجازاً] بهار (عمر)
May of youth عنفوان جوانی
maybe /'meɪbi:/ *adv* شاید، ممکن است
mayonnaise /,meɪə'neɪz US: 'meɪəneɪz/ *n,Fr* سُس مایونز
mayor /meə(r) US: 'meɪər/ *n* شهردار
mayoralty /'meərəltɪ US: 'meɪər-/ *n* ریاست شهرداری
mayoress /meə'res US: 'meɪərəs/*n* زن شهردار
Maypole /'meɪpəʊl/ *n* تیر آرایش کرده که در روز یکم ماه مِه دور آن می‌رقصند
maze /meɪz/ *n* جای پُرپیچ وخم؛ [مجازاً] گیجی
mazed *adj* گیج، حیران
mazurka /mə'zɜ:kə/ *n* مازورکا: نوعی رقص لهستانی
mazy *adj* پُرپیچ وخم؛ گیج‌کننده
MD /,em 'di:/ = Doctor of Medicine دکتر در پزشکی، دکتر در طب
me /mi:/ *pr* مرا، (به) من
He saw me. (او) مرا دید.
Look at me! به من (یا مرا) نگاه کنید!
Give it to me! آن را به من بدهید!
It's me (Col) = It is I منم
mead /mi:d/ *n* نوشابهٔ انگبینی
mead /mi:d/ *Poet* = meadow
meadow /'medəʊ/ *n* چمن، مرغزار
meagre;-ger /'mi:gə(r)/ *adj* لاغر، نزار؛ کم، بی‌برکت؛ بی‌چربی
meal /mi:l/ *n* آرد زبر یا بلغور؛ خوراک، غذا
make a meal of صرف کردن، خوردن
mealy /'mi:lɪ/ *adj* آردی، آردنما؛ ترد، خشک؛ کمرنگ، رنگ‌پریده
mealy-mouthed /,mi:lɪ'maʊðd/ *adj* بی‌صراحت، فاقدِ صراحت لهجه
mean /mi:n/ *adj* پست؛ خسیس
of mean birth بدتبار، بداصل
mean /mi:n/ *adj,n* ۱.میانه، متوسط ۲.حدوسط، متوسط؛ میانه‌رَوی، [ریاضیات] میان؛ [در منطق] جملهٔ مشترک؛ [با s- رجوع شود به means]
in the meantime; in the meanwhile ضمناً، درضمن
the golden (*or* happy) mean احتراز از افراط و تفریط، میانه‌روی
the means and the extremes دو میان و دو کرانه، وسطین و طرفین

mean /mi:n/ *vt* [meant] معنی دادن؛ قصد داشتن؛ درنظر گرفتن؛ مستلزم بودن؛ [در سوم شخص مفرد زمان حال] یعنی
What do you mean by...? مقصود شما از... چیست؟ ... یعنی چه؟
Do you mean what you say? آیا آنچه می‌گویید جدی است؟
I don't mean it جداً نمی‌گویم
This word means a dog. این کلمه یعنی سگ
He means... مقصودش ... است
He was meant for a soldier. برای سربازی در نظر گرفته شده بود؛ سرنوشتش این بود که سرباز شود.
meander /mɪ'ændə(r)/ *vi* پیچ و خم پیدا کردن؛ پیچ خوردن؛ ول گشتن
meaning /'mi:nɪŋ/ *n,adj* ۱.معنی؛ مقصود ۲.معنی‌دار
well-meaning دارای حسن نیت
meaningless *adj* بی‌معنی
meanly /mi:nlɪ/ *adv* از روی پستی
meanness *n* پستی؛ خست
means /mi:nz/ *n* وسیله، وسایل؛ توانایی، استطاعت، دارایی
by means of به‌وسیلهٔ
by no means به‌هیچ‌وجه، ابداً
by all means به‌هر وسیله که باشد، هرطور باشد، به‌هر قیمت که باشد
a man of means شخص با استطاعت
meant /ment/ [*p,pp of* mean]
meantime /'mi:ntaɪm/ = meanwhile
meanwhile /'mi:nwaɪl US: -hwaɪl/ *adv,n* ۱.ضمناً، در این ضمن ۲.ضمن
measles /'mi:zlz/ *npl* سرخک
measly /'mi:zlɪ/ *adj,Col* پست، بی‌ارزش
measurable /'meʒərəbl/ *adj* قابل اندازه‌گیری، پیمایش‌پذیر
measure /'meʒə(r)/ *n* اندازه؛ پیمانه، مقیاس؛ واحد، میزان؛ اقدام؛ وزن، ضرب؛ [در شعر] بحر، وزن
give full measure سنگ تمام (در ترازو) گذاشتن
in some measure تا اندازه‌ای
made to measure مطابق اندازه درست شده
liquid measure پیمانهٔ مایعات
linear measure مقیاس طول
short measure پیمانهٔ کم،کیلِ نادرست
beyond measure زیاده ازحد
greatest common measure بزرگترین بخش‌یاب (یا مقسوم‌علیه) مشترک

set measures to محدود کردن، اندازه (برای چیزی) معین کردن
take measures اقدامات به عمل آوردن
take a person's measures اندازهٔ کسی را گرفتن، [مجازاً] اخلاق یا استعداد کسی را سنجیدن
measure /'meʒə(r)/ *vt* اندازه گرفتن؛ پیمانه کردن؛ سنجیدن، آزمایش کردن؛ بخش کردن؛ تعدیل کردن، میزان کردن؛ طی کردن، پیمودن؛ مقایسه کردن
measure one's length دمر افتادن؛ نقش زمین شدن
measure a person with one's eye (سر تا پای) کسی را برانداز کردن
measure swords (باکسی) زورآزمایی کردن یا پنجه درافکندن
It measures (vi) two metres. (اندازه آن) دومتر است.
a plot measuring ***(vi)*** **100 hectares** یک قطعه (زمین) به مساحت ۱۰۰ هکتار
land-measurer زمین‌پیما
measuring-rod گز زمین‌پیمایی
measured *ppa* سنجیده؛ منظم؛ شمرده، دقیق؛ موزون
measurement *n* اندازه‌گیری، پیمایش، سنجش؛ اندازه، مساحت
meat /mi:t/ *n* گوشت [سوای گوشت ماهی یا پرنده]؛ خوراک؛ مغز
meaty *adj* گوشت‌دار؛ مغزدار
Mecca /'mekə/ *n* مکه؛ [مجازاً] کعبهٔ آمال
mechanic /mɪ'kænɪk/ *n* مکانیک(دان)
mechanical /mɪ'kænɪkl/ *adj* مکانیکی، ماشینی؛ خودکار؛ فاقد قوهٔ ابتکار
mechanical engineer (مهندس) مکانیک
mechanically /mɪ'kænɪklɪ/ *adv* به‌طور مکانیکی؛ به طور خودکار
mechanics /mɪ'kænɪks/ *n* مکانیک، جرّاثقال
mechanism /'mekənɪzəm/ *n* ترتیب عوامل مکانیکی؛ دستگاه ماشینی؛ مکانیسم
mechanize /'mekənaɪz/ *vt* مکانیزه کردن
medal /'medl/ *n* مدال، نشان
the reverse of the medal [مجازاً] جنبهٔ دیگر موضوع، آن طرف موضوع، روی دیگر سکه
medallion /mɪ'dælɪən/ *n* مدال بزرگ، مدالیون، سنگ یا فلز گردی که تصویری روی آن باشد
medallist /'medəlɪst/ *n* صاحب مدال

meddle /'medl/ *vi* فضولی کردن، دخالت بیجا کردن
meddle with دست زدن به
meddler *n* آدم فضول
meddlesome /'medlsəm/ *adj* فضول [a meddlesome boy]؛ فضولانه [meddlesome acts]
Mede /mi:d/ *n* مادی، اهل ماد
media /'mi:dɪə/ [*pl of* medium]
the media رسانه‌های گروهی، وسایل ارتباط جمعی
mediaeval /ˌmedɪ'i:vl US: ˌmi:d-/ *adj* مربوط به قرون وسطی، میانه [mediaeval ages]
medial /'mi:dɪəl/ *adj* میانی، وسطی، میانه، متوسط
medially /'mi:dɪəlɪ/ *adv* به‌طور متوسط
median /'mi:dɪən/ *adj* اوسط، متوسط
mediate /'mi:dɪeɪt/ *vi* میانجیگری کردن، وساطت کردن
mediate ***(vt)*** **a result** وسیلهٔ گرفتن نتیجه‌ای را فراهم کردن
mediate /'mi:dɪeɪt/ *adj* واسطه‌دار
mediation /ˌmi:dɪ'eɪʃn/ *n* میانجیگری، وساطت
mediator *n* میانجی
medical /'medɪkl/ *adj* طبی
medical college دانشکدهٔ پزشکی
medical man *Col* = **doctor**
medical profession پزشکی، طبابت
medical officer (سر) پزشک
medical treatment معالجه
medical jurisprudence پزشکی قانونی
medically /'medɪklɪ/ *adv* از لحاظ طبی
medicament /mɪ'dɪkəmənt/ *n* دارو، دوا، درمان
medicated /'medɪkeɪtɪd/ *adj* [صابون، شامپو و غیره] طبی
medicinal /mə'dɪsɪnl/ *adj* دارویی، دوایی، طبی [medicinal herbs]
medicine /'medsn US: 'medɪsn/ *n* دارو، دوا؛ پزشکی، علم طب
medicine-man /'medsnmən/ *n* ساحر، جادو
mediocre /ˌmi:dɪ'əʊkə(r)/ *adj* نه خوب نه بد، میانه، متوسط
mediocrity /ˌmi:dɪ'ɒkrətɪ,ˌmed-/ *n* حالت چیزی که نه خوب و نه بد باشد، حد وسط؛ آدم میانه‌حال

meditate /'medɪteɪt/ *vi,vt* ۱.تفکر کردن ۲.طرح (چیزی را) ریختن

meditation /,medɪ'teɪʃn/ *n* تفکر، اندیشه؛ مراقبه

meditative /'medɪtətɪv US: -teɪt-/ *adj* تفکرکننده؛ فکور [a meditative man]؛ تفکرآمیز

mediterranean /,medɪtə'reɪnɪən/ *adj* بین‌الارضین

Mediterranean Sea دریای مدیترانه، بحر متوسط

medium /'mi:dɪəm/ *n* [-dia] *,adj* ۱.واسطه، وسیله، رسانه ۲.میانه (حال)، متوسط

medium wave موج متوسط

through the medium of به وسیلهٔ

medlar /'medlə(r)/ *n* ازگیل

medley /'medlɪ/ *n* آمیختگی (چیزها یا اشخاص مختلف)؛ قطعه موسیقی مختلط

medullary /'medlərɪ/ *adj* مغزی؛ نخاعی [medullary rays]

meed /mi:d/ *n,Poet* پاداش

meek /mi:k/ *adj* فروتن، حلیم؛ رام

meekly /'mi:klɪ/ *adv* باافتادگی، حلیمانه

meekness *n* افتادگی، فروتنی، حلم

meerschaum /'mɪəʃəm/ *n* کف دریا؛ نوعی پیپ که از این ماده می‌سازند

meet /mi:t/ *vt,vi* [met] *,n* ۱.ملاقات کردن؛ مواجه شدن با؛ تلاقی کردن با؛ برآوردن، انجام دادن؛ پرداختن (هنگام سررسید) ۲.همدیگر را ملاقات کردن؛ روبرو شدن، تصادف کردن؛ تشکیل جلسه دادن؛ متصل شدن؛ سازش کردن ۳.محل اجتماع شکارچیان و تازیها (برای شکار روباه)؛ [در امریکا] meeting

meet someone's objections به ایرادات کسی جواب دادن

meet /mi:t/ *adj, Arch* درخور، مناسب

meet for a man درخورِ مرد

meeting /'mi:tɪŋ/ *n* مجمع؛ جلسه؛ ملاقات؛ اجتماع، میتینگ؛ برخورد، اتصال

megalomania /,megələ'meɪnɪə/ *n* جنون خودبزرگ‌بینی

megaphone /'megəfəʊn/ *n* بلندگو(دستی)

meiosis /maɪ'əʊsɪs/ = litotes

melancholy /'meləŋkɒlɪ/ *n,adj* ۱.مالیخولیا، سودا؛ افسردگی؛ وسواس ۲.مالیخولیایی؛ افسرده

mêlée /'meleɪ US: meɪ'leɪ/ *n,Fr* کشمکش، زدوخورد، جنگ تن‌به‌تن؛ مناظره

mellifluous /me'lɪflʊəs/ *adj* شیرین؛ سلیس

mellow /'meləʊ/ *adj,vt,vi* ۱.رسیده، پُرآب؛ جاافتاده؛ ملایم، مطبوع؛ پُرمایه؛ یکدست؛پرقوت؛ [زبان عامیانه] سرخوش، نیم‌مست ۲.پخته کردن؛ عمل آوردن ۳.جاافتادن، رسیدن

melodious /mɪ'ləʊdɪəs/ *adj* شیرین، خوش‌آهنگ

melodrama /'melədrɑ:mə/ *n* ملودرام، نمایش شورانگیزی که به خوشی انجامد

melodramatic /,melədrə'mætɪk/ *adj* (مربوط به نمایش‌های) شورانگیز و نیک‌انجام

melody /'melədɪ/ *n* آهنگِ شیرین؛ اصل آهنگ، آهنگ اصلی

melon /'melən/ *n* (جنس) خربزه

melt /melt/ *vi,vt* [melted;melted *or* molten] ۱.آب شدن، گداختن؛ حل شدن؛ نرم شدن ۲.آب کردن

melt away تدریجاً نابود شدن

melt down ذوب کردن (و به شکل مادهٔ خام درآوردن)

melt into tears به گریه درآمدن

melting *adj* نرم؛ احساساتی

melting-pot /'meltɪŋpɒt/ *n* بوته

member /'membə(r)/ *n* عضو [جمع = اعضا]، اندام؛ کارمند؛ پاره، جزء، شاخه، شعبه، بخش، قسمت

Member of Parliament نماینده مجلس، وکیل [مختصرِ آن MP است]

member of staff کارمند (اداری)

membership /'membəʃɪp/ *n* عضویت

membrane /'membreɪn/ *n* شامه، غشا؛ پوسته

membranous /'membrənəs/ *adj* غشایی

memento /mɪ'mentəʊ/ *n* [-(e)s] یادگاری، نشانی

memo /'meməʊ/ [مختصرِ memorandum]

memoir /'memwɑ:(r)/ *n* یادداشت؛ تاریخچه، ترجمه احوال؛ [در جمع] ۱.وقایع، سرگذشت ۲.مقالات علمی

memorable /'memərəbl/ *adj* یادداشت‌کردنی، قابل تذکار

memorandum /,memə'rændəm/ *n* [-da *or* -dums] یادداشت؛ نامهٔ (غیررسمی)؛ شرکت‌نامه

memorial /mə'mɔ:rɪəl/ *n* یادگار؛ یادداشت؛ [در جمع] تاریخچه، وقایع

memorialist *n* وقایع‌نویس، تذکره‌نویس

memorialize /mə'mɔ:rɪəlaɪz/ *vt* به رسم یادگار نگاه‌داشتن؛ یادداشت (برایِ کسی) فرستادن

memorize /ˈmemәraɪz/ *vt* از بر کردن، حفظ کردن؛ یادداشت کردن
memory /ˈmemәrɪ/ *n* حافظه، هوش؛ یاد، خاطره؛ یادگار
in memory of به یادِ، به یادگارِ
of blessed memory مرحوم، خدابیامرز
It escaped my memory. (از) یادم رفت.
repeat (*or* recite) from memory از حفظ گفتن (یا خواندن)، از برگفتن
within living memory تا آنجا که مردم این زمان در یاد دارند
men /men/ [*pl of* man]
menace /ˈmenәs/ *n,vt* ۱.تهدید ۲.تهدید کردن
menagerie /mɪˈnædʒәrɪ/ *n* نمایشگاه (سیار) جانوران
mend /mend/ *vt,vi,n* ۱.تعمیر کردن، درست کردن؛ اصلاح کردن؛ تند کردن (قدم)؛ جبران کردن؛ تیز کردن، زغال ریختن در (آتش) ۲.بهبود یافتن ۳.زدگی یا سوراخ تعمیر شده
mend one's pace تندتر قدم زدن
on the mend رو به بهبود
mendacious /menˈdeɪʃәs/ *adj* دروغ، کاذب
mendacity /menˈdæsәtɪ/ *n* دروغ(گویی)
mendicant /ˈmendɪkәnt/ *n,adj* ۱.گدا، درویش ۲.گدا(یی کننده)
menfolk /ˈmenfәʊk/ *n* مردهای خانواده
menial /ˈmi:nɪәl/ *adj,n* ۱.پست ۲.نوکر یا شخصی که کارهای پست را انجام می‌دهد
meningitis /ˌmenɪnˈdʒaɪtɪs/ *n* آماس اغشیهٔ مغز، مننژیت
menses /ˈmensi:z/ *npl* طمث، قاعده
menstruate /ˈmenstrʊeɪt/ *vi* قاعده شدن
mensuration /ˌmensjʊˈreɪʃn/ *n* اندازه‌گیری
mental /ˈmentl/ *adj* ذهنی،فکری؛ عقلانی؛ روحی؛ (دچار مرض) دماغی
mentality /menˈtælәtɪ/ *n* قوه ذهنی؛ طرزفکر
mentally /ˈmentәlɪ/ *adv* عقلاً؛ ذهناً؛ از لحاظ دماغی، روحاً
menthacious /menˈθeɪʃәs/ *adj* نعناعی
menthol /ˈmenθɒl/ *n* جوهر نعناعِ خشک، مانتول
mention /ˈmenʃn/ *n,vt* ۱.ذکر ۲.ذکر کردن، نام بردن
not to mention گذشته از؛ قطع‌نظر از
Don't mention it چیزی نیست، قابل نبود؛ اهمیت ندارد
mentor /ˈmentɔ:(r)/ *n* رایزن خردمند و امین، دوست مجرب و قابل اعتماد

menu /ˈmenju:/ *n,Fr* صورت غذا، فهرست خوراک
Mephistophelian *or* **-lean** /ˌmefɪstәˈfi:lɪәn/ *adj* دیوی، اهریمنی
mercantile /ˈmɜ:kәntaɪl/ *adj* تجارتی
mercantile marine کشتی‌های بازرگانی
mercenary /ˈmɜ:sɪnәrɪ US: -nerɪ/ *adj,n* ۱.مزدور، پولی؛ پولکی ۲.سرباز مزدور
mercer /ˈmɜ:sә(r)/ *n* حریرفروش
mercerize /ˈmɜ:sәraɪz/ *vt* حریرنما کردن، مرسریزه کردن
merchandise /ˈmɜ:tʃәndaɪz/ *n* مال‌التجاره، کالا، جنس
merchant /ˈmɜ:tʃәnt/ *n,adj* ۱.بازرگان، تاجر ۲.تجارتی
merchantman /ˈmɜ:tʃәntmәn/ *n* [-men] کشتی بازرگانی
merciful /ˈmɜ:sɪfl/ *adj* بخشنده
[the merciful God]؛ کریمانه
mercifully /ˈmɜ:sɪfәlɪ/ *adv* از روی بخشندگی
merciless /ˈmɜ:sɪlɪs/ *adj* بی‌رحم؛ بی‌رحمانه
mercurial /mɜ:ˈkjʊrɪәl/ *adj* جیوه‌ای؛ [مجازاً] چالاک؛ فرّار
mercury /ˈmɜ:kjʊrɪ/ *n* سیماب، جیوه؛ [با M] ۱.تیر، عطارد ۲.رب‌النوع سخنوری و بازرگانی و دزدی
mercy /ˈmɜ:sɪ/ *n* رحمت، رحم، بخشش
have mercy on (*or* upon) someone به کسی رحم کردن
at the mercy of در اختیارِ، دستخوشِ
mere /mɪә(r)/ *adj* محض، صِرف
I will not go by your mere promise. به صرف وعدهٔ شما نخواهم رفت.
mere /mɪә(r)/ *n* دریاچه (کم عمق)
merely *adv* فقط، صرفاً، محضاً
He is merely a thief. دزد محض است.
meretricious /ˌmerɪˈtrɪʃәs/ *adj* زرق‌وبرق‌دار
merge /mɜ:dʒ/ *vt,vi* ۱.فرو بردن، مستهلک کردن؛ ترکیب کردن ۲.فرو رفتن؛ یکی شدن
merger /ˈmɜ:dʒә(r)/ *n* فرا گرفتنِ چیزی چیز دیگر را؛ استهلاک؛ ترکیب
meridian /mәˈrɪdɪәn/ *n,adj* ۱.مدار نصف‌النهار؛ معدل‌النهار؛ [مجازاً] اوج ۲.نصف‌النهاری؛ منتها
meringue /mәˈræŋ/ *n,Fr* مرنگ [اصطلاح شیرینی‌پزی]
merino /mәˈri:nәʊ/ *n* قوچ زیل؛ نوعی پارچه پشمی مانند شال کشمیر که از پشم قوچ زیل درست می‌کنند

merit /'merɪt/ *n,vt* ۱.شایستگی، لیاقت، استحقاق؛ مزیت ۲.سزاوار بودن، استحقاق داشتن، لایق بودن

of merit قابل، شایسته

make a merit of شایسته قلمداد کردن

meritorious /,merɪ'tɔ:rɪəs/ *adj* شایسته، لایق، مستحق؛ ستوده؛ توأم با حسن‌نیت؛ دارای حسن‌نیت

mermaid /'mɜ:meɪd/ *n* پری دریایی

merrily /'merəlɪ/ *adv* از روی نشاط

merriment /'merɪmənt/ *n* خوشی، شادمانی

merry /'merɪ/ *adj* شاد، خوش، دلخوش؛ سرخوش، نیم‌مست

make merry شادمانی کردن

make merry over مسخره کردن

merry-go-round /'merɪ gəʊ ,raʊnd/ *n* چرخ‌فلک؛ میدانی که چند خیابان در آن تلاقی می‌کنند

merrymaking /'merɪmeɪkɪŋ/ *n* خوشی، عیش

mésalliance/,meɪ'zælɪɑ:ns/ *n,Fr* وصلتِ ناجور

Mesdames /meɪ'dɑ:m/ [*pl of* madame]

Mesdemoiselles /,meɪdmwə'zel/ [*pl of* mademoiselle]

meseems *vi, Arch* به‌نظرم می‌رسد

mesentery /'mesəntərɪ/ *n* روده‌بند، حاویه

mesh /meʃ/ *n,vt,vi* ۱.سوراخ، چشمه، شبکه؛ [در جمع] (ریسمانهای) دام ۲.به دام انداختن ۳.درهم گیر کردن

in mesh درهم افتاده،درهم گیر کرده

mesmerism /'mezmərɪzəm/ *n* مِسمِریسم

mesmerist /'mezmərɪst/ = hypnotist

mesmerize /'mezməraɪz/ *vt* با مغناطیس حیوانی خواب کردن

Mesopotamia /,mesəpə'teɪmi:ə/ *n* بین‌النهرین

mess /mes/ *n,vt,vi* ۱.خوراک دسته‌جمعی (در ارتش یا نیروی دریایی)؛ جمعی که با هم خوراک‌می‌خورند؛ وضع درهم‌برهم، کثافت‌کاری؛ خوراک (آبکی) ۲.درهم برهم کردن، به‌هم زدن[گاهی با up] ۳.خوراک خوردن؛ بیهوده وقت گذراندن

at mess سرِ غذا، هنگام خوراک

make a mess of بد انجام دادن

message /'mesɪdʒ/ *n* پیغام؛ مخابره

go on a message پیغام بردن؛ پی کاری رفتن

messenger /'mesɪndʒə(r)/ *n* قاصد، پیغام‌آور، پیک

Messiah /mɪ'saɪə/ *n* مسیح

Messieurs /meɪ'sjɜ:(r)/ *Fr* [*pl of* monsieur]

Messrs /'mesəz/ [*pl of* Mr] آقایان [مختصرِ messieurs]

messmate /'mesmeɪt/ *n* هم‌خوراک (در کشتی)

messy *adj* درهم‌برهم؛ کثیف

met /met/ [*p,pp of* meet]

metabolism /mə'tæbəlɪzəm/ *n* تحول، دگرگونی؛ [در فیزیولوژی] سوخت و ساخت

metal /'metl/ *n,vt* [-led] ۱.فلز؛ سنگ برای سنگفرش یا راه‌سازی ۲.سنگ‌ریزی کردن، شوسه کردن؛ سفت کردن

metallic /mɪ'tælɪk/ *adj* فلزی

metalloid /'metlɔɪd/ *n* شبه فلز

metallurgical /,metə'lɜ:dʒɪkl/ *adj* مربوط به فنِ استخراج و ذوب فلزات

metallurgist/mɪ'tælədʒɪst US: 'metəlɜ:rdʒɪst/ *n* متخصص ذوب فلزات

metallurgy /mɪ'tælədʒɪ US: 'metəlɜ:rdʒɪ/ *n* فلزشناسی، فن استخراج و ذوب فلزات

metamorphose /,metə'mɔ:fəʊz/ *vt* مسخ کردن

metamorphosis /,metə'mɔ:fəsɪs/ *n* مسخ؛ دگردیسی

metaphor /'metəfə(r)/ *n* استعاره

metaphorical /,metə'fɒrɪkl US: -'fɔ:r-/ *adj* استعاری، مجازی

metaphysical /,metə'fɪzɪkl/ *adj* مربوط به فلسفه ماورای طبیعت؛ متافیزیکی

metaphysics /,metə'fɪzɪks/ *n* فلسفه ماورای طبیعت، علم معقولات؛ سخن خیالی، فرض محض؛ متافیزیک

mete /mi:t/ *vt,Poet* (سهم) دادن [غالباً با out به کار می‌رود]

metempsychosis/mə,temsə'kəʊsɪs,-,temp/*n* تناسخ

meteor /'mi:tɪə(r)/ *n* شهاب

meteoric /,mi:tɪ'ɒrɪk US: -'ɔ:r-/ *adj* شهابی؛ مربوط به حوادث جوّی؛ [مجازاً] برق‌زننده و زودگذر، تیرآسا

meteorite /'mi:tɪəraɪt/ *n* سنگ شهابی، سنگ آسمانی، شهاب سنگ

meteorological /,mi:tɪərə'lɒdʒɪkl US: ,mi:tɪɔ:r-/ *adj* جوّی

meteorologist /,mi:tɪə'rɒlədʒɪst/ *n* هواشناس

meteorology /,mi:tɪə'rɒlədʒɪ/ *n* هواشناسی

meter /'mi:tə(r)/ *n* متر؛ کنتور

methinks /mɪ'θɪŋks/ *vi,* [methought] *Arch* چنین به‌نظرم می‌رسد

method /'meθəd/ *n* روش، شیوه، طریقه؛ اسلوب، سبک؛ قاعده

methodical /mɪ'θɒdɪkl/ *adj* اسلوب‌دار

methodically /mɪˈθɒdɪklɪ/ *adv* با روش،
از روی اسلوب [He teaches methodically]
methodology /ˌmeθəˈdɒlədʒɪ/ *n*
روش‌شناسی، اسلوب‌شناسی
methought /mɪˈθɔːt/ [*p of* methinks]
methyl alcohol /ˌmeθɪl ˈælkəhɒl/
الکل چوب
methylated spirits /ˌmeθəleɪtɪd ˈspɪrɪts/
الکل تقلیبی
meticulous /mɪˈtɪkjʊləs/ *adj* زیاد دقیق
metonymy /mɪˈtɒnəmɪ/ *n*
ذکر جزء و ارادهٔ کل؛ ذکر ظرف به جای مظروف؛ ذکر علت به جای معلول
metre /ˈmiːtə(r)/ *n* متر؛ وزن، بحر
metric /ˈmetrɪk/ *adj* متری
metric ton تن متری [۱۰۰۰ کیلوگرم]
metrical /ˈmetrɪkl/ *adj* دارای وزن یا بحر، موزون؛ پیمایشی
metrically /ˈmetrɪklɪ/ *adv* به‌طور موزون
metronome /ˈmetrənəʊm/ *n* میزانه‌شمار، مترونوم
metropolis /məˈtrɒpəlɪs/ *n* کلان شهر؛ شهر عمده؛ مرکز کار
metropolitan /ˌmetrəˈpɒlɪtən/ *adj,n*
۱.کلان شهری؛ مربوط به پایتخت ۲.اهل پایتخت؛ مطران
mettle /ˈmetl/ *n* خمیره، فطرت؛ جرئت
put on (*or* to) one's mettle سرِ غیرت آوردن
mettlesome /ˈmetlsəm/ *adj* باحرارت؛ سرکش
mew /mjuː/ *n,vi* ۱.میومیو، معومعو ۲.میومیو کردن
mew /mjuː/ *vt* در قفس کردن؛ [مجازاً] حبس کردن [بیشتر با up]
mews /mjuːz/ *n* طویله‌هایی که دورمیدانی بسازند [با فعل مفرد به‌کار می‌رود]
Mexican /ˈmeksɪkən/ *adj* مکزیکی
mezzanine /ˈmezəniːn/ *n* اُشکوب کوتاه که معمولا بین طبقه همکف و طبقه بالایی آن است
mezzo /ˈmetsəʊ/ *adv,It* نیمه
miaou /miːˈaʊ/ = mew *n,vi*
miasma /mɪˈæzmə/ *n* بخار بدبو
mica /ˈmaɪkə/ *n* سنگ طلق، شیشه معدنی، میکا
mice /maɪs/ [*pl of* mouse]
Michaelmas /ˈmɪklməs/ *n*
عید حضرت میکائیل [روز ۲۹ سپتامبر]

mickle /ˈmɪkl/ *n* مقدار زیاد
microbe /ˈmaɪkrəʊb/ *n* میکرب
microcosm /ˈmaɪkrəʊkɒzəm/ *n*
جهانِ کوچک، عالم صغیر
micrometer /maɪˈkrɒmɪtə(r)/ *n* میکرومتر، آلت پیمایشِ چیزهای ریز، ریزسنج
microphone /ˈmaɪkrəfəʊn/ *n* میکروفون
microscope /ˈmaɪkrəskəʊp/ *n* میکروسکوپ
microscopic /ˌmaɪkrəˈskɒpɪk/ *adj* ریز، خرد
mid /mɪd/ *adj* نیمه، میانی، وسطی
mid-May نیمهٔ ماه مِه
mid /mɪd/ *prep,Poet* = amid
midday /ˌmɪdˈdeɪ/ *n* نیمروز، ظهر
midden /ˈmɪdn/ = dunghill
middle /ˈmɪdl/ *n,adj* ۱.میان، وسط ۲.میانی، وسطی؛ متوسط
Middle Ages قرنهای میانه،قرون وسطی
The Middle East خاورمیانه
middle course (*or* way) میانه‌رَوی
middle term جملهٔ مشترک
middle school دبیرستان
middle-aged /ˌmɪdlˈeɪdʒd/ *adj* میان‌سال
middle-class /ˌmɪdlˈklaːs/ *adj,n* ۱.میان‌حال، متوسط ۲.طبقه متوسط
middleman /ˈmɪdlmæn/ *n* کسی که کالا را از تهیه‌کننده خریده به دکانداران می‌فروشد، دلال
middle-sized /ˈmɪdlsaɪzd/ *adj* میان‌قد، متوسط‌القامه
middling /ˈmɪdlɪŋ/ *adj,adv* ۱.میانه، وسط، نه بد نه خوب ۲.نسبتاً
of a middling quality میانه، وسط
middlings *npl* زبره آرد
middy = midshipman
midge /mɪdʒ/ *n* پشهٔ ریز
midget /ˈmɪdʒɪt/ *n* کوتوله
midland /ˈmɪdlənd/ *n,adj* ۱.درون کشور ۲.درونی، داخلی
midmost /ˈmɪdməʊst/ *adj* واقع در عین وسط، وسط‌ترین
midnight /ˈmɪdnaɪt/ *n* نیمشب، نصفه‌شب
midshipman /ˈmɪdʃɪpmən/ *n* [-men]
افسر پایین‌رتبه در نیروی دریایی
midst /mɪdst/ *n,prep* ۱.میان، وسط ۲.در میانِ [بیشتر در شعر]
midsummer /ˌmɪdˈsʌmə(r)/ *n* نیمهٔ تابستان، چله تابستان
midway /ˌmɪdˈweɪ/ *adj,adv* نیمه‌راه؛ نیم‌راه

midwife /ˈmɪdwaɪf/ *n* [-wives] ماما، قابله

midwinter /ˌmɪdˈwɪntə(r)/ *n* نیمه زمستان، چلهٔ زمستان

mien /miːn/ *n* سیما، قیافه؛ هیئت

might /maɪt/ *n* توانایی؛ زور

with might and main ; with all one's might با تمام نیرو

might /maɪt/ [*p of* may]

mightily /ˈmaɪtɪlɪ/ *adv* با توانایی، به زور؛ [در گفتگو] خیلی

mighty /ˈmaɪtɪ/ *adj,adv* ۱.نیرومند، توانا، مقتدر؛ بزرگ، عظیم؛ زیاد ۲. [در گفتگو] خیلی

be high and mighty نخوت داشتن، خود را گرفتن، باد در آستین انداختن

mignonette /ˌmɪnjəˈnet/ *n* اسپرک؛ نوعی گل میخک؛ نوعی‌توری ظریف

migrant /ˈmaɪgrənt/ *adj,n* ۱.کوچ‌کننده؛ سیار، مهاجر ۲.پرندهٔ مهاجر

migrate /maɪˈgreɪt US: ˈmaɪgreɪt/ *vi* کوچ کردن، مهاجرت کردن

migration /maɪˈgreɪʃn/ *n* کوچ، مهاجرت، نقل مکان

migratory /ˈmaɪgrətrɪ/ *adj* مهاجر؛ مهاجرتی

mike /maɪk/ *n,Col* = microphone

milage /ˈmaɪlɪdʒ/ *n* مسافتِ پیموده شده، هزینهٔ سفر برحسب میل

Milanese /ˌmɪləniːz/ *adj,n* [-nese] اهل میلان [Milan]، میلانی

milch /mɪltʃ/ *adj* [گاو] شیرده، شیری

mild /maɪld/ *adj* ملایم؛ رام؛ نرم

Draw it mild (Col)! سبک بیا!

mildew /ˈmɪldjuː US: -duː/ *n,vi* ۱.کپرک، کپک؛بادزدگی؛زنگ گیاهی ۲.کپک زدن،زنگ زدن

mildly *adv* به نرمی، به‌طور ملایم

mildness *n* نرمی، ملایمت

mile /maɪl/ *n* میل

miles better *Col* یک دنیا بهتر

mileage /ˈmaɪlɪdʒ/ = milage

milestone /ˈmaɪlstəʊn/ *n* میل‌شمار، فرسخ‌شمار؛ نقطه عطف

militant /ˈmɪlɪtənt/ *adj* مبارز

militarism /ˈmɪlɪtərɪzəm/ *n* نظامیگری؛ روحِ نظامی؛ اصالت (داشتن) نیروی نظامی

militarist /ˈmɪlɪtərɪst/ *n* صاحبِ روح سربازی؛ هواخواه سیاست نظامی

military /ˈmɪlɪtrɪ US: -terɪ/ *adj,n* ۱.نظامی ۲.نظام [با the]

military service خدمت سربازی یا وظیفه

militate /ˈmɪlɪteɪt/ *vi* مبارزه کردن، جنگیدن؛ مخالف بودن، منافی بودن

militia /mɪˈlɪʃə/ *n* سربازان ملی، مبارزین غیرلشکری

milk /mɪlk/ *n,vt* ۱.شیر؛ شیره ۲.دوشیدن [milk a cow]

milk-jug /ˈmɪlk dʒʌg/ *n* شیرخوری

milkmaid /ˈmɪlkmeɪd/ *n* [در کارخانه لبنیات] زن شیرفروش

milkman /ˈmɪlkmən/ *n* [-men] مردِ شیرفروش

milksop /ˈmɪlksɒp/ *n* آدم ترسو و ضعیف

milk-tooth /ˈmɪlktuːθ/ *n* دندان شیری

milkweed /ˈmɪlkwiːd/ *n* [گیاه‌شناسی] شیرگیاه

milk-white /ˈmɪlkwaɪt/ *adj* شیری رنگ

milky /ˈmɪlkɪ/ *adj* شیری؛ تیره رنگ؛ شیردار؛ شیره‌دار، [مجازاً] نرم، مخنث

the Milky Way (کهکشان) راه شیری

mill /mɪl/ *n,vt,vi* ۱.آسیاب؛ چرخ، ماشین؛ کارخانه؛ کنگره، دندانه آسیاب قهوه یا فلفل؛[مجازاً] محنت، آزمایش سخت ۲.آسیاب کردن؛کنگره‌دار کردن، زدن، کف آوردن (شکلات) ۳. دورِ هم گشتن

go through the mill کارکشته شدن

mill flour آرد درست کردن

mill /mɪl/ *n* میل:یک هزارم دُلار

millboard /ˈmɪlbɔːd/ *n* مقوای کلفت کتابی

millennium /mɪˈlenɪəm/ *n* دورهٔ هزارساله (سلطنت مسیح)

miller /ˈmɪlə(r)/ *n* آسیابان؛آسیاب‌دار

millet /ˈmɪlɪt/ *n* ارزن

milligramme /ˈmɪlɪgræm/ *n* میلی‌گرم

millimetre /mɪlɪmiːtə(r) *n* میلی‌متر

milliner /ˈmɪlɪnə(r)/ *n* فروشندهٔ کلاه زنانه و لوازم (آرایش) آن

millinery /ˈmɪlɪnərɪ/ *n* (فروش) کلاه زنانه و لوازم آن

million /ˈmɪljən/ *n,adj* میلیون، ملیون

millionaire /ˌmɪljəˈneə(r)/ *n* میلیونر

mill-pond /ˈmɪlpɒnd/ *n* تنورهٔ آسیاب

mill-race /ˈmɪlreɪs/ *n* جوی آسیاب

millstone /ˈmɪlstəʊn/ *n* سنگِ آسیاب

mill-wheel /ˈmɪlwiːl/ *n* چرخ یا پره آسیاب

mill-wright /ˈmɪlraɪt/ *n* آسیاب‌ساز

mime /maɪm/ *n,vi* ۱.نمایشِ تقلیدی؛ [مث]ل بازی؛ مقلد؛ لوده ۲.تقلید درآوردن

mimeograph /ˈmɪmɪəgrɑːf US: -græf/ *n* اسبابِ رونوشت‌برداری

mimic /'mɪmɪk/ *adj,n* ۱.تقلیدی؛ تقلیدکننده ۲.مقلد، مسخره

mimic /'mɪmɪk/ *vt* [-ked] تقلید کردن، ادا(ی چیزی را) درآوردن

mimicry *n* تقلید؛ ادا و اصول

protective mimicry شباهت خارجی تام

mimosa /mɪ'məʊzə US: 'məʊsə/ *n* (جنس) گل ابریشم و گل ناز و گل فتنه

minaret /,mɪnə'ret/ *n,Ar* مناره

mince /mɪns/ *n,v* ۱.قیمه ۲.ریزریز کردن؛ قیمه کردن؛ با ناز سخن گفتن، با ناز راه رفتن

mincemeat /'mɪnsmi:t/ *n* قیمهٔ آمیخته با کشمش وبعضی چیزهای دیگر

mincing *apa* نازدار، آمیخته به ناز

mind /maɪnd/ *n* خاطر؛ فکر؛ نیت؛ نظر، رأی؛ کله؛ ذوق؛ روح

to (*or* in) my mind به عقیده من

of the same mind یکدل، همفکر؛ به‌عقیده خود باقی

talk one's mind اندیشهٔ خود را آشکار کردن، رُک سخن گفتن

put in mind یادآوری کردن

a good (*or* great) mind نیت، میل

I had half a mind to go. چندان مایل به رفتن نبودم.

make up one's mind تصمیم گرفتن

set one's mind on something مایل یا مصمم به کردن کاری بودن

change one's mind منصرف شدن

time out of mind زمان خیلی قدیم، عهد دقیانوس

be in two minds دو دل بودن

bear in mind درخاطر(یا نظر) داشتن

mind /maɪnd/ *v* درنظرداشتن، به خاطر آوردن؛ ملتفت بودن؛ مواظب بودن، پاییدن؛ اهمیت داد(به)، اعتنا کردن به؛ حذر کردن از؛ درفکر (چیزی بودن؛ ملتفت (کسی یا چیزی) شدن؛ توجه کرد(از)، نگاهداری کردن؛ رسیدگی کردن به؛ حر[ف] گوش کردن

Never mind! اهمیت ندهید!

Would you mind ringing? ممکن است بی‌زحمت زنگ رابزنید؟

Mind the step! مواظبِ پله باشید!

I shouldn't mind a cup of... بی‌میل نیستم یک فنجان... بخورم

Do you mind? ایرادی دارید؟

double-minded دودل

minded /'maɪndɪd/ *adj* متمایل، آماده؛ [زیر mind هم آمده است]

mindful /'maɪndfl/ *adj* ملتفت، باخبر، متوجه

mindless /'maɪndlɪs/ *adj* بی‌فکر؛ بی‌اعتنا

mindless of بی‌اعتنا نسبت به

mine /maɪn/ *n,vt,vi* ۱.کان، معدن؛ مین؛ [مجازاً] منبع، سرچشمه ۲.نقب زدن؛ از زیر کندن؛ خراب کردن؛ استخراج کردن؛ کندن؛ مین‌گذاری کردن ۳.کان کندن

mine /maɪn/ *pr* مال من

The pen is mine. قلم مال من است.

a friend of mine یکی از دوستان من

minefield /'maɪnfi:ld/ *n* ناحیهٔ مین‌گذاری شده

minelayer /'maɪnleɪə(r)/ *n* کشتی مین‌گذار

miner /'maɪnə(r)/ *n* کان‌کن، معدنچی؛ مین‌گذار

mineral /'mɪnərəl/ *adj,n* ۱.کانی، معدنی ۲.جسم معدنی

mineral water آب معدنی

mineralogist /,mɪnə'rælədʒɪst/ *n* کانی‌شناس

mineralogy /,mɪnə'rælədʒɪ/ *n* کانی‌شناسی

minesweeper /'maɪnswi:pə(r)/ *n* کشتی مین جمع‌کن

mingle /'mɪŋgl/ *v* آمیختن، مخلوط کردن (یا شدن)؛ به هم پیوستن

miniature /'mɪnɪətʃə(r) US: 'mɪnɪətʃʊər/ *n,adj* ۱.مینیاتور ۲.کوچک (شده)

in miniature به مقیاس کوچکتر

minimize /'mɪnɪmaɪz/ *vt* به حداقل رساندن

minimum /'mɪnɪməm/ *n* [-ma] ,*adj* حداقل؛ کمترین [minimum price]

mining /'maɪnɪŋ/ *n* کان‌کنی؛ مین‌گذاری

minion /'mɪnɪən/ *n* چاپلوس، متملق

minister /'mɪnɪstə(r)/ *n,vi* ۱.وزیر؛ کشیش ۲.کمک کردن؛ خدمت کردن

minister to the wants of... حاجات... را برآوردن

minister plenipotentiary وزیرمختار

ministerial /,mɪnɪ'stɪərɪəl/ *adj* وزارتی؛ کمک‌کننده، سودمند، مؤید؛ اجرایی

It is ministerial to... کمک به... می‌کند، وسیلهٔ ترقیِ ... است

ministrant /'mɪnɪstrənt/ *n* کمک‌کننده، هواخواه

ministration /,mɪnɪ'streɪʃn/ *n* خدمت (در امور مذهبی)

ministry /'mɪnɪstrɪ/ *n* وزارت(خانه)

the ministry هیئت وزیران؛ روحانیون

mink /mɪŋk/ *n* نوعی سمور یا راسو
minnow /ˈmɪnəʊ/ *n* نوعی ماهی ریز که در آبهای شیرین یافت می‌شود
He is a triton among the minnows. در شهر کورها یک‌چشمی پادشاه است.
minor /ˈmaɪnə(r)/ *adj,n* ۱.کهتر، کوچکتر [در این معنی هیچگاه با than گفته نمی‌شود]؛ مختصر، جزئی؛ پایین‌رتبه؛ [حقوق] خردسال، صغیر ۲.صغیر
minor premise صغری
Asia Minor آسیای صغیر
Brown minor براونِ کهتر یا کوچکتر
in a minor key با لحن سوگواری
minor offence خلاف، لغزش
minority /maɪˈnɒrətɪ US: -ˈnɔ:r-/ *n* اقلیت؛ [حقوق] خردسالی، صغر
minster /ˈmɪnstə(r)/ *n* کلیسای رئیس راهبان
minstrel /ˈmɪnstrəl/ *n* خنیاگر درباری؛ خنیاگر سیار، حاجی‌فیروز
minstrelsy /ˈmɪnstrəlsɪ/ *n* خنیاگری؛ (شعروغزل) خنیاگرانِ قرون وسطی
mint /mɪnt/ *n,vt* ۱.ضرابخانه ۲.سکه زدن؛ [مجازاً] اختراع کردن
mint /mɪnt/ *n* نعناع(وپونه ومانند آنها)
minuend /ˈmɪnju:end/ *n* مفروق منه، کاهش‌یاب
minuet /ˌmɪnjʊˈet/ *n* نوعی رقص سنگینِ دو نفری یا رِنگ آن
minus /ˈmaɪnəs/ *prep,adj* ۱.منهایِ، منها ۲.منفی، منهادار
minute /ˈmɪnɪt/ *n* دقیقه؛ یادداشت؛ [در جمع] خلاصهٔ مذاکرات
the minute (that) همان دم که، به محض اینکه
minute /maɪˈnju:t US: -ˈnu:t/ *adj* ریز، بسیار خرد؛ جزئی، ناچیز؛ دقیق
minute-book /ˈmɪnɪtbʊk/ *n* دفتر خلاصهٔ مذاکرات، دفترِ وقایع
minute-hand /ˈmɪnɪthænd/ *n* (عقربه) دقیقه‌شمار
minutiae /maɪˈnju:ʃɪi: US: mɪˈnu:ʃɪi:/ *n* دقـایـق
minx /mɪŋks/ *n* دختر یا زنِ گستاخ و پررو
miracle /ˈmɪrəkl/ *n* معجزه
miracle play نمایش مذهبی
He is a miracle of... اعجوبه‌ای است در...
miraculous /mɪˈrækjʊləs/ *adj* معجز نشان، اعجازآمیز؛ معجزنما
mirage /ˈmɪrɑ:ʒ/ *n* سراب
mire /ˈmaɪə(r)/ *n,v* ۱.گِل، گِلاب؛ باتلاق؛ کثافت؛ [مجازاً] گرفتاری ۲.در گل فُرو بردن، در گل فرو رفتن
mirror /ˈmɪrə(r)/ *n,vt* ۱.آیینه، آینه ۲.آیینه‌وار نشان دادن
mirth /mɜ:θ/ *n* خوشی، خوشحالی، نشاط
mirthful /ˈmɜ:θfl/ *adj* خوشحال؛ سرورآمیز
mirthfully *adv* باخوشی
mirthfulness *n* خوشی، شادی
mirthless *adj* بی‌نشاط
miry /ˈmaɪərɪ/ *adj* گِلزار، باتلاقی
misadventure /ˌmɪsədˈventʃə(r)/ *n* حادثهٔ ناگوار، بلا
misalliance /ˌmɪsəˈlaɪəns/ = mésalliance
misanthrope /ˈmɪsənθrəʊp/ *n* کسی که از انسان یا جامعهٔ بشری بیزار است، انسان گریز، انسان ستیز
misanthropic /ˌmɪsənˈθrɒpɪk/ *adj* متنفر از بشر؛ ناشی از تنفر نسبت به بشر، انسان گریزانه، انسان‌ستیزانه
misapplication /ˌmɪsæplɪˈkeɪʃn/ *n* ستعمال بیجا؛ اِسناد غلط
misapply /ˌmɪsəˈplaɪ/ *vt* ه غلط یا بی‌موقع به کار بردن
misapprehend /ˌmɪsæprɪˈhend/ *vt* رست نفهمیدن
misapprehension /ˌmɪsæprɪˈhenʃn/ *n* سوءِتفاهم
misappropriate /ˌmɪsəˈprəʊprɪeɪt/ *vt* ختلاس کردن
misappropriation /ˌmɪsəˌprəʊprɪˈeɪʃn/ *n* ختلاس
misbehave /ˌmɪsbɪˈheɪv/ *vi* رست رفتار نکردن، بی‌ادبی کردن
misbehave (*vt*) oneself = misbehave
misbehaviour /ˌmɪsbɪˈheɪvɪə(r)/ *n* ـرفتاری، بی‌ادبی، بداخلاقی
misbeliever *n* خص بد کیش، کافر کیش
miscalculate /ˌmɪsˈkælkjʊleɪt/ *vt* ـحساب کردن
miscalculation /ˌmɪskælkjʊˈleɪʃn/ *n* سابِ نادرست، محاسبه غلط
miscall /ˌmɪsˈkɔ:l/ *vt* نام غلط صدا کردن
miscarriage /ˌmɪsˈkærɪdʒ;ˈmɪskærɪdʒ/ *n* کست؛ عدم موفقیت؛ سقطِ جنین
have a miscarriage ه سقط کردن
miscarriage of justice تباه قضایی

miscarry /ˌmɪsˈkærɪ/ *vi* نتیجه ندادن؛ کامیاب نشدن، موفق نشدن؛ به مقصد نرسیدن؛ (بچه) سقط کردن، بچه انداختن
miscellaneous /ˌmɪsəˈleɪnɪəs/ *adj* گوناگون، متفرقه، متنوع
miscellaneously *adv* به‌طور گوناگون
miscellaneousness *n* تنوع
miscellanist *n* جُنگ‌نویس
miscellany /mɪˈselənɪ/ *n* مجموعهٔ مطالب گوناگون
mischance /ˌmɪsˈtʃɑːns/ *n* حادثهٔ ناگوار، قضا؛ بدبختی
mischief /ˈmɪstʃɪf/ *n* دوبه‌هم‌زنی، فتنه؛ اذیت؛ شیطنت، شرارت
make mischief between two persons میانه دونفر را به‌هم زدن
play the mischief with خراب کردن، مختل کردن
Where the mischief have you been? کدام جهنم دره‌ای رفته بودید؟
mischief-maker /ˈmɪstʃɪf meɪkə(r)/ *n* دوبه‌هم‌زن
mischievous /ˈmɪstʃɪvəs/ *adj* بدجنس، موذی؛ شیطان؛ آسیب‌رسان، مضر؛ شیطنت‌آمیز
miscible /ˈmɪsəbl/ *adj* قابل امتزاج
misconceive /ˌmɪskənˈsiːv/ *v* تصور غلط کردن؛ درست نفهمیدن
misconception /ˌmɪskənˈsepʃn/ *n* تصور غلط
misconduct /ˌmɪsˈkɒndʌkt/ *n* خلاف؛ بداخلاقی؛ سوءِ اداره
misconduct /ˌmɪskənˈdʌkt/ *vi* خلاف کردن؛ بداخلاقی کردن
misconduct (*vt*) oneself = misconduct *(vi)*
misconstruction /ˌmɪskənˈstrʌkʃn/ *n* تعبیر نادرست، سوءِتفاهم
misconstrue /ˌmɪskənˈstruː/ *vt* بدتعبیر کردن
miscount /ˌmɪsˈkaʊnt/ *n,vt* ۱.اشتباه‌شمارشی، اشتباه در شمردن ۲.غلط شمردن، بدحساب کرد
miscreant /ˈmɪskrɪənt/ *adj,n* (آدم) بی‌وجدان یا پست
misdeal /ˌmɪsˈdiːl/ *n,v* [-dealt] ۱.اشتباه در دادنِ ورق ۲.اشتباه در دادن (برگ) کردن
misdeed /ˌmɪsˈdiːd/ *n* جُرم، خلاف، بدکرداری
misdemeanour /ˌmɪsdɪˈmiːnə(r)/ *n* جنحه،بزه
misdirect /ˌmɪsdɪˈrekt/ *vt* غلط راهنمایی کردن؛ عنوان غلط (روی نا... نوشتن؛ بد به‌کار بردن

misdoing /ˌmɪsˈduːɪŋ/ = misdeed
miser /ˈmaɪzə(r)/ *n* آدم خسیس یا جوکی
miserable /ˈmɪzrəbl/ *adj* بدبخت، بیچاره؛ بد؛ پست؛ رقت‌انگیز
miserably /ˈmɪzrəblɪ/ *adv* بابدبختی، به‌نکبت، بسیاربد [live miserably]
miserliness *n* خست، لئامت
miserly *adj* خسیس،جوکی؛ پست
misery /ˈmɪzərɪ/ *n* بدبختی، بیچارگی؛ تهیدستی؛ نکبت
misfire /ˌmɪsˈfaɪə(r)/ *vi* در نرفتن؛ روشن نشدن
misfit /ˈmɪsfɪt/ *n* لباس خارج از اندازه
misfortune /ˌmɪsˈfɔːtʃuːn/ *n* بدبختی
misgave /ˌmɪsˈgeɪv/ [*p of* misgive]
misgive /ˌmɪsˈgɪv/ *vt* [-gave;-given] دچارِ توهم کردن [فاعل این فعل معمولاً mind یا heart است]
misgiving /ˌmɪsˈgɪvɪŋ/ *n* توهم، بیم، شبهه
misgovern /ˌmɪsˈgʌvn/ *vt* بدحکومت کردن بر، بد اداره کردن
misguide /ˌmɪsˈgaɪd/ *vt* گمراه کردن، به اشتباه انداختن
misguidedly *adv* گمراهانه
mishap /ˈmɪshæp/ *n* حادثهٔ نسبتاً ناگوار
misinform /ˌmɪsɪnˈfɔːm/ *vt* خبر نادرست (به کسی) دادن
misinterpret /ˌmɪsɪnˈtɜːprɪt/ *vt* بد تفسیر کردن، بدتعبیر کردن
misinterpretation /ˌmɪsɪntɜːprɪˈteɪʃn/ *n* سوءِتعبیر
misjudge /ˌmɪsˈdʒʌdʒ/ *v* داوری غلط کردن (درحقِ)؛ عقیدهٔ غلط داشتن (نسبت به)
mislay /ˌmɪsˈleɪ/ *vt* [-laid] در جای عوضی گذاشتن، گم و گور کردن
mislead /ˌmɪsˈliːd/ *vt* [-led] گمراه کردن، به غلط انداختن
misleading *apa* گمراه‌کننده؛ غلط انداز [misleading estimates]
misled /ˌmɪsˈled/ [*p,pp of* mislead]
mismanage /ˌmɪsˈmænɪdʒ/ *vt* بد اداره کردن؛ بد درست کردن، بدترتیب دادن
mismanagement *n* سوءِاداره؛ سوءِتدبیر
misnomer /ˌmɪsˈnəʊmə(r)/ *n* نام غلط؛ اسم بی‌مسمی؛ استعمال اسمی به غلط
misplace /ˌmɪsˈpleɪs/ *vt* در جای عوضی گذاشتن؛ نابجا به‌کار بردن

My confidence was misplaced.
به بد کسی اطمینان کردم.

misprint /ˌmɪsˈprɪnt/ *vt* غلط چاپ کردن

misprint /ˈmɪsprɪnt/ *n* غلط چاپی

mispronounce /ˌmɪsprəˈnaʊns/ *vt* غلط تلفظ کردن

mispronunciation /ˌmɪsprəˌnʌnsɪˈeɪʃn/ *n* تلفظِ غلط

misquote /ˌmɪsˈkwəʊt/ *vt* غلط نقل کردن

misread /ˌmɪsˈriːd/ *vt* [*p,pp* -read /-ˈred/] بد تعبیر کردن

misreading *n* تصحیف‌خوانی

misrepresent /ˌmɪsˌreprɪˈzent/ *vt* بدنمایش دادن، بدجلوه دادن، مشتبه کردن

misrepresentation /ˌmɪsˌreprɪzenˈteɪʃn/ *n* اشتباهکاری، نمایش غیرواقعی

misrule /ˌmɪsˈruːl/ *n,vt* ۱.طرز غلط در حکومت کردن ۲.بد حکومت کردن بر

miss /mɪs/ *vt,vi,n* ۱.از دست دادن؛ احساس فقدان (چیزی را) کردن؛ نزدن (نشان)؛ نفهمیدن؛ از نظر رد کردن ۲.خطا کردن، نخوردن، اصابت نکردن؛ به جایی نرسیدن ۳.عجز؛ عدم موفقیت؛ از دست‌دادگی

miss fire ۱. misfire ۲. [مجازاً] کامیاب نشدن
miss out ول کردن، جا گذاشتن
We missed you. جای شما خالی بود.
جای شما سبز بود.
He barely missed falling into it.
چیزی نمانده بود در آن بیفتد.

miss /mɪs/ *n* دختر؛ [با M] دوشیزه، مادموازل [در جلو اسم]

Miss Mary (*or* M. Mary)
دوشیزه (یا مادموازل) مری

missal /ˈmɪsl/ *n* کتاب نماز و دعا [در میان کاتولیک‌ها]

mis-shapen /ˌmɪsˈʃeɪpən/ *adj* بدشکل؛ ناقص‌الخلقه

missile /ˈmɪsaɪl US: ˈmɪsl/ *n* موشک؛ پرانه

missing *apa* گُم، مفقود؛ کم؛ ناپیدا، غایب

mission /ˈmɪʃn/ *n* مأموریت؛ هیئت اعزامی یا تبلیغی؛ تبلیغ، دعوت؛ مرکز مبلغین

missionary /ˈmɪʃənrɪ US:-nerɪ/ *n* مُبلغ، فرستاده، مأمور

missionary work کار تبلیغی

missioner *n* مبلغ بخش، کشیش بخش، مأمور ناحیه

missis;-sus /ˈmɪsɪz/ *n* [زبان عامیانه] خانم، بانو؛ [به شوخی یا تحقیر] زن

missive /ˈmɪsɪv/ *n* نامهٔ (رسمی)

mis-spell /ˌmɪsˈspel/ *vt* [-spelt *or* -spelled] (با املای) غلط نوشتن

mis-spend /ˌmɪsˈspend/ *vt* [-spent] تلف کردن، برباد دادن

mis-state /ˌmɪsˈsteɪt/ *vt* درست بیان نکردن

mis-statement *n* گفتهٔ نادرست

missy /ˈmɪsɪ/ *n,Col* خانم کوچولو

mist /mɪst/ *n,vi* ۱.مِه؛ غُبار[در چشم] ۲.مه گرفتن؛ تار شدن

mistake /mɪsˈteɪk/ *n,v* [-took;-taken] ۱.اشتباه، غلط، سهو ۲.اشتباه کردن؛ درست نفهمیدن؛ عوضی گرفتن

make a mistake اشتباه کردن
by mistake اشتباهاً، سهواً، ندانسته
and no mistake *Col* بدون شک
They mistook him for the king.
او را با شاه اشتباه کردند.
There is no mistaking جای اشتباه نیست
You are mistaken اشتباه کرده‌اید، در اشتباه هستید

mistaken /mɪsˈteɪkn/ [*pp of* mistake]

mister /ˈmɪstə(r)/ *n* ۱.آقایِ [مختصر آن Mr است که در جلو نام شخص به کار می‌رود] ۲.آقا، مسیو

mistily /ˈmɪstɪlɪ/ *adv* به‌طور مِه‌آلود یا تیره

mistimed /ˌmɪsˈtaɪmd/ *adj* نابهنگام، بی‌موقع

mistiness *n* مه گرفتگی؛ تاری

mistletoe /ˈmɪsltəʊ/ *n* کولی، کاولی، کشمشک

mistook /mɪˈstʊk/ [*p of* mistake]

mistress /ˈmɪstrɪs/ *n* بانو، خانم؛ کدبانو؛ معشوقه؛ معلمه [مختصر این واژه Mrs است که در جلو نام بانوی شوهردار به‌کار می‌رود و تلفظ می‌شود /ˈmɪsɪz/ مانند Mrs Smite]

mistrial /ˌmɪsˈtraɪəl/ *n* محاکمهٔ غلط و بی‌نتیجه

mistrust /ˌmɪsˈtrʌst/ *n,vt* ۱.بدگمانی، عدم اطمینان ۲.ظنین بودن از

mistrustful /ˌmɪsˈtrʌstfl/ *adj* بدگمان، ظنین

misty *adj* مه گرفته؛ تاریک؛ گیج

misunderstand /ˌmɪsˌʌndəˈstænd/ *vt* [-stood] درست نفهمیدن، بدتعبیر کردن

misunderstanding *n* سوءِتفاهم

misuse /ˌmɪsˈjuːz/ *vt* بد به‌کار بردن؛ بد رفتاری (به کسی) کردن

misuse /ˌmɪsˈjuːs/ *n* بد رفتاری؛ استعمال غلط

mite /maɪt/ *n* کرم خوراک، کرم ریز؛ پول خرد که برابر است با نیم farthing، پشیز؛ خرده، ذره

not a mite هیچ
a mite of a child بچهٔ کوچولو
the widow's mite آنچه فقیری صمیمانه در راه خیر دهد ولو کم باشد، برگ سبز، تحفهٔ درویش
miter /'maɪtə(r)/ = mitre
mitigate /'mɪtɪgeɪt/ *vt* سبک کردن، تخفیف دادن، تسکین دادن؛ ملایم کردن، معتدل کردن
mitigation /,mɪtɪ'geɪʃn/ *n* تخفیف؛ تسکین
mitre /'maɪtə(r)/ *n* تاج اسقفی، قَلَنسُوه؛ عمامهٔ کاهن یهودی، محل اتصال دوچوب با زاویهٔ نود درجه [در این معنی mitre-joint نیز گفته می‌شود]
mitt /mɪt/ *n* ۱. mitten ۲.دستکشِ بیس‌بال ۳.[در گفتگو] دستکش بوکس
mitten /'mɪtn/ *n* دستکشی که جایِ چهار انگشت را با هم و جای شست را جداگانه دارد
mix /mɪks/ *vt,vi* ۱.آمیختن، مخلوط کردن، قاطی کردن، سرشتن ۲.مخلوط شدن؛ آمیزش کردن؛ دخالت کردن؛ سازش کردن
mix up خوب با هم آمیختن، درهم برهم کردن؛ دستپاچه کردن
be mixed up in (*or* with) something گرفتار چیزی شدن
mixable *or* **-ible** = miscible
mixed /mɪkst/ *ppa* آمیخته، مخلوط، مختلط؛ درهم؛ [در گفتگو] گیج، دستپاچه
mixed school آموزشگاه مختلط
mixed bathing آبتنی مرد و زن با هم
mixed number عدد کسری
mixer /'mɪksə(r)/ *n* مخلوط‌کن، مخلوط کننده؛ آمیزنده
a good mixer آدم زودجوش
mixture /'mɪkstʃə(r)/ *n* مخلوط، ترکیب
cough mixture شربت سرفه
Mlle = Mademoiselle
Mme = Madame
mnemonic /nɪ'mɒnɪk/ *adj* ممدّ حافظه
moan /məʊn/ *n,vi* ۱.ناله ۲.ناله کردن، نالیدن
moat /məʊt/ *n* خندق
moated *adj* خندق‌دار
mob /mɒb/ *n,vt* [-bed] ۱.جمعیت، ازدحام ۲.برسر (کسی) ریختن، ازدحام کردن
mobile /'məʊbaɪl US: -bl/ *adj* روان، متحرک، سیال؛ تغییرپذیر؛ سبک، حرکت‌دادنی، سیار
mobility /məʊ'bɪlətɪ/ *n* سهولتِ حرکت؛ [مجازاً] تغییرپذیری، بی‌ثباتی

mobilization /,məʊbɪlaɪ'zeɪʃn US: -lɪ'z-/ *n* بسیج
mobilize /'məʊbɪlaɪz/ *vt,vi* ۱.بسیج دادن، تجهیز کردن ۲.به حالت بسیج درآوردن
moccasin /'mɒkəsɪn/ *n* پوستِ گوزن؛ [در جمع] کفش پوست گوزن
Mocha /'mɒkə US: 'məʊkə/ *n* [جغ] مُخا؛ قهوهٔ مخا
mock /mɒk/ *vt,vi,adj* ۱.ریشخند یا مسخره یا استهزا کردن؛ خوار شمردن ۲.خندیدن، با مسخره نگریستن ۳.دروغی [the mock doctor]، تقلیدی؛ کاذب
make a mock *(n)* of مسخره کردن
mockery /'mɒkərɪ/ *n* ریشخند، استهزا، (مایهٔ) مسخره؛ نمایشِ تقلیدی؛ مسخرگی
mode /məʊd/ *n* روش، طریقه، طرز؛ [موسیقی] مقام
the mode مُد
model /'mɒdl/ *n* نمونه؛ سرمشق؛ قالب؛ طرح، نقشه؛ مدل نقاشی
a model farm مزرعهٔ نمونه
model /'mɒdl/ *vt* [-led] قالب (چیزی را) درست کردن، طرح (چیزی را) ریختن؛ ساختن، درست کردن
model oneself on (upon *or* after) someone در رفتار و آداب به کسی تأسی کردن
modeller *n* قالب‌ساز؛ نمونه‌ساز
modelling *n* قالب‌سازی
moderate /'mɒdərət/ *adj* معتدل؛ ملایم، سبک؛ میانه‌رو؛ مناسب
moderate /'mɒdəreɪt/ *vt,vi* ۱.معتدل کردن، ملایم کردن ۲.معتدل شدن، کاهش یافتن؛ مدارا کردن
moderately *adv* به‌طور میانه، به اعتدال، با مدارا
moderation /,mɒdə'reɪʃn/ *n* میانه‌روی، مدارا، اعتدال، ملایمت؛ معتدل‌سازی
in moderation با اعتدال، معتدلانه
moderator /'mɒdəreɪtə(r)/ *n* رئیس (انجمن روحانیون)
modern /'mɒdn/ *adj* مدرن، جدید، امروزی؛ تازه (اختراع شده)؛ متأخر، معاصر [modern history]
the moderns امروزی‌ها، متأخرین
modernism /'mɒdənɪzəm/ *n* نوگرایی؛ (انتخاب) روشهای تازه؛ سازش دادن عقاید دینی با فکر امروزه؛ مدرنیسم

modernist /'mɒdənɪst/ *n* نوگرا؛ هواخواه اصولِ امروزه، متجدد؛ مدرنیست

modernize /'mɒdənaɪz/ *v* باسلیقه یا روش امروزی مطابق کردن (یا شدن)؛ مدرنیزه کردن (یا شدن)

modest /'mɒdɪst/ *adj* محجوب، باحیا؛ فروتن، متواضع؛ نسبتاً کم

modestly *adv* از رویِ شکسته‌نفسی یا تواضع؛ محجوبانه؛ نه چندان زیاد

modesty /'mɒdɪstɪ/ *n* حیا، حُجب، شرم، محجوبیت؛ شکسته‌نفسی، فروتنی، تواضع

modicum /'mɒdɪkəm/ *n* مقدار کم

  a modicum(of) مقدار کمی، اندکی

modification /ˌmɒdɪfɪ'keɪʃn/ *n* تغییر، اصلاح؛ تصرف در معنی، تعدیل؛ شکل دیگر

modifier /ˌmɒdɪfaɪə(r)/ *n* تغییردهنده، اصلاح‌کننده؛ [دستورزبان] معرّف

modify /'mɒdɪfaɪ/ *vt* تغییر دادن، اصلاح کردن؛ تصرف در معنیِ (چیزی) کردن؛ ملایم کردن، کاهش دادن

modish /'məʊdɪʃ/ *adj* = fashionable

modulate /'mɒdjʊleɪt US: -dʒʊ-/ *vt,vi* ۱.تعدیل کردن، میزان کردن؛ زیر و بم کردن؛ از پرده یا مایه‌ای به پرده یا مایه دیگر بردن ۲.از مایه‌ای به مایه دیگر رفتن

modulation /ˌmɒdjʊ'leɪʃn US: -dʒʊ'l-/ *n* تعدیل صدا، تلحین، تحریر؛ تغییر مایه

Mogul /'məʊgl/ *n,adj* مغول

mohair /'məʊheə(r)/ *n* موی مرغوز؛ پارچهٔ صوف یا شالی که از موی مرغوز می‌بافند؛ موهر

Mohammedan /mə'hæmɪdən/ *adj* مسلمان

moist /mɔɪst/ *adj* نمناک، مرطوب؛ بارانی

moisten /'mɔɪsən/ *vt,vi* ۱.تر کردن ۲.تر شدن، نم کشیدن

moisture /'mɔɪstʃə(r)/ *n* نم، رطوبت

molar /'məʊlə(r)/ *adj* آسیاب‌کننده، خردکننده، طاحن

  molar tooth دندان آسیا یا کرسی

molasses /mə'læsɪz/ *npl* شیرهٔ قند، ملاس

mold /məʊld/ = mould

mole /məʊl/ *n* خال [در روی بدن]

mole /məʊl/ *n* موش کور زیرزمینی

mole /məʊl/ *n* موج‌شکن؛ سد جلوِ لنگرگاه؛ لنگرگاه مصنوعی

mole-cricket /'məʊl ˌkrɪkɪt/ *n* آب دزدک

molecular /mə'lekjʊlə(r)/ *adj* مولکولی

molecule /'mɒlɪkju:l/ *n* مولکول

mole-hill /'məʊl hɪl/ *n* تودهٔ خاکی که موش کور زیرزمینی هنگام کندن زمین درست می‌کند

  make mountains out of molehills مو را طناب کردن

molest /mə'lest/ *vt* مزاحم شدن، متعرض شدن

molestation /ˌməʊle'steɪʃn/ *n* آزار؛ ممانعت

mollification /ˌmɒlɪfɪ'keɪʃn/ *n* نرم‌سازی؛ فرونشانی؛ تسکین؛ نرمی؛ آرامش

mollifier *n* فرونشان؛ نرم‌ساز

mollify /'mɒlɪfaɪ/ *vt* فرونشاندن؛ نرم کردن

mollusc *or* **-lusk** /'mɒləsk/ *n* جانورِ نرم‌تن

molly-coddle /'mɒlɪkɒdl/ *n,vt* ۱.پسر یا مرد زن‌صفت و ترسو ۲.نازپرورده کردن، لوس کردن، لوس بار آوردن

molt /məʊlt/ = moult

molten /'məʊltən/ [*pp of* melt] *ppa* گداخته، آب‌شده؛ ریخته، ریختگی

moment /'məʊmənt/ *n* لحظه؛ هنگام، زمان؛ موقع؛ [مجازاً] اهمیت

  The very moment he came همین که آمد، همان دم که آمد

  at the moment در آن وقت؛ فعلاً

  It is of no moment هیچ اهمیت ندارد

  matter of moment مسئله مهم

momentary /'məʊməntrɪ US: -terɪ/ *adj* آنی، زودگذر، کم دوام، فانی؛ آن به‌آنی

momentous /mə'mentəs/ *adj* مهم، خطیر

momentum /mə'mentəm/ *n* مقدارِ جنبش؛ نیروی حرکت آنی

monarch /'mɒnək/ *n* پادشاه یا ملکه‌ای که تنها در کشوری سلطنت می‌کند

monarchic(al) /mə'nɑ:kɪk(l)/ *adj* مربوط به سلطان یا سلطنتِ مستقل؛ سلطنت‌خواه

monarchism /'mɒnəkɪzəm/ *n* اصول سلطنت مستقل، اصالت یک پادشاهی

monarchy /'mɒnəkɪ/ *n* کشوری که دارای یک پادشاه (یا ملکه) است، حکومت پادشاهی

monastery /'mɒnəstrɪ US: -terɪ/ *n* صومعهٔ رهبان، صومعه، دیر

monastic /mə'næstɪk/ *adj* رهبانی

Monday /'mʌndɪ/ *n* دوشنبه

monetary /'mʌnɪtrɪ/ *adj* پولی؛ سکه‌ای

  monetary unit واحد پول

money /'mʌnɪ/ *n* پول؛ سکه

  money order حواله،دستور پرداخت

  a man of money دم پولدار

money of account دینار و قاز و مانند آنها (که تنها در حساب کردن گفته می‌شود)
make (*or* raise) money پول جمع کردن
take eggs for money خرمهره را با دُر برابر (یا اشتباه) کردن
money-bag /ˈmʌnɪbæg/ *n* کیسه، کیف (پول)؛ [در جمع، در گفتگو] پول، ثروت
money-box /ˈmʌnɪbɒks/ *n* صندوق اعانه؛ صندوق پس‌انداز
money-changer /ˈmʌnɪtʃeɪndʒə(r)/ *n* صراف
moneyed /ˈmʌnɪd/ *adj* پولدار
the moneyed interest پولداران
money-grubber /ˈmʌnɪgrʌbə(r)/ *n* مال‌اندوز
money-lender /ˈmʌnɪlendə(r)/ *n* پول وام‌ده، پول به بهره‌گذار
moneyless *adj* بی‌پول
money-maker /ˈmʌnɪmeɪkə(r)/*n* پول جمع‌کن
money-market /ˈmʌnɪmɑ:kɪt/ *n* بازارِ پول
monger /ˈmʌŋgə(r)/ *n* [در ترکیب]فروش [مانند fishmonger ماهی‌فروش]
Mongol /ˈmɒŋgəl/ *n* مغول
mongoose /ˈmɒŋgu:s/ *n* [-es] نِمس هندی که مارهای زهردار را می‌کشد
mongrel /ˈmʌŋgrəl/ *n* جانور یا آدم دورگه؛ گیاه پیوندی
monitor /ˈmɒnɪtə(r)/ *n* دستگاه کنترل، بازنگر؛ مبصر، خلیفه؛ نوعی زره‌پوش ساحلی
monk /mʌŋk/ *n* [*fem* nun] راهب، تارک دنیا
monkey /ˈmʌŋkɪ/ *n,vi* ۱.میمون؛ بچهٔ شیطان ۲.تقلید کردن، ادا درآوردن؛ شیطنت کردن
monkey trick شیطنت؛ حیله
monkey business کچلک بازی
get one's monkey up خشمگین شدن
put one's monkey up خشمگین کردن
monkey with انگولک کردن؛ خراب کردن
monkeyish *adj* میمون صفت
monkey-jacket /ˈmʌŋkɪ dʒækɪt/ *n* نیمتنهٔ کوتاه و چسبانی که ملوانان می‌پوشند
monkey-nut /ˈmʌŋkɪnʌt/ = peanut
monkey-wrench /ˈmʌŋkɪ rentʃ/ *n* آچارچکش
monks-hood /ˈmʌŋks hʊd/ *n* گل تاج‌ملوک
monocle /ˈmɒnəkl/ *n* عینک یک‌چشمی
monogamist /məˈnɒgəmɪst/ *n* تک‌همسر
monogamous /məˈnɒgəməs/ *adj* دارای یک‌زن یا یک‌شوهر، تک‌همسر
monogamy /məˈnɒgəmɪ/ *n* تک‌همسری

monogram /ˈmɒnəgræm/ *n* رمز حروفی؛ امضای هنرپیشگی
monograph /ˈmɒnəgrɑ:f US: -græf/ *n* رساله دربارهٔ یک موضوع، تک نگاری [رساله]
monolith /ˈmɒnəlɪθ/ *n* ستون سنگی یکپارچه
monologue /ˈmɒnəlɒg US:-lɔ:g/ *n* تک‌گویی، صحبت یا نمایش یکنفره؛ سخنرانی طولانی؛ مونولوگ
monomania /ˌmɒnəʊˈmeɪnɪə/ *n* شیفتگی جنون‌آمیز (نسبت به چیزی)
monoplane /ˈmɒnəpleɪn/ *n* هواپیمایی که یک (جفت) بال دارد
monopolist /məˈnɒpəlɪst/ *n* صاحب امتیاز انحصاری؛ طرفدار انحصار، انحصارطلب
monopolistic /məˌnɒpəˈlɪstɪk/ *adj* انحصاری، انحصارگرانه
monopolization /məˌnɒpəlaɪˈzeɪʃn/ *n* گرفتن امتیاز انحصاری چیزی
monopolize /məˈnɒpəlaɪz/ *vt* به خود انحصار دادن، امتیاز انحصاری (چیزی را) گرفتن
monopoly /məˈnɒpəlɪ/ *n* انحصار، حق انحصاری؛ کالای انحصاری
monosyllabic /ˌmɒnəsɪˈlæbɪk/ *adj* یک‌هجایی
monosyllable /ˈmɒnəsɪləbl/ *n* کلمهٔ یک‌هجایی
monotheism /ˈmɒnəʊθi:ɪzəm/ *n* توحید، یکتاپرستی
monotheist /ˈmɒnəʊθi:ɪst/*n* موحد، یکتاپرست
monotone /ˈmɒnətəʊn/ *n,adj* ۱.یکنواختی ۲.یکنواخت
monotonous /məˈnɒtənəs/ *adj* یکنواخت، بی‌تنوع؛ بی‌زیروبم
monotony /məˈnɒtənɪ/ *n* یکنواختی
monsieur /məˈsjɜ:(r)/ *n* [messieurs], *Fr* آقا، موسیو
monsoon /ˌmɒnˈsu:n/ *n* باد موسمی؛ موسم بارندگی
monster /ˈmɒnstə(r)/ *n,adj* ۱.جانور بزرگ یا شگفت‌انگیز، هیولا ۲.کلان، گنده
a monster of cruelty اهریمن شقاوت
monstrosity /mɒnˈstrɒsətɪ/ *n* هیولایی؛ شرارت بسیار؛ هیولا؛ چیزشگفت‌انگیز و مهیب
monstrous /ˈmɒnstrəs/ *adj* هیولاوار، مهیب، شگفت‌انگیز؛ گنده، عظیم‌الجثه؛ بسیار شریر یا بی‌رحم
month /mʌnθ/ *n* ماه
this day month یک‌ماه دیگر از امروز

monthly *adj,adv,n* ۱.ماهیانه ۲.مجلهٔ ماهانه

monument /'mɒnjʊmənt/ *n* اثر یا بنای تاریخی، یادگار تاریخ

monumental /,mɒnjʊ'mentl/ *adj* یادگاری؛ تاریخی؛ ماندگار؛ شگفت‌آور

moo /mu:/ *n,vi* ماغ (کشیدن)

mood /mu:d/ *n* حالت، حال، حوصله، دماغ؛ خُلق، مشرب؛ [دستورزبان] وجه

I am not in the mood for (or to) work.

حال (یا دماغ) کار کردن ندارم.

moodily /mu:dɪlɪ/ *adv* با کج‌خلقی

moody *adj* کج‌خلق؛ دمدمی

moon /mu:n/ *n* ماه، مهتاب

once in a blue moon ندرتاً

moon /mu:n/ *vi,vt* ۱.بی‌مقصد راه رفتن، پرسه زدن [با about] ۲.بیهوده گذراندن [با away]

moonbeam /'mu:nbi:m/ *n* پرتو ماه

moonlight /'mu:nlaɪt/ *n* مهتاب

moonlight night شب مهتابی

It was moonlight مهتاب بود

moonlit /'mu:nlɪt/ *adj* مهتابی، روشن

moonshine /'mu:nʃaɪn/ *n* مهتاب؛ سخن پوچ

moonstruck /'mu:nstrʌk/ *adj* ماه‌زده؛ دیوانه

moor /mʊə(r)/ *n* خلنگ‌زار؛ شکارگاه

moor /mʊə(r)/ *vt* مهار کردن، بستن

Moor /mʊə(r)/ *n* عرب مغربی یا مراکشی

moor-cock /'mʊəkɒk/ *n* خروس کولی

moorings *npl* مهار، طناب کشتی؛ لنگرگاه، جای مهار کردن کشتی

Moorish /'mʊərɪʃ/ *adj* مغربی؛ مسلمان

moorland /'mʊələnd/ *n* خلنگ‌زار؛ زمین بایر

moose /mu:s/ *n* [moose] نوعی گوزن در امریکای شمالی

moot /mu:t/ *adj,vt* ۱.قابل بحث ۲.مورد بحث قرار دادن، مطرح کردن

mop /mɒp/ *n,vt* [-ped] ۱.چوبی که کهنه یا پشم بر سر آن پیچیده برای تنظیف به کار می‌برند ۲.پاک کردن؛ خشکاندن؛ از وجود دشمن پاک کردن؛ [با up] جمع کردن و بردن (کثافت)؛ خاتمه دادن؛ [در گفتگو] سرکشیدن

mop the floor with کاملاً شکست دادن و از بین بردن

mope /məʊp/ *vi,n* ۱.افسرده بودن ۲.آدم افسرده؛ [در جمع] افسردگی

moral /'mɒrəl US: 'mɔ:rəl/ *adj,n* ۱.اخلاقی؛ معنوی؛ دارای قوهٔ ممیزه ۲.نتیجهٔ اخلاقی؛ [در جمع] اصول اخلاق

moral sense حس تشخیص خوب و بد

moral philosophy = ethics

morale /mə'rɑ:l US: -'ræl/ *n* روحیه

moralist /'mɒrəlɪst US: 'mɔ:r-/ *n* آموزگارِ اخلاق؛ پیرو اخلاق؛ معتقد به اصول اخلاقی؛ اخلاق‌گرا

moralistic /,mɒrə'lɪstɪk US: ,mɔ:r-/ *adj* مبنی بر اصول اخلاقی؛ اخلاق‌گرایانه

morality /mə'rælətɪ/ *n* (رعایت اصول) اخلاق؛ اصل اخلاقی؛ نمایش اخلاقی

moralize /'mɒrəlaɪz US: 'mɔ:r-/ *vt,vi* ۱.نتیجهٔ اخلاقی (از حکایتی) گرفتن؛ اخلاقی کردن ۲.بحث اخلاقی کردن

morally /'mɒrəlɪ/ *adv* اخلاقاً

morass /mə'ræs/ *n* مرداب، باتلاق

moratorium /,mɒrə'tɔ:rɪəm/ *n* [-ria] مهلت قانونی؛ اجازهٔ دیرکرد پرداخت

morbid /'mɔ:bɪd/ *adj* ناخوش؛ فاسد؛ مرَضی

mordant /'mɔ:dnt/ *adj* زننده، گوشه‌دار، نیشدار؛ تند؛ اکّال

more /mɔ:(r)/ *adj,adv* [*comp of* many *or* much] بیشتر، زیادتر؛ دیگر

He has more books than I.

او بیشتر از من کتاب دارد.

more than can be counted

بیشتر از آنچه بتوان شمرد

There is no more paper. دیگر کاغذ نیست.

He brought more money. باز پول آورد.

قدری دیگر پول آورد.

What more do you want?

دیگر چه می‌خواهید؟

once more دوباره، باردیگر، باز

He was more than foolish.

از احمق هم احمق‌تر بود.

any more هیچ دیگر

more beautiful زیباتر

He was more tired than hungry.

بیشتر خسته بود تا گرسنه.

more or less کم و بیش، کمابیش

be no more مردن

neither more nor less than عیناً، کاملاً، بی‌کم‌وزیاد

more /mɔ:(r)/ *n* (مقدار) بیشتر

I want no more دیگر نمی‌خواهم

I saw no more of you. دیگر شما را ندیدم. دیگر پیداتان نشد.

No more of that بس است دیگر

The more he gets the more he wants. هرچه بیشتر می‌گیرد بیشتر می‌خواهد.

moreover /mɔ:'rəʊvə(r)/ *adv* به‌علاوه

morganatic /ˌmɔ:gə'nætɪk/ *adj*

morganatic marriage ازدواج با زن پست‌تر از خود [از حیث طبقه]

morgue /mɔ:g/ *n,Fr* جای گذاردنِ مردگانی که هویت آنها معلوم نیست

moribund /'mɒrɪbʌnd US: 'mɔ:r-/ *adj* مردنی، محتضر

morn /mɔ:n/ *n,Poet* بامداد

morning /'mɔ:nɪŋ/ *n* صبح، بامداد؛ پیش‌ازظهر

this morning امروز صبح

the next morning صبح روز بعد

early in the morning صبح زود

Good morning! سلام، صبح بخیر!

morning coat نیمتنهٔ دامن‌گرد

morning prayer نماز صبح

morning-glory /ˌmɔ:nɪŋ 'glɔ:rɪ/ *n* نیلوفر(پیچ)

Moroccan /mə'rɒkən/ *adj,n* مراکشی

Morocco /mə'rɒkəʊ/ *n* مراکش؛ [با m] تیماج سُماقی

moron /'mɔ:rɒn/ *n* کودن

morose /mə'rəʊs/ *adj* ترشرو، عبوس

morphia /'mɔ:fɪə/ = morphine

morphine /'mɔ:fi:n/ *n* مرفین: جوهر منوّم افیون

morris chair /'mɒrɪs tʃeə(r)/ *n* صندلیی که پشت آن عقب و جلو می‌رود

morris-dance /'mɒrɪs dɑ:ns US: 'mɔ:rɪs dæns/ *n* نوعی رقص قدیمی با لباسهای فانتزی

morrow /'mɒrəʊ US: 'mɔ:r-/ *n* فردا، روزبعد

on the morrow فردای آن روز، روزبعد

Good morrow = Good morning

morsel /'mɔ:sl/ *n* لقمه؛ تکه

mort /mɔ:t/ *n* بوقی که خبر از مردن گوزن می‌دهد؛ ماهی آزاد سه ساله؛ مقدار زیاد

mortal /'mɔ:tl/ *adj,n* ۱.مردنی، فانی؛ کشنده، مهلک؛ خونین [a mortal battle] ۲.آدمی(زاد)

It is mortal to him کشندهٔ اوست

a mortal sin گناه بزرگ، گناه کبیره

mortality /mɔ:'tælətɪ/ *n* فنا(پذیری)؛ حساب مرگ‌ومیر؛ نوع بشر

mortally /'mɔ:təlɪ/ *adv* به‌طور کشنده؛ سخت

mortar /'mɔ:tə(r)/ *n,vt* ۱.هاوَن؛ خمپاره‌انداز کوچک؛ ساروج، ملاط ۲.با ملاط چسباندن

mortar-board /'mɔ:təbɔ:d/ *n* کلاهِ رسمی دانشگاهی، کلاه فارغ‌التحصیلی

mortgage /'mɔ:gɪdʒ/ *n,vt* گرو (گذاشتن)، رهن (گذاشتن)

mortgagee /ˌmɔ:gɪ'dʒi:/ *n* مُرتَهِن، گروگیر

mortgagor /ˌmɔ:gɪ'dʒɔ:(r)/ *n* گروگذار، راهن

mortician /mɔ:'tɪʃn/ *US* = undertaker

mortification /ˌmɔ:tɪfɪ'keɪʃn/ *n* ریاضت، نفْس‌کُشی؛ خواری، خفت؛ فساد عضو

mortify /'mɔ:tɪfaɪ/ *vt,vi* ۱.ریاضت دادن؛ کشتن (نفس)؛ جریحه‌دار کردن؛ رنجاندن؛ خفت دادن؛ فاسد کردن ۲.تباه شدن، فاسد شدن

mortise *or* **-tice** /'mɔ:tɪs/ *n,vt* ۱.کام ۲.جفت کردن

mortise and tenon کام و زبانه

mortuary /'mɔ:tʃərɪ US: 'mɔ:tʃʊerɪ/ *n,adj* ۱.[جسد] سردخانه ۲.مربوط به مردن یا دفن

mosaic /məʊ'zeɪɪk/ *n,adj* ۱.موزاییک ۲.از قطعات گوناگون درست‌شده [mosaic map]

Mosaic /məʊ'zeɪɪk/ *adj* متعلق به موسی

Mosaic law شریعت موسی، تورات

Moses /'məʊzɪz/ *n* موسی

Moslem /'mɒzləm/ *adj,n* مسلمان، مسلم

mosque /mɒsk/ *n* مسجد

mosquito /mə'ski:təʊ/ *n* [-es] پشه (مالاریایی)

mosquito net; mosquito curtain پشه‌بند

moss /mɒs US: mɔ:s/ *n* خزه، جل وزغ

moss-grown /'mɒs grəʊn/ *adj* خزه‌گرفته

mossy *adj* خزه‌مانند؛ خزه‌گرفته

most /məʊst/ *adj,adv* [*sup of* many *or* much],*n* ۱.بیشترین، بیشتر از همه ۲.بیشتر، اکثر؛ بیشترین کار

He makes most noise. او از همه بیشتر سروصدا (یا شلوغ) می‌کند.

most people بیشتر مردم

most interesting بی‌نهایت جالب توجه

most beautiful زیباترین

for the most part معمولاً؛ بیشتر

The most that I can do بیشترین کاری که می‌توانم بکنم

make the most of حداکثر استفاده را (از چیزی) کردن

at most منتها، خیلی باشد

mostly *adv* بیشتر، اساساً

mote /məʊt/ *n* ذره؛ خس

moth /mɒθ US: mɔ:θ/ *n* بید؛ پروانه

moth-ball /'mɒθ bɔ:l/ *n* گلولهٔ نفتالین
moth-eaten /'mɒθ i:tn/ *adj* بیدزده
mother /'mʌðə(r)/ مادر
mother tongue زبان مادری
mother country ۱.میهن، وطن ۲.کشور اصلی در برابر مستملکات
mother wit هوش ذاتی، غریزه
mother of pearl صدف
mother /'mʌðə(r)/ *vt* مادری (در حقِ کسی) کردن؛ فرزند خواندن، به فرزندی پذیرفتن
motherhood /'mʌðə(r)hʊd/ *n* مادری
mother-in-law /'mʌðər ɪn ˌlɔ:/ *n* [mothers-] مادرشوهر؛ مادرزن
motherless *adj* بی‌مادر
motherliness *n* (صفت) مادری
motherly *adj* مادرانه؛ مادروار
mother-of-pearl /'mʌðər əv 'pɜ:l/ *n,adj* ۱.صدف ۲.صدفی
motif /məʊ'ti:f/ *n,Fr* درون‌مایه، مضمون، [موسیقی] مایهٔ اصلی
motion /'məʊʃn/ *n,v* ۱.جنبش، حرکت؛ پیشنهاد؛ اشاره ۲.اشاره کردن
put in motion به حرکت درآوردن؛ به‌کار انداختن، دایر کردن
make a motion اشاره کردن، پیشنهاد کردن
motion one to a chair به کسی اشاره کردن که روی صندلی بنشیند
He was motioned to go. به او اشاره شد که برود.
motionless *adj* بی‌جنبش، بی‌حرکت
motivate /'məʊtɪveɪt/ *vt* انگیختن، تحریک کردن، موجب شدن، سبب شدن
motive /'məʊtɪv/ *n,v* ۱.انگیزه، داعی، سبب، علت؛ غَرَض ۲.جنباننده، محرک
motiveless *adj* بی‌جهت، بیخود
motley /'mɒtlɪ/ *adj* رنگارنگ؛ مختلط
wear the motley *(n)* چهل تیکه یا جامهٔ رنگارنگ پوشیدن؛ لودگی کردن
motor /'məʊtə(r)/ *adj,n* ۱.جنباننده، محرک ۲.موتور؛ ماشین
motor car اتومبیل
motor-cycle موتورسیکلت
motor /'məʊtə(r)/ *v* با اتومبیل رفتن، با اتومبیل بردن
motoring /'məʊtərɪŋ/ *n* اتومبیلرانی
motorist /'məʊtərɪst/ *n* اتومبیلران
motorize /'məʊtəraɪz/ *vt* موتوریزه کردن، دارای گردونه‌های موتوری کردن

motorman /'məʊtəmæn/ *n* متصدی موتور [به‌ویژه در واگن برقی]
mottle /'mɒtl/ *vt* خال مخالی کردن
motto /'mɒtəʊ/ *n* شعار؛ سخن زبده؛ پند، اندرز، حکمت
moujik /mu:'ʒɪk/ *n* روستاییِ روسی
mould /məʊld/ *n,vt,vi* ۱.قالب؛ ترکیب ۲.قالب کردن، ریختن ۳.قالب شدن، شکلی به خود گرفتن
of a fine mould خوش‌ریخت
mould /məʊld/ *n* خاک نرم، خاک گیاه‌دار
mould /məʊld/ *n,vi* ۱.کپک، بوزک ۲.کپک زدن
moulder *n* ریخته‌گر، قالب‌ساز
moulder /'məʊldə(r)/ *vi* خاک شدن، پوسیدن
moulding /'məʊldɪŋ/ *n* ریخته‌گری؛ قالب؛ چیز ریخته‌شده؛ شکل‌گیری؛ گچ‌بری [بیشتر درجمع]؛ روکوب
mouldy *adj* کپک‌زده، بو گرفته؛ [مجازاً] کهنه، منسوخ
moult /məʊlt/ *vt,vi* ۱.تولک رفتن، پر ریختن؛ پوست انداختن، شاخ انداختن ۲.ریختن، انداختن
mound /maʊnd/ *n* تپه کوچک؛ خاکریز
mount /maʊnt/ *n* کوه؛ تپه [مختصر این کلمه Mt است]
Mt Demavend کوه دماوند
mount /maʊnt/ *vi,vt,n* ۱.بالا رفتن؛ سوار شدن؛ زیاد شدن؛ بالغ شدن؛ ترقی کردن ۲.بالا رفتن از؛ سوارِ... شدن؛ سوار کردن؛ جلوس کردن بر؛ بلند کردن؛ چسباندن، نصب کردن؛ ترقی دادن؛ (با توپ) مجهز کردن ۳.پایه؛ مقوا یا دوره عکس؛ چیزی که چیز دیگر را روی آن سوار یا نصب کنند یا بچسبانند؛ سواری
The map is mounted on linen.
پشت نقشه پارچه چسبانده‌اند.
mounted police پلیس سواره
mountain /'maʊntɪn US: -ntn/ *n* کوه
mountain ash سُماق کوهی
mountaineer /ˌmaʊntɪ'nɪə(r)/ *n* کوهنورد
mountainous /'maʊntɪnəs US: -ntənəs/ *adj* کوهستانی؛ کوه‌پیکر، کلان
mountebank /'maʊntɪbæŋk/ *n* شیاد، حقه‌باز
mounting *n* پایه؛ نگین‌دان
mourn /mɔ:n/ *v* سوگواری کردن (برایِ)؛ ماتم (کسی را) گرفتن
mourn for (*or* over) the dead برای مرده سوگواری کردن

mourner *n* سوگواری‌کننده، دوست یا خویشاوند مرده که تشییع‌جنازه کند
mournful /mɔ:nfl/ *adj* عزادار؛ غم‌انگیز
mournfully /mɔ:nfəlɪ/ *adv* با سوگواری
mourning /'mɔ:nɪŋ/ *n* سوگواری، عزا(داری)؛ جامه عزا
  in mourning سیاهپوش، عزادار؛ چرک‌گرفته
  mourning-band روبان سیاه سوگواری
mouse /maʊs/ *n* [mice] موش
mouse /maʊs/ *vi* موش گرفتن
mouse-trap /'maʊs træp/ *n* تله موش
moustache /mə'stɑ:ʃ/ *n* سبیل
mouth /maʊθ/ *n* [*pl* -s /-ʊðz/] دهان، دهن؛ دهانه؛ مصب
  down in the mouth لب ولوچهٔ آویخته
  make mouths دهن کجی کردن
  wide-mouthed دهن گشاد
mouth /maʊð/ *vt* در دهان گذاشتن (خوراک)؛ با اِهِن و تُلپ حرف زدن
mouthful /'maʊθfʊl/ *n* لقمه
mouth-organ /'maʊθ ɔ:gən/ *n* سازدهنی
mouthpiece /'maʊθpi:s/ *n* [در فلوت و مانند آن] دهانه یا لبک؛ [مجازاً] سخنگو؛ ارگان
movable /'mu:vəbl/ *adj* منقول
  [a movable feast] متغیر [movable property]،
movables *npl* مال منقول
move /mu:v/ *vt,vi,n* ۱.تکان یا حرکت دادن؛ انتقال دادن؛ تحریک کردن؛ متأثر ساختن؛ پیشنهاد کردن ۲.حرکت کردن، تکان خوردن؛ اسباب‌کشی کردن؛ پیش رفتن؛ بازی کردن؛ اقدام کردن؛ [با for] تقاضا کردن ۳.تکان، حرکت، جنبش؛ اقدام؛ [در بازی] نوبت؛ اسباب‌کشی
  make a move جنبیدن، اقدام کردن
  move to pity به رقت آوردن
  move (house) اسباب‌کشی کردن
  move in به خانه تازه اسباب‌کشی کردن
  move on از جای خود حرکت کردن یا دادن، [در صیغه امر] قدم بزنید، یکجا نایستید
  Move along! عقب(تر) بروید! [در اتوبوس گفته می‌شود]
  move the bowels شکم را کار انداختن
  His bowels do not move. شکمش کار (یا عمل) نمی‌کند.
  on the move در جنبش، در حرکت؛ مشغول دوندگی یا فعالیت
  Get a move on! (Sl) بجنبید!

movement /'mu:vmənt/ *n* جنبش، حرکت؛ تغییر مکان؛ [در ماشین] گردش؛ اقدام؛ نهضت
movies /'mu:vɪz/ *npl,Sl* سینما
moving *apa* متحرک؛ مؤثر
  moving pictures سینما
mow /məʊ/ *vt,vi* [mowed;mown *or* mowed] ۱.چیدن؛ درو کردن ۲.علف چیدن
mow /məʊ/ *n* توده یا انبارِ علف خشک
mower /'məʊə(r)/ *n* علف‌چین
mown /məʊn/ [*pp of* mow]
MP /,em 'pi:/ = Member of Parliament
Mr /'mɪstə(r)/ [مختصرِ mister]
Mrs /'mɪsɪz/ [مختصرِ mistress]
MS [زیر manuscript آمده است]
Ms /mɪz/ *n* خانمِ [قبل از اسم زن شوهردار یا بی‌شوهر]
MSc /,em es 'si:/ *n* درجهٔ فوق لیسانس در علوم
MSS [زیر manuscript آمده است]
Mt [مختصرِ Mount]
much /mʌtʃ/ *adj,adv* [more;most] *,n* ۱.زیاد، بسیار ۲.مقدار زیاد
  much rain بارانِ زیاد
  too much زیاد، بیش از اندازه
  He was too much for me. من حریف او نبودم.
  How much چقدر
  much pleased بسیار خشنود یا ممنون
  I much regret خیلی متأسفم
  much less چه رسد (به)
  so much به قدری؛ این قدر
  this much ; that much این‌قدر؛ آن‌قدر
  as much as آن‌قدر که
  as much as possible هرقدر ممکن است، تاسر حد امکان، تا آنجا که بتوان
  as much again دوبرابر
  much (about) the same تقریباً یکجور
  much of it مقدار زیادی از آن
  make much of استفاده کردن از
  He is not much of a soldier. همچو سربازی هم نیست، او را نمی‌توان سرباز خواند.
muchness *n* زیادی [فقط در عبارت much of a muchness تقریباً یکجور]
mucilage /'mju:sɪlɪdʒ/ *n* لُعاب؛ چسب
muck /mʌk/ *n,vt* ۱.کود تازه، سرگین؛ کثافت؛ چیز نفرت‌انگیز؛ جیفه ۲.چرک کردن؛ خراب کردن [با up]
  make a muck of کثیف کردن، خراب کردن

muck(vi) **about** *Sl* کار بیهوده کردن

muck-rake /'mʌk reɪk/ *n* کودکش؛ [مجازاً] کسی‌که عادتاً مردم و کارمندان خدمات عمومی را می‌خواهد متهم به رشوه و خلاف کند؛ [مجازاً] لجن پراکن

mucky *adj* کثیف، پست، لئیم

mucous /'mju:kəs/ *adj* مخاطی؛ لزج

mucus /'mju:kəs/ *n* مخاط، بلغم؛ لعاب یا لزوجتِ گیاهی؛ آب لیز

mud /mʌd/ *n* گِل

mud house کلبهٔ گلی

fling mud at لجن مال کردن

mud-bath گِل‌مالی تن برای درمان

muddle /'mʌdl/ *n,vt,vi* ۱.درهم برهمی ۲.گیج کردن،خرف کردن؛ سرهم‌بندی کردن، خراب کردن؛ [با up] درهم برهم کردن ۳.گیج شدن

muddle on با تسلیم به پیشامد زیستن

muddle-headed /,mʌdl 'hedɪd/ *adj* کودن

muddy *adj* گل‌آلود؛ تیره، کمرنگ؛ گیج؛ درهم‌برهم

mudguard /'mʌdga:d/ *n* گلگیر

muff /mʌf/ *n* خَـزِ دست

muff /mʌf/ *n,vt* ۱.آدمِ خامدست، خامدستی، بی‌دستِ و پایی ۲.نگرفتن؛ به‌طور ناقص انجام دادن

muffin /'mʌfɪn/ *n* کلوچه‌ای که داغ داغ با کره می‌خورند

muffle /'mʌfl/ *vt* پیچیدن؛ دم دهان (کسی را) گرفتن؛ چشم بستن؛ کم صدا کردن؛ [صدا] خفه کردن

muffled *ppa* پیچیده؛ کر شده؛ دستکش‌پوش [a muffled boxer]

muffler /'mʌflə(r)/ *n* شال گردن؛ دستکش مشت‌بازی؛ صدا خفه‌کن (پیانو)

mufti /'mʌftɪ/ *n* لباس شخصی در مقابل لباس نظامی

mug /mʌg/ *n* لیوان دسته‌دار؛ [زبان عامیانه] صورت و دهن، پک‌وپوز

mug /mgʌ/ *n,Sl* آدم ساده‌لوح

muggy *adj* گرم و خفه، مرطوب

mulatto /mju:'lætəʊ US: mə'l-/ *n* [-es] ,*adj* آدم دورگه (از پدر و مادر سیاه و سفید)

mulberry /'mʌlbrɪ US: 'mʌlberɪ/ *n* توت

mulch /mʌltʃ/ *n* برگ و کاه تر برای پوشاندن ریشه درختان تازه نشانده

mulct /mʌlkt/ *n,vt* ۱.جریمه ۲.جریمه کردن؛ به زور گرفتن از

They mulcted him (in...). او را (فلان‌قدر) جریمه کردند.

mule /mju:l/ *n* استر، قاطر؛ نوعی ماشین نخ‌ریسی؛ سرپایی بی‌پاشنه

muleteer /,mju:lə'tɪə(r)/ *n* قاطرچی، استربان

mulish /'mju:lɪʃ/ *adj* چموش،لجوج

mull /mʌl/ *n* = muddle

make a mull of خراب کردن، سرهم‌بندی کردن

mull /mʌl/ *vt* خراب کردن، سرهم‌بندی کردن

mull /mʌl/ *vt* (شراب‌را) داغ کردن و ا ادویه و قند آمیختن

muller *n* رنگ‌ساب، داروساب، مشته

mullet /'mʌlɪt/ *n* ماهیِ سفید

red mullet ساه‌ماهی

mulligatawny /,mʌlɪgə'tɔ:nɪ/ *n* وعی سوپ تند

mullion /'mʌlɪən/ *n* جرز (سنگی) در میان قسمتهای پنجره

multifarious /,mʌltɪ'feərɪəs/ *adj* گوناگون، متعدد

multiform /'mʌltɪfɔ:m/ *adj* ارای چندین شکل، بسیار شکل

multiple /'mʌltɪpl/ *n,adj* ۱.مضرب ۲.چندین، متعدد؛ چندبرابر، مُضاعف؛ مرکب؛ چندلا؛ گوناگون

multiplex /'mʌltɪpleks/ *n* چند جزئی، چند بخشی

multiplicand *n* مضروب، بس‌شمرده

multiplication /,mʌltɪplɪ'keɪʃn/ *n* ضرب، بس‌شماری؛ افزایش، تکثیر

multiplicity /,mʌltɪ'plɪsətɪ/ *n* عدد، بسیاری؛ گوناگونی؛ عدهٔ بسیار

a multiplicity of words سخنان بسیار

multiplier *n* مضروبٌ فیه، بس‌شمر؛ افزاینده

multiply /'mʌltɪplaɪ/ *vt,vi* ۱.ضرب کردن؛ زیاد کردن، تکثیر کردن ۲.زیاد شدن؛ بارور شدن

multiply 6 by 2 را در ۲ ضرب کردن

multiplied by 3 ضرب در ۳

multitude /'mʌltɪtju:d US: -tu:d/ *n* جمعیت، انبوه؛ کثرت

the multitude تودهٔ مردم

multitudinous /,mʌltɪ'tju:dɪnəs US: -tu:dɪnəs/ *adj* بسیار، کثیر؛ دسته‌جمعی؛ عام، عمومی

multitudinous with از

multum-in-parvo *n,L* مختصر و مفید، موجز

mum /mʌm/ *int,adj* خاموش!

Mum's the word! صدایش را درنیاورید!

mumble /'mʌmbl/ *v,n* ۱.زیر لب (سخن) گفتن، مِن‌مِن کردن ۲.سخن جویده، مِن‌مِن

mummer /'mʌmə(r)/ *n* آکتر لال‌بازی

mummery /'mʌmə(r)ɪ/ *n* نوعی لال‌بازی؛ آداب دینی خنده‌آور

mummified *ppa* مومیایی شده

mummify /'mʌmɪfaɪ/ *vt* مومیا(یی) کردن

mummy /'mʌmɪ/ *n* مومیا، جسد مومیایی‌شده، مردهٔ حنوط‌زده

mummy /'mʌmɪ/ *n* ننه [مادر]

mumps /mʌmps/ *npl* [پزشکی] گوشک، بناگوشک، اوریون

munch /mʌntʃ/ *vt* مانند گاو جویدن، لف و لف خوردن

mundane /mʌn'deɪn/ *adj* دنیوی

municipal /mju:'nɪsɪpl/ *adj* مربوط به شهرداری، بلدی

municipal council انجمن شهرداری

municipality /mju:ˌnɪsɪ'pælətɪ/ *n* شهرداری

munificence /mju:'nɪfɪsns/ *n* بخشش، کرم

munificent /mju:'nɪfɪsnt/ *adj* بخشنده، کریم، سخی؛ بخشش‌آمیز، کریمانه

munition /mju:'nɪʃn/ *vt* دارای مهمات کردن

munitions /mju:'nɪʃnz/ *npl* مهمات [چون به‌طور صفت پیش از اسم بیایدلازم نیست به صیغهٔ جمع گفته شود.]

munition shortage کمبود مهمات

mural /'mjʊərəl/ *adj,n* ۱.دیواری؛ دیوارنما ۲.نقاشی دیواری

murder /'mɜ:də(r)/ *n,vt,vi* ۱.قتل، آدمکشیِ ناحق ۲.کشتن، به قتل رساندن ۳.خونِ ناحق ریختن، قتل کردن

Murder will out. خون ناحق پنهان نمی‌ماند.

murderer *n* [*fem* -ess] آدمکش، قاتل، خونی

murderous /'mɜ:dərəs/ *adj* آدمکش، قاتل؛ جنایت‌آمیز

murk /mɜ:k/ *n* تیرگی

murky *adj* تاریک؛ افسرده

murmur /'mɜ:mə(r)/ *n,vi* ۱.غُرغر، لندلند؛ مورمور، شرشر؛ زمزمه ۲.غرغر کردن؛ شرشر کردن

murmurous /'mɜ:mərəs/ *adj* غرغرو، لندلندکننده؛ شرشرکننده؛ غرغرآمیز

murrain /'mɜ:rɪn US: 'mʌrɪn/ *n* مرگیِ گاو، وبای گله

muscle /'mʌsl/ *n* ماهیچه، عضله

not move a muscle تکان نخوردن

muscovy /'mʌskəvɪ/ *n* (نام قدیمی) روسیه

muscular /'mʌskjʊlə(r)/ *adj* عضلانی؛ گوشتی؛ دارای ماهیچه‌های قوی

Muse /mju:z/ *n* نام یکی از نه تن الههٔ شعر و هنرهای زیبا؛ ذوق، قریحهٔ شاعری

the muse قوهٔ الهام‌بخش، قریحه، ذوق شاعری

muse /mju:z/ *vi* تفکر کردن؛ چشم دوختن

museum /mju:'zɪəm/ *n* موزه

mush /mʌʃ/ *n* خمیر نرم؛ بلغورِ ذرت آب‌پزشده

mushroom /'mʌʃrʊm/ *n,adj* ۱.قارچ، سماروغ ۲.دارای رشد خیلی سریع

music /'mju:zɪk/ *n* موسیقی

set a poem to music آهنگ برای شعری ساختن

face the music دلیرانه با وضعی مواجه شدن

musical /'mju:zɪkl/ *adj* موسیقی؛ دارای ذوق یا گوش موسیقی؛ خوشاهنگ

music-hall /'mju:zɪk hɔ:l/ *n* تالار موسیقی

musician /mju:'zɪʃn/ *n* موسیقیدان؛ نوازنده

music-stand /'mju:zɪk stænd/ *n* جایِ گذاردن اوراق نُت، سه‌پایهٔ نت

music-stool /'mju:zɪk stu:l/ *n* چارپایهٔ مخصوص پیانو

musk /mʌsk/ *n* مشک؛ بوی مشک

musk-deer /'mʌsk dɪə(r)/ *n* آهوی ختا

musket /'mʌskɪt/ *n* تفنگ (قدیمی)

musketeer /ˌmʌskɪ'tɪə(r)/ *n* تفنگدار

musketry /'mʌskɪtrɪ/ *n* تیراندازی

muskmelon /'mʌskmelən/ *n* نوعی میوهٔ بسیار خوشبو مانند طالبی؛ خربزهٔ کوتور

musk-rat /'mʌsk ræt/ *n* موش آبی امریکای شمالی

musk-rose /'mʌsk rəʊz/ *n* گل مشکیجه

muslin /'mʌzlɪn/ *n* (پارچه)وال، چیت موصلی

mull muslin ململ

musquash /'mʌskwɒʃ/ = musk-rat

muss /mʌs/ *vt,US,Col,* درهم‌برهم کردن، کثیف کردن

mussel /'mʌsl/ *n* نوعی صدف

must /mʌst/ *v,aux* باید؛ بایست

He must have gone باید رفته باشد

[این فعل را به صورت مصدر نمی‌توان به‌کار برد و برای ترجمه «بایستن» to be necessary باید گفت که صیغه‌های دیگر هم از همان‌ساخته می‌شود]

mustache /'mʌstæʃ/ *n* = moustach

mustang /'mʌstæŋ/ *n* نوعی اسب وحشی

mustard /'mʌstəd/ *n* خردل

muster /'mʌstə(r)/ *vt,vi,n* ۱.فراخواندن؛ جمع‌آوری کردن ۲.جمع شدن ۳.جمع‌آوری، بازدید
muster up one's courage جرئت به خود دادن
pass muster پذیرفته شدن [در بازدید]
mustn't /'mʌsənt/ = must not
musty /'mʌstɪ/ *adj* کپک‌زده، پوسیده، کهنه
mutability /,mju:tə'bɪlətɪ/ *n* تغییرپذیری؛ [مجازاً] بی‌ثباتی، تلوّن
mutable /'mju:təbl/ *adj* تغییرپذیر؛ [مجازاً] بی‌ثبات؛ متلوّن
mutation /mju:'teɪʃn/ *n* تغییر؛ تحول؛ جهش، موتاسیون
mutatis mutandis /mu:,tɑ:tis mu:'tændɪs/ *adv,L* با تغییرات لازم
mute /mju:t/ *adj,n,vt* ۱.گنگ؛ خاموش؛ بی‌صدا ۲.آدم گنگ؛ لال؛ صدا خفه‌کن ۳.کر کردن، خفه کردن (صدا)
mute language زبان حال، زبان بی‌زبانی
mutilate /'mju:tɪleɪt/ *vt* اندام (کسی را) بریدن؛ فلج کردن، ناقص کردن؛ تحریف کردن
mutilation /,mju:tɪ'leɪʃn/ *n* فلج‌سازی؛ قطع؛ حذف مواد عمده از کتاب، تحریف
mutineer /,mju:tɪ'nɪə(r)/ *n* شخصِ یاغی یا متمرد؛ سرباز یاغی یا عاصی
mutinous /'mju:tɪnəs/ *adj* یاغی، سرکش، متمرد، نافرمان؛ تمردآمیز
mutiny /'mju:tɪnɪ/ *n,vi* ۱.شورش، تمرد ۲.شورش کردن، یاغی شدن
mutter /'mʌtə(r)/ *n,vi* ۱.من‌من؛ غرغر، لندلند ۲.من‌من کردن، جویده سخن گفتن؛ غرغر کردن
mutton /'mʌtn/ *n* گوشت گوسفند
mutual /'mju:tʃʊəl/ *adj* دوسره، بین‌الاثنین؛ متقابل
mutual love محبت از دوسر، عشقِ متقابل
mutual consent رضایت طرفین
mutually /'mju:tʃʊəlɪ/ *adv* از دوسر، متقابلاً
It was mutually agreed that... طرفین موافقت کردند که...
muzzle /'mʌzl/ *n,vt* ۱.پوز(ه)؛ پوزه‌بند؛ دهانهٔ تفنگ ۲.پوزبند زدن (به)؛ از سخن گفتن بازداشتن
muzzle-loading /'mʌzl ,ləʊdɪŋ/ *adj* سرپُر

muzzle-loader /'mʌzl ,ləʊdə(r)/ *n* تفنگ سرپر
muzzy /'mʌzɪ/ *adj* گیج، خرف، مست
my /maɪ/ *pr* ـَ م، ـِ من (برابر صفت ملکی اول شخص مفرد)
my house خانه‌ام
my friends دوستانم، دوستان من
myocarditis /,maɪəʊ kɑ:'daɪtɪs/ *n* التهاب عضلهٔ، میوکاردیت قلب
myopia /maɪ'əʊpɪə/ *n* نزدیک‌بینی، میوپی
myopic /maɪ'ɒpɪk/ *adj* نزدیک‌بین
myriad /'mɪrɪəd/ *n* هزاران، هزارها؛ تعداد زیاد
myriapod /'mɪri:əpɒd/ *adj,n* هزارپا
myrmidon /'mɜ:mɪdən US: -dɒn/ *n* نوکر، [مجازاً] غلام حلقه به گوش
myrrh /mɜ:(r)/ *n* مُرّ، مُرّمکی
myrtle /'mɜ:tl/ *n* مورد، آس
myself /maɪ'self/ *pr* [ourselves] خودم
I hurt myself. اذیت شدم. آسیب دیدم.
mysterious /mɪ'stɪərɪəs/ *adj* پوشیده، مرموز، رمزی
mystery /'mɪstərɪ/ *n* رمز، راز، سرّ؛ [در جمع] آیین یا شعایر دینی
wrapt in mystery مرموز، درپرده
mystery (play) نمایش مذهبی
mystic /'mɪstɪk/ *n* اهل تصوف، متصوف، عارف
mystic(al) /'mɪstɪk(l)/ *adj* پوشیده، مرموز، سرّی، عرفانی
mysticism /'mɪstɪsɪzəm/ *n* تصوف، عرفان
mystification /'mɪstɪfɪ'keɪʃn/ *n* گیج‌سازی؛ گیجی و بهت؛ پنهان‌سازی؛ رازورزی
mystify /'mɪstɪfaɪ/ *vt* گیج کردن؛ رمزی کردن
myth /mɪθ/ *n* اسطوره؛ افسانه
mythic(al) /mɪθɪk(l)/ *adj* اسطوره‌ای؛ افسانه‌ای؛ موهوم
mythological /,mɪθə'lɒdʒɪkl/ *adj* اساطیری؛ افسانه‌ای
mythologist /mɪ'θɒlədʒɪst/ *n* اسطوره‌شناس، عالم به تاریخِ اساطیر؛ افسانه‌نویس
mythology /mɪ'θɒlədɪ/ *n* اسطوره‌شناسی، تاریخِ اساطیر؛ اساطیر

N,n

N,n /en/ *n* چهاردهمین حرف الفبای انگلیسی
nab /næb/ *vt* [-bed], *Col* دستگیر کردن
nadir /ˈneɪdɪə(r) US:ˈneɪdər/ *n*
[هیئت] سمت‌القدم؛ [مجازاً] حضیض
nag /næg/ *n* اسب کوچک، یابوی تاتو
nag /næg/ *v* [-ged] عیبجویی کردن؛ نق زدن؛ سرزنش کردن
nag at عیبجویی کردن از، ایراد گرفتن از
Naiad /ˈnaɪæd/ *n* [اساطیر] حوری دریایی
nail /neɪl/ *n,vt* ۱.میخ؛ ناخن؛ چنگال ۲.میخکوب کردن؛ دستگیر کردن؛ از انتشار (چیزی) جلوگیری کردن
drive a nail into one's coffin
مرگ خود را جلو انداختن
as hard as nails سرِحال؛ سخت، بی‌رحم
on the nail فی‌المجلس، نقداً
nail up با میخ سرهم‌بندی کردن
nail a lie to the counter
کذب موضوعی را ثابت کردن
nail someone down to his promise
کسی را وادار به انجام قول خود کردن
nail one's colours to the mast
عقیده خود را علناً اظهار و در آن پافشاری کردن
naive /naɪˈi:v/ *adj* ساده، بی‌تزویر؛ ساده‌لوح؛ طبیعی
naïveté /naɪˈi:vteɪ/ *Fr,n* = naivety
naivety /naɪˈi:vtɪ/ *n* سادگی، بی‌تزویری
naked /ˈneɪkɪd/ *adj* برهنه، لخت؛ بی‌حفاظ؛ بی‌دوربین؛ بی‌عینک؛ آشکار؛ ساده، بی‌پرده؛ بی‌مدرک؛ عاری
nakedly *adv* برهنه‌وار؛ آشکارا
nakedness *n* برهنگی، عریانی؛ آشکاری؛ سادگی؛ بی‌مدرکی؛ عورت
name /neɪm/ *n,vt* ۱.نام، اسم؛ شهرت؛ آبرو ۲.نامیدن؛ نام بردن، ذکر کردن؛ نامزد کردن
by name اسماً، به اسم، به نام
by the name of به نامِ، موسوم به
of name نامی، مشهور، معروف
put one's name down
داوطلبانه نام خود را دادن یا نوشتن
take one's name off the books
از عضویت خارج شدن

in name only فقط اسماً یا ظاهراً
in the name of به‌نام؛ به‌خاطرِ
in one's own name از طرف خود، اصالتاً
He bears out his name اسم با مسمایی دارد
I was named after him نام او را روی من گذاشتند
a man named... مردی به نام
call a person names بد و ناسزا به کسی گفتن
nameless /ˈneɪmlɪs/ *adj* بی‌نام؛ گمنام، مجهول؛ غیرمذکور؛ نگفتنی، غیرقابل ذکر
namely /ˈneɪmlɪ/ *adv* یعنی
namesake /ˈneɪmseɪk/ *n* همنام، هم‌اسم
nanny /ˈnænɪ/ *n* دایه [لغت کودکانه]
nanny-goat /ˈnænɪ gəʊt/ *n* بزِ ماده
nap /næp/ *n,vi* [-ped] چرت (زدن)
take a nap چرت زدن
catch napping غافلگیر کردن
nap /næp/ *n,vt* [-ped] ۱.خواب، کرک ۲.خوابدار کردن
nape /neɪp/ *n* پشتِ گردن، قفا
napery /ˈneɪpərɪ/ *n* سفره، دستمال
naphtha /ˈnæfθə/ *n* بنزین سفید؛ نفت خام
napiform /ˈneɪpəfɔ:m/*adj* شلغمی، شلغمی‌شکل
napkin /ˈnæpkɪn/ *n* دستمال سفره، دستمالِ سرِ میز؛ کهنهٔ بچه
narcissus /nɑ:ˈsɪsəs/ *n* نرگس
narcotic /nɑ:ˈkɒtɪk/ *adj,n* ۱.خواب‌آور، مخدر ۲.داروی مخدر
narrate /nəˈreɪt US: ˈnæreɪt/ *vt* روایت کردن، نقل کردن
narration /nəˈreɪʃn/ *n* نقل، روایت
narrative /ˈnærətɪv/ *n* نقل، روایت، حکایت، شرح؛ داستانی
in a narrative style به سبک داستان
narrator /nəˈreɪtə(r)/ *n* ناقل، قصه‌گو، راوی
narrow /ˈnærəʊ/ *adj,vt,vi* ۱.تنگ؛ باریک؛ [مجازاً] محدود؛ متعصب؛ خسیس ۲.باریک کردن، تنگ کردن؛ منحصر کردن ۳.باریک شدن، تنگ شدن
of narrow views تنگ‌نظر، کوته‌فکر
narrow circumstances تنگدستی
have a narrow escape جان مفت به‌در بردن
narrowly *adv* به زور، زورکی

escape narrowly جان مفت به‌در بردن
narrow-minded /ˌnærəʊˈmaɪndɪd/ *adj* تنگ‌نظر، کوته‌نظر؛ کوته‌فکر؛ تعصب‌آمیز
narrowness *n* تنگی؛ باریکی
narrows *npl* تنگنا؛ گذرگاه تنگ؛ تنگه؛ گردنه؛ دره
nasal /ˈneɪzl/ *adj,n* ۱.خیشومی، غُنه‌ای، تودماغی ۲.صدای تودماغی
nasalize /ˈneɪzəlaɪz/ *vt* تودماغی تلفظ کردن
nascent /ˈnæsnt/ *adj* تازه،نوظهور؛ تازه رشدکننده
nastily /ˈnæstɪlɪ/ *adv* به‌طور بد یا نفرت‌انگیز؛ به‌طور ناپاک؛ به‌طور تهوع‌آور
nastiness *n* ناپاکی، کثافت؛ بدی؛ زشتی؛ تهوع‌آور بودن
nasturtium /nəˈstɜːʃəm US: næ-/ *n* گل لادن
nasty /ˈnɑːstɪ US:ˈnæ-/ *adj* کثیف؛ زشت؛ بد؛ خطرناک؛ تهوع‌آور، بدمزه
natal /ˈneɪtl/ *adj* ولادتی؛ میلادی
natal day = birthday
nation /ˈneɪʃn/ *n* ملت؛ قوم، امت
national /ˈnæʃnəl/ *adj* ملی
nationalism /ˈnæʃnəlɪzəm/ *n* ملیت‌گرایی؛ احساسات ملی؛ حسِ استقلال ملی؛ ناسیونالیسم
nationalist /ˈnæʃnəlɪst/ *n* ملیت‌گرا؛ طرفدارِ استقلال ملی، هواخواه اصول ملیت؛ ناسیونالیست
nationalistic /ˌnæʃnəˈlɪstɪk/ *adj* ملیت‌گرایانه؛ مبنی بر احساسات ملی؛ طرفدار استقلال ملی
nationality /ˌnæʃəˈnælətɪ/ *n* ملیت؛ تابعیت
nationalize /ˈnæʃnəlaɪz/ *vt* ملی کردن؛ دارای ملیت کردن
nationally /ˈnæʃnəlɪ/ *adv* از لحاظ ملی
nationals *npl* اتباع
native /ˈneɪtɪv/ *n,adj* ۱.بومی، اهل ۲.اصلی؛ فطری؛ طبیعی
native country میهن، وطن
nativism *n* اصالت افکارفطری، فطری‌نگری
nativity /nəˈtɪvətɪ/ *n* زایش، پیدایش؛ شمایل تولد مسیح
natty /ˈnætɪ/ *adj* قشنگ، پاکیزه؛ زبردست
natural /ˈnætʃrəl/ *adj,n* ۱.طبیعی؛ ذاتی، فطری؛ عادی؛ خودروی؛ ساده؛ حرامزاده ۲.خُل مادرزاد؛ [موسیقی] نت عادی [نه دیِز نه بِمُل]
natural history تاریخ طبیعی
naturalism /ˈnætʃrəlɪzəm/ *n* طبیعت‌گرایی، فلسفه یا مذهب طبیعی، اصالت طبیعت؛ پیروی از طبیعت در ادبیات و هنرهای زیبا؛ ناتورالیسم

naturalist /ˈnætʃrəlɪst/ *n* طبیعت‌گرا؛ محصل تاریخ طبیعی؛ ناتورالیست
naturalization /ˌnætʃrəlaɪˈzeɪʃn US: -lɪˈz-/ *n* اعطا یا قبولِ تابعیت؛ اهلیت
naturalize /ˈnætʃrəlaɪz/ *vt,vi* ۱.حق تابعیت دادن؛ اهلی کردن؛ تابع قواعد زبان خود کردن؛ به آب‌وهوای کشور خود خو دادن، آموخته کردن ۲.اهلی شدن، قبول تابعیت کردن
naturally /ˈnætʃrəlɪ/ *adv* به‌طورِ طبیعی؛ طبیعتاً، طبعاً، البته، بدیهی است که
nature /ˈneɪtʃə(r)/ *n* طبیعت؛ ماهیت؛ سرشت، فطرت؛ خوی، طبع؛ نوع
by nature طبیعتاً، طبعاً، ذاتاً
good nature خوشخویی، خوش‌خُلقی
diseases of this nature این‌گونه امراض
in the course of nature به طریق عادی
in (*or* of) the nature of به منزلهٔ
naught /nɔːt/ *n* هیچ
bring to naught خراب کردن، مغلوب کردن
set at naught ناچیز شمردن؛ مسخره کردن
naughtily /ˈnɔːtɪlɪ/ *adv* از روی بدذاتی
naughtiness *n* شیطنت، بدذاتی؛ شرارت؛ نافرمانی؛ فضولی
naughty /ˈnɔːtɪ/ *adj* شیطان [a naughty child]؛ بدذات، شریر؛ نافرمان؛ شیطنت‌آمیز
nausea /ˈnɔːsɪə US:ˈnɔːzə/ *n* تهوع؛ تنفر
nauseate /ˈnɔːsɪeɪt US: ˈnɔːz-/ *vt* دچارحال تهوع‌کردن؛ متنفر کردن، بی‌رغبت کردن
nauseating *apa* تهوع‌آور
nautical /ˈnɔːtɪkl/ *adj* مربوط‌به کشتیرانی؛ دریایی
nautical terms اصطلاحات کشتی، اصطلاحات دریا
naval /ˈneɪvl/ *adj* (وابسته به نیروی) دریایی
naval forces نیروی دریایی
nave /neɪv/ *n* توپی (چرخ)؛ صحن کلیسا
navel /ˈneɪvl/ *n* ناف
navigable /ˈnævɪgəbl/ *adj* قابلِ کشتیرانی؛ قابل هدایت
navigate /ˈnævɪgeɪt/ *v* عبور کردن از؛ [کشتی یا هواپیما] هدایت کردن؛ جهت‌یابی کردن
navigation /ˌnævɪˈgeɪʃn/ *n* کشتیرانی، ناوبری
aerial navigation ناوبری هوایی
navigator /ˈnævɪgeɪtə(r)/ *n* دریانورد؛ افسر راه؛ افسر ناوبر؛ ناوبر
navvy /ˈnævɪ/ *n* کارگر ساده (در خاکریزی و راه‌سازی)، عمله

navy /'neɪvɪ/ *n* نیروی دریایی، بحریه
navy blue کبود، آبیِ سیر
navy-bean /'neɪvɪ bi:n/ *n* لوبیای مرمری
nay /neɪ/ *adv,n* ۱.نه این تنها بلکه ۲.کلمهٔ نه، پاسخ رد؛ رأی منفی
NB /,en 'bi:/ = nota bene *L* تبصره
NCO/,en si: 'əʊ/=non-commissioned officer
NE = north-east شمال شرق
neap /ni:p/ *adj* پست‌ترین، کمترین
neap tide = neap *(n)*
neap /ni:p/ *n* کمترین جزرومد، پایین‌ترین جزرومد
Neapolitan /nɪə'pɒlɪtən/ *n,adj* اهل شهر ناپل، ناپلی
near /nɪə(r)/ *adj,adv,prep,v* ۱.نزدیک؛ صمیمی؛ شبیه، مانند؛ طرف چپ [the near horse] ۲.نزدیک، تقریباً ۳.نزدیکِ، نزدیک به؛ مانندِ ۴.نزدیک شدن (به)
near with one's money خسیس
near at hand نزدیک؛ در دسترس
near by نزدیک، دمِ دست
near upon نزدیک [از حیث زمان]
go near to do (*or* doing) something تقریباً کاری را کردن
draw near نزدیک شدن
nearest him از همه نزدیک‌تر به او
near-by /,nɪə 'baɪ/ *adj,adv* نزدیک؛ دمِ دست
nearly /'nɪəlɪ/ *adv* تقریباً
not nearly ابداً، بدون هیچ شباهت
nearness *n* نزدیکی؛ شباهت؛ خست
near-sighted /,nɪə saɪtɪd/ *adj* نزدیک‌بین
neat /ni:t/ *adj* پاکیزه، تمیز؛ مرتب، شسته‌ورفته؛ باسلیقه و مهارت درست شده؛ لُب؛ خالص
neatly *adv* (به‌طور) پاکیزه؛ به‌طور مرتب، با سلیقه؛ با عبارت ساده و پرمعنی
neatness *n* آراستگی، پاکیزگی، سادگی؛ کوتاهی
nebula /'nebjʊlə/ *n* [-lae] غبار، لکه؛ [هیئت] سحاب، ستارگان ابری
nebular *adj* سحابی؛ غباردار
nebulous /'nebjʊləs/ *adj* ابری؛ غباری، سحابی؛ تیره؛ بی‌شکل؛ [مجازاً] نامعلوم
necessarily /,nesə'serəlɪ/ *adv* ناچار، حتماً، لزوماً، بالضروره
necessary /'nesəsərɪ US: -serɪ/ *adj,n* ۱.لازم ۲.چیز لازم،[در جمع] لوازم، مایحتاج؛ کار لازم، اقدام لازم

Light is necessary to life روشنایی لازمهٔ زندگی است
It is necessary for you to go لازم است بروید
It is necessary to go باید رفت
if necessary در صورت لزوم
do the necessary اقدام لازم به عمل آوردن.
necessitate/nɪ'sesɪteɪt/ *vt* ایجاب کردن، مستلزم بودن
necessitous/nɪ'sesɪtəs/ *adj* نیازمند
necessitous circumstances تنگدستی
necessity /nɪ'sesətɪ/ *n* لزوم، ضرورت؛ نیازمندی، احتیاج [بیشتر در جمع]؛ ایجاب، اقتضا؛ چیز لازم، [در جمع] لوازم، احتیاجات
become a necessity لزوم پیدا کردن
of necessity = necessarily
under necessity of ناگزیر از
neck /nek/ *n* گردن؛ گردنه؛ باریکه؛ تنگه؛ یقه پیراهن؛ [در ساز] دسته
break the neck of a task کمر کاری را شکستن
save one's neck از دار رهایی یافتن؛ قِسِر در رفتن
neck or nothing یا سر می‌رود یا کلاه می‌آید، رسیدن به مقصود یا باختن همه چیز، از روی استیصال
get it in the neck سخت تنبیه شدن؛ مورد ملامت سخت واقع شدن
neck and neck [در دو] شانه به شانه
long-necked گردن دراز
stiff neck = obstinacy
neckerchief/'nekətʃɪf/ *n* دستمال گردن، کاشکل
necklace/'neklɪs/ *n* طوق
necklet /'neklɪt/ *n* گردن‌پوش، خز یا شالِ گردن
necktie /'nektaɪ/ *n* کراوات
neckwear /'nekweə(r)/ *n* کراوات و یقه و امثال آنها
necromancer /'nekrəmænsə(r)/ *n* کسی که به‌وسیلهٔ ارتباط با مردگان پیشگویی می‌کند
necromancy /'nekrəmænsɪ/ *n* پیشگویی به وسیلهٔ احضار مردگان
nectar /'nektə(r)/ *n* شهد گیاهی؛ [اساطیر] نوشابهٔ خدایان
nectareous /'nektərəs/ *adj* شهدی، شهددار؛ شیرین
nectariferous /,nektə'rɪfərəs/ *adj* شهدآور
nectarine /'nektərɪn/ *n* شلیل

née /neɪ/ *adj,Fr* زاییده (شده)، متولد
Mrs Jordan née Mary
بانو جردن که نام او در خانهٔ پدر مریم بود
need /ni:d/ *n,vt,vi* نیازمندی، ۱.لزوم، ضرورت؛ احتیاج ۲.لازم داشتن؛ مستلزم بودن ۳.لازم بودن
There is no need of staying there
ماندن در آنجا لزومی ندارد
I have no need for his service
به خدمت او نیازمند نیستم
We are in need of an engineer
ما به یک مهندس نیازمندیم
be in bad need of something
احتیاج مبرم به چیزی داشتن
If need be اگر لازم باشد
He had need remember
بایستی (یا لازم بود) به خاطر داشته باشد
This needs to be done carefully
این‌کار مستلزم دقت است
[این فعل اگر در نفی یاپرسش به کار رود در سوم شخص s نمی‌خواهد و نشان مصدری هم که to باشد از جلو فعلی که بعد از آن می‌آید حذف می‌شود]
why need he say that?
چرا باید این سخن را بگوید
He needn't be told لازم‌نیست به او بگویند
[needn't مخفف need not است]
needful /ni:dfl/ *adj* لازم، ضرور(ی)
the needful *n* کار لازم، اقدام لازم؛ [زبان عامیانه] اصل کار [یعنی پول]
needily *adv* از روی نیازمندی
needle /ni:dl/ *n* سوزن؛ میل (بافندگی یا جراحی)؛ برگ کاج
look for a needle in a bottle *(or* **bundle)** **of hay** کوشش بیهوده (در یافتن چیزی) کردن
needless *adj* غیرضروری
needlessly *adv* به‌طور غیرلازم
needlewoman /ni:dlwʊmən/ *n* زن دوزنده
needle-work /ni:dlwɜ:k/ *n* دوزندگی؛ سوزن‌دوزی؛ برودری دوزی
needs *adv* ناچار، لابد، حتماً، لزوماً [همیشه با must گفته می‌شود]
needy *adj* نیازمند، محتاج، تنگدست
ne'er /neə(r)/ *Poet* = never
ne'er-do-well /'neə du: wel/ *n* آدم بی‌معنی؛ شخص بی‌وجود
nefarious /nɪ'feərɪəs/ *adj* شنیع
negation /nɪ'geɪʃn/ *n* نفی، سلب؛ ردّ، انکار؛ خنثی‌سازی

negative /'negətɪv/ *adj,n,vt* ۱.منفی؛ سلبی؛ سالب؛ وارونه، معکوس؛ زیرصفر، منها ۲.کلمه یا پاسخ منفی، جواب رد؛ طرف منفی؛ قضیهٔ منفی؛ شیشه یا فیلم عکاسی ۳.رد کردن، تکذیب کردن، انکار کردن؛ خنثی کردن، منفی کردن
negative voice = veto negative virtue
پرهیز از بدی یا کار بد
return a negative پاسخ منفی دادن
in the negative (به شکل) منفی؛ رد شده
double negative نفی‌درنفی
neglect /nɪ'glekt/ *n,vt* ۱.غفلت ۲.غفلت کردن (در؛ از)
neglect of duty غفلت در انجام وظیفه
neglect one's duty
از انجام وظیفه غفلت کردن
neglecting قطع نظر از
neglectful /nɪ'glektfl/ *adj* مسامحه‌کار، غفلت‌کار؛ غفلت‌آمیز
be neglectful of غفلت کردن در
negligé /'neglɪʒeɪ US: ˌneglɪ'ʒeɪ/ *n,Fr*
لباس (توی) خانه
negligence /'neglɪdʒəns/ *n* غفلت، بی‌مبالاتی، اهمال، لاقیدی
negligent /'neglɪdʒənt/ *adj* مسامحه‌کار، غفلت‌کار؛ ناشی از بی‌مبالاتی
be negligent of غفلت کردن در
negligently *adv* از روی مسامحه
negligible /'neglɪdʒəbl/ *adj* ناچیز، جزئی
negotiable /nɪ'gəʊʃɪəbl/ *n* قابل انتقال، بهادار [negotiable papers]
negotiate /nɪ'gəʊʃɪeɪt/ *vi,vt* ۱.مذاکره کردن، وارد معامله شدن ۲.انتقال دادن، واگذار کردن؛ فراهم آوردن؛ انجام دادن؛ غالب آمدن بر
negotiation /nɪˌgəʊʃɪ'eɪʃn/ *n* مذاکره، گفتگو (برای معامله)؛ انتقال، معاوضه
enter into negotiations وارد گفتگو شدن، وارد معامله شدن
negotiator /nɪ'gəʊʃɪeɪtə(r)/ *n*
طرف معامله یا مذاکره؛ انتقال‌دهنده
negress /'ni:gres/ *n* [*fem of* negro] دده سیاه
negro /'ni:grəʊ/ *n* [-es] زنگی، سیاه (افریقایی)، کاکا
neigh /neɪ/ *n,vi* ۱.شیهه ۲.شیهه کشیدن
neighbour /'neɪbə(r)/ *n,v* ۱.همسایه؛ همنوع ۲.همسایه بودن (با)، همجوار بودن (با)
my neighbour at dinner
نفرِ بهلودستی من در سرناهار

ill neighboured دارای همسایه بد
neighbourhood /'neɪbəhʊd/ *n* همسایگی، جوار؛ حوالی؛ حدود
in the neighbourhood of در حدودِ
neighbouring *apa* مجاور
neighbourly *adj* درخورِ همسایگی، همسایه‌وار، دوستانه؛ معاشر
neither /'naɪðə(r) US: 'ni:ðə(r)/ *adv* or *conj* نه؛ نه هم
neither this nor that نه این نه آن
Neither he nor I see it نه او آن را می‌بیند نه من
If he does not go, neither shall I. حالا که او نمی‌رود من هم نخواهم رفت.
neither /'naɪðə(r)/ *pr,adj* ۱.هیچکدام، هیچیک ۲.هیچکدام از (آن دو...)
Neither of them knows هیچکدام از آنها نمی‌دانند
neither report هیچیک از آن دو گزارش
Nemesis /'neməsɪs/ *n* [اساطیر] (نام) الههٔ انتقام، [با n] تلافی به حق
neo- /'ni:əʊ/ *pref* تازه، نو
neolithic age /ˌni:ə'lɪθɪk eɪdʒ/ عصر نوسنگی
neon /'ni:ɒn/ *n* گاز نئون
neophyte /'ni:əfaɪt/ *n* جدیدالمذهب؛ نوچه، تازه‌کار، مبتدی
nephew /'nevju: US: 'nefju:/ *n* پسرِ برادر؛ پسرِ خواهر
nepotism /'nepətɪzəm/ *n* حمایتِ خویشاوندان، حمایت اقربا
Neptune /'neptju:n US: -tu:n/ *n* نپتون [رب‌النوع دریا]، [مجازاً] دریا، [هیئت] نپتون
nereid /'nɪərɪɪd/ *n* حوری دریایی
nerve /nɜ:v/ *n,vt* ۱.پی، عصب؛ رگ؛ رگه؛ [مجازاً] نیرو؛ روح؛ قوت قلب ۲.نیرو دادن، قوت قلب دادن
get on one's nerve عصبانی کردن
strain every nerve منتهای کوششِ خود را کردن، همه جور تقلا کردن
a fit of nerves حالت عصبانی
iron nerves; nerves of steel اعصاب پولادین؛ دل، طاقت، قوت قلب
You have a nerve (Col) خیلی رو (یا جسارت) دارید
nerveless *adj* بی‌پی، بی‌عصب؛ [مجازاً] بی‌رگ؛ بی‌حال؛ پراکنده
nervous /'nɜ:vəs/ *adj* مربوط‌به اعصاب، عصبی؛ ناآرام؛ دارای اعصاب ضعیف، عصبانی‌مزاج، تحریک‌پذیر؛ ترسو؛ باروح؛ مؤثر، پرمایه؛ نیرومند
the nervous system سلسلهٔ اعصاب
feel nervous دستپاچه شدن، ترسیدن
nervously *adv* با حالت عصبی
nervousness *n* عصبیت، ناآرامی، ابتلا به ضعف اعصاب، حالت عصبی
nervy /'nɜ:vɪ/ *adj* ۱.عصبانی ۲. nervous
nest /nest/ *n,vi* ۱.آشیانه، لانه؛ پرورشگاه؛ گروه ۲.آشیان گرفتن
nest of drawers گنجهٔ کشودار
nest-egg /'nest eg/ *n* مایه: تخمی‌که در لانه می‌گذارند تا مرغ را به تخم کردن در همان‌جا ترغیب کند؛ [مجازاً] اندوخته، پس‌انداز
nesting *n* آشیان‌گردی برای جمع‌آوری تخم
nestle /'nesl/ *vi,vt* ۱.آشیان گرفتن، لانه کردن، [مجازاً] منزل کردن، غنودن ۲.جا دادن؛ در آغوش گرفتن
nestle oneself جا گرفتن، غنودن
nestling /'nestlɪŋ/ *n* جوجهٔ کوچکی که قادر به ترک آشیانه نیست
Nestor /'nestə(r)/ *n* پیر، رایزن
net /net/ *n,vt* [-ted] ۱.دام؛ تور، شبکه؛ تار عنکبوت ۲.به‌دام انداختن؛ بادام گرفتن
net a tree (برای حفظ میوه) دام بر درخت نهادن
net /net/ *adj,vt* [-ted] ۱.خالص، ویژه ۲.خالص برداشت کردن
nether /'neðə(r)/ *n, Arch* زیرین
nether garments شلوار [به شوخی]
Netherlands /'neðələndz/ *n* هلند
netting /'netɪŋ/ *n* تور، شبکه (کاری)؛ تنزیب
nettle /'netl/ *n,vt* ۱.گزنه ۲.گزیدن؛ [مجازاً] آزردن، برانگیختن
nettle-rash /'netl ræʃ/ *n* کهیر
network /'netwɜ:k/ *n* شبکه؛ خطوط مشبک
neuralgia /njʊə'rældʒə US: nʊ-/ *n* دردِ عصب، دردِ اعصاب، پی‌درد
neurasthenia /ˌnjʊərəs'θi:nɪə US: ˌnʊr/ *n* ضعف اعصاب، خستگی اعصاب
neurasthenic /ˌnjʊərəs'θenɪk/ *adj,n* ۱.دچار ضعف اعصاب ۲.کسی که دچار ضعفِ اعصاب است
neuritis /njʊə'raɪtɪs US: nʊ-/ *n* وَرَم عصب؛ التهاب عصبی
neurotic /njʊə'rɒtik US: nʊ-/ *adj* روان رنجور؛ دچار بیماری عصبی؛ عصبانی؛ موثر در اعصاب؛ نوروتیک
neurology /njʊə'rɒlədʒɪ US: nʊ-/ *n* عصب‌شناسی، مبحث‌اعصاب

neuter /'nju:tə(r) US: 'nu:-/ *adj,n* ۱.خنثی، فاقد جنسیت؛ نازا، عقیم ۲.اسمی که نه مذکر است و نه مؤنث؛ جانور بی‌جنس یا خنثی

neutral /'nju:trəl US: 'nu:-/ *adj* بی‌طرف؛ خنثی؛ نه مثبت نه منفی

neutrality /nju:'trælətı US: nu:-/ *n* بی‌طرفی؛ خنثایی

neutralization /ˌnju:trəlaızeıʃn US: -lı'z-/ *n* خنثی‌سازی، بی‌اثرسازی؛ بی‌طرف‌سازی

neutralize /'nju:trəlaız/ *vt* خنثی کردن، بی‌اثر کردن؛ بی‌طرف کردن

never /'nevə(r)/ *adv* هرگز، هیچ‌وقت، هیچ، ابداً؛ حاشا

He has never seen a lion او هرگز شیر ندیده است

never-ceasing پیوسته، لاینقطع

never-to-be-forgotten فراموش‌نشدنی

tomorrow come never وقتِ گلِ نی

nevermore /ˌnevə'mɔ:(r)/ *adv* دیگر هیچ، هرگز دیگر

nevertheless /ˌnevəðə'les/ *adv,conj* با وجود این، مع‌هذا

new /nju: US: nu:/ *adj* تازه، نو، جدید؛ تازه‌کار، مبتدی، ناشی

new moon ماه نو، هلال

new year سال نو

New Year's Day نوروز، سال نو

New-Year's gift عیدی

new comer تازه‌وارد، نورسیده

It is nothing new تازگی ندارد

He is new to the trade در این کسب تازه کار (یا مبتدی) است

New World برّ جدید، ینگی دنیا، قارهٔ آمریکا

New Testament عهد جدید

New England نام شش ایالت در شمال شرق اتازونی

new-born /'nju:bɔ:n/ *adj* نوزاد، جدیدالولاده

new-built /'nju:bılt/ *adj* تازه‌ساز، نوساخت

new comer /'nju:kʌmə(r)/ *n* شخص تازه‌وارد

new-fallen /'nju: fɔ:lən/ *adj* [برف] تازه‌نشسته

new-fangled /nju:'fæŋgld/ *adj* نوظهور، من درآوردی؛ متجدد

new-fashioned /'nju: fæʃnd/ *adj* تازه (باب‌شده)

new-fledged /'nju: fledʒd/ *adj* تازه‌پردرآورده

new-laid /'nju: leıd/ *adj* تازه (گذاشته)

new-laid eggs تخم‌مرغ تازه

newly *adv* جدیداً، تازه

newmade /'nju:meıd/ *adj* تازه‌ساخت، نوساز

newness *n* تازگی، نوی

news /nju:z US: nu:z/ *npl* خبر، اخبار [با فعل مفرد صرف می‌شود]

a piece of news یک خبر

the latest news آخرین خبر

good news مژده، خبرِ خوش

That's no news to me برای من تازگی ندارد

newsagent /'nju:zˌeıdʒənt/ *n* روزنامه‌فروش

newsboy /'nju:zbɔı/ *n* (بچه) روزنامه‌فروش

newsmonger /'nju:zmʌŋə(r)/ *n* سخن‌چین

newspaper /'nju:speıpə(r)/ *n* روزنامه

newsprint /'nju:zprınt/ *n* کاغذ روزنامه

newsreel /'nju:zri:l/ *n* فیلم خبری (یا اخباری)، فیلم وقایع اخیر

news-room /'nju:zru:m/ *n* [روزنامه، رادیو و تلویزیون] اتاق خبر، واحد خبر

news-stand /'nju:zstænd/ *n* جایگاه فروش روزنامه، کیوسک روزنامه

newsy *adj* پرخبر؛ معتاد به نشرِ اخبار یا اراجیف

newt /nju:t US: nu:t/ *n* سوسمار آبی

next /nekst/ *adj,adv,prep* ۱.بعد، دیگر، آینده [next year]؛ پهلویی، نزدیکترین ۲.پس از آن، سپس ۳.پهلوِی؛ بعد از؛ چسبیده به، جنبِ

the next day روز بعد، فردای آن‌روز

next Monday دوشنبهٔ همین هفته

a week from next Monday این دوشنبه نه: آن دوشنبه (یا دوشنبه دیگر)

next week هفتهٔ دیگر

the next week یک هفته بعد، هفتهٔ بعد

our next neighbour همسایهٔ پهلویی‌ما

the Sunday next before Nowruz آخرین یکشنبه پیش از نوروز

He is next to you in rank او یک رتبه از شما پایین‌تر است

It is next door to theft دست‌کمی از دزدی ندارد، تقریباً دزدی است

I next went to meet him سپس رفتم او را ملاقات کنم

next to him پهلوی او

When I next saw him, he was ill بار دیگر که او را دیدم ناخوش بود

nexus /'neksəs/ *n* رابطه؛ سلسله

nib /nıb/ *n* نوک؛ سرقلم، شاخه، دندانه

nibble /'nıbl/ *vt,vi* ۱.دندان زدن، گاز گرفتن ۲.نوک زدن (چون ماهی)؛ وررفتن

nibble at عیبجویی کردن از؛ در قبول چیزی دودل بودن

nice /naɪs/ *adj* دقیق، حساس، لطیف؛ مشکل‌پسند؛ باصفا، خوب؛ نازنین؛ قشنگ؛ لذیذ؛ خوش‌رفتار

You are a nice person! خیلی خوبی! نظیر نداری! [به طعنه]

The room is nice and warm اتاق خوب گرم است

nicely *adv* خوب، به‌خوبی

niceness *n* خوبی؛ قشنگی؛ دقت

nicety /ˈnaɪsətɪ/ *n* نکته، نکتهٔ باریک؛ سلیقه، دقت، باریک‌بینی؛ چیزِ لذیذ؛ باریکی، نازکی

to a nicety درست، بادقت، دقیقاً

niche /nɪtʃ; niːʃ/ *n* طاقچه؛ تورفتگی در دیوار؛ [مجازاً] جا یا مقام مناسب

It was well niched خوب در دیوار جا داده شده بود

nick /nɪk/ *n,vt* ۱.بریدگی، شکاف؛ چوب‌خط ۲.چاک دادن

in the nick of time سَرِ بزنگاه

nickel /ˈnɪkl/ *n,vt* ۱.نیکل ۲.آب نیکل دادن

nickname /ˈnɪkneɪm/ *n,vt* ۱.کنیه ۲.کنیه (به کسی) دادن؛ ملقب کردن به

nicotine /ˈnɪkətiːn/ *n* نیکوتین

nidification /ˌnɪdəfəˈkeɪʃn/ *n* لانه‌سازی

niece /niːs/ *n* دختربرادر، دخترخواهر

niggard /ˈnɪgəd/ *n,adj* (شخص) بخیل یا لئیم

niggardly *adj,adv* ۱.لئیم، بخیل ۲.خسیسانه، با خست

nigger /ˈnɪgə(r)/ *n* سیاه‌کثیف [فحش]

nigh /naɪ/ *Arch,Poet* = near

night /naɪt/ *n* شب

at night در شب، شب‌هنگام

last night دیشب

the night before last پریشب

all night long در تمام شب، همه شب

Good night شبِ شما خوش، شب‌بخیر

He went by night شبانه رفت

We made a night of it چه‌شب خوشی گذراندیم، چه شبی صبح کردیم

night-bird /ˈnaɪtbɜːd/ *n* مرغِ شب‌بیدار [مانند جغد]

nightcap /ˈnaɪtkæp/ *n* شبکلاه؛ عرقِ آخرشب

night-dress /ˈnaɪtdres/ *n* لباس‌خواب زنانه

nightfall /ˈnaɪtfɔːl/ *n* شبانگاه، شام

night-gown /ˈnaɪtgaʊn/ *n* لباس‌خواب؛ پیراهنِ خواب

nightingale /ˈnaɪtɪŋgeɪl US: -tng-/ *n* بلبل

night-light /ˈnaɪt laɪt/ *n* چراغ خواب

night-line /ˈnaɪt laɪn/ *n* ریسمان ماهیگیری که هنگام شب درآن طعمه می‌گذارند و می‌روند

night-long /ˈnaɪt lɒŋ/ *adv,adj* ۱.از سرشب تا بامداد ۲.تمام شبی

nightly *adj,adv* شبانه

nightmare /ˈnaɪtmeə(r)/ *n* بختک؛ کابوس

night-school /ˈnaɪt skuːl/ *n* آموزشگاه شبانه

nightshade /ˈnaɪt-ʃeɪd/ *n* [گیاه‌شناسی] تاجریزی

deadly nightshade حشیشةالحمره، بلادن

night shift /ˈnaɪtʃɪft/ *n* نوبت کار(ی) شب، شب‌کاری

nightshirt /ˈnaɪtʃɜːt/ *n* پیراهن خواب مردانه

night-soil /ˈnaɪtsɔɪl/ *n* کود انسانی

night-walker /ˈnaɪtwɔːkə(r)/ *n* کسی که در خواب راه می‌رود، خوابگرد

night-watch /ˌnaɪtˈwɒtʃ/ *n* پاسِ شب؛ کشیک

night-watchman /ˌnaɪt ˈwɒtʃmən/ *n* [-men] کشیک یا مستحفظِ شبانه؛ شب‌پا

nihilism /ˈnaɪɪlɪzəm/ *n* نیست‌انگاری، نیهیلیسم

nihilist /ˈnaɪɪlɪst/ *n* نیست‌انگار؛ مخالف یا منکر همه چیز؛ نیهیلیست

nil /nɪl/ *n* هیچ؛ صفر

3-nil (3-0) سه به هیچ

nimble /ˈnɪmbl/ *n* چابک، فرز، چالاک، جلد؛ زیرک؛ حاکی از زیرکی

nimble wit زیرکی، فراست

nimbly /ˈnɪmblɪ/ *adv* به چابکی؛ به زیرکی

nimbus /ˈnɪmbəs/ *n* هاله، اکلیلِ نور؛ ابر بارش‌دار

nincompoop /ˈnɪŋkəmpuːp/ *n* هالو

nine /naɪn/ *adj,n* ۱.نه ۲.عدد نه

nine days' wonder چیزی که فقط چند صباحی تازگی دارد

dressed up to the nines هفت‌قلم آرایش‌کرده، بادقت لباس پوشیده

ninepins /ˈnaɪnpɪnz/ *n* نوعی گوی بازی که نه میلهٔ چوبی دارد

nineteen /ˌnaɪnˈtiːn/ *adj,n* نوزده

nineteenth /ˌnaɪnˈtiːnθ/ *adj,n* (یک) نوزدهم

ninetieth /ˈnaɪntɪəθ/ *adj,n* (یک) نودم

ninety /ˈnaɪntɪ/ *adj,n* نود

ninny /ˈnɪnɪ/ *n* آدم ساده‌لوح، احمق

ninth /naɪnθ/ *adj,n* (یک) نهم

ninthly *adv* نهم آنکه
Niobe /'naɪəbɪ/ *n* زن داغدیدهٔ تسلی‌ناپذیر، زن دایم گریه‌کن
nip /nɪp/ *vt* [-ped] ,*n* ۱.نیشگان گرفتن، فشردن؛ چیدن [با off]؛ از رشد بازداشتن؛ بی‌حس کردن؛ کش رفتن، ربودن [با up] ۲.نیشگان؛ گاز؛ سرمازدگی
She was nipped in the bud به بزرگی نرسید، در خردی مرد
nip along *Col* عجله کردن
nip in قبل از دیگری داخل شدن؛ توی دهن (کسی) آمدن
I nipped my finger in the door انگشتم لای درماند (وفشرده شد)
nip off در رفتن، جیم شدن
nip /nɪp/ *n* جرعهٔ کوچک
nipper /'nɪpə(r)/ *n* نیشگان گیرنده؛ چیننده؛ [در گفتگو] بچهٔ کوچک؛ [در جمع] میخ‌چین، انبردست
nipping *adj* زننده، سرد
nipple /'nɪpl/ *n* نوکِ پستان؛ سرپستانک؛ مغزی؛ پستانک (تفنگ)
Nippon /nɪ'pɒn, 'nɪ-/ = Japan
nitrate /'naɪtreɪt/ *n,vt* ۱.نمک‌تیزاب ۲.تیزاب زدن؛ سنگ جهنم زدن
potassium nitrate شوره
silver nitrate سنگ جهنم
nitre *or* **-ter** /'naɪtə(r)/ *n* شوره
nitric acid /'naɪtrɪk æsɪd/ تیزاب
nitrogen /'naɪtrədʒən/ *n* نیتروژن، ازُت
nitrous /'naɪtrəs/ *adj* شوره‌ای
nitrous oxide = laughing-gas
no /nəʊ/ *adv* نه، خیر، نه‌خیر
no /nəʊ/ *adj* ۱.هیچ [در این معنی برابر است با not any] ۲.نه‌چندان [not a]
He has no friends او هیچ دوستی ندارد
That is no great work این (چندان) کار بزرگی نیست
in no time خیلی زود
no man's land زمین بایر یا متنازع‌فیه؛ زمین (بی‌صاحب) بین مرزهای دو کشور
no one هیچکس
by no means به هیچ وجه
no end of بسیار، زیاد
No Popery ما پاپ نمی‌خواهیم
No admittance! ورود ممنوع!
Now no mistake خوب ببینید چه می‌گویم

no /nəʊ/ *adv* ۱.هیچ ۲.نه [پس از or برای رساندن شق دوم مطلبی]
It was no better هیچ بهتر نبود
He had no more to say دیگر سخنی نداشت که بگوید
He can no more do it than he fly اگر می‌تواند بپرد این‌کار را هم می‌تواند بکند
I did not go,no more did he من نرفتم او هم نرفت
Hungry or no می‌خواهید گرسنه باشید می‌خواهیدنباشید
no /nəʊ/ *n* پاسخ منفی؛ صاحب رأی منفی
No = number شماره، نمره
Noah /'nəʊə/ *n* نوح
Noah's ark کشتی نوح؛ بازیچه بچگانه که به تقلید کشتی نوح ساخته شده است
nob /nɒb/ *Sl,n* کله، سر؛ کله‌گنده
nobility /nəʊ'bɪlətɪ/ *n* نجابت، اصالت؛ گروه اشراف، طبقهٔ اعیان
noble /'nəʊbl/ *adj,n* ۱.اصیل، شریف، نجیب؛ وابسته به گروه اشراف؛ آقامنش؛ بسیار خوب؛ با شکوه؛ شرافتمندانه ۲.نجیب‌زاده، شریف
nobleman /'nəʊblmən/ *n* [-men] اشراف‌زاده
nobly /'nəʊblɪ/ *adv* شرافتمندانه
nobody /'nəʊbədɪ/ *n* هیچکس؛ ناکس
Nobody knows هیچکس نمی‌داند
nocturnal /nɒk'tɜ:nl/ *adj* شبانه؛ شب‌خیز، شبرو؛ شب بیدار [مانند جغد]
nocturnally /nɒk'tɜ:nlɪ/ *adv* شبانه
nod /nɒd/ *vi,vt* [-ded] ,*n* ۱.سر تکان دادن؛ با سر اشاره کردن؛ چرت زدن ۲.تکان دادن؛ با سر فهماندن ۳.سلام با تکان دادن سر؛ موافقت یا تصویب با اشاره سر؛ اشتباه کردن، سهو کردن
nodding acquaintance آشنایی مختصر، سلام‌وعلیک
the land of Nod (عالم) خواب
node /nəʊd/ *n* برآمدگی؛ ورم؛ گره، بند
nodulated /'nɒdju:leɪtɪd US: -dʒu:-/ *adj* گره‌دار، غده‌دار
noise /nɔɪz/ *n,vt* ۱.صدا؛ شلوغ ۲.انتشار دادن
make a noise صدا کردن، شلوغ کردن؛ پهن شدن، منتشر شدن
It is noised abroad that در خارج انتشار دارد که
noiseless *adj* بی‌صدا؛ بی‌سروصدا
noiselessly *adv* بدون سروصدا
noisily *adv* با (سر و) صدا
noisiness *n* سروصدا، شلوغ
noisome /'nɔɪsəm/ *adj* بدبو، نفرت‌انگیز؛ زیان‌آور، مضر

noisy /'nɔɪzɪ/ *adj* پرصدا، شلوغ، شلوغ‌کن
nolens volens /'nəʊlenz 'veʊlenz/ *adv,L* خواهی‌نخواهی
nomad /'nəʊmæd/ *n,adj* چادرنشین، خانه به‌دوش، بادیه‌نشین
nomadic /nəʊ'mædɪk/ *adj* خانه‌به‌دوش، بَدَوی
nom de guerre /ˌnɒm də 'geə(r)/ *n,Fr* نام مستعار؛ تخلص
nom de plume /ˌnɒm də 'plu:m/ *n,Fr* تخلص
nomenclature /nə'menklətʃə(r)/ *n* صورت‌اسامی، فهرست اصطلاحات
nominal /'nɒmɪnl/ *adj* اسمی؛ لفظی؛ غیرواقعی؛ اعتباری
nominal list فهرست، صورت اسامی
nominally /'nɒmɪnəlɪ/ *adv* اسماً؛ ظاهراً
nominate /'nɒmɪneɪt/ *n* نامزد کردن، معرفی کردن؛ گماشتن
nomination /ˌnɒmɪ'neɪʃn/ *n* معرفی، نامزدسازی؛ تعیین، برگماری، نصب
nominative /'nɒmɪnətɪv/ *adj* [دستور زبان] فاعلی
nominative case حالت فاعلی
nominee /ˌnɒmɪ'ni:/ *n* نامزد؛ نماینده
non- /ˌnɒn-/ *pref* غیر-، عدمِ
non-ability /ˌnɒn ə'bɪlətɪ/ *n* عدم صلاحیت
non-acceptance /ˌnɒn ək'septəns/ *n* عدم قبول
non-acquaintance /ˌnɒn ə'kweɪntəns/ *n* عدم آشنایی
non-appearance /ˌnɒn ə'pi:rəns/ *n* عدم حضور
non-attendance /ˌnɒn ə'tendəns/ *n* عدم حضور
nonce /nɒns/ *n* حال فعلی؛ مقصود فعلی
for the nonce برای مقصود فعلی، عجالتاً
nonce-word /'nɒns wɜ:d/ *n* کلمه‌ای که به اقتضای یک موقعیت خاص ساخته می‌شود
nonchalance /'nɒnʃələns/ *n* سهل‌انگاری، لاقیدی، بی‌حالی، اهمال
nonchalant /'nɒnʃələnt/ *adj* سهل‌انگار، مسامحه‌کار؛ ناشی از اهمال
non-combatant /ˌnɒn 'kɒmbətənt/ *n* (نفر) خارج از صف
non-commissioned officer /ˌnɒn kə'mɪʃənd 'ɒfɪsə(r)/ درجه‌دار [مختصرآن .N. C. O است]
non-committal /ˌnɒn kə'mɪtl/ *adj* [در باب سخنی گفته می‌شود] که الزامی تولید نکند؛ بدون تعهد، غیرمتعهد؛ بی‌طرف
non-conductor /ˌnɒnkən'dʌktə(r)/ *n* عایق گرما؛ عایق برق
nonconformist /ˌnɒnkən'fɔ:mɪst/ *n* ناهمرنگ با جماعت؛ کسی که وابسته به کلیسای رسمی انگلیس نیست
nonconformity *n* ناهمرنگی با جماعت؛ عدم مطابقت؛ عدم موافقت با کلیسای رسمی انگلیس
non-descript /'nɒndɪskrɪpt/ *adj* غیرقابلِ طبقه‌بندی؛ وصف‌ناپذیر
none /nʌn/ *pr,adv* ۱.هیچیک، هیچکدام؛ هیچکس، هیچ (چیز) ۲.به هیچ‌وجه
none of them هیچکدام از آنها
I had many, he had none
من خیلی داشتم او هیچ نداشت
If you want an engineer, I am none
اگر مهندس می‌خواهید من نیستم
He is none of my friends
او از دوستان من نیست
It is none the better هیچ بهتر نیست
none the less = nevertheless
non-entity /nɒ'nentətɪ/ *n* نیستی؛ شخص یا چیز بی‌اهمیت
non-essential /ˌnɒnɪ'senʃl/ *adj* غیرضروری
non-execution /ˌnɒn eksɪ'kju:ʃn/ *n* عدم‌اجرا
non-existence /ˌnɒnɪg'zɪstens/ *n* نیستی، عدم
non-intervention /ˌnɒn ɪnte'venʃn/ *n* عدم مداخله
non-monetary /ˌnɒn 'mʌnɪtərɪ/ *adj* غیرنقدی
non-occupational /ˌnɒn ɒkjʊ'peɪʃənl/ *adj* غیرحرفه‌ای
nonpareil /ˌnɒnpə'reɪl US: -'rel/ *adj* بی‌مانند
nonplus /ˌnɒn'plʌs/ *n* بی‌جوابی، حیرت
at a nonplus بی‌جواب، مبهوت
nonplus /ˌnɒn'plʌs/ *vt* [-sed] متحیرکردن، مبهوت کردن
non-resident /ˌnɒn'rezɪdənt/ *adj,n* غیرمقیم؛ مقیم موقتی
nonsense /'nɒnsns US: -sens/ *n* چرند، سخن بی‌معنی
nonsensical /nɒn'sensɪkl/ *adj* بی‌معنی، مهمل، چرند
non-stop /ˌnɒn 'stɒp/ *adj,adv* یکسره، بی‌وقفه
non-union /ˌnɒn'ju:nɪən/ *adj* جدا از اتحادیه صنفی

noodle /nu:dl/ *adj* رشتهٔ آرد با تخم‌مرغ، رشته تخم‌مرغی

noodle /nu:dl/ = simpleton

nook /nʊk/ *n* کنج، گوشه؛ جای پرت

noon /nu:n/ *n* ظهر؛ [مجازاً] اوج

at noon هنگام ظهر

noonday /'nu:ndeɪ/ *n* ظهر، نصف‌النهار

noontide /'nu:ntaɪd/ *n* ظهر؛ [مجازاً] اوج

noose /nu:s/ *n,vt* ۱.کمند، خِفت ۲.در کمند انداختن، به دام انداختن

nor /nɔ:(r)/ *conj* ۱.نه، و نه [پس از neither] ۲.نه هم

neither too cold nor too hot نه زیاد سرد (و) نه زیاد گرم

Nor was he authorized to go اجازه هم نداشت که برود

norm /nɔ:m/ *n* هنجار؛ میزان، نمونه، مأخذ

normal /'nɔ:ml/ *n* بهنجار؛ عادی، معمولی؛ طبیعی؛ عمومی؛ میانه، متوسط

normal school دانشسرا

normality /nɔ:'mælətɪ/ *n* بهنجاری؛ حالت عادی یا طبیعی

normally /'nɔ:məlɪ/ *adv* معمولاً

Norman /'nɔ:mən/ *n,adj* اهل نرماندی

Norse /nɔ:s/ *n* زبان نروژی؛ اهل اسکاندیناوی

north /nɔ:θ/ *n,adj,adv* ۱.شمال ۲.شمالی؛ رو به شمال ۳.در شمال؛ شمالاً؛ سوی شمال

the north star ستاره قطبی یا شمالی

lying north and south شمالی جنوبی

north-east /ˌnɔ:θ 'i:st/ *n,adj,adv* ۱.شمال‌شرق ۲.شمال شرقی ۳.در شمال خاور، در شمال شرق

north-easter *n* باد شمال شرقی

north-eastern /ˌnɔ:θ 'i:stən/ *adj* شمال شرقی

northerly /'nɔ:ðəlɪ/ *adj* شمالی

northerner /'nɔ:ðənə(r)/ *n* ساکن شمال، اهل شمال

northward(s) /'nɔ:θwəd(z)/ *adv* سوی شمال

north-west /ˌnɔ:θ 'west/ *n,adj,adv* ۱.شمال غرب ۲.شمال غربی ۳.در شمال باختر، در شمال غرب

north-wester /ˌnɔ:θ 'westə(r)/ *n* باد شمال غربی

north-western /ˌnɔ:θ'westən/ *adj* شمال‌غربی

Norway /'nɔ:weɪ/ *n* نروژ

Norwegian /nɔ:'wi:dʒən/ *adj* نروژی

nose /nəʊz/ *n* بینی، دماغ؛ پوزه؛ نوک؛ شامه؛ دماغه، جلو

through one's nose تودماغی

count (*or* tell) noses عدهٔ طرفداران را شمردن

lead a person by the nose کسی را کاملاً تحت نفوذ و اطاعت خود درآوردن

thrust (*or* poke) one's nose into another's affairs در کار دیگری فضولی کردن

keep one's nose to the grindstone سخت و لاینقطع کار کردن

turn up one's nose at تحقیر کردن، ناقابل پنداشتن

He cuts off his nose to spite his face برای لجاجت به‌دیگری به خود آسیب می‌زند، خِردیزه است

put one's nose out of joint نقشهٔ کسی را باطل کردن

bite (*or* snap) a person's nose off پاسخ درشت به کسی دادن

He paid through the nose به او گران فروختند، گوشش را بریدند

under his (very) nose درست در جلو چشم او، زیر دماغ او

nose /nəʊz/ *vt,vi* ۱.با شامه یا غریزه پیدا کردن، بو بردن [با out] ۲.بو کشیدن؛ آهسته جلو رفتن؛ فضولی کردن، دخالت کردن

nosebag /'nəʊzbæg/ *n* توبره، تبره

nosebleed /'nəʊzbli:d/ *n* خون‌دماغ

nosedive /'nəʊzdaɪv/ *n* سقوط

nosegay /'nəʊzgeɪ/ *n* دسته گل

nostalgia /nɒ'stældʒə/ *n* حسرت‌گذشته؛ غم‌غربت

nostril /'nɒstrəl/ *n* سوراخ بینی، منخر

nostrum /'nɒstrəm/ *n* دارویی که سازندهٔ آن تعریف آن را بکند؛ [مجازاً] طرح من درآوردی برای اصلاحات

nosy /'nəʊzɪ/ *adj* فضول

Nosy Parker فضول آقا

not /nɒt/ *adv* نه [در سر فعل]

I do not go نمی‌روم

He has not come او نیامده است

Do not walk راه نروید

I know not نمی‌دانم

Fear not نترسید

I told him not to go به او گفتم نرود

Not a word of it was right یک کلمه آن‌هم درست نبود

not at all ابداً، هیچ

If he said so - not that he ever did - he lied اگر او یک چنین حرفی زده باشد (با اینکه می‌دانم هرگز نزده است) دروغ گفته است

nota bene /ˌnəʊtə ˈbeneɪ/ *L*
تبصره [مختصر آن .N. B است]

notability /ˌnəʊtəˈbɪlətɪ/ *n* شهرت؛ شخصیت

notable /ˈnəʊtəbl/ *adj,n* ۱.برجسته؛ قابل‌ملاحظه؛ محسوس ۲.شخص برجسته؛ [در جمع] بزرگان، رجال

notably /ˈnəʊtəblɪ/ *adv* به‌طور قابل ملاحظه

notary (public) /ˌnəʊtərɪ (ˈpʌblɪk)/ *n*
سردفتر اسناد رسمی

notation /nəʊˈteɪʃn/ *n* عددنویسی؛ نت‌نویسی؛ رقم؛ نشان؛ یادداشت

notch /nɒtʃ/ *n,vt* ۱.فاق، شکاف، بریدگی؛ چوب‌خط؛ [تیر] سوفار ۲.فاق‌دار کردن؛ چوب‌خط زدن

note /nəʊt/ *n* یادداشت؛ نامهٔ مختصر، نامهٔ غیررسمی؛ تفسیر، حاشیه؛ اسکناس؛ توضیح؛ تبصره؛ ملاحظه [worthy of note]؛ نت موسیقی؛ آهنگ؛ نشان، علامت؛ داغ؛ برجستگی، اهمیت

make a note of یادداشت کردن

take note of ملاحظه کردن؛ مورد توجه قرار دادن؛ اتخاذ سند کردن از

marginal note حاشیه

note of hand *or* **promissory note**
سند بدهی، سفته

a man of note مرد بزرگ یا برجسته

play (*or* sound) false note
نغمه مخالف ساز کردن

take notes خلاصه‌نویسی کردن

note /nəʊt/ *vt* ملاحظه کردن؛ یادداشت کردن [با down]؛ توجه کردن؛ درنظر داشتن، درنظر گرفتن؛ ذکر کردن

It is to be noted that باید دانست که، باید ملتفت بود که

notebook /ˈnəʊtbʊk/ *n* دفتر (یادداشت)

noted *ppa* معروف، بنام، مشهور

notepaper /ˈnəʊtpeɪpə(r)/ *n* کاغذ نامه‌نویسی

noteworthy /ˈnəʊtwɜ:θɪ/ *adj* قابل ملاحظه

nothing /ˈnʌθɪŋ/ *n,adv* ۱.هیچ؛ نیستی؛ صفر؛ [مجازاً] آدم بی‌وجود؛ سخن بیهوده ۲.به هیچ‌وجه

I have nothing من هیچ (چیز) ندارم

It is worth nothing (به) هیچ نمی‌ارزد

nothing else هیچ چیز دیگر

for nothing مفت؛ برای خاطر هیچ

for a mere nothing برای خاطر هیچ، سر هیچ‌وپوچ

That is nothing to me به من مربوط نیست؛ برای من اهمیتی ندارد

It has nothing to do with me
به من دخلی ندارد، به من مربوط نیست

He is nothing to me با من خویشی ندارد

I can make nothing of it سر از آن در نمی‌آورم، هیچ آن را نمی‌فهمم

He was nothing of an expert
هیچ متخصص نبود، متخصص کجا بود؟

come to nothing هیچ شدن؛ بی‌نتیجه ماندن، خنثی شدن، عقیم ماندن

make (*or* think) nothing of هیچ پنداشتن، ناچیز شمردن

I have nothing to do with you
دیگر نه من نه شما

say nothing of قطع نظر از

That is nothing like it هیچ به آن نمی‌ماند، هیچ شباهتی بدان ندارد

It is nothing less than... دست‌کمی از... ندارد، با... فرقی ندارد

notice /ˈnəʊtɪs/ *n,vt* ۱.آگهی؛ خبر، اطلاع؛ اخطار؛ ملاحظه، نظر؛ اعتنا، توجه ۲.ملتفت شدن؛ ملاحظه کردن؛ اخطار کردن به؛ احترام گزاردن (به)؛ ذکر کردن

till further notice تا اطلاع ثانوی

give two months' notice
دو ماه اخطار قبلی دادن

short notice اخطار کم مدت، مجالِ اندک

at ten minutes' notice با ده دقیقه اخطار قبلی

come into notice جلب توجه کردن؛ روی کار آمدن، اهمیت پیدا کردن

take notice of ملتفت شدن، ملتفت بودن؛ توجه کردن به؛ ترتیب اثر دادن به

bring something to the notice of...
چیزی را به اطلاع... رساندن

The baby takes notice
بچه عقل‌رس شده است [چیزهایی را می‌فهمد]

noticeable /ˈnəʊtɪsəbl/ *adj* قابل‌ملاحظه؛ جالب‌توجه؛ برجسته، معلوم

notifiable /ˈnəʊtɪfaɪəbl/ *adj*
واجب‌الاخطار [در گفتگوی از مرضی که باید خبر بروز آن به‌بهداری داده شود]

notification /ˌnəʊtɪfɪˈkeɪʃn/ *n* اخطار، تذکر

notify /ˈnəʊtɪfaɪ/ *vt* آگهی دادن، خبر دادن (به)، اخطار کردن (به)

notify a person of a fact
مطلبی را به کسی آگاهی دادن

The public are hereby notified
بدین وسیله به اطلاع عموم می‌رساند

notion /'nəʊʃn/ *n* تصور؛ عقیده؛ اطلاع؛ [در جمع] خُرده‌ریز، سوزن و سنجاق و امثال آنها
notoriety /ˌnəʊtə'raɪətɪ/ *n* شهرت؛ رسوایی
notorious /nəʊ'tɔ:rɪəs/ *adj* انگشت‌نما، مشهور (به بدی)، رسوا
notorious for مشهور به، بدنام به
notwithstanding /ˌnɒtwɪθ'stændɪŋ/ *prep, conj,adv* ۱.با وجودِ ۲.با اینکه، باوجودی که ۳.با وجود این
notwithstanding the fact that با وجود اینکه
nought /nɔ:t/ *n* هیچ؛ صفر
bring to nought هیچ کردن؛ خراب کردن
come to nought هیچ شدن؛ خراب شدن
set at nought ناچیز شمردن؛ مسخره کردن
noun /naʊn/ *n* [دستورزبان] اسم
nourish /'nʌrɪʃ/ *vt* غذا دادن، تغذیه کردن؛ پروردن
nourishing *apa* غذادهنده؛ مغذی
nourishment *n* تغذیه؛ پرورش؛ قوت، غذا، خوراک
Nov [مخففِ November]
novel /'nɒvl/ *n,adj* ۱.رُمان، داستان ۲.تازه، نوظهور؛ غریب
novelette /ˌnɒvə'let/ *n* رمان کوچک
novelist /'nɒvəlɪst/ *n* رمان‌نویس
novelty /'nɒvltɪ/ *n* تازگی؛ چیز تازه یا نوظهور
November /nəʊ'vembə(r)/ *n* نوامبر: (یازدهمین ماه سال میلادی)
novice /'nɒvɪs/ *n* نوآموز، مبتدی
noviciate /nə'vɪʃɪət/ *n* = novitiate
novitiate /nə'vɪʃɪət/ *n* (دوره) نوآموزی
now /naʊ/ *adv,conj,n* ۱.اکنون، حالا، حال؛ اینک؛ اخیراً ۲.حالا که، چون‌که ۳.اکنون
by now تاحال، هم‌اکنون
(every) now and then هرچند وقت یکبار، گاهگاهی
now... now گاهی ... گاهی
Now why did you go? (خوب، بگویید ببینم) چرا رفتید؟
Now this man was lying خوب، این مرد دروغ می‌گفت
up to now تاکنون، تا این تاریخ
nowadays /'naʊədeɪz/ *adv* دراین ایام، امروزه
nowhere /'nəʊweə(r) US: -hweər/ *adv* (در) هیچ کجا
nowhere near غیرقابل مقایسه‌با،دور از
nowise /'nəʊwaɪz/ *adv* به هیچ‌وجه

noxious /'nɒkʃəs/ *adj* زیان‌آور، مضر، آزارنده، موذی
It is noxious to... برایِ... مضر است
nozzle /'nɒzl/ *n* سرلوله؛ آب پخش‌کن
nuance /'nju:ɑ:ns US: 'nu:-/ *n,Fr* فرق یا اختلاف جزئی؛ درجهٔ اختلاف
nucleus /'nju:klɪəs US: 'nu:-/ *n* هسته؛ [مجازاً] مغز، لُب، اساس، اس
nude /nju:d US: nu:d/ *adj,n* ۱.لخت؛ [لباس] بدن‌نما، همرنگ پوست تن ۲.تصویر لخت
nudge /nʌdʒ/ *vt* با آرنج زدن، سقلمه زدن؛ با زدن آرنج فهماندن
nudist /nju:dɪst US: nu:-/ *n* طرفدار برهنگی، برهنه‌گرا
nudity /'nju:dətɪ US: 'nu:-/*n* برهنگی؛ چیز برهنه
nugget /'nʌgɪt/ *n* تکه، قلنبه
nuisance /'nju:sns US: 'nu:-/ *n* آزار، اذیت؛ بلا، آفت
Commit no nuisance! آشغال ریختن ممنوع!
null /nʌl/ *adj* پوچ، باطل؛ بی‌معنی
nullification /ˌnʌlɪfɪ'keɪʃn/ *n* الغا
nullify /'nʌlɪfaɪ/ *vt* لغو کردن، ملغی کردن
nullity /'nʌlətɪ/ *n* بی‌اعتباری؛ سند پوچ
numb /nʌm/ *adj,vt* ۱. بی‌حس، کرخت ۲. بی‌حس کردن
number /'nʌmbə(r)/ *n,vt* ۱.شماره، عده، تعداد؛ عدد؛ نمره [مختصر آن No است]؛ [دستورزبان] اِفراد و جمع ۲.شمردن؛ محسوب داشتن؛ بالغ شدن بر
room No. 5 اتاق شمارهٔ ۵
He is not of our number از ما نیست
a number of books تعدادی کتاب
to the number of بالغ بر
take care of number one; look after number one در فکرِ خویش بودن
in numbers جزوه جزوه
He was numbered among... در زمرهٔ ... محسوب شد
His days are numbered عمرش نزدیک است به پایان برسد
numberless *adj* بی‌شمار
numbness *n* بی‌حسی، کرختی
numeral /'nju:mərəl US:'nu:-/ *n* عدد، رقم
Arabic numerals ارقام عربی (یا هندی)
numerator /'nju:məreɪtə(r) US: 'nu:-/ *n* [کسر] صورت، برخه‌شمار؛ شمارنده

numerical /nju:'merɪkl US: 'nu:-/ *adj* عددی، رقمی
numerical superiority برتری از حیث عده
numerically /nju:'merɪklɪ US: 'nu:-/ *adv* از حیث تعداد
numerous /'nju:mərəs US: 'nu:-/ *adj* متعدد
numismatics /ˌnju:mɪz'mætɪks US: ˌnu:-/ *n* سکه‌شناسی
numbskull /'nʌmskʌl/ *n* آدم احمق، بیشعور
nun /nʌn/ *n* راهبه، زن تارک دنیا
nuncio /'nʌnsɪəʊ/ *n* سفیر پاپ، ایلچی پاپ
nunnery /'nʌnərɪ/ *n* صومعهٔ زنانِ تارک دنیا؛ گروه راهبات
nuptial /'nʌpʃl/ *adj,n* ۱.نکاحی ۲.عروسی [بیشتر در جمع]
nurse /nɜ:s/ *n,vt,vi* ۱.پرستار؛ دایه؛ [مجازاً] مهد، پرورشگاه ۲.شیر دادن؛ پرستاری کردن؛ بغل کردن؛ پروردن ۳.شیر خوردن
wet nurse دایه، زنِ شیرده
dry nurse پرستارِ بچه
sick nurse پرستار (بیمار)
put out to nurse به دایه سپردن؛ به پرستار سپردن
nurse a cold سرماخوردگی را با ماندن در منزل علاج کردن
nursed in luxury در ناز و نعمت‌پرورده، نازپرورده
nurs(e)ling /'nɜ:slɪŋ/ *n* کودکِ دایه‌پرورده؛ جانور یا گیاه جوان
nurse-maid /'nɜ:smeɪd/ *n* دختر پرستار
nursery /'nɜ:sərɪ/ *n* شیرخوارگاه؛ اتاق بازی کودکان؛ قلمستان
nursery rhymes اشعار کودکان
silkworm nursery تلمبار، تلنبار
nursery-man /'nɜ:sərɪmən/ *n* [-men] صاحب قلمستان، قلمستان‌دار؛ درختکار
nurture /'nɜ:tʃə(r)/ *n,vt* ۱.پرورش؛ تغذیه ۲.پرورش دادن
nut /nʌt/ *n* گردو و فندق و مانند آنها، میوهٔ گردویی، جوز؛ مهره
a hard nut to crack مسئلهٔ دشوار؛ آدم ناتو
dried nuts آجیل، چارمغز
bolts and nuts پیچ و مهره
for nuts *Sl* سی‌سال سیاه! به‌هیچ‌وجه!
nutcracker /'nʌtkrækə(r)/ *n* فندق‌شکن
nutmeg /'nʌtmeg/ *n* جوز هندی، جوز بویا
nutriment /'nju:trɪmənt US: 'nu:-/ *n* قوت، غذا
nutrition /nju:'trɪʃn US: nu:-/ *n* تغذیه؛ قوت، خوراک، غذا
nutritious /nju:'trɪʃəs US:nu:-/ *adj* مغذی، مقوی
nutritive /'nju:trətɪv US: 'nu:-/ *adj* مغذی
nutshell /'nʌtʃəl/ *n* پوست گردو
in a nutshell به طور خیلی مختصر
nutting *n* گردو جمع‌کنی
nutty /'nʌtɪ/ *adj* دارای مزهٔ آجیل
nutty upon *Sl* شیفتهٔ
nuzzle /'nʌzl/ *vt,vi* ۱.با دماغ یا پوزه مالیدن (به) ۲.غنودن
nymph /nɪmf/ *n* [اساطیر یونان و روم] حوری دریایی یا جنگلی یا کوهی؛ [مجازاً] دختر زیبا

O,o

O,o /əʊ/ *n* پانزدهمین حرف الفبای انگلیسی
O /əʊ/ *int* ای، یا، آه
O king! پادشاها!
O yes! بله بله، آه بله
oak /əʊk/ *n* درخت بلوط؛ برگ بلوط
Hearts of Oak کشتی‌ها و ملوانان نیروی دریایی انگلیس
oaken /'əʊkən/ *adj* بلوطی
oakum /'əʊkəm/ *n* پس‌ماندهٔ الیاف شاهدانه
oar /ɔ:(r)/ *n* پاروی قایقرانی؛ پاروزن
pull a good oar خوب پارو زدن
put one's oar in دخالت کردن در
rest on one's oars استراحت کردن
oarsman /'ɔ:zmən/ *n* [-men] پاروزن
oasis /əʊ'eɪsɪs/ *n* [-ses] واح، واحه
oat /əʊt/ [رجوع شود به oats]
oath /əʊθ/ *n* [oaths] سوگند، قسم؛ کلمهٔ قسم
take an oath سوگند خوردن، قسم خوردن، قسم یاد کردن
administer an oath سوگند دادن (به)
on oath قسم خورده
put a person on his oath کسی را سوگند دادن
oatmeal /'əʊtmi:l/ *n* بلغور جوِ دوسر یا شوربایی که از آن درست می‌کنند
oats /əʊts/ *npl* جوِ دوسر

sow one's wild oats آرد خود را بیختن

obduracy /ˈɒbdjʊərəsɪ US: -dər-/ *n* سخت‌دلی؛ لجاجت

obdurate /ˈɒbdjʊərət US: -dər-/ *adj* سخت‌دل

obedience /əˈbiːdɪəns/ *n* اطاعت، فرمانبرداری

in obedience to برای اطاعتِ، حسب‌الامرِ

obedient /əˈbiːdɪənt/ *adj* فرمانبردار، مطیع

obedient to the law پیرو یا مطیع قانون

obediently *adv* از روی اطاعت

Yours obediently فرمانبردار شما [در پایانِ نامه]

obeisance /əʊˈbeɪsns/ *n* کرنش، احترام، تواضع، سلام با سر

do obeisance to احترام گزاردن به

obelisk /ˈɒbəlɪsk/ *n* ستون سنگیِ هرمی شکل

obese /əʊˈbiːs/ *adj* فربه، تنومند

obesity /əʊˈbiːsətɪ/ *n* فربهی، تنومندی

obey /əˈbeɪ/ *v* اطاعت کردن، فرمانبرداری کردن (از)؛ مطیع بودن

obituary /əˈbɪtʃʊərɪ US: -tʃʊerɪ/ *n,adj* ۱.آگهیِ درگذشت (با شرح حال شخص درگذشته) ۲.مربوط به مردن؛ حاوی آگهی درگذشت

object /ˈɒbdʒɪkt/ *n* شیء، چیز، ماده (خارجی)؛ مورد [object of lease]، موضوع؛ مقصود، منظور، مرام؛ [دستورزبان] مفعول

Money no object حقوق مهم نیست، پول مهم نیست

object /əbˈdʒekt/ *v* اعتراض کردن، اعتراض داشتن؛ دلیل رد آوردن

I object to closing the window. با بستن پنجره مخالفم.

objection /əbˈdʒekʃn/ *n* اعتراض، ایراد

I have no objection to that اعتراضی نسبت به آن ندارم، حرفی ندارم

objectionable /əbˈdʒekʃənəbl/ *adj* قابل اعتراض

objective /əbˈdʒektɪv/ *adj,n* ۱.عینی، (وابسته‌به چیزهای) خارجی؛ دارای وجود خارجی، معقول در خارج؛ واقعی؛ [دستورزبان] مفعولی ۲.حالت مفعولی، [میکروسکوپ، تلسکوپ] عدسیِ شیئی؛ [نظامی] سمت مورد توجه، هدف؛ [مجازاً] منظور، هدف

objective point سَمت مورد توجه؛ مقصد

objective case حالت مفعولی یا مفعولیت

object lesson /ˈɒbdʒɪkt ˌlesn/ *n* درس عملی

objector *n* معترض

obligation /ˌɒblɪˈgeɪʃn/ *n* الزام، عهد، تعهد؛ مرهونیت، منت

be under obligation to someone ممنونِ کسی بودن

obligatory /əˈblɪgətrɪ US: -tɔːrɪ/ *adj* فرض، اجباری؛ الزام‌آور

oblige /əˈblaɪdʒ/ *vt* مجبور کردن؛ ممنون کردن

Can you oblige me with...? ممکن است لطفاً ... را به بنده بدهید؟

I am obliged to him for his services. به واسطهٔ خدماتش از او سپاسگزارم (یا ممنون) هستم.

obliging *apa* مددکار؛ مهربان

oblique /əˈbliːk/ *adj* مایل، یکبر، کج؛ اریب، مورّب؛ [مجازاً] نادرست

obliquely *adv* به‌طور مایل یا اریب

obliterate /əˈblɪtəreɪt/ *vt* پاک کردن، محو کردن، حک کردن؛ از میان بردن

obliteration /əˌblɪtəˈreɪʃn/ *n* امحا، محو، حک؛ نسخ؛ بطلان

oblivion /əˈblɪvɪən/ *n* فراموشی، نسیان؛ بخشش عمومی

fall into oblivion فراموش شدن

oblivious /əˈblɪvɪəs/ *adj* فراموشکار؛ بی‌خبر، غافل

oblong /ˈɒblɒŋ US: -lɔːŋ/ *adj* مستطیل

obloquy /ˈɒbləkwɪ/ *n* توهین؛ بدگویی؛ کسر

obnoxious /əbˈnɒkʃəs/ *adj* نفرت‌انگیز؛ خیلی بد

oboe /ˈəʊbəʊ/ *n* اُبوا: نوعی سازِ بادی چوبی

obscene /əbˈsiːn/ *adj* زشت، وقیح

obscenity /əbˈsenətɪ/ *n* زشتی، وقاحت؛ کار زشت

obscure /əbˈskjʊə(r)/ *adj,vt* ۱.تیره، تاریک؛ پیچیده، مبهم، غامض؛ مشکوک، نامعلوم؛ گمنام؛ پست ۲.تیره کردن، تاریک کردن؛ پیچیده کردن؛ دشوار کردن؛ مشکوک ساختن

obscurity /əbˈskjʊərətɪ/ *n* تیرگی، تاریکی؛ عدم وضوح؛ پیچیدگی، ابهام؛ پنهانی؛ گمنامی؛ چیز پنهان؛ شخص گمنام

obsequies /ˈɒbsɪkwɪz/ *npl* آیین تشییع جنازه (یا ختم)

obsequious /əbˈsiːkwɪəs/ *adj* خوش‌خدمت، چاپلوس، متملّق

observable /əbˈzɜːvəbl/ *adj* قابل مشاهده؛ قابل ملاحظه؛ معلوم

observance /əbˈzɜːvəns/ *n* رعایت، نگهداری؛ انجام؛ آیین، رسم

observant /əbˈzɜːvənt/ *adj* رعایت‌کننده؛ متوجه؛ ملاحظه کننده؛ احترام‌گزار

observation /ˌɒbzəˈveɪʃn/ *n* مشاهده، ملاحظه؛ معاینه؛ اظهار عقیده

observation car واگن مخصوصی در قطار که مسافرین آن می‌توانند مناظر اطراف را خوب تماشا کنند

observatory /əb'zɜ:vətrɪ US: -tɔ:rɪ/ *n* رصدخانه

observe /ə'bzɜ:v/ *vt* رعایت‌کردن، به‌جا آوردن؛ نگاه داشتن؛ مشاهده‌کردن، ملاحظه‌کردن؛ معاینه کردن، دیدن؛ اظهار (عقیده) کردن، نظر دادن

observe a fast روزه گرفتن

observer *n* مشاهده‌کننده؛ رصدکننده؛ نگهدارنده

obsess /əb'ses/ *vt* آزار دادن؛ ذهن (کسی) را مشغول کردن

obsession /əb'seʃn/ *n* فکری که همواره ذهن را مشغول کند و موجب آزار شود؛ وسواس

obsolescent /ˌɒbsə'lesnt/ *adj* کم‌کم مهجورشونده، در شرُف منسوخ شدن

obsolete /'ɒbsəli:t/ *adj* مهجور، متروک، غیرمستعمل

obstacle /'ɒbstəkl/ *n* مانع

obstacle race مسابقهٔ دو با مانع

obstetric(al) /əb'stetrɪk(l)/ *adj* مربوط به مامایی

obstetrician /ˌɒbstə'trɪʃn/ *n* متخصصِ مامایی

obstetrics *n* (علم) مامایی

obstinacy /'ɒbstənəsɪ/ *n* سرسختی، خودرأیی، کله‌شقی؛ لجاجت؛ تمرد

obstinate /'ɒbstənət/ *adj* سرسخت، خودرأی؛ لجوج؛ دیر علاج‌شو

obstinately *adv* از روی سرسختی

obstruct /əb'strʌkt/ *vt,vi* ۱.بستن، مسدود کردن؛ مانع شدن ۲.اشکال‌تراشی کردن، کارشکنی کردن

obstruction /əb'strʌkʃn/ *n* جلوگیری، ممانعت؛ کارشکنی [از اکثریت انداختن مجلس]؛ مانع، عایق؛ سد

obstructive /əb'strʌktɪv/ *adj* مسدودکننده، بازدارنده، کارشکن

obtain /əb'teɪn/ *vt,vi* ۱.به‌دست آوردن؛ فراهم کردن ۲.معمول بودن، حکمفرما بودن

obtain permission اجازه گرفتن

easy to obtain; easily-obtained زودیاب، سهل‌الحصول

obtainable *adj* به‌دست آمدنی، قابل حصول، میسر

obtrude /əb'tru:d/ *vi,vt* ۱.مزاحم شدن؛ بدون حق مقامی را حائز شدن ۲.(بیرون) انداختن تحمیل کردن؛ پیش آوردن

obtrude (up)on a person سرزده نزد کسی آمدن؛ مزاحمِ کسی شدن

obtrusive /əb'tru:sɪv/ *adj* سرزده داخل‌شونده، فضول

obtuse /əb'tju:s US: -tu:s/ *adj* باز، منفرج

obtuse angle زاویهٔ منفرجه، گوشهٔ باز

obverse /'ɒbvɜ:s/ *n* روی سکه، روی مدال

obviate /'ɒbvɪeɪt/ *vt* مرتفع ساختن

obvious /'ɒbvɪəs/ *adj* آشکار، پیدا، هویدا، معلوم، واضح، بدیهی

obviously *adv* به طور آشکار یا معلوم؛ معلوم است که، بدیهی است که

occasion /ə'keɪʒn/ *n,vt* ۱.موقع فرصت؛ اقتضا، لزوم؛ موجب، سبب؛ موقعیت، جا ۲.باعث شدن، موجب شدن، فراهم کردن

take (*or* seize) the occasion از فرصت استفاده کردن

on the occasion of به مناسبتِ

There is no occasion for fear ترس هیچ مورد ندارد، جای ترس نیست

on occasion;as occasion arises هنگام لزوم، به وقت ضرورت

rise to the occasion جربزهٔ خود را نشان دادن

occasional /ə'keɪʒənl/ *adj* اتفاقی، گاه‌گاهی؛ ضمنی، فرعی؛ با مناسبت

He makes occasional mistakes. گاه‌گاهی اشتباه می‌کند.

occasionally /ə'keɪʒenəlɪ/ *adv* گاه‌گاهی، اتفاقاً، احیاناً، برحسب تصادف

Occident /'ɒksɪdənt/ *n* باختر

occidental /ˌɒksɪ'dentl/ *adj* باختری

occult /ɒ'kʌlt US: ə'kʌlt/ *adj* پوشیده، مرموز، سحرآمیز

occupant /'ɒkjʊpənt/ *n* متصرف، اشغال‌کننده

occupation /ˌɒkjʊ'peɪʃn/ *n* اشغال، تصرف؛ پیشه، کار، شغل، حرفه

army of occupation [نظامی] ارتش اشغالگر

occupational /ˌɒkjʊ'peɪʃənl/ *adj* حرفه‌ای [occupational diseases]

occupied *ppa* اشغال شده، گرفته؛ مسکون؛ مشغول

What are you occupied with? مشغولِ چه کاری هستید؟

My time is occupied وقتم گرفته است

occupier /'ɒkjʊpaɪə(r)/ *n* متصرّف، اشغال‌کننده، ساکن؛ مستأجر

occupy /'ɒkjʊpaɪ/ *vt* اشغال کردن، تصرف کردن؛ مشغول کردن؛ به کار گرفتن
occupy oneself (*or* **be occupied**) **with** (*or* **in**) **something** مشغول کاری شدن
occur /ə'kɜ:(r)/ *vi* [-red] رخ دادن، اتفاق افتادن؛ موجود بودن
A thought occurred to me فکری به خاطرم خطور کرد
It occurs to me that... (چنین) به نظرم می‌رسد که...
occurrence /ə'kʌrəns/ *n* وقوع؛ تصادف؛ رویداد، واقعه؛ مورد
It is of frequent occurrence بسیار اتفاق می‌افتد؛ غالباً دیده می‌شود
ocean /'əʊʃn/ *n* اقیانوس
oceans of money یک دنیا پول
oceanic /ˌəʊʃɪ'ænɪk/ *adj* اقیانوسی
ochre /'əʊkə(r)/ *n* گِل اُخرا
red ochre اُخرای سرخ، گِل سرخ
yellow ochre اُخرای زرد، گِل زرد، گِل بُرش
o'clock /ə'klɒk/ [زیر clock آمده است]
octagon /'ɒktəgən US: -gɒn/ *n* شکل هشت گوشه یا هشت ضلعی
octagonal /ɒk'tægənl/ *adj* هشت گوشه
octave /'ɒktɪv/ *n* گام، اکتاو
October /ɒk'təʊbə(r)/ *n* اکتبر (دهمین ماه سال میلادی)
octopus /'ɒktəpəs/ *n* اختاپوس، هشت‌پا؛ [مجازاً] سازمان نیرومندی که چندین شعبه دارد
octuple /'ɒktju:pl,ɒk'tu:pl/ *adj,vt* ۱.هشت برابر ۲.هشت برابر کردن
ocular /'ɒkjʊlə(r)/ *adj* چشمی؛ به چشم دیده شده؛ نظری؛ هویدا
ocular witness شاهدِ عینی
oculist /'ɒkjʊlɪst/ *n* چشم‌پزشک، کحال
odd /ɒd/ *adj* طاق، فرد؛ کسردار؛ تکی، لنگه؛ متفرقه؛ اتفاقی؛ غریب
odd or even (بازی) طاق یا جفت
20 odd books بیست و خرده‌ای کتاب
two thousand odd ۲۰۰۰ و کسری
There were 2003; I threw away the odd 3 دوهزاروسه تا بود سه تای زیادی را دور انداختم
an odd shoe یک لنگه کفش
I do it at odd moments گوشه و کنارهای وقت را صرف این‌کار می‌کنم
He does odd jobs هرکار برسد می‌کند
an odd chair صندلی تکی یا ناجور
odd-job man کسی که هر کاری برسد می‌کند
oddity /'ɒdɪtɪ/ *n* غرابت؛ چیز غریب؛ کار غریب؛ حالت ویژه
oddly *adv* به‌طور غریب
oddment /'ɒdmənt/ *n* ته‌مانده، بقایا
odds /ɒdz/ *npl* نابرابری، توفیر؛ برتری، مزیت؛ [در بازی] فرصت برابر شدن
what's the odds? چه اهمیت دارد، چه تفاوت می‌کند
be at odds اختلاف داشتن
I give odds of ten to one Rial ده ریال به یک ریال شرط می‌بندم
The odds are that... احتمال دارد که...
odds and ends ته‌مانده کالا، خرده‌ریز، خنزر پنزر؛ خرت و پرت
ode /əʊd/ *n* قصیده
odious /'əʊdɪəs/ *adj* زشت، نفرت‌انگیز
It was odious to me نزد من (یا در نظر من) نفرت‌انگیز بود
odiously *adv* به‌طور نفرت‌انگیز
odium /'əʊdɪəm/ *n* نفرت، نفرت‌انگیز بودن؛ رسوایی؛ زشتی
odometer /ɒ'dɒmɪtə(r),əʊ'-/ *n or* **milometer** مسافت‌سنج، کیلومتر شمار
odor /'əʊdə(r)/ *US* = odour
odoriferous /ˌəʊdə'rɪfərəs/ *adj* = odorous
odorous /'əʊdərəs/ *adj* خوشبو
odour /'əʊdə(r)/ *n* بو؛ بوی خوش
be in bad odour with someone پیش کسی بدنام یا منفور بودن
o'er /əʊ(r),ɔ:(r)/ *Poet* = over
oesophagus /ɪ'sɒfəgəs/ *n* [-gi] مری
of /əv;ɒv/ *prep* ۱.از ۲.برابر با کسرهٔ اضافه در فارسی ۳.در زمرهٔ ۴.در بارهٔ، راجع به
a part of it یک قسمت آن، قسمتی از آن
the best of all از همه بهتر
a rope of 5 metres یک طناب ۵ متری
3 grammes of salt سه گرم نمک
It is said of a king who... پادشاهی را حکایت کنند که...
of bad habits دارای عادات بد
a man of mind شخص با فکر
off /ɒf US: ɔ:f/ *adv* دور [throw off]، آن‌سوتر [stand off]؛ عقب‌تر، دیرتر [week off]؛ جدا؛ تماماً
be off one's feed بدخوراک شدن، از اشتها افتادن
cut off جدا کردن، قطع کردن

drink off (تا ته) سر کشیدن
ride off دور شدن [در سواری]
off and on هرچند وقت یک‌بار
Off with you! بروید (پیِ کارتان)!
Off with his head! سرش را از تن جدا کنید!
[هر اصطلاح دیگری را که با off و کلمهٔ دیگر ترکیب شود باید زیر آن کلمه نگاه کرد مانند break off ; buy off ; dash off]

off /ɒf US: ɔ:f/ *prep* ۱.از ۲.دور از ۳.از رویِ ۴.منفک یا بیرون از
(1) to fall off a ladder
(2) *He was off the track*
(3) *He took the cover off the dish*
(4) *He is off his duty*
I took something off the price کمی از بهای آن کاستم
dine off bread and cheese با نان و پنیر ناهار خود را برگزار کردن
It came off the book از کتاب درآمد
off colour بی‌حال، کسل
off key [موسیقی] خارج (از مایه)
off side کنار، واقع در بین توپ و دروازه طرف مقابل

off /ɒf US: ɔ:f/ *adj* دور؛ دورتر؛ کهنه؛ تازه‌حرکت کرده؛ بی‌حال، کسل؛ قطع شده؛ پرت در اشتباه؛ غیر محتمل
off to the war رهسپارِ جنگ
The gas is off or on at the mere press of a button. با یک فشار دکمه گاز قطع یا وصل می‌شود.
the off horse اسب دست راست
I took the day off آن روز را تعطیل کردم
He is well off وضع مالی او نسبتاً خوب است

offal /'ɒfl US: 'ɔ:fl/ *npl* اندرونهٔ حیوان، دل و جگر و امثال آن؛ پس‌مانده؛ فضولات

offence /ə'fens/ *n* لغزش، خلاف؛ گناه، تقصیر؛ رنجیدگی؛ توهین، بی‌حرمتی؛ تهاجم، حمله
petty offence لغزش، خلاف
commit an offence against someone به‌کسی توهین یا بی‌حرمتی کردن
It is an offence to morality منافیِ اخلاق است، برخلاف اخلاق است
take offence رنجیدن
quick to take offence زودرنج

offenceless *adj* بی‌گناه، بی‌تقصیر

offend /ə'fend/ *vi,vt* ۱.تخلف کردن، تخطی کردن؛ مرتکب خلاف شدن ۲.رنجاند متغیر کردن؛ آزردن
offend against مرتکب خلاف شدن
offend against the law از قانون تخلف کردن، قانون را شکستن
the offending party متخلف
Your words offended her سخنان شما او را رنجانید

offender *n* متخلف
offenders against this article متخلفینِ از این ماده
first offender متخلف برای اولین بار

offense /ə'fens/ = offence

offensive /ə'fensɪv/ *adj,n* ۱.تهاجمی؛ اهانت‌آمیز؛ نفرت‌انگیز، نامطبوع، آزارنده، بد [offensive smell] ۲.تهاجم، حمله
take the offensive وضع تهاجم یا حمله به خود گرفتن

offensively *adv* به‌طور اهانت‌آمیز؛ به‌طور ناگوار؛ از راه تهاجم

offer /'ɒfə(r) US: 'ɔ:f-/ *n,vt,vi* ۱.پیشنهاد؛ عرضه؛ تعارف، تقدیم؛ حاضرخدمتی ۲.تقدیم کردن، پیشکش کردن؛ تعارف کردن؛ اظهار کردن، ابراز کردن؛ پیشنهاد کردن ۳.به‌دست آمدن
on offer آماده برای فروش، فروشی
offer to buy something حاضر به‌خرید چیزی شدن
offer an excuse عذر آوردن
offer round دوره (یعنی به همه) تعارف کردن
offer a sacrifice قربانی گذراندن
offer one's hand [در سلام‌وعلیک] دست را جلو بردن؛ پیشنهاد ازدواج به‌زنی کردن

offering /'ɒfərɪŋ US: 'ɔ:f-/ *n* هدیه؛ اعانه؛ قربانی

offertory /'ɒfətrɪ US: -tɔ:rɪ/ *n* اعانه؛ جمع‌آوری اعانه

offhand /ˌɒf'hænd US: ˌɔ:f-/ *adj,adv* بی‌مطالعه، بالبداهه، بی‌تهیه؛ بی‌تکلف؛ بی‌ادبانه

office /'ɒfɪs US: 'ɔ:f/ *n* مقام، منصب؛ (اتاق) دفتر، اداره؛ وظیفه؛ خدمت
the Post Office پستخانه
the Foreign Office وزارت خارجه
head office اداره مرکزی، مرکز
our Yazd Office شعبهٔ یزد ما
office hours ساعات اداری
by the good offices of با توجهاتِ، با مساعی جمیلهٔ، با کمکِ

office-holder /'ɒfɪs həʊldə(r)/ *n* = office-bearer صاحب‌مقام

officer /'ɒfɪsə(r) US: 'ɔ:f-/ *n* افسر؛ مأمور؛ عضو هیئت رئیسه؛ متصدی

official /ə'fɪʃl/ *adj,n* ۱.رسمی؛ اداری ۲.مأمور، گماشته

officially /ə'fɪʃəlɪ/ *adv* رسماً

officiate /ə'fɪʃɪeɪt/ *vi* رسماً خدمتی انجام دادن یا انجام وظیفه کردن؛ پیشنماز شدن

officiate as host میزبان شدن

officious /ə'fɪʃəs/ *adj* فضولانه، حاضر به‌خدمت؛ غیر رسمی

officiously *adv* فضولانه

offing /'ɒfɪŋ US: 'ɔ:f-/ *n* بخشی از دریا که از کرانه نمودار و آب آن گود است

in the offing محتمل‌الوقوع

offload /ˌɒf'ləʊd US: ˌɔ:f-/ *v* = unload

offset /'ɒfset US: 'ɔ:f-/ *vt,n* ۱.جبران کردن ۲.نهال؛ عوض؛ حساب پایاپای

offshoot /'ɒfʃu:t US: 'ɔ:f-/ *n* ترکه، شاخهٔ نو؛ فرع

off-shore /ˌɒf'ʃɔ:(r) US: ˌɔ:f-/ *adv,adj* ۱.دور از کرانه، مقابل ساحل ۲.ساحلی، رو به دریا(رونده)

offside /ˌɒf'saɪd US: ˌɔ:f-/ [زیر off آمده است]

offspring /'ɒfsprɪŋ US: 'ɔ:f-/ *n* [offspring] فرزند، اولاد، اعقاب

oft /ɒft US: ɔ:ft/ *Arch* = often

often /'ɒfn,'ɒftən US: 'ɔ:fn/ *adv* بارها، بیشتر اوقات، کراراً

very often غالباً

How often? چندوقت به چند وقت؟ چندوقت یک‌بار؟

as often as هرچند دفعه که

I go there oftener than you do من بیشتراز شما به آنجا می‌روم

ogle /'əʊgl/ *v* کرشمه کردن، با چشم غمزه کردن؛ نگاه عاشقانه کردن

ogre /'əʊgə(r)/ *n* غول، آدمخور

ogress /'əʊgres/ [*fem of* ogre]

ogrish /'əʊgərɪʃ/ *adj* غول‌وار

oh /əʊ/ *int* آه، آخ

oho /əʊ'həʊ/ *int* اهو، ها؛ به، وه

oil /ɔɪl/ *n,vt* ۱.روغن؛ نفت ۲.روغن زدن؛ نرم کردن، روان کردن

fuel oil نفت سوختنی، مازوت

pour oil on the flames آتش خشم یا فتنه را دامن زدن

burn the midnight oil دود چراغ خوردن

oil someone's palm (*or* hand) سبیل کسی را چرب کردن، دَم کسی را دیدن

oil one's tongue چاپلوسی کردن

oil the wheels با حسن تدبیر کاری را انجام دادن

oilcake /'ɔɪlkeɪk/ *n* کنجیده، کنجاره

oilcan /'ɔɪlkæn/ *n* روغن‌دان، روغن‌زن

oilcloth /'ɔɪlklɒθ/ *n* مشمع، پارچهٔ مشمعی

oil-colour /'ɔɪl kʌlə(r)/ *n* رنگ روغنی

oiler /'ɔɪlə(r)/ *n* روغن‌دان؛ روغن‌زن؛ کشتی نفت‌کش

oilfield /'ɔɪlfi:ld/ *n* منطقهٔ نفت‌خیز، حوزهٔ نفتی

oiliness *n* چربی؛ نرمی

oilman /'ɔɪlmən/ *n* [-men] روغن‌فروش؛ نفت‌فروش، نفتی؛ روغن‌ساز

oil-painting /'ɔɪl peɪntɪŋ/ *n* نقاشیِ رنگ و روغن

oilskin /'ɔɪlskɪn/ *n* لباس (یا پارچهٔ) ضدآب

oil well /'ɔɪl wel/ *n* چاه نفت

oily /'ɔɪlɪ/ *adj* روغنی؛ [مجازاً] چرب‌ونرم

ointment /'ɔɪntmənt/ *n* روغن؛ مرهم

OK /ˌəʊ'keɪ/ = all right صحیح است؛ موافقم؛ باشد

old /əʊld/ *adj,n* ۱.پیر، مسن؛ کهنه؛ قدیمی؛ سابق؛ کهنه‌کار، آزموده؛ گذشته ۲.زمان پیش، قدیم

grow old بزرگ شدن؛ پیر شدن

old age پیری، سالخوردگی

He is 10 years old. او ده سال دارد.

a two-day-old baby بچهٔ دوروزه

How old are you? چند سال دارید

at 8 years old در هشت سالگی

Old Testament عهد عتیق

the old پیران، مردم سالخورده

my (good) old man شوهر من

old man بابا(جان)، پدر

He was an old hand at doing it. در انجام دادن این‌کار آزموده بود.

old maid پیردختر، دختر ترشیده

any old thing *Sl* هرچه باشد

of old ۱.از پیش ۲.قدیم، سابق

men of old پیشینیان، قدما، پیران

olden *adj* پیشین، سابق

old-fashioned /ˌəʊld 'fæʃnd/ *adj* کهنه، مُد افتاده، غیرمتداول؛ قدیمی مسلک

oleander /ˌəʊlɪ'ændə(r)/ *n* خرزهره

oligarchy /'ɒlɪgɑ:kɪ/ *n* الیگارشی، جرگه‌سالاری

olive /'ɒlɪv/ *n,adj* ۱.زیتون ۲.زیتونی

Olympiad /ə'lɪmpɪæd/ *n* المپیاد، فاصله چهارساله در میان دورشته مسابقه‌های یونانی المپیک

Olympic /ə'lɪmpɪk/ *adj* المپیک، منسوب به المپیا (Olympia) در یونان
Olympic games مسابقه‌های قهرمانی المپیک (که یونانیها چهارسال یک‌بار برپا می‌کردند و از سال ۱۸۹۶ جنبهٔ بین‌المللی پیدا کرد)
omelet(te) /'ɒmlɪt/ *n* اُملت
savoury omelet(te) املت سبزی‌دار، کوکو
omen /ə'ʊmən/ *n,vt* ۱.فال؛ نشانه ۲.از پیش خبر دادن
consider as a good omen به فال نیک گرفتن؛ شگون دانستن
ominous /'ɒmɪnəs/ *adj* نحس، شوم
omission /ə'mɪʃn/ *n* حذف؛ (از قلم) افتادگی؛ ترک؛ غفلت
omit /ə'mɪt/ *vt* [-ted] انداختن، حذف کردن؛ غفلت کردن از
omnibus /'ɒmnɪbəs/ *n* [-es] اتوبوس [مختصر آن bus است]
omnibus volume مجموعه آثار، کلیات
omnipotence /ɒm'nɪpətəns/ *n* قدرت مطلق
omnipotent /ɒm'nɪpətənt/ *adj* قادر مطلق
omniscience /ɒm'nɪsɪəns/ *n* همه چیزدانی، علم لایتناهی
omniscient /ɒm'nɪsɪənt/ *adj* همه‌چیزدان، دانای کل
omnivorous /ɒm'nɪvərəs/ *adj* همه‌چیز خوار
on /ɒn/ *prep* رويِ؛ دربارهٔ؛ همراهِ، با، نزدِ؛ سرِ، عهدهٔ [a cheque on...]؛ بر [based on]؛ د [on that day]؛ [در قَسَم] به
on both sides در هر دو طرف
on the way در (سر) راه
on the next day (در) روز بعد
on seeing him هنگام دیدن او
serve a notice on someone اخطار برای کسی فرستادن
on the cheap ارزان
be on a committee عضو کمیسیونی بودن
on /ɒn/ *adv* ۱.دربر، برتن ۲.به پیش، به‌طرف جلو ۳.به‌بعد ۴.پیوسته، هی ۵.روی صح
(1) have a shirt on
(3) from that day on
(4) *He spoke on*
(5) *Hamlet is on*
put on پوشیدن؛ برسر گذاشتن
on /ɒn/ *adj* دایر؛ باز؛ روشن
The switch is on. چراغ برق روشن است.
What is on this afternoon? امشب چه خبر است یا برنامه چیست؟
Be on to it! آگاه باشید، مواظب باشید!
once /wʌns/ *adv,n,conj* ۱.یک‌بار، یک‌مرتبه؛ پیشتر، یک وقتی ۲.یک وهله ۳.همین‌که، یک‌بار که، به محض اینکه
Once he understands وقتی که بفهمد، همین‌که فهمید
once more; once again بارِ دیگر، دوباره
once in a while گاهی، اتفاقاً
once for all به‌طور قطعی یا اول و آخر
Once upon a time روزی، روزگاری، یکی بود یکی نبود
at once فوراً؛ باهم، یک دفعه
all at once ناگهان، همه با هم
He was at once intrepid and wise هم بی‌باک بود و هم خردمند
for once یک‌بار استثنائاً
this once همین یک‌بار
once-over /'wʌns əʊvə(r)/ *n,US,Col* نگاه مقدماتی اجمالی
on-coming /'ɒnkʌmɪŋ/ *n,adj* ۱.حلول، نزدیک شدن ۲.نزدیک شونده، آینده
one /wʌn/ *adj,pr,n* ۱.یک؛ یکتا، یگانه؛ منحصر به فرد؛ یکسان ۲.یکی، کسی؛ شخص، آدم ۳.شمارهٔ یک
one day a beggar... روزی گدایی...
twenty-one بیست‌ویک
no one man هیچکس به تنهایی
one or two days یکی دو روز
for one thing یکی آنکه، اولاً
I sold it to one Abdullah آن رابه شخصی به نام عبدالله فروختم
one of them یکی از آنها
One must look after one's health. آدم باید در فکر تندرستیِ خودش باشد.
one by one یکی یکی
I for one من یک‌نفر (که)
the Holy One خدا(ی قدّوس)
the Evil One اهریمن، شیطان
someone کسی، یک‌نفر
one who کسی که، آنکه؛ یکی که
He is the one who... او آن‌کسی است که...
one another یکدیگر، همدیگر
No one is here. هیچکس اینجانیست.
one and all همه با هم، با یک زبان
one with the other رويِ هم، از دم
This is a bad pencil, have you one that is better? این مداد بدی است بهتر از این ندارید؟

never a one هیچکس
at one همرأی، متفق
all in one همه چیز سرِ خود
number one ۱.خود، شخصِ خود ۲.مقام اوّل
It's all one to me برای من یکسان است
book one کتاب نخست، جلد نخستین
He sold the good ones خوبهای آن را فروخت، هرچه خوب داشت فروخت
Count by ones یکی‌یکی بشمارید
They came by ones and twos یکی‌یکی و دوتا دوتا می آمدند

one-eyed /'wʌn aɪd/ *adj* یک چشم
onerous /'ɒnərəs/ *adj* سنگین، گران؛ دشوار؛ پرخرج
oneself /wʌn'self/ *pr* خود؛ خود را
one-sided /,wʌn 'saɪdɪd/ *adj* یک‌پهلو؛ یکطرفه؛ مغرض، سبک و سنگین
one-way street /'wʌn weɪ stri:t/ خیابان یکطرفه
onforward /'ɒnfɔ:wəd/ *vt* (به جای دیگر) رد کردن
onion /'ʌnɪən/ *n* پیاز
spring onion پیازچه
onlooker /'ɒnlʊkə(r)/ *n* تماشاچی
only /'əʊnlɪ/ *adv,adj,conj* ۱.تنها، فقط ۲.یگانه [only child] ۳.چه فایده که، الا اینکه، حیف که
the only remedy تنها چاره
only-begotten *adj* یگانه [my only-begotten son]
onomatopoeia /,ɒnə,mætə'pɪə/ *n* [زبانشناسی] نام آوا: کلمه‌ای که از تقلید صدا درست شده باشد مانند buzz (وزوز)
onrush /'ɒnrʌʃ/ *n* یورش؛ حمله به جلو
onset /'ɒnset/ *n* حمله؛ وهله؛ آغاز
at the first onset در نخستین وهله
onslaught /'ɒnslɔ:t/ *n* حملهٔ سخت
onto /'ɒntə,'ɒntu:/ *prep* به‌سویِ
onus /'əʊnəs/ *n,L* بار؛ مسئولیت
onward(s) /'ɒnwəd(z)/ *adj,adv* پیش، به پیش، به طرف جلو
for onward despatch to Paris برای اینکه از آنجا به پاریس فرستاده شود
onyx /'ɒnɪks/ *n* (سنگ) باباغوری
ooze /u:z/ *n,vi,vt* ۱.لجن، لای؛ [در چرم‌سازی] عُصاره، شیره ۲.تراوِش کردن؛ آب پس دادن، [مجازاً] فاش شدن، رخنه کردن [با out]؛ رو به کاهش گذاردن [با away] ۳.پس دادن، یرون دادن؛ [مجازاً] بروز دادن

opal /'əʊpl/ *n* عقیق سلیمانی
opal globe حباب شیری
opaque /əʊ'peɪk/ *adj* مات؛ تاریک، تیره؛ [مجازاً] مبهم، کند، کودن
open /'əʊpən/ *adj* باز؛ روباز؛ آزاد؛ آشکار؛ قابل بحث؛ بی‌تعصب؛ گشادگشاد؛ بی‌دفاع؛ صاف، بی‌مه، بی‌ابر؛ واریز نشده؛ بلا متصدی
I will be open with you. بی‌پرده با شما سخن خواهم گفت.
open to attack در معرضِ حمله
keep an open house مهمان‌نواز بودن، درِ خانهٔ (کسی) باز بودن
the open door policy سیاست اقتصادی درهای باز
open hands سخاوت، گشاده‌دستی
open letter نامهٔ سرگشاده
open space میدان، گردشگاه آزاد
the open *n* هوای آزاد؛ ملأ عام
open /'əʊpən/ *vt,vi* ۱.باز کردن؛ افتتاح کردن؛ گشودن؛ آشکار کردن ۲.باز شدن؛ شروع شدن؛ آشکار شدن؛ شگفتن
open the door to مجال دادن به
open fire شروع به تیراندازی کردن
Open fire! [نظامی] آتش!
open one's heart (*or* mind) اندیشه یا راز خود را بیان کردن، دل خود را خالی کردن
open out بسط دادن، توسعه دادن
open on... ... باز شدن
We opened at page 10. صفحه ۱۰ (کتاب) را باز کردیم.
open-air /,əʊpən 'eə(r)/ *adj* در هوای آزاد انجام شده، صحرایی، مایل به هوای آزاد
open treatment معالجه در هوای آزاد
opener *n* بازکننده؛ [در ترکیب] بازکن [مانند can-opener درِ قوطی بازکن]
open-handed /,əʊpən 'hændɪd/ *adj* گشاده‌دست، سخی
open-hearted /,əʊpən 'hɑ:tɪd/ *adj* بی‌ریا؛ پاک؛ دست‌ودل‌باز
opening /ə'ʊpnɪŋ/ *n* دهانه؛ چشمه؛ سوراخ؛ آغاز، شروع؛ گشایش، افتتاح؛ مقدمه؛ مجال
openly *adv* آشکارا، علناً
open-minded /,əʊpən 'maɪndɪd/ *adj* بی‌تعصب
openness *n* بازی [باز بودن]، گشودگی؛ آشکاری؛ آزادی

open-work /'əupən wɜ:k/ *n* ژور؛ [به صورت صفت] ژورزده، درشت‌بافت

opera /'ɒprə/ *n* اُپرا

grand opera اپرای تمام آواز: اپرایی که همهٔ گفت‌وگوها در آن به صورت آواز است

comic opera اپراکمیک، اپرای کمدی

operable *adj* عمل کردنی

opera-glasses /'ɒprə glɑ:sɪz/ *npl* دوربین اپرا، دوربین دوچشمی کوچک

opera-hat /'ɒprə hæt/ *n* کلاه بلندِ مردانه که می‌توان آن را پهن یا تا کرد

opera-house /'ɒprə haʊs/ *n* (ساختمان) اپرا

operate /'ɒpəreɪt/ *vt,vi* ۱.به‌کار انداختن؛ اداره کردن؛ بهره‌برداری کردن؛ (از حسابی) استفاده کردن؛ فراهم ساختن، موجب شدن ۲.عمل کردن [با on]؛ دایر بودن؛ نتیجه دادن؛ سودمند بودن

It will operate to our disadvantage به زیان ما نتیجه خواهد بخشید

It is electrically operated با برق کار می‌کند

He was operated on (in)... ... او را عمل کردند

operatic /,ɒpə'rætɪk/ *adj* اُپرایی، مربوط به اپرا

operating-table /'ɒpəreɪtɪŋ teɪbl/ *n* تخت عمل (جراحی)

operating-theatre /'ɒpəreɪtɪŋ θɪətə(r)/ *n* اتاق عمل جراحی (در حضور دانشجویان)، نمایشگاه جرّاحی

operation /,ɒpə'reɪʃn/ *n* عمل؛ اداره؛ گردش؛ اثر، نتیجه؛ عملکرد، بهره‌برداری

come into operation به اجرا در آمدن

military operations عملیات نظامی

operative /'ɒpərətɪv US: -reɪt-/ *adj,n* ۱.عملی؛ مؤثر؛ دایر؛ قابلِ استفاده ۲.ماشین‌گردان؛ کارگر

operator /'ɒpəreɪtə(r)/ *n* گرداننده؛ عمل‌کننده؛ متصدی

telephone operator تلفنچی

operetta /,ɒpə'retə/ *n* اپرت

opiate /'əupɪət/ *n* داروی افیون‌دار، داروی مسکن، داروی خواب‌آور

opine /ə'paɪn/ *vt* (چنین) اظهار عقیده کردن

opinion /ə'pɪnɪən/ *n* عقیده، نظر، رأی؛ فکر؛ گمان، ظن

have the courage of one's opinion طبق عقیدهٔ خود عمل کردن، شهامت اخلاقی داشتن

in my opinion به نظر من، به عقیدهٔ من

I am of the opinion that... نظر (یا عقیدهٔ) من این است که...

public opinion افکار عمومی

favourable opinion خوش گمانی، حسن ظن

I have no opinion of these people. عقیده‌ای به این اشخاص ندارم.

opinionated /ə'pɪnɪəneɪtɪd/ *adj* خودرأی

opium /ə'ʊpɪəm/ *n* تریاک

opium den جای مخصوص تریاکی‌ها

opossum /ə'pɒsəm/ *or* **possum** /'pɒsəm/ *n* ساریق: نوعی جانور از تیره کیسه‌داران

play possum *US,Sl* خود را به خواب یا گوش کری زدن

opponent /ə'pəunənt/ *adj,n* مخالف، ضدّ؛ حریف، طرف، طرف دعوی

opportune /'ɒpətju:n US: -tu:n/ *adj* بجا، بموقع، بمورد؛ درخور

opportunist /,ɒp'ətju:nɪst/ *n* فرصت‌طلب، ابن‌الوقت

opportunity /,ɒpə'tju:nətɪ US: -'tu:n/ *n* فرصت، مجال

oppose /ə'pəuz/ *vt* ضدّیت کردن با، مخالفت کردن با؛ مقابله کردن؛ ضد قرار دادن؛ روبه‌رو گذاشتن

opposed to ضدِ، مخالفِ؛ نقطهٔ مقابلِ

opposite /'ɒpəzɪt/ *adj,prep,n* ۱.روبه‌رو، روبه‌روی‌هم، مقابل؛ مخالف، ضد، معکوس، متضاد ۲.روبه‌رویِ، مقابلِ ۳.عکس، ضد [در جمع] اضداد

opposite to the house روبه‌روی‌خانه

the opposite sex جنس مخالف [مرد یا زن]

opposition /,ɒpə'zɪʃn/ *n* ضدیت، مخالفت؛ تضاد؛ تناقض؛ تقابل؛ مقابله؛ مانع؛ دستهٔ مخالف، اقلیت

offer an opposition ضدیت کردن

in opposition to برخلافِ، برای ضدیت

oppress /ə'pres/ *vt* ظلم کردن بر

oppressed *ppa* ستمدیده، مظلوم

oppression /ə'preʃn/ *n* ستم، ظلم، تعدی، فشار؛ افسردگی

oppressive /ə'presɪv/ *adj* ظالمانه؛ دشوار، گران، شاق؛ ظالم

oppressively *adv* ظالمانه

oppressor *n* ظالم

opprobrious /ə'prəubrɪəs/ *adj* ننگ‌آور، مایهٔ رسوایی، زشت؛ رسوا

opprobrium /ə'prəubrɪəm/ *n* رسوایی، ننگ، خفت؛ زشتی؛ فحش، ناسزا

optic /'ɒptɪk/ *adj* بینایی، دیداری

optic nerve عصب بینایی

optical /'ɒptɪkl/ *adj* ۱.بینایی ۲.نوری، نورشناختی

optical illusion خطای باصره

optician /ɒp'tɪʃn/ *n* عینک‌ساز، عینک‌فروش؛ دوربین‌ساز

optics *n* نورشناسی

optimism /'ɒptɪmɪzəm/ *n* خوش‌بینی

optimist /'ɒptɪmɪst/ *n* نیک‌بین، خوش‌بین

optimistic /,ɒptɪ'mɪstɪk/ *adj* خوش‌بین؛ مبنی بر خوش‌بینی

optimum temperature /ɒptɪməm 'temprətʃə(r)/ *n* مساعدترین درجهٔ حرارت

option /'ɒpʃn/ *n* اختیار، خیار، حق انتخاب؛ شق اختیار شده

the option to accept اختیار قبول

You have no option but to go. چاره‌ای جز رفتن ندارید.

optional /'ɒpʃənl/ *adj* اختیاری، دلبخواه، غیرواجب؛ مجاز

opulence /'ɒpjʊləns/ *n* تموّل، توانگری؛ وفور

opulent /'ɒpjʊlənt/ *adj* دولتمند؛ فراوان

opus /'əʊpəs/ *n* قطعهٔ موسیقی

or /ɔ:(r)/ *conj* یا؛ یااینکه؛ خواه

either this *or* that یا این یا آن

whether they like or *dislike it* خواه دوست داشته باشند خواه نداشته باشند

one or two days یکی دوروز

or else والاّ، وگرنه

oracle /'ɒrəkl US: 'ɔ:r-/ *n* نام معبد شهر Delphi که یونانیان پاسخهای غیبی از کاهنان آنجا می‌گرفتند؛ [مجازاً] پاسخ غیبی، پیشگویی، الهام؛ پاسخ مبهم؛ ملوک‌الکلام؛ وسیله مکاشفه

oracular /ə'rækjʊlə(r)/ *adj* مبهم؛ غیبی، مبنی بر پیشگویی

oral /'ɔ:rəl/ *adj* زبانی، شفاهی

orally /'ɔ:rəlɪ/ *adv* زبانی، شفاهاً

orange /'ɒrɪndʒ US: 'ɔ:r-/ *n,adj* ۱.پرتقال ۲.نارنجی، پرتقالی

orang-outan(g) /ɔ:,ræŋu:'tæ(ŋ)/ *n* اورانگوتان: نوعی میمون آدم‌نما

oration /ɔ:'reɪʃn/ *n* نطق، سخنرانی، خطابه؛ شیوهٔ نقل قول

direct oration گفته یا قول مستقیم

orator /'ɒrətə(r) US: 'ɔ:r-/ *n* ناطق

oratorical /,ɒrə'tɒrɪkl US: ,ɔ:rə'tɔ:r-/ *adj* خطابه‌ای

oratorio /,ɒrə'tɔ:rɪəʊ US: ,ɔ:r-/ *n* گزارشی از کتاب مقدس که به شعر درآورده مایش‌وار بخوانند و بنوازند

oratory /'ɒrətrɪ US: 'ɔ:rətɔ:rɪ/ *n* یوهٔ سخنرانی یا نطاقی؛ نطق اغراق‌آمیز؛ نمازخانهٔ وچک یا خصوصی

orb /ɔ:b/ *n* ره؛ جسم آسمانی؛ مدار، دایره، ص؛ (تخم) چشم

orbit /'ɔ:bɪt/ *n,v* .مدار، مسیر .به‌دور مدار گشتن

orchard /'ɔ:tʃəd/ *n* غ میوه

orchestra /'ɔ:kɪstrə/ *n* کستر

orchestral /ɔ:'kestrəl/ *adj* کستری؛ خور ارکستر

orchid /'ɔ:kɪd/ *n* یاه ثعلب

ordain /ɔ:'deɪn/ *vt* رر داشتن، قرار دادن، ین کردن؛ مقدر کردن

He was ordained priest. را به سمت کشیش (یا کشیشی) گماشتند.

ordeal /ɔ:'di:l,'ɔ:di:l/ *n* مایشِ سخت، تحان با عذاب جسمی

order /'ɔ:də(r)/ *n,vt* دستور، امر، حکم؛ ارش؛ حواله؛ ترتیب، نظم؛ دسته، طبقه؛ نشان؛ ک (معماری) ۲.دستور دادن، سفارش دادن؛ امر دن؛ مأمور کردن

order for goods ارشِ کالا

to the order of حواله کردِ

by order of فرمانِ، حسب‌الامر

made to order رشی، فرمایشی

place an order for goods in Iran رش کالا به ایران دادن

The goods are on order را سفارش داده‌ایم

in order ؛ صحیح، درست

in order of رتیبِ

out of order م برهم؛ نادرست

in good working order

Order arms! می] پافنگ!

in order that it may be easier اینکه آسانتر شود

in order to make it easier آسانتر کردن آن

order dinner ور ناهار دادن

order silence ور سکوت دادن

order about ته پی فرمان فرستادن

order off (the field) خروج از میدان بازی را (به کسی) دادن

The doctor ordered an ointment. ک مرهم تجویز کرد.

It was otherwise ordered طور دیگر مقدر شده بود
holy orders روحانیون
orderliness *n* نظم، ترتیب؛ به قاعده بودن؛ فرمانبرداری
orderly /'ɔ:dəlɪ/ *adj,n* ۱.منظم، مرتب؛ فرمانبردار؛ امن ۲.گماشته، مصدر؛ [در بیمارستان] بهیار
orderly officer افسر نگهبانی؛ گماشته
orderly bin ظرف زباله در خیابان
ordinal /'ɔ:dɪnl US: -dənl/ *adj* ترتیبی
ordinal number عددترتیبی یا وصفی
ordinance /'ɔ:dɪnəns/ *n* امر، حکم
ordinarily /'ɔ:dənrəlɪ US: ˌɔ:rdn'erəlɪ/ *adv* معمولاً، عادتاً
ordinary /'ɔ:dənrɪ US: 'ɔ:rdənerɪ/ *adj* معمولی، عادی
in an ordinary way معمولاً
out of the ordinary غیرمعمولی، استثنایی
ordination /ˌɔ:dɪ'neɪʃn US: -dn'eɪʃn/ *n* (آیین) گماشتن کسی به منصب روحانی؛ انتصاب [در کلیسا]
ordnance /'ɔ:dnəns/ *n* توپ؛ توپخانه؛ ذخایر ارتش
ore /ɔ:(r)/ *n* سنگ معدن، کانی
organ /'ɔ:gən/ *n* اندام، عضو، آلت؛ ارگ؛[مجازاً] وسیله نشر افکار
organdie /ɔ:'gændɪ/ *n* ارگاندی: نوعی پارچه
organ-grinder /'ɔ:gən graɪndə(r)/ *n* ارگ‌زنِ سیار
organic /ɔ:'gænɪk/ *adj* آلی؛ عضوی؛ دارای سازمان، متشکل
organism /'ɔ:gənɪzəm/ *n* ساختمانِ آلی، ترکیب؛ موجود زنده، جسم آلی؛ بدن، وجود [مجازاً] سازمان
organist /'ɔ:gənɪst/ *n* ارگ‌زن
organization /ˌɔ:gənaɪ'zeɪʃn US: -nɪ'z-/ *n* سازمان، تشکیلات؛ تشکیل، ترتیب
organize /'ɔ:gənaɪz/ *vt* تشکیل دادن؛ مرتب کردن، فراهم کردن؛ [در صیغه اسم‌مفعول] متشکل
organizer *n* تشکیل‌دهنده؛ مؤسس
organ-loft /'ɔ:gən lɒft/ *n* غرفهٔ ارگ
orgy /'ɔ:dʒɪ/ *n* میگساری، عیاشی
orient /'ɔ:rɪənt/ *n,adj,vt* ۱.خاور، مشرق‌زمین ۲.خاوری، شرقی [در شعر] ۳. orientate
the Orient (کشورهای) خاور
oriental /ˌɔ:rɪ'entl/ *adj,n* ۱.خاوری، شرقی ۲.اهل خاور

orientalist /ˌɔ:rɪ'entəlɪst/ *n* خاورشناس، مستشرق
orientate /'ɔ:rɪənteɪt/ *vt* رو به خاور قرار دادن؛ موقعیت (چیزی) را تعیین کردن
orientate oneself جهت را تشخیص دادن؛ [مجازاً] (با موقعیت) آشنا شدن
orientation /ˌɔ:rɪən'teɪʃn/ *n* جهت‌یابی؛ تعیین موقعیت
orifice /'ɒrɪfɪs/ *n* سوراخ؛ مخرج
origin /'ɒrɪdʒɪn/ *n* اصل؛ مبدأ؛ سرچشمه، منبع؛ نژاد؛ موجب
of Greek origin یونانی‌الاصل
of a bad origin بدگهر، بدتبار
original /ə'rɪdʒənl/ *adj,n* ۱.اصلی، اصل [به‌طور صفت]؛ بکر، بی‌سابقه؛ جبلی؛ ابتدایی؛ مبتکر ۲.اصل، نسخه اصلی؛ آدم غریب‌الاخلاق
the original letter عین نامه،نامهٔ اصلی
What does the original Hebrew say? اصل آن در زبان عبری چیست؟
originality /əˌrɪdʒə'nælətɪ/ *n* نیروی ابتکار، قوهٔ انشا؛ تصرف؛ اصلیت
originally /ə'rɪdʒənəlɪ/ *adv* اصلاً، از اصل؛ در ابتدا
originate /ə'rɪdʒɪneɪt/ *vi,vt* ۱.سرچشمه‌گرفتن؛ سر زدن ۲.سرچشمه (چیزی) بودن، موجب شدن
originative *adj* مبتکر
originative faculty قوهٔ ابتکار
Orion /ə'raɪən/ *n* [هیئت] نام یکی از صورت‌های فلکی
Orion's belt سیف‌الجبار
ornament /'ɔ:nəmənt/ *n,vt* ۱.زینت، آرایش ۲.تزیین کردن
ornamental /ˌɔ:nə'mentl/ *adj* تزیینی، آرایشی
ornamentation /ˌɔ:nəmen'teɪʃn/ *n* آرایش، تزیین؛ زیور، زیورآلات، زر و زیور
ornate /ɔ:'neɪt/ *adj* آراسته (به صنایع بدیعی)
ornithologist /ˌɔ:nɪ'θɒlədʒɪst/ *n* پرنده‌شناس
ornithology /ˌɔ:nɪ'θɒlədʒɪ/ *n* پرنده‌شناسی
orphan /'ɔ:fn/ *n,vt* ۱.یتیم، بی‌پدر (و مادر) ۲.یتیم کردن
orphan asylum پرورشگاه یتیمان
orphan child بچه یتیم
orphanage /'ɔ:fənɪdʒ/ *n* پرورشگاه یتیمان
orpiment /'ɔ:pɪmənt/ *n* زرنیخ
orthodox /'ɔ:θədɒks/ *adj* راشد؛ درست؛ قراردادی، رسمی

the Orthodox Church کلیسای خاور، کلیسای روسی و یونانی، کلیسای ارتدکس
orthodoxy /'ɔ:θədɒksɪ/ *n* رشد، ارشاد، درستی؛ پیروی از کلیسای ارتودوکس
orthographic(al) /ˌɔ:θə'græfɪk(l)/ *adj* املایی؛ درست نوشته شده
orthographic(al) mistake غلط املایی
orthography /ɔ:'θɒgrəfɪ/ *n* املای درست
oscillate /'ɒsɪleɪt/ *vi,vt* ۱.جنبیدن، نوَسان کردن؛ [مجازاً] مردد بودن ۲.جنباندن
oscillation /ˌɒsɪ'leɪʃn/ *n* جنبش، نوسان، تاب، رقص؛ [مجازاً] تردید
oscillograph /ə'sɪləgrɑ:f US: -græf/ *n* نوسان‌نگار، موج‌نگار
osier /'əʊzɪə(r) US: 'əʊʒər/ *n* جگن، بید سبدی
osmosis /ɒz'məʊsɪs/ *n* تراوش، حلول
osprey /'ɒspreɪ/ *n* عقاب ماهیگیر
osseous /'ɒsɪəs/ *adj* استخوانی
ossification /ˌɒsɪfɪ'keɪʃn/ *n* استخوان‌سازی؛ استخوان‌شدگی
ossify /'ɒsɪfaɪ/ *vi,vt* ۱.استخوانی شدن ۲.استخوانی کردن، سخت کردن
ostensible /ɒ'stensəbl/ *adj* ظاهری
ostentation /ˌɒsten'teɪʃn/ *n* خودفروشی؛ جلوه
ostentatious /ˌɒsten'teɪʃəs/ *adj* خودنما، خودفروش؛ ناشی از خودنمایی
ostler /'ɒslə(r)/ *n* متصدی اصطبل در مسافرخانه
ostracism /'ɒstrəsɪzəm/ *n* طرد یا اخراج از گروه با موافقت عموم
ostracize /'ɒstrəsaɪz/ *vt* طرد کردن، منزوی کردن، از خود راندن
ostrich /'ɒstrɪtʃ/ *n* شترمرغ
He has the digestion of an ostrich. معده‌اش سنگ را آب می‌کند.
bury one's head ostrich-like in the sand سر خود را مانند کبک زیر برف کردن، خود را گول زدن
other /'ʌðə(r)/ *adj,pr,n,adv* ۱.دیگر؛ غیر؛ متفاوت ۲.دیگری: شخص یا چیز دیگر ۳.طور دیگر
other people اشخاص دیگر، سایر مردم
no other place هیچ جای دیگر
other than غیر، متفاوت با
any person other than yourself هرکسی بجز شخص شما
the other day آن روز، چند روز پیش
It is the other way round وارونه است، عکس این است
every other day یک روز درمیان
on the other hand از طرف دیگر
other things being equal در صورت تساوی شرایط
none other than هیچکس دیگر جز
One sang,the other danced یکی می‌زد دیگری می‌رقصید
one or other of you یکی‌از شما دونفر
Has he any other? آیا باز هم از این دارد؟
some time or other یک وقتی، یک روزی
each other یکدیگر، همدیگر
regard for others ملاحظه دیگران
otherwise /'ʌðəwaɪz/ *adv* طورِ دیگر؛ والا؛ وگرنه از جهات دیگر
otherwise than by railway با وسیله‌ای بجز راه‌آهن
He cannot be otherwise than ill. جز اینکه ناخوش باشد چیز دیگری نیست.
electrical and otherwise الکتریکی و غیر الکتریکی
the truth and otherwise of my statement درستی و نادرستی گفتهٔ من
otter /'ɒtə(r)/ *n* گربهٔ آبی، سمور آبی
Ottoman /'ɒtəmən/ *adj* عثمانی
ottoman /'ɒtəmən/ *n* نیمکت یا صندلی بدون‌پشت
ouch /aʊtʃ/ *int* اخ، اوف، اُخ
ought /ɔ:t/ *v aux* باید، بایست، بایستی
ought فعل ناقص و صیغهٔ منحصر به فرد فعل خود می‌باشد و همیشه با to می آید و در حال و گذشته هم فرقی نمی‌کند جز آنکه در گذشته مصدری را که با آن گفته می‌شود باید به صورت ماضیِ نقلی در آورد مانند: He ought to have gone «باید می‌رفت» یعنی‌موظف‌بوده‌است که‌برود ولی‌نرفته است)]
ounce /aʊns/ *n* اونس: واحد اندازه‌گیری وزن که برابر با یک شانزدهم پوند یا ۲۸ گرم است؛ مقدار خیلی کمی از چیزی
our /ɑ:(r),'aʊə(r)/ *pr* [*pl of* my] ـ مان [مال ما]
our books کتابهایمان، کتابهای ما
We have done our work کار خود(مان) را کرده‌ایم
ours /ɑ:z,'aʊəz/ *pr* [*pl of* mine] مال ما، از ما
It is ours مال ما است، از ما است
this world of ours این دنیای ما
ourselves /ɑ:'selvz,aʊə'-/ *pr* خودمان
we ourselves خودمان، ما خود
oust /aʊst/ *vt* بیرون کردن؛ خلع ید کردن (از)

out /aʊt/ *adv,adj* بیرون؛ دررفته، جابه‌جا شده؛ درحال اعتصاب؛ خاموش؛ غیرمتداول؛ در اشتباه، پرت؛ درحال قهر؛ از چاپ درآمده؛ شکفته؛ فاش (شده)؛ علناً؛ بلند، خوب، پاک، به‌کلی [tired out]، تمام؛ تا آخر [Hear me out]؛ دور (از کرانه)؛ غیرمعمول

take out درآوردن، بیرون آوردن

I am £ 5 out پنج پوند اشتباه حساب دارم

out and away به مراتب

out and out کاملاً؛ تمام

right out فاش، رُک، علناً

out for fame درپیِ نام

out of از میانِ؛ از، با؛ از راهِ، از روی؛ دور از؛ آن طرفِ

the ins and the outs *n* (در بریتانیا) حزب حاکم و حزب مخالف؛ جزئیات

from out the prison از توی زندان

Out with him! بیرونش کنید!

Out upon him! خاک بر سرش!

out /aʊt/ *vt,vi* ۱.بیرون کردن ۲.بیرون رفتن؛ [مجازاً] فاش شدن

outbalance /ˌaʊtˈbæləns/ *vt* سنگین‌تر بودن از؛ [مجازاً] سبقت جستن بر

outbid /ˌaʊtˈbɪd/ *vt* [رجوع شود به bid] بیشتر از (دیگری) پیشنهاد دادن، روی دست (کسی) رفتن

outboard /ˈaʊtbɔ:d/ *adj,adv* بیرون از کشتی

outbound /ˈaʊtbaʊnd/ *adj* عازمِ خروج از بندر

outbrave /aʊtˈbreɪv/ *vt* مقاومت کردن، مخالفت کردن با؛ بی‌اعتنایی کردن به

outbreak /ˈaʊtbreɪk/ *n* بروز، ظهور، شیوع؛ درگرفتن

outbuilding /ˈaʊtbɪldɪŋ/ = outhouse

outburst /ˈaʊtbɜ:st/ *n* طغیان، خروج یا ظهورِ ناگهانی، فوَران

outcast /ˈaʊtkɑ:st US: -kæst/ *adj,n* (شخص) مطرود؛ (آدم) بی‌کس یا بی‌خانمان

outcaste /ˈaʊtkɑ:st US: -kæst/ *n* شخصی که از فرقه یا طبقهٔ خود (مخصوصاً در هندوستان) طرد شده باشد

outclass /ˌaʊtˈklɑ:s US: -ˈklæs/ = surpass

outcome /ˈaʊtkʌm/ *n* نتیجه

outcrop /ˈaʊtkrɒp/ *n* (ظهور) چینه یا رگه در سطح زمین

outcry /ˈaʊtkraɪ/ *n* فریاد، غریو

outdistance /aʊtˈdɪstəns/ *vt* عقب گذاشتن، جلو افتادن از

outdo /ˌaʊtˈdu:/ *vt* [-did;-done] بهتر انجام دادن از

outdoor /ˈaʊtdɔ:(r)/ *adj* بیرونی، صحرایی، در هوای آزاد (انجام شده)

outdoors /ˌaʊtˈdɔ:z/ *adv* در هوای آزاد؛ بیرون

outer /ˈaʊtə(r)/ *adj* بیرونی، خارجی؛ رویی؛ ظاهری، طبیعی

the outer man وضع ظاهر: لباس

outermost /ˈaʊtəməʊst/ *adj* واقع در دورترین قسمت بیرون

outface /ˌaʊtˈfeɪs/ *vt* با نگاه از رو بردن

outfall /ˈaʊtfɔ:l/ *n* دهانه (رود)، مصب

outfield /ˈaʊtfi:ld/ *n* دورترین قسمت زمینِ بازی برای کسی که چوگان دست اوست

outfit /ˈaʊtfɪt/ *n,vt* [-ted] ۱.لوازم، اسباب، اثاثه ۲.با اثاثه مجهز کردن

outfitter *n* تهیه‌کنندهٔ لوازم و اسباب

gentleman's outfitter فروشندهٔ لباسِ (زیر) مردانه

outflank /ˌaʊtˈflæŋk/ *v* جناح دشمن را دور زدن

outflow /ˈaʊtfləʊ/ *n* خروج، جریان؛ سیل

outgo /ˈaʊtgəʊ/ *n* [-es] هزینه، دررو

outgoing /ˈaʊtgəʊɪŋ/ *adj* صادرشونده، صادره [outgoing letters]؛ بیرون رونده

outgoings /ˈaʊtgəʊɪŋz/ *npl* هزینه، مخارج

outgrow /ˌaʊtˈgrəʊ/ *vt* [-grown -grown] زودتر رشد کردن از، از دست دادن

You have outgrown your clothes. لباستان برای شما کوچک شده است.

outgrowth /ˈaʊtgrəʊθ/ *n* برآمدگی، گوشت زیادی؛ [مجازاً] نتیجه، فرع

outhouse /ˈaʊthaʊs/ *n* حیاط طویله، انبار

outing /ˈaʊtɪŋ/ *n* گردش بیرون شهر

outlandish /aʊtˈlændɪʃ/ *adj* بیگانه(نما)؛ غریب

outlast /ˌaʊtˈlɑ:st US: -ˈlæst/ *vt* بیشتر طول کشیدن از؛ بیشتر زنده بودن از

outlaw /ˈaʊtlɔ:/ *n,vt* ۱.کسی که از حقوق و حمایت قانون بی‌بهره است؛ یاغی ۲.از حقوق بی‌بهره کردن

outlawry /ˈaʊtlɔ:rɪ/ *n* بی‌بهرگی از حمایت قانون، محرومیت از حقوق

outlay /ˈaʊtleɪ/ *n* هزینه، خرج

outlet /ˈaʊtlet/ *n* دررو، خروجی، مخرج؛ فروش

outline /ˈaʊtlaɪn/ *n,vt* ۱.طرح؛ دوره، محیط مرئی؛ [مجازاً] رئوس مطالب، نکات عمده ۲.طرح (چیزی را) کشیدن؛ مختصراً شرح دادن

outline map طرح
draw in outline به شکل طرح کشیدن
outlive /ˌaʊt'lɪv/ *vt* بیشتر عمر کردن از؛ بی‌خطر جستن از
outlook /'aʊtlʊk/ *n* چشم‌انداز، دورنما، منظره؛ چشمداشت
outlying /'aʊtlaɪɪŋ/ *adj* پرت، دور از مرکز
outmatch /ˌaʊt'mætʃ/ = surpass; excel
outnumber /ˌaʊt'nʌmbə(r)/ *vt* (از حیث شماره) بیشتربودن از
out-of-date /ˌaʊt əv 'deɪt/ *adj* کهنه، منسوخ
out-of-door /ˌaʊt əv 'dɔ:(r)/ = outdoor
out-of-the-way /ˌaʊt əv ðə 'weɪ/ *adj* غیرقابلِ دسترسی؛ برجسته، غیرمعمول؛ پرت، دوردست
out-patient /'aʊtpeɪʃnt/ *n* بیمارِ سرپایی
outplay /ˌaʊt'pleɪ/ *vt* شکست دادن
outpost /'aʊtpəʊst/ *n* [نظامی] پاسداران
outpouring /'aʊtpɔ:rɪŋ/ *n* برون‌ریزی، بُروز؛ [در جمع] ریزشها، تراوشها، احساسات
output /'aʊtpʊt/ *n* محصول، بازده، کارکرد، ظرفیت، راندمان
outrage /'aʊtreɪdʒ/ *n,vt* ۱.دست‌درازی؛ تخلف یا تجاوز شدید، بی‌حرمتی ۲.بی‌حرمت ساختن؛ تجاوز کردن از
outrageous /aʊt'reɪdʒəs/ *adj* تجاوزکارانه، وقیح، ناشی از بی‌حرمتی؛ برملا؛ شدید؛ مفرط؛ بی‌حرمت سازنده
outrange /ˌaʊt'reɪndʒ/ *vt* دورتر زدن از؛ بُرد بیشتری از (اسلحه دیگر) داشتن
outrank /ˌaʊt'ræŋk/ *vt* عقب گذاشتن (در رتبه یا شأن)
out-relief /'aʊtrɪli:f/ *n* یاری و مساعدت عمومی به مردمی که در خانه‌های محقر و نامناسب زندگی می‌کنند
outride /ˌaʊt'raɪd/ *vt* [-rode; ridden] در سواری عقب گذاشتن
outrider /'aʊtraɪdə(r)/ *n* سوار ملتزمِ رکاب، جلودار
outright /'aʊtraɪt/ *adv* یک‌جا، جمله؛ فوراً؛ آشکارا، رُک
outright *adj* رُک؛ تمام؛ قطعی، یک‌جا [outright purchase]
outrival /ˌaʊt'raɪvl/ *vt* [-led] در همچشمی (از کسی) پیش افتادن
outrun /ˌaʊt'rʌn/ *vt* [-ran; -run] (در دو) عقب گذاشتن

outrunner *n* پیشرو، جلودار، شاطر؛ سگ جلودار
outs [رجوع شود به out]
outset /'aʊtset/ *n* آغاز (کار)؛ نخستین وهله
outshine /ˌaʊt'ʃaɪn/ *vt* [-shone] تحت‌الشعاع قرار دادن
outside /ˌaʊt'saɪd/ *n,prep,adv* ۱.بیرون؛ خارج؛ ظاهر ۲.بیرونِ، در خارجِ؛ غیراز؛ آن‌سویِ ۳.در خارج؛ از بیرون
outside of جز، غیراز
at the (very) outside منتها
outside /ˌaʊtsaɪd/ *adj* بیرونی، خارجی؛ ظاهر(ی)؛ غیرمعمولی؛ حداکثر
outside opinion رأی مردم،عقیدهٔ مردم
outsider /ˌaʊt'saɪdə(r)/ *n* بیگانه، (شخص) خارجی؛ اسب گمنام؛ [در گفتگو] شخص بداخلاقی که قابل معاشرت نیست
outskirts /'aʊtskɜ:ts/ *npl* حومه، حول و حوش
outspoken /ˌaʊt'spəʊkən/ *adj* رُک، سرراست، بی‌پرده؛ رک‌گو
outspokenly *adv* رک، بی‌پرده
outspokenness *n* رک‌گو
outspread /ˌaʊt'spred/ *adj* گسترده
outstanding /ˌaʊt'stændɪŋ/ *apa* برجسته؛ تصفیه‌نشده؛ معوق، عقب افتاده
outstanding claims مطالبات
outstay /ˌaʊt'steɪ/ *vt* بیشتر ماندن از
outstay one's welcome بیش از حد معقول در خانهٔ میزبان ماندن، در جایی لنگر انداختن
outstretched /ˌaʊt'stretʃt/ *adj* گشاده، مبسوط؛ دراز کشیده
outstrip /ˌaʊt'strɪp/ *vt* [-ped] عقب گذاشتن
outvote /ˌaʊt'vəʊt/ *vt* رأی بیشترآوردن
outward /'aʊtwəd/ *adj* بیرونی، خارجی؛ نمایان، صوری؛ جسمانی
the outward eye چشم ظاهر
the outward man ظاهر انسان
outward *adv* = outwards
outward-bound /'aʊtwəd 'baʊnd/ *adj* عازم بیرون
outwardly *adv* به‌ظاهر
outwards /ˌaʊt'wədz/ *adv* به‌طرف بیرون
outwear /ˌaʊt'weə(r)/ *vt* [-wore; -worn] بیشتر دوام کردن از؛ کهنه کردن
outwear the night شب را به سر بردن
outweigh /ˌaʊt'weɪ/ *vt* سنگین‌تر بودن از، مهم‌تر بودن از، چربیدن بر

outwit /ˌaʊtˈwɪt/ *vt* [-ted]
زرنگ‌تر از (دیگری) بودن؛ گول زدن، مُجاب کردن

outworn /ˌaʊtˈwɔːn/ *ppa* کهنه؛ مانده، خسته

oval /ˈəʊvl/ *adj,n* ۱.بیضی، تخم‌مرغی ۲.شکل بیضی؛ میدان بیضی

ovary /ˈəʊvərɪ/ *n* تخمدان

ovation /əʊˈveɪʃn/ *n* استقبال عمومی

oven /ˈʌvn/ *n* تنور؛ فِر یا اجاق (خوراک‌پزی)؛ کوره کوچک

over /ˈəʊvə(r)/ *prep* بالایِ، رویِ؛ بر، به؛ بر سرِ؛ از رویِ [jump over a table]؛ آن‌سویِ، بیش از [over £ 100]؛ در مدتِ

That is over our heads.
این مطلب بیرون از (حدود) فهم یا اندیشه ما است.

He will not live over to-day
روز را به سر نخواهد برد

all over the world در سراسر جهان

the house over the way خانهٔ روبرو

over a number of years در (طی) چند سال

over and above علاوه بر؛ گذشته از

over /ˈəʊvə(r)/ *adv* بالای سر، در بالا؛ از این سو به آن سو، آن طرف؛ آن ور (دریا)؛ سوی پایین، به زیر [lean over]؛ از قطر، از کلفتی؛ سرتاسر؛ بارِ دیگر؛ بادقت [Think it over]؛ بیش از اندازه،زیاده از حد [over tired]؛ باقی، گذشته [Time is over]

girls of l6 years and over
دخترهای ۱۶ ساله و ۱۶ سال به‌بالا

It was soon over زود تمام شد

I was soon over زود به آن سو رفتم

He went over to the enemy به دشمن پیوست، سوی دشمن رفت

all the world over در سراسر جهان

He was splashed all over.
آب به سر تاپای او ترشح کرد.

left over باقیمانده، زیاد آمده

He could not get his point over to his audience. مطلب خود را درست نمی توانست به شنوندگان بفهماند.

over (and over) again چندین بار

over and above گذشته از این؛ زیاد

It is all over with him کارش تمام است، کارش خراب شد

over /ˈəʊvə(r)/ *pref* بیش از حد؛ رویی؛ بالایی، اضافی

overact /ˌəʊvərˈækt/ *vt* بیش از اندازه انجام دادن؛ به طور اغراق‌آمیز بازی کردن

overall /ˌəʊvərˈɔːl/ *n,adj* ۱.لباس کار، [در جمع] شلوار کار ۲.روی هم رفته، شامل

overarch /ˌəʊvərˈɑːtʃ/ *vt* طاق زدن روی

overawe /ˌəʊvərˈɔː/ *vt* ترساندن، دستپاچه کردن

overbalance /ˌəʊvəˈbæləns/ *vt,vi*
۱.تعادل چیزی را برهم زدن ۲.تعادل چیزی به‌هم خوردن

overbear /ˌəʊvəˈbeə(r)/ *vt* [-bore;-borne]
فرو نشاندن؛ مغلوب یا مجاب یا مطیع کردن؛ پیشی جستن از

overbearing /ˌəʊvəˈbeərɪŋ/ *apa* تکبرآمیز، آمرانه؛ متکبر؛ تحمیلی

overblown /ˌəʊvəˈbləʊn/ *ppa* زیاد شکفته؛ عنفوان جوانی را گذرانده

overboard /ˈəʊvəbɔːd/ *adv* به دریا، در دریا؛ از کشتی به دریا

fall overboard از کشتی به دریا افتادن

overbore /ˌəʊvəˈbɔː(r)/ [*p of* overbear]

overborne /ˌəʊvəˈbɔːn/ [*pp of* overbear]

overburden /ˌəʊvəˈbɜːdn/ *vt* زیاد بار کردن

overburdened with زیر بارِ

overcame /ˌəʊvəˈkeɪm/ [*p of* overcome]

overcast /ˌəʊvəˈkɑːst US: -ˈkæst/ *vt* [-cast]
تیره کردن

overcast *ppa* تیره، ابرآلود

overcharge /ˌəʊvəˈtʃɑːdʒ/ *n* اضافه قیمت؛ برق زیادی؛ باروت یا خرج زیادی

overcharge *vt* زیاد مطالبه کردن از؛ اجحاف کردن؛ زیاد بار کردن

overcharged with electricity دارای برق زیاد

overcloud /ˌəʊvəˈklaʊd/ *vt* ابرآلود کردن، تیره کردن

overcoat /ˈəʊvəkəʊt/ *n* پالتو

overcome /ˌəʊvəˈkʌm/ *vt* [-came;-come]
مغلوب ساختن، غالب آمدن بر؛ برطرف کردن، از میان برداشتن

He was overcome by lack of sleep.
بی‌خوابی بر او غلبه کرده بود.

overcrowd /ˌəʊvəˈkraʊd/ *vt*
در (مکانی) ازدحام کردن

overdo /ˌəʊvəˈduː/ *vt* [-did; -done]
به‌حد افراط رساندن، اغراق‌آمیز کردن، زیاد پختن

overdo it خود را زیاد خسته کردن، در (کاری) غلوّ کردن

overdraft /ˈəʊvədrɑːft US: -dræft/ *n*
حواله بیش از اعتبار، دریافتی اضافه بر اعتبار

overdraw /ˌəʊvəˈdrɔː/ *v* [-drew;-drawn]
بیش از اعتبار حواله دادن، برات خالی از وجه دادن، اغراق‌آمیز کردن

overdrawn /ˌəʊvəˈdrɔːn/ [*pp of* overdraw]

overdress /ˌəʊvəˈdres/ *vt*
به حد افراط آرایش دادن (یا کردن)

overdrew /ˌəʊvəˈdruː/ [*p of* overdraw]

overdue /ˌəʊvəˈdjuː US: -ˈduː/ *adj* دیرآمده، تأخیر شده

The bill is overdue.
سررسید برات گذشته یا وعده آن منقضی شده است.

overeat /ˌəʊvərˈiːt/ *vi* پُرخوردن

overeat *(vt)* **oneself** پُر خوردن

over-estimate /ˌəʊvərˈestɪmeɪt/ *vt*
زیاد برآورد کردن، اغراق‌آمیز کردن

overflow /ˌəʊvəˈfləʊ/ *v* لبریز شدن (از)، ازدحام کردن (در)

The Nile overflowed its banks.
نیل طغیان کرد و سواحل خود را فراگرفت.

overflowed with پر از، لبریز

overflowing with kindness
دارای محبتِ سرشار

overflow /ˈəʊvəfləʊ/ *n* لبریزی، کثرت، طغیان

overflow pipe /ˈəʊvəfləʊ paɪp/ لولهٔ سرریز

overgrew /ˌəvəˈgruː/ [*p of* overgrow]

overgrow /ˌəʊvəˈgrəʊ/ *vt,vi* [-grew,-grown]
۱.رویِ (چیزی) سبز شدن، از گیاه پوشاندن، خفه کردن، بزرگتر شدن از ۲.زود رشد کردن

overgrow one's strength; overgrow oneself نسبت به بنیهٔ خود زیاد بزرگ شدن

overgrown /ˌəʊvəˈgrəʊn/ **with** پوشیده از

overgrowth /ˈəʊvəgrəʊθ/ *n*
رشد بیش از اندازه، گیاهی که روی چیز دیگر سبز شده باشد، برآمدگی گیاهی، گوشت زیادی

overhand /ˈəʊvəhænd/ *adj,adv* از بالا به پایین

overhang /ˌəʊvəˈhæŋ/ *v* [-hung] آویزان بودن (بر)، مشرف بودن (بر)، پیشامدگی داشتن (بر)

Great dangers overhang us.
خطرهای بزرگی ما را تهدید می‌کنند.

overhang *n* پیشامدگی

overhaul /ˌəʊvəˈhɔːl/ *vt* برای تعمیر پیاده و دوباره سوار کردن، به (چیزی) فرارسیدن و از (آن) گذشتن

overhaul *n* تعمیر کامل، معاینهٔ کامل

overhead /ˌəʊvəˈhed/ *adv* [plunge overhead into water] در بالای سر، در هوا، در طبقه بالا، از سر

overhead /ˈəʊvəhed/ *adj*
هوایی [overhead wires]،پایه بلند، مرتفع [overhead tanks]

overhead charges هزینه اداری، هزینهٔ ثابتِ عمومی

overheads /ˈəʊvəhedz/ *npl* هزینهٔ اداری، هزینهٔ ثابتِ عمومی

overhear /ˌəʊvəˈhɪə(r)/ *vt* [-heard]
تصادفاً شنیدن

overhung /əʊvəˈhæn/
اسم مفعول فعل overhang

overjoyed /ˌəʊvəˈdʒɔɪd/ *ppa* سرشار از شادی

He was overjoyed از فرط شادی از خود بیخود شد، ازشادی در پوست نمی‌گنجید

overlaid /ˌəʊvəˈleɪd/
گذشته و اسم مفعول فعل overlay

overlain /ˌəʊvəˈleɪn/ اسم مفعول فعل overlie

overland /ˈəʊvəlænd/ *adj,adv*
۱.زمینی [overland] ۲.از راه خشکی

overlap /ˌəʊvəˈlæp/ *vi,vt* [-ped]
۱.نیمه‌نیمه روی‌هم افتادن، [مجازاً] بعضی صفات مشترک داشتن، در یک زمان رخ دادن ۲.نیمه‌نیمه پوشاندن

overlay /ˌəʊvəˈleɪ/ *vt* [overlaid] روکش کردن، فشار آوردن بر، خفه کردن

overlaid with gold زراندود

overlay /ˌəʊvəˈleɪ/ [*p of* overlie]

overleaf /ˌəʊvəˈliːf/ *adv* در پشت صفحه

overleap /ˌəʊvəˈliːp/ *vt* از روی چیزی پریدن؛ [مجازاً] نادیده از چیزی گذشتن

overleap oneself از مطلب پرت شدن، در نتیجه افراط با شکست مواجه شدن، سرنگون شدن

overlie /ˌəʊvəˈlaɪ/ *vt* [-lay;-lain] روی (چیزی) قرار گرفتن،(زیر بدن گرفتن و) خفه کردن

overload /ˌəʊvəˈləʊd/ *vt* زیاد بار کردن، زیاد پُر کردن

overload *n* بارِ زیاد سنگین

overlook /ˌəʊvəˈlʊk/ *vt* ملتفت نشدن، چشم پوشیدن از، مشرف بودن بر، نگاه کردن، نظارت کردن (بر)

overmaster /ˌəʊvəˈmɑːstə(r)/ = overpower

overnight /ˌəʊvənaɪt/ *adv* شبانه، هنگامِ شب

overnight /ˈəʊvənaɪt/ *adj* شبانه

overnight journey گردش شبانه

overpower /ˌəʊvəˈpaʊə(r)/ *vt* از پا درآوردن، بی‌اثر کردن، مدهوش کردن

overpowering/ˌəʊvəˈpaʊərɪŋ/ *apa* شدید، قوی، مقاومت‌ناپذیر
overproduce/ˌəʊvəprəˈdju:s/ *vt* بیش از حدِ احتیاج تولید کردن یا ساختن
overran /ˌəʊvəˈræn/ [*p of* overrun]
overrate /ˌəʊvəˈreɪt/ *vt* بیش‌از ارزش واقعی ارزیابی کردن، زیاد تخمین زدن
overreach /ˌəʊvəˈri:tʃ/ *vt* فرا رسیدن به، پوشاندن، جلو افتادن از، با حیله پیشدستی کردن بر
overreach oneself از فرط طمع ناکام شدن
overridden /ˌəʊvəˈrɪdn/ [*pp of* override]
override /ˌəʊvəˈraɪd/ *vt* [-rode;-ridden] زیر گرفتن، سواره پایمال کردن، زیاد خسته کردن، [مجازاً] اعتنا نکردن به، کنار گذاشتن
overrode /ˌəʊvəˈrəʊd/ [*p of* override]
overrule /ˌəʊvəˈru:l/ *vt* رد کردن، کنار گذاشتن، غالب شدن بر
overrun /əʊvəˈrʌn/ *vt* [-ran;-run] تاخت و تازکردن در، انبوه شدن در، پوشاندن، تجاوز کردن از
overrun oneself خود را با دویدن خسته کردن
oversaw /ˌəʊvəˈsɔ:/ [*p of* oversee]
oversea /ˌəʊvəˈsi:/ *adj* متعلق به ماورای دریاها، خارجی [oversea trade]، مستعمراتی
oversea(s) /ˌəʊvəˈsi:(z)/ *adv* ماورای دریاها، آن سوی دریاها، در کشورهای بیگانه
oversee /ˌəʊvəˈsi:/ *vt* [-saw;-seen] سرکشی کردن، نظارت کردن (بر)
overseen /ˌəʊvəˈsi:n/ [*pp of* oversee]
overseer /ˈəʊvəsɪə(r)/ *n* سرکارگر، مباشر، ناظر
overshadow /ˌəʊvəˈʃædəʊ/ *vt* تحت‌الشعاع قرار دادن، تاریک کردن، مبهم ساختن
overshoe /ˈəʊvəʃu:/ *n* گالش
overshoot /ˌəʊvəˈʃu:t/ *vt* [-shot] بالاتر (از نشان) زدن، خطا کردن
overshoot oneself پرت شدن، اغراق گفتن
overside /ˈəʊvəsaɪd/ *adv* از روی لبه (کشتی)
oversight /ˈəʊvəsaɪt/ *n* اشتباه نظری، سهو، ملتفت نشدن، مواظبت، توجه
by oversight اشتباهاً
oversleep /ˌəʊvəˈsli:p/ *vi* خواب ماندن
oversleep *(vt)* **oneself** خواب ماندن
overspread /ˌəʊvəˈspred/ *vt* [-spread] روی (چیزی) پهن شدن، پوشاندن
overspread with an emerald carpet پوشیده از فرش زمردین
overstate /ˌəʊvəˈsteɪt/ *vt* اغراق‌آمیز کردن

overstatement/ˈəʊvəsteɪtmənt/ *n* اغراق، غلوّ
overstay /ˈəʊvəˈsteɪ/ *vt* بیشتر ماندن از
overstay one's welcome بیش از حد معقول در خانهٔ میزبان ماندن، در جایی لنگر انداختن
overstep /ˌəʊvəˈstep/ *vt* [-ped] از حدود (چیزی) تجاوز کردن
overstock /ˌəʊvəˈstɒk/ *vt* بیش از حد (در جایی) جنس ریختن
overstrain /ˌəʊvəˈstraɪn/ *vt* زیاد فشار آوردن بر، خسته کردن
overt /ˈəʊvɜ:t US: əʊˈvɜ:rt/ *adj* آشکار، حاکی از تعمد
overtake /ˌəʊvəˈteɪk/ *vt* [-took; -taken] (به‌طور ناگهانی) مواجه شدن با چیزی یا کسی؛ گیر آوردن؛ سبقت گرفتن با
overtaken by گرفتارِ، مغلوبِ
overtax /ˌəʊvəˈtæks/ *vt* مالیات سنگین بر (شخص یا چیزی) بستن، فشار آوردن بر
overthrow/ˌəʊvəˈθrəʊ/ *vt* [-threw;-thrown] برانداختن، منقرض‌کردن، مضمحل‌کردن، موقوف کردن
overthrow /ˈəʊvəθrəʊ/ *n* سرنگونی، براندازی، انقراض، سقوط، شکست
overtime /ˈəʊvətaɪm/ *n,adv* ۱.اضافه‌کاری، ساعت فوق‌العاده، وقت اضافی، اضافه‌کار ۲.(به طور) اضافه
overtime pay مزد یا حقوق اضافه‌کاری
overtook /ˌəʊvəˈtʊk/ [*p of* overtake]
overture /ˌəʊvətjʊə(r)/ *n* مقدمه؛ اُوِرتور؛ پیش‌درآمد، پیشنهاد [بیشتر در جمع]
overturn /ˌəʊvəˈtɜ:n/ *v* واژگون کردن؛ واژگون شدن
overweening /ˌəʊvəˈwi:nɪŋ/ *adj,n* ۱.از خودراضی، اغراق‌آمیز ۲.خودبینی، عُجب
overweight /ˌəʊvəˈweɪt/ *n,adj* ۱.وزن زیادی، اضافه وزن ۲.سنگین‌تر از حد مجاز [overweight luggage]
overwhelm /ˌəʊvəˈwelm US: -ˈhwelm/ *vt* مستغرق کردن، غرق کردن، له کردن، پایمال کردن
overwhelmed with... مستغرقِ ....، غوطه‌ور در ...
overwhelming *apa* فشارآور، سخت، شدید
overwork /ˌəʊvəˈwɜ:k/ *vt* کار زیاد (به کسی) دادن، خسته کردن
overwork oneself = overwork *vi*
overwork /ˌəʊvəˈwɜ:k/ *vi* زیاد کار کردن، خود را خسته کردن
overwork /ˈəʊvəwɜ:k/ *n* کار زیاد

overwrought /ˌəʊvəˈrɔːt/ *adj* کلافه، عصبی
ovule /ˈəʊvjuːl/ *n* تخمک
owe /əʊ/ *v* بدهکار بودن (به)، مقروض بودن (به)، مرهون بودن (به)
I owe him 5 rials پنج ریال به او بدهکار هستم، ۵ ریال از من طلب دارد
We owe him for his services. مدیون (یا مرهون) خدمات او هستیم.
owing /ˈəʊɪŋ/ *apa* دادنی، پرداختنی، واجب‌الادا، منسوب
owing to نظر به، به واسطهٔ، به سببِ
owing to the fact that به واسطهٔ اینکه
owl /aʊl/ *n* جغد، بوم
own /əʊn/ *v* دارابودن، مالک‌بودن، (از خود) دانستن، اقرار کردن، قبول داشتن، تن در دادن (به)
own up (to) *Col* اعتراف کردن
own /əʊn/ *adj* خود، خویش، شخصی، ملکی، تنی [own brother][own همیشه پس از ضمیر ملکی یا اسمی که در حالت مالکیت باشد به‌کار می‌رود و اغلب شخصیت را تاکید می‌کند]
my own book کتاب خودم
hold one's own موقعیت یا آبرو یا نیروی خود را حفظ کردن
come to one's own به‌نوایی رسیدن، به‌کام دل رسیدن
on one's own (به‌طور) مستقل
He pays his own money. پولش را خودش می‌دهد.

of one's own از خود
owner *n* مالک، صاحب
ownerless *adj* بی‌صاحب
ownership *n* مالکیت
of unknown ownership مجهول‌المالک
ox /ɒks/ *n* [oxen] گاو نر، نره گاو
ox-eyed /ˈɒksaɪd/ *adj* چشم درشت
ox-eye daisy گل داودی
Oxford /ˈɒksfəd/ *n* (نام) شهری در انگلستان که دانشگاه معروف آکسفورد در آنجاست
Oxford bags *Sl* شلوار خیلی گشاد
Oxford blue آبی سیر مایل به ارغوانی
Oxford shoes کفش بندی اسپرت
oxidation /ˌɒksɪˈdeɪʃən/ *n* ترکیب با اکسیژن، احتراق
oxide /ˈɒksaɪd/ *n* اکسید، زنگ
oxide of iron خاک سرخ، اکسید دوفر، زنگ آهن
zinc oxide پنبهٔ روی، اکسید دوزنک
oxidize /ˈɒksɪdaɪz/ *v* با اکسیژن ترکیب کردن؛ با اکسیژن ترکیب شدن
oxygen /ˈɒksɪdʒən/ *n* اکسیژن
oyes /əʊˈjes/; **oyez** /əʊˈjez/ *int* گوش! گوش بدهید!
oyster /ˈɔɪstə(r)/ *n* صدف خوراکی
oyster bed /ˈɔɪstə bed/ *n* پرورشگاه صدف
oz [مختصر ounce(s)]
ozone /ˈəʊzəʊn/ *n* اُزون

P,p

P,p /piː/ *n* شانزدهمین حرف الفبای انگلیسی
pa /pɑː/ *Col* = papa
pace /peɪs/ *n* گام، قدم؛ مشی؛ یورغه؛ [مجازاً] تندی، سرعت
at a slow pace (با گامهای) آهسته
keep pace with a person با کسی همگام رفتن، همپای کسی رفتن
go the pace تند رفتن؛ پول تمام کردن
put a person through his paces لیاقت یا اخلاق کسی را آزمودن
pace /peɪs/ *vi,vt* ۱.گام برداشتن، قدم زدن؛ رفتن ۲.با قدم پیمودن
pace off با قدم اندازه گرفتن، گزکردن
pacemaker /ˈpeɪsmeɪkə(r)/ *n* راهنما، پیشقدم

pacific /pəˈsɪfɪk/ *adj* آرام، ساکن؛ مسالمت‌آمیز؛ صلح‌جو
Pacific Ocean اقیانوس آرام (یا کبیر)
pacifically /pəˈsɪfɪklɪ/ *adv* صلح‌جویانه
pacificism /ˈpæsɪfɪzəm/ = pacifism
pacifier *n* تسکین‌دهنده؛ آشتی‌دهنده؛ پستانک
pacifism /ˈpæsɪfɪzəm/ *n* صلح‌طلبی، صلح‌دوستی
pacifist /ˈpæsɪfɪst/ *n* صلح‌دوست، صلح‌طلب
pacify /ˈpæsɪfaɪ/ *vt* آرام کردن؛ فرونشاندن، تسکین دادن، خواباندن
pack /pæk/ *n,vt* ۱.کوله، بقچه؛ دست، دسته (ورق)؛ گروه؛ مشت ۲.بستن، پیچیدن، بسته‌بندی کردن؛ در ظرف ریختن، حلب کردن؛

paddock /'pædək/ *n* چراگاه؛ چمنزار؛
محل گردش دادن اسبان
paddy /'pædɪ/ *n* شلتوک
padlock /'pædlɒk/ *n,vt* ۱.قفل ۲.قفل زدن (به)
padre /'pɑ:dreɪ/ *n,Sl* پیشنماز
paean /'pi:ən/ *n* سرود پیروزی
pagan /'peɪgən/ *n,adj* مشرک
paganism /'peɪgənɪzəm/ *n* شرک، بت‌پرستی
page /peɪdʒ/ *n,vt* ۱.صفحه، رو
۲.شمارهٔ صفحه گذاشتن؛ صدا کردن، احضار کردن
page /peɪdʒ/ *n* پیشخدمت، دربان؛ غلام بچه؛
پادو، نوکر
pageant /'pædʒənt/ *n* نمایش؛ جلوه؛
تظاهرات سواره در خیابان
pageantry /'pædʒəntrɪ/ *n* نمایش مجلل
pagoda /pə'gəʊdə/ *n* بتکده؛ برج هرمی
pah /pæ/ *int* اه؛ پیف؛ مرده‌شور
paid /peɪd/ [*p,pp of* pay]
paid-in /'peɪd 'ɪn/ *adj* پرداخته شده
paid-in capital [اقتصاد] سرمایه پرداخته شده
pail /peɪl/ *n* سطل، دلو
pailful /'peɪlfʊl/ *n* (به اندازهٔ) یک‌سطل
pain /peɪn/ *n,vt* ۱.درد؛ رنج؛ [در جمع] زحمت
۲.زحمت دادن (به)
under pain of death با کیفر اعدام
take pains رنج بردن
be at pains زحمت کشیدن
pained *adj* غمگین، پریشان
painful *adj* دردناک؛ پرزحمت، سخت
painfully *adv* بادرد؛ به زحمت
painless *adj* بی‌درد؛ بی‌رنج
painstaking /'peɪnzteɪkɪŋ/ *adj* رنجبر،
زحمتکش
paint /peɪnt/ *n,vt* ۱.رنگ؛ سرخاب
۲.رنگ زدن (به)؛ سرخاب زدن (به)؛ کشیدن،
تصویر کردن؛ [مجازاً] خوب شرح دادن
paint green رنگ سبز زدن
paint the town red *Sl* الواطی کردن
paint out رنگ زدن، روی چیزی‌را بارنگ پوشاندن
He is not so black as he is painted. به این بدی
هم که شهرت داده‌اند نیست، «قلم در کف دشمن است»
painter /'peɪntə(r)/ *n* رنگ‌کار؛ نقاش
painter /'peɪntə(r)/ *n* مهارِ قایق
painting /'peɪntɪŋ/ *n* نقاشی؛ پردهٔ نقاشی
pair /peə(r)/ *n,v* ۱.جفت؛ لنگه ۲.جفت کردن؛
جفت شدن؛ جور کردن؛ جور شدن؛ به‌هم پیوستن
a pair of shoes یک‌جفت کفش

چپاندن؛ بار کردن؛ زیاد پر کردن؛ مسدود کردن؛
دسته کردن؛ پشت هم انداختن (ورق)؛ جور کردن
pack off روانه کردن
pack up بستن؛ [در گفتگو] دست از کار کشیدن
packed oil نفتِ با ظرف، نفت مظروف، نفت حلب
The space was packed with rags.
جای خالی را باکهنه گرفتند.
send a person packing
از شر کسی خلاص شدن، او را زود روانه کردن
These books pack easily.
این کتابها را به آسانی می‌توان بسته‌بندی کرد.
package /'pækɪdʒ/ *n* بسته
pack-animal /'pækænɪml/ *n* حیوان باری
pack-cloth /'pæk klɒθ/ *n*
پارچه یا لفافِ بارپیچی
packer /'pækə(r)/ *n* عدل‌بند؛ حلب پرکن؛
ماشینِ بسته‌بندی، ماشین حلب پرکنی
packet /'pækɪt/ *n* بسته (کوچک)
packet /'pækɪt/ *n* کشتی پستی
pack-horse /'pækhɔ:s/ *n* اسب بارکش، یابو
packing /'pækɪŋ/ *n* بارپیچی، بسته‌بندی،
صندوق‌بندی؛ پوشش؛ پوشال؛ لایی
packing-needle /'pækɪŋ ni:dl/ *n* جوال‌دوز
packing-sheet /'pækɪŋ ʃi:t/ *n*
لفافِ بارپیچی؛ حولهٔ تر، کمپرس
packman /'pækmən/ = pedlar
pack-saddle /'pæksædl/ *n* پالان
packthread /'pækθred/ *n* ریسمانِ بارپیچی؛
قاتمه؛ نخ قند
pact /pækt/ *n* پیمان، عهد، قرارداد
pad /pæd/ *n* تشکچه؛ عرقگیر، زیردستی؛
دستهٔ یادداشت؛ لحافک زخم؛ لایی، پیزر، پنبه
صفحهٔ مانع اصطکاک؛ [در حیوانات] گوشت کف پا
blotting-pad خشک‌کن دسته‌دار
writing pad ۱.دسته یادداشت ۲.زیردستی،
زیرمشقی
pad /pæd/ *vt* [-ded]
لایی یا پیزر (در چیزی) گذاشتن؛ انباشتن؛ در
گرفتن؛ دارای حشو و زواید کردن
padding /'pædɪŋ/ *n* پیزر، پوشال، لایی، پنبه؛
[مجازاً] حشو و زواید
paddle /'pædl/ *n,vi,vt* ۱.پاروی کوچک و پهن؛
پرهٔ چرخ؛ چرخ پره‌دار؛ چوب رختشویی ۲.پارو
زدن ۳.زدن (پارو)
paddle one's own canoe
کار خود را با اتکا به نفس انجام دادن
paddle /'pædl/ *vi,n* ۱.آب‌بازی کردن ۲.آب‌بازی

a pair of trousers یک‌شلوار
carriage and pair درشکهٔ دواسبه
in pairs جفت‌جفت، دوتا دوتا
pair off جفت‌جفت گذاشتن، دو به دو گذاشتن؛ دوتا دوتا (از بین) رفتن

pairing *n* جفتگیری

pajamas /pəˈdʒɑːməz/ = pyjamas

pal /pæl/ *n,Sl* یار، همدم
pal up *(vi)* یار شدن، همدم شدن

palace /ˈpælɪs/ *n* کاخ، قصر

palanquin /ˌpælənˈkiːn/ *n* = palankeen پالکی؛ تخت روان

palatable /ˈpælətəbl/ *adj* خوشمزه، لذیذ؛ [مجازاً] خوشایند، مطبوع؛ پسندیده

palate /ˈpælət/ *n* کام، سقفِ دهان، سق؛ [مجازاً] مذاق، ذائقه، میل

palatial /pəˈleɪʃl/ *adj* کاخ مانند

palaver /pəˈlɑːvə(r) US: -ˈlæv-/ *n,vi* ۱.گفتگو با بومی‌های افریقایی ۲.پرگویی کردن، هرزه‌درایی کردن

pale /peɪl/ *adj,vi* ۱.رنگ‌پریده؛ زرد کمرنگ ۲.زرد شدن، کمرنگ شدن
turn pale زرد شدن؛ رنگ باختن

pale /peɪl/ *n* میخ چوبی؛ مرز، حد

paleness *n* رنگ پریدگی، زردی

Palestine /ˈpæləstaɪn/ *n* فلسطین

palette /ˈpælət/ *n* تخته شستی

palfrey /ˈpɔːlfrɪ/ *n,Poet* اسب‌سواری (زنانه)

paling /ˈpeɪlɪŋ/ *n* پرچین چوبی، محجر

palisade /ˌpælɪˈseɪd/ *n* تیر چوبیِ محکم و نوک‌تیز؛ نرده، پرچین چوبی؛ خط پرتگاه

pall /pɔːl/ *n* نعش‌پوش، شالِ عماری؛ [مجازاً] پوشش یا پردهٔ سیاه

pall /pɔːl/ *vi* بی‌مزه شدن؛ خسته‌کننده شدن

pallet /ˈpælɪt/ *n* تشک کاهی

palliate /ˈpælɪeɪt/ *vt* موقتاً آرام‌کردن؛ سبک و قابل عفو نشان دادن

palliation /ˌpælɪˈeɪʃn/ *n* آرامشِ موقتی؛ تسکین موقتی، تخفیف؛ پرده‌پوشی

palliative /ˈpælɪətɪv/ *adj,n* آرامبخش، مُسَکن

pallid /ˈpælɪd/ *adj* رنگ‌پریده؛ زرد؛ کمرنگ

pallor /ˈpælə(r)/ = paleness

palm /pɑːm/ *n* نخل
date palm درخت خرما، نخل خرما
bear (*or* carry away) the palm پیروز شدن
yield the palm تسلیم شدن

palm /pɑːm/ *n,vt* ۱.کف دست ۲.در دست غیب کردن، تردستی کردن
palm off on a person با زرنگی به‌کسی انداختن یا فروختن

palmer *n* زَوّارِ بیت‌المقدس که با شاخهٔ نخل برمی‌گشت

palmist /ˈpɑːmɪst/ *n* کف‌بین

palmistry /ˈpɑːmɪstrɪ/ *n* کف‌بینی، کف‌شناسی

palmy *adj* پیروز

palpable /ˈpælpəbl/ *adj* ملموس؛ محسوس، دریافتنی، هویدا، معلوم

palpably /ˈpælpəblɪ/ *adv* به‌طور محسوس

palpitate /ˈpælpɪteɪt/ *vi* تپیدن، تند زدن

palpitation /ˌpælpɪˈteɪʃn/ *n* تپش دل

palsy /ˈpɔːlzɪ/ = paralysis

palter /ˈpɔːltə(r)/ *vi* دوپهلو سخن گفتن، زبان بازی کردن

paltry /ˈpɔːltrɪ/ *adj* ناچیز، پست

pampas /ˈpæmpəs US: əz/ *npl* (نام) جلگهٔ پهناور و بی‌درخت در امریکای جنوبی

pamper /ˈpæmpə(r)/ *vt* (به ناز) پروردن

pamphlet /ˈpæmflɪt/ *n* جزوه

pan /pæn/ *n* ماهی‌تاوه؛ روغن داغ‌کن؛ ظرف پهن و لبه‌دار برای نان و دیگر چیزها؛ لگنچه؛ کفه ترازو؛ لاوکِ خاک‌شویی

pan /pæn/ *vt,vi* [-ned] ۱.در لاوک شستن؛ به وسیلهٔ خاک‌شویی به دست آوردن [با off یا out]؛ در تاوه یا دیگچه درست کردن ۲.زر دادن (پس از خاک‌شویی)؛ [مجازاً] نتیجه دادن

pan /pæn/ *pref* همه، قاطبه

panacea /ˌpænəˈsɪə/ *n* دوای عام، دوای هر درد، نوشدارو

Panama-hat /ˌpænəmɑː ˈhæt/ *n* کلاه پاناما

pancake /ˈpæŋkeɪk/ *n* پَن‌کیک

pancreas /ˈpæŋkrɪəs/ *n* لوزالمعده

pancreatic juice /ˌpæŋkrɪætɪk ˈdʒuːs/ عصیر لوزالمعده

pandemonium /ˌpændɪˈməʊnɪəm/ *n* جایگاه دیوان؛ (جای) آشوب و شرارت

pander /ˈpændə(r)/ *n* جاکش
pander *(vi)* to the evil designs of others وسایل انجام کار بد یا هرزگی را برای دیگران فراهم کردن

pane /peɪn/ *n* جام، شیشه

panegyric /ˌpænɪˈdʒɪrɪk/ *n* مدیحه

panel /ˈpænl/ *n* قاب چوبی، تنکه، تختهٔ میان؛ صفحه؛ عکسی که درازای آن خیلی بیشتر از پهنای آن باشد؛ عرقگیر؛ صورت اعضای هیئت منصفه یا پزشکانی که بیمه شدگان را می‌بینند؛ تکه

on the panel جزو صورت قلمداد شده
panel /'pænl/ *vt* [-led] تنکه (به در) انداختن؛ تخته‌کوبی کردن
pang /pæŋ/ *n* درد سخت، تیر
panic /'pænɪk/ *n* وحشتزدگی؛ سراسیمگی؛ هراس بی‌جهت و ناگهانی، هول [به‌طور صفت هم به‌کار می‌رود چون panic fear (به‌همان معنی)]
panicky /'pænɪkɪ/ *adj,Col* وحشتزده، سراسیمه؛ ناشی از ترسِ بی‌جهت یا هراس بی‌اساس
panic-stricken /'pænɪk strɪken/ *adj* سراسیمه، وحشتزده
pannier /'pænɪə(r)/ *n* لوده، سبد صندوقی
pannikin /'pænɪkɪn/ *n* آبخوری فلزی کوچک
panoply /'pænəplɪ/ *n* زره سرتاپا
panorama /,pænə'rɑ:mə US: -'ræmə/ *n* منظره، دورنما، جهان‌نما؛ منظرهٔ پیوسته و گردنده
panoramic /,pænə'ræmɪk/ *adj* وسیع، گسترده
pansy /'pænzɪ/ *n* بنفشه فرنگی
pant /pænt/ *vi* نفس‌نفس زدن
pant after آرزو کردن
pantaloon /,pæntə'lu:n/ *n* کسی که در لال‌بازی آلت مسخره واقع می‌شود؛ [در جمع] تنبان
pantheism /'pænθɪɪzəm/ *n* آیین وحدتِ وجود؛ پرستش همه خدایان
pantheist /'pænθɪɪst/ *n* وحدت وجودی، معتقد به وحدت وجود
pantheon /'pænθɪən US: -θɪɒn/ *n* معبدِ عمومی خدایان؛ مقبره مردمان نامی یک ملت؛ همهٔ خدایان یک قوم با هم
panther /'pænθə(r)/ *n* پلنگ، پارس
pantile /'pæntaɪl/ *n* سفال [برای سقف‌سازی]
pantomime /'pæntəmaɪm/ *n* نمایشِ گنگ، لال‌بازی؛ پانتومیم
pantry /'pæntrɪ/ *n* آبدارخانه، اتاق مخصوص لوازم سفره؛ خوراک‌خانه
butler's pantry آبدارخانه
pants /pænts/ *npl* [در انگلیس] زیرشلواری؛ [در امریکا] شلوار
pap /pæp/ *n* خوراک رقیق؛ خمیر نرم
papa /pə'pɑ: US: 'pɑ:pə/ *n* بابا، پاپا، آقاجان
papacy /'peɪpəsɪ/ *n* پاپی؛ سمت یا قلمرو پاپ؛ گروه پاپها
papal /'peɪpl/ *adj* مربوط به پاپ
paper /'peɪpə(r)/ *n,vt* ۱.کاغذ؛ [در جمع] ورقه هویت (کشتی)؛ روزنامه؛ مقاله؛ صورت سؤالات امتحانی؛ بسته، توپ ۲.کاغذپوش کردن
commit to paper روی کاغذ آوردن
send in one's papers استعفا(ی خود را) دادن
paper bag پاکت (کیسه‌ای)
paper-hanger /'peɪpə hæŋə(r)/*n* کاغذچسبان
paper-knife /'peɪpə naɪf/ *n* کاغذبُر، کاردی برای باز کردن برگهای کتاب
paper-mill /'peɪpə mɪl/ *n* کارخانهٔ کاغذسازی
paperweight /'peɪpəweɪt/*n* کاغذنگهدار، وزنه
papist /'peɪpɪst/ *n* هواخواه پاپ، کاتولیک
papoose /pə'pu:s US: pæ'pu:s/ *n* [در امریکای شمالی] بچه سرخ‌پوست؛ کولهٔ (مخصوص) بچه
pappy /'pæpɪ/ *adj* رقیق، آبکی
paprika /'pæprɪkə US: pə'pri:kə/ *n* نوعی فلفل قرمز
papula /'pæpjʊlə/ *n* [-lae] برآمدگیِ کوچک جلدی، دانه، جوش
papyrus /pə'paɪərəs/ *n* [-ri] بَردی، پاپیروس؛ [در جمع] خطی که روی پاپیروس نوشته باشند
par /pɑ:(r)/ *n* برابری؛ میزان متوسط
at par بی‌صرف، به بهای اسمی
on a par همتراز، در یک ترازو
above par با صرف
below par با کسر
parable /'pærəbl/ *n* مَثل (اخلاقی)
parabola /pə'ræbələ/ *n* شلجمی؛ سهمی
parachute /'pærəʃu:t/ *n* چتر نجات
parachutist /'pærəʃu:tɪst/ *n* چترباز
parade /pə'reɪd/ *n,vt,vi* ۱.جلوه، خودنمایی؛ سان؛ میدان‌سان؛ گردشگاه ۲.سان دیدن؛ جلوه دادن؛ سان دادن در ۳.به حالت سان رفتن
paradigm /'pærədaɪm/ *n* نمونه، الگو، مثال؛ [دستورزبان] باب، وزن
paradise /'pærədaɪs/ *n* بهشت
paradox /'pærədɒks/ *n* متناقض‌نما، گفتهٔ مهمل‌نما؛ عقیده‌ای که با عقیده عموم مخالف باشد
paradoxical /,pærə'dɒksɪkl/ *adj* متناقض‌نمایی در ظاهر مهمل و در معنی درست؛ مخالفِ عقاید عمومی
paraffin /'pærəfɪn/ *n* پارافین؛ موم معدنی [paraffin oil] نفت چراغ؛ [paraffin wax]
paragon /'pærəgən US: -gɒn/ *n* نمونه
paragraph /'pærəgrɑ:f US: græf/ *n* بند، فقره؛ مقاله یا آگهی کوتاه
parakeet /'pærəki:t/ *n* نوعی طوطی کوچکِ دُم‌دراز

parallel /'pærəlel/ *adj,n,vt* ۱.متوازی؛ [مجازاً] نظیر ۲.خط موازی؛ مدار یومیه؛ موازات؛ همانندی؛ مقایسه، تشبیه ۳.برابر کردن، تشبیه کردن؛ برابری کردن با
parallel to (*or* with) each other موازی یکدیگر
parallel bars [در ورزش] پارالل
draw a parallel between با هم مقایسه کردن، به‌هم تشبیه کردن
parllelogram /ˌpærə'leləgræm/ *n* متوازی‌الاضلاع
paralyse /'pærəlaɪz/ *vt* فلج کردن؛ [مجازاً] خنثی کردن؛ سست کردن
The work was paralysed. کار لنگ شد. کار ناقص (یا عقیم) ماند.
paralysis /pə'ræləsɪs/ *n* فلج؛ [مجازاً] ضعف
paralytic /ˌpærə'lɪtɪk/ *adj,n* ۱.فلج‌کننده؛ وابسته به فلج؛ [مجازاً] بی‌نیرو؛ بی‌اثر ۲.شخص مبتلا به
paramount /'pærəmaʊnt/ *adj* برتر، بزرگتر، افضل؛ زیادتر
paramount importance درجه اول اهمیت
paramount to برتر از، بزرگتر از
paramour /'pærəmʊə(r)/ *n* فاسق، مول
parapet /'pærəpɪt/ *n* جان‌پناه، سنگر؛ محجر؛ [در پل] دیواره
paraphernalia /ˌpærəfə'neɪlɪə/ *npl* اسباب؛ دارایی شخصی (زن)
paraphrase /'pærəfreɪz/ *n,vt* ۱.تفسیر، تأویل ۲.تفسیر کردن
parasite /'pærəsaɪt/ *n* مفتخور، طفیلی، انگل
parasitic(al) /ˌpærə'sɪtɪk(l)/ *adj* طفیلی، انگل؛ مفتخور، سورچران؛ انگل‌وار
parasol /'pærəsɒl/ *n* چتر آفتابی، چتر زنانه
paravane /'pærəveɪn/ *n* اسباب ویژه برای از جا کندن مین در دریا
parboil /'pɑ:bɔɪl/ *vt* نیمه جوشاندن، نیمه پختن؛ زیاد گرم کردن
parcel /'pɑ:sl/ *n,vi* [-led] ۱.بسته، امانت؛ تکه، پارچه؛ مشت، گروه، دسته؛ جزء ۲.قطعه‌قطعه کردن [با out]
parcel post دفتر امانات پستی
part and parcel جزءِ لاینفک
parch /pɑ:tʃ/ *vt,vi* ۱.برشته کردن، سوزاندن؛ بو دادن؛ خشک کردن ۲.سوختن، خشک شدن
parched with thirst از تشنگی سوخته، تشنهٔ سوخته

parchment /'pɑ:tʃmənt/ *n* پوست، رِقّ؛ دستخط پوستی
pardon /'pɑ:dn/ *n,vt* ۱.بخشش ۲.بخشیدن، عفو کردن
ask pardon for one's sins برای گناهان خود آمرزش طلبیدن
I beg your pardon ببخشید، عذر می‌خواهم، پوزش می‌طلبم
pardonable /'pɑ:dnəbl/ *adj* قابل عفو
pare /peə(r)/ *vt* تراشیدن، گرفتن یا چیدن (ناخن)؛ (پوست) کندن؛ زدن؛ خردخرد کم کردن [با down یا off یا away]
paregoric /ˌpærə'gɒrɪk/ *adj,n* (داروی) مسکن یا ضددرد
parent /'peərənt/ *n,adj* ۱.پدر یا مادر، [در جمع] والدین؛ نیا، جد؛ [مجازاً] سرچشمه، منشأ ۲.اصلی؛ پدیدآورنده
parentage /'peərəntɪdʒ/ *n* نسب، اصل، دودمان؛ اصالت
parental /pə'rentl/ *adj* پدر و مادری، مربوط به والدین
parenthesis /pə'renθəsɪs/ *n* [-ses] سخن یا جملهٔ معترضه؛ [در جمع] پرانتز، هلالین
parenthetic(al) /ˌpærən'θetɪk(l)/ *adj* معترضه
par excellence /ˌpɑ:r 'eksəlɑ:ns US: ˌeksə'lɑ:ns/ *adv,Fr* به‌تمام معنی
parget /'pɑ:dʒɪt/ *vt* اندودن یا سفید کردن (دیوار)
pariah /pə'raɪə/ *n* پاریا: هندوی طبقهٔ پست؛ شخص مردود
parings /'peərɪŋz/ *npl* تراش، تراشه؛ ناخنِ گرفته؛ آشغال
parish /'pærɪʃ/ *n* بخشی از شهرستان که کلیسا و کشیش جداگانه دارد؛ بخش
parish council شورای محلی
go on the parish اعانهٔ محلی گرفتن
parish-register /ˌpærɪʃ 'redʒɪstə(r)/ *n* دفتر ثبتِ زایشها و عروسیها و درگذشتهای بخش، دفتر وقایع سه‌گانه
Parisian /pə'rɪzɪən/ *adj,n* پاریسی، اهل پاریس
parity /'pærətɪ/ *n* برابری؛ قیاس، مشابهت
park /pɑ:k/ *n,vt* ۱.گردشگاه، تفرجگاه، پارک؛ شکارگاه؛ میدان مهمات، توپخانه؛ جایگاه توقف ۲.در توقفگاه نگاه داشتن (اتومبیل)، پارک کردن
parking-place /'pɑ:kɪŋ pleɪs/ *n* جای پارک اتومبیل
parlance /'pɑ:ləns/ *n* طرز صحبت

parley /pɑ:lɪ/ *n,vi* ۱.گفتگو در بارهٔ شرایط متارکه جنگ ۲.مذاکره کردن (با دشمن)
parliament /pɑ:ləmənt/ *n* پارلمان، مجلسین
parliamentarian /ˌpɑ:ləmən'teərɪən/ *n* وکیل مبرز و حراف
parliamentary /ˌpɑ:lə'mentrɪ/ *adj* پارلمانی؛ پارلمان‌دار؛ مصوب پارلمان
parlour /pɑ:lə(r)/ *n* اتاقِ نشیمن؛ اتاق خصوصی؛ سالن
parlour-car /pɑ:lə kɑ:(r)/ *n, US* واگنِ سالن‌دار یا مجلل [در راه‌آهن]
parlour-maid /pɑ:lə meɪd/ *n* خدمتکار سر میز
parlous /pɑ:ləs/ *adj, Arch* خطرناک
parochial /pə'rəʊkɪəl/ *adj* بلوکی، بخشی، محلی؛ [مجازاً] محدود
parochialism /pə'rəʊkɪəlɪzəm/ *n* محدودیت فکر
parodist /pærədɪst/ *n* [زیر parody آمده]
parody /pærədɪ/ *n,vt* ۱.تقلید سبک دیگری به‌طور اغراق‌آمیز و به‌منظور تمسخر [و کننده این‌کار را parodist گویند] ۲.برای تمسخر تقلید و اغراق‌آمیز کردن
parole /pə'rəʊl/ *n* قول (شرف)؛ التزام
be (put) on the parole به قید قول (یا با دادن التزام) آزاد شدن
paroquet /pærəki:t/ *n* = parakeet
parotid /pə'rɒtɪd/ *adj* نزدیک به گوش؛ بناگوش
parotid gland غدهٔ بناگوشی
parotitis /ˌpærə'taɪtɪs/ *n* التهاب غدهٔ بناگوشی
paroxysm /pærəksɪzəm/ *n* [پزشکی] گهگیری، طغیان ناخوشی؛ [مجازاً] جوش، شور
parquet /pɑ:keɪ US: pɑ:r'keɪ/ *n* پارکت؛ قسمت جلو تماشاخانه
parricide /pærɪsaɪd/ *n* پدرکشی، مادرکشی؛ کشندهٔ پدر یا مادر یا خویشاوند نزدیک
parrot /pærət/ *n* طوطی
parry /pærɪ/ *vt,n* ۱.دفع کردن، از خود گرداندن؛ طفره رفتن از ۲.دفع؛ [در شمشیربازی] حرکت دفاعی؛ [مجازاً] طفره
parry of debate دفاع در مناظره
parse /pɑ:z US: pɑ:rs/ *vt* [دستورزبان] تشریح کردن، تجزیه کردن
parsimonious /ˌpɑ:sɪ'məʊnɪəs/ *adj* خسیس، ممسک؛ ناشی از خست
parsimony /pɑ:sɪmənɪ US: -məʊnɪ/ *n* خست
parsley /pɑ:slɪ/ *n* جعفری

parsnip /pɑ:snɪp/ *n* هویج
parson /pɑ:sn/ *n* کشیش بخش
parson's nose دنبالچهٔ مرغ، حق‌الحکومه
parsonage /pɑ:snɪdʒ/ *n* خانهٔ کشیش بخش
part /pɑ:t/ بخش، قسمت، جزء؛ نقش، رُل؛ [در جمع] اطراف؛ استعداد
for the most part بیشتر، اکثراً
on his part از طرف او
in part در یک قسمت؛ تا یک اندازه
take part دخالت کردن، شرکت کردن
for my part از سهم خودم، من که
on the other part از طرف دیگر
take the part of طرفداری کردن از، پشتی کردن
He took my words in good part.
سخنان مرا به خوبی تلقی نمود.
in parts جزء‌جزء؛ به اقساط
parts of speech اقسام کلمه
principal parts اصول فعل
part /pɑ:t/ *v* از هم جدا کردن؛ از هم جدا شدن
part the hair فرق باز کردن
part with each other از هم جدا شدن
part company with a person (رفاقت را) با کسی به‌هم زدن
partake /pɑ:'teɪk/ *vi,vt* [-took;-taken] ۱.شرکت کردن، بهره داشتن؛ [با of] تا اندازه‌ای دارا بودن ۲.شریک شدن در؛ خوردن
He partook of (or in) our fare.
در خوراک ما شریک شد.
partaker *n* شریک
partaker in شریکِ
parterre /pɑ:'teə(r)/ *n,Fr* (فضای) باغچه؛ قسمت پشت سرِ نوازندگان در تماشاخانه
Parthian /pɑ:θɪən/ *adj* پارتی، اشکانی
Parthian shaft *or* shot [هنگام خداحافظی] نیش آخر
partial /pɑ:ʃl/ *adj* طرفدار؛ طرفدارانه؛ جزئی؛ ناتمام
partiality /ˌpɑ:ʃɪ'ælətɪ/ *n* طرفداری، جانبداری
partiality to (*or* for) طرفداری از
partially /pɑ:ʃəlɪ/ *adv* تا یک اندازه، به‌طور جزئی
partible /pɑ:təbl/ *adj* قابل افراز، تفکیک‌پذیر
participant /pɑ:'tɪsɪpənt/ *adj,n* شریک، سهیم، مشترک
participate /pɑ:'tɪsɪpeɪt/ *v* شرکت یا دخالت کردن (در)، سهیم شدن (در)

participation /pɑ:ˌtɪsɪ'peɪʃn/ *n* شرکت؛ دخالت

participial /ˌpɑ:tɪ'sɪpɪəl/ *adj* مبنی بر وجه وصفی؛ دارای وجه وصفی

participial phrase
عبارتی که بر وجه وصفی بنا می‌شود چون دو عبارت زیرین که با حروف خوابیده چاپ شده‌اند:
Entering the room, he smiled
داخل اتاق شده خنده کرد
words, Offended by these
از این سخنان رنجیده...

participle /'pɑ:tɪsɪpl/ *n* وجه وصفی

present participle ۱.وجه وصفی معلوم مانند running به معنی «دوان دوان» ۲.صفت اسم فاعلی مانند running به معنی «دونده»

past participle ۱.وجه وصفی مجازاً هول [مانند captured در جملهٔ زیرین]
Captured by the soldiers, he was killed at once. به دست سربازان گرفتار شده فوراً کشته شد.
۲.صفت اسم مفعولی مانند captured در captu soldierred سرباز اسیر شده

perfect participle وجه وصفی معلوم که جلو آن having می‌آید مانند having done در جمله زیرین:
Having done his work, he went to bed.
کار خود را کرده خوابید.

particle /'pɑ:tɪkl/ *n* خرده، ذره؛ لفظ

parti-coloured /'pɑ:tɪ kʌləd/ *adj* رنگارنگ

particular /pə'tɪkjʊlə(r)/ *adj,n* ۱.ویژه، مخصوص؛ مقید، دقیق، سختگیر ۲.بابت؛ [درجمع] جزئیات، خصوصیات، مشخصات؛ تفصیل

a particular case یک موردِ بخصوص

in particular به ویژه، مخصوصاً

She is too particular about her dress.
زیاد به لباس مقید (یا در لباس دقیق) است.

particularity /pəˌtɪkjʊ'lærətɪ/ *n* دقت؛ سختگیری

particularize /pə'tɪkjʊləraɪz/ *v* یکایک (خصوصیات را) ذکر کردن

particularly *adv* مخصوصاً؛ جزء به جزء

parting *n* عزیمت؛ جدایی؛ مرخصی؛ تفکیک؛ محل جدا شدن؛ تجزیه؛ فرق [در موی سر]

parting of two roads سه‌راه

partisan /ˌpɑ:tɪ'zæn/ *n,adj* ۱.طرفدار، هواخواه، حامی ۲.طرفدارانه؛ حزبی

partition /pɑ:'tɪʃn/ *n,vt* ۱.تیغه، دیوار، جدار؛ حد فاصل؛ تقسیم؛ افراز؛ قسمت ۲.افراز کردن؛ از هم جدا کردن [با off]

partition wall تیغه، دیواره

partitive /'pɑ:tɪtɪv/ *adj,n* (واژه‌ای) که دلالت نماید بر جدا کردن جزئی از کل [مانند some]

partizan /ˌpɑ:tɪ'zæn/ = partisan

partly *adv* تا اندازه‌ای، تا حدودی

partner /'pɑ:tnə(r)/ *n,vt* ۱.شریک؛ همسر؛ [مسابقه] یار؛ هم‌رقص ۲.شریک شدن با

partnership *n* شراکت، شرکت

enter into partnership with someone با کسی شریک شدن؛ شرکت کردن

general partnership شرکت تضامنی

partook /pɑ:'tʊk/ [*p of* partake]

partridge /'pɑ:trɪdʒ/ *n* کبک

part-time /ˌpɑ:t 'taɪm/ *adj,adv* نیمه‌وقت

part-time teaching تدریس نیمه‌وقت

parturition /ˌpɑ:tjʊ'rɪʃn US: -tʃʊ-/ *n* زایمان

party /'pɑ:tɪ/ *n* دسته؛ حزب؛ هیئت؛ طرف؛ شریک؛ مهمانی؛ [نظامی] عده؛ شخص [در عبارت third party شخص ثالث]

social party انجمن انس، انجمن تفریحی

tea party (مجلس) عصرانه

evening party شب‌نشینی

party-spirit عصبیت، طرفداری حزبی

party-wall دیوار مشترک

contracting parties طرفینِ قرارداد، طرفین متعاهدین

party-coloured /'pɑ:tɪ kʌləd/ *adj* رنگارنگ

parvenu /'pɑ:vənju: US: nu:/ *n,Fr* نوکیسه، تازه به دوران رسیده

pass /pɑ:s US: pæs/ *vi* گذشتن؛ عبور کردن؛ انتقال یافتن، رسیدن؛ تصویب شدن؛ واقع شدن، جریان داشتن؛ ردوبدل شدن؛ به‌شمار رفتن؛ پذیرفته شدن [در امتحان]؛ صادر شدن؛ فتوی دادن؛ رواج یافتن

pass away مردن، درگذشتن

pass by از کنار (چیزی) رد شدن

pass off برطرف شدن، از بین رفتن؛ گذشتن، برگزار شدن، انجام گرفتن

pass on پیش رفتن؛ (در) گذشتن؛ رد شدن؛ رخ دادن

pass out *Sl* ضعف کردن

pass over چشم پوشیدن از

pass through متحمل شدن، دیدن

pass /pɑ:s US: pæs/ *vt* گذشتن (از)، عبور کردن (از)؛ از کنار (کسی) رد شدن؛ عبور دادن، رد کردن؛ به سر بردن، صرف کردن؛ تحمل

کردن؛ تصویب کردن، قابل اجرا کردن؛ از عهده (چیزی) برآمدن، گذراندن (وقت)؛ پذیرفتن؛ انتقال دادن؛ داخل کردن؛ صادر کردن؛ رواج دادن

pass by نادیده انگاشتن؛ ول کردن

pass on رد کردن، دست به دست دادن

pass off به حیله از خود رد کردن؛ به خرج دادن، قلمداد کردن؛ نادیده گرفتن

pass a remark سخنی گفتن، حرفی زدن

pass an opinion اظهار عقیده کردن

pass one's examinations از عهده امتحانات برآمدن

pass /pɑ:s US: pæs/ *n* عبور؛ گذرگاه؛ گردنه؛ پروانه، جواز؛ گذرنامه؛ بلیط؛ وضع؛ ضربت؛ [در فوتبال] توپ‌رسانی؛ گذراندن امتحان [نه با افتخار و نمرهٔ عالی]

bring to pass به وقوع رساندن

come to pass واقع شدن، رُخ دادن

sell the pass خیانت به مرام دستهٔ خود کردن

Things have come to a pretty pass. کار به‌جای باریک رسیده است.

passable /pɑ:səbl US: pæsəbl/ *adj* قابل قبول؛ قابل عبور

passage /pæsɪdʒ/ *n* گذر، عبور؛ حق عبور؛ تحول؛ انقضا، مرور؛ سفر دریا؛ راهرو، گذرگاه؛ کرایه (کشتی)؛ عبارت، فقره؛ نقل قول

birds of passage مرغان مهاجر

passage of arms زدوخورد، نبرد

passage-way /pæsɪdʒ weɪ/ *n* گذرگاه؛ راهرو

passbook /'pɑ:sbʊk/ *n* دفتر حساب جاری مشتری در بانک

passé /pæseɪ/ *adj* [*fem* -see], *Fr* دورهٔ زیبایی و عنفوان جوانی را گذرانده، کهنه(شده)

passenger /pæsɪndʒ(r)/ *n* مسافر

passenger car واگن مسافری؛ ماشین‌سواری

passer-by /,pɑ:sə'baɪ US: pæsər-/ *n* [passers-by] رهگذر، عابر

passim /pæsɪm/ *adv,L* در همه جا

passing /pɑ:sɪŋ US: 'pæs/ *apa* گذرنده، فانی

passing fancy هوس

passing remark سخنی که به شتاب یا هنگام عبور بگویند

passion /pæʃn/ *n* شور، جوش، هیجان؛ (احساساتی از قبیل) شهوت و خشم و غیرت و مصیبت؛ انفعال، تأثر

fly into passion از جا در رفتن

passionate /pæʃənət/ *adj* شهوانی؛ پرشور؛ تند؛ تندخو

passion-flower /'pæʃn ,flaʊə(r)/ *n* گل ساعت

passion-play /'pæʃn pleɪ/ *n* تعزیهٔ مصیبت مسیح

passive /'pæsɪv/ *adj* انفعالی، منفعل، پذیرا، مفعول، بی‌اراده، متحمل؛ بردبار، شکیبا؛ بی‌مقاومت

passive voice فعل مجهول، صیغهٔ مجهول

passively *adv* از روی بی‌ارادگی؛ بدون مقاومت؛ با تأثر؛ کورکورانه

passiveness = passivity *n*

passivity /pæ'sɪvətɪ/ *n* تحمل، عدم مقاومت؛ بی‌ارادگی، عدم تحرک، رخوت

passman /'pɑ:smən/ *n* کسی که از امتحانات دانشگاه بگذرد ولی نه باافتخار یا نمرهٔ عالی

Passover /'pɑ:səʊvə(r) US: 'pæs/ *n* عید فصح

passport /'pɑ:spɔ:t US: 'pæs-/ *n* گذرنامه، تذکره

password /'pɑ:swɜ:d/ *n* اسم شب

past /pɑ:st US: pæst/ *ppa,n,prep,adv* ۱.گذشته، پیش [past years] ۲.زمان گذشته؛ سابق؛ سابقه (پنهان) ۳.گذشته از؛ بعد از؛ از پهلوی؛ مافوقِ ۴.از پهلو، از نزدیک

the year past سال گذشته

for some time past چندی است

He is a past master in (or of)... او در... استاد یا کهنه کار است.

It is past cure امید علاج نیست

5 minutes past 3 سه‌وپنج دقیقه

half past two (ساعت) دوونیم

an old woman past sixty پیرزنی بالای شصت سال

paste /peɪst/ *n,vt* ۱.خمیر (برای درست کردن شیرینی یا مواد غذایی دیگر)؛ چسب ۲.چسباندن

paste up به‌دیوار چسباندن

paste something with paper کاغذ روی چیزی چسباندن

pasteboard /'peɪstbɔ:d/ *n,adj* ۱.مقوا ۲.مقوایی؛ [مجازاً] بی‌دوام

pastel /'pæstl US: pæ'stel/ *n,adj* ۱.گچ رنگی؛ نقاشی با گچ رنگی ۲.ملایم یا روشن

pastel(l)ist *n* نقاشی که با گچ‌رنگی نقاشی می‌کند

pastern /'pæstən/ *n* بخولَق

pasteurize /'pæstʃəraɪz/ *vt* پاستوریزه کردن

pastiche /pæ'sti:ʃ/ *n* (تقلید) قطعهٔ ادبی به صورت هزل

pastil /'pæstɪl/ = pastille *n*

pastille /pæstɪl US: pæsti:l/ *n* قرص دارویی شیرین؛ پاستیل

pastime /pɑ:staɪm US: 'pæs/ *n* سرگرمی، بازی

pastor /pɑ:stə(r)/ *n* پیشوای روحانی

pastoral /pɑ:stərəl US: 'pæs/ *adj,n* ۱.چوپانی، شبانی، روستایی؛ ویژهٔ چرا ۲.شعر چوپانی؛ نمایش روستایی؛ نامهٔ اسقفی

pastoral staff عصای اسقفی

pastorate /pɑ:stərət US: 'pæs-/ *n* کشیشی، پیشوایی

pastry /peɪstrɪ/ *n* نان روغنی، شیرینی آردی، آردینه

pasturage /pɑ:stʃərɪdʒ US: 'pæs-/ *n* چرا؛ چراگاه، مرتع؛ علف؛ حق چرا

pasture /pɑ:stʃə(r) US: 'pæs-/ *n,vt,vi* ۱.چراگاه، مرتع؛ علف، قصیل ۲.چراندن؛ چریدن در ۳.چریدن

pasty /peɪstɪ/ *adj* خمیری؛ چسبناک؛ رنگ‌پریده

pasty /pæstɪ/ *n* دست‌پیچ

pat /pæt/ *n,vt,vi* [-ted] ۱.نوازش؛ صدای تپ‌تپ آهسته؛ چانه، قالب (کره) ۲.نوازش کردن؛ آهسته دست زدن به ۳.آهسته خوردن به؛ تپ‌تپ صدا کردن

pat a person on the back آهسته دست به پشت کسی زدن

pat /pæt/ *adj,adv* به‌موقع؛ به‌طور مناسب؛ بی‌درنگ؛ دست به نقد

come pat بجا بودن؛ مناسب افتادن

stand pat قصد یا سخن خود را تغییر ندادن

pat /pæt/ *n* مرد ایرلندی [مخفف patrick]

patch /pætʃ/ *n,vt* ۱.وصله، تکه؛ پارچه (زمین)، قطعه؛ چسب یا پارچه روی زخم؛ خرده، باقیمانده ۲.(بیشتر با up) وصله کردن؛ به هم پیوستن؛ تعمیر کردن، وصله کردن؛ اصلاح کردن، خواباندن (نزاع)، گذراندن؛ سرهم‌بندی کردن

not a patch on! این کجا و آن کجا!

patchwork /pætʃwɜ:k/ *n* مرقع، چهل‌تکه؛ وصالی؛ کار سرهم‌بندی

patchy *adj* وصله وصله؛ جوربه‌جور

pate /peɪt/ *n,Col* کله

patent /peɪtnt,'pætnt US: 'pætnt/ *adj,n* ۱.گشوده، باز؛ آشکار؛ ثبت شده، انحصاری؛ دارای امتیاز یا حقِ ثبت شده ۲.حق ثبت شدهٔ انحصاری برای استفاده از اختراعی؛ اختراع ثبت شده؛ پروانه، جواز

letters patent نامهٔ سرگشاده یا فرمانی که از طرف شاه به صاحب اختراعی داده شود

patent leather ورنی

patent /peɪtnt US: 'pætnt/ *vt* ثبت کردن (اختراعی) برای بهره‌مند شدن از آن

patentee /ˌpeɪtn'ti: US: 'pæ-/ *n* صاحب اختراع ثبت شده

patently *adv* به‌طور آشکار

paterfamilias /ˌpeɪtəfə'mɪlɪəs,ˌpæt-/ *n* بزرگ خانواده، سالار خانواده

paternal /pə'tɜ:nl/ *adj* پدری

paternal uncle عمو

paternal aunt عمه

paternally /pə'tɜ:nəlɪ/ *adv* از طرف پدر

paternity /pə'tɜ:nətɪ/ *n* پدری؛ [مجازاً] اصلیت، اصل، منشأ

paternoster /ˌpætə'nɒstə(r)/ *n* دعای ربانی

path /pɑ:θ US: pæ:θ/ *n* جاده، راه؛ پیاده‌رو؛ مسیر

pathetic /pə'θetɪk/ *adj* رقت‌انگیز؛ احساساتی

pathetically /pə'θetɪklɪ/ *adv* به‌طور رقت‌انگیز

pathless *adj* بی‌جاده، بسته

pathological /ˌpæθ'əlɒdʒɪkl/ *adj* مربوط به آسیب‌شناسی؛ مرضی

pathologically /ˌpæθə'lɒdʒɪklɪ/ *adv* از لحاظِ آسیب‌شناسی

pathologist /pə'θɒlədʒɪst/ *n* آسیب‌شناس

pathology /pə'θɒlədʒɪ/ *n* آسیب‌شناسی، مرض‌شناسی، علم امراض

pathos /peɪθɒs/ *n* گیرندگی، حسن تأثیر

pathway /pɑ:θweɪ/ *n* جاده، راه

patience /peɪʃns/ *n* شکیبایی، صبر، پشتکار؛ نوعی بازی ورق

I have no patience with him. حوصله‌اش را ندارم.

patience of hunger تاب گرسنگی

I am out of patience with it. دیگر نمی‌توانم آن را تحمل کنم.

patient /peɪʃnt/ *adj,n* ۱.شکیبا، صبور ۲.بیمار، مریض

I am not patient of hunger. من تاب (یا طاقت) گرسنگی را ندارم.

patiently *adv* صبورانه

patina /pætɪnə/ *n* زنگار برنز کهنه

patio /pætɪəʊ/ *n,Sp* حیاط

patois /pætwɑ:/ *n* گویش

patriarch /peɪtrɪɑ:k US: 'pæt-/ *n* رئیسِ قبیله؛ مرد خانواده؛ شیخ؛ اسقف اعظم، مطران

patriarchal /ˌpeɪtrɪˈɑ:kl US: ˈpæt-/ *adj*
مردسالاری، پدرسالاری، مربوط به بزرگ خانواده یا به پدر طایفه؛ ارجمند، محترم
patrician /pəˈtrɪʃn/ *n,adj*
۱.نجیب‌زاده [در رم باستان] ۲.اشرافی، شریف
patricide /ˈpætrɪsaɪd/ *n* پدرکش؛ پدرکشی
patrimonial /ˌpætrɪˈməʊnɪəl/ *adj* موروثی
patrimony /ˈpætrɪmənɪ/ *n* داراییِ موروثی، ترکه؛ موقوفهٔ کلیسا
patriot /ˈpætrɪət US: ˈpeɪt-/ *n*
شخص میهن‌پرست یا وطن‌پرست
patriotic /ˌpætrɪˈɒtɪk/ *adj* میهن‌دوست، وطن‌پرست؛ وطن‌پرستانه
patriotically /ˌpætrɪˈɒtɪklɪ/ *adv* میهن‌پرستانه
patriotism /ˈpætrɪətɪzəm/ *n* وطن‌پرستی، میهن‌دوستی، حب وطن
patrol /pəˈtrəʊl/ *n,v* ۱.گشت؛ (دسته) گشتی؛ پاسدار ۲.گشت زدن؛ پاسداری کردن
patron /ˈpeɪtrən/ *n* مشوّق، حامی، پشتیبان؛ مشتری دایمی
  patron of learning دانش‌پرور
  patron saint پیر (نگهبان)
patronage /ˈpætrənɪdʒ/ *n* نگهداری، حمایت؛ سرپرستی؛ تشویق
patroness /ˈpeɪtrənɪs/ [*fem of* patron]
patronize /ˈpætrənaɪz US: ˈpeɪt-/ *vt*
تشویق کردن؛ زیاد از (دکانی) خرید کردن
patronizingly *adv* با لحن تشویق و دلجویی
patten /ˈpætn/ *n* نوعی کفش چوبی
patter /ˈpætə(r)/ *n,vi,vt* ۱.لهجهٔ ویژه؛ سخن غیرمفهومِ مقلدین و حقه‌بازان ۲.تند حرف زدن ۳.وِردوار خواندن
patter /ˈpætə(r)/ *vi* تپ‌تپ صدا کردن
  patter *(n)* **of rain** تپ‌تپ باران
pattern /ˈpætn/ *n,vt* ۱.نمونه؛ الگو؛ طرح، نقشه ۲.به طور نمونه ساختن؛ واگیره کردن، سرمشق قرار دادن
  pattern a dress on a model
لباسی را طبق نمونه یا الگویی درست کردن
patty /ˈpætɪ/ *n* نوعی کلوچهٔ گوشتی
paucity /ˈpɔ:sətɪ/ *n* کمی، قلت
Paul /pɔ:l/ *n* پولس
  Paul Pry آدمِ فضول، فضول‌باشی
  rob Peter to pay Paul
کلاه تقی را سر نقی گذاشتن
paunch /pɔ:ntʃ/ *n* شکمبه؛ شکم
pauper /ˈpɔ:pə(r)/ *n* گدا، فقیر

pauperism *n* گدایی
pauperize /ˈpɔ:pəraɪz/ *vt* گدا (قلمداد) کردن
pause /pɔ:z/ *n,vi* ۱.ایست، مکث، توقف؛ درنگ؛ [در شعر] سکته ۲.مکث کردن، توقف کردن؛ درنگ کردن، تأمل کردن؛ معطل شدن
  put to a pause
به‌حالت ایست درآوردن
  give pause to دچار تأمل کردن
pave /peɪv/ *vt* فرش کردن
  pave with stone سنگفرش کردن
  pave the way for something
زمینه را برای چیزی فراهم کردن
pavement /ˈpeɪvmənt/ *n* پیاده‌رو؛ (سنگ) فرش؛ جادهٔ فرش شده
pavilion /pəˈvɪlɪən/ *n* چادرِ بزرگ؛ عمارتی که در میدان بازی برای تماشاکنندگان می‌سازند؛ کلاه‌فرنگی
paving /ˈpeɪvɪŋ/ *n* سنگفرش
paw /pɔ:/ *n,vt,vi* ۱.پنجه، پا ۲.پنجه زدن (به)؛ با پنجه خراشیدن؛ سم زدن به (زمین) ۳.پا به زمین زدن
pawl /pɔ:l/ *n,vt* ۱.گیره، عایق ۲.با گیره یا عایق نگاه داشتن
pawn /pɔ:n/ *n* پیاده شطرنج؛ [مجازاً] آلت دست
pawn /pɔ:n/ *n,vt* ۱.گرو، رهن ۲.گرو گذاشتن، رهن دادن
  pawn one's word قول دادن
pawnbroker /ˈpɔ:nbrəʊkə(r)/ *n*
صاحب بنگاه رهنی
pawnshop /ˈpɔ:nʃɒp/ *n* بنگاه رهنی
pax! /pæks/ *n* صلح! نزاع بس است! [اصطلاح دانش‌آموزان]
pay /peɪ/ *vt,vi* [paid] *,n* ۱.پرداختن، دادن؛ پول (چیزی) را دادن؛ جبران کردن ۲.پول دادن، پرداخت کردن؛ صرف کردن [با صرفه بودن]؛ ارزش داشتن؛ از عهده برآمدن، جور کشیدن، غرامت دادن ۳.پرداخت، پول؛ مزد؛ حقوق
  It was well paid.
مزد خوبی برای این کار داده (می)شد.
  Who will pay for it?
کی پول (یا هزینه) آن را خواهد داد؟
  *Pay it out (*or *away)!*
بدهید بیاید [شل کنید تا باز شود و بیاید]
  pay back پس دادن، برگرداندن
  pay down نقد دادن
  pay home تلافی کامل کردن
  pay off با دادن مزد کامل اخراج‌کردن؛ با دادن بدهی از شر (طلبکاری) خلاص شدن

pay one's way خرج خود را درآوردن
pay out خرج کردن، دادن
pay the debt of nature
دعوت حق را اجابت کردن (یا لبیک گفتن)
I paid him out well. خوب از جلوش درآمدم. خوب تلافی کردم.
I paid dear for it.
بسیار گران برای من تمام شد.
leave with pay مرخصی با حقوق
be in the pay of a person
مزدور یا درخدمت کسی بودن
good pay آدم خوش‌حساب
poor pay آدم بدحساب
payable /ˈpeɪəbl/ *adj* قابل پرداخت؛ واجب‌الادا؛ باصرفه
bills payable قبوض پرداختی
pay-day /ˈpeɪdeɪ/ *n* روز پرداخت حقوق
payee /peɪˈiː/ *n* گیرنده (وجه)
payer *n* دهنده، مؤدی
paymaster /ˈpeɪmɑːstə(r)/ *n* مأمور پرداخت
payment /ˈpeɪment/ *n* پرداخت، تأدیه؛ پول، وجه؛ قسط؛ پاداش
against payment; on payment با پول، در برابرِ پول، در مقابل وجه
in payment of در ازایِ، به عوضِ
as a partial payment علی‌الحساب
paynim /ˈpeɪnɪm/ *n* کافر، بت‌پرست
payroll /ˈpeɪrəʊl/ *n* صورت حقوق‌بگیران
pea /piː/ *n* نخود
green pea نخودسبز، نخود اتابکی
split peas لپه
as like as two peas
مانندِ سیبی که دونیم کرده باشند
peace /piːs/ *n* آشتی، صلح؛ آرامش؛ آسایش؛ سلامت؛ خاموشی
Hold your peace! ساکت شو(بد)!
make one's peace آشتی کردن، صلح کردن
make peace between با هم آشتی دادن
at peace فارغ از جنگ، در حال صلح
peace of mind آسودگی خاطر
Peace be with you! سلام بر شما باد!
breach of the peace برهم زدن آرامش عمومی
peaceable /ˈpiːsəbl/ *adj* صلحجو، آرام، سلیم؛ امن
peaceful /ˈpiːsfl/ *adj* آرام، امن؛ صلح‌جو
peacefully /ˈpiːsfəlɪ/ *adv* با آرامش؛ به‌طور امن؛ صلح‌جویانه

peacefulness *n* آرامش؛ صلح‌جویی
peacemaker /ˈpiːsmeɪkə(r)/ *n* آشتی‌دهنده، مصلح
peach /piːtʃ/ *n* هلو؛ [زبان عامیانه] زن یا دختر زیبا
peacock /ˈpiːkɒk/ *n* طاوس نر
peafowl /ˈpiːfaʊl/ *n* طاووس
pea-green /ˌpiːˈgriːn/ *n,adj* سبز نخودی
peahen /ˈpiːhen/ *n* طاووس ماده
pea-jacket /ˈpiː dʒækɪt/ *n*
جامهٔ کلفت پشمی ملوانان
peak /piːk/ *n,vi* [در ریش یا کلاه] نوک؛ [کوه] قله؛ اوج؛ [مجازاً] حداکثر،بحبوحه ۲.تحلیل رفتن، لاغر شدن
peak /piːk/ *adj* حداکثر،منتهادرجه
peak speed حداکثرِ سرعت
peaked *adj* نوک‌دار؛ نوک‌تیز
peaky *adj* نوک‌دار؛ لاغر، نزار
peal /piːl/ *n,vi,vt* ۱.صدای مکرر، صدای مسلسل؛ صدای ناقوس؛ غرش ۲.غریدن، بلند صدا کردن؛ غوغا کردن؛ صداپیچ شدن ۳.با صدای بلند ادا کردن؛ به صدا درآوردن
peanut /ˈpiːnʌt/ *n* پسته شامی، بادام‌زمینی
pear /peə(r)/ *n* گلابی، امرود
pearl /pɜːl/ *n* مروارید
cast pearls before swine
چیز گرانبها را به‌کسی دادن که قدر آن را نمی‌داند
pearl-barley /ˌpɜːl ˈbɑːlɪ/ *n* جوِ نیمکوب
pearl-diver /ˈpɜːl daɪvə(r)/ *n* صیاد مروارید
pearler *n* صیاد مروارید، غواص؛ قایق صید مروارید
pearlies *npl* [در انگلستان] لباس سنتی میوه‌فروشان دوره‌گرد که دکمه‌های زیادی از مروارید بدان دوخته شده است
pearl-oyster /ˈpɜːl ɔɪstə(r)/ *n* صدف مروارید
pearl-shell /ˈpɜːl ʃel/ *n* صدف (مروارید)
pearly *adj* مرواریدوار؛ دُرنشان
peasant /ˈpeznt/ *n* روستایی، دهقان، دهاتی، رعیت
peasantry /ˈpezntrɪ/ *n* گروه دهقانان
pease /piːz/ [جمع قدیمی pea]
pease-pudding /ˌpiːz ˈpʊdɪŋ/ *n*
نخود (جوشانده و) کوبیده
pea-shooter /ˈpiːˌʃuːtə(r)/ *n* پُفک، تفک
peat /ˈpiːt/ *n* زغال‌سنگ نارس، تورب
pebble /ˈpebl/ *n,vt* ۱.ریگ گرد ۲.دان‌دان کردن (چرم)

pebbly /'peblɪ/ *adj* ریگی؛ ریگ‌زار
pecan /pi:kən,pɪ'kæn US: pɪ'kɑ:n/ *n* نوعی گردوی امریکایی
peccability /,pekə'bələtɪ/ *n* جایزالخطایی
peccable /'pekəbl/ *adj* جایزالخطا
peccadillo /,pekə'dɪləʊ/ *n* [-(e)s] گناه جزئی، صغیره، لغزش
peck /pek/ *v,n* ۱.نوک زدن ۲.ضربت با منقار؛ [در گفتگو] بوسه
peck a hole in سوراخ کردن
peck at [در گفتگو] خردخرد خوردن؛ عیبجویی (از چیزی) کردن
peck /pek/ *n* پک [پیمانهٔ خشکه بار که برابر است با ۲ گالن]
pecker *n* نوک‌زن؛ سوراخ‌کن؛ نوعی کلنگ
keep one's pecker up *Sl* بشاش بودن، روحیه خود را حفظ کردن
peckish *adj,Col* گرسنه
pectin /'pektɪn/ *n* ژلاتین گیاهی
pectoral /'pektərəl/ *adj* سینه‌ای، صدری؛ سودمند برای ناخوشی سینه
peculate /'pekjʊleɪt/ *v* اختلاس کردن
peculation /,pekjʊ'leɪʃn/ *n* اختلاس
peculiar /pɪ'kju:lɪə(r)/ *adj* ویژه، مخصوص؛ طاق؛ (دارای اخلاق) غریب
peculiar to مختصِ، ویژهٔ
peculiarity /pɪ,kju:lɪ'ærətɪ/ *n* صفت یا نشانِ اختصاصی؛ غرابت؛ چیز غریب
peculiarly *adv* به‌طرز خاص، به‌شکل عجیب‌وغریب؛ انفراداً
pecuniary /pɪ'kju:nɪərɪ/ *adj* نقدی [pecuniary punishment]
pedagogic /,pedə'gɒdʒɪk/ *adj* =pedagogical
pedagogical /,pedə'gɒdʒɪkl/ *adj* مربوط به فن (یا علم) تعلیم
pedagogue /'pedəgɒg/ *n* آموزگارِ دبستان؛ شخص فضل‌فروش و معلم شعار
pedagogy /'pedəgɒdʒɪ/ *n* علم تعلیم، تعلیم و تربیت
pedal /'pedl/ *n,v* [-led] ۱.رکاب، جاپا، پدال ۲.پا زدن (به)، رکاب زدن
pedal /'pedl/ *adj* مربوط به پا
pedant /'pednt/ *n* ملانقطی
pedantic /pɪ'dæntɪk/ *adj* پیروِ قواعد کتابی؛ ملانقطی؛ فضل‌فروش؛ مبنی بر قواعد کتابی، غیرعملی
pedantry /'pedntrɪ/ *n* علم فروشی، فضل‌فروشی؛ دقت زیاد در رعایت قواعد کتابی
peddle /'pedl/ *vi,vt* ۱.دوره‌گردی کردن ۲.خرده‌فروشی کردن
peddler = pedlar
peddling *adj* (مواظب چیزهای) جزئی
pedestal /'pedɪstl/ *n* پایهٔ ستون؛ پایه مجسمه؛ [مجازاً] شالوده
set on a pedestal نمونه قرار دادن
pedestrian /pɪ'destrɪən/ *adj,n* ۱.پیاده‌رو؛ پیاده؛ [مجازاً] فاقدِ لطافت ۲.مسافر پیاده
pedigree /'pedɪgri:/ *n* شجره، نسب‌نامه؛ دودمان؛ اشتقاق، ریشه
pediment /'pedɪmənt/ *n* [معماری] (آرایش) سنتوری
pedlar /'pedlə(r)/ *n* دوره‌گرد؛ دستفروش
peek /pi:k/ = peep; peer
peel /pi:l/ *vt,vi,n* ۱.پوست کندن؛ [با off] کندن ۲.پوست انداختن؛ ورآمدن؛ لخت شدن ۳.پوست؛ خلال [orange peel]
candied peel خلال نارنج و لیمو و امثال آنها که در شکر پرورده باشند
peelings /'pi:lɪŋz/ *npl* پوست (سیب‌زمینی)
peep /pi:p/ *vi,n* ۱.دید زدن؛ با چشم نیم‌باز نگاه کردن؛ از سوراخ نگاه کردن؛ طلوع کردن؛ [بیشتر با out] کم‌کم آشکار شدن ۲.نگاه دزدانه؛ روشنایی کم؛ منظرهٔ مختصر
peeping Tom کسی که دزدانه مردم را نگاه می‌کند (مخصوصاً موقعی که لخت می‌شوند)
peep of day = dawn *n*
peep /pi:p/ *n,vi* جیک‌جیک (کردن)؛ نق‌نق (کردن)
peeper *n* نگاه‌کننده (فضول)، غماز؛ [زبان عامیانه] چشم
peep-hole /'pi:phəʊl/ *n* روزنه، دیدگاه
peep-show /'pi:pʃəʊ/ *n* شهرفرنگ
peer /pɪə(r)/ *n* همتا، نظیر، قرین؛ عضو مجلس اعیان
peer /pɪə(r)/ *vi* با دقت نگاه کردن؛ در آمدن، سربر آوردن [در گفتگوی از ماه]
peerage /'pɪərɪdʒ/ *n* لقبِ peer؛ اعیانی؛ طبقهٔ لردها
peeress /'pɪəres/ [*fem of* peer]
peerless *adj* بی‌مانند، بی‌نظیر
peeved /pi:vd/ *adj,Sl* آزرده؛ کج‌خلق
peevish /'pi:vɪʃ/ *adj* زودرنج؛ کج خلق؛ ناشی از کج خلقی

peevishly *adv* با کج خلقی

peevishness *n* زودرنجی؛ کج خلقی

peg /peg/ *n* میخِ چوبی؛ گل‌میخ؛ گیرهٔ لباس؛ توپِی (چلیک)؛ [موسیقی] گوشی، پیچ کوک؛ کنیاک یا ویسکی با سودا؛ [مجازاً] دستاویز

take down a peg or two باد (کسی) را خواباندن، حقیر کردن، خوار کردن

a square peg in a round hole کسی که مناسب سمتِ خود نیست

peg /peg/ *vt,vi* [-ged] ۱.میخ زدن؛ میخکوب کردن؛ [مجازاً] ثابت نگاه‌داشتن (بها)؛ محکم کردن؛ با میخ نشان کردن؛ [با out] تعیین حدود کردن ۲.پیوسته کار کردن [با away]

peg down مقید (به قانون) کردن؛ محدود کردن

He pegged out (Sl) زهوارش در رفت

Pegasus /'pegəsəs/ *n* اسب بالدار؛ [مجازاً] ذوق شعر؛ [هیئت] فرس

peg-top /'pegtɒp/ *n* فرفرهٔ میخ‌دار

peignoir /'peɪnwɑ:(r)/ *n,Fr* قطیفهٔ لباسی زنانه؛ لباس خانهٔ زنانه

Pekinese /ˌpi:kɪ'ni:z/ *n,adj* اهلِ پکن، پکنی؛ [با p] نوعی سگِ پاکوتاه چینی

pelf /pelf/ *n* جیفه، مال دنیا

pelican /'pelɪkən/ *n* مرغ سقا، پلیکان

pelisse /pe'li:s/ *n* خرقهٔ زنانه؛ پوستین

pellet /'pelɪt/ *n* ساچمه؛ حب

pellicle /'pelɪkl/ *n* پوست، پوست نازک؛ غشا

pell-mell /ˌpel'mel/ *adv,adj* ۱.به‌طور درهم بر هم؛ سراسیمه ۲.درهم‌برهم؛ آشفته

pellucid /pe'lu:sɪd/ *adj* شفاف، بلورین؛ واضح، روشن [pellucid style]

pelmet /'pelmɪt/ *n* والان، چوب‌پرده

pelt /pelt/ *n* پوست پشم‌دار؛ تخته پوست

pelt /pelt/ *vt,vi,n* ۱.پرت کردن، انداختن ۲.سخت باریدن ۳.ضربت، حمله؛ عمل پرت کردن

at full pelt با شتاب هرچه بیشتر

pelvis /'pelvɪs/ *n* [-ves] لگن (خاصره)؛ لگنچه

pemmican /'pemɪkən/ *n* نوعی قرمه

pen /pen/ *n,vt* [-ned] ۱.قلم؛ سرقلم ۲.نوشتن

pen /pen/ *n,vt* ۱.آغلِ گوسفند؛ گاودانی؛ مرغدانی ۲.در آغل یا مرغدانی نگاه‌داشتن؛ [با up یا in] محصور کردن

penal /'pi:nl/ *adj* کیفری

penal servitude حبس با اعمال شاقه

penalize /'pi:nəlaɪz/ *vt* کیفری یا جزایی قلمداد کردن؛ جریمه کردن

penalty /'penltɪ/ *n* جزا، کیفر، مجازات؛ جریمه، [در فوتبال] تاوان، پنالتی

penalty area [فوتبال] محوطه ۱۸ قدم

penance /'penəns/ *n* توبه؛ [مجازاً] مجازات، عذاب

do penance با ریاضت توبه کردن

pence /pens/ [زیر penny آمده است]

penchant /'pɑ:nʃɑ:n US: 'pentʃənt/ *n,Fr* تمایل؛ دماغ

pencil /'pensl/ *n,vt* [-led] ۱.مداد ۲.با مداد نشان گذاردن یا طرح کردن یا نوشتن؛ مداد کشیدن به (ابرو)

pencil-case /'pensl keɪs/ *n* جامدادی، مدادگیر

pend /pend/ *vi* معوق بودن، موکول بودن

pendant /'pendənt/ *or* **-dent** *n* آویز، زیورِ آویخته؛ لنگه، قرینه

pendent /'pendənt/ *or* **-dant** *adj* آویزان، معلق؛ پیشامده؛ نامعلوم

pending /'pendɪŋ/ *adj,prep* ۱.نامعلوم، بی‌تکلیف ۲.تا؛ هنگامِ، درحینِ

pendulous /'pendjʊləs US: -dʒə-/ *adj* آویخته؛ جنبنده

pendulum /'pendjʊləm/ *n* آونگ، جسم آویخته؛ [در ساعت] پاندول

Penelope /pə'neləpi:/ *n* زن عفیف و باوفا

penetrability /ˌpenɪtrɪə'bɪlətɪ/ *n* قابلیت نفوذ

penetrable /'penɪtrəbl/ *adj* سوراخ کردنی؛ حلول‌پذیر، نفوذپذیر؛ [مجازاً] دریافتنی؛ تیز، رسا

penetrate /'penɪtreɪt/ *vi,vt* ۱.رخنه کردن، نفوذ کردن ۲.سوراخ کردن؛ داخل شدن در؛ [مجازاً] درک کردن

penetrating *apa* نافذ؛ تیز، سوراخ‌کننده؛ مؤثر؛ درک‌کننده

penetration /ˌpenɪ'treɪʃn/ *n* نفوذ، کاوش؛ زیرکی؛ تیزی؛ رسایی؛ نیرو؛ تداخل

penetrative /'penɪtrətɪ US: -treɪtɪv/ *adj* سوراخ‌کننده؛ نافذ؛ بافراست؛ مؤثر

penguin /'peŋgwɪn/ *n* پنگوئن، نوعی مرغ دریایی در نیمکرهٔ جنوبی

penholder /'penhəʊlde(r)/ *n* دسته قلم

peninsula /pə'nɪnsjʊlə/ *n* شبه‌جزیره

peninsular /pə'nɪnsjʊlə(r)/ *adj* شبه‌جزیره‌ای

penitence /'penɪtəns/ *n* پشیمانی

penitent /'penɪtənt/ *adj,n* ۱.توبه‌کار، پشیمان ۲.تائب، شخص توبه‌کار

penitential /ˌpenɪ'tenʃl/ *adj* مبنی بر توبه؛ ندامت‌آمیز

penitentiary /ˌpenɪ'tenʃərɪ/ *adj,n* ۱.مربوط به توبه دادن یا اصلاح کردن تبهکاران ۲.بنگاه اصلاح تبهکاران

penknife /'pen-naɪf/ *n* [-knives] قلمتراش، چاقوی جیبی کوچک

penman /'penmən/ *n* [-men] نویسنده، چیزنویس، مصنف

penmanship /'penmənʃɪp/ *n* شیوهٔ نویسندگی

pen-name /'pen neɪm/ *n* نام مستعار نویسندگان؛ [در مورد شعرا] تخلص

pennant /'penənt/ *n* ۱.طِناب کوتاه حلقه‌دار ۲. pennon

penniless /'penɪlɪs/ *adj* بی‌پول، بینوا

pennon /'penən/ *n* پرچم سه‌گوش هنگهای نیزه‌دار؛ پرچم دراز کشتی؛ پرچم اختصاصی آموزشگاه

penn'orth /'penəθ/ *n* = pennyworth

penny /'penɪ/ *n* پنی: پول خرد انگلیسی که برابر است با یک‌دوازدهم shilling

5 pennies ۵ سکهٔ پنی

5 pence ۵ پنس

A penny for your thoughts قربان حواس جمع، صحت خواب، عافیت باشد

turn an honest penny پول حلال درآوردن

That is a pretty penny برای خودش مبلغی است (یا پول خوبی است)

penny-wise and pound-foolish صرفه‌جو در دینار و ولخرج در ریال

pennyweight /'penɪweɪt/ *n* پنی‌ویت: سنگ گوهرفروشان برابر با ۱/۵۵۵۱۷ گرم

pennyworth /'penɪwəθ/ *n* آنچه به پشیزی می‌توان خرید؛ سودا، معامله

pension /'penʃn/ *n,vt* ۱.حقوق بازنشستگی یا تقاعد ۲.حقوق بازنشستگی دادن (به)

pension off بازنشسته کردن، متقاعد کردن

pension /'pɒnsɪɒn/ *n,Fr* پانسیون

live in pension در پانسیون زندگی کردن

pensionable /'penʃnəbl/ *adj* مشمول بازنشستگی

pensionable age سن بازنشستگی، سن تقاعد

pensioner /'penʃənə(r)/ *n* شخصِ بازنشسته؛ وظیفه‌خور؛ مزدور

pensive /'pensɪv/ *adj* متفکر؛ افسرده، پکر؛ متفکرانه؛ حاکی از افسردگی

pensively *adv* متفکرانه؛ با حالت افسرده

pent /pent/ *adj* محصور؛ پابست؛ بسته

pentachord /'pentækɔ:d/ *n* ساز پنج سیمه

pentagon /'pentəgən US: -gɒn/ *n* شکل پنج‌گوش

pentagonal /pən'tægənl/ *adj* پنج گوشه

pentameter /pen'tæmɪtə(r)/ *n* شعر پنج وتدی

pentateuch /'pentətju:k/ *n* تورات، اسفار پنجگانه، خمسهٔ موسی

pentathlon /pen'tæθlən/ *n* ورزش‌های پنجگانه (پرش و دو و زوبین‌اندازی و کشتی و پرتاب کردن وزنه)

Pentecost /'pentɪkɒst US: -kɔ:st/ *n* عید پنجاهه یا گلریزان (۵۰ روز پس از عید فصح)

penthouse /'penthaus/ *n* [در امریکا] بنای روی سقف آسمان‌خراش، پنت‌هاوس

pent-up /ˌpent'ʌp/ *adj* محصور؛ پایمال شده

penultimate /pen'ʌltɪmət/ *adj,n* (سیلاب یا هجای) ماقبل آخر

penurious /pɪ'njʊərɪəs US: 'nʊr-/ *adj* تنگ‌چشم، خسیس؛ کم؛ خسیسانه

penury /'penjʊrɪ/ *n* بینوایی

penwoman /'penwʊmən/ *n* [-women] نویسندهٔ زن

peon /'pi:ən/ *n* [در هند] سرباز پیاده؛ فراش؛ [در امریکای جنوبی] کسی که در ازای بدهی خود مزدور می‌شد

peonage /'pi:ənɪdʒ/ *n* فراشی

peony /'pi:ənɪ/ *n* گل صدتومانی، شقایق پُرپر، شقایق فرنگی

people /'pi:pl/ *n,vt* ۱.مردم؛ اشخاص؛ قوم، ملت؛ بستگان ۲.آباد کردن؛ ساکن شدن (در)

thickly peopled پُرجمعیت

pep /pep/ *US;Col* = energy

pepper /'pepə(r)/ *n,vt* ۱.فلفل ۲.فلفل زدن؛ [مجازاً] تند کردن، شدیدالحن کردن؛ دان‌دان کردن؛ گوشمالی دادن؛ پر کردن؛ پاشیدن

pepper-and-salt /ˌpepər ən 'sɔ:lt/ *adj,n* (پارچهٔ) فلفل نمکی

pepper-box /'pepə bɒks/ *n* فلفل‌پاش

pepper-caster /'pepəkɑ:stə(r)/ *n* فلفل‌پاش میزی

peppercorn /'pepə kɔ:n/ *n* دانهٔ فلفل

peppermint /'pepəmɪnt/ *n* نعناع صحرایی

peppermint-drop /'pepəmənt drɒp/ *n* = peppermint-lozenge

peppermint-lozenge /'pepəmɪnt lɒzɪndʒ/ *n* قرص نعناع

peppery /'pepərɪ/ *adj* پرفلفل؛ آتش‌مزاج

pepsin /'pepsɪn/ *n* پپسین: نام یک مادهٔ گوارندهٔ در عصیر معده

per /pɜ:(r)/ *prep* با، به وسیلهٔ؛ در؛ هر

per cent درصد، صدی (فلان‌قدر)

5 per cent interest بهرهٔ ۵ درصد

per annum *L* درسال، سالی

per capita *L* نفری، سری

per diem *L* در روز، روزی

per mensem *L* در ماه، ماهی

per mille *L* درهزار، هزاری

peradventure /ˌpɜ:rəd'ventʃə(r)/ *adv,n, Arch* شاید، ممکن است

if peradventure هر آینه اگر

perambulate /pə'ræmbjʊleɪt/ *vt,vi* ۱.پیمودن؛ دور زدن ۲.گردش‌کردن

perambulator /pə'ræmbjʊleɪtə(r)/ *n* کالسکهٔ بچه [مختصر آن pram است]

perceive /pə'si:v/ *vt* مشاهده کردن؛ دریافتن، درک کردن

percentage /pə'sentɪdʒ/ *n* صدی چند، درصد؛ مرابحه

perceptibility /pəˌseptə'bɪlətɪ/ *n* قابلیت درک

perceptible /pə'septəbl/ *adj* درک‌کردنی، محسوس؛ مشاهده‌کردنی، معلوم

perceptibly /pə'septəblɪ/ *adv* به‌طور محسوس

perception /pə'sepʃn/ *n* درک، (قوهٔ) ادراک؛ احساس؛ مشاهده

perch /pɜ:tʃ/ *n,vi,vt* ۱.نشیمنگاه پرنده؛ تیر؛ [مجازاً] منزلت، مقام ۲.نشستن (روی چوب)، فرود آمدن ۳.روی چوب نشاندن؛ در جای بلند قرار دادن

Come off your perch پیاده شو با هم (راه) بریم

perch /pɜ:tʃ/ *n* ماهیِ خاردار

perchance /pə'tʃɑ:ns US: 'tʃæns/ *adv* شاید

percolate /'pɜ:kəleɪt/ *vi,vt* ۱.تراوش کردن، نفوذ کردن؛ صاف شدن ۲.(از چیزی) گذشتن یا تراوش کردن؛ پالودن

percolator /'pɜ:kəleɪtə(r)/ *n* صافی، قهوه‌جوش صافی‌دار [coffee percolator]

percussion /pə'kʌʃn/ *n* تصادم؛ [پزشکی] دَق

instruments of percussion سازهای کوبه‌ای [چون ضرب و دایره و سنج و مثلث]

percussion cap [در تفنگ] چاشنی

perdition /pə'dɪʃn/ *n* عذاب ابدی؛ تباهی، فنا، هلاکت؛ مرگ روحانی

peregrination /ˌperɪgrɪ'neɪʃn/ *n* مسافرت دور، جهانگردی، دربه‌دری

peremptorily /pə'remptrəlɪ US: -tɔ:rəlɪ/ *adv* قطعاً، حکماً؛ آمرانه

peremptory /pə'remptərɪ US: 'perəmptɔ:rɪ/ *adj* قطعی، قاطع؛ غیرقابل انکار؛ تحکم‌کننده؛ آمرانه

perennial /pə'renɪəl/ *adj* بادوام [perennial flowers]

perfect /'pɜ:fɪkt/ *adj* کامل

perfect tense ماضی کامل

peresent perfect tense ماضی نقلی

I have gone رفته‌ام

past perfect tense ماضی بعید

I had gone رفته بودم

future perfect (tense) آینده کامل

I shall have seen him by tomorrow noon. تا فردا ظهر او را دیده‌ام.

perfect /pə'fekt/ *vt* تکمیل کردن؛ انجام دادن

perfect oneself کامل شدن، متخصص شدن

perfection /pə'fekʃn/ *n* کمال؛ تکمیل؛ [در جمع] کمالات، فضایل

to perfection به‌حد کمال، کاملاً

perfectly *adv* کاملاً؛ خوبِ خوب

perfidious /pə'fɪdɪəs/ *adj* خائن؛ خیانت‌آمیز

perfidiously *adv* خائنانه

perfidy /'pɜ:fɪdɪ/ *n* خیانت، پیمان‌شکنی

perforate /'pɜ:fəreɪt/ *vt* سوراخ کردن؛ منگنه کردن

perforation /ˌpɜ:fə'reɪʃn/ *n* عمل سوراخ کردن

perforce /pə'fɔ:s/ *adv* به ناچار

perform /pə'fɔ:m/ *vt,vi* ۱.انجام دادن؛ اجرا کردن ۲.نمایش دادن، کنسرت دادن

performance /pə'fɔ:məns/ *n* اجرا؛ انجام؛ نمایش؛ کنسرت؛ [در سینما] سانس، جلسه؛ کارِ برجسته

performing *apa* [در باب جانوران تربیت‌شده‌ای گفته می‌شود] که بازی ویژه‌ای را از خود به معرض نمایش می‌گذارند

perfume /'pɜ:fju:m US: pər'fju:m/ *n* عطر؛ بوی خوش

perfume /pə'fju:m/ *vt* عطر (به چیزی) زدن

perfume oneself عطر (به خود) زدن

perfumery *n* عطرفروشی؛ (کارخانهٔ) عطرسازی؛ عطریات

perfunctorily /pə'fʌŋktrəlɪ US: -tɔ:rəlɪ/ *adv* به‌طور سرسری

perfunctory /pə'fʌŋktərɪ/ *adj* سرسری، ظاهری، فورمالیته

pergola /'pɜ:gələ/ *n* آلاچیق، سایبان
perhaps /pə'hæps,præps/ *adv* شاید
peril /'perəl/ *n,vt* [-led] ۱.خطر، مخاطره ۲.به مخاطره انداختن
at one's peril به‌مسئولیت خود
perilous /'perələs/ *adj* مخاطره‌آمیز
perimeter /pə'rɪmɪtə(r)/ *n* پیرامون، محیط، دوره
period /'pɪərɪəd/ *n* مدت؛ دوره، عصر؛ گردش، نوبت؛ مرحله؛ زنگ [مدت یک درس در آموزشگاه]؛ نقطهٔ پایان جمله؛ قاعدگی
at a later period بعدها، بعداً
the girls of the period دختران امروزی
put a period to به پایان رساندن
periodic /,pɪərɪ'ɒdɪk/ *adj* دوری؛ نوبتی، نوبت‌دار؛ متناوب
periodical /,pɪərɪ'ɒdɪkl/ *adj,n* ۱.نوبتی، دوری ۲.نشریهٔ ادواری، گاهنامه
periodically /,pɪərɪ'ɒdɪklɪ/ *adv* در فواصل معین
peripatetic /,perɪpə'tetɪk/ *adj,n* راه‌رونده، گردش‌کننده، رونده
periphery /pə'rɪfərɪ/ *n* پیرامون، محیط؛ حدود؛ سطح برونی
periscope /'perɪskəʊp/ *n* پریسکوپ: لولهٔ زیردریایی که به وسیله آن چیزهای روی آب را می‌بینند
periscopic /,perɪ'skɒpɪk/ *adj* (مربوط به) پریسکوپ
periscopic lens شیشهٔ عدسی برای دیدن چیزهای دورتر از چشم‌رس
perish /'perɪʃ/ *v* هلاک شدن؛ هلاک کردن
perish with hunger از گرسنگی مردن
perishable /'perɪʃəbl/ *adj,n* ۱.هلاک‌شدنی ۲.[در جمع] کالا یا خواربار فاسد شدنی
perishing *adj* هلاک‌کننده، سخت
peristyle /'perɪstaɪl/ *n* ردیفِ ستونهای دور حیاط، دایرهٔ ستون
peritoneum /,perɪtə'ni:əm/ *n* صفاق
peritonitis /,perɪtə'naɪtɪs/ *n* التهاب صفاق
periwig /'perɪwɪg/ *n* کلاه‌گیس
periwinkle /'perɪwɪŋkl/ *n* گل تلگرافی، نوعی صدف خوراکی
perjure /'pɜ:dʒə(r)/ *vt*
perjure oneself پیمان‌شکنی کردن؛ قسم دروغ خوردن؛ شهادت دروغ دادن
perjured *adj* پیمان‌شکن، سوگند دروغ‌خور
perjurer /'pɜ:dʒərə(r)/ *n* شخصِ پیمان‌شکن؛ کسی‌که سوگند دروغ می‌خورد
perjury /'pɜ:dʒərɪ/ *n* پیمان‌شکنی؛ گواهی دروغ
perk /pɜ:k/ *vi,vt* ۱.سینه جلو دادن، سر را بالا نگاه داشتن، خودنمایی کردن ۲.بالا نگاه‌داشتن، راست کردن
perkily *adv* گستاخانه؛ متکبرانه
perky *adj* گستاخ؛ خودنما؛ متکبر
permanence /'pɜ:mənəns/ *n* دوام، بقا؛ پایداری
permanency /,pɜ:mənənsɪ/ *n* دوام، بقا؛ پایداری؛ چیز پایدار؛ قرار دایمی
permanent /'pɜ:mənənt/ *adj* دایمی، همیشگی؛ پایدار، ابدی؛ ثابت؛ ماندنی
permanent wave فِر ششماهه
permanently *adv* به‌طور همیشگی، به‌طور دایم، دایماً
permanganate /pə'mæŋgəneɪt/ *n* پرمنگنات
permeability /,pɜ:mɪə'bɪlətɪ/ *n* نفوذپذیری؛ تراوایی
permeable /'pɜ:mɪəbl/ *adj* نفوذپذیر، تراوا
permeate /'pɜ:mɪeɪt/ *v* نفوذ کردن (در)، سرایت کردن (در)؛ اشباع کردن
permeation /,pɜ:mɪ'eɪʃn/ *n* نفوذ، نشر، تداخل
permissible /pə'mɪsəbl/ *adj* رَوا، مُجاز، جایز
permissibly /pə'mɪsəblɪ/ *adv* به‌طور مجاز، جایز
permission /pə'mɪʃn/ *n* اجازه
by permission of با اجازهٔ، به اجازهٔ
permissive /pə'mɪsɪv/ *adj* اجازه‌دهنده، آسان‌گیر
permit /pə'mɪt/ *vt* [-ted] اجازه دادن (به)؛ مُجاز کردن
permit oneself به خود اجازه دادن
Weather permitting اگر هوا بگذارد، اگر هوا مساعد باشد
It does not permit (vi) of any change تغییر بردار نیست
permit /'pɜ:mɪt/ *n* پروانه، جواز؛ اجازه
permutation /,pɜ:mju:'teɪʃn/ *n* قلب، تقدیم و تأخیر؛ تبدیل
permute /pə'mju:t/ *vt* مقدم مؤخر کردن
pernicious /pə'nɪʃəs/ *adj* زیان‌آور، مضر؛ تبهکار، شریر؛ [بیماری] خطرناک، مهلک

It is pernicious to... برای ... مضر است
perniciousness *n* زیان، مضرت
pernickety /pə'nɪkətɪ/ *adj, Col* وسواسی، ایرادگیر؛ بسیار ظریف یا باریک
peroration /ˌperə'reɪʃn/ *n* پایان و نتیجه (سخنرانی)
peroxide /pə'rɒksaɪd/ *n* پروکسید
perpendicular /ˌpɜ:pən'dɪkjʊlə(r)/ *adj,n* ۱.عمودی ۲.عمود، خط عمودی یا قائم؛ [مجازاً] درستی
out of (the) perpendicular غیرعمودی، کج
perpendicularly *adv* به‌طور عمود، عمودی
perpetrate /'pɜ:pɪtreɪt/ *vt* مرتکب شدن
perpetration /ˌpɜ:pɪ'treɪʃn/ *n* ارتکاب
perpetrator *n* مرتکب
perpetual /pə'petʃʊəl/ *adj* همیشگی، دایمی، ابدی؛ پیوسته
perpetually /pə'petʃʊəlɪ/ *adv* همیشه، دایماً
perpetuate /pə'petʃʊeɪt/ *vt* ابدی کردن، جاودانه کردن
perpetuation /pəˌpetʃʊ'eɪʃn/ *n* جاودان‌سازی
perpetuity /ˌpɜ:pɪ'tu:ətɪ US: -'tu:-/ *n* دوام، ابدیت؛ [حقوق] عمریٰ
in perpetuity همیشه، تا ابد
perplex /pə'pleks/ *vt* گیج کردن، حیران کردن؛ پیچیده کردن
perplexed *ppa* سرگشته، حیران، گیج، مبهوت؛ پیچیده، درهم
perplexing *adj* گیج‌کننده
perplexity /pə'pleksətɪ/ *n* گیجی، (مایهٔ) حیرت؛ پیچیدگی؛ چیز پیچیده
perquisite /'pɜ:kwɪzɪt/ *n* عایدی متفرقه، مداخل
persecute /'pɜ:sɪkju:t/ *vt* آزار کردن، پاپی شدن، اذیت کردن
persecution /ˌpɜ:sɪ'kju:ʃn/ *n* زجر و آزار، شکنجه، جفا، اذیت، تعقیب
persecutor *n* آزاردهنده، ستمگر؛ شکنجه‌گر
perseverance /ˌpɜ:sɪ'vɪərəns/ *n* پشتکار، استقامت
perseverant *adj* بااستقامت، با ثبات
persevere /ˌpɜ:sɪ'vɪə(r)/ *vi* پشتکار داشتن، استقامت به خرج دادن
persevering *apa* باپشتکار
Persia /'pɜ:ʃə/ *n* ایران
Persian /'pɜ:ʃn US: 'pɜ:rʒn/ *adj,n* فارسی؛ ایرانی
the Persian Gulf خلیج فارس
persiflage /'pɜ:sɪflɑ:ʒ/ *n* شوخی
persimmon /pə'sɪmən/ *n* خرمالو
persist /pə'sɪst/ *vi* پافشاری کردن، اصرار کردن
persistence /pə'sɪstəns/ *n* پافشاری، سماجت
persistency *n* پافشاری در کار بد
persistent /pə'sɪstənt/ *adj* مصر، مبرم؛ مبنی بر اصرار؛ مزمن، دیرپا
persistently *adv* مصرانه
person /'pɜ:sn/ *n* شخص، کس، آدم؛ تن، نفر؛ هیکل، ریخت
no person هیچکس
in (one's own) person شخصاً
the first person اول شخص، متکلم
the second person دوم شخص، مخاطب
the third person سوم شخص، غایب
personable /'pɜ:sənəbl/ *adj* خوش‌سیما؛ خوش‌ریخت، خوش‌هیکل
personage /'pɜ:sənɪdʒ/ *n* شخص (برجسته)، شخصیت
personal /'pɜ:sənl/ *adj* شخصی؛ خصوصی؛ حضوری؛ جسمانی، بدنی
personal to himself مال شخص او
be(come) personal خودمانی شدن، خصوصی شدن
personality /ˌpɜ:sə'nælətɪ/ *n* شخصیت؛ وجود؛ حالت ویژهٔ شخصی؛ [در جمع] انتقادات راجع به شخصیت
personally /'pɜ:sənəlɪ/ *adv* شخصاً، اصالتاً
personate /'pɜ:səneɪt/ *vt* نقش (کسی را) ایفا کردن؛ مظهر (کسی) شدن
personification /pəˌsɒnɪfɪ'keɪʃn/ *n* اعطای شخصیت به چیزهای بی‌جان، انسان انگاری؛ تجسم؛ مظهر
personify /pə'sɒnɪfaɪ/ *vt* (مانند) شخص فرض کردن، مجسم کردن؛ شخصیت دادن (به)؛ مظهر (چیزی) بودن
personnel /ˌpɜ:sə'nel/ *n* کارکنان
perspective /pə'spektɪv/ *n* علم مناظر و مرایا؛ [مجازاً] جنبه، لحاظ
perspicacious /ˌpɜ:spɪ'keɪʃəs/ *adj* زیرک، بافراست؛ فراست نشان
perspicacity /ˌpɜ:spɪ'kæsətɪ/ *n* زیرکی، فراست، کیاست
perspicuity /ˌpɜ:spɪ'kju:ətɪ/ *n* روشنی، صراحت، وضوح
perspicuous /pə'spɪkjʊəs/ *adj* روشن، واضح

perverse /pə'vɜːs/ *adj* خودسر، مصر درخطا، متمرد؛ هرزه؛ خودسرانه
perversely *adv* به‌طور هرزه یا فاسد
perverseness = perversity
perversion /pə'vɜːʃn US: ʒn/ *n* تحریف؛ فساد؛ سوءتعبیر
sexual perversion انحراف جنسی
perversity /pə'vɜːsətɪ/ *n* خودسری، اصرار درخطا؛ هرزگی، فساد
pervert /pə'vɜːt/ *vt* از راه به‌درکردن، منحرف کردن؛ بدتعبیر کردن
pervert /pə'vɜːt/ *n* شخصِ مرتد، شخص گمراه؛ کسی که انحراف جنسی دارد
pervious /'pɜːvɪəs/ *adj* عبوردهنده، نفوذپذیر؛ منفذدار
peseta /pə'seɪtə/ *n* پِزِتا: واحد پول اسپانیا
pesky /'peskɪ/ *adj,Sl* مزاحم
peso /'peɪsəʊ/ *n* پِزو: واحد پول در بسیاری از کشورهای امریکای لاتین و فیلیپین
pessimism /'pesɪmɪzəm/ *n* بدبینی
pessimist /'pesɪmɪst/ *n* (آدم) بدبین
pessimistic /,pesɪ'mɪstɪk/ *adj* ناشی از بدبینی
pessimistically *adv* بدبینانه
pest /pest/ *n* آفت، بلا؛ طاعون
pester /'pestə(r)/ *vt* آزار دادن
pestered with flies معذب از (دست) مگس
pest-house /'pesthaʊs/ *n* بیمارستان طاعونی‌ها
pestiferous /pe'stɪfərəs/ *adj* طاعونی؛ [مجازاً] موجب فساد اخلاق
pestilence /'pestɪləns/ *n* ناخوشی طاعونی
pestilent /'pestɪlənt/ *adj* کشنده، مهلک؛ زیان‌آور، فاسدکننده (اخلاق)
pestilential /,pestɪ'lenʃl/ *adj* طاعونی، مسری؛ [مجازاً] مخرب، مضر
pestle /'pesl/ *n,vt* ۱.دستهٔ هاوَن ۲.در هاون کوبیدن
pet /pet/ *n,adj,vt* ۱و۲.(جانور) دست‌آموز؛ (شخص) نازپرورده ۳.نوازش کردن؛ دست‌آموز کردن
a pet name اسم خودمانی
pet aversion چیزی که شخص مخصوصاً از آن نفرت دارد
pet /pet/ *n* اوقات‌تلخی، کج‌خلقی
petal /'petl/ *n* گلبرگ، پر
petard /pe'tɑːd/ *n* [در قدیم] بمب دیوارکن
He is hoist with his own petard. در چاهی که برای دیگران کنده افتاده است.

perspiration /,pɜːspə'reɪʃn/ *n* عرق، خوی؛ تعریق
perspire /pə'spaɪə(r)/ *vi* عرق کردن
persuadable /pə'sweɪdəbl/ *adj* قابل اغوا، قابل ترغیب
persuade /pə'sweɪd/ *vt* وادار کردن، ترغیب کردن
persuade oneself متقاعد شدن
persuade into... وادار به... کردن
I am persuaded that من متقاعد شده‌ام که...
persuasion /pə'sweɪʒn/ *n* اقناع؛ عقیدهٔ دینی؛ فرقه
persuasive /pə'sweɪsɪv/ *adj* متقاعدسازنده؛ وادارکننده؛ مؤثر
pert /pɜːt/ *adj* گستاخ، جسور
pertain /pə'teɪn/ *vi* مربوط بودن
pertaining *apa* وابسته، مربوط
pertinacious /,pɜːtɪ'neɪʃəs US: -tn'eɪʃəs/ *adj* لجوج، خودسر؛ لجاجت‌آمیز
pertinaciously *adv* لجوجانه
pertinacity /,pɜːtɪ'næsətɪ US: -tn'æ-/ *n* لجاجت، خودسری
pertinence;-nency /'pɜːtɪnəns(ɪ)/ *n* ربط، دخل؛ مناسبت؛ اقتضا
pertinent /'pɜːtɪnənt US: -tənənt/ *adj* وابسته، مربوط؛ مناسب، مقتضی
pertly *adv* گستاخانه، جسورانه
pertness *n* گستاخی، جسارت
perturb /pə'tɜːb/ *vt* آشفته کردن، پریشان کردن، مضطرب کردن، مشوش کردن؛ مختل ساختن
perturbable /pə'tɜːbəbl/ *adj* برآشفتنی، اضطراب‌پذیر؛ آشوب‌پذیر
perturbation /,pɜːtə'beɪʃn/ *n* آشفتگی، تشویش
peruke /pə'ruːk/ = periwig
perusal /pə'ruːzl/ *n* مطالعه
peruse /pə'ruːz/ *vt* (به‌دقت) خواندن، مطالعه کردن
Peruvian /pə'ruːvɪən/ *adj,n* ۱.پرویی ۲.اهل پرو
Peruvian bark پوست درخت گنه‌گنه
pervade /pə'veɪd/ *vt* (در چیزی) پخش شدن، پُر کردن، فرا گرفتن؛ (در چیزی) سرایت کردن
pervasion /pə'veɪʒn/ *n* نفوذ، سرایت؛ نشر؛ اشباع
pervasive /pə'veɪsɪv/ *adj* نفوذکننده، سرایت‌کننده؛ منتشرشونده

Peter /'pi:tə(r)/ *n* پطرس
Peter the Great پطر کبیر
blue Peter پرچم آبی با چهارگوش سفید که قبل از حرکت کشتی برافرازند
peter /'pi:tə(r)/ *vi,Sl* کم آمدن؛ زه زدن [همیشه با out]
petition /pə'tɪʃn/ *n,vt,vi* ۱.دادخواست، عرضحال ۲.عرضحال دادن به ۳.درخواست کردن
petitioner /pə'tɪʃənə(r)/ *n* عرضحال‌دهنده، متظلم، شاکی
petrel /'petrəl/ *n* مرغ طوفان
petrifaction /ˌpetrɪ'fækʃn/ *n* تبدیل به سنگ؛ تحجر
petrify /'petrɪfaɪ/ *v* تبدیل به سنگ کردن؛ تبدیل به سنگ‌شدن
petrol /'petrəl/ *n* بنزین
petroleum /pə'trəʊlɪəm/ *n* نفت خام
petrology /pɪ'trɒlədʒɪ/ *n* سنگ‌شناسی
petticoat /'petɪkəʊt/ *n* زیردامنی، زیرپوش؛ [مجازاً] زن، دختر
petticoat government تسلط زنان
pettifogger /'petɪfɒgə(r)/ *n* وکیل پست، وکیل حیله‌باز
pettily /'petɪlɪ/ *adv* به‌طور جزئی یا کوچک
pettiness *n* خردی، کوچکی
pettish /'petɪʃ/ = peevish
petty /'petɪ/ *adj* جزئی، کوچک
petty offence لغزش، خلاف
petty officer سرناوی یا مهناوی
petulance /'petjʊləns/ *n* زودرنجی، کج‌خلقی
petulant /'petjʊlənt US: -tʃʊ-/ *adj* تند، زودرنج، کج‌خلق؛ حاکی از کج‌خلقی
petunia /pə'tju:nɪə US: -'tu:/ *n* گل اطلسی
pew /pju:/ *n* [در کلیسا] نیمکت خانوادگی
pewit /'pi:wɪt/ *n* ; **peewit** مرغ زیبا
pewter /'pju:tə(r)/ *n* ترکیبِ قلع و سرب
pfennig /'fenɪg/ *n* سکهٔ مس آلمانی برابر با یک صدم mark
phaeton /'feɪtn US: 'feɪətən/ *n* درشکه
phalanx /'fælæŋks/ *n* [phalanxes *or* phalanges /fə'lændʒi:z/] دسته‌ای از پیاده‌نظام یونانی یا مقدونی که مرکب از چندین صف بود که تنگ تنگِ یکدیگر می‌رفتند و نیزه‌های هر صف از نیزه‌های صف جلویی بلندتر بود؛ گروه متحد؛ بند انگشت
phantasm /'fæntæzm/ *n* خیال
phantasmal /'fæn'tæzməl/ *adj*=phantasmic
phantasmic /'fæntæzəmɪk/ *adj* خیالی‌تصوری
phantasy /'fæntəsɪ/ = fantasy
phantom /'fæntəm/ *n,adj* ۱.خیال؛ ظاهر فریبنده ۲.خیالی
Pharaoh /'færəʊ/ *n* فرعون
Pharisaic(al) /ˌfærɪ'seɪɪk(l)/ *adj* منسوب به فریسیان، فریسی؛ [مجازاً] ریاکار و خشکه مقدس
Pharisee /'færɪsi:/ *n* فریسی؛ آدم زهدفروش، ریاکار
pharmaceutical /ˌfɑ:mə'sju:tɪkl/ *adj* مربوط به داروسازی
pharmacist /'fɑ:məsɪst/ *n* داروفروش
pharmacy /'fɑ:məsɪ/ *n* داروسازی؛ داروخانه
pharos /'feərɒs/ *n* فانوسِ دریایی
pharynx /'færɪŋks/ *n* حلق، گلوگاه، حلقوم
phase /feɪz/ *n* نمود، شکل، منظر، صورت؛ دوره، مرحله، منزل؛ [در برق] فاز
three-phased سه‌فاز
pheasant /'feznt/ *n* قرقاول
phenomenal /fɪ'nɒmɪnl/ *adj* پدیده‌ای، حادثه‌ای، عَرَضی؛ محسوس، پیدا؛ شگفت‌انگیز
phenomenon /fɪ'nɒmɪnən US: -nɒn/ *n* [-na] پدیده، حادثه؛ اثر طبیعی؛ [مجازاً] چیز عجیب، نادره، شخص برجسته
phew /fju:/ *int* بَه، اُف؛ اوف
phial /'faɪəl/ *n* شیشهٔ کوچک دارویی
philander /fɪ'lændə(r)/ *vi* دنبال زنی افتادن
philanthropic /ˌfɪlən'θrɒpɪk/ *adj* نوعدوست، بشردوست
philanthropic feelings احساسات نوعدوستانه
philanthropically /ˌfɪlən'θrɒpɪklɪ/ *n* از روی بشردوستی، نوعدوستانه
philanthropist *n* (شخص) بشردوست، (آدم) نوعدوست
philanthropy /fɪ'lænθrəpɪ/ *n* نوعدوستی، بشردوستی
philatelist /fɪ'lætəlɪst/ *n* تمبر جمع‌کن، تمبرشناس
philately /fɪ'lætəlɪ/ *n* تمبر جمع‌کنی؛ تمبرشناسی
Philippi /fɪ'lɪpaɪ/ *n* فیلیپی [نام شهری در مقدونیه]
Thou shalt see me at Philippi باشد تا به‌هم برسیم! گذر پوست به دباغخانه می‌افتد!
Philistine /'fɪlɪstaɪn US: -sti:n/ *n,adj* (آدم) بی‌فرهنگ و بی‌ذوق
philological /ˌfɪlə'lɒdʒɪkl/ *adj* مربوط به لغت‌شناسی؛ مربوط به متن‌شناسی

philologist /fɪˈlɒlədʒɪst/ *n* لغت‌شناس؛ متن‌شناس، نسخه‌شناسی
philology /fɪˈlɒlədʒɪ/ *n* لغت‌شناسی؛ متن‌شناسی، نسخه‌شناسی
philosopher /fɪˈlɒsəfə(r)/ *n* فیلسوف، حکیم
philosophers' stone کیمیا
philosophic(al) /ˌfɪləˈsɒfɪk(l)/ *adj* فلسفی؛ حکیمانه؛ آرام، معتدل؛ وارسته
philosophically /ˌfɪləˈsɒfɪklɪ/ *adv* فیلسوفانه
philosophise /fɪˈlɒsəfaɪz/ *vi,vt* ۱.فیلسوفانه دلیل آوردن، فیلسوفانه تعمق کردن ۲.فلسفی کردن، اخلاقی کردن
philosophy /fɪˈlɒsəfɪ/ *n* فلسفه؛ وارستگی، تجرد؛ آرامش
natural philosophy فلسفهٔ طبیعی
moral philosophy فلسفهٔ اخلاق
philtre;-ter /ˈfɪltə(r)/ *n* مهردارو
phlegm /flem/ *n* بلغم؛ [مجازاً] سستی، بی‌عاطفگی، بی‌حسی
phlegmatic /flegˈmætɪk/ *adj* بلغمی؛ بلغمی‌مزاج؛ بی‌حال، آرام
phlox /flɒks/ *n* [گیاه‌شناسی] فلوکس
-phobe [پسوند] ـ هراس
-phobia /ˈfəʊbɪə/ *n* [پسوند] ـ هراسی
Phoenician /fɪˈnaɪʃn/ *adj* فنیقی
ph(o)enix /ˈfiːnɪks/ *n* ققنوس، عنقا؛ [مجازاً] فرید زمان
phone /fəʊn/ *n* [آواشناسی] آوا، صدا
phone /fəʊn/ *Col* = telephone
phonetic /fəˈnetɪk/ *adj* آوایی، مربوط به آواشناسی
phonetically /fəˈnetɪklɪ/ *adv* از لحاظ آواشناسی
phonetician /ˌfəʊnɪˈtɪʃn/ *n* آواشناس
phonetics /fəˈnetɪks/ *n* آواشناسی
phon(e)y /ˈfəʊnɪ/ *adj,US;Sl* قلابی، دروغی
phonograph /ˈfəʊnəgrɑːf US: -græf/ *n* گرامافون
phonologic(al) /ˌfəʊnəˈlɒdʒɪk(l)/ *adj* مبنی بر واج‌شناسی
phonology /fəˈnɒlədʒɪ/ *n* واج‌شناسی، نظام آوایی زبان
phosphate /ˈfɒsfeɪt/ *n* فسفات
phosphorescence /ˌfɒsfəˈresns/ *n* تابندگی فسفری
phosphorescent /ˌfɒsfəresnt/ *adj* تابنده بدون گرمای محسوس

phosphoric /fɒsˈfɒrɪk US: -ˈfɔːr/ *adj* فسفری
phosphorous /ˈfɒsfərəs/ *adj* فسفری
phosphorus /ˈfɒsfərəs/ *n* فسفر
photo /ˈfəʊtəʊ/ *n,v* = photograph
photograph /ˈfəʊtəgrɑːf US: -græf/ *n,v* ۱.عکس ۲.عکس گرفتن
photographer /fəˈtɒgrəfə(r)/ *n* عکاس
photographic /ˌfəʊtəˈgræfɪk/ *adj* (مربوط به) عکاسی؛ (مربوط به) عکس
photography /fəˈtɒgrəfɪ/ *n* عکاسی
photogravure /ˌfəʊtəgrəˈvjʊə(r)/ *n* گراورسازی؛ عکس کلیشه‌ای
phrase /freɪz/ *n,vt* ۱.عبارت، تعبیر؛ اصطلاح؛ کلام موجز ۲.به‌عبارت درآوردن
phraseology /ˌfreɪzɪˈɒlədʒɪ/ *n* عبارت‌سازی، کلمه‌بندی، انشا
phrenologist /frəˈnɒlədʒɪst/ *n* جمجمه‌شناس
phrenology /frəˈnɒlədʒɪ/ *n* جمجمه‌شناسی
phthisis /ˈθaɪsɪs/ *n* [در قدیم] سِل (ریوی)
phut /fʌt/ *n* صدای ترکیدن بادکنک
go phut *adv* ترکیدن؛ خوابیدن
physic /ˈfɪzɪk/ *n,vt* ۱.دارو؛ مسهل ۲.دارو دادن (به)
physical /ˈfɪzɪkl/ *adj* فیزیکی؛ طبیعی؛ مادی، جسمانی، جسمی؛ بدنی
physical exercise ورزش بدنی
physically *adv* از لحاظ طبیعی، به‌طور طبیعی؛ به‌طور مادی؛ جسماً
physician /fɪˈzɪʃn/ *n* پزشک، طبیب
physicist /ˈfɪzɪsɪst/ *n* فیزیکدان؛ محصل فیزیک؛ متخصص فیزیک
physics /ˈfɪzɪks/ *n* فیزیک، علم خواص اجسام
physiognomy /ˌfɪzɪˈɒnəmɪ US: -ˈɒgnəʊmɪ/ *n* سیما(شناسی)، قیافه(شناسی)
physiologic /ˌfɪzɪəˈlɒdʒɪk/ *adj* = physiological
physiological /ˌfɪzɪəˈlɒdʒɪkl/ *adj* فیزیولوژیکی، مربوط به فیزیولوژی
physiologically /ˈfɪzɪəˈlɒdʒɪklɪ/ *adv* مطابق علم فیزیولوژی
physiologist /ˌfɪzɪˈɒlədʒɪst/ *n* فیزیولوژی‌دان
physiology /ˌfɪzɪˈɒlədʒɪ/ *n* فیزیولوژی، علم وظایف‌الاعضا
physique /fɪˈziːk/ *n* هیکل، جثه

pi /paɪ/ *n* پی [حرفی از الفبای یونانی که در ریاضیات برابر است با ۳/۱۴۱۵۹]

pianissimo /pɪəˈnɪsɪməʊ/ *adv,It* [موسیقی] بسیار آهسته، بسیار نرم

pianist /ˈpɪənɪst/ *n* نوازندهٔ پیانو

piano /pɪˈænəʊ/ *n* پیانو

pianoforte /pɪˌænəʊˈfɔːtɪ US: pɪˈænəfɔːrt/ *n* پیانو

piaster /pɪˈæstə(r)/ *n* غروش: یک‌صدم واحد پول در بعضی از کشورهای عربی

piazza /pɪˈætsə US: piːˈɑːzə/ *n* میدان، بازار؛ ایوان

picaresque /ˌpɪkəˈresk/ *adj* [رمان و غیره] حاویِ ماجراهای اراذل و اوباش، پیکارسک

piccalilli /ˌpɪkəˈlɪlɪ/ *n* ترشی هندی که با سبزی و ادویهٔ تند درست می‌کنند

piccolo /ˈpɪkələʊ/ *n* نوعی فلوت کوچک

pick /pɪk/ *n,vt* ۱.کلنگ؛ انتخاب؛ (عمل) چیدن؛ نخبه، سرچین ۲.چیدن؛ کندن، کلنگ زدن (به)؛ سوراخ کردن؛ (با خلال) پاک کردن؛ برداشتن؛ برچیدن؛ نوک زدن (به)؛ پرکندن؛ خردخرد خوردن؛ انتخاب کردن، جدا کردن؛ زدن (جیب)؛ دزدانه باز کردن (قفل)

He picks a quarrel with me.
بهانه می‌جوید که با من دعوا کند.

pick a hole in سوراخ کردن؛ [مجازاً] عیبجویی کردن از

pick and choose در سوا کردنِ چیزی دقت و وسواس زیاد داشتن

pick (and steal) ناخنک زدن

pick to pieces پاره‌پاره کردن؛ [مجازاً] سخت مورد انتقاد قرار دادن

pick *(vi)* at خرده گرفتن بر؛ بازی کردن با (غذا از روی بی‌اشتهایی)

pick off چیدن؛ یکی‌یکی با تیر زدن

have a bone to pick بهانه یا دلیل برای دعوا و شکایت به‌دست آوردن

pick out جدا کردن؛ با گوش پیدا کردن (آهنگ)؛ دریافتن

pick up برچیدن، برداشتن؛ سوار کردن (مسافر)؛ به دست آوردن؛ کندن؛ منظم کردن؛ [در گفتگو] آشنا شدن

pick up health بهبود یافتن

pick up oneself خود را نگاه‌داشتن، از افتادن خود جلوگیری کردن

pickaback /ˈpɪkəbæk/ *adv* برپشت، بردوش

carry pickaback کول گرفتن

pickaxe /ˈpɪkæks/ *n* کلنگ دوسر

picker /ˈpɪkə(r)/ *n* (بر) چیننده، جمع‌کننده [بیشتر در ترکیب به‌کار می‌رود]؛ قفل بازکن

a rag-picker کهنه برچین

picket /ˈpɪkɪt/ *n,vt* ۱.چوبِ نوک‌تیز؛ چوب پرچین؛ پاسدار، دژبان؛ [در جمع] کسانی که هنگام اعتصاب کارگران گماشته می‌شوند تا مراقب باشند که کسی کار نکند ۲.نرده کشیدن؛ به تیر یا میخ چوبی بستن؛ برای پاییدن گماشتن؛ پاییدن

picking /ˈpɪkɪŋ/ *n* ناخنک‌زنی؛ عمل چیدن؛ [در جمع] پس‌مانده؛ چیز ناخنک‌زده

pickle /ˈpɪkl/ *n,vt* ۱.آب‌نمک، سرکه؛ [در جمع] ترشی خیار یا سبزی ۲.ترشی گذاشتن؛ نمک‌سود کردن

a sorry pickle وضع ناجور، گرفتاری

We have a rod in pickle for him
چوبش توی آب است

picklock /ˈpɪklɒk/ *n* قفل‌شکن، دزد؛ اسباب قفل‌گشایی

pick-me-up /ˈpɪkmɪʌp/ *n* شربت مقوی

pickpocket /ˈpɪkpɒkɪt/ *n* جیب‌بُر

pick-up /ˈpɪkʌp/ *n,adj* [گرامافون] بازو، پیکاپ؛ وانت

picnic /ˈpɪknɪk/ *n,vi* [-ked] ۱.گردش و سور در بیرون شهر ۲.به طور دسته‌جمعی گردش رفتن

picquet /pɪˈkeɪ,-ˈket/ *n* پاسدار، دژبان

pictorial /pɪkˈtɔːrɪəl/ *adj,n* ۱.تصویری؛ مصور ۲.جریدهٔ مصور

picture /ˈpɪktʃə(r)/ *n,vt* ۱.تصویر؛ عکس؛ شرح واقع‌نما ۲.با عکس نشان دادن؛ مجسم کردن

the pictures *or* **moving pictures** سینما

living picture = tableau picture postcard کارت‌پستال عکس‌دار

picture writing تصویرنگاری

picture to oneself پیش خود مجسم کردن

picture-book /ˈpɪktʃə bʊk/ *n* کتاب عکس(دار)

picture-card /ˈpɪktʃə kɑːd/ *n* [در بازی ورق] صورت

picture-gallery /ˈpɪktʃə gælərɪ/ *n* نمایشگاه نقاشی

picturesque /ˌpɪktʃəˈresk/ *adj* قابل عکسبرداری، بدیع منظر؛ برجسته

pidgin /ˈpɪdʒɪn/ *adj* [زبان‌شناسی] پی‌جین

pidgin English انگلیسی دست‌وپاشکسته‌ای که چینی‌ها بدان سخن می‌گویند

That's not my pidgin. Col کار من نیست

pie /paɪ/ *n* [شیرینی] پای

have a finger in every pie

نخود هر آشی بودن، در هر جایی دست داشتن

piebald /'paɪbɔ:ld/ *adj*

[اسب] سفید و سیاه، خال‌مخالی

piece /pi:s/ *n,vt* ۱.تکه، قطعه؛ توپ [a piece of linen]؛ دانه، عدد؛ مهره (بازی)؛ [در ترکیب] تفنگ، توپ ۲.سرهم دادن؛ وصله کردن [گاهی با up]؛ پیوستن

2 rials a piece دانه‌ای ۲ ریال

piece goods قماش (نخی یا ابریشمی)

a 5-cent piece سکه پنج سنتی

by the piece کارمزدی

a piece of one's mind سخن رُک، اظهار عقیدهٔ رک؛ انتقاد، سرزنش

break to pieces خرد کردن

cut to pieces پاره‌پاره کردن

piece out با وصله بزرگتر کردن

piecemeal /'pi:smi:l/ *adj,adv* خردخرد، به‌تدریج

piece-work /'pi:s wɜ:k/ *n* پارچه کاری

pied /paɪd/ = parti-coloured

pier /pɪə(r)/ *n* اسکله؛ موج‌شکن؛ پایهٔ پل؛ جرز؛ ستون

pierce /pɪəs/ *vt* سوراخ کردن؛ رخنه کردن (در)؛ کر کردن

piercing *apa* تیز، کرکننده؛ نافذ

pier-glass /'pɪəglɑ:s/ *n* آینه قدی

pierrette /pɪə'ret/ [*fem of* pierrot]

piety /'paɪətɪ/ *n* دینداری

piffle /'pɪfl/ *n,vi,Sl* چرند (گفتن)؛ کار بیهوده (کردن)

piffling /'pɪflɪŋ/ *adj* ناچیز، بی‌بها

pig /pɪg/ *n,vi* [-ged] ۱.خوک ۲.توی هم پیچیدن، به کثافت زندگی کردن [گاهی pig together یا pig it گفته می‌شود]

make a pig of oneself به اندازهٔ خر خوردن

pigeon /'pɪdʒɪn/ *n* کبوتر

pigeon *(vt)* **someone of a thing**

چیزی را با فریب از کسی درکشیدن

pigeon /'pɪdʒɪn/ = pidgin

pigeon-breasted /'pɪdʒɪn brestɪd/ *adj*

دارای قوز سینه

pigeon-hole /'pɪdʒɪn həʊl/ *n,vt* ۱.لانهٔ کبوتر؛ خانه، کشو ۲.در کشو میز یا قفسه گذاشتن؛ کنار گذاشتن

piggery /'pɪgərɪ/ *n* طویلهٔ خوک خوک‌داری؛

piggish /'pɪgɪʃ/ *adj* خوک‌صفت [حریص؛ ناپاک؛ خودسر، کله‌شق]

piggy /'pɪgɪ/ *n,adj* ۱.خوک‌بچه ۲.حریص

pig-headed /ˌpɪg 'hedɪd/ *adj* خودسر، کله‌شق

pig-iron /'pɪg aɪən/ *n* چدن خام

pigment *n* رنگ؛ مادهٔ رنگی

pigmy /'pɪgmɪ/ *n* = pygmy

pigsty /'pɪgstaɪ/ *n* طویلهٔ خوک، خوکدان

pigtail /'pɪgteɪl/ *n*

گیسِ بافته که از پشت سر آویخته باشد

pike /paɪk/ *n* نیزهٔ دسته‌چوبی

pike /paɪk/ *n* اردک‌ماهی

pike /paɪk/ = turnpike

pikeman /'paɪkmən/ *n* [-men] نیزه‌دار

pikestaff /'paɪkstɑ:f/ *n* دستهٔ نیزه، چوب نیزه

plain as a pikestaff مانند آفتاب روشن

pilaster /pɪ'læstə(r)/ *n* ستون چارگوش

pilchard /'pɪltʃəd/ *n* ماهی کوچک که غالباً به شکل ساردین تهیه می‌شود

pile /paɪl/ *n,vt* ۱.تیر؛ میخ چوبیِ بزرگ؛ پایهٔ پل ۲.برپایه قرار دادن

pile /paɪl/ *n,vt* ۱.توده، کپه، دسته؛ مجموع چند ستگاه عمارت، یک رشته عمارت؛ پیل هسته‌ای ۲.روی هم انباشتن [بیشتر با up یا on گفته می‌شود]

(funeral) pile

تودهٔ هیزم که مرده را برآن می‌سوزانند

pile arms چاتمه زدن

pile it on *Col* اغراق‌آمیز کردن

pile /paɪl/ *n* کرک، خواب، پرز

pile-driver /'paɪl draɪvə(r)/ *n* تیرکوب

piles /paɪlz/ *npl* بواسیر

pilfer /'pɪlfə(r)/ *vi,vt* ۱.دله‌دزدی کردن، ناخنک زدن ۲.دزدیدن

pilferage /'pɪlfərɪdʒ/ *n* دله‌دزدی

pilferer /'pɪlfərə(r)/ *n* دله‌دزد

pilgrim /'pɪlgrɪm/ *n* زوّار؛ مسافر

pilgrimage /'pɪlgrɪmɪdʒ/ *n* زیارت

go on pilgrimage (به) زیارت رفتن

pill /pɪl/ *n,vt* قرص، حب؛ دانه

pillage /'pɪlɪdʒ/ *n,vt* ۱.غارت، چپاول ۲.غارت کردن، تاراج کردن

pillager *n* غارتگر

pillar /'pɪlə(r)/ *n* ستون؛ پایه؛ [مجازاً]ستون، حامی

from pillar to post سرگردان، این‌در و آن‌در زن

pillar-box /'pɪləbɒks/ *n* صندوق پست

pill-box /'pɪlbɒks/ *n* قوطی قرص؛ آشیان مسلسل

pillion /'pɪlɪən/ *n* [موتورسیکلت] ترک

pillory /'pɪlərɪ/ *n,vt* ۱.چارچوبی که سوراخ‌هایی داشت و سر و دست گناهکاران را در آن سوراخها نگاه می‌داشتند، قاپوق ۲.به قاپوق بستن؛ [مجازاً] رسوا کردن

pillow /'pɪləʊ/ *n,vt* ۱.بالش و متکای چارگوش ۲.روی بالش نهادن

pillow-case /'pɪləʊ keɪs/ *n* = pillow-slip

pillow-slip /'pɪləʊ slɪp/ *n* رویهٔ بالش، روبالشی

pilot /'paɪlət/ *n,vt* ۱.[در کشتی] راهنما، بلد؛ [در هواپیما] خلبان ۲.راهنمایی کردن؛ راندن

drop the pilot مشاورِ معتمد یا ناصح مشفقی را از خود راندن

pilot-cloth /'paɪlət klɒθ/ *n* نوعی پارچه پالتویِ پشمی و آبی رنگ

pilot-engine /'paɪlət endʒɪn/ *n* لوکوموتیو راهنما

pimento /pɪ'mentəʊ/ *n* فلفل فرنگی شیرین

pimp /pɪmp/ *n* جاکش

pimple /'pɪmpl/ *n* جوش؛ کورک

pimpled *adj* کورک‌دار

pimply *adj* کورک‌دار؛ پر از جوش

pin /pɪn/ *n,vt* [-ned] ۱.سنجاق؛ میخ (محور)؛ گوشیِ ساز ۲.سنجاق کردن؛ وصل کردن؛ یک جا نگاه داشتن

Don't care a pin! هیچ در فکرش نباش!

pins and needles [اندام خواب رفته] سوزن سوزن شدن

pin down a person to his promise کسی را ملزم به ایفای وعده کردن

pin up چسباندن (آگهی)؛ پی‌بندی کردن (دیوار)

pinafore /'pɪnəfɔ:(r)/ *n* پیشبند

pince-nez /ˌpæns 'neɪ/ *n,Fr* عینک فنری یا بی‌دسته، عینک دماغی

pincers /'pɪnsəz/ *npl* گازانبر

a pair of pincers گازانبر

pinch /pɪntʃ/ *n,vt* ۱.نیشگان؛ یک انگشت (نمک یا انفیه)؛ [مجازاً] فشار، تنگی ۲.نیشگان گرفتن؛ فشار دادن؛ بیرون کشیدن؛ کش رفتن؛ دستگیر کردن

at a pinch هنگام اضطرار، در موقع بحرانی

come to the pinch سخت شدن، بحرانی شدن

pinched for money درمضیقهٔ‌بی‌پولی

I pinched my finger. انگشتم (لای در) له شد.

We were pinched for want of room. جای ما خیلی تنگ بود.

That is where the shoe pinches. اشکال در همین جا است.

pin-cushion /'pɪn kʊʃn/ *n* جاسوزنی

pine /paɪn/ *n* درخت کاج

pine /paɪn/ *vi* لاغر شدن، ضعیف شدن، غصه خوردن؛ آرزو داشتن

pine for home دلتنگی برای وطن کردن

pine-apple /'paɪnæpl/ *n* آناناس

pine-cone /'paɪn kəʊn/ *n* میوهٔ کاج، جوز کلاغ

pine-needle /'paɪn ni:dl/ *n* برگ (سوزنی) کاج

ping /pɪŋ/ *n,vi* غِز (کردن)

ping-pong /'pɪŋpɒŋ/ *n,vt* پینگ‌پنگ، تنیس روی میز

pinion /'pɪnɪən/ *n,vt* ۱.چرخ دندانهٔ کوچک؛ نوک بال؛ شهپر ۲.نوک بال (مرغی) را چیدن؛ کت بستن

pink /pɪŋk/ *n,adj* ۱.گل میخک؛ زرد کمرنگ؛ [مجازاً] بهترین نمونه، کمال ۲.میخکی رنگ

in the pink *Col* خوبِ خوب

pink /pɪŋk/ *vt* سوراخ (سوراخ) کردن؛ ژور زدن، چشم بلبلی کردن

pin-money /'pɪn mʌnɪ/ *n* پول توجیبی که به زن داده می‌شود

pinnace /'pɪnɪs/ *n* نوعی قایق که وابسته به کشتی (جنگی) است

pinnacle /'pɪnəkl/ *n,vt* ۱.بُرجِ کوچک مخروطی یا هرَمی در سقف عمارت؛ [مجازاً] اوج، منتها ۲.در نوک عمارت جا دادن؛ [مجازاً] به اوج رساندن

pinnate /'pɪneɪt/ *adj* دارایِ برگ‌های روبه‌رو در دو طرف برگدُم، پرمانند

pinny /'pɪnɪ/ *n* [مخففِ pinafore به زبان کودکان]

pin-prick /'pɪn prɪk/ *n* سوراخ؛ [مجازاً] خار در پیراهن

pint /paɪnt/ *n* پاینت: پیمانه‌ای که هشت تای آن برابر است با یک گالن

pioneer /ˌpaɪə'nɪə(r)/ *n,vi,vt* ۱.سرباز مهندس، بیل‌دار؛ [مجازاً] پیشقدم؛ پیگرد ۲.مهندسی برای ارتش کردن ۳.مهیا کردن، صاف کردن

pious /'paɪəs/ *adj* دیندار، پرهیزکار

pious foundation خیریه، اوقاف

pious fraud حیلهٔ مصلحت‌آمیز

piously /'paɪəslɪ/ *adv* از روی دینداری

pip /pɪp/ *n,vt,vi* [-ped] ۱.دانه؛ تخمه؛ هسته؛ خال؛ ستارهٔ سردوشی ۲.با رأی منفی رد کردن؛ تیر زدن؛ درآمدن از (تخم) ۳.جیک جیک کردن
give someone the pip کسی را پکر یا افسرده کردن
pip /pɪp/ *n* نوعی دیفتری در مرغ
pipe /paɪp/ *n,vt,vi* ۱.لوله؛ نی؛ [در جمع] نی‌انبان؛ سوت رئیس کارگران کشتی؛ تیپچه؛ پیپ؛ بشکه شرابی بزرگ ۲.با نی (آهنگی را) زدن؛ با تیپچه کشیدن (پرنده)؛ لوله‌کشی کردن؛ مغزی گذاشتن (در) ۳.سوت زدن؛ جیغ زدن
pipe one's eye گریه کردن
pipe up زدن یا خواندن آغاز کردن؛ با سوت احضار کردن
pipe-clay /'paɪp kleɪ/ *n,vt* ۱.گِل سفید، گل پیپ‌سازی ۲.با گل پاک کردن
pipeful *n* آنچه در یک پیپ جا گیرد
pipe-layer /'paɪpleɪə(r)/ *n* لوله‌کش
pipe-laying /'paɪp leɪɪŋ/ *n* لوله‌کشی
pipe-organ /'paɪp ɔ:gən/ *n* ارگ لوله‌ای یا نی‌دار
piper /'paɪpə(r)/ *n* نی‌زن
piping /'paɪpɪŋ/ *n,adj* ۱.نی‌زنی؛ صدای نی؛ جیغ؛ مجموع لوله‌ها؛ مغزی ۲.تیز [piping voice]
piping hot فوق‌العاده گرم
piping times ایام عیش ونوش و آرامش
pippin /'pɪpɪn/ *n* نوعی سیب
piquancy /'pi:kənsɪ/ *n* تندی؛ [مجازاً] گوشه
piquant /'pi:kənt/ *adj* تند و بامزه؛ گوشه‌دار
pique /pi:k/ *vt,n* ۱.برخوردن به؛ تهییج کردن ۲.رنجش
take a pique against رنجیدن از
pique one's curiosity حس کنجکاویِ شخص را انگیختن
pique oneself on (به چیزی) بالیدن
piquet /pɪ'ket/ *n* نوعی بازی ورق
piquet = picket
piracy /'paɪərəsɪ/ *n* دزدی دریایی
pirate /'paɪərət/ *n,vt* ۱.دزد دریایی؛ کشتی دزدانِ دریایی ۲.بی‌اجازه (از روی کتابی) چاپ کردن
piratical /,paɪə'rætɪkl/ *adj* درخورِ دزدان دریایی یا مربوط به آنها، تقلبی
pirouette /,pɪrʊ'et/ *n* چرخ روی پاشنه پا
pish /pʃ/ *int* اه، تف؛ آه
piss /pɪs/ *n,vi* شاش (کردن)
pistachio /pɪ'stɑ:tʃɪəʊ US: -æʃɪəʊ/ *n* پسته
pistil /'pɪstl/ *n* مادگی، آلت ماده‌گل
pistol /'pɪstl/ *n,vt* [-led] ۱.تپانچه، هفت‌تیر ۲.هفت‌تیر کشیدن
piston /'pɪstən/ *n* سنبه، پیستون؛ حامی
piston-rod /'pɪstən rɒd/ *n* میلهٔ سنبه
pit /pɪt/ *n,vt* [-ted] ۱.گودال، چاله، حفره؛ چاه؛ [در تئاتر] کف زمین؛ [مجازاً] دوزخ؛ دام، تله ۲.در گودال انداختن، در گودال اندوختن؛ به‌جنگ انداختن (در گود)؛ چاله‌دار کردن [رجوع شود به pitted]
pit-a-pat /,pɪt ə 'pæt/ *adv,n* ۱.در تپش؛ در اهتزاز ۲.تپش؛ اهتزاز
go pit تپیدن
pitch /pɪtʃ/ *n,vt* ۱.زِفت ۲.با زفت اندودن، قیراندود کردن
pitch /pɪtʃ/ *vt,vi* ۱.زدن (خیمه)، نصب کردن (خیمه)؛ کوک کردن؛ انداختن ۲.سرازیر شدن، پرت شدن
pitch in جداً دست به کار شدن
pitch into (به خوراک) حمله کردن
pitch upon انتخاب کردن
pitch a yarn *Col* قصه گفتن
pitch and toss [بازی و قمار] لیس پس لیس
pitch /pɪtʃ/ *n* دانگ (صدا)؛ اوج؛ [مجازاً] درجه؛ جای بساط پهن کردن؛ انداختنِ گوی یا چیز دیگر؛ شیب (سقف)؛ فاصله
queer a person's pitch نقشه کسی را باطل کردن، انگشت به شیر زدن
pitch-dark /,pɪtʃ'dɑ:k/ *adj* قیرگون، سیاه
pitched *ppa* حسابی، تهیه دیده
pitcher /'pɪtʃə(r)/ *n* سبو؛ کوزه؛ گوی‌انداز؛ بساط پهن‌کن
pitchfork /'pɪtʃfɔ:k/ *n,vt* ۱.دوشاخه، شانه، پنجه ۲.با دوشاخه یا چنگال انداختن (یا بلند کردن)؛ [مجازاً] به زور جا دادن
pitch-pine /'pɪtʃ paɪn/ *n* کاج قیری
pitchy *adj* زِفتیَ؛ قیرگون
piteous /'pɪtɪəs/ *adj* رقت‌انگیز
pitfall /'pɪtfɔ:l/ *n* گودال سرپوشیده؛ دام
pith /pɪθ/ *n* مغز؛ مغز تیره، مغز حرام؛ [مجازاً] جوهر، لُب؛ نیرو؛ اهمیت
pithily *adv* به‌طور مغزدار یا لُب
pithy *adj* مغزدار؛ مغزمانند؛ [مجازاً] لُب، مختصر و مفید؛ مؤثر
pitiable /'pɪtɪəbl/ *adj* رقت‌انگیز، قابل ترحم؛ سزاوار سرزنش
pitiful /'pɪtɪfl/ *adj* رقت‌انگیز، اسف‌آور؛ پست، سزاوار نکوهش؛ رحیم

a pitiful excuse عذر بدتر از گناه

pitiless /ˈpɪtɪlɪs/ *adj* بی‌رحم، بی‌رحمانه، سخت

pitilessness *n* بی‌رحمی، سخت‌دلی

pittance /ˈpɪtns/ *n* پول اندک، مقرریِ کم؛ خوراک کم

pitted *ppa* چاله‌دار، مُجَدّر

pitted with small-pox آبله‌دار

pity /ˈpɪtɪ/ *n,vt* ۱.دلسوزی، رقت، ترحم ۲.ترحم کردن بر

I felt pity for him. دلم برایش سوخت. دلم به حالش رحم آمد.

take pity on رحم کردن به (کسی)

It is a pity! حیف است! جای تأسف است!

What a pity! حیف! چقدر حیف شد!

pivot /ˈpɪvət/ *n,vt,vi* ۱.محور، آسه؛ قطب، مدار؛ پاشنهٔ در ۲.بر محور گرداندن یا قرار دادن ۳.(روی محور) گردیدن

pivotal /ˈpɪvətl/ *adj* محوری؛ اساسی

pixie /ˈpɪksɪ/ = pixy

pixy /ˈpɪksɪ/ *n* جنّ کوچک

placard /ˈplækɑːd/ *n,vt* ۱.آگهی (دیواری) ۲.آگهی (روی دیوار) چسباندن، به دیوار زدن (آگهی)؛ اعلان کردن

placate /pləˈkeɪt US: ˈpleɪkeɪt/ *vt* تسکین دادن؛ با خود همراه کردن

place /pleɪs/ *n,vt* ۱.جا، مکان، محل؛ منزل؛ [ریاضیات] مرتبه؛ [مجازاً] مقام ۲.قرار دادن، گذاشتن؛ گماشتن

place of worship پرستشگاه

make place جا (یا راه) باز کردن

men of place صاحبان مقام یا منصب

out of place بیجا، بی‌مورد؛ جا به جا شده

in the first place اولاً

take place رُخ دادن، واقع شدن

take someone's place جای کسی را گرفتن

give place to جای خود را به... دادن

place an order سفارش دادن

place confidence in (*or* on) اعتماد کردن به

I cannot place you نمی‌دانم کجا شما را دیده‌ام

placid /ˈplæsɪd/ *adj* آرام؛ متین

placidity /pləˈsɪdətɪ/ *n* ملایمت؛ متانت

plagiarism /ˈpleɪdʒərɪzəm/ *n* انتحال، دزدی تألیفات یا اختراعات

plagiarist /ˈpleɪdʒərɪst/ *n* دزد ادبی، منتحل

plagiarize /ˈpleɪdʒəraɪz/ *vt* انتحال کردن

plague /pleɪg/ *n,vt* ۱.طاعون؛ بلا، آفت ۲.آزار کردن، به‌ستوه آوردن؛ دچار (طاعون) کردن

Plague on it! مرده‌شور(ش) ببرد!

plaguy /ˈpleɪgɪ/ *adj* آزارنده

plaice /pleɪs/ *n* ماهی پهن، ماهی پیچ

plaid /plæd/ *n,adj* (پارچه یا شنل) پیچازی

plain /pleɪn/ *adj,n* ۱.ساده؛ روشن، آشکار؛ بی‌تزویر؛ صریح؛ زشت، بی‌نمک؛ [در لباس] معمولی، غیرنظامی ۲.جلگه، دشت

plainly *adv* (به‌طور) ساده، به‌طور واضح؛ پوست‌کنده، صریحاً

plainness *n* سادگی؛ روشنی، وضوح؛ رُک‌گویی؛ زشتی، بی‌نمکی

plain-spoken /ˌpleɪnˈspəʊkən/ = outspoken *adj*

plaint /pleɪnt/ *n* اتهام؛ ناله؛ شکایت

plaintiff /ˈpleɪntɪf/ *n* مدعی، خواهان

plaintive /ˈpleɪntɪv/ *adj* گله‌آمیز؛ غم‌انگیز

plait /plæt/ *n,vt* ۱.گیسِ بافته؛ نوار بافته ۲.بافتن

plan /plæn/ *n,vt* [-ned] ۱.نقشه، طرح؛ تدبیر ۲.طرح یا نقشه (چیزی را) کشیدن؛ در نظر داشتن، درصدد بودن

planking *n* الوار؛ تخته‌بندی

plane /pleɪn/ *n* چنار

plane /pleɪn/ *n,vt* رنده (کردن)

plane /pleɪn/ *n,adj* ۱.سطح مستوی، سطح هَموار؛ (بال) هواپیما؛ [مجازاً] تراز، سطح ۲.مستوی، مسطح

inclined plane سطح شیب‌دار

plane geometry هندسهٔ مسطحه

plane /pleɪn/ [مختصر aeroplane]

planet /ˈplænɪt/ *n* سیاره

planetary /ˈplænɪtrɪ US: -terɪ/ *adj* سیاره‌ای؛ سیاره‌وار؛ دربه در [planetary life]، سرگردان

plangent /ˈplændʒənt/ *adj* پرصدا، صداپیچ شونده؛ ارتعاش‌کننده

plank /plæŋk/ *n,vt* ۱.الوار، تیراره شده؛ [مجازاً] قسمت مهم مرام سیاسی ۲.تخته‌پوش کردن

plank down *Sl* اِخ کردن، نقد دادن

plant /plɑːnt US: plænt/ *n* گیاه؛ دستگاه، ماشین؛ کارخانه

in plant رویان، درحال رشد

plant /plɑːnt US: plænt/ *vt* نشاندن، کاشتن، غرس کردن؛ کار گذاشتن، نصب کردن؛ تأسیس کردن؛ مستقر کردن

plant out نشا کردن؛ در فواصل معین کاشتن

plant oneself مستقر شدن
plantain /'plæntɪn/ *n* بارهنگ؛ موز
plantation /plæn'teɪʃn/ *n* نهالستان؛ کشتزار؛ کوچ‌نشین؛ مستعمره
planter *n* کشت‌کننده، ماشین بذرپاش
plaque /plɑ:k US: plæk/ *n* صفحه، پلاک
plash /plæʃ/ *n,vi,vt* ۱.ترشح ۲.ترشح کردن ۳.مترشح ساختن
plashy *adj* مردابی؛ مرطوب
plaster /'plɑ:stə(r) US: 'plæs-/ *n,vt* ۱.ضماد، مشمع؛ اندود (آهک و ماسه و لویی و آب)؛ گچ؛ چسب ۲.اندودن؛ مشمع انداختن
plaster of Paris گچ (شکسته‌بندی)
plasterer *n* اندودگر
plastic /'plæstɪk/ *adj* پلاستیک، شکل‌پذیر؛ خمیری؛ نرم؛ پلاستیکی؛ تأثیرپذیر
plastic arts هنرهای تجسمی
plastic surgery جراحی ترمیمی، جراحی پلاستیک
plasticity /plæ'stɪsətɪ/ *n* شکل‌پذیری، حالت چیز پلاستیک، نرمی، قوهٔ متمدده و متشکله
plate /pleɪt/ *n,vt* ۱.بشقاب؛ ظرف؛ صفحه، ورقه؛ پلاک؛ [در عکاسی] شیشه؛ کلیشه؛ فنجان، جایزه؛ عکس، تصویر ۲.آب دادن، روکش کردن؛ فلزپوش کردن، زره‌پوش کردن
plate glass شیشه سنگ، شیشهٔ تخته‌ای
plateau /'plætəʊ US: plæ'təʊ/ *n* [-teaus; -teaux /-təʊz/] جلگه مرتفع، فلات
plated *ppa* آب داده، روکش‌دار
plateful /'pleɪtfʊl/ *n* (به اندازهٔ) یک‌بشقاب
plate-layer /'pleɪtleɪə(r)/ *n* متصدیِ تعمیرات خط‌آهن
platform /'plætfɔ:m/ *n* سکو؛ صحن؛ [مجازاً] سخنرانی [با the]؛ [سیاست] مرام، خط‌مشی
plating /'pleɪtɪŋ/ *n* روکشِ سیم‌وزر، آب نقره یا آب طلا؛ روکش‌کاری
platinum /'plætɪnəm/ *n* پلاتین
platitude /'plætɪtju:d US: -tu:d/ *n* بی‌مزگی، عدم لطافت، خنکی؛ سخنِ عاری از لطافت
Plato /'pleɪtəʊ/ *n* افلاطون
Platonic /plə'tɒnɪk/ *adj* افلاطونی؛ بی‌آلایش، پاک [platonic love]، [در زبان توده] لفظی، غیرعملی، بی‌آزار
Platonism /'pleɪtnɪzəm/ *n* افلاطون‌گرایی؛ حکمت یا اصول افلاطون؛ عشق افلاطونی
platoon /plə'tu:n/ *n* [نظامی] دسته
platter /'plætə(r)/ *n* سینی (چوبی)

plaudit /'plɔ:dɪt/ *n* هلهله، صدای آفرین [بیشتر به صیغه جمع]
plausibility /ˌplɔ:zə'bɪlətɪ/ *n* موجه‌نمایی
plausible /'plɔ:zəbl/ *adj* موجه‌نما؛ حق به جانب، خوش ظاهر
plausibly /'plɔ:zəblɪ/ *adv* به‌طور قابل‌قبولی
play /pleɪ/ *vi,vt* ۱.بازی کردن؛ ساز زدن؛ [در ماشین‌آلات] حرکت آزاد داشتن؛ ور رفتن ۲.بازی کردن با؛ نواختن، زدن؛ نقش (کسی را) ایفا کردن
play on the violin ویلن زدن
play at وانمود کردن؛ به‌طور غیرجدی مشغول (کاری) شدن
play away به بازی گذراندن؛ باختن
They play into each other's hands نان به هم قرض می‌دهند، با هم تبانی دارند
play off از سر خود واکردن (و به جان دیگری انداختن)
Play up! درست وحسابی بازی کنید!
play up to چاپلوسانه تشویق کردن؛ هوای هنرپیشه دیگر را داشتن و به او کمک کردن
play on سوءاستفاده کردن از
play upon words جناس به‌کار بردن
play a joke حیله شوخی‌آمیز به‌کار بردن
play fair مردانه معامله یا بازی کردن
play foul نامردی کردن، نارو زدن
be played out پاک خسته شدن؛ نیروی خود را از دست دادن
play /pleɪ/ *n* بازی؛ شوخی؛ نمایش؛ نمایشنامه؛ میدان (حرکت)؛ مجال
bring into play استفاده کردن از
come into play روی کار آمدن
play on words جناس، تجنیس
in play به شوخی؛ به‌طور غیرجدی
as good as a play تماشایی
play-bill /'pleɪbɪl/ *n* آگهی نمایش
play-book /'pleɪbʊk/ *n* نمایشنامه
player /'pleɪə(r)/ *n* بازیکن (رسمی)؛ قمارباز؛ نوازنده؛ بازیگر
play-fellow /'pleɪfeləʊ/ = playmate
playful /'pleɪfl/ *adj* خندان و بازیگوش؛ شوخی‌آمیز؛ بذله‌گو
playgoer /'pleɪgəʊə(r)/ *n* تماشاچی(حرفه‌ای) تئاتر، تئاتررو
playground /'pleɪgraʊnd/ *n* زمین بازی (مدرسه)
playhouse /'pleɪhaʊs/ *n* تماشاخانه؛ تئاتر؛ اتاق بازی بچه‌ها

playing-card /pleɪɪŋ kɑ:d/ *n* ورقِ بـازی، بـرگ
playing-field /pleɪɪŋ fi:ld/ *n* میدانِ بازی
playlet /'pleɪlɪt/ *n* نمایش(نامه) کوچک
playmate /'pleɪmeɪt/ *n* همبازی
plaything /'pleɪθɪŋ/ *n* اسباب‌بازی؛ بازیچه، ملعبه
playtime /'pleɪtaɪm/ *n* وقت بازی یا تفریح
playwright /'pleɪraɪt/ *n* نمایشنامه‌نویس، درام‌نویس، پیس‌نویس میدان
plaza /'plɑ:zə US: 'plæzə/ *n*
plea /pli:/ *n* مدافعه؛ بهانه، عنوان؛ درخواست
under the plea of به عنوانِ، به بهانهٔ
plead /pli:d/ *vi,vt* ۱.دفاع کردن؛ محاجه کردن؛ درخواست یا التماس کردن ۲.دفاع کردن از؛ عنوان کردن، انگیختن (بهانه)
plead for... تقاضایِ... را کردن
plead with درخواست کردن از، التماس کردن به
plead guilty اقرار به جرم کردن
plead not guilty اقرار به جرم نکردن
pleader *n* مدافع، دادخواه
pleading *n* مدافعه؛ محاجه؛ [در جمع] صورت دعوای طرفین
pleasant /'pleznt/ *adj* باصفا؛ مطبوع؛ خوش‌مشرب، بامزه؛ بشاش
pleasantly *adv* به‌طور مطبوع؛ به‌طور دلگشا؛ باخوش‌مشربی
pleasantness *n* مطبوعیت؛ صفا؛ خوشی؛ خوش‌مشربی؛ بشاشت
pleasantry /'plezntrɪ/ *vt* شوخی، بذله
please /pli:z/ *vt* خوشنود یا راضی یا ممنون کردن؛ پسند آمدن
Please close the door
بی‌زحمت (یا خواهش می‌کنم) در را ببندید
hard to please مشکل‌پسند
Please God (اگر) خدا بخواهد، ان‌شاءالله
I please to دوست دارم (یا دلم می‌خواهد) که
As you please هرطور میل شما است
If you please اگر زحمت‌نیست، بی‌زحمت
Please yourself هرچه می‌خواهید بکنید، هرطور میل دارید رفتار نمایید
be pleased with خوشوقت یا راضی شدن از
He was pleased to hear it
از شنیدن آن خوشوقت شد
pleasing *apa* خوشایند؛ خوش؛ بشاش؛ باصفا
pleasurable /'pleʒərəbl/ *adj* فرحبخش، لذتبخش

pleasure /'pleʒə(r)/ *n* خوشی؛ مسرت؛ لذت؛ خوشگذرانی، عیاشی؛ مایه لذت؛ دلخواه؛ میل
a man of pleasure آدم خوشگذران
take pleasure in لذت بردن از
We have pleasure in informing you...
خوشوقتیم که اطلاع دهیم
at pleasure بر حسب دلخواه یا میل
with pleasure با (کمال) میل؛ به‌چشم
pleasure-ground /'pleʒə graʊnd/ *n* تفرجگاه
pleat /pli:t/ *n,vt* ۱.تاه، تا، چین ۲.تاه زدن
plebeian /plɪ'bi:ən/ *n,adj* ۱.[در روم باستان] عضو طبقهٔ عوام، رنجبر ۲.عوامانه؛ عامی
plebiscite /'plebɪsɪt US: -saɪt/ *n* آرای عمومی، رأی عموم اهالی
plebs /plebz/ *npl* توده، عامه، عوام [با the]
plectrum /'plektrəm/ *n* [موسیقی] مضراب، زخمه
pledge /pledʒ/ *n,vt* ۱.گرو، وثیقه؛ پیمان، قول ۲.گرو گذاشتن؛ دادن (قول)؛ به سلامتی (کسی) نوشیدن
take out of pledge از گرو درآوردن
under pledge of secrecy
با قولِ پوشیده داشتن موضوع
pledge one's honour قول شرف دادن
Pleiades /'pli:ədi:z, -laɪə-/ *npl* پروین، ثریا
plenary /'pli:nərɪ/ *adj* کامل، تام؛ با حضور همهٔ اعضا منعقد شده
plenipotentiary /ˌplenɪpə'tenʃərɪ/ *adj* مختار، دارای اختیار (تام)
Minister Plenipotentiary وزیرمختار
plenitude /'plenɪtju:d US: -tu:d/ *n* پُری؛ تمامیت؛ وفور
plenteous /'plentɪəs/ *adj* فراوان؛ بارآور، پرثمر
plentiful /'plentɪfl/ *adj* فراوان، زیاد، بسیار، وافر، کافی؛ پُر (از نعمات گوناگون)
plentifully /'plentɪfəlɪ/ *adv* (به‌طور) فراوان
plenty /'plentɪ/ *n* فراوانی؛ مقدار کافی
plenty of time وقت، وقت کافی
in plenty فراوان، زیاد
plethora /'pleθərə/ *n* [پزشکی] پُری، ازدیاد (خون در عضو یا نسجی)
pleurisy /'plʊərəsɪ/ *n* [پزشکی] ذات‌الجنب
plexus /'pleksəs/ *n* خلط، شبکه (عصب یا رگ)؛ [مجازاً] ترکیب
pliability /ˌplaɪə'bɪlətɪ/ = pliancy

pliable /'plaɪəbl/ *adj* انحناپذیر، خم‌شو؛ [مجازاً] نرم، زودراضی شو
pliancy /'plaɪənsɪ/ *n* انعطاف‌پذیری، نرمی
pliant /'plaɪent/ *adj* انعطاف‌پذیر، نرم؛ سازش‌پذیر، رام
pliers /'plaɪəz/ *npl* انبردست
plight /plaɪt/ *n,vt* ۱.وضع (بد) ۲.[مجازاً] گرو گذاشتن؛ دادن (قول)؛ متعهد کردن
be in a sad plight گرفتار بودن، وضع ناجوری داشتن
plight oneself to a person پیمان نامزدی با کسی بستن
plimsolls /'plɪmsəlz/ *npl* نوعی گیوهٔ تخت لاستیکی
plinth /plɪnθ/ *n* پایهٔ ستون؛ ازاره
plod /plɒd/ *vi,vt* [-ded] ۱.به سختی راه رفتن؛ سخت‌کار کردن ۲.به‌سختی (راه خود را) پیدا کردن
plodding *adj* کند، بازحمت
plop /plɒp/ *adv,vi* [-ped] ۱.با صدای تلپ ۲.تلپی افتادن
plot /plɒt/ *n,vt,vi* [-ted] ۱.پارچه، قطعه (زمین)؛ نقشه، طرح؛ توطئه ۲.نقشه (چیزی را) کشیدن، طرح(ریزی) کردن ۳.توطئه چیدن
plotter *n* توطئه‌گر، توطئه‌چین
plough /plaʊ/ *n,vt,vi* ۱.گاوآهن؛ شخم؛ زمین شخم‌زده ۲.شخم زدن، شیار کردن؛ شکافتن، باز کردن؛ [در گفتگو] مردود کردن ۳.شخم زدن؛ [در گفتگو] مردود شدن
the Plough دب اکبر
put one's hand to the plough مبادرت به کاری کردن
plough the sands باد پیمودن
ploughboy /'plaʊbɔɪ/ *n* بچه‌ای که گاو یا اسب را در شخم‌زنی می‌راند
ploughman /'plaʊmən/ *n* [-men] شخم‌زن
ploughshare /'plaʊʃeə(r)/ *n* خیش، تیغه، بیل
plover /'plʌvə(r)/ *n* مُرغ باران
plow /plaʊ/ [املای امریکاییِ plough]
pluck /plʌk/ *vt,vi,n* ۱.کندن؛ چیدن؛ پر کندن؛ مردود کردن ۲.[با at] کشیدن ۳.کشش؛ دل وجگر و شش؛ [مجازاً] دل، جرئت
pluck up courage دل به خود دادن
give a pluck at کشیدن
plucky /plʌkɪ/ *adj* پردل، باجرئت، جسور
plug /plʌg/ *n,vt* [-ged] ۱.توپی؛ در، سر؛ [در برق] دوشاخه ۲.توپی (در چیزی) گذاشتن، بستن [بیشتر با up]
plug *(vi)* **away at some work** در سرِ کاری جان کندن
plug in دوشاخه را در پریز گذاشتن
plum /plʌm/ *n* آلو؛ گوجه؛ کشمشِ پلویی؛ [مجازاً] چیز خیلی خوب یا عالی، پُست خوب
plumage /'plu:mɪdʒ/ *n* پروبال
plumb /plʌm/ *n,adj,adv,vt* ۱.گلولهٔ سربی، گلولهٔ شاغول ۲.عمودی؛ [مجازاً] درست؛ صِرف ۳.عموداً؛ عیناً؛ کاملاً ۴.شاغول کردن؛ عمق (چیزی را) اندازه گرفتن؛ [مجازاً] به کنه (چیزی) پی بردن
out of plumb غیرعمودی؛ [مجازاً] ناراست
plumbago /plʌm'beɪgəʊ/ *n* سرب سیاه، گرافیت
plumber /'plʌmə(r)/ *n* [در خانه‌ها] لوله‌کش؛ سرب کار
plumbery *n* لوله‌کشی
plumbing /'plʌmɪŋ/ *n* لوله‌کشی؛ مجموع لوله‌ها و منبع‌ها در خانه
plumb-line /'plʌmlaɪn/ *n* شاغول
plum-cake /ˌplʌm'keɪk/ *n* کیک کشمش‌دار
plume /plu:m/ *n,vt* ۱.پر؛ پرِ آرایشی، پرکلاه ۲.(با پر) آراستن؛ (پر خود را) صاف کردن
borrowed plumes پیرایهٔ عاریه
plume oneself on (به چیزی) بالیدن یا فخر کردن
plummet /'plʌmɪt/ *n* گلولهٔ سربی؛ آلتِ ژرفاپیمایی
plump /plʌmp/ *adj,v* ۱.گوشتالو ۲.فربه کردن؛ فربه شدن [با out یا up]
plump /plʌmp/ *vi,vt,n,adj* ۱.تلپی افتادن ۲.تلپی انداختن ۳. صدای تپ یا تلپ ۴.مستقیم
vote plump for رأی به‌یک نفر دادن
plunder /'plʌndə(r)/ *n,vt* ۱.غارت ۲.غارت کردن
plunderer /'plʌdərə(r)/ *n* غارتگر
plunge /plʌndʒ/ *vt,vi,n* ۱.فرو بردن ۲.فرو رفتن، شیرجه رفتن؛ [در اسب] سر خود را کشیدن؛ غوطه‌ور شدن ۳.غوطه؛ شیرجه
take the plunge دل به دریا زدن
plunged in غرقِ، گرفتارِ
pluperfect /ˌplu:'pɜ:fɪkt/ *n* ماضی بعید
plural /'plʊərəl/ *n,adj* جمع
in the plural در جمع، به‌صیغه جمع
the plural number (صیغه) جمع
pluralism /'plʊərəlɪzəm/ *n* کثرت‌گرایی؛ [در کلیسا] دارا بودن بیش از یک منصب

plurality /plʊəˈrælətɪ/ *n* تعدد؛ تکثر؛ اکثریت
plus /plʌs/ *prep,adj,n* ۱.بعلاوهٔ، به اضافهٔ ۲.مثبت؛ اضافی ۳.نشانِ بعلاوه؛ مقدار اضافی، مقدار مثبت
plus-fours /ˌplʌs fɔ:z/ *npl* شلوار گلف
plush /plʌʃ/ *n* مخمل نخ و ابریشم یا پُرکرک
Pluto /ˈplu:təʊ/ *n* پلوتو: نام خدای جهان زیرین در اساطیر؛ نام سیاره‌ای که دورتر از نپتون است
plutocracy /plu:ˈtɒkrəsɪ/ *n* حکومت دولتمندان؛ توانگران زمامدار
plutocrat /ˈplu:təkræt/ *n* توانگر با نفوذ
plutocratic /ˌplu:təˈkrætɪk/ *adj* مربوط به حکومت توانگران
ply /plaɪ/ *n* [در طناب] لا، رشته
  three-ply board تختهٔ سه‌لا
ply /plaɪ/ *vt,vi* ۱.ساعیانه به‌کار بردن؛ جداً تعقیب کردن؛ حمله کردن به ۲.رفت‌وآمد کردن؛ منتظر مشتری یا مسافر شدن؛ سخت کوشیدن
  ply with questions سؤال‌پیچ کردن
  ply someone with drink به اصرار نوشابه به کسی تعارف کردن
ply-wood /ˈplaɪwʊd/ *n* تخته چندلا
PM /ˌpi:ˈem/ = post meridiem *L* بعدازظهر
pneumatic /nju:ˈmætɪk/ *adj* بادی؛ هوایی؛ هوادار، پرباد
  pneumatic tire لاستیک (باددار) اتومبیل
  pneumatic dispatch بردن بسته‌های امانتی با لوله به وسیله هوای فشرده
pneumonia /nju:ˈməʊnɪə/ *n* ذات‌الریه، سینه‌پهلو
PO [مخففِ post-office]
poach /pəʊtʃ/ *vt* بی‌پوست آب‌پز کردن [poach eggs]
poach /pəʊtʃ/ *vt,vi* در ملک دیگری شکار کردن؛ به حریم دیگری تجاوز کردن؛ قُر زدن، دزدیدن
  poach on another's preserves [مجازاً] مشتری دیگری را ربودن
poacher *n* شکار دزد
pock /pɒk/ *n* آبله؛ جای آبله
pocket /ˈpɒkɪt/ *n,adj,vt* ۱.جیب؛ [در میز بیلیارد] کیسه توری ؛ گودال؛ چاه هوایی ۲.جیبی [knife pocket] ۳.در جیب گذاشتن؛ به جیب زدن؛ تحمل کردن، زیرسبیلی در کردن
  have a person in one's pocket کسی را مثل موم در دست داشتن
  in pocket سود برده
  out of pocket ضرر کرده
  out-of-pocket expenses هزینه‌هایی که از جیب شخص پرداخت شده باشد
  pocket one's pride خود را از تنگ‌وتا نینداختن
pocket-book /ˈpɒkɪt bʊk/ *n* کیف بغلی، دفتر بغلی
pocketful /ˈpɒkɪtfʊl/ *n* آنچه یک جیب را پر کند، (به‌اندازهٔ) یک‌جیب
pocket-money /ˈpɒkɪt mʌnɪ/ *n* پول توجیبی
pock-mark /ˈpɒk mɑ:k/ *n* (جای) آبله
pock-marked *adj* آبله‌دار
pod /pɒd/ *n,vi,vt* ۱.نیام،غلاف، تخمدان؛ پیله؛ کیسه، نافه؛ [در پنبه] غوزه ۲.تشکیل غلاف دادن ۳.از پوست یا غلاف درآوردن
podded *adj* نیام‌دار، غلاف‌دار
podgy /ˈpɒdʒɪ/ *adj* خپل، گوشتالو
poem /ˈpəʊɪm/ *n* شعر، منظومه
  prose poem شعر منثور
poesy /ˈpəʊɪzɪ/ *Arch* = poetry
poet /ˈpəʊɪt/ *n* شاعر
poetess /ˈpəʊɪtes/ [*fem of* poet] شاعره
poetic(al) /pəʊˈetɪk(l)/ *adj* شعری؛ شاعرانه؛ شاعرپیشه
  poetic(al) works دیوان (شعر)
poetry /ˈpəʊɪtrɪ/ *n* شعر، نظم؛ فن شِاعری
pogrom /ˈpɒgrəm US: pəˈgrɒm/ *n,Rus* قتل‌عام سازمان‌یافته
poignancy /ˈpɔɪnjənsɪ/ *n* تیزی؛ گوشه(دار بودن)
poignant /ˈpɔɪnjənt/ *adj* تند، تیز؛ سخت؛ زننده، نیشدار، گوشه‌دار
point /pɔɪnt/ *n* نوک؛ نقطه؛ ممیز؛ نکته؛ (اصل) موضوع؛ مقصود؛ محل،مرکز؛ جهت؛ مرحله، حد؛ لطف [در مطلب]؛ اثر؛ دماغهٔ بلند، رأس؛ [در بازی] امتیاز
  at the point of در شُرُفِ، در دمِ
  at the point of the sword به زور شمشیر، به زور
  point of interrogation نشان استفهام
  on the point of در شُرُفِ
  to the point مربوط به موضوع، بجا
  not to the point خارج از موضوع
  carry (*or* gain) one's point به‌مقصود خود رسیدن؛ حرف خود را به‌کرسی نشاندن
  off (*or* away from) the point از مرحله پرت

not to put too fine a point on it
بی‌پرده یا بی‌رودربایستی حرف زدن
come to the point به اصلِ موضوع پرداختن؛
به مرحله عمل رسیدن
in point درخور، بجا، مناسب
in point of fact در واقع
make a point نکته‌ای را ثابت کردن
make a point of مهم دانستن؛ تأیید کردن
point of view (نقطه) نظر؛ دیدگاه؛ لحاظ

point /pɔɪnt/ *vt,vi* ۱.تیز کردن، نوک‌دار کردن؛
بندکشی کردن؛ [تفنگ] نشانه‌گرفتن؛ متوجه ساختن؛
نقطه‌گذاری کردن؛ اعراب گذاشتن ۲.اشاره کردن؛
دلالت کردن؛ متوجه بودن، رو کردن
point out خاطرنشان کردن؛ نشان دادن
point off با ممیز جدا کردن

point-blank /ˌpɔɪnt ˈblæŋk/ *adj,adv*
۱.رو به نشان، مستقیم، افقی؛ [مجازاً] رک ۲.به‌طور
افقی، مستقیماً؛ [مجازاً] بی‌ملاحظه، رک؛ به‌طور
قطعی

point-duty /ˈpɔɪnt djuːtɪ/ *n*
کنترل ترافیک به‌وسیلهٔ پلیسی که وسط چهارراه
می‌ایستد

pointed *ppa* نوک‌دار؛ کنایه‌دار

pointer /ˈpɔɪntə(r)/ *n* شاهین ترازو؛ عقربه؛
خط‌کش بلند؛ اشاره‌کننده؛ نشانه‌گیر؛ بندکش

pointless /ˈpɔɪntlɪs/ *adj* بی‌موضوع؛ بی‌لطف

pointsman /ˈpɔɪntsmən/ *n* [-men] سوزن‌بان؛
راهنمای عبورومرور

poise /pɔɪz/ *n,vt,vi* ۱.موازنه؛
بی‌جنبشی در نتیجهٔ موازنه کامل؛ وضع ۲.به‌حالت
موازنه درآوردن ۳.به حالت موازنه درآمدن؛
بی‌حرکت ماندن

poison /ˈpɔɪzn/ *n,vt* ۱.زهر، سم؛
[مجازاً] مایه فساد ۲.زهر دادن، مسموم کردن،
زهرآلود کردن؛ آلوده کردن؛ مشوب کردن
take poison زهر خوردن

poisonous /ˈpɔɪzənəs/ *adj* سمی؛ زهردار؛
زهرآلود؛ [مجازاً] مضر (برای اخلاق)

poke /pəʊk/ *vt,vi,n* ۱.سیخ زدن؛ هل دادن؛
سُک زدن؛ سقلمه زدن ۲.گشتن [با about]
کنجکاوی کردن ۳.ضربهٔ آرنج؛ سیخونک، سُک؛ گونی
poke one's nose فضولی کردن، دخالت کردن
poke fun at مسخره کردن
buy a pig in a poke ندیده معامله کردن،
نادیده خریدن

poke-bonnet /ˌpəʊk ˈbɒnɪt/ *n*
کلاه لبه‌دار زنانه

poker /ˈpəʊkə(r)/ *n* سیخ (بخاری)؛
[بازی ورق] پوکر

poker-face /ˈpəʊkəfeɪs/ *n,Sl*
قیافهٔ ثابت و غیرحساس

poky /ˈpəʊkɪ/ *adj* پست؛ خفه؛ تنگ؛ تنبل

Poland /ˈpəʊlənd/ *n* لهستان

polar /ˈpəʊlə(r)/ *adj* قطبی؛ مغناطیسی؛
دارای برق مثبت و منفی؛ متقارن؛ [مجازاً] درست وارونه
polar molecules مولکول‌های قطبی یا متقارن
polar bear خرس سفید، خرس قطبی

pole /pəʊl/ *n,vt* ۱.دیرک؛ تیر؛ مال‌بند؛ قطب؛
واحد درازا برابر با ۵ یارد و نیم ۲.با چوب جلو
بردن (قایق و غیره)
up the pole *Sl* گرفتار؛ گیج
They are poles apart. یک دنیا با هم فرق دارند.

Pole /pəʊl/ *n* لهستانی

pole-ax(e) /ˈpəʊl æks/ *n,vt* ۱.نوعی تبر(زین)
۲.با تبر یا چکش کشتن

polecat /ˈpəʊlkæt/ *n* نوعی گربهٔ
قطبی که بوی بدی از آن خارج می‌شود

polemic /pəˈlemɪk/ *adj,n*
۱.مجادله‌ای ۲.مشاجره؛ [در جمع] مباحثه (دینی)

polemical /pəˈlemɪkl/ *adj* مجادله‌آمیز

pole-star /ˈpəʊl stɑː(r)/ *n* ستارهٔ قطبی، جُدی

police /pəˈliːs/ *n,vt* ۱.شهربانی؛
مأمورین شهربانی، پلیس ۲.با پلیس اداره کردن
police-office ادارهٔ شهربانی
police station کلانتری
police-court دادگاه خلاف، محکمهٔ خلاف

policeman /pəˈliːsmən/ *n* [-men] پاسبان

policy /ˈpɒləsɪ/ *n* رویه، خط‌مشی؛ سیاست؛
تدبیر؛ بیمه‌نامه، سند بیمه [در این معنی عبارت کامل
آن insurance policy است]

Polish /ˈpəʊlɪʃ/ *adj* لهستانی

polish /ˈpɒlɪʃ/ *vt,vi,n* ۱.جلا دادن،
پرداخت کردن؛ واکس زدن؛ [مجازاً] تهذیب کردن
۲.جلا یافتن ۳.صیقل؛ جلا ؛ واکس؛ تهذیب؛ رونق
man of polish مرد آراسته یا مهذب
polish off زود تمام کردن

polisher *n* پرداختگر، جلادهنده

polite /pəˈlaɪt/ *adj* مؤدب؛ مؤدبانه
It is not polite to say that.
گفتن این سخن شرط ادب نیست.

politely /pəˈlaɪtlɪ/ *adv* مؤدبانه

politeness *n* ادب

politic /ˈpɒlətɪk/ *adj* مصلحت‌دان، باتدبیر؛
مصلحت‌آمیز، مقتضی

the body politic ملت و دولت، جامعه
political /pəˈlɪtɪkl/ *adj* سیاسی
political economy اقتصاد سیاسی
politically /pəˈlɪtɪklɪ/ *adv* از لحاظ سیاسی
politician /ˌpɒlɪˈtɪʃn/ *n* دولتمرد، سیاستمدار، مرد سیاسی؛ سیاست‌باز
politicly *adv* از روی مصلحت
politics /ˈpɒlətɪks/ *npl* سیاست مُدُن، علم سیاست؛ امور سیاسی، سیاسیات
polity /ˈpɒlətɪ/ *n* طرزِ حکومت؛ جامعه
polka /ˈpɒlkə US: ˈpəʊlkə/ *n* پلکا: نوعی رقص
poll /pəʊl/ *n* کله، سر؛ دادنِ رأی؛ رأی شماری؛ صورت آرا
poll /pəʊl/ *v* کوتاه کردنِ شاخ (جانور) یا شاخه‌های بالایی (درخت)؛ رأی گرفتن (از)؛ دادن (رأی)؛ رأی دادن؛ حائز شدن (اکثریت)
poll 500 votes ۵۰۰ رأی بردن
pollard /ˈpɒləd/ *n* درختِ هرس‌کرده
pollen /ˈpɒlən/ *n* گرده
pollinate /ˈpɒləneɪt/ *vt* با گرده تلقیح کردن
pollination /ˌpɒləˈneɪʃn/ *n* گرده‌افشانی، تلقیح
poll-tax /ˈpəʊl tæks/ *n* مالیات سرانه
pollute /pəˈlu:t/ *vt* ناپاک کردن، ملوث کردن، آلودن؛ بی‌حرمت ساختن
pollution /pəˈlu:ʃn/ *n* ناپاکی، آلودگی
polo /ˈpəʊləʊ/ *n* چوگان بازیِ سواره
polonaise /ˌpɒləˈneɪz/ *n,Fr* نوعی رقص سنگین لهستانی یا رنگ آن
polo-stick /ˈpəʊləʊ stɪk/ *n* چوگان
poltroon /pɒlˈtru:n/ *n* آدم ترسو، جبان
poltroonery *n* ترسویی، بزدلی، جبن، جبانی
polyandry /ˈpɒlɪændrɪ/ *n* چند شوهری؛ چند شوهرگزینی
polygamist /pəˈlɪgəmɪst/ *n* شوهر چند زن
polygamous /pəˈlɪgeməs/ *adj* دارای چند زن
polygamy /pəˈlɪgəmɪ/ *n* تعدد زوجات، چندزنی
polyglot /ˈpɒlɪglɒt/ *adj,n* ۱.عالم به چندزبان؛ چند زبانه ۲.کتابی که به چندین زبان نوشته شده باشد
polygon /ˈpɒlɪgən/ *n* کثیرالاضلاع، شکل چند گوشه
Polynesian /ˌpɒlɪˈni:zɪən/ *adj* مربوط به جزایرِ پولینزی در اقیانوس آرام
polyp /ˈpɒlɪp/ *n* [پزشکی] پولیپ
polysyllabic /ˌpɒlɪsɪˈlæbɪk/ *adj* چند هجایی

polysyllable /ˈpɒlɪsɪləbl/ *n* کلمهٔ چندهجایی
polytechnic /ˌpɒlɪˈteknɪk/ *adj,n* ۱.مربوط به فنون بسیار ۲.دارالفنون
polytheism /ˈpɒlɪθi:ɪzəm/ *n* شرک، آیین چند خدایی
polytheist /ˈpɒlɪθi:ɪst/ *n* مشرک، چند خدا آیین
polytheistic /ˌpɒlɪθi:ˈɪstɪk/ *adj* مبنی بر شرک
pomade /pəˈmɑ:d US: pəʊˈmeɪd/ *n,vt* ۱.روغن مو ۲.روغن زدن
pomatum /pəʊˈmeɪtəm/ *n* = pomade
pomegranate /ˈpɒmɪgrænɪt/ *n* انار؛ درخت انار
pomelo /ˈpɒmɪləʊ/ *n* نوعی توسرخ
pommel /ˈpɒml/ *n,vt* [-led] ۱.قاش زین؛ [در قبضهٔ شمشیر] قپه ۲.مشت زدن
pomp /pɒmp/ *n* شکوه، تجمل، جلال، دبدبه
pom-pom /ˈpɒm pɒm/ *n* منگوله
pomposity /pɒmˈpɒsətɪ/ *n* شکوه؛ آب و تاب
pompous /ˈpɒmpəs/ *adj* باشکوه؛ آب‌وتاب‌دار؛ به خود اهمیت‌دهنده
pond /pɒnd/ *n* حوض، استخر، آبگیر
ponder /ˈpɒndə(r)/ *vt,vi* ۱.سنجیدن ۲.اندیشه کردن، تفکر کردن
ponderable /ˈpɒndərəbl/ *adj* سنجش‌پذیر؛ محسوس
ponderous /ˈpɒndərəs/ *adj* سنگین، کسل‌کننده
pongee /pɒnˈdʒi:/ *n* نوعی پارچهٔ ابریشمی چینی
poniard /ˈpɒnjəd/ *n* خنجر
pontiff /ˈpɒntɪf/ *n* سرکشیش؛ اسقف؛ پاپ
pontifical /pɒnˈtɪfɪkl/ *adj,n* کشیشی، پاپی، اسقفی؛ [در جمع] لباس و نشانهای اسقفی
pontificate /pɒnˈtɪfɪkət/ *n* مقام و دورهٔ اسقفی یا پاپی
pontoon /pɒnˈtu:n/ *n* [بازی ورق] بیست‌ویک
pontoon /pɒnˈtu:n/ *n* قایق ته پهن
pontoon bridge پل شناور
pony /ˈpəʊnɪ/ *n* اسب کوتوله، تاتو
poodle /ˈpu:dl/ *n* نوعی سگ پرمو
pooh /pu:/ *int* وه؛ پیف
pooh-pooh /ˌpu:ˈpu:/ *vt* ناچیز شمردن
pool /pu:l/ *n* استخر، آبگیر؛ جای گود در رودخانه
pool /pu:l/ *n,vt* ۱.[در بازی] پول وسط؛ سرمایه‌ای که از سود چند شرکت فراهم می‌شود ۲.در صندوق شرکت گذاردن، در وسط گذاشتن

poop /pu:p/ *n* (قسمت بلند عرشه در) عقب کشتی، در وسط گذاشتن
poor /pɔ:(r) US: pʊə(r)/ *adj* تهیدست، فقیر؛ بیچاره؛ کم، بی‌برکت؛ بی‌قوت؛ سست؛ لاغر
the poor بینوایان، فقرا
poor law قانون نگهداری از فقرا
poor-box /'pɔ:bɒks/ *n* صندوق اعانه
poor-house /'pɔ:haʊs/ *n* دارالمساکین
poorly /'pɔ:lɪ US: 'pʊəlɪ/ *adv,adj* ۱.بد، به‌طور ناقص؛ کم ۲.بدحال، ناخوش
poorness /'pɔ:nɪs US: 'pʊənɪs/ *n* بدی؛ فقدان؛ فقر
poor-rate /'pɔ:reɪt/ *n* مالیات برای نگاهداری بینوایان؛ زکوة
poor-spirited /,pɔ:'spɪrɪtɪd/ *adj* ترسو، بزدل
pop /pɒp/ *vi,vt* [-ped] *,n* ۱.تپ صدا کردن؛ با صدا داخل و خارج شدن یا ترکیدن ۲.خالی کردن، در کردن؛ صدا (از چیزی) درآوردن؛ غفلتاً طرح کردن؛ بو دادن و ترکانیدن ۳.تاپ (صدای چوب پنبه لیموناد)؛ [زبان عامیانه] شامپانی، آب معدنی؛ تیر؛ گرو
pop in سر زدن، سری زدن
pop the question پیشنهاد عروسی کردن
pop off زود رفتن؛ [زبان عامیانه] مردن
go pop *(adv)* با صدا در رفتن
popcorn /'pɒpkɔ:n/ *n,US* ذرت بوداده
pope /pəʊp/ *n* پاپ
popery /'pəʊpərɪ/ *n* اصول و اعمال کاتولیکی
popgun /'pɒpgʌn/ *n* تفنگ چوب‌پنبه‌ای
popinjay /'pɒpɪndʒeɪ/ *n* آدم جلف و خودبین و زیاده از حد شیک‌پوش؛ [معنی قدیمی] طوطی
popish /'pəʊpɪʃ/ *adj* مربوط به پاپ، کاتولیکی
poplar /'pɒplə(r)/ *n* درخت تبریزی
poplin /'pɒplɪn/ *n* پپلین، کنتواری
poppy /'pɒpɪ/ *n* خشخاش
poppycock /'pɒpɪkɒk/ *US;Sl* = nonsense
populace /'pɒpjʊləs/ *n* توده؛ جمهور
popular /'pɒpjʊlə(r)/ *adj* عمومی؛ ملی؛ مردم‌پسند؛ مشهور؛ ساده؛ مناسب (حال مردم)؛ دارای وجههٔ ملی
popularity /,pɒpjʊ'lærətɪ/ *n* وجههٔ ملی یا عمومی، شهرت؛ قبول عامه؛ مردم‌پسندی
popularize /'pɒpjʊləraɪz/ *vt* دارای وجهه ملی کردن؛ مورد قبول مردم قرار دادن، ساده و عوام‌پسند کردن
popularly /'pɒpjʊlərlɪ/ *adv* موافق ذوقِ مردم؛ به طور عوام‌پسند؛ به زبان ساده

populate /'pɒpʊleɪt/ *vt* پرجمعیت کردن
thickly or densely populated پرجمعیت، شلوغ
population /,pɒpjʊ'leɪʃn/ *n* جمعیت، نفوس
populous /'pɒpjʊles/ *adj* پرجمعیت
porcelain /'pɔ:səlɪn/ *n* چینی
porch /pɔ:tʃ/ *n* هشتی، سرپوشیده؛ دالان؛ [در امریکا] ایوان
porcupine /'pɔ:kjʊpaɪn/ *n* جوجه تیغی
pore /pɔ:(r)/ *n* سوراخ ریز؛ [در جمع] خلل و فرج، مسامات، منافذ
pore /pɔ:(r)/ *vi*
pore over دقت کردن (در)
pore upon (*or* **at**) اندیشه کردن در
pork /pɔ:k/ *n* گوشت خوک
porker *n* خوک پرواری
pornography /pɔ:'nɒgrəfɪ/ *n* هرزه‌نگاری، (درج) مواد مستهجن، الفیه و شلفیه
porosity /pɔ:'rɒsətɪ/ *or* **porousness** *n* پرسوراخی؛ خلل‌وفرج
porous /'pɔ:rəs/ *adj* خلل و فرج‌دار
porphyry /'pɔ:fɪrɪ/ *n* سنگ سماک
porpoise /'pɔ:pəs/ *n* گراز دریایی
porridge /'pɒrɪdʒ US: 'pɔ:r-/ *n* (غذای نرم مانند) حلیم
porringer /'pɒrɪndʒə(r) US: 'pɔ:r-/ *n* کاسهٔ آش‌خوری
port /pɔ:t/ *n* بندر؛ [مجازاً] پناهگاه
port /pɔ:t/ *n* [در کشتی] روزنه، دریچه
port /pɔ:t/ *n* وضع، رفتار
Any port in a storm هنگام سختی و اضطرار هر کمکی برسد سودمند است، در بیابان کفش کهنه نعمت خداست
port /pɔ:t/ *n,vt* ۱.سمتِ چپ کشتی ۲.سوی چپ گرداندن (سکان)
port /pɔ:t/ *n* شراب قرمز و شیرین پرتغالی
portability /,pɔ:tə'bɪlətɪ/ *n* سبکی، قابلیت حمل
portable /'pɔ:təbl/ *adj* قابل حمل، سبک، سفری، دستی
portage /'pɔ:tɪdʒ/ *n,vt* ۱.حمل، بارکشی ۲.از یک رودخانه به رودخانه دیگر بردن
portal /'pɔ:tl/ *n* در، دروازه
portcullis /,pɔ:tkʌlɪs/ *n* دروازه‌پوشِ آهنین
portend /pɔ:'tend/ *vt* از پیش خبر دادن
portent /'pɔ:tent/ *n* نشان یاخبر(بد)، شگفتی، چیز شگفت‌آور، اعجوبه
portentous /pɔ:'tentəs/ *adj* حاکی از فال بد؛ عجیب؛ به خود اهمیت‌دهنده

porter /'pɔ:tə(r)/ *n* باربر؛ دربان
porterage /'pɔ:tərɪdʒ/ *n* باربری
portfolio /pɔ:t'fəʊlɪəʊ/ *n* کیف؛[مجازاً] وزارت
minister without portfolio وزیر مشاور
porthole /'pɔ:thəʊl/ *n* روزنه کشتی؛ مزغل
portico /'pɔ:tɪkəʊ/ *n* ایوان، رواق
portion /'pɔ:ʃn/ *n,vt* ۱.بخش، قسمت؛ بهره، سهم ۲.تقسیم کردن [بیشتر با out]؛ بهره دادن از؛ جهاز به (دختر) دادن
portionless *adj* بی‌بهره؛ بی‌جهیزیه
portly /'pɔ:tlɪ/ *adj* هیکل‌دار، تنومند؛ باوقار
portmanteau /pɔ:t'mæntəʊ/ *n* [-teaus *or* -teaux /-təʊz/] چمدان
portrait /'pɔ:treɪt,-trɪt/ *n* تک‌چهره، تصویر، تمثال؛ توصیف یا شرح روشن
portraiture /'pɔ:trɪtʃə(r) US: -tʃʊə(r)/ *n* تک‌چهره‌پردازی، تمثال؛ شرح روشن
portray /pɔ:'treɪ/ *vt* با تصویر نشان دادن؛ خوب توصیف کردن؛ نمایش دادن؛ کشیدن، نقاشی کردن
portrayal /pɔ:'treɪəl/ *n* نمایش، تشریح، توصیف؛ تصویر
Portugal /'pɔ:tʃʊgl/ *n* پرتغال
Portuguese /pɔ:tʃʊ'gi:z/ *adj,n* [Portuguese] پرتغالی
pose /pəʊz/ *vt,vi,n* ۱.مطرح کردن؛ به حالت ویژه قرار دادن ۲.وانمود کردن ۳.وضع، حالت؛ تظاهر
poser *n* پرسش دشوار
poseur /pəʊ'zɜ:(r)/ *n,Fr* آدم افاده‌ای
position /pə'zɪʃn/ *n,vt* ۱.مقام؛ سِمَت، منصب، شغل رسمی؛ جا، محل، [نظامی] موضع؛ وضع، چگونگی، مراتب؛ نظریه؛ قضیه ۲.جا دادن
men of position صاحبان مقام
positive /'pɒzətɪv/ *adj,n* ۱.مثبت؛ ایجابی، قطعی، مسلم؛ یقین؛ عملی، واقعی؛ [دستورزبان] مطلق ۲.درجهٔ مطلق؛ [ریاضیات] مقدار مثبت
positively /'pɒzətɪvlɪ/ *adv* مسلماً؛ بـه‌طـور مثبت
positiveness *n* ثبوت؛ قطعیت
posse /'pɒsɪ/ *n* نیروی مسلح؛ قوه
possess /pə'zəs/ *vt* دارا بودن، متصرف بودن؛ مستولی شدن بر
possess oneself of متصرف شدن
possessed of دارایِ
be possessed by (*or* with) دارا بودن، متصرف بودن

possession /pə'zeʃn/ *n* مالکیت، تملک؛ تصرف؛ تسخیر؛ [در جمع] دارایی، متصرفات
be in possession of متصرف بودن
take possession of تصرف کردن
possessive /pə'zesɪv/ *adj,n* ۱.ملکی ۲.حالت مضاف‌الیه
possessive pronoun ضمیر ملکی
possessor /pə'zesə(r)/ *n* متصرف
possessory *adj* مالکانه
possibility /ˌpɒsə'bɪlətɪ/ *n* امکان؛ شِق
possible /'pɒsəbl/ *adj* ممکن، امکان‌پذیر؛ احتمالی، ممکن‌الوقوع
It is not possible to climb it.
نمی‌توان (یا نمی‌شود) از آن بالا رفت.
as far as possible تا آنجا که بتوان، در حدود امکان، تا سرحد امکان
as soon as possible هرچه زودتر
if possible در صورت امکان
possibly /'pɒsəblɪ/ *adv* شاید، یحتمل؛ به‌هیچ وجه، اصلاً [با ادات نفی]
possum /'pɒsəm/ *Col* = opossum
play possum خود را به ناخوشی زدن
post /pəʊst/ *n,vt,vi,adv* ۱.پست؛[در قدیم] پیک، قاصد، چاپار ۲.با پست فرستادن، به پست دادن؛ اطلاعات کامل دادن به [گاهی با up] ۳.با چاپار رفتن ۴.چاپاری؛ با شتاب
by post با پست
by return of post با نخستین پست
post up به دفتر کل انتقال دادن؛ تکمیل کردن (دفتر)
post /pəʊst/ *n,vt* ۱.پاسگاه؛ محلِ مأموریت، پست؛ شغل؛[نظامی]موضع ۲.گماشتن؛مأموریت دادن
first post شیپور خبر (هنگام شب)
last post شیپور خاموشی؛ شیپور عزا
post /pəʊst/ *n,vt* ۱.تیر ۲.چسباندن [گاهی با up]؛ اعلان‌کردن [با as]
post (over) with placards آگهی پوشاندن
posted prices قیمتهای اعلان شده
well posted دارای اطلاعات کامل، مطلع، بصیر
postage /'pəʊstɪdʒ/ *n* هزینهٔ پُست
postage-stamp تمبر پُست
postal /'pəʊstl/ *adj* پستی
postal (card) *US* کارت‌پستال
postal union اتحادیه بین‌المللی پست
post-boy /'pəʊstbɔɪ/ *n* ۱.نامه‌رسان، پستچی نامه‌بر، چاپار ۲.postil(l)ion
post-card /'pəʊstkɑ:d/ *n* کارت‌پستال

post-chaise /ˌpəʊst ˈʃeɪz/ *n* درشکه پستی
post-date /ˌpəʊstˈdeɪt/ *vt* دیرتر تاریخ گذاشتن
poster /ˈpəʊstə(r)/ *n* آگهی؛ آگهی چسبان
poste restante /ˌpəʊst ˈrestɑ:nt US: -reˈstænt/ *n,Fr* پستِ ماندنی (= نامه یا محمولهٔ پستی که به درخواست گیرنده در پستخانه می‌ماند تا او مراجعه و دریافت کند)
posterior /pɒˈstɪərɪə(r)/ *adj* عقبی؛ دیرتر
posterior to بعد از، عقبتر از
posteriors *npl* کفل
posterity /pɒˈsterətɪ/ *n* اولاد، اعقاب، اخلاف، ذریه؛ نسل آینده
postern /ˈpɒstən/ *n,adj* ۱.درِ عقب؛ راه پنهان ۲.عقبی، پنهان
post-free /ˌpəʊst ˈfri:/ *adj* مجانی، معاف از پولِ پست؛ شامل پول پست
post-graduate /ˌpəʊst ˈgrædʒʊət/ *adj,n* ۱.بعد از لیسانس ۲.دانشجوی دوره‌های بعد از لیسانس
post-haste /ˌpəʊst ˈheɪst/ *adv* با شتاب زیاد
posthumous /ˈpɒstjʊməs/ *adj* پس از مرگ؛ [کتاب و غیره] منتشر شده پس از مرگ نویسنده؛ [فرزند] متولد شده پس از مرگ پدر
posthumous fame شهرتِ پس از مرگ
postil(l)ion /pɒˈstɪlɪən/ *n* جلوداری که روی اسب چپ گردونه سوار می‌شود
postings *npl* اقلام وارده
postman /ˈpəʊstmən/ *n* [-men] پستچی، نامه‌رسان
postmark /ˈpəʊstmɑ:k/ *n,vt* ۱.مهرِ پستخانه ۲.مهر زدن، باطل کردن
postmaster /ˈpəʊstmɑ:stə(r)/ *n* رئیس پُستخانه
postmaster general وزیر پست
post meridiem /ˌpəʊst məˈrɪdɪəm/ *adv,L* بعدازظهر، بعد از نصف‌النهار [نشان اختصاری آن P.M. است]
post mistress /ˈpəʊst mɪstrɪs/ *n* رئیسه پستخانه
post mortem /ˌpəʊst ˈmɔ:təm/ *adj* پس از مرگ (رخ‌دهنده)
post office /ˈpəʊst ɒfɪs/ *n* پستخانه
post-office order حوالهٔ پستی
post-paid /ˌpəʊstˈpeɪd/ *adj* [در باب نامه‌ای گفته می‌شود که] پول پست آن قبلاً داده شده
postpone /pəˈspəʊn/ *vt* به‌تعویق انداختن
postponement *n* تعویق
postscript /ˈpəʊsskrɪpt/ *n* چیزی که بعد از امضای نامه‌ای بنویسند؛ بعدالتحریر [مخفف آن .p.s است]
postulate /ˈpɒstjʊlət/ *n* اصل موضوع، شرط اصلی، لازمه، مقدمه، فرض یا اصل مسلم
postulate /ˈpɒstjʊleɪt/ *vt* مسلم فرض کردن؛ اصل قرار دادن؛ به عنوان اصل موضوع پذیرفتن
posture /ˈpɒstʃə(r)/ *n,vt,vi* ۱.وضع، پُز؛ چگونگی، کیفیت ۲.در حالت ویژه‌ای قرار دادن ۳.وضع خاصی به خود گرفتن
posy /ˈpəʊzɪ/ *n* دستهٔ گل
pot /pɒt/ *n* ظرف، قابلمه؛ گلدان؛ [در مسابقات] جام
keep the pot boiling معاش خود را پیدا کردن؛ وضع فعلی را ادامه دادن
go to pot *Sl* خراب شدن
pot /pɒt/ *vt* [-ted] در کوزه ریختن، قرمه کردن؛ در گلدان کاشتن؛ در تور یا کیسه بیلیارد انداختن؛ در چنته ریختن
potash /ˈpɒtæʃ/ *n* پتاس (محرّق)؛ کربنات دوپتاس
potassium /pəˈtæsɪəm/ *n* پتاسیم
potation /pəʊˈteɪʃn/ *n* شرب؛ جرعه
potato /pəˈteɪtəʊ/ *n* [-es] سیب‌زمینی
pot-belly /ˈpɒtbelɪ/ *n* آدم شکم‌گنده
pot-boiler /ˈpɒtbɔɪlə(r)/ *n* کار ادبی یا صنعتی که تنها برای نان درآوردن دنبال شود
potency /ˈpəʊtənsɪ/ *n* توانایی، قوت
potent /ˈpəʊtnt/ *adj* توانا، قوی، مقتدر؛ محکم، پرزور؛ بسیار مؤثر، تند
potentate /ˈpəʊtnteɪt/ *n* پادشاه مقتدر
potential /pəˈtenʃl/ *adj,n* ۱.بالقوه؛ ممکن؛ نهفته، نهانی ۲.امکان؛ استعداد؛ پتانسیل
potentiality /pəˌtenʃɪˈælətɪ/ *n* توانایی، قوه؛ استعداد (نهانی)؛ امکان، احتمال
pother /ˈpɒðə(r)/ *n* هیاهو
pot-herb /ˈpɒthɜ:b/ *n* سبزی پختنی
pot-hole /ˈpɒthəʊl/ *n* گودالِ گرد در کف رودخانه؛ دست‌انداز
pot-hook /ˈpɒthʊk/ *n* قلاب دیگ
potion /ˈpəʊʃn/ *n* جرعه؛ داروی آبکی؛ زهر آبکی
pot-pourri /ˌpəʊˈpʊərɪ/ *n,Fr* برگ گل و ادویه خشک کرده که برای معطر کردن هوای اتاق در ظرفی نگاه می‌دارند؛ جُنگ
potsherd /ˈpɒt-ʃɜ:d/ *n* سفال، کوزه‌شکسته
pottage /ˈpɒtɪdʒ/ *n* شوربا
potter /ˈpɒtə(r)/ *n* کوزه‌گر

potter /'pɒtə(r)/ *vi,vt* ۱.بیهوده وقت گذراندن ۲.[با away] بیهوده گذراندن

pottery *n* کوزه‌گری؛ کوزه‌گرخانه؛ سفالینه، ظروف سفالی

potty /'pɒtɪ/ *adj,Sl* ناچیز، آسان؛ دیوانه

pouch /paʊtʃ/ *n,vt,vi* ۱.کیسه؛ جیب کیسه‌ای ۲.در کیسه یا جیب کردن؛ کیسه‌وار یا جیب‌وار دوختن ۳.مانند جیب آویزان شدن

pouched *adj* کیسه‌دار

pouf /pu:f/ *n* مخدهٔ کلفت

poulterer /'pəʊltərə(r)/ *n* مرغ‌فروش

poultice /'pəʊltɪs/ *n,vt* ۱.ضماد ۲.ضماد گذاشتن (روی)

poultry /'pəʊltrɪ/ *n* مرغ و خروس (و بوقلمون و مانند آنها)

pounce /paʊns/ *n,vi* ۱.جست ناگهانی ۲.غفلتاً حمله کردن، ناگهان فرود آمدن

pound /paʊnd/ *n* پاوند [۴۵۳،۵۹ گرم یا ۱۶ ounce]؛ رطل؛ لیره [علامت اختصاری پاوند وزنی lb و علامت اختصاری پاوند پولی £ است]

pound /paʊnd/ *vt,vi* ۱. کوبیدن ۲.ضربت زدن؛ سنگین رفتن

pound /paʊnd/ *n,vt* ۱.جای محصور برای حیوانات؛ [معنی قدیمی] خانهٔ حیوانات گمشده ۲.در محوطه نگاه داشتن [بیشتر با up]

pounder /'paʊndə(r)/ *n* چیز یک پاوندی؛ توپ (از لحاظ وزن گلوله‌اش بر حسب پاوند)

pour /pɔ:(r)/ *v* ریختن؛ جاری ساختن؛ جاری شدن؛ پاشیدن؛ بیرون ریختن

- **pour cold water on** دلسرد کردن
- **pour oil on troubled water** خشم کسی را با سخنان نرم فرو نشاندن
- *It never rains but it pours* وقتی که می‌آید پشت سرهم می‌آید

pout /paʊt/ *v* لب و لوچه (خود را) آویزان کردن

poutingly *adv* با لب و لوچهٔ آویزان

poverty /'pɒvətɪ/ *n* فقر، تنگدستی؛ کمی؛ عدم؛ بدی؛ لاغری

poverty-stricken /'pɒvətɪ strɪkn/ *adj* فقیر، مفلس

powder /'paʊdə(r)/ *n,v* ۱.گرد، پودر؛ خاک؛ باروت؛ آرد ۲.پودر زدن؛ گرد کردن، گرد شدن؛ ساییدن

- **keep one's powder dry** برای هر رویدادی آماده بودن
- *It's not worth powder and shot* آفتابه خرج لحیم است

powder-flask /'paʊdə flɑ:sk/ *n* = powder-horn

powder-horn /'paʊdə hɔ:n/ *n* دبهٔ باروت، باروت‌دان

powder-magazine /'paʊdə mægəzi:n/ *n* مخزن باروت

powder-puff /'paʊdə pʌf/ *n* پر پودرزنی

powdery /'paʊdərɪ/ *adj* گردی؛ گردآلود، خاکی؛ دان‌دان؛ ترد؛ پودرزده

power /paʊə(r)/ *n* نیرو، قوه؛ توانایی، اقتدار؛ اختیار؛ [ریاضیات] توان

- **a power of** *Col* خیلی، یک دنیا
- **full powers** اختیار(ات) تام
- **the Powers** دولتهای بزرگ
- **power of attorney** وکالتنامه
- **power station** *or* **house** کارخانهٔبرق
- **in power** صاحب مقام، شاغل مقام
- **the powers above** خدایان

powerful *adj* نیرومند، قوی؛ توانا، مقتدر؛ بزرگ؛ مؤثر

powerfully *adv* مقتدرانه

powerless /'paʊəlɪs/ *adj* ضعیف؛ بی‌نفوذ

pow-wow /'paʊwaʊ/ *n* انجمن (سرخپوستان امریکای شمالی)

pox /pɒks/ *n* ناخوشی جلدی؛ آبله

practicability /ˌpræktɪkə'bɪlətɪ/ *n* عملی بودن

practicable /'præktɪkəbl/ *adj* عملی، قابل اجرا؛ قابل عبور؛ قابل استعمال

practicably /'præktɪkəblɪ/ *adv* به‌طور عملی

practical /'præktɪkl/ *adj* عملی؛ قابل استفاده، سودمند؛ واقعی؛ کارآزموده

- **practical joke** حیلهٔ شوخی‌آمیز

practically /'præktɪklɪ/ *adv* تقریباً، عملاً؛ درواقع، در معنی، می‌توان گفت

practice /'præktɪs/ *n* تمرین؛ عمل؛ پیشه؛ تجربه؛ عادت، عُرف؛ شیوهٔ عمل، رویه؛ جریان؛ ارباب رجوع

- **practice of medicine** پزشکی، طبابت
- **be in practice** وارد کار بودن
- **be out of practice** وارد کار نبودن
- **in practice** عملاً، در عمل
- **put in practice** عملی کردن،اجرا کردن

practician /præk'tɪʃn/ = practitioner

practise /'præktɪs/ *or* **-tice** *v* عمل کردن(به)، (اجرا) کردن؛ تعقیب کردن، پیشه خود ساختن؛ مشق کردن؛ مشق دادن

- **practise medicine** طبابت کردن
- **practise (up) on** (سوء)استفاده کردن از

practised *ppa* ورزیده، مجرب
practitioner /præk'tɪʃənə(r)/ *n* پزشک، طبیب؛ حقوقدان، وکیل
praetor /'pri:tə(r)/ *n* [در روم باستان] متصدی امور قضایی و کشوری
praetorian /pri:'tɔ:rɪən/ *adj* وابسته به praetor
pragmatic /præg'mætɪk/ *adj* عملی؛ روزمره؛ معتقد به جنبهٔ عملی هرچیزی؛ عمل گرایانه
pragmatical /præg'mætɪkl/ *adj* ۱.فضول ۲. pragmatic
pragmatism /'prægmətɪzəm/ *n* عمل‌گرایی، اصالت عمل؛ فضولی؛ علم‌فروشی
pragmatist /'prægmətɪst/ *n* عمل‌گرا، کسی که عملی بودن هرچیز را ضرور می‌داند
prairie /'preərɪ/ *n* چمن(زار)
praise /preɪz/ *n,vt* ۱.ستایش، تمجید ۲.ستایش کردن
praiseworthiness *n* ستودگی، پسندیدگی؛ شایستگی برای ستایش
praiseworthy /'preɪzwɜ:ðɪ/ *adj* شایان ستایش، قابل تمجید، ستوده
pram /præm/ = perambulator
prance /prɑ:ns/ *vi,n* ۱.جفتک زدن؛ ورجه‌ورجه کردن ۲.جفتک؛ ورجه‌ورجه
prank /præŋk/ *n,v* ۱.شوخی؛ فریب ۲.آرایش دادن؛ خودفروشی کردن
prate /preɪt/ *n,vi* ۱.پچ پچ، وِرور؛ وراجی ۲.پچ‌پچ کردن؛ وراجی کردن
prattle /'prætl/ *vi,n* ۱.بچگانه سخن گفتن ۲.سخن بچگانه؛ من‌من
prawn /prɔ:n/ *n,vi* ۱.میگو ۲.میگو گرفتن
pray /preɪ/ *vi,vt* ۱.دعا کردن، نماز کردن ۲.خواهش کردن از؛ به دعا خواستن، درخواست کردن
Pray consider my case
استدعا می‌کنم به کار من رسیدگی کنید
prayer /preə(r)/ *n* دُعا؛ نماز؛ خواهش
prayer-rug; prayer-carpet سجاده
prayer /preə(r)/ *n* دعاخوان؛ نمازگزار
pre /pri:/ *pref* پیش از، ماقبلِ
preach /pri:tʃ/ *vi,vt* ۱.وعظ کردن ۲.تلقین کردن
preacher *n* واعظ
preachify /'pri:tʃɪfaɪ/ *vi* به‌طورکسالت‌آور وعظ یا بحث اخلاقی کردن
preamble /pri:'æmbl/ *n* مقدمه

precarious /prɪ'keərɪəs/ *adj* ناپایدار، چندروزه؛ مشکوک، مخاطره‌آمیز
precaution /prɪ'kɔ:ʃn/ *n* احتیاط
precautionary /prɪ'kɔ:ʃənərɪ/ *adj* احتیاطی، احتیاط‌آمیز
precede /prɪ'si:d/ *v* جلوتر رفتن(از)؛ پیشتر بودن(از)؛ زودتر آمدن یا رفتن(از)؛ مقدم بودن (بر)، پیشی گرفتن(بر)، سبقت گرفتن(بر)
We were preceded by the guides.
بلدها پیشاپیش ما می‌رفتند.
the year preceding that event
سال پیش از آن واقعه
precedence /'presɪdəns/ *n* تقدم، سبقت؛ برتری
take precedence of مقدم بودن بر
precedent /'presɪdənt/ *n* سابقه
It served as a precedent سابقه شد
precedent /'presɪdənt/ *adj* مقدم
preceding *apa* پیشی، قبلی، جلویی، سابق‌الذکر
precept /'pri:sept/ *n* دستور، حکم، فریضه
preceptor /prɪ'septə(r)/ *n* آموزگار
precinct /'pri:siŋkt/ *n* صحن، محوطه؛ حوزه؛ حد
precious /'preʃəs/ *adj* گرانبها؛ [در گفتگو] یکپارچه، تمام عیار
precipice /'presɪpɪs/ *n* پرتگاه
precipitant /prɪ'sɪpɪtənt/ *n,adj* ۱.جسمی که موجب جدا شدن جسم محلول از مایعی می‌شود ۲.شتابزده، دستپاچه
precipitate /prɪ'sɪpɪtət/ *n,adj* ۱.جسم جدا شده از محلول یا آن که در نتیجه تراکم بخار جدا شود (مانند باران)؛ رسوب ۲.شتابزده، دستپاچه
precipitate /prɪ'sɪpɪteɪt/ *vt* پرت کردن؛ تسریع کردن؛ ته‌نشین کردن؛ متراکم کردن (بخار)
precipitation /prɪ,sɪpɪ'teɪʃn/ *n* شتاب(زدگی)، عجلهٔ زیاد؛ بی‌ملاحظگی؛ [شیمی] ته‌نشینی؛ رسوب؛ جسم جداشده از محلول؛ انقباض، تکاثف؛ بارندگی
precipitous /prɪ'sɪpɪtəs/ *adj* دارای شیب تند؛ بسیار تند؛ پرتگاه‌دار
precis /'preɪsi: US: preɪ'si:/ *n,Fr* خلاصه
precise /prɪ'saɪs/ *adj* دقیق، درست؛ صریح، غیرمبهم
precisely *adv* به‌دقت، صریحاً؛ درست؛ [در پاسخ] درست است

preciseness *n* دقت؛ صراحت
precision /prɪ'sɪʒn/ *n* دقت؛ صراحت
preclude /prɪ'klu:d/ *vt* رفع کردن، احتراز کردن از، جلوگیری کردن از
precocious /prɪ'kəʊʃəs/ *adj* پیشرس، پیش از موعد طبیعی (رخ داده)
  a precocious child بچه‌ای که‌نسبت به سنش در درس خیلی جلو است
precociously /prɪ'kəʊʃəslɪ/ *adv* به‌طور پیشرس؛ پیش از موعد طبیعی؛ بی‌هنگام
precocity /prɪ'kɒsətɪ/ *n* پیشرسی؛ رشدِ نابهنگام، رشد پیش از موعد طبیعی
preconceive /,pri:kən'si:v/ *vt* از پیش تصور کردن
preconception /,pri:kən'sepʃn/ *n* تصور پیش از وقت؛ تصدیقِ بلاتصور
preconcerted /,pri:kən'sɜ:tɪd/ *adj* قبلاً طرح شده
precursor /,pri:'kɜ:sə(r)/ *n* پیشرو، منادی
predatory /'predətrɪ/ *adj* [حیوان] شکارگر؛ غارتگر
predecessor /'pri:dɪsesə(r)/ *n* سلف، [در جمع] اسلاف
  my predecessor سلف من، متصدی پیش از من
predestinate /,pri:'destɪneɪt/ *vt* مقدر کردن
predestinate /,pri:'destɪneɪt/ *adj* مقدر
predestination /,pri:destɪ'neɪʃn/ *n* سرنوشت، تقدیر، قضا
predetermine /,pri:dɪ'tɜ:mɪn/ *vt* از پیش مقدر کردن
predicament /prɪ'dɪkəmənt/ *n* حالت (ناگوار)، وضع (بد)
predicate /'predɪkət/ *n* مُسند، خبر
predicate /'predɪkeɪt/ *vt* اِسناد کردن، خبر دادن (از)، نسبت دادن
predicative /prɪ'dɪkətɪv/ *adj* مسندی، غیرمستقیم [چون old در the man is old نه در the old man]
predict /prɪ'dɪkt/ *vt* پیش‌بینی کردن؛ پیشگویی کردن
prediction /prɪ'dɪkʃn/ *n* پیش‌بینی؛ پیشگویی
predilection /,pri:dɪ'lekʃn/ *n* تمایل، راغبیت، میل؛ ترجیح
predispose /,pri:dɪ'spəʊz/ *vt* آماده کردن، مستعد کردن، علاقمند کردن
predisposition /,pri:dɪspə'zɪʃn/ *n* آمادگی، استعداد، زمینه؛ تمایل

predominance /prɪ'dɒmɪnəns/ *n* تسلط، غلبه؛ فراوانی؛ برجستگی
predominant /prɪ'dɒmɪnənt/ *adj* غالب، مسلط، حکمفرما؛ عمده، برجسته؛ بیشتر
predominate /prɪ'dɒmɪneɪt/ *vi* مسلط بودن (یا شدن)، غلبه کردن (یا داشتن)؛ برجسته بودن؛ فراوان(تر) بودن؛ چربیدن
pre-eminence /,pri:'emɪnəns/ *n* برتری، فضیلت، مزیت، تفوق
pre-eminent /,pri:'emɪnənt/ *adj* برجسته، سرآمد، ممتاز، بزرگتر
pre-empt /,pri:'empt/ *vt* با حق شُفعه به‌دست آوردن
pre-emption /,pri:'empʃn/ *n* شُفعه، حق شُفعه
pre-emptive /,pri:'emptɪv/ *adj* مبنی بر (حق) شُفعه؛ دارای حق شُفعه
pre-emptor *n* شفیع، شافع
preen /pri:n/ *vt* با منقار (پرهای خود را) صاف کردن
  preen oneself خودآرایی کردن
pre-engaged /,pri:en'geɪdʒd/ *ppa* دارای تعهد قبلی
pre-engagement *n* تعهد قبلی
pre-exist /,pri:ɪg'zɪst/ *vi* از پیش زیستن
pre-existence /,pri:ɪg'zɪstəns/ *n* تقدم وجود؛ ازلیت
pre-existent /,pri:ɪg'zɪstənt/ *adj* از پیش بوده؛ ازلی
preface /'prefɪs/ *n,vt* ۱.دیباچه؛ مقدمه ۲.دارای دیباچه کردن؛ شروع کردن
prefatory /'prefətrɪ US:-tɔ:rɪ/ *adj* دیباچه‌ای، مقدماتی
prefect /'pri:fekt/ *n* مبصر
prefectorial /,pri:fek'tɔ:rɪəl/ *adj* منسوب به prefect ؛ اداری
prefecture /'pri:fektjʊə(r)/ *n* حوزهٔ اداری؛ اداره؛ (مقام یا دورهٔ) ریاست
prefer /prɪ'fɜ:(r)/ *vt* [-red] ترجیح دادن؛ عرضه داشتن
  prefer to ترجیح دادن بر
preferable /'prefrəbl/ *adj* مرجح، بهتر
  preferable to بهتر از
preferably *adv* با ترجیح، ترجیحاً
  I should preferably go بهتر است بروم
preference /'prefrəns/ *n* برتری، رجحان؛ تقدم؛ تبعیض؛ میل، سلیقه
  have a preference for ترجیح دادن

premium /'pri:mɪəm/ *n* حق بیمه؛ صرف، تفاوت؛ جایزه؛ حق، پول
at a premium با منفعت
put a premium on تشویق کردن
premonition /ˌpri:mə'nɪʃn, ˌprem-/ *n* اخطار قبلی
premonitory /prɪ'mɒnɪtərɪ/ *adj* متضمن اخطار قبلی، اخطارآمیز
preoccupation /ˌpri:ɒkjʊ'peɪʃn/ *n* اشغال‌ذهن‌دل‌مشغولی‌پریشانی‌حواس‌مجذوبیت
preoccupied *ppa* پریشان‌حواس، گیج؛ مجذوب
preoccupy /pri:'ɒkjʊpaɪ/ *vt* از پیش اشغال (یا تصرف) کردن؛ مشغول داشتن (ذهن)؛ مجذوب کردن
prepaid /ˌpri:'peɪd/ *ppa* پیش‌پرداخت، قبلاً پرداخته شده
preparation /ˌprepə'reɪʃn/ *n* تهیه؛ تدارک؛ آمادگی؛ روان کردن (درس)؛ خوراک یا داروی ساخته و آماده؛ [در جمع] تدارکات
It is in preparation در دست تهیه است
make preparations for something تدارک چیزی را دیدن
preparative *adj,n* ۱.مقدماتی ۲.کار مقدماتی
preparatory /prɪ'pærətrɪ/ *adj* مقدماتی
a preparatory school [در بریتانیا] دبستان خصوصی؛ [در امریکا] آموزشگاه پیش‌دانشگاهی
preparatory to پیش از، در مقدمهٔ
prepare /prɪ'peə(r)/ *vt,vi* ۱.آماده کردن، حاضر کردن؛ روان کردن (درس)؛ ساختن، ترکیب کردن ۲.تهیه کردن، تدارک دیدن؛ آماده شدن
prepare for war آمادهٔ جنگ شدن
preparedness /prɪ'peərɪdnɪs/ *n* آمادگی
prepay /ˌpri:'peɪ/ *vt* [paid] پیش پرداختن، (پول) پیش دادن
prepayment *n* پیش‌پرداخت، پولِ پیش
preponderance /prɪ'pɒndərəns/ *n* برتری، مزیت؛ افزونی؛ غلبه
preponderant /prɪ'pɒndərənt/ *adj* سنگین‌تر؛ افزون(تر)؛ افضل؛ مقدم، مهمتر
preponderate /prɪ'pɒndəreɪt/ *vi* سنگین‌تر بودن؛ افزونی داشتن، برتری داشتن
preposition /ˌprepə'zɪʃn/ *n* حرف اضافه
prepositional /ˌprepə'zɪʃənl/ *adj* با حرف اضافه آغاز شده
prepossess /ˌpri:pə'zes/ *vt* (در چیزی) جایگیر شدن، از پیش مشغول کردن؛ تحت تأثیر قرار دادن

preference shares سهام ممتاز، سهام مقدم
preferential /ˌprefə'renʃl/ *adj* امتیازی؛ امتیازدهنده؛ مقدم
preferment /prɪ'fɜ:mənt/ *n* ترفیع؛ ارتقا؛ ترقی؛ حق تقدم
prefigure /ˌpri:'fɪgə(r)/ *vt* از پیش نشان دادن؛ از پیش تصور کردن
prefix /'pri:fɪks/ *n* پیشوند، سرکلمه؛ لقب
prefix /ˌpri:'fɪks/ *vt* به‌طور پیشوند گذاشتن؛ در جلو گذاشتن
pregnancy /'pregnənsɪ/ *n* آبستنی، حاملگی
pregnant /'pregnənt/ *adj* آبستن، حامله؛ [مجازاً] دارای معنی پوشیده؛ وزین، پرمعنی [a pregnant reply]
pregnant with دربردارندهٔ
prehensile /ˌpri:'hensaɪl/ *adj* گیرکننده، دارای قوهٔ قبض (چون دُم جانوران)
prehistoric /ˌpri:hɪ'stɒrɪk US: -tɔ:rɪk/ *adj* پیش از تاریخ، مربوط‌به ماقبل تاریخ
prejudge /ˌpri:'dʒʌdʒ/ *v* تصدیق بلاتصور (دربارهٔ چیزی) کردن، پیشداوری کردن
prejudgment *n* تصدیق بلاتصور، پیشداوری
prejudice /'predʒʊdɪs/ *n,vt* ۱.تمایل یا تنفر بی‌جهت، تعصب؛ زیان، لطمه ۲.لطمه زدن (به)؛ تحت‌نفوذ خود درآوردن
prejudicial /ˌpredʒʊ'dɪʃl/ *adj* زیان‌آور، مضر، خسارت‌آمیز
It is prejudicial to به... لطمه می‌زند
prelacy /'preləsɪ/ *n* اسقفی
the prelacy گروه اسقفان
prelate /'prelət/ *n* اسقف
preliminarily *adv* مقدمتاً
preliminary /prɪ'lɪmənerɪ/ *adj,n* ۱.مقدماتی ۲.امتحان مقدماتی؛ [در جمع] اقدامات مقدماتی
prelude /'prelju:d/ *n,v* ۱.پیش درآمد، درآمد؛ مقدمه ۲.مقدمه (چیزی) بودن
premature /'prematjʊə(r) US:ˌpri:mə'tʊər/ *adj* نابهنگام، بی‌موقع؛ زودرس
premeditate /ˌpri:'medɪteɪt/ *v* پیش از وقت فکر کردن (در)؛ از پیش تصمیم گرفتن (در)
premeditation /ˌpri:medɪ'teɪʃn/ *n* اندیشه یا تصمیم پیش از موقع
premier /'premɪə(r)/ *n* نخست‌وزیر
premise /'premɪs/ *n* [منطق] مقدمه
premise /'premɪs/ *vt* به‌شکل کبری یا صغری ذکر کردن

prepossessing *apa* جالب
prepossession /ˌpri:pəˈzeʃn/ *n* تمایل بی‌جهت، تعصب؛ مجذوبیت
preposterous /prɪˈpɒstərəs/ *adj* نامعقول، مخالف طبیعت؛ چرند
prerequisite /ˌpri:ˈrekwɪzɪt/ *n,adj* ۱.لازمه، شرط، پیش‌نیاز ۲.لازم
prerogative /prɪˈrɒgətɪv/ *n,adj* ۱.حق یا امتیاز ویژه ۲.امتیازی؛ دارای حق ویژه
presage /ˈpresɪdʒ/ *n* نشانه؛ شگون؛ حسِ پیش از وقوع
presage /ˈpresɪdʒ/ *vt* حاکی‌بودن‌ازپیشگویی‌کردن
presbyter /ˈprezbɪtə(r)/ *n* عضوِ انجمن مشایخ که کلیسایی را اداره می‌کنند
presbyterian /ˌprezbɪˈtɪərɪən/ *adj* [در باب کلیسایی گفته می‌شود] که توسط انجمن مشایخ اداره می‌شود
prescience /ˈpresɪəns/ *n* غیبگویی، علم غیب؛ پیش‌دانی
prescient /ˈpresɪənt/ *adj* غیبگو، پیشگو
prescribe /prɪˈskraɪb/ *vt* دستور دادن؛ مقرر داشتن؛ تجویز کردن
prescript /ˈpri:skrɪpt/ *n* دستور، حکم
prescription /prɪˈskrɪpʃn/ *n* دستور، حکم؛ تجویز؛ نسخه، دستورالعمل؛ (حق) مالکیت در نتیجه تصرف بلامُعارض و طولانی
prescriptive /prɪˈskrɪptɪv/ *adj* تجویزی
  prescriptive right [حقوق] حقی که از طریق مرور زمان حاصل می‌شود
presence /ˈprezns/ *n* حضور؛ وجود، شخصیت
  presence of mind حضورذهن
present /ˈpreznt/ *adj,n* ۱.حاضر؛ کنونی ۲.زمان حال؛ [در جمع] سند فعلی، این سند
  present one's compliments ادای تعارفات کردن
  the present writer اینجانب مؤلف کتاب
  at present اکنون، فعلاً
  for the present عجالتاً
present /ˈpreznt/ *n* پیشکشی، تقدیمی، هدیه
  make a present of پیشکش کردن، تعارف کردن
  make one a present به کسی هدیه دادن
present /ˈpreznt/ *vt* پیشکش کردن؛ معرفی کردن؛ ارائه دادن؛ به معرض نمایش گذاشتن؛ نشان دادن
  present someone with a book کتابی را به‌کسی پیشکش کردن
  Present arms! [نظامی] پیش‌فنگ!

presentable /prɪˈzentəbl/ *adj* قابل معرفی، قابل ارائه، آبرومند
presentation /ˌpreznˈteɪʃn US: ˌpri:zen-/ *n* معرفی؛ نمایش؛ ارائه؛ عرضه داشت؛ پیشکشی؛ تقدیم؛ تقدیمی
  presentation copy نسخه تقدیمی (مؤلف)
presentiment /prɪˈzentɪmənt/ *n* حسِ پیش از وقوع
presently /ˈprezntlɪ/ *adv* به زودی، قریباً، عن‌قریب
presentment *n* ارائه؛ نمایش
preservable /prɪˈzɜ:vebl/ *adj* قابل نگاهداری، قابل محافظت
preservation /ˌprezəˈveɪʃn/ *n* نگاهداری، حفظ ، صیانت
  It is in a good state of preservation خوب از آن نگهداری می‌شود
preservative /prɪˈzɜ:vətɪv/ *adj,n* ۱.جلوگیری‌کننده از فساد ۲.وسیلهٔ جلوگیری
preserve /prɪˈzɜ:v/ *vt* نگه‌داشتن، حفظ کردن، محافظت کردن؛ مربا کردن؛ ترشی گذاشتن؛ باقی نگاه داشتن؛ قرق کردن
  preserved ginger زنجبیل پرورده
preserve /prɪˈzɜ:v/ *n* مربا؛ شکارگاه، قرق؛ [در جمع] عینک دودی
preside /prɪˈzaɪd/ *vi* ریاست کردن
  preside over ریاست کردن بر
  presided over by به‌ریاستِ
presidency /ˈprezɪdənsɪ/ *n* ریاست؛ سرپرستی؛ دورهٔ ریاست؛ حوزه، ولایت
president /ˈprezɪdənt/ *n* رئیس [در جمهوری و انجمن و امثال آنها]
presidential /ˌprezɪˈdenʃl/ *adj* مربوط به رئیس‌جمهور
  presidential elections انتخابات ریاست‌جمهوری
press /pres/ *n* فشار؛ ازدحام؛ چاپ؛ ماشین چاپ؛ مطبوعات؛ قفسه، دولابچه؛ منگنه؛ ماشین فشار، قید؛ (دستگاه) آب میوه‌گیری؛ دستگاه عصاری
  in the press زیر چاپ، تحت طبع
  press campaign مبارزهٔ مطبوعاتی
press /pres/ *vt,vi* ۱.فشار دادن؛ له کردن، فشردن؛ آب یا شیره (چیزی را) گرفتن؛ کشیدن؛ اتو کردن (لباس مردانه)؛ در آغوش گرفتن؛ فشار آوردن به؛ در مضیقه گذاردن؛ اصرار کردن؛ به اصرار دادن؛

تأکید کردن؛ تحمیل کردن؛ (به زور) از پیش بردن، (به‌زور) اجرا کردن؛ شتابانیدن؛ به سخره گرفتن، (باز) گرفتن، مصادره کردن ۲.فشار آوردن؛ با شتاب رفتن؛ اصرار کردن؛ ازدحام کردن؛ زیاد تأثیر کردن

I am pressed for space.
از حیث جا در زحمتم، جایم تنگ است.

He is pressed for money.
از بی‌پولی در مضیقه است.

press for به اصرار یا فشار خواستن

press agent /'pres eɪdʒənt/ *n* مأمور آگهی و تبلیغ

press-box /'pres bɒks/ *n* لژ مخبرین روزنامه

press-gallery /'pres gæləri/ *n* جای ویژه مخبرین (جراید در مجلس)

pressing *apa* مصر، مبرم

press-law /pres 'lɔ:/ *n* قانون مطبوعات

pressman /'presmən,-mæn/ *n* [-men] متصدیِ ماشین (چاپ)؛ مخبر روزنامه؛ مقاله‌نویس

pressure /'preʃə(r)/ *n* فشار؛ بار، سنگینی؛ مضیقه؛ فوریت

at a high pressure با فشار و فعالیت زیاد

bear pressure فشار آوردن

pressure cooker قابلمهٔ خوراکپزی

pressure-gauge /'preʃə geɪdʒ/ *n* فشارسنج

prestige /pre'sti:ʒ/ *n* حیثیت، اعتبار، آبرو، شهرت، نفوذ

prestissimo /pre'stɪsəməʊ/ *adj,adv* [موسیقی] هرچه تندتر

presto /'prestəʊ/ *adj,adv* [موسیقی] تند

presumable /prɪ'zju:məbl/ *adj* قابل فرض؛ محتمل

presumably /prɪ'zju:məbli/ *adv* از قرار معلوم، احتمال می‌رود، به جرئت می‌توان گفت

presume /prɪ'zju:m US: -'zu:m/ *vt,vi* فرض کردن؛ استنباط کردن؛ به خود جرئت دادن

presume up(on) a person's good nature از خوش‌خلقی کسی سوءاستفاده (و به او جسارت) کردن

presumption /prɪ'zʌmpʃn/ *n* فرض، ظنّ قوی؛ استنباط ؛ گستاخی

presumptive /prɪ'zʌmptɪv/ *adj* گستاخ، جسور؛ مغرور؛ جسورانه

presuppose /ˌpri:sə'pəʊz/ *vt* از پیش فرض کردن؛ مستلزم بودن

presupposition /ˌpri:sʌpə'zɪʃn/ *n* فرض (قبلی)؛ پایهٔ استدلال

pretence /prɪ'tens/ *n* بهانه، وانمودسازی، تظاهر؛ خودفروشی

under the pretence of به بهانهٔ

pretend /prɪ'tend/ *vt,vi* ۱.بهانه کردن، وانمود کردن؛ دروغی اقامه کردن؛ ادعا کردن، دعوی کردن ۲.اقامهٔ دعوی کردن؛ تقلید درآوردن

pretend illness ناخوشی (را) بهانه کردن

pretend ignorance تجاهل کردن

pretend to دعوی یا ادعا کردن

pretended *ppa* به خودبسته،دروغی

pretender *n* مدعی من غیر حق

pretension /prɪ'tenʃn/ *n* ادعا، دعوی، لاف؛ تظاهر؛ شایستگی

pretensions to... دعویِ...

pretentious /prɪ'tenʃəs/ *adj* پرمدعا، متظاهر، لافزن؛ خودنما

preterit(e) /'pretərɪt/ *adj,n* (زمان) گذشته یا ماضی

preternatural /ˌpri:tə'nætʃrəl/ *adj* غیرطبیعی، خارق‌العاده

pretext /'pri:tekst/ *n* بهانه، عذر

under (on,upon) the pretext of به‌بهانهٔ، به عذرِ

prettily *adv* به‌طرز قشنگ؛ خوب، به‌خوبی

prettily dressed لباس قشنگ پوشیده، خوش لباس

prettiness *n* قشنگی

pretty /'prɪti/ *adj,n,adv* ۱.قشنگ؛ خوب ۲.چیز قشنگ، زینت؛ [در جمع] لباس قشنگ ۳.نسبتاً، تا یک اندازه

pretty much تقریباً، خیلی نزدیک به

a pretty penny مبلغ خوبی

prevail /prɪ'veɪl/ *vi* غالب آمدن؛ حکمفرما شدن؛ شیوع داشتن

prevail (up)on a person to... حریف کسی شدن یا او را وادار کردن که...

prevailing *apa* غالب؛ متداول

prevalence /'prevələns/ *n* شیوع، عمومیت؛ غلبه

prevalent /'prevələnt/ *adj* شایع، پهن‌شده؛ متداول؛ عمومی؛ غالب

prevaricate /prɪ'værɪkeɪt/ *vi* دوپهلو حرف زدن، گریز زدن

prevarication /prɪˌværɪ'keɪʃn/ *n* حیله‌بازی در سخن، گریز، طفره؛ سخن دوپهلو

prevaricator *n* پیچیده‌گو، دوپهلو حرف‌زن

prevent /prɪ'vent/ *vt* بازداشتن، مانع شدن، جلوگیری کردن (از)

preventable /prɪ'ventəbl/ *adj* قابل جلوگیری، بازداشتنی
preventative /prɪ'ventətɪv/ = preventive
prevention /prɪ'venʃn/ *n* جلوگیری، ممانعت، پیشگیری
preventive /prɪ'ventɪv/ *adj,n* ۱.جلوگیری‌کننده، پیشگیرانه ۲.عامل جلوگیری، پیشگیر
preview /'pri:vju:/ *n* تماشای قبلیِ فیلم به طور خصوصی
previous /'pri:vɪəs/ *adj* قبلی، سابق، پیشی
  previous to پیش از، قبل از
previously *adv* قبلاً، سابقاً
prevision /,pri:'vɪʒn/ *n* پیش‌بینی؛ آگاهی قبلی
prey /preɪ/ *n,vi* ۱.شکار، صید؛ غنیمت ۲. [با upon] شکار یا غارت کردن، [مجازاً] آسیب رساندن به
  beast of prey جانور درنده
  a prey to disease دستخوش مرض
  a prey to fire طعمهٔ آتش (یا حریق)
price /praɪs/ *n,vt* ۱.بها، قیمت؛ نرخ ۲.بهاگذاردن بر؛ قیمت کردن، بها(ی چیزی را) پرسیدن
  high-priced گران (بها)، پربها
  low-priced ارزان، کم‌بها
priceless *adj* بی‌قیمت
price-list /'praɪs lɪst/ *n* صورت نرخ(های معمول)
prick /prɪk/ *n,vt,vi* ۱.جای سوزن (یا درد آن)، سوراخ کوچک؛ چیز نوک تیز، خار ۲.کمی سوراخ کردن؛ نیش زدن؛ راست کردن [با up] ۳.سوزن سوزن شدن
  kick against the pricks مشت به درفش زدن
  prick a hole in سوراخ کردن
pricker *n* سوراخ‌کن، درفش
prickle /'prɪkl/ *n,vt,vi* ۱.خار، تیغ ۲.سوزن‌سوزن کردن ۳.سوزن‌سوزن شدن
prickly /'prɪklɪ/ *adj* خاردار؛ سوزش‌دار
  prickly sensation احساس سوزن سوزن شدن
  prickly heat آماس غدهٔ عرَقی
pride /praɪd/ *n* غرور؛ فخر؛ مایهٔ افتخار
  take a pride in مباهات کردن به
  the pride of life بهار عمر
  pride oneself on بالیدن، مباهات کردن به، فخر کردن به
priest /pri:st/ *n* [*fem* -ess] کشیش؛ کاهن؛ موبد؛ مجتهد
priestcraft /'pri:stkrɑ:ft/ *n* تزویر کشیش‌ها
priesthood /'pri:sthʊd/ *n* کشیشی؛ کهانت
priestly *adj* کشیش‌وار، کاهن‌وار؛ مربوط به کشیش یا کاهن
priest-ridden /pri:st'rɪdn/ *adj* مقهور کشیشان
prig /prɪg/ *n* آدم زاهدمآب، خشکه مقدس
prim /prɪm/ *adj* [-mer;-mest] موقرنما، خودبگیر؛ رسمی
primacy /'praɪməsɪ/ *n* بزرگترین رتبه؛ سراسقفی
prima donna /'pri:mə 'dɒnə/ *n,It* سردسته زن‌های خواننده در اپرا
prima facie /,praɪmə 'feɪʃi:/ *adv,adj* ۱.در نظر اول ۲.قابل قبول (در نظر اول)
primal /'praɪml/ *adj* اولین؛ عمده
primarily /'praɪmərəlɪ/ *adv* مقدمتاً؛ اصلاً
primary /'praɪmərɪ US: -merɪ/ *adj* ابتدایی؛ نخستین؛ مقدم؛ عمده، مهم، اصلی
  primary school دبستان
primate /'praɪmeɪt/ *n* سراسقف
prime /praɪm/ *adj,n* ۱.مهمترین، عمده؛ بهترین، درجهٔ اول، اعلی؛ نخست؛ [ریاضیات] اول [prime number] ۲.کمال؛ نخبه، زبده؛ آغاز؛ نام این علامت (') در ریاضیات
  prime minister نخست‌وزیر
  prime of life بهار عمر، عنفوان جوانی
prime /praɪm/ *vt* باروت ریختن (در)، چاشنی گذاشتن (در)؛ رنگ اول را زدن، آستر کردن؛ با ریختن کمی آب راه انداختن (تلمبه)؛ مجهز کردن؛ پُر کردن
primer /'praɪmə(r)/ *n* کتابِ درسی مقدماتی؛ [در رنگ‌کاری] آستر
primeval *or* **primaeval** /praɪ'mi:vl/ *adj* مربوط به روزگارِ نخستینِ جهان؛ ماقبل تاریخی
priming /'praɪmɪŋ/ *n* [در تفنگ] خرج
primitive /'prɪmɪtɪv/ *adj* بدوی؛ پیشین، قدیمی، کهنه؛ اصلی، اولیه
primly *adv* با خودنمایی و دقت
primo /'pri:məʊ/ *adj* در درجه نخست
primogeniture /,praɪməʊ'dʒenɪtʃə(r)/ *n* نخست‌زادگی،ارشدیت
primordial /praɪ'mɔ:dɪəl/ *adj* ازلی، قدیمی‌ترین، نخستین، بدوی؛ اصلی
primrose /'prɪmrəʊz/ *n* پامچال
  the primrose path (طلب)عیش‌ونوش
primus /'praɪməs/ *n* پریموس
prince /prɪns/ *n* شاهزاده، شاهپور، امیر
  prince of historians سلطان‌المورخین
  Prince of Wales (لقب) وارثِ مطلق و مسلم تخت و تاج انگلیس

prison-breaker /prɪzn 'breɪkə(r)/ *n* زندان گریز
prisoner *n* زندانی؛ اسیر
take prisoner اسیر کردن؛ زندانی کردن
pristine /'prɪsti:n/ *adj* پیشین، قدیمی
prithee /'prɪðɪ/ *int, Arch* خواهش دارم
privacy /'prɪvəsɪ,'praɪv-/ *n* خلوت، تنهایی؛ پنهانی؛ مطلب محرمانه
disturb one's privacy مخل آسایش کسی شدن
private /'praɪvɪt/ *adj,n* ۱.خصوصی؛ محرمانه؛ خلوت؛ غیردولتی، ملی [private school] ۲.سرباز
in private درخلوت، محرمانه
privateer /,praɪvə'tɪə(r)/ *n* کشتیِ مسلح غیرنظامی (که از طرف دولت مأمور غارت کشتی‌های بازرگانی دشمن می‌شود)؛ فرمانده این کشتی
privately *adv* محرمانه، درخلوت [Talk to him privately]
privation /praɪ'veɪʃn/ *n* فقدان؛ فقر
privet /'prɪvɪt/ *n* [گیاه‌شناسی] برگ نو، مندارچه
privilege /'prɪvəlɪdʒ/ *n* امتیاز، حق ویژه؛ مزیت؛ مصونیت (پارلمانی)
privileged *adj* دارای امتیاز؛ ممتاز یا مقدم [privileged shares]
privily /'prɪvɪlɪ/ *adv* مخفیانه
privy /'prɪvɪ/ *adj* خصوصی؛ محرمانه، نهانی؛ مطلع
privy to دارای اطلاع خصوصی از
privy chamber اتاق خلوت
Privy Purse هزینهٔ خصوصی پادشاه
Privy Council هیئت مشاورین سلطنتی
privy parts شرمگاه، عورت
prize /praɪz/ *n,vt* ۱.انعام، جایزه ۲.با ارزش پنداشتن، قدردانی کردن
prize /praɪz/ *n* کشتی یا کالایی که به موجب حقوق جنگی در دریا به غنیمت برده شود
prize *or* **prise** /praɪz/ *vt* با اهرم بلند کردن یا گشودن [با open]
prize-fighting /'praɪz faɪtɪŋ/ *n* پیشهٔ بوکس یا مشت‌زنی، بوکس به‌منظور بردن جایزه
prizeman /'praɪzmən/ *n* [-men] جایزه‌بَر، صاحب جایزه
prize-money /'praɪz mʌnɪ/ *n* پولی که از فروش‌غنیمت دریایی به‌دست می‌آید
prize-ring /'praɪz rɪŋ/ *n* رینگ (بوکس)

Prince Consort شاهزاده‌ای که زنش ملکه باشد، شوهر ملکه
Prince Regent شاهزاده نایب‌السلطنه
princedom /'prɪnsdəm/ *n* قلمرو و رتبه شاهزاده
princely *adj* شاهزاده‌وار؛ باشکوه، مجلل؛ شاهانه، ملوکانه
princess /prɪn'ses/ *n* شاهدخت، شاهزاده‌خانم؛ زن شاهزاده
principal /'prɪnsəpl/ *adj,n* ۱.عمده، اصلی ۲.مُدیر؛ اصل (پول)، مایه؛ [حقوق] موکل؛ مضمون عنه
lady principal مدیره، رئیسه
principality /,prɪnsɪ'pælətɪ/ *n* امیرنشین، امارت
principally /'prɪnsəplɪ/ *adv* اساساً، بیشتر
principle /'prɪnsəpl/ *n* اصل [جمع= اصول]؛ مسلک: مرام اخلاقی؛ قاعدهٔ کلی
in principle اصولاً
on principle از لحاظ قیود اخلاقی
prink /prɪŋk/ *vi,vt* ۱.خودآرایی کردن ۲.آراستن؛ صاف کردن
print /prɪnt/ *n* چاپ، طبع؛ نقش، باسمه؛ چیت؛ قلمکار؛ عکس یا مواد چاپی
in print زیر چاپ؛ موجود برای فروش
out of print تمام‌شده [درگفتگویِ از نسخه‌های چاپی یک کتاب]
print /prɪnt/ *vt,vi* ۱.چاپ کردن؛ [مجازاً] جایگیر ساختن ۲.چاپ خوردن
print off چاپ کردن (عکس)
printable *adj* چاپ کردنی، قابل چاپ
printer *n* چاپگر؛ کارگر چاپخانه
printer's ink مرکب چاپ
printing *n* چاپ، طبع
printing-press ماشین چاپ؛ چاپخانه
printing-office چاپخانه، مطبعه
prior /'praɪə(r)/ *adj* قبلی؛ مقدم
prior to پیش از، قبل از؛ مقدم بر
prior /'praɪə(r)/ *n* [*fem* -ess] بزرگ دیر، پیردیر، رئیسِ priory
priority /praɪ'ɒrətɪ US: praɪ'ɔ:rətɪ/ *n* تقدم
priory *n* دیر، صومعه، مرکز راهبان و راهبات که یک درجه از abbey پایین‌تر است
prism /'prɪzəm/ *n* منشور
prismatic /prɪz'mætɪk/ *adj* منشوری؛ درخشان
prismoid /'prɪzmɔɪd/ *n* شبه منشور
prison /'prɪzn/ *n* زندان

pro /prəʊ/ *prep* برايِ؛ برلهِ؛ طرفدارِ؛ به جايِ
pros and cons نقاط ضعف و نقاط قوت
probability /ˌprɒbəˈbɪlətɪ/ *n* احتمال، احتمالات
There is no probability of his staying there هيچ احتمال نمی‌رود آنجا بماند
in all probability احتمال کلی می‌رود (يا دارد)
probable /ˈprɒbəbl/ *adj* احتمالی؛ محتمل
It is probable احتمال دارد، احتمال می‌رود
The story is probable. اين داستان راست می‌نمايد (يا احتمال دارد راست باشد).
probably /ˈprɒbəblɪ/ *adv* شايد، يحتمل
probate /ˈprəʊbeɪt/ *n* گواهی صحت وصيت‌نامه؛ رونوشتِ مُصَدَّق وصيت‌نامه؛ گواهی انحصار وراثت
grant probate of a will صحت وصيت‌نامه‌ای را گواهی کردن
probation /prəˈbeɪʃn US: prəʊ-/ *n* آزمايش، امتحان؛ دورهٔ آزمايشی؛ (دورهٔ) کارآموزی؛ [حقوق] آزادی مشروط، تعليق مجازات متخلفين جوان يا آنان‌که برای نخستين بار خلافی کرده‌اند با گرفتن التزامِ خوشرفتاری از ايشان
on probation در مرحلهٔ آزمايش؛ به‌شرط امتحان
probational /prəˈbeɪʃnəl/ *or*
probationary /prəˈbeɪʃnrɪ US: prəʊˈbeɪʃənerɪ/ *adj* آزمايشی، امتحانی
probationer /prəˈbeɪʃənə(r)/ *n* کارآموزِ آزمايشی
probe /prəʊb/ *n,vt* ۱.ميل ۲.ميل زدن؛ [مجازاً] خوب وارسی کردن
probity /ˈprəʊbətɪ/ *n* درستی، پاکدامنی
problem /ˈprɒbləm/ *n* مسئله، مشکل
problem play نمايش انتقادی اجتماعی
problematic /ˌprɒbləˈmætɪk/ *adj* نامعلوم، مشکوک
proboscis /prəˈbɒsɪs/ *n* خرطوم؛ [در حشرات] اندام مکنده
procedure /prəˈsiːdʒə(r)/ *n* رويه، طرز اقدام، روش، طرز عمل
proceed /prəˈsiːd/ *vi* (پيش) رفتن، رهسپار شدن؛ اقدام کردن؛ ناشی شدن؛ ارتقا پيدا کردن
How shall we proceed? چگونه بايد اقدام کرد؟ تکليف چيست؟
proceed against someone عليه کسی دادخواهی کردن، از دست کسی عارض شدن
proceeding /prəˈsiːdɪŋ/ *n* اقدام؛ جريان، پيشرفت؛ [در جمع] خلاصهٔ مذاکرات

proceeds /ˈprəʊsiːdz/ *npl* درآمد، عايدات
process /ˈprəʊses US: ˈprɒses/ *n,vt* ۱.فرايند؛ عمل؛ مرحله؛ جريان؛ [در کالبدشناسی] زايده؛ [حقوق] جريانِ کار دادگاه ۲.از مجرای قانون تعقيب کردن؛ عمل آوردن
in the process of در دستِ
in process of time به‌مرورِ زمان
procession /prəˈseʃn/ *n* دسته، اجتماع؛ حرکت دسته‌جمعی
processional /prəˈseʃənl/ *adj or*
processionary دسته‌جمعی
procès-verbal /preʊˈseɪ veˈbɑːl/ *n,Fr* صورت‌مجلس
proclaim /prəˈkleɪm/ *vt* اعلام کردن، آشکار کردن
proclaim war اعلان جنگ دادن
proclaim (to be) a traitor خائن معرفی کردن
proclamation /ˌprɒkləˈmeɪʃn/ *n* اعلام، اعلان؛ انتشار؛ بيانيه، بيان‌نامه
proclivity /prəˈklɪvətɪ/ *n* تمايل (به کاربد)
proconsul /ˌprəʊˈkɒnsl/ *n* فرماندارِ مستعمره؛ [در روم قديم] نايب کنسول
procrastinate /prəʊˈkræstɪneɪt/ *vi* مسامحه کردن، تعلل کردن، امروز و فردا کردن
procrastination /prəʊˌkræstɪˈneɪʃn/ *n* مسامحه، تعلل
proctor /ˈprɒktə(r)/ *n* ناظر امتحان، مراقب
procurable *adj* به‌دست آوردنی، يافتنی، ميسر
procurator /ˈprɒkjʊreɪtə(r)/ *n* وکيل، گماشته؛ رئيس کلانتری يا دادستان؛ [در روم باستان] مأمور مالی
procure /prəˈkjʊə(r)/ *vt* ۱.به‌دست آوردن؛ فراهم کردن؛ پيدا کردن
prod /prɒd/ *vt* [-ded] *,n* ۱.سيخ زدن، سک زدن ۲.سيخک، سُک
prodigal /ˈprɒdɪgl/ *adj* ولخرج، اتلافکار
prodigality /ˌprɒdɪˈgælətɪ/ *n* اسراف، ولخرجی
prodigious /prəˈdɪdʒəs/ *adj* عجيب، شگفت‌انگيز؛ غيرعادی؛ کلان
prodigy /ˈprɒdɪdʒɪ/ *n* اعجوبه، نادره؛ نمونهٔ عجيب
a prodigy violinist ويلن‌زن فوق‌العاده
produce /ˈprɒdjuːs US: -duːs/ *n* محصول
produce /prəˈdjuːs US: -ˈduːs/ *vt* عمل آوردن؛ توليد کردن؛ انتشار دادن [produce a book]؛ موجب شدن؛ اقامه کردن؛ ارائه دادن (سند)؛ به معرض نمايش گذاشتن؛ استخراج کردن؛ [هندسه] رسم کردن

producer /prə'dju:sə(r) US: -'du:-/ *n* عمل‌آورنده، سازنده، بارآورنده؛ نمایش‌دهنده

product /'prɒdʌkt/ *n* محصول، فرآورده، حاصل؛ نتیجه؛ حاصلضرب

production /prə'dʌkʃn/ *n* تولید؛ استخراج؛ محصول؛ عمل؛ ارائه؛ اقامه

productive /prə'dʌktɪv/ *adj* بارآور، حاصلخیز؛ سودمند از لحاظ اقتصادی

productive of annoyance باعثِ زحمت

productiveness *n* = productivity

productivity /,prɒdʌk'tɪvətɪ/ *n* حاصلخیزی؛ نیرویِ تولید؛ سودمندی

proem /'prəʊəm/ *n* مقدمه، دیباچه

pro-English /prəʊ'ɪŋglɪʃ/ *n* طرفدار انگلیس‌ها، آنگلوفیل

profanation /,prɒfə'neɪʃn/ *n* بی‌حرمتی (به مقدسات)

profane /prə'feɪn US: prəʊ-/ *adj,vt* ۱.کفرآمیز؛ دنیوی، غیرروحانی؛ زشت ۲.بی‌حرمت ساختن؛ به زشتی یاد کردن

profanely *adv* به‌طور کفرآمیز

profanity /prə'fænətɪ US: prəʊ-/ *n* بی‌حرمتی به‌مقدسات

profess /prə'fes/ *vt* ادعا کردن، اظهار کردن؛ اقرار کردن؛ پیشهٔ خود قرار دادن

professed *ppa* اقرار شده؛ ادعا شده؛ مدعی؛ مُقر؛ متظاهر، دروغی

a professed lover عاشق دروغی

a professed Jew یهودیِ مُقِر

professedly /prə'fesɪdlɪ/ *adv* صریحاً؛ با اقرار

profession /prə'feʃn/ *n* پیشه، حرفه؛ اعتراف؛ دعوی؛ اظهار؛ نذر

He is a physician by profession.

پیشهٔ او پزشکی است.

the learned professions

علوم سه‌گانه [دین و پزشکی و حقوق]

professional /prə'feʃənl/ *adj,n* ۱.حرفه‌ای ۲.کسی که رشته‌ای را پیشهٔ رسمی خود قرار دهد

professionally /prə'feʃənəlɪ/ *adv* از لحاظ پیشه

professor /prə'fesə(r)/ *n* استاد

professorial /,prɒfɪ'sɔ:rɪəl/ *adj* استادوار، استادانه

professorship *n* استادی

proffer /'prɒfə(r)/ *n,vt* پیشنهاد (کردن)، تقدیم (داشتن)

proficiency /prə'fɪʃnsɪ/ *n* زبردستی، مهارت، خبرگی، تخصص

proficient /prə'fɪʃnt/ *adj* زبردست، ماهر، حاذق

profile /'prəʊfaɪl/ *n,vt* ۱.نیمرخ؛ بُرش عمودی؛ مقطع طولی؛ نقشهٔ مقطعی ۲.برشِ عمودی (چیزی) را نشان دادن

profit /'prɒfɪt/ *n,v* ۱.سود، منفعت ۲.سود بردن، منفعت کردن؛ سودمند یا مفید بودن (برایِ)

profit by سود بردن یا استفاده کردن از

profitable /'prɒfɪtəbl/ *adj* پُرسود، پرمنفعت؛ سودمند، مفید

profitably /'prɒfɪtəblɪ/ *adv* سودمندانه

profiteer /,prɒfɪ'tɪə(r)/ *n,vi* ۱.استفاده‌چی؛ گران‌فروش ۲.سودگزاف بردن

profitless *adj* بی‌سود، بی‌منفعت

profligacy /'prɒflɪgəsɪ/ *n* هرزگی؛ ولخرجی

profligate /'prɒflɪgət/ *adj,n* (آدم) هرزه؛ (آدم) ولخرج

pro forma /,prəʊ 'fɔ:mə/ *adv,adj,L* ۱.از لحاظ ظاهر ۲.ظاهری؛ موقتی

pro forma invoice سیاههٔ مقدماتی، پیش‌فاکتور

profound /prə'faʊnd/ *adj* گود، ژرف، عمیق؛ زیاد، مفرط؛ بنیادی، اساسی؛ پرمغز، پرمحتوا

profoundly /prə'faʊndlɪ/ *adv* زیاد، به‌غایت

profundity /prə'fʌndətɪ/ *n* عمق؛ اندیشهٔ عمیق

profuse /prə'fju:s/ *adj* فراوان، وافر؛ زیاد ریزنده، فایض؛ مسرف

profuse of expenditure ولخرج

profusely *adv* زیاد؛ مسرفانه

profusion /prə'fju:ʒn/ *n* وفور

progenitor /prəʊ'dʒenɪtə(r)/ *n* جد؛ شخص پیشین، پیشرو

progeny /'prɒdʒənɪ/ *n* اولاد، فرزند(ان)، خلف [جمع = اخلاف]

prognostic /prɒg'nɒstɪk/ *n,adj* ۱.پیشگویی ۲.پیشگویی‌کننده

prognosticate /prɒg'nɒstɪkeɪt/ *vt* پیشگویی کردن، خبر دادن

prognostication /prɒg,nɒstɪ'keɪʃn/ *n* پیش‌بینی یا پیشگویی (از روی علایم)، خبر

program(me) /'prəʊgræm/ *n,vt* ۱.برنامه ۲.برنامه برای (چیزی) درست کردن

progress /'prəʊgres US: 'prɒg-/ *n* پیشرفت، ترقی؛ جریان

make progress پیشرفت کردن، ترقی کردن

be in progress جریان (یا ادامه) داشتن

progress /prəˈgres/ *vi* پیشرفت‌کردن، ترقی کردن؛ جریان داشتن، ادامه داشتن

progression /prəˈgreʃn/ *n* پیشروی، پیشرفت؛ [ریاضیات] تصاعد

progressive /prəˈgresɪv/ *adj* پیشرو، مترقی؛ ترقی‌خواه؛ ترقی‌خواهانه؛ تدریجی؛ [دستورزبان] استمراری؛ [ریاضیات] تصاعدی

progressively *adv* به‌طور تصاعدی؛ به‌طور پیشرونده؛ مستمراً؛ ترقی‌خواهانه

progressiveness *n* ترقی‌خواهی

prohibit /prəˈhɪbɪt US: prəʊ-/ *vt* منع کردن؛ ممنوع داشتن؛ جلوگیری کردن

prohibition /ˌprəʊhɪˈbɪʃn US: ˌprəʊəˈbɪʃn/ *n* منع، جلوگیری، تحریم، نهی؛ ممنوعیت؛ منع فروشِ مشروبات الکلی

prohibitionist /ˌprəʊhɪˈbɪʃənɪst/ *n* طرفدارِ منع فروش مسکرات

prohibitive /prəˈhɪbətɪv US: prəʊ-/ *adj* مانع؛ خیلی زیاد، گزاف [prohibitive prices]

prohibitive tax مالیات گزافی که صدور یا ورود کالا را غیرممکن سازد

prohibitory /prəˈhɪbɪtərɪ US: prəʊˈhɪbətɔ:rɪ/ *adj* منع‌کننده؛ متضمن نهی

project /ˈprɒdʒekt/ *n* طرح، نقشه، پیشنهاد

project /prəˈdʒekt/ *vt,vi* ۱.طرح کردن، پیشنهاد کردن؛ تصورکردن؛ تصویرکردن ۲.پیشامدگی داشتن

projectile /prəˈdʒektaɪl US: -tl/ *adj,n* ۱.تصویرکننده؛ پرتابی ۲.پرتابه، پرانه

projection /prəˈdʒekʃn/ *n* پیشامدگی؛ طرح(ریزی)؛ [هندسه] تصویر [projection of a point]؛ نمایش؛ [روان‌شناسی] فرافکنی

projector /prəˈdʒektə(r)/ *n* پرتوافکن، نورافکن؛ طرح‌ریز

proletarian /ˌprəʊlɪˈteərɪən/ *adj,n* ۱.کارگری، مربوط به کارگران ۲.کارگر، مزدبگیر

proletariat /ˌprəʊlɪˈteərɪət/ *n* طبقه کارگر؛ [روم باستان] پایین‌ترین دستهٔ مردم

prolific /prəˈlɪfɪk/ *adj* حاصلخیز، پُربار؛ فراوان؛ دارای تألیفات بسیار

prolix /ˈprəʊlɪks US: prəʊˈlɪks/ *adj* طولانی و کسل‌کننده؛ درازنفس

prolixity /prəʊˈlɪksətɪ/ *n* درازنفسی، اطناب، تطویل سخن؛ درازی، تفصیل

prolog(ue) /ˈprəʊlɒg US: -lɔ:g/ *n* درآمد، مقدمه؛ شعر مقدماتی؛ مطلعِ شعر

prolong /prəˈlɒŋ US: -ˈlɔ:ŋ/ *vt* تمدید کردن، امتداد دادن، طولانی کردن

prolongation /ˌprəʊlɒŋˈgeɪʃn US: -lɔ:ŋ-/ *n* تمدید، امتداد

promenade /ˌprɒməˈnɑ:d US: -ˈneɪd/ *n,vi,vt* ۱.گردش، تفرج؛ گردشگاه ۲.تفرج کردن ۳.به گردش بردن

prominence /ˈprɒmɪnəns/ *n* برجستگی، امتیاز، اهمیت؛ پیشامدگی

prominent /ˈprɒmɪnənt/ *adj* برجسته، معلوم؛ ممتاز، مهم؛ بلند، والا؛ پیشامده

promiscuity /ˌprɒmɪˈskju:ətɪ/ *n* آشفتگی، هرج و مرج، بی‌بندوباری جنسی

promiscuous /prəˈmɪskjʊəs/ *adj* هرزه، بی‌بندوبار، بی‌قاعده

promiscuous bathing آبتنیِ زن و مرد با هم

promise /ˈprɒmɪs/ *n,v* ۱.قول، پیمان ۲.قول دادن، وعده دادن، عهد کردن؛ از چیزی خبر دادن

a youth of promise جوان خوش‌آتیه

These clouds promise rain.

این ابرها خبر از باران (یا بارندگی) می‌دهند.

promise well نویدبخش بودن، مایه امیدواری بودن

He promised me the loan of his book.

قول داد کتابش را به من عاریه بدهد.

apa **promising** خوش‌آتیه، دارای آیندهٔ روشن؛ امیدبخش

promissory /ˈprɒmɪsərɪ US:-sɔ:rɪ/ *adj* متضمن وعده

promissory note سفته، سند ذمه

promontory /ˈprɒməntrɪ US: -tɔ:rɪ/ *n* دماغهٔ بلند؛ رأس، پرتگاه

promote /prəˈməʊt/ *vt* ترفیع دادن، ترقی دادن؛ جلوانداختن؛ تشویق‌کردن، ترویج‌کردن؛ تأسیس‌کردن

promoter *n* مؤسس، بانی

promotion /prəˈməʊʃn/ *n* ترفیع؛ پیشرفت، ترقی؛ تشویق

prompt /prɒmpt/ *adj,vt* ۱.فوری، بی‌معطلی؛ آماده؛ فرز ۲.وادار کردن؛ تحریک کردن؛ به جنبش آوردن؛ سخن رساندن به (هنرپیشه)

prompt-book /ˈprɒmpt bʊk/ *n* نسخهٔ سوفلور

prompter *n* سخن‌رسان، سوفلور

promptitude /ˈprɒmptɪtju:d US: -tu:d/ *n* فوریت؛ آمادگی

promptly *adv* بدون معطلی

promulgate /ˈprɒmlgeɪt/ *vt* اعلام کردن، به عموم آگهی دادن، ترویج کردن

promulgation /ˌprɒmlˈgeɪʃn/ *n* اعلام؛ ترویج
prone /prəʊn/ *adj* دمرو، دمر؛ [مجازاً] مستعد
prone to آمادهٔ، مستعدِ
prong /prɒŋ US: prɔ:ŋ/ *n,vt* ۱.چنگال؛ شانه؛ شاخه، دندانه ۲.سوراخ کردن
two-pronged دوشاخه؛ دوطرفه
pronominal /prəʊˈnɒmɪnl/ *adj* ضمیری
pronoun /ˈprəʊnaʊn/ *n* [دستورزبان]ضمیر،کنایه
pronounce /prəˈnaʊns/ *vt,vi* ۱.تلفظ کردن؛ صادر کردن (رأی) ۲.حکم دادن، فتوی دادن؛ اظهار عقیده کردن
pronounce guilty مجرم قلمداد کردن
pronounced *ppa* مشخص؛ قطعی
pronunciation /prəˌnʌnsɪˈeɪʃn/ *n* تلفظ، ادا
proof /pru:f/ *n,adj,vt* ۱.دلیل، گواه، نشانه؛ مدرک؛ امتحان، محک؛ نمونه غلطگیری ۲.دافع؛ آزموده، سوراخ نشدنی؛ پردوام ۳.با دوام کردن؛ ضدآب کردن (پارچه)
put to proof آزمایش کردن
in proof of برای اثباتِ
high-proof spirit عرقِ سنگین
proof against cold دافعِ سرما
fire-proof نسوز
thief-proof محفوظ از دزد، ضدآب
proof-reader /ˈpru:fri:də(r)/ *n* مصحح (چاپخانه)
proof-sheet /ˈpru:f ʃi:t/ *n* نمونهٔ غلطگیری
prop /prɒp/ *n,vt* [-ped] ۱.حایل، پایه؛ تیر، شمع؛ تکیه؛ پشتیبان ۲.نگه داشتن؛ زیر (چیزی) شمع زدن
propaganda /ˌprɒpəˈgændə/ *n* تبلیغات
propagandize /ˌprɒpəˈgændaɪz/ *vt,vi* ۱.تبلیغ کردن، انتشار دادن، ترویج کردن ۲.تبلیغات دایر کردن
propagate /ˈprɒpəgeɪt/ *vt,vi* ۱.زیاد کردن؛ قلمه زدن؛ منتشر کردن؛ انتقال دادن ۲.تولیدِمثل کردن، زیاد شدن
propagation /ˌprɒpəˈgeɪʃn/ *n* ترویج؛ توسعه؛ تکثیر؛ افزایش (نوع)؛ انتقال
propagator /ˈprɒpəgeɪtə(r)/ *n* مروج
propel /prəˈpel/ *vt* [-led] راندن، جلو بردن، سوق دادن
propeller *n* [در هواپیما] ملخ؛ [در کشتی] پروانه
propensity /prəˈpensətɪ/ *n* تمایل، میل
proper /ˈprɒpə(r)/ *adj* درست، صحیح؛ مرتب؛ مخصوص؛ شایسته، مناسب؛ [دستورزبان] خاص [proper noun]
proper fraction کسر واقعی
proper to spring مخصوص بهار
China proper چین خاص
proper licking *Col* کتک حسابی
properly *adv* درست، بهطور صحیح؛ [در گفتگو] کاملاً، خیلی خوب
propertied /ˈprɒpətɪd/ *adj* ملکدار، ملاک
property /ˈprɒpətɪ/ *n* دارایی، مال؛ ملک؛ [فیزیک] خاصیت
property-man /prɒpətɪˈmæn/ *n* متصديِ اثاثیه صحنه نمایش
prophecy /ˈprɒfəsɪ/ *n* نبوت؛ پیشگویی؛ خبر
prophesy /ˈprɒfəsaɪ/ *v* نبوت کردن، پیشگویی کردن
prophet /ˈprɒfɪt/ *n* [*fem* -ess] پیغمبر
prophetic(al) /prəˈfetɪk(l)/ *adj* نبوی؛ متضمنِ پیشگویی؛خبردهنده
prophylactic /ˌprɒfɪˈlæktɪk/ *adj,n* ۱.جلوگیریکننده، دافع ۲.داروی جلوگیری؛ اقدام احتیاطی
propinquity /prəˈpɪŋkwətɪ/ *n* نزدیکی، قرابت
propitiate /prəˈpɪʃɪeɪt/ *vt* خشم (کسی) را فرو نشاندن، تسکین دادن
propitiation /prəˌpɪʃɪˈeɪʃn/ *n* تسکین، کظم غیظ؛ شفاعت؛ کفاره
propitiatory /prəˈpɪʃɪətrɪ/ *adj* کفارهای، تسکیندهنده
propitious /prəˈpɪʃəs/ *adj* مساعد، موافق؛ خوش؛ مناسب
proportion /prəˈpɔ:ʃn/ *n,vt* ۱.نسبت؛ تناسب؛ بخش، قسمت؛ اندازه، [در جمع] ابعاد ۲.متناسب کردن، مطابق کردن
a large proportion of قسمت زیادی از
in proportion متناسب
in proportion to نسبت به
out of proportion بیتناسب، خارج از اندازه
proportionable /prəˈpɔ:ʃənəbl/ *adj* متناسب؛ باقرینه؛ تناسبپذیر
proportional /prəˈpɔ:ʃənl/ *adj* متناسب، نسبی
proportionally /prəˈpɔ:ʃənəlɪ/ *adv* بهتناسب
proportionate /prəˈpɔ:ʃənət/ *adj* متناسب، درخور، فراخور
proportionate to به فراخورِ
proposal /prəˈpəʊzl/ *n* پیشنهاد

propose /prə'pəʊz/ *v* پیشنهاد کردن، طرح کردن؛ در نظر داشتن، درنظر گرفتن؛ نامزد کردن، معرفی کردن؛ پیشنهاد زناشویی کردن
  propose a person('s health) به سلامتی کسی نوشیدن
  propose a man for chairman کسی را برای ریاست پیشنهاد کردن
proposition /,prɒpə'zɪʃn/ *n* پیشنهاد؛ موضوع، مسئله؛ قضیه، گزاره
propound /prə'paʊnd/ *vt* مطرح کردن؛ پیشنهاد کردن؛ تقدیم کردن
proprietary /prə'praɪətrɪ US: -terɪ/ *adj* مالکانه؛ اختصاصی
proprietor /prə'praɪətə(r)/ *n* [*fem* -tress] مالک؛ صاحب امتیاز روزنامه
proprietorship *n* مالکیت
propriety /prə'praɪətɪ/ *n* رعایتِ آداب؛ [در جمع] آداب (معاشرت)؛ درستی
props /prɒps/ *npl,Sl* اثاثیهٔ صحنهٔ نمایش
propulsion /prə'pʌlʃn/ *n* سوق، فشار به سوی جلو؛ [مجازاً] نفوذ
propulsive /prə'pʌlsɪv/ *adj* جلوبرنده
pro rata /,prəʊ 'rɑ:tə/ *adv,adj,L* ۱.به‌نسبت ۲.نسبی
prorogation /,prəʊrə'geɪʃn/ *n* تعطیل؛ خاتمه
prorogue /prə'rəʊg/ *vt* تعطیل کردن (مجلس)
prosaic /prə'zeɪɪk/ *adj* عاری از لطافت، کسل‌کننده؛ پیش‌پا افتاده
proscenium /prə'si:nɪəm/ *n* قسمت بین صحنه نمایش و جای ارکستر
proscribe /prə'skraɪb US:prəʊ-/ *vt* تبعید کردن؛ بد دانستن، تخطئه کردن
proscription /prə'skrɪpʃn US: prəʊ-/ *n* ترک؛ نهی، بازداشت، منع؛ تخطئه؛ تبعید
prose /prəʊz/ *n* نثر؛ [مجازاً] سخنِ عاری از لطافت
prosecute /'prɒsɪkju:t/ *vt* تعقیب کردن
prosecution /,prɒsɪ'kju:ʃn/ *n* تعقیب، پیگرد
prosecutor /'prɒsɪkju:tə(r)/ *n* تعقیب‌کننده؛ وکیل عمومی، دادیار
  public prosecutor دادستان
proselyte /'prɒsəlaɪt/ *n* جدیدالمذهب
proselytize /'prɒsəlɪtaɪz/ *v* به دین دیگر بردن یا رفتن
prosily *adv* به‌طور کسل‌کننده
prosiness *n* بی‌لطافتی؛ ابتذال
prosodist *n* عروض‌دان، عروضی
prosody /'prɒsədɪ/ *n* عروض
prospect /'prɒspekt/ *n* دورنما، چشم‌انداز؛ چشمداشت، انتظار؛ پیش‌بینی؛ مشتری احتمالی
  in prospect در مدنظر؛ انتظار داشته
prospect /prə'spekt US: 'prɒspekt/ *v* پیگردی کردن، جستجو کردن [با for]
  prospect well مایهٔ امیدواری بودن
prospective /prə'spektɪv/ *adj* متوجه به آینده؛ انتظار داشته، منتظره
  The law is prospective. قانون عطف به ماسبق نمی‌شود.
  prospective bride عروس آینده
prospector *n* کان‌جو
prospectus /prə'spektəs/ *n* [-es] بروشور، آگهی
prosper /'prɒspə(r)/ *vi,vt* ۱.نیک‌انجام شدن، کامیاب شدن؛ پیشرفت کردن ۲.کامیاب کردن
prosperity /prɒ'sperətɪ/ *n* خوشبختی، سعادت، نیک‌انجامی؛ ترقی روزافزون
prosperous /'prɒspərəs/ *adj* خوش؛ خوشبخت؛ مساعد؛ نیک‌انجام
prostitute /'prɒstɪtju:t US:-tu:t/ *n,vt* ۱.فاحشه ۲.بیهوده صرف‌کردن
prostitution /,prɒstɪ'tju:ʃn US: -'tu:ʃn/ *n* فاحشگی؛ صرف کردن (استعداد) برای کارهای بد
prostrate /prɒ'streɪt US: 'prɒstreɪt/ *vt* به‌زمین انداختن؛ [مجازاً] پست کردن؛ ازپا درآوردن
  prostrate oneself به‌خاک افتادن
prostrate /'prɒstreɪt/ *adj* رو به‌زمین، دَمر؛ شکست‌خورده؛ ازپا درآمده
prostration /prɒ'streɪʃn/ *n* سستی یا ضعف (زیاد)؛ سُجود، به خاک افتادن؛ خضوع
prosy /'prəʊzɪ/ *adj* کسل‌کننده، عاری از لطافت، بی‌روح؛ مبتذل
protagonist /prə'tægənɪst/ *n* قهرمان داستان؛ حریف
protean /'prəʊtɪən,prəʊ'ti:ən/ *adj* متلون، بی‌ثبات
protect /prə'tekt/ *vt* محافظت کردن، حمایت کردن
  protect home industry صنایع داخلی را با گمرک بستن روی واردات تشویق کردن و کسی را که طرفدار این رویه است protectionist گویند
  protect a bill (پرداخت) وجه براتی را تأمین کردن
protection /prə'tekʃn/ *n* محافظت؛ حمایت؛ وسیلهٔ جلوگیری؛ مصونیت

be under a person's protection
در پناه کسی بودن، تحت حمایت کسی بودن

protectionist /prəˈtekʃənɪst/ *n* [زیر protect آمده]

protective /prəˈtektɪv/ *adj* حفاظتی، حفاظتی، [در اقتصاد] حمایتی

protector /prəˈtektə(r)/ *n* نگهدار؛ پشتیبان؛ حامی؛ سرپرست؛ نایب‌السلطنه

protectorate /prəˈtektərət/ *n* سرپرستی، قیمومت؛ کشور تحت‌الحمایه

pretégé /ˈprɒtɪʒeɪ US: ˌprəʊtɪˈʒeɪ/ *n,Fr* شخص تحت‌الحمایه

protein /ˈprəʊtiːn/ *n* پروتئین

protempore /ˌprəʊ ˈtempərɪ/ *adv,L* موقتاً

protest /ˈprəʊtest/ *n* اعتراض (رسمی)؛ واخواست

lodge a protest اعتراض رسمی کردن

protest /prəˈtest/ *vi,vt* ۱.اعتراض رسمی کردن ۲.جداً اظهار کردن؛ [سفته و برات] واخواست کردن

Protestant /ˈprɒtɪstənt/ *n,adj* پروتستان

protestation /ˌprɒteˈsteɪʃn/ *n* اظهار جدی؛ ادعا؛ اعتراض

Proteus /ˈprəʊtɪəs/ *n* رب‌النوع دریایی که به اشکال گوناگون در می‌آمد؛ [مجازاً] آدم دمدمی یا متلون

protocol /ˈprəʊtəkɒl US: -kɔːl/ *n* پیوندنامه، مقاوله‌نامه، صورت‌مجلسِ سیاسی

protoplasm /ˈprəʊtəplæzəm/ *n* پروتوپلاسم

prototype /ˈprəʊtətaɪp/ *n* نمونهٔ نخستین؛ نمونهٔ اصلی

protozoan /ˌprəʊtəˈzəʊən/ *n* تک‌یاخته، یک‌سلولی

protozoon /ˌprəʊtəˈzəʊən/ *n* جاندار تک‌یاخته‌ای

protract /prəˈtrækt US: prəʊ-/ *vt* طول دادن، کشیدن

protraction /prəˈtrækʃn/ *n* تمدید؛ امتداد

protractor /prəˈtræktə(r) US: prəʊ-/ *n* نقاله

protrude /prəˈtruːd US: prəʊ-/ *vt,vi* ۱.جلو بُردن؛ بیرون انداختن ۲.پیش آمدن

protrusion /prəˈtruːʒn US: prəʊ-/ *n* پیش‌رفتگی، پیشامدگی، بیرون‌افتادگی

protrusive /prəˈtruːsɪv US: prəʊ-/ *adj* پیشامده؛ فضول؛ سرزده

protuberance /prəˈtjuːbərəns/ *n* برآمدگی، قلنبگی، تورم؛ برجستگی

protuberant /prəˈtjuːbərənt US: prəʊˈtuː-/ *adj* متورم؛ برجسته

proud /praʊd/ *adj* متکبر، مغرور؛ مفتخر، سرافراز؛ تکبرآمیز؛ باشکوه

He was proud of his wealth.
به دارایی خود مغرور بود (یا می‌بالید).

I am proud of.
به... افتخار می‌کنم.

proud flesh گوشت نو

proudly *adv* متکبرانه، از روی غرور، مغرورانه؛ با افتخار

provable *adj* قابل اثبات

prove /pruːv/ *vt,vi* ۱.ثابت کردن؛ امتحان کردن ۲.معلوم شدن، درآمدن [prove false]

proven /ˈpruːvn/ اسم‌مفعولِ فعل prove

provender /ˈprɒvɪndə(r)/ *n* علیق

proverb /ˈprɒvɜːb/ *n* مثل، ضرب‌المثل

He is a proverb for misery.
در خست ضرب‌المثل است.

proverbial /prəˈvɜːbɪəl/ *adj* مثلی، ضرب‌المثلی؛ انگشت‌نما

provide /prəˈvaɪd/ *vt,vi* ۱.تهیه کردن، آماده کردن؛ مقرر داشتن ۲.تهیه دیدن، تدارک دیدن؛ پیش‌بینی کردن

provide for one's safety
وسایل سلامت کسی را فراهم کردن

provide against جلوگیری کردن (از)

provide for in the budget
در بودجه پیش‌بینی (یا منظور) کردن

provide a person with a thing
چیزی را برای کسی تهیه کردن

provided (that) /prəˈvaɪdɪd/ = providing

providence /ˈprɒvɪdəns/ *n* مآل‌اندیشی؛ [با P] (قدرت) پروردگار

provident /ˈprɒvɪdənt/ *adj* مآل‌اندیش؛ احتیاطی

providential /ˌprɒvɪˈdenʃl/ *adj* خدایی؛ قدرتی خدا؛ بجا، به‌موقع

providentially /ˌprɒvɪˈdenʃəlɪ/ *adv* به‌قدرت خدا

providing /prəˈvaɪdɪŋ/ *conj* به شرطِ اینکه، مشروط بر اینکه

province /ˈprɒvɪns/ *n* استان؛ ولایت؛ [در جمع] ولایات، نقاط غیر از پایتخت؛ [مجازاً] حوزه، رشته

provincial /prəˈvɪnʃl/ *adj* ولایتی؛ محلی؛ روستایی؛ کوته‌فکر، تنگ‌نظر

provincialism /prəˈvɪnʃlɪzəm/ *n* روحیه شهرستانی، دهاتیگری؛ کوته‌فکری

provision /prəˈvɪʒn/ *n,vt* ۱.تهیه؛ شرط، قید؛ پیش‌بینی؛ جلوگیری؛ [در جمع] (الف) آذوقه؛ (ب) مقررات ۲.آذوقه تدارک دیدن

provision merchant خواربارفروش

provisional /prəˈvɪʒənl/ *adj* موقت

provisionally /prəˈvɪʒənəlɪ/ *adv* موقتاً

proviso /prəˈvaɪzəʊ/ *n* [-es] شرط، قید

provocation /ˌprɒvəˈkeɪʃn/ اِغضاب؛ تحریک؛ برافروختگی؛ علت خشم، علت برافروختگی

provocative /prəˈvɒkətɪv/ *adj,n* ۱.انگیزه، محرک؛ تحریک‌آمیز ۲.انگیزه، محرک، سبب، داعی، جهت

provocative of love عشق‌انگیز

provoke /prəˈvəʊk/ *vt* تحریک کردن؛ خشمگین کردن؛ رنجانیدن؛ باعث شدن

provoke to anger خشمگین کردن

provoke laughter خنده‌آور بودن

provost /ˈprɒvəst US: ˈprəʊ-/ *n* مدیر(در آکسفورد و کمبریج)؛ شهردار (اسکاتلند)

provost marshal رئیس دژبانی

prow /praʊ/ *n* سینهٔ کشتی

prowess /ˈpraʊɪs/ *n* دلاوری

prowl /praʊl/ *vi,vt,n* ۱.درپیِ شکار گشتن، پرسه زدن ۲.گشت زدن در ۳.گشت، پرسه، تلاش

proximate /ˈprɒksɪmət/ *adj* نزدیک(ترین)، بی‌فاصله، مستقیم

proximity /prɒkˈsɪmətɪ/ *n* نزدیکی، جوار، مجاورت

proximo /ˈprɒksɪməʊ/ *adj,adv* (مربوط به) ماه آینده [مختصرِ آن prox است]

on the 4th prox در روز چهارم (از) ماه آینده

proxy /ˈprɒksɪ/ *n* وکیل، نماینده؛ نمایندگی؛ وکالتنامه(به‌منظور رأی دادن و مانند آن)

stand proxy for someone وکالتاً به‌جای کسی رأی دادن

vote by proxy رأی دادن با وکالت

prude /pru:d/ *n* آدم زاهدمآب، خشکه‌مقدس

prudence /ˈpru:dns/ *n* احتیاط، حزم، دوراندیشی؛ تدبیر، خردمندی

prudent /ˈpru:dnt/ *adj* بااحتیاط، باتدبیر، عاقل؛ عاقلانه، احتیاط‌آمیز

prudential /pru:ˈdenʃl/ *adj* احتیاطی، مصلحت‌آمیز

prudery /ˈpru:dərɪ/ *n* زاهدمآبی، خشکه‌مقدسی

prudish /ˈpru:dɪʃ/ *adj* زاهدمآب، خشکه‌مقدس

prune /pru:n/ *n* آلو(ی خشک)

prune /pru:n/ *vt* شاخه (درختی) را زدن، هرس کردن [گاهی با away یا off]؛ [مجازاً] عاری از مواد غیرضروری کردن [گاهی با down]

pruning *n* شاخه‌زنی، هُرس

pruning-hook داس کوچک

prurience;-ency /ˈprʊrɪəns(ɪ)/ *n* فکر شهوانی

prurient /ˈprʊərɪənt/ *adj* دارای فکر شهوانی

Prussian /ˈprʌʃn/ *adj* پروسی

prussian blue آبی پروسی، آبی تیره

pry /praɪ/ *vi* فضولانه نگاه کردن

pry /praɪ/ *vt* با اهرم بلند کردن

PS = postscript

psalm /sɑ:m/ *n* مزمور؛ سرود؛ [با P] مزامیر یا زبور (داود)

psalmist /ˈsɑ:mɪst/ *n* زبورنویس [لقب حضرت داود]

psalmody /ˈsɑ:mədɪ/ *n* زبورسرایی؛ کتاب سرود

psalter /ˈsɔ:ltə(r)/ *n* (ترجمهٔ) مزامیر، زبورکلیسایی

psaltery /ˈsɔ:ltərɪ/ *n* [موسیقی] نوعی قانون

seudo /ˈsju:dəʊ US: ˈsu:-/ *pref* کاذب؛ قلب؛ شبه

pseudonym /ˈsju:dənɪm/ *n* نامِ عاریتی، اسم مستعار

pseudonymous /sju:ˈdɒnɪməs US: su:-/ *adj* دارای اسم مستعار؛ به نام جعلی نوشته شده

pshaw /pfə/ *int* ه، واه

psyche /ˈsaɪkɪ/ *n* روان

psychiatrist /saɪˈkaɪətrɪst/ *n* روانپزشک، متخصص بیماریهای روانی

psychiatry /saɪˈkaɪətrɪ US: sɪ-/ *n* روانپزشکی، معالجهٔ بیماریهای روانی

psychic /ˈsaɪkɪk/ *adj,n* ۱.روانی، روحی ۲.واسطه روحی

psychical *adj* روحی، روانی

psycho-analysis /ˌsaɪkəʊəˈnæləsɪs/ *n* روانکاوی

psychological /ˌsaɪkəˈlɒdʒkl/ *adj* وابسته به روان‌شناسی، روانی

psychologist /saɪˈkɒlədʒɪst/ *n* روان‌شناس

psychology /saɪˈkɒlədʒɪ/ *n* روان‌شناسی، معرفت‌النفس

psychopath /ˈsaɪkəʊpæθ/ *n* بیمار روانی؛ جنایتکار روانی

psychopathic /ˌsaɪkəʊˈpæθɪk/ *n* دچار بیماری روانی

psychosis /saɪˈkəʊsɪs/ *n* [-ses] روان‌پریشی، پسیکوز

psychotherapy /ˌsaɪkəʊˈθerəpɪ/ *n* روان‌درمانی، تداوی روحی
ptarmigan /ˈtɑːmɪgən/ *n* نوعی باقرقره که پرهای تیره رنگش در زمستان سفید می‌شود
Ptolemic /ˌtɒləˈmeɪɪk/ *adj* بطلمیوس
pub /pʌb/ *Col* [زیر public آمده]
puberty /ˈpjuːbətɪ/ *n* بُلوغ؛ سن بلوغ
public /ˈpʌblɪk/ *adj,n* ۱.عمومی؛ ملی؛ آشکار ۲.عموم؛ مردم، ملت
- **of public utility** عام‌المنفعه
- **public school** آموزشگاه ملی؛دبستان یا دبیرستان مجانی دولتی [در امریکا]
- **public house** بار، میخانه [مختصر آن در گفتگو pub است]
- **public life** زندگی در خدماتِ عمومی یا سیاست
- **public orator** ناطق یا سخنران رسمی دانشگاه
- **in public = publicly**

publican /ˈpʌblɪkən/ *n* صاحبِ مسافرخانه؛ [در روم باستان] باجگیر
publication /ˌpʌblɪˈkeɪʃn/ *n* انتشار، طبع ونشر؛ اشاعه؛ مطبوع؛ نشریه
- **Department of Publications** اداره نگارش، اداره مطبوعات

publicist /ˈpʌblɪsɪst/ *n* نویسندهٔ مقالات سیاسی یا آنچه مربوط به حقوق بین‌الملل باشد
publicity /pʌbˈlɪsətɪ/ *n* اشتهار؛ انتشار، عمومیت؛ تبلیغ
- **publicity films** فیلم‌های تبلیغاتی

publicly *adv* آشکارا، علناً
- *It was publicly known* همه می‌دانستند

public-spirited /ˌpʌblɪk ˈspɪrɪtɪd/ *adj* خیّر، نیکوکار
publish /ˈpʌblɪʃ/ *vt* به عموم آگاهی دادن؛ انتشار دادن، طبع و نشر کردن
publisher *n* ناشر
puce /pjuːs/ *adj* آلبالویی
puck /pʌk/ *n* جن؛ [مجازاً] بچهٔ شیطان
pucka *or* **pukka** /ˈpʌkə/ *adj* حسابی، تمام عیار، خوب
pucker /ˈpʌkə(r)/ *vi,vt,n* ۱.چین خوردن، چروک شدن ۲.چین دادن ۳.چین، چروک
puckish *adj* شیطنت‌آمیز؛ جن‌وار
pudding /ˈpʊdɪŋ/ *n* پودینگ؛ دسر؛ سوسیس
puddle /ˈpʌdl/ *n,vi,vt* ۱.گودال آب باران، دست‌انداز؛ گل‌رُس و ماسه ۲.در گل غـلتیدن، د آب (ناپاک) غوطه خوردن [گاهی با about] ۳.گ ساختن از (ماسه و خاک رس)
- **puddle molten iron** آهن گداخته را به‌هم زدن (برای اینکه چکش‌خور شود)

pudgy /ˈpʌdʒɪ/ *adj* خپل
puerile /ˈpjʊəraɪl US: -rəl/ *adj* بچگانه
puerility /pjʊəˈrɪlətɪ/ *n* بچگی؛ حماقت
puff /pʌf/ *n,v* ۱.فوت، پُف؛ وزش باد؛ تودهٔ دود یا بخار؛ [خوراکی] پفک ۲.فوت کردن [با out یا away]؛ پُف‌کردن؛ نفس‌نفس زدن؛ پُک زدن؛ دمیدن؛ بیرون کردن (دود یا بخار)
- **puff out** باد کردن؛ پف کردن، فوت کردن
- **puff up** زیاد باد کردن، فوت کردن، پف کردن

puffer *n* [در زبان کودکان] لکوموتیو
puffiness *n* پف کردگی، باد
puffy *adj* بادکرده؛ پف‌دار، پفی
pug /pʌg/ *n* نوعی سگ که شبیه است به بولداگ
pugilism /ˈpjuːdʒɪlɪzəm/ *n* مشت‌زنی
pugilist /ˈpjuːdʒɪlɪst/ *n* مشت‌زن، بوکس‌باز
pugnacious /pʌgˈneɪʃəs/ *adj* جنگجو
pugnacity /pʌgˈnæsətɪ/ *n* جنگجویی
pug-nose /ˈpʌg nəʊz/ *n,Poet* بینیِ پهن و کوتاه
puissance /ˈpjuːɪsns/ *n* توانایی، قدرت، زور
puissant /ˈpjuːɪsnt/ *adj,Poet* توانا، مقتدر
pule /pjuːl/ *vi* ناله کردن؛ زوزه کشیدن
pull /pʊl/ *v,n* ۱.کشیدن؛ کشیده شدن؛ کندن؛ کنده شدن؛ درآوردن؛ درآمدن؛ راندن؛ رانده شدن؛ (پارو) زدن؛ [سیگار] پُک زدن؛ [بطری] سر کشیدن؛ پاره کردن ۲.کشش؛ زور؛ دسته یا طـناب (بـرای کشیدن)؛ نفوذ
- **pull a (wry) face** ادا درآوردن
- **pull a good oar** خوب پارو زدن
- **pull a horse** دهنهٔ اسب را کشیدن
- **pull by the leg** دست انداختن
- **pull down** خراب کردن؛ بی‌بنیه کردن
- **pull off** موفق به انجام (کاری) شدن
- **pull one's weight** سهم خود را در کاری خوب انجام دادن
- **pull round** بهبود دادن؛ بهبود یافتن
- **pull through** از خطر یا خرابی رهانیدن؛ بهبود دادن؛ بدون زیان انجام دادن
- **pull to pieces** خُرد کردن؛ سخت انتقاد کردن
- **pull together** با هم کار کردن
- **pull oneself together** خود را جمع کردن؛ بر نیرو یا اعصاب خود تسلط پیدا کردن
- **pull up** نگه‌داشتن؛ ایستادن
- **pull up to (*or* with)** (به چیزی) رسیدن؛ (با چیزی) برابر شدن

give a pull at کشیدن
pull-back /'pulbæk/ *n* مانع؛ فنر دامن زنانه
pullet /'pulɪt/ *n* مرغ جوان
pulley /'pulɪ/ *n* قرقره
Pullmancar /'pulmən kɑ:(r)/ واگن سالن‌دار که جای خواب نیز دارد
pullover /'puləuvə(r)/ *n* پولور
pulmonary /'pʌlmənərɪ US: -nerɪ/ *adj* ریوی، ششی؛ مربوط به ریه
pulp /pʌlp/ *n,vt,vi* ۱.مغز یا گوشت [در میوه]؛ خمیر (کاغذسازی) ۲.خمیر کردن ۳.خمیری شدن
pulpit /'pulpɪt/ *n* سکوی وعظ؛ منبر، [مجازاً] وعظ؛ گروه وعاظ
pulpy *adj* نرم، خمیری؛ مغزدار
pulsate /pʌl'seɪt US: 'pʌlseɪt/ *vi,vt* ۱.زدن؛ تکان خوردن ۲.تکان دادن،؛به اهتزاز درآوردن
pulsation /pʌl'seɪʃn/ *n* ضَربان؛ اهتزاز
pulse /pʌls/ *n,vi* ۱.نبض؛ ضربان؛ ضربه؛ [مجازاً] اهتزاز ۲.تپیدن
feel someone's pulse نبض کسی را گرفتن
stir one's pulses خون آدم را به جوش آوردن، احساسات شخص را تحریک کردن
pulse /pʌls/ *n* بُنشن، حبوبات
pulverize /'pʌlvəraɪz/ *vt,vi* ۱.ساییدن، صلایه کردن؛ گَردکردن؛ خرد کردن ۲.نرم شدن، گَرد شدن
puma /'pju:mə/ *n* پوما: نوعی یوز امریکایی
pumice /'pʌmɪs/ *or* **pumice stone** *n* سنگ‌پا
pummel /'pʌml/ *vt* مشت زدن
pump /pʌmp/ *n,vt,vi* ۱.تلمبه ۲.با تلمبه درآوردن یا خالی کردن [بیشتر با out یا up]؛ با تلمبه باد کردن [با up] ۳.تلمبه زدن
pump (information out of) a person مطلبی را با تدبیر یا پرسش از کسی در آوردن [یعنی فهمیدن]
pump /pʌmp/ *n* نوعی کفش سبک برای رقص
pumpkin /'pʌmpkɪn/ *n* کدوی‌تنبل، کدو تنبل
pumpman /'pʌmpmən/ *n* [-men] تلمبه‌چی
pun /pʌn/ *n,vi* [-ned] ۱.تجنیس، جناس ۲.جناس ساختن، جناس گفتن
punch /pʌntʃ/ *n,vt* ۱.سوراخ‌کن؛ منگنه ۲.سوراخ کردن
punch /pʌntʃ/ *n,vt* مشت (زدن)
punch /pʌntʃ/ *n* [مشروب الکلی] پانچ
punch /pʌntʃ/ *n* پهلوان کچل
puncheon /'pʌntʃən/ *n* نوعی بشکهٔ بزرگ شرابی

punchinello /ˌpʌntʃə'neləu/ *n* پهلوان کچل؛ آدم خپل؛ لوده، دلقک
punctilio /pʌŋk'tɪlɪəu/ *n* رعایت کامل آداب
punctilious /pʌŋk'tɪlɪəs/ *adj* دقیق، مبادی آداب
punctual /'pʌŋktʃuəl/ *adj* دقیق، وقت‌شناس، خوش‌قول
punctuality /ˌpʌŋktʃu'ælətɪ/ *n* وقت‌شناسی، خوش‌قولی
punctually /'puŋktʃuəlɪ/ *adv* در سر وعده
punctuate /'pʌŋktʃu'eɪt/ *vt* نقطه‌گذاری کردن
punctuation /ˌpʌŋktʃu'eɪʃn/ *n* نقطه‌گذاری
puncture /'pʌŋktʃə(r)/ *n,vt,vi* ۱.سوراخ ۲.سوراخ کردن، [مجازاً] خراب کردن ۳.پنچر شدن
pundit /'pʌndɪt/ *n* کارشناس، متخصص، صاحب‌نظر؛ مشاور، مفسر
pungency /'pʌdʒənsɪ/ *n* [بو و مزه] تندی، زنندگی؛ تلخی؛ انتقاد
pungent /'pʌndʒənt/ *n* [بو و مزه] تند، زننده، تیز؛ گوشه‌دار؛ نیشدار؛ انتقادی
Punic /'pju:nɪk/ *adj* قرطاجنی، کارتاژی
Punic faith خیانت، غدر
punish /'pʌnɪʃ/ *vt* تنبیه کردن، مُجازات کردن
punishable /'pʌnɪʃəbl/ *adj* سزاوار کیفر، مستوجب تنبیه
punishment *n* تنبیه، کیفر، مُجازات، سیاست، عقوبت
punitive /'pju:nətɪv/ *adj* کیفری، جزایی؛ [جریمه و مالیات و غیره] کمرشکن، سنگین
punk /pʌŋk/ *n* قو؛ چوبِ پوسیده؛ آتش‌زنه؛ آشغال
punka(h) /'pʌŋkə/ *n* بادبزنِ پارچه‌ای سقفی (در هند)
punster /'pʌnstə(r)/ *n* جناس‌گو
punt /pʌnt/ *n* نوعی قایق ته‌پهن
punt /pʌnt/ *vt,vi* ۱.زدن توپ پس از ول شدن آن از دست و پیش از رسیدن آن به زمین ۲.شرط‌بندی روی اسب کردن
puny *adj* کوچک؛ قد کوتاه؛ ضعیف
pup /pʌp/ *n* توله‌سگ، سگ‌توله
sell someone a pup (کسی را) مغبون کردن
pupa /'pju:pə/ *n* [-pae] نوچه، بادامه
pupil /'pju:pl/ *n* شاگرد، دانش‌آموز؛ مردمک (چشم)؛ [حقوق] مولّی‌علیه
puppet /'pʌpɪt/ *n* عروسک خیمه‌شب‌بازی؛ [مجازاً] آلت دست، دست نشانده
puppet government دولت پوشالی

puppet-show /'pʌpɪt ʃəʊ/ *n* خیمه شب‌بازی؛ نمایش عروسکی
puppy /'pʌpɪ/ *n* سگ‌توله، توله‌سگ
purblind /'pɜ:blaɪnd/ *adj* نیم‌کور؛ [مجازاً] کودن
purchasable /'pɜ:tʃəsəbl/ *adj* قابل خریداری؛ [مجازاً] پولکی
purchase /'pɜ:tʃəs/ *n,vt* ۱.خرید، خریداری؛ هم‌ارز؛ نفوذ، برتری؛ سود مکانیکی اهرم ۲.خریداری کردن، خریدن؛ با قرقره یا اهرم بلند کردن
at 10 years purchase به ده برابر درآمد سالیانه
purchaser *n* خریدار
pure /pjʊə(r)/ *adj* پاک، خالص، سره؛ [صدا] صاف؛ [علم و تحقیق و غیره] نظری، فرضی؛ صِرف، محض؛ پاکدامن، عفیف
pure of guilt بی‌گناه، بی‌تقصیر
purée /'pjʊəreɪ US: pjʊə'reɪ/ *n,Fr* پورهٔ سیب‌زمینی
purely *adv* صرفاً، کاملاً
pureness *n* پاکی، [صدا] صافی
purgation /pɜ:'geɪʃn/ *n* تصفیه؛ تطهیر؛ تنقیه
purgative /'pɜ:gətɪv/ *n,adj* ۱.کارکن، مسهل ۲.پاک‌کننده
purgatorial /,pɜ:gə'tɔ:rɪəl/ *adj* برزخی؛ اعرافی؛ تطهیرکننده
purgatory /'pɜ:gətrɪ US: -tɔ:rɪ/ *n* جای پاک شدن از گناهان صغیره با عقوبت؛ اعراف؛ برزخ
purge /pɜ:dʒ/ *vt,n* ۱.پاک کردن، خالی کردن؛ تطهیر کردن؛ تبرئه کردن ۲.پاک‌سازی؛ کارکن، مسهل
purification /,pjʊərɪfɪ'keɪʃn/ *n* پاکسازی، تطهیر، شستشو؛ پالایش، تصفیه
purified *ppa* تصفیه شده
purify /'pjʊərɪfaɪ/ *vt,vi* ۱.پاک کردن، تصفیه کردن ۲.پاک شدن
purist /'pjʊərɪst/ *n* بنیادگرایِ زبانی یا هنری
Puritan /'pjʊərɪtən/ *n* عضو دسته‌ای از پروتستان‌ها که می‌خواستند آداب ظاهر و احادیث را از مذهب بردارند، پیرایشگر، پیوریتن
puritanic(al) /,pjʊərɪ'tænɪk(l)/ *adj* سختگیر یا متظاهردر امور دینی یا اخلاقی
puritanism /'pjʊərɪtənɪzəm/ *n* خشکه‌مقدسی؛ افراط و سختگیری در تصفیهٔ مذهب
purity /'pjʊərətɪ/ *n* پاکی؛ صافی؛ [مجازاً] پاکدامنی، عفت؛ صفا

purl /pɜ:l/ *n,vt* ۱.بافتِ راه‌راه‌دار ۲.راه‌راه کردن؛ برجسته کردن
purl /pɜ:l/ *n,vi* شرشر (کردن)
purlieus /'pɜ:lju:z/ *n,pl* حومه؛ محلهٔ پرت و کثیف شهر
purloin /pɜ:'lɔɪn,'pɜ:lɔɪn/ *vt* دزدیدن
purple /'pɜ:pl/ *adj,n* ۱.ارغوانی؛ زرشکی ۲.پارچه ارغوانی، رنگ ارغوانی؛ [مجازاً] جامهٔ شاهانه؛ جاه‌وجلال
born in the purple در ناز و نعمت پرورده شده
purplish /'pɜ:pəlɪʃ/ *adj* مایل به ارغوانی
purport /'pɜ:pət/ *n,vt* ۱.مفاد، فحوا ۲.فهماندن
It purports that... آنچه از این (سند) مفهوم می‌شود این است که
purpose /'pɜ:pəs/ *n* مقصود، قصد؛ مفهوم، مفاد؛ عزم، تصمیم
It does not serve our purpose به کار ما (یا به درد ما) نمی‌خورد
infirm of purpose بی‌عزم، بی‌اراده
of set purpose قصداً، عمداً
He was in purpose... در نظر داشت
on purpose قصداً، دانسته، عمداً
He speaks to the purpose با منظور سخن می‌گوید، قصدی دارد
for purposes از نظرِ، از لحاظِ
purpose /'pɜ:pəs/ *vt* قصد داشتن، عزم داشتن
purposeful /'pɜ:pəsfl/ *adj* متضمن مقصود؛ با اراده، باعزم
purposeless *adj* بی‌منظور، بیخود
purposely /'pɜ:pəslɪ/ *adv* دانسته، قصداً
purposive /'pɜ:pəsɪv/ *adj* متضمنِ مقصود، هدفمند؛ سودمند
purr /pɜ:(r)/ *n,vi* ۱.خُرخر ۲.خرخر کردن
purse /pɜ:s/ *n,vt* ۱.کیف، کیسه ۲.[لب] غنچه کردن
the public purse خزانه (ملی)
light purse جیب خالی، تهیدستی
long purse جیب پر، تمول
purse-proud /'pɜ:s praʊd/ *adj* مغرورِ ثروت
pursuance /pə'sju:əns US:-'us-/ *n* تعقیب
pursuant /pə'sju:ənt/ *adj* متعاقب
pursuant to در تعقیبِ؛ مطابقِ
pursue /pə'sju: US: -'su:/ *vt* دنبال کردن، تعقیب کردن؛ ادامه دادن
pursuit /pə'sju:t US: -'su:t/ *n* تعقیب، پیگرد، تعاقب؛ دنبال؛ پیشه، حرفه
pursy /'pɜ:sɪ/ *adj* دچار تنگی نفس به علت چاقی

purvey /pəˈveɪ/ *v* [for با] (سورسات) تهیه کردن
purveyor /pəˈveɪə(r)/ *n* خوارباررسان، آذوقه‌رسان، سورسات‌چی، ناظر
purview /ˈpɜːvjuː/ *n* موادِ اساسی؛ حدود، میدان؛ چشم‌رس
pus /pʌs/ *n* چرک، ریم، فساد، جراحت
push /pʊʃ/ *v,n* هُل دادن، از عقب زور دادن؛ پیش بردن، پیش رفتن؛ دنبال کردن، تعقیب کردن؛ فشار آوردن (بر)؛ کمک به پیشرفت (کسی) کردن ۲.هل، تنه؛ ضربه؛ نیروی عزم؛ مضیفه؛ حمله
push along (on *or* forward) راه خود را با عجله تعقیب کردن
push back پس زدن، عقب زدن
push off راه افتادن؛ آغاز کردن؛ بیرون رفتن
I am pushed for money. از بی‌پولی در فشار یا مضیقه هستم.
make a push شتاب و کوشش کردن
at first push در نخستین وهله یا ضربه
get the push تیپا خوردن، بیرون رفتن
push-bell /ˈpʊʃ bel/ *n* زنگ اخبار شستی
push-bicycle /ˈpʊʃ baɪsɪkl/ *n* دوچرخه [که معمولاً push-bike گفته می‌شود]
push-button /ˈpʊʃ bʌtn/ *n* شستی، دکمه
push-cart /ˈpʊʃ kɑːt/ *n* چرخ‌دستی
pushful *adj* متهور در کار، کوشا در طلب سود
pushing *apa* متهور در کار، سودجو؛ فضول
pusillanimity /ˌpjuːsɪləˈnɪmətɪ/ *n* ترسویی، بزدلی، جبن
pusillanimous /ˌpjuːsɪˈlænɪməs/ *adj* ترسو، بزدل، جبان؛ ناشی از ترسویی
puss /pʊs/ *n* گربه؛ دخترِ شیطان و بازیگوش
pussy /ˈpʊsɪ/ *n* پیشی، گربه؛ چیز نرم و کرکی (مانند گل بیدمشک)
pustule /ˈpʌstjuːl/ *n* کورک
put /pʊt/ *vt,vi* [put; put] ۱.گذاشتن؛ مطرح کردن؛ پرت کردن (وزنه)؛ ارائه دادن، توضیح دادن ۲.پیش رفتن
put about تغییر جهت دادن؛ منتشر کردن؛ برآشفتن، اوقات‌تلخی کردن
put across *Sl* خوب انجام دادن
put something across a person *Sl* کسی را گول زدن
put aside کنار گذاشتن
put at برآورد کردن
put away کنار گذاشتن، سرجای خود گذاشتن؛ [در گفتگو] به زندان فرستادن، به بیمارستان فرستادن؛ [زبان عامیانه] خوردن؛ دور شدن، عزیمت کردن
put back عقب بردن؛ عقب انداختن، مانع شدن (از)؛ برگشتن؛ دوباره (در جای خود) گذاشتن
put by کنار گذاشتن؛ طفره رفتن از، نادیده انگاشتن؛ از سر خود واکردن
put down خواباندن؛ ذخیره کردن؛ فرونشاندن؛ نوک (کسی را) چیدن؛ پست کردن؛ یادداشت کردن؛ کاهش دادن، پایین آوردن، کم کردن
put down as دانستن، شمردن
Put me down for £ 2 دو پاوند در صورت اعانه پای من بنویسید
put down to پایِ... حساب کردن؛ نسبت دادن (به)، (از چیزی) دانستن
put forth به‌کار بردن؛ منتشر کردن؛ دادن [put forth buds]
put forward مطرح کردن؛ جلو بردن؛ جلو انداختن
put in منصوب کردن؛ اقامه کردن؛ ارائه دادن؛ انجام دادن؛ (حرفی) زدن؛ صرف کردن (وقت)؛ لنگر انداختن؛ پیشنهاد دادن، داوطلب شدن
put in an appearance حضور پیدا کردن، خود را نشان دادن
put in hand دست گرفتن، شروع کردن
put in possession متصرف کردن
put in for a post داوطلبِ شغلی شدن
put into port وارد بندر شدن
put into words به عبارت درآوردن
put in practice = practise *v*
put off به تعویق انداختن؛ از سر خود واکردن، دست به سر کردن، منصرف کردن، دلسرد کردن؛ کنار گذاشتن؛ کندن؛ رهسپار شدن
put on پوشیدن؛ به خود گرفتن؛ به‌خود بستن، تظاهر (به چیزی) کردن؛ روی صحنه آوردن، (نمایش) دادن، به معرض نمایش گذاشتن؛ زیاد کردن؛ به کار انداختن؛ جلو بردن (عقربه ساعت)
What put him on doing that? چه چیز او را وادار به کردن آن کار کرد؟
be hard put to it در فشار بودن، مجبور بودن
put out خاموش کردن؛ از جای خود بیرون کردن؛ ناراحت کردن؛ به بهره گذاشتن؛ به‌کار بردن؛ (دست) دراز کردن؛ (بیرون) دادن؛ رهسپار شدن
put through (خوب) انجام دادن
Put me through to... [در تلفن] فلان‌جا را بدهید
put to bed خواباندن
put up بالا زدن (مو)؛ بلند کردن؛ (نماز) گزاردن، (دعا) کردن؛ بالا بردن؛ غلاف کردن؛ بستن و کنار گذاشتن؛ پیچیدن، بستن؛ برای انتخابات نامزد کردن؛ منزل دادن؛ منزل کردن؛ برپا کردن؛ چسباندن (آگهی)؛ سازش کردن، ساختن؛ جعل کردن

put up آشنا کردن
put up for sale به معرض فروش گذاردن
put one's back up اوقات کسی را تلخ کردن
putative /'pju:tətɪv/ *adj* مشهور
Mary was his putative daughter.
مشهور بود که مریم دختر اوست.
putrefaction /ˌpju:trɪ'fækʃn/ *n* گندیدگی، فساد
putrefy /'pju:trɪfaɪ/ *v* متعفن کردن؛ متعفن شدن، فاسد کردن؛ فاسد شدن
putrescence /pju:'tresns/ *n* گندیدگی، فساد
putrescent /pju:'tresnt/ *adj* درحال گندیدن
putrid /'pju:trɪd/ *adj* فاسد، بوگرفته، متعفن، گندیده؛ [در گفتگو] خیلی بد
putridity /pju:'trɪdətɪ/ *n* پوسیدگی؛ چیز فاسد
puttee /'pʌtɪ/ *n* مُچ‌پیچ
putty /'pʌtɪ/ *n,vt* ۱.بتونه؛ اندود آب و آهک ۲.بتونه کردن
put-up /'pʊtʌp/ *adj* ساختگی، تبانی شده
puzzle /'pʌzl/ *n,vt,vi* ۱.معما، جدول؛ گیجی، حیرت ۲.گیج کردن، متحیر کردن ۳.گیج شدن؛ زیاد فکر کردن
puzzle out با فکر زیاد حل کردن
puzzlement *n* گیجی، حیرت

pygmy /'pɪgmɪ/ *n,adj* ۱.کوتوله،گورزاد ۲.قدکوتاه
pyjamas /pə'dʒɑ:məz/ *npl* پیژامه
pylon /'paɪlən US: 'paɪlɒn/ *n* راهروِ معبد مصری؛ برج، ستون
pyorrhoea /ˌpaɪə'rɪə/ *n* (بیماری) پیوره
pyramid /'pɪrəmɪd/ *n* هِرم، [در جمع] اهرام
pyre /'paɪə(r)/ *n* توده هیزم (که جسد مرده را روی آن می‌سوزانند)
pyrotechnic(al) /ˌpaɪrə'teknɪk(l)/ *adj* مربوط به (فن) آتش‌بازی
pyrotechnics /ˌpaɪrə'teknɪks/ *npl* فن آتش‌بازی
Pyrrhic /'pɪrɪk/ *adj* وابسته به pyrrhus پادشاه Eprrus که با روم جنگ کرد و با دادن تلفات بسیار پیروز شد
pyrrhic victory /ˌpɪrɪk 'vɪktərɪ/ پیروزیی که بی‌اندازه گران تمام شود
Pythagorean /pɪˌθægə'rɪən/ *adj* فیثاغورثی
python /'paɪθn US: 'paɪθɒn/ *n* نوعی اژدرمار؛ جنّ؛ غیبگو
pythoness *n* کاهنهٔ معبد دلفی؛ زن جادوگر، زن فالگیر

Q,q

Q,q /kju:/ *n* هفدهمین حرف الفبای انگلیسی
QMG [رجوع شود به quartermaster]
qt(s) [مختصر quart(s)]
quack /kwæk/ *n,vi* ۱.صدای اردک ۲.مانند اردک صدا کردن
quack /kwæk/ *n,adj,vi* ۱.پزشک قلابی ۲.شیاد ۳. شیادی کردن
a quack medicine داروی قلابی، دارویی که با زبان‌بازی آن را معرفی کنند
quackery /'kwækərɪ/ *n* شیادی، طبابت قلابی
quackish *adj* زبان‌باز، حقه‌باز
quad /kwɒd/ *n* = quadrangle
quadrangle /'kwɒdræŋgl/ *n* چهارگوش؛ چهاردیواری یا حیاطی که ساختمانهایی دور آ باشد [مختصر آن quad است]
quadrangular /kwɒ'dræŋgjʊlə(r)/ *adj* چهارگوش
quadrant /'kwɒdrənt/ *n* ربع (محیط) دایره؛ جسم کروی
quadratic /kwɒ'drætɪk/ *adj* [ریاضیات] درجه دوم

quadratic equation معادلهٔ درجه دوم
quadrilateral /ˌkwɒdrɪ'lætərəl/ *adj,n* چهاربر، چهارپهلو، چهارضلعی
quadruped /'kwɒdrʊped/ *adj,n* (جانور) چهارپا
quadruple /'kwɒdru:pl US: kwɒ'dru:pl/ *adj,n,vt,vi* ۱و۲. چهاربرابر، چهارگانه، چهارتکه ۳.چهاربرابر کردن ۴.چهاربرابر شدن
quadruplet /'kwɒdru:plet US: kwɒ'dru:p-/ *n* چهار چیزِ یکجور؛ [بچه] یکی از چهارقلوها
quadruplicate /kwɒ'dru:plɪkət/ *adj* چهارنسخه‌ای؛ چهارتایی
in quadruplicate *n* در چهارنسخه
quaff /kwɒf US: kwæf/ *vt* تا ته سرکشیدن [گاهی با off]
quagmire /'kwægmaɪə(r); kwɒg-/ *n* مرداب، سیاه‌آب؛ [مجازاً] مهلکه
quail /kweɪl/ *n* بلدرچین، کرک،بدبده
quail /kweɪl/ *vi* شانه خالی کردن، از میدان در رفتن؛ زیر بار نرفتن

quaint /kweɪnt/ *adj* غریب؛ جالب توجه
quaintly *adv* به‌طور غریب
quake /kweɪk/ *vi* لرزیدن؛ تکان خوردن
Quaker /ˈkweɪkə(r)/ *n* [*fem* -ess]
عضو «انجمن دوستان» که در سدهٔ هفدهم George Fox برپا کرد
qualification /ˌkwɒlɪfɪˈkeɪʃn/ *n* توصیف؛ صفت؛ اصلاح، تبدیل؛ [درجمع] شرایط لازم؛ معلومات
without qualification مطلقاً، بی‌قید و شرط
qualified *ppa* قابل، واجدشرایط (لازم)؛ محدود؛ مشروط؛ تعدیل (شده)
qualifier /ˈkwɒlɪfaɪə(r)/ *n*
[دستورزبان] وابستهٔ وصفی
qualify /ˈkwɒlɪfaɪ/ *vt,vi* ۱.توصیف کردن، تعریف کردن؛ واجد شرایط لازم کردن، قابل کردن، صلاحیتدارکردن؛ [با as] معرفی کردن، دانستن؛ ملایم کردن، معتدل کردن؛ کم‌مایه کردن؛ [دستورزبان] معنی (کلمه‌ای) را محدودکردن ۲.واجدشرایط شدن، شایستگی پیدا کردن
qualitative /ˈkwɒlɪtətɪv US: -teɪt-/ *adj*
چونی، کیفی
quality /ˈkwɒlətɪ/ *n* چگونگی، کیفیت، صفت؛ جنس؛ سِمت؛ شایستگی
of good quality خوب،مرغوب
of poor quality بد، نامرغوب
in the quality of به سمتِ
qualm /kwɑːm/ *n* حالت تهوع؛ [مجازاً] عدم اطمینان، تردید، وسواس
quandary /ˈkwɒndərɪ/ *n*
سرگردانی، حیرت؛ حیص و بیص
quantitative /ˈkwɒntɪtətɪv US: -teɪt-/ *adj*
کمّی، چندی
quantity /ˈkwɒntətɪ/ *n* کمّیت، مقدار، تعداد
in large quantities به مقادیر زیاد
quarantine /ˈkwɒrəntiːn/ *n,vt*
قرنطینه (گذاشتن در)
quarrel /ˈkwɒrəl US: ˈkwɔːrəl/ *n,vi*
۱.نزاع، دعوا ۲.نزاع کردن؛ عیبجویی کردن
find quarrel in a straw خرده‌بین یا ایرادگیر بودن
quarrelsome /ˈkwɒrəlsəm/ *adj* نزاع‌طلب، فتنه‌جو، جنگجو
quarry /ˈkwɒrɪ US: ˈkwɔːrɪ/ *n,v* ۱.کانِ سنگ ۲.از کان کندن؛ استخراج (سنگ) کردن؛ [مجازاً] جستجو کردن
quarry /ˈkwɒrɪ/ *n* شکار

quarryman /ˈkwɒrɪmən/ *n* [-men]
کارگرِ معدن سنگ
quart /kwɔːt/ *n* کوارت: پیمانه‌ای در حدود یک لیتر و برابر با دو پاینت (pint)
put a quart into a pint pot
(در امر محال) کوشش بیهوده کردن
quarter /ˈkwɔːtə(r)/ *n,vt* ۱.چارک؛ ربع (ساعت)؛ مدت سه‌ماهه؛ قسط سه‌ماهه؛ ربع سال تحصیلی؛ برزن، محله؛ مرکز؛ منزل؛ طرف، جهت؛ ناحیه؛ امان؛ [در جمع] (الف) منزل، خانه (ب) سربازخانه ۲.چهاربخش‌کردن؛ منزل دادن
a quarter past 4 ساعت چهار و ربع
a quarter to 4 یک ربع مانده به چهار
a bad quarter of an hour
ناراحتی و عذاب زودگذر
quarterstake up one's منزل کردن، سکنیٰ گزیدن
beat up the quarters of someone
به دیدنِ کسی رفتن، سروقت کسی رفتن
at close quarters از نزدیک
quarter-day /ˈkwɔːtədeɪ/ *n* روز پرداخت قسط
quarterly *adj,adv,n* ۱.سه‌ماهه؛ سه‌ماه یک‌بار ۲.مجلهٔ سه‌ماهه، فصلنامه
quartermaster /ˈkwɔːtəmɑːstə(r)/ *n*
افسر جزءِ کشتی؛ [نظامی] کارپرداز، سررشته‌دار
Quartermaster General رئیس کلِ سررشته‌داری ارتش [مختصر آن QMG است]
quartern /ˈkwɔːtən/ *n*
یک چهارم pint یا یک سی‌ودوم گالن
quartern loaf نان چهار پاوندی
quarter-staff /ˈkwɔːtə stɑːf/ *n*
چوب کلفتی به طولِ ۶ تا ۸ فوت که سابقاً بصورت اسلحه به کار می‌رفت
quartet(te) /kwɔːˈtet/ *n*
قطعهٔ موسیقی برای چهارنوازنده یا چهار خواننده؛ گروه چهارنفری، مجموعهٔ چهارجزئی
quarto /ˈkwɔːtəʊ/ *n* قطع خشتی، قطع ربعی [مختصرآن qto یا 4to است]
quartz /kwɔːts/ *n* بلورکوهی، درّکوهی
quash /kwɒʃ/ *vt* نقض کردن، لغوکردن؛ فرو نشاندن
quasi- /ˈkweɪzaɪ,ˈkweɪsaɪ/ *pref* نیم، نیمه، تقریباً؛ ظاهراً [درسر صفت]؛ تقریبی، شبه [درسر اسم]
quatrain /ˈkwɒtreɪn/ *n* شعر چهارسطری؛ [به معنی تقریبی] رُباعی
quaver /ˈkweɪvə(r)/ *vi,vt,n* ۱.لرزیدن ۲.لرزاندن، تحریردادن؛ باتحریر خواندن، بالرزش خواندن ۳.ارتعاش؛ تحریر، غلت؛ [موسیقی] چنگ

quay /ki:/ *n* دیوارساحلی، اسکله
queasiness *n* حالت تهوع؛ احساس سنگینی خوراک؛ لطیف مزاجی
queasy /'kwi:zɪ/ *adj* تهوع‌آور، سنگین؛ ضعیف [queasy stomach]؛ ناراحت، دچارتهوع؛ [مجازاً] وسواسی، زیاد دقیق
queen /kwi:n/ *n* ملکه؛ [درشطرنج] وزیر؛ [در بازی ورق] بی‌بی؛ [مجازاً] دلارام، معشوقه
Queen Victoria ملکه ویکتوریا
queen consort زن یا همسرِ پادشاه
queen dowager زنی که شوهرش پادشاه بوده ومرده است، ملکه بیوه
queen mother ملکه مادر
queen*(vt)***it** ملکه‌وار رفتارکردن
queenly *adj* ملکه‌وار؛با وقار
queer /kwɪə(r)/ *adj* غریب؛ مشکوک؛ بی‌حال
in Queer Street گرفتار، بدهکار
queerly *adv* به‌طورغریب
queerness *n* غرابت
quell /kwel/ *vt* فرونشاندن؛ مطیع کردن
quench /kwentʃ/ *vt* (فرو) نشاندن؛ خاموش کردن؛ ساکت کردن؛ کشتن، خفه کردن
quenchless *adj* خاموش نشدنی، رفع نشدنی، غیرقابل جلوگیری
querulous /'kwerʊləs/ *adj* ناراضی، غرغرو؛ ناشی از کج‌خلقی
querulousness *n* غرولند، کج‌خلقی
query /'kwɪərɪ/ *n,vt* ۱.پرسش؛ تردید؛ ایراد؛ علامت سؤال ۲.تحقیق کردن، جویا شدن؛ تردید کردن در
raise a query سؤالی را مطرح کردن
quest /kwest/ *n,vi* ۱.جستجو، طلب ۲.جستجو کردن
question /'kwestʃən/ *n,vt* ۱.پرسش، سؤال؛ مسئله، موضوع، قضیه؛ خصوص، باب؛ تردید شک ۲. پرسیدن؛ بازجویی کردن؛ مورد تردید قرار دادن، مورد اعتراض قرار دادن
out of the question غیرعملی، غیرممکن، خارج از موضوع
Question! از موضوع خارج نشوید!
beyond (all) question; without question بی‌شک؛ بی‌چون‌وچرا
in question موضوع بحث، مورد بحث
put a question to someone سؤال از کسی کردن، چیزی از کسی پرسیدن
put to the question *Arch* برای گرفتن اعتراف زجر دادن
put the question مذاکرات را کافی دانستن و رأی گرفتن
It cannot be questioned but that... جای هیچ تردید نیست که...
questionable *adj* قابل تردید، مشکوک، نامعلوم؛ قابل بحث
questioningly *adv* به‌طریق پرسش، بالحن پرسش
question-mark /'kwestʃən mɑ:k/ *n* نشان پرسش، علامتِ سؤال [به این شکل (?)]
questionnaire /ˌkwestʃə'neə(r)/ *n,Fr* پرسشنامه
queue /kju:/ *n,vi* ۱.گیس بافته که از پشت سر آویخته باشد؛ صف، ردیف مردم که منتظر نوبت باشند ۲.پشت سرهم (یا پشت گردن) ایستادن، صف بستن [با up]
quibble /'kwɪbl/ *n,vi* ۱.نیرنگ درسخن، نکته گیری برای طفره؛ دوپهلوگویی، ایهام؛ جناس ۲.زبان‌بازی کردن؛ دو پهلو سخن‌گفتن
quick /kwɪk/ *adj,adv,n* ۱.تند، سریع، زود ۲.تند، سریع، زود، فوری؛ تیز؛ حساس؛ باهوش؛ فرحبخش، تازه ۳.گوشت حساس در زیر ناخن
quick-change artist هنرپیشه‌ای که لباس و گریم خود را می‌تواند زود عوض کند و خود را برای ایفای نقش دیگری آماده سازد
quick in action جَلد، چابک، فرز
of a quick temper تند(خو)
quick wit هوش زیاد، تیزهوشی
He cut me to the quick مرا عمیقاً ناراحت کرد
quicken /'kwɪkən/ *vt,vi* ۱.تند کردن ۲.تند شدن
quicklime /'kwɪklaɪm/ *n* آهک آب ندیده، آهک زنده
quickly *adv* زود، تند،به‌سرعت
quickness *n* تندی؛ سرعت انتقال
quicksand /'kwɪksænd/ *n* تودهٔ شن که انسان یا حیوان درآن فرو می‌رود، دزد ریگ
quick-scented /kwɪk 'sentɪd/ *adj* دارای شامهٔ تیز
quickset /'kwɪkset/ *n* گیاه زنده (مانند خفچه) که از آن پرچین یا حصاری درست شود
quick-sighted /kwɪk 'saɪtɪd/ *adj* تیزبین؛ زیرک
quicksilver /'kwɪksɪlvə(r)/ *n,vt* ۱.سیماب، جیوه ۲.جیوه (به چیزی) زدن
quick-tempered /ˌkwɪk 'tempəd/ *adj* تندخو

quick-witted /ˌkwɪk'wɪtɪd/ *adj* تیزهوش
quid /kwɪd/ *n* تنباکوی جویدنی
quid /kwɪd/ *n,Sl* لیره (طلا)
quid pro quo /ˌkwɪd prəʊ'kwəʊ/ *L* عوض، مثل
quiescence /kwaɪ'esns/ *n* بی‌حرکتی؛ سکون، جزم
quiescent /kwaɪ'esnt,kwɪ'esnt/ *adj* ساکن؛ خاموش
quiet /'kwaɪət/ *adj,n,vt,vi* ۱.خاموش، ساکت؛ آهسته؛ آرام، آسوده، بی سروصدا؛ ملایم؛ پوشیده ۲.آرامش، آسودگی؛ سکوت، خاموشی؛ صلح؛ امنیت ۳. آرام کردن؛ خاموش کردن ۴.آرام شدن، ساکت شدن
It was all quiet خبری نبود
keep quiet ساکت بودن؛ پنهان داشتن
on the quiet در نهان، در خفا
quieten /'kwaɪətn/ *vt,vi* ۱.ساکت کردن ۲.ساکت شدن
quietly *adv* آهسته؛ به‌آرامی
quietude /'kwaɪɪtju:d US: -tu:d/ *n* آرامش، آسودگی
quietus /kwaɪ'i:təs/ *n* رهایی (از قید زندگی)
quill /kwɪl/ *n* شاهپر؛ ساقهٔ پر؛ خامهٔ پر، قلم؛ [در جوجه‌تیغی] تیغ
quill-feather /'kwɪl feðə(r)/ *n* شاهپر، شهپر
quilt /kwɪlt/ *n,vt* ۱.لحاف ۲.آجیده کردن؛ لایی یا پنبه (در چیزی) گذاشتن، پنبه‌دوزی کردن
quince /kwɪns/ *n* به؛ درخت به
quinine /kwɪ'ni:n/ *n* گنه گنه
quinsy /'kwɪnzɪ/ *n* ورم چرک‌دار لوزتین
quintal /'kwɪntl/ *n* واحد وزن برابر با صدکیلوگرم
quintessence /kwɪn'tesns/ *n* جوهر، خلاصه؛ مظهر، نمونهٔ کامل
quintet(te) /kwɪn'tet/ *n* قطعهٔ موسیقی برای پنج نوازنده یا پنج خواننده؛ گروه پنج نفری، مجموعهٔ پنج جزئی
quintuple /kwɪn'tju:pl,-'tu:-/ *adj,n,vt,vi* ۱و۲. پنج برابر، پنج‌گانه، پنج‌تکه ۳.پنج برابرکردن ۴.پنج برابر شدن
quintuplet /'kwɪntju:plet US: kwɪn'tu:plɪt/ *n* پنج چیز یکجور؛ [بچه] یکی از پنج‌قلوها
quip /kwɪp/ *n* کنایه، گوشه؛ متلک؛ بذله، لطیفه
quire /'kwaɪə(r)/ *n* دسته ۲۴ ورقی کاغذ
in quires صحافی نشده
Quirinal /'kwɪrənl/ *n* (نام) کاخ سلطنتی ایتالیا؛ [مجازاً] دولت ایتالیا

quirk /kwɜ:k/ *n* پیچ وآرایش (بعد از حروف یا امضا)؛ ایهام؛ نیرنگ (درسخن)
quit /kwɪt/ *vt* [-ted] ترک کردن؛ دست کشیدن از؛ خالی کردن (خانه)
quit hold of ول کردن
quit oneself *Arch* رفتارکردن
quit /kwɪt/ *adj* فارغ، آزاد، رها، آسوده
quite /kwaɪt/ *adv* کاملاً؛ نسبتاً، تقریباً
quite (so) همین‌طوراست، راست است
quits /kwɪts/ *adj* برابر، سربه‌سر، یربه‌یر
I will be quits with him. تلافی‌اش را سرش درمی‌آورم.
quittance /'kwɪtns/ *n* رسید، مفاصا؛ برائت ذمه؛ تلافی
quitter *n,Sl* آدم زیرکار دررو یا شانه خالی‌کن
quiver /'kwɪvə(r)/ *n* ترکش، تیردان
quiver /'kwɪvə(r)/ *vi,vt,n* ۱.لرزیدن ۲.لرزاندن ۳.لرزش
qui vive /ˌki: 'vi:v/ *Fr*
on the qui vive گوش به‌زنگ، مواظب
Quixotic /kwɪk'sɒtɪk/ *adj* دنبال‌کنندهٔ مقاصد عالی غیرعملی، دُن کیشوتی، دُن کیشوت‌وار
quiz /kwɪz/ *n,vt* [-zed] ۱.امتحان کوچک، آزمونه؛ [در رادیو و تلویزیون] مسابقه ۲.سؤال‌پیچ کردن؛ دست انداختن، اذیت کردن، مسخره کردن؛ باکنجکاوی نگاه کردن
quizzical /'kwɪzɪkl/ *adj* شوخ؛ شیطنت‌آمیز؛ سؤال‌انگیز
quod /kwɒd/ *n,Sl* زندان
quoin /kɔɪn/ *n* (سنگ) زاویه؛ چیزی که پشت چلیک می‌گذارند تا برنگردد
quoit /kɔɪt US: kwɔɪt/ *n* حلقه یا صفحهٔ آهنی که دربازی میخ‌وحلقه یا نعل‌ومیخ (quoits) به‌کار می‌برند
quoits [به quoit رجوع شود]
quondam /'kwɒndəm/ *adj* پیشین
a quondam friend دوست سابق
quorum /'kwɔ:rəm/ *n* حد نصاب
quota /'kwəʊtə/ *n* سهمیه
quotable *adj* قابل ذکر
quotation /kwəʊ'teɪʃn/ *n* نقل؛ ذکر، ایراد؛ اقتباس؛ سخن نقل شده، مظنه
quotation marks نشان نقل قول [به این شکل (" ") و (' ')]
quote /kwəʊt/ *vt* نقل کردن، ذکر کردن، اقتباس کردن؛ مظنه دادن
quoth /kwəʊθ/ *vt* گفت؛ گفتم
quotient /'kwəʊʃnt/ *n* خارج قسمت، بهر

R,r

R,r /ɑ:(r)/ *n* هیجدهمین حرف الفبای انگلیسی
the three R's = reading, (w)riting, and (a) rithmetic
خواندن و نوشتن و حساب
rabbi /'ræbaɪ/ *n* خاخام، ربّی
rabbit /'ræbɪt/ *n,vi* ۱.خرگوش (خانگی)؛ [درگفتگو] بازیکن ناشی تنیس ۲.شکار خرگوش کردن
rabble /'ræbl/ *n* جمعیت، ازدحام
the rabble توده، عوام، طبقات پایینِ جامعه
rabid /'ræbɪd/ *adj* هار، دیوانه؛ متعصب
rabies /'reɪbi:z/ *n* هاری
race /reɪs/ *n,vi,vt* ۱.مسابقه؛ جریان تند؛ مجرا ۲.در مسابقه شرکت کردن ۳.تند دوانیدن
His race is run دورهٔ زندگی را پیموده است، پایش لبِ گور است
race /reɪs/ *n* نژاد؛ نوع؛ گردش، دور؛ [مجازاً] اصل، گوهر
racecard /'reɪskɑ:d/ *n* برنامهٔ اسبدوانی
racecourse /'reɪskɔ:s/ *n* اسپریس، میدان اسبدوانی
racehorse /'reɪshɔ:s/ *n* اسب مسابقه یا سَوَغانی
raceme /'ræsi:m/ *n* [گیاه‌شناسی] آرایش خوشه‌ای
race-meeting /'reɪs mi:tɪŋ/ *n* مسابقات اسبدوانی
racer *n* اسب و قایق و دوچرخه و غیره که در مسابقه به کار رود
racial /'reɪʃl/ *adj* نژادی
racily /'reɪsɪlɪ/ *adv* (به‌طور) باروح
racing *n,adj* ۱.(مسابقهٔ) دو، اسبدوانی ۲.مناسب اسبدوانی
rack /ræk/ *n,vt* ۱.علف‌دان، آخور؛ قفسه؛ پایه؛ طاقچه، جاکلاهی؛ میله دندانه‌دار؛ آلت شکنجه که اندام انسان را روی آن می‌کشیدند ۲.شکنجه کردن؛ سخت به‌کار انداختن؛ زیاد معذب کردن؛ خون (مستأجر) را شیشه کردن
rack one's brains فشار زیاد به مغز خود وارد آوردن
rack /ræk/ *n* ابر پاره پاره
go to rack and ruin فنا شدن، نابود شدن
racket /'rækɪt/ *n* = racquet
racket /'rækɪt/ *n,vi* ۱.هیاهو، شلوغ، گردن‌کلفتی و اخاذی ۲.خوشگذرانی کردن
stand the racket از عهدهٔ (مخارج چیزی) برآمدن
racketeer /ˌrækə'tɪə(r)/ *n* باجگیر؛ خلافکار
racketeering *n* اخاذی به تهدید، باجگیری؛ خلافکاری
rackets /'rækɪts/ *n* توپ‌بازی با راکت
rackety /'rækɪtɪ/ *adj* پرسروصدا؛ شلوغ‌کن؛ خوش
raconteur /ˌrækɒn'tɜ:(r)/ *n,Fr* قصه‌گو یا داستانسرای زرنگ
racoon; raccoon /rə'ku:n US: ræ-/ *n* نوعی پستاندار دم‌دار و پوزه‌دراز و گوشتخوار در امریکا
racquet /'rækɪt/ *n* راکت
racy /'reɪsɪ/ *adj* [سخن یا نوشته] باروح؛ (دارای طعم یا صفات) اصلی، اصل؛ تند و بامزه
radial /'reɪdɪəl/ *adj* شعاعی، پرتویی؛ منشعب
radiance /'reɪdɪəns/ *n* تشعشع، تابش، تابندگی
radiant /'reɪdɪənt/ *adj* تابان؛ پرتوافکن؛ برق‌زننده؛ بشاش؛ متشعشع؛ حاکی از امیدواری
radiate /'reɪdɪeɪt/ *vi,vt* ۱.پرتوافکندن، متشعشع شدن؛ منشعب شدن ۲.پرتووار بیرون دادن، تابیدن
radiate /'reɪdɪeɪt/ *adj* پرتوی
radiation /ˌreɪdɪ'eɪʃn/ *n* پرتوافکنی، پرتوگستری، تابش، تشعشع؛ پرتو
radiator *n* رادیاتور
radical /'rædɪkl/ *adj,n* ۱.اساسی؛ بنیادی، ریشه‌ای؛ طرفدار اصلاحات اساسی، رادیکال؛ [ریاضیات] جذری ۲.ریشه؛ ریشگی؛ عضو حزب رادیکال
radically /'rædɪklɪ/ *adv* اساساً، از بیخ
radii /'reɪdɪaɪ/ *n* [*pl of* radius]
radio /'reɪdɪəʊ/ *n,vt* ۱.رادیو؛ بی‌سیم ۲.با رادیو منتشر یا مخابره کردن
radioactive /ˌreɪdɪəʊ'æktɪv/ *adj* پرتوزا، رادیواکتیو
radioactivity /ˌreɪdɪəʊæk'tɪvətɪ/ *n* پرتوزایی، رادیواکتیویته
radiogram /'reɪdɪəʊgræm/ *n* مخابرهٔ بی‌سیم
radio-gramophone /ˌreɪdɪəʊ 'græməfəʊn/ *n* رادیوگرامافون
radiograph /'reɪdɪɒgrəf/ *n* پرتونگار؛ عکسی که با اشعهٔ ایکس برداشته شود

radiography /ˌreɪdɪˈɒgrəfɪ/ *n* پرتونگاری، رادیوگرافی
radiologist /ˌreɪdɪˈɒlədʒɪst/ *n* پرتوشناس، رادیولوژیست
radiology /ˌreɪdɪˈɒlədʒɪ/ *n* پرتوشناسی، رادیولوژی
radish /ˈrædɪʃ/ *n* تربچه، ترب
radium /ˈreɪdɪəm/ *n* رادیوم
radius /ˈreɪdɪəs/ *n* [-dii] شعاع
RAF = Royal Air Force
نیروی هوایی پادشاهی (انگلیس)
raffia /ˈræfɪə/ *n* الیاف نخل
raffish /ˈræfɪʃ/ *adj* بی‌شرف
raffle /ˈræfl/ *n,v* ۱.بخت‌آزمایی، لاتاری ۲.(پول در) لاتاری گذاشتن
raft /rɑːft US: ræft/ *n,vt* ۱.کلک؛ دسته‌ای از کنده و تیر و چلیک شناور ۲.با کلک بردن؛ با کلک گذشتن از
rafter /ˈrɑːftə(r)/ *n* [در شیروانی] لاپه
rafter *n* کلک‌ساز؛ کلک‌ران
raftsman /ˈrɑːftsmən/ *n* [-men] کلک‌ران
rag /ræg/ *n* کهنه، تکهٔ پارچه؛ [در جمع] لباس مندرس؛ [مجازاً] ذره، خرده
like a red rag to a bull مایهٔ خشم یا هیجان
rag /ræg/ *v* [-ged] سر به سر (کسی) گذاشتن، (کسی را) اذیت کردن؛ (کسی را) سرزنش کردن، (از کسی) عیبجویی کردن
ragamuffin /ˈrægəmʌfɪn/ *n* بچه‌کثیف وولگرد
rag-and-bone man /ˌræg ən ˈbəʊn mən/ *n* دوره‌گردِ کهنه‌خر
rage /reɪdʒ/ *n,vi* ۱.خشم، غیظ؛ جنون؛ شهوت؛ طغیان، شورش؛ شور، شوق ۲.از جا در رفتن؛ طغیان کردن، سخت شیوع پیدا کردن؛ شدت داشتن
have a rage for something
میل مفرط به‌چیزی داشتن، جنون چیزی‌را داشتن
rage itself out پس از طغیان فرو نشستن
ragged /ˈrægɪd/ *adj* ناهموار، دارای برآمدگیهای تیز؛ کهنه، رنگ و رو رفته، ژنده‌پوش
ragged school
آموزشگاه مجانی برای بچه‌های بینوا
ragman /ˈrægmən/ *n* [-men] کهنه برچین؛ کهنه خر، کهنه فروش
ragout /ˈrægu:/ *n,Fr* راگو: نوعی خوراک شبیه به تاس‌کباب
ragtag /ˈrægtæg/ *n* مردمِ بدنام، اجامر
ragtag and bobtail = ragtag
ragtime /ˈrægtaɪm/ *n* وزن سکته‌دار؛ [موسیقی] رگتایم
raid /reɪd/ *n,v* ۱.تاخت و تاز؛ تهاجم ناگهانی پلیس به‌محلی ۲.مورد حمله قرار دادن؛ بر سر (کسی) ریختن
an air raid حملهٔ هوایی، بمباران
raider *n* [شخص، هواپیما و غیره] مهاجم
rail /reɪl/ *n,vt* ۱.خطِ آهن، ریل؛ نرده؛ دست‌انداز؛ زیر حوله‌ای؛ پاسار [قسمتی از در] ۲.نرده کشیدن؛ با نرده یا محجر جدا کردن [با off]
by rail با راه‌آهن، با قطار
rail tank car واگن مخزن‌دار
off the rails خراب، مختل، درهم
rail /reɪl/ *n* [جانورشناسی] آبچلیک
rail /reɪl/ *vi* بد حرفی و اوقات تلخی کردن [با at یا against]
railing *n* نرده
raillery /ˈreɪlərɪ/ *n* شوخی و کنایه
railroad /ˈreɪlrəʊd/ *n, US* = railway
railway /ˈreɪlweɪ/ *n* راه‌آهن
raiment /ˈreɪmənt/ *n,poet* جامه، پوشاک
rain /reɪn/ *n,vi,vt* ۱.باران؛ [مجازاً] سیل، رشته ۲.باریدن؛ جاری شدن ۳.جاری ساختن؛ روان ساختن
It looks like rain گویا خیال باریدن دارد
a rain of kisses بوسه‌های پی‌درپی، بوسه‌باران
rain or shine چه باران باشد چه آفتاب
rain cats and dogs سخت باریدن
It rains می‌بارد، باران می آید
It never rains but it pours
وقتی که می آید پشت سرهم می آید
It has rained itself out باران (بالاخره) ایستاد
rainbow /ˈreɪnbəʊ/ *n* قوس و قزح
raincoat /ˈreɪnkəʊt/ *n* بارانی
rainfall /ˈreɪnfɔːl/ *n* بارندگی؛ بارش
rain-gauge /ˈreɪngeɪdʒ/ *n* باران‌سنج
rainpoof /ˈreɪnpruːf/ *adj* مانع نفوذ باران، ضد باران
rain-water /ˈreɪnwɔːtə(r)/ *n* آب باران
rainy /ˈreɪnɪ/ *adj* بارانی؛ پرباران
a rainy day روز مبادا، روز تنگی
raise /reɪz/ *vt* بلند کردن؛ بالا بردن؛ ترقی دادن؛ درآوردن (نان)؛ برپا کردن؛ زنده کردن، احضار کردن؛ تحریک کردن؛ عمل آوردن؛ پروردن؛ تشکیل دادن؛ اقامه کردن؛ راه انداختن؛ فراهم کردن (پول)؛ جمع کردن؛ طرح کردن، مطرح کردن

raise his (*or* its) head بروز کردن، ظاهر شدن، پدید آمدن
raise from the dead زنده کردن
raise one's voice against something به‌چیزی اعتراض کردن
raise the wind *Sl* پول برای کار خاصی جور کردن
raise a dust گرد و خاک بلند کردن؛ [مجازاً] داد و بیداد کردن
raise a laugh خنده راه انداختن
raise Cain; raise hell; raise the devil آشوب کردن، شلوغ کردن
raise its head پیدا شدن، پدید آمدن
raiser *n* عمل‌آورنده، تربیت‌کننده
raisin /'reɪzn/ *n* کشمش
raison d'être /ˌreɪzɒn 'detrə/ *n,Fr* موجب، مجوز، دلیل
raj /rɑ:dʒ/ *n* دوران سلطهٔ انگلستان بر هندوستان
rajah /'rɑ:dʒə/ *n* راجه
rake /reɪk/ *n,vt* ۱.شن‌کش ۲.با شن‌کش جمع (یا صاف) کردن، [نظامی] از چپ و راست به آتش بستن، درو کردن؛ [مجازاً] زیر و رو کردن
rake up جمع کردن (علف)؛ جستجو کردن؛ تازه کردن، از سر گرفتن
rake /reɪk/ *n* آدم هرزه و فاسد
rake /reɪk/ *v* کج شدن؛ کج کردن
rakish *adj* هرزه، فاسد؛ جلف؛ گستاخ؛ لاف‌زن
rally /'rælɪ/ *vt,vi,n* ۱.(دوباره) جمع‌آوری کردن، (دوباره) به‌کار انداختن ۲.دوباره جمع شدن؛ سر و صورت تازه‌ای گرفتن؛ نیروی تازه به‌خود دادن ۳.اجماع؛ برگشت نیرو [در بیمار]
rally /'rælɪ/ *vt* باشوخی و کنایه آزردن
ram /ræm/ *n,vt* [-med] ۱.قوچ؛ برج حمل؛ شاخ؛چکشِ تیرکوب ۲.کوبیدن، سفت کردن؛ فرو کردن؛ چپاندن؛ سنبه زدن؛ شاخ زدن به؛ سوراخ کردن، به پهلو(ی چیزی) خوردن
Ramadan /ˌræmə'dæn; -'dɑ:n/ *n* رمضان
ramble /'ræmbl/ *vi,n* ۱.گردش کردن (بی داشتن مسیر معین) ۲.گشت
rambling *apa* بی‌ربط، نامربوط، پرت، پریشان؛ سیار؛ هرزه رو؛ بی‌نقشه
ramification /ˌræmɪfɪ'keɪʃn/ *n* انشعاب؛ شاخه
ramify /'ræmɪfaɪ/ *vi,vt* ۱.شاخه‌شاخه شدن، شاخه بستن ۲.منشعب کردن
rammer *n* زمین‌کوب، تخماق؛ سنبه؛ تیرکوب
ramp /ræmp/ *n,vi* ۱.سرازیری، شیب راهه؛ [در پلکان] پاگرد ۲.برای حمله روی دو پا ایستادن [The lion ramps]؛ حمله کردن؛ سرازیرشدن
rampage /ræm'peɪdʒ/ *vi* داد و بیداد کردن
rampant /'ræmpənt/ *adj* شایع، متداول؛ از جا در رفته، بی‌حوصله؛ انبوه، زود رشدکننده
a lion rampant [درآرم و نشان] شیری که بردو پا ایستاده و در حال حمله است
rampart /'ræmpɑ:t/ *n* بارو، باره؛ خاکریز
ramrod /'ræmrɒd/ *n* سنبه، میل
ramshackle /'ræmʃækl/ *adj* متزلزل؛ فکسنی
ran /ræn/ [*p of* run]
ranch /rɑ:ntʃ US:ræntʃ/ *n* [در امریکا] پرورشگاه گله
ranchman /'rɑ:ntʃmən/ *n or* **rancher** گلّه‌دار
rancid /'rænsɪd/ *adj* ترشیده، فاسد شده، مانده
rancorous /'ræŋkərəs/ *adj* کینه‌دار، کینه‌توز
ranco(u)r /'ræŋkə(r)/ *n* کینه، بغض
random /'rændəm/ *n* بی‌مقصدی، بی‌منظوری؛ پیشامد، اتفاق
at random (به‌طور) الله‌بختی، همین‌طوری، تصادفی، بی‌هدف
random /'rændəm/ *adj* الله‌بختی؛ اتفاقی، تصادفی؛ الکی؛ بی‌ترتیب
ranee /'rɑ:ni:/ *n* رانی: زن راجه
rang /ræŋ/ [*p of* ring]
range /reɪndʒ/ *n,vt,vi* ۱.رشته، سلسله؛ ردیف؛ طبقه؛ برد، رسایی؛ دسترسی؛ حیطه، وسعت، گستره، میدان؛ دامنه؛ حدود تغییرات (درقیمتها)؛ چراگاه؛ شکارگاه؛ [نظامی] میدان تیر؛ فرِ خوراک‌پزی ۲.در صف آوردن؛ مرتب کردن، ردیف کردن؛ در ردیف (چیزی) قرار دادن، شمردن؛ عبور کردن (از)؛ تراز یا میزان کردن (تفنگ)؛ ۳.قرار گرفتن، شمرده شدن؛ گشتن؛ تغییر کردن؛ (فلان‌قدر) تیررس داشتن؛ تراز شدن، برابر شدن
in range with در امتدادِ، در خطِ
out of range دارس
range with دور از تیررس، دور از صدر ردیف ... قرار گرفتن
They range along the coast در امتداد کرانه واقع (یا کشیده) شده‌اند
range-finder /'reɪndʒ faɪndə(r)/ *n* مسافت‌یاب
ranger *n* جنگلبان، تفنگدار، گشتی سواره؛ کماندو
rank /ræŋk/ *n,vt,vi* ۱.صف؛ ردیف؛ شأن، رتبه، طبقه ۲.به صف آوردن، منظم کردن طبقه‌بندی کردن ۳.قرار گرفتن (در پایه‌ای)

a man of rank مرد صاحب شأن

the rank and file (*or* the ranks) سربازان (و سرجوخه‌ها)

rank next to the king رتبهٔ بعد از شاه را دارا بودن

rank among (*or* with) ... در زمره ...به شمار رفتن

rank /ræŋk/ *adj* [گیاه] پرپشت، پر، انبوه؛ بدبو، زننده؛ کامل، بی‌چون و چرا، محض

rankle /ˈræŋkl/ *vi* دردناک و جانگداز بودن

ransack /ˈrænsæk/ *vt* خوب جستجو کردن؛ غارت کردن

ransom /ˈrænsəm/ *n,vt* ۱.فدیه؛ خرید، آزادسازی با پول، اعتاق ۲.خریدن و آزاد کردن؛ فدیه دادن، کفاره دادن (برایِ)؛ با گرفتن فدیه آزاد کردن؛ فدیه خواستن از

for a ransom با گرفتن فدیه

to ransom در گروِ فدیه

worth a king's ransom بسیار گرانبها

rant /rænt/ *n,vi* عبارت‌پردازی (کردن)؛ یاوه‌سرایی (کردن)

rap /ræp/ *n,vt,vi* [-ped] ۱.تق، ضربتِ آهسته ۲.ضربت زدن بر؛ تق‌تق کردن

rap at the door در زدن

rap out بی پروا گفتن، تند و تند گفتن

rap /ræp/ *n* پشیز؛ چیز کم‌بها

I don't care a rap بی‌خیالش باش

rapacious /rəˈpeɪʃəs/ *adj* غارتگر، شکاری؛ حریص؛ حریصانه؛ ژیان

rapacity /rəˈpæsətɪ/ *n* حرص؛ درنده‌خویی؛ غارتگری

rape /reɪp/ *n,vt* ۱.زنای به‌عنف ۲.بی‌صورت کردن، مرتکب زنای به عنف شدن

rape /reɪp/ *n* کلم یا شلغم روغنی

Raphaelesque /ˌræfiːəˈlesk/ *adj* به سبک رافائل، مربوط به سبک رافائل

rapid /ˈræpɪd/ *adj* تند، سریع؛ تندرو

rapidity /rəˈpɪdətɪ/ *n* تندی، سرعت

rapidly *adv* تند، به سرعت

rapids *n,pl* تندآب

rapier /ˈreɪpɪə(r)/ *n* نوعی شمشیر

rapine /ræpaɪn/ *n* غارت؛ دستبرد، غصب

rapport /ræˈpɔː(r) US: -ˈpɔːrt/ *n,Fr* رابطه؛ تماس؛ تفاهم

be in rapport; be en rapport مربوط بودن، (با هم) تماس داشتن

rapporteur /ˌræpˈɔːtɜː(r)/ *n,Fr* مخبر

rapprochement /ræˈprɒʃmɒŋ US: ˌræprəʊʃˈmɑŋ/ *n,Fr* تجدید روابط

rapscallion /ræpˈskæljən/ = rascal

rapt /ræpt/ *ppa* ربُوده؛ مجذوب، مستغرق

rapture /ˈræptʃə(r)/ *n* بیخودی، وجد، نشئه

go into raptures از خود بیخود شدن، حال جذبه پیدا کردن

rapturous /ˈræptʃərəs/ *adj* وجدآمیز؛ به وجد آمده

rare /reə(r)/ *adj* کمیاب، نادر؛ رقیق؛ خوب نپخته

It is rare for him to ... از او بعید است که...

rarely *adv* به‌ندرت، کمتر، ندرتاً؛ به‌طور استثنایی، به‌طور فوق‌العاده

rareness *n* کمیابی، ندرت

rarity /ˈreərətɪ/ *n* کمیابی، ندرت؛ نادره، تحفه

rascal /ˈrɑːskl US: ˈræskl/ *n,adj* (آدم) رذل یا بی‌شرف

rascality /rɑːˈskælɪtɪ/ *n* پستی، بی‌شرفی

rascally *adj* پست

rash /ræʃ/ *n* جوش، دانه

rash /ræʃ/ *adj* تند، بی‌پروا؛ نسنجیده

rasher /ˈræʃə(r)/ *n* بُرش نازکی از گوشت خوک

rashly *adv* از روی بی‌ملاحظگی

rashness *n* تندی، بی‌ملاحظگی

rasp /rɑːsp/ *n,vt* ۱.سوهانِ درشت ۲.سوهان زدن؛ [مجازاً] آزردن

My words rasped his feelings. سخنان من احساسات او را جریحه‌دار کرد.

raspberry /ˈrɑːzbrɪ/ *n* تمشک

give someone the raspberry شیشکی برای کسی بستن

rat /ræt/ *n,vi* [-ted] ۱.موشِ صحرایی؛ [مجازاً] رفیقِ نیمه‌راه ۲.موش گرفتن؛ بی‌وفایی به رفیق خود کردن

smell a rat بو بُردن، ظنین شدن

like a drowned rat مثل موش آب‌کشیده، خیس ِخیس

Rats! (Sl) چرند می‌گویی! چه مزخرفاتی!

ratable /ˈreɪtəbl/ *adj* = rateable

rat-a-tat /ˌræt əˈtæt/ = rat-tat

ratch /rætʃ/ = ratchet-wheel

ratchet /ˈrætʃɪt/ *n* ضامن چرخِ دنده، گیره، عایق؛ (دنده) چرخ ضامن‌دار

ratchet-wheel /ˈratʃɪt wiːl/ *n* چرخ ضامن‌دار

rate /reɪt/ *n,vt,vi* ۱.نرخ، قرار، میزان، سرعت، آهنگ؛ نسبت؛ پایه، درجه؛ عوارض [بیشتر در جمع] ۲.نرخ (بر چیزی) بستن؛ (برای عوارض) ارزیابی کردن؛ درجه‌بندی کردن، شمردن؛ قرار دادن؛ مشمول مالیات کردن ۳.قرار گرفتن، شمرده شدن

at the rate of از قرارِ

at that rate در این صورت

at any rate در هر حال، در هر صورت

I rate him among poets.

من او را در زمرهٔ شعرا می‌دانم (یا می‌شمارم).

rate /reɪt/ *v* سرزنش کردن، اوقات‌تلخی کردن

rateable /ˈreɪtəbl/ *adj* [مالیات] قابل ارزیابی، مشمول مالیات

rater [در ترکیب]

second-rater شخص یا چیزی که از حیث کیفیت در درجه دوم قرار می‌گیرد

rather /ˈrɑːðə(r)/ *adv* بیشتر؛ بلکه؛ نسبتاً؛ [در گفتگو] البته

I would rather resign than flatter.

بهتر می‌دانم استعفا دهم تا اینکه تملق بگویم.

I had rather stay than go.

بهتر بود می‌ماندم و نمی‌رفتم.

ratification /ˌrætɪfɪˈkeɪʃn/ *vt* تصدیق، تصویب

ratify /ˈrætɪʃaɪ/ *vt* تصویب کردن، تصدیق کردن

rating *n* نرخ‌بندی، درجه‌بندی، تقویم؛ دسته، طبقه؛ میزان عوارض؛ سرزنش، اوقات تلخی

ratio /ˈreɪʃɪəʊ/ *n* نسبت، بهر

in the ratio of به نسبتِ

ratiocination /ˌrætɪˌɒsɪˈneɪʃn US: ˌræʃɪ-/ *n* استدلال منطقی

ration /ˈræʃn/ *n,vt* ۱.جیره ۲.جیره‌بندی کردن

They were put on rations

(فلان‌چیز را) برای آنها جیره‌بندی کردند

rational /ˈræʃnəl/ *adj* معقول، عقلی، عقلانی؛ [ریاضیات] گویا

rationalism /ˈræʃnəlɪzəm/ *n* اصالتِ عقل، مسلک عقلیون، خردگرایی

rationalist /ˈræʃnəlɪst/ *n* کسی که معتقد به اصالت عقل است، خردگرا

rationalize /ˈræʃnəlaɪz/ *vt* موافق دلایل عقلی تعبیر کردن؛ عقلانی کردن؛ دلیل‌تراشی کردن

rationally *adv* موافق عقل، عاقلانه

ratlin; -line /ˈrætlɪn/ *n* پلهٔ طنابی، پلهٔ دیرک

ratsbane /ˈrætsbeɪn/ *n* مرگ موش، سم‌الفار

rat(t)an /ræˈtæn/ *n* (چوب) خیزران

rat-tat /ˌræ ˈtæt/ *n* تق‌تق، صدای کوبیدن در

ratter *n* (سگ و گربهٔ) موشگیر

rattle /ˈrætl/ *n,vi,vt* ۱.جق‌جق؛ تلق‌تلق؛ پچ‌پچ، ور ور؛ جغجغه؛ زنگوله؛ خُرخُر؛ غوغا ۲.جق‌جق؛ تلق‌تلق کردن؛ پچ‌پچ کردن، ور ور کردن ۳.به‌صدا درآوردن؛ تند خواندن؛ [در گفتگو] اوقات (کسی) را تلخ کردن

rattle-box /ˈrætlbɒks/ *n* جغجغه

rattle-brained /ˈrætlbreɪnd/ *adj* خشک‌مغز

rattle-headed /ˈrætlhedɪd/ *adj* بی‌کله

rattle-pated /ˈrætlpeɪtɪd/ *adj* بی‌مغز

rattler *n,Col* نمونهٔ خیلی خوب

rattlesnake /ˈrætlsneɪk/ *n* مار زنگوله(دار)

rattling /ˈrætlɪŋ/ *adj,adv* تند؛ فوق‌العاده

raucous /ˈrɔːkəs/ *adj* خشن

ravage /ˈrævɪdʒ/ *vt,vi,n* ۱.ویران کردن، غارت‌کردن ۲.خرابی وارد آوردن ۳.ویرانی؛ زیان

rave /reɪv/ *v* یاوه گفتن، هذیان گفتن؛ طغیان‌کردن؛ غریدن

The storm raved itself out.

طوفان غرید وغرید تا فرو نشست.

ravel /ˈrævl/ *vt,vi* [-led] *,n* ۱.دارای پیچ یا گره کردن، روده کردن؛ [با out] ساییدن، ریش‌ریش کردن؛ [مجازاً] آشکار کردن ۲.گره خوردن، روده شدن؛ [با out] نخ‌نخ شدن ۳.پیچ، گره؛ نخِ ریش‌ریش شده

raven /ˈreɪvn/ *n,adj* ۱.کلاغِ سیاه ۲.سیاهِ یکدست، مشکی

raven /ˈreɪvn/ *vi* به دنبال شکار گشتن

ravening /ˈrævənɪŋ/ *adj* درنده‌خو، وحشی

ravenous /ˈrævənəs/ *adj* حریص؛ گرسنه

ravine /rəˈviːn/ *n* درهٔ تنگ

raving *adj,adv,n* ۱.یاوه‌گو ۲.به‌حد افراط، کاملاً ۳.[در جمع] یاوه، یاوه‌گویی

ravish /ˈrævɪʃ/ *vt* ربودن؛ بی‌صورت کردن؛ غُر زدن؛ شیفته کردن، مجذوب کردن

ravishing *apa* دلربا

ravishment *n* ربایش؛ جذبه

raw /rɔː/ *adj,n* ۱.خام؛ [مجازاً] ناشی، ناآزموده؛ پوست‌رفته، حساس؛ مرطوب و سرد ۲.نقطه حساس

touch one on the raw به نقطهٔ حساس کسی برخوردن

raw-boned /ˌrɔː ˈbəʊnd/ *adj* پوست و استخوان شده

rawhide /ˈrɔːhaɪd/ *n* چرمِ دباغی نشده

rawness *n* خامی؛ ناآزمودگی

ray /reɪ/ *n,vi,vt* ۱.پرتو، شُعاع ۲.پرتو افکندن ۳.پرتو وار بیرون دادن

ray of hope روزنهٔ امید
ray /reɪ/ *n* نوعی ماهی پهن
rayon /'reɪɒn/ *n* ابریشم مصنوعی
raze *or* **rase** /reɪz/ *vt* به‌کلی ویران کردن؛ محو کردن
raze to the ground با خاک یکسان کردن
razor /'reɪzə(r)/ *n* تیغ
razor-back /'reɪzəbæk/ *n* نوعی بال یا وال
razor-backed *adj* دارایِ پشت تیز و استخوانی (مانند بعضی خوکها)
Rd [مخفف Road]
RD [بانکداری] به کِشندهٔ چک مراجعه کنید
re /ri:/ *prep* دربارهٔ، راجع به
re- *pref* دوباره
reach /ri:tʃ/ *vt,vi,n* ۱.رسیدن به؛ رساندن (به)؛ درازکردن [بیشتر با out]؛ شامل شدن؛ لمس کردن؛ تحت تأثیر قرار دادن، تحت نفوذ درآوردن ۲.دراز شدن، دست دراز کردن[با out]؛ وسعت داشتن، امتداد داشتن؛ تقلا کردن ۳.رسایی؛ دسترسی؛ استطاعت؛ میدان؛ کوشش برای رسیدن (به چیزی)
as far as the eye can reach تا چشم کار می‌کند
within reach (در) دسترس
within easy reach of در نزدیکیِ
reach-me-down *n,Col* لباس دوخته
react /rɪ'ækt/ *vi* واکنش داشتن، منعکس شدن؛ تحت تأثیر قرار گرفتن؛ حملهٔ متقابل کردن؛ حرکت کردن
react to تحت تأثیر... قرار گرفتن
reaction /rɪ'ækʃn/ *n* واکنش، عکس‌العمل؛ اثر؛ ارتجاع، بازگشت
reactionary /rɪ'ækʃənrɪ US: -ənerɪ/ *adj,n* ارتجاعی؛(شخص) مرتجع
reactionist = reactionary *n*
read /ri:d/ *vt* [read;read /red/] خواندن، قرائت‌کردن؛ تعبیرکردن؛ حل کردن؛ استنباط کردن
The thermometer reads 30. گرماسنج ۳۰ درجه را نشان می‌دهد.
read as حمل کردن بر
The bill was read for the first time. شور اول لایحه تمام شد.
The play reads (vi) well این نمایشنامه راحت خوانده می‌شود
read out بلند خواندن
read between the lines معنی پوشیدهٔ نوشته‌ای را دریافتن، از فحوای کلام به‌مفهوم پی بردن
a well-read person آدمِ کتاب خوانده
I had a good read (n) فرصتِ خوبی برای خواندن داشتم
readable /'ri:dəbl/ *adj* قابل خواندن؛ خوانا
readdress /ˌri:ə'dres/ *vt* عنوان (چیزی را) عوض کردن؛ نشانی مجدد (روی پاکتی) نوشتن
reader /'ri:də(r)/ *n* خواننده؛ مصحح چاپخانه؛ دانشیار[در برخی دانشگاهها]؛ کتاب قرائت
readily *adv* از روی میل، با میل، زود؛ به آسانی، به سهولت
readiness *n* آمادگی؛ استعداد، میل؛ فوریت؛ سهولت
in readiness for آمادهٔ
reading *n* قرائت، خواندن؛ اطلاعات ادبی؛ مواد خواندنی؛ سخنرانی؛ درس؛ عبارت؛ نسخه؛ تفسیر، استنباط؛ نظریه؛ [در مجلس] شور
a man of vast reading آدمِ کتاب خوانده
reading room قرائتخانه
readjust /ˌri:ə'dʒʌst/ *vt* دوباره تعدیل کردن، دوباره میزان کردن
readjustment *n* تعدیل مجدد
ready /'redɪ/ *adj* آماده، حاضر؛ مایل، مستعد؛ فوری، بی‌معطلی؛ موجود؛ نقد [ready money]
ready at excuses آمادهٔ عذر آوردن
make (*or* get) ready آماده کردن، حاضر کردن؛ آماده شدن، حاضر شدن
ready acceptance حسن قبول
ready wit هوش (حاضر جوابی)
ready reckoner کتابچه یا جدولی که حسابهای عمل شده و آماده دارد
ready-made /ˌredɪ 'meɪd/ *adj* حاضر و آماده؛ دوخته، حاضری
reagent /ri:'eɪdʒənt/ *n* معرف
real /rɪəl/ *adj* واقعی، حقیقی؛ حسابی[a real cook]؛ اصل [ضد بدل]
real estate مستغل، ملک
realise /'rɪəlaɪz/ = realize
realism /'rɪəlɪzəm/ *n* واقع‌گرایی، واقع‌بینی، واقع‌پردازی، رئالیسم
realist /'rɪəlɪst/ *n* واقع‌گرا، واقع‌بین، واقع‌پرداز، رئالیست
reality /rɪ'ælətɪ/ *n* واقعیت، حقیقت؛ ماهیت؛ وجودِ خارجی، وجود واقعی
in reality در حقیقت، در واقع، (به)راستی
realizable /'rɪəlaɪzəbl/ *adj* درک کردنی؛ به‌دست آمدنی؛ فروش رفتنی

realization /ˌrɪəlaɪˈzeɪʃn/ *n* درک؛ تحقق؛ تبدیل به پول نقد؛ حصول

realize /ˈrɪəlaɪz/ *vt* فهمیدن، پی بردن به؛ تصدیق کردن؛ صورت خارجی(به چیزی) دادن؛ از قوه به فعل آوردن؛ تبدیل به پول کردن، فروختن؛ فراهم کردن؛ به (مبلغی) فروش رفتن

really *adv* واقعاً، حقیقتاً، راستی، به راستی

realm /relm/ *n* کشور؛ سلطنت؛ قلمرو، حیطه، حوزه، حدود

realtor /ˈrɪəltə(r)/ *n,US* بنگاه معاملات ملکی

realty /ˈrɪəltɪ/ *n* مستغل، ملک

ream /riːm/ *n* بند (کاغذ)

reanimate /riːˈænɪmeɪt/ *vt* حیات تازه (به چیزی) دادن

reap /riːp/ *vt,vi* ۱.درو کردن؛ جمع کردن ۲.حاصل برداشتن

reap where one has not sown نکاشته را دروکردن، از دسترنج دیگران سود بردن

reaper *n* دروگر؛ ماشین درو

reaping-hook /ˈriːpɪŋ hʊk/ *n* = sickle

reappear /ˌriːəˈpɪə(r)/ *vi* دوباره نمودار شدن؛ عود کردن

reappearance /riːəˈpɪərəns/ *n* عود، ظهور مجدد

rear /rɪə(r)/ *n* عقب؛ پشت؛ دنبال، دنباله؛ [در گفتگو] مستراح

take in rear از پشت حمله کردن به

rear /rɪə(r)/ *vt* تربیت کردن؛ عمل آوردن؛ بلند کردن (سر)

rear-admiral /ˌrɪər ˈædmərəl/ *n* دریادار

rearguard /ˈrɪəgɑːd/ *n* عقب‌دار، پس قراول

rearm /ˌriːˈɑːm/ *vt* دوباره مسلح کردن، دوباره مجهز کردن

rearmament /riːˈɑːməmənt/ *n* تسلیح مجدد؛ مجهز کردن به سلاح تازه

rearmost /ˈrɪəməʊst/ *adj* عقبترین

rearrange /ˌriːəˈreɪndʒ/ *vt* دوباره مرتب کردن (یا چیدن)؛ سر و صورت تازه دادن

rearrangement *n* اصلاح؛ دوباره‌چینی

rearward(s) /ˈrɪəwəd(z)/ *adv* سویِ عقب

reason /ˈriːzn/ *n* دلیل؛ عقل، خرد

The reason is that دلیلش این است که

by reason of به‌علتِ، به‌واسطهٔ

be restored to reason به خود آمدن

in reason معقول یا عملی

listen to reason به حرف حساب گوش دادن

It stands to reason منطقی است

You have reason حق با شما است

reason /ˈriːzn/ *vi,vt* ۱.استدلال کردن، تعقل کردن ۲.با دلیل ثابت کردن

reason into compliance (با دلیل) وادار به موافقت کردن

reason out با فکر و استدلال یافتن

I reasoned him out of his fears. او را با دلیل متقاعد کردم که ترس مورد ندارد.

reasonable /ˈriːznəbl/ *adj* معقول، عقلی، عُقلایی؛ [در بها] معقول، عادلانه، مناسب

reasonably /ˈriːznəblɪ/ *adv* عقلاً، منطقاً، بادلیل؛ حقاً، انصافاً؛ به‌طور عادلانه

reasoning *n* استدلال؛ تعقل

reassurance /ˌriːəˈʃɔːrəns/ *n* اطمینان مجدد؛ بیمهٔ اتکایی

reassure /ˌriːəˈʃɔː(r)/ *vt* دوباره اطمینان دادن؛ دوباره بیمه کردن

rebate /ˈriːbeɪt/ *n* تخفیف، کاهش

rebel /ˈrebl/ *n,adj* (شخص) یاغی

rebel /rɪˈbel/ *vi* [-led] یاغی شدن، تمرد کردن، شوریدن

rebellion /rɪˈbelɪən/ *n* طغیان، شورش

rebellious /rɪˈbelɪəs/ *adj* یاغی، شورشی، سرکش، متمرد؛ صعب‌العلاج

rebind /ˌriːˈbaɪnd/ *vt* [-bound] دوباره صحافی کردن، از نو جلد کردن

rebirth /ˌriːˈbɜːθ/ *n* تولد تازه؛ تجدید زندگی

rebound /ˌrɪˈbaʊnd/ *vi,n* ۱.دوباره به‌جای خود جستن؛ منعکس شدن ۲.پرش به حال نخستین؛ انعکاس

rebound /rɪˈbaʊnd/ [*p,pp of* rebind]

rebuff /rɪˈbʌf/ *n,vt* ۱.جلوگیری؛ تودهنی؛ رد احسان ۲.تودهنی (به‌کسی) زدن؛ رد کردن؛ پس زدن

meet with a rebuff تودهنی خوردن

rebuke /rɪˈbjuːk/ *n,vt* سرزنش (کردن)، توبیخ (کردن)

rebus /ˈriːbəs/ *n* معمای شکلی

rebut /rɪˈbʌt/ *vt* [-ted] رد کردن، تکذیب کردن

rebuttal /rɪˈbʌtl/ *n* رد، دفع

recalcitrance /rɪˈkælsɪtrəns/ *n* پشت پا زنی، کافرکیشی، تمرد

recalcitrant /rɪˈkælsɪtrənt/ *adj,n* پشت پا زننده، متمرد، کافرکیش

recall /rɪˈkɔːl/ *vt,n* ۱.به‌خاطر (کسی) آوردن؛ یادآوری کردن؛ فرا خواندن، احضار کردن؛ لغو کردن؛ پس گرفتن؛ احیا کردن ۲.فراخوانی، احضار

recall someone to something
کسی را متوجهٔ چیزی کردن

beyond (*or* past) recall غیرقابل برگشت

recant /rɪ'kænt/ *vt,vi* ۱.انکار کردن ۲.دست از عقیدهٔ خود کشیدن

recantation /ˌri:kæn'teɪʃn/ *n* انکار، پس‌گیری؛ دست‌کشی، ترک

recapitulate /ˌri:kə'pɪtʃʊleɪt/ *vt*
رئوس مطالب (چیزی) را دوره کردن

recapitulation /ˌri:kəpɪtʃʊ'leɪʃn/ *n*
دوره یا تکرار رئوس مطالب

recapture /ˌri:'kæptʃə(r)/ *vt* دوباره دستگیر کردن

recast /ˌri:'kɑ:st/ *vt* [-cast] از نو ریختن، از نو طرح کردن؛ دوباره حساب کردن

recede /rɪ'si:d/ *vi* عقب کشیدن، خودداری کردن؛ کاهش یافتن

recede into the background
وجه خود را از دست دادن؛ از اهمیت افتادن

receding chin چانهٔ تو رفته

receipt /rɪ'si:t/ *n,vt* ۱.رسید، قبض رسید؛ وصول؛ [در جمع] دریافتی، جمع، عایدات ۲.رسید کردن، رسید (چیزی را) گرفتن

on receipt of به وصولِ، به رسیدنِ

We are in receipt of your letter (or *We acknowledge receipt of your letter*)
نامهٔ شما ما رسید، نامهٔ شما واصل گردید، وصول نامه شما را اعلام می‌داریم

receivable /rɪ'si:vəbl/ *adj* دریافتی، قابل‌وصول؛ پذیرفتنی

bills receivable قبوض دریافتی

receive /rɪ'si:v/ *vt* دریافت کردن؛ پذیرایی کردن؛ تلقی کردن؛ جا دادن (مال دزدی)؛ فرا گرفتن؛ تحمل کردن؛ درک کردن؛ نایل شدن به

receive attention مورد توجه واقع شدن

receive a wound زخم خوردن

receive as به چشم ...نگریستن، دانستن

receive of *(vi)* سهم داشتن از

receiving set دستگاه گیرنده

received *ppa* مورد قبول عامه

receiver *n* دریافت‌کننده؛ (دستگاه) گیرنده؛ [تلفن] گوشی؛ مال دزدی نگاهدار، شریک دزد؛ مدیر تصفیه

recent /'ri:snt/ *adj* تازه، جدید

recently /'ri:sntlɪ/ *adv* اخیراً، جدیداً

receptacle /rɪ'septəkl/ *n* ظرف، قابلمه، مخزن

reception /rɪ'sepʃn/ *n* پذیرایی، مهمانی؛ قبول؛ تلقی؛ دریافت، وصول

receptive /rɪ'septɪv/ *adj* درک‌کننده؛ پذیرنده، پذیرا

recess /rɪ'ses/ *n,vt* ۱.تنفس؛ تعطیل موقتی، گوشهٔ پنهان، گوشهٔ خلوت؛ تو رفتگی در دیوار، شاه‌نشین ۲.در گوشه گذاشتن؛ عقب‌تر ساختن

recession /rɪ'seʃn/ *n* عقب‌نشینی، پسروی؛ تورفتگی؛ [مجازاً] خوابیدگی

recessional /rɪ'seʃənl/ *adj*

recessional hymn سرود کشیشان هنگام دست کشیدن از عبادت

recessive /rɪ'sesɪv/ *adj* متمایل به پس‌نشینی

recipe /'resəpɪ/ *n* نسخه؛ دستورالعمل

recipient /rɪ'sɪpɪənt/ *n,adj* گیرنده

reciprocal /rɪ'sɪprəkl/ *adj,n* ۱.دو جانبه؛ متقابل ۲.معکوس

reciprocal kindness مهربانی از دو سر

a reciprocal pronoun
ضمیر دوطرفه [مانند each other یعنی همدیگر]

reciprocally /rɪ'sɪprəklɪ/ *adv* متقابلاً، از دو سر؛ معکوساً

reciprocate /rɪ'sɪprəkeɪt/ *v*
از دو سو حرکت کردن، از دو سو حرکت دادن؛ معاملهٔ متقابله کردن

reciprocating *apa* دارای حرکات متناوب، رفت وبرگشتی

reciprocation /rɪˌsɪprə'keɪʃn/ *n* معاوضه، مبادله، معاملهٔ متقابله

reciprocity /ˌresɪ'prɒsətɪ/ *n* معاملهٔ متقابله؛ تقابل؛ تأثیر متقابل؛ دوجانبگی

recital /rɪ'saɪtl/ *n* گزارش، نقل؛ از برخوانی؛ تکنوازی

recitation /ˌresɪ'teɪʃn/ *n* پس دادنِ درس؛ از برخوانی؛ حفظی؛ گزارش، شرح، ذکر

recitative /ˌresɪtə'ti:v/ *n*
گزارش یا سخنرانی همراه با موسیقی

recite /rɪ'saɪt/ *vt* از بر خواندن؛ گزارش دادن، شرح دادن؛ درس جواب دادن

reck /rek/ *v,poet;Arch* پروا داشتن، باک داشتن از

reck little of something
چندان پروایی از چیزی نداشتن

reckless /'reklɪs/ *adj* بی‌پروا، جسور؛ بی‌ملاحظه

recklessly *adv* از روی بی‌پروایی، جسورانه

recklessness *n* بی‌پروایی، جسارت

reckon /'rekən/ *vt,vi* ۱.حساب کردن؛ محسوب داشتن؛ حدس زدن ۲.(تصفیه) حساب کردن

reconcile /'rekənsaɪl/ *vt* آشتی دادن، وفق دادن، تصفیه کردن

reconcile oneself تن در دادن

reconciliation /ˌrekənˌsɪlɪ'eɪʃn/ *n* رفع اختلاف، اصلاح (ذات‌البین)، التیام؛ تطبیق؛ توافق؛ آشتی

recondite /'rekəndaɪt/ *adj* پوشیده، مرموز؛ عمیق؛ پیچیده

recondition /ˌriːkən'dɪʃn/ *vt* دوباره اصلاح کردن، تعمیر کردن

reconnaissance /ˌrɪ'kɒnɪsns/ *n* بازدید مقدماتی (از وضع دشمن)

reconnoitre /ˌrekə'nɔɪtə(r)/ *v* اطلاعات مقدماتی (از وضع دشمن) به‌دست آوردن

reconsider /ˌriːkən'sɪdə(r)/ *vt* تجدیدِ نظر کردن در، دوباره رسیدگی کردن، بررسی کردن

reconstruction /ˌriːkən'strʌkʃn/ *n* تجدید عمران و آبادی، بازسازی، نوسازی

record /'rekɔːd/ *n,adj* ۱.ثبت؛ ضبط؛ یادداشت؛ دفتر؛ بایگانی؛ گزارش، شرح؛ مدرک کتبی؛ اثر، یادبود؛سابقه [record of service]؛[در گرامافون] صفحه ۲.بهترین (در میان ثبت شده‌ها)

on record ثبت شده، وارد

bear record to تصدیق کردن، اثبات کردن

break (*or* beat) the record گوی سبقت را از همه ربودن، رکورد شکستن

record /rɪ'kɔːd/ *vt* یادداشت کردن، ثبت کردن؛ ضبط کردن، وارد کردن؛ نشان دادن

recorder /rɪ'kɔːdə(r)/ *n* اسباب نگارش یا ثبت؛ ضبط صوت؛ نوعی فلوت؛ [در برخی شهرها و قصبات] رئیس دادگاه جنایی و حقوقی

recount /rɪ'kaʊnt/ *vt* نقل کردن؛ شرح دادن

recount /ˌriː'kaʊnt/ *vt* دوباره شمردن

recoup /rɪ'kuːp/ *vt* کسر گذاشتن، کم کردن؛ جبران کردن، تلافی کردن

recoup a person for loss جبران خسارت کسی را کردن

recourse /rɪ'kɔːs/ *n* توسل، رجوع

have recourse to متوسل شدن به

recover /rɪ'kʌvə(r)/ *vt,vi* ۱.دوباره به‌دست آوردن؛ مسترد داشتن؛ باز یافتن؛ پس گرفتن؛ جبران کردن؛ بهبود دادن؛ وصولِ کردن ۲.بهبود یافتن؛ به حال آمدن

recover to life زنده کردن

recover oneself به‌هوش آمدن، به‌خود آمدن

recover one's legs پس از افتادن دوباره برخاستن

I reckon him among... من او را از... می‌دانم (یا می‌شمارم)

reckon in = include

reckon (up) on اطمینان داشتن به، حساب کردن رویِ

reckon with در نظر گرفتن، به حساب آوردن

reckon without در نظرنگرفتن، به‌حساب نیاوردن

reckoning /'rekənɪŋ/ *n* محاسبه، (تصفیه) حساب؛ صورت‌حساب (میخانه)

He is out in his reckoning حسابش اشتباه است

reclaim /rɪ'kleɪm/ *vt* پس گرفتن؛ احیا کردن (زمین موات)؛ رام کردن، اهلی کردن؛ آسوده کردن، رها کردن

past reclaimable *(n)* اصلاح‌ناپذیر

reclaimable *adj* قابلِ احیا؛ اصلاح‌پذیر؛ قابل استرداد

reclamation /ˌreklə'meɪʃn/ *n* استرداد؛ آباد سازی، احیا؛ اصلاح

recline /rɪ'klaɪn/ *v* دولاکردن؛ دولا شدن؛ تکیه دادن؛ تکیه کردن

recluse /rɪˌkluːs/ *n* زاهدِ گوشه‌نشین، (شخص) منزوی

recognition /ˌrekəg'nɪʃn/ *n* شناسایی؛ بازشناسی؛ تصدیق، اعتراف

in recognition of درازای، به پاداش

recognizable /'rekəgnaɪzəbl; ˌrekəg'naɪzəbl/ *adj* شناخته شدنی، نمایان؛ قابل تصدیق

recognizance /rɪ'kɒgnɪzns/ *n* التزام(نامه)؛ وجه‌الضمانه

recognize /'rekəgnɪz/ *vt* شناختن، به جا آوردن؛ به رسمیت شناختن؛ تصدیق کردن؛ اعتراف کردن (به)؛ قدردانی کردن

I recognize him as... او را...می‌دانم

recoil /rɪ'kɔɪl/ *vi,n* ۱.به جای خود برگشتن؛ عقب نشستن؛ منعکس شدن؛ [تفنگ] لگد زدن ۲.برگشت

recollect /ˌrekə'lekt/ *vt* به خاطر آوردن

recollection /ˌrekə'lekʃn/ *vt* یادآوری؛ خاطره

To the best of my recollection آنچه من یاد دارم، تا آنجاکه به خاطر دارم

recommend /ˌrekə'mend/ *vt* سفارش کردن، توصیه کردن؛ پیشنهاد کردن؛ معرفی کردن؛ سپردن

recommendation /ˌrekəmen'deɪʃn/ *n* توصیه؛ پیشنهاد، نظریه

letter of recommendation توصیه‌نامه

recompense /'rekəmpens/ *n,vt* پاداش (دادن)، عوض (دادن)؛ تلافی (کردن)؛ جبران (کردن)

recovery /rɪ'kʌvərɪ/ *n* بهبود؛ بازیافت، استرداد؛ وصول؛ جبران

recreant /'rekrɪənt/ *adj,n,Poet* (آدم) نامرد، (آدم) ترسو و پست

recreation /ˌrekrɪ'eɪʃn/ *n* تفریح

recrimination /rɪˌkrɪmɪ'neɪʃn/ *n* تهمت‌متقابل

recrudscence /ˌri:kru:'desns/ *n* عود، ظهور مجدد

recruit /rɪ'kru:t/ *n,v* ۱.سرباز تازه؛ کارمند تازه ۲.استخدام کردن؛ اعضای تازه برایِ (انجمنی) گرفتن؛ تقویت مزاج کردن

recruitment *n* سربازگیری؛ نفرگیری؛ استخدام

rectangle /'rektæŋgl/ *n* مربع مستطیل

rectangular /rek'tæŋgjʊlə(r)/ *adj* مستطیلی، به‌شکل مستطیل

rectifiable *adj* اصلاح‌پذیر

rectification /ˌrektɪfɪ'keɪʃn/ *n* اصلاح؛ تصفیه

rectify /'rektɪfaɪ/ *vt* اصلاح کردن؛ تصفیه کردن

rectilinear /ˌrektɪ'lɪnɪə(r)/ *adj or* **rectilineal** دارایِ خطوط راست؛ محدود به خطوط راست

rectitude /'rektɪtju:d/ *n* راستی، درستی

rector /'rektə(r)/ *n* کشیش بخش؛ رئیس دانشکده یا دانشگاه یا آموزشگاه

Lord Rector رئیس انتخابی دانشگاههای اسکاتلند

rectum /'rektəm/ *n* راست روده، رکتوم

recumbent /rɪ'kʌmbənt/ *adj* خمیده،تکیه‌دهنده

recuperate /rɪ'ku:pəreɪt/ *v* بهبود یافتن، بهبود دادن؛ جبران (خسارت) کردن

recuperation /rɪˌku:pə'reɪʃn/ *n* بهبود؛ استرداد؛ جبران خسارت، رفع خسارت

recuperative /rɪ'ku:pərətɪv/ *adj* بهبوددهنده، نیروبخش؛ برگرداننده

recur /rɪ'kɜ:(r)/ *vi* [-red] برگشتن؛ دوباره به‌نظر آمدن، دوباره مطرح شدن؛ باز پیدا شدن، عود کردن؛ [ریاضیات] دور زدن

recurring decimals اعشار دوری

recurrence /rɪ'kʌrəns/ *n* برگشت، عود؛ بازپیدایی؛ تکرار؛ دورزنی؛ وقوع مکرر

recurrent /rɪ'kʌrənt/ *adj* برگردنده، راجع؛ دورزننده، عودکننده؛ تکراری

red /red/ *adj,n* ۱.قرمز، سرخ؛ تابیده ۲.رنگ قرمز؛ لباس قرمز

draw a red herring across the track موضوع نامربوطی رابه‌میان آوردن و بحث را منحرف کردن

red rag چیزی که موجب خشم گردد

red tape رعایت مفرط تشریفات اداری، کاغذبازی، بوروکراسی

see red از کوره دررفتن

have red hands دست به‌خون کسی آلودن

Red Cross صلیب سرخ، صلیب احمر

neither fish,flesh,nor good red herring نه رومی روم نه زنگی زنگ

red meat گوشت قرمز

the Reds کمونیست‌ها

redbreast /'redbrest/ = robin

redcoat /'redkəʊt/ *n* سرباز انگلیسی

redden /'redn/ *vt,vi* ۱.قرمز کردن ۲.قرمز شدن

reddish /'redɪʃ/ *adj* مایل به قرمز

redeem /rɪ'di:m/ *vt* باز خریدن؛ از رهن در آوردن، فک کردن؛ (خریدن و) آزاد کردن؛ وفا کردن به (قول)

redeemable /rɪ'di:məbl/ *adj* قابلِ ابتیاع، باز خریدنی؛ فک کردنی

redemption /rɪ'dempʃn/ *n* بازخرید، فدیه؛ نجات؛ فک، از گرو درآوردن

redemptive /rɪ'demptɪv/ *adj* رهایی‌بخش

red-handed /ˌred 'hændɪd/ *adj,adv* ۱.دست به خون آلوده ۲.هنگام ارتکاب جنایت

red-hot /ˌred 'hɒt/ *adj* تاب آمده، سرخ، [مجازاً] آتشی؛ ملتهب، مشتعل

redirect /ˌri:dɪ'rekt/ *vt* نشانی مجدد (روی پاکتی) نوشتن

red-letter /ˌred 'letə(r)/ *adj* با قرمز نوشته شده

red-letter day روز تعطیل؛ روز یادگاری

redness *n* قرمزی، سرخی

redo /ˌri:'du:/ *vt* دوباره درست کردن

redolence /'redələns/ *n* بوی تند

redolent /'redələnt/ *adj* دارای بوی تند؛ [مجازاً] حاکی، خبردهنده، یادآور شونده

redouble /ˌri:'dʌbl/ *v* دوچندان کردن؛ دوچندان شدن

redoubt /rɪ'daʊt/ *n* نوعی‌از استحکامات خارجی

redoubtable /rɪ'daʊtəbl/ *adj* سخت، ترسناک، قوی

redound /rɪ'daʊnd/ *vi* کمک کردن، منجر شدن؛ عاید شدن، برگشتن

redress /rɪ'dres/ *vt* جبران کردن؛ اصلاح کردن

redress someone's grievance به فریاد کسی رسیدن

redskin /'redskɪn/ *n* سرخپوست امریکایی

red-tapism /ˌred 'tæpɪzəm/ *n* رعایت تشریفات اداری به حد افراط، کاغذبازی، بوروکراسی

reduce /rɪ'dju:s US:-'du:s/ *vt* تبدیل کردن، تحویل کردن؛ تقلیل دادن، کاهش دادن؛ تلخیص کردن؛ تنزل کردن؛ جا انداختن (مفصل)؛ احاله کردن، استحاله کردن

He is much reduced.

خیلی تحلیل رفته (یا لاغر شده) است.

reduce to writing روی کاغذ آوردن

reduce to poverty به گدایی انداختن

reduce to obedience مطیع کردن

reduce to absurdity احاله به‌محال کردن

reduced circumstances تهیدستی [به ویژه پس از دارندگی و زندگی خوب]

reducing socket = reducer

reducible *adj* قابل‌تبدیل، قابل تحویل؛ کاهش‌پذیر

reduction /rɪ'dʌkʃn/ *n* تحویل؛ تبدیل؛ کاهش، تقلیل؛ تخفیف؛ [شیمی] احیا

reduction to absurdity احاله به محال

redundance /rɪ'dʌndəns/ *n*; **-dancy** زیادی؛ حشو و زواید، سخن زاید

redundant /rɪ'dʌndənt/ *adj* زاید؛ دارای حشو و زواید؛ حشوی؛ فراوان، ریع کرده

reduplicate /rɪ'dju:plɪkeɪt/ *vt* مکرر کردن، مضاعف کردن، دوتا کردن

reduplication /rɪˌdju:plɪ'keɪʃn/ *n* تکرار، اضعاف؛ حرف مکرّر، هجای تکرار شده

redwing /'redwɪŋ/ *n* نوعی باسترک

reed /ri:d/ *n* نی، قصب؛ زبانه نی؛ [در جمع] الف. ادوات بادی ب. کاه

reedy *adj* نیزار؛ نی مانند؛ تیز

reef /ri:f/ *n,vt* ۱.تپهٔ دریایی، جزیره‌نما؛ رگه زردار در معدن؛ قسمتی از بادبان که می‌پیچند یا بالا می‌زنند ۲.تو گذاشتن، پیچیدن؛ کوتاه کردن

take in a reef با ملاحظه یا احتیاط کار کردن

reef-knot /'ri:f nɒt/ *n* گرهٔ چهارگوش

reek /ri:k/ *n,vi* ۱.دود؛ بوی بد ۲.دود کردن؛ بوی بد دادن

reel /ri:l/ *n,vt* ۱.نخ‌پیچ؛ قرقره؛ ماسوره ۲.پیچیدن

reel off از پیله به نخ پیچ پیچیدن

off the reel پی‌درپی، دُم ریز

reel /ri:l/ *vi,n* ۱.چرخ خوردن، گیج خوردن؛ یله رفتن ۲.چرخ، پیچ

re-enforce /ˌri:ən'fɔ:s/ *vt* = reinforce

re-establish /ˌri:ɪs'tæblɪʃ/ *vt* دوباره بر قرار کردن

reeve /ri:v/ *n* کدخدا، ضابط؛ حاکم عرف

refection /rɪ'fekʃn/ *n* خوراک یا آشامیدنیِ مختصر برای تجدید قوا یا نفس تازه کردن

refectory /rɪ'fektrɪ/ *n* ناهارخوری (در صومعه راهبان)

refer /rɪ'fɜ:(r)/ *vi,vt* [-red] ۱.رجوع کردن؛ اشاره کردن، عطف کردن ۲.ارجاع کردن؛ واگذار کردن، تسلیم کردن؛ نسبت دادن؛ حمل کردن، دانستن

Refer to drawer

به کشنده چک مراجعه کنید [مختصر آن RD است]

This book is much referred to

این کتاب خیلی مورد مراجعه است

Referring to letter No...

با اشاره (یا عطف) به نامهٔ شمارهٔ...

Matter referred to above

موضوعی که در بالا بدان اشاره شد

referee /ˌrefə'ri:/ *n,vi* [در فوتبال] داوری (کردن)

reference /'refərəns/ *n* مرجع؛ مراجعه، رجوع؛ عطف؛ اشاره؛ نشان؛ آشنای طرف مراجعه، معرف

with reference to با اشاره به، عطف به

book of reference کتاب مرجع

good references معرفهای خوب

referendum /ˌrefə'rendəm/ *n* مراجعه به آرای عمومی، رفراندوم

refill /ˌri:'fɪl/ *vt* دوباره پر کردن

refill /'ri:fɪl/ *n* ماده برای دوباره پرکردنِ ظرفی که از همان ماده داشته است

refine /rɪ'faɪn/ *vt,vi* ۱.پالودن، تصفیه کردن؛ تهذیب کردن؛ لطیف کردن ۲.تصفیه شدن؛ ظرافت به کار بردن؛ موشکافی کردن

refine (up) on بهتر کردن؛ تهذیب کردن

refinement *n* تصفیه، پالایش؛ [مجازاً] تهذیب، تزکیه؛ پاکی؛ آراستگی؛ ظرافت

refiner *n* تصفیه‌کننده، کارگر یا ماشین تصفیه

refinery *n* پالایشگاه

refit /ˌri:'fɪt/ *vt* [-ted] تعمیر کردن، آماده حرکت کردن (کشتی)

reflect /rɪ'flekt/ *vt,vi* ۱.منعکس کردن، بازتاباندن؛ مجسم کردن؛ به‌خاطر آوردن ۲.تأمل کردن، اندیشه کردن؛ شک کردن؛ انعکاس بد داشتن

reflection /rɪ'flekʃn/ *n or* **reflexion** انعکاس، بازتاب؛ برگشت؛ عکس، تصویر یا روشنایی یا گرمای منعکس شده؛ اندیشه، تأمل، سنجش؛ توهین؛ سرزنش؛ تراوشِ فکر؛ تفکر

reflective /rɪˈflektɪv/ *adj* بازتاب، منعکس‌سازنده؛ فکور؛ تفکری
the reflective faculty قوهٔ اندیشه، قدرت تخیل
reflector /rɪˈflektə(r)/ *n* جسمِ صیقلی؛ وسیلهٔ انعکاس (نور یا صدا)، بازتابگر
reflex /ˈriːfleks/ *adj,n* ۱.انعکاسی، بازتابی؛ غیرارادی ۲.انعکاس، [مجازاً] نتیجه؛ نور یا صدای منعکس شده؛ اقتباس
reflex action عمل غیرارادی
reflexible *adj* قابل انعکاس
reflexive /rɪˈfleksɪv/ *adj* [دستورزبان] بازگردنده به‌فاعل، انعکاسی
a reflexive verb
فعل متعدی که عمل آن به فاعل برمی‌گردد و از این رو مفعول و فاعل آن دلالت بر یک شخص می‌نمایند، فعلی که مفعول آن oneself باشد
a reflexive pronoun
ضمیرِ انعکاسی [مانند himself در He killed himself]
reflexively *adv* چنان که به خودِ فاعل برگردد یا مفعول آن «خود» باشد
reflux /ˌriːˈflʌks/ *n* برگشت؛ جزر
reform /rɪˈfɔːm/ *n,v* ۱.اصلاح ۲.اصلاح کردن؛ اصلاح شدن؛ تهذیب (اخلاق) کردن
reformation /ˌrefəˈmeɪʃn/ *n* اصلاح اساسی؛ جنبش؛ نهضت
reformatory /rɪˈfɔːmətrɪ US: -tɔːrɪ/ *n* دارالتأدیب
reformer *or* **reformist** *n* اصلاح‌طلب، طرفدار اصلاحات
refract /rɪˈfrækt/ *vt* شکستن؛ تجزیه کردن
refraction /rɪˈfrækʃn/ *n* شکست نور؛ تجزیه
refractory /rɪˈfræktərɪ/ *adj* سرکش؛ خودسر، متمرد؛ صعب‌العلاج؛ دیر گداز؛ نسوز
refrain /rɪˈfreɪn/ *vi* خودداری کردن
refrain /rɪˈfreɪn/ *n* برگردان، بندِ گردان
refresh /rɪˈfreʃ/ *vt* نیروی تازه دادن (به)، از خستگی بیرون آوردن؛ دوباره پُر کردن (باتری)؛ تیز کردن (آتش)
refresh oneself نیروی تازه گرفتن، نفس تازه کردن، چیزی خوردن
refresher /rɪˈfreʃə(r)/ *n*
حق‌الوکاله اضافی که هنگام جریان دعوا به وکیل داده می‌شود؛ [در گفتگو] آشامیدنی، نفس تازه کن
refresher course دورهٔ بازآموزی
refreshing *apa* نیروبخش، تازه‌کننده، خستگی‌گیر، نفس تازه کن

refreshment /rɪˈfreʃmənt/ *n* رفع خستگی، چیزی که موجب رفع خستگی شود؛ [در جمع] خوردنی و آشامیدنی
refrigerate / rɪˈfrɪdʒəreɪt/ *vt* خنک کردن، سرد کردن
refrigerating room سردخانه
refrigerator /rɪˈfrɪdʒəreɪtə(r)/ *n* یخچال؛ سردخانه؛ سردکن
reft /reft/ = bereft
refuel /ˌriːˈfjuːəl/ *vt* [-led] سوختگیری کردن
refuge /ˈrefjuːdʒ/ *n* پناهگاه؛ پناه؛ [ترافیک] جزیره ایمنی
take refuge in پناه بردن به
refugee /ˌrefjʊˈdʒiː/ *n* پناهنده، فراری، شخص آواره، [در جمع] آوارگان
refulgence /rɪˈfʌldʒəns/ *n* درخشندگی
refulgent /rɪˈfʌldʒənt/ *adj* درخشان؛ باشکوه
refund /rɪˈfʌnd/ *vt,n* ۱.پس دادن، رد کردن ۲.رد، استرداد
refusal /rɪˈfjuːzl/ *n* ابا، امتناع، استنکاف؛ عدم قبول
take no refusal حاضر به شنیدنِ جواب رد نشدن، در تقاضای خود اصرار ورزیدن
refuse /reˈfjuːz/ *vt* رد کردن؛ امتناع کردن از، استنکاف کردن از
He was refused employment به او کار ندادند
refuse /ˈrefjuːs/ *n* پس‌مانده؛ آشغال، فضولات
refutable *adj* رد کردنی
refutation /ˌrefjuːˈteɪʃn/ *n* رد، تکذیب؛ ابطال
refute /rɪˈfjuːt/ *vt* رد کردن؛ تکذیب کردن
regain /rɪˈgeɪn/ *vt* دوباره به‌دست آوردن
regain one's footing
پس از افتادن دوباره برپا ایستادن
regal /ˈriːgl/ *adj* سلطنتی؛ شاهانه؛ شاهی
regale /rɪˈgeɪl/ *vt* محظوظ کردن
regale oneself لذت‌بردن، خوش بودن
regalia /rɪˈgeɪlɪə/ *npl* نشانهای سلطنتی؛ علایم و تزیینات طبقاتی
regard /rɪˈgɑːd/ *n,vt* ۱.ملاحظه، رعایت، توجه، احترام؛ [در جمع] سلام؛ باب، باره، خصوص؛ نسبت ۲.رعایت کردن، ملاحظه کردن؛ راجع بودن به
regard for others ملاحظه دیگران
in regard to; with regard to نسبت به، دربارهٔ، راجع به، در خصوصِ
I regard it as من آن را... می‌دانم
as regards راجع به؛ اما در بابِ

regardful /rɪ'gɑ:dfl/ *adj* باملاحظه، متوجه
regarding *prep* دربارهٔ، راجع به
regardless *adj,adv* بی‌اعتنا، بی‌توجه
be regardless of (نسبت به چیزی) بی‌اعتنا بودن
regardless of قطع نظر از، بدون توجه به
regatta /rɪ'gætə/ *n* مسابقهٔ قایقرانی
regency /'ri:dʒənsɪ/ *n* نیابت سلطنت
regenerate /rɪ'dʒenəreɪt/ *v* دوباره تولید کردن؛ دوباره تولید شدن؛ روح تازه بخشیدن، اصلاح کردن؛ تهذیب (اخلاق) کردن
regenerate /rɪ'dʒenərət/ *adj* اصلاح شده؛ حیات تازه یافته
regeneration /rɪˌdʒenə'reɪʃn/ *n* اصلاح شده؛ تهذیب اخلاق، اصلاح؛ تجدید؛ ترمیم
regent /'ri:dʒənt/ *n* نایب‌السلطنه
Prince Regent شاهزاده‌ای که نیابت سلطنت را عهده‌دار است
regicide /'redʒɪsaɪd/ *n* شاه‌کش؛ شاه‌کشی
regime /reɪ'ʒi:m/ *n,Fr* رژیم، طرز حکومت؛ دستور (غذا)
regimen /'redʒɪmən/ *n* دستور غذا
regiment /'redʒɪmənt/ *n,vt* ۱.هنگ، فوج ۲.به چند هنگ تقسیم کردن؛ انضباط دادن
regimental /ˌredʒɪ'məntl/ *adj* هنگی
regimentals *npl* لباس هنگ
regimentation /ˌredʒɪmen'teɪʃn/ *n* دسته‌بندی، گروه‌بندی؛ تشکیل هنگ
region /'ri:dʒən/ *n* منطقه؛ ناحیه، [در جمع] نواحی؛ [مجازاً] حوزه؛ حدود
the lower regions دوزخ
regional /'ri:dʒənl/ *adj* منطقه‌ای؛ ناحیه‌ای
register /'redʒɪstə(r)/ *n,vt,vi* ۱.دفتر ثبت؛ [در بخاری] پیچ یا سرپوش یا کفگیرک؛ [موسیقی] دانگ ۲.ثبت کردن؛ سفارشی فرستادن؛[در گفتگوی از گرماسنج] نشان دادن ۳.اسم دادن، نام‌نویسی کردن
register (office) = registry
registered letter /'redʒɪstərd 'letə(r)/ *n* نامهٔ سفارشی
registered shares /'redʒɪstərd 'ʃeəz/ *n* سهام با اسم
registrar /ˌredʒɪ'strɑ:(r)/ *n* ثبات؛ مُدیر دُروس، مدیر آموزش
registration /ˌredʒɪ'streɪʃn/ *n* ثبت؛ نام‌نویسی
bring under general registration به ثبت عمومی گذاردن

registry /'redʒɪstrɪ/ *n* دفترخانه (رسمی)، محضر؛ (بایگانی) ثبت
Regius /'ri:dʒɪəs/ *adj* گماشته شده از طرف پادشاه، سلطنتی، شاهی
regnant /'regnənt/ *adj* سلطنت‌کننده [پس از اسم گفته می‌شود مانند Queen Regnant]؛ [مجازاً] حکمفرما، شایع، متداول
regress /rɪ'gres/ *n* سیر قهقرایی
regress /rɪ'gres/ *vt* به قهقرا رفتن، برگشتن، واپس رفتن
regression /rɪ'greʃn/ *n* برگشت، سیر قهقرایی، واپس‌روی
regressive *adj* برگشت‌کننده، واپس‌رو
regret /rɪ'gret/ *n,vt* [-tt-] ۱.افسوس، تأسف؛ پشیمانی ۲.افسوس خوردن از، تأسف داشتن از
express regret اظهار تأسف کردن
We regret the error از اشتباهی که شده است متأسفیم
It is much to be regretted that بسیار جای تأسف است که
regretful *adj* متأسف؛ تأسف‌آمیز
regretfully *adv* با تأسف، متأسفانه
regrettable *adj* موجب تأسف، مایهٔ تأسف
regular /'regjʊlə(r)/ *adj* منظم؛ مرتب؛ [فعل] باقاعده؛ مقرر، قانونی؛ دایمی [regular army]
keep regular hours هر کاری را در ساعت معین کردن، اوقات منظم داشتن
a regular cook یک آشپز حرفه‌ای
regularity /ˌregjʊ'lærətɪ/ *n* مطابقت با قواعد، انتظام؛ نظم، ترتیب
regularize /'regjʊləraɪz/ *vt* منظم کردن، تحت قاعده درآوردن
regularly *adv* مرتباً، منظماً؛ [در گفتگو] موافق حساب، تمام و کمال
regulate /'regjʊleɪt/ *vt* میزان کردن؛ درست کردن؛ منظم کردن؛ تعدیل کردن
regulation /ˌregjʊ'leɪʃn/ *n* تنظیم؛ آیین‌نامه، نظام‌نامه، مقررات [بیشتر در جمع]
regulator /ˌregjʊleɪtə(r)/ *n* آلت تعدیل؛ تنظیم‌کننده
rehabilitate /ˌri:ə'bɪlɪteɪt/ *vt* اعادهٔ اعتبار (کسی را) کردن؛ دوباره برقرار کردن؛ احیا کردن، تجدید کردن
rehash /ˌri:'hæʃ/ *n,vt* ۱.مواد ادبی کهنه که به صورت تازه درآمده‌باشد ۲.صورت تازه (به چیزی) دادن
rehearing *n* تجدید نظر

rehearsal /rɪ'hɜ:sl/ *n* تمرین؛ مرور ذهنی؛ شرح، نقل
dress rehearsal تمرین با لباس
rehearse /rɪ'hɜ:s/ *vt* یکایک شرح دادن؛ تمرین کردن
reichstag /'raɪkstɑ:g/ *n,Ger* (نام) پارلمان آلمان
reign /reɪn/ *n,vi* ۱.سلطنت ۲.سلطنت کردن؛ [مجازاً] حکمفرما بودن
in the reign of در عهدِ (سلطنتِ)
reigning beauty ملکهٔ وجاهت
reimburse /ˌri:ɪm'bɜ:s/ *vt* هزینهٔ (کسی را) پرداختن؛ جبران کردن
reimbursement *n* پرداخت، جبران
rein /reɪn/ *n,vt* ۱.عنان ۲.دهنه کردن؛ عنان به‌دست گرفتن؛ مهار کردن
give a horse the reins عنان‌اسب را وِل کردن
assume the reins of government زمام امور را در دست گرفتن
rein up عنان اسب را نگاه‌داشتن
keep a tight rein on something جلوی چیزی را گرفتن
hold the reins اختیارداری کردن
reincarnate /ˌri:'ɪnkɑ:neɪt/ *vt* تجسم یا حیات تازه (به چیزی) دادن
reincarnation /ˌri:ɪnkɑ:'neɪʃn/ *n* تناسخ
reindeer /'reɪndɪə(r)/ *n* گوزن‌شمالی
reinforce /ˌri:ɪn'fɔ:s/ *vt* (با نیروی امدادی) تقویت کردن
reinforced concrete بتون مسلح، بتون آرمه
reinforcement *n* تجدید قوا؛ نیروی امدادی؛ تقویت؛ استحکام
reinstate /ˌri:ɪn'steɪt/ *vt* دوباره گماشتن
reinsurance /ˌri:ɪn'ʃʊərəns/ *n* بیمهٔ اتکایی
reinsure /ˌri:ɪn'ʃʊə(r)/ *vt* دوباره بیمه کردن، بیمه اتکایی کردن
reissue /ˌri:'ɪʃu:/ *n* چاپ تازه (بدون اصلاح یا تغییر)
reiterate /ri:'ɪtəreɪt/ *vt* (چند بار) تکرار کردن
reiteration /ri:ˌɪtə'reɪʃn/ *n* تکرار
reject /rɪ'dʒekt/ *vt* رد کردن، طرد کردن
rejection /rɪ'dʒekʃn/ *n* رد، عدم قبول، طرد
rejoice /rɪ'dʒɔɪs/ *vi,vt* ۱.خوشحالی کردن، به وجد آمدن ۲.شادمان کردن
rejoin /ˌri:'dʒɔɪn/ *v* دوباره (به چیزی یا کسی) ملحق شدن
rejoin /rɪ'dʒɔɪn/ *v* پاسخ دادن (به مدعی یا به تهمتی)
rejoinder /rɪ'dʒɔɪndə(r)/ *n* جوابِ تر و چسبان
rejuvenate /rɪ'dʒu:vəneɪt/ *v* دوباره جوان کردن؛ دوباره جوان شدن
rejuvenation /rɪˌdʒu:və'neɪʃn/ *n* تجدید جوانی؛ جوان‌سازی
relapse /rɪ'læps/ *vi,n* ۱.به حال نخستین برگشتن ۲.برگشت، عود
relapsing fever تب راجعه
relate /rɪ'leɪt/ *vt,vi* ۱.گزارش دادن، نقل کردن ۲.مربوط بودن
relation /rɪ'leɪʃn/ *n* نسبت، ربط؛ پیوند؛ رابطه؛ گزارش؛ خویش؛ [در جمع] مناسبات، روابط
Is he any relation to you? آیا با شما هیچ خویشی دارد؟
in relation to نسبت به، راجع به
bear relation نسبت داشتن
be out of relation بی‌ارتباط بودن
relationship /rɪ'leɪʃnʃɪp/ *n* بستگی،نسبت، رابطه
relative /'relətɪv/ *adj,n* ۱.نسبی؛ متناسب؛ بسته، مربوط، راجع، وابسته؛ [درضمیر] موصول ۲.خویشاوند، منسوب
relative to مربوط به، دربارهٔ
relatively *adv* نسبتاً، بالنسبه
relativity /ˌrelə'tɪvətɪ/ *n* نسبیت
relax /rɪ'læks/ *v* سست کردن؛ سست شدن؛ تخفیف دادن؛ تخفیف یافتن؛ آرمیدن
relaxation /ˌri:læk'seɪʃn/ *n* تخفیف؛ سستی؛ لینت؛ تعطیل؛ آرمیدگی؛ رفع گرفتگی
relay /'ri:leɪ/ *n,vt* ۱.اسبهایِ تازه‌نفس که به جای اسبهای خسته بگذارند؛ (آدم) ذخیره یا امدادی؛ رله ۲.عوض کردن؛ دوباره پخش کردن، رله کردن
release /rɪ'li:s/ *vt,n* ۱.رها کردن، آزاد کردن، مرخص کردن؛ خارج کردن (از گمرگ)؛ صرف‌نظر کردن از؛ واگذار کردن؛ برای نخستین بار منتشر کردن ۲.رهایی؛ ترخیص؛ بخشودگی؛ مفاصا؛ (سند) ترک دعوی؛ چشمپوشی؛ (در ماشین) دستهٔ آزادکن
relegate /'relɪgeɪt/ *vt* به‌جای بدتر فرستادن، پرت کردن؛ ارجاع کردن؛ محول کردن
relent /rɪ'lent/ *vi* نرم شدن
relentless *adj* سخت، سخت‌دل
relevance /'reləvəns/ *n* ; **-vancy** ربط، وابستگی، مناسبت
relevant /'reləvənt/ *adj* مربوط، مناسب
reliability /rɪˌlaɪə'bɪlətɪ/ *n* قابلِ اعتماد بودن، موفقیت، اعتبار؛ پایایی

reliable /rɪ'laɪəbl/ *adj* قابلِ اعتماد، معتبر؛ موثق؛ پایا

reliably /rɪ'laɪəblɪ/ *adv* به‌طور قابل اعتماد

reliance /rɪ'laɪəns/ *n* اعتماد

put reliance in اعتماد کردن به [با on و upon هم می‌آید]

reliant /rɪ'laɪənt/ *adj* پشتگرم، امیدوار

relic /'relɪk/ *n* اثر، باقیمانده؛ یادگار؛ [در جمع] آثار، بقایا

relief /rɪ'li:f/ *n* آسودگی، راحت؛ تسکین؛ گشایش؛ دستگیری، اعانه؛ رفع شکایت؛ تنوع؛ تعویض نگهبانی؛ مرخصی؛ برجستگی؛ برجسته(کاری)

relief fund (وجوه) اعانه

by way of relief برای تنوع

in relief برجسته؛ به‌طور برجسته

high relief برجستگی زیاد، برجستهٔ بلند

low relief برجستهٔ کوتاه

relief map نقشهٔ طبیعی، نقشهٔ برجسته

relieve /rɪ'li:v/ *vt* آسوده کردن؛ تسکین دادن؛ دستگیری کردن (از)، اعانه دادن (به)؛ [نظامی] عوض کردن، مرخص کردن؛ برجسته نشان دادن، جلوه دادن؛ از یکنواختی درآوردن

relieve nature ادرار کردن؛ سر قدم رفتن

relieve one's feelings دق دل (خود را) خالی کردن

relieving officer مأمور اعانهٔ فقرا

religion /rɪ'lɪdʒən/ *n* مذهب، دین، کیش، آیین

religious /rɪ'lɪdʒəs/ *adj* مذهبی

relinquish /rɪ'lɪŋkwɪʃ/ *vt* ول کردن؛ ترک کردن؛ صرف‌نظر کردن از (حق)

reliquary /'relɪkwərɪ/ *n* جعبهٔ اشیای متبرکه؛ صندوق عتیقات

relish /'relɪʃ/ *vt,vi* ۱.رغبت؛ ذوق؛ مزه، طعم؛ چاشنی‌چاشنی ۲.با لذت خوردن ۳.مزه یا بوی ... را دادن

relish for poetry ذوق شعر

It relishes of... بوی ... از آن می‌آید

reluctance /rɪ'lʌktəns/ *n* اکراه، بی‌میلی

reluctant /rɪ'lʌktənt/ *adj* بی‌میل؛ اکراه‌آمیز؛ رام نشو، سخت

reluctantly /rɪ'lʌktəntlɪ/ *adv* با بی‌میلی

rely /rɪ'laɪ/ *vi* اعتمادکردن، تکیه‌کردن، اطمینان داشتن، امیدوار بودن

rely (up) on اعتماد کردن به؛ به امید ... بودن

relying on به استنادِ، به اتکای

remain /rɪ'meɪn/ *vi* ماندن، باقی ماندن

I remain yours truly ارادتمند شما

It remains to be proved هنوز ثابت نشده است، باید ثابت شود

remainder /rɪ'meɪndə(r)/ *n* باقیمانده

remaining *apa* باقیمانده

remains /rɪ'meɪnz/ *npl* بقایا؛ آثار؛ جسد

remand /rɪ'mɑ:nd/ *vt,n* ۱.به بازداشتگاه برگرداندن ۲.بازداشت مجدد

remark /rɪ'mɑ:k/ *n,vt,vi* ۱.اظهار؛ تفسیر؛ ملاحظه ۲.ملاحظه کردن؛ اظهار داشتن ۳.اظهار نظر کردن

Are there any remarks? آیا سؤالی یا نظری هست؟

remarkable /rɪ'mɑ:kəbl/ *adj* قابل ملاحظه؛ برجسته؛ فوق‌العاده

remarkably *adv* به‌طور قابلِ ملاحظه؛ به‌طور برجسته؛ فوق‌العاده

remarry /ˌri:'mærɪ/ *vt* [-ried] دوباره ازدواج کردن، تجدید فراش کردن

remediable /rɪ'mi:dɪəbl/ *adj* درمان‌پذیر، قابل معالجه

remedial /rɪ'mi:dɪəl/ *adj* علاج‌بخش

remedy /'remədɪ/ *n,vt* ۱.درمان، چاره، علاج؛ جبران ۲.چاره کردن، درمان کردن، علاج کردن؛ اصلاح کردن، جبران کردن

remember /rɪ'membə(r)/ *vt* به‌خاطر آوردن؛ به‌خاطر داشتن

Remember me to him سلامِ مرا به او برسانید

remembrance /rɪ'membrəns/ *n* یادآوری، ذکر؛ خاطر، خاطره؛ یادگار [در جمع] سلام

in remembrance of به یادِ، به‌یادگارِ

remembrancer *n* یادگار(ی)

remind /rɪ'maɪnd/ *vt* یادآوری‌کردن، به یاد (کسی) آوردن، متذکر شدن

Remind me of it یاد من بیاورید

reminder *n* تذکاریه، یادداشت

reminiscence /ˌremɪ'nɪsns/ *n* خاطره، یادبود؛ نشانه

reminiscent /ˌremɪ'nɪsnt/ *adj* یادآور؛ به‌یاد گذشته

remiss /rɪ'mɪs/ *adj* بی‌مبالات، سست

remission /rɪ'mɪʃn/ *n* بخشش، آمرزش؛ گذشت؛ تسکین موقتی؛ بهبود

remissness *n* بی‌مبالاتی، بی‌حالی

remit /rɪ'mɪt/ *vt,vi* [-ted] ۱.بخشیدن، آمرزیدن؛ صرف‌نظر کردن از؛ معاف کردن؛ تخفیف دادن؛ تسکین دادن؛ به دادگاه پایین‌تر ارجاع کردن؛ به تعویق انداختن؛ رساندن، فرستادن (وجه) ۲.تخفیف یافتن

remittance /rɪ'mɪtns/ *n* ارسال (وجه)؛ وجه ارسالی
remittance man مقیم خارجه‌ای که با پول رسیده از میهن خود زندگی می‌کند
remnant /'remnənt/ *n* باقیمانده
remonstrance /rɪ'mɒnstrəns/ *n* سرزنش، نکوهش؛ تعرض
remonstrate /'remənstreɪt/ *vi* اعتراض کردن، شکایت کردن
remorse /rɪ'mɔ:s/ *n* پشیمانی
without remorse بی‌رحمانه
remorseful /rɪ'mɔ:sfl/ *adj* پشیمان، متأسف
remorseless *adj* سخت‌دل
remote /rɪ'məʊt/ *adj* دور؛ خارج؛ پرت، دوردست؛ جزئی، کم
remoteness *n* دوری، دوردستی
remount /ˌri:'maʊnt/ *v* دوباره سوار شدن؛ دوباره بالا رفتن(از)؛ دارای اسبهای تازه کردن
remount /'ri:maʊnt/ *n* (تهیه) اسب تازه
removable *adj* قابل حمل، قابل جابجایی؛ پاک شدنی
removal /rɪ'mu:vl/ *n* برداشت؛ عزل؛ رفع؛ نقل‌مکان، تغییرمحل؛ ازاله [removal of rubbish]
remove /rɪ'mu:v/ *vt,vi,n* ۱.برداشتن (مُهر)؛ بلند کردن؛ رفع کردن؛ برطرف کردن؛ بُردن، جابجا کردن، انتقال دادن؛ بیرون آوردن؛ معزول کردن ۲.نقل مکان کردن؛دور شدن ۳.ترفیع؛مرحله
removed from دور از، متفاوت با
remover *n* پاک‌کننده (رنگ، لکه، لاک ناخن و غیره)؛ [در جمع] بنگاه اسباب‌کشی
remunerate /rɪ'mju:nəreɪt/ *vt* پاداش دادن (به)، تلافی کردن
remuneration /rɪˌmju:nə'reɪʃn/ *n* پاداش؛ حق‌الزحمه
remunerative /rɪ'mju:nərətɪv US: -nəreɪtɪv/ *adj* متضمن پاداشِ؛ سودمند
renaissance /rɪ'neɪsns US: 'renəsɑ:ns/ *n* (دورهٔ) تجدد؛ تجدید حیات علمی و ادبی؛ نوزایی
the Renaissance (عصر) رنسانس
renascence /rɪ'næsns/ *n* تجدید؛ تولد تازه؛ تجدد
renascent /rɪ'næsnt/ *adj* تازه تولد شده
rend /rend / *vt* [rent] پاره کردن، چاک زدن؛ کندن (مو)؛ مجزا کردن
render /'rendə(r)/ *vt* انجام دادن؛ پس دادن، عوض دادن، ارائه دادن؛ ترجمه کردن، درآوردن؛ ساختن، کردن [render a thing soft]
render help کمک کردن، کمک دادن
render an account of شرح دادن؛ توضیح دادن
rendering /'rendərɪŋ/ *n* [موسیقی ونمایش] اجرا؛ ترجمه؛ [معماری] اندود
rendezvous /'rɒndɪvu:/ *n,vi,Fr* ۱.راندوو، قرار ملاقات؛ میعاد(گاه) ۲.راندوو گذاشتن
rendition /ren'dɪʃn/ *n* ترجمه؛ تفسیر
renegade /'renɪgeɪd/ *n,vi* ۱.برگشته، مرتد ۲.مرتد شدن
renew /rɪ'nju: US: -'nu:/ *vt* تجدید کردن؛ تازه کردن؛ احیا کردن
renewable /rɪ'nju:əbl/ *adj* قابل تجدید
renewal /rɪ'nju:əl/ *n* تجدید
rennet /'renɪt/ *n* (پنیر) مایه
renounce /rɪ'naʊns/ *vt* چشم پوشیدن از، صرف‌نظر کردن از؛ ترک کردن؛ انکار کردن، کناره‌گیری کردن از
renovate /'renəveɪt/ *vt* نو کردن، تازه کردن
renovation /ˌrenə'veɪʃn/ *n* تجدید؛ تعمیر؛ نوسازی
renown /rɪ'naʊn/ *n* آوازه، نام، شهرت، معروفیت، صیت
renowned *ppa* نامور، مشهور
rent /rent/ *n,v* ۱.اجاره، اجاره‌بها ۲.اجاره کردن؛ اجاره دادن؛ به اجاره رفتن
rent /rent/ *n* چاک، دریدگی؛ انشعاب
rent /rent/ [*p,pp of* rend]
rentable *adj* قابل اجاره، اجاره کردنی، اجاره دادنی
rental /'rentl/ *n* مال‌الاجاره، اجاره بها، اجاره
rent-free /ˌrent 'fri:/ *adj,adv* بی‌اجاره
rentier /'rɒntɪe(r)/ *n* کسی که با عوایدِ مستغلات و پول خود امرارمعاش می‌کند
rent-roll /'rent rəʊl/ *n* صورت مستأجرین، فهرست اجارات
renunciation /rɪˌnʌnsɪ'eɪʃn/ *n* چشمپوشی، کناره‌گیری؛ انکار نفس
reopen /ˌri:ə'ʊpən/ *v* دوباره باز کردن؛ دوباره باز شدن
reorganize /ˌri:'ɔ:gənaɪz/ *v* تشکیلات چیزی را عوض کردن، دوباره سر و سامان دادن
repair /rɪ'peə(r)/ *vt,n* ۱.تعمیرکردن؛ جبران کردن ۲.تعمیر، مرمت
repair shop محل تعمیر
in (good) repair خوب، دایر
out of repair خراب، نیازمند تعمیر
repair /rɪ'peə(r)/ *vi* رو آوردن، رفتن

repairable /re'peərəbl/ *adj* تعمیربردار، مرمت‌پذیر
reparable /'repərəbl/ *adj* جبران‌پذیر
reparation /ˌrepə'reɪʃn/ *n* جبران
make reparation for جبران کردن
reparations for war damages غرامات جنگی
repartee /ˌrepɑ:'ti:/ *n* حاضرجوابی
repast /rɪ'pɑ:st/ *n* خوراک، غذا
repatriate /ri:'pætrɪeɪt/ *v* به‌میهن خود برگرداندن؛ به‌میهن خود برگشتن
repay /rɪ'peɪ/ *vt* [repaid] پس دادن، بازپرداختن؛ تلافی کردن؛ پاداش دادن (به)
repayable /rɪ'peɪəbl/ *adj* پس‌دادنی،بازپرداختنی
repayment *n* بازپرداخت؛ قسط؛ تلافی، پاداش
repeal /rɪ'pi:l/ *vt* لغو کردن
repeat /rɪ'pi:t/ *vt,vi,n* ۱.تکرار کردن، مکرر کردن؛ از حفظ خواندن ۲.تکرار شدن؛ [ساعت] زنگ زدن ۳.تکرار؛ رونوشت
repeat oneself مکرر شدن؛ دوباره حرفی را زدن
repeatedly *adv* مکرراً
repeater *n* تکرارکننده؛ ساعت زنگی؛ تفنگ خودکار
repeating *apa* تکراری؛ [اسلحه] خودکار
repel /rɪ'pel/ *vt* [-led] دفع کردن؛ رد کردن؛ متنفر کردن
repellent /rɪ'pelent/ *adj* دافع
repent /rɪ'pent/ *v* توبه کردن (از)
repentance /rɪ'pentəns/ *n* توبه
repentant /rɪ'pentənt/ *adj* تایب، پشیمان
repercussion /ˌri:pə'kʌʃn/ *n* بازگردانی؛ انعکاس، برگشت
repertoire /'repətwɑ:(r)/ *n* خزانه، گنجینه؛ مخزن؛ مجموع نمایشنامه‌های یک گروه نمایشی
repertory /'repətrɪ/ *n* فهرست، مجموعه؛ مخزن
repetition /ˌrepɪ'tɪʃn/ *n* تکرار؛ تجدید؛ تقلید؛ از برخوانی؛ حفظی
repine /rɪ'paɪn/ *vi* ناراضی بودن، دلتنگ بودن، لندلند کردن، مکدر بودن
replace /rɪ'pleɪs/ *vt* عوض کردن؛ جانشین شدن، جای (چیزی را) گرفتن
replacement *n* تعویض؛ عوض؛ جانشین‌سازی، جایگزینی
replenish /rɪ'plenɪʃ/ *vt* دوباره پُر کردن
replenishment *n* عملِ دوباره پر کردن چیزی؛ تهیه، ذخیره
replete /rɪ'pli:t/ *adj* پُر؛ ذخیره‌دار
replete with پر از، دارایِ
repletion /rɪ'pli:ʃn/ *n* پُری؛ پرسازی
to repletion به حد اشباع، پُر پر
replica /'replɪke/ *n* نسخه عین، المثنی
reply /rɪ'plaɪ/ *n,v* ۱.پاسخ، جواب ۲.پاسخ دادن
in reply to در پاسخ، در جوابِ
report /rɪ'pɔ:t/ *n,vt,vi* ۱.گزارش؛ خبر؛ شایعه؛ شهرت؛ صدای شلیک ۲.گزارش دادن (از)؛ شیوع دادن ۳.خود را معرفی کردن؛ [با for] اعلام آمادگی کردن، حضور خود را گزارش دادن؛ خبرنگاری کردن
report card کارنامه
report a servant to his master شکایت نوکری را به اربابش کردن
report onself خود را معرفی کردن
reported speech نقل‌قول غیرمستقیم
It is reported می‌گویند، خبر می‌دهند
reporter /rɪ'pɔ:tə(r)/ *n* مخبر؛ خبرنگار؛ گزارشگر
repose /rɪ'pəʊz/ *vi,vt,n* ۱.آرام گرفتن؛ مبنی بودن ۲.قرار دادن ۳.استراحت؛ آرامش، فراغت؛ سکوت
repose one's trust in امید بستن به
repose oneself استراحت کردن
repository /rɪ'pɒzɪtrɪ/ *n* مخزن، انبار؛ جا، ظرف؛ مدفن
reprehend /ˌreprɪ'hend/ *vt* سرزنش کردن، توبیخ کردن، نکوهش کردن
reprehensible /ˌreprɪ'hensəbl/ *adj* سزاوارِ سرزنش
represent /ˌreprɪ'zent/ *vt* نشان دادن؛ وانمود کردن؛ نمایندگی داشتن (یا کردن) از طرفِ
We are not represented in that port. ما در آن بندر نماینده نداریم.
representation /ˌreprɪzen'teɪʃn/ *n* نمایش؛ نمایندگی، بازنمایی
representative /ˌreprɪ'zentətɪv/ *n,adj* ۱.نماینده ۲.نمایش‌دهنده، معرف
representative government حکومت دموکراسی
repress /rɪ'pres/ *vt* جلوگیری کردن از، فرو نشاندن، خواباندن، سرکوبی کردن
repression /rɪ'preʃn/ *n* جلوگیری، فرونشانی، منع، سرکوبی
repressive /rɪ'presɪv/ *adj* جلوگیری‌کننده، سرکوب‌کننده
reprieve /rɪ'pri:v/ *vt,n* ۱.مهلت دادن؛ موقتاً آسوده کردن ۲.مهلت؛ تعویق

reprimand /ˈreprɪmɑ:nd US: -mænd/ *n,vt* ۱.توبیخ رسمی ۲.رسماً توبیخ کردن
reprint /ˌri:ˈprɪnt/ *vt* دوباره چاپ کردن
reprint /ˈri:prɪnt/ *n* چاپ تازه، تجدید چاپ، بازچاپ
reprisal /rɪˈpraɪzl/ *n* تلافی
reproach /rɪˈprəʊtʃ/ *vt,n* ۱.سرزنش کردن ۲.سرزنش
reproach someone with an offence کسی را به واسطهٔ خطایی سرزنش کردن
reproachful /rɪˈprəʊtʃfl/ *adj* سرزنش‌آمیز؛ خفت‌آور، ننگ آور
reprobate /ˈreprəbeɪt/ *vt* مردود دانستن؛ رد کردن؛ مذمت کردن
reprobate /ˈreprəbeɪt/ *n* اهل فسق و فجور
reprobation /ˌreprəˈbeɪʃn/ *n* مغضوبیت در پیشگاه خداوند؛ طرد؛ مذمت
reproduce /ˌri:prəˈdju:s/ *vt,vi* ۱.دوباره عمل آوردن؛ دوباره ظاهر کردن؛ (دوباره) چاپ کردن ۲.تولید مثل کردن
reproducible /ˌri:prəˈdju:səbl/ *adj* دوباره درست کردنی، تجدید کردنی؛ قابل تولید
reproduction /ˌri:prəˈdʌkʃn/ *n* دوباره عمل آوردن، توالد و تناسل، تولیدمثل؛ تکثیر؛ تجدید چاپ؛ بازتولید
reproductive /ˌri:prəˈdʌktɪv/ *adj* دوباره به‌وجود آورنده؛ دارای قوهٔ تولیدمثل؛ زاینده؛ مولد
reproof /rɪˈpru:f/ *n* سرزنش
reproval *n* سرزنش
reprove /rɪˈpru:v/ *vt* سرزنش کردن
reptile /ˈreptaɪl US: -tl/ *n* خزنده
republic /rɪˈpʌblɪk/ *n* جمهوری
republic of letters جمهور اهل ادب
republican /rɪˈpʌblɪkən/ *adj,n* (عضو حزب) جمهوریخواه
repudiate /rɪˈpju:dɪeɪt/ *vt* رد کردن، منکر شدن؛ طلاق دادن
repudiation /rɪˌpju:dɪˈeɪʃn/ *n* انکار، رد
repugnance /rɪˈpʌgnəns/ *n* تناقض، مغایرت؛ بیزاری، تنفر
repugnant /rɪˈpʌgnənt/ *adj* مخالف، ناسازگار، منافی؛ تنفرآور
repugnant to مخالفِ، منافیِ
repulse /rɪˈpʌls/ *vt,n* ۱.دفع کردن، رد کرد؛ شکست دادن؛ دلسرد کردن ۲.دفع، رد، عدم قبول
repulsion /rɪˈpʌlʃn/ *n* دفع، رانش؛ تنفر
repulsive /rɪˈpʌlsɪv/ *adj* دافع؛ زننده، تنفرآور
reputable /ˈrepjʊtəbl/ *adj* معتبر؛ نیکنام، مشهور؛ محترمانه
reputation /ˌrepjʊˈteɪʃn/ *n* شهرت، اعتبار، آبرو
have the reputation of مشهور بودن به
repute /rɪˈpju:t/ *vt,n* ۱.شمردن، دانستن [بیشتر در صیغهٔ مجهول] ۲.شهرت، اعتبار، نام (نیک)
He is reputed (to be)... او را... می‌دانند
reputed *ppa* مشهور، به شمار رفته
His reputed son has died کسی که گفته می‌شد پسر اوست مرده است
request /rɪˈkwest/ *n,vt* ۱.خواهش، درخواست، تقاضا ۲.درخواست یا تقاضا کردن (از)
at the request of بر حسب تقاضایِ
in great request مورد احتیاج زیاد
Your presence is requested خواهشمندیم حضور به هم رسانید
requiem /ˈrekwɪəm/ *n* سرود آمرزش (مردگان)
require /rɪˈkwaɪə(r)/ *vt* لازم داشتن، نیازمند بودن به، احتیاج داشتن؛ مستلزم بودن؛ خواستن؛ تکلیف کردن (به)؛ مقرر داشتن
You are required to... لازم است شما...
requirement *n* نیازمندی، احتیاج؛ لازمه، مقرره [جمع = مقررات]؛ شرط
requisite /ˈrekwɪzɪt/ *n,adj* ۱.شرط لازم، لازمه ۲.لازم
requisition /ˌrekwɪˈzɪʃn/ *n,vt* ۱.درخواست؛ بازگیری، مصادره؛ شرط لازم ۲.تقاضا کردن؛ مصادره کردن، باز گرفتن از
put in requisition; call into requisition بازگرفتن، به مصادره گرفتن
requital /rɪˈkwaɪtl/ *n* تلافی
in requital for در عوضِ، به تلافی
requite /rɪˈkwaɪt/ *vt* تلافی کردن؛ پاداش دادن، جبران کردن
rescind /rɪˈsɪnd/ *vt* لغو کردن
rescript /ˈri:skrɪpt/ *n* فرمان؛ فتوای پاپ
rescue /ˈreskju:/ *vt,n* ۱.رهایی‌دادن ۲.رهایی؛ تخلیص
come (*or* go) to someone's rescue به‌داد کسی رسیدن، برای رهایی کسی اقدام کردن
research /rɪˈsɜ:tʃ/ *n,vi* ۱.جستجو، تحقیق، پژوهش، تتبع ۲.تحقیقات علمی کردن

reseat /ˌriːˈsiːt/ *vt* دوباره نشاندن؛ [کف صندلی] عوض کردن؛ خشتک تازه (به شلوار) گذاشتن

resemblance /rɪˈzembləns/ *n* شباهت، همانندی

bear resemblance شباهت داشتن

resemble /rɪˈzembl/ *vt* مانند بودن به، شبیه بودن به، شباهت داشتن به

resent /rɪˈzent/ *vt* رنجیدن از

resentful /rɪˈzentfl/ *adj* متغیر، رنجیده

resentment *n* رنجش؛ خشم

reservation /ˌrezəˈveɪʃn/ *n* خودداری از صحبت، فروگذاری؛ شرط، قید، استثنا؛ نگهداری؛ اختصاص به خود

make one's reservations *US* رزرو کردن، ذخیره کردن

reserve /rɪˈzɜːv/ *vt* نگه‌داشتن، اختصاص دادن؛ ذخیره کردن؛ برای خود محفوظ داشتن؛ به تعویق انداختن

All rights reserved. هرگونه حقی‌محفوظ است (اختصاص به‌مؤلف دارد).

I was reserved for it تنها برای من مقدر شده بود

reserve /rɪˈzɜːv/ *n* اندوخته، ذخیره؛ احتیاط؛ عضو علی‌البدل؛ قید، شرط؛ خودداری، کتمان حقیقت

have in reserve اندوخته داشتن؛ [مجازاً] در چنته داشتن

with reserve به قید احتیاط

reserve fund سرمایهٔ احتیاطی

reserve price آخرین بها، بهای قطعی

reserved *ppa* محتاط، کم‌حرف؛ اندوخته، کنار گذاشته؛ محفوظ

reservist /rɪˈzɜːvɪst/ *n* سرباز ذخیره یا احتیاط

reservoir /ˈrezəvwɑː(r)/ *n* مخزن، انبار

reshuffle /ˌriːˈʃʌfl/ *vt* دوباره بُر زدن؛ [مجازاً] ترمیم کردن

reside /rɪˈzaɪd/ *vi* ساکن بودن؛ ساکن شدن؛ اقامت داشتن؛ قرار گرفتن

residing abroad مقیم خارجه

residence /ˈrezɪdəns/ *n* محلِ اقامت، مسکَن؛ مقرّ؛ خانه؛ اقامت

take up one's residence in a city در شهری اقامت کردن یا ساکن شدن

in residence مقیم

residency /ˈrezɪdənsɪ/ *n* محل اقامتِ نمایندهٔ والی در دربار کشور مستعمره

resident /ˈrezɪdənt/ *adj,n* ۱.مقیم، ساکن ۲.نمایندهٔ سیاسی در دربار مستعمره

residential /ˌrezɪˈdenʃl/ *adj* مسکونی [residential quarters]؛ مربوط به اقامت

residual /rɪˈzɪdjʊəl US: - dʒʊ-/ *adj,n* باقیمانده، پس‌مانده، مازاد، ته‌نشین (شده)

residuary /rɪˈzɪdjʊərɪ/ *adj* [حقوق] مربوط به باقیمانده (دارایی متوفی)

residue /ˈrezɪdjuː US: -duː/ *n* باقیمانده، فاضل؛ پس‌مانده، دُرد

resign /rɪˈzaɪn/ *vt* واگذار کردن؛ استعفا دادن از، کناره‌گیری کردن از

resign oneself تن در دادن

resignation /ˌrezɪgˈneɪʃn/ *n* کناره‌گیری، استعفا؛ تفویض؛ تسلیم، توکل

resigned *ppa* تن به قضا داده

resilience /rɪˈzɪlɪəns/ *n or* **-ency** جهندگی، ارتجاعیت

resilient /rɪˈzɪlɪənt/ *adj* دارای خاصیت ارتجاعی، فنری

resin /ˈrezɪn/ *n,vt* ۱.رزین، صمغ ۲.با رزین اندودن

resinous /ˈrezɪnəs/ *adj* رزینی؛ چسبناک

resist /rɪˈzɪst/ *v* مقاومت کردن، ایستادگی کردن (در برابرِ)

resist an attack حمله‌ای را دفع کردن

resistance /rɪˈzɪstəns/ *n* مقاومت، ایستادگی، تاب، دوام

the line of least resistance [مجازاً] آسانترین راه، اسهل طرق

resistant /rɪˈzɪstənt/ *adj* مقاومت‌کننده، مقاوم

resistless *adj* غیرقابل مقاومت، مقاومت‌ناپذیر

resolute /ˈrezəluːt/ *adj* ثابت‌قدم؛ پابرجا، ثابت، راسخ

resolution /ˌrezəˈluːʃn/ *n* عزم، قصد؛ تصمیم، قرار، رأی؛ ثبات عزم؛ حل؛ قطعنامه؛ رفع؛ تجزیه

pass a resolution (باگرفتن رأی) تصمیم گرفتن، قرار دادن، مقرر داشتن

resolve /rɪˈzɒlv/ *v,n* ۱.تجزیه کردن؛ تجزیه شدن؛ تحلیل بردن؛ تحلیل رفتن؛ حل کردن؛ حل شدن؛ برطرف کردن؛ مقرر داشتن، تصمیم گرفتن (بر) ۲.تصمیم

Resolved that... قرار شد که...

be resolved مصمم شدن

resonance /ˈrezənəns/ *n* تشدید صوت، بازآوایی

resonant /ˈrezənənt/ *adj* طنین‌دار؛ تشدیدکننده (صدا)؛ بازآوا

resort /rɪˈzɔːt/ *vi,n* ۱.متوسل شدن، پناهنده شدن، مراجعه کردن ۲.توسل؛ چاره، وسیله؛ آمد و شد، مراجعه؛ میعادگاه، پاتوق

in the last resort پس از نومیدی از همهٔ وسایل دیگر، در آخرین وهله

resound /rɪ'zaʊnd/ *vi,vt* ۱.طنین انداختن؛ منعکس شدن ۲.منعکس کردن، برگرداندن

resource /rɪ'sɔːs US: 'riːsɔːrs/ *n* منبع، [جمع = منابع]، ممر؛ تدبیر؛ وسیله، چاره

of resource با تدبیر، دست‌وپادار، با دست‌وپا

resourceful /rɪ'sɔːsfl/ *adj* کاردان، باتدبیر، دست‌وپادار، بااستعداد؛ وسیله‌دار

respect /rɪ'spekt/ *n,vt* احترام؛ رعایت، ملاحظه؛ [در جمع] سلام ۲.احترام کردن، محترم شمردن؛ در نظر گرفتن

hold in respect احترام گزاردن به

pay respect to توجه داشتن به

with respect to نسبت به، راجع به

in respect of به نسبتِ، نسبت به

in every respect; in all respects از هر جهت، از هر حیث

respect oneself شرافت نفس داشتن

pay one's respects (شرفیاب شدن و) احترامات به‌جا آوردن

respectability /rɪˌspektə'bɪlətɪ/ *n* آبرومندی، احترام؛ شخص محترم

respectable /rɪ'spektəbl/ *adj* محترم، آبرومند؛ آبرومندانه؛ مقرون به ادب؛ قابل توجه

the respectables *n* محترمین

respectably /rɪ'spektəblɪ/ *adv* آبرومندانه

respecter *n* ملاحظه کننده

respecter of persons کسی که قایل به احترامات طبقاتی است

respectful /rɪ'spektfl/ *adj* احترام‌گزار، مؤدب

respectfully *adv* محترماً

Yours respectfully; Respectfully yours [در پایان بعضی نامه‌ها] با تقدیم احترامات

respecting *prep* در خصوصِ

respective /rɪ'spektɪv/ *adj* مخصوصِ خود، مربوط (به خود)

in their respective files هر کدام در پرونده (مربوط به) خودش

respectively *adv* به‌ترتیب، بر حسب تقدم و تأخر، آن یک... این یک

respiration /ˌrespə'reɪʃn/ *n* تنفس، دم زنی

respirator /'respəreɪtə(r)/ *n* نفس‌کش؛ اسبابی که به دهان و بینی می‌گذارند تا از استنشاق مواد زیان‌آور جلوگیری کند، رسپیراتور

respiratory /rɪ'spaɪərətrɪ/ *adj* تنفسی

respire /rɪ'spaɪə(r)/ *v* = breathe

respite /'respaɪt; 'respɪt/ *n,vt* ۱.مهلت، فرجه ۲.مهلت دادن (به)؛ موقتاً آسوده کردن

resplendence /rɪ'splendəns/ *n or* **-dency** درخشندگی؛ شکوه

resplendent /rɪ'splendənt/ *adj* درخشنده؛ باشکوه

respond /rɪ'spɒnd/ *vi* جواب‌دادن؛ حساسیت یا عکس‌العمل نشان دادن

It does not respond to treatment معالجه در آن مؤثر نیست

respondent /rɪ'spɒndənt/ *n* [در دعواهای وابسته به طلاق] خوانده، متهم؛ پاسخگر

response /rɪ'spɒns/ *n* پاسخ، جواب؛ حرکت متقابل؛ حساسیت؛ برگردان، تهلیل

responsibility /rɪˌspɒnsə'bɪlətɪ/ *n* مسئولیت

on my own responsibility به مسئولیتِ خودم

responsible /rɪ'spɒnsəbl/ *adj* مسئول، عهده‌دار؛ مسئولیت‌دار؛ معتبر

responsible to God مسئول نزد خدا

hold responsible مسئول قرار دادن

Cold was responsible for his defeat. سرما علت شکست او بود.

responsive /rɪ'spɒnsɪv/ *adj* متضمنِ پاسخ؛ تأثیرپذیر، حساس؛ پاسخده

rest /rest/ *n,vi,vt* ۱.استراحت؛ سکون؛ تعطیل؛ پناهگاه، منزل؛ زیردستی، پایه، سه‌پایه، دوشاخه؛ [موسیقی] سکوت ۲.استراحت کردن، رفع خستگی کردن؛ آسوده شدن؛ سکوت کردن؛ تعطیل کردن؛ امیدوار بودن؛ ماندن؛ موکول بودن ۳.خواباندن؛ آسوده کردن؛ تکیه دادن

go to rest استراحت کردن، خوابیدن

at rest آسوده؛ مرده

set at rest آسوده کردن

lay to rest به خاک سپردن، دفن کردن

rest in God به خدا توکل کن

rest up *Col* استراحت کامل کردن

You may rest assured می‌توانید مطمئن باشید

rest oneself استراحت کردن

Rest! [نظامی] راحت باش!

It rests with me to... با من است که...

rest /rest/ *n* [با the] باقی (مانده)، بقیه؛ دیگران، سایرین؛ اندوخته، اضافه

among the rest از آن جمله

restate /ˌriː'steɪt/ *vt* دوباره گفتن، دوباره اظهار کردن؛ طور دیگرگفتن

restaurant /'restrɒnt/ *n* رستوران
rest-cure /'rest kjʊə(r)/ *n* استراحت استعلاجی
restful *adj* آرام(بخش)
rest home /'rest həʊm/ *n* خانهٔ سالمندان
resting-place /'restɪŋ pleɪs/ *n* آسایشگاه
last resting-place آرامگاه ابدی
restitution /ˌrestɪ'tju:ʃn US: -'tu:-/ *n* رد، استرداد؛ جبران
restive /'restɪv/ *adj* سرکش، توسن؛ گردنکش
restless *adj* بی‌قرار، بی‌تاب
restock /ˌri:'stɒk/ *vt* از نو موجودی گذاشتن در (دکان و مانند آن)
restoration /ˌrestə'reɪʃn/ *n* استرداد؛ رد، اعاده؛ تجدید؛ ترمیم؛ بهبود؛ اصلاح؛ چیزِ برگشته
restorative /rɪ'stɔ:rətɪv/ *adj,n* (خوراک و داروی) نیروبخش
restore /rɪ'stɔ:(r)/ *vt* (به‌حالت نخست) برگرداندن؛ پس دادن، مسترد داشتن؛ تعمیر کردن، اصلاح کردن؛ تجدید کردن؛ دوباره برقرار کردن؛ تقویت کردن
restore to health بهبود دادن، شفا دادن
restore to life زنده کردن
restrain /rɪ'streɪn/ *vt* جلوگیری کردن از؛ فرونشاندن؛ توقیف کردن
restrained /rɪ'streɪnd/ *adj* دارای کف نفس
restraint /rɪ'streɪnt/ *n* جلوگیری، منع؛ نگهداری، توقیف؛ قید؛ خودداری، کف نفس؛ احتیاط؛ مانع
hold in restraint نگه‌داشتن، توقیف کردن
restrict /rɪ'strɪkt/ *vt* محدودکردن؛ منحصر کردن؛ دچار تضییقات کردن
restriction /rɪ'strɪkʃn/ *n* تحدید، تضییق؛ منع، انحصار؛ قید، شرط، حد
restrictive /rɪ'strɪktɪv/ *adj* تحدیدی
result /rɪ'zʌlt/ *n,vi* ۱.نتیجه ۲.منتج شدن؛ ناشی شدن
as the result of در نتیجهٔ، بر اثرِ
result in... به... منتج شدن
It results from the above از آنچه در بالا گفته شد چنین برمی‌آید
resultant /rɪ'zʌltənt/ *adj,n* ۱.منتج؛ ناشی ۲. [فیزیک] برآیند، نتیجه
resume /rɪ'zju:m US:-'zu:m/ *vt* از سرگرفتن؛ دوباره به‌دست آوردن؛ دوباره آغاز کردن؛ پس گرفتن؛ خلاصه کردن
résumé /'rezju:meɪ/ *n,Fr* خلاصه، مختصر
resumption /rɪ'zʌmpʃn/ *n* از سر گیری، ادامه؛ حصول مجدد

resurrect /ˌrezə'rekt/ *vt* زنده کردن؛ [مجازاً] دوباره به‌کار انداختن
resurrection /ˌrezə'rekʃn/ *n* رستاخیز، قیامت، محشر؛ نبش قبر؛ [مجازاً] احیا
resuscitate /rɪ'sʌsɪteɪt/ *v* زنده کردن؛ زنده شدن؛ [مجازاً] تجدید کردن؛ زنده شدن
resuscitation /rɪˌsʌsɪ'teɪʃn/ *n* احیا؛ تجدید
retail /'ri:teɪl/ *n,adv* ۱.خرده‌فروشی ۲.خرد خرد
sell by retail خرده فروختن
retail dealing خرده‌فروشی
retail dealer خرده‌فروش، جزئی‌فروش
retail /'ri:teɪl/ *vt,vi* ۱.خرده فروختن؛ نقل کردن ۲.جزء جزء فروش رفتن
*It retails at (*or *for)...* بهای خرده‌فروشی آن ... است
retailer *n* خرده‌فروش، جزئی‌فروش
retain /rɪ'teɪn/ *vt* نگاه داشتن، حفظ کردن؛ ابقاکردن
retaining fee حقوق‌استخدامی وکیل‌ثابت‌الوکاله
retaining wall دیوارِ حایل
retainer *n* نوکر، ملازم؛ حقوقِ استخدامی وکیل ثابت‌الوکاله یا قراردادی که برای دادن چنین حقوقی بسته شود
retaliate /rɪ'tælɪeɪt/ *vt,vi* ۱.تلافی کردن ۲.معاملهٔ به مثل کردن
retaliate upon one's enemy تلافی سر دشمن خود درآوردن
retaliation /rɪˌtælɪ'eɪʃn/ *n* تلافیِ عینی، قصاص؛ انتقام
retard /rɪ'tɑ:d/ *vt* کند کردن، آهسته کردن؛ عقب انداختن
retardation /ˌri:tɑ:'deɪʃn/ *n* تأخیر؛ تعویق؛ کندی؛ دیرکرد؛ عقب‌ماندگی
retch /retʃ/ *vi* عُق‌زدن
retention /rɪ'tenʃn/ *n* نگهداری، ابقا، حفظ، ضبط؛ حافظه؛ [پزشکی] حبس، احتباس
retentive /rɪ'tentɪv/ *adj* نگهدارنده
retentive power قوهٔ حافظه، قوهٔ ضبط
reticence /'retɪsns/ *n* خودداری از حرف زدن، کتمان، غمض کلام؛ خاموشی
reticent /'retɪsnt/ *adj* کتمان‌کننده، محتاط در سخنگویی، خاموش، ساکت
reticulation /rɪˌtɪkjʊ'leɪʃn/ *n* شبکه؛ شبکه‌سازی
pipe reticulation لوله‌کشی
reticule /'retɪkju:l/ *n* کیف دستی زنانه
retina /'retɪnə/ *n* شبکیه

retinue /'retɪnju:/ *n* ملتزمین
retire /rɪ'taɪə(r)/ *vi,vt,n* ۱.کناره‌گیری کردن؛ استراحت کردن؛ عقب‌نشینی کردن ۲.عقب کشیدن؛ بازنشسته کردن؛ جمع کردن، از جریان بازداشتن ۳.شیپور عقب‌نشینی
retire to bed خوابیدن، استراحت کردن
retire into oneself معاشر نبودن، از جامعه کناره‌گیری کردن
retired *ppa* بازنشسته؛ منزوی؛ بی‌سروصدا؛ مربوط به بازنشستگی
a retired corner گوشهٔ خلوت یا پرت
retired pay حقوق بازنشستگی
retirement *n* کناره‌گیره؛ بازنشستگی؛ عقب‌نشینی
retirement pension حقوق بازنشستگی، مستمرّی
retiring *apa* غیرمعاشر؛ کناره‌گیر
retiring pension حقوق بازنشستگی
retort /rɪ'tɔ:t/ *vt,n* ۱.برگرداندن، جواب دادن ۲.جوابِ حاضر و آماده
retort /rɪ'tɔ:t/ *n* قرع وانبیق، اسباب تقطیر
retouch /ˌri:'tʌtʃ/ *vt* دستکاری کردن، رُتوش کردن
retrace /ri:'treɪs/ *vt* به منشأ برگرداندن؛ رد پا(ی کسی) را در برگشتن گرفتن؛ به‌نظر آوردن
retract /rɪ'trækt/ *vt,vi* ۱.تو بُردن؛ جمع کردن، منقبض کردن؛ پس گرفتن (قول)؛ الغا کردن ۲.تو رفتن، جمع شدن
retractable /rɪ'træktəbl/ *adj* جمع شدنی؛ پس گرفتنی؛ الغا کردنی
retraction /rɪ'trækʃn/ *n* قبض، تو بردن
retreat /rɪ'tri:t/ *n,vi* ۱.عقب‌نشینی؛ کناره‌گیری؛ شیپور یا طبل شامگاه؛ کنجِ خلوت، گوشهٔ عزلت ۲.عقب‌نشینی کردن
beat a retreat عقب‌نشینی کردن
retrench /rɪ'trentʃ/ *vt* کسر یا قطع کردن (هزینه)؛ (هزینه)؛ مختصر کردن؛ حذف کردن
retrenchment *n* کاهش، کسر
retribution /ˌretrɪ'bju:ʃn/ *n* مکافات، کیفر، جزا
retributive /rɪ'trɪbjʊtɪv/ *adj* متضمن تلافی یا مکافات، کیفری، جزایی
retrievable /rɪ'tri:vəbl/ *adj* دوباره به‌دست آوردن؛ جبران‌پذیر
retrieval /rɪ'tri:vl/ *n* حصول مجدد، بازیابی؛ جبران؛ اصلاح
retrieve /rɪ'tri:v/ *vt* دوباره به‌دست آوردن؛ جبران کردن، اصلاح کردن؛ بهبود دادن
beyond retrieve *n* جبران‌ناپذیر
retroactive /ˌretrəʊ'æktɪv/ *adj* عطف به‌ماسبق کننده
retrograde /'retrəgreɪd/ *adj,vi* ۱.قهقرایی، پس‌گستر ۲.به‌قهقرا رفتن
retrogression /ˌretrə'greʃn/ *n* برگشت، رجوع؛ تنزل، پسروی؛ ترقی معکوس
retrogressive /ˌretrə'gresɪv/ *adj* برگشت‌کننده، تنزل‌کننده، پسرونده؛ قهقرایی
retrospection /ˌretrə'spekʃn/ *n* عطف به گذشته، نظر به گذشته، بازنگری
retrospective /ˌretrə'spektɪv/ *adj* ناظر به گذشته، عطف به‌ماسبق‌کننده؛ بازنگرانه
return /rɪ'tɜ:n/ *n* بازگشت، مراجعت؛ اعاده؛ عملکرد، کارکرد؛ گزارش رسمی
on my return در مراجعت
in return for در عوضِ، در اِزایِ
return ticket بلیط دوسره
Many happy returns of the day صد سال به این سالها
return /rɪ'tɜ:n/ *vi,vt* ۱.برگشتن، مراجعت کردن ۲.پس دادن؛ جواب دادن؛ گزارش دادن از؛ انتخاب کردن
return a visit بازدید کردن، به‌بازدید رفتن
returnable /rɪ'tɜ:nəbl/ *adj* برگرداندنی، برگشت‌پذیر
reunion /ˌri:'ju:nɪən/ *n* به‌هم پیوستگی (برای تجدید عهد مودت)؛ انجمن، اجتماع
Rev [مختصرِ Reverend]
revamp /ˌri:'væmp/ *vt,US* رویه تازه (به کفش) انداختن
reveal /rɪ'vi:l/ *vt* آشکار کردن
reveal itsefl آشکار شدن، فاش شدن
revealed religion مذهبی که به وسیلهٔ پیغمبری برای مردم آمده باشد
reveille /rɪ'vælɪ US: 'revəlɪ/ *n* شیپور بیداری
revel /'revl/ *vi,n* ۱.خوش گذراندن ۲.عیاشی؛ خوشگذرانی
revel in لذت بردن از
revelation /ˌrevə'leɪʃn/ *n* افشا، ابراز؛ مکاشفه، وحی، الهام
revelry /'revlrɪ/ *n* هلهله؛ عیاشی، خوشگذرانی
revenge /rɪ'vendʒ/ *n* ۱.انتقام، کینه‌جویی؛ تلافی ۲.تلافی کردن
I revenged myself upon him. انتقام خود را از او گرفتم.
revengeful /rɪ'vendʒfl/ *adj* کینه‌جو

revenue /'revənju:/ *n* درآمد، عایدی

revenue farmer اجاره‌کار: کسی که در زمین استیجاری کشت می‌کند

revenue operation بهره‌برداری

reverberate /rɪ'vɜ:bəreɪt/ *v* منعکس کردن؛ منعکس شدن؛ پیچیدن، طنین انداختن

reverberation /rɪ,vɜ:bə'reɪʃn/ *n* انعکاس، برگشت؛ پژواک، طنین

revere /rɪ'vɪə(r)/ *vt* حرمت کردن

reverence /'revərəns/ *n,vt* ۱.حرمت؛ واهمه ۲.احترام گزاردن

hold in reverence محترم داشتن

His Reverence جنابِ [لقب شوخی‌آمیز یا قدیمی برای کشیشها]

reverend /'revərənd/ *adj* واجب‌الاحترام [لقب روحانیون که مختصر آن .Rev است]

the Rev. john smith جنابِ آقای جان اسمیت [کشیش]

reverent /'revərənt/ *adj* احترام‌گزار، مؤدب

reverential /,revə'renʃl/ *adj* محترمانه؛ احترام‌گزار

reverie /'revərɪ/ *n* خیال واهی، خیال خام؛ خیال‌پردازی

reversal /rɪ'vɜ:sl/ *n* نقض، برگشت؛ واژگون‌سازی؛ واژگونی

reverse /rɪ'vɜ:s/ *adj,n,vt,vi* ۱.وارونه، معکوس ۲.عکس، ضد؛ پشت (سکه)؛ [مجازاً] ادبار؛ شکست ۳.وارونه کردن؛ پس و پیش کردن؛ دگرگون ساختن؛ لغو کردن، نقض کردن ۴.برگشتن

reversible /rɪ'vɜ:səbl/ *adj* [a reversible fabric] قابلِ پشت رو کردن، دو رو بازگشت‌پذیر

reversion /rɪ'vɜ:ʃn/ *n* برگشت (ملکی به بخشندهٔ آن)؛ حق مالکیت نسبت به چیزی پس از مدت

revert /rɪ'vɜ:t/ *vi* برگشت کردن، رجوع کردن، عطف کردن

review /rɪ'vju:/ *n,vt* ۱.دوره، مرور؛ بازدید، تجدید نظر؛ [نظامی] سان؛ مجله؛ انتق ۲.دوره کردن، تجدیدنظر کردن؛ سان دیدن

pass in review سان دیدن

revile /rɪ'vaɪl/ *v* ناسزا گفتن (به)

revise /rɪ'vaɪz/ *vt* تجدیدنظر کردن(در)؛ اصلاح (و دوباره چاپ) کردن

revision /rɪ'vɪʒn/ *n* بازدید، تجدیدنظر؛ اصلاح؛ چاپ تازه

revival /rɪ'vaɪvl/ *n* احیا، تجدید؛ تجدد؛ جنبش مذهبی

revivalist /rɪ'vaɪvəlɪst/ *n* پیشوای جنبشهای مذهبی

revive /rɪ'vaɪv/ *vi,vt* ۱.زنده شدن؛ نیروی‌تازه گرفت ۲.زنده کردن؛ نیرویِ تازه دادن؛ دوباره رواج دادن، دوباره رونق دادن

revocable /'revəkəbl/ *adj* فسخ‌پذیر؛ برگشت‌پذیر، قابل برگشت

revocation /,revə'keɪʃn/ *n* لغو، فسخ

revoke /rɪ'vəʊk/ *vt* لغو کردن، الغا کردن؛ باطل کردن؛ پس‌گرفتن

revolt /rɪ'vəʊlt/ *n,vi,vt* ۱.طغیان، شورش ۲.شورش کردن؛ اظهار تنفر کردن ۳.متنفر کردن؛ منقلب کردن

revolt at or against متنفر شدن از

revolution /,revə'lu:ʃn/ *n* شورش، انقلاب؛ حرکت انتقالی، گردش آشوبی

revolutionary /,revə'lu:ʃənərɪ/ *adj,n* ۱.آشوبی، انقلابی ۲.شورش‌طلب

revolutionize /,revə'lu:ʃənaɪz/ *vt* از بیخ و بن دگرگون کردن، اساس چیزی را متحول کردن

revolve /rɪ'vɒlv/ *vi,vt* ۱.گردش کردن، دور زدن ۲.گرداندن

revolve in the mind غور کردن در

revolver /rɪ'vɒlvə(r)/ *n* ششلول، رولور

revolving *apa* گردان، گردنده

revue /rɪ'vju:/ *n,Fr* نوعی نمایش (با رقص و سرود) که در آن وقایع جاری را منعکس و استهزا می‌کنند

revulsion /rɪ'vʌlʃn/ *n* جابجا شدنِ درد، ردع؛ تغییر ناگهانی

reward /rɪ'wɔ:d/ *n,vt* ۱.اجر، پاداش؛ عوض ۲.پاداش دادن (به)

reword /,ri:'wɜ:d/ *vt* به عبارت دیگر درآوردن، طور دیگر گفتن

rewrite /,ri:'raɪt/ *vt* دوباره نوشتن؛ طور دیگر نوشتن

Rex /reks/ *n,L* پادشاه [مختصر آن .R است]

Reynard /'reɪnɑ:d/ *n* آقا روباه

rhapsody /'ræpsədɪ/ *n* [موسیقی] قطعهٔ شورانگیز، راپسودی

go into rhapsodies ابرازِ احساسات کردن، شور و شعف نشان دادن

rheostat /'ri:əstæt/ *n* وسیلهٔ تنظیم جریان برق، جعبه مقاومت، رئوستا

rhetoric /'retərɪk/ *n* (علم) معانی و بیان؛ بدیع؛ بلاغت

rhetorical /rɪ'tɒrɪkl/ *adj* معانی و بیانی؛ بدیعی؛ غلنبه (نویس)
rhetorician /ˌretə'rɪʃn/ *n* آموزگارِ معانی و بیان؛ شخص مطلع از معانی و بیان؛ غلنبه نویس
rheum /ru:m/ *n,Arch* ریزشهای زکامی یا نزله‌ای
rheumatic /ru:'mætɪk/ *adj* رُماتیسمی
rheumatics *npl,Col* = rheumatism
rheumatism /'ru:mətɪzəm/ *n* رماتیسم، درد مفصل، باد مفاصل
rhinestone /'raɪnstəʊn/ *n* ۱.نوعی بلور کوهی ۲.الماس بدل
rhino /'raɪnəʊ/ *Col* = rhinoceros
rhinoceros /raɪ'nɒsərəs/ *n* کرگدن [اختصاراً rhino گفته می‌شود]
rhododendron /ˌrəʊdə'dendrən/ *n* گل معین‌التجاری
rhomb /rɒm/ *or* **rhombus** /'rɒmbəs/ *n* [هندسه] لوزی
rhubarb /'ru:bɑ:b/ *n* ریوند؛ ریواس
rhyme /raɪm/ *n* قافیه
rhythm /'rɪðəm/ *n* وزن، سجع؛ چرخه
rhythmic(al) /rɪðmɪk(l)/ *adj* موزون؛ چرخه‌ای
rib /rɪb/ *n,vt* [-bed] ۱.دنده؛ [در چتر] میله؛ [در پارچه] خط یا راه برجسته؛ پشت بند؛ پشته یا برآمدگی کوه ۲.راه راه کردن؛ میله‌دار کردن؛ [در صیغه اسم مفعول و به طور صفت] راه راه؛ میل میلی؛ دنده‌دار
ribald /'rɪbld/ *adj,n* ۱.هرزه، بی‌چاک دهن؛ زشت ۲.آدم هرزه
ribaldry /'rɪbldrɪ/ *n* هرزگی؛ شوخی زشت
ribbon /'rɪbən/ *n* نوار، روبان؛ باریکه؛ [در جمع] عنان

ribbon development
خانه‌سازی در دو طرف جاده‌های بیرون شهر

torn to ribbons تکه‌تکه

rice /raɪs/ *n* [غله] برنج
rich /rɪtʃ/ *adj* توانگر، دولتمند؛ گرانبها؛ باشکوه؛ خوشرنگ؛ زیادچرب؛ پرمایه؛ پرپشت؛ فراوان؛ حاصلخیز؛ دامنه‌دار، وسیع

the rich *n* دولتمندان
rich in (*or* with) پُر از

riches /'rɪtʃɪz/ *npl* دولت، ثروت
richly *adv* کاملاً، به طور فاخر
richness *n* دولتمندی؛ پُری؛ پرمایگی؛ رونق؛ وسعت؛ چربی

rick /rɪk/ *n,vt* ۱.انبار علفِ خشک یا غله ۲.کومه کردن، انبار کردن
rickets /'rɪkɪts/ *npl or s* نرم استخوانی، نرمیِ استخوان، راشی‌تیسم
rickety /'rɪkətɪ/ *adj* مبتلا به نرمی استخوان؛ [مجازاً] سست، ضعیف؛ لغزنده؛ اِسقاط، فکسنی
ricksha(w) /'rɪkʃɔ:/ *n* ریکشا: درشکهٔ دوچرخه که آدم آنرا می‌کشد
ricochet /'rɪkəʃeɪ/ *n,vi* [-(t)ed] ۱.[گلوله] کمانه؛ پله‌پله رفتن (سنگ روی آب) ۲.کمانه کردن؛ پله‌پله رفتن
rid /rɪd/ *vt* [rid(ded); rid] خلاص کردن، آزاد کردن (از مانع)

get rid of a person
از دست (یا شرّ) کسی آسوده شدن

riddance /'rɪdns/ *n* رهایی؛ عمل پاک کردن
A good reddance! یک سر خر هم کم!
ridden /'rɪdn/ [*pp of* ride]
riddle /'rɪdl/ *n,v* ۱.معما ۲.معما گفتن، معما حل کردن
riddle /'rɪdl/ *n,vt* ۱.سرند، غربال ۲.غربال کردن؛ سوراخ سوراخ کردن؛ نقطه ضعف (چیزی را) نشان دادن
ride /raɪd/ *vi,vt* [rode; ridden] ۱.سوار شدن؛ [مجازاً] مسلط شدن، مستولی شدن ۲.سوار شدن بر؛ سواره گذشتن از؛ سواری دادن (به)؛ مسلط شدن بر

ride on a horse روی اسبی سوار شدن، سوارِ اسبی شدن
ride for a fall بی‌پروا سوار شدن؛ [مجازاً] ندانم‌کاری کردن و زیان دیدن
This ground rides soft
این زمین برای سواری هموار است
ride to hounds شکارِ روباه رفتن
ride one down سواره به کسی رسیدن؛ با اسب کسی را زیر گرفتن
ride out سالم از (چیزی) بیرون رفتن

ride /raɪd/ *n* سواری؛ جاده مال‌رو
rider /'raɪdə(r)/ *n* (اسب) سوار؛ مادهٔ اصلاحی یا الحاقی در شور سوم لایحه
ridge /rɪdʒ/ *n,vt,vi* ۱.تیغ یا ستیغ (کوه)، قسم آب، ابریز، خرپشته؛ مرز؛ رشته ۲.مرزبندی کردن؛ دارای خطوط برجسته کردن؛ گرده‌ماهی کردن ۳.بلند شدن؛ برجستگی پیدا کردن
ridge-pole /'rɪdʒpəʊl/ *n* تیرِ بالای شیروانی؛ تیرک افقی چادر
ridicule /'rɪdɪkju:l/ *n,vt* ۱.استهزا ۲.استهزا کردن

turn to (*or* **into**) **ridicule** مورد استهزا قرار دادن؛ مسخره‌آمیز کردن

ridiculous /rɪ'dɪkjʊləs/ *adj* خنده‌آور، مضحک، مسخره‌آمیز؛ چرند

riding *n,adj* ۱.سواری؛ راه مال‌رو در جنگل ۲.در خورِ سواری

riding-habit جامهٔ سواری زنانه

riding-master معلم اسب‌سواری

riding *n* بخش[در Yorkshire]

rife /raɪf/ *adj* متداول؛ پر، مملو؛ فراوان

riff-raff /'rɪf ræf/ *n* [به تحقیر] مردم پست؛ آشغال

rifle /'raɪfl/ *n,vt* ۱.تفنگ(خان‌دار)؛ [در تفنگ] خان؛ [در جمع] عدهٔ تفنگدار ۲.خان‌دار کردن؛ جستجو و غارت کردن

rifled *ppa* [تفنگ] خان‌دار

rifleman /'raɪflmən/ *n* [-men] تفنگدار

rifle-pit /'raɪfl pɪt/ *n* سنگر

rifle-range /'raɪfl reɪndʒ/ *n* تیررس، بُرد؛ میدان تیراندازی

rifle-shot /'raɪfl ʃɒt/ *n* تیررس؛ تیر؛ تفنگ؛ [با صفت] تیرانداز

rift /rɪft/ *n,vt* ۱.شکاف؛ چاک؛ رخنه؛ [مجازاً] اختلاف ۲.شکافتن؛ چاک دادن

a rift in (*or* **within**) **the lute** اول مصیبت، سرآغاز بدبختی

rifted *adj* شکاف‌دار

rig /rɪg/ *vt,vi* [-ged] *,n* ۱.با دکل و بادبان مجهز کردن؛ با لباس و غیره مجهز کردن [با out]؛ با شتاب بر پا کردن [باup] ۲.مجهز شدن ۳.بادبانها و دکلهای کشتی؛ [مجازاً] وضع ظاهر، لوازم، لباس

rig /rɪg/ *n* حیله؛ احتکار

rig *(vt)* **the market** با احتکار کالا افزایش و کاهش مصنوعی در قیمتها ایجاد کردن

rigging *n* مجموع طنابها و بادبانهای کشتی؛ [مجازاً] اسباب، اثاثه

right /raɪt/ *adj,adv* ۱.راست[ضد چپ]؛ درست، صحیح؛ خوب، شایسته، اخلاقی؛ نود درجه، قائم [right angle]؛ راست گوشه؛ ذی‌حق ۲.به طور صحیح؛ کاملاً؛ به طرف راست

You are right. حق با شما است.

put one's right hand to درست انجام دادن، صمیمانه انجام دادن

do a thing the right way کاری را چنانکه باید انجام دادن

He is on the right side of forty. هنوز چهل سال ندارد.

in one's right mind عاقل

not right in the head دیوانه

All right بسیار خوب؛ صحیح است

Right you are; Right oh! (Sl) درست است، صحیح است؛ به چشم، البته!

Right turn! [نظامی] به راست راست!

right off; right away بی‌درنگ، فوراً

right *n* حق؛ کار صحیح؛ دستِ راست؛ [در جمع] ۱.نمایندگانِ دست راست ۲.شرح واقع ۳.وضع صحیح

be in the right ذی‌حق بودن

right of way حق عبور؛ تقدم

in one's own right اصالتاً

by right (*or* **rights**) حقاً

You did right. کار صحیحی کردید.

to set (*or* **put**) **to tights** درست کردن، مرتب کردن

assert (*or* **stand on**) **one's rights** برای حقوق خود پافشاری کردن

right /raɪt/ *vt* راست کردن؛ اصلاح کردن

right itself اصلاح شدن؛ رفع شدن

right-about /'raɪt əbaʊt/ *adj* واقع در جهت مخالف

Right-about turn! [نظامی] عقب‌گرد!

send to the right-about بیرون کردن

right-angled /'raɪt æŋgld/ *adj* راست گوشه

right-down /'raɪtdaʊn/ *adj,adv* کامل؛ کاملاً

righteous /'raɪtʃəs/ *adj* صالح، عادل، پارسا، پرهیزگار؛ دیندارانه

righteousness *n* پارسایی، پرهیزگاری، درستکاری

rightful *adj* ذی‌حق؛ برحق؛ منصفانه، عادلانه

a rightful heir وارث بالاستحقاق، وارث برحق

rightful claims دعاوی حقه

rightfully *adv* حقاً، با داشتن حق

rightfulness *n* حقانیت، حق

right-hand /'raɪt hænd/ *adj* واقع در دست راست

right-hand man کمک واقعی و ذی‌قیمت

right handed /ˌraɪt'hændɪd/ *adj* راست‌دست؛ با دست راست زده شده؛ راستگرد

right hander /ˌraɪt'hændə(r)/ *n* آدم‌راست‌دست؛ ضربت با دست راست

rightly *adv* درست؛ به‌مناسبت؛ حقاً

right-minded /ˌraɪt 'maɪndɪd/ *adj* معقول؛ منصف

rigid /'rɪdʒɪd/ *adj* سخت، سفت؛ جدی

rigidity /rɪ'dʒɪdətɪ/ *n* سختی، محکمی، انعطاف‌ناپذیری؛ سختگیری، خشونت؛ دقت

rigidly *adv* به‌سختی؛ بادقت

rigmarole /'rɪgmərəʊl/ *n* چرند، حرف بی‌ربط

rigor /'rɪgə(r)/ *n,L* لرز (پیش از تب)، لرز شدید ناگهانی؛ سفتی عضلانی

rigor mortis *L* جمود نعش

rigor /'rɪgə(r)/ *n* = rigour

rigorous /'rɪgərəs/ *adj* سخت، سختگیر

rigour /'rɪgə(r)/ *n* سختی؛ خشونت؛ سختگیری؛ دقت زیاد؛ ریاضت

rile /raɪl/ *vt,Sl* خشمگین کردن

rill /rɪl/ *n* جویبار، جوی کوچک

rim /rɪm/ *n,vt* [-med] ۱.دوره، زهوار؛ کنار، لبه، حاشیه؛ [در چرخ] دوره؛ [در غربال] کم ۲.دوره‌دار یا لبه‌دار کردن، زهوار به (چیزی) گذاشتن؛ دور (چیزی را) گرفتن

rime /raɪm/ *n,vi,vt* ۱.قافیه ۲.(هم)قافیه شدن؛ قافیه ساختن ۳.به‌نظم درآوردن؛ مقفی کردن

put in rime مقفی کردن

without rime or reason بی‌جهت

rime /raɪm/ *n,Poet* = hoar-frost

rind /raɪnd/ *n,vt* ۱.پوست؛ [مجازاً] ظاهر ۲.پوست کندن

ring /rɪŋ/ *n,vt* ۱.حلقه؛ انگشتر؛ محفل؛ میدان، عرصه، گود ۲.دور گرفتن؛ حلقه‌دار کردن؛ حلقه‌ای بریدن، قاش کردن؛ [با round یا about] احاطه کردن؛ با هم جمع کردن (گله)

ring a bull حلقه در بینی گاو کردن

make rings round a person دست کسی را از پشت بستن

ring/rɪŋ/*vi,vt* [rang;rung] ,*n* ۱.زنگ زدن؛ صدا کردن؛ طنین انداختن ۲.زدن زنگ؛ با زدنِ زنگ اعلام کردن؛ به وسیلهٔ صدا آزمودن (سکه) ۳.صدای زنگ (تلفن)؛ طنین

ring for someone با زنگ کسی را صدا کردن

ring off [تلفن] قطع کردن

ring up (به کسی) تلفن کردن

ring with منعکس کردن

There is a ring at the door صدای زنگ در می‌آید

give a ring (to) زدن (زنگ)

ring down [پرده تئاتر]باصدای زنگ پایین‌آوردن

ring in the New Year (با زدن زنگ) حلول سال نو را اعلام کردن

ringed *adj* حلقه‌دار؛ حلقه‌وار؛ عقد کرده

ringleader /'rɪŋli:də(r)/ *n* سردستهٔ اوباش

ringlet /'rɪŋlɪt/ *n* حلقهٔ زلف؛ حلقه کوچک

ringlety *adj* حلقه‌دار؛ مانند طرهٔ زلف

ringmaster /'rɪŋmɑ:stə(r)/ *n* رئیس سیرک

ringworm /'rɪŋwɜ:m/ *n* [پزشکی] عفونت قارچی، کچلی

rink /rɪŋk/ *n,vi* ۱.سُرسرهٔ یخی؛ زمین پاتیناژ، زمین اسکیت بازی ۲.سُریدن، سُر خوردن

rinse /rɪns/ *vt,n* ۱.آبکشی کردن، آب کشیدن؛ [با out] غسل دادن، شستن ۲.آب‌کشی، غسل

rinse down به کمک چیز آبکی قورت دادن

riot /'raɪət/ *n,vi* ۱.آشوب‌هرزگی ۲.بلوابه‌راه‌انداختن

Act Riot قانون‌پراکنده ساختنِ اجتماعات آشوب‌طلب

run riot لجام گسیخته بودن؛ به‌طور هرزه روییدن

rioter *n* آشوب‌طلب

riotous /'raɪətəs/ *adj* فتنه‌جو، آشوب‌کن، بلواکن؛ هرزه، عیاش

rip /rɪp/ *vt,vi* [-ped] ۱.شکافتن [با out]؛ دریدن [گاهی باup]؛ ترکانیدن (سنگ)؛ [با off] جدا کردن، بریدن؛ [با up] دوباره شکافتن، [مجازاً] تازه کردن (غم کهنه) ۲.پاره شدن؛ باشتاب جلو رفتن ۳.دریدگی، شکاف؛ اسب فرسوده؛ آدم بداخلاق

Let it rip. جلوش را ول کنید.

ripe /raɪp/ *adj* رسیده، پخته؛ [مجازاً] جا افتاده؛ قابل استفاده؛ مستعد

of ripe years کامل، پا به سن گذاشته

ripe beauty زیبایی زنِ رشد کرده

ripen /'raɪpən/ *vi,vt* ۱.رسیدن؛ عمل آمدن؛ آماده شدن، قابل استفاده شدن ۲.رساندن؛ عمل آوردن

ripeness *n* رسیدگی، بلوغ

ripping *adj,Sl* عالی، ماه

ripple /'rɪpl/ *n,v* ۱.موج کوچک؛ چین(و شکن)؛ قلقلهٔ خفیف ۲.موج‌دار کردن؛ موج‌دار شدن

rise /raɪz/ *vi* [rose;risen] ,*n* ۱.برخاستن، بلند شدن؛ بالا رفتن؛[در گفتگوی از پردهٔ نمایش]؛ خاتمه یافتن؛ قیام کردن؛ به‌هم خوردن (دل)؛ ورآمدن (نان)؛ طلوع کردن؛ نمودار شدن؛ ترقی کردن؛ سرچشمه گرفتن،ناشی شدن؛ بشاش شدن؛ عرض‌اندام کردن ۲.خیز؛ صعود؛ طلوع؛ سربالایی؛ ترقی؛ بلندی؛ شیب؛ سرچشمه؛ منبع؛ قیام

on the rise رو به افزایش (یا ترقی)

give rise to... مایهٔ ... شدن

take its rise in از ... سرچشمه گرفتن

get (*or* take) a rise out of سر لج انداختن، (کسی را) درآوردن

risen /'rɪzn/ [*pp of* rise]

riser *n* برخیزنده

early riser زودخیز، سحرخیز
risibility /ˌrɪzəˈbɪlətɪ/ *n* تمایل به خنده
risible /ˈrɪzəbl/ *adj* مستعد خنده، خندان؛ مربوط به‌خندیدن
rising *n,apa* ۱.قیام؛ طغیان؛ طلوع؛ رستاخیز ۲.طالع، طلوع‌کننده؛ قیام‌کننده؛ صعودکننده؛ ترقی‌کننده؛ (روی کار) آینده
the rising generation نسل جوان
risk /rɪsk/ *n,v* ۱.مخاطره؛ خطر احتمالی، بیم؛ خطرورزی ۲.به‌مخاطره انداختن؛ با بیم خطر اقدام کردن به، خطر کردن
at the risk of his life با به خطر انداختن جان خود
at owner's risk با قید اینکه هر گونه خسارت به‌عهدهٔ صاحب جنس باشد
run risks دل به دریا زدن، خود را به مخاطره انداختن
risky *adj* مخاطره‌آمیز، متضمن احتمال زیان؛ خارج از نزاکت
risqué /ˈriːskeɪ/ *adj,Fr* خارج از نزاکت
rissole /ˈrɪsəʊl/ *n* غذایی شبیه به شامی
rite /raɪt/ *n* آیین، مراسم، آداب، شعایر، مناسک
ritual /ˈrɪtʃʊəl/ *n* مراسم عبادت؛ تشریفات
ritualism /ˈrɪtʃʊəlɪzəm/ *n* رعایت تشریفاتِ عبادتی و مذهبی (به‌حد افراط)؛ آداب‌پرستی
ritualist /ˈrɪtʃʊəlɪst/ *n* آداب‌پرست، رعایت‌کنندهٔ آداب دینی(به حد افراط)
ritualistic /ˌrɪtʃʊəˈlɪstɪk/ *adj* مبنی بر آداب‌پرستی؛ آداب‌پرستانه
rival /ˈraɪvl/ *n,vt* [-led] ۱.رقیب، حریف؛ مانند، نظیر ۲.همچشمی کردن با، برابری کردن با
a rival wife هَوو
rivalry /ˈraɪvlrɪ/ *n* همچشمی، رقابت، (کوشش برای) برابری
rive /raɪv/ *v* [rived; riven *or* rived] شکافتن، ترکاندن، ترکیدن
riven /ˈrɪvn/ [*pp of* rive]
river /ˈrɪvə(r)/ *n* رودخانه؛ [مجازاً] سیل
river-bed /ˈrɪvəbed/ *n* بستر رود
riverside /ˈrɪvəsaɪd/ *n* کنار یا ساحل رود؛ [به‌طور صفت] واقع در کنار رودخانه، ساحلی
rivet /ˈrɪvɪt/ *n,vt* ۱.میخ پرچ ۲.پرچ کردن؛ با میخ پرچ میخکوب‌کردن؛ دوختن (چشم)؛ جمع کردن (حواس)
rivulet /ˈrɪvjʊlɪt/ *n* جویبار، نهر کوچک
roach /rəʊtʃ/ *n* نوعی‌ماهی‌ریز قنات

roach /rəʊtʃ/ *US* = cockroach *n*
road /rəʊd/ جاده، راه؛ خیابان
the road to Tehran جادهٔ تهران
on the road در راه، در سفر
take the road رهسپار شدن؛ راهزنی کردن [معنی قدیمی]
royal road آسانترین راه
in the road مانع راه، در سر راه
get in one's road مانع کسی شدن، در سر راه کسی ایستادن
roadbed /ˈrəʊdbed/ *n* کف جاده؛ زیرسازی
road-bill /ˈrəʊdbɪl/ *n* بارنامه
road-book /ˈrəʊdbʊk/ *n* راهنمای راهها
road-hog /ˈrəʊdhɒg/ *n* رانندهٔ بی‌پروا
road-house /ˈrəʊdhaʊs/ *n* مهمانخانهٔ بین راه
roadman /ˈrəʊdmæn/ *or*
roadmender /ˈrəʊdmendə(r)/ *n* مأمورِ تعمیر جاده
road-metal /ˈrəʊd metl/ *n* سنگِ سنگفرش
roadside /ˈrəʊdsaɪd/ *n* کنار جاده یا خیابان؛ [به‌طور صفت] واقع‌در کنار خیابان
roadstead /ˈrəʊdstəd/ *n* لنگرگاه طبیعی
roadster /ˈrəʊdstə(r)/ *n* اتومبیلِ روباز دونفره
roadway /ˈrəʊdweɪ/ *n* سواره‌رو، وسط خیابان
roam /rəʊn/ *v,n* ۱.گردش کردن (در) ۲.گردش
roan /rəʊn/ *adj,n* (اسب) قزل یا سرخ تیره
roar /rɔː(r)/ *vi,vt,n* ۱.غرش کردن، غریدن؛ داد زدن ۲.با صدای بلند گفتن یا خواندن [بیشتر با out] ۳.غرش، نعره؛ فریاد؛ قاه قاه (خنده)؛ های های (گریه)
roar down با تشر خاموش کردن
set in a roar از خنده روده‌بر کردن
roaring *n,apa* ۱.غرش؛ خُرخُر ۲.غرش‌کننده؛ رعد و برق‌دار
He drives a roaring trade.
کار و بارش در کسب بسیار خوب است.
roast /rəʊst/ *vt,vi,n* ۱.کباب کردن، سرخ کردن؛ بو دادن ۲.کباب شدن ۳.کباب؛ گوشت کبابی
rule the roast اختیارداری کردن
roaster *n* وسیلهٔ بو دادن قهوه؛ جوجهٔ کباب کردنی
rob /rɒb/ *vt* [-bed] غارت کردن
rob a person of his money پول کسی را به زور از او گرفتن
robber *n* دزد؛ راهزن
robbery /ˈrɒbərɪ/ *n* دزدی؛ راهزنی؛ غارتگری

robe /rəʊb/ *n,vt,vi* ۱.خرقه، ردا، جبه؛ جامهٔ بلند زنانه ۲.با خرقه یا ردا پوشاندن ۳.خرقه یا ردا پوشیدن
robin /'rɒbɪn/ *n* سینه‌سرخ [redbreast]
Robin Goodfellow /,rɒbɪn 'gʊdfeləʊ/ *n* نام جنی که با وجودِ شیطنت خوش‌طینت است
robot /'rəʊbɒt/ *n* آدم‌واره، آدم مصنوعی، روبات
robust /rəʊ'bʌst/ *adj* تنومند؛ نیرومند
roc /rɒk/ *n* رُخ [مرغ بزرگ افسانه‌ای]
rock /rɒk/ *n* خاره، صخره، کمر؛ سنگ؛ نوعی شیرینی مانند آب‌نبات
  on the rocks شکسته؛ به‌کلی بی‌پول
  the Rock جبل‌الطارق
rock /rɒk/ *vt,vi,n* ۱.جنباندن؛ تکان دادن ۲.جنبیدن ۳.جنبش، تکان
rock-bottom /,rɒk 'bɒtəm/ *adj,n* ۱.نازلترین ۲.نازلترین حد
rocker *n* صندلیِ گهواره‌ای؛ روروه: چوب زیر گهواره یا صندلی
rockery = rock garden
rocket /'rɒkɪt/ *n,vi* ۱.موشک؛ فشفشه ۲.موشک‌وار رفتن
rock garden /'rɒk gɑ:dn/ *n* سنگستانی که برای رشد گیاهان کوهی در زمینی احداث کنند، باغ گیاهان کوهی
rocking chair /'rɒkiŋ tʃeə(r)/ *n* صندلی گهواره‌ای
rocking horse /'rɒkiŋ hɔ:s/ *n* اسب چوبیِ گهواره‌ای
rock salt /'rɒk sɔ:lt/ *n* نمک کوهی، نمک ترکی
rocky /'rɒkɪ/ *adj* خاره‌ای؛ پرصخره؛ ناهموار؛ سست، جنبنده
rococo /rə'kəʊkəʊ/ *adj* دارای آرایشهای زیاد و عاری از لطافت
rod /rɒd/ *n* عصا؛ چوب؛ میل، میله؛ واحد درازا برابر با پنج یارد و نیم
  make a rod for one's own back بلا برای جان خود خریدن
rode /rəʊd/ [*p of* ride]
rodent /'rəʊdnt/ *adj* قراضه
roe /rəʊ/ *n* [roe] = roe-deer
roe /rəʊ/ *n* تخم(های) ماهی
roe-buck /'rəʊ bʌk/ *n* گوزن نر
roe-deer /'rəʊ dɪə(r)/ *n* نوعی گوزن
Roentgen rays /'rɒntjən reɪz/ *npl* پرتو رونتگن، اشعهٔ ایکس
rogue /rəʊg/ *n* آدم رذل؛

...به‌شوخی] بچهٔ شیطان یا ناقلا
roguery /'rəʊgərɪ/ *n* ...ست فطرتی؛ دغلی؛ ...ذاتی، شیطنت
roguish /'rəʊgɪʃ/ *adj* ...ست‌فطرت، پدرسوخته؛ ...ذات؛ بذله‌گو؛ شیطنت‌آمیز
roister /'rɔɪstərə(r)/ *vi* ...ات و شوت و شادی کردن
role /rəʊl/ *n,Fr* ...نش، رُل؛ وظیفه
roll /rəʊl/ *n,vt,vi* ...طومار، لوله؛ توپ، طاقه؛ ...سورت، فهرست؛ (گردهٔ) نان؛ [مجازاً] غلت، ...ردش؛ موج؛ غرش ۲.غلتاندن؛ گرداندن؛ گلوله ...ردن،پیچیدن [با up]؛ تیرک زدن، با وردنه ...هن‌کردن؛ غلتک زدن؛ به غرش درآوردن ...غلتیدن؛ تلاطم کردن؛ غریدن (رعد)
  a roll of tobacco ...تون پیچیده
  roll of honour ...ورت کسانی که در ...نگ برای میهن فداکاری کرده‌اند
  call the roll ...اضر و غایب کردن
  on the rolls of ... زمرهٔ
  strike off the rolls ...صورت وکلا یا پزشکان خارج کردن
  rolled gold ...کش طلا
  a rolling stone ...نگ غلتان؛ [مجازاً] ...سی که یک کار ثابت را تعقیب نمی‌کند
  have a rolling gait ...لانه سلانه راه رفتن
  roll up ...ی هم جمع شدن، روی هم رفتن
roll-call /'rəʊl kɔ:l/ *n* ...اضر و غایب
roller /'rəʊlə(r)/ *n* ...تک، بام غلتان، استوانه
  steam roller ...ده صاف‌کن، غلتک
  roller bandage ...م‌بند
  roller skate ...ش غلتک‌دار، اسکیت
rollick /'rɒlɪk/ *n,vi* ...وشحالی (کردن)؛ ...ست‌وخیز (کردن)
rolling-mill /'rəʊlɪŋ mɪl/ *n* ...رخانهٔ تنکه‌سازی یا میل‌سازی (از آهن)
rolling-pin /'rəʊlɪŋ pɪn/ *n* ...دنه، تیرک
rolling-stock /'rəʊlɪŋ stɒk/ *n* ...دونه‌های ریل‌دار، نواقل روی خط
roll-top desk /,rəʊltɒp 'desk/ *n* ...کشودار که قسمت بالای آن جمع می‌شود
roly-poly /,rəʊlɪ 'pəʊlɪ/ *n* ...ی نان یا ...یر مربایی؛ بچهٔ خپل یا چاق و چله
Roman /'rəʊmən/ *adj,n* ...ومی، منسوب به ... مربوط به کاتولیک رمی ۲.اهل شهر رم
  Roman numerals ...م رومی(مانند XI)
  Roman type ...ف معمولی و راست ... برابر حروف خوابیده (italics)]

romance /rəʊ'mæns/ *n,vi* ۱.رُمانِ ماجراجویانه یا عاشقانه؛ شرح جالب توجه و اغراق‌آمیز، رمانس ۲.داستان اغراق‌آمیز گفتن

Romance /rəʊ'mæns/ *adj* مربوط به زبانهایی که از لاتین گرفته شده‌اند

romancer *n* رمان‌نویسِ قرون میانه؛ اغراقگو

Romanesque /ˌrəʊmə'nesk/ *n,adj* [در معماری] سَبک رومی

Romanic /rəʊ'mænɪk/ *adj* لاتینی، لاتین نژاد وابسته به‌تمدن رومی‌ها

romantic /rəʊ'mæntɪk/ *adj* خیالی، رویایی؛ غیرعملی؛ مبنی بر زیبایی‌های غیرمنظم که ناشی از احساسات و ذوق شخصی باشد؛ رمانتیک

omanticism /rəʊ'mæntɪsɪzem/ *n* اصالت تصور و احساسات؛ آزادگی از قیود؛ رمانتیسم

Romany /'rɒmənɪ/ *n* کولی؛ زبان کولیها

omp /rɒmp/ *vi,n* ۱.دنبال هم دویدن و جیغ زدن ۲.دختری که مایل به‌بازی پسرانه و پرصدا است

omper *n* رولباسی بچه‌گانه

romper suit; rompers *npl* رولباسی بچه‌گانه با شلوار

ood /ru:d/ *n* (صورت عیسی بر) صلیب؛ یک‌چهارمِ acre

oof /ru:f/ *n,vt* ۱.سقف، بام ۲.پوشاندن، مسقف کردن

roof of the mouth = palate

under his roof مهمان او، در پناه او

oofless *adj* بی‌سقف؛ بی‌پناه؛ دربه‌در

ook /rʊk/ *n* [شطرنج] رُخ

ook /rʊk/ *n,vt* ۱.کلاغ سیاه؛ قُماربازِ متقلب ۲.گوش (کسی را) بُریدن

ookery /'rʊkərɪ/ *n* (جای جمع شدن) کلاغان؛ مجموع خانه‌های خراب

om /ru:m/ *n* اتاق؛ جا، فضا؛[مجازاً] مجال

standing-room جا برای ایستادن

three-roomed سه‌اتاقه

omful *n* (به اندازه) یک‌اتاق

roomful of antiques یک‌اتاق (پر از) عتیقه

om-mate /'ru:m meɪt/ *n* هم‌اتاق

omy *adj* جادار

ost /ru:st/ *n,vi* نشیمنگاه پرنده؛ جای‌بیتوته ۲.شب به‌سر بردن، بیتوته کردن

o to roost خوابیدن

roost خوابیده[در لانه یا خوابگاه]

urses come home to roost دشنام به خودِ دشنام‌دهنده برمی‌گردد

oster /'ru:stə(r)/ *n* خروس

root /ru:t/ *n,vt,vi* ۱.ریشه؛ [مجازاً] اصل؛ سرچشمه؛[در جمع] سبزیهای ریشه‌ای مانند هویج و کلم و شلغم که آنها را root-crops نیز می‌گویند ۲.نشاندن؛ جایگیر ساختن؛ کندن؛ جستجو کردن ۳.ریشه گرفتن؛ جایگیر شدن؛ [حیوان] زمین را با پوزه کاویدن

take root ریشه گرفتن، ریشه کردن

root word لغت اصلی، ریشه

root up (*or* out) از ریشه درآوردن؛ [مجازاً] قلع و قمع کردن

root and branch اصلاً و فرعاً، کاملاً

rope /rəʊp/ *n,vt* ۱.طناب، ریسمان؛ بند؛ رشته؛ [مجازاً] آزادی عمل ۲.باطناب بستن

on the rope (با طناب) به هم بسته

the rope طنابِ دار؛ اعدام با طناب

the ropes راه کار، لمّ کار

rope in محصور کردن؛ در جرگه آوردن

rope-dancer /'rəʊp dɑ:nsə(r)/ *n* بندباز، ریسمان‌باز

rope-ladder /ˌrəʊp 'lædə(r)/ *n* نردبان طنابی

rope-walker /'rəʊp wɔ:kə(r)/ *n* بندباز

rope-yard /'rəʊp jɑ:d/ *n* کارگاه طناب‌سازی

rosary /'rəʊzərɪ/ *n* تسبیح؛ وِرد؛ باغ گل، گلستان؛ باغچه گل

rose /rəʊz/ *n,adj* ۱.گلِ سرخ؛ گل و بوته؛ سرِ آب‌پاش، سر شیلنگ آب ۲.گلی، گلی رنگ

yellow rose گل زرد

rose window پنجرهٔ گرد

bed of roses عیش‌ونوش، آسایش کامل

under the rose نهانی، زیرجلی

rose /rəʊz/ [*p of* rise]

roseate /'rəʊzɪət/ *adj* گلگون؛ پرگل؛ گلی؛ [مجازاً] بشاش، خوش‌بین، نیک‌بین

rose-bud /'rəʊz bʌd/ *n,adj* ۱.غنچهٔ گلِ سرخ؛ [مجازاً] دختر زیبا ۲.غنچه‌ای

rose bush /'rəʊz bʊʃ/ *n* گلبن، بوتهٔ گل سرخ

rose-coloured /'rəʊz kʌləd/ *adj* گلی، گلگون

rose-coloured spectacles (عینک) خوش‌بینی

rosemary /'rəʊzmərɪ/ *n* اکلیلِ کوهی

rosette /rəʊ'zet/ *n* گلِ آرایشی

rose-water /'rəʊz wɔ:tə(r)/ *n* گلاب

rosin /'rɒzɪn US: 'rɒzn/ *n,vt* ۱.کلفن، راتیانه ۲.کلفن زدن

rosiness *n* سرخی (بشره)

roster /'rɒstə(r)/ *n* جدول نوبت خدمت

rostrum /'rɒstrəm/ *n* [*pl*-s *or* -tra] کرسیِ خطابه، تریبون

rosy /'rəʊzɪ/ *adj* گلگون، سرخ؛ گلپوش؛ [مجازاً] امیدبخش، روشن

rot /rɒt/ *vi,vt* [-ted] ,*n* ۱.پوسیدن، ضایع شدن؛ حرف بی‌معنی زدن ۲.پوساندن، فاسد کردن؛ بر هم زدن ۳.پوسیدگی، فساد؛ [زبان عامیانه] مهمل؛ کار ابلهانه؛ شکست پی‌درپی

rota /'rəʊtə/ *n* جدول نوبت خدمت

rotary /'rəʊtərɪ/ *adj,n* ۱.گردنده؛ محور گرد ۲.ماشین محور گرد

rotate /rəʊ'teɪt/ *vi,vt* ۱.چرخیدن، حرکت وضعی کردن ۲.بر محور خود گرداندن؛ گردش دادن، به نوبت کاشتن

rotating *apa* گردنده، دوّار

rotation /rəʊ'teɪʃn/ *n* چرخش، گردش، حرکت وضعی؛ نوبت؛ گردش (زراعی)، کشت‌گَرد

rotatory /'rəʊtətərɪ/ *adj* گردشی؛ گرداننده؛ گردنده؛ نوبتی؛ محور گرد

rote /rəʊt/ *n*
- **by rote** از بر؛ طوطی‌وار

rotten /'rɒtn/ *adj* پوسیده، فاسد، ضایع؛ [مجازاً] بی‌کفایت؛ بد

rottenness *n* پوسیدگی، خرابی

rotter /'rɒtə(r)/ *n,Sl* آدم مزخرف

rotund /rəʊ'tʌnd/ *adj* گوشتالو، خپل، گرد و گلوله؛ پر آب و تاب

rotunda /rəʊ'tʌndə/ *n* تالار مدور؛ ساختمان مدور

rotundity /rəʊ'tʌndətɪ/ *n* گردی؛ گوشتالویی، خپلی؛ آب و تاب و روانی (در سخن)

r(o)uble /'ru:bl/ *n* منات، روبل

roué /'ru:eɪ/ *n,Fr* آدم الواط، آدم عیّاش

rouge /ru:ʒ/ *n,v* ۱.سُرخاب؛ گرد زنگ آهن ۲.سرخاب مالیدن

rough /rʌf/ *adj,adv,n,vt* ۱.زبر، خشن؛ درشت؛ ناهنجار؛ بد؛ ناهموار؛ بی‌ادب، بدخلق؛ تقریبی؛ متلاطم؛ نتراشیده، ناصاف ۲. roughly ۳.زمین ناهموار؛ [مجازاً] سختی، ناملایمات؛ آدم لات، آدم هوچی ۴.زبرکردن؛ دستمالی کردن؛[با in یا out] اجمالاً طرح کردن
- **rough customer** آدم تند و بی‌تربیت
- **rough draft** پیش‌نویس، چرک‌نویس
- **have a rough time** بد گذراندن
- **in the rough** به‌صورت پیش‌نویس؛ به‌طور ناتمام یا پرداخت نشده؛ تقریباً
- **rough it** به‌سختی تن دادن، بد گذراندن
- **take the rough with the smooth** نیش و نوش هر دو را تحمل کردن، با بد و خوب روزگار ساختن

roughage /'rʌfɪdʒ/ *n* علوفهٔ خَشَبی؛ مواد سلولزدار

rough-and-tumble /ˌrʌf ən 'tʌmble/ *adj,n* ۱.بی‌نظم، هرکی هرکی ۲.دعوا، کشمکش

roughcast /'rʌfkɑ:st/ *n,vt* ۱.اندود شن و آهک؛ پوشش تگرکی؛ گل‌مالی ۱.طرح کردن؛ گل مالی کردن

roughen /'rʌfn/ *vt,vi* ۱.زبر کردن، خشن کردن، ناهموار کردن؛ [مجازاً] برانگیختن ۱.به‌هم خوردن، متلاطم شدن

rough-hew /'rʌfhju:/ *vt* اصاف بریدن، رشت بریدن؛ طرح کردن، قالب کردن

roughly *adv* ـطور غیردقیق، تقریباً، ـطور کلی؛ باخشونت
- **roughly speaking** طع‌نظرازجزئیات، ـون رعایت دقت، تقریباً

roughneck /'rʌfnek/ *US;Sl* = hooligan

roughness *n* بری، خشونت؛ تندی؛ همواری؛ بی‌تربیتی؛ تلاطم

rough-rider /'rʌf raɪdə(r)/ *n* امکنندهٔ اسب؛ سی که سوار بر اسبهای رام نشده می‌شود

roughshod /'rʌfʃɒd/ *adv* ر اصطلاح زیر]
- **ride roughshod over somebody or something** تنا نکردن، محل نگذاشتن، دیده گرفتن

rough-spoken /ˌrʌfspəʊkən/ *adj* دیداللحن

roulade /ru:'lɑ:d/ *n,Fr* واز] تحریر

roulette /ru:'let/ *n* زی] رولت؛ رخ منگنه بُر؛ بیگودی

round /raʊnd/ *adj,n* گرد، مدور؛ رک(گو)؛ ـسابی، درست؛ مطلق؛ [در پول] الف. بی‌کسر، ـته ب. زیاد، معتنابه ۲.حلقه، قرص؛ گشت، دور؛ ـت؛ میدان؛ پله (نردبان)؛ گروه؛ شلیک، تیر؛ ـتی
- **a round voyage** ـ دوسره
- **round dance** ـص چوبی؛ والس
- **round robin** ـ یا عریضهٔ جمعی که ـاهای آن تشکیل حلقه‌ای دهد
- **this earthly round** گوی خاکی [یعنی زمین]
- **a round of applause** ـلهٔ دسته‌جمعی
- **go the round of...** ـ ... رفتن
- **make one's rounds** ـت زدن، دور زدن

round /raʊnd/ *prep,adv* ـردِ؛ دورِ؛ طرافِ ۲.دور تا دور؛ سرتاسر؛ به‌طور غیرمستقیم
- **show one round** ـی را دور گرداندن و ـای تماشایی را به او نشان دادن

for a mile round تا شعاع یک‌میلی، تا یک‌میل از هر سو
It is 2 metres round دور آن دو متر است، محیطش دو متر است
Tea was served round به همه چای دادند
all round; right round کاملاً گرد
round and round چند دور؛ دورتادور
It will go round برای همه کافی است، به همه خواهد رسید
taking it all round با در نظر گرفتن کلیه جهات (یا تمام جوانب)
all the year round در سرتاسر سال
ound /raʊnd/ *vt,vi* ۱.گرد کردن؛ سرراست کردن؛ کامل‌کردن؛ دور(چیزی) گشتن؛ دور ه جمع کردن ۲.گردشدن؛ کامل‌شدن؛ دور زدن
round off گرد کردن، صاف کردن؛ پرداخت کردن؛ خوب خاتمه دادن
round on چغلی کرد از؛ ناگهان مورد حمله قرار دادن
round up جمع‌آوری کردن، گرد کردن
oundabout /'raʊndəbaʊt/ *adj,n* ۱.غیرمستقیم ۲.چرخ فلک؛ میدان، تقاطع
oundelay /'raʊndɪleɪ/ *n* سرودی که برگردان داشته باشد؛ نوعی رقص دایره‌وار
ound-house /'raʊnd haʊs/ *n* موتورخانه؛ اتاق عقب در عرشهٔ بالای کشتی
oundish /'raʊndɪʃ/ *adj* تا اندازه‌ای گرد
oundly *adv* به‌طور حسابی، کاملاً؛ صریحاً؛ به‌طور مدور
oundness *n* گردی
ouse /raʊz/ *vt,vi* ۱.بیدار کردن؛ رم دادن؛ تحریک کردن؛ خوب به‌هم زدن ۲.بید شدن؛ به‌کار افتادن
ut /raʊt/ *n,vt* ۱.شکست کامل؛ هزیمت ۲.تار و مار کردن، منهزم ساختن؛ شکست دادن
out to rout تار و مار کردن، منهزم کردن
ut /raʊt/ *vi,vt* ۱.ریشه کندن ۲.از ریشه کندن، از ریشه درآوردن
out out به‌زور بیرون آوردن
ute /ru:t/ *n* راه، خط سیر؛ فرمان حرکت
n route *Fr* در راه
utine /ru:'ti:n/ *n,adj* ۱.جریانِ عادی؛ امور عادی اداری ۲.عادی، جاری
s a matter of routine به‌عنوان یک‌کار عادی اداری
ve /rəʊv/ *vi,vt* ۱.گشتن، پرسه زدن ۲.به اطراف نگریستن

rove /rəʊv/ گذشته فعل reeve
rover *n* ولگرد؛ دزدِ دریایی؛ پیشاهنگ بالارتبه
row /rəʊ/ *n* ردیف، قطار، صف
in a row لاینقطع، پیاپی
It is a hard row to hoe (US) کار حضرت فیل است
row /rəʊ/ *vt,vi,n* ۱.با پارو راندن؛ با قایق بردن؛ زدن (پارو) ۲.رانده شدن؛ پارو زدن ۳.قایقرانی
row a race مسابقه قایقرانی دادن
row 30 to the minute دقیقه‌ای سی پارو زدن
row down [در قایقرانی] رسیدن به (قایقران دیگر)
row /raʊ/ *n,vt,vi,Col* ۱.داد و بیداد، نزاع؛ سرزنش ۲.سرزنش کردن ۳.داد و بیداد کردن
kick up a row دعوا راه انداختن، داد و بیداد کردن
get in to a row مورد سرزنش واقع شدن؛ توی دردسر افتادن
rowan /'rəʊən/ *n* سماق کوهی
rowboat /'rəʊbəʊt/ *or* **rowing-boat** *n* قایق پارویی
rowdiness *n* خشونت؛ قیل‌وقال
rowdy /'raʊdɪ/ *n,adj* (آدم) خشن، (آدم) جنجالی
rowel /'raʊəl/ *n,vt* ۱.چرخِ مهمیز ۲.مهمیز زدن
rower *n* پاروزن، قایقران
rowlock /'rɒlək US: 'rəʊlɒk/ *n* پاروگیر
royal /'rɔɪəl/ *adj* سلطنتی، پادشاهی؛ [مجازاً] باشکوه، عالی
His Royal Highness والاحضرت
royalist /'rɔɪəlɪst/ *n* شاه‌پرست، سلطنت‌طلب
royally /'rɔɪəlɪ/ *adv* (به‌طور) شاهانه
royalty /'rɔɪəltɪ/ *n* پادشاهی؛ عضو خانوادهٔ سلطنتی؛ حق‌الامتیاز؛ حق‌التألیف از روی فروش
RSVP /ɑ:r es vi: 'pi:/ = Répondez s'il vous plait *Fr* لطفاً جواب دهید
rub /rʌb/ *vt,vi* [-bed] *,n* ۱.مالیدن؛ پرداخت کردن؛ [گاهی با up] ۲.اصطکاک پیدا کردن ۳.مالش؛ [مجازاً] اشکال
rub with ointment روغن‌مالیدن
rub along لِک و لک کردن، گذراندن؛ کنار آمدن، دوستانه تا کردن
rub away پاک کردن، محو کردن
rub down خوب مالیدن و خشک کردن؛ قشو کردن
Rub it in (Sl) به رخش بکشید، سرکوفتش بزنید
rub off پاک کردن، زدودن

rub out پاک کردن (لکه)، تراشیدن
rub shoulders with others
با مردم آمیزش کردن
rub some one the wrong way
کسی را عصبانی کردن یا سرلج آوردن
give a rub (up) to پاک کردن، خشک کردن
rub-a-dub /ˌrʌb ə ˈdʌb/ *n* صدای طبل
rubbed *ppa* ساییده؛ نخ‌نما (شده)
rubber /ˈrʌbə(r)/ *n,vt* ۱.لاستیک؛ مدادپاک‌کن؛ مشت‌ومال‌دهنده، دلاک؛ [درجمع] گالش؛ بازیِ سه‌دستی ۲.با لاستیک اندودن
rubberized /ˈrʌbəraɪzd/ *adj,US* دارای پوشش لاستیکی
rubber-neck /ˈrʌbənek/ *n,US;Sl* تماشاچی (فضول)
rubbish /ˈrʌbɪʃ/ *n* آشغال، زباله؛ چیز پست و بی‌بها؛ چرند، مهمل
talk rubbish مزخرف یا چرند گفتن
rubbish-bin /ˈrʌbɪʃbɪn/ *n* = rubbish heap
rubbishy *adj* پست، (مانند) آشغال
rubble /ˈrʌbl/ *n* قلوه‌سنگ؛ خرده‌سنگ؛ نخالهٔ بنایی
rub-down /ˈrʌb daʊn/ *n* مالش؛ قشو
rubella /ru:ˈbelə/ *n* سرخجه
rubeola /ru:ˈbi:ələ,ˌru:bɪˈəʊlə/ *n* سرخک
Rubicon /ˈru:bɪkən; US: -kɒn/ *n* نام رودخانه‌ای در ایتالیا
cross the Rubicon دست به کاری زدن که برگشت از آن ممکن نیست
rubicund /ˈru:bɪkənd/ *adj* سالم و قبراق، با لپهای گُل انداخته؛ گلگون
rubric /ˈru:brɪk/ *n* عنوان؛ سرفصل؛ دستور، رهنمود؛ توضیح
ruby /ˈru:bɪ/ *n,adj* ۱.یاقوت ۲.یاقوتی (رنگ)، قرمز
ruck /rʌk/ *n* مردم عادی، چیزهای پیش‌پاافتاده
ruck /rʌk/ *n,vi,vt* ۱.چین، چروک، تا ۲.چین خوردن، چروک شدن ۳.چین دادن، چروک کردن
rucksack /ˈrʌksæk/ = knapsack
ructions /ˈrʌkʃnz/ *npl,Sl* دادو بیداد؛ شلوغ‌پلوغ
rudder /ˈrʌdə(r)/ *n* سُکان
ruddy /ˈrʌdɪ/ *adj* گلگون، سرخ؛ گلچهره
rude /ru:d/ *adj* بی‌تربیت، خشن، بی‌ادب؛ خشونت‌آمیز؛ ناقص؛ ناگهان، غیرمنتظره
in rude health قوی؛ تندرست؛ گردن‌کلفت
rudely *adv* گستاخانه، جسورانه

rudeness *n* ی‌تربیتی، بی‌ادبی، خشونت، گستاخی، بی‌احترامی؛ خامی
rudiment /ˈru:dɪmənt/ *n* صل، مبدأ، در جمع] اصول، مبادی؛ نخستین مرحله؛ اندام شدنکرده
rudimental *adj* دوی، رشد نکرده
rudimentary /ˌru:dɪˈmentrɪ/ *adj* صلی؛ دوی، مقدماتی؛ رشد نکرده
rue /ru:/ *n* گیاه‌شناسی] سُداب
rue /ru:/ *vt,n* .پشیمان شدن (از)، سوس خوردن (از) ۲.تأسف؛ [در شعر] رحم، رقت
rueful /ˈru:fl/ *adj* سف‌آور؛ غمگین
ruff /rʌf/ *n* ۀ چین چینی و آهاردار؛ ر پرنده] طوق
ruffian /ˈrʌfɪən/ *n* دم بی‌شرف و هرزه؛ طی؛ گردن کلفت
ruffianism *n* باشی
ruffle /ˈrʌfl/ *vt,vi,n* .برهم زدن، ولیده کردن؛ [مجازاً] متغیر کردن ۲.متغیر شدن ناهمواری سطح آب؛ چین چینی، توری؛ اضطراب
rug /rʌg/ *n* لیچه
Rugby /ˈrʌgbɪ/ *n* گبی: نوعی فوتبال
Rugby football = Rugby
rugged /ˈrʌgɪd/ *adj* ناهموار، کوه و تپه‌دار؛ مجازاً] خشن؛ درست و با دیانت ولی زمخت و نزاکت
rugger /ˈrʌgə(r)/ = Rugby
ruin /ˈru:ɪn/ *n,vt* خرابی؛ خرابه؛ هلاکت؛ فساد ویران کردن؛ خانه خراب کردن؛ باطل کردن
in ruins انه، خراب
bring to ruin نه خراب کردن
ruination /ˌru:ɪˈneɪʃn/ *n* ریب، ان‌سازی؛ مایهٔ خرابی یا هلاکت
ruined *ppa* ان
ruinous /ˈru:ɪnəs/ *adj* اب(کننده)؛ مان برانداز؛ خراب؛ زشت
rule /ru:l/ *n,vi,vt* انون، قاعده؛ حکومت، له؛ تصمیم؛ متر، خط‌کش ۲.حکمرانی کردن، ومت کردن؛ تصمیم گرفتن؛ متداول بودن سلط داشتن بر، اختیارداری کردن بر؛ جلوگیری ن از؛ اعلام کردن؛ خط‌کشی کردن
as a rule تاً، معمولاً
by rule اً؛ طبق مقرارت
rule off ن یا خط کشیدن (حساب)
rule the roost ارداری کردن
rule out ردن؛ خط زدن
Prices rule high ها بالا است

ruler /'ru:lə(r)/ *n* رئیس‌کشور، حکمران؛ خط‌کش
ruling /'ru:lɪŋ/ *n,apa* ۱.تصمیم، حکم؛ حکمرانی؛ خط‌کشی ۲.متداول؛ غالب، حکمفرما
rum /rʌm/ *n* رُم : عرق نیشکر
rum /rʌm/ *adj,Sl* غریب، عجیب
rumble /'rʌmbl/ *vi,n* ۱.تلق‌تلق کردن؛ غرش کردن؛ قار و قور کردن؛ (چون زمین لرزه) صدا کردن ۲.غرش؛ قار و قور؛ تلق‌تلق
ruminant /'ru:mɪnənt/ *adj* نشخوارکننده؛ [مجازاً] فکور و خاموش
ruminate /'ru:mɪneɪt/ *v* نشخوارکردن؛ [مجازاً] تفکرکردن (در)
rummage /'rʌmɪdʒ/ *v,n* ۱.خوب جستجو کردن، زیر و رو کردن ۲.جستجوی زیاد ؛ خرت و پرت
rummage out (*or* up) با جستجوی زیاد (از میان چیزهای دیگر) درآوردن
rummage sale فروش خرده‌ریز و کالای گوناگون برای مصرف خیریه
rumor /'ru:mə(r)/ *n,vt,US* = rumour
rumour /'ru:mə(r)/ *n,vt* ۱.شایعه، شهرت، خبر(افواهی) ۲.شهرت دادن، افواهاً گفتن
rump /rʌmp/ *n* دمگاه، دمبالچه؛ کفل اسب
rumple /'rʌmpl/ *vt* مچاله کردن، چروک کردن
rumpus /'rʌmpəs/ *n,Col* داد و بیداد
kick up a rumpus داد و بیداد راه انداختن
rum-runner /'rʌm rʌnə(r)/ *n* قاچاقچی مشروبات الکلی؛ کشتی حامل مشروبات قاچاق
run /rʌn/ *vi,vt* [ran,run] ۱.دویدن؛ جاری شدن؛ روان بودن، سلیس بودن؛ غلتیدن؛ حرکت کرد[ن؛] گریختن؛ دایر بودن؛ [در رنگ] پهن شدن؛ کش[یده] شدن؛ گذشتن؛ اعتبار داشتن ؛ رسیدن، کفا[یت] کردن؛ [جوراب] در رفتن؛ بالغ شدن، سر ز[دن] ۲.دوانیدن؛ در مسابقه وارد کردن؛ شرکت کردن (مسابقه)؛ روان ساختن؛ بردن، حرکت دادن؛ ف[...] کردن؛ گذراندن؛ اداره کردن، گرداندن؛ دویدن (قاچاقی) رد کردن؛ صاف کردن؛ گداختن
run across مصادف شدن با
run against تصادف کردن با؛ زدن به
run away گریختن، فرار کردن
run away with برداشتن و در رفتن؛ باشتاب پذیرفتن؛ تمام کردن (پول)
run close سخت دنبال کردن
run down خوابیدن، از کارافتادن؛ ضعف پیدا کردن؛ گیرآوردن، پیداکردن؛ زیر گرفتن؛ بی‌اعتبار ساختن
run in [درگفتگو] دستگیر و زندانی کردن
run in debt قرض به هم رساندن
run in to a person به کسی سرزدن؛ دیدار کوتاه از کسی کردن
run into گرفتار ... شدن؛ برخورد کردن با، تصادف کردن با
It ran into 10 editions ده چاپ خورد، ده بار چاپ شد
run off تند رفتن؛ تند خواندن یانوشتن؛ گریختن؛ اثر نکردن در؛ خالی کردن؛ چاپ کردن؛ نتیجه (چیزی) را معلوم کردن
run on از همان سطر شروع شدن؛ پی‌درپی حرف زدن؛ راجع بودن به؛ ادامه دادن؛ دنبال هم انداختن (فصول)
run out ته کشیدن؛ پیشرفتگی داشتن؛ بیرون آمدن؛ کشیده شدن
run out of تمام کردن، کم آوردن
run over زیرگرفتن؛ مرور کردن، دوره کردن؛ تند خواندن؛ سررفتن
run short کم آمدن
run short of کسرآوردن
run through به‌باد دادن، (توی چیزی) دویدن؛ خط زدن؛ نگاه اجمالی کردن
run an animal through بدن جانوری را سوراخ کردن
run up بالا بردن، بالا آوردن؛ افراشتن؛ جمع زدن؛ بالغ شدن بر، سر زدن به
run up against مواجه شدن با
run upon تصادف کردن با؛ برخوردن به
run wild بی‌بندوبار بودن، خودرو بودن
His eyes run آب از چشمش می‌آید
run the show *Sl* اختیارداری کردن
run errands پیغام بردن
run mad دیوانه شدن
The story runs that حکایت از این قرار است که، چنین گویند که
also ran شخص یا حیوانی که هنر یا کار برجسته‌ای از خود نشان نداده است.
run /rʌn/ *n* [دویدن] دو؛ گریز؛ جریان، وضع؛ مسافرت کوتاه؛ جهت؛ سیر؛ دُور؛ تنزل؛ رشته؛ امتداد؛ هجوم؛ نوع؛ محوطه؛ چراگاه؛ نهر؛ لوله؛ غلت؛ تحریر؛ [در گفتگو] استفاده مجانی
have a run دویدن؛ طالب داشتن
have a run for one's money از پول یا کوشش خود بهره‌بردن
on the run گریزان؛ مشغول دوندگی
runabout /'rʌnəbaʊt/ *n* آدم آواره و سرگردان؛ اتومبیل تک‌نفره؛ قایق موتوری سبک
runagate /'rʌnəgeɪt/ *Arch* = vagabond

runaway /'rʌnəweɪ/ *adj,n* ۱.فراری؛ افسارگسیخته ۲.شخص فراری؛ اسبی که سوار را برداشته باشد
rune /ru:n/ *n* هریک از حروفِ الفبایِ خیلی قدیمی اسکاندیناوی‌ها و آنگلوساکسون‌ها؛ تعویذ، افسون
rung /rʌŋ/ *n* پله نردبان؛ میل، میله
rung /rʌŋ/ [*pp of* ring]
runner /'rʌnə(r)/ *n* دونده؛ قاصد؛ مشتری جلب کن؛ سنگ گردنده آسیاب؛ غلتک؛ کناره قالی؛ گرداننده (ماشین)؛ نوعی لوبیای سبز
running /'rʌnɪŋ/ *apa,n* ۱.دونده؛ روان، جاری؛ اجمالی؛ پی در پی، مسلسل ۲.دو؛ ترشح
  running noose *or* **knot** کمند خفت‌دار
  running fight جنگ و گریز
  running headline سرصفحه یا سرستونی که بالای همهٔ صفحات می گذارند
  take up the running پیشقدم شدن
running-board /'rʌnɪŋ bɔ:d/ *n* رکاب
runt /rʌnt/ *n* نوعی گاو کوچک؛ آدم یاجانورِ رشد نکرده
runway /'rʌnweɪ/ *n* کانال، بستررودخانه؛ فرودگاه؛ گذرگاه
rupee /ru:'pi:/ *n* روپیه
rupture /'rʌptʃə(r)/ *n,vt,vi* ۱.گسیختگی؛ قطع (روابط)؛ شکستگی؛ فتق ۲.شکستن؛ قطع کردن؛ غرکردن ۳.دچار فتق شدن
  come to a rupture قطع رابطه کردن
rural /'rʊərəl/ *adj* روستایی؛ زراعتی
ruse /ru:z/ *n* حیله، نیرنگ
rush /rʌʃ/ *n,vt* ۱.پیزر؛ بوریا ۲.باحصیر پوشاندن، باحصیر فرش کردن
  It's not worth a rush یک پول سیاه نمی‌ارزد
rush /rʌʃ/ *vi,vt,n* ۱.یورش کردن؛ ازدحام کردن؛ تند جاری شدن؛ باشتاب رفتن؛ دستپاچگی کردن ۲.تند بردن؛ به زور بردن ؛ فشار (بر چیزی) آوردن؛ تند گذشتن از؛ باحمله ناگهانی تصرف کردن؛ تسریع کردن؛ پول زیادی (از کسی) گرفتن؛ عقب زدن ۳.یورش؛ هجوم
  rush through باشتاب گذرانیدن
  be rushed off one's feet مجال سر خاراندن نداشتن
  rush hour ساعات ازدحام
rushlight *n* چراغ کم‌نور، شمع پیهی
rushy *adj* پیزری؛ نی‌مانند؛ پُرنی؛ نیزار
rusk /rʌsk/ *n* نان برشته؛ سوخاری
russet /'rʌsɪt/ *adj,n* ۱.حنایی، خرمایی مایل به قرمز ۲.نوعی سیب سرخ؛ پارچهٔ زبرحنایی رنگ
Russia /'rʌʃə/ *n* روسیه
Russian /'rʌʃn/ *adj* روسی
rust /rʌst/ *n,vi,vt* ۱.زنگ، زنگار ۲.زنگ زدن، [با out] ازکار افتادن ۳.زنگ‌زده کردن؛ ساییدن
rustic /'rʌstɪk/ *adj* روستایی؛ دهاتی؛ [مجازاً] ناهنجار؛ ساده
rusticity /rʌ'stɪsətɪ/ *n* حالت روستایی
rustiness *n* زنگ‌زدگی
rustle /'rʌsl/ *n,vi* خش‌وخش (کردن)
rustle /'rʌsl/ *vt,US* دزدیدن (گاو یا اسب)
rustless *adj* زنگ‌نزن
rusty *adj* زنگ‌زده؛ نم کشیده؛ خشن؛ ضعیف؛ رنگ برگشته
  turn rusty کج‌خلق شدن
rut /rʌt/ *n,vt* ۱.رد چرخ در جاده؛ روش دیرینه ۲.شیاردار کردن
ruthless /'ru:θlɪs/ *adj* بی‌رحم
rye /raɪ/ *n* چاودار، گندم سیاه
rye-grass /'raɪgrɑ:s/ *n* چخه؛ نوعی‌علف
ryot /'raɪət/ *n* [در هند] رعیت

S,s

S,s /es/ *n* نوزدهمین حرف الفبای انگلیسی
's /es/ ۱.is ۲.has ۳.us
Sabbath /'sæbəθ/ *n,Heb* روز یکشنبه برای مسیحیان و روز شنبه برای یهودیان
saber /'seɪbə(r)/ *n* = sabre
sable /'seɪbl/ *n,adj* ۱.سمور؛ خز سمور؛ [در جمع] لباس عزا ۲.سیاه
sabot /'sæbəʊ US: sæ'bəʊ/ *n,Fr* کفشِ چوبی؛ کفش تخت چوبی
sabotage /'sæbətɑ:ʒ/ *n,Fr* خرابکاری
sabre /'seɪbə(r)/ *n,vt* شمشیر، شوشکه؛ با شمشیر زخمی کردن
sac /sæk/ *n* [در گیاه و حیوان] کیسه
saccharin /'sækərɪn/ *n* ساخارین
saccharine /'sækəri:n/ *adj* قندی، شکری، شیرین؛ دان‌دان

sacerdotal /ˌsæsəˈdəʊtl/ *adj* کشیشی؛ مربوط به کشیشان؛ کشیش‌مآب
sachet /ˈsæʃeɪ/ *n* عنبرچه
sack /sæk/ *n,vt* ۱.کیسه، جوال، گونی؛ اخراج ۲.در کیسه ریختن؛ اخراج کردن
give the sack (to) اخراج کردن
sack coat نیمتنهٔ گشاد و کوتاه
sack race مسابقهٔ دو در حالی که پاها در کیسه باشد
sack /sæk/ *n,vt* غارت (کردن)
sack /sæk/ *n* نوعی شراب سفید
sackcloth /ˈsæk klɒθ/ *n* پلاس؛ گونی
sacking *n* پارچه کیسه‌ای، گونی
sacrament /ˈsækrəmənt/ *n* آیین مذهبی، مراسم عبادی؛ سوگند
the Blessed Sacrament; the Holy Sacrament عشای ربانی، نان عشای ربانی
sacramental /ˌsækrəˈmentl/ *adj* مربوط به شعایر دینی؛ مربوط به عشای ربانی
sacred /ˈseɪkrɪd/ *adj* مقدس؛ محترم؛ مصون
sacred to خاصِ، موقوف به، مختصِ
sacred to the memory of به یادبودِ
sacrifice /ˈsækrɪfaɪs/ *n,vt* ۱.قربانی؛ فداکاری ۲.قربانی کردن، وقف کردن
sacrificial /ˌsækrɪˈfɪʃl/ *adj* (مربوط به) قربانی
sacrilege /ˈsækrɪlɪdʒ/ *n* توهین به مقدسات
sacrilegious /ˌsækrɪˈlɪdʒəs/ *adj* توهین‌آمیز نسبت به مقدسات؛ توهین کننده به مقدسات
sacristy /ˈsækrɪstɪ/ *n* انبار کلیسا
sacrosanct /ˈsækrəʊsæŋkt/ *adj* واجب‌الحرمت، مقدس
sad /sæd/ *adj* غمگین؛ غم‌انگیز؛ تیره‌رنگ
sad dog = rascal; rake
sadden /ˈsædn/ *v* غمگین کردن؛ غمگین شدن
saddle /ˈsædl/ *n,vt* ۱.زین؛ گوشت گُرده ۲.زین کردن
in the saddle سوار؛ [مجازاً] صاحب مقام یا دارای اختیار
saddled with debts زیربار قرض
put the saddle on the wrong horse اشتباهاً کسی را مقصر دانستن
saddle-bag /ˈsædlbæg/ *n* خورجین
saddle-bow /ˈsædlbəʊ/ *n* کوهه یا قاش زین
saddle horse /ˈsædl hɔːs/ *n* اسبِ سواری
saddler /ˈsædlə(r)/ *n* زین‌ساز، سرّاج
saddlery /ˈsædlərɪ/ *n* سراجی؛ زین و برگ
Sadducee /ˈsædʒʊsɪ/ *n* صدوقی: صدوقیان فرقه‌ای از کاهنان یهود در زمان مسیح بودند که بیشتر تمایل به فلسفه داشتند
sadism /ˈseɪdɪzəm/ *n* آزارگری، لذت بردن از آزار دادن دیگری، سادیسم
sadist /ˈseɪdɪst/ *n* آزارگر، کسی که از آزار دادن دیگری لذت‌می‌برد، سادیست
sadistic /səˈdɪstɪk/ *adj* ناشی از سادیسم، آزارگرانه
sadly *adv* غمگینانه؛ سخت
sadness *n* غمگینی، دلتنگی، حزن
safe /seɪf/ *adj,n* ۱.سالم، بی‌خطر؛ اطمینان‌بخش؛ امن؛ بااحتیاط ۲.گاوصندوق
He is safe to be there حتماً (یا یقیناً) آنجا خواهد بود
It is safe to say به جرئت می توان گفت
to be on the safe side برای اینکه احتمال اشتباه (یا خطر) باقی نباشد
safe-conduct /ˌseɪf ˈkɒndʌkt/ *n* امان‌نامه، تأمین‌نامه، خطِ امان
safeguard /ˈseɪfgɑːd/ *n,vt* ۱.نگهداری؛ حمایت ۲.حفظ کردن؛ تأمین کردن
safe-keeping /ˌseɪf ˈkiːpɪŋ/ *n* نگهداری، حفاظت
safely *adv* با اطمینان؛ بدون خطر
safety /ˈseɪftɪ/ *n* سلامت؛ ایمنی؛ بی‌خطری؛ اطمینان؛ [در تفنگ] ضامن
safety-bolt /ˈseɪftɪ bəʊlt/ *n* ضامن
safety match /ˈseɪftɪ mætʃ/ *n* کبریت بی‌خطر
safety-pin /ˈseɪftɪ pɪn/ *n* سنجاق‌قفلی
safety razor /ˈseɪftɪ reɪzə(r)/ *n* تیغ خودتراش
safety-valve /ˈseɪftɪ vælv/ *n* دریچهٔ اطمینان؛ [مجازاً] دررو، مفر
saffron /ˈsæfrən/ *n,adj* ۱.زعفران ۲.زعفرانی
sag /sæg/ *vi,n* ۱.شکم دادن؛ فرو نشستن؛ [مجازاً] تنزل کردن ۲.فرورفتگی، شکم، خمیدگی، افت؛ تنزل بها
saga /ˈsɑːgə/ *n* قصهٔ قهرمانان
sagacious /səˈgeɪʃəs/ *adj* دانا، زیرک، عاقل، کاردان؛ عاقلانه
sagaciously *adv* عاقلانه
sagacity /səˈgæsətɪ/ *n* دانایی
sage /seɪdʒ/ *n,adj* ۱ و ۲.حکیم، دانشمند ۲.دانا؛ خردمندنما
sage /seɪdʒ/ *n* مریم گلی
sago /ˈseɪgəʊ/ *n* پنیر خرما

STU

said /sed/ [*p,pp of* say]
the said book کتاب مزبور یا نامبرده
sail /seɪl/ *n* بادبان، شُراع؛ پره
20 sail ۲۰ فروند کشتی
How many days' sail is it?
با کشتی چند روز راه است؟
take in sail بادبان پیچیدن؛
[مجازاً] روش ملایمتری اتخاذ کردن
in full sail آماده، تیار، مجهز
take the wind out of a person's sail
کسی را با دلیل خودش گیر انداختن یا مجاب کردن
sail /seɪl/ *vt,vi* ۱.راندن؛ با کشتی عبور کردن از؛ با کشتی سفر کردن ۲.کشتیرانی کردن؛ خرامیدن
sail close to (*or* near) the wind
[مجازاً] اندکی از اصول تجاوز کردن
sail in با جدیت و اطمینان به کاری مبادرت کردن
sail into *Col* به باد سرزنش گرفتن
sailing-vessel /'seɪlɪŋ vesəl/ *n*
کشتی بادبانی
sailor /'seɪlə(r)/ *n* ملوان، ملاح
a good sailor کسی که در سفر دریا سرگیجه یا حالت تهوّع به او دست نمی‌دهد
saint /seɪnt/ *adj,n,vt* ۱.قدّیس ۲.پیر، ولی [جمع = اولیا] ۳.جزو اولیا شمردن [وقتی این کلمه به‌صورت لقب به‌کار رود مختصر آن St. می‌شود]
St. Vitus's dance داءالرقص:
نوعی بیماری که با حرکات غیرارادی اندامها با شکل خاصی همراه است
sainthood /'seɪnthʊd/ *n*
مقام و درجهٔ اولیا یا قدیسین
saintliness *n* تقدس؛ تأسی به اولیا
saintly *adj* مقدس؛ درخورِ اولیا
saith /seθ/ *Arch* = says می‌گوید
sake /seɪk/ *n* خاطر
for his sake به خاطر او
salable /'seɪləbl/ *adj* قابل فروش، فروختنی
salacious /sə'leɪʃəs/ *adj* شهوت‌انگیز، مستهجن
salacity /sə'læsətɪ/ *n* شهوت‌انگیزی
salad /'sæləd/ *n* سالاد؛ کاهو
salad dressing سُس ویژهٔ سالاد
salamander /'sæləmændə(r)/ *n* سمندر؛ نوعی مارمولک؛ [مجازاً] کسی که تاب گرمای زیاد دارد
salaried *ppa* حقوق‌بگیر
salary /'sælərɪ/ *n* مواجب، حقوق

sale /seɪl/ *n* فروش
on sale; for sale فروشی
saleable *adj* = salable
salesman /'seɪlzmən/ *n* [-men] فروشنده
salesmanship /'seɪlzmənʃɪp/ *n* فروشندگی
saleswoman /'seɪlzwʊmən/ *n* [-women]
زن فروشنده
salient /'seɪlɪənt/ *adj,n* ۱.برجسته، مهم، چشمگیر ۲.زاویهٔ برجسته
saline /'seɪlaɪn US: li:n/ *adj,n* ۱.نمکدار ۲.دریاچه نمک؛ چشمهٔ آب‌شور
saliva /sə'laɪvə/ *n* بزاق، آبِ دهان
salivary /'sælɪvərɪ/ *adj* بزاقی
sallow /'sæləʊ/ *adj* زرد، رنگ پریده
sally /'sælɪ/ *n,vi* ۱.ضدّ حمله، شبیخون؛ لطیفه؛ لطیفه‌گویی ۲.ناگهان حمله کردن؛ ناگهان رهسپار شدن [بیشتر با out]
salmon /'sæmən/ *n* [salmon] ۱.ماهی آزاد ۲.عنابیِ روشن
salon /'sælɒn/ *n,Fr* تالار نمایش؛
سالن زیبایی؛ محفل
saloon /sə'lu:n/ *n* سالن؛ میکده، بار
saloon car اتومبیل استیشن
salt /sɔ:lt/ *n,adj,vt* ۱.نمک؛ [در جمع] نمک مسهل؛ [مجازاً] مزه ۲.شور؛ نمکدار ۳.نمک زدن؛ در آب‌نمک گذاشتن
He is not worth his salt
لایق نگاه‌داشتن نیست، به درد نمی‌خورد
an old salt ملاح (آزموده)
take with a grain (*or* pinch) of salt
به قید احتیاط تلقی کردن
salt-cellar /'sɔ:lt selə(r)/ *n* نمکدان
saltiness *n* شوری
salt-pan /'sɔ:ltpæn/ *n*
حوضچهٔ نمک‌گیری در ساحل
saltpeter /sɔ:lt'pi:tə(r)/ *n or* **-petre**
شوره (قلمی)
salty *adj* نمکین، (کمی) شور
salubrious /sə'lu:brɪəs/ *adj* سازگار، سالم؛ گوارا
salubrity /sə'lu:brɪtɪ/ *n* سازگاری، گوارایی
salutary /'sæljʊtrɪ/ *adj* سودمند
salutation /,sælju:'teɪʃn/ *n* سلام، درود
salute /sə'lu:t/ *vt,n* ۱.سلام (نظامی) دادن ۲.سلام (نظامی)؛ توپ سلام
at the salute در حال سلام نظامی
take the salute سلام گرفتن

salvage /'sælvɪdʒ/ *n,vt*
۱.جلوگیری از نابودی کالا در حریق و سیل و امثال آن؛ نجات کشتی خسارت دیده و کالای آن ۲.رهانیدن کالا یا سرمایه از خطر نابودی
salvation /sæl'veɪʃn/ *n* رستگاری، نجات
salve /sælv US: sæv/ *n,vt* ۱.مرهم ۲.راحت کردن؛ توجیه کردن؛ از خطرِ غرق شدن یا سوختن رهانیدن
salver /'sælvə(r)/ *n* سینی
salvo /'sælvəʊ/ *n* شلیک چند توپ با هم؛ فریاد دسته‌جمعی
sambo /'sæmbəʊ/ *n* سیاه‌پوست؛ شخص دورگه
same /seɪm/ *adj,pr,adv* ۱.همان؛ یکسان؛ یکنواخت ۲.همان چیز؛ همان کار؛ همان شخص ۳.همان جور
Both are the same هر دو یکی است
all (*or* just) the same باوجود این
at the same time ضمناً، در عین حال؛ در یک وقت
sameness *n* مطابقت، همانی
samovar /'sæməvɑ:(r)/ *n* سماور
sample /'sɑ:mpl/ *n,vt* ۱. نمونه ۲.نمونه (از چیزی) گرفتن؛ امتحان کردن
up to sample مطابق نمونه
sample thief نمونه‌گیر
sampler /'sɑ:mplə(r)/ *n*
پارچهٔ گلدوزی یا سوزن‌دوزی شده که دختران به دیوار می‌آویزند تا نمونه‌ای از هنر ایشان باشد
sanatorium /ˌsænə'tɔ:rɪəm/ *n* [-ria *or* riums]
آسایشگاه (مسلولین)
sanctification /ˌsæŋktɪfɪ'keɪʃn/ *n* تقدیس؛ تطهیر
sanctify /'sæŋktɪfaɪ/ *vt* تقدیس کردن؛ تطهیر کردن، (از گناه) پاک کردن
sanctimonious /ˌsæŋktɪ'məʊnɪəs/ *adj*
مقدس‌نما؛ زاهدانه
sanction /'sæŋkʃn/ *n,vt* ۱.تصویب، تصدیق؛ مجوز؛ جریمه ۲.تصویب کردن؛ تجویز کردن
It is not protected by sanctions
ضمانت اجرایی ندارد
sanctity /'sæŋktətɪ/ *n* تقدس، پاکی؛ حرمت؛ [در جمع] مقدسات
sanctuary /'sæŋktʃʊərɪ US: -ʊerɪ/ *n*
مکان مقدّس؛ بَست، تحصّنگاه؛ تحصّن؛ پناهگاه؛ قُرق، منطقهٔ حفاظت‌شده
take (*or* seek) sanctuary متحصن شدن، بَست نشستن، پناه گرفتن

sanctum /'sæŋktəm/ *n* خلوت، خلوتگاه؛ مکان مقدّس
sand /sænd/ *n,vt* ۱.ماسه؛ شن؛ [در جمع] زمین شنزار؛ کرانه ۲.با ماسه آمیختن یا پوشاندن
plough the sand (*or* sands)
کوشش بیهوده کردن، آب در هاون کوفتن
The sands are running out.
مدت ضرب‌الاجل نزدیک به اتمام است.
sandal /'sændl/ *n* [کفش] صندل
sandal (-wood) /'sændl(wʊd)/ *n*
[چوب] سندل
sandbank /'sændbæŋk/ *n* ساحل شنی
sand-fly /'sænd flaɪ/ *n* نوعی پشهٔ ریز
sandglass /'sændglɑ:s/ *n* ساعت شنی
sandpaper /'sændpeɪpə(r)/ *n,vt*
۱.کاغذ سنباده ۲.سنباده زدن
sandpiper /'sændpaɪpə(r)/ *n*
نوعی پرندهٔ کوچک ساحلی
sandstone /'sændstəʊn/ *n* ماسه سنگ
sandstorm /'sændstɔ:m/ *n* طوفان شن
sandwich /'sænwidʒ US: -wɪtʃ/ *n,vt*
۱.ساندویچ ۲.در میان دو چیزِ ناجور جا دادن
sandwich-man /'sænwɪdʒmæn/ *n* کسی که یک آگهی در جلو و یک آگهی بر پشت خود دارد
sandy *adj* شنی، ماسه‌ای؛ حنایی؛ دارای موی حنایی
sane /seɪn/ *adj* عاقل؛ سالم؛ معقولانه
sang /sæŋ/ [*p of* sing]
sang-froid /ˌsɒŋ'frwɑ:/ *n,Fr* خونسردی
sanguinary /'sæŋgwɪnərɪ/ *adj* خونین؛ خونخوار(انه)؛ فحش‌آمیز
sanguine /'sæŋgwɪn/ *adj* امیدوار، دلگرم؛ سرخ؛ گلچهره
be sanguine of something
نسبت به چیزی خوش‌بین یا امیدوار بودن
sanitarium /ˌsænɪ'teərɪəm/ *n,US* = sanatorium
sanitary /'sænɪtrɪ US: terɪ/ *adj* بهداشتی، صحی
sanitation /ˌsænɪ'teɪʃn/ *n* اقدامات بهداشتی
sanity /'sænetɪ/ *n* سلامت عقل؛ میانه‌روی
sank /sæŋk/ [*p of* sink]
sans /sænz/ *Fr* بدونِ
Santa Claus /'sæntə klɔ:z/ *n* بابانوئل
sap /sæp/ *n,vt* [-ped] ۱.شیره؛ نقب ۲.شیره کشیدن از (درخت)؛ بی‌شیره کردن؛ کم‌کم خراب کردن؛ سست کردن
sapience /'seɪpɪəns/ *n* دانشمندی

sapient /'seɪpɪənt/ *adj* دانشمند [بیشتر در طعنه]
sapless *adj* بی‌شیره؛ بی‌قوه؛ بی‌روح
sapling /'sæplɪŋ/ *n* (نو) نهال؛ نوباوه
sapper *n* سرباز گروه مهندسی
sapphire /'sæfaɪə(r)/ *n* یاقوت کبود
sappy *adj* شیره‌دار؛ مغزدار؛ [در گفتگو] نادان
Saracen /'særəsn/ *n* [در جنگ‌های صلیبی] مسلمان
sarcasm /'sɑ:kæzəm/ *n* طعنه، سخنِ کنایه‌دار، گوشه و کنایه
sarcastic /sɑ:'kæstɪk/ *adj* کنایه‌دار، طعنه‌آمیز
sarcophagus /sɑ:'kɒfəgəs/ *n* تابوت سنگی حجاری شده و منقوش
sardine /sɑ:'di:n/ *n* ساردین
sardonic /sɑ:dɒnɪk/ *adj* مسخره‌آمیز، کنایه‌دار
sarsaparilla /ˌsɑ:spə'rɪlə/ *n* [گیاه‌شناسی] عُشبه، آزَمَلک: گیاهی که ریشه‌اش خاصیت دارویی دارد
sartorial /sɑ:'tɔ:rɪəl/ *adj* مربوط به لباس مردانه
sash /sæʃ/ *n* کمربند؛ حمایل؛ کش پنجره
sassafras /'sæsəfræs/ *n* نوعی درخت امریکایی که پوست آن‌را دم می‌کنند
sat /sæt/ [*p,pp of* sit]
Satan /'seɪtn/ *n* شیطان
Satanic /sə'tænɪk/ *adj* شیطانی
satchel /'sætʃl/ *n* کیف (بنددار)
sate /seɪt/ *vt* = satiate
sateen /'sæti:n/ *n* [پارچه] دبیت
satellite /'sætəlaɪt/ *n* قمر؛ ماهواره؛ [مجازاً] پیرو، ملتزم
satiable /'seɪʃəbl/ *adj* سیرشدنی، سیری‌پذیر
satiate /'seɪʃɪeɪt/ *vt* سیر کردن؛ دلزده کردن، بیزار کردن؛ راضی کردن
satiety /sə'taɪətɪ/ *n* سیری؛ اشباع
to satiety به حد اشباع یا تنفر
satin /'sætɪn/ *n* [پارچه] اطلس، ساتن
satire /'sætaɪə(r)/ *n* هجو؛ شعرِ هجایی؛ مسخره
satirical /sə'tɪrɪkl/ *adj* هجایی؛ لغزخوان
satirically /sə'tɪrɪklɪ/ *adv* هجوکنان؛ به‌طنز
satirist /'sætərɪst/ *n* هجونویس
satirize /'sætəraɪz/ *vt* هجو کردن، مسخره کردن
satisfaction /ˌsætɪs'fækʃn/ *n* خشنودی، رضایت؛ جبران؛ ایفا؛ ادا؛ عوض
to one's satisfaction به دلخواه
satisfactorily *adv* رضایت‌مندانه، باخشنودی
satisfactory /ˌsætɪs'fæktərɪ/ *adj* رضایت‌بخش
satisfied *ppa* راضی؛ متقاعد؛ سیر
satisfied with خشنود از، راضی از
satisfy /'sætɪsfɪa/ *vt* راضی کردن؛ خشنود کردن؛ متقاعد کردن؛ سیر کردن؛ بی‌نیاز کردن؛ ایفا کردن، ادا کردن؛ جبران کردن؛ فرونشاندن (گرسنگی)
satisfy a condition واجد شرط بودن
satisfy the examiners نمرهٔ قابل قبول (نه افتخارآمیز) گرفتن
satrap /'sætræp/ *n* ساتراپ، والی
saturate /'sætʃəreɪt/ *vt* اشباع کردن، سیر کردن؛ آغشتن
saturation /ˌsætʃə'reɪʃn/ *n* اشباع؛ سیری
Saturday /'sætədɪ/ *n* شنبه
Saturn /'sætən/ *n* کیوان، زحل
saturnalia /ˌsætə'neɪlɪə/ *npl* جشن و سرور؛ جشن سالیانه‌ای که در روم باستان به افتخار Saturn برپا می‌کردند
saturnine /'sætənaɪn/ *adj* شوم؛ دلتنگ؛ سنگین
Satyr /'sætə(r)/ *n* [در اساطیر یونان و روم] خدایِ جنگل؛ آدم حشری
sauce /sɔ:s/ *n* سُس؛ [مجازاً] پررویی (آمیخته با خوشمزگی)
sauce-boat /'sɔ:sbəʊt/ *n* ظرف سُس‌خوری
saucepan /'sɔ:spən US: -pæn/ *n* قابلمه
saucer /'sɔ:sə(r)/ *n* نعلبکی
saucer eye چشم‌درشت و گرد و خیره
saucily *adv* گستاخانه، باپررویی
sauciness *n* گستاخی، پررویی
saucy *adj* پررو؛ جسارت‌آمیز
sauerkraut /'saʊəkraʊt/ *n,Ger* نوعی خوراک با کلم آلمانی
saunter /'sɔ:ntə(r)/ *vi,n* ۱.ول گشتن ۲.ولگردی
sausage /'sɒ:sɪdʒ US: 'sɔ:s-/ *n* سوسیس؛ کالباس
savage /'sævɪdʒ/ *adj,n,vt* ۱.وحشی (صفت)، درنده‌خو؛ وحشیانه ۲.(آدم) وحشی ۳.لگد زدن
savagely *adv* وحشیانه؛ بی‌رحمانه
savagery /'sævɪdʒrɪ/ *n* وحشیگری؛ بی‌رحمی
savanna(h) /sə'vænə/ *n* جلگهٔ بی‌درخت [در مناطق استوایی]
savant /'sævənt US: sæ'vɑ:nt/ *n,Fr* دانشمند
save /seɪv/ *vt* نجات دادن؛ پس‌انداز کردن
save one's skin قِسر دررفتن
Save my trouble زحمت مراکم کنید

save /seɪv/ *prep,conj* جز،بجز، مگر
save that جزاینکه، مگر اینکه
saving /'seɪvɪŋ/ *n,apa* ۱.صرفه‌جویی؛ اندوخته، پس‌انداز [در جمع] ۲.خانه‌دار، صرفه‌جو
He has the saving grace of honesty.
اقلاً این یک حسن را دارد که درستکار است.
saving *prep* به استثنای، بجز
a saving clause مادهٔ استثنا(دار)
saving your reverence دور از جناب شما
savings bank /'seɪvɪŋ bæŋk/ *n* بانک پس‌انداز
saviour /'seɪvɪə(r)/ *n* نجات‌دهنده، رهاننده، منجی
savoir-faire /ˌsævwɑː 'feə(r)/ *n,Fr* کاردانی؛ حضورِ ذهن
savo(u)r /'seɪvɪə(r)/ *n,vt,vi* ۱.مزه، طعم ۲.چشیدن؛ بو کردن ۳.دلالت کردن؛ مزه دادن، بو دادن
It savours of revenge
بوی انتقام یا کینه‌جویی از آن می آید
savo(u)ry *adj,n* ۱.خوشمزه؛ خوش‌نمک ۲.دِسِر
savoy /sə'vɔɪ/ *n* کلم‌پیچ
saw /sɔː/ [*p of* see]
saw /sɔː/ *n,vt,vi* [sawed;sawn] ۱.ارّه ۲.اره کردن ۳.اره‌کشی کردن؛ اره شدن
saw /sɔː/ *n* مَثَل، ضرب‌المثل
sawbones /'sɔːbəʊnz/ *n* [زبان عامیانه] جراح، دکتر
sawdust /'sɔːdʌst/ *n* خاک اره
sawn /sɔːn/ *ppa* اره شده، اره کرده
sawyer /'sɔːjə(r)/ *n* اره‌کش
saxhorn /'sækshɔːn/ *n* ساکس هورن: نوعی ساز بادی
saxifrage /'sæksɪfrɪdʒ/ *n* نوعی گیاه که در سنگ می‌روید، کاسرالحجر
saxophone /'sæksəfəʊn/ *n* ساکسوفون: نوعی ساز بادی
say /seɪ/ *v* [said] گفتن، حرف زدن
that is to say یعنی؛ اقلاً
say a lesson درس پس دادن
One would say... گویا... ، گویی...
It goes without saying ناگفته پیداست، بدیهی است
I dare say به جرئت می‌گویم، می توان باور کرد، خیلی احتمال دارد
(Let us) say فرض کنیم، مثلاً بگوییم
I say نگاه کنید؛ راستی!
He says او می‌گوید
It is said that (می) گویند که
I said nothing من حرفی نزدم
say /seɪ/ *n* حرف، مطلب؛ [حقوق] اظهار عقیده
saying *n* گفته، مثل مشهور
as the saying is مَثَلی است مشهور
scab /skæb/ *n* دَلَمهٔ روی زخم، پوست زخم؛ گری، جربِ گوسفندی؛ [مجازاً] اعتصاب‌شکن
scabbard /'skæbəd/ *n* غلاف، نیام
scabbed *adj* گر، جرب‌دار
scabbiness *n* گری، جرب؛ [مجازاً] نکبت
scabby *adj* گر، مبتلا به جرب؛ [مجازاً] کثیف
scaffold /'skæfəʊld/ *n* داربست، چوب‌بست؛ سکوی اعدام
scaffolding /'skæfəldɪŋ/ *n* چوب‌بست، داربست
scal(l)awag /'skæləwæg/ *n* آدم رذل؛ آدم بی‌معنی
scald /skɔːld/ *vt,n* ۱.(با آب گرم) سوزاندن؛ گرم کردن (شیر)؛ با آب گرم شستن ۲.سوختگی
scalding tears اشک حسرت
scale /skeɪl/ *n,vt,vi* ۱.پولک، فلس؛ ورقه؛ پوسته، جرم؛ [مجازاً] پرده، احتجاب ۲.پولک کندن از (ماهی) ۳.پوسته پوسته شدن؛ جرم گرفتن؛ [با off] ور آمدن
The scales fell from his eyes.
چشم حقیقت‌بینش باز شد.
scale /skeɪl/ *n,vt* ۱.کفهٔ ترازو؛ [در جمع] ترازو ۲.وزن داشتن
turn the scale موقعیت را (به نفع کسی) تغییر دادن
turn the scale(s) at وزن داشتن
scale /skeɪl/ *n,vt* ۱.درجه؛ درجه‌بندی؛ مقیاس؛ میزان؛ رشته، ردیف؛ [موسیقی] گام ۲.بالا رفتن از؛ مطابق مقیاس قرار دادن
on the scale of one inch to the mile
به مقیاس یک اینچ در یک میل
scale up (*or* **down**)
مقیاس چیزی را بزرگتر (یا کوچکتر) کردن
scallop /'skɒləp/ *n,vt* ۱.اسکالوپ: نوعی جانور نرم‌تن دوکپه‌ای؛ دالبر، کنگره ۲.کنگره‌دار کردن
scallywag /'skælɪwæg/ *n* = scal(l)awag
scalp /skælp/ *n,vt* ۱.پوست سر ۲.پوست سر (کسی) را کندن
out for scalps عازم جنگیدن و انتقامِ سخت گرفتن از دشمن

scalpel /skælpəl/ *n* چاقوی کوچک جراحی

scaly *adj* فلس مانند؛ پولک‌دار؛ ورقه‌ورقه (شونده)؛ [مجازاً] پست

scamp /skæmp/ *n* آدمِ پست، آدم رذل

scamp /skæmp/ *vt* سرهم‌بندی کردن

scamper /'skæmpə(r)/ *vi* فرار کردن

scan /skæn/ *vt* [-ned] تقطیع کردن؛ اجمالاً نگاه کردن؛ بادقت نگاه کردن

scandal /'skændl/ *n* رسوایی، افتضاح؛ شایعاتِ ننگ‌آور؛ بدگویی؛ تهمت

scandalize /'skændəlaɪz/ *vt* رسوا کردن

scandalmonger /'skændlmʌŋgə(r)/ *n* بدگو

scandalous /'skændələs/ *adj* رسواکننده؛شرم‌آور

Scandinavian /ˌskændɪ'neɪvɪən/ *adj,n* ۱.اسکاندیناوی ۲.اهل اسکاندیناوی

scansion /'skænʃn/ *n* تقطیع

scant /skænt/ *adj* کم، مختصر

scant of money کم‌پول، بی‌پول

scantily *adv* به مقدار کم

scanty *adj* کم؛ تنگ؛ کوچک

scapegoat /'skeɪpgəʊt/ *n* سپرِ بلا

scapegrace /'skeɪpgreɪs/ *n* آدم سبک‌مغز

scar /skɑ:(r)/ *n,vt,vi* [-red] ۱.نشان یا اثر (زخم)، داغ ۲.دارای نشان کردن ۳.(خوب شدن و) نشان باقی گذاشتن

scarab /'skærəb/ *n* سرگین غلتان

scarce /skeəs/ *adj* کمیاب، نادر

make oneself scarce *Col* جیم شدن

scarcely /'skeəslɪ/ *adv* مشکل، به‌زور، به‌زحمت، با اشکال

He is scarcely 20 years old.

به زحمت ممکن است بیست سال داشته باشد.

I had scarcely arrived

تازه وارد شده بودم (که...)

I scarcely know what to say

نمی‌دانم چه بگویم، معطل مانده‌ام که چه بگویم

scarcity /'skeəsətɪ/ *n* کمیابی؛ تنگی

scare /skeə(r)/ *vt,n* ۱.ترساندن؛ رم دادن؛ دفع کردن ۲.ترس بی‌اساس

scarecrow /'skeəkrəʊ/ *n* مترسک، لولوی سرخرمن

scare-headline /'skeəhedlaɪn/ *n* خط درشت و هراس‌انگیز در سرصفحهٔ روزنامه

scaremonger /'skeəmʌŋgə(r)/ *n* شایع‌کنندهٔ اخبار وحشت‌انگیز (و دروغ)

scarf /skɑ:f/ *n* [-fs *or* -ves] روسری؛ اشارپ؛ شال‌گردن

scarify /'skærɪfaɪ/ *vt* تیغ زدن، از رو شکافتن، نشتر زدن؛ [مجازاً] سخت انتقاد کردن

scarlet /'skɑ:lət/ *adj* سرخ

scarlet fever مخملک

scarlet runner نوعی لوبیای سبز

scarlet woman فاحشه

scathing /'skeɪðɪŋ/ *adj* [انتقاد] نیشدار، گزنده

scatter /'skætə(r)/ *vt,vi* ۱.پراکنده کردن، پخش کردن؛ متفرق کردن؛ پاشیدن (تخم) ۲.پراکنده شدن

scatter-brained /'skætə breɪnd/ *adj* پریشان‌خیال، گیج، حواس‌پرت

scavenger /'skævɪndʒə(r)/ *n* آشغالِ جمع‌کن، زباله‌گرد

scenario /sɪ'nɑ:rɪəʊ/ *n* فیلمنامه، سناریو

scene /si:n/ *n* صحنه؛ منظره؛ جای وقوع؛ رویداد؛ گزارش

change of scene تغییر محیط و آب و هوا

make a scene دادوبیداد راه انداختن

scenery /'si:nərɪ/ *n* منظره؛ آرایش صحنه نمایش

scenic /'si:nɪk/ *adj* صحنه‌ای، مجلسی

scent /sent/ *n,vt* ۱.بو؛ عطر؛ ردّ (شکار)، پی؛ سُراغ، سررشته؛ شامه ۲.با شامه تشخیص دادن؛ [مجازاً] پی بردن به؛ عطر زدن (به)

put off the scent پرت کردن

sceptic /'skeptɪk/ *n* اهل شک

sceptical /'skeptɪkl/ *adj* شکاک

sceptre /'septə(r)/ *n or* **-ter** عصای سلطنتی؛ [مجازاً] سلطنت، اقتدار

schedule /'ʃedju:l US: 'skedʒʊl/ *n,vt* ۱.فهرست؛ برنامه؛ جدول (ساعات)؛ ۲.در جدول یا برنامه گذاشتن

scheme /ski:m/ *n,v* ۱.طرح؛ توطئه ۲.(نقشه) طرح کردن؛ توطئه کردن

colour scheme رنگ‌بندی

schemer *n* طرّاح؛ توطئه‌گر

schism /'sɪzəm/ *n* انشعاب، شقاق

schismatic /sɪz'mætɪk/ *adj,n* ۱.ناشی از انشعاب و شقاق ۱و۲.انشعابی

scholar /'skɒlə(r)/ *n* دانشمند؛ محقق؛ بورسیه

scholarly *adj* محققانه، فاضلانه، عالمانه، دانشمندانه

scholarship /'skɒləʃɪp/ *n* دانش، دانش‌پژوهی؛ بورس،کمک هزینهٔ تحصیلی

scholastic /skə'læstɪk/ *adj* درّسی، سکولاستیک

scholasticism /skəˈlæstɪsɪzəm/ *n* فلسفهٔ مدرسی، اسکولاستی‌سیسم
school /sku:l/ *n,vt* مدرسه؛ آموزشگاه؛ مکتب ۲.تأدیب یا تربیت کردن؛ رام کردن؛ عادت دادن
school /sku:l/ *n,vi* ۱.گروهی از جانوران دریایی که با هم حرکت می‌کنند ۲.با هم دسته شدن
schoolboy /ˈsku:lbɔɪ/ *n* دانش‌آموز
schoolfellow /ˈsku:lfələʊ/ *n* هم‌مدرسه
schoolhouse /ˈsku:lhaʊs/ *n* آموزشگاه روستایی
schooling *n* تربیت آموزشگاهی
schoolman /ˈsku:lmən/ *n* [-men] استاد و معلم فلسفه در قرون وسطی
schoolmaster /ˈsku:lmɑ:stə(r)/ *n* معلـم مدرسه
schoolmistress /ˈsku:lmɪstrɪs/ *n* معلمهٔ مدرسه
schoolroom /ˈsku:lru:m/ *n* اتاق درس
schoolteacher /ˈsku:lti:tʃə(r)/ *n* آموزگار دبستان
schooner /ˈsku:nə(r)/ *n* کشتیِ بادبانی که دو یا چند دکل دارد
sciatica /saɪˈætɪkə/ *n* درد عصب سیاتیک
science /ˈsaɪəns/ *n* علم
scientific /ˌsaɪənˈtɪfɪk/ *adj* علمی
scientifically /ˌsaɪənˈtɪfɪklɪ/ *adv* به شیوهٔ علمی؛ موافق اصول علمی
scientist /ˈsaɪəntɪst/ *n* دانشمند
scimitar /ˈsɪmɪtə(r)/ *n* شمشیر
scintilla /sɪnˈtɪlə/ *n* جرقه؛ ذره
scintillate /ˈsɪntɪleɪt US: təleɪt/ *vi* جرقه دادن، برق زدن
scion /ˈsaɪən/ *n* قلمه، نهال، ترکه؛ [مجازاً] نوباوه، نورُسته
scissors /ˈsɪzəz/ *npl* قیچی، مقراض
a pair of scissors یک (عدد) قیچی
scoff /skɒf US: skɔ:f/ *n,vi* ۱.تمسخر، استهزا؛ طعنه ۲.استهزا کردن [با at]
scold /skəʊld/ *vt,n* ۱.سخت سرزنش کردن ۲.زن بددهن و ایرادگیر
scollop /ˈskɒləp/ *n,vt* = scallop
sconce /skɒns/ *n* شمعدان دیوارکوب
scone /skɒn US: skəʊn/ *n* نوعی کیک
scoop /sku:p/ *n,vt* ۱.چمچه؛ ملاقه؛ کفگیر؛ سرطاس؛ خبر تازه‌ای که به دست روزنـامه‌نویس بیفتد ۲.خالی کردن، کشیدن؛ گود کردن، کندن
scoop up جمع کردن
with a scoop; at one scoop; in one scoop در یک وهله
scoot /sku:t/ *vi,Col* زود گریختن
scooter /ˈsku:tə(r)/ *n* موتورسیکلت سبک و کوچک، مینی موتور؛ روروک
scope /skəʊp/ *n* میدان، مجال؛ رسایی، بُرد؛ حدود، حوزه؛ وسعت؛ چشم‌رس
scorch /skɔ:tʃ/ *vt,vi* ۱.سطح (چیزی) را سوزاندن، ۲.سوختن
scorcher *n* روزِ خیلی گرم؛ [در گفتگو] سوار یا راننده تندرو
score /skɔ:(r)/ *n,v* ۱.خط؛ بُریدگی؛ نشان؛ حساب؛ چـوب‌خط؛ گـروه بـیست‌تایی؛ عـنوان، خصوص؛ بابت ۲.خط زدن، خط کشیدن؛ حساب نگاه داشتن؛ [در بازی] بردن
three score and ten هفتاد
on this score از این بابت، از این حیث
run up a score قرض بالا آوردن
scores of people گروه زیادی از مردم
score out خط زدن
Score it under زیر آن خط بکشید
score (off) a person از کسی پیش افتادن، بر کسی پیشدستی کردن
pay off (*or* settle) old scores حساب تصفیه کردن [به معنی تلافی کردن]
scorn /skɔ:n/ *n,vt* ۱.اهانت، خواری ۲.خوار شمردن؛ از (چیزی) عار داشتن
think scorn of حقیر شمردن
He scorns to lie از دروغ گفتن عار دارد
scornful *adj* اهانت‌آمیز؛ تحقیرکننده
Scorpio /ˈskɔ:pɪəʊ/ *n* (برج) عقرب
scorpion /ˈskɔ:pɪən/ *n* کژدم، عقرب
Scot /skɒt/ *n* اسکاتلندی
Scotch /skɒtʃ/ *adj,n* ۱.اسکاتلندی ۲.ویسکی اسکاتلندی
scotch /skɒtʃ/ *vt* آسیب زدن؛ با اقدامات جدی (از چیزی) جلوگیری کردن
Scotchman /ˈskɒtʃmən/ *n* [-men] مرد اسکاتلندی
scot-free /ˌskɒt ˈfri:/ *adj* بی‌تنبیه، بدون مجازات
go scot-free قِسر در رفتن
Scotland Yard /ˌskɒtlənd ˈjɑ:d/ ادارهٔ آگاهی لندن، اسکاتلندیارد
Scots /skɒts/ *adj* ; **Scottish** = Scotch
scoundrel /ˈskaʊndrəl/ *n* آدم رذل یا پست
scoundrelism *n* رذالت

scoundrelly *adj* پست، بدنهاد
scour /'skaʊə(r)/ *vt,vi,n* ۱.پاک کردن، شستن؛ پرداخت کردن؛ ریگ‌مال کردن؛ لایروبی کردن؛ جستجو کردن (در) ۲.دویدن ۳.شستشو
scour off گرفتن یا زدودن (زنگ)
scourge /skɜ:dʒ/ *n,vt* ۱.تازیانه؛ [مجازاً] بلا ۲.تنبیه کردن
scout /skaʊt/ *n,vi* ۱.پیشاهنگ؛ دیده‌بان؛ [در دانشگاه آکسفورد] مستخدم ۲.دیده‌بانی کردن؛ جاسوسی کردن
boy scout پیشاهنگ پسر
scout /skaʊt/ *vt* با استهزا رد کردن
scowl /skaʊl/ *n,vi* اخم (کردن)، ترشرویی (کردن)
scrag /skræg/ *n,vt* [-ged] ۱.آدم یا جانور لاغر؛قسمت استخوانی گردنِ گوسفند ۲.خفه کردن
scraggy *adj* لاغر، استخوانی
scramble /'skræmbl/ *vi,n*
۱.با دست وپا بالا رفتن؛ تقلا کردن ۲.تلاش، تقلا
scrambled eggs خاگینه
scrap /skræp/ *n,vt* [-ped] ۱.تکه، پاره؛ ذره؛ قُراضه؛ [در جمع] ریزه، باقیمانده؛ برش؛ دم قیچی ۲.کنار انداختن؛ قراضه (حساب) کردن
scrap /skræp/ *n,vi,Col* = quarrel
scrap-book /'skræpbʊk/ *n* مجموعه، مرقع
scrape /skrɪep/ *vt,vi,n* ۱.تراشیدن، خراشیدن؛ بریدن؛ پاک کردن؛ به زمین کشیدن؛ پوک کردن [با out]، به زحمت جمع کردن ۲.خراشیده شدن ۳.تراش، خراش؛ گیر، گرفتاری
scrape acquaintance with someone
بدون‌معرفی باکسی آشناشدن
scrape along لِک و لِک کردن
scraper *n* لیسه؛ کفش‌پاک‌کن، گل‌تراش
scrapings *npl* تراشه، خرده؛ [مجازاً] صرفه‌جویی‌های کم
scrapper *n* جنگجو، مشت‌زن
scrappy /'skræpɪ/ *adj* پاره‌پاره؛ نامربوط
scratch /skrætʃ/ *vt,vi,n* ۱.خراشیدن، پنجول زدن؛ خاراندن؛ باشتاب نوشتن؛ اشاره کردن به ۲.زه زدن، عقب کشیدن؛ تقلا کردن ۳.خراش؛ سرِخط
scratch out خط زدن
come up to scratch
[در مسابقه] به موقع رسیدن؛ آماده به‌کار بودن
start at scratch از سر (خط) شروع کردن
scratchy *adj* خط‌خط؛ زبر
scrawl /skrɔ:l/ *vt,n* ۱.بدخط نوشتن، خرچنگ قورباغه نوشتن ۲.خط بد

scrawny /'skrɔ:nɪ/ *adj,Col* استخوانی و لاغر
scream /skri:m/ *n,vi* ۱.فریاد، جیغ ۲.جیغ زدن
scream /skri:m/ *n,Sl* مسخره؛ چیز مضحک
scree /skri:/ *n* [زمین‌شناسی] سنگریز
screech /skri:tʃ/ *vi,n* ۱.(با صدای ناهنجار) جیغ کشیدن ۲.جیغ یا فریاد نامطبوع
screech-owl /'skri:tʃ aʊl/ *n* بوف؛ مرغ حق
screed /skri:d/ *n* سخن یا نامۀ کسل‌کننده
screen /skri:n/ *n,v* ۱.پرده؛ تجیر، تور سیمی؛ غربال، سرند ۲.جدا کردن؛ حفظ کردن؛ تور سیمی گذاشتن؛ نمایش دادن، نشان دادن؛ سرند کردن
screw /skru:/ *n,vt,vi* ۱.پیچ؛ پاکت پیچیده؛ ملخ هواپیما؛ [مجازاً] آدم فرومایه؛ اسب مردنی ۲.پیچ دادن، پیچ کردن، سفت کردن؛ [مجازاً] فشار (بر چیزی) آوردن، اجحاف (بر کسی) کردن؛ به نفع خود تفسیر کردن؛ درهم کشیدن ۳.گشتن، پیچ خوردن؛ [مجازاً] دندان گردی کردن
put the screw on
با فشار و تهدید وادار به کاری کردن
There is a screw loose
یک چیزیش (یا یک جای کار) خراب است
screw to the memory به خاطر سپردن
screw up (با پیچ) سفت کردن؛ پیچیدن (بسته کاغذ)؛ زیاد بالا بردن (اجاره)؛ جمع کردن، غنچه کردن (دهان)
screw up one's courage به خود جرئت دادن
screw money out of a person
به زور از کسی پول گرفتن
screwdriver /'skru:draɪvə(r)/ *n* پیچ‌گوشتی
scribble /'skrɪbl/ *vt,n* ۱.سردستی نوشتن، با شتاب نوشتن ۲.خط بد، یادداشت سردستی
scribe /skraɪb/ *n* نویسنده، کاتب
scrimmage /'skrɪmɪdʒ/ *n* هنگامه
scrimp /skrɪmp/ *vt,vi* = skimp
scrimshank /'skrɪmʃæŋk/ *vi,Col*
از زیر کارِ سخت دررفتن
scrip /skrɪp/ *n,Arch* انبان، توشه‌دان
scrip /skrɪp/ *n* رسید موقتی (سهام)
script /skrɪpt/ *n* دستخط؛ متن، نسخه، دست‌نویس
scriptural /'skrɪptʃərəl/ *adj*
مربوط یا معتقد به کتاب‌مقدس؛ نقلی
Scripture /'skrɪptʃə(r)/ *n* کتاب مقدس
scrivener /'skrɪvnə(r)/ *n* محرر، کاتب
scrofula /'skrɒfjʊlə/ *n* سل لنفاوی غدد گردن
scrofulous /'skrɒfjʊləs/ *adj*
مربوط به سل لنفاوی غدد گردن

scroll /skrəʊl/ *n* طومار

scrounge /skraʊndʒ/ *vt, Col* با حیله به دست آوردن

scrub /skrʌb/ *n* خاشاک؛ [مجازاً] آدم یا جانور پست

scrub /skrʌb/ *vt* [-bed] *, n* ۱.سفت مالش دادن ۲.مالش سخت

scrubby /'skrʌbɪ/ *adj* پست؛ کوچک؛ کثیف

scruff /skrʌf/ *n* پوست پشت گردن

scrumptious /'skrʌmpʃəs/ *adj, Col* لذیذ، لذت‌بخش، مطبوع

scruple /'skru:pl/ *n, vi* ۱.تردید، وسواس، بیم؛ دقت زیاد؛ وزنه‌ای که برابر است با ۲۰ گندم؛ ذره ۲.تردید یا بیم داشتن؛ درنگ کردن

He does not scruple to tell a lie.

باک ندارد از اینکه دروغ بگوید.

scrupulous /'skru:pjʊləs/ *adj* زیاد دقیق، وسواسی؛ ناشی از وسواس؛ دقیق، زیاد [scrupulous honesty]

scrupulously *adv* با دقت زیاد، از روی وسواس؛ به حد افراط

scrutineer /ˌskru:tɪ'nɪə(r)/ *n* [انتخابات] بازرس شمارش آرا

scrutinize /'skru:tɪnaɪz/ *vt* مورد مداقه قرار دادن

scrutiny /'skru:tɪnɪ/ *n* رسیدگیِ دقیق، مداقه، تدقیق؛ رسیدگی به آرا

scud /skʌd/ *vi* [-ded] سبک رفتن، (از پیش باد) رانده شدن

scuff /skʌf/ *vi* راه رفتن و پا به زمین کشیدن

scuffle /'skʌfl/ *n, vi* ۱.نزاع، غوغا، کشمکش ۲.کشمکش کردن

scull /skʌl/ *n, v* ۱.پاروی کوچک ۲.پارو زدن، (قایق) راندن

scullery /'skʌlərɪ/ *n* [در خانه‌های بزرگ و قدیمی] اتاق کوچک برای ظرفشویی در کنار آشپزخانه

scullion /'skʌlɪən/ *n, Arch* شاگرد آشپز، ظرفشوی

sculptor /'skʌlptə(r)/ *n* مجسمه‌ساز، پیکرتراش؛ کنده‌کار

sculptural /'skʌlptʃərəl/ *adj* مربوط به مجسمه‌سازی یا پیکرتراشی

sculpture /'skʌlptʃə(r)/ *n, v* ۱.مجسمه‌سازی ۲.مجسمه ساختن، پیکر تراشیدن؛ شکل دادن

scum /skʌm/ *n* کف؛ [مجازاً] پس‌مانده

scupper /'skʌpə(r)/ *n* مجرای خروج آب از عرشهٔ کشتی

scupper /'skʌpə(r)/ *vt, Col* برهم زدن؛ کشتن؛ غرق کردن (کشتی)

scurf /skɜ:f/ *n* شورهٔ سر؛ پوسته

scurfy *adj* شوره‌ای؛ پوسته پوسته

scurrility /skə'rɪlətɪ/ *n* فحاشی؛ زشتی

scurrilous /'skʌrələs/ *adj* بدزبان، بددهن، فحاش؛ زشت [scurrlous language]

scurry /'skʌrɪ/ *vi, n* ۱.با گامهایِ کوتاه و سریع دویدن ۲.دو با گامهای کوتاه و سریع

scurvy /'skɜ:vɪ/ *n, adj* ۱.اسکوربوت: نوعی بیماری که ناشی از کمبود ویتامین ث در بدن است؛ بی‌ارزش

scutcheon /'skʌtʃən/ *n* = escutcheon

scuttle /'skʌtl/ *n, vt* ۱.جا زغالی ۲.سوراخ کردن و غرق کردن (کشتی)

scuttle /'skʌtl/ *vi, n* ۱.با گامهای کوتاه و سریع دویدن ۲.گام تند؛ گریز

scythe /saɪð/ *n, v* ۱.داس ۲.درو کردن

SE [مخففِ south-east]

sea /si:/ *n* دریا

- **by sea** از راه دریا،با آب
- **at sea** در دریا؛ [مجازاً] سرگشته، گیج
- **follow the sea** ملوان شدن
- **go to sea** ملوان شدن، ملاح شدن
- **sea coast** کرانهٔ دریا،ساحل دریا
- **sea front** نمای دریاییِ شهر
- **sea lion** خوک آبی، فوک
- **sea rover = pirate**

seaboard /'si:bɔ:d/ *n* خط ساحلی

sea-borne /'si: bɔ:n/ *adj* حمل‌شده از راه دریا

sea-dog /'si:dɒg/ *n* نوعی خوک یا سگ دریایی؛ [مجازاً] ملوان کهنه‌کار

seafaring /'si:feərɪŋ/ *adj* دریانورد

sea-girt /'si: gɜ:t/ *adj* محاط در دریا

seal /si:l/ *n, vi* ۱.خوک آبی، فوک ۲.خوک آبی شکار کردن

seal /si:l/ *n, vt* ۱.مُهر ۲.مهر (و موم) کردن، مهر زدن؛ در پاکت را بستن و چسباندن

- **set one's seal to** مُهر کردن، تصدیق کردن
- **under my hand and seal** به امضا و مُهر من
- **seal up** بتونه کردن؛ درز گرفتن، کاغذ گرفتن؛ محکم بستن؛ مهر کردن
- **seal someone's fate** سرنوشت شومِ کسی را رقم زدن، کار کسی را ساختن
- **speak under the seal of confession** اعتراف به گناهان کردن به شرطی که محرمانه بماند

sealed *ppa* مُهر شده؛ [مجازاً] پوشیده
sea-legs /'si: legz/ *n*
احساسِ راحتی روی کشتی در حال حرکت
find one's sea-legs
به‌حرکتِ کشتی عادت کردن و احساس تهوع نکردن
sealing-wax /'si:lɪŋ wæks/ *n* لاک
sealskin /'si:lskɪn/ *n* پوست خوک آبی
seam /si:m/ *n* درز؛ بخیه؛ رگه؛ چروک صورت
seamed *adj* چروک‌خورده، چین‌دار
seaman /'si:mən/ *n* [-men] ملوان، ملاح
seamanship *n* ملوانی، ملاحی
seamless *adj* بی‌درز، یکپارچه
seamstress /'si:mstrɪs/ *n* خیاط زن
seamy /'si:mɪ/ *adj* درزدار؛ درزنما؛ [مجازاً] نامطبوع
séance /'seɪɑ:ns/ *n,Fr* جلسه، سانس
seaplane /'si:pleɪn/ *n* هواپیمای شناور
seaport /'si:pɔ:t/ *n* بندر
sear /sɪə(r)/ *adj or* **sere** پژمرده
sear /sɪə(r)/ *vt* خشکاندن؛ از رو سوزاندن؛ پینه‌خورده کردن
search /sɜ:tʃ/ *n,v* ۱.جستجو؛ تلاش ۲.جستجو کردن، گشتن؛ رسیدگی کردن؛ تلاش کردن
in search of در جستجویِ
search for جستجو کردن
search out (با جستجو) پیدا کردن
searcher *n* جستجوکننده؛ کاراگاه
searchlight /'sɜ:tʃlaɪt/ *n*
نورافکن [برای پیدا کردن کشتی یا هواپیما]؛ پرتو
search-warrant /'sɜ:tʃ wɒrənt/ *n*
اجازه نامهٔبازرسی
seascape /'si:skeɪp/ *n* نقاشیِ منظرهٔ دریا
sea-shore /'si: ʃɔ:(r)/ *n* کرانهٔ دریا، ساحل
seasick /'si:sɪk/ *adj* دریاگرفته، دچار تهوع
seasickness *n* حالت تهوّع در نتیجهٔ مسافرت با کشتی، دریاگرفتگی
seaside /'si:saɪd/ *n* کنار دریا
season /'si:zn/ *n,vt,vi* ۱. فصل، موسم ۲. چاشنی زدن، ادویه زدن؛ خشک کردن (چوب)؛ ملایم‌کردن ۳.آماده استعمال شدن
in season بموقع، بهنگام
out of season بی‌موقع، نابهنگام
seasonable /'si:znəbl/ *adj* درخورِ فصل؛ بموقع، بجا
seasonal /'si:zənl/ *adj* موسمی، فصلی
seasoning *n* ادویه، چاشنی

seat /si:t/ *n,vt* ۱.جا، صندلی، نیمکت؛ مسند، کرسی؛ موضع؛ مرکز، مقر؛ مقام (وکالت)؛ کفِ صندلی؛ خشتک شلوار ۲.نشاندن، جا دادن؛ کف صندلی را تعمیر کردن؛ خشتک شلوار را تعمیر کردن
Take a seat! بفرمایید (بنشینید)!
Be seated! بنشینید، بفرمایید!
The hall seats 500 سالن گنجایش ۵۰۰ نفر را دارد
seaward(s) /'si:wəd(z)/ *adv* سوی دریا، به طرف دریا
seaweed /'si:wi:d/ *n* جُلبک، علف دریایی
seaworthy /'si:wɜ:ðɪ/ *adj* قابل سوار شدن [a seaworthy ship]، با دوام برای مسافرت دریا
secede /sɪ'si:d/ *vi* کناره‌گیری کردن، از عضویت خارج شدن
secession /sɪ'seʃn/ *n* کناره‌گیری؛ جُدایی، انفصال؛ تفکیک
seclude /sɪ'klu:d/ *vt* جدا کردن، مجزا کردن؛ منزوی کردن
seclude oneself گوشه‌نشین شدن
seclusion /sɪ'klu:ʒn/ *n* انزوا؛ گوشهٔ عزلت
second /'sekənd/ *adj,n* ۱. دوم، ثانی؛ بار دوّم؛ مجدد؛ دیگر، اضافی؛ بعدی ۲.دومی، ثانیه؛ [در جمع] آرد نامرغوب، جنس نامرغوب؛ نسخهٔ دوم برات یا سفته
Darius the Second داریوشِ دوم
in the second place دوم آنکه، ثانیاً
at second hand به‌طور غیرمستقیم
He is second to none دومی ندارد
second sight پیش‌بینی، دوراندیشی
second-class ticket بلیط درجه دوم
second /'sekənd/ *vt* تأیید کردن؛ حمایت کردن (از)؛ موقتاً به مأموریت فرعی فرستادن
secondarily *adv* به‌طورفرعی، به‌طور ثانوی، به طور متوسط؛ در درجهٔ دوّم اهمیت
secondary /'sekəndrɪ US: -derɪ/ *adj*
ثانوی؛ فرعی؛ متوسط؛ تابع
secondary school دبیرستان
of secondary importance در درجهٔ دومِ اهمیت
seconder *n* تأییدکننده، پشتیبان
second-hand /ˌsekənd 'hænd/ *adj*
دست دوم، نیمدار، مستعمل؛ [مجازاً] غیرمستقیم
second-hand /ˌsekend 'hænd/ *n* ثانیه‌شمار
secondly *adv* دوم آنکه، ثانیاً
second-rate /ˌsekənd 'reɪt/ *adj* وسط، درجهٔ دوم

secrecy /'si:krəsɪ/ *n* پنهانی، خفا، رازداری
secret /si:krɪt/ *adj,n* ۱.پنهان، سری؛ رازدار ۲.راز، سر
in secret در نهان، درخفا، محرمانه
secretaire /,sekrɪ'teə(r)/ *n,Fr* = desk
secretariat(e) /,sekrə'teərɪət/ *n* دبیرخانه، کارمندان دبیرخانه
secretary /'sekrətrɪ US: rəterɪ/ *n* دبیر، منشی؛ وزیر؛ میز تحریر
Secretary of State [در بریتانیا] وزیر؛ [در امریکا] وزیر امور خارجه
secrete /sɪ'kri:t/ *vt* ترشح کردن، دفع کردن؛ پنهان کردن
secretion /sɪ'kri:ʃn/ *n* تراوش، ترشح، دفع؛ اخفا، پنهان‌سازی
secretive /'si:krətɪv/ *adj* مرموز، تودار
secretiveness *n* مرموزی، توداری
secretly *adv* درنهان، مخفیانه
sect /sekt/ *n* تیره، فرقه
sectarian /sek'teərɪən/ *adj,n* ۱.فرقه‌ای؛ حزبی ۲.عضو فرقه
sectarianism /sek'teərɪzəm/ *n* پیروی از یک تیره یا فرقه؛ فرقه‌گرایی
section /'sekʃn/ *n* برش؛ مقطع؛ بخش، قسمت؛ دسته؛ دایره؛ فصل؛ برزن، محله
sectional /'sekʃənl/ *adj* بخش‌بخش، قطعه‌قطعه؛ فصلی؛ محلی
sector /'sektə(r)/ *n* قطاع دایره؛ [نظام] قسمتی از جبهه
secular /'sekjʊlə(r)/ *adj* دنیوی؛ غیرروحانی؛ عامی، عام
secularism /'sekjʊlərɪzəm/ *n* طرفداری از جدایی دین از سیاست، جهان‌باوری، سکولاریسم
secularize /'sekjʊlərаɪz/ *vt* جدا کردن دین از سیاست، دنیوی کردن امور
secure /sɪ'kjʊə(r)/ *adj,vt* ۱.امن، محفوظ؛ دارای امنیت؛ مطمئن؛ حتمی؛ محکم ۲.محفوظ داشتن؛ تأمین کردن؛ محکم نگاه‌داشتن؛ به دست آوردن
securely *adv* به‌طور محفوظ؛ محکم؛ مطمئناً، با خاطرجمعی
security /sɪ'kjʊərətɪ/ *n* امنیت؛ اطمینان، تأمین؛ سلامت، ایمنی؛ وثیقه؛ ضامن؛ [در جمع] سهام قرضه (دولتی)
Security Council شورای امنیت سازمان ملل متحد
sedan(-chair) /sɪ,dæn ('tʃeə(r))/ *n* تخت روان
sedate /sɪ'deɪt/ *adj* آرام؛ متین، موقر
sedative /'sedətɪv/ *adj* آرام‌بخش، مسکن
sedentary /'sedəntrɪ/ *adj* نشسته؛ نشستنی؛ خانه‌نشین؛ بی حرکت
sedge /sedʒ/ *n* جَگَن، سعد سلطانی
sediment /'sedɪmənt/ *n* رسُوب، دُرد
sedimentary /,sedɪ'mentrɪ/ *adj* رسوبی
sedition /sɪ'dɪʃn/ *n* فتنه
seditious /sɪ'dɪʃəs/ *adj* آشوبگر، فتنه‌انگیز؛ فتنه‌آمیز
seduce /sɪ'dju:s US:'du:s/ *vt* بدراه کردن، گمراه کردن، فریفتن؛ اغوا کردن
seduction /sɪ'dʌkʃn/ *n* فریب، گمراهی؛ جذبه، فریبندگی؛ فریفتگی
seductive /sɪ'dʌktɪv/ *adj* گمراه‌کننده
sedulous /'sedjʊləs/ *adj* ساعی، کوشا
see /si/ *v* [saw,seen] دیدن؛ ملتفت شدن، مراقبت کردن، رسیدگی کردن
May I see you home? اجازه بدهید شما را به خانه برسانم
I will see about it من (به آن موضوع) رسیدگی خواهم کرد
see after = look after see for oneself ازنزدیک مشاهده‌کردن، به چشم خود دیدن
see into وارسی کردن، تحقیق کردن
see through خوب تشخیص دادن، ملتفت شدن، متوجه شدن
see over بازدید کردن
see to it مراقبت کردن
I see! فهمیدم! ها! صحیح!
He has seen service. کارآزموده است، کهنه کار است.
I saw him off the premises. تا جلو در ساختمان او را مشایعت کردم.
seeing that... چون که، حالاکه...
see /si:/ *n* مقر اسقف؛ قلمرو اسقف
the Holy See مقر پاپ؛ واتیکان
seed /si:d/ *n,vi,vt* ۱.بذر، تخم، دانه؛ [مجازاً] نسل ۲.تخم دادن، به تخم نشستن ۳.بذر افشاندن؛ تخم گرفتن (از میوه)؛ از دانه پاک کردن
go (*or* run) to seed تخم ریختن، دانه بستن، دیگر گل ندادن
seed grain بذر، تخم برای کشت
seeder *n* بذرافشان؛ دانه‌گیر
seediness *n* پُرتخمی؛ بدنمایی
seed-leaf /'si:d li:f/ *n* لپه؛ برگچه
seedling *n* نشا؛ گیاه جوان

seed-pearl /'si:d pɜ:l/ *n* مروارید ریز
seedsman /'si:dzmən/ *n* بذرفروش
seedy /'si:dɪ/ *adj* تخمی؛ دانه بسته؛ [مجازاً] بدنما، پست؛ نخ‌نما
seek /si:k/ *v* [sought] جستجوکردن، طلب کردن؛ درصدد برآمدن؛ گشتن
seek advice نظر خواستن
He seeks my life درصددِ گرفتن جان من است
much to seek کمیاب
seek after (*or* for) something جویای چیزی شدن
much sought after بسیار مطلوب
seem /si:m/ *vi* به‌نظر آمدن، به‌نظر رسیدن، نمودن
He seems to have died. ظاهراً مرده است.
seeming *adj* ظاهری، نمایان
seemingly *adv* ظاهراً
seemliness *n* شایستگی، زیبندگی
seemly /'si:mlɪ/ *adj* شایسته، زیبنده
seen /si:n/ [*pp of* see]
seep /si:p/ *vi* تراوش کردن
seepage /'si:pɪdʒ/ *n* تراوش (طبیعی)
seer /sɪə(r)/ *n* پیشگو؛ پیغمبر
see-saw /'si:sɔ:/ *n,vi,adv* ۱.الاکلنگ ۲.الاکلنگ‌بازی کردن؛ بالا و پایین رفتن ۳.بالا و پایین [مانند الاکلنگ]
seethe /si:ð/ *vi* جوشیدن
seethe with anger جوش زدن
segment /'segmənt/ *n,v* ۱.قطعه، تکه، بخش؛ بند ۲.قطعه‌قطعه کردن؛ قطعه‌قطعه شدن
segmentation /ˌsegmən'teɪʃn/ *n* تقسیم به چند قطعه؛ بخش، بند
segregate /'segrɪgeɪt/ *vt,vi* ۱.جدا کردن، مجزا کردن ۲.جدا شدن، مجزا شدن
seigneur /seɪ'njɜ:(r)/ *or* **seignior** /'seɪnjə(r)/ *n* ارباب؛ صاحب تیول
seine /seɪn/ *n* تور ماهیگیری کیسه‌ای
seismic /'saɪzmɪk/ *adj* زلزله‌ای
seismograph /'saɪzməgrɑ:f; -græf/ *n* زلزله‌نگار
seismography /saɪz'mɒgrəfɪ/ *n* زلزله‌نگاری
seismology /saɪz'mɒlədʒɪ/ *n* زلزله‌شناسی
seize /si:z/ *vt,vi* ۱.توقیف کردن، تصرّف کردن، ضبط کردن، گرفتن؛ [مجازاً] درک کردن؛ غنیمت شمردن (فرصت) ۲.متمسک شدن، متشبث شدن
seizure /'si:ʒə(r)/ *n* توقیف، تصرّف، ضبط؛ حملهٔ قلبی یا مغزی

seldom /'seldəm/ *adv* به ندرت
select /sɪ'lekt/ *adj,vt* ۱.برگزیده، منتخب؛ خاص ۲.انتخاب کردن
selection /sɪ'lekʃn/ *n* انتخاب، گزینش؛ مجموعه
natural selection بقای اصلح، انتخاب طبیعی
selective /sɪ'lektɪv/ *adj* منتخب، برگزیده؛ انتخاب‌کننده
selector /sɪ'lektə(r)/ *n* انتخاب‌کننده
self /self/ *n* [selves] خود، خویش
your good self (خود) شما
Pay to self به امضاکننده بپردازید
by one's self تنها
beside one's self (از خود) بیخود
self-absorbed /ˌselfəb'sɔ:bd/ *adj* در فکر خویش، خودخواه
self-abuse /ˌself ə'bju:s/ *n* تضییع نیرو(ی جنسی)
self-acting /ˌself'æktɪŋ/ *adj* خودکار
self-assertion /ˌselfə'sɜ:ʃn/ *n* خودنمایی و ادعا، ابراز وجود
self-assertive /ˌselfə'sɜ:tɪv/ *adj* خودنما و ازخودراضی، دارای اعتماد به‌نفس
self-centred /ˌself'sentəd/ *adj* خودخواه
self-command /ˌselfkə'mɑ:nd/ *n* تسلط بر نفس
self-complacent /ˌselfkəm'pleɪsnt/ *adj* از خود راضی
self-conceit /ˌselfkən'si:t/ *n* خودبینی، عُجب
self-conscious /ˌself'kɒnʃəs/ *adj* کمرو، خجالتی؛ خودآگاه
self-contained /ˌselfkən'teɪnd/ *adj* مستقل؛ خودکفا؛ کامل
self-control /ˌselfkən'trəʊl/ *n* خودداری، کف نفس
self-defence /ˌselfdɪ'fəns/ *n* دفاع از خویشتن
art of self-defence = boxing
self-denial /ˌselfdɪ'naɪəl/ *n* از خودگذشتگی
self-denying *adj* از خودگذشته، دارای کف نفس
self-destruction /ˌselfdɪ'strʌkʃn/ *n* خودکشی
self-determination /ˌselfdɪˌtɜ:mɪ'neɪʃn/ *n* خودمختاری
self-esteem /ˌself ɪ'sti:m/ *n* عزّت‌نفس، مناعت
self-evident /ˌself'evɪdənt/ *adj* بدیهی، پُرواضح

self-existent /ˌselfɪgˈzɪstənt/ *adj* قائم به‌ذات
self-explanatory /ˌself ɪkˈsplænətrɪ/ *adj* بی‌نیاز از توضیح، روشن
self-governing /ˌselfˈgʌvənɪŋ/ *adj* مستقل
self-government /ˌselfˈgʌvənmənt/ *n* استقلال
self-importance /ˌselfɪmˈpɔ: tns/ *n* خودبزرگ‌بینی، خودبینی
self-indulgence /ˌself ɪnˈdʌldʒəns/ *n* تن‌آسایی
self-interest /ˌselfˈɪntrɪst/ *n* نفع شخصی، غرض
selfish /ˌselfɪʃ/ *adj* خودپسند، خودخواه، خودپسندانه، ناشی از خودپسندی
selfishly *adv* خودپسندانه
selfishness *n* خودپسندی
selfless *adj* ایثارگر، فارغ از خود
self-made /ˌselfˈmeɪd/ *adj* خودساخته
self-mastery /ˌselfˈmɑ:stərɪ/ *n* تسلط برنفس
self-neglect /ˌselfnɪˈglekt/ *n* غفلت در توجه به وضع ظاهر خود
self-opinionated /ˌself əˈpɪnɪəneɪtɪd/ *adj* مصرّ در عقاید خود، خودرأی
self-possessed /ˌselfpəˈzest/ *adj* خونسرد
self-possession /ˌselfpəˈzeʃn/ *n* خودداری، متانت، آرامش، ملایمت، خونسردی
self-preservation /ˌself ˌprezəˈveɪʃn/ *n* بقای نفس، صیانت نفس
self-reliance /ˌselfrɪˈlaɪens/ *n* اتکا یا اعتماد به نفس
self-reliant /ˌselfrɪˈlaɪənt/ *adj* متکی به نفس
self-respect /ˌselfrɪˈspekt/ *n* شرافت نفس، حرمت نفس
self-restraint /ˌselfrɪˈstreɪnt/ *n* خـودداری
self-righteous /ˌselfˈraɪtʃəs/ *adj* ریاکار، خودبین
self-sacrifice /ˌselfˈsækrɪfaɪs/ *n* فداکاری، از خودگذشتگی
selfsame /ˈselfseɪm/ *n,adj* همان
self-satisfaction /ˌself ˌsætɪsˈfækʃn/ *n* از خودراضی بودن، خودبینی
self-satisfied /ˌselfˈsætɪsfaɪd/ *adj* از خود راضی
self-seeking /ˌselfˈsi:kɪŋ/ *adj,n* ۱.خودخواه ۲.خودخواهی، جستجوی سود شخص

self-starter /ˌselfˈstɑ:tə(r)/ *n* [ماشین] استارت
self-styled /ˌselfˈstaɪld/ *adj* ساختگی، قلابی، کاذب
self-sufficient /ˌselfsəˈfɪʃənt/ *adj* مستغنی، خودکفا
self-supporting /ˌself səˈpɔ:tɪŋ/ *adj* (از لحاظ مالی) خودکفا، متکی به‌خود
self-taught /ˌselfˈtɔ:t/ *adj* خودآموخته
self-will /ˌselfˈwɪl/ *n* خودرأیی
self-willed /ˌselfˈwɪld/ *adj* خودرأی
sell /sel/ *vt,vi* [sold] ۱.فروختن ۲.(به) فروش رفتن؛ فروش کردن
I sold the book for 50 rials.
کتاب را ۵۰ ریال فروختم.
sell off (کالایی را) ارزان فروختن، (کالایی را) آب کردن
sell up a debtor
دارایی بدهکاری را گرو کشیدن و فروختن
sell out معامله کردن، فروختن
We are sold out of this article
از این جنس دیگر نداریم، همه را برده‌اند
seller *n* فروشنده
salt-seller نمک‌فروش
It is a best seller پُرفروش است
selvage *or* **selvedge** /ˈselvɪdʒ/ *n* لبه یا حاشیهٔ گردباف، ترکی، چله
semantic /sɪˈmæntɪk/ *adj* معنایی
semantics *npl* معناشناسی
semaphore /ˈseməfɔ:(r)/ *n* تیر یا چراغ راهنما؛ دستگاه مخابره یا دادن علامت
semblance /ˈsembləns/ *n* صورتِ ظاهر، شباهت
semen /ˈsi:mən/ *n* منی، نطفه
semester /sɪˈmestə(r)/ *n* نیمسال تحصیلی
semi- *prep* نیم یا نیمه
semi-annual /ˌsemɪˈænjʊəl/ = half-yearly
semicircle /ˈsemɪsɜ:kl/ *n* نیمدایره
semi-circular /ˌsemɪˈsɜ: kjʊlə(r)/ *adj* نیمدایره‌ای
semi-civilized /ˌsemɪˈsɪvəlaɪzd/ *adj* نیمه متمدن
semicolon /ˌsemɪˈkəʊlən/ *n* نام این علامت (؛) در نقطه‌گذاری
semi-detached /ˌsemɪdɪˈtætʃt/ *adj* به خانه‌ای گفته می‌شود که فقط از یک طرف بـه خانه همسایه چسبیده است
semi-final /ˌsemɪˈfaɪnl/ *adj* نیمه نهایی

seminar /ˈsemɪnɑ:(r)/ *n* سمینار
seminary /ˈsemɪnərɪ US: nerɪ/ *n* دانشکدهٔ مذهبی کشیشان کاتولیک
semi-official /ˌsemɪəˈfɪʃl/ *adj* نیمه رسمی
Semite /ˈsi:maɪt/ *n* سامی
Semitic /sɪˈmɪtɪk/ *adj* سامی، یهودی
semi-transparent /ˌsemɪ trænsˈpærənt/ *adj* نیم‌شفاف
semi-weekly /ˌsemɪˈwi:klɪ/ *adj,adv* هفته‌ای دوبار
sempstress /ˈsempstrɪs/ *n* خیاط زن
senate /ˈsenɪt/ *n* سنا، مجلس سنا؛ هیئت رئیسه دانشگاه
senator /ˈsenətə(r)/ *n* سناتور، عضو مجلس سنا
senatorial /ˌsenəˈtɔ:rɪəl/ *adj* مربوط به مجلس سنا
send /send/ *vt* [sent] فرستادن، روانه کردن؛ ارسال داشتن
- **send away** روانه کردن، جواب کردن؛ [با for] سفارش دادن
- **send back** پس فرستادن،برگرداندن
- **send for...** پیِ... فرستادن
- **send word** پیغام دادن،خبر دادن
- **send down** بیرون کردن؛ تنزل دادن
- **send off** فرستادن؛ مشایعت کردن
- **send on** جداگانه فرستادن
- **send out** (نور و حرارت) بیرون دادن؛ (برگ) دادن
- **send up** ترقی دادن،بالا بردن
- **send a person to Coventry** با کسی معاشرت نکردن

sender /ˈsendə(r)/ *n* فرستنده
send-off /ˈsend ɒf/ *n* مراسم بدرود ودعای خیر
senescence /sɪˈnesns/ *n* پیری، پیرشدگی
senescent /sɪˈnesnt/ *adj* پا به سن‌گذاشته
seneschal /ˈsenɪʃl/ *n* خوانسالار
senile /ˈsi:naɪl/ *adj* مربوط به پیری، پیرانه؛ فرتوت؛ خرفت
- **senile decay** آثارِ کبرسن، فرتوتی

senility /sɪˈnɪlətɪ/ *n* کبرِسن، فرتوتی
senior /ˈsi:nɪə(r)/ *adj,n* ۱.بزرگتر، ارشد؛ بالادست؛ مقدّم؛ سابقه‌دار(تر) ۲.مافوق؛ دانش‌آموز یا دانشجوی سال آخر
seniority /ˌsi:nɪˈɒrətɪ/ *n* ارشدیت
senna /ˈsenə/ *n* سنا
señor /seˈnjɔ:(r)/ *n,Sp* آقا
señora /seˈnjɔ:rə/ *n,Sp* بانو
señorita /ˌsenjɔ:ˈri:tə/ *n,Sp* دوشیزه
sensation /senˈseɪʃn/ *n* احساس، حس؛ شور
sensational /senˈseɪʃənl/ *adj* شورانگیز، احساس‌برانگیز، مؤثر؛ حسی
sense /sens/ *n,vt* ۱.حس؛ احساس؛ هوش؛ شعور؛ ادراک؛ معنی؛ مفاد ۲.حس کردن
- *He is out of his senses* حواسش پرت است
- **come to one's senses** به هوش آمدن؛ به خود آمدن، تعقل کردن
- **a man of sense** آدم با شعور
- **talk sense** حرف حسابی زدن
- **make sense** معنی دادن؛ [با of] سر درآوردن از، فهمیدن
- **in a sense** تا اندازه‌ای؛ از یک جهت
- **take the sense of** استمزاج کردن، مزه دهن (کسی) را به‌دست آوردن
- **sense of humour** شوخ‌طبعی، بذله‌گویی

senseless /ˈsenslɪs/ *adj* بی‌حس، بی‌معنی
sensibility /ˌsensəˈbɪlətɪ/ *n* حساسیت؛ حس تشخیص؛ معقول بودن
sensible /ˈsensəbl/ *adj* محسوس؛ آگاه، ملتفت؛ معقول؛ معقولانه
sensitive /ˈsensətɪv/ *adj* حساس
- **sensitive to light** حساس نسبت به نور

sensitively /ˈsensətɪvlɪ/ *adv* به‌طور حساس
sensitivity /ˌsensəˈtɪvətɪ/ *n* حساسیت
sensitize /ˈsesɪtaɪz/ *vt* با داروی ویژه حساس کردن
sensory /ˈsensərɪ/ *adj* حسّی، مربوط به حواس
- **sensory nerves** اعصاب حسّی

sensual /ˈsenʃʊəl/ *adj* شهوانی، جسمانی، نفسانی؛ شهوتران
sensualist /ˈsenʃʊəlɪst/ *n* شهوتران
sensuality *n* شهوترانی
sensuous /ˈsenʃʊəs/ *adj* احساس‌برانگیز
sent /sent/ [*p,pp of* send]
sentence /ˈsentəns/ *n,vt* ۱.جمله؛ حکم، فتوی ۲.محکوم کردن
- **under sentence of death** محکوم به اعدام
- **pass (a) sentence** حکم دادن، فتوی دادن، حکم صادر کردن
- **serve a sentence** به حکم دادگاه زندانی شدن، دوره زندان را طی کردن
- **sentenced to death** محکوم به مرگ، محکوم به اعدام

sentientious /sen'tenʃəs/ *adj* زهدفروش، زهدفروشانه
sentient /'senʃnt/ *adj* درک‌کننده
sentiment /'sentɪmənt/ *n* احساس؛ عاطفه؛ نیت؛ ضعفِ ناشی از احساسات
sentimental /ˌsentɪ'mentl/ *adj* احساساتی؛ عاطفه‌ای؛ برانگیزندهٔ احساسات
sentimentality /ˌsentɪmen'tælətɪ/ *n* احساساتی بودن
sentimentalize /ˌsentɪ'mentəlaɪz/ *v* احساساتی کردن؛ احساساتی شدن
sentinel /'sentɪnl/ *n* نگهبان، کشیک
stand sentinel نگهبانی کردن، کشیک دادن
sentry /'sentrɪ/ *n* نگهبان، کشیک
sentry-box /'sentrɪ bɒks/ *n* جایگاه نگهبانی، کیوسک نگهبانی
sepal /'sepl/ *n* [گیاه‌شناسی] کاسبرگ
separable /'sepərəbl/ *adj* جداشدنی
separate /'sepəreɪt/ *vt,vi* ۱.جدا کردن؛ تجزیه کردن، تفکیک کردن ۲.جدا شدن (از هم)
separate /'seprət/ *adj* جدا، جداگانه؛ سوا، مجزا
separately *adv* جداگانه
separation /ˌsepə'reɪʃn/ *n* فراق، جدایی؛ مفارقت، دوری؛ تفکیک، تجزیه
separatist /'sepərətɪst/ *n* تجزیه‌طلب، جدایی‌خواه
separator /'sepəreɪtə(r)/ *n* وسیلهٔ خامه‌گیری؛ دستگاه تفکیک یا تجزیه
sepia /'si:pɪə/ *n* مرکبی که از ماهیِ cuttle-fish می‌گیرند
sepoy /'si:pɔɪ/ *n* [در هند] سرباز، سپاهی
sepsis /'sepsɪs/ *n* مسمومیت خون
September /sep'tembə(r)/ *n* سپتامبر (نهمین ماه سال میلادی)
septic /'septɪk/ *adj* عفونی
septuagenarian /ˌseptjʊədʒɪneərɪən/ *n,adj* (آدم) هفتادهشتاد ساله
sepulchral /sɪ'pʌlkrəl/ *adj* مقبره‌ای؛ دفنی؛ [مجازاً] تیره، شوم
sepulchre /'seplkə(r)/ *n* مقبره، گور؛ دفن
sepulture /'sepltʃʊə(r)/ *n* = sepulchre
sequel /'si:kwəl/ *n* دنباله؛ نتیجه
sequence /'si:kwəns/ *n* توالی، تسلسل؛ رشته؛ [دستورزبان] مطابقه
sequent /'si:kwənt/ *adj,n* ۱.آتی، بعدی؛ منتج ۲.نتیجه و پی‌آیند

sequential /sɪ'kwenʃl/ *adj* مرتب، منظم؛ پی‌آیند
sequester /sɪ'kwestə(r)/ *vt* توقیف کردن؛ جدا کردن؛ کنار گذاشتن
sequester oneself from the world از جهان کناره گرفتن، گوشه‌نشین شدن
sequestrate /sɪ'kwestreɪt/ *vt* توقیف کردن
sequestration /ˌsi:kwe'streɪʃn/ *n* توقیف
seraglio /se'rɑ:lɪəʊ/ *n* اندرون، حرم
seraph /'serəf/ *n* [-im],*Heb* سراف [جمع = سرافیون]، اسرافیل
seraphic /se'ræfɪk/ *adj* فرشته صفت
Serb /sɜ:b/ *n* اهل صربستان؛ زبان صربی
Serbian /'sɜ:bɪən/ *adj,n* ۱.صربی ۲.زبان صربی؛ اهل صربستان
sere *or* **sear** /sɪə(r)/ *adj* پژمرده
serenade /ˌserə'neɪd/ *n* ساز و آواز شبانهٔ عاشق زیرپنجرهٔ معشوق، سِرناد
serene /sɪ'ri:n/ *adj* آرام، ساکت؛ روشن، صاف؛ بی‌سروصدا
serenity /sɪ'renətɪ/ *n* آرامش؛ صفا
serf /sɜ:f/ *n* سرف: رعیتی که در قدیم روی زمین کار می‌کرد و با زمین خرید و فروش می‌شد
serfdom *n* بندگی، رعیتی
serge /sɜ:dʒ/ *n* [پارچه] فاستونی
sergeant /'sɑ:dʒənt/ *n* گروهبان؛ پایور
sergeant-major گروهبان یکم
sergeant-at-arms مأمور اجرا و انتظامات
serial /'sɪərɪəl/ *adj,n* ۱.مسلسل، ردیف؛ نوبتی؛ دوری؛ ترتیبی؛ جزءجزء ۲.فیلم و داستان دنباله‌دار، سریال
serially *adv* به‌طور مسلسل؛ پی‌درپی
seriatim /ˌsɪərɪ'eɪtɪm/ *adv,L* به‌ترتیب
sericulture /'serɪkʌltʃə(r)/ *n* پرورش کرم ابریشم
sericulturist /'serɪkʌltʃərɪst/ *n* متخصص پرورش کرم ابریشم
series /sɪəri:z/ *n* [series] رشته، ردیف؛ سِری، دوره؛ مجموعه؛ دسته؛ ترتیب؛ تسلسل، توالی
in series به‌طور مسلسل،به ترتیب
serious /'sɪərɪəs/ *adj* جدّی، خطیر؛ موقر؛ سخت، وخیم
Are you serious? جداً می‌گویید؟
seriously *adv* جداً؛ سخت
seriousness *n* اهمیت؛ وخامت
serjeant /'sɑ:dʒənt/ *n* = sergeant

sermon /'sɜ:mən/ *n* موعظه، اندرز
serpent /'sɜ:pənt/ *n* مار
serpentine /'sɜ:pəntaɪn/ *adj* مارپیچ؛ [مجازاً] خائن
serrate /'sereɪt/ *adj* دندانه‌دندانه، دندانه‌دار
serrated /sɪ'reɪtɪd/ *ppa* دندانه‌دندانه، دندانه‌دار، ارّه‌ای
serried /'serɪd/ *adj* به‌هم فشرده
serum /'sɪərəm/ *n* خونابه، سِرُم
servant /'sɜ:vənt/ *n* نوکر، خادم، پیشخدمت؛ بنده؛ شاگرد
civil servant مستخدم یا کارمند دولت
Your obedient servant
بنده شما [در پایانِ نامه‌های رسمی]
serve /sɜ:v/ *vi,vt,n* ۱.خدمت کردن، نوکری کردن؛ به‌کار رفتن ۲.خدمت کردن (به)؛ نوکری کردن در؛ بندگی کردن [serve God]؛ رفع کردن، برآوردن (احتیاج)؛ کفایت کردن؛ کشیدن و دادن (شام و مانند آن)؛ گذراندن، به‌سر بردن؛ به‌کار انداختن؛ سودمند بودن برایِ، به‌درد (چیزی) خوردن؛ راه انداختن (مشتری) ۳.نوبت
serve at table پیشخدمتی کردن
serve as... به جای... به کار رفتن
serve notice on اخطار کتبی دادن به
serve the city with water
آب شهر را تأمین کردن
It does not serve our purpose
به‌کار (یا به درد) ما نمی‌خورد
serve one's term دورهٔ خدمت خود را طی کردن، خدمت خود را انجام دادن
serve time در زندان‌به سر بردن
serve one out تلافی به‌سرکسی درآوردن
serve one a trick به‌کسی حیله زدن
As occasion serves هر وقت اوضاع مساعد باشد
It serves him right! سزاوار است، تا چشمش کور شود
servery *n* اتاق بین آشپزخانه و ناهارخوری‌که‌در آن غذا را می‌کشند، شربت خانه
service /'sɜ:vɪs/ *n,vt* ۱.خدمت، استخدام، نوکری؛ کار؛ بندگی، عبادت، نماز؛ آیین؛ همراهی، کمک، سرویس؛ سودمندی؛ دست، دستگاه؛ اثاثه ۲.تعمیر کردن، روبه‌راه کردن، سرویس کردن
take into service استخدام کردن
I am at your service درخدمت شما هستم
He is of no service to us به‌کار ما نمی‌خورد، رفع احتیاج ما را نمی‌کند
service station تعمیرگاه

serviceable /'sɜ:vɪsəbl/ *adj*
سودمند؛ قابل استفاده؛ آمادهٔ کمک؛ بادوام
serviette /,sɜ:vɪ'et/ *n* دستمال سرِ میز
servile /'sɜ:vaɪl/ *adj* پست، شایستهٔ نوکران؛ وابسته به بَردگان
servility /sɜ:'vɪlətɪ/ *n* پستی، فرومایگی، دنائت
servitor /'sɜ:vɪtə(r)/ *n, Arch* نوکر
servitude /'sɜ:vɪtju:d/ *n* بندگی، بَردگی؛ دورهٔ خدمت یا شاگردی
penal servitude حبس با اعمال شاقه
sesame /'sesəmɪ/ *n* کنجد
session /'seʃn/ *n* جلسه
The House went into secret session
مجلس جلسهٔ خصوصی تشکیل داد
in session منعقد، دایر، مشغول
set /set/ *n* دستگاه؛ دست؛ سِری، مجموعه؛ دوره؛ رشته؛ اثاثه، ظروف کامل؛ تمایل؛ جهت؛ وضع، شکل؛ نهال، قلمه؛ سفت‌شدگی؛ مجموع تخمهایی که مرغ روی آنها می‌خوابد؛ سوراخ، لانه؛ [مجازاً] افول، زوال
make a dead set at دوره کردن، استهزا کردن، مورد حمله قرار دادن
set /set/ *vt,vi* [set] ۱.قرار دادن؛ گذاشتن؛ مرتب کردن، چیدن (میز)؛ غروب کردن؛ کاشتن؛ نشاندن، غرس کردن؛ سوار کردن (جواهر)؛ جا انداختن (استخوان)؛ میزان کردن (ساعت)؛ زیر مرغ گذاشتن؛ تعیین کردن (تاریخ)؛ نهادن (دام)؛ مقرر داشتن؛ سفت کردن؛ وادار کردن ۲.سفت شدن؛ جوش خوردن؛ حمله کردن؛ جاری بودن؛ تمایل داشتن؛ قرار گرفتن؛ از جنبش ایستادن؛ بار دادن؛ به‌تن ایستادن [در گفتگوی از لباس]؛ دست زدن به کاری
set about دست زدن، مبادرت کردن به؛ حمله کردن به؛ منتشر کردن
set at ease آسوده کردن، راحت کردن
set at large آزاد کردن،ول کردن
set one's face against a person
جداً با کسی مخالفت یا ضدیت کردن
set apart کنار گذاشتن؛ جدا کردن
set back عقب بردن
set down پیاده کردن؛ یادداشت کردن؛ نسبت دادن؛ دانستن، شمردن [با at]؛ وضع کردن
set forth بیان کردن؛ رهسپار شدن
set forward عزیمت کردن؛ پیش رفتن
set in شروع شدن؛ سر گرفتن
set in motion راه انداختن
set in order درست کردن، مرتب کردن

settler /ˈsetlə(r)/ *n* مهاجر؛ مقیم
set-to /set tu:/ *n* زدوخورد؛ مشاجره
seven /ˈsevn/ *adj,n* هفت
at sixes and sevens درهم برهم، آشفته، در شش و بِش
sevenfold /ˈsevnfəʊld/ *adj,adv* هفت‌برابر
seventeen /ˌsevnˈti:n/ *adj,n* هفده
seventeenth /ˌsevnˈti:nθ/ *adj,n* (یک) هفدهم
seventh /ˈsevnθ/ *adj,n* (یک) هفتم
seventhly *adv* هفتم آنکه، سابعاً
seventieth /ˈsevntɪəθ/ *adj,n* (یک) هفتادم
seventy /ˈsevntɪ/ *adj,n* هفتاد
sever /ˈsevə(r)/ *vt,vi* ۱.جُدا کردن؛ فسخ کردن؛ بُریدن ۲.از هم سوا شدن
several /ˈsevrəl/ *adj,pr* ۱.چند، چندین؛ بعضی از؛ جداگانه، جدا، مجزا؛ مربوط به خود؛ انفرادی ۲.چند تن، چند تا، بعضی
severally /ˈsevrəlɪ/ *adv* جداجدا؛ یک‌یک، منفرداً
severance /ˈsevərəns/ *n* تفکیک؛ قطع
severe /sɪˈvɪə(r)/ *adj* سخت؛ سختگیر؛ ساده، بی‌پیرایه
severely *adv* سخت، شدیداً
severity /sɪˈverətɪ/ *n* سختی؛ سختگیری
sew /səʊ/ *vt,vi* [sewed;sewn *or* sewed] ۱. دوختن ۲. دوزندگی یا خیاطی کردن
sew on چسباندن یا دوختن (دکمه)
sewage /ˈsu:ɪdʒ/ *n* فاضلاب
sewage farm محل تهیه کود از فاضلاب شهر
sewer *n* گنداب‌رو، مجرای فاضلاب
sewer /ˈsu:ə(r)/ *n* خیاط، دوزنده
sewerage /ˈsju:ɪdʒ/ *n* انتقالِ گنداب؛ مجموع مجاری فاضلاب
sewing *n* خیاطی، دوزندگی، دوخت‌ودوز؛ (چیز) دوختنی
sewing-machine چرخ خیاطی
sewn /səʊn/ [*pp of* sew]
sex /seks/ *n* جنس، جنسیت
the female sex جنس ماده، اناث
sex appeal جاذبهٔ جنسی
sexagenarian /ˌseksədʒɪˈneərɪən/ *n* آدم شصت هفتادساله
sexless *adj* فاقد جنسیت، سرد، دارای میل جنسی ضعیف، خنثی
sextant /ˈsekstənt/ *n* نوعی زاویه‌یاب؛ یک ششم دایره
sextet(te) /seksˈtet/ *n* قطعهٔ موسیقی برای شش‌خواننده یا شش‌نوازنده؛ مجموعهٔ شش جزئی

set off جلوه دادن؛ منفجر کردن؛ در کردن؛ جدا کردن؛ رهسپار شدن
set off laughing به خنده انداختن
set on پیش رفتن؛ وادار کردن
set on (*or* upon) حمله کردن به
set one's teeth دندانها را محکم به‌هم فشردن؛ [مجازاً] مصمم شدن
set out بیان کردن؛ زینت دادن؛ به معرض نمایش یا فروش گذاردن
set out for... عازمِ... شدن
set sail رهسپار (دریا) شدن
set the pace پیشقدم شدن
set to دست به کار شدن
set up شروع به کار کردن؛ نصب کردن، برپا کردن؛ بلند کردن؛ سوار کردن؛ تأسیس کردن، دایر کردن؛ تقویت کردن؛ وارد کردن، گذاشتن؛ منصب دادن؛ اقامه کردن، طَرح کردن؛ ورزیده کردن؛ خوش‌اندام کردن؛ آمادهٔ چاپ کردن؛ موجب شدن، تولید کردن
set up for (*or* as)... خود را ... وانمود کردن
well set up خوش‌اندام
set /set/ *ppa* مقرر، معین؛ رسمی؛ ثابت؛ محکم؛ از پیش درست شده
set-back /ˈsetbæk/ *n* مانع (ترقی)، تنزل
set off /setˈɒf/ *n* چیزی که چیز دیگر را جلوه دهد؛ زینت؛ تهاتر؛ دعوای متقابل
set square /ˈset skweə(r)/ *n* گونیا
settee /seˈti:/ *n* نیمکت، کاناپه
setter /ˈsetə(r)/ *n* تولهٔ شکاری که با پوزه خود اشاره به سمت شکار می‌کند
setting /ˈsetɪŋ/ *n* نصب؛ محیط؛ جای نگین؛ وضع؛ آهنگ
settle /ˈsetl/ *vt,vi* ۱.نشاندن، قرار دادن؛ آباد و پرجمعیت کردن؛ چِرم (مایعی) را ته‌نشین کردن؛ واریز کردن، تصفیه کردن؛ سروصورت دادن؛ رفع کردن؛ مقرر داشتن ۲.ساکن شدن؛ قرار گرفتن؛ فرو نشستن، خوابیدن؛ ته‌نشین شدن، صاف شدن؛ نشست کردن؛ [با down] سروسامان گرفتن؛ [با up] تصفیه حساب کردن؛ سفت شدن؛ مستقر شدن؛ سازش کردن
settle /ˈsetl/ *n* نوعی نیمکت چوبی
settled /ˈsetld/ *ppa* آباد؛ مقیم؛ مستقر؛ ثابت؛ صاف [settled weather]؛ مقرر
settlement /ˈsetlmənt/ *n* تصفیه؛ پرداخت؛ رفع؛ توافق؛ ته‌نشینی؛ استقرار؛ بنگاه؛ مسکن؛ مستعمره
marriage settlement مهریه، مهر

sexton /'sekstən/ *n* خادم کلیسا؛ گورکن

sextuple /seks'tu:pl/ *adj,n,v* ۱ و ۲.شش‌برابر ۳.شش برابر کردن؛ شش برابر شدن

sexual /'sekʃʊəl/ *adj* جنسی؛ تناسلی

sexual organs اندامهای تناسلی

sexuality /ˌsekʃʊ'ælətɪ/ *n* جنسیت؛ تمایلات جنسی

shabbiness *n* پستی، خست

shabby /'ʃæbɪ/ *adj* بی‌شرفانه، پست؛ نخ‌نما، کهنه؛ لئیم؛ ژنده(پوش)

shack /ʃæk/ *n* کلبه، خانهٔ محقر

shackle /'ʃækl/ *vt* پابند زدن، بخو کردن، با غُل و زنجیر بستن؛ [مجازاً] مانع شدن

shackles *npl* پابند، بخو، غُل و زنجیر

shad /ʃæd/ *n* نوعی ماهی بزرگ در آبهای امریکای شمالی

shade /ʃeɪd/ *n,vt,vi* ۱.سایه؛ حُباب، آباژور؛ آفتاب‌گیر؛ سایبان؛ [مجازاً] اختلاف جزئی (در معنی)؛ درجهٔ رنگ؛ روح؛ [در جمع] تاریکی یا جهان مردگان ۲.سایه‌دار کردن؛ تیره کردن؛ جلوگیری کردن از (روشنایی)؛ سایه زدن ۳.تدریجاً تغییر کردن

throw (*or* put) into the shade

بی‌اهمیت جلوه دادن، تحت‌الشعاع قرار دادن

a shade better یک کمی بهتر

shadiness *n* سایه(دار بودن)؛ مشکوک بودن؛ نادرستی

shading *n* سایه، سایه روشن؛ اختلاف جزئی

shadow /'ʃædəʊ/ *n,vt* ۱.سایه؛ عکس؛ [مجازاً] تاریکی؛ پناه؛ اثر جزئی؛ روح ۲.سایه‌افکندن بر؛ تاریک کردن؛ سایه زدن؛ ردّپا(ی کسی) را گرفتن

shadowy *adj* سایه‌دار؛ سایه‌افکن؛ زودگذر؛ تاریک؛ نامعلوم؛ واهی

shady /'ʃeɪdɪ/ *adj* سایه‌دار؛ نادرست؛ مشکوک

shaft /ʃɑ:ft/ *n* میله؛ بدنه (ستون)؛ محور؛ ساقه (پر)؛ تیر؛ پرتو؛ مال‌بند؛ دسته (ابزار)؛ چاه

shag /ʃæg/ *n* موی زبر؛ نوعی توتون زبر

shaggy /'ʃægɪ/ *adj* زبر، درهم برهم [shaggy hair]؛ مودراز، پشمالو؛ خشن

shagreen /ʃə'gri:n/ *n* ساغری، چرمِ دان‌دان

shake /ʃeɪk/ *vt,vi* [shook; shaken] *n* ۱.تکان دادن؛ لرزاندن؛ متزلزل کردن، سست کردن ۲.تکان خوردن ۳.تکان؛ تحریر؛ لحظه

in half a shake فوراً

shake hands with someone

با کسی دست دادن

shake off دور انداختن

shake one's fist at someone

با مشت کسی را تهدید کردن

shakedown /'ʃeɪkdaʊn/ *n*

جای خواب موقّت؛ اخّاذی؛ آخرین مرحلهٔ آزمایش هواپیما یا کشتی؛ بازرسی بدنی

shaken [*pp of* shake]

Shakespearean /ʃeɪk'spɪərɪən/ *adj*

منسوب به شکسپیر؛ به سبک شکسپیر

shakily *adv* به‌طور لرزان ومتزلزل

shaky /'ʃeɪkɪ/ *adj* متزلزل؛ سست؛ بی‌ثبات

shale /ʃeɪl/ *n* سنگ رُستی

shall /ʃæl/ *v,aux* [*p* should]

فعل معین است و در موارد زیر به‌کار می‌رود: ۱.برای ساختن زمان آینده معمولی مانند: I shall go,we shall go یعنی «خواهم رفت»، «خواهیم رفت». باقی‌صیغه‌ها با will درست می‌شود ۲.برای ساختن آیندهٔ الزامی آن هم در شخص دوم و سوم مانند: You shall go, They shall go یعنی «خواهی رفت (باید بروی)»، «خواهند رفت (باید بروند)». شخص اول با will درست می‌شود. shall هنگام دستور و اخطار نیز به‌کار می‌رود مانند: You shall not steal یعنی «دزدی نکن» ۳.هنگام پرسش و کسب تکلیف مانند: ?Shall I go? What shall I do یعنی «آیا باید بروم؟»، «چه بکنم؟»

shallop /'ʃæləp/ *n* نوعی قایق سبک

shallot /ʃə'lɒt/ *n* موسیر

shallow /'ʃæləʊ/ *adj,n* ۱.کم‌عمق، پایاب؛ [مجازاً] سطحی؛ کم‌مایه؛ کوته‌بین ۲.جای کم‌عمق

shallow-brained /'ʃæləʊbreɪnd/ *adj*

سبک مغز

shalt /ʃælt/

کاربردِ قدیمی shall برای دوم شخص مفرد

sham /ʃæm/ *adj,n* ۱.ساختگی، دروغی؛ بدل [a sham pearl] ۲.تظاهر؛ فریب؛ شیاد؛ بدلی

sham /ʃæm/ *vt* [-med] وانمود کردن، ظاهرسازی کردن؛ بهانه کردن

sham sleep خود را به خواب زدن

sham illness تمارض کردن

shamble /'ʃæmbl/ *vi* تلوتلو خوردن

shambles /'ʃæmblz/ *npl* کشتارگاه

shame /ʃeɪm/ *n,vt* ۱.شرمساری، خجالت؛ ننگ؛ مایه رسوایی ۲.شرمسار کردن، خجالت دادن؛ رسوا کردن

a shame to... مایهٔ رسوایِ ...

put to shame شرمسار یا رسوا کردن

For shame! خجالت هم خوب چیزی است!

Shame on you! قباحت دارد! خجالت بکشید!

shamefaced /ʃeɪmˈfeɪst/ *adj* کمرو، خجالتی

shameful *adj* شرم‌آور، ننگین

shameless *adj* بی‌شرم؛ ننگ‌آور

shamelessly *adv* بی‌شرمانه

shammer *n* مزوّر

shammy /ˈʃæmɪ/ *n* جیر، چرم جیر

shampoo /ʃæmˈpu:/ *vt,n* ۱.با شامپو شستن ۲.شامپو

shamrock /ˈʃæmrɒk/ *n* گیاهی که سه‌برگ قلبی شکل دارد و نشان ملی ایرلند است

shanghai /ʃæŋˈhaɪ/ *vt* با زور و نیرنگ وادار به کاری کردن

shank /ʃæŋk/ *n* ساق‌پا؛ ساق جوراب؛ ساقه؛ میله

go on shanks' mare پیاده رفتن، با خط ۱۱ رفتن

shan't /ʃɑ:nt US:ʃænt/ [مختصرِ shall not]

shanty /ˈʃæntɪ/ *n* کلبه

shanty /ˈʃæntɪ/ *n* سرود ملاحان

shape /ʃeɪp/ *n,vt,vi* ۱.شکل، ترکیب؛ جور، قسم؛ قالب ۲.درست کردن، قالب کردن؛ شکل دادن؛ سروصورت دادن؛ طرح کردن ۳.شکل گرفتن؛ سروصورت گرفتن

get into shape سروصورت دادن

shaped like به شکلِ، مانندِ

shapeless *adj* بی‌شکل، بی‌ریخت و بدقواره

shapeliness *n* خوش‌ترکیبی

shapely /ˈʃeɪplɪ/ *adj* خوش‌ترکیب، شکیل

shard /ʃɑ:d/ *n* قطعهٔ شکستهٔ لیوان و فنجان و کوزه و غیره

share /ʃeə(r)/ *n,vt,vi* ۱.سهم؛ بخش، قسمت ۲.بخش کردن، تقسیم کردن؛ شرکت داشتن در ۳.سهم بردن

go shares in عادلانه بخش کردن

share /ʃeə(r)/ *n* = ploughshare

shareholder /ˈʃeəhəʊldə(r)/ *n* سهامدار، صاحب سهم

shark /ʃɑ:k/ *n* کوسه (ماهی)؛ کلاّش، گوش‌بر

sharp /ʃɑ:p/ *adj,n,adv* ۱.تیز؛ تند، سخت، زننده؛ معلوم، صریح؛ هوشیار؛ دقیق ۲. [موسیقی] دیز: نیم‌پرده بالاتر ۳.درست، بی‌کم و زیاد

sharp-cut /ˈʃɑ:p kʌt/ *adj* صریح، روشن، معلوم

sharpen /ˈʃɑ:pən/ *v* تیز کردن؛ تیز شدن

sharpener /ˈʃɑ:pnə(r)/ تیزکن

pencil-sharpener مدادتراش

sharper *n* آدم متقلب

sharply *adv* به زیرکی؛ به‌طور دقیق یا تیز؛ تند؛ سخت؛ باصراحت

sharpness *n* تیزی؛ زیرکی

sharp-set /ˈʃɑ:pset/ *adj* گرسنه، بااشتها

sharpshooter /ˈʃɑ:pʃu:tə(r)/ *n* تیراندازِ ماهر

sharp-sighted /ˌʃɑ:pˈsaɪtɪd/ *adj* دارای چشمان قوی، دارای دید خوب

sharp-witted /ˌʃɑ:pˈwɪtɪd/ *adj* تیزهوش، باذکاوت

shatter /ˈʃætə(r)/ *vt,vi* ۱.خرد کردن؛ [مجازاً] به هم زدن، خنثی کردن، ۲.خرد شدن، داغان شدن

shave /ʃeɪv/ *vt,n* ۱.تراشیدن؛از نزدیک (چیزی) رد شدن و به آن نخوردن ۲.تراش، اصلاح

have a close shave جان مفت به‌در بردن

shaven /ˈʃeɪvn/ [*pp of* shave] *,adj* تراشیده

shaver *n* تراشنده

young shaver *Col* جوانک، پسر بچه

Shavian /ˈʃeɪvɪən/ *adj* منسوب به برنارد شاو؛ به سبک برنارد شاو

shaving *n* اصلاح، تراش؛ تراشه

shaving-brush /ˈʃeɪvɪŋ brʌʃ/ *n* فرچه

shawl /ʃɔ:l/ *n* پارچهٔ شالی که زنان بردوش می‌اندازند یا کودکان را در آن می‌پیچند

shay /ʃeɪ/ *n* نوعی درشکهٔ سبک

she /ʃi:/ *pr* [*fem of* he] او: زن یا دختر یا حیوان ماده؛ ماده

she-ass /ˈʃi: æs/ *n* ماده الاغ

she-goat /ˈʃi: gəʊt/ *n* بز ماده

sheaf /ʃi:f/ *n* [sheaves] دسته، بافه، بغل

shear /ʃɪə(r)/ *vt* [sheared,shorn *or* sheared] قیچی کردن؛ [مجازاً] گوش (کسی را) بریدن

shear a sheep پشم گوسفند را چیدن

shears /ʃɪez/ *npl* قیچی باغبانی؛ قیچی پشم‌چینی؛ قیچی فلزبُری

a pair of shears = shears

sheath /ʃi:θ/ *n* غلاف؛ پوشش

sheathe /ʃi:ð/ *vt* غلاف کردن

shed /ʃed/ *vt* [shed] ریختن (اشک)؛ انداختن (پوست)

shed /ʃed/ *n* انبار یاساختمان چتری؛ کارخانهٔ سرپوشیده

shedder *n* ریزنده

shedder of blood خونریز

sheen /ʃi:n/ *n* درخشندگی، تابش، برق

sheep /ʃi:p/ *n* [sheep] گوسفند

sheep-dog /ˈʃi:p dɒg/ *n* سگ گله

sheepish /ˈʃi:pɪʃ/ *adj* کمرو

sheepskin /ˈʃi:pskɪn/ *n* میشن؛ پوستین؛ پوست

sheer /ʃɪə(r)/ *adj,adv* ۱.محض، صِرف؛ راست؛ عمودی؛ لطیف، حریری ۲.به‌طور عمودی، (یک) راست؛ پاک

sheer /ʃɪə(r)/ *vi* منحرف شدن [با off یا away]؛ [در گفتگو] گریختن

sheet /ʃi:t/ *n* وَرق؛ تنکه؛ صفحه؛ شمد

stand in a white sheet آشکارا اظهار پشیمانی کردن، کفن پوشیدن

between the sheets در رختخواب

three sheets in the wind *Sl* مستِ مست

sheet anchor نوعی لنگر بزرگ؛ [مجازاً] تکیه‌گاه، امید

sheeting *n* پارچهٔ شمدی؛ پوشش

shekel /ˈʃekl/ *n,Heb* نام سکهٔ نقره‌ای که در قدیم میان یهودیان رواج داشت؛ [در جمع و به زبان شوخی] پول

sheldrake /ˈʃeldreɪk/ *n* نوعی اردک وحشی

shelf /ʃelf/ *n* [shelves] طاقچه، رف؛ قفسه؛ تپهٔ دریایی، جزیره‌نما

be on the shelf کنار ماندن، مورد حاجت نبودن؛ بی‌شوهر ماندن

continental shelf فلات قاره

shell /ʃel/ *n,vt,vi* ۱.پوست، قشر؛ صدف؛ نارنجک؛ گلولهٔ توپ؛ پوکه فشنگ؛ کالبد، بدنه؛ نوعی قایق کوچک مسابقه‌ای ۲.پوست کندن ۳.ورقه‌ورقه شدن؛ پوست انداختن

It is as easy as shelling peas به آسانیِ آب خوردن است

shell off با نارنجک مورد حمله قرار دادن

shell out *Col* سلفیدن: رشوه دادن

shellac /ʃəˈlæk/ *n,vt* [-ked] ۱.لاکِ شیشه‌ای ۲.با لاک جلا دادن

shelled *ppa* پوست کنده، مغزکرده

shellfish /ˈʃelfɪʃ/ *n* ماهی صدف

shelter /ˈʃeltə(r)/ *n,vt* ۱.پناه، حفاظ؛ پناهگاه ۲.پناه دادن، حفظ کردن؛ حمایت کردن

take shelter پناه بردن، پناهنده شدن

shelter oneself پناهنده شدن

shelve /ʃelv/ *vt,vi* ۱.در طاقچه گذاشتن؛ [مجازاً] کنار گذاشتن؛ مرخص کردن ۲.آهسته شیب پیدا کردن

shepherd /ˈʃepəd/ *n,vt* ۱.شبان، چوپان ۲.رهبری کردن

sherbet /ˈʃɜ:bət/ *n* شربت

sheriff /ˈʃerɪf/ *n* نماینده رسمی دولت در یک استان که مأمور اجرای قوانین و انجام امور قضایی و نظارت در انتخابات است

sherry /ˈʃerɪ/ *n* نوعی شراب سفید

she's /ʃi:z/ [مختصرِ she is]

shew /ʃəʊ/ *v* = show

shibboleth /ˈʃɪbəleθ/ *n* آزمون، محک، امتحان

shield /ʃi:ld/ *n,vt* ۱.سپر؛ [مجازاً] حامی ۲.حمایت کردن

shift /ʃɪft/ *n,vt,vi* ۱.تغییر مکان یا جهت؛ انتقال؛ عوض؛ نوبت کار؛ کاردانی؛ چاره، وسیله؛ طفره ۲.تغییر دادن؛ انتقال دادن؛ به دوش دیگری گذاشتن ۳.اسباب‌کشی کردن؛ عوض شدن؛ گریز زدن؛ چاره اندیشیدن، دست وپا کردن؛ طفره رفتن

make shift with برگزار کردن (با چیزی)؛ متوسل شدن (به چیزی)

shiftless *adj* بی‌دست‌وپا، تنبل

shifty *adj* زرنگ؛ فریب‌آمیز

shilling /ˈʃɪlɪŋ/ *n* شیلینگ: یک بیستم پوند در نظام پولی قدیم بریتانیا

cut off with a shilling از ارث محروم کردن

take the King's shilling سرباز شدن

shilly-shally /ˈʃɪlɪ ʃælɪ/ *vi* دودل بودن، تردید رأی داشتن

shimmer /ˈʃɪmə(r)/ *vi* با نورِ ضعیف و لرزان درخشیدن

shin /ʃɪn/ *n,v* ۱.ساق پا؛ قلم پا ۲.بالارفتن (از)؛ به ساق‌پا(ی‌کسی) لگدزدن

shindy /ˈʃɪndɪ/ *n* شلوغ

kick up a shindy دادوبیداد کردن

shine /ʃaɪn/ *vi,vt* [shone], *n* ۱.درخشیدن؛ تابیدن، [مجازاً] جلوه کردن ۲.برق انداختن ۳.درخشندگی

take the shine *(n)* **out of** از جلوه انداختن

shingle /ˈʃɪŋgl/ *n* ریگ (کنار دریا)

shingle /ˈʃɪŋgl/ *n,vt* ۱.توفال، تختهٔ نازک ۲.تخته‌پوش کردن

shingles /ˈʃɪŋglz/ *npl* [پزشکی] تبخال، داءالمنطقه

shiny /ˈʃaɪnɪ/ *adj* برّاق؛ صیقلی

ship /ʃɪp/ *n,vt,vi* ۱.کشتی ۲.(با کشتی) حمل کردن ۳.سوار کشتی شدن

on board ship در کشتی؛ سوارِ کشتی

ship a sea غرق امواج شدن [در گفتگوی از کشتی]

ship oars پاروها را از پاروگیر درآوردن و در کرجی گذاشتن

shipboard /ˈʃɪpbɔ:d/ *n* پهلوی کشتی
on shipboard در کشتی؛ سوارِ کشتی
shipbuilding /ˈʃɪpbɪldɪŋ/ *n* کشتی‌سازی
shipload /ˈʃɪpləʊd/ *n* بارکشتی؛ ظرفیت کشتی
shipmate /ˈʃɪpmeɪt/ *n* همسفرِ کشتی
shipment *n* حمل؛ محموله
shipper *n* فرستندهٔ کالا (با کشتی)
shipping *n* کشتی؛ مجموعِ کشتی‌ها؛ بارگیری؛ بار؛ کشتیرانی، حمل‌ونقل
shipshape /ˈʃɪpʃeɪp/ *adj,adv* ۱.درست، مرتب ۲.به طور مرتب، چنان که باید
ship-way /ˈʃɪpweɪ/ *n* سُرسرهٔ کشتی‌سازی
shipwreck /ˈʃɪprek/ *n,vt,vi* ۱.کشتی‌شکستگی ۲.شکستن؛ دچار کشتی شکستگی کردن؛ برباد دادن ۳.کشتی شکسته شدن؛ خانه خراب شدن
shipwright /ˈʃɪpraɪt/ *n* کشتی‌ساز
shipyard /ˈʃɪpjɑ:d/ *n* کارخانه کشتی‌سازی
shire /ˈʃaɪə(r)/ *n* استان، ایالت
shire horse اسب بارکش، یابو
shirk /ʃɜ:k/ *vt* شانه خالی کردن، طفره رفتن (از چیزی)
shirt /ʃɜ:t/ *n* پیراهن
shirt-front /ˈʃɜ:t frʌnt/ *n* پیش‌سینه (آهاری)
shirting *n* پارچهٔ پیراهنی
shiver /ˈʃɪvə(r)/ *vi,n* ۱.لرزیدن ۲.لرز؛ [در جمع] حس بیم و تنفر
shiver with cold از سرما لرزیدن
shiver /ˈʃɪvə(r)/ *n,v* ۱.ریزه، خرده ۲.ریزریز کردن؛ ریزریز شدن
shivery /ˈʃɪvərɪ/ *adj* لرزنده، لرزان
shoal /ʃəʊl/ *adj,n,vi* ۱.پایاب، کم‌عمق؛ کم ۲.جای کم‌عمق (در دریا)؛ تپهٔ زیرآبی؛ [مجازاً] خطرات یا مشکلات پنهان ۳.کم‌کم پایین رفتن
shoal /ʃəʊl/ *n,vi* ۱.گروه زیادی از ماهیان که با هم حرکت می‌کنند؛ [مجازاً] دسته، گروه ۲.دسته شدن، اجتماع کردن
shock /ʃɒk/ *n,vt* ۱.تکان، شوک، ضربه، تصادم؛ تلاطم ۲.منزجر کردن؛ وحشت‌زده کردن؛ تکان دادن
electric shock برق گرفتگی، شوک الکتریکی
shock /ʃɒk/ *n* تودهٔ خرمن
shock of hair موی ژولیده
shock absorber /ˈʃɒk əbsɔ:bə(r)/ *n* کمک فنر
shock-headed /ˈʃɒk ˈhedɪd/ *adj* ژولیده‌مو
shocking *apa* منزجرکننده؛ بد
shod /ʃɒd/ [*p,pp of* shoe]

shoddy /ˈʃɒdɪ/ *n,adj* ۱.پارچهٔ نامرغوب، آشغال ۲.پست
shoe /ʃu:/ *n,vt* [shod] ۱.کفش؛ نعل ۲.نعل کردن
be in somebody's shoes جای شخص دیگری بودن
die in one's shoes به مرگ غیرطبیعی مردن
step into someone's shoes جای کسی را گرفتن، پا جای پای کسی گذاشتن
shoeblack /ˈʃu:blæk/ *n* واکسی
shoehorn /ˈʃu:hɔ:n/ *n* پاشنه‌کش
shoe-lace /ˈʃu:leɪs/ *n* بندِ کفش
shoemaker /ˈʃu:meɪkə(r)/ *n* کفشدوز
shoemaking *n* کفشدوزی
shoesmith /ˈʃu:smɪθ/ *n* نعلبند
shoe-string /ˈʃu:strɪŋ/ *n* = shoe-lace
shone /ʃɒn US: ʃəʊn/ [*p,pp of* shine]
shoo /ʃu:/ *int,v* ۱.کیش! ۲.کیش کردن (مرغ)
shook /ʃʊk/ [*p of* shake]
shoot /ʃu:t/ *vi,vt* [shot] ,*n* ۱.تیراندازی کردن؛ تند رفتن؛ جوانه زدن؛ تیر کشیدن ۲.تیر زدن؛ تیرباران کردن؛ در کردن، خالی کردن؛ انداختن (گلوله)؛ ریختن یا انداختن (تاس)؛ برداشتن (فیلم)؛ تند بیرون آوردن (زبان)؛ خالی کردن (زباله)؛ جا انداختن (کشو) ۳.نهال؛ جوانه؛ افت؛ سراشیب؛ دستهٔ شکارچیان
shoot down با گلوله انداختن یا کشتن
shoot forth; shoot out بیرون آمدن، در آمدن؛ پیش آمدن؛ بالا جستن
shoot up سبز شدن، قد کشیدن؛ ترور کردن
She was shot for a spy. او را به اتهام جاسوسی تیرباران کردند.
shooter /ˈʃu:tə(r)/ *n* تیرانداز؛ شکارچی
six-shooter ششلول؛ ششلول‌بند
shooting *n,adj* ۱.تیراندازی؛ شکار ۲.[در درد] تیرکِشنده
shooting-gallery /ˈʃu:tɪŋ gælərɪ/ *n* سالن تمرین تیراندازی
shooting iron /ˈʃu:tɪŋ aɪən/ *n,Sl* اسلحهٔ گرم
shooting-range /ˈʃu:tɪŋ reɪŋ/ *n* زمین تمرین تیراندازی
shooting star /ˈʃu:tɪŋ stɑ:(r)/ = meteor
shop /ʃɒp/ *n,vi* [-ped] ۱.دکان، مغازه؛ کارخانه ۲.خرید کردن
shop window ویترین
You have come to the wrong shop پیش بد کسی آمده‌اید، بد جایی آمده‌اید

talk shop از کار و کسب و امورِ شخصی صحبت کردن
shop drawing نقشه و مشخصاتِ فنی که به کارخانه‌ای فرستاده می‌شود
shut up shop تعطیل کردن؛ (دکان را) تخته کردن
all over the shop *Sl* ریخته و پاشیده، درهم برهم، همه‌جا

shopkeeper /ˈʃɒpkiːpə(r)/ *n* دکان‌دار، مغازه‌دار
shoplifter /ˈʃɒplɪftə(r)/ *n* دزد مشتری‌نما
shopping *n* خرید
shop-soiled /ˈʃɒpsɔɪld/ *adj* بُنجل، بادکرده، کِنفت
shop-steward /ˌʃɒp ˈstjʊəd/ *n* نماینده کارگران در کارخانه
shopwalker /ˈʃɒpwɔːkə(r)/ *n* راهنمای مغازه
shop worn /ˈʃɒp wɔːn/ *adj* بُنجل، بادکرده، کِنفت
shore /ʃɔː(r)/ *n* کنار (دریا)، کرانه، ساحل
shore /ʃɔː(r)/ *n,vt* ۱.شمع، شمعک ۲.شمع زدن [با up]
shore /ʃɔː(r)/ [*p of* shear]
shorn /ʃɔːn/ [*pp of* shear]
short /ʃɔːt/ *adj,adv,n* ۱.کوتاه؛ کوتاه‌قد؛ مختصر؛ ناقص؛ تند؛ ترد؛ کم‌مدت؛ گستاخ، بی‌ادب ۲.بی‌مقدمه ۳.هجای کوتاه؛ [در جمع] شلوار کوتاه

short circuit [برق] اتصالی
short weight [مجازاً] کم‌فروشی؛ تقلّب
short temper کم‌حوصلگی
short cut راه میان‌بُر
short sight نزدیک‌بینی؛ کوته‌نظری
short of breath تنگ نفس، از نفس افتاده
short sale پیش فروشی، سلف فروشی
in short supply کم [ضدّ فراوان]
short of money کم‌پول، بی‌پول
come short کوتاه آمدن
run short کم آمدن؛کم آوردن
short commons خوراک یا جیرهٔ کم
make short work of something کلک چیزی را کندن
nothing short of عیناً همان
cut short (پیش از موقع) قطع کردن
sell short پیش‌فروش کردن
short of جز، (فلان چیز) به کنار
in short مختصراً، خلاصه
for short برای رعایت اختصار
the long and the short of it مختصراً، فی‌الجمله
I am short of hands. کارگر کم دارم.

shortage /ˈʃɔːtɪdʒ/ *n* کمبود؛ کمی
shortcake /ˈʃɔːt keɪk/ *n* نان کره‌ای ترد
shortcoming /ˈʃɔːtkʌmɪŋ/ *n* کوتاهی، قُصور
shorten /ˈʃɔːtn/ *v* کوتاه‌تر کردن؛ کوتاه‌تر شدن
shortening /ˈʃɔːtnɪŋ/ *n* کوتاه‌سازی؛ کره یا روغن شیرینی‌پزی
shortfall /ˈʃɔːtfɔːl/ *n* = deficit
shorthand /ˈʃɔːthænd/ *n* تندنویسی
short-handed /ˌʃɔːt ˈhændɪd/ *adj* فاقد کارگر کافی
short-lived /ˌʃɔːt ˈlɪvd US: -ˈlaɪvd/ *adj* بی‌دوام، فانی
shortly /ˈʃɔːtlɪ/ *adv* به‌زودی؛ مختصراً؛ کمی، اندکی؛ با خشونت
shortness *n* کوتاهی؛ کمی
short-sighted /ˌʃɔːt ˈsaɪtɪd/ *adj* نزدیک‌بین؛ [مجازاً] کوته‌بین؛ ناشی از کوته‌نظری
short-spoken /ˌʃɔːt ˈspəʊkən/ *adj* ایجازگو، کم‌حرف
short-tempered /ˌʃɔːt ˈtempəd/ *adj* کم‌حوصله
short-term /ˌʃɔːt ˈtɜːm/ *adj* کوتاه‌مدت
short-winded /ˌʃɔːt ˈwɪndɪd/ *adj* تنگ نفس، از نفس افتاده
shot /ʃɒt/ *n* گلوله، تیر؛ ساچمه؛ وزنه؛ تیرانداز؛ [مجازاً] حدس؛ بُرد، رسایی؛ تزریق؛ تصویر، عکس، نما، شات

a morphine shot تزریق مرفین
small shot ساچمه
fire a shot تیراندازی کردن
putting the shot پرتاب کردن وزنه

shotgun /ˈʃɒtgʌn/ *n* تفنگ شکاری
should /ʃʊd/ *v,aux* [*p of* shall]
فعل معین است و درموارد زیر به‌کار می‌رود: ۱. برای رعایت قاعدهٔ تطابق زمانها به عنوان گذشتهٔ shall مانند: He said he should go یعنی «گفت خواهم رفت» ۲.به معنی «باید» یا «بهتر بود» یا «بهتر است» مانند: you should go ۳.در وجه لتزامی مانند: He proposed that we should go یعنی «پیشنهاد کرد برویم» ۴.در وجه شرطی مانند: if he should prefe که به این صورت نیز گفته می‌شود should he prefer یعنی «اگرترجیح دهد» ۵.در جزای شرط مانند: I should be glad if you would accept i یعنی «خوشوقت می‌شدم اگر

«می‌پذیرفتید» ۶.برای رساندن معنی تردید یا برای احتراز از جسارت مانند: I should hardly think so یعنی «گمان نمی‌کنم این طور باشد»

shoulder /'ʃəʊldə(r)/ *n,vt* ۱.شانه، دوش ۲.به‌دوش گرفتن، تحمل‌کردن، با شانه (راه را) بازکردن

put one's shoulder to the wheel به‌کار چسبیدن، تن به‌کار دادن

give a cold shoulder to someone به‌کسی بی‌اعتنایی کردن

stand head and shoulders above others به مراتب از دیگران بهتر بودن، یک سروگردن از دیگران بالاتر بودن

Shoulder arms! [نظامی] دوش فنگ!

shoulder-blade /'ʃəʊldəbleɪd/ *n* کتف

shoulder-strap /'ʃəʊldə stræp/ *n* سردوشی، رکاب

shout /ʃaʊt/ *n,vi* ۱.فریاد ۲.فریاد زدن، داد زدن

shove /ʃʌv/ *vt* هل دادن، تنه زدن به؛ به زور پیش بردن و راندن؛ [در گفتگو] یک جایی گذاشتن [Shove it on the shelf]

shove off با قایق ساحل را ترک کردن

give one a shove *(n)* **off** کسی را سیخ زدن یا به‌کار واداشتن

shovel /'ʃʌvl/ *n,vt* [-led] ۱.خاک‌انداز؛ بیل؛ پارو ۲.با خاک‌انداز یا پارو پاک کردن

shovelful /'ʃʌvlfʊl/ *n* (به اندازهٔ) یک بیل یا پارو

show /ʃəʊ/ *vt,vi* [showed;shown] ,*n* ۱.نشان دادن؛ دلیل آوردن ۲.به نظر آمدن ۳.نمایش، تماشا، جلوه، تظاهر، ادعا؛ ابراز؛ نشان، نشانه؛ [زبان عامیانه] فرصت، آزادی عمل

show to the door تا دم در بردن

show one out راه بیرون رفتن را به‌کسی نشان دادن

show one the door کفش کسی را جفت کردن

show one round همه جا را به‌کسی نشان دادن

show off پُز دادن؛ خودنمایی کردن

show up آشکار کردن؛ حاضر شدن؛ ظاهر شدن

He didn't show up again دیگر پیداش نشد

on show در معرض نمایش

run the show اداره کردن، سروسامان دادن

He gave the show away بند را به آب داد

how-case /'ʃəʊkeɪs/ *n* جعبه آیینه

how-down /'ʃəʊdaʊn/ *n* [در بازی] رو کردن یا نشان دادن (دست)؛ [مجازاً] محک تجربه

hower /'ʃaʊə(r)/ *n,v* ۱.رگبار؛ دوش ۲.ریختن، باریدن

a shower of... ... پی‌درپی

showery *adj* بارانی

showiness *n* خودنمایی؛ زرق‌وبرق

showman /'ʃəʊmən/ برگزارکنندهٔ نمایش، مجری نمایش

showmanship *n* قدرت جلبِ توجه؛ دکانداری

shown /ʃəʊn/ [*pp of* show]

showroom /'ʃəʊru:m/ *n* نمایشگاه (کالا)

show-window /'ʃəʊwɪndəʊ/ *n* ویترین

showy *adj* زرق‌وبرق‌دار

shrank /ʃræŋk/ [*p of* shrink]

shrapnel /'ʃræpnəl/ *n* شراپنل، ترکش

shred /ʃred/ *n,vt* [-ded] ۱.پاره، ریزه ۲.پاره پاره کردن؛ ریزریز کردن

shrew /ʃru:/ *n* زن غُرغرو، زن ستیزه‌جو، پتیاره، سلیطه

shrew /ʃru:/ *n* موش حشره‌خوار

shrewd /ʃru:d/ *adj* زیرک؛ زیرکانه؛ ناقلا

shrewdly *adv* به زیرکی

shrewdness *n* زیرکی، ناقلایی

shrewish *adj* سلیطه، ستیزه‌جو

shriek /ʃri:k/ *n,vi* جیغ (زدن)، فریاد (زدن)

shrift /ʃrɪft/ *n* اعتراف (شخص‌محتضر)

short shrift کم‌توجّهی، بی‌اعتنایی

shrill /ʃrɪl/ *adj* تیز

shrill voice صدای تیز

shrimp /ʃrɪmp/ *n,vi* ۱.میگو ۲.میگو صید کردن

shrine /ʃraɪn/ *n* زیارتگاه؛ جای مقدس؛ معبد؛ صندوق اشیای مقدس یا تاریخی

shrink /ʃrɪŋk/ *vi,vt* [shrank; shrunk(en)] ۱.چروک شدن؛ مشمئز شدن ۲.چروک کردن

shrinkage /'ʃrɪŋkɪdʒ/ *n* انقباض؛ کاهش

shrive /ʃraɪv/ *v* [shrove;shriven] اعتراف گرفتن (از)

shrivel /'ʃrɪvl/ *vi,vt* [-led] ۱.چروک شدن ۲.چروک کردن

shriven /'ʃrɪvn/[*pp of* shrive]

shroud /ʃraʊd/ *n,vt* ۱.کفن؛ [مجازاً] لفافه، پوشش؛ [در جمع] طنابهای حایل [در دکل کشتی]، نردبان طنابی ۲.کفن کردن؛ پوشاندن

shrove /ʃrəʊv/ [*p of* shrive]

shrub /ʃrʌb/ *n* بوته

shrubbery /'ʃrʌbərɪ/ *n* بوته‌زار

shrug /ʃrʌg/ *v* [-ged] (شانه) بالا انداختن

shrunk /ʃrʌŋk/ [*pp of* shrink]

shrunken /ˈʃrʌŋkən/ [*pp of* shrink] چروک، چروک شده

shuck /ʃʌk/ *n,vt* ۱.پوست ۲.پوست کندن

shudder /ˈʃʌdə(r)/ *vi,n* ۱.لرزیدن؛ مشمئز شدن ۲.لرز؛ تنفر

shuffle /ˈʃʌfl/ *vt,vi,n* ۱.بُر زدن؛ قاطی کردن، به‌هم زدن؛ این سو و آن سو حرکت دادن؛ به زمین کشیدن (پا) ۲.دو پهلو حرف زدن ۳.بُر؛ کشیدن پا به زمین؛ سخنِ دوپهلو؛ طفره

shuffle off به دوش دیگر گذاردن؛ به عجله برداشتن

give a shuffle to بُر زدن

shun /ʃʌn/ *vt* [-ned] (از چیزی) اجتناب کردن

shunt /ʃʌnt/ *vt,vi* ۱.به خط دیگر انداختن (واگن)؛ از میان بردن (موضوع) ۲.به خط یا جهت دیگر افتادن، تغییر جهت دادن

shunting *n* دوراهی؛ مانور

shut /ʃʌt/ *vt,vi* [shut] ۱.بستن؛ برهم نهادن ۲.بسته شدن

shut down بسته شدن، تعطیل شدن؛ بستن، تعطیل کردن

shut off جلو (چیزی را) گرفتن؛ قطع کردن؛ بستن (رادیو)

shut out پشت در نگاه داشتن؛ محروم کردن؛ ممنوع کردن

shut up بستن؛ برچیدن؛ حبس کردن؛ محکم نگاه‌داشتن؛ [در صیغه امر] خفه شو، ساکت شو

shutter /ˈʃʌtə(r)/ *n,vt* ۱.پنجرهٔ کرکره‌ای، پشت پنجره‌ای؛ [دوربین عکاسی] شاتر ۲.بستن

shuttering *n* قالب بتون‌ریزی

shuttle /ˈʃʌtl/ *n* ماکو

shuttlecock /ˈʃʌtlkɒk/ *n* توپ‌پردار مخصوص بازی بدمینتون

shy /ʃaɪ/ *adj,vi* ۱.کمرو، خجالتی؛ [با of] بی‌میل ۲.رم کردن؛ خودداری کردن، پس نشستن

shy at دوری کردن یا خودداری کردن از

fight shy of [زیر fight آمده است]

shy /ʃaɪ/ *vt,n,Col* پرتاب (کردن)

have a shy at سنگ پرتاب کردن به؛ [مجازاً] کوشش برای چیزی کردن

shyness *n* کمرویی، ترسویی

shyster /ˈʃaɪstə(r)/ *n,Col* گوش‌بُر، حقه‌باز، کلاهبردار

Siamese /ˌsaɪəˈmiːz/ *adj,n* [Siamese] ۱.سیامی ۲.زبان سیامی؛ اهل سیام

Siberian /saɪˈbiːrɪən/ *adj,n* ۱.سیبریایی ۲.اهل سیبری

sibilant /ˈsɪbɪlənt/ *adj,n* [آواشناسی] صفیری

sibyl /ˈsɪbl/ *n* زن غیبگو

sibylline /ˈsɪbəlaɪn/ *adj* غیبی، الهامی

sic /sɪk/ *adv,L* [در نقل قول] کذا

Sicilian /sɪˈsɪlɪən/ *adj,n* ۱.سیسیلی ۲.اهل سیسیل

sick /sɪk/ *adj* ناخوش، مریض؛ دارای حالِ تهوّع؛ بیزار، متنفر؛ مشتاق

sick at heart افسرده، کسل، مأیوس

feel sick حال تهوع داشتن

report sick [نظامی] بیماری خود را اطلاع دادن

sick-bed /ˈsɪkbed/ *n* بستر بیماری

sicken /ˈsɪkən/ *vi,vt* ۱.ناخوش شدن؛ حال تهوع پیدا کردن؛ بیزار شدن ۲.ناخوش کردن؛ بیزار کردن

sickish /ˈsɪkɪʃ/ *adj* کمی ناخوش

sickle /ˈsɪkl/ *n* داس

sick-leave /ˈsɪkliːv/ *n* مرخصی استعلاجی

sickly /ˈsɪklɪ/ *adj* ناتوان، علیل؛ حاکی از ناخوشی؛ کسل‌کننده، تنفرآور

sickness /ˈsɪknɪs/ *n* ناخوشی، حالت تهوع

side /saɪd/ *n,vi* ۱.سو، طرف، سمت؛ جهت؛ پهلو؛ کنار؛ کناره؛ [در دفترداری] ستون؛ [در گوشت] شقه ۲.طرفداری کردن

take sides with ; side with (از کسی) طرفداری کردن، طرف (کسی‌را) گرفتن

He is on our side طرفدارِ ما است

right side of a cloth روی پارچه

side by side پهلو به پهلو

on their side از طرف خودشان، به‌نوبه خودشان

by the side of پهلویِ، کنارِ

side-arms /ˈsaɪd ɑːmz/ *npl* اسلحهٔ کمری

sideboard /ˈsaɪdbɔːd/ *n* میز دم دستی یا پادیواری، میز کناری، میز قفسه‌دار

side-car /ˈsaɪd kɑː(r)/ *n* جایگاه اضافی برای نشستن مسافر در کنار موتورسیکلت، سایدکار

side-dish /ˈsaɪd dɪʃ/ *n* غذای جنبی یا فرعی

side-issue /ˈsaɪd ɪʃuː/ *n* نتیجه یا نکته فرعی

sidelight /ˈsaɪdlaɪt/ *n* چراغ کناری؛ [مجازاً] اطلاع ضمنی

sidelong /ˈsaɪdlɒŋ/ *adj,adv* یکبری

sidereal /saɪˈdɪərɪəl/ *adj* نجومی

side-saddle /ˈsaɪdsædl/ *n* زین یکبری، زین زنانه

side-show /ˈsaɪdʃəʊ/ *n* نمایش یا موضوع فرعی

side-step /'saɪd step/ *n,v* ۱.رکابِ درشکه و مانند آن ۲.جاخالی کردن
side-track /'saɪd træk/ *n,vt* ۱.[راه‌آهن] خط فرعی ۲.روی خط فرعی انداختن، [مجازاً] در درجه دوم اهمیت قرار دادن
sidewalk /'saɪdwɔ:k/ *n,US* پیاده‌رو
sideways /'saɪdweɪz/ *adv* از پهلو؛ یکبری
siding /'saɪdɪŋ/ *n* [راه‌آهن] خط فرعی
sidle /'saɪdl/ *vi* یک‌بر رفتن، از پهلو رفتن، از پهلو راه رفتن
siege /si:dʒ/ *n* محاصره
siesta /sɪ'estə/ *n* خواب نیم‌روز، قیلوله
sieve /sɪv/ *n* الک، آردبیز
sift /sɪft/ *vt* الک کردن، بیختن؛ پاشیدن؛ [مجازاً] خوب وارسی کردن
sifter *n* الک‌کننده؛ بوجار؛ الک کوچک
sigh /saɪ/ *vi,n* ۱.آه کشیدن ۲.آه؛ افسوس، حسرت
sight /saɪt/ *n,vt* ۱.بینایی، باصره؛ نظر؛ دید، رؤیت؛ منظره، تماشا؛ آلت نشانه‌رَوی؛ [در جمع] جاها یا چیزهای تماشایی، مناظر ۲.دیدن، رؤیت کردن؛ نشان کردن
lose one's sight کور شدن
near sight نزدیک‌بینی
long sight دوربینی
catch sight of دیدن
I lost sight of it از نظرم غایب شد
in sight نزدیک، دیده‌شدنی
a sight of *Col* مقدار زیادی، زیاد
at sight به محض مشاهده، بی‌درنگ
at first sight در نظر اول، در یک نگاه
payable at sight دیداری، رؤیتی
out of sight غایب از نظر، ناپیدا
a sight for sore eyes شخص یا چیزی که دیدن آن مایه مسرّت است، مرهم چشم، نور چشم
What a sight she looked! چه ریختی پیدا کرده بود!
sightliness *n* خوش‌نمایی، زیبایی
sightly *adj* خوش‌منظر، منظره‌دار
sightseeing /'saɪtsi:ɪŋ/ *n* تماشا، دیدنِ مناظر
sign /saɪn/ *n,vt,vi* ۱.نشان، علامت؛ اثر؛ اشاره؛ آیت ۲.امضا کردن؛ با اشاره فهماندن ۳.اشاره کردن
sign manual امضای دستی
sign on (*or* up) قرارداد استخدام (کسی را) امضا کردن
sign off *US* پایان خبرهای رادیو را اعلام کردن
I had it signed آن را به امضا رساندم
signal /'sɪgnəl/ *n,vt* [-led] *,adj* ۱.علامت؛ راهنما؛ اخطار؛ [نظامی] مخابره ۲.با علامت ابلاغ کردن؛ با اشاره رساندن؛ اشاره کردن، دستور دادن ۳.برجسته، آشکار
signal-box /'sɪgnəl bɒks/ *n* [راه‌آهن] مرکز علامت‌دهی
signalize /'sɪgnəlaɪz/ *vt* برجسته کردن، مشهور کردن
signally *adv* به‌طور برجسته
signalman /'sɪgnəlmən/ *n* [راه‌آهن] متصدی علامت‌دهی
signatory /'sɪgnətrɪ US: 'sɪgnətɔ:rɪ/ *n,adj* امضاکننده، صاحب امضا
signature /'sɪgnətʃə(r)/ *n* امضا
put one's signature to امضا کردن
signboard /'saɪnbɔ:d/ *n* تابلو
signet /'sɪgnɪt/ *n* مُهر، خاتم
signet ring /'sɪgnɪt rɪŋ/ *n* انگشترخاتم
significance /sɪg'nɪfɪkəns/ *n* معنی، مقصود، مفاد؛ اهمیت، قدر
of no significance بی‌معنی؛ بی‌اهمیت
significant /sɪg'nɪfɪkənt/ *adj* پُرمعنی؛ مهم
signification /ˌsɪgnɪfɪ'keɪʃn/ *n* معنی، مضمون
signify /'sɪgnɪfaɪ/ *vt,vi* ۱.معنی دادن؛ اعلام داشتن ۲.اهمیت داشتن
signor /'si:njɔ:(r)/ *It* = Mr; Sir
signora /sɪ'njɔ:rə/ *It* = Mrs; Madam
signorina /ˌsɪnjɔ:'ri:nə/ *It* = Miss
signpost /'saɪnpəʊst/ *n* تیرِ راهنما
sign-writer /'saɪnraɪtə(r)/ *n* تابلونویس
silage /'saɪlɪdʒ/ *n* علف سبز انباری
silence /'saɪləns/ *n,vt* ۱.خاموشی، سکوت ۲.خاموش کردن، ساکت کردن، خواباندن
keep silence خاموش شدن، خاموش بودن
silencer *n* صداخفه‌کن، صداگیر
silent /'saɪlənt/ *adj* خاموش، ساکت، بی‌صدا
silently *adv* بی‌صدا؛ آهسته
silhouette /ˌsɪlu:'et/ *n* [عکاسی] ضدّ نور
silica /'sɪlɪkə/ *n* سیلیکا، سیلیس
silicate /'sɪlɪkeɪt/ *n* سیلیکات
silk /sɪlk/ *n* ابریشم
silk hat = top hat
take silk وکیلِ پادشاه شدن
silken /'sɪlkən/ *adj* ابریشمی؛ نرم
silkiness *n* نرمی؛ خاصیتِ ابریشمی
silkworm /'sɪlkwɜ:m/ *n* کرم ابریشم

silky /'sılkı/ *adj* ابریشمی؛ نرم؛ [مجازاً] چاپلوسانه
sill /sıl/ *n* کفِ درگاه، آستانه
silliness *n* نادانی، ابلهی، خریت
silly /'sılı/ *adj* نادان، احمق؛ احمقانه [a silly act]
silo /'saıləʊ/ *n* سیلو
silt /sılt/ *n,vt,vi* ۱.لای، لجن ۲.گل گرفتن ۳.گرفتن، بند آمدن
silvan /'sılvən/ = sylvan
silver /'sılvə(r)/ *n,vt,vi* ۱.سیم، نقره ۲.آب‌نقره دادن؛ جیوه‌زدن ۳.نقره‌ای یا سفید شدن
silversmith /'sılvəsmıθ/ *n* زرگر، نقره‌کار
silver-plate /,sılvə'pleıt/ *or* **silverware** /'sılvəweə(r)/ *n* ظروف نقره یا آب نقره داده
silver-tongued /,sılvə'tʌŋd/ *adj* چرب زبان
silvery /'sılvərı/ *adj* نقره‌ای؛ برّاق؛ صاف
simian /'sımıən/ *adj,n* بوزینه(ای)
similar /'sımılə(r)/ *adj* مانند؛ شبیه
  similar to that مانندِ آن، شبیه به آن
similarity /,sımə'lærətı/ *n* شباهت، تشابه، همانندی
similarly *adv* همین‌طور، به همین نحو؛ یکسان
simile /'sımılı/ *n* تشبیه
similitude /sı'mılıtju:d US:tu:d/ *n* شباهت، صورت؛ تشبیه؛ تمثیل؛ ظاهر
simmer /'sımə(r)/ *v* آهسته جوشیدن؛ آهسته جوشاندن
  on the simmer *n* در جوش (و خروش)
  simmer down از جوش و خروش افتادن، کمی آرام شدن
simony /'saımənı/ *n* خرید و فروش اشیای مقدس کلیسایی
simper /'sımpə(r)/ *vi* بیجا یا ابلهانه خندیدن
simple /'sımpl/ *adj* ساده؛ بسیط؛ ساده‌لوح
  simple equation معادله درجهٔ اول
simple-hearted /,sımpl 'hɑ:tıd/ *adj* ساده‌دل؛ رک
simple-minded /,sımpl 'maındıd/ *adj* ساده‌دل؛ ساده‌لوح
simpleton /'sımpltən/ *n* آدم ساده‌لوح
simplicity /sım'plısətı/ *n* سادگی؛ ساده‌لوحی؛ بی‌تزویری
  It is simplicity itself سادهٔ ساده است
simplification /,sımplıfı'keıʃn/ *n* ساده‌سازی؛ مختصرسازی؛ تسهیل؛ اختصار
simplify /'sımplıfaı/ *vt* ساده کردن؛ آسانتر کردن؛ مختصر کردن (کسر)
simply *adv* به‌سادگی؛ همین‌قدر، فقط
simulacrum /,sımjʊ'leıkrəm/ *n* [-cra] صورت خیالی، خیال؛ تمثال
simulate /'sımjʊleıt/ *vt* وانمود کردن، به خود بستن؛ مانند بودن به؛ تقلید کردن
simulation /,sımjʊ'leıʃn/ *n* وانمودسازی، تظاهر
simultaneous /,sıml'teınıəs US: saım-/ *adj* همزمان؛ باهم؛ [در جبر] چند مجهولی
sin /sın/ *n,vi* [-ned] گناه (کردن)
since /sıns/ *adv,prep,conj* ۱.از آن وقت تابه حال، درخلال این مدت؛ پیش، قبل ۲.از؛ پس از، از... به بعد ۳.از وقتی که؛ چون، نظر به اینکه
  How long since is it? چند وقت پیش بوده است؟ چند وقت است؟
sincere /sın'sıə(r)/ *adj* بی‌ریا، مخلص، صادق؛ صاف؛ خالصانه
sincerely *adv* صادقانه، خالصانه
  Yours sincerely [در پایانِ نامه] ارادتمند شما
sincerity /sın'serətı/ *n* خلوص، صداقت
sine /saın/ *n* [ریاضیات] سینوس، جیب
sinecure /'saınıkjʊə(r)/ *n* وظیفه و مقرری در مقابل کار یا مسئولیت کم
sine die /,saını 'daıi:, ,sını 'di:eı/ *adv,L* برای یک مدت نامعین
sine qua non /,sıneı kwɑ: 'neʊn/ *n,L* شرط حتمی یا اجتناب‌ناپذیر
sinew /'sınju:/ *n* رباط، وتر، (رگ و) پی؛ نیرو
sinewy *adj* پی‌دار؛ [مجازاً] سخت پی، قوی
sinful *adj* گناهکار، عاصی
sinfulness *n* گناهکاری
sing /sıŋ/ *vt,vi* [sang;sung] ۱.سراییدن، خواندن ۲.آواز خواندن؛ صدا کردن [My ears sing]؛ وِزوز کردن
  They sing small now حالا دیگر صداشان در نمی‌آید (یا جیک نمی‌زنند)
  sing up بلندتر خواندن
  sing a person's praises همیشه از کسی تعریف کردن
singe /sındʒ/ *v* (از رو) سوزاندن؛ (از رو) سوختن؛ کز دادن
singer *n* خواننده، آوازخوان، سراینده؛ مرغ چهچه‌زن
Singhalese /,sıŋgə'li:z/ *or* **sinhalese**

/ˌsɪnhəˈliːz/ *adj,n* ۱.سیلانی ۲.اهل سیلان

singing *n,apa* ۱.سرایش،نغمه‌سرایی ۲.خواننده، نغمه‌سرا

single /ˈsɪŋgl/ *adj,vt* ۱.تک، تنها؛ یکنفره؛ مجرد؛ انفرادی؛ بی‌تزویر؛ یکسره [single ticket] ۲.جدا کردن، انتخاب کردن [با out]

single-breasted /ˌsɪŋgl ˈbrestɪd/ *adj* دارای یک ردیف دکمه، [کت] جلوگرد

single-handed /ˌsɪŋgl ˈhændɪd/ *adj,adv* تنها

single-hearted /ˌsɪŋgl ˈhɑːtɪd/ *adj* ساده‌دل

single-minded /ˌsɪŋgl ˈmaɪndɪd/ *adj* مصمّم، دارای عزم راسخ

singleness *n* همّ و غم؛ تصمیم، عزم

singlestick /ˈsɪŋglstɪk/ *n* [به تقلید شمشیربازی] چوب‌بازی؛ چوبی که در این بازی به جای شمشیر به کار می‌رود

singlet /ˈsɪŋglɪt/ *n* زیرپیراهنی مردانه، پیراهن ورزشی

singleton /ˈsɪŋgltən/ *n* [در بازی ورق] تنها برگی که از یک خال در دست کسی باشد؛ چیز منحصر به فرد؛ فرزند یگانه

singly *adv* یک‌یک؛ به تنهایی

singsong /ˈsɪŋsɒŋ/ *n* سرود یکنواخت

singular /ˈsɪŋjʊlə(r)/ *adj,n* ۱.مفرد؛ فرد؛ استثنایی ۲.صیغهٔ مفرد

singularity /ˌsɪŋgjʊˈlærətɪ/ *n* غرابت؛ اختصاص

singularly *adv* به‌طور استثنایی یا فوق‌العاده؛ اختصاصاً؛ به صیغهٔ مفرد

sinister /ˈsɪnɪstə(r)/ *adj* بدقیافه؛ شوم

sink /sɪŋk/ *vi,vt* [sank;sunk(en)] ۱.فرو رفتن؛ غرق شدن؛ غروب کردن؛ نشست کردن؛ تنزل کردن؛ [در صدا] بم شدن؛ رو به زوال گذاشتن ۲.غرق کردن؛ فرو بردن؛ حفر کردن، کندن؛ چال کردن؛ افسرده کردن؛ کنار گذاشتن

sink in someone's estimation از نظر کسی افتادن

sunken eyes چشمان گودرفته

sink /sɪŋk/ *n* ظرفشویی؛ چاهک

sinker /ˈsɪŋkə(r)/ *n* [در ریسمان ماهیگیری] وزنه

sinking fund /ˈsɪŋkɪŋ fʌnd/ *n* وجوه استهلاکی

sinless *adj* بی گناه؛ بی‌تقصیر

sinner *n* گناهکار، عاصی

Sino- *pref* چین و...

Sino-Japanese war جنگ چین و ژاپن

sinologist /saɪˈnɒlədʒɪst/ *n* چین‌شناس

sinology /saɪˈnɒlədʒɪ/ *n* چین‌شناسی

sinuosity /ˌsɪnjʊˈɒsətɪ/ *n* پیچ‌وخم، موج

sinuous /ˈsɪnjʊəs/ *adj* پیچ‌وخم‌دار

sinus /ˈsaɪnəs/ *n* ناسور؛ گودال

sip /sɪp/ *vt* [sipped] جرعه‌جرعه نوشیدن، مزمزه کردن

siphon /ˈsaɪfən/ *n,vi,vt* ۱.سیفون، زانویی؛ شتر گلو ۲.به سطح پایین‌تر جاری شدن ۳.با سیفون کشیدن

sir /sɜː(r)/ *n* آقا؛ سِر (لقبی در انگلستان)

Dear Sir [در اول نامه] آقای گرامی

sire /ˈsaɪə(r)/ *n* پدر یا جدّ حیوانات چهارپا مخصوصاً اسب؛ اعلیحضرتا!

siren /ˈsaɪərən/ *n* سوت خطر؛ زن افسونگر، زن پرنده پیکری که ملوانان را با صدای خود شیفته می‌کرد

Sirius /ˈsɪrɪəs/ *n* [هیئت]شعرای یمانی، ستارهٔ آلفا ـ کلب اکبر

sirloin /ˈsɜːlɔɪn/ *n* ماژه یا راستهٔ گاو

sirocco /sɪˈrɒkəʊ/ *n* باد گرم و مرطوبی که از صحرای شمال آفریقا به‌سمت جنوب اروپا می‌وزد

sirrah /ˈsɪrə/ *n* مردکه، یارو!

sirup /ˈsɪrəp/ *n* = syrup

sissy *or* **cissy** /ˈsɪsɪ/ *n,US;Col* مرد زن‌صفت، مخنّث

sister /ˈsɪstə(r)/ *n* خواهر

sisterhood /ˈsɪstəhʊd/ *n* خواهری؛ انجمنِ خیریه و مذهبی زنان هم‌پیمان

sister-in-law /ˈsɪstər ɪn lɔː/ *n* [sisters...] خواهرزن؛ خواهرشوهر؛ زن برادر

sisterly *adj* خواهرانه، خواهروار

sit /sɪt/ *vi,vt* [sat] ۱.نشستن؛ جلسه کردن؛ خوابیدن (روی تخم)؛ [در گفتگوی از لباس] به تن نشستن ۲.نشاندن، (روی چیزی) نشستن

sit for an examination در امتحان شرکت کردن

Sit down! بنشینید، بفرمایید!

sit down under تحمل کردن

sit out تا پایان (چیزی) نشستن؛ بیشتر نشستن از؛ شرکت نداشتن در

He would sit for hours to a painter. ساعتها در برابر نقاش می‌نشست تا تصویر او را بکشد.

sit up راست نشستن؛ بیدار ماندن

site /saɪt/ *n* جا، محل

on site پای کار، در محل

building-site زمین ساختمانی؛ عرصه

sitting /ˈsɪtɪŋ/ *n* جلسه؛ نشست؛ تخم‌هایی که مرغ روی آنها می‌نشیند

sitting room اتاق نشیمن
situated /'sɪtʃʊeɪtɪd/ *ppa* واقع (شده)
I am awkwardly situated بدجوری گرفتار شده‌ام
situation /ˌsɪtʃʊ'eɪʃn/ *n* وضع، حالت؛ جا، محل، موقع، موقعیت؛ کار، شغل
six /sɪks/ *adj,n* (شمارهٔ) شش
six of one and half a dozen of the other چه علی خواجه و چه خواجه علی
sixfold /'sɪksfəʊld/ *adj,adv* شش‌برابر؛ شش‌لا
sixpence /'sɪkspəns/ *n* سکهٔ نیم‌شیلینگی
six-shooter /ˌsɪks 'ʃu:tə(r)/ *n* ششلول
sixteen /sɪk'sti:n/ *adj,n* شانزده
sixteenth /sɪk'sti:nθ/ *adj,n* (یک) شانزدهم
sixth /sɪksθ/ *adj,n* (یک) ششم، سدس
sixthly *adv* ششم (آنکه)، سادساً
sixtieth /'sɪkstɪəθ/ *adj,n* (یک) شصتم
sixty *adj,n* (شمارهٔ) شصت
sizable *adj* نسبتاً بزرگ
size /saɪz/ *n,vt* ۱.اندازه؛ قد؛ مقدار؛ قالب ۲.به اندازه درآوردن؛ از حیث اندازه طبقه‌بندی کردن
of a large size بزرگ
It is the size of... به اندازهٔ... است
of my size به اندازهٔ من
size up اندازه (چیزی) را برآورد کردن؛ [مجازاً] قابلیت (کسی را) سنجیدن
size /saɪz/ *n,vt* ۱.چسب؛ آهار ۲.چسب زدن؛ آهار زدن
sizzle /'sɪzl/ *n,vi* ۱.جزّ و وز ۲.جزّ و وز کردن
skate /skeɪt/ *n,vi* ۱.اسکیت ۲.اسکیت‌بازی کردن
skate /skeɪt/ *n* نوعی ماهی پهن
skedaddle /skɪ'dædl/ *vi,Col* در رفتن، جیم شدن
skein /skeɪn/ *n* کلاف؛ دسته
skeleton /'skelɪtn/ *n* استخوان‌بندی، اسکلت
skeleton in the cupboard مطلبی که خانواده‌ای از ابراز آن شرم دارد، ننگ خانوادگی
skeleton key شاه‌کلید
skeptic /'skeptɪk/ *n* = sceptic
sketch /sketʃ/ *n,vt,vi* ۱.طرح؛ نقشهٔ ساده؛ شرح‌خلاصه ۲.طرح کردن؛ به‌طور خلاصه شرح دادن [با out] ۳.طرّاحی کردن
sketchy *adj* فاقد جزئیات، طرح‌وار، ساده؛ ناقص
skew /skju:/ *adj* کج، مایل، مورب
skewer /'skju:ə(r)/ *n,vt* ۱.سیخ ۲.به سیخ کشیدن
ski /ski:/ *n,vi* اسکی (بازی کردن)
go skiing (به) اسکی رفتن
skid /skɪd/ *n,vi* [-ded] ۱.گیر (چرخ)؛ حایل ۲.سریدن (و به یک سو رفتن)
skiff /skɪf/ *n* نوعی قایق پارویی کوچک
skilful *adj* ماهر؛ ماهرانه
skilfully *adv* استادانه، ماهرانه
skill /skɪl/ *n* مهارت، استادی
skilled *adj* ماهر؛متخصص؛تخصصی
skillet /'skɪlɪt/ *n* ماهیتابه
skillful *adj* = skilful
skim /skɪm/ *vt,vi* [-med] ۱.کف یا سرشیر (چیزی را) گرفتن؛ گرفتن (سرشیر)؛ بفهمی نفهمی تماس (با چیزی) پیدا کردن؛ سطحی خواندن ۲.سَرسری گذشتن؛ نگاه سطحی کردن
skimmer *n* کفگیر
skim-milk /ˌskɪm.'mɪlk/ *n* شیرِ سرشیر گرفته
skimp /skɪmp/ *vt,vi* ۱.کم دادن، خسیسانه دادن ۲.خست کردن
skin /skɪn/ *n,vt,vi* [-ned] ۱.پوست، جلد؛ مَشک ۲.پوست کندن؛ [مجازاً] گوش بریدن ۳.پوست بستن [با over]
escape with the skin of one's teeth جان مفت به‌در بردن
Keep your eyes skinned (Sl) چشم‌هایت را خوب باز کن
skin disease بیماری پوست
skin-deep /ˌskɪn 'di:p/ *adj* سطحی؛ بی‌دوام
skinflint /'skɪnflɪnt/ *n* آدم خسیس، ناخن‌خشک
skinny *adj* پوستی؛ لاغر؛ خسیس
skip /skɪp/ *vi,vt* [-ped] *,n* ۱.جست‌وخیز کردن؛ پریدن ۲.حذف کردن ۳.جست‌وخیز، پرش
skip rope طناب‌بازی کردن، طناب زدن
skipper /'skɪpə(r)/ *n* ناخدای کشتی کوچک بازرگانی یا ماهیگیری
skirl /skɜ:l/ *n* صدای نی‌انبان؛ جیغ
skirmish /'skɜ:mɪʃ/ *n,vt* ۱.کشمکش، زدو خورد مختصر ۲.زدوخورد کردن، کشمکش کردن
skirt /skɜ:t/ *n,vt* ۱.دامن؛ دامنه؛ ازاره؛ [در جمع] حومه، حول‌وحوش ۲.در کنار (چیزی) واقع شدن؛ از کنار(چیزی) رد شدن
skirting-board /'skɜ:tɪŋ bɔ:d/ *n* ازاره
skit /skɪt/ *n* هجوادبی؛ مسخره
skittish /'skɪtɪʃ/ *adj* عشوه‌گر
skittle /'skɪtl/ *vt,Col* [با away] برباد دادن
skittles *npl* نوعی بازی با نه میلهٔ چوبی (skittle) که آنها را با گوی چوبی می‌خوابانند، نه سیخک، نوعی بازی بولینگ

beer and skittles لهوولعب

skulk /skʌlk/ *vi* پرسه زدن؛ از زیر کار دررفتن

skull /skʌl/ *n* کاسهٔ سر، جمجمه

have a thick skull کودن یا خرف بودن، کلهٔ خر داشتن

skull-cap /'skʌl cʌp/ *n* عرقچین

skunk /skʌŋk/ *n* نوعی راسو که هنگام روبرو شدن با خطر بوی بسیار نامطبوعی از خود دفع می‌کند

sky /skaɪ/ *n,vt* ۱.آسمان ۲.هوایی زدن (توپ)؛ زیاد بالا بردن

under the open sky در هوای آزاد

sky-blue /ˌskaɪ'blu:/ *adj,n* آبی آسمانی

sky-high /ˌskaɪ 'haɪ/*adv* تا آسمان، به‌بلندی آسمان

skylark /'skaɪlɑ:k/ *n* کاکلی، چکاوک

skylight /'skaɪlaɪt/ *n* پنجره شیروانی یا سقف

skyline /'skaɪlaɪn/ *n* خط افق

sky-rocket /'skaɪ rækɪt/ *n,vi* ۱.فشفشه ۲.[قیمت، مبلغ و غیره] سر به آسمان زدن

skyscraper /'skaɪskreɪpə(r)/ *n* آسمان‌خراش

skyward(s) /'skaɪwed(z)/ *adv* سوی آسمان

skyway /'skaɪweɪ/ *n* = airway

sky-writing /'skaɪ raɪtɪŋ/ *n* آگهی هوایی یا آسمانی (که هواپیما با دود نمودار می‌سازد)

slab /slæb/ *n* صفحه، تخته، ورق، قالب

slack /slæk/ *adj,n,vt,vi* ۱.سست؛ شل؛ خوابیده؛ راکد؛ ملایم؛ بی‌روح؛ سست‌کننده ۲.[در طناب] قسمت افتاده یا شل؛ استراحت؛ خاکهٔ ذغال‌سنگ ۳.سست کردن؛ آهسته کردن؛ فرو نشاندن (تشنگی)؛ آب دیده کردن (آهک) ۴.طفره رفتن، از زیر کار شانه خالی کردن؛ سست شدن؛ فرو نشستن؛ کساد شدن

slack off به‌تدریج سست شدن

slack up [قطار] به تدریج آهسته کردن

slacken /'slækən/ *vt,vi* ۱.سست کردن؛ آهسته کردن؛ تخفیف دادن ۲.سست شدن؛ آهسته شدن؛ تخفیف یافتن

slacker *n* آدم تنبل و کم‌کار، آدم از زیر کار در رو

slackness *n* سستی؛ اهمال

slag /slæg/ *n* تفاله؛ جوش؛ کف؛ چرک

slain /sleɪn/ [*pp of* slay]

slake /sleɪk/ *vt* فرو نشاندن؛ کشتن (آهک)

slam /slæm/ *vt,vi* [-med] ,*n* ۱.[در] با صدا بستن؛ انداختن، پرت کردن ۲.[در] با صدابسته شدن ۳.صدای بستن

slander /'slɑ:ndə(r)/ *n,vt* ۱.بدگویی؛ افترا ۲.افترا زدن به

slanderous /'slɑ:ndərəs/ *adj* تهمت‌آمیز

slang /slæŋ/ *n,vt* ۱.زبان عامیانه، زبان لاتی ۲.ناسزا گفتن، بد و بیراه گفتن

professional slang زبان حرفه‌ای یا زرگری

slant /slɑ:nt/ *vi,vt,n* ۱.کج شدن، مایل شدن؛ شیب پیدا کردن ۲.کج کردن؛ اریب کردن ۳.کجی؛ شیب؛ تورّب

slanting *adj* کج، مایل؛ اریب؛ شیب‌دار

slantwise /'slɑ:ntwaɪz/ *adv* به‌طور مورب یا مایل، کج

slap /slæp/ *vt* [-ped] ,*n* ۱.سیلی زدن؛ انداختن، پرت کردن ۲.سیلی؛ ضربت با دست؛ [مجازاً] تودهنی

slap /slæp/ *adv* درست، مستقیم؛ یک‌راست

slap-bang /ˌslæp'bæŋ/ *adv* = slap

slapdash /'slæpdæʃ/ *adj,adv* ۱.شلخته، سهل‌انگار، سرهم‌بندی(شده)؛ ۲. شلخته‌وار

slapstick /'slæpstɪk/ *n* شوخی خرکی

slash /slæʃ/ *n,vt* ۱.چاک ۲.چاک دادن؛ شلاق زدن؛ [مجازاً] انتقاد کردن

slat /slæt/ *n* تختهٔ نازک و باریک، توفال

slate /sleɪt/ *n,vt* ۱.تخته‌سنگ، لوح‌سنگ ۲.با تخته‌سنگ پوشاندن؛ برای سمتی پیشنهاد کردن؛ انتقاد کردن

slate-pencil قلم تخته‌سنگ

a clean slate حسن سابقه

slattern /'slætən/ *n* زن شلخته

slatternly *adj* شلخته(وار)

slaughter /'slɔ:tə(r)/ *n,vt* ۱.کشتار، قتل(عام)؛ ذبح ۲.کشتن

slaughterer *n* سلاّخ

slaughterhouse /'slɔ:təhaʊse/ *n* کشتارگاه

slave /sleɪv/ *n,vi* ۱.بنده، بَرده، غُلام ۲.سخت کار کردن

a slave to اسیرِ، معتاد به

slave-driver /'sleɪv draɪvə(r)/ *n* مباشر برده‌دار؛ [مجازاً] کارفرمای بی‌رحم

slaver /'slævə(r)/ *vi* آب دهان روان ساختن؛ [مجازاً] چاپلوسی کردن

slaver *n* برده‌فروش؛ کشتی برده‌فروشان

slavery /'sleɪvərɪ/ *n* بردگی؛ برده‌داری؛ خرحمالی

slave-trade /'sleɪv treɪd/ *n* برده‌فروشی

slavey /'sleɪvi:/ *n* کلفت (جوان)

slavish /'sleɪvɪʃ/ *adj* پست؛ برده‌وار

slavish imitation تقلید کورکورانه

Slavonic /slə'vɒnɪk/ *n,adj*
۱.شاخهٔ زبان‌های اسلاوی ۲.اسلاوی

slaw /slɔ:/ *n* کلمِ قاچ کرده

slay /sleɪ/ *vt* [slew;slain] کشتن، به قتل رساندن

sled /sled/ *n,v* = sledge

sledge /sledʒ/ *n,v* ۱.سورتمه
۲.با سورتمه رفتن؛ با سورتمه بردن

sledge-hammer /'sledʒ,hæmə(r)/ *n,adj*
۱.پتک ۲.سخت

sleek /sli:k/ *adj,vt* ۱.چرب‌ونرم؛ صاف؛ براق
۲.نرم کردن؛ براق کردن

sleep /sli:p/ *n,vi* [slept] ۱.خواب
۲.خواب رفتن، خوابیدن

He couldn't get to sleep خوابش‌نمی‌بُرد

put to sleep خواب کردن، خواباندن

sleep over (*or* upon) a question
موضوعی را به فردا موکول کردن، شب هنگام روی موضوعی اندیشه کردن

sleep like a log خوب خوابیدن

sleep the clock round
دوازده ساعت پشت سرهم خوابیدن

The room sleeps 10 men.
اتاق جای خواب ده نفر را دارد.

sleep *(vt)* **away** به‌خواب گذراندن

sleeper *n* تراوِرس؛ خواب رونده؛ واگن تختخواب‌دار

I am a light sleeper. خواب من سبک است.

sleepiness *n* خواب‌آلودگی

sleeping-car /'sli:pɪŋ kɑ:(r)/ *n*
واگنِ تختخواب‌دار

sleeping-draught /'slipɪŋ draʊt/ *n* = opiate

sleeping partner /'sli:pɪŋ pɑ:tnə(r)/ *n*
شریکِ سرمایه‌گذار

sleeping sickness /'sli:pɪŋ sɪknɪs/ *n*
بیماری خواب: بیماری خطرناک افریقایی که به وسیلهٔ پشهٔ تسه تسه منتقل می‌شود

sleepless *adj* بی‌خواب؛ بدون استراحت

sleeplessness *n* بی‌خوابی

sleep-walker /'sli:p wɔ:kə(r)/ *n*
خوابگرد: کسی که در خواب راه می‌رود

sleepy /'sli:pɪ/ *adj* خواب‌آلود؛ بی‌سروصدا؛ خواب‌آور؛ سست، بطیء، بی‌حال

I feel sleepy خوابم می‌آید

sleepy-head /'sli:pɪ hed/ *n*
آدم خواب یا بی‌خبر

sleet /sli:t/ *n* برف همراه با باران

sleeve /sli:v/ *n* آستین؛ مهرهٔ ماسوره

turn up one's sleeves آستین بالا زدن، آمادهٔ کار شدن

have a card up one's sleeve
تیر دیگری در ترکش داشتن

wear one's heart (up) on one's sleeve
دل بر سرِ زبان داشتن

sleigh /sleɪ/ = sledge

sleight /slaɪt/ *n* زبردستی؛ حیله

sleight of hand /,slaɪt əv 'hænd/ *n* تردستی

slender /'slendə(r)/ *adj* باریک؛
قلمی [slender fingers]؛ کم؛ سست، ضعیف

slept /slept/ [*p,pp of* sleep]

sleuth-hound /'slu:θ haʊnd/ *n*
سگ شکاری که شامهٔ تیزی دارد وآن را bloodhound نیز می‌گویند؛ [در گفتگو] کاراگاه

slew /slu:/ [*p of* slay]

slew *or* **slue** /slu:/ *v*
چرخاندن یا چرخیدن [با round]

slice /slaɪs/ *n,vt* ۱.برش؛ قاچ؛ سهم؛
کفگیر آشپزخانه ۲.قاچ کردن

slick /slɪk/ *adj,adv* ۱.صاف [در مو]؛ لیز؛ چرب و نرم؛ [در گفتگو] نیرنگ‌آمیز ۲.یک‌راست، درست

slicker *n,US* بارانی بلند و گشاد

slid /slɪd/ [*p,pp of* slide]

slide /slaɪd/ *vi,vt* [slid] *,n* ۱.سُریدن، سرخوردن؛ آهسته رفتن ۲.سراندن؛ آهسته بردن ۳.(عمل) سُرخوردن، سُر؛ فروریزی؛ سرسره، غلتگاه؛ کشو؛ سنجاق سر؛ اسلاید

slide over مختصراً یا به‌طور سربسته بحث کردن

let things slide سهل‌انگاری کردن در کارها، به کارها اهمیت ندادن

sliding-rule /'slaɪdɪŋ ru:l/ *n* خط‌کش مهندسی

slight /slaɪt/ *adj,vt,n* ۱.کم، جزئی، مختصر؛
باریک؛ ناچیز ۲.ناچیز گرفتن ۳.بی‌اعتنایی

slightly *adv* کمی، اندکی

slim /slɪm/ *adj* باریک؛ سست؛ زیرک

slim /slɪm/ *vi*
(با رژیم و ورزش) خود را لاغر و باریک کردن

slimness *n* باریکی؛ کمی؛ سستی

slime /slaɪm/ *n* لجن؛ لعاب (حلزون)

slimy /'slaɪmɪ/ *adj* لجنی؛ لزج؛ لیز؛
[مجازاً] نادرست، خائن؛ چاپلوس؛ پست

sling /slɪŋ/ *n,vt,vi* [slung] ۱.قلاب سنگ، فلاخن؛ بندی که با آن دست را به‌گردن می‌بندند؛ بند تفنگ ۲.پرتاب کردن؛ آویزان کردن؛ بلند کردن

slinger *n* فلاخن انداز

slink /slɪŋk/ *vi* [slunk] دزدانه رفتن، جیم شدن [با away یا off]

slip /slɪp/ *n,vi,vt* [-ped] ۱.لغزش؛ اشتباه؛ قلمه؛ سرسره، تعمیرگاه کشتی؛ باریکه؛ برگه؛ رویه، روکش؛ زیرپوش ۲.لغزیدن؛ سُریدن؛ در رفتن؛ از دست رفتن؛ اشتباه کردن؛ نادیده رفتن ۳.رها کردن، از دست دادن؛ سراندن؛ از زیر (چیزی) در رفتن؛ انداختن

give someone the slip از دست کسی گریختن یا خلاص شدن

a (mere) slip of a boy پسربچهٔ باریک اندام

let slip از دست دادن؛ رها کردن

let slip the dogs of war *Poet* آش جنگ را دامن زدن

Errors slipped in اشتباهاتی در آن راه یافت (یا پیدا شد)

It slipped my attention از زیر چشمم دررفت، ملتفت نشدم

slip-carriage /'slɪpkærɪdʒ/ *n* واگنی که از قطار در حال حرکت قابل جدا شدن است

slip-knot /'slɪp nɒt/ *n* گره خِفت، گره زودگشا

slipper /'slɪpə(r)/ *n* دمپایی

slippered *adj* دمپایی به پا، دمپایی پوشیده

slippery /'slɪpərɪ/ *adj* لغزنده، [مجازاً] بی‌ثبات، خیانت‌آمیز

slippy /'slɪpɪ/ *adj, Col* جَلد

slipshod /'slɪpʃɒd/ *adj* لاابالی؛ شلخته

slipway /'slɪpweɪ/ *n* سرسره (کشتی‌سازی)

slit /slɪt/ *n,vt,vi* [slit] ۱.چاک؛ سوراخ ۲.چاک دادن؛ شکافتن؛ (باریک) بریدن ۳.چاک خوردن

slither /'slɪðə(r)/ *vi, Col* سُریدن، سر خوردن

sliver /'slɪvə(r)/ *n,v* ۱.تکهٔ باریک، قاچ ۲.قاچ کردن؛ قاچ خوردن

slobber /'slɒbə(r)/ *vi,vt,n* ۱.آب دهان روان ساختن ۲.با آب دهان تر کردن؛ سرهم‌بندی کردن ۳.آب دهان

slobber over someone زیاد به کسی اظهار محبت کردن (یا او را بوسه زدن)

sloe /sləʊ/ *n* آلوچهٔ جنگلی

slog /slɒg/ *v* [-ged] سخت ضربت زدن

slogan /'sləʊgən/ *n* شعار؛نعرهٔ جنگ

slogger *n* آدم زحمتکش

sloop /slu:p/ *n* کشتی کوچک بادبانی

slop /slɒp/ *vi,vt* [-ped] ۱ و ۲.ریختن ۲.تر کردن، کثیف کردن

slop /slɒp/ *Sl* = policeman

slop-basin /'slɒp beɪsn/ *n* جام پای سماور

slope /sləʊp/ *n,vi,vt* ۱.سرازیری؛ دامنه ۲.سرازیر شدن؛ شیب پیدا کردن ۳.شیب دادن؛ سرازیر کردن؛ کج کردن

sloping *apa* سراشیب، مایل

sloppy /'slɒpɪ/ *adj* خیس؛ کثیف؛ درهم‌وبرهم، شلخته؛ گل و گشاد؛ ناشی از ضعف احساسات

slops *npl* آب چرک؛ خوراک آبکی؛ لباس دوخته؛ لباس و رختخوابی که به ملوانان می‌دهند

slop-shop /'slɒp ʃɒp/ *n* مغازهٔ پوشاک

slot /slɒt/ *n,vt* [-ted] ۱.شکاف، شیار، چاک، درز ۲.شکاف دادن

sloth /sləʊθ/ *n* تنبلی، سستی؛ [جانورشناسی] تنبل: نوعی جانور پستاندار امریکایی

slothful *adj* تنبل، سست، کاهل

slot-machine /'slɒt məʃi:n/ *n* ماشین فروش خودکار

slouch /slaʊtʃ/ *n,vi,vt* ۱.آدم‌بی‌دست و پا ۲.قوز کردن، خم شدن ۳.پایین کشیدن (لبهٔ کلاه)

slough /slaʊ/ *n* باتلاق، مرداب

slough /slʌf/ *n,vi,vt* ۱.پوست مار؛ [پزشکی] خشک ریشه ۲.پوست انداختن؛ سوا شدن [غالباً با off] ۳.انداختن

sloven /'slʌvn/ *n* آدم شلخته

slovenliness *n* شلختگی

slovenly *adj* لاابالی، بدلباس؛ چرک، شلخته؛ نامربوط

slow /sləʊ/ *adj,adv* ۱.آهسته؛ کند؛ تدریجی؛ عقب؛ سنگین؛ بی‌روح؛ کندذهن؛ دیراثر ۲.آهسته

slow to anger خونسرد، سلیم‌النفس

slow /sləʊ/ *vi,vt* ۱.آهسته رفتن ۲.کند کردن، از سرعت (چیزی) کاستن [معمولاً با down یا up]

slowcoach /'sləʊkəʊtʃ/ *n* آدم بی‌حال یا کندذهن؛ آدم قدیمی مسلک

slowly *adv* آهسته، یواش؛ به‌تدریج

slowness *n* آهستگی؛ کندی

sludge /slʌdʒ/ *n* گِل (آمیخته با برف)

slue /slu:/ *v* = slew

slug /slʌg/ *n* حلزون بی‌صدف؛ چارپاره

slug /slʌg/ *v, US* = slog

sluggard /'slʌgəd/ *n* آدم تنبل

sluggish /'slʌgɪʃ/ *adj* تنبل؛ کند، بطیء

sluice /slu:s/ *n,vt,vi* ۱.آبگیره، سدّ دریچه‌دار؛ مجرای آب فروریزنده ۲.با جریان آب شستن یا خیس کردن ۳.جاری شدن

sluice-gate /'slu:s geɪt/ *n* دریچهٔ سدّ یا آبگیر
slum /slʌm/ *n* کوچه یا محلهٔ کثیف
go slumming *(vi)* برای امور خیریه در محله فقرا گشتن
slumber /'slʌmbə(r)/ *n,vi,vt* ۱.خواب، چرت ۲.خوابیدن؛ چرت زدن ۳.[با away] به خواب گذراندن
slump /slʌmp/ *n,vi* ۱.افت یا تنزل ناگهانی ۲.یک‌مرتبه پایین آمدن؛ افتادن، خود را انداختن
slung /slʌŋ/ [*p,pp of* sling]
slunk /slʌŋk/ [*p,pp of* slink]
slur /slɜ:(r)/ *vt* [-red] *,n* ۱.له کردن؛ ماستمالی کردن؛ لوث کردن [با over] ۲.لکه، عیب؛ [موسیقی] خط اتحاد
slush /slʌʃ/ *n* گلِ و شُل؛ [مجازاً] داستان‌های عشقی بی‌سروته
slut /slʌt/ *n* زن شلخته یا هرزه
sluttish *adj* شلخته؛ هرزه
sly /slaɪ/ *adj* سربه تو، آب زیرِ کاه، موذی؛ موذیانه؛ شیطنت‌آمیز؛ طعنه‌آمیز
on the sly *n* در نهان، در خفا
slyness *n* حیله‌گری، ناقلایی
smack /smæk/ *n,vi* ۱.طعم جزئی؛ اثر، نشان ۲.بو دادن
smack /smæk/ *n,vt* ۱.ملچ ملچ؛ (صدای) ضربت دست یا شلاق ۲.زدن یا ماچ کردن (با صدا)؛ باصدا (لبها را) از هم جدا کردن
smack /smæk/ *n* نوعی کشتی ماهیگیری
have a smack at something *Col* زور زدن
a smack in the eye مانعی که به‌طور ناگهانی انسان را مأیوس می‌کند
small /smɔ:l/ *adj* کوچک؛ جزئی؛ کم؛ پست؛ کم‌مایه، آبکی؛ غیرمهم
a small quantity of یک کمی (از)
small beer چیز یا شخص غیر مهم
small change پول خرد
small craft قایق کوچک
think no small beer of oneself خود را کسی دانستن
a small eater آدم کم‌خوراک
small hours چند ساعت اول بعد از نصف‌شب
small shot ساچمه
He has small Latin کمی لاتین می‌داند
It would be small of him to... ... او را کوچک خواهد کرد
on the small side کمی کوچک
grind small *adv* نرم آسیاب‌کردن، خوب نرم کردن

the small *(n)* **of the back** کمر، قسمت باریک کمر
small arms /'smɔ:l ɑ:mz/ *npl* اسلحه سبک
small-minded /,smɔ:l 'maɪndɪd/ *adj* کوته‌فکر؛ پست
smallness *n* کوچکی؛ پستی
smallpox /'smɔ:lpɒks/ *n* آبله
smart /smɑ:t/ *adj,vi,n* ۱.سخت؛ تند؛ نو؛ زیرک، زرنگ؛ قشنگ، شیک ۲.تیر کشیدن؛ سوختن ۳.درد سخت، تیر، سوزش؛ اندوه؛ رنج
smart under (به سختی) تحمل کردن
the smart set طبقهٔ پولدار و شیک
a smart alec(k) کسی که خود را زرنگ و همه‌چیزدان می‌داند
You shall smart for it نتیجه‌اش را خواهید دید و پشیمان خواهید شد
smarten /'smɑ:tn/ *v* قشنگ و تمیز کردن؛ قشنگ و تمیز شدن [با up]
smartly *adv* با زرنگی یا خودنمایی
smash /smæʃ/ *vt,vi,n* ۱.خرد کردن؛ درهم شکستن؛ سخت زدن؛ خراب کردن ۲.خرد شدن؛ ورشکست شدن ۳.خردشدگی؛ ناکامی
go to smash (خانه) خراب شدن
smashing *adj,Sl* خیلی عالی
smash-up /'smæʃ ʌp/ *n* تصادم؛ حادثه
smattering /'smætərɪŋ/ *n* علم جزئی
smear /smɪə(r)/ *vt,n* ۱.اندودن؛ آلودن؛ ملوث کردن ۲.لکه
smeared with tar قیراندود
smell /smel/ *vt,vi* [smelt] *,n* ۱.بوییدن، بو کردن ۲.بو(ی بد) دادن؛ [با at] بو کشیدن ۳.بو
smell sweet خوشبو بودن
smell out با بو پیدا کردن
smelll of... بوی... دادن
smell round سروگوش آب دادن
smell sour بوی ترشیده دادن
It smells of the lamp با دود چراغ خوردن (یا زحمت فراوان) درست شده است
sense of smell حس بویایی، شامه
take a smell at بو کردن
smelling-salts /'smelɪŋ sɔ:lts/ *npl* نمک بو کردنی
smelly *adj,Col* بدبو
smelt /smelt/ *vt* قال کردن، گداختن؛ تصفیه کردن [smelt a metal]
smelt /smelt/ *n* نوعی ماهی شبیه به قزل‌آلا
smelt /smelt/ [*p,pp of* smell]

smile /smaɪl/ *n,vi* ۱.لبخند، تبسم ۲.لبخند زدن، خندیدن، تبسم کردن
He was all smiles قند توی دلش آب شد، گل از گلش شکفت
smile /smaɪl/ *vt* با لبخند گفتن یا پذیرفتن
smile away someone's anger با لبخند خشم کسی را فرو نشاندن
smirch /smɜ:tʃ/ *n,vt* ۱.لکه ۲.لکه‌دار کردن
smirk /smɜ:k/ = simper
smite /smaɪt/ *v* [smote; smitten] زدن؛ خوردن (به)
smite off زدن و جدا کردن
smite hip and thigh کاملاً شکست دادن، خرد کردن
smitten with palsy فلج‌شده
be smitten with some one('s charms) شیفتهٔ کسی شدن
smith /smɪθ/ *n* فلزکار
coppersmith مسگر
smithereens /ˌsmɪðəˈri:nz/ *npl* تکه‌های کوچک
smash (in)to smithereens ریزریز کردن، داغان کردن
smithy /ˈsmɪðɪ/ *n* آهنگری
smitten /ˈsmɪtn/ [*pp of* smite]
smock /smɒk/ *n* روپوش
smock-frock روپوش (کشاورزان)
smoke /sməʊk/ *n,vi,vt* ۱.دود ۲.دود کردن؛ سیگار کشیدن ۳.دودی کردن؛ کشیدن؛ دود دادن
end in smoke دود شدن، برباد رفتن
smoked glasses عینک دودی
smoke-dried /ˈsməʊk draɪd/ *adj* دودی، خشکانده
smoker *n* سیگاری؛ پیپ‌کش؛
smoke-stack /ˈsməʊk stæk/ *n* دودکش
smoking *n* استعمال دخانیات
smoking car(riage) واگنی که استعمال دخانیات در آن مجاز است
smoky *adj* دودگرفته؛ دودی، سیاه؛ دودکننده؛ دودی‌شکل
smooth /smu:ð/ *adj,vt,vi* ۱.صاف؛ نرم؛ سلیس؛ یکنواخت ۲.صاف کردن، هموار کردن، نرم کردن؛ آرام کردن؛ برطرف ساختن [با away] ۳.ساکت شدن [با down]؛ صاف شدن
smooth the brow گره از جبین گشادن
smooth *(adj)* **face** قیافهٔ حق به جانب، قیافه ریاکارانه
give one's hair a smooth *(n)* موی خود را صاف کردن
smooth-bore /ˈsmu:ð bɔ:(r)/ *adj* بی‌خان
smooth-faced /ˌsmu:ð ˈfeɪst/ *adj* بی‌مو؛ دارای پوست نرم؛ [مجازاً] دارای قیافهٔ حق به جانب
smoothing-iron /ˈsmu:ðɪŋ aɪən/ *n* اتو، اطو
smoothly *adv* به‌نرمی، به آرامی؛ صاف، یکنواخت؛ به‌طور سلیس
smoothness *n* نرمی؛ سلاست
smooth-spoken /ˌsmu:ð ˈspəʊkn/ *adj* چرب‌زبان
smooth-tongued /ˌsmu:ð ˈtʌŋd/ *adj* چرب‌زبان
smote /sməʊt/ [*p of* smite]
smother /ˈsmʌðə(r)/ *vt,vi,n* ۱.خفه کردن؛ فرو نشاندن؛ پنهان کردن؛ پوشاندن ۲.خفه شدن ۳.دود؛ بخار؛ گردوخاک
smother with kisses غرقِ بوسه کردن
smoulder /ˈsməʊldə(r)/ *vi* سوختن و دود کردن
smudge /smʌdʒ/ *n,vt,vi* ۱.لک؛ آتش و دود برای کشتن حشرات ۲.سیاه کردن؛ لک کردن؛ [مجازاً] لکه‌دار و بدنام کردن ۳.لک شدن؛ لک انداختن
smug /smʌg/ *adj* خودساز؛ از خودراضی
smuggle /ˈsmʌgl/ *v* قاچاق کردن
smuggle out قاچاقی فرستادن
smuggler /ˈsmʌglə(r)/ *n* قاچاقچی
smut /smʌt/ *n,vt,vi* [-ted] ۱.دوده؛ [در غله] زنگ سیاه؛ [مجازاً] سخن زشت ۲.دوده‌ای کردن، سیاه کردن؛ زنگ زده کردن ۳.از زنگ سیاه شدن، زنگ زدن
smutty *adj* دوده‌ای؛ هرزه
snack /snæk/ *n* ته‌بندی، مزه، خوراک مختصر
snaffle /ˈsnæfl/ *n,vt* ۱.[اسب] دهنه ۲.[زبان عامیانه] بلند کردن، کش رفتن
snag /snæg/ *n* مشکل پیش‌بینی‌نشده، گیر، مانع
snail /sneɪl/ *n* حلزون
go at a snail's pace (*or* gallop) سوار مورچه شدن
snake /sneɪk/ *n* مار؛ مار بی‌زهر
a snake in the grass مارِ خوش خط و خال، آدم آب زیر کاه
cherish (*or* warm) a snake in one's bosom مار در آستین پروردن، بچه گرگ پروردن

raise (*or* wake) snakes
آتش فتنه را روشن کردن، فتنه خفته را بیدار کردن
snake-bitten /'sneɪkbaɪtn/ *adj* مار گزیده
snaky *adj* مارمانند؛ [مجازاً] خائن
snap /snæp/ *vt,vi* [-ped] *,n,adj* ۱.ربودن، بردن؛ گرفتن [با up یا off]؛ نوک زدن؛ گاز گرفتن [گاهی با at]؛ با صدا بستن؛ شکستن؛ پاره کردن؛ زدن؛ به صدا درآوردن (شلاق و مانند آن)؛ عکس فوری (از کسی) برداشتن؛ با درشتی گفتن یا ادا کردن؛ با خشونت (حکمی را) دادن [با out] ۲.با صدا شکستن؛ بسته شدن؛ پاره شدن؛ تشر زدن؛ پریدن؛ درشتی کردن ۳.ربایش؛ صدای شکستگی یا شلاق یا تپانچه؛ چفت یا گیره (فنری)؛ عکس فوری؛ نیرو؛ نوعی بازی بچگانه ۴.بی‌خبر، بی‌مقدمه، ناگهانی [اصطلاح پارلمانی]
snap at ربودن؛ روی دست بردن [زود خریدن]؛ غنیمت شمردن؛ (برای گاز گرفتن) حمله کردن
snap one's fingers بشکن زدن
snap one's fingers at someone
(با زدن بشکن) ناچیز شمردن
snap a person's head (*or* nose) off
به کسی پریدن یا تشر زدن
Don't snap my head off! مرا نخور، کتک نزن
snap up تند برچیدن یا برداشتن؛ زود خریدن، روی دست بردن؛ بی‌درنگ پذیرفتن؛ متعرض شدن، سخن (کسی) را قطع کردن
Snap into it! Sl;US بجنب! زودباش!
a cold snap سرمای ناگهانی و موقتی
Put some snap into it! بجنب! فس‌فس‌نکن!
It is a soft snap کاری ندارد، آسان است
snapdragon /'snæpdrægən/ *n* گل میمون
snap fastener /'snæp fɑ:snə(r)/ *n*
دکمهٔ قابلمه‌ای
snappish *adj* بدخو، تندمزاج؛ زود رنج؛ تند، زننده؛ گازگیر
snappy *adj* باروح، گرم؛ بدخو، تندمزاج
snapshot /'snæpʃɒt/ *n,v* ۱.عکس فوری
۲.عکس فوری (از کسی) برداشتن
snare /sneə(r)/ *n,vt* ۱.دام، تله؛ زه
۲.به دام انداختن؛ گرفتار کردن
snarl /snɑ:l/ *n,vi* ۱.خُرخر ۲.خرخر کردن
snarl *(vt)* out با حالت خشم گفتن
snatch /snætʃ/ *vt,vi,n* ۱.رُبودن، قاپیدن؛ [با off] بردن؛ غنیمت شمردن ۲.[با at] ربودن؛ مغتنم شمردن؛ کوشش در ربودن (چیزی) کردن ۳.ربایش؛ تکّه، خرده
in snatches بریده بریده
snatchy *adj* بریده بریده
sneak /sni:k/ *vi,vt,n* ۱.دزدانه راه رفتن
۲. [در گفتگو] کش رفتن ۳.شخص خائن و ترسو
sneak kindness محبت پنهانی
sneak raid [نظامی] دستبرد
sneakers *npl,US*
کفش پارچه‌ای با تخت لاستیکی
sneakingly *adv* دزدانه
sneak-thief /'sni:k θi:f/ *n* دله دزد
sneer /snɪə(r)/ *n,vi* ۱.ریشخند، استهزا
۲.استهزا کردن [با at]
sneeze /sni:z/ *n,vi* ۱.عطسه ۲.عطسه کردن
It is not to be sneezed at
نمی‌توان آن را ناچیز شمرد
snicker = snigger; neigh
sniff /snɪf/ *vi,vt* ۱.با صدا تنفس کردن؛ [مجازاً] اظهار ناخشنودی کردن ۲.از راه بینی بالا کشیدن؛ استشمام کردن
sniffy *adj,Col* متکبّر، ناخشنود، ناراضی، دلخور
snigger /'snɪgə(r)/ *n,vi* ۱.خندهٔ استهزاآمیز
۲.زیر لب خندیدن
snip /snɪp/ *vt* [-ped] چیدن، قیچی کردن
snip a hole in با قیچی سوراخ کردن
snipe /snaɪp/ *n* [snipe] *,vi* ۱.نوک دراز
۲.از جای پنهان تیر انداختن
snippet /'snɪpɪt/ *n* بریده، تکّه، خلاصه
snipping *n* بریده، دَم قیچی
snivel /'snɪvl/ *vi* [-led] *,n*
۱.بینی بالا کشیدن (در حال گریه یا از روی ریاکاری)؛ نالیدن ۲.آب بینی
snob /snɒb/ *n* آدم افاده‌ای و متکبر
snobbish *adj* افاده‌ای، متکبّر
snooker /'snu:kə(r)/ *n* اسنوکر: نوعی بازی شبیه بیلیارد
snooker *vt,Col* در بن‌بست قراردادن
snoop /snu:p/ *vi,Sl* فضولی کردن؛ سروگوش آب دادن؛ (دوروبر جایی) پلکیدن
snooze /snu:z/ *n,vi* ۱.چرت ۲.چرت زدن
snore /snɔ:(r)/ *n,vi* ۱.خرناس، خرخر، خُروپُف ۲.خرناس کشیدن، خُروپُف کردن
snort /snɔ:t/ *n,vi* ۱.خره
۲.خره کشیدن؛ فین‌فین کردن
snorter *n,Sl* توپ و تشر
snorty *adj* کم‌حوصله
snot /snɒt/ *n* فین، مف
snotty *adj* مف‌دار، کثیف

snout /snaʊt/ *n* پوز، پوزه
snow /snəʊ/ *n,vi,vt* ۱.برف
۲.برف باریدن [تنها در سوم شخص مفرد به کار می‌رود و فاعل آن it است] ۳.با برف پوشاندن
It snows برف می‌بارد، برف می آید
be snowed under زیر برف ماندن
snowball /ˈsnəʊbɔːl/ *n* گلولهٔ برف
snow-blindness /ˈsnəʊblaɪndnɪs/ *n* برف کوری
snow-bound /ˈsnəʊ baʊnd/ *adj* در برف مانده
snow-clad /ˈsnəʊ klæd/ *adj* برف پوشیده، پربرف
snow-drift /ˈsnəʊ drɪft/ *n* تودهٔ برف
snowdrop /ˈsnəʊdrɒp/ *n* گل حسرت
snowfall /ˈsnəʊfɔːl/ *n* بارش برف
snowflake /ˈsnəʊfleɪk/ *n* دانهٔ برف،برف دانه
snow-plough /ˈsnəʊ plaʊ/ *n* ماشین‌برف‌روب
snow-shoe /ˈsnəʊ ʃuː/ *n* کفش برف
snowstorm /ˈsnəʊstɔːm/ *n* کولاک برف
snowy *adj* پوشیده از برف؛ برفی
snub /snʌb/ *adj,vt* [-bed]
۱.پهن و کوتاه [a snub nose] ۲.نوک (کسی را) چیدن، دماغ (کسی را) سوزاندن
snuff /snʌf/ *v,n* ۱.سوختهٔ فتیلهٔ شمع یا چراغ را پاک کردن؛ [با out] خاموش کردن؛ [در گفتگو] مردن ۲.سوختهٔ فتیله یا شمع
snuff /snʌf/ *vt,vi* = sniff
snuff /snʌf/ *n* انفیه
up to snuff چشم و گوش باز، همه‌چیزدان
snuffers *npl* فتیله پاک‌کن
snuffle /ˈsnʌfl/ *vi,n* ۱.تودماغی حرف زدن؛ با بینی گرفته نفس کشیدن ۲.گرفتگی‌بینی، [در جمع] زکام
snug /snʌg/ *adj* دِنج؛ گرم و نرم؛ راحت
snuggle /ˈsnʌgl/ *vi,vt* جای راحتی را یافتن؛ در آغوش (کسی) آرمیدن
so /səʊ/ *adv,conj* ۱.چنین، این طور؛ این‌قدر، به‌قدری؛ چه(قدر) ۲.همین‌طور؛ پس، بنابراین
Is that so? راستی (چنین است)؟
Be it so (چنین) باشد؛ آمین
so and so فلان و بهمان، فلان‌کار
so large به این بزرگی
so far تاکنون؛ تااینجا
so much این‌قدر؛ به‌قدری، آن‌قدر
so much as آن‌قدر(ها) که؛ حتی
so much for that این که از این، تا اینجا راجع به این موضوع
so much the better چه بهتر
so many این‌همه، این‌قدر؛ فلان قدر
and so forth; and so on و غیره، و امثال آن
if so اگر چنین است، در این صورت
so long *Sl* خداحافظ، به امید دیدار
so that برای اینکه؛ به طوری که
so as to برایِ [با مصدر]
so so نه خوب نه بد، میانه حال
so /səʊ/ *pr* or *adv* این را، این سخن را، این چیز را؛ چنین، این‌طور
He said so او این حرف را زد
I do not think so گمان نمی‌کنم
They can, if they so wish اگر مایل باشند می توانند
50 rials or so چیزی حدود ۵۰ ریال
So he is cured, it matters not by whose hand. همین قدر که معالجه شود کافی است، فرقی نمی‌کند به دست چه کسی معالجه شده است.
You don't say so? نه! نه بابا
So to speak (or say) اگر بتوان چنین چیزی گفت، اگر اغراق نباشد
soak /səʊk/ *vt,vi,n* ۱.خیساندن؛ خیس کردن؛ جذب کردن [غالباً با up] ۲.خیس خوردن؛ نفوذ کردن؛ [در گفتگو] مشروب (زیاد) خوردن؛ [زبان عامیانه] پول درآوردن از ۳.عمل خیساندن؛ خیس‌خوردگی
be soaked to the skin خیس خیس شدن
soak out the salt of توی آب گذاشتن و کم‌نمک کردن
The rain has soaked through the roof. سقف چکه کرده است.
soaker *n* میگسار؛ باران زیاد
soap /səʊp/ *n,vt* ۱.صابون ۲.صابون زدن
soft soap صابون مایع؛ [مجازاً] چاپلوسی
soap-suds /ˈsəʊpsʌdz/ *npl* کف صابون
soapy *adj* صابونی؛ [مجازاً]چرب و نرم؛ چاپلوسانه
soar /sɔː(r)/ *vi,n* ۱.اوج گرفتن، بالا رفتن ۲.بلندپروازی
sob /sɒb/ *n,vi* [-bed] ۱.صدای هق‌هق ۲.هق‌هق (گریه) کردن
sob one's heart out زارزار گریستن
sober /ˈsəʊbə(r)/ *adj,vt,vi*
۱.هوشیار [ضدمست]؛ معتدل؛ متین، موقر؛ نجیب؛ ملایم[در رنگ] ۲.هوشیارکردن؛ آرام کردن؛ ملایم کردن، معتدل کردن ۳.هوشیار شدن؛ آرام شدن
sober-sides /ˈsəʊbəsaɪdz/ *n* آدم متین و موقر

sobriety /səˈbraɪətɪ/ *n* هوشیاری؛ متانت؛ آرامش؛ میانه‌رَوی
sobriquet /ˈsəʊbrɪkeɪ/ *n,Fr* لقب، کنیه
so-called /ˌsəʊ ˈkɔːld/ *adj* مشهور به این اسم، معروف‌به، به اصطلاح
the so-called democratic government حکومتِ به اصطلاح ملی
soccer /ˈsɒkə(r)/ *n* [در گفتگو] فوتبال
sociability /səʊʃəˈbɪlətɪ/ *n* قابلیت معاشرت
sociable /ˈsəʊʃəbl/ *adj* اجتماعی، معاشر، قابلِ معاشرت، خوش‌مشرب؛ دوستانه
social /ˈsəʊʃl/ *adj* اجتماعی؛ تفریحی
socialism /ˈsəʊʃəlɪzəm/ *n* سوسیالیسم
socialist *n* سوسیالیست
socialite /ˈsəʊʃəlaɪt/ *n, US;Col* شخص اجتماعی
socialize /ˈsəʊʃəlaɪz/ *vt* اجتماعی کردن
socially *adv* از لحاظ اجتماعی
society /səˈsaɪətɪ/ *n* انجمن؛ جامعه؛ معاشرت؛ شرکت (تعاونی)
sociologist /ˌsəʊsɪˈɒlədʒɪst/ *n* جامعه‌شناس
sociology /ˌsəʊsɪˈɒlədʒɪ/ *n* جامعه‌شناسی
sock /sɒk/ *n* جوراب ساقه کوتاه؛ کف کفش
sock /sɒk/ *vt,n,Sl* ۱.زدن؛ انداختن ۲.ضربه، ضربت
give a person socks [مجازاً] کسی را شکست‌دادن یا مجاب کردن
socket /ˈsɒkɪt/ *n* حفره؛ کاسه(چشم)؛ سرپیچ؛ پریز؛ [در شمعدان] زنبق؛ [در ماشین‌آلات] بوشن
Socrates /ˈsɒkrətiːz/ *n* سقراط
Socratic /səˈkrætɪk/ *adj* سقراطی
sod /sɒd/ *n* کلوخ چمنی، چمن
under the sod مدفون
soda /ˈsəʊdə/ *n* سود؛ کربنات سدیم؛ سودا
sodden /ˈsɒdn/ *adj* خیسِ خیس، [نان] خمیر؛ [مجازاً] مست و خرف
sodium /ˈsəʊdɪəm/ *n* سدیم
sodium carbonate نمک قلیا
sodium bicarbonate جوش شیرین
sofa /ˈsəʊfə/ *n* کاناپه
soft /sɒft/ *adj* نرم؛ آهسته؛ ملایم؛ شیرین [soft voice]؛ عسلی، نیم‌بند [soft eggs] ؛ سبک، گوارا؛ سست؛ پر از گل؛ خیس؛ بی‌الکل؛ ساده، احمق، آسان (و پر درآمد)
soft water آب نرم
soft soap [به soap نگاه کنید]
soft goods منسوجات
soft palate نرم کام
soften /ˈsɒfn US: ˈsɔːfn/ *v* نرم کردن؛ نرم شدن؛ ملایم(تر) کردن؛ ملایم(تر) شدن؛ آهک و نمک‌ها(ی آب) را گرفتن، شیرین کردن
soft-headed /ˌsɒft ˈhedɪd/ *adj* ساده‌لوح
soft-hearted /ˌsɒft ˈhɑːtɪd/ *adj* دلسوز، مهربان
softly *adv* به نرمی؛ آهسته
softness *n* نرمی، آهستگی
soft soap /ˈsɒftsəʊp/ *vt* = flatter
soft-spoken /ˌsɒft ˈspəʊkn/ *adj* خوش‌بیان؛ خوش‌صدا
soggy /ˈsɒgɪ/ *adj* خیس
soil /sɔɪl/ *n,v* ۱.خاک؛ زمین؛ چرک؛لکه ۲.چرکِ‌کردن؛ چرک شدن؛ آلوده‌کردن؛ آلوده شدن
soirée /ˈswɑːreɪ/ *n,Fr* شب‌نشینی
sojourn /ˈsɒdʒən/ *n,vi* ۱.اقامت موقتی ۲.موقتاً اقامت کردن
solace /ˈsɒlɪs/ *n,vt* ۱.آرامش، تسکین ۲.آرام کردن، تسلی دادن
solar /ˈsəʊlə(r)/ *adj* خورشیدی، شمسی
solarium /səʊˈleərɪəm/ *n* [-ria] اتاق شیشه‌دار که حداکثر استفاده از اشعهٔ آفتاب در آن می‌شود
solatium /səʊˈleɪʃɪəm/ *n* [-tia] پاداش، غرامت
sold /səʊld/ [*p,pp of* sell]
solder /ˈsɒldə(r)/ *n,vt* ۱.لحیم ۲.لحیم کردن
soldering-iron /ˈsɒldərɪŋ aɪən/ *n* هویّه
soldier /ˈsəʊldʒə(r)/ *n,vi* ۱.سرباز ۲.سرباز شدن
soldier of fortune نظامی مزدور
old soldier شخص کهنه‌کار یا ناقلا
soldierly *adj,adv* سربازوار؛ دلیرانه
soldiery /ˈsəʊldʒərɪ/ *n* گروه سرباز، نیرو
sole /səʊl/ *n,vt* ۱.کفِ پا؛ زیره، تخت کفش؛ ته ۲.تخت یا زیره انداختن
sole /səʊl/ *n* ماهیِ حلوا، حلواماهی
sole /səʊl/ *adj* تنها؛ انحصاری؛ مجرد
solecism /ˈsɒlɪsɪzəm/ *n* اشتباه
solely *adv* فقط، تنها؛ منحصراً
solemn /ˈsɒləm/ *adj* سنگین؛ رسمی؛ موقر، موقّرانه؛ باابهت؛ مهم، خطیر
solemnity /səˈlemnətɪ/ *n* سنگینی؛ وقار، ابهت؛ آیین، تشریفات
solemnize /ˈsɒləmnaɪz/ *vt* با تشریفات رسمی (مراسم ازدواج را) برگزار کردن
solemnly *adv* به‌طور جدی یا رسمی، جداً؛ با تشریفات

solicit /sə'lɪsɪt/ *vt* درخواست کردن، تقاضا کردن (از)؛ از راه به در کردن؛ خودفروشی کردن
solicit a person for money درخواست پول از کسی کردن
solicitation /sə,lɪsɪ'teɪʃn/ *n* درخواست، تقاضا
solicitor /sə'lɪsɪtə(r)/ *n* مشاور حقوقی
solicitous /sə'lɪsɪtəs/ *adj* مشتاق، مایل؛ نگران، دلواپس
solicitous of مایل به، مشتاقِ
solicitude /sə,lɪsɪ'tju:d/ *n* نگرانی؛ دلواپسی
solid /'sɒlɪd/ *adj,n* ۱.جامد؛ سفت؛ محکم؛ توپُر؛ یکپارچه؛ متین، استوار ۲.جسم جامد، جماد
solid angle زاویه مجسمه، سه کنج
solid geometry هندسهٔ فضایی
solidarity /,sɒlɪ'dærətɪ/ *n* همبستگی، اتفّاق‌نظر
solidify /sə'lɪdɪfaɪ/ *v* جامد کردن؛ جامد شدن؛ محکم کردن؛ محکم شدن
solidity /sə'lɪdətɪ/ *n* استحکام؛ سفتی، انجماد؛ متانت؛ جسم، حجم
soliloquize /sə'lɪləkwaɪz/ *vi* با خود گفتگو کردن
soliloquy /sə'lɪləkwɪ/ *n* تک‌گویی
solitaire /,sɒlɪ'teə(r)/ *n* نگین تکی
solitary /'sɒlɪtrɪ/ *adj* تنها، مجرد؛ گوشه‌نشین، منزوی؛ پرت، دوردست
solitude /'sɒlɪtju:d/ *n* تنهایی، انفراد؛ خلوت
solo /'səʊləʊ/ *n* تکنوازی؛ تکخوانی
soloist *n* تکنواز؛ تکخوان
solstice /'sɒlstɪs/ *n* [هیئت] انقلابین
solubility /,sɒljʊ'bɪlətɪ/ *n* قابلیت حل
soluble /'sɒljʊbl/ *adj* قابل حل
solution /sə'lu:ʃn/ *n* حلّ؛ محلول
solvable *adj* حل کردنی
solve /sɒlv/ *vt* حل کردن؛ رفع کردن
solvency /'sɒlvnsɪ/ *n* [حقوق] ملائت، عدم اعسار، توانایی پرداخت دیون
solvent /'sɒlvənt/ *adj,n* ۱ و ۲.حلاّل، حل‌کننده ۲.کسی که توانایی پرداخت دیون خود را دارد
sombre /'sɒmbə(r)/ *adj* تیره؛ افسرده
sombrero /sɒm'breərəʊ/ *n* نوعی کلاه لبه پهن در اسپانیا و مکزیک
some /sʌm/ *adj,pr* برخی (از)، بعضی (از)؛ اندکی، قدری [some bread]؛ چندتا، چند [some books]؛ یک، ـ ی [Some girl did that]
some two hours یک دوساعتی

somebody /'sʌmbədɪ/ *n* or *pr* یک کسی، شخصی
somehow /'sʌmhaʊ/ *adv* به طریقی؛ به دلیلی، به نوعی
someone /'sʌmwʌn/ *n* یک کسی، شخصی
somersault /'sʌməsɔ:lt/ *n,vt* ۱.پشتک، معلق ۲.پشتک زدن، معلق زدن
turn a somersault پشتک زدن، معلق زدن
something /'sʌmθɪŋ/ *n,adv* ۱.چیزی ۲.تا اندازه‌ای
sometime /'sʌmtaɪm/ *adv* وقتی، زمانی
sometimes *adv* گاهی، بعضی اوقات
somewhat /'sʌmwɒt/ *adv* تا اندازه‌ای، قدری [somewhat easy]
He is somewhat of a liar. یک کمی دروغگو است.
somewhere /'sʌmweə(r)/ *adv* (در یک) جایی
somnambulism /sɒm'næmbjʊlɪzəm/ *n* خوابگردی: راه رفتن در خواب
somnambulist /sɒm'næmbjʊlɪst/ *n* خوابگرد: کسی که در خواب راه می‌رود یا کار می‌کند
somnolence /'sɒmnələns/ *n* خواب‌آلودگی، حالت میان‌خواب و بیداری
somnolent /'sɒmnələnt/ *adj* خواب‌آلود
son /sʌn/ *n* پسر؛ فرزند
sonata /sə'nɑ:tə/ *n* سونات: قطعهٔ موسیقی کلاسیک که برای پیانو و یک ساز دیگر نوشته می‌شود
song /sɒŋ/ *n* آواز؛ آهنگ؛ سرود؛ چهچه؛ شعر
for a song (*or* **an old song**) به قیمت کفش کهنه یا حلوا جوزی
She is not to be made a song of چندان تعریفی هم ندارد
songster /'sɒŋstə(r)/ *n* [*fem* -stress] سرودخوان؛ مرغ خوش‌الحان
son-in-law /'sʌn ɪn ,lɔ:/ *n* [sons-in-law] داماد [شوهر دختر]
sonnet /'sɒnɪt/ *n* (نوعی) غزل
sonneteer /,sɒnɪ'tɪə(r)/ *n* تصنیف ساز یا غزل ساز [در مقام تحقیر]
sonny /'sʌnɪ/ *n* پسرجان، فرزند
sonority /sə'nɒrətɪ US: -'nɔ:r-/ *n* طنین
sonorous /sə'nɔ:rəs/ *adj* پرطنین؛ طنین‌انداز؛ قلنبه؛ مؤثر
soon /su:n/ *adv* به زودی؛ عن‌قریب، طولی نخواهد کشید (یا نکشید) که؛ زود
soon after چندی بعد، اندکی بعد

so soon به این زودی؛ به آن زودی
as soon as همین‌که، به محض اینکه
He no sooner began to run than he fell down. به محض اینکه شروع به دویدن کرد زمین خورد.
soot /sʊt/ *n,vt* ۱.دوده ۲.دوده‌ای کردن
sooth /su:θ/ *n, Arch* راستی
in sooth به راستی
soothe /su:ð/ *vt* تسکین دادن، آرام کردن
soothingly *adv* از راه دلجویی
soothsayer /ˈsu:θseɪə(r)/ *n* پیشگو، فالگیر
sooty *adj* دوده‌ای؛ سیاه
sop /sɒp/ *vt,vi* [-ped] *,n* ۱.تردید کردن؛ [با up] جذب کردن؛ پاک کردن ۲.خیس بودن؛ خیس شدن ۳.ترید، نان خیسانده؛ [مجازاً] رشوه یا باج سبیل
sopping wet خیسِ خیس
sophism /ˈsɒfɪzəm/ *n* سفسطه
sophist /ˈsɒfɪst/ *n* سوفسطایی، اهل سفسطه
sophistic(al) /səˈfɪstɪk(l)/ *adj* سفسطه‌آمیز
sophisticated /səˈfɪstɪkeɪtɪd/ *adj* بافرهنگ، فرهیخته؛ چشم و گوش‌باز، خبره
sophistry /ˈsɒfɪstrɪ/ *n* سفسطه، مغالطه، زبان بازی، برهان تراشی
sophomore /ˈsɒfəmɔ:(r)/ *n,US* [در امریکا] کسی که در سال دوم دانشکده یا دبیرستان تحصیل می‌کند
soporific /ˌsɒpəˈrɪfɪk/ *adj,n* ۱.خواب‌آور ۲.داروی خواب‌آور
soppy /ˈsɒpɪ/ *adj* خیس؛ [در گفتگو] احمق
soprano /səˈprɑ:nəʊ/ *n* [موسیقی] سوپرانو: صدای زیر زنانه و پسرانه
sorcerer /ˈsɔ:sərə(r)/ *n* جادوگر
sorceress /ˈsɔ:sərɪs/ *n* ساحره
sorcery /ˈsɔ:sərɪ/ *n* سحر، جادو(یی)
sordid /ˈsɔ:dɪd/ *adj* پست؛ خسیس؛ چرک
sordidness *n* پستی، ناکسی
sore /sɔ:(r)/ *n,adj* ۱.زخم؛ رنجش ۲.دردناک؛ مجروح؛ اوقات تلخ؛ سخت
Like a bear with a sore head مثل برج زهرمار
sore /sɔ:(r)/ *adv* سخت
sorely *adv* سخت، زیاد
soreness *n* دردناکی؛ سختی
sorority /səˈrɒrətɪ/ *n,US* انجمن زنان و دختران [در مدارس امریکا]
sorrel /ˈsɒrəl/ *n* ترشک
sorrel /ˈsɒrəl/ *adj,n* ۱.کرند، کرنگ ۲.اسب کرند

sorrow /ˈsɒrəʊ/ *n,vi* ۱.تأسّف؛ غم، غصه ۲.غصه خوردن؛ سوگواری کردن
sorrowful /ˈsɒrəʊfl/ *adj* متأسّف؛ غم‌انگیز
sorry /ˈsɒrɪ/ *adj* متأسف، غمگین؛ پشیمان؛ بدبخت؛ ناچیز
a sorry excuse عذر بدتر از گناه
I felt sorry غمگین شدم، دلم سوخت
I am sorry ببخشید، متأسفم [غالباً فقط !Sorry گفته می‌شود]
sort /sɔ:t/ *n,vt* ۱.جور، نوع، قِسم ۲.جور کردن [غالباً با out]؛ دسته‌بندی کردن؛ مرتب کردن
Nothing of the sort اصلاً چنین چیزی نیست
after a sort تا اندازه‌ای
We had coffee of a sort قهوه خوردیم اما چه قهوه‌ای؟ اسمش قهوه بود
out of sorts بدحال
these sort of people این جور اشخاص
He's a good sort آدم خوبی است
I sort of feel sick مثل اینکه حالم خوب نیست
sort /sɔ:t/ *vi* جور بودن
sorter *n* [در پستخانه] متصدی (یا دستگاه) تفکیک وطبقه‌بندی نامه‌ها
sortie /ˈsɔ:ti:/ *n* حملهٔ غافلگیرکننده، ضدحمله؛ سفر کوتاه
sot /sɒt/ *n* میگسار؛ آدم خِرِف
sottish *adj* خِرِف، دائم‌الخمر
sotto voce /ˌsɒtəʊ ˈvəʊtʃɪ/ *adv,It* آهسته، با صدای آهسته
sou /su:/ *n,Fr* [مجازاً] دینار
soubrette /su:ˈbret/ *n,Fr* (نقش) کلفت در نمایشنامه‌ها
soubriquet /ˈsu:brɪkeɪ/ *n* = sobriquet
soufflé /ˈsu:fleɪ US: su:ˈfleɪ/ *n,Fr* سوفله
sough /sʌf US: saʊ/ *vi* با صدای خفیف وزیدن
sought /sɔ:t/ [*p,pp of* seek]
soul /səʊl/ *n* روح، جان؛ روان؛ وجود؛ شخص، کس
soulful *adj* مهربان؛ پراحساس
soulless *adj* بی‌روح، بی‌احساس
sound /saʊnd/ *n,vi,vt* ۱.صدا، صوت ۲.صدا کردن؛ به‌نظر رسیدن ۳.به‌صدا درآوردن، ...دن؛ شهرت دادن
sound a retreat شیپور عقب‌نشینی زدن
sound /saʊnd/ *adj* سالم، درست؛ معتبر؛ منطقی؛ راحت [sound sleep]
sound /saʊnd/ *vt,vi,n* عمق (چیزی را) سنجیدن؛ ...زهٔ دهن (کسی را) فهمیدن

sound /saʊnd/ *n* تنگه، بغاز، باب
sound-box /'saʊnd bɒks/ *n* کاسهٔ ساز؛ [در گرامافون] دیافراگم پیکاب
sounder *n* ژرفایاب، عمق‌یاب؛ دستگاه گیرنده تلگراف
sound-film /'saʊnd fɪlm/ *n* فیلم ناطق
sounding *n* عمق‌سنجی؛ [در جمع] زمینه‌یابی، استمزاج
soundly *adv* به‌طور صحیح و سالم؛ خوب، راحت [He sleeps soundly]
soundness *n* تندرستی؛ صحت
sound proof /'saʊndpru:f/ *adj* مانع شنیدن صدا
soup /su:p/ *n* سوپ
in the soup *Sl* گرفتار
soup-kitchen /'su:p kɪtʃɪn/ *n* آشپزخانه عمومی (برای دادن سوپ به بینوایان)
sour /'saʊə(r)/ *adj,vi,vt* ۱.ترش؛ ترشیده؛ [مجازاً] ترشرو ۲.ترش شدن ۳.ترش کردن؛ کج خلق کردن
source /sɔ:s/ *n* سرچشمه، منبع
sourness *n* ترشی؛ ترشرویی
souse /saʊs/ *vt* نمک‌سود کردن، در آب‌نمک یا سرکه خواباندن؛ در آب فرو بردن
soused *ppa,Sl* مست
south /saʊθ/ *n,adj,adv* ۱.جنوب ۲.جنوبی ۳.به طرف جنوب
southeast /ˌsaʊθ'i:st/ *n,adv* ۱.جنوب شرق ۲.به طرف، جنوب شرق
southeasterly *adj* جنوب شرقی
south-eastern /ˌsaʊθ'i:stən/ *adj* جنوب‌شرقی
southerly /'sʌðəlɪ/ *adj,adv* ۱.جنوبی ۲.به طرف جنوب
southern /'sʌðən/ *adj* جنوبی
southerner *n* اهل جنوب
southward(s) /'saʊθwəd(z)/ *adv* رو به جنوب، به طرف جنوب
southwest /'saʊθwest/ *n,adv* ۱.جنوب غرب ۲.به طرف جنوب غرب
southwesterly *adj* جنوب غربی
south-western /ˌsaʊθ'westən/ *adj* جنوب‌غربی
souvenir /ˌsu:və'nɪə(r)/ *n* یادگاری
souwester /ˌsaʊ'westə(r)/ *n* نوعی کلاه ملوانی که گردن را می‌پوشاند
sovereign /'sɒvrɪn/ *n,adj* ۱.پادشاه، فرمانروا ۲.عالی‌مقام؛ مطلق؛ مستقل؛ عالی؛ سودمند، مؤثر؛ شاهانه
sovereignty /'sɒvrəntɪ/ *n* پادشاهی، فرمانروایی؛ حاکمیت؛ استقلال؛ اقتدار؛ برتری
soviet /'səʊvɪət/ *n* [در اتحاد شوروی سابق] شورا
the Soviet Republics جماهیر شوروی
sovietism *n* اصول حکومت شورایی
sovietize /'səʊvɪətaɪz/ *vt* شورایی کردن
sow /səʊ/ *vt* [sowed;sown *or* sowed] کاشتن، (بذر) افشاندن
sow with seeds دانه کاشتن
sow the wind and reap the whirlwind باد کاشتن و توفان درو کردن، کلوخ انداختن و سنگ خوردن
sow /saʊ/ *n* ماده خوک
sown /səʊn/ [*pp of* sow]
soya /'sɔɪə/ *n* سویا
spa /spa:/ *n* چشمهٔ آب‌معدنی
space /speɪs/ *n,vt* ۱.فضا؛ جا؛ فاصله؛ مدّت، دوره ۲.از هم فاصله دادن
open space میدان، فضای باز، صحن
double space با دوخط فاصله
space out زیاد فاصله دادن، گشادتر کردن
space-bar /'speɪs bɑ:(r)/ *n* [ماشین تحریر] فاصله زن
spacious /'speɪʃəs/ *adj* جادار، وسیع
spade /speɪd/ *n,vt* ۱.بیل؛ [در بازی ورق] خال‌پیک ۲.بیل زدن، با بیل کندن
call a spade a spade صراحت لهجه داشتن، روشن حرف زدن
spadeful /'speɪdfʊl/ *n* (به اندازهٔ) یک بیل
spaghetti /spə'getɪ/ *n* اسپاگتی
Spain /speɪn/ *n* اسپانیا، اسپانیایی
spake /speɪk/ *Arch* [*p of* speak]
span /spæn/ *n,vt* [-ned] ۱.فاصلهٔ بین دو ستون؛ فاصلهٔ زمانی بین دو رویداد؛ وجب ۲.وجب کردن؛ پُل زدن روی (رودخانه)
span /spæn/ *Arch* [*p of* spin]
spangle /'spæŋgl/ *n,vt* ۱.پولک ۲.پولک‌دوزی کردن
the star-spangled banner پرچم پرستاره (پرچم ایالات متحدهٔ امریکا)
Spaniard /'spænɪəd/ *n* اسپانیایی
spaniel /'spænɪəl/ *n* نوعی سگِ مو دراز و آویخته گوش
Spanish /'spænɪʃ/ *adj,n* ۱.اسپانیایی ۲.زبان اسپانیایی
spank /spæŋk/ *vt,n* ۱.[به عنوان تنبیه] درکونی زدن ۲.درکونی

spanking *adj* تند، سریع
spanner /'spænə(r)/ *n* آچار
spar /spɑ:(r)/ *n,vi* [-red] ۱.[در کشتی] دکل ۲.[تمرین] مشت‌زنی کردن؛ [مجازاً] دعوا کردن؛ یکی بدو کردن
spare /speə(r)/ *adj,n,vt* ۱.اضافی، یدکی؛ کم؛ لاغر ۲.[وقت] آزاد ۳.زندگی دوباره یافتن؛ اختصاص دادن؛ عفو کردن؛ مضایقه کردن
  not to spare oneself [در صرف نیرو] به خود رحم نکردن
  spare parts لوازم یدکی
  It will spare you trouble زحمت شما راکم خواهد کرد
sparing *apa* مقتصد، صرفه‌جو
  sparing of words کم حرف
spark /spɑ:k/ *n,v* ۱.جرقه، جرقهٔ الکتریکی؛ ذرّه، خرده ۲.جرقه زدن؛ منجر شدن
spark /spɑ:k/ *n* آدم‌بشاش وسرخوش
sparkle /'spɑ:kl/ *vi,n* ۱.برق زدن، درخشیدن؛ کف کردن، جوش زدن ۲.برق، جرقّه، درخشش
sparkler *n* [آتش‌بازی] فشفشه
spark(ing) plug /'spɑ:k(ɪŋ) plʌg/ *n* [در اتومبیل] شمع
sparrow /'spærəʊ/ *n* گنجشک
sparrow-hawk /'spærəʊ hɔ:k/ *n* قرقی
sparse /spɑ:s/ *adj* تُنُک، نامتراکم، متفرق، پراکنده
sparsely *adv* به‌طور متفرق، کم
  sparsely populated کم‌جمعیت، خلوت
sparsity /'spɑ:sətɪ/ *n* تُنُکی، پراکندگی، تفرّق
spartan /'spɑ:tn/ *adj* ساده، مختصر، بی‌پیرایه
spasm /'spæzəm/ *n* گرفتگی عضلانی
spasmodic /spæz'mɒdɪk/ *adj* نامنظّم، ناشی از گرفتگی عضلانی
spat /spæt/ *n* بگومگو، دعوا
spat /spæt/ [*p,pp of* spit]
spat /spæt/ *n* گتر، مچ‌پیچ
spatial /'speɪʃl/ *adj* فضایی، فاصله‌ای
spatter /'spætə(r)/ *vt,vi,n* ۱.پاشیدن؛ آلودن ۲.پخش شدن، ریختن ۳.ترشح؛ صدای چِک‌چِک
spatula /'spætjʊlə/ *n* کارد‌ک؛ [پزشکی] قاشقک، آبس لانگ
spawn /spɔ:n/ *n,v* ۱.تخم ماهی ۲.(تخم) ریختن
speak /spi:k/ *v* [spoke; spoken] حرف زدن، صحبت کردن، سخن گفتن
  speak the truth راست گفتن
  speak out (*or* up) بی‌پرده سخن گفتن؛ بلندتر حرف زدن
  speak volumes نموداِر بارز یا گواه صادق بودن
  speak well for معرفی‌کردن،گواهی‌دادن
  It is nothing to speak of قابل تعریف نیست، آش دهن‌سوزی نیست
speak-easy /'spi:k i:zɪ/ *n,Sl;US* دکان مشروب‌فروشی قاچاق
speaker *n* سخنران، سخنگو؛ [در مجلس] رئیس؛ بلندگو
speakership *n* (دوره) ریاست
spear /spɪə(r)/ *n,vt* ۱.نیزه ۲.نیزه زدن (به)؛ پرتاب کردن نیزه
spearman /'spɪəmən/ *n* [-men] نیزه‌دار
spearmint /'spɪəmɪnt/ *n* نعناع
special /'speʃl/ *adj* ویژه، مخصوص، خاص؛ استثنایی
specialist /'speʃəlɪst/ *n* متخصص
speciality /,speʃɪ'ælətɪ/ *n* رشتهٔ تخصّصی؛ تخصّص؛ ویژگی
specialize /'speʃəlaɪz/ *vi* تخصص پیدا کردن، متخصّص شدن؛ تخصّصی کردن
specialty /'speʃəltɪ/ *n* = speciality
specially /'speʃəlɪ/ *adv* به‌طور ویژه، مخصوصاً
specie /'spi:ʃi:/ *n* پول مسکوک
species /'spi:ʃi:z/ *n* گونه، نوع
specific /spə'sɪfɪk/ *adj* ویژه، مخصوص؛ معین؛ صریح، روشن
specifically /spə'sɪfɪklɪ/ *adv* به‌ویژه، مخصوصاً؛ به خصوص؛ صریحاً؛ دقیقاً
specification /,spesɪfɪ'keɪʃn/ *n* تعیین، تصریح؛ تشخیص؛ [در جمع] مشخصات
specify /'spesɪfaɪ/ *vt* معین کردن، مشخص کردن؛ تصریح کردن
  within the specified period در مدت مقرر یا معین
specimen /'spesɪmɪn/ *n* نمونه
  what a specimen! Col چه آدمی است!
specious /spi:ʃəs/ *adj* موجه‌نما، حق به‌جانب
speck /spek/ *n,vt* ۱.خال؛ لک؛ ذره ۲.لک‌دار یا لکه‌دار کردن
speckle /'spekl/ *n,vt* ۱.خال؛ لکهٔ کوچک ۲.لک‌دار کردن؛ خالدار کردن
speckled *ppa* خالدار

speckless *adj* بی‌لک، پاک
specs /speks/ *npl,Col* = spectacles
spectacle /'spektəkl/ *n* منظرهٔ تماشایی، منظره؛ [در جمع] عینک
spectacled *adj* عینکی
spectacular /spek'tækjʊlə(r)/ *adj* تماشایی
spectator /spek'teɪtə(r)/ *n* تماشاچی، ناظر
specter *or* **spectre** /'spektə(r)/ *n* روح؛ طیف
spectral /'spektrəl/ *adj* طیفی؛ روح‌وار
spectroscope /'spektrəskəʊp/ *n* طیف‌نما
spectrum /'spektrəm/ *n* [-tra] طیف، بیناب
speculate /'spekjʊleɪt/ *vi* تأمّل کردن، تفکر کردن؛ معاملات قماری کردن، سفته‌بازی کردن
speculation /ˌspekjʊ'leɪʃn/ *n* تأمل، اندیشه؛ تصور، گمان؛ سفته‌بازی
speculative /'spekjʊlətɪv/ *adj* نظری؛ حدسی؛ ذهنی؛ باجرأت
sped /sped/ [*p,pp of* speed]
speech /spi:tʃ/ *n* سخن، کلام؛ نطق
deliver a speech نطق کردن
speech-day /'spi:tʃ deɪ/ *n* [در مدرسه] روز اعطای جوایز وگواهینامه‌ها که نطقهایی ایراد می‌شود
speechless *adj* بی‌زبان، زبان بندآمده؛ نگفتنی
speed /spi:d/ *n,v* [sped] ۱.سرعت، شتاب ۲.تند کردن [با up]؛ سرعت گرفتن (یا داشتن) [در معنی «تند کردن یا سرعت گرفتن» گذشته و اسم مفعول این فعل speeded می‌شود]
God speed you! خدابه‌همراه!
exceed the speed limit [در وسایط نقلیه] از سرعت مجاز تجاوز کردن
speedily *adv* با شتاب، سریعاً
speediness *n* سرعت، شتاب
speedometer /spi:'dɒmɪtə(r)/ *n* سرعت‌سنج، کیلومترشمار
speed-way /'spi:dweɪ/ *n* جاده برای وسایط نقلیهٔ تندرو؛ مسابقهٔ موتورسیکلت‌رانی در پیست مخصوص
speedy *adj* تند، سریع؛ فوری
spell /spel/ *vt* [spelt *or* spelled] هجی کردن؛ توضیح دادن، [مجازاً] متضمن بودن
these letters spell "hat" کلمهٔ hat از این حروف تشکیل می‌شود
spell out شرح دادن
spell /spel/ *n* افسون، طلسم؛فریبندگی
spell /spel/ *n* نوبت؛ دوره؛ مدت
spell-binder /'spel baɪndə(r)/ *n* ناطقی که شنوندگان رامسحور بیانات خود می‌کند
spellbound /'spelbaʊnd/ *adj* طلسم شده
spelling *n* املا ، هجی
spelling bee /'spelɪŋ bi:/ *n* مسابقهٔ املایی
spelt /spelt/ [*p,pp of* spell]
spelt /spelt/ *n* نوعی گندم
spend /spend/ *vt,vi* [spent] ۱.خرج کردن؛ به‌سر بردن،صرف کردن ۲.مصرف شدن، تمام شدن
spendthrift /'spendθrɪft/ *n* آدم ولخرج
spent /spent/ [*p,pp of* spend]
sperm /spɜ:m/ *n* نطفه؛ اسپرم
spermaceti /ˌspɜ:mə'setɪ/ *n* روغن سرِ نهنگ
sperm-whale /'spɜ:m weɪl/ *n* نهنگِ عنبر
spew /spju:/ *v* استفراغ کردن
sphere /sfɪə(r)/ *n* کره، گوی؛ آسمان؛ سپهر؛ [مجازاً] حوزه، قلمرو
spherical /'sferɪkl/ *adj* کرَوی
spheroid /'sfɪərɔɪd/ *n* شبه کره، جسم کروی شکل
sphinx /sfɪŋks/ *n* ابوالهول
spice /spaɪs/ *n,vt* ۱.ادویه، چاشنی ۲.ادویه زدن (به چیزی)
spiciness *n* تندی، زنندگی
spick and span /ˌspɪk ən 'spæn/ *adj* نونو؛ پاکِ پاک
spicy *adj* ادویه‌زده؛ [مجازاً] تند
spider /'spaɪdə(r)/ *n* عنکبوت، کارتنک
spidery /'spaɪdərɪ/ *adj* نازک
spigot /'spɪgət/ *n* توپی
spike /spaɪk/ *n,vt* ۱.میخ بزرگ؛ سیخ؛ کفش ورزشی میخدار؛ سنبله ۲.میخ کوبیدن؛ سوراخ کردن
spike one's guns نقشهٔ کسی را خنثی (یا نقش برآب) کردن
spikenard /'spaɪknɑ:d/ *n* (روغن) سنبل هندی
spiky *adj* میخ‌دار؛ نوک‌تیز
spill /spɪl/ *v* [spilled *or* spilt] ریختن؛ انداختن، پرت کردن
spill /spɪl/ *n* تکهٔ کاغذ یا چوب که برای روشن کردن چراغ به‌کار می‌برند
spillway /'spɪlweɪ/ *n* محل خروج آب در سد
spilt /spɪlt/ [*p,pp of* spill]
spin /spɪn/ *vt,vi* [spun] *,n* ۱.چرخاندن؛ ریسیدن، تابیدن ۲.چرخیدن ۳.چرخش، پیچ‌وتاب، سواری مختصر

spin out به تفصیل گفتن؛ به‌سر بردن
spinach /ˈspɪnɪdʒ/ *n* اسفناج
spinal /ˈspaɪnl/ *adj* مربوط به ستون فقرات، مربوط به تیرهٔ پشت
spinal column تیرهٔ پشت، ستون فقرات
spinal cord مغز تیره، نخاع، مغز حرام
spindle /ˈspɪndl/ *n* دوک؛ میله
spindle-shanks /ˈspɪndl ʃæŋkz/ *n* لندوک
spindrift /ˈspɪndrɪft/ *n* ترشح امواج بر اثر جریان باد
spine /spaɪn/ *n* ستون فقرات، تیرهٔ پشت؛ تیغ، خار؛ عطف کتاب
spineless *adj* فاقد ستون فقرات؛ [مجازاً] بی‌اراده، بی‌دل‌وجرئت
spinet /spɪˈnet/ *n* نوعی پیانوی قدیمی
spinner *n* نخ‌ریس، ریسنده
spinning *n* نخ‌ریسی، ریسندگی
spinster /ˈspɪnstə(r)/ *n* دختر ترشیده، پیردختر
spiny *adj* خاردار، تیغ‌دار؛ [مجازاً] پرزحمت
spiral /ˈspaɪərəl/ *adj,n,vi* ۱.مارپیچ، پیچاپیچ؛ حلزونی ۲.فنر مارپیچ ۳.مارپیچ شدن
spirally *adv* به‌طور مارپیچ
spire /ˈspaɪə(r)/ *n* بخش مخروطی‌شکل و مرتفع در بالای بعضی از ساختمان‌های بلند مانند کلیسا
spirit /ˈspɪrɪt/ *n* روح، روان؛ جن؛ دل و جرئت؛ شور و نشاط؛ الکل؛ [در جمع] مشروبات الکلی
the Holy Spirit روح‌القدس
motor spirit بنزین
in (good) spirits سرِخُلق، سرِحال
out of spirits افسرده، پکر
spirit /ˈspɪrɪt/ *vt* به‌طور مرموز بردن
spirited *ppa* با روح؛ شاد؛ سرزنده؛ دلیر
spirit-lamp /ˈspɪrɪt læmp/ *n* چراغ الکلی
spirit-level /ˈspɪrɪt levl/ *n* تراز الکلی
spirit-rapping /ˈspɪrɪt ræpɪŋ/ *n* احضار روح به وسیلهٔ میز
spiritual /ˈspɪrɪtʃʊəl/ *adj* روحی؛ روحانی؛ معنوی
Lords Spiritual روحانیون مجلس اعیان
spiritualism /ˈspɪrɪtʃʊəlɪzəm/ *n* اعتقاد به ارتباط ارواح با زندگان
spiritualist /ˈspɪrɪtʃʊəlɪst/ *n* کسی که معتقد به ارتباط ارواح با زندگان است
spirituality /ˌspɪrɪtʊˈælətɪ/ *n* روحانیت؛ معنویت
spiritualize /ˈspɪrɪtʃʊəlaɪz/ *vt* روحانی کردن
spiritually /ˈspɪrɪtʃʊlɪ/ *adv* به‌طور روحی و معنوی
spirituous /ˈspɪrɪtʃʊəs/ *adj* الکل‌دار
spirt /spɜːt/ *v,n* = spurt
spit /spɪt/ *n,vt* [-ted] ۱.سیخ ۲.به سیخ کشیدن؛ سوراخ کردن
spit /spɪt/ *n,vi,vt* [spat] ۱.آب دهان، تُف ۲.تف انداختن؛ فیف کردن [مانند گربه]؛ مرکب پراندن ۳.نم‌نم باریدن؛ [با out] تف کردن
Spit it out! Sl نفست در بیاید! زود یا صراحتاً بگو!
spite /spaɪt/ *n,vt* ۱.کینه، سوءنیت، غرض ۲.آزردن؛ کینه ورزیدن
in spite of با وجودِ؛ علی‌رغمِ
in spite of the fact that با وجود اینکه
spiteful *adj* کینه‌توز؛ مغرض
spitefully *adv* کینه‌توزانه؛ مغرضانه
spitfire /ˈspɪtfaɪə(r)/ *n* آدم آتش مزاج
spittle /ˈspɪtl/ *n* تُف، آب دهان
spittoon /spɪˈtuːn/ *n* تف‌دان، خلط‌دان
splash /splæʃ/ *n,vi,vt* ۱.ترشح؛ لکه؛ تظاهر، خودنمایی ۲.ترشح کردن؛ (به آب) زدن؛ شلپ‌شلپ کردن ۳.خیس کردن؛ پاشیدن
splash headline سرصفحهٔ درشت
They splashed (their way) through the mud. زدند به گل و رد شدند.
splashboard /ˈsplæʃbɔːd/ *n* گلگیر
splay /spleɪ/ *vt,vi* ۱.گشاد کردن ۲.گشاد شدن
spleen /spliːn/ *n* طحال؛ کج‌خلقی
splendid /ˈsplendɪd/ *adj* باشکوه؛ تابان؛ شایان؛ عالی
splendour /ˈsplendə(r)/ *n* شکوه، جلال؛ درخشندگی؛ رونق
splenetic /splɪˈnetɪk/ *adj* کج‌خلق
splice /splaɪs/ *vt,n* ۱.به‌هم بافتن؛ به‌هم چسباندن ۲.ازدواج
get spliced *Col* ازدواج کردن
splint /splɪnt/ *n* تختهٔ شکسته‌بندی
splinter /ˈsplɪntə(r)/ *v,n* ۱.شکافتن ۲.تراشه، ریزه، خرده
splinter-proof /ˈsplɪntə pruːf/ *adj* ضد ترکش
splintery *adj* خرد شونده؛ ریزریز
split /splɪt/ *vt,vi* [split] *,n* ۱.شکافتن؛ دونیم کردن ۲.ترَک برداشتن ۳.ترک، شکاف، انشعاب؛ بستنی میوه
do splits با پاهای گشاده رویِ زمین نشستن
split hairs مته به خشخاش گذاشتن

split one's sides از خنده روده‌بُر شدن
split the difference میانه را گرفتن
I have a splitting headache.
سرم (از درد) نزدیک است بترکد.
in a split second به‌یک چشم برهم زدن، در یک لحظه
split peas لپه
splotch /splɒtʃ/ *or* **splodge** /splɒdʒ/ *n* لکه
splurge /splɜːdʒ/ *n,Col* ولخرجی
splutter /'splʌtə(r)/ *v* باعجله و اضطراب سخن گفتن، بریده بریده سخن گفتن
spoil /spɔɪl/ *n,vt,vi* [-ed *or* spoilt] ۱.[در جمع] غنایم جنگی ۲.ضایع کردن، خراب کردن؛ لوس کردن، بدعادت کردن ۳.فاسد شدن، ضایع شدن
spoil-sport /'spɔɪl spɔːt/ *n* موی دماغ، سرخر
spoilt /spɔɪlt/ [*p,pp of* spoil]
spoke /spəʊk/ *n* پرهٔ چرخ
spoke /spəʊk/ [*p of* speak]
spoken /'spəʊkən/ [*pp of* speak]
spokesman /'spəʊksmən/ *n* [-men] سخنگو
spoliation /ˌspəʊlɪ'eɪʃn/ *n* غارت؛ ضبطِ کشتی بی‌طرف
sponge /spʌndʒ/ *n,vt,vi* ۱.ابر، اسفنج ۲.با ابر پاک کردن؛ [با up] با ابر جذب کردن؛ تلکه کردن، تیغ زدن ۳.سربار شدن، طفیلی شدن
throw up the sponge سپر انداختن، تسلیم شدن
pass the sponge over گذشت کردن یا چشم پوشیدن از
He sponged on me for his dinner.
نهار را انگل من شد.
sponge-cake /'spʌndʒ keɪt/ *n* کیک اسفنجی
sponger *n* طفیلی، سربار
sponginess *n* خاصیت اسفنجی
spongy *adj* اسفنجی، پوک
sponsor /'spɒnsə(r)/ *n* ضامن؛ حامی؛ پدر یا مادر تعمیدی
sponsored by باحمایتِ...، باضمانتِ...
spontaneity /ˌspɒntə'neɪətɪ/ *n* خودبه خودی
spontaneous /spɒn'teɪnɪəs/ *adj* خودبه‌خود؛ بی‌اختیار
spontaneous generation خلق‌الساعه
spontaneously /spɒn'teɪnɪəslɪ/ *adv* خودبه‌خود
spook /spuːk/ روح، شبح
spooky *adj,Col* روح مانند؛ شبح‌وار

spool /spuːl/ *n* قرقره؛ ماسوره
spoon /spuːn/ *n,vt* ۱.قاشق ۲.با قاشق برداشتن [با up یا out]
spoon /spuːn/ *vi,Col* جلوی چشم مردم عشق‌بازی کردن
spoon-fed /'spuːnfed/ *adj* نازپرورده، لوس
spoon-fed industries صنایعی که از طرف دولت حمایت می‌شوند
spoonful *n* (به اندازهٔ) یک قاشق
spoor /spʊə(r)/ *n* ردّ پای جانور
sporadic /spə'rædɪk/ *adj* پراکنده؛ متفرق
spore /spɔː(r)/ *n* هاگ، اسپور
sport /spɔːt/ *n,vi,vt* ۱.ورزش؛ مسابقه؛ شوخی؛ تفریح ۲.تفریح کردن؛ بازی کردن ۳.نمایش دادن
make sport of دست انداختن
sporting *adj* ورزشی؛ ورزشکارانه
sportive /'spɔːtɪv/ = playful
sportsman /'spɔːtsmən/ *n* [-men] ورزشکار؛ ورزشدوست
sportsmanlike *adj* ورزشکارانه؛ جوانمردانه
sportsmanship *n* جوانمردی؛ ورزشدوستی
spot /spɒt/ *n,vt,vi* [-ted] ۱.نقطه، محل؛ خال؛ جوش؛ لک؛ لکه؛ [در گفتگو] خرده، چکه ۲.خالدار کردن، لکه‌دار کردن؛ [در گفتگو] تشخیص دادن ۳.لک برداشتن
on the spot فی‌المجلس، بی‌درنگ، در محل، جابه‌جا
put on the spot *Col* کسی را سرِ تاس نشاندن، راه پس و پیش را بر کسی بستن
spot price بهای جنس در معامله نقدی
spotless *adj* بدون لک؛ بی‌عیب؛ پاک
spotlight /'spɒtlaɪt/ *n* نورافکن صحنه
spotted *ppa* خالدار؛ لک‌دار
spotty *adj* لک‌دار؛ ناهموار، ناجور
spouse /spaʊz/ *n* همسر
spout /spaʊt/ *n,vi,vt* ۱.[قوری، کتری و غیره] لوله؛ ناودان؛ فوّاره ۲.جستن، فواره زدن ۳.پرانیدن؛ با افاده گفتن
up the spout *Col* در وضعیت ناامیدکننده، در وضعیت دشوار
sprain /spreɪn/ *vt,n* ۱.رگ‌به‌رگ کردن ۲.پیچ‌خوردگی، رگ به رگ شدگی
sprang /spræŋ/ [*p of* spring]
sprat /spræt/ *n* نوعی ماهی کوچک
throw a sprat to catch a herring (*or* **mackerel,** *or* **whale)**
کُره دادن و شتر خواستن، مس دادن و طلا خواستن

sprawl /sprɔ:l/ *vi,vt* ۱.گل‌وگشاد نشستن؛ بی‌قواره روییدن ۲.پهن و گشاد کردن
spray /spreɪ/ *n,vt* ۱.ترشح، اسپری، افشانه؛ شاخه یا دستهٔ گل ۲.پاشیدن
spray a tree درختی را سمپاشی کردن
sprayer *n* تلمبهٔ سمپاشی و امثال آن؛ سمپاش
spread /spred/ *vt,vi,n* ۱.پهن کردن؛ منتشر کردن؛ پوشاندن؛ (روی چیزی) مالیدن ۲.پهن شدن؛ منتشر شدن ۳.انتشار، شیوع؛ عرض؛ گستره؛ سفرهٔ رنگین
spread oneself ولنگ و واز نشستن؛ ریخت‌وپاش کردن؛ وراجی کردن، (مطلب را) کش دادن
spree /spri:/ *n* کیف و حال؛ عیّاشی
go on the spree کیف و حال کردن؛ عیاشی کردن
sprig /sprɪg/ *n* ترکه؛ گل و بوته
sprigged *adj* گل و بوته‌دار
sprightly /'spraɪtlɪ/ *adj* بانشاط، بشاش؛ سرزنده؛ باروح
spring /sprɪŋ/ *n,vi,vt* [sprang; sprung] ۱.بهار؛ چشمه؛ فنر؛ پرش، جهش ۲.جستن، پریدن؛ روئیدن، درآمدن؛ پدید آمدن؛ تاب یا ترک برداشتن ۳.ناگهانی زدن؛ شکستن؛ منفجر کردن
spring-balance /ˌsprɪŋ 'bæləns/ *n* ترازوی فنری
spring-board /'sprɪŋ bɔ:d/ *n* تختهٔ شیرجه و پرش
springbok /'sprɪŋbɒk/ *n* نوعی آهوِی کوچک افریقایی
spring-cleaning /'sprɪŋ kli:nɪŋ/ *n* خانه‌تکانی
springtide /'sprɪŋtaɪd/ *n* جزرومد کامل
springtime /'sprɪŋtaɪm/ *n* فصل بهار، بهاران
springy *adj* فنری، قابل ارتجاع
sprinkle /'sprɪŋkl/ *vt,vi* ۱.پاشیدن؛ افشاندن ۲.ترشح کردن، پاشیده شدن
sprinkle (of rain) رگبار مختصر
sprinkler /'sprɪŋklə(r)/ *n* آب‌پاش
sprinkling *n* ذره، مقدار کمی از چیزی که گُله‌گُله پاشیده شده باشد
sprint /sprɪnt/ *n* دوِ سرعت
sprite /spraɪt/ *n* جن، پری
sprocket /'sprɒkɪt/ *n* دندانهٔ دورِ چرخ، چرخ زنجیرخور
sprout /spraʊt/ *vi,vt,n* ۱.جوانه زدن، سبز شدن ۲.سبز کردن، رویاندن ۳.جوانه
spruce /spru:s/ *adj,v* ۱.آراسته، پاکیزه، شیک ۲.شیک کردن

spruce /spru:s/ *n* صنوبر
sprung /sprʌŋ/ [*pp of* spring]
spry /spraɪ/ *adj* چابک، چالاک؛ سرحال، بانشاط
spud /spʌd/ *n,vt* ۱.بیلچه؛ [زبان عامیانه] سیب‌زمینی ۲.با بیلچه درآوردن [بیشتر با up یا out]
spue /spju:/ *v* = spew
spume /spju:m/ *n,vi* ۱.کف ۲.کف کردن
spun /spʌn/ [*p,pp of* spin]
spunk /spʌŋk/ *n,Col* دل و جرئت
spunky *adj* باجرئت؛ تندخو
spur /spɜ:(r)/ *n,vt* [-red] ۱.مهمیز؛ محرّک ۲.مهمیز زدن؛ تحریک کردن
on the spur of the moment بدون مقدّمه، ناگهانی
spur track [راه‌آهن] خط کور، جادهٔ کور
win one's spurs شهرت یافتن؛ [در قدیم] به درجهٔ شوالیه رسیدن؛ امتیاز گرفتن
spur /spɜ:(r)/ *vi* رکاب‌کش رفتن
spurious /'spjʊərɪəs/ *adj* قلابی؛ جعلی؛ ساختگی، مصنوعی؛ حرامزاده
spurn /spɜ:n/ *vt* رد کردن
spurt /spɜ:t/ *vi,vt,n* ۱.ناگهان جاری شدن، فوران کردن؛ یکمرتبه به کار افتادن ۲.پراندن (آب)؛ ۳.جریان یا احساسات یا کوشش ناگهانی و مختصر
put a spurt on *Col* عجله کردن، شتاب کردن
sputter /'spʌtə(r)/ *v* = splutter
sputum /'spju:təm/ *n* تُف؛ خلط
spy /spaɪ/ *n,vi,vt* ۱.جاسوس ۲.جاسوسی کردن ۳.به دقت دیدن
spy into (کسی یا چیزی را) زیرِ نظر داشتن
spy out جاسوسانه بازدید کردن؛ از طریق جاسوسی کشف کردن
spy upon پاییدن
spyglass /'spaɪglɑ:s/ *n* نوعی تلسکوپ کوچک
squabble /'skwɒbl/ *n,vi* ۱.دادوبیداد، یکی به دو ۲.دادوبیداد کردن، یکی به دو کردن
squad /skwɒd/ *n* دسته، جوخه
squadron /'skwɒdrən/ *n* [نظامی] اسکادران، گردان
squalid /'skwɒlɪd/ *adj* کثیف؛ نکبت‌بار؛ پست
squall /skwɔ:l/ *n,vi* ۱.باد و بوران؛ جیغ ۲.جیغ زدن
look out for squalls [مجازاً] مواظب خود بودن

squeegee /ˌskwiːˈdʒiː/ *n* پاروی لبه لاستیکی

squeeze /skwiːz/ *vt,n* ۱.فشار دادن، چـلاندن؛ آب گـرفتن از [squeeze lemons]؛ گرفتن، فشردن؛ به زور باز کردن ۲.فشار؛ ازدحام

squeezer *n* آبمیوه‌گیری، آبلیموگیر

squelch /skweltʃ/ *vt,n* ۱.خرد کردن؛ ساکت کردن ۲.صدای بیرون کشیدن چیزی از گل

squib /skwɪb/ *n* فشفشه یا ترقه؛ [مجازاً] هجو

squid /skwɪd/ *n* نوعی ماهی مرکب

squint /ˈskwɪnt/ *n,v* ۱.لوچی؛ نگاه دزدانه ۲.از گوشهٔ چشم نگاه کردن؛ لوچ بودن

squint-eyed /ˈskwɪnt aɪd/ *adj* لوچ، چپ، احول

squire /ˈskwaɪə(r)/ *n,vt* ۱.ملاک عمده؛ لقبی که از gentleman بالاتر و از knight پایین‌تر است، جناب؛ زن‌نواز؛ [در امریکا] رئیس دادگاه بخش یا دادرس محل ۲.همراهی کردن با (زن)

squirm /skwɜːm/ *vi* لولیدن، وول زدن؛ دست و پای خود را گم کردن

squirrel /ˈskwɪrəl/ *n* سنجاب

squirt /skwːt/ *n,v* ۱.آبدزدک، (وسیلهٔ) مکنده؛ مکِش ۲. [آب و روغن و غیره] پاشیدن، ریختن

ss [مختصر steamship]

St [مختصر Strait,Saint,Street]

stab /stæb/ *vt* [-bed], *n* ۱.خنجر زدن؛ سوراخ کردن؛ فرو کردن؛ [مجازاً] جریحه‌دار کردن ۲.زخم خنجر؛ ضربت

stab *(vi)* **at someone** با خنجر به کسی حمله کردن، چاقو کشیدن

stab in the back حملهٔ خائنانه، از پشت خنجر زدن

stability /stəˈbɪlətɪ/ *n* استحکام؛ ثبات

stabilization /ˌsteɪbəlaɪˈzeɪʃn/ *n* تثبیت

stabilize /ˈsteɪbəlaɪz/ *vt* تثبیت کردن؛ به حالت موازنه درآوردن

stable /ˈsteɪbl/ *adj* استوار، محکم؛ ثابت

stable /ˈsteɪbl/ *n,vt* ۱.طویله، اصطبل ۲.در طویله بستن

staccato /stəˈkɑːtəʊ/ *adj,adv,It* [موسیقی] جداجدا، بُریده، مقطع

stack /stæk/ *n,vt* ۱.توده، کومه؛ دودکش ۲.توده کردن، انباشتن؛ چیدن، روی هم چیدن، رج‌بندی کردن

stadium /ˈsteɪdɪəm/ *n* ورزشگاه، استادیوم

staff /stɑːf/ *n* چوبدستی، چماق؛ دیرک، تیر؛ [موسیقی] حامل [در این معنی جمع آن staves می‌شود]؛ کارکنان، کارمندان

squally *adj* دارای طوفانهای مختصر

squalor /ˈskwɒlə(r)/ *n* نکبت، تیره‌روزی

squander /ˈskwɒndə(r)/ *vt* برباد دادن، تلف کردن

squanderer *n* شخص ولخرج

square /skweə(r)/ *n,adj,adv,vt,vi* ۱.چارگوش، مربع؛ میدان؛ گونیا؛ [ریاضیات] توانِ دوم، مجذور ۲.زاویه‌دار، مربع؛ صریح؛ بی‌کم و کاست؛ [در گفتگو] درست، حسابی ۳.درست، منصفانه ۴.به شکل مربع درآوردن؛ به توان دوم رساندن؛ هموار کردن، تصفیه کردن؛ دم (کسی را) دیدن ۵.جور بودن، موافق بودن

on the square به درستی؛ منصفانه

all square بی‌حساب، یربه‌یر؛ برابر

square root [ریاضیات] ریشه، جذر

square accounts with با کسی تصفیه حساب کردن، انتقام کشیدن از

square up to a person با حریف مواجه شدن

squarely *adv* عمودی؛ منصفانه؛ روبه‌رو

square-shouldered /ˈskweə ˈʃəʊldəd/ *adj* چهارشانه

square-toed /ˈskweə ˈtəʊd/ *adj* [در کفش] پنجهٔ چهارگوش؛ [مجازاً] رسمی؛ متظاهر

square-toes /ˈskweə təʊz/ *n* کسی که حالت رسمی و موقرانه به خود می‌گیرد

squash /skwɒʃ/ *n* کدو

squash /skwɒʃ/ *vt,vi,n* ۱.فشردن، له کردن؛ [مـجازاً] ساکت کردن ۲.با فشار خود را جا کردن ۳.چیز له شده؛ ازدحام؛ شربت آبلیمو و امثال آن

squash /skwɒʃ/ *n* اسکوواش: نوعی بازی با توپ و راکت در داخل سالن

squashy *adj* زیاد نرم، له

squat /skwɒt/ *vi* [-ted] ,*adj* ۱.چمباتمه زدن؛ بی‌اجازه در زمینی ساکن شدن ۲.خپل، چاق و کوتاه

squaw /skwɔː/ *n* زن سرخپوست امریکایی

squawk /skwɔːk/ *n,vi* ۱.صدایِ جیغ (پرندگان) ۲.جیغ زدن؛ نالیدن

squeak /skwiːk/ *n,v* ۱.(صدای) جیرجیر ۲.جیرجیر کردن؛ لو دادن

have a narrow squeak (خطر) از بیخ گوش کسی گذشتن

squeaker *or* **squealer** *n* پرنده کوچک؛ جوجه کبوتر؛ [مجازاً] پرده در

squeal /skwiːl/ *n,vi* ۱.جیغ ۲.جیغ زدن؛ ناله یا شکایت کردن؛ پرده‌دری کردن، دیگران را لو دادن

squeamish /ˈskwiːmɪʃ/ *adj* نازک طبع، زود رنج، نازک نارنجی

the staff of life مایه زندگی [کنایه از نان]
the General Staff ستاد ارتش
staff /stɑ:f US: stæf/ *vt* دارای کارمند کردن، کارمند گرفتن
stag /stæg/ *n* گوزن نر
stage /steɪdʒ/ *n,vt* ۱.صحنه؛ کار تئاتر؛ مرحله، منزل ۲.روی صحنه آوردن
go on the stage هنرپیشگی کردن
stage manager مدیر صحنه
stage fright [روانشناسی] ترس از صحنه، صحنه‌هراسی
It does not stage (vi) well روی صحنه خوب در نمی‌آید
stage whisper نجوای بلند در رویِ صحنه که تنها تماشاچیان باید بشنوند
stage-coach /'steɪdʒ kəʊtʃ/ *n* دلیجان
stager *n* [در ترکیب زیر]
old stager آدم کهنه‌کار، گرگِ باران‌دیده
stage-struck /'steɪdʒ strʌk/ *adj* [اغلب به تحقیر] عاشق هنرپیشگی
stagger /'stægə(r)/ *vi,vt* ۱.تلوتلو خوردن ۲.گیج کردن، مبهوت کردن، دچار تردید کردن
stagger hours of work اوقات کار را طوری تنظیم کردن که همه در یک موقع با هم کار نکنند
staggering *adj* گیج‌کننده، مبهوت‌کننده، بهت‌آور
staging /'steɪdʒɪŋ/ *n* داربست، چوب‌بست؛ آوردن نمایش روی صحنه
stagnant /'stægnənt/ *adj* راکد، ایستاده؛ بی‌رونق، کساد؛ بی‌روح
stagnate /stæg'neɪt/ *vi* راکد بودن، عاطل و باطل ماندن، پوسیدن
stagnation /stæg'neɪʃn/ *n* رکود، کسادی
stag-party /'stæg pɑ:tɪ/ *n* پارتی یا انجمن مردانه
stagy /'steɪdʒɪ/ *adj* [معمولاً به تحقیر] مناسبِ صحنه، مصنوعی؛ دارای حرکات نمایشی
staid /steɪd/ *adj* متین، موقر؛ ثابت
stain /steɪn/ *n,vt,vi* ۱.لک، لکه؛ آلودگی؛ ننگ؛ رنگ ۲.لکه‌دار کردن، چرک کردن؛ رنگی کردن (شیشه) ۳.رنگ خوردن؛ لک برداشتن
stainless *adj* ضدزنگ
stair /steə(r)/ *n* پله؛ [در جمع] پلکان
below stairs در زیرزمین؛ میان خدمتکاران
staircase /'steəkeɪs/ *n* پلکان
stair-rod /'steə rɒd/ *n* میلهٔ فلزی برای فرش پلکان

stake /steɪk/ *n,vt* ۱.میخ چوبی؛ تیر، دیرک؛ گرو، شرط؛ [در جمع] جایزه پولی ۲.با چوب (چیزی را) نگاه داشتن؛ محصور کردن، نرده کشیدن، میخچه‌کوبی کردن [با off یا out]؛ بستن (شرط)
stake out a claim زمین مورد ادعایِ خود را با میخچه‌کوبی مشخص کردن
suffer at the stake زنده سوخته‌شدن
at stake در خطر؛ در گرو؛ نامعلوم
stakeholder /'steɪkhəʊldə(r)/ *n* کسی‌که پول شرط‌بندی را نزد او می‌سپارند
stalactite /'stæləktaɪt US: 'stə'læk-/ *n* گلفهشنگ، چکنده، استلاکتیت
stalagmite /'stæləgmaɪt US: stə'lægm-/ *n* گلفهشنگِ وارونه، چکیده، استلاگمیت
stale /steɪl/ *adj* مانده، کهنه، بیات
stalemate /'steɪlmeɪt/ *n,vt* ۱.[شطرنج] پات، بن‌بست ۲.پات کردن، به بن‌بست کشاندن
staleness *n* کهنگی، شب ماندگی
stalk /stɔ:k/ *n,vi* ۱.ساقه ۲.خرامیدن؛ (به شکار) آهسته نزدیک شدن
stalking-horse /'stɔ:kɪŋ hɔ:s/ *n* اسبی که شکارچی در عقب آن پنهان می‌شود؛ [مجازاً] لفافه
stall /stɔ:l/ *n,vt,vi* ۱.آخور؛ غرفه، دکه؛ بساط؛ [در تماشاخانه] لژ ۲.در آخور بستن؛ پروار کردن؛ از حرکت بازداشتن ۳.فرو رفتن [در گل]؛ از جنبش ایستادن
stall-fed /'stɔ:l fed/ *adj* پروار، پرواری
stallion /'stælɪən/ *n* نریان، اسب نر
stalwart /'stɔ:lwət/ *adj* ستبر، تنومند، قوی؛ باجرئت؛ صاحب عزم
stamen /'steɪmən/ *n* [گیاه‌شناسی] پرچم
stamina /'stæmɪne/ *n* بنیه؛ طاقت
stammer /'stæmə(r)/ *vi,vt* ۱.لکنت داشتن ۲.با لکنت گفتن
stammerer *n* (شخص) الکن
stamp /stæmp/ *n,vt,vi* ۱.مُهر، نقش، اثر؛ باسمه؛ چاپ؛ سرسکه؛ تمبر؛ لگد؛ تخماق، کلوخ‌کوب ۲.تمبر زدن؛ مهر زدن؛ باسمه زدن؛ نشان دادن، مشخص کردن؛ کوبیدن ۳.پا به زمین زدن
He is not of that stamp از آن جنس یا خمیره نیست؛ جنم آن را ندارد
stamp on the mind خاطرنشان کردن
stamp one's foot پا به زمین زدن
stamp out فرونشاندن؛ خرد کردن

It is insufficiently stamped کم تمبر خورده است

stampede /stæm'pi:d/ *n,vi,vt* ۱.رم، وحشت؛ هجوم ۲.رم کردن، گریختن ۳.رم دادن

stance /stæns/ *n* وضع پا هنگامِ توپ زدن؛ [با on] نظر، دیدگاه، موضع

What's your government's stance on nuclear disarmament?

موضعِ دولت شما در بارهٔ خلع سلاح هسته‌ای چیست؟

stanch /stɑ:ntʃ US: stæntʃ/ = staunch

stanchion /'stænʃən/ *n* پایه، تیر؛ ستون پیش‌ساخته

stand /stænd/ *vi,vt* [stood] *,n* ۱.ایستادن؛ واقع شدن؛ ثابت ماندن؛ باقی ماندن ۲.واداشتن؛ تحمل کردن؛ از دست ندادن ۳.ایست، مکث؛ مقام؛ موضع؛ پایه، میز کوچک، بساط، دکه؛ توقفگاه؛ سکو، صحن

as matters stand با وضع کنونی

stand first اول بودن

stand by پشتیبانی کردن از؛ وفا کردن؛ ناظر بودن

stand down رفتن، جاخالی کردن

stand for داوطلبِ ... بودن، طرفدارِ... بودن، نمایندهٔ... بودن

stand good معتبر بودن، شامل حال بودن

stand in شرکت کردن

It will stand me in 100 rials صد ریال برای من تمام خواهد شد، صد ریال برای من آب می‌خورد

stand some one a drink پولِ مشروب کسی را دادن، کسی را به مشروب مهمان کردن

stand out برجسته بودن؛ دوام کردن

stand over معوّق ماندن؛ عقب افتادن

stand to انجام دادن

I stand to it that جداً عقیده دارم که

stand up پا شدن، برخاستن؛ پشتیبانی یا حمایت (از کسی) کردن [با for]

stand up to somebody مقابل کسی ایستادن

stand guarantor ضامن شدن

come to a stand متوقف شدن

take one's stand موضع گرفتن، موضع خود را بیان کردن

P.O. stand for postal order

ح.پ. یعنی حوالهٔ پستی

How do we stand in the matter of...?

چقدر از (فلان‌چیز) داریم؟

stand treat دیگری را مهمان کردن

He took his stand on my words

سخنان مرا مأخذ قرار داد

a stand for a vase زیرگلدانی

standard /'stændəd/ *n,adj* ۱.معیار، ملاک، میزان؛ سطح؛ حد مطلوب؛ ستون، تیر؛ [در باغبانی] پیوند؛ پرچم، عَلَم، نشان ۲.استانده؛ پذیرفته، قابل قبول؛ قانونی؛ رایج، متعارف، معمول

standard-bearer پرچم‌دار، پیشوا

standardize /'stændədaɪz/ *vt* استانده کردن، یک‌شکل کردن، یک‌جور کردن؛ (با معیار) سنجیدن

stand-by /'stænd baɪ/ *n*

شخص یا چیز مورد اعتماد

standing /'stændɪŋ/ *apa,n* ۱.ایستاده، راکد؛ مقرّر؛ ثابت؛ سرپا، نچیده [standing crop] ۲.وضع؛ شهرت

standing property اعیان، اعیانی

of good standing معتبر

of long standing طولانی، بادوام

stand-offish /,stænd 'ɒfɪʃ/ *adj* افاده‌ای، سرد و رسمی

standpoint /'stændpɔɪnt/ *n* لحاظ، (نقطه) نظر

standstill /'stændstɪl/ *n* ایست، وقفه؛ سکته

come to a standstill متوقف شدن، از حرکت بازایستادن

stand-up /'stænd ʌp/ *adj* برنگردانده، [یقه] ایستاده

a stand-up fight دعوای سخت، دعوای حسابی

stank /stæŋk/ [*p of* stink]

stanza /'stænzə/ *n* [در شعر] بند؛ قطعه

staple /'steɪpl/ *n,vt* ۱.رزه؛ مفتول، مفتول دوخت کاغذ، سیم ته‌دوزی ۲.[ماشین دوختِ کاغذ] دوختن

staple /'steɪpl/ *n,adj* ۱.کالای عمده؛ [در پشم یا پنبه] رشته، نخ، مو؛ [مجازاً] مایه، اصل ۲.عمده، اساسی

stapling *n* ته‌دوزی

star /stɑ:(r)/ *n,v* [-red] ۱.ستاره؛ علامت ستاره ۲.ستاره‌دار کردن؛ ستارهٔ سینما بودن

fixed stars ستارگان ثابت، ثوابت

starboard /'stɑ:bəd/ *n*

سمت راست کشتی [از پاشنه به سینه]

starch /stɑ:tʃ/ *n,vt* ۱.نشاسته؛ آهار؛ [در رفتار] خشکی ۲.آهار زدن

starchy *adj* نشاسته‌ای؛ شَق، سفت؛ [مجازاً] خشک، غیرمعاشر

stare /steə(r)/ *v,n* ۱.خیره نگاه کردن (به) ۲.نگاه خیره

stare someone in the face آشکار بودن؛ قریب‌الوقوع بودن؛ حتمی بودن

stare somebody out (*or* **down**) با نگاه کسی را از رو بردن

staring mad پاک دیوانه

starfish /'stɑ:fɪʃ/ *n* ستارهٔ دریایی

star-gazer /'stɑ: geɪzə(r)/ *n* منجم؛ خیالباف

stark /stɑ:k/ *adj,adv* ۱.صِرف؛ سخت؛ نیرومند ۲.به کلی

stark naked به کلی لخت، لخت مادرزاد

starling /'stɑ:lɪŋ/ سار

starlit /'stɑ:lɪt/ *adj* روشن از نور ستاره

starry /'stɑ:rɪ/ *adj* پُر ستاره؛درخشان

start /stɑ:t/ *vi,vt,n* ۱.عازم شدن، حرکت کردن؛ یکه خوردن، پریدن ۲.شروع کردن؛ به راه انداختن؛ دایر کردن؛ رم دادن ۳.عزیمت، حرکت؛ شروع، آغازگاه؛ سبقت؛ یکه، تکان

start on a journey عازم سفر شدن

start out اقدام کردن؛ قصد کردن

start up از جا پریدن؛ رُخ دادن

start off شروع کردن؛ شروع شدن

to start with اولاً؛ در ابتدا؛ اصلاً

get the start of سبقت جستن بر

starter /'stɑ:tə(r)/ *n* آغازگر؛ استارت اتومبیل

startle /'stɑ:tl/ *vt* از جا پراندن، تکان دادن، ترساندن، شگفت‌زده کردن

starvation /stɑ:'veɪʃn/ *n* گرسنگی

starve /stɑ:v/ *vi,vt* ۱.گرسنگی کشیدن؛ از گرسنگی مردن؛ اشتیاق داشتن ۲.گرسنگی دادن؛ از گرسنگی (یا سرما) کشتن

starveling /'stɑ:vlɪŋ/ *n,adj* ۱.آدم یا جانور گرسنگی‌کشیده ۲.گرسنه، ضعیف، نحیف؛ محروم

state /steɪt/ *n,adj* ۱.حالت؛ وضع؛ شأن؛ دولت، ملت؛ کشور؛ ایالت ۲.کشوری؛ دولتی؛ سیاسی؛ رسمی

It is in a bad state of repair خراب است، محتاج به تعمیر است

the United States of America ایالات متحد امریکا

lie in state [جنازه] برای ادایِ احترام در انظار عمومی قرار دادن

in great state با دم و دستگاه، با تشریفات، با خدم وحشم

state /steɪt/ *vt* اظهار داشتن، بیان کردن؛ معین کردن، تعیین کردن

statecraft /'steɪtkrɑ:ft/ *n* سیاستمداری

stated *ppa* معین (شده)، مقرر (شده)، اعلام شده

stately *adj* باوقار؛ مجلل، باشکوه

statement *n* اظهار، گفته؛ بیانیه؛ اظهاریه؛ صورت(حساب)؛ گزاره؛ گزارش

stateroom /'steɪtru:m/ *n* آپارتمان مخصوصِ اعضای عالی‌رتبهٔ حکومت؛ اتاقِ خصوصی در کشتی یا قطار

statesman /'steɪtsmən/ *n* [-men] مردِ سیاسی، سیاستمدار، زمامدار

statesmanlike *adj* سیاستمدارانه

statesmanship /'steɪtsmənʃɪp/ *n* سیاستمداری

static /'stætɪk/ *adj* ساکن، ایستا

statically *adv* به حالت ایستا

statics /'stætɪks/ *npl* استاتیک، مبحث اجسام ساکن، ایستایی‌شناسی

station /'steɪʃn/ *n,vt* ۱.ایستگاه؛ جایگاه، مرکز؛ رتبه؛ جا، محل ۲.جا دادن؛ مقیم کردن

power station کارخانهٔ برق

stationary /'steɪʃənrɪ US: -nerɪ/ *adj* ساکن، ایستا؛ ثابت؛ مانا؛ محلی

stationer /'steɪʃnə(r)/ *n* نوشت‌افزار فروش، فروشندهٔ لوازم‌التحریر

stationery /'steɪʃənrɪ/ *n* نوشت‌افزار، لوازم‌التحریر

station-master /'steɪʃn mɑ:stə(r)/ *n* رئیس ایستگاه

statistical /stə'tɪstɪkl/ *adj* آماری

statistically *adv* از روی آمار

statistician /ˌstætɪ'stɪʃn/ *n* آماردان

statistics /stə'tɪstɪks/ *npl* آمار، علم آمار

statuary /'stætʃʊərɪ/ *n* مجسمه‌ساز؛ مجسمه

statue /'stætʃu:/ *n* مجسمه، پیکر

statuesque /ˌstætʃʊ'esk/ *adj* مجسمه‌وار

statuette /ˌstætʃʊ'et/ *n* مجسمهٔ کوچک

stature /'statʃə(r)/ *n* قد، قامت؛ توانمندی

status /'steɪtəs/ *n* وضع، حالت؛ وضع اجتماعی یا قانونی؛ پایه، شأن

the status quo *L* وضع فعلی، وضع کنونی

statute /'stætʃu:t/ *n* قانون؛ فریضه

statutory /'stætʃʊtrɪ/ *adj* قانونی، مقرّر؛ کیفری، جزایی

staunch /stɔ:ntʃ/ *adj,vt* ۱.ثابت قدم؛ بی‌منفذ ۲.[خون] بند آوردن

stave /steɪv/ *n,vt* [staved *or* stove] ۱.[در چلیک] تختهٔ خمیده؛ [در شعر] بند؛ [موسیقی] حامل ۲.سوراخ کردن، تخته (چیزی را) شکستن؛ خرد کردن؛ [با off] دفع کردن

stay /steɪ/ *vi,vt* ۱.ماندن، توقف کردن؛ مکث کردن؛ تاب آوردن ۲.به تأخیر انداختن؛ نگاه داشتن [بیشتر با up]؛ جلوگیری کردن (از)؛ موقتاً سیر کردن
stay up بیدار ماندن
stay /steɪ/ *n* توقف، مکث؛ تعویق؛ جلوگیری؛ بردباری، طاقت؛ [در جمع] شکم‌بند؛ [در کشتی] بند، مهار
stay of one's old age عصای پیری
stay-at-home /ˈsteɪ ət həʊm/ *adj* خانه‌نشین
stayer *n* آدم یا حیوان پرطاقت
stay-in strike /ˈsteɪ ɪn straɪk/ اعتصاب (با توقف) در محل کار
stead /sted/ *n* جا، عوض
in his stead به جایِ او، به عوضِ او
in stead of; instead of به جایِ، به عوضِ
stand a person in good stead به حالِ کسی سودمند بودن
steadfast /ˈstedfɑːst/ *adj* ثابت قدم
steadfastness *n* ثبات، استواری
steadily *adv* (به‌طور) پیوسته و یکنواخت؛ بامداومت؛ از روی ثبات
steadiness *n* یکنواختی؛ ثبات
steady /ˈstedɪ/ *adj,vt,vi* ۱.پیوسته و یکنواخت؛ محکم، استوار؛ ثابت؛ ساعی ۲.یکنواخت کردن؛ محکم کردن؛ ثابت(قدم) کردن ۳.محکم شدن
steak /steɪk/ *n* استیک؛ بیفتک
steal /stiːl/ *vt,vi* [stole; stolen] ۱.دزدیدن؛ ربودن ۲.دزدی کردن؛ دزدکی (یا دزدانه) حرکت کردن
steal a look دزدانه نگاه کردن
steal a march on پیشدستی کردن بر
steal a way رخنه کردن
stolen goods مال دزدی، کالای دزدیده شده، اموال مسروقه
stealth /stelθ/ *n* خفیه‌کاری، مخفی‌کاری
stealthily *adv* نهانی، دزدکی
stealthy *adj* پنهان، زیرجلی
steam /stiːm/ *n,vt,vi* ۱.بخار، دمه؛ نیروی بخار ۲.با بخار پختن ۳.بخار کردن؛ بخار گرفتن؛ با نیروی بخار کار کردن
get up steam نیروی خود را برای کار آماده کردن
work off steam با کار بدنی تشفی خاطر یافتن
steamboat /ˈstiːmbəʊt/ *n* کشتی بخاری
steam-boiler /ˌstiːm ˈbɔɪlə(r)/ *n* دیگ بخار
steam-brake /ˌstiːm ˈbreɪk/ *n* ترمز بخاری
steam-engine /ˈstiːm endʒɪn/ *n* ماشین بخار
steamer *n* کشتیِ بخاری؛ ماشین بخار؛ (ظرف) بخارپز
steam-gauge /ˌstiːm ˈgeɪdʒ/ *n* بخارسنج
steamroller /ˈstiːmrəʊlə(r)/ *n* جاده صاف‌کن، غلتک
steamship *n* کشتی بخاری
steamtight /ˈstiːmtaɪt/ *adj* مانع خروج بخار
steamy *adj* بخارمانند؛ بخاردار
steed /stiːd/ *n* اسب [در زبان ادبی یا شوخی]
steel /stiːl/ *n,adj,vt* ۱.پولاد ۲.فولادی ۳.پولادی کردن
cold steel اسلحهٔ سرد
steel-clad /ˈstiːl klæd/ *adj* زره‌پوش
steel-plated /ˌstiːl ˈpleɪtɪd/ *adj* زره‌پوش
steely *adj* پولادی؛ آهنین
steelyard /ˈstiːljɑːd/ *n* قپان
steenbok /ˈstiːnbɒk/ *n* نوعی بزِ کوهی در افریقا
steep /stiːp/ *adj* تند، سراشیب؛ [مجازاً] گزاف؛ اغراق‌آمیز؛ دشوار
steep /stiːp/ *vt* خیساندن؛ [مجازاً] غرق کردن
steepen /ˈstiːpən/ *v* سراشیب‌کردن؛ سراشیب شدن؛ تند کردن؛ تند شدن
steeple /ˈstiːpl/ *n* ساختمانِ بلند در بالای کلیسا که میل یا مناره‌ای داشته باشد، هرم کلیسا
steeplechase /ˈstiːpltʃeɪs/ *n* [مسابقهٔ] اسبدوانی با مانع؛ [مسابقه] دو با مانع
steeplejack /ˈstiːpldʒæk/ *n* کسی که می‌تواند برای تعمیرات به بلندی‌ها برود
steer /stɪə(r)/ *vt,vi* ۱.راندن؛ هدایت کردن ۲.رانده شدن
steer clear of احتراز کردن از
steer /stɪə(r)/ *n* گاو اخته (جوان)
steerage /ˈstɪərɪdʒ/ *n* جایِ ارزان در کشتیِ مسافربری
steering-wheel /ˈstɪərɪŋ wiːl/ *n* رُل، فرمان؛ چرخ سکان، فرمان سکان
steersman /ˈstɪəzmən/ *n* = helmsman
stellar /ˈstelə(r)/ *adj* ستاره‌ای
stem /stem/ *n,vt,vi* [-med] ۱.ساقه، تنه؛ میله؛ [در ساعت] دستهٔ کوک؛ [در چپق] چوب؛ [دستورزبان] بُن، سِتاک؛ [مجازاً] شجره؛ [در کشتی] جلو، دماغه ۲.سد کردن؛ جلوگیری کردن از؛ روبه‌رو شدن با ۳.ناشی شدن
stem-winder /ˈstem ˈwaɪndə(r)/ *n* ساعت کوکی
stench /stentʃ/ *n* بوی بد، گند

stencil /'stensl/ *n,vt* [-led] ۱.استنسیل؛ کاغذ گرده‌برداری ۲.استنسیل کردن

stenographer /stə'nɒgrəfə(r)/ *n* تندنویس

stenography /stə'nɒgrəfɪ/ *n* تندنویسی

stentorian /sten'tɔ:rɪən/ *adj* [صدا] بلند

step /step/ *n,vi,vt* [-ped] ۱.گام، قدم؛ پله، رکاب؛ [موسیقی] فاصله؛ [مجازاً] پایه، مرحله؛ رتبه ۲.قدم زدن؛ آمدن، قدم گذاشتن ۳.با قدم پیمودن، قدم کردن

step by step رفته‌رفته، قدم به قدم، پله‌پله

be out of step *(n)* [در رقص یا رژه] غلط پا برداشتن

take steps اقدامات به‌عمل آوردن

break step غلط پا برداشتن

keep step to a band مطابق موزیک پا زدن

step aside منحرف شدن؛ کنار رفتن

step in دخالت کردن؛ توآمدن

step into به سهولت به‌دست آوردن

step out تند راه رفتن

step up افزودن، زیاد کردن

step a dance; step it رقصیدن، دست افشاندن، پای کوبیدن

steps (*or* **a pair of steps** *or* **set of steps)** نردبان دوطرفه

stepbrother /'stepbrʌðə(r)/ *n* نابرادری

stepdaughter /'stepdɔ:tə(r)/ *n* نادختری

stepfather /'stepfɑ:ðə(r)/ *n* شوهرِ مادر؛ ناپدری

step-ladder /'step lædə(r)/ *n* نردبان دوطرفه

stepmother /'stepmʌðə(r)/ *n* زن پدر، نامادری

steppe /step/ *n* جلگهٔ پهن و بی‌درخت

stepping-stone /'stepɪŋ stəʊn/ *n* جاپا؛ [مجازاً] قدم؛ وسیله (نیل به چیزی)

step-sister /'stepsɪstə(r)/ *n* ناخواهری

step-son /'stepsʌn/ *n* ناپسری، پسرِ زن یا شوهر

stereoscope /'sterɪəskəʊp/ *n* شهر فرنگِ سه‌بعدی

stereotype /'sterɪətaɪp/ *n,vt* ۱.کلیشه؛ گفتار یا کردار یا پندار قالبی ۲.کلیشه کردن

sterile /'steraɪl US: sterəl/ *adj* نازا، عقیم؛ شوره، بایر؛ خشک؛ سترون، ضدعفونی شده، گندزدایی شده، استریل

sterility /stə'rɪlətɪ/ *n* نازایی؛ سترونی؛ ضدعفونی شدگی

sterilize /'sterəlaɪz/ *vt* سترون کردن؛ نازا کردن؛ بی‌حاصل یا بیهوده ساختن، ضدعفونی کردن، گندزدایی کردن، استریل کردن

sterling /'stɜ:lɪŋ/ *adj,n* ۱.تمام عیار [صفت لیرهٔ انگلیسی]؛ ظاهر و باطن یکی ۲.استرلینگ (= پول رایج انگلستان) [مختصرِ این کلمه stg و علامت آن £ است. مانند 40 £]

stern /stɜ:n/ *adj,n* ۱.سخت؛ سختگیر؛ عبوس ۲.کفل، دُبر؛ پاشنه کشتی

sternness *n* سختگیری؛ درشتی

stertorous /'stɜ:tərəs/ *adj* صدادار؛ خرناس‌کشنده

stet /stet/ *L* [در نمونه‌خوانی] بگذارید باشد، حذف نکنید

stethoscope /'steθəskəʊp/ *n* [پزشکی] گوشی

stevedore /'sti:vədɔ:(r)/ *n* متصدیِ بارگیری و باراندازی کشتی، کارگر بارانداز

stew /stju:/ *v,n* ۱.آهسته پختن؛ با گرما یا بخار پختن ۲.خورش؛ [مجازاً] اضطراب و عصبانیت

Let him stew in his own juice بگذارید در خون خودش بغلتد، به او کمک نکنید

Irish stew نوعی تاس‌کباب

steward /stjʊəd US: 'stu:ərd/ *n* [هواپیما یا کشتی] مهماندار؛ پیشکار؛ مأمور خرید، کارپرداز

stewardship *n* نظارت، مباشرت؛ کارپردازی؛ پیشکاری؛ پیشخدمتی

stewpan /'stju:pæn/ ; **stewpot** /'stju:pɒt/ *n* کماجدان

stg [مختصرِ sterling]

stick /stɪk/ *n* چوب؛ عصا؛ قلم؛ شمش؛ [در تریاک] لول؛ [مجازاً] آدم پخمه

stick /stɪk/ *vi,vt* [stuck] ۱.چسبیدن؛ فرو رفتن؛ گیر کردن؛ ماندن؛ [شکم] پیش آمدن [با out] ۲.چسباندن؛ فرو کردن؛ سوراخ کردن؛ [در گفتگو] تحمل کردن

stick to one's word سرِ قول خود ایستادن، به قول خود وفا کردن

stick up for پشتیبانی کردن، حفظ‌الغیب کردن

stick up to مقاومت کردن با

stick it on *Sl* زیاد حساب کردن؛ [مجازاً] روش گذاشتن

stick it out *Sl* طاقت آوردن

stick out ایستادگی یا اصرار کردن

stuck up *Sl* گیج، حیران

stickiness *n* چسبندگی

sticking *apa* چسبنده، چسبناک

sticking-plaster نوارِ چسب‌دار

stickler /'stɪklə(r)/ *n* [در ترکیب زیر]
a stickler for something کسی که زیاد به چیزی مقید است و برای آن پافشاری می‌کند
sticker *n* چسباننده؛ برچسب؛ آدم مصرّ؛ مهمان پررو
sticky /'stɪkɪ/ *adj* چسبناک، چسبنده؛ ایرادگیر؛ [در گفتگو] گرم و مرطوب؛ [زبان عامیانه] وخیم
stiff /stɪf/ *adj* سفت، شَق؛ سیخ (شده)؛ خشک (و رسمی)؛ غیر معاشر؛ ناسلیس؛ دشوار؛ سنگین؛ سرسخت؛ غلیظ
stiff neck خشکیِ گردن
make a stiff denial پاک حاشا کردن
keep a stiff upper lip خم به ابرو نیاوردن
stiff /stɪf/ *n,Sl* = corpse
stiffen /'stɪfn/ *vt,vi* ۱.سفت کردن، شق کردن؛ خشک کردن؛ آهار زدن ۲.سفت شدن؛ سیخ شدن
stiffening /'stɪfnɪŋ/ *n* آهار
stiff-necked /,stɪf 'nekt/ *adj* کله‌شق؛ خودسر
stiffness *n* سفتی؛ خشکی؛ سختی؛ دشواری
stifle /'staɪfl/ *v* ۱.خفه کردن؛ خفه شدن؛ خاموش کردن؛ خاموش شدن؛ (از بروز چیزی) جلوگیری کردن
stigma /'stɪgmə/ *n* [-ta] داغ، ننگ؛ لکهٔ ننگ؛ [گیاه‌شناسی] کلاله
stigmatize /'stɪgmətaɪz/ *vt* داغ(دار) کردن، نشان کردن؛ لکه‌دار کردن، بی‌آبرو کردن
stile /staɪl/ *n* پلکان یا سنگچین (برای بالا رفتن از حصار یا پرچین)
help a lame dog over a stile درمانده‌ای را کمک کردن
stiletto /stɪ'letəʊ/ *n* [(e)s] دشنه؛ درفش، سوراخ‌کن
still /stɪl/ *adj,n,vt* ۱.آرام، ساکت؛ بی‌جوش؛ بی‌کف ۲.خاموشی، سکوت ۳.آرام کردن، ساکت کردن
still life [نقاشی] طبیعت بیجان
Keep still! ساکت باشید!
still /stɪl/ *adv* هنوز [در جمله‌ای که فعل مثبت داردچون He is still alive مقایسه شود با yet]، باز؛ مع هذا
still /stɪl/ *n* دستگاه تقطیر
stillborn /'stɪlbɔ:n/ *adj* [بچه] مرده به دنیا آمده
still-room /'stɪlru:m/ *n* انباری
stilt /stɪlt/ *n* چوب پا؛ نوعی‌مرغ پابلند
stilted *adj* خشک، رسمی
stimulant /'stɪmjʊlənt/ *n* داروی محرّک

stimulate /'stɪmjʊleɪt/ *vt* تحریک کردن، انگیختن
stimulation /,stɪmjʊ'leɪʃn/ *n* تحریک، انگیزش
stimulus /'stɪmjʊləs/ *n* [-li] انگیزه، وسیلهٔ تحریک، محرّک؛ تحریک؛ فشار؛ تأثیر، اثر
under the stimulus of براثرِ، تحتِ تأثیر، به ضربِ، از فشارِ
sting /stɪŋ/ *n,vt,vi* [stung] ۱.نیش؛ [مجازاً] رنج، عذاب ۲.نیش زدن، گزیدن ۳.سوختن، درد کردن
stinger *n* ضربت سخت
stinginess *n* خست، تنگ‌چشمی
stingy /'stɪndʒɪ/ *adj* خسیس، ناخن‌خشک
stink /stɪŋk/ *n,vi,vt* [stank *or* stunk;stunk] ۱.بوی بد، گند؛ الم‌شنگه ۲.بوی بد دادن ۳.بدبوکردن
stinking *apa* بدبو؛ نفرت‌انگیز
stint /stɪnt/ *vt,n* ۱.سخت گرفتن به ۲.محدودیت، مضایقه؛ سهم، قسمت
without stint بی‌مضایقه
stipend /'staɪpend/ *n* مواجب، حقوق، مقرری
stipendiary /staɪ'pendɪərɪ/ *adj* حقوق‌بگیر، مواجب‌خور
stipple /'stɪpl/ *vt* با نقطه‌کاری حکاکی کردن؛ با نقطه ترسیم کردن؛ نقطه‌چین کردن
stipulate /'stɪpjʊleɪt/ *v* قید کردن، شرط کردن، قرار گذاشتن؛ تصریح کردن
stipulation /,stɪpjʊ'leɪʃn/ *n* قید، شرط؛ تصریح
stipule /'stɪpju:l/ *n* [گیاه‌شناسی] گوشوارک
stir /stɜ:(r)/ *vt,vi* [-red] *,n* ۱.تکان دادن، حرکت دادن؛ به هم زدن (آتش)؛ به جوش آوردن (خون)؛ برافروختن ۲.جنبیدن، تکان خوردن ۳.جنبش؛ هیجان؛ شلوغ
not to stir an eyelid خم به ابرو نیاوردن
not to stir a finger هیچ کمکی نکردن
stir up به‌هم زدن؛ تحریک کردن
stir up someone's zeal کسی را سر غیرت آوردن
Stir your stumps! Col بجنب، راه بیا!
stirring *apa* تکان‌دهنده، هیجان‌انگیز
stirrup /'stɪrəp/ *n* رکاب
stirrup cup; stirrup-cup جرعهٔ وداع
stirrup leather بند رکاب
stitch /stɪtʃ/ *n,v* ۱.بخیه، دوخت؛ [در کارهای بافتنی] دانه ۲.بخیه زدن، دوختن؛ [با up] وصله کردن
stiver /'staɪvə(r)/ *n* پشیز، غاز، ذره

stoat /stəʊt/ *n* قاقُم (یا سمور)

stock /stɒk/ *n,vt* ۱.مایه، ذخیره؛ [کالا] موجودی؛ کنده، تنه؛ [تفنگ] قنداق؛ [گیاه پیوند خورده] پایه؛ ریشه، اصل؛ سرسلسله؛ دودمان؛ [در جمع] سهام؛ موادخام؛ چارپایان اهلی؛ [مجازاً] آدم کودن؛ گل شب‌بو؛ شیره گوشت، مایهٔ سوپ؛ [در جمع] الف. بخو ب. چوب‌بست ۲.دارای موجودی کردن؛ جزو موجودی نگاه داشتن

have in stock موجود داشتن

ex stock از موجودی

stocks of materials موجودی مصالح، مصالح موجود

take stock به موجودی رسیدگی کردن

on the stocks در دست ساختمان

take stock of برانداز کردن

stock exchange بورس اوراق بهادار

well stocked دارای موجودی (یا ذخیره) خوب، دارای جنس جور و کافی

stockade /stɒˈkeɪd/ *n,vt* ۱.سدّ چوبی ۲.با تیرهای به‌هم چسبیده سد کردن

stock-car /ˈstɒk kɑːr/ *n* واگن حمل احشام

stockholder /ˈstɒkhəʊldə(r)/ *n* سهامدار، صاحب سهام

stocking /ˈstɒkɪŋ/ *n* جوراب بلند زنانه

stock-in-trade /ˌstɒk ɪn ˈtreɪd/ *n* مایه

stockjobber /ˈstɒkdʒɒbə(r)/ *n* سفته‌باز، محتکرسهام

stock-still /ˌstɒk ˈstɪl/ *adj* بی‌جنبش، بی‌حرکت

stock-taking /ˈstɒk teɪkɪŋ/ *n* رسیدگی به موجودی

stocky /ˈstɒkɪ/ *adj* کوتاه و کلفت، خپل

stockyard /ˈstɒkjɑːd/ *n* محل موقتی برای نگهداری چارپایان فروشی یا کشتنی

stodgy /ˈstɒdʒɪ/ *adj* سنگین، ناگوار؛ باد کرده؛ دارای جزئیات خسته‌کننده؛ کسل

stogy /ˈstəʊgɪ/ *n,US* پوتین یا کفش سنگین؛ سیگار باریک ارزان [در این معنی stogie نیز نوشته می‌شود]

Stoic /ˈstəʊɪk/ *n* فیلسوف رواقی؛ آدم بردبار یا صبور

stoical /ˈstəʊɪkl/ *adj* پرهیزگار؛ بردبار

stoicism /ˈstəʊɪsɪzəm/ *n* فلسفه رواقیون؛ پرهیزگاری؛ بردباری

stoke /stəʊk/ *v* سوخت رساندن به، روشن نگه‌داشتن؛ پرخوری کردن، پرخوردن؛ پرخوراندن

stoker *n* سوخت‌انداز

stole /stəʊl/ [*p of* steal]

stolen /ˈstəʊlən/ [*pp of* steal]

stolid /ˈstɒlɪd/ *adj* بی‌رگ، بلغمی، بی‌حس

stolidity /stəˈlɪdətɪ/ *n* بی‌رگی، بی‌حسی

stomach /ˈstʌmək/ *n,vt* ۱.معده، شکم؛ [مجازاً] حال؛ میل، اشتها ۲.زیر سبیلی در کردن

stomach for fighting حالِ دعوا کردن

stomach-ache /ˈstʌmək eɪk/ *n* دل درد

stomatitis /ˌstɒməˈtaɪtɪs/ *n* [پزشکی] التهاب دهان، استوماتیت

stone /stəʊn/ *n,vt* ۱.سنگ؛ گوهر؛ [در میوه] هسته؛ [در انگلیس] وزنه‌ای که برابر ۱۴ پاوند است ۲.سنگسار کردن؛ بی‌هسته کردن؛ سنگچین کردن

leave no stone unturned همهٔ وسایل را به‌کار بردن، به‌هر دری زدن

throw stones at توهین کردن به

the Stone Age عصر حجر، عصر سنگ

stone-blind /ˌstəʊn ˈblaɪnd/ *adj* کورِ کور

stone-deaf /ˌstəʊn ˈdef/ *adj* به‌کلی کر، کرِ کر

stone-fruit /ˈstəʊn fruːt/ *n* میوهٔ هسته‌دار

stone-pit /ˈstəʊn pɪt/ *n* = quarry

stone-walling /ˌstəʊn ˈwɔːlɪŋ/ *n* سرسختی در مخالفت برای خسته کردن طرف

stoneware /ˈstəʊnweə(r)/ *n* سفالینهٔ بسیار سخت

stony /ˈstəʊnɪ/ *adj* سنگی؛ سنگلاخ؛ سنگ‌فرش(شده)؛ سخت، سرد، بی‌احساس

stood /stʊd/ [*p,pp of* stand]

stool /stuːl/ *n* چارپایه، عسلی؛ مدفوع

fall between two stools در نتیجه دودلی فرصت را از دست دادن

stool-pigeon /ˈstuːl pɪdʒɪn/ *n* کفتر پرقیچی

stoop /stuːp/ *vi,vt,n* ۱.خم شدن، دولا شدن؛ [مجازاً]سرفرود آوردن ۲.دولا کردن ۳.خمیدگی، قوز

stoop /stuːp/ *n,US* ایوان؛ راهرو

stop /stɒp/ *vi,vt* [-ped] *,n* ۱.ایستادن، ایست یا توقف کردن؛ مکث کردن؛ موقوف شدن؛ از کارافتادن، خوابیدن ۲.نگاه داشتن؛ جلوگیری کردن از؛ بند آوردن؛ مسدود کردن [گاهی با up]؛ از کار انداختن؛ مانع شدن؛ پر کردن (دندان)؛ بُریدن، قطع کردن ۳.توقف، مکث، ایست؛ جلوگیری؛ گیره، عایق

stop dead (*or* short) یک‌مرتبه ایستادن، ناگهان توقف کردن

bring to a stop; put a stop to موقوف کردن، بس کردن

full stop نقطهٔ پایان جمله (.)
stopcock /'stɒpkɒk/ *n* شیر (آب یا گاز)
stopgap /'stɒpgæp/ *n* وسیلهٔ موقتی؛ جانشین موقت
stop-light /'stɒp laɪt/ *n* [راهنمایی] چراغ قرمز؛ چراغ ترمز
stop off /'stɒp ɒf/ *n* = stopover
stopover /'stɒpəʊvə(r)/ *n* توقف مختصر در طی مسافرت
stoppage /'stɒpɪdʒ/ *n* جلوگیری، سد؛ قطع؛ ایست، توقف
stopper /'stɒpə(r)/ *n* سربطری، تشتک، توپی، درپوش
stopple /'stɒpl/ *n,vt* ۱.سربطری ۲.سر (بطری را) گذاشتن
stop-press /ˌstɒp 'pres/ *n* آخرین خبر (که پیش از شروع به چاپ در روزنامه درج می‌شود)
stopwatch /'stɒpwɒtʃ/ *n* زمان‌سنج، [ساعت] وقت نگهدار
storage /'stɔ:rɪdʒ/ *n* نگاهداری (درانبار)، ذخیره‌سازی؛ [هزینه] انبارداری؛ انبار
water storage tank مخزن آب، آب انبار
store /stɔ:(r)/ *n,vt* ۱.انبار، مخزن؛ ذخیره، موجودی؛ مغازه؛ [در جمع] فروشگاه بزرگ ۲.اندوختن، ذخیره کردن؛ انبار کردن؛ پُر کردن
in store اندوخته؛ موجود؛ [مجازاً] مقدر
set no great store by مهم ندانستن
storehouse /'stɔ:haʊs/ *n* انبار، مخزن
storekeeper /'stɔ:ki:pə(r)/ *n* انباردار؛ مغازه‌دار
store-room /'stɔ:ru:m/ *n* انباری
storey /'stɔ:rɪ/ *n* [خانه] طبقه
two-storeyed دواشکوبه، دوطبقه
storied /'stɔ:rɪd/ *adj* نقل‌شده، تاریخی
stork /stɔ:k/ *n* لَک لَک
storm /stɔ:m/ *n,vi,vt* ۱.توفان، انقلاب جوّی؛ [مجازاً] آشفتگی؛ غوغا؛ توپ و تشر؛ هیجان؛ حمله (شدید و ناگهانی) ۲.توفانی شدن؛ داد و بیداد کردن؛ خشمگین شدن ۳.با حمله گرفتن
storm of arrows تیرباران، بارانِ تیر
a storm in a tea-cup هیاهو به خاطر هیچ
It storms هوا توفانی است
storm-bound /'stɔ:m baʊnd/ *adj* دُچار توفان
storm-centre /'stɔ:m sentə(r)/ *n* مرکز توفان؛ مشکل اصلی، لحاف ملانصرالدین
storm-proof *adj* ضد توفان، سیل‌گیر

stormy *adj* توفانی، کولاک؛ تند؛ پر توپ و تشر؛ با هیجان
stormy petrel مرغ توفان؛ [مجازاً] آدم بدقدم یا شرور
story /'stɔ:rɪ/ *n* حکایت، داستان
The story goes آورده‌اند، گویند
To make a long story short قصه را کوتاه کنیم، خلاصه، القصه
story /'stɔ:rɪ/ = storey
stoup /stu:p/ *n* قدح آبِ تبرک شده؛ قدح
stout /staʊt/ *adj* تنومند، ستبر، خوش بنیه؛ محکم؛ دلیر؛ سخت، با عزم
stout /staʊt/ *n* نوعی آبجو سنگین
stout-hearted /ˌstaʊt 'hɑ:tɪd/ *adj* قویدل، دلیر
stoutness *n* تنومندی؛ دلیری؛ عزم
stove /stəʊv/ *n* اجاق؛ بخاری
stove /stəʊv/ [*p,pp of* stave]
stovepipe hat /ˌstəʊv paɪp 'hæt/ *US;Col* کلاه ابریشمی بلند، کلاه «دودکشی»
stow /stəʊ/ *vt* بسته‌بندی کردن؛ تنگ هم چیدن، جا دادن
stowaway /'stəʊəweɪ/ *n* [در کشتی یا قطار] مُسافرِ قاچاق
straddle /'strædl/ *vi,vt* ۱.با پای گشاده نشستن یا ایستادن؛ [مجازاً] از اظهار نظر الزام‌آور خودداری کردن ۲.در میان دو پا قرار دادن، پاها را در دو طرف (چیزی) گذاشتن
strafe /strɑ:f US: streɪf/ *vt* گوشمالی دادن؛ سرزنش کردن؛ با بمباران به ستوه آوردن
straggle /'strægl/ *vi* پخش و پلا شدن؛ هرزه روییدن؛ ول گشتن؛ منحرف شدن
straight /streɪt/ *adj,adv* ۱.راست، مستقیم؛ مرتب، منظم ۲.درست؛ رک، بی‌پرده، مستقیماً
put straight مرتب کردن
straight away بی‌درنگ، بی‌تأمل
keep a straight face از خنده خودداری کردن
out of the straight *(n)* کج، ناراست
straighten *v* راست کردن؛ راست شدن؛ درست کردن؛ درست شدن
straightforward /ˌstreɪt'fɔ:wəd/ *adj* راست؛ درست؛ بی‌پرده، رک؛ ساده، قابل فهم
straightness *n* راستی؛ درستی
straightway /ˌstreɪt'weɪ/ *adv* بی‌درنگ
strain /streɪn/ *n,vt,vi* ۱.کشیدگی؛ کشش؛ زور؛ فشار؛ پیچ‌خوردگی، دررفتگی؛ شیوه؛ لحن؛ حالت (موروثی)؛ نژاد؛ دودمان؛ [شعر یا موسیقی] نوا، صدا؛ لحن، شیوهٔ بیان ۲.سفت کشیدن؛ زیاد خسته کردن،

فرسودن؛ سوءاستفاده کردن از؛ تجاوز کردن از؛ بسط دادن، کش دادن؛ فشار دادن (در آغوش)؛ توقع زیاد داشتن از؛ کج کردن؛ صاف کردن، پالودن ۳.کوشش زیاد کردن؛ در زحمت بودن

It is a strain on the economic system این فشاری بر نظام اقتصادی خواهد بود

strain at something با تمام نیرو (چیزی را) کشیدن

strained relations روابط تیره

strainer *n* صاف‌کنی، آبکش

tea-strainer چای صاف کن

strait /streɪt/ *n,adj* ۱.تنگه؛ [در جمع] تنگنا ۲.تنگ، باریک؛ سخت(گیر)

straiten /ˈstreɪtn/ *vt* تنگ یا سخت کردن

straitened circumstances تنگدستی، مضیقه

strait-laced /ˌstreɪt ˈleɪst/ *adj* خشکه مقدس؛ سختگیر در مسایل اخلاقی

strand /strænd/ *n,Poet,v* ۱.کرانه، ساحل ۲.[کشتی] به گل نشستن یا نشاندن

strand /strænd/ *n* رشته، لا [در طناب] ؛ گیس

strange /streɪndʒ/ *adj* غریب، عجیب؛ اجنبی، بیگانه؛ غریبه؛ خونگرفته

I am strange to it با آن آشنانیستم

Strange to say... غریب این است که...

feel strange خود را غریب دیدن؛ گیج شدن (یا بودن)؛ غریبی کردن [در گفتگوی از بچه]

strangely *adv* به‌طور غریب

stranger /ˈstreɪndʒə(r)/ *n* بیگانه، غریب، اجنبی [جمع = اجانب]، خارجی

strangle /ˈstræŋgl/ *vt* خفه کردن؛ محدودکردن، ایجاد مانع کردن، دچار خفقان کردن

stranglehold /ˈstrænglhəʊld/ *n* [کُشتی] خطای گرفتن گلو

strangulation /ˌstræŋgljʊˈleɪʃn/ *n* خفگی؛ اختناق

strap /stræp/ *n* بند، نوار؛ تسمه، قیش؛ رکاب؛ شلاق

trouser-strap رکاب شلوار

strap /stræp/ *vt* [-ped] با بند نگاه‌داشتن یا بستن [با up یا down]؛ با چرم تیز کردن (تیغ)؛ شلاق زدن

straphanger /ˈstræp hæŋə(r)/ *n* مسافرِ سرپایی

strapped *ppa* رکاب‌دار

strapping *adj* قدبلند، تنومند

strata /ˈstrɑːtə/ [*pl of* stratum]

stratagem /ˈstrætədʒəm/ *n* حیلهٔ جنگی؛ ترفند، کلک، حقه

strategic(al) /strəˈtiːdʒɪk(l)/ *adj* سوق‌الجیشی؛ استراتژیک، مربوط به رزم‌آرایی؛ مهم از لحاظ نظامی

strategist /ˈstrætədʒɪst/ *n* رزم‌آرا، کارشناس نظامی

strategy /ˈstrætədʒɪ/ *n* رزم‌آرایی، راهبرد؛ تدبیر، سیاست؛ نقشه، ترفند

stratification /ˌstrætɪfɪˈkeɪʃn/ *n* قشربندی، لایه‌بندی

stratify /ˈstrætɪfaɪ/ *v* لایه لایه کردن، قشربندی کردن؛ لایه لایه شدن

stratum /ˈstrɑːtəm US: ˈstreɪtəm/ *n* [-ta] چینه، لایه؛ قشر(اجتماعی)؛ [مجازاً] پایه، رتبه

straw /strɔː/ *n* کاه؛ حصیر؛ نی(نوشابه)

a straw hat کلاه سبدی یا حصیری

man of straw رئیس پوشالی؛ پهلوان پنبه

catch at a straw به پر کاهی متشبث (یا متمسک) شدن، به هر خاشاکی چنگ انداختن

strawberry /ˈstrɔːbrɪ US: -berɪ/ *n* توت‌فرنگی

strawboard /ˈstrɔːbɔːd/ *n* مقوای کاهی

strawvote /ˈstrɔːvəʊt/ *n* سنجش افکار، رأی‌گیری آزمایشی

stray /streɪ/ *adj,n,vi* ۱.آواره، سرگردان؛ ولگرد؛ گاهگاهی؛ تک وتوک ۲.موجود سرگردان ۳.سرگردان شدن، آواره شدن؛ گمراه شدن، منحرف شدن

streak /striːk/ *n* خط؛ رگه؛ برق، شعاع نور؛ تمایل

like a streak (of lightning) برق‌آسا

streaky *adj* رگه‌دار؛ لایه لایه

stream /striːm/ *n,vi* ۱.جوی، نهر ۲.روان شدن، جاری شدن؛ [پرچم] در باد تکان خوردن

a stream of tears سیل اشک

up stream بالا رود، در قسمت بالای نهر

go with the stream همرنگِ جماعت شدن، در جهت جریان آب شنا کردن

streams of people دسته دسته مردم

streamer *n* پرچم باریک و خوشرنگ

streamlet /striːmlɪt/ *n* جویبار، نهر کوچک

streamline /ˈstriːmlaɪn/ *vt* کارآمد ساختن، کارایی (چیزی) را بالا بردن

streamlined *adj* [اتومبیل یا قایق] دارای حداقل اصطکاک (با هوا یا آب)

street /striːt/ *n* خیابان؛ کوچه

street Arab ولگرد

streetcar /'stri:tkɑ:(r)/ *n* = tram-car

street-walker /'stri:t wɔ:kə(r)/ *n* فاحشه

strength /streŋθ/ *n* نیرو، قوت؛ استحکام؛ دوام؛ شماره، مقدار؛ درجه؛ مایه

on the strength of به اتکای، به استنادِ

strengthen /'streŋθn/ *vt,vi* ۱.تقویت کردن، نیرو بخشیدن ۲.تقویت شدن، نیرو گرفتن

strenuous /'strenjʊəs/ *adj* پرزور، سخت، توان‌فرسا؛ پرشور، پرحرارت، مشتاق

stress /stres/ *n,vt* ۱.فشار؛ فشار روحی؛ تأکید؛ [آواشناسی] تکیه ۲.اهمیت دادن؛ تأکید کردن؛ باتکیه ادا کردن، فشار آوردن‌بر

lay stress on اهمیت (به چیزی) دادن

stretch /stretʃ/ *vt,vi,n* ۱.دراز کردن؛ کشیدن؛ امتداد دادن؛ کش دادن ۲.امتداد داشتن؛ کشیده شدن؛ دراز شدن؛ کش آمدن ۳.کشش، امتداد؛ کش و قوس؛ قطعه؛ مدت، دوره

stretch out [دست] دراز کردن، جلو بردن

stretch (oneself) تمدّد اعصاب کردن

at a stretch بی‌وقفه، پشت سر هم

stretcher *n* برانکار، تخت حامل بیماران

strew /stru:/ *vt* [strewed; strewed *or* strewn] ریختن؛ پاشیدن، افشاندن، پوشاندن با

strew with flowers با گل پوشاندن

strewn /stru:n/ [*pp of* strew]

striated /straɪ'eɪtɪd/ *adj* خیاره‌دار، خط‌دار

stricken /'strɪkən/ *ppa* [*pp of* strike] دچار، گرفتار، مبتلا؛ [به صورت پسوند] ـ زده

grief-stricken غمزده

stricken in years سالخورده

stricken with fever تب‌دار، دچارِ تب

stricken field میدان جنگ

strict /strɪkt/ *adj* سخت، اکید؛ سختگیر؛ دقیق

strictly *adv* اکیداً، سخت

strictly speaking اگر بخواهیم (در معنی لغت) دقیق شویم، حسابیش را بخواهیم

stricture /'strɪktʃə(r)/ *n* انتقادِ سخت، سرزنش [بیشتر به صورت جمع]؛ انقباض، تنگی تضییق

stride /straɪd/ *n,vi* [strode; stridden] ۱.شلنگ، گام بلند؛ پرش ۲.شلنگ برداشتن پریدن

take in one's stride به سهولت انجام دادن

stridden /'strɪdn/ [*pp of* stride]

strident /'straɪdnt/ *adj* [صدا] بلند و نخراشیده

strife /straɪf/ *n* نزاع، دعوا، ستیزه

strike /straɪk/ *vt,vi* [struck; struck *or* stricken] *,n* ۱.زدن؛ خوردن به، برخوردکردن با؛ به خاطر رسیدن؛ اثر کردن در؛ خواباندن یاانداختن (پرچم و مانند آن)؛ فرو کردن ۲.خوردن، تصادف کردن؛ اعتصاب کردن؛ [کبریت] گرفتن، روشن شدن؛ تسلیم شدن؛ نفوذ کردن، ریشه کردن ۳.اعتصاب

strike an attitude (*or* a pose) حالتی به خود گرفتن؛ ژست گرفتن، پز دادن

strike blind (با ضربت) کور کردن

strike a balance تعادل برقرار کردن

strike a bargain (with somebody) (با کسی) به توافق رسیدن

strike root [گیاه] ریشه دواندن، ریشه کردن، گرفتن

strike off [نام] قلم زدن، خط زدن؛ [عضویت] لغو کردن؛ قطع کردن

strike oil به نفت رسیدن

strike out قلم زدن؛ پاک کردن؛[شنا و غیره] پرقدرت رفتن؛ [زندگی مستقل یا کار تازه]آغاز کردن

strike up شروع کردن

The hour has struck زنگ ساعت زده شد؛ موقع بحران رسید

struck with terror وحشتزده

go on strike اعتصاب کردن

They are on strike اعتصاب کرده‌اند

strike pay /'straɪk peɪ/ *n* حقوق ایام اعتصاب که از طرف اتحادیه اصناف پرداخت می‌شود

striking /'straɪkɪŋ/ *apa* چشمگیر، برجسته، شایان توجه

string /strɪŋ/ *n,vt,vi* [strung] ۱.نخ، ریسمان؛ رشته؛ سیم، زه؛ ردیف، قطار؛ [در جمع] سازهای سیمی ۲.سیم انداختن (به)؛ زه انداختن؛ به رشته درآوردن؛ کشیدن، سفت کردن؛ نخ (لوبیا را) گرفتن ۳.به رشته درآمدن؛ ریش ریش شدن

pull the string گربه رقصاندن، دیگران را آلت دست قرار دادن

have two strings to one's bow با یک دست دو هندوانه برداشتن

string up دار زدن؛ کوک کردن؛ آماده کردن؛ به هیجان آوردن

string-band ارکستر سازهای زهی

highly strung کوک(شده)، عصبانی؛ زیاد حساس

string bean /'strɪŋ bi:n/ *n* لوبیای سبز

stringed *ppa* زهی، سیمی

stringency /'strɪndʒənsɪ/ *n* سختی؛ کسادی

stringent /'strɪndʒənt/ *adj* [قانون یا محدودیت] سخت، شدید؛ [پول] تنگ

stringy *adj* ریش ریش؛ ریشه‌ای
strip /strɪp/ *vt,vi*[-ped] ,*n* ۱.لخت کردن؛ هرز کردن (پیچ)؛ کندن؛ غارت کردن ۲.برهنه شدن ۳.باریکه، قطعه باریک
  landing-strip باند فرودگاه
stripe /straɪp/ *n* خط؛ راه؛ نوار، یراق؛ [نظامی] نواری به شکل V که بر بازوی اونیفورم دوخته می‌شود؛ ضربه شلاق
striped /straɪpt/ *adj* خط دار؛ راه راه
stripling /'strɪplɪŋ/ *n* نوجوان
strive /straɪv/ *vt* [strove; striven] (سخت) کوشیدن؛ کشمکش کردن، تقلا کردن؛ رقابت کردن، همچشمی کردن
striven /'strɪvn/ [*pp of* strive]
strode /strəʊd/ [*p of* stride]
stroke /strəʊk/ *n,vt* ۱.ضربت؛ حرکت؛ خط؛ شاهکار؛ حمله، نوبت؛ (صدای) زنگ ساعت؛ نوازش ۲.نوازش کردن؛ نمونهٔ پاروزنی (برای سایر پاروزن‌ها) شدن
  finishing strokes دستکاری نهایی
  stroke a person('s hair) the wrong way کسی را خشمگین کردن، سر به‌سر کسی گذاشتن
  stroke down دلجویی (از کسی) کردن
stroll /strəʊl/ *vi,n* ۱.سلانه‌سلانه رفتن، قدم زدن ۲.راه رفتنِ سلانه سلانه
strong /strɒŋ US: strɔ:ŋ/ *adj* نیرومند، قوی، پرزور؛ محکم؛ زیاد؛ قوی یا سنگین[strong drinks]؛ مؤثر، سخت؛ بدبو؛ جدی
  strong verb فعل اصیل (که بی‌قاعده است)
  Our club is 500 strong.
  باشگاه ما ۵۰۰ عضو دارد.
  come it rather strong *(adv)*
  [در صحبت] تند رفتن، اغراق گفتن
  strong meat [مجازاً] آنچه درخور کسانی است که دارای رشد فکری هستند، مطلب دندانگیر
  strong point نقطهٔ قوت، شگرد
stronghold /'strɒŋhəʊld/ *n* دژ، قلعهٔ نظامی؛ پایگاه، جای پای محکم
strongly *adv* قویاً؛ سخت
strong-minded /ˌstrɒŋ 'maɪndɪd/ *adj* بافکر، بااراده، مصمم
strop /strɒp/ *n,vt* [-ped] ۱.چرم تیغ تیزکنی ۲.به چرم کشیدن
strophe /'strəʊfɪ/ *n* پیچ خوردنِ یونانیان قدیم موقع رقص در صحنه؛ [در شعر] بند
strove /strəʊv/ [*p,pp of* strive]
struck /strʌk/ [*p,pp of* strike]

structural /'strʌktʃərəl/ *adj* ساختی، ساختاری؛ ساختمانی
structure /'strʌktʃə(r)/ *n* ساخت، ساختار؛ ساختمان؛ ترکیب؛ بنیه؛ سبک، طرز
struggle /'strʌgl/ *n,vi* ۱.تقلا، مبارزه ۲.تقلا کردن، کشمکش کردن، مبارزه کردن
  struggle for existence تنازع بقا
strum /strʌm/ *v* [-med] بد (ساز) زدن
strumpet /'strʌmpɪt/ = prostitute
strung /strʌŋ/ [*p,pp of* string]
strut /strʌt/ *vi* [-ted] شق و رق راه رفتن
strut /strʌt/ *n,vt* ۱.[معماری] بست؛ شمع ۲.بست زدن؛ شمع زدن
strychnin(e) /'strɪkni:n/ *n* جوهر کوچوله، استریکنین
stub /stʌb/ *n,vt* [-bed] ۱.کندهٔ درخت؛ ریشه؛ [سیگار، مداد، بلیط، چک و غیره] ته ۲.از ریشه درآوردن؛ [درخت] از بیخ بریدن؛ غفلتاً (پای خود را) به چیزی زدن؛ از ریشه کندن؛ از کنده یا ریشه پاک کردن؛ [سیگار] خاموش کردن
stubble /'stʌbl/ *n* کاهُبُن؛ ته‌ریش
stubborn /'stʌbən/ *adj* سرسخت، کله شق؛ نافرمان؛ سخت، بی‌امان
stubby /'stʌbɪ/ *adj* خپل، کوتاه و کلفت
stucco /'stʌkəʊ/ *n* نوعی گچ یا سیمان که برای آرایش دیوار و گچبری به کار می‌برند
stuck /stʌk/ [*p,pp of* stick]
stuck-up /ˌstʌk 'ʌp/ *Col* = conceited
stud /stʌd/ *n,vt* [-ded] ۱.گلمیخ؛ قپه؛ دکمهٔ سردست ۲.دکمه زدن، گلمیخ زدن؛ تزیین کردن؛ پر کردن با
  studded with gems گوهرنشان
stud /stʌd/ *n* [اسب] تخم‌کشی
student /'stju:dnt/ *n* دانش‌آموز، دانشجو، محصل، محقق
studied /'stʌdɪd/ *ppa* مطالعه‌شده، سنجیده؛ آگاهانه، عمدی
studio /'stju:dɪəʊ/ *n* استودیو؛ آتلیه؛ کارگاه هنری
studious /'stju:dɪəs/ *adj* ساعی (در درس)؛ مشتاق؛ پُر زحمت؛ بلیغ [studious care]
study /'stʌdɪ/ *n,vi,vt* ۱.تحصیل؛ بررسی، مطالعه؛ [موسیقی] تمرین؛ موضوع؛ دفتر، اتاق مطالعه ۲.تحصیل کردن، درس خواندن ۳.خواندن، تحصیل کردن؛ بررسی کردن، مطالعه کردن
  study for the bar درس حقوق خواندن، تحصیل حقوق کردن

stuff /stʌf/ *n,vt,vi* ۱.چیز، ماده؛ کالا؛ پارچه؛ آشغال؛ چرند ۲.پُرکردن؛ تپاندن؛ (سخن دروغ به‌کسی) قبولاندن؛ با قیمه پر کردن، گیپا کردن ۳.پر خوردن

stuff and nonsense مزخرف، مهمل

stuff oneself پرخوردن، تپاندن

stuff up a hole سوراخی را گرفتن

stuffiness *n* خفگی (هوا)

stuffing *n* لایی؛ قیمه

knock the stuffing out of a person *Col* بادکسی را خالی کردن؛ کسی را سر جای خود نشاندن

stuffy /ˈstʌfɪ/ *adj* خفه، دَم‌کرده؛ [بینی] گرفته؛ بدخلق؛ نازک‌نارنجی؛ کسل‌کننده، بی‌روح

stultify /ˈstʌltɪfaɪ/ *vt* بی‌اثر کردن

stumble /ˈstʌmbl/ *vi,n* ۱.لغزیدن؛ سکندری خوردن؛ [مجازاً] سهو کردن؛ تپق زدن ۲.لغزش؛ [مجازاً] اشتباه

stumble (up) on *or* **across** غفلتاً (به چیزی) برخوردن، تصادفاً پیدا کردن

tumbling-block /ˈstʌmblɪŋ blɒk/ *n* مانع، مشکل، سد راه

tump /stʌmp/ *n,vi,vt* ۱.کندهٔ درخت؛ [دندان] ریشه؛ [سیگار و مداد و غیره] ته ۲.شق رق راه رفتن ۳.به ستوه آوردن؛ گیر انداختن، گیـ کردن

stump up something (با بی‌میلی) چیزی دادن، اِخ کردن

on the stump مشغول سخنرانی سیار

stump oratory سخنرانی سیار

tumper *n,Col* سؤال دشوار یا گیج‌کننده

tumpy /ˈstʌmpɪ/ *adj* خپله، خپل؛ کوتاه و کلفت

tun /stʌn/ *vt* [-ned] گیج کردن، بی‌حس کردن؛ [صدا] خفه کردن

tung /stʌŋ/ [*p,pp of* sting]

tunk /stʌŋk/ [*p,pp of* stink]

tunning *Sl* = ripping

unt /stʌnt/ *vt* از رشد بازداشتن

unt /stʌnt/ *n,vi,Col* کار برجسته و جالب توجه (کردن)، عملیات محیرالعقول (انجام دادن)

upefaction /ˌstju:pɪˈfækʃn/ *n* گیج‌سازی؛ تخدیر؛ گیجی، بیهوشی؛ حیرت، بهت

upefy /ˈstju:pɪfaɪ/ *vt* گیج کردن، مبهوت کردن؛ بیهوش کردن؛ کودن کردن، خرف کرد

upendous /stju:ˈpendəs/ *adj* شگفت‌انگیز

upid /ˈstju:pɪd US: ˈstu:-/ *adj* کودن، خرف، کند؛ گیج؛ بی‌روح؛ نادان؛ احمقانه

stupidity /stju:ˈpɪdətɪ/ *n* کودنی، کندی؛ نادانی

stupor /ˈstju:pə(r)/ *n* کرختی؛ گیجی

sturdiness *n* تنومندی؛ عزم

sturdy /ˈstɜ:dɪ/ *adj* ستبر، تنومند؛ خوش‌بنیه؛ درشت؛ با عزم؛ سخت

sturgeon /ˈstɜ:dʒən/ *n* سگ‌ماهی

stutter /ˈstʌtə(r)/ *vi,vt* ۱.با لکنت حرف زدن ۲.با لکنت ادا کردن

sty /staɪ/ *n* طویلهٔ خوک؛ [مجازاً] جای هرزگی

sty(e) /staɪ/ *n* گل‌مژه

Stygian /ˈstɪdʒɪən/ *adj* منسوب به رود Styx؛ دوزخی؛ [مجازاً] تیره، مظلم

style /staɪl/ *n,vt* ۱.سبک؛ شیوهٔ نگارش؛ کروفر، دم و دستگاه؛ مُد؛ شکل، طرح؛ نوع، جور؛ عنوان؛ [گُل] خامه ۲.لقب دادن، نام نهادن؛ طراحی کردن

in style به‌طور عالی، به طرز مخصوص؛ با دم و دستگاه

styled queen ملقب به ملکه

stylish /ˈstaɪlɪʃ/ *adj* شیک، مُد روز؛ زیبا

stylist /ˈstaɪlɪst/ *n* [نویسنده] صاحب سبک؛ طراح مُد

stylistics /staɪˈlɪstɪks/ *adj* سبک‌شناسی

stylus /ˈstaɪləs/ *n* سوزن گرامافون

Styx /stɪks/ *n* [اسطوره] نام رودخانه‌ای که جهان مردگان را دور می‌زند

cross the Styx به دار فانی رفتن

suasion /ˈsweɪʒn/ *n* متقاعد کردن، اقناع

moral suasion متقاعد کردن کسی با توسل به وجدان اخلاقی او

suave /swɑ:v/ *adj* مؤدبانه؛ مؤدب

suavity /swɑ:vətɪ/ *n* نرمی، ملایمت، ادب

sub- /sʌb/ *pref* [پیشوند] زیر ـ ، جزء

subaltern /ˈsʌbltən/ *n* افسر جزء

subcommittee /ˈsʌbkəmɪtɪ/ *n* کمیسیون فرعی

subconscious /ˌsʌbˈkɒnʃəs/ *adj* نیمه خودآگاه، نیمه‌هشیار

the subconscious mind ذهن نیمه‌هشیار

subcontract /ˌsʌbkənˈtrækt/ *n* قرارداد فرعی، قرارداد دست دوم، مقاطعهٔ جزئی

subcontractor *n* مقاطعه‌کار جزء

subcutaneous /ˌsʌkju:ˈteɪnɪəs/ *adj* زیرپوستی

subdivide /ˌsʌbdɪˈvaɪd/ *v* تقسیم به جزء کردن؛ تقسیم به جزء شدن، دوباره بخش کردن؛ دوباره بخش شدن، تفکیک کردن؛ تفکیک شدن

subdivision /ˌsʌbdɪˈvɪʒn/ *n* تفکیک فرعی؛ تقسیم جزئی؛ بخش جزئی‌تر

subdue /səbˈdjuː/ *vt* مطیع کردن، مقهور ساختن؛ ملایم کردن؛ تخفیف دادن

subheading /ˈsʌbhedɪŋ/ *n* عنوان فرعی

subhuman /ˌsʌbˈhjuːmən/ *adj* مادون انسان، حیوان‌صفت

subject /ˈsʌbdʒɪkt/ *n,adj* ۱.موضوع؛ تابع، رعیت؛ [فلسفه] ذهن؛ [روانشناسی] آزمودنی، آزمایش‌شونده؛ جوهر، اساس؛ [دستورزبان] مسندالیه، مبتدا، فاعل، نهاد؛ [مجازاً] مایه، موجب ۲.تابع

subject to موکول به، با؛ تابعِ؛ در معرضِ؛ دستخوشِ؛ مشمولِ

on the subject of در موضوعِ، دربارهٔ

subject-matter موضوع، مطلب

subject to the approval of با تصویبِ

foreign subjects اتباع بیگانه

subject /səbˈdʒekt/ *vt* تابع (چیزی) کردن، پیرو (چیزی) کردن؛ مطیع کردن؛ در معرض (چیزی) قرار دادن؛ موکول کردن

subject to heat گرما دادن (به)

subjected to در معرضِ

subjection /səbˈdʒekʃn/ *n* پیروی، انقیاد، تابعیت؛ تابع‌سازی؛ استیلا

subjective /sʌbˈdʒektɪv/ *adj* ذهنی؛ ذهن‌گرایانه؛ درونی؛ [دستورزبان] فاعلی

subjoin /ˌsʌbˈdʒɔɪn/ *vt* (جمله یا عباراتی) در پایان افزودن

subjugate /ˈsʌbdʒʊgeɪt/ *vt* تحت انقیاد درآوردن

subjugation /ˌsʌbdʒʊˈgeɪʃn/ *n* انقیاد، مقهورسازی

subjunctive /səbˈdʒʌŋktɪv/ *adj* [دستورزبان] شرطی

sublease /ˌsʌbˈliːs/ *vt,n* ۱.به غیر اجاره دادن ۲.اجارهٔ به غیر

sublet /ˌsʌbˈlet/ *vt* به‌غیر اجاره دادن

sublimate /ˈsʌblɪmeɪt/ *vt* [شیمی] تصعید کردن؛ والایش بخشیدن، تعالی بخشیدن

sublimate /ˈsʌblɪmeɪt/ *n,adj* (جسم) تصفیه یا تصعید شده

corrosive sublimate داراشکنه فرنگی، سوبلیمه

sublimation /ˌsʌblɪˈmeɪʃn/ *n* [شیمی] تصعید؛ [روانشناسی] والایش

sublime /səˈblaɪm/ *adj* بلند؛ عالی؛ والا، بلندپایه

sublimity /səˈblɪmətɪ/ *n* بلندی، علوّ

submarine /ˌsʌbməˈriːn/ *adj,n* زیردریایی

submarine chaser کشتی‌ای که کارش یافتن و نابود کردن زیردریایی است

submerge /səbˈmɜːdʒ/ *v* در آب فرو بردن؛ در آب فرو رفتن؛ غوطه‌ور ساختن؛ غوطه‌ور شدن

the submerged tenth محرومترین طبقهٔ اجتماعی

submersed /səbˈmɜːst/ *ppa* [گیاه‌شناسی] زیر آب رونده

submersion /səbˈmɜːʃn/ *n* عملِ غوطه‌ور ساختن یا زیر آب فرو بردن

submission /səbˈmɪʃn/ *n* تسلیم، تفویض؛ طاعت؛ فروتنی؛ عرض، اظهار؛ نظریه

submissive /səbˈmɪsɪv/ *adj* مطیع، فروتن؛ ناشی از فروتنی، حلیمانه

submit /səbˈmɪt/ *vt,vi* [-ted] ۱.تسلیم کردن، واگذار کردن، تفویض کردن؛ دادن، تقدیم کردن، ارائه دادن، عرض کردن ۲.تن در دادن، تسلیم شدن

subnormal /ˌsʌbˈnɔːml/ *adj* دونِ عادی، زیرِ‌هنجار

subordinate /səˈbɔːdɪnet/ *adj,n* ۱.تابع، تبعی [subordinate clause]؛ فرعی؛ پایین‌تر؛ زیردست، جزء ۲.عضو زیردست، مرئوس

subordinate to تابعِ، زیردستِ

subordinate /səˈbɔːdɪnet/ *vt* تابع قرار دادن؛ مطیع ساختن

subordination /səˌbɔːdɪˈneɪʃn/ *n* تابعیت؛ فرمانبرداری، انقیاد

subordinative /səˈbɔːdɪnətɪv/ *adj* تابع قراردهنده؛ حاکی از زیردستی

suborn /səˈbɔːn/ *vt* وسیلهٔ تطمیع به‌کار بد یا گواهیِ دروغ واداشتن

subpoena /səˈpiːnə/ *n,vt* [حقوق] احضاریه؛ کتباً فراخواندن، کتباً احضار کردن

subscribe /səbˈskraɪb/ *v* خود را زیر (چیزی) نوشتن، (پای سندی را) امضا کردن؛ [با to] الف. تعهد پرداخت (مبلغی را) کردن، پرداخت (مبلغی) شرکت کردن ب. موافقت‌کردن آبونه شدن

subscriber *n* مشترک؛ [بانک و ضمانت‌نامه] ضامن؛ اعانه دهنده

subscription /sebˈskrɪpʃn/ *n* اشتراک، آبونمان؛ (پول) اعانه؛ تعهد پرداخت

subsequent /ˈsʌbsɪkwənt/ *adj* بعدی

in subsequent years در سالهای بعد

subsequent to پس از، متعاقبِ
subsequently *adv* سپس، بعداً
subserve /səb'sɜ:v/ *vt* کمک به چیزی کردن یا برایِ آن سودمند بودن
subservience /səb'sɜ:vɪəns/; **-cy** *n* چاپلوسی، پستی؛ سودمندی
subservient /səb'sɜ:vɪent/ *adj* چاپلوس؛ سودمند
It is subservient to our purpose به‌کار ما می‌خورد، برای ما سودمند است
subside /səb'saɪd/ *vi* نشست کردن؛ فروکش کردن؛ ته‌نشین شدن
subsidence /səb'saɪdns/ *n* [ساختمان] نشست؛ فرونشینی؛ سکوت
subsidiary /səb'sɪdɪərɪ/ *adj* کمکی، مُعین؛ مکمل، اضافی؛ فرعی
subsidiary company [اقتصاد] شرکت تابعه
subsidize /'sʌbsɪdaɪz/ *vt* [دولت] کمک مالی کردن؛ تشویق کردن
subsidy /'sʌbsɪdɪ/ *n* کمک مالی دولت
subsist /sʌb'sɪst/ *vi* زیستن؛ امرار معاش کردن
subsistence /sʌb'sɪstəns/ *n* زیست؛ گذران؛ (وسیلهٔ امرار) معاش
bare subsistence قوت بخورونمیر
subsoil /'sʌbsɔɪl/ *n* [زمین‌شناسی] زیرخاک
substance /'sʌbstəns/ *n* جسم، ماده؛ ذات، جوهر؛ مفاد؛ اساس؛ استحکام؛ پول، دارایی
man of substance مرد ثروتمند
in substance در اصل، از حیث مفاد، مفاداً
substantial /səb'stænʃl/ *adj* ذاتی؛ واقعی؛ اساسی؛ معتبر؛ معتنابه
substantially /səb'stænʃəlɪ/ *adv* اساساً
substantiate /səb'stænʃɪeɪt/ *vt* اثبات کردن، با دلیل و مدرک نشان دادن
substantiation /səbˌstænʃɪ'eɪʃn/ *n* اثبات
substantival /ˌsʌbstən'taɪvl/ *adj* اسمی
substantive /'sʌbstəntɪv/ *adj,n* ۱.ذاتی؛ دارای هستیِ واقعی و مستقل، قائم به ذات ۲.[دستورزبان] اسم
the substantive verb فعل «بودن»
substation /'sʌbsteɪʃn/ *n* ایستگاه فرعی
substitute /'sʌbstɪtju:t/ *n,vt* ۱.جانشین، قائم‌مقام، بدل ۲.جانشین کردن
substitution /ˌsʌbstɪ'tju:ʃn US: -'tu:ʃn/ *n* جانشین‌سازی؛ تبدیل؛ جانشینی، نیابت؛ عوض
substratum /ˌsʌb'strɑ:təm/ *n* [-ta] اساس، زمینه؛ ماده (اصلی)؛ [زمین‌شناسی] زیر خاک؛ زیر

subsume /səb'sju:m US: -'su:m/ *vt* در طبقهٔ خاصی گنجاندن
subtenant /'sʌbtenənt/ *n* مستأجر جزء
subtend /səb'tend/ *vt* [هندسه] قطع کردن، روبه‌رو واقع شدن، فراگرفتن
subterfuge /'sʌbtəfju:dʒ/ *n* ترفند، حیله
subterranean /ˌsʌbtə'reɪnɪən/ *adj* زیرزمینی؛ [مجازاً] نهانی
subtitle /'sʌbtaɪtl/ *n* [در جمع] زیرنویس فیلم؛ عنوان فرعی کتاب
subtle /'sʌtl/ *adj* دقیق، ظریف، باریک؛ زیرک، زرنگ، ناقلا
subtlety /'sʌtltɪ/ *n* باریکی؛ نکتهٔ باریک؛ زیرکی؛ باریک‌بینی
subtract /səb'trækt/ *vt* تفریق کردن
subtraction /səb'trækʃn/ *n* تفریق
suburb /'sʌbɜ:b/ *n* حومه
the suburbs حومه، بخشهای اطراف
suburban /sə'bɜ:bən/ *adj* حومه‌نشین؛ کوته‌نظر
subvention /səb'venʃn/ *n* کمک مالیِ دولت
subversion /səb'vɜ:ʃn/ *n* انهدام؛ واژگون‌سازی، براندازی
subversive /səb'vɜ:sɪv/ *adj* براندازنده
subvert /sʌb'vɜ:t/ *vt* برانداختن
subway /'sʌbweɪ/ *n* راهروِ زیرزمینی؛ راه‌آهن زیرزمینی، مترو
succeed /sək'si:d/ *vi,vt* ۱.کامیاب شدن، موفق شدن؛ نتیجه بخشیدن ۲.از پی آمدن، جانشین شدن؛ به ارث بردن
succeed in doing something موفق به انجام کاری شدن
succeed to the throne وارث تخت شدن
success /sək'ses/ *n* کامیابی، موفقیت؛ نتیجهٔ مطلوب
The party was a success. مهمانیِ گرمی بود.
successful /sək'sesfl/ *adj* کامیاب، موفق؛ نتیجه‌بخش
successfully /sək'sesfəlɪ/ *adv* باموفقیت
succession /sək'seʃn/ *n* توالی؛ جانشینی؛ وراثت؛ رشته
in succession پی‌درپی، به‌توالی؛ متوالیاً
in succession to به جایِ
succession duties مالیات بر ارث
successive /sək'sesɪv/ *adj* متوالی
successively *adv* پی‌درپی، متوالیاً
successor /sək'sesə(r)/ *n* جانشین

succinct /sək'sɪŋkt/ *adj* مختصر، موجز

succor /'sʌkə(r)/ *n,vt,US* = soccour

succour /'sʌkə(r)/ *n,vt* کمک (کردن)، دستگیری (کردن)

succulence /'sʌkjʊləns/ *n* شادابی، آبداری

succulent /'sʌkjʊlənt/ *adj* [میوه یا گوشت] آبدار؛ [گیاه] گوشتی، توپُر

succumb /sə'kʌm/ *vi* از پا درآمدن، مردن؛ تسلیم شدن

such /sʌtʃ/ *adj,n* ۱.(یک) چنین، این قبیل؛ به‌طوری؛ [در اسناد] مزبور ۲.این؛ آنها (را)، اینها (را)، این چیز (را)

I had never seen such a book من هرگز چنین کتابی ندیده بودم

Such a large hat کلاه به این بزرگی

Such as I had not seen before که پیشتر (مانند آن‌را) ندیده بودم

Such as are happy آنهایی که خوشبخت هستند

No such thing هیچ چنین چیزی نیست

No such person lives here چنین کسی اینجا زندگی نمی‌کند

Such a one یک کسی، یک زیدی

such and such فلان، فلان و بهمان

as such فی‌نفسه، به همین صورت

suchlike /'sʌtʃlaɪk/ *adj,pr* (از) این گونه، (از) این قبیل؛ و مانند آن، و امثال آن

suck /sʌk/ *vt,vi,n* ۱.مکیدن؛ خوردن (شیر) ۲.شیرخوردن؛مک‌زدن‌نفس‌نفس‌زدن۳.مک؛جرعه

The mother whom I sucked مادری که به من شیر داد

suck up (*or* **in)** جذب کردن

suck up to someone *Sl* پیش کسی خودشیرینی و چاپلوسی کردن

suck dry (مکیدن و) خشک انداختن

give suck to شیر دادن

take a suck at مکیدن، مک زدن

sucker /'sʌkə(r)/ *n* [گیاه‌شناسی] پاجوش: شاخه‌ای که از ساقه زیرزمینی یا از ریشه جوانه زند؛ سنبه، پیستون؛ شیرینی مکیدنی؛ آدم گول‌خور

sucking *apa* شیرخوار؛ تازه‌کار

suckle /'sʌkl/ *vt* شیر دادن (به)

suckling /'sʌlɪŋ/ *n* کودک شیرخوار

suction /'sʌkʃn/ *n* مکِش؛ تنفس؛ کشش

suction pump تلمبهٔ مکِشی

Sudanese /ˌsu:də'ni:z/ *adj,n* [-nese] سودانی، اهل سودان

sudden /'sʌdn/ *adj* ناگهانی؛ تند

all of a sudden *n* = **suddenly**

suddenly *adv* ناگهان، غفلتاً

suds /sʌdz/ *npl* کف صابون

sue /sju:/ *vt,vi* ۱.تعقیب کردن؛ به لابه خواستار شدن از ۲.عرضحال دادن، عارض شدن

sue for damages عرضحالِ خسارت دادن

suede /sweɪd/ *n* حیر

suet /'su:ɪt/ *n* یه

Suez /su:'ez/ *n* سوئز

suffer /'sʌfə(r)/ *vt,vi* ۱.تحمل کردن؛ ن در دادن به؛ اجازه دادن ۲.رنج بردن؛ زیان یدن؛ [با from] دچار بودن به

suffer pain رد کشیدن

suffer a loss یان دیدن، ضرر دادن

suffer from headache ردرد داشتن

sufferance /'sʌfərəns/ *n* ضایت ضمنی، کوت

sufferer /'sʌfərə(r)/ *n* ردکش، رنجور

suffering *n* نج، عذاب؛ زیان

suffice /sə'faɪs/ *v* فایت کردن

It suffices me کافی است، برای من کفایت می‌کند

Suffice it to say that ین قدر بس که

sufficiency /sə'fɪʃnsɪ/ *n* فایت؛ مقدار کافی

a sufficiency of food ذای کافی

sufficient /sə'fɪʃnt/ *adj,n* کافی، بس مقدارکافی

I have had sufficient قدر کفایت خوردم، شدم

sufficiently *adv* قدر کافی

suffix /'sʌfɪks/ *n* ستورزبان] پسوَند

suffocate /'sʌfəkeɪt/ *v* فه کردن؛ خفه شدن؛ موش کردن (آتش)

suffocation /ˌsʌfə'keɪʃn/ *n* فگی؛ اختناق

suffragan /ˌsʌfrəgən/ *n* قف جزء، ون سر اسقف

suffrage /'sʌfrɪdʒ/ *n* ق) رأی؛ انتخاب؛ قبول، رضایت

suffragist /'sʌfrədʒɪst/ *n* فدارِ دادنِ حق رأی یا حق انتخاب (به زنان)

suffuse /sə'fju:z/ *vt* کردن، گرفتن، پوشاندن

suffusion /sə'fju:ʒn/ *n* ازی؛ نشر

sugar /'ʃʊgə(r)/ *n,vt* سکر؛ قند کری یا شیرین کردن

sugar basin /'ʃʊgə beɪsn/ *n* = sugar bow

sugar bowl /'ʃʊgə baʊl/ *n* دان، شکردان

sugar candy /'ʃʊgə kændɪ/ *n*

sugar-cane /'ʃʊgə keɪn/ *n* نیشکر
sugarplum /'ʃʊgəplʌm/ *n* آب نبات؛ نقل
sugar-tongs /'ʃʊgə tɒŋz/ *npl* قندگیر
sugary *adj* قنددار، شیرین
suggest /sə'dʒest/ *vt* اظهار (عقیده) کردن، عقیده‌مند بودن؛ اشاره کردن بر؛ پیشنهاد کردن، تکلیف کردن؛ القا کردن
suggestion /se'dʒestʃən/ *n* پیشنهاد؛ اشاره؛ القا؛ اظهار عقیده، نظریه
suggestive /sə'dʒestɪv/ *adj* اشاره کننده، دلالت‌کننده، حاکی؛ [چیزهای هرزه] اشاره‌دار
be suggestive of دال بر... بودن
suicidal /ˌsju:ɪ'saɪdl/ *adj* مربوط به خودکشی، انتحاری؛[شخص]مستعد خودکشی؛مخرّب،زیانبار
suicide /'sju:ɪsaɪd/ *n* خودکشی، انتحار؛ (شخص) خودکشی کرده
commit suicide خودکشی کردن، انتحار کردن
suit /su:t/ *n,v* ۱.درخواست، تقاضا، دادخواست، عرضحال؛ خواستگاری؛ (اقامهٔ) دعوا، تعقیب؛ دست (لباس)؛ [در ورق] مجموعهٔ ورقهای یک خال ۲.وفق دادن؛ متناسب کردن؛ در خور بودن؛ خوش آمدن؛ مناسب بودن، سازگار بودن
bring a suit against a person علیه کسی اقامهٔ دعوا کردن
in suit with موافقِ، موافق با
follow suit از همان خال بازی کردن؛ [مجازاً] به دیگران تأسی جستن
suit the action to the word کردار را با گفتار وفق دادن
It does not suit my taste به ذائقه من خوش نمی‌آید
suit oneself موافق دلخواه عمل کردن
suited to (*or* **for**) مناسب حالِ
suitability /ˌsu:tə'bɪlətɪ/ *n* تناسب
suitable /'su:təbl/ *adj* در خور، مناسب، شایسته، فراخور، مقتضی
suitably /'su:təblɪ/ *adv* به‌طور مناسب
suitcase /'su:tkeɪs/ *n* چمدان، جامه‌دان
suite /swi:t/ *n* ملتزمین، خدمه؛ مجموعه‌ای از وسایل جور، مبلمان؛ [در هتل] سوئیت؛ آپارتمان کوچک؛ [موسیقی] سوئیت
suitor /'su:tə(r)/ *n* خواستگار؛ [حقوق] خواهان، شاکی، مدعی، عارض
sulk /sʌlk/ *vi* قهر کردن، اخم کردن
in the sulks *(n)* در حال قهر؛ اخمو
sulky *adj* قهر (کرده)، بداخم
sulky *n* درشکهٔ سبک یک‌نفری

sullen /'sʌlən/ *adj* عبوس، ترشرو؛ عبوسانه؛ تیره
sullenness *n* ترشرویی، کج خلقی
sully /'sʌlɪ/ *vt* لکه‌دار کردن، کثیف کردن؛ بی‌رونق کردن
sulphate /'sʌlfeɪt/ *n* سولفات، نمک جوهرگوگرد، زاج، توتیا
sulphate of sodium سولفات سدیم
sulphate of magnesium سولفات منیزیم
sulphide /'sʌlfaɪd/ *n* ترکیب گوگرد با جسم بسیط، سولفور
sulphur /'sʌlfə(r)/ *n* گوگرد
sulphuric acid /sʌl'fjʊərɪk æsɪd/ جوهر گوگرد، اسید سولفوریک
sulphurous /'sʌlfərəs/ *adj* گوگردی
sultana /sʌl'tɑ:nə/ *n* زن یا مادر یا دختر یا خواهر سلطان؛ کشمش بی‌دانه
sultriness *n* گرفتگی، خفگی
sultry /'sʌltrɪ/ *adj* دَم‌دار، دم‌کرده، خفه
sum /sʌm/ *n,vt,vi* [-med] ۱.مبلغ؛ حاصل‌جمع؛ مجموع؛ [در جمع] حساب، مسئله ۲.جمع زدن؛ خلاصه کردن [بیشتربا up] ۳.جمع‌بندی کردن
for the sum of به مبلغِ
do (*or* **work**) **a sum** جمع زدن
in sum به‌طور مختصر و مفید
He is not good at sums حسابش خوب نیست
to sum up به‌طور خلاصه
sumac(h) /'ʃu:mæk/ *n* سماق
summarily /'sʌmərəlɪ/ *adv* مختصراً
summarize /'sʌməraɪz/ *vt* خلاصه کردن
summary /'sʌmərɪ/ *n,adj* ۱.خلاصه ۲.مختصر؛ اختصاری؛ فوری، شتابزده
summer /'sʌmə(r)/ *n,adj,vi* ۱.تابستان؛ دوران شکوفایی ۲.تابستانی ۳.تابستان را به‌سر بردن
summery *adj* تابستانی
summit /'sʌmɪt/ *n* قله (کوه)؛ [مجازاً] اوج
summit meeting اجلاس سران
summon /'sʌmən/ *vt* فراخواندن، احضار کردن؛ دعوت کردن
summon (up) courage جرئت به خود دادن
summons /'sʌmənz/ *n* [-es] خواست‌برگ، احضاریه
sump /sʌmp/ *n* چاهک
sumpter /'sʌmtə(r)/ *n,Arch* یابو، قاطر بارکش
sumptuary /'sʌmptjʊərɪ/ *adj* تعدیل یا محدودکننده مخارج

sumptuary law قانونی که داشتن یا پوشیدن بعضی چیزها را منع و بدین ترتیب از خـرج زیاد جلوگیری می‌کند، قانون تحدید مخارج

sumptuous /'sʌmptʃʊəs/ *adj* مجلل، پرخرج، سنگین؛ خوشگذران

sun /sʌn/ *n,vt,vi* [-ned] ۱.آفتاب، خورشید ۲.آفتاب دادن، در آفتاب گذاشتن ۳.آفتاب خوردن

sunbathe /'sʌnbeɪð/ *vi* حمام آفتاب گرفتن

sunbeam /'sʌnbi:m/ *n* پرتوِ آفتاب

sun-blind /'sʌn blaɪnd/ *n* پردهٔ پنجره، سایبان

sunburn /'sʌnbɜ:n/ *n* آفتاب‌سوختگی

sunburnt /'sʌnbɜ:nt/ *adj* آفتاب سوخته

sundae /'sʌndeɪ/ *n* بستنی میوه‌ای، بستنی ایتالیایی

Sunday /'sʌndɪ/ *n* یکشنبه

sunder /'sʌndə(r)/ *vt* جُدا کردن

sundial /'sʌndaɪəl/ *n* ساعت آفتابی

sundown /'sʌndaʊn/ *n* = sunset

sun-dried /'sʌn draɪd/ *adj* در آفتاب خشکانیده، خشک از آفتاب

sun-dried brick خِشت

sundries /'sʌndrɪz/ *npl* متفرقه، مخلفات؛ خرده ریز؛ هزینهٔ متفرقه

sundry /'sʌndrɪ/ *adj* گوناگون

all and sundry همه (و همه)

sunflower /'sʌnflaʊə(r)/ *n* گل آفتابگردان

sun-glasses /'sʌn glɑ:sɪz/ *npl* عینک آفتابی

sung /sʌŋ/ [*pp of* sing]

sunk /sʌŋk/ [*pp of* sink]

sunken /'sʌŋkən/ [زیر sink آمده است]

sun-lamp /'sʌn læmp/ *n* لامپی که اشعهٔ ماورای بنفش ساطع مـی‌کند و در درمان جانشینِ نور آفتاب می‌شود

sunlight /'sʌnlaɪt/ *n* (روشنایی) آفتاب

sunlit /'sʌnlɪt/ *adj* روشن از آفتاب، آفتابگیر

sunny /'sʌnɪ/ *adj* آفتابی؛ روشن؛ آفتاب‌رو؛ [مجازاً] بشاش، شاد

sunrise /'sʌnraɪz/ *n* طلوع آفتاب

sunset /'sʌnset/ *n* غروب آفتاب

sunshade /'sʌnʃeɪd/ *n* چترآفتابی؛ سایبان

sunshine /'sʌnʃaɪn/ *n* آفتاب؛ هوای باز

sunshiny *adj* آفتابی، پُرآفتاب

sunstroke /'sʌnstrəʊk/ *n* آفتاب‌زدگی

sunstruck /'sʌnstrʌk/ *adj* آفتاب‌زده

sun-up /'sʌn ʌp/ *Col* = sunrise

sup /sʌp/ *v* [-ped] *,n* ۱.[معنی قدیمی] شام خوردن؛ قاشق قاشق خوردن ۲.جرعه

What did you sup on (or off)? (برای) شام چه خوردید؟

Neither bite nor sup نه خوردنی نه آشامیدنی

super /'su:pə(r)/ *n,Col* سیاهی لشکر؛ آدم غیرمهم؛ [به‌طور پیشوند] مـافوق، مـتجاوز از، فوقانی، زیادی

super /'su:pə(r), 'sju:-/ *adj* عالی، اعلا

superabundance /,su:pərə'bʌndəns/ *n* وُفور

superabundant /,su:pərə'bʌndənt/ *adj* زیاد، فراوان

superannuate /,su:pər'ænjʊeɪt/ *vt* بازنشسته کردن

superannuated *adj* بازنشسته، متقاعد؛ از کار افتاده

superb /su:'pɜ:b/ *adj* عالی

supercharge /'su:pətʃɑ:dʒ/ *vt* (بخار) بنزین را به زور وارد سیلندر ماشین کردن

supercilious /,su:pə'sɪləs/ *adj* افاده‌ای؛ متکبر

supererogation /,su:pər,erə'geɪʃn/ *n* انجام کاری بیش از حد وظـیفه، خـوش‌خدمتی؛ تطوع

supererogatory /,su:pərə'rɒgətɔ:rɪ/ *adj* زیاده (از حد وظیفه)

superfatted /,su:pə'fætɪd/ *adj* دارای پیه یا چربی‌زیاد [superfatted soap]

superficial /,su:pə'fɪʃl/ *adj* سطحی؛ کم‌عمق؛ کم‌مایه؛ ظاهربین

superficiality /,su:pə,fɪʃɪ'ælətɪ/ *n* سطحی بودن؛ دانشِ سطحی؛ بی‌مایگی

superficially *adv* به‌طور سطحی

superfine /'su:pəfaɪn/ *adj* عالی، بسیار ظریف

superfluity /,su:pə'flʊətɪ/ *n* زیادتی، مازاد؛ چیز زاید

superfluous /su:'pɜ:flʊəs/ *adj* زاید، زیادی

superhuman /,su:pə'hju:mən/ *adj* بیرون از نیروی انسانی، خارج از قوهٔ بشر، فوق بشری

superimpose /,su:pərɪm'pəʊz/ *vt* روی چیزی گذاشتن

superintend /,su:pərɪn'tend/ *vt* سرپرست یا نظارت کردن بر، اداره کردن

superintendence /,su:pərɪn'tenəns/ *n* سرپرست، مدیریت؛ مباشرت

superintendent /,su:pərɪn'tendənt/ *n* مدیر؛ مباشر؛ سرپرست

superior /su:'pɪərɪə(r)/ *adj,n* عالی‌رتبه؛ عالی؛ بزرگتر، بهتر، بـرتر، بـیشتر؛ اعـلی؛ مـافوق رئیس، بزرگتر، مافوق؛ بالادست

superior to بهتر از؛ منزه از؛ مستغنی از
rise superior to فائق آمدن بر، تحت تأثیر... قرار نگرفتن
superiority /su:ˌpɪərɪˈɒrətɪ/ *n* برتری، بزرگی، تفوق؛ ریاست
superlative /su:ˈpɜ:lətɪv/ *adj,n* ۱.[صفت] عالی؛ بالاترین، بزرگترین ۲.درجه عالیِ صفت
speak in superlatives همه‌چیز را به‌طور اغراق‌آمیز توصیف کردن
superman /ˈsu:pəmæn/ *n* انسانِ برتر، اَبَرمرد، فراتر از مردم عادی
supernal /su:ˈpɜ:nl/ *adj,Poet* آسمانی
supernatural /ˌsu:pəˈnætʃrəl/ *adj* فوق طبیعی، خارق‌العاده، اعجازآمیز
supernormal /ˌsu:pəˈnɔ:ml/ *adj* فرابهنجار، فوق عادی؛ بالاتر از حد متوسط
supernumerary /ˌsu:pəˈnju:mərərɪ/ *adj,n* ۱.زیادی، اضافی ۲.آدم زیادی، [در اصطلاح نمایش] سیاهی لشکر
superscript /ˈsu:pəskrɪpt/ *n* عدد یا علامتی که بالای چیز دیگر نوشته شود [ریاضی] اندیس بالا، زبروند
supersede /ˌsu:pəˈsi:d/ *vt* لغو کردن، کنار گذاشتن؛ جانشین (چیزی) شدن
supersession /ˌsu:pəˈseʃn/ *n* الغا؛ جانشینی؛ ملغی‌شدگی
superstition /ˌsu:pəˈstɪʃn/ *n* موهوم‌پرستی، (عقیده به) خرافه
superstitious /ˌsu:pəˈstɪʃəs/ *adj* موهوم‌پرست، خرافاتی، خرافی؛ موهوم
superstructure /ˈsu:pəstrʌktʃə(r)/ *n* روبنا؛ روسازی، اعیان
supertax /ˈsu:pətæks/ *n* مالیات بر درآمدِ اضافی، مالیات فوق‌العاده
supervene /ˌsu:pəˈvi:n/ *vi* ناگهان رُخ دادن؛ اتفاقاً آمدن
supervise /ˈsu:pəvaɪz/ *vt* نظارت کردن، مباشرت کردن، سرپرستی کردن، اداره کردن
supervision /ˌsu:pəˈvɪʒn,ˌsju:-/ *n* سرپرستی، مباشرت، نظارت
supervisor /ˈsu:pəvaɪzə(r)/ *n* مُباشر، ناظر، سرپرست؛ استاد راهنما
supervisory /ˈsu:pəvaɪzərɪ/ *adj* مباشرتی؛ مباشرپیشه؛ سرپرستی
supine /ˈsu:paɪn US: sʊˈpaɪn/ *adj* به پشت خوابیده؛ تاقباز؛ [مجازاً] بی‌حال
supper /ˈsʌpə(r)/ *n* شام

supplant /səˈplɑ:nt/ *vt* جانشین (چیزی) کردن، از میدان به‌در کردن
supple /ˈsʌpl/ *adj,vt* ۱.نرم؛ رام ۲.مطیع کردن، رام کردن
supplement /ˈsʌplɪmənt/ *n* متمم، مکمل؛ ضمیمه؛ زاویهٔ مکمله
supplement /ˈsʌplɪment/ *vt* تکمیل کردن
supplementary /ˌsʌplɪˈmentrɪ/ *adj* متمم، تکمیلی، مکمل؛ اضافی
suppliant /ˈsʌplɪənt/ *n,adj* ۱.درخواست کننده ۲.لابه‌آمیز
supplicant /ˈsʌplɪkənt/ = suppliant
supplicate /ˈsʌplɪkeɪt/ *v* درخواست کردن (از)، التماس کردن (به)
supplication /ˌsʌplɪˈkeɪʃŋ/ *n* لابه، درخواست
supply /səˈplaɪ/ *vt,n* ۱.تهیه کردن، رساندن؛ تحویل دادن به؛ تکمیل کردن ۲.تهیه؛ تحویل؛ موجودی؛ ذخیره؛ جایگیر موقتی،بدل؛ [در جمع] تدارکات، ملزومات
supply someone with paper کاغذ برای کسی تهیه کردن یا به او رساندن
water supply آبرسانی؛ منبع آب
in short supply [در بازار] کم
in great supply فراوان
supply and demand عرضه و تقاضا
Supply Department ادارهٔ کارپردازی
support /səˈpɔ:t/ *n,vt* ۱.نگهداری؛ پشتیبانی؛ تقویت؛ تکیه‌گاه، پایه ۲.نگهداری کردن (از)؛ حمایت کردن، تقویت کردن؛ تحمل کردن؛ اثبات کردن؛ تأیید کردن
in support of به حمایتِ؛ در تأییدِ
He is dependent for support on me. تحت تکفل من است.
supporter /səˈpɔ:tə(r)/ *n* نگهدار، حامی
suppose /səˈpəʊz/ *vt* فرض کردن؛ گمان کردن، تصور کردن؛ مستلزم بودن
supposed *ppa* فرضی، مفروض، تصور شده
supposedly /səˈpəʊzɪdlɪ/ *adv* به‌طور فرضی، فرضاً
supposition /ˌsʌpəˈzɪʃn/ *n* فرض، مفروضات؛ تصور، گمان
on the supposition that با این فرض که، به‌فرض اینکه، با تصور اینکه
suppress /səˈpres/ *vt* موقوف کردن، توقیف کردن؛ فرونشاندن؛ پایمال کردن؛ بازداشتن، جلوگیری کردن از

suppression /sə'preʃn/ *n* جلوگیری، توقیف؛ [پزشکی] وقفه ناگهانی؛ [روانشناسی] منع، بازداری، فرونشانی
suppurate /'sʌpjʊreɪt/ *vi* چرک کردن، تولید جراحت کردن
suppuration /ˌsʌpjʊ'reɪʃn/ *n* (تولید) جراحت
supremacy /su:'preməsɪ/ *adj* تفوق؛ رفعت
supreme /su:'pri:m/ *adj* متعال؛ عالی؛ اعلی، منتهایِ [supreme courage]
  the Supreme Being خدای متعال
  the Supreme Court دیوان تمیز، دیوان عالی کشور
Supt [مخفف Superintendent]
surcease /sɜ:'si:s/ *n,Arch* پایان، وقفه کامل
surcharge /'sɜ:tʃɑ:dʒ/ *n* اضافه بار؛ نرخ اضافی؛ مالیات اضافی؛ جریمهٔ کسر تمبر
surcharge /sɜ:'tʃɑ:dʒ/ *vt* زیاد بار کردن؛ عوارض زیادی گرفتن از؛ پول بیشتر گرفتن؛ اضافه کردن
surd /sɜ:d/ *adj,n* ۱.گنگ؛ اصم ۲.جذر اصم
sure /ʃɔ:(r)/ US: ʃʊə(r)/ *adj* یقین، خاطرجمع، مطمئن؛ قطعی؛ قابل اطمینان؛ محفوظ
  feel sure یقین داشتن، خاطرجمع بودن
  make sure (of) قطعیت بخشیدن (به)؛ مطمئن شدن (از)
  Be sure to go حتماً بروید
  sure enough حتماً، مسلماً
  to be sure یقیناً، محققاً، به‌طور قطع
sure-footed /ˌʃɔ: 'fʊtɪd/ *adj* لغزش‌ناپذیر، ثابت‌قدم، بی‌لغزش
surely *adv* یقیناً، مسلماً
sureness *n* خاطرجمعی، قطعیت
surety /'ʃɔ:rətɪ/ *n* اطمینان؛ قطعیت؛ ضامن، پایندان؛ وثیقه
  stand surety for a person ضامنِ کسی شدن، ضمانت کسی را کردن
  of a surety یقیناً، مسلماً
surf /sɜ:f/ *n* موج ساحلی
surface /'sɜ:fɪs/ *n,adj,vt,vi* ۱.سطح، رویه؛ رو؛ [مجازاً] ظاهر ۲.سطحی، زمینی ۳.فرش کردن، پوشاندن؛ روی آب آوردن ۴.روی آب آمدن
  on the surface در (صورت) ظاهر
  surface knowledge دانش سطحی
  surface mail پست زمینی
surfeit /'sɜ:fɪt/ *n,vt* ۱.یک دنیا، یک عالمه؛ زیاده‌روی؛ امتلا ۲.زیاد خوراندن
  surfeit oneself پرخوردن، تپاندن

surge /sɜ:dʒ/ *n,vi* ۱.موج ۲.موج زدن؛ این سو و آن سو غلتیدن
surgeon /'sɜ:dʒən/ *n* جراح
surgery /'sɜ:dʒərɪ/ *n* جراحی؛ مطب
surgical /'sɜ:dʒɪkl/ *adj* مربوط به جراحی
  surgical operation عمل جراحی
surliness *n* تندخویی، بدخلقی
surly *adj* تندخو، بدخلق
surmise /'sɜ:maɪz/ *n* گمان، حدس
surmise /sə'maɪz/ *v* ظن بردن (به)، حدس زدن
surmount /sə'maʊnt/ *vt* فائق آمدن بر؛ پوشاندن، پوشیدن
  surmount with snow با برف پوشاندن
surmountable /sə'maʊntəbl/ *adj* رطرف کردنی، ازمیان برداشتنی
surname /'sɜ:neɪm/ *n,vt* ۱.نام خانوادگی؛ کنیه، لقب ۲.کنیه دادن، (به چیزی) ملقب کردن
  Surnamed Fox ملقب به فاکس، که نام خانوادگی او فاکس است
surpass /sə'pɑ:s/ *vt* عقب گذاشتن؛ نفوق جستن بر؛ پیشتر بودن از
surpassing *apa* رتر، فائق
surplice /'sɜ:plɪs/ *n* جبهٔ سفید کتان
surplus /'sɜ:pləs/ *n,adj* ۱.زیادتی، مازاد، ضافی ۲.زاید
  Surplus to our requirements مازاد بر احتیاجات ما
surprise /sə'praɪz/ *n,adj,vt* ۱.تعجب، شگفت؛ خبرِ شگفت‌آور؛ غافلگیری، شبیخون ۲.بی‌خبر، غافلگیرانه ۳.متعجب کردن، متحیر کردن؛ غافلگیر کردن؛ بی‌خبر گرفتن، بی‌خبرگیر آوردن
  I should not be surprised if ید نیست که، بعید نمی‌دانم که
surprising *apa* شگفت‌انگیز
surrender /sə'rendə(r)/ *vt,vi,n* .تسلیم کردن، گذار کردن؛ صرف‌نظر کردن از ۲.تسلیم شدن .تسلیم؛ صرف‌نظر
surreptitious /ˌsʌrəp'tɪʃəs/ *adj* انی، زیرجلی، محرمانه
surrptitiously *adv* طور نهانی، نهان، زیرجلی، محرمانه
surrogate /'sʌrəgeɪt/ *n* ئم‌مقام
surround /sə'raʊnd/ *vt* حاطه کردن، ر گرفتن؛ محاصره کردن
surrounding *apa* حاطه کننده؛ اطراف، جاور، حول‌وحوش
  surrounding villages ات اطراف یا مجاور

surroundings *npl* محیط،حول‌وحوش،حوالی
surtax /'sɜ:tæks/ *adj* اضافه مالیات
surveillance/sɜ:'veɪləns/ *n* نظارت، مراقبت
under surveillance تحت نظر
survey /'sɜ:veɪ/ *n* بررسی، ممیزی؛ نقشه‌برداری؛ مساحی؛ خلاصه
survey /sə'veɪ/ *vt* ممیزی کردن، بررسی کردن؛ رئوس‌مطالب (چیزی) راگفتن‌نقشه‌برداری‌کردن (از)
surveyor *n* نقشه‌بردار، زمین‌پیما؛ ممیز؛ برآورد کننده
survival /sə'vaɪvl/ *n* بقا، بازمانی
survival of the fittest بقای انسب
survive /sə'vaɪv/ *vi,vt* ۱.(پس از مرگ دیگری) زنده ماندن ۲.بیشتر (از دیگری) زنده بودن؛ [مجازاً] گذراندن (خطر)
survivor /sə'vaɪvə(r)/ *n* بازمانده، کسی که‌پس از مرگ دیگری زنده باشد
susceptibility/səˌseptə'bɪlətɪ/ *n* استعداد، آمادگی، قابلیت؛ حساسیت
susceptible/sə'septəbl/ *adj* مستعد، آماده، قابل؛ حساس
susceptible to pain حساس نسبت به درد
susceptible of proof قابل اثبات، اثبات‌پذیر
suspect /sə'spekt/ *vt* بدگمان شدن به، ظنین بودن به؛ تردید کردن در؛ گمان کردن
They suspect him (or he is suspected) of lying. گمان (یا ظن) دروغگویی به او می‌برند.
suspect /'sʌspekt/ *n* شخص مظنون
suspend /sə'spend/ *vt* آویزان کردن؛ معلق کردن؛ به حال تعلیق درآوردن؛ مسکوت گذاشتن، به تعویق انداختن؛ موقوف (الاجرا) کردن
suspenders /sə'spendə(r)/ *npl* بندِ جوراب؛ بند شلوار
suspense /sə'spens/ *n* بلاتکلیفی، تعلیق؛ تعطیل
suspension /sə'spenʃn/ *n* توقف، تعطیل؛ تعلیق؛ بلاتکلیفی؛ متارکه
suspension bridge /sə'spenʃn brɪdʒ/ *n* پل معلق
suspicion /sə'spɪʃn/ *n* ظن، گمان؛ بدگمانی، سوء ظن؛ شک؛ ته‌مزه، ته‌رنگ
suspicious /sə'spɪʃəs/ *adj* بدگمان، ظنین؛ حاکی از بدگمانی؛ مشکوک
sustain /sə'steɪn/ *vt* نگهداری کردن؛ تحمل کردن؛ تاب (چیزی را) آوردن؛ ادامه دادن پیگیری کردن؛ پشتیبانی کردن، تأیید کردن؛ بجا دانستن؛ حق دادن به
sustain a loss زیان دیدن، ضرر دادن
sustenance/'sʌstɪnəns/ *n* تغذیه؛ ارزش غذایی، خاصیت؛ قوت، معاش، گذران
sutler /'sʌtlə(r)/ *n* [در قدیم] اردو بازارچی: کسی که همراه ارتش می‌رفت و به سربازان غذا و مشروب و غیره می‌فروخت
suttee /'sʌti:/ *n* زن هندو که خود را بر سر جنازه شوهرش می‌سوزانید
suture /'su:tʃə(r)/ *n,vt* ۱.درز؛ بخیه ۲.بخیه زدن
suzerain /'su:zəreɪn/ *n* صاحبِ تیول عمده، مالک‌الرقاب، اختیاردار
suzerainty /'su:zərəntɪ/ *n* اختیارداری
svelte /svelt/ *adj,Fr* باریک و خوش‌اندام
SW [مختصرِ south-west]
swab /swɒb/ *n,vt* [-bed] ۱.لوله پاک‌کن، کهنه، فرش پاک کن ۲.پاک کردن [گاهی با down]؛ با پارچه دارو گذاشتن؛ با کهنه آب (چیزی را) کشیدن [باup]
swaddle /'swɒdl/ *vt* قنداق کردن
swaddling-clothes/'swɒdlɪŋ kləʊðz/ *npl* قنداق؛ [مجازاً] موانعِ آزادی عمل یا فکر
swag /swæg/ *n,Sl* کالای دزدی، مالِ‌دزدی
swage /sweɪdʒ/ *n,vt* ۱.قالب، سنبه ۲.قالب‌ریزی کردن
swagger /'swægə(r)/ *vi* شَق‌ورق راه رفتن؛ خودستایی کردن، پز دادن
swain /sweɪn/ *n* جوانِ روستایی؛ عاشق
swallow /'swɒləʊ/ *vt,n* ۱.قورت دادن، فُرو بردن، بلعیدن؛ [مجازاً] زود باور کردن؛ زیر سبیلی در کردن ۲.بلع؛ پرستوک، چلچله
swallow-tailed /'swɒləʊ teɪld/ *adj* دُم چلچله‌ای
swallow-tailed coat لباس شب (برای مرد)، فراک
swam /swæm/ [*p of* swim]
swamp /swɒmp/ *n,vt* ۱.باتلاق ۲.در آب فرو بردن؛ غرقه کردن
swampy *adj* باتلاقی، مردابی
swan /swɒn/ *n* قو
swank /swæŋk/ *Col,vi* قمپز در کردن، خودنمایی کردن
swanky *adj,Sl* خودنما
swan-song /'swɒn sɒŋ/ *n* آواز قو هنگام مردن؛ [مجازاً] آخرین اثر هنرمند
swap *or* **swop** /swɒp/ *Sl,vt* [-ped] تاخت زدن، (باهم) عوض کردن

sward /swɔ:d/ *n* چمن، مرغزار
sware /sweə(r)/ [ماضی قدیمیِ swear]
swarm /swɔ:m/ *n,vi* ۱.گروه ۲.هجوم بردن؛ ازدحام کردن؛ دسته‌جمعی مهاجرت کردن؛ شلوغ شدن، پر شدن؛ با دست و پا بالا رفتن
swarmed with پر از، مملو از
swart /swɔ:t/ *Arch,adj* = swarthy
swarthy /'swɔ:ðɪ/ *adj* گندمگون، سیه‌چرده
swashbuckler /'swɒʃbʌklə(r)/ = braggart
swastika /'swɒstɪkə/ *n* صلیب شکسته
swat /swɒt/ *n,vt* [-ted] ۱.مگس‌کش ۲.با مگس‌کش کشتن
swath /swɔ:θ/ *n* [swaths] ردیفِ چیده شده (از علف یا غله)
swathe /sweɪð/ *vt* پیچیدن [swathed in furs]
sway /sweɪ/ *n,vi,vt* ۱.حرکت موجی، نَوَسان؛ [مجازاً] نفوذ، سلطه ۲.نوسان کردن ۳.به نوسان درآوردن؛ [مجازاً] تحت تأثیر قرار دادن
hold sway over تحت سلطه خود درآوردن
swear /sweə(r)/ *v* [swore; sworn] سوگند خوردن، قسم خوردن؛ [قسم] یاد کردن؛ فحش دادن؛ کفر گفتن
swear at فحش (به کسی) دادن
swear by ۱.سوگند خوردن به ۲.عقیده زیاد داشتن به، جداً توصیه کردن
swear on سوگند (به چیزی) خوردن
swear one to secrecy کسی را به پوشیده داشتن رازی قسم دادن
swear in با مراسم تحلیف وارد کردن
He swore off drinking. سوگند خورد که از باده گساری دست بکشد.
sweat /swet/ *n,vi,vt* ۱.عرق؛ [مجازاً] کارسخت ۲.عرق کردن؛ نم زدن؛ [مجازاً] زحمت زیاد کشیدن ۳.جاری ساختن؛ به عرق انداختن، خسته کردن (اسب)؛ با مزد کم به جان کندن واداشتن
in a sweat در عرق، خوی کرده؛ [در گفتگو] هراسان، نگران
all of a sweat *Col* خیس عرق؛ [مجازاً] هراسان، نگران
He shall sweat for it پشیمان خواهد شد
sweat blood *Sl* جان کندن
sweated clothes لباس آغشته به عرق
sweater /'swetə(r)/ *n* بلوز، گرمکن
sweaty *adj* خیسِ عرق؛ پرزحمت
Swede /swi:d/ *n* سوئدی
Sweden *n* سوئد

Swedish *adj,n* (زبان) سوئدی
sweep /swi:p/ *vt,vi* [swept] ,*n* ۱.رُفتن، جاروکردن؛ شستن و بُردن [با away] ۲.تند گذشتن، آسان رفتن [با along یا past]؛ حمله کردن [با down]؛ امتداد داشتن[با away]؛ باوقار حرکت کردن ۳.رُفت وروب؛ جنبش؛ تاب، پیچ و خم (جاده)؛ حیطه؛ جریان
be swept off one's feet مغلوب احساسات شدن
give a sweep (to) جارو کردن
make a clean sweep of کاملاً (از شرّ چیزی) خلاص شدن
sweeper *n* رُفتگر، نظافتچی؛ جارو
sweeping *apa* جامع، فراگیر؛ کلی، سرسری، عاری از دقت؛ تند، بنیان کن [a sweeping flood]
sweepings *npl* خاکروبه، زباله
sweepstake(s) /'swi:psteɪk(s)/ *n* شرط‌بندی در اسبدوانی
sweet /swi:t/ *adj,n* ۱.شیرین؛ خوش [sweet odour]؛ خوشبو ۲.شیرینی؛ خوراک شیرین
It tastes sweet (مزه آن) شیرین است
It was so sweet of her to... چقدر مهربان بود که...
sweet pea [گیاه‌شناسی] عطر شاهی
sweet tooth میل زیاد به خوردن شیرینی
sweetbread /'swi:tbred/ *n* خوش‌گوشت
sweet-brier /ˌswi:t 'braɪə(r)/ *n* نسترن
sweeten /'swi:tn/ *vt,vi* ۱.شیرین کردن ۲.شیرین شدن
sweetheart /'swi:thɑ:t/ *n* معشوق یا معشوقه، دلبر، یار
sweetly *adv* به‌شیرینی، باملاحت
sweetmeat /'swi:tmi:t/ *n* شیرینی
sweetness *n* شیرینی؛ ملاحت
sweet-scented /'swi:t sentɪd/ *adj* = sweetsmelling
sweetsmelling /swi:t'smelɪŋ/ *adj* خوشبو، معطر
sweet-tempered /ˌswi:t 'tempəd/ *adj* خوش‌خلق
sweet-william /ˌswi:t 'wɪljəm/ *n* گل بوقلمون
swell /swel/ *v* [swelled;swollen] ,*n,adj* ۱.باد کردن؛ متورم شدن؛ متورم کردن ۲.تورم؛ برجستگی؛ طغیان آب ۳.شیک، قشنگ
swell /swel/ *n,adj* ۱.شخص برجسته، شخصیت (بزرگ)؛ [در گفتگو] شخص شیک‌پوش ۲.برجسته

swelling *n* آماس، باد، ورم
swelter /'sweltə(r)/ *vi* از گرما بی‌حال شدن؛ خیسِ عرق شدن
swept /swept/ [*p, pp of* sweep]
swerve /swɜ:v/ *vi,vt* ۱.منحرف شدن، تغییر جهت دادن ۲.منحرف کردن
swift /swɪft/ *adj,n* ۱.تندرو؛ سریع ۲.نوعی پرستو
swift to anger زود خشم
swiftly *adv* تند، زود، به سرعت
swiftness *n* تندی، سرعت
swig /swɪg/ *n,Sl* [نوشیدنی] قلپ
swill /swɪl/ *vt,n* ۱.[حیاط و زمین] شستن [با out]؛ [نوشیدنی] سرکشیدن ۲.گنداب آشپزخانه که به خوکان می‌دهند
swim /swɪm/ *vi,vt* [swam;swum] ,*n* ۱.شنا کردن؛ چرخ خوردن؛ گیج خوردن ۲.با شنا گذشتن از؛ با شنا بردن ۳.شنا؛ جریان
swim with the tide (*or* stream) همرنگ جماعت شدن، در جهت جریان آب شنا کردن
swimming with tears اشکبار
swimmer *n* شناگر
swimmingly /'swɪmɪŋlɪ/ *adv* مثل باد، بلامانع، با موفقیت
swindle /'swɪndl/ *v,n* ۱.گول زدن؛ گوش‌بُری کردن ۲.گول زنی
swindler /'swɪndlə(r)/ *n* کلاهبردار، گوش‌بُر، شیاد
swine /swaɪn/ *npl* خوک
swineherd /'swaɪnhɜ:d/ *n* خوک‌چران
swing /swɪŋ/ *vi,vt* [swung] ,*n* ۱.تاب خوردن؛ به دار آویخته شدن ۲.تاب دادن ۳.[بازی] تاب؛ جنبش؛ میدان نوسان؛ وزن؛ جریان
swing out of a room با گامهای سنگین و موزون از اتاق بیرون رفتن
in full swing کاملاً دایر یا در جریان
swing open باز شدن
There is no room to swing a cat in دو موش با هم دعوا کنند سر یکی‌شان می‌خورد به دیوار [کنایه از تنگی جا]
go with a swing [موسیقی] ضربی، با ضرب تند؛ پرشور، گرم
swinging *apa* تاب‌خور؛ موزون
swinish *adj* خوک‌صفت، نفرت‌آور
swipe /swaɪp/ *n,vi* ضربت سخت (زدن)
swirl /swɜ:l/ = eddy
swish /swɪʃ/ *vt* با صدا تکان دادن (شلاق و ترکه)

Swiss /swɪs/ *adj,n* [Swiss] سویسی
Swiss roll /,swɪs 'rəʊl/ *n* [شیرینی] رولت
switch /swɪtʃ/ *n,vt* ۱.ترکه؛ شلاق؛ [راه‌آهن] سوزن دوراهی؛ کلید برق، سویچ ۲.شلاق زدن؛ تند گرداندن (دُم)؛ [با out] قاپیدن، بیرون کشیدن؛ [قطار] به‌خط دیگر انداختن
switch on روشن کردن (برق)؛ (به شخص دیگر) اتصال دادن؛ راه انداختن
switch off خاموش کردن، قطع کردن
switchback /'swɪtʃbæk/ *n* راه‌آهن پیچاپیچ که در شیب‌های بسیار تند به‌کار می‌برند
switchboard /'swɪtʃbɔ:d/ *n* صفحه کلید؛ صفحهٔ تقسیم برق
switch-over /'swɪtʃ əʊvə(r)/ *n* انتقال
Switzerland /'swɪtsələnd/ *n* سویس
swivel /'swɪvl/ *n,v* [-led] ۱.مفصل گردان ۲.حول محور گردیدن؛ حول محور گرداندن
swivel-chair /'swɪvl tʃeə(r)/ *n* صندلیِ گردان
swob /swɒb/ = swab
swollen /'swəʊlən/ *ppa* [*pp of* swell] متورم؛ [مجازاً] گزاف
swoon /swu:n/ *n,vi* ۱.غش، ضعف ۲.ضعف کردن
swoop /swu:p/ *vi,vt,n* ۱.(روی چیزی) شیرجه رفتن؛ ناگهان فرود آمدن ۲.ربودن [با up] ۳.ربایش؛ حمله؛ وهله
at one swoop با یک حمله؛ در یک وهله
swop /swɒp/ = swap
sword /sɔ:d/ *n* شمشیر
put to the sword (با شمشیر) کشتن، از دم شمشیر گذراندن
cross(*or* measure) swords با هم دست و پنجه نرم کردن
sword-cut /'sɔ:d kʌt/ *n* زخم‌شمشیر
sword-dance /'sɔ:d dɑ:ns/ *n* رقص شمشیر
sword-play /'sɔ:d pleɪ/ *n* شمشیربازی؛ فن مجادله
swordsman /'sɔ:dzmən/ *n* [-men] شمشیرزن، شمشیرباز
swore /swɔ:(r)/ [*p of* swear]
sworn /swɔ:n/ [*pp of* swear]
swot /swɒt/ *vi* [-ted] ,*Col* [زبان عامیانه] خرخونی کردن
swum /swʌm/ [*pp of* swim]
swung /swʌŋ/ [*p,pp of* swing]
sybarite /'sɪbəraɪt/ *n,adj* (آدم) خوشگذران
sybaritic /,sɪbə'rɪtɪk/ *adj* خوشگذران

sycamore /'sɪkəmɔ:(r)/ *n* چنار فرنگی

sycophant /'sɪkəfænt/ *n* آدم چاپلوس یا متملق؛ انگل

syllabic /sɪ'læbɪk/ *adj* هجایی، سیلابی

syllabicate /sɪ'læbɪkeɪt/ *vt* = syllabify

syllabification /sɪˌlæbɪfɪ'keɪʃn/ *n* هجابندی

syllabify /sɪ'læbɪfaɪ/ *vt* = syllabize

syllabize /'sɪləbaɪz/ *vt* هجابندی کردن

syllable /'sɪləbl/ *n* هجا، سیلاب

syllabus /'sɪləbəs/ *n* [-bi] برنامهٔ درسی

syllogism /'sɪlədʒɪzəm/ *n* قیاس صوری

syllogistic /ˌsɪlə'dʒɪstɪk/ *adj* قیاسی

sylph /sɪlf/ *n* زن خوش‌اندام

sylvan; sil- /'sɪlvən/ *adj* جنگلی

symbol /'sɪmbl/ *n* نماد، نشانه، دالّ؛ رمز

symbolic(al) /sɪm'bɒlɪk(l)/ *adj* نمادی، نمادین، سمبولیک

symbolism /'sɪmbəlɪzəm/ *n* نمادگرایی، سمبولیسم

symbolize /'sɪmbəlaɪz/ *vt* دلالت داشتن بر؛ مظهر (چیزی) بودن؛ با علامت نشان دادن

symmetric(al) /sɪ'metrɪk(l)/ *adj* متقارن؛ قرینه‌ای، قرینه‌دار؛ قرینه

symmetrically *adv* با قرینه

symmetry /'sɪmetrɪ/ *n* تناسب؛ تقارن؛ مراعات نظیر

sympathetic /ˌsɪmpə'θetɪk/ *adj* همدرد، دلسوز؛ همفکر؛ دلسوزانه؛ [پزشکی] مربوط‌به سیستم سمپاتیک

the sympathetic nervous system دستگاه عصبی سمپاتیک

sympathetically /ˌsɪmpə'θetɪklɪ/ *adv* با همدردی

sympathize /'sɪmpəθaɪz/ *vi* همدردی کردن؛ دلسوزی کردن؛ همدلی نشان دادن؛ سازگار بودن

sympathy /'sɪmpəθɪ/ *n* همدردی؛ همفکری؛ همدلی؛ همداستانی؛ توافق؛ طرفداری

in sympathy همفکر، همدرد، موافق

be out of sympathy with someone با کسی همفکر یا همدرد نبودن

symphonic /sɪm'fɒnɪk/ *adj* هماهنگ؛ همصدا؛ مربوط به سمفونی، شبیه سمفونی

symphony /'sɪmfənɪ/ *n* سمفونی؛ هماهنگی

symphysis /'sɪmfɪsɪs/ *n* [-ses] پیوستگی، اتصال

symposium /sɪm'pəʊzɪəm/ *n* [-sia] مهمانی؛ کنفرانس علمی؛ [در یونان باستان] گفتگو پس از شام

symptom /'sɪmptəm/ *n* نشانه، علامت؛ نشانهٔ بیماری

symptomatic /ˌsɪmptə'mætɪk/ *adj* مطابق با نشانهٔ بیماری؛ نماینده، حاکی، دالّ

synagogue /'sɪnəgɒg/ *n* کنیسه

synchronize /'sɪŋkrənaɪz/ *vi,vt* ۱.همزمان بودن؛ همزمان شدن ۲.مطابق کردن، همزمان کردن

synchronous /'sɪŋkrənəs/ *adj* همزمان

syncopate /'sɪŋkəpeɪt/ *vt* سکته‌دار کردن؛ از وسط کوتاه کردن

syncopation /ˌsɪŋkə'peɪʃn/ *n* [موسیقی] تازِش، سکته

syncope /'sɪŋkepɪ/ *n* بیهوشی،غش

syndicate /'sɪndɪkət/ *n,vt* ۱.سندیکا، اتحادیه ۲.اتحادیه تشکیل دادن از (چند شرکت)

synod /'sɪnəd/ *n* شورای کلیسایی

synonym /'sɪnənɪm/ *n* کلمهٔ مترادف، واژهٔ هم‌معنا

synonymous /sɪ'nɒnɪməs/ *adj* هم‌معنی، مترادف

synopsis /sɪ'nɒpsɪs/ *n* [-ses] [داستان و فیلم و کتاب] خلاصه

synoptic(al) /sɪ'nɒptɪk/ *adj* جمالی؛ هم‌نظر

syntactic /sɪn'tæktɪk/ *adj* نحوی

syntax /'sɪntæks/ *n* نحو

synthesis /'sɪnθəsɪs/ *n* [-ses] ترکیب، سنتز، هم‌نهاد

synthesize /'sɪnθəsaɪz/ *vt or* **synthetize** ترکیب کردن

synthetic /sɪn'θetɪk/ *adj* ترکیبی؛ مصنوعی

syphilis /'sɪfɪlɪs/ *n* کوفت، سفلیس

syphilitic /ˌsɪfɪ'lɪtɪk/ *adj* سفلیسی

Syria /'sɪrɪə/ *n* سوریه

Syrian /'sɪrɪən/ *n,adj* هل سوریه

syringe /sɪ'rɪndʒ/ *n* سرنگ؛آبدزدک

syrup;sirup /'sɪrəp/ *n* شربت قند؛ شیره

system /'sɪstəm/ *n* نظام، دستگاه، منظومه؛ بدن؛ تن؛ نظم، سازمان؛ روش، شیوه

systematic /ˌsɪstə'mætɪk/ *adj* مبتنی بر یک روش معین، اسلوب‌دار؛ منظم؛ اصولی

systematically /ˌsɪstə'mætɪklɪ/ *adv* روش معین

systematize /'sɪstəmətaɪz/ *vt* دارای اسلوب کردن، دارای روش کردن، منظم کردن

T,t

T,t /ti:/ *n* بیستمین حرف الفبای انگلیسی
tab /tæb/ *n* برگه؛ باریکه؛ تکه؛ بند
keep a tab on someone کسی را زیر نظر داشتن
tabard /'tæbəd/ *n* نوعی لباس کوتاه بی‌آستین که پیشتر می‌پوشیدند
tabby /'tæbɪ/ *n* گربهٔ ماده؛ پیرزن بدگو
tabernacle /'tæbənækl/ *n* خیمه، سایبان
table /'teɪbl/ *n,vt* ۱.میز؛ غذا؛ سفره؛ لوح؛ جدول؛ فهرست ۲.از دستور خارج کردن؛ مطرح کردن؛ به‌شکل جدول درآوردن
at table سر میز غذا
turn the tables on someone ورق را برگرداندن، بر فاتح خود غالب شدن
tableau /'tæbləʊ/ *n* [-leaux] چند نفر که با هم تشکیل منظره‌ای را بدهند که مانند پردهٔ نقاشی به‌نظر برسد، تابلوی زنده؛ صحنه یا تصویر چشمگیر نمایشی
table-cloth /'teɪbl klɒθ/ *n* سفره، رومیزی
table d'hote /ˌtɑ:bl 'dəʊt/ *n,Fr* [در رستوران و هتل] غذای روز
table-land /'teɪbl lænd/ *n* = plateau
table-linen /'teɪbl lɪnɪn/ *n* دستمال، سفره
tablespoon /'teɪblspu:n/ *n* قاشق سوپخوری
tablet /'tæblɪt/ *n* لوح، لوحه، صفحه؛ تخته؛ قُرص؛ دستهٔ یادداشت
table-talk /'teɪbl tɔ:k/ *n* صحبت سرِ میز، مفاوضات
table tennis /'teɪbl tenɪs/ *n* = ping-pong
table-ware /'teɪbl weə(r)/ *n* لوازم میز، لوازم سفره
tabloid /'tæblɔɪd/ *n* روزنامه (مصور) با اخبار خلاصه و ساده
taboo /tə'bu: US: tæ'bu:/ *n,adj* ۱.مُحرمّات، تابو ۲. ممنوع
tabor /'teɪbə(r)/ *n* طبل کوچک، دهل
tabular /'tæbjʊlə(r)/ *adj* جدولی، ستونی
tabula rasa /'tæbjʊlə 'rɑ:sə/ *n,L* لوح سفید؛ [مجازاً] ذهن فاقد تجربهٔ انسان هنگام تولد
tabulate /'tæbjʊleɪt/ *vt* جدول‌بندی کردن
tabulation /ˌtæbjʊ'leɪʃn/ *n* جدول‌بندی؛ جدول
tabulator /'tæbjʊleɪtə(r)/ *n* ماشین جدول‌بندی [نوعی ماشین تحریر]

tacit /'tæsɪt/ *adj* ضمنی، تلویحی؛ مقدر؛ به سکوت برگزار شده
tacitly *adv* به‌طور مقدر، به‌طور ضمنی
taciturn /'tæsɪtɜ:n/ *adj* کم‌حرف
taciturnity /'tæsɪ'tɜ:nətɪ/ *n* کم‌حرفی
tack /tæk/ *n,vt,vi* ۱.میخ سرپهنِ کوچک؛ کوک؛ حرکت کشتی طبق وزش باد؛ [مجازاً] رویه، خط مشی؛ خوراکی ۲.میخ زدن؛ پونز زدن؛ کوک زدن؛ جوش دادن؛ [مجازاً] افزودن ۳. تغییر رویه دادن
thumb-tack *US* = **drawing-pin**
brass tacks [مجازاً] مسایل اساسی
tackle /'tækl/ *n,vt* ۱.اسباب،لوازم؛ قرقره و قلاویز، طناب و قرقره ۲.(با چیزی) گلاویز شدن؛ از دویدن بازداشتن؛ دست (به کاری) زدن؛ یراق کردن
tacky /'tækɪ/ *adj* چسبناک
tact /tækt/ *n* حضور ذهن، کاردانی، سلیقه، ظرافت
tactful *adj* باظرافت؛ کاردان
tactical /'tæktɪkl/ *adj* مربوط به تدابیرِ جنگی؛ ماهر؛ ماهرانه
tactician /tæk'tɪʃn/ *n* متخصصِ تدابیر جنگی؛ شخص کاردان و با تدبیر
tactics /'tæktɪks/ *n* تدابیر جنگی؛ کاردانی؛ رویه
tactile /'tæktaɪl US: -təl/ *adj* مربوط به حس لامسه، لمسی
tactless *adj* بی‌مهارت، ندانم‌کار، بی‌ظرافت
tactual/'tæktʃʊəl/ *adj* = tactile
tadpole /'tædpəʊl/ *n* بچه وزغ، نوزاد قورباغه
taffeta /'tæfɪtə/ *n* [پارچه] تافته
Taffy /'tæfɪ/ *Col* = Welshman
tag /tæg/ *n,vt* [-ged] ۱.نوک فلزیِ بند کفش؛ نوار پشت پوتین؛ برچسب؛ منگوله؛ بازی گرگم به هوا ۲.برچسب زدن؛ لمس‌کردن، دست زدن (در بازی گرگم به هوا)
tail /teɪl/ *n,v* ۱.دُم؛ دنبه؛ ته؛ دنباله؛ پشت سکه، خط؛ گوشهٔ خارجی چشم ۲.دنباله‌دار کردن؛ به ته (چیزی) افزودن؛ دنبال کردن؛ ساقه (میوه‌ای را) گرفتن
turn tail گریختن، پشت کردن
tail away (*or* off) عقب افتادن؛ ول شدن؛ کم شدن

put one's tail between one's legs
دم را روی کول گذاشتن

twist a person's tail پا روی دم کسی گذاشتن؛ سربه‌سر کسی گذاشتن

tail-coat /ˌteɪl ʞəʊt/ *n* لباس رسمی، فراک

tail-end /ˌteɪl 'end/ *n* قسمت آخر، دنباله

tailor /'teɪlə(r)/ *n* خیاط، درزی

tailor /'teɪlə(r)/ *v* خیاطی کردن، دوختن

tailoring *n* خیاطی، درزی‌گری

tails *npl* = tail-coat

taint /teɪnt/ *n,vt,vi* ۱.لکه، شایبه ۲.آلودن؛ لکه‌دار کردن، مشوب کردن؛ فاسد کردن ۳.بو گرفتن

taintless *adj* بی‌شایبه، بی‌آلایش

take /teɪk/ *vt,vi* [*p* took; *pp* taken] ۱.گرفتن؛ بردن؛ برداشتن؛ صرف کردن، خوردن؛ آشامیدن؛ تفسیر کردن، تعبیر کردن؛ حمل کردن بر؛ لازم داشتن [take time]؛ اتخاذ کردن؛ پذیرفتن؛ کشیدن [take trouble] ۲.گرفتن؛ مؤثر واقع شدن؛ پرواز کردن؛ در عکس (خوب یا بد) درآمدن

take after به... رفتن [شبیه بودن]

take care of توجه کردن به؛ تأمین کردن

take down یادداشت کردن، نوشتن؛ پایین آوردن؛ باز کردن، پیاده کردن

take in فریب دادن؛ پذیرفتن؛ باور کردن؛ درک کردن؛ توگذاشتن

take off کندن، درآوردن؛ [کلاه] برداشتن؛ [هواپیما] پرواز کردن؛ بردن؛ [وزن و قیمت] کم کردن؛ سرکشیدن؛ ادا(ی کسی را) درآوردن

take off one's hat to تحسین کردن

Take yourself off! بروید، دورشوید!

take on تعهد کردن؛ گرفتن (کارگر)؛ هیاهو کردن

take out درآوردن؛ پاک کردن؛ از عهده برآمدن؛ به‌دست آوردن

take over from کار را (از کسی) تحویل گرفتن، جانشین (کسی) شدن

take the chair ریاست انجمنی را دارا بودن

take to خوش آمدن از؛ تمایل پیدا کردن به؛ پرداختن

take up برداشتن؛ اشغال کردن؛ جذب کردن؛ در دست گرفتن؛ ادامه دادن؛ سوار کردن

take up with معاشرت کردن با

take thought در فکر بودن

take /teɪk/ *n* دخل؛ وصول؛ دریافتی

take-in /'teɪk ɪn/ *n* گول، فریب؛ لاف

taken /'teɪkn/ [*pp of* take]

take-off /'teɪk ɒf/ *n* خیز؛ بلند شدنِ هواپیما از زمین

taker /'teɪkə(r)/ *n* قبول‌کنندهٔ شرط

takings *n,pl* برداشت

talc /tælk/ *n* تالک، پودر تالک

talcum powder /'tælkəm paʊdə(r)/ *n* پودر تالک

tale /teɪl/ *n* قصه، داستان؛ شرح

tell tales چغلی یا سخن‌چینی کردن

talebearer /'teɪlbeərə(r)/ *n* سخن‌چین، نمام

tale-bearing *n* سخن‌چینی، نمامی

talent /'tælənt/ *n* استعداد، نعمتِ خداداده، ذوق، قریحه؛ قنطار [سنگ و پول قدیمی]

talented *adj* بااستعداد، باذوق، با قریحه

taleteller /'teɪltelə(r)/ *n* سخن‌چین

talisman /'tælɪzmən/ *n* طلسم، تعویذ

talk /tɔ:k/ *n,vi,vt* ۱.گفتگو، صحبت ۲.حرف زدن، صحبت کردن؛ مذاکره کردن ۳.گفتن

He was talking at him به در می‌گفت که دیوار بشنود

Talking of... چون صحبت از... به میان آمد، حال که صحبت...

talk to *Col* = **scold**

small talk صحبت مختصر و غیر مهم

talk a person round (*or* **over**) با صحبت کسی را وادار به کاری کردن

talkative /'tɔ:kətɪv/ *adj* پرحرف

talker *n* اهل حرف، حرف‌زن؛ کسی که گفتار دارد و کردار ندارد، واعظِ بی‌عمل

talking-to /'tɔ:kɪŋ tu:/ *n* سرزنش

tall /tɔ:l/ *adj* بلند؛ قدبلند

How tall is it ? بلندی آن چقدر است؟

talk tall *(adv)* گزاف گفتن

tallness *n* بلندی

tallow /'tæləʊ/ *n* پیه آب کرده

tally /'tælɪ/ *n,vi,vt* ۱.چوب‌خط؛ حساب؛ برچسب ۲.تطبیق کردن ۳.(با چوب‌خط) حساب کردن

talon /'tælən/ *n* چنگال؛ ناخُن دراز

tameable *adj* رام‌کردنی، رام‌شو

tamarind /'tæmərɪnd/ *n* تمر هندی

tambourine /ˌtæmbə'ri:n/ *n* دایره زنگی

tame /teɪm/ *adj,vt* ۱.رام، آموخته، اهلی؛ بی‌روح ۲.رام کردن، مطیع کردن

tameless *adj* رام‌نشدنی

tameness *n* رامی، آموختگی

tam-o'-shanter /'tæm ə'ʃæntə(r)/ *n* نوعی کلاه پشمی گرد

tamp /tæmp/ *vt* سفت کوبیدن

tamper /'tæmpə(r)/ *vi*
tamper with تحریف کردن؛ رشوه دادن
tan /tæn/ *vt,vi* [-ned] ,*adj* ۱.دباغی کردن؛ خرمایی کردن، سوخته کردن ۲.خرمایی شدن ۳.خرمایی
tanbark /'tænbɑ:k/ *n* جَفت
tandem /'tændəm/ *adv,adj,n* ۱.پشتِ سرهم ۲.دارای جا برای دو پشته سوار شدن ۳.اسبهای پشت سر هم، گردونه‌ای که اسبهای آن را پشت سر هم بسته باشند؛ دوچرخه یا سه‌چرخه‌ای که چندنفر پشت سرهم روی آن سوار شوند
tang /tæŋ/ *n* بوی تند؛ مزهٔ تند
tangency /'tændʒənsɪ/ *n* تلاقی، برخورد، تماس
tangent /'tændʒənt/ *adj* مماس، تانژانت
tangerine /,tændʒə'ri:n/ *n* نارنگی
tangibility /,tændʒə'bɪlətɪ/ *n* لمس‌پذیری
tangible /'tændʒəbl/ *adj* ملموس، قابل لمس؛ محسوس؛ معلوم، هویدا، پیدا
tangle /'tæŋgl/ *v,n* ۱.درهم پیچیدن؛ کرک کردن(مو)؛ کرک شدن ۲.نخِ درهم برهم؛ پیچیدگی
tangled *ppa* پیچیده، غامض
tango /'tæŋgəʊ/ *n* آهنگ تانگو، رقص تانگو
tank /tæŋk/ *n* حوض؛ مخزن؛ [نظامی] تانک
rail tank car واگن نفتکش
tankage /'tæŋkɪdʒ/ *n* آبگیر، ظرفیت
tankard /'tæŋkəd/ *n* لیوان فلزی دردار
tanker *n* (کشتی) نفتکش
tanner /'tænə(r)/ *n* دباغ؛ [زبان عامیانه] سکهٔ شش‌پنسی
tannery /'tænərɪ/ *n* دباغ‌خانه؛ دباغی
tannic acid /,tænɪk 'æsɪd/ *n* = tannin
tannin /'tænɪn/ *n* جوهر مازو
tanning *n* دباغی، چرم‌سازی
tantalize /'tæntəlaɪz/ *vt* عطش (کسی را) تیز کردن؛ امید واهی دادن
tantamount /'tæntəmaʊnt/ *adj* برابر، مُعادل، [با to] در حکمِ
tantrum /'tæntrəm/ *n* عصبانیت، کج‌خلقی، [کودک] نحسی
tap /tæp/ *n,vt* [-ped] ۱.شیر؛ سوراخ؛ توپی؛ (جایگاه فروش یا صرف) نوشابه؛ قلاویز ۲.شیردار کردن؛ سوراخ کردن؛ شیره یا نوشابه (از ظرفی کشیدن؛ تقاضا کردن از
on tap [آبجو] بشکه‌ای؛ [اطلاعات و غیره] دم‌دست
tap /tæp/ *v,n* ۱.آهسته زدن (به) ۲.ضربت آهسته؛ (صدای) در زدن؛ [در جمع] شیپور خاموشی
tap at a door در زدن
tap dance نوعی رقص که در آن پنجه و پاشنه پا را به‌سرعت به‌زمین می‌زنند
tape /teɪp/ *n,vt* ۱.نوار باریک؛ بند؛ نوار ضبط صوت ۲.بستن؛ ته‌دوزی کردن [صدا] ضبط کردن
breast the tape مسابقه دو را بردن
tape-measure /'teɪp meʒə(r)/ *n* = tape-line مترِ قابدار برای اندازه‌گیری
taper /'teɪpə(r)/ *n,vi* ۱.شمع کوچک ۲.کم کم باریک شدن [باoff]
tape-recorder /'teɪp rɪkɔ:də(r)/ *n* ضبط صوت
tapestry /'tæpɪstrɪ/ *n* فرشینه، پردهٔ نقش‌دار؛ پردهٔ دیوارکوب
tapeworm /'teɪpwɜ:m/ *n* کرم کدو
tapioca /,tæpɪ'əʊkə/ *n* نوعی مادهٔ نشاسته‌ای
tapir /'teɪpə(r)/ *n* خوک خرطوم‌دار
taproom /'tæpru:m/ *n* پیاله‌فروشی، جایگاه فروش و صرف مشروبات
tap-root /'tæpru:t/ *n* [گیاه‌شناسی] ریشهٔ اصلی
tapster /'tæpstə(r)/ *n* [در پیاله‌فروشیها] متصدی دادن نوشابه
tar /tɑ:(r)/ *n,vt* [-red] ۱.قیر، قطران؛ جرم توتون ۲.قیراندود کردن
tarred with the same brush سر و ته یک کرباس
tarantella /,tærən'telə/ *n or* **-telle** نوعی رقص تند ایتالیایی
tarantula /tə'ræntjʊlə/ *n* رتیل
tarboosh /tɑ:'bu:ʃ/ *n* فینه، طربوش
tardily *adv* دیر، بادرنگ، کند
tardiness *n* تأخیر ورود؛ کندی
tardy /'tɑ:dɪ/ *adj* دیر؛ دیرآینده؛ دیرآمده؛ کندرو
tare /teə(r)/ *n* گرگاس؛ تلخه
tare /teə(r)/ *n* وزنِ ظرف؛ تفاوت بابت وزن ظرف
targe /tɑ:dʒ/ *n, Arch* سپرِ گرد و کوچک
target /'tɑ:gɪt/ *n* آماج، هدف؛ سپر
tariff /'tærɪf/ *n* تعرفه؛ نرخ؛ عوارض
tarn /tɑ:n/ *n* دریاچه کوهستانی، آبگیر کوهستانی
tarnish /'tɑ:nɪʃ/ *vt,vi,n* ۱.از جلا انداختن، تیره کردن، بی‌رونق کردن ۲.از جلا افتادن ۳.تیرگی؛ لکه؛ عیب
tarpaulin /tɑ:'pɔ:lɪn/ *n* برزنت، روپوش (قیراندود)

tarpon /'tɑ:pɒn/ *n* نوعی ماهی بزرگ
tarradiddle /ˌtærə'dɪdl/ *n, Col* دروغ
tarry /'tærɪ/ *vi* ماندن؛ منتظر شدن؛ دیر کردن
tarry /'tɑ:rɪ/ *adj* قیری؛ قیراندود
tart /tɑ:t/ *adj* تند، تیز، زننده؛ ترش
tart /tɑ:t/ *n* کیکِ میوه‌دار؛ [در گفتگو] دختر یا زن (بداخلاق)
jam tart کیک میوه‌دارِ مربایی
tartan /'tɑ:tn/ *n* نوعی پارچهٔ پشمی شطرنجی
tartar /'tɑ:tə(r)/ دُرد؛ جرم دندان
Tartar /'tɑ:tə(r)/ *adj,n* تاتار، تتار
catch a Tartar با خرس در جوال رفتن
tartaric acid /tɑ:ˌtærɪk 'æsɪd/ *n* جوش ترش، اسید تارتریک
Tartarus /'tɑ:tərəs/ *n* [در افسانه‌های یونان] دوزخ زیرزمینی
tartness *n* تندی، تیزی
task /tɑ:sk/ *n, vt* ۱.کار، وظیفه، تکلیف ۲.کار (زیاد به کسی) دادن
take to task مورد مؤاخذه قرار دادن
taskmaster /'tɑ:skmɑ:stə(r)/ *n* کارفرما(ی سختگیر)
tassel /'tæsl/ *n, vt* ۱.منگوله، شرّابه ۲.منگوله‌دار کردن
taste /teɪst/ *n, vt, vi* ۱.مزه، طعم؛ چشایی، ذائقه؛ میل، رغبت؛ ذوق؛ سلیقه ۲.چشیدن ۳.مزه دادن
taste sour ترش (مزه) بودن
tasteful *adj* باسلیقه (درست شده)
tasteless *adj* بی‌مزه؛ بی‌سلیقه
tasty *adj* خوشمزه؛ قشنگ
tatterdemalion /ˌtætədɪ'mæljən/ *n* (آدم) ژنده‌پوش، فقیر
tattered *adj* ژنده‌پوش؛ پاره
tatters /'tætəz/ *npl* ژنده، (جامه) پاره یا کهنه
tatting /'tætɪŋ/ *n* نوعی توری لبه یا حاشیه
tattle /'tætl/ *n, vi, vt* ۱.دری‌وری ۲.دری وری گفتن ۳.فاش کردن
tattler /'tætlə(r)/ *n* شخص یاوه‌گو؛ آدم بی‌چاک دهن
tattoo /tə'tu: US: tæ'tu:/ *n, vt* طبل یا شیپوری که برای برگرداندن سربازان به‌محل خود می‌زنند؛ خالکوبی، کبودی ۲.خالکوبی کردن (روی پوست)
taught /tɔ:t/ [*p,pp of* teach]
taunt /tɔ:nt/ *n, vt* ۱.سرزنش ۲.سرزنش کردن
tauntingly *adv* سرزنش‌کنان
taut /tɔ:t/ *adj* سفت؛ آمادهٔ کار
tautologic(al) /ˌtɔ:tə'lɒdʒɪk(l)/ *adj* دارای حشو قبیح؛ همانگویانه؛ بیهوده تکرار کن
tautology /tɔ:'tɒlədʒɪ/ *n* حشو قبیح؛ توضیح واضح؛ همانگویی
tavern /'tævən/ *n* میخانه
tawdriness *n* زرق و برق
tawdry /'tɔ:drɪ/ *adj* زرق‌وبرق‌دار
tawny /'tɔ:nɪ/ *adj* گندمگون، سبزه، تیره
tax /tæks/ *n, vt* ۱.مالیات سبزه، تیره فشار آوردن بر؛ تقاضای زیاد کردن از
taxed with متهم به
taxable *adj* مشمول مالیات
taxation /tæk'seɪʃn/ *n* (وضع) مالیات
tax-collector /'tæks kəlektə(r)/ *n* تحصیلدار مالیاتی، جمع‌کنندهٔ مالیات
tax-free /ˌtæks 'fri:/ *adj* معاف از مالیات
taxi (cab) /'tæksɪ(kæb)/ *n* تاکسی
taxidermy /'tæksɪdɜ:mɪ/ *n* صنعت پر کردن پوست جانوران
taximeter /'tæksɪmi:tə(r)/ *n* مسافت‌نما
taxpayer /'tæksperə(r)/ *n* مؤدی مالیاتی، مالیات دهنده
tb [مخففِ tubereulosis]
tea /ti:/ *n* چای
take tea چای خوردن، چای صرف کردن
high tea; meat tea عصرانه مفصل (که جای شام را بگیرد)
teach /ti:tʃ/ *vt, vi* [taught] ۱.آموختن، تعلیم دادن؛ درس دادن ۲.معلمی کردن
teachable *adj* تعلیم‌پذیر
teacher *n* آموزگار، معلم
teaching *n* تعلیم؛ تدریس؛ آموزگاری، معلمی؛ [در جمع] الف. تعالیم ب. تعلیمات
tea-cloth /'ti: klɒθ/ *n* رومیزی برای میزِ چای؛ دستمال برای خشک کردن فنجانها
teacup /'ti:kʌp/ *n* فنجان چایخوری
teacupful *n* (به اندازهٔ) یک فنجانِ چایخوری
tea-dance /'ti:dɑ:ns/ *n* عصردانسان
tea-house /'ti:haʊs/ *n* [در خاور] قهوه‌خانه
teak /ti:k/ *n* درخت یا چوب ساج
tea-kettle /'ti:ketl/ *n* کتری
teal /ti:l/ *n* [teal] مرغابی جرّه
team /ti:m/ *n, vt* ۱.دسته، گروه، تیم؛ چند اسب یا گاو که با هم بسته باشند؛ اسب و درشکه ۲.با هم بستن؛ به مقاطعه دادن
team (vi) up شریک مساعی کردن

teamster /'ti:mstə(r)/ *n* رانندهٔ کامیون
team-work /'ti:mwɜ:k/ *n* تشریک مساعی؛ کار گروهی
tea-party /'ti:pɑ:tɪ/ *n* (مهمانی) عصرانه
tea-pot /'ti:pɒt/ *n* قوری
tear /tɪə(r)/ *n* اشک؛ [در جمع] گریه
in tear اشکریزان، گریه‌کنان
tear /teə(r)/ *vt,vi* [tore; torn]
۱.پاره کردن؛ کندن (موی)؛ جدا کردن ۲.پاره شدن؛ تند دویدن
tear to pieces پاره پاره کردن
tear at به‌زور کشیدن
tear a hole in سوراخ کردن
tear /tɪə(r)/ *n* پارگی؛ چاک، دریدگی
tearful *adj* اشکبار؛ غم‌انگیز
tear-gas /'tɪəgæs/ *n* گاز اشک‌آور
tea-rose /'ti:rəʊz/ گلِ چای
tease /ti:z/ *vt* اذیت کردن؛ سربه سر گذاشتن؛ شانه کردن (کتان)؛ خار زدن؛ خواب (پارچه را) بلند کردن؛ [پزشکی] رشته رشته کردن (مثلاً) الیاف عضلانی برای آزمایش میکروسکوپی
teasel /'ti:zl/ *n* بته خار؛ ماشینِ خارزنی (که با آن خواب پارچه را بلند می‌کنند)
teaser *n* اذیت‌کننده؛ [در گفتگو] کار پرزحمت؛ آدم ناتو
tea-service /'ti: sɜ:vɪs/ *n* = tea-set
tea-set /'ti:set/ *n* سرویسِ چای(خوری)
teaspoon /'ti:spu:n/ *n* قاشق چایخوری
teaspoonful *n* (به اندازهٔ) یک قاشقِ چایخوری [one teaspoonful a day]
tea-strainer /'teastreɪnə(r)/ *n* چای صاف‌کن
teat /ti:t/ *n* نوک پستان
tea-tray /'ti: treɪ/ *n* سینیِ چای، سینی قهوه
teazel; -zle /'ti:zl/ *n* = teasel
tec /tek/ *n,Sl* = detective
technic /'teknɪk/ *n* = technique
technical /'teknɪkl/ *adj* فنی
technicality /'teknɪkælətɪ/ *n* نکتهٔ فنی
technically /'teknɪklɪ/ *adv* از لحاظ فنی
technician /tek'nɪʃn/ *n* متخصص فنی، تکنسین
technics *npl* اصول و اصطلاحات فنی؛ صناعت
technique /tek'ni:k/ *n* فن، اسلوب، تکنیک
technological /,teknə'lɑdʒɪkl/ *adj* مربوط به فن‌شناسی؛ اصطلاحی؛ فنی
technologist /tek'nɒlədʒɪst/ *n* فن‌شناس
technology /tek'nɒləʒɪ/ *n* فن‌شناسی، ابزارشناسی، صناعت، تکنولوژی
Teddy bear /'tedɪ beə(r)/ *n* [اسباب بازی] خرس پشمالو
tedious /'ti:dɪəs/ *adj* کسل‌کننده؛ مزاحم
tedium /ti:'dɪəm/ *n* یکنواختی
tee /ti:/ *n* سه راه؛ [در بازی] نشان، هدف
teem /ti:m/ *vi* پُر بودن؛ فراوان بودن
teenage /'ti:neɪdʒ/ *adj* نوجوانی، نوجوانان
teenager *n* نوجوان
teens /ti:nz/ *npl* دورهٔ نوجوانی
teeter /ti:tə(r)/ *US* = seesaw
teeth /ti:θ/ [*pl of* tooth]
teethe /ti:ð/ *vi* دندان درآوردن
teetotal /ti:'təʊtl/ *adj* طرفدارِ ترک مشروبات الکلی
teetotaller *n* کسی که به کلی از خوردن مشروبات‌الکلی پرهیز داشته باشد
teetotum /ti:'təʊtəm/ *n* فرفره
tegument /'tegjʊmənt/ *n* پوشش طبیعی، پوست
telegram /'telɪgræm/ *n* مخابرهٔ تلگرافی
telegraph /'telɪgrɑ:f/ *n,vt* ۱.تلگراف ۲.تلگراف کردن (به)
telegrapher /tɪ'legrəfə(r)/ *n or*
telegraphist تلگرافچی
telegraphic *adj* تلگرافی
telegraphically *adv* با تلگراف
telegraphy /tɪ'legrəfɪ/ *n* ارتباط تلگرافی
teleological /,telɪə'lɒdʒɪkl/ *adj* غایی؛ غایت‌مندانه
teleology /,telɪ'ɒlədʒɪ/ *n* حکمت علل غایی؛ نظریهٔ غایت‌مندی
telepathy /tɪ'lepəθɪ/ *n* ارتباط ذهنی؛ اندیشه‌خوانی؛ دور آگاهی؛ تله‌پاتی
telephone /'telɪfəʊn/ *n,v* ۱.تلفن ۲.تلفن کردن، تلفن زدن
telephone someone به‌کسی تلفن زدن
telephonist /tɪ'lefənɪst/ *n* تلفنچی
telephony /tɪ'lefənɪ/ *n* ارتباط تلفنی
telephoto /,telɪ'fəʊtəʊ/ *n* دستگاه الکتریکی برای عکسبرداری از دور
telephotograph /,telɪ'fəʊtəʊgrɑ:f/ *n* عکسِ از دور برداشته شده
telephotography /,telɪfə'tɒgrəfɪ/ *n* عکسبرداری از دور
teleprinter /'telɪprɪntə(r)/ *n* تله پرینتر، دورنویس

telescope /'telɪskəʊp/ *n,vi* ۱.تلسکوپ، دوربین نجومی ۲.توی یکدیگر رفتن
telescopic /ˌtelɪ'skɒpɪk/ *adj* تلسکوپی
telescopy /tə'leskəpɪ/ *n* فنِ کاربرد تلسکوپ
teletypewriter /ˌtelɪ'taɪpraɪtə(r)/ *n* دورنویس، تله‌تایپ
television /'telɪvɪʒn/ *n* تلویزیون
televise /'telɪvaɪz/ *vt* با تلویزیون نشان دادن
tell /tel/ *vt,vi* ۱.گفتن؛ نقل کردن؛ تشخیص دادن؛ فاش کردن ۲.موثر بودن
tell off شمردن و کنار گذاشتن؛ [نظامی] اعزام کردن؛ سرزنش کردن
tell on چُغلی (کسی را) کردن
tell over شمردن
all told روی هم، جمعاً
There's no telling نمی‌توان دانست
You're telling me! (Sl) به من داری می‌گویی! (شما) به من می‌گویید!
teller *n* رأی شمار؛ تحویلدار بانک
telling *apa* کارگر، مؤثر
telltale /'telteɪl/ *n* سخن‌چین، نمّام
temerity /tə'merɪtɪ/ *n* تهور، بی‌باکی
temper /'tempə(r)/ *n,vt* ۱.مزاج، حالت، خو، خلق؛ خشم؛ [در فلز] آب ۲.آب دادن؛ درست خمیر کردن؛ ملایم کردن
good temper خوشخویی، خوش‌خلقی
out of temper خشمگین، عصبانی
fly (*or* get) in a temper; lose one's temper از کوره در رفتن
tempera /'tempərə/ *n* رنگ لعابی روی گچ
temperament /'temprəmənt/ *n* مزاج، حالت، طبیعت، طبع، خلق و خو
temperamental /ˌtemprə'mentl/ *adj* ذاتی، فطری؛ طبیعی؛ زود تحت‌تأثیر قرار گیرنده؛ تندخو؛ آتشی‌مزاج
temperance /'tempərəns/ *n* اعتدال (در خوردن مسکر)؛ خودداری
temperate /ˌtempərət/ *adj* میانه‌رو، معتدل؛ ملایم؛ پرهیزگار
tmemperately *adv* به‌اعتدال
temperature /'temprətʃə(r) US: 'tempərtʃʊər/ *n* درجه‌حرارت؛ گرمای درونی (بدن)؛ دما
take someone's temperature درجه حرارت کسی را سنجیدن، تب کسی را گرفتن
He has no temperature تب ندارد
tempest /'tempɪst/ *n* توفان
tempest of laughter شلیک خنده
tempestuous /tem'pestʃʊəs/ *adj* توفانی؛ [مجازاً] تند؛ توپ‌وتشردار
Templar /'templə(r)/ *n* مُدافع نظامی زوارِ بیت‌المقدس و پاسبانان مدفن مسیح؛ [با t کوچک] طلبه
temple /'templ/ *n* معبد؛ شقیقه، گیجگاه
idol temple; fire temple بتکده؛ آتشکده
tempo /'tempəʊ/ *n* سرعت، شتاب؛ [موسیقی] ضرب
temporal /'tempərəl/ *adj* زودگذر؛ غیرروحانی؛ گیجگاهی؛ [دستورزبان] زمانی
temporality /ˌtempə'rælətɪ/ *n* حالت موقت؛ [در جمع] دارایی و عایدات کلیسا
temporarily *adv* موقتاً
temporary /'temprərɪ/ *adj* موقتی
temporize /'tempəraɪz/ *vi* دفع‌الوقت کردن؛ مطابق مقتضیات وقت عمل کردن
tempt /tempt/ *vt* اغوا کردن؛ دُچار وسوسه کردن
temptation /temp'teɪʃn/ *n* اغوا، وسوسهٔ نفس، آزمایش، امتحان
tempter *n* اغواکننده؛ آزماینده
the Tempter شیطان، ابلیس
temptress /'temptrɪs/ [*fem of* tempter]
ten /ten/ *adj,n* (شمارهٔ) ده
tenable /'tenəbl/ *adj* نگهداشتنی؛ قابل مدافعه؛ منطقی، حسابی
tenacious /tɪ'neɪʃəs/ *adj* محکم نگهدارنده، مواظب؛ چسبنده؛ قوی
tenacity /tɪ'næsətɪ/ *n* سختی، سفتی؛ سرسختی
tenancy /'tenənsɪ/ *n* اجاره‌داری؛ مدت اجاره
tenant /'tenənt/ *n* مستأجر
tenant farmer اجاره‌کار
tenanted by در اجارهٔ
tenantry /'tenəntrɪ/ *n* کلیهٔ مستأجرینِ یک ملک
tench /tentʃ/ *n* نوعی ماهی آب شیرین
tend /tend/ *vi* وسایل فراهم کردن، کمک کردن؛ منجر شدن؛ مایل بودن
tend /tend/ *vt* نگهداری کردن، توجه کردن
tendencious;-tious /ten'denʃəs/ *adj* حق به جانب؛ مظلوم‌نما؛ سوگیرانه؛ مغرضانه
tendency /'tendənsɪ/ *n* تمایل
tender /'tendə(r)/ *adj* نازک، حساس؛ دلسوز؛ محبت‌آمیز؛ ترد؛ باریک
of tender age خردسال

tender /'tendə(r)/ *n,v* ۱.پیشنهادِ مناقصه ۲.پیشنهاد (مناقصه) دادن؛ تقدیم کردن، دادن
put to tender به‌مناقصه گذاشتن
legal tender [اقتصاد] پول قانونی؛ پول رایج
call for tenders آگهی مناقصه دادن
tender /'tendə(r)/ *n* انبار عقب لوکوموتیو؛ کشتی حامل خواربار؛ مواظب
tenderfoot /'tendəfʊt/ *n* تازه‌وارد، تازه‌کار
tender-hearted /ˌtendə 'hɑ:tɪd/ *adj* دل‌نازک
tenderly *adv* با دلسوزی، شفیقانه
tenderness *n* مهربانی؛ نازکی
tendon /'tendən/ *n* وتر، زردپی، تاندون
tendril /'tendrəl/ *n* پیچک، ریشهٔ پیچنده
tenebrous /'tenəbrəs/ *adj* تاریک، تیره
tenement /'tenəmənt/ *n* مستغلات؛ خانه یا اتاق اجاره‌ای
tenet /'tenɪt/ *n* عقیده، اصول
tenfold /'tenfəʊld/ *adj,adv* ده‌برابر، ده‌چندان
tenner /'tenə(r)/ *n,Col* اسکناس ده لیری
tennis /'tenɪs/ *n* تنیس
tenon /'tenən/ *n,vt* ۱.زبانه ۲.زبانه‌دار کردن؛ با زبانه جفت کردن
tenor /'tenə(r)/ *n* فحوا، مفاد؛ نیت؛ رویه؛ تمایل؛ [موسیقی] تِنور، صدای زیرِ مردانه
tense /tens/ *n,adj* ۱.زمان ۲.سفت، کشیده، تنیده؛ [مجازاً] به هیجان آمده
tensile /'tensaɪl/ *adj* مربوط به قوهٔ کشش؛ قابل تمدد
tension /'tənʃn/ *n* کشش؛ تنش؛ قوهٔ انبساط؛ هیجان؛ تیرگی روابط
tensity /'tensetɪ/ *n* قوهٔ کشش؛ سفتی
tent /tent/ *n* چادر، خیمه
tentacle /'tentəkl/ *n* شاخک‌حساس
tentative /'tentətɪv/ *adj* آزمایشی
tentatively *adv* به‌طورِ آزمایشی
tenter /'tentə(r)/ *n* اسبابی که چیزی را روی آن بخشکانند؛ بندِ رخت، رجه
on tenter-hooks معلق میان زمین و آسمان؛ در تعلیق و عدم اطمینان
tenth /tenθ/ *adj,n* ۱.دهم ۲.ده یک
tenuity /tɪnju:ətɪ/ *n* نازکی؛ رقت؛ سادگی
tenuous /'tenjʊəs/ *adj* نازک؛ رقیق
tenure /'tenjʊə(r)/ *n* تصرف؛(مدت) اجاره‌داری؛ دورهٔ تصدی
tepee /'ti:pi:/ = wigwam
tepid /'tepɪd/ *adj* نیمگرم، ولرم؛ [مجازاً] سست

tepidity /te'pɪdətɪ/ *n* نیمگرمی، ولرمی؛ سستی
tercentenary /ˌtɜ:sen'ti:nərɪ/ *n* سیصدمین سالگرد
term /tɜ:m/ *n,vt* ۱.مدت؛ دوره؛ اصطلاح [medical term] ؛ [مدرسه یا دانشگاه] ثلث، نیمسال؛ [ریاضیات] جمله ۲.نامیدن، مصطلح کردن
We are not on good terms مناسبات ما (با هم) خوب نیست
come to terms سازش کردن، موافقت پیدا کردن، با هم کنار آمدن
in terms of برحسبِ، به زبانِ، از لحاظ
termagant /'tɜ:məgənt/ *n* پتیاره، سلیطه
terminable /'tɜ:mɪnəbl/ *adj* فسخ‌پذیر
terminal /'tɜ:mɪnl/ *adj,n* ۱.نهایی، پایانی؛ وعده‌ای ۲.پایان؛ پایانی؛ آخر؛ حد
terminate /'tɜ:mɪneɪt/ *vt,vi* ۱.خاتمه دادن؛ فسخ کردن ۲.منقی شدن
terminate in منتهی شدن به، ختم شدن به
termination /ˌtɜ:mɪ'neɪʃn/ *n* پایان، خاتمه، فسخ؛ ختم؛ انقضا؛ جزء آخر کلمه
bring to a termination به پایان رساندن
terminological /ˌtɜ:mɪnə'lɒdʒɪkl/ *adj* مربوط به اصطلاحات
terminology /ˌtɜ:mɪ'nɒlədʒɪ/ *n* اصطلاحات؛ اصطلاح‌شناسی؛ واژگان فنی
terminus /'tɜ:mɪnəs/ *n* [-nuses *or* ni] ایستگاه نهایی
termite /'tɜ:maɪt/ *n* موریانه
tern /tɜ:n/ *n* چلچله دریایی
terne plate /'tɜ:npleɪt/ *n* حلب سربی
Terpsichorean /ˌtɜ:psɪkə'rɪən/ *adj* مربوط به (الهه الهامبخش) رقص
terrace /'terəs/ *n* بهارخواب، مهتابی؛ زمین تخت؛ ردیف چند خانه
terraced roof پشت‌بام مسطح
terracotta /ˌterə'kɒtə/ *n,It* سفالینه قرمز یا خرمایی
terra firma /ˌterə 'fɜ:mə/ *n,L* زمین سفت، زمین خشک
terrain /te'reɪn/ *n* [نظامی] زمین، ناحیه
terrapin /'terəpɪn/ *n* نوعی لاک‌پشت
terrazzo /tə'ræzəʊ/ *n* آجر موزاییک
terrestrial /tɪ'restrɪəl/ *adj* زمینی، خاکی؛ دنیوی؛ [جانورشناسی] خاکزی
terrible /'terəbl/ *adj* ترسناک، هولناک، مخوف؛ خیلی بد؛ [در گفتگو] زیاد
terribly *adv* به‌طور مخوف؛ زیاد؛ سخت

terrier /'terɪə(r)/ *n* نوعی سگ کوچک
terrific /tə'rɪfɪk/ *adj* هولناک، مهیب
terrify /'terɪfaɪ/ *vt* ترساندن
territorial /ˌterɪ'tɔ:rɪəl/ *adj* زمینی؛ داخلی؛ مربوط به قلمرو
territory /'terɪtrɪ US: -tɔ:rɪ/ *n* خاک، خطه، زمین، ملک، کشور، قلمرو
terror /'terə(r)/ *n* ترس زیاد، (مایهٔ) وحشت؛ بچهٔ شیطان، بلا
terrorism /'terərɪzəm/ *n*
حکومت (یا مخالفت با دولت) با تهدید و ایجاد وحشت؛ تروریسم
terrorist *n* تروریست
terrorize /'terəraɪz/ *vt* ایجاد وحشت کردن در، با تهدید مواجه کردن
terse /tɜ:s/ *adj* لُب، موجز
tertian /'tɜ:ʃn/ *adj* یک روز در میان
tertiary /'tɜ:ʃərɪ/ *adj* سوم
tessellated /'tesəleɪtɪd/ *adj*
متشکل از سنگهای چهارگوش
test /test/ *n,vt* ۱.آزمون، آزمایش؛ محک ۲.امتحان کردن
put to test آزمودن، محک زدن
testament /'testəmənt/ *n* پیمان، عهد؛ وصیتنامه [عبارت کامل آن last will and testament است]
testamentary /ˌtestə'mentrɪ/ *adj*
مربوط به وصیتنامه؛ مطابق با وصیت
testate /'testeɪt/ *adj* وصیت کرده
testator /te'steɪtə(r)/ *n* [*fem* testatrix /te'steɪtrɪks/ ; *pl* testrices] موصی، وصیت‌کننده
testicle /'testɪkl/ *n* خایه، بیضه، خُصیه، تخم
testify /'testɪfaɪ/ *v* گواهی دادن، تصدیق کردن [با to]؛ جداً اظهار کردن
testimonial /ˌtestɪ'məʊnɪəl/ *n*
گواهینامه (رفتار)، رضایتنامه؛ جایزه
testimony /'testɪmənɪ/ *n* گواهی، شهادت، تصدیق
bear testimony گواهی دادن، شهادت دادن
the Testimonies دو لوح شهادات، دو لوح تورات
testiness *n* تندمزاجی، کج‌خلقی
testy /'testi/ *adj* زودرنج، کج‌خلق
tetanus /'tetənəs/ *n* کزاز
tetchy /'tetʃɪ/ *adj* = peevish
tête-à-tête /ˌteɪt ɑ: 'teɪt/ *adv,adj,n,Fr*
(گفتگوی) دو به دو یا محرمانه

tether /'teðə(r)/ *n,vt* ۱.افسار؛ [مجازاً] حدود، وسعت ۲.افسار کردن، بستن
He is at the end of his tether
مستأصل شده است، قوایش ته کشیده است
Teutonic /tju:'tɒnɪk/ *adj*
منسوب به‌نژاد توتن‌ها در اروپای شمالی
text /tekst/ *n* متن، نصّ؛ موضوع
text-book /'teksbʊk/ *n* کتاب درسی
textile /'tekstaɪl/ *adj,n* بافته، منسوج؛ بافتنی
textual /'tekstʃʊəl/ *adj* مربوط به متن
texture /'tekstʃə(r)/ *n* بافت؛ ترکیب
thaler /'tɑ:lə(r)/ *n* سکهٔ نقره قدیمی در آلمان
Thames /temz/ *n* (رود) تمز
Set the Thames on fire
شاخ غول را شکستن، شق‌القمر کردن
than /ðən,ðæn/ *Conj* از، نسبت به، که
Older than I (am) مسن‌تر از من
thank /θæŋk/ *vt* سپاسگزاری‌کردن از، تشکر کردن از؛ شکر کردن
Thank you مرحمت سرکار زیاد، متشکرم
No, thank you [در مورد رد تعارف باید گفت]
thankful *adj* سپاسگزار، متشکر؛ شکرگزار؛ تشکرآمیز
thankfully *adv* با اظهار تشکر
thankfulness *n* امتنان، تشکر
thankless *adj* حق ناشناس، ناشکر؛ بی‌ارزش، غیرقابل تشکر
a thankless job حمالی مفت، کار بیهوده، کار بی‌ارزش
thanks *npl* سپاس(گزاری)، (اظهار) تشکر؛ شکر(گزاری)
give thanks (to) سپاسگزاری کردن (از)
thanks to در نتیجهٔ، به‌واسطهٔ، در سایهٔ، از برکتِ
Small thanks to you دستِ شما درد نکند [به‌طعنه]
thanksgiving /ˌθæŋks'gɪvɪŋ/ *n* سپاسگزاری
that /ðæt/ *adj,pr* [those] آن
those books آن کتابها
That is right درست است
It is like that I had before
مانند آن است که پیشتر داشتم
that which آنچه؛ آنکه
those who آنهایی که، آنان که
that is (to say) یعنی
for all that با این همه، با وجود همه اینها
The cost of kerosene is less than that of benzene. بهای نفت کمتر از (بهای) بنزین است.

that /ðæt/ *pr,rel* که او را، که آن را
The book that you bought کتابی که خریدی
that /ðət/ *conj* که
He thinks that he will die.
خیال می‌کند که خواهد مرد.
We eat that we may live.
می‌خوریم برای اینکه زنده باشیم.
O that....! ای کاش (که)!
in that در اینکه، از این حیث که
that *adv,Col*
that much آن‌قدر
that far به آن دوری
thatch /θætʃ/ *n,vt*
۱.پوشش کاه و پیزر و برگ؛ کاهگل ۲.با کاه و برگ و امثال آن پوشاندن
thaw /θɔ:/ *vi,vt* ۱.آب شدن؛ [مجازاً] نرم یا آشنا شدن؛ دوباره گرم شدن ۲.آب کردن [با out]
It thaws برف دارد آب می‌شود
the /ðə/ *del,art*
حرف تعریف برای چیز یا شخص معین [the در جلو صامتها /ðə/ و در جلو مصوتها /ðɪ/ تلفظ می‌شود]
the boy پسره، آن پسر
the large one بزرگه
The lion said... شیر گفت...
the books that کتابهایی که
I do not have the courge جرئتش را ندارم
40 rials the metre متری ۴۰ ریال
the rich توانگران، دولتمندان
the /ðə/ *adv* هرچه؛ همان‌قدر
the sooner the better هرچه زودتر بهتر
theatre;theater /'θɪətə(r)/ *n* تماشاخانه، تئاتر؛ [مجازاً] محل، صحنه
theatrical /θɪ'ætrɪkl/ *adj* تئاتری؛ در خورِ تماشاخانه؛ نمایشی، مصنوعی
thee /ði:/ *pr* تو را؛ (به) تو [فقط هنگامِ دعا کردن به‌کار می‌رود]
theft /θeft/ *n* دزدی، سرقت
their /ðeə(r)/ *pr* [*pl of* his *or* her]
ـــ شان؛ خودشان
their work کار ایشان؛ کارشان را
theirs /ðeəz/ *pr* [*pl of* his *or* hers] مال ایشان
theism /'θi:ɪzəm/ *n* اعتقاد به‌خدا
theist /'θi:ɪst/ *n* معتقد به خدا، خداشناس
theistic /θi:'ɪstɪk/ *adj* مبنی بر خداشناسی
them /ðəm/ *pr* [*pl of* him,her *or* it] ایشان را، آنها را؛ (به) ایشان
theme /θi:m/ *n* موضوع؛ مقاله
themselves /ðəm'selvz/ *pr* [*pl of* himself, hersef, *or* itself] خودشان (را)
then /ðen/ *adv,conj* ۱.سپس، پس (از آن)، بعد، آنگاه؛ (در) آن وقت ۲.پس، بنابراین
now and then هرچند وقت یک‌بار
the then *(adj)* **minister** وزیر موقت
until then *(n)* تا آن موقع
thence /ðens/ *adv* از آنجا؛ از آن زمان؛ از این جهت
thenceforth /,ðens'fɔ:θ/ *adv* از آن پس
thenceforward /ðens'fɔ:wəd/ = thenceforth
theocracy /θɪ'ɒkrəsɪ/ *n* حکومت روحانیون؛ دین سالاری
theodolite /θɪ'ɒdəlaɪt/ *n*
زاویه‌سنج مساحی، تئودولیت
theologian /,θɪə'ləʊdʒən/ *n* حکیمِ الهی
theological /,θɪə'lɒdʒɪkl/ *adj*
وابسته به علم دین، مربوط‌به الهیات، دینی
theology /θɪ'ɒlədʒɪ/ *n* علم دین، الهیات، حکمت الهی، علم کلام
theorem /'θɪərəm/ *n* قضیه، برهان
theoretical /,θɪə'rətɪkl/ *adj* نظری
theorize /'θɪeraɪz/ *vi* نظریه پرداختن
theory /'θɪərɪ/ *n* نظریه، اصول نظری، تئوری
in theory به‌طور نظری، فرضاً
theosophy /θi:'ɒsəfɪ/ *n* عرفان، حکمت الهی، فلسفهٔ نیل به معرفت‌الله به وسیله جذبهٔ روحانی یا اشراق مستقیم
therapeutic(al) /,θerə'pju:tɪk(l)/ *adj*
مربوطه به درمان‌شناسی
therapeutics /,θerə'pju:tɪks/ *npl*
درمان‌شناسی
Therapist /'θerəpɪst/ *n* درمانگر
Therapy /'θerəpɪ/ *n* درمان
there /ðeə(r)/ *adv,n* آنجا
There is a man who مردی هست که
There was a king پادشاهی بود
There are 60 minutes in one hour.
یک ساعت ۶۰ دقیقه است.
*There's (*or *That's) a good boy!*
چه پسر خوبی است!
thereabout(s) /'ðeərəbaʊt(s)/ *adv*
در آن حدود یا نزدیکی؛ چیزی کمتر یا بیشتر
thereafter /,ðeər'ɑ:ftə(r)/ *adv* پس از آن
thereby /,ðeə'baɪ/ *adv* بدان وسیله، به موجب آن

And thereby hangs a tale و در این باب آورده‌اند که

therefor /ˌðeəˈfɔ:(r)/ *adv* برای آن (منظور)

therefore /ˌðeəˈfɔ:(r)/ *adv* بنابراین

therefrom /ˌðeəˈfrɒm/ *adv* از آن

therein /ˌðeərˈɪn/ *adv* در آن؛ از آن حیث

thereof /ˌðeərˈɒv/ *adv* از آن، متعلق به آن

the wall thereof دیوار آن

thereon /ˌðeərˈɒn/ *adv* بر آن؛ روی آن

thereto /ˌðeəˈtu:/ *adv* به‌آن، بدان

thereunto /ˌðeərɒnˈtu:/ *adv* = thereto

thereupon /ˌðeərəˈpɒn/ *adv* از آن‌رو؛ بر آن

therewith /ˌðeəˈwɪθ/ *adv* با آن؛ فوراً

therewithal /ˈðeəwɪðɔ:l/ *adv* با آن؛ به علاوه

therm /θɜ:m/ *n* ترم: واحد اندازه‌گیری مصرف گاز در بریتانیا

thermal /ˈθɜ:ml/ *adj* حرارتی؛ گرم

thermal springs چشمه‌های آب گرم

thermodynamics /ˌθɜ:məʊdaɪˈnæmɪks/ *n* ترمودینامیک

thermometer /θəˈmɒmɪtə(r)/ *n* دماسنج، گرماسنج، درجه (تب)، تب‌گیر

thermos /ˈθɜ:məs/ *n* فلاسک، قمقمه [که بیشتر thermos flask یا thermos bottle گفته می‌شود]

thesaurus /θɪˈsɔ:rəs/ *n* فرهنگِ مفهومی

these /ði·z/ *adj,pr* [*pl of* this]

thesis /ˈθi:sɪs/ *n* [*pl* -ses /-si:z/] فرض؛ نهاده، تز؛ قضیه؛ نظر؛ پایان‌نامه، رسالۀ دکترا

Thespian /ˈθespɪən/ *adj,n* ۱.مربوط به هنرپیشگی یا نمایش ۲.هنرپیشه

thews /θju:z/ *npl* رگ و پی؛ ماهیچه

they /θeɪ/ *pr* [*pl of* he,she, *or* it] ایشان، آنها، آنان

thick /θɪk/ *adj,n* ۱.کلفت، ضخیم؛ غلیظ، سفت؛ انبوه؛ ابری؛[صدا] گرفته؛ کودن؛ [در گفتگو] خودمانی، صمیمی، متحد ۲.قسمت ضخیم یا غلیظ هر چیز؛ سخت‌ترین مرحله، بحبوحه

How thick is it? کلفتی آن چقدر است؟

through thick and thin در همه حال

thick /θɪk/ *adv* سخت؛ تند؛ زیاد

thicken /ˈθɪkən/ *vt,vi* ۱.کلفت کردن؛ غلیظ کردن؛ سفت کردن ۲.کلفت شدن؛ غلیظ شدن؛ پیچیده‌تر شدن

thicket /ˈθɪkɪt/ *n* بیشه، درخت‌زار

thick-head /ˈθɪkhed/ *n* آدم کودن یا خشک‌مغز

thickly *adv* به‌طور ضخیم یا انبوه

thickness *n* کلفتی، ستبری، ضخامت؛ سفتی، غلظت؛ لا؛ ورقه

thickset /ˌθɪkˈset/ *adj* انبوه؛ کوتاه و تنومند

thick-skinned /ˌθɪkˈskɪnd/ *adj* پوست کلفت؛ [مجازاً] بی‌عاطفه

thief /θi:f/ *n* [thieves] دزد

thieve /ði:v/ *vi,vt* ۱.دزدی کردن ۲.دزدیدن

thievery /ˈθi:vərɪ/ *n* دزدی، سرقت

thievish /ˈθi:vɪʃ/ *adj* دزدصفت؛ در خورِ دزد

thigh /θaɪ/ *n* ران

thimble /ˈθɪmbl/ *n* انگشتانه

thimblerig /ˈθɪmblrɪg/ *n* فنجان‌بازی

thimblerigger /ˈθɪmblrɪgə(r)/ *n* فنجان‌باز، شعبده‌باز؛ آدم گوش‌بُر

thin /θɪn/ *adj,v* [-ned] ۱.نازک؛ لاغر؛ کم‌مایه؛ کم جمعیت ۲.نازُک کردن؛ نازک شدن؛ رقیق کردن؛ رقیق شدن

thine /ðaɪn/ *pr* مال تو

thing /θɪŋ/ *n* چیز؛ [در جمع] اسباب، اشیا؛ لباس؛کار [a wise thing] ؛ [در جمع] اوضاع

The thing is چیزی که هست

Poor thing! بیچاره!

for one thing یکی آنکه، اولاً

I don't feel (quite) the thing. سرحال نیستم.

think /θɪŋk/ [thought] فکر کردن، خیال کردن؛ گمان کردن، تصور کردن، فرض کردن، دانستن؛ در نظر گرفتن

We thought of you جای شما را خالی کردیم، جای شما سبز بود

think out اندیشیدن

think over مورد تأمل قرار دادن

think little of ناچیز شمردن

thinkable /ˈθɪŋkəbl/ *adj* متصور، ممکن

thinker *n* متفکر، اندیشمند

thinly *adv* به‌طور نازک؛ کم

thinly populated کم‌جمعیت

thinness *n* نازکی؛ باریکی؛ لاغری؛ رقیقی؛ کم‌مایگی؛ سستی

thin-skinned /ˌθɪnˈskɪnd/ *adj* حساس؛ زودرنج

third /θɜ:d/ *adj,n* یک‌سوم

third party شخص ثالث

third degree بازپرسی سخت

third-rate /ˌθɜ:d ˈreɪt/ *adj* پَست، نامرغوب

thirst /θɜ:st/ *n,vi* ۱.تشنگی، عطش ۲.تشنه بودن

thirst for revenge آرزوی انتقام داشتن

thirstily *adv* با تشنگی، از روی تشنگی

thirsty *adj* تشنه؛ عطش‌آور؛ خشک، بی‌آب؛ [مجازاً] آرزومند، مشتاق، تشنه

thirsty for تشنهٔ

I am thirsty تشنه‌ام، تشنه‌ام هست

thirteen /ˌθɜːˈtiːn/ *adj,n* سیزده

thirteenth /ˌθɜːˈtiːnθ/ *adj,n* (یک) سیزدهم

thirtieth /ˈθɜːtɪəθ/ *adj,n* (یک) سی‌اُم

thirty /ˈθɜːtɪ/ *adj,n* سی

this /ðɪs/ *adj,pr* [these] این

these people این اشخاص

this morning امروز صبح

thistle /ˈθɪsl/ *n* (بوتهٔ) خار

thither /ˈðɪðə(r)/ *adv, Arch* (به) آنجا، (به) آن طرف

tho *or* **tho'** /ðəʊ/ *conj* = though

thong /θɒŋ US: θɔːŋ/ *n* تسمه، قیش

thorax /ˈθɔːræks/ *n* قفسه سینه

thorn /θɔːn/ *n* خار، تیغ

a thorn in one's side (*or* flesh) خار در چشم

thorny *adj* خاردار؛ [مجازاً] پر آزار

thorough /ˈθʌrə/ *adj* کامل؛ دقیق

thoroughbred /ˈθʌrəbrəd/ *adj* اصیل

thoroughfare /ˈθʌrəfeə(r)/ *n* شارع عام

No Thoroughfare! عبور ممنوع!

thoroughgoing /ˈθʌrəgəʊɪŋ/ *adj* مطلق، تمام و کمال، بی‌قید و شرط

thoroughly /ˈθʌrəlɪ/ *adv* کاملاً، سراسر

thoroughness *n* تمامیت

thorough-paced /ˈθʌrəpeɪst/ *adj* خوش‌روش؛ [مجازاً] کامل، حسابی

those /ðəʊz/ [*pl of* that]

thou /ðaʊ/ *pr* تو [فقط هنگام دعا کردن به‌کار می‌رود]

though /ðəʊ/ *conj* اگرچه، هرچند، با اینکه؛ ولو (اینکه)

even though ولو اینکه، حتی‌اگر

as though مثل اینکه، چنان‌که گویی

thought /θɔːt/ *n* اندیشه، فکر؛ عقیده؛ قصد؛ [با a] یک هوا، کمی

on second thought(s) پس از فکر یا تأمل بیشتر

the thought for the morrow فکر فردا، در فکر فردا بودن

thought /θɔːt/ [*p,pp of* think]

thoughtful *adj* بافکر؛ فکور

thoughtful of با ملاحظه نسبت به؛ در فکرِ

thoughtful hours ساعات تفکر

thoughtless *adj* بی‌فکر؛ بی‌ملاحظه، لاقید؛ ناشی از بی‌فکری

thought-reader /ˈθɔːt riːdə(r)/ *n* کسی که می‌تواند افکارِ دیگران را حدس بزند

thousand /ˈθaʊznd/ *adj,n* هزار

thousandth /ˈθaʊznθ/ *adj,n* (یک) هزارم

thraldom /ˈθraldəm/ *n* بندگی

thrall /θrɔːl/ *n* بنده؛ بندگی

thrash /θræʃ/ *vt* کوبیدن؛ زدن، کتک زدن

thrash out با بحث زیاد پیدا کردن

thrash about *vi* دست و پا زدن

thrashing *n* کتک؛ شکست

thread /θred/ *n,vt* ۱.نخ، ریسمان؛ [پیچ] رزوه؛ رشته ۲.نخ کردن؛ بندکشیدن؛ به‌سختی بیرون آمدن از

hang by a thread به مویی بند بودن، متزلزل بودن، در معرض خطر بودن

threadbare /ˈθredbeə(r)/ *adj* نخ‌نما؛ ژنده‌پوش؛ [مجازاً] مبتذل

threat /θret/ *n* تهدید

threaten *v* تهدید کردن

threaten with death تهدید به قتل کردن

It threatens to rain خیال باریدن دارد

three /θriː/ *adj,n* (شمارهٔ) سه

threefold /ˈθriːfəʊld/ *adj,adv* سه‌برابر؛ سه‌لا

threepence /ˌθriːˈpens,ˈθrepns/ *n* مبلغ‌سه‌پنس

threepenny /ˈθrepənɪ,ˈθrʌpənɪ/ *adj* سه‌پنسی

threepenny-bit سکه سه‌پنسی

three-ply /ˈθriːplaɪ/ *adj* سه لا

threescore /ˈθriːskɔː(r)/ *adj* شصت

threesome /θriːsəm/ *n* [بازی گلف] بازیِ سه نفری

threnody /ˈθrenədɪ/ *n* مرثیه

thresh /θreʃ/ *vt* کوبیدن؛ از پوست درآوردن

thresher *n* خرمنکوب

threshold /ˈθreʃhəʊld/ *n* آستانه، آستان

threw /θruː/ [*p of* throw]

thrice /θraɪs/ *adv* سه‌دفعه

thrift /θrɪft/ *n* صرفه‌جویی، عقل‌معاش

thriftless *adj* ولخرج، بی‌عقل معاش

thriftily *adv* با عقل معاش

thrifty *adj* صرفه‌جو، خانه‌دار، دارای عقل معاش؛ ترقی‌کننده

thrill /θrɪl/ *vt,vi,n* ۱.مرتعش‌ساختن به‌تپش درآوردن ۲.لرزیدن؛تپیدن؛نفوذکردن ۳.لرزه، اهتزاز

thrive /θraɪv/ *vi* [*p* throve; *pp* thriven]
ترقی کردن؛ کامیاب شدن؛ خوب رشد کردن
thriven /'θrɪvn/ [*pp of* thrive]
thro' *or* **thro** /θru:/ *prep* = through
throat /θrəʊt/ *n* گلو؛ دهانه
sore throat گلودرد
throaty *adj* (دارای صدای) گرفته
throb /θrɒb/ *vi* [-bed] زدن؛ تپیدن؛ زق‌زق کردن
throes /θrəʊz/ *npl* درد زه، درد زایمان؛ [مجازاً] گیرودار، بحبوحه
throne /θrəʊn/ *n* تخت، سریر
come to the throne به‌تخت نشستن، بر تخت جلوس کردن
throng /θrɒŋ/ *n,v* ۱.جمعیت، ازدحام؛ گروه ۲.ازدحام کردن (در)
throstle /'θrɒsl/ *n* باسترک
throttle /'θrɒtl/ *n,vt* ۱.گلو، حلق؛ دریچه کنترل بخار یا بنزین، گاز دستی [throttle-valve] ۲.خفه کردن
through /θru:/ *prep,adv* ۱.از میانِ، از وسطِ؛ به‌واسطهٔ، به‌خاطرِ؛ در ظرفِ ۲.سرتاسر؛ از وسط (آن)؛ در تمام مدت
go through مرورکردن،رسیدگی‌کردن؛ رعایت کردن؛ دیدن [یعنی طی کردن دوره‌ای از دروس] ؛ تحمل کردن؛ تماماً خرج کردن
go through a trial محاکمه شدن
go through with به‌پایان رساندن
see through متوجه (چیزی) بودن، گول (چیزی را) نخوردن
through and through دوباره و سه‌باره؛ از هر حیث، کاملاً
I am through with my work
کارم به پایان رسید، از کار فراغت پیدا کردم
a through ticket بلیط یکسره
throughout /θru:'aʊt/ *adv,prep* ۱.سراسر، تماماً، به‌کلی، از همه جهت ۲.در تمام مدتِ؛ سرتاسرِ
throve /θrəʊv/ [*p of* thrive]
throw /θrəʊ/ *vt* [threw; thrown] ,*n*
۱.انداختن؛ [با down] ویران کردن، برانداختن؛ تابیدن (ابریشم) ۲. ریختن تاس
throw back *vi* به اصل خود برگشتن
throw in به‌طور معترضه گفتن
throw off دور انداختن؛ بالبداهه گفتن؛ زود درآوردن
throw open the door to امکان‌پذیر کردن، میسر کردن؛ راه دادن
throw out رد کردن؛ بی‌مقدمه گفتن؛ از موضوع پرت کردن
throw over دست کشیدن از، کنار گذاشتن
throw up بالا بردن؛ کناره‌گیری کردن از؛ استفراغ کردن، برگرداندن
thrower *n* ابریشم‌تاب؛ کوزه‌گر
thrown /θrəʊn/ [*pp of* throw]
thru /θru:/ *US* = through
thrum /θrʌm/ *v* [-med] زر زر کردن؛ تپ تپ کردن، دست زدن
thrush /θrʌʃ/ *n* [پرنده] باسترک؛ [پزشکی] برفک
thrust /θrʌst/ *vt,vi* [thrust] ,*n* ۱.فرو کردن؛ چپاندن؛ انداختن؛ سوراخ کردن [با through]؛ به‌زور باز کردن [thrust one's way] ۲. حمله کردن ۳.عمل فرو کردن؛ حمله؛ ضربت
thud /θʌd/ *n,vi* [-ded]
صدای خفه و آهسته (درآوردن)
thug /θʌg/ *n* آدمکُش، جانی
thumb /θʌm/ *n,vt* ۱.شست؛ [مجازاً] نفوذ، نگین، سلطه ۲.ورق زدن؛ (با ورق زدن) صفحات را چرک کردن
rule of thumb قاعدهٔ عملی، راه تجربی
thumbscrew /'θʌmskru:/ *n* اشکلک شست
thump /θʌmp/ *n,v* ۱.ضربت؛ تو سری، بامب ۲.مشت زدن (به)، توسری زدن (به)
thumping *adj* بزرگ، عظیم؛ بسیار
thumping lie دروغ شاخدار
thunder /'θʌndə(r)/ *n,vi,vt* ۱.رعد، تندر؛ [مجازاً] غریو؛ تهدید؛ تشر ۲.رعد زدن [تنها در سوم شخص به‌کار می‌رود و فاعل آن it است] ۳.با صدای رعد آسا ادا کردن
thunderbolt /'θʌndəbəʊlt/ *n* رعدوبرق؛ [مجازاً] تشر و تهدید و امثال آن
thunderclap /'θʌndəklæp/ *n* رعدوبرق؛ [مجازاً] خبر رعدآسا
thundering = thumping
thunderous /'θʌndərəs/ *adj* رعدآسا
thunderstorm /'θʌndəstɔ:m/ *n* رعدوبرق
thunderstruck /'θʌndəstrʌk/ *adj* مبهوت
thundery /'θʌndərɪ/ *adj* رعددار؛ حاکی از رعدوبرق
Thursday /'θɜ:zdɪ/ *n* پنجشنبه
thus /ðʌs/ *adv* از این قرار، این‌طور، مثلاً؛ بدین معنی (که)؛ بنابراین
thus far تا این درجه، تا این اندازه
thwack /θwæk/ *vt* با چوب (پهن) کتک زدن
thwart /θwɔ:t/ *vt* خنثی کردن؛ باطل کردن

thwart /θwɔ:t/ *n,adj,prep* ۱.جای پاروزن در قایق ۲.عرضی؛ اریب ۳.در عرضِ

thy /ðaɪ/ *pr* ات، ت [فقط هنگامِ دعا کردن به‌کار می‌رود]

thyme /taɪm/ *n* اویشن، اوشن

thyroid /ˈθaɪrɔɪd/ *adj,n* [پزشکی] (غدهٔ) درقی، (غدهٔ) تیروئید

thyself /ðaɪˈself/ *pr* خودت [جمع آن yourselves می‌شود]

tiara /tɪˈɑ:rə/ *n* تاج پاپ؛ نیمتاج زنانه

tibia /ˈtɪbɪə/ *n* [tibiae] استخوان درشت‌نی، قصبهٔ کبریٰ

tic /tɪk/ *n* تیک، پرش عضلات صورت

tick /tɪk/ *n,vi* ۱.تیک [صدای ساعت]؛ علامت‌رسیدگی و تطبیق ( ) ۲.تیک‌تیک کردن

tick off *vt* علامت رسیدگی و مقابله (در چیزی) گذاشتن؛ سرزنش کردن

to the tick; on the tick درست سر وقت

buy on tick نسیه خریدن

tick /tɪk/ *n* [جانورشناسی] کنه

tick /tɪk/ *n* رویهٔ تشک

ticker *n* نوعی ماشین تحریر خودکار؛ [در گفتگو] ساعت

ticket /ˈtɪkɪt/ *n,vt* ۱.بلیط؛ برچسب؛ [در امریکا] صورت نامزدهای حزبی ۲.برچسب (به چیزی) زدن

ticket of leave ورقهٔ مرخصی که با شرایطی به زندانی می‌دهند

the ticket *Col* کار صحیح

ticket-office /ˈtɪkɪt ɒfɪs/ *n* جایگاه فروش‌بلیط، باجه، گیشه

ticking /ˈtɪkɪŋ/ *n* پارچهٔ تشکی

tickle /ˈtɪkl/ *vt,vi,n* ۱.غلغلک دادن؛ سرگرم کردن، راضی کردن ۲.احساس غلغلک کردن ۳.غلغلک

ticklish /ˈtɪklɪʃ/ *adj* غلغلکی؛ [مجازاً] دقیق، حساس

tidal /ˈtaɪdl/ *adj* جزر و مدی؛ آبگیر

tide /taɪd/ *n* جزر و مد؛ [مجازاً] روش، سیر

go with the tide همرنگ جماعت شدن؛ طبق مقتضیات رفتار کردن

tide over *vt* برطرف کردن

tidily *adv* به‌طور منظم و پاکیزه

tidiness *n* آراستگی؛ پاکیزگی

tidings /ˈtaɪdɪŋz/ *npl* خبر

good *or* glad tidings مژده، بشارت

tidy /ˈtaɪdɪ/ *adj,n,vt* ۱.آراسته، مرتب، پاکیزه؛ [در گفتگو] معتنابه [a tidy sum] ۲.پارچهٔ ژور زده ۳.درست کردن، مرتب کردن [بیشتر با up]

tie /taɪ/ *vt,vi* ۱.بستن؛ گره زدن؛ [مجازاً] ملزم کردن ۲.برابر شدن

tie up بستن؛ پیچیدن؛ مقید کردن؛ حبس کردن (ملک)

tied up گرفتار؛ مقید

tie /taɪ/ *n* کراوات؛ بند؛ گره؛ [مجازاً] قید، رابطه؛ [در امریکا] تراوِرس

tier /tɪə(r)/ *n,vt* ردیف (کردن)

tie-up /ˈtaɪ ʌp/ *n,US* تعطیل؛ اعتصاب

tiff /tɪf/ *n* دعوای مختصر

tiffin /ˈtɪfɪn/ *n* ناهار (مختصر)

tiger /ˈtaɪgə(r)/ *n* ببر

tight /taɪt/ *adj* سفت، محکم؛ تنگ؛ مانع دخول هوا یا آب؛ کم؛ کساد؛ بی‌پول؛ [در گفتگو] مست؛ خسیس؛ دنج، نقلی

tight corner تنگنا، جای خطرناک

tight /taɪt/ *adv* محکم، سفت

tighten /ˈtaɪtn/ *v* سفت کردن؛ سفت شدن؛ تنگ کردن؛ تنگ شدن

tightly *adv* سفت، محکم؛ تنگ

tightness *n* سفتی؛ تنگی؛ فشار

tights /taɪts/ *npl* جوراب شلواری، لباس بدنْ چسب

tigress *n* ببر ماده؛ [مجازاً] زن شریر

tike /taɪk/ *n* = tyke

tile /taɪl/ *n,vt* ۱.آجر؛ سفال ۲.با سفال یا آجر فرش کردن

glazed tile آجرکاشی

till /tɪl/ *prep,conj* تا (وقتی‌که)

till /tɪl/ *n* دخل (پول)، کشو

till /tɪl/ *vt* کشت و زراعت کردن در

tillage /ˈtɪlɪdʒ/ *n* کشت و زرع

tiller /ˈtɪlə(r)/ *n* کشتکار، زارع؛ اهرُم سکان

tilt /tɪlt/ *vi,vt,n* ۱.کج شدن [گاهی با over]؛ حمله کردن ۲.یکبر کردن ۳.نیزه‌بازی سواره

full tilt با سرعت تمام، با سرعت زیاد؛ با زور

tilth /tɪlθ/ *n* کشت؛ زمین کشت شده

timber /ˈtɪmbə(r)/ *n* چوب، تیر

timbered /ˈtɪmbəd/ *adj* چوبی، تیری؛ مشجر

timbre /ˈtæmbrə, ˈtɪmbər/ *n,Fr* کیفیت صدا

timbrel /ˈtɪmbrəl/ *n* دایره زنگی

time /taɪm/ *n,vt* ۱.وقت، زمان؛ فرصت، موقع؛ روزگار، عهد؛ مدت؛ بار، دفعه؛ ضرب، فاصلهٔ ضربی ۲.وقت (چیزی را) معین کردن یا سنجیدن؛ از حیث ضرب (با موزیک) جفت کردن

It is four times my size. چهاربرابر (اندازه) من است

keep time [موسیقی] رعایت ضرب را کردن

in 2 hours' time در (ظرف) دوساعت

do time حبسی خود را گذراندن

all the time در تمام مدت

pass the time of day سلام کردن

at times گاه و بی‌گاه، گاهگاهی

at all times در همه اوقات

at the same time ضمناً؛ در همان وقت؛ مقارن این حال؛ با وجود این

one at a time یکی یکی

for the time being عجالتاً

from time to time گاهگاهی

some time or other آخر یک وقتی

in good time به‌موقع

in no time به یک چشم برهم زدن

What time is it? چه ساعتی است؟

We had a good time خوش گذشت

out of time بی‌موقع، بی‌گاه

behind time دیر، بی‌موقع

time and again چندین بار، به‌کرّات

Once upon a time یکی بود یکی نبود

against time به سرعت هر چه بیشتر

near her time پا به ماه

well timed بموقع، بجا، بمورد

timekeeper /'taɪmki:pə(r)/ *n* وقت‌نگهدار؛ ساعت

timely /'taɪmlɪ/ *adj* بموقع، بجا، بهنگام

timepiece /'taɪmpi:s/ *n* ساعت

time-server /'taɪm sɜ:və(r)/ *n* ابن‌الوقت

timetable /'taɪmteɪbl/ *n* جدول زمانی

timid /'tɪmɪd/ *adj* ترسو؛ کمرو

timidity /tɪ'mɪdətɪ/ *n* ترسویی؛ کمرویی

timorous /'tɪmərəs/ *adj* ترسو؛ بزدل

timothy /'tɪməθɪ/ *n* علف، قصیل

tin /tɪn/ *n,vt* [-ned] ۱.قلع؛ حلب؛ قوطی ۲.با قلع پوشاندن، با حلبی پوشاندن، سفید کردن؛ قوطی کردن

a (little) tin god عزیز بی‌جهت

tin hat کلاه فولادی سربازی

tincture /'tɪŋktʃə(r)/ *n,vt* ۱.تعفین، تنتور؛ [مجازاً] اثر یا رنگ جزئی ۲.رنگ (جزئی) زدن؛ آلودن

tindal /'tɪndl/ *n* سرکارگر

tinder /'tɪnder/ *n* [آتش] گیرانه

tinder-box /'tɪndəbɒks/ *n* [مجازاً] انبار باروت

tine /taɪn/ *n* شاخ؛ شاخه، دندانه؛ نوک

ting /tɪŋ/ *n,vi* صدای زنگ (دادن)

tinge /tɪndʒ/ *n,vt* ۱.ته‌رنگ ۲.رنگ جزئی زدن؛ [مجازاً] آلودن

tingle /'tɪŋgl/ *n,vi* صدا (کردن)؛ طنین (انداختن)؛ حس سوزش (کردن)

tinker /'tɪŋkə(r)/ *n,vt* ۱.بندزن؛ سرهم‌بندی ۲.تعمیر کردن

He doesn't care a tinker's damn هیچ پروایش نیست

tinkle /'tɪŋkl/ *vi* جلنگ‌جلنگ کردن

tinman /'tɪnmən/ *n* [-men] حلبی‌ساز

tinny /'tɪnɪ/ *adj* قلع‌دار؛ بد صدا، توخالی

tin-plate /'tɪn pleɪt/ *n* حلبی، حلبِ ورق

tinsel /'tɪnsl/ *n,adj,vt* ۱.پولک؛ نقده ۲.زرق و برق‌دار ۳.پولک زدن

tinsmith /'tɪnsmɪθ/ *n* حلبی‌ساز

tint /tɪnt/ *n,vt* ۱.رنگ (رقیق)، ته رنگ ۲.رنگ زدن

tintinnabulation /,tɪntɪn,æbjʊ'leɪʃn/ *n* جلنگ جلنگ

tiny /'taɪnɪ/ *adj* ریز؛ خرد، کوچولو

tip /tɪp/ *n,vt* [-ped] ۱.نوک، سر ۲.نوک‌دار کردن؛ تیز کردن

I had it on the tip of my tongue سر زبانم بود

tip /tɪp/ *n,vt* ۱.پول چای، انعام؛ اطلاع نهانی ۲.پول چای دادن (به)

tip a person the wink *Sl* به کسی اشارهٔ اخطارآمیز کردن

tip /tɪp/ *vt,vi,n* ۱.یکبر کردن؛ خالی کردن، سرازیر کردن؛ آهسته لمس کردن ۲.یکبر شدن ۳.محل خالی کردنِ آشغال؛ ضربت آهسته

tip the scale [در ترازو] چربیدن

tip-cart /'tɪpkɑ:t/ *n* چرخ خاکروبه، ماشین کمپرسی

tippet /'tɪpɪt/ *n* خز گردن

tipple /'tɪpl/ *vi* میگساری کردن

tippler /'tɪplə(r)/ *n* میگسار، دائم‌الخمر

tipstaff /'tɪpstɑ:f/ *n* عصایِ سرفلزی

tipster /'tɪpstə(r)/ *n* کسی که درباره اسبهای اسبدوانی نظر می‌دهد و پول می‌گیرد

tipsy /'tɪpsɪ/ *adj* مست، خرِف؛ مستانه

tiptoe /'tɪptəʊ/ *n,adv,vi* ۱.نوک پنجه ۲.با نوک پنجه ۳.با نوک پنجه راه رفتن

tiptop /,tɪp'tɒp/ *n* بالاترین درجه؛ عالی

tirade /taɪ'reɪd/ *n* نطق شدیداللحن

tire /'taɪə(r)/ *v* خسته کردن؛ خسته شدن
tire out زیاد خسته کردن
tire *or* **tyre** /'taɪə(r)/ *n,vt* ۱.لاستیک اتومبیل؛ دوره ۲.لاستیک انداختن
tired /taɪəd/ *ppa* خسته؛ سیر
tiredness *n* خستگی؛ بیزاری
tireless *adj* خستگی‌ناپذیر
tiresome /'taɪəsəm/ *adj* خسته کننده
tirewoman /'taɪəwʊmən/ *Arch* مشاطه
tiro /'taɪərəʊ/ *n* نوچه، مبتدی، آدم ناشی
'tis /tɪz/ [مختصر it is]
tissue /'tɪʃu:/ *n* بافته، منسوج، قماش، پارچه؛ بافت، نسج؛ [مجازاً] رشته [a tissue of lies]
tissue(-paper) /'tɪʃu:(peɪpə(r)/ *n* کاغذ زرورقی
tit /tɪt/ *n*
tit for tat این به آن در
give tit for tat عیناً تلافی کردن
tit /tɪt/ = titlark; titmouse
Titan /'taɪtn/ *n* پهلوان؛ غول
titanic /taɪ'tænɪk/ *adj* عظیم(الجثه)
titbit /'tɪtbɪt/ *or* **tidbit** /'tɪdbɪt/ *n* لقمه لذیذ؛ خبرخیلی‌خوب
tithe /taɪð/ *n* ده یک، عشریه
titillate /'tɪtɪleɪt/ *vt* (از لحاظ جنسی) تحریک کردن
tit(t)ivate /'tɪtɪveɪt/ *vt,Col* (خود را) آراستن، درست کردن (مو)
titlark /'tɪtlɑ:k/ *n* سِسک حرامزاده
title /taɪtl/ *n* لقب؛ سمت؛ عنوان؛ حق (مالکیت)، استحقاق، شایستگی؛ عیار
under the title of به عنوانِ
titled /'taɪtld/ *adj* لقب‌دار، صاحب لقب
title-deed /'taɪtl di:d/ *n* قباله، سند مالکیت
titmouse /'tɪtmaʊs/ *n* [-mice] [جانورشناسی] چرخ ریسک
titter /'tɪtə(r)/ *vi* آهسته خندیدن، نخودی خندیدن
tittle /'tɪtl/ *n* ذرّه، خرده
tittle-tattle /'tɪtl,tætl/ *n,vi* = gossip
titular /'tɪtjʊlə(r)/ *adj,n* ۱.لقب‌دار؛ اسمی ۲.متصدی اسمی
to /tə,tʊ/ *prep* به؛ به طرفِ؛ پیشِ، نزدِ؛ تا؛ نسبت به؛ در برابرِ، در مقابلِ؛ با
to die مردن
I went to sing رفتم که بخوانم
doctor to the firm پزشکِ شرکت
take to wife به‌زنی گرفتن
inferior to پست‌تر یا بدتر از
as to نسبت به، و اما دربارهٔ
What is that to you? به شما چه؟
It was difficult to explain توضیح آن دشوار بود
I told him to go به او گفتم برود
I heard him (to) complain شنیدم گله می‌کرد [اگر مصدر با فعل do,see,hear,have,need,let,make ترکیب شود نشان مصدری یعنی to معمولاً از جلو آن می‌افتد]
make laugh خنداندن
Let me go (بگذارید) بروم
to /tu:/ *adv* پیش؛ پس؛ در وضعِ مطلوب
to and fro پس و پیش
Push the door to در را پیش کنید
toad /təʊd/ *n* نوعی وزغ که فقط هنگامِ تخم‌ریزی در آب می‌رود
toadstool /'təʊdstu:l/ *n* نوعی قارچ سمی
toady /'təʊdɪ/ *n,vi* ۱.چاپلوس، متملق ۲.مداهنه کردن
toast /təʊst/ *n,vt* ۱.نان سوخاری؛ نوشیدن مشروب به سلامتی کسی؛ کسی که به سلامتی او می‌نوشند ۲.سرخ کردن، برشته کردن؛ گرم کردن؛ به‌سلامتی یا دوستکامی (کسی) نوشیدن
toaster *n* وسیلهٔ برشته کردن نان
tobacco /tə'bækəʊ/ *n* تنباکو، توتون
toboggan /tə'bɒgən/ *n* نوعی سورتمهٔ دراز و بی‌غلتک
tocsin /'tɒksɪn/ *n* زنگ آژیر؛ آژیر
today /tə'deɪ/ *adv,n* امروز
toddle /'tɒdl/ *n,vi* تاتی (کردن)
toddy /'tɒdɪ/ *n* نوعی عرق
to-do /tə 'du:/ *n* قیل‌وقال؛ اضطراب
toe /təʊ/ *n,vt* ۱.انگشت پا؛ پنجه کفش یا جوراب ۲.با نوک پا زدن
toe the line تابع مقررات (حزب) بودن، پا را از خط (انتظامات) بیرون نگذاشتن
step on one's toes پا روی دُم کسی گذاشتن
toe-cap /'təʊkæp/ *n* [در کفش و پوتین] پنجه
toff /tɒf/ *n,Col* شخص آقامنش و خوش‌لباس
toffee *or* **toffy** /'tɒfɪ US: tɔ:fɪ/ *n* نوعی شیرینی
tog /tɒg/ *vt* [-ged] *Col* شیک و پیک پوشیدن
tog oneself up (*or* out) چسان فسان کردن
toga /'təʊgə/ *n* نوعی عبا یا ردا در روم باستان
together /tə'geðə(r)/ *adv* با هم؛ به هم
together with با، به ضمیمهٔ، به اضافهٔ

togs *npl,Col* لباس

toil /tɔɪl/ *vi,n* ۱.زحمت کشیدن ۲.کار سخت؛ [در جمع] دام

in the toils گرفتار، بیچاره

toiler *n* زحمتکش، رنجبر

toilet /'tɔɪlɪt/ *n* آرایش؛ مستراح

toilet-paper /'tɔɪlɪt peɪpə(r)/ *n* کاغذ توالت

toilful /'tɔɪlfl/ *adj* = toilsome

toilsome /'tɔɪlsəm/ *adj* پُر زحمت

token /'təʊkən/ *n* نشان؛ یادگاری

token money پول اعتباری، پول نماینده

told /təʊld/ [*p,pp of* tell]

tolerable /'tɒlərəbl/ *adj* قابل تحمل؛ نسبتاً خوب، میانه، متوسط

tolerably *adv* به‌طور قابل تحمل؛ به‌طور متوسط

tolerance /'tɒlərəns/ *n* اغماض (نسبت به عقاید و اعمال سایرین)؛ تحمل، بردباری

tolerant /'tɒlərənt/ *adj* اغماض‌کننده نسبت به عقاید و رفتار سایرین، بردبار

tolerate /'tɒləreɪt/ *vt* تحمل کردن، بر خود هموار کردن؛ روا دانستن

toleration /ˌtɒlə'reɪʃn/ *n* بردباری، تحمل؛ آزاد گذاردن مردم در عقاید مذهبی؛ اغماض

toll /təʊl/ *n* [راه و پل و غیره] عوارض

take toll of عوارض گرفتن از؛ [مجازاً] تلفات زیاد وارد کردن بر

toll /təʊl/ *vt,vi,n* ۱.آهسته و منظم زدن (زنگ) ۲.صدای موزون دادن ۳.صدای موزون زنگ

toll-bar /'təʊlbɑ:(r)/ *n* تیرکِ راه بند

toll-house /'təʊl haʊs/ *n* کیوسک عوارضی

tomahawk /'tɒməhɔ:k/ *n,vt* ۱.تبر سرخپوستان ۲.با تبرزین زدن

tomato /tə'mɑ:təʊ US: tə'meɪtəʊ/ *n* [-es] گوجه‌فرنگی

tomb /tu:m/ *n* گور، آرامگاه

the tomb مرگ، اجل

tomboy /'tɒmbɔɪ/ = hoyden

tombstone /'tu:mstəʊn/ *n* سنگ قبر

tom-cat /'tɒm kæt/ *n* گربهٔ نر

tome /təʊm/ *n* جلد (بزرگ)، مجلد، دفتر

tomfool /ˌtɒm'fu:l/ *n* آدم نادان، احمق

tomfoolery /ˌtɒm'fu:lərɪ/ *n* کار احمقانه

Tommy Atkins /'tɒmɪ 'ætkɪnz/ *n* سرباز انگلیسی

tommy rot /ˌtɒmɪ 'rɒt/ *Sl* مهمل، چرند؛ حماقت محض

tomorrow /tə'mɒrəʊ/ *adv,n* فردا

the day after tomorrow پس‌فردا

tomorrow week هشت روز دیگر

Tom Thumb /'tɒm 'θʌm/ *n* کوتوله

tomtit /'tɒmtɪt/ = titmouse

tom-tom /'tɒm tɒm/ *n* [موسیقی] تام‌تام، طبل بِاریک و بلندی که با دست می‌نوازند

ton /tʌn/ *n* تُن

long ton تن ۲۲۴۰ پاوندی، تن انگلیسی، تن بلند

short ton تن ۲۰۰۰ پاوندی

tone /təʊn/ *n,vt,vi* ۱.آهنگ، دانگ صدا؛ تکیه صدا؛ پرده؛ تـه‌رنگ؛ سـایه؛ [مـجازاً] لحـن؛ حالت؛ اخلاق و روحیه عـمومی؛ بـهبود ۲.دارای آهنگ مطلوب کردن؛ کوک کردن ۳.جور شدن

tone down ملایم کردن؛ فرونشاندن؛ ملایم شدن؛ خوابیدن

tone up نیرومند کردن؛ نیرومند شدن

toneless *adj* بی‌روح

tong /tɒŋ/ *n* انجمن سرّی چینی‌ها

tongs /tɒŋz/ *npl* انبر؛ قندگیر

a pair of tongs = tongs

tongue /tʌŋ/ *n* زبان؛ زبانه؛ [در کفش و پوتین] برگه

give tongue داد زدن؛ پارس کردن

have one's tongue in one's cheek به طعنه حرف زدن

tongue-tied /'tʌŋ taɪd/ *adj* زبان بسته؛ گنگ

tonic /'tɒnɪk/ *n* داروی تقویتی

tonight /tə'naɪt/ *adv* امشب

tonnage /'tʌnɪdʒ/ *n* ظرفیتِ کشتی یا عوارضی که روی آن می‌گیرند

tonsil /'tɒnsl/ *n* بادامک، لوزه

tonsillitis /ˌtɒnsɪ'laɪtɪs/ *n* [پزشکی] التهاب لوزتین

tonsorial /tɒn'sɔ:rɪəl/ *adj* مربوط‌به سلمانی یا دلاکی [در زبان شوخی]

tonsure /'tɒnʃə(r)/ *n* سرتراشی راهب؛ قسمت تراشیدهٔ سرِ کشیش

too /tu:/ *adv* پُر، زیاد؛ نیز، هم

too much rain باران بیش از اندازه

It is too high to touch آن‌قدر بلند است که دست به آن نمی‌رسد

The shoes are too tight for me. کفشها برای من تنگ است.

It is one too many یکی زیاد است

go too far اغراق گفتن؛ شورش را درآوردن

We have rugs, too قالیچه هم داریم
took /tʊk/ [*p of* take]
tool /tu:l/ *n,vt* ۱.آلت، افزار، ابزار ۲.زرکوب کردن (پشت جلد کتاب)
toot /tu:t/ *n,v* ۱.[در بوق و سوت] صدای تیز ۲.بوق زدن، سوت زدن؛ صدای نکره درآوردن (از)
tooth /tu:θ/ *n* [teeth] دندان؛ دندانه؛ دنده
in the teeth of علی‌رغمِ
cast a thing in a person's teeth چیزی را به رُخ کسی کشیدن
armed to the teeth کاملاً مسلح، تا دندان مسلح
show one's teeth تهدید کردن، چنگ و دندان نشان دادن
tooth and nail با تمام وسایل و قوا، با چنگ و دندان
toothache /'tu:θeɪk/ *n* دندان درد
toothbrush /'tu:θbrʌʃ/ *n* مسواک
toothless *adj* بی‌دندان
toothpaste /'tu:θpeɪst/ *n* خمیردندان
toothpick /'tu:θpɪk/ *n* خلال دندان
tooth-powder /'tu:θ paʊdə(r)/ *n* گَردِ دندان
toothsome /'tu:θsəm/ *adj* خوشمزه
tootle /'tu:tl/ *vi,Col* فلوت زدن، صدای نی درآوردن
top /tɒp/ *n,vt* [-ped] ۱.سر؛ نوک؛ رو؛ قله؛ بالا؛ اوج؛ [به صورت صفت] فوقانی؛ (در) منتها درجه ۲.دارای سر یا نوک کردن؛ نوک (چیزی را) زدن؛ بالا(ی چیزی) رفتن؛ بهتر یا بلندتر بودن از
top speed حداکثر سرعت
top hat کلاه سیلندر
top dog *Sl* شخص غالب یا ظالم
top /tɒp/ *n* فرفره
topaz /'təʊpæz/ *n* یاقوت زرد، زبرجد هندی
top-boot /'tɒp bu:t/ *n* چکمهٔ سواری
top-coat /'tɒpkəʊt/ *n* = overcoat
top-dress /ˌtɒp 'dres/ *vt* از رو کود دادن
tope /təʊp/ *vi* نوشابهٔ زیاد خوردن
topee *or* **topi** /təʊ'pi:/ *n* نوعی کلاه سبک تابستانی
top-hole /'tɒphəʊl/ *n,col* عالی، درجه یک
topic /'tɒpɪk/ *n* موضوع؛ مبحث، عنوان
topical /'tɒpɪkl/ *adj* موضوع‌دار؛ [پزشکی] موضعی
topknot /'tɒpnɒt/ *n* کاکل؛ گُلی از پر یا نوار که بر سر بگذارند
topless *adj* [زن] سینه عریان؛ [لباس] بدون بالاتنه

topmost /'tɒpməʊst/ *adj* بالاترین، بلندترین
topographer /tə'pɒgrəfə(r)/ *n* *or* **topographist** نقشه‌بردار عوارض زمین
topograpic(al) /ˌtɒpə'græfɪk(l)/ *adj* مربوط‌به نقشه‌برداری عوارض زمین
topography /tə'pɒgrəfɪ/ *n* نقشه‌برداری عوارض زمین؛ موضع‌نگاری، تشریح موضعی؛ شرح کیفیات هر محل
topper /'tɒpə(r)/ *n,Col* کلاه سیلندر (یا top hat) ؛ آدم خوب
topping *adj,Col* عالی
topple /'tɒpl/ *v* رمبیدن، واژگون کردن یا شدن [با over یا down]
topsy-turvy /ˌtɒpsɪ 'tɜ:vɪ/ *adv,adj* ۱.وارونه ۲.وارونه ،درهم‌برهم
toque /təʊk/ *n* کلاه کوچک بی‌لبه
torch /tɔ:tʃ/ *n* مشعل؛ چراغ قوه
torch-bearer /'tɔ:tʃbeərə(r)/ *n* مشعل‌دار
tore /tɔ:(r)/ [*p of* tear]
toreador /'tɒrɪədɔ:(r)/ *n* گاوباز (سواره)
torment /'tɔ:ment/ *n* عذاب
torment /tɔ:'ment/ *vt* عذاب دادن، زجر دادن
torn /tɔ:n/ [*pp of* tear]
tornado /tɔ:'neɪdəʊ/ *n* [-es] گردباد سخت
torpedo /tɔ:'pi:dəʊ/ *n* [-es] اژدر
torpedo-boat /tɔ:'pi:dəʊ bəʊt/ *n* اژدرافکن
torpedo-tube /tɔ:'pi:dəʊ tju:b/ *n* اژدرانداز
torpid /'tɔ:pɪd/ *adj* خوابیده، بی‌حس
torpidity /tɔ:'pɪdətɪ/ *n* = torpor
torpor /'tɔ:pə(r)/ *n* سستی، بی‌حسی؛ بی‌حالی
torque /tɔ:k/ *n* طوق چنبره‌ای
torrent /'tɒrənt/ *n* سیلاب
torrential /tə'renʃl/ *adj* سیل‌آورده
torrid /'tɒrɪd US: 'tɔ:r-/ *adj* زیاد گرم؛ سوزان
torrid zone منطقه حارّه
torsion /'tɔ:ʃn/ *n* [پزشکی] پیچش؛ پیچ‌خوردگی؛ پیچیدگی؛ تاب
torso /'tɔ:səʊ/ *n* تنه؛ پیکرهٔ تنه؛ [مجازاً] کار ناقص
tort /tɔ:t/ *n* [حقوق] شبه جرم
tortoise /'tɔ:təs/ *n* لاک‌پشت
tortoiseshell /'tɔ:təsʃel/ *n,adj* ۱.پوستِ لاک‌پشت (دریایی) ۲.سیاه و سفید، دورنگ
tortuous /'tɔ:tʃʊəs/ *adj* پیچاپیچ
torture /'tɔ:tʃə(r)/ *n,vt* ۱.شکنجه ۲.شکنجه کردن، زجر دادن؛ [مجازاً] بدتعبیر کردن، تحریف کردن

put to the torture شکنجه کردن
Tory /'tɔ:rɪ/ *n* محافظه‌کار (افراطی)
tosh /tɒʃ/ *n,Sl* حرف مفت، مهمل، چرند
toss /tɒs US: tɔ:s/ *vt,vi,n*
۱.بالا انداختن؛ پرت کردن؛ غلتاندن؛ متلاطم کردن ۲.لولیدن؛ متلاطم شدن ۳.شیر یا خط؛ جنبش؛ پرت‌شدگی
toss (up) a coin شیر یا خط کردن
toss off سرکشیدن؛ زود انجام دادن
take a toss پرت شدن (از اسب)
toss-up /'tɒs ʌp/ *n* شیر یا خط؛ مسئلهٔ مشکوک
tot /tɒt/ *n,vt,vi* [-ted] ۱.کوچولو؛ جرعه ۲.[در گفتگو] جمع زدن [باup] ۳.بالغ شدن [با up]
total /'təʊtl/ *n,adj,vt* [-led] ۱.مجموع، جمع ۲.کل؛ کلی، تام؛ کامل، مطلق؛ جامع ۳.جمعاً بالغ شدن بر؛ جمع زدن
sum total جمع کل
totalitarian /ˌtəʊtælɪ'teərɪən/ *adj* خودکامه؛ یکه تاز
totalitarian state حکومت تک‌حزبی
totality /təʊ'tælətɪ/ *n* همگی، تمامی، تمامیت، کلیت؛ جمع، مجموع؛ مدت کسوف تام
totalizer /'təʊtəlaɪzə(r)/ *n or*
totalizator ماشین ثبتِ شرط‌بندیها در مسابقات اسبدوانی
totally /'təʊtelɪ/ *adv* جمعاً، کلاً، تماماً، به کلی
totter /'tɒtə(r)/ *vi* تاتی کردن؛ تلوتلو خوردن، [مجازاً] متزلزل بودن
toucan /'tu:kæn/ *n*
نوعی مرغِ بزرگ منقار در امریکای جنوبی
touch /tʌtʃ/ *vt,n* ۱.دست زدن (به)، لمس کردن؛ تماس کردن با؛ راجع بودن به؛ متأثر کردن؛ برابری کردن با ۲.لمس؛ تماس؛ لامسه، بساوایی؛ دستکاری؛ پنجه‌گذاری؛ سبک ویژه؛ اثرِ جزئی؛ خرده، اندک؛ عیب، لکه
touch *(vi)* (up)on کمی بحث کردن
touch one on the shoulder
دست بر شانهٔ کسی زدن
touch at a port به بندری آمدن
touch off در کردن (توپ)
touch the spot کار لازم را انجام دادن
touch up دستکاری کردن
It touched him to the quick
به (احساسات) او برخورد
(slightly) touched خُل

keep in touch with آگاه بودن از، تماس داشتن با
put to the touch محک زدن
Touch wood گوش شیطان‌کر
touch-and-go /ˌtʌtʃ ən 'gəʊ/ *adj* مشکوک، خطرناک
touching /'tʌtʃɪŋ/ *apa,prep* ۱.مؤثر، رقت‌انگیز، سوزناک ۲.دربارهٔ
touchstone /'tʌtʃstəʊn/ *n* سنگ محک، معیار
touchy /'tʌtʃɪ/ *adj* زودرنج، نازک نارنجی؛ حساس
tough /tʌf/ *adj* پی‌مانند، چرم‌مانند؛ سفت؛دشوار؛ پُرطاقت؛ ناتو
toughen /'tʌfn/ *v* سفت کردن؛ سفت شدن؛ پی مانند کردن؛ پی مانند شدن
toupee /'tu:peɪ/ *n* کاکل مصنوعی
tour /tʊə(r)/ *n,v* ۱.سفر؛ سیاحت ۲.مسافرت یا گردش کردن (در)
touring car اتومبیل بزرگ سیاحتی
tourist *n* سیاح، جهانگرد
tournament /'tɔ:nəmənt/ *n* مسابقات
tourney /'tɜ:nɪ/ *n*
شمشیر بازیِ سواره در قرون وسطی
tourniquet /'tʊənɪkeɪ/ *n*
[پزشکی] شریان بند، تورنیکه
tousle /'taʊzl/ *vt* برهم زدن، ژولیده کردن (مو)؛ مچاله کردن
tout /taʊt/ *vi,n* ۱.مشتری جلب کردن ۲.مشتری‌جو؛ کسی که با گرفتن پول اطلاعاتی راجع به اسبدوانی می‌دهد
tow /təʊ/ *vt* (به) دنبال خود کشیدن
tow /təʊ/ *n* پس‌ماندهٔ الیافِ کتان و شاهدانه
toward /tə'wɔ:d/ *prep* = towards
toward /tə'wɔ:d/ *adj, Arch* در جریان، واقع‌شونده؛ قریب‌الوقوع
towards /tə'wɔ:dz/ *prep* به سویِ، به طرفِ؛ نسبت به؛ مقارنِ
towel /'taʊəl/ *n* حوله
towel-horse; towel-rack جاحوله‌ای
towel(l)ing *n* پارچهٔ حوله‌ای
tower /'taʊə(r)/ *n,vi* ۱.برج ۲.قد کشیدن؛ سرآمد شدن
towering *apa* بلند؛ [مجازاً] سخت
town /taʊn/ *n* شهر؛ شهر کوچک، شهرک
town council انجمن شهرداری
town hall عمارت دولتی برای انجمن شهرداری و اجتماعات عمومی

a man about town شخص خوشگذران
townsfolk /'taʊnzfəʊk/ *n* اهالی شهر
township /'taʊnʃɪp/ *n* شهرستان
townsman /'taʊnzmən/ *n* [-men] اهل شهر، شهری؛ همشهری
toxaemia /tɒk'si:mɪə/ *n* [پزشکی] مسمومیت خون؛ زهر خونی، توکسمی
toxic /'tɒksɪk/ *adj* سمی؛ زهراگین
toxicology /ˌtɒksɪ'kɒlədʒɪ/ *n* زهرشناسی، سم‌شناسی
toxin /'tɒksɪn/ *n* سم؛ توکسین؛ زهر(ابه)
toy /tɔɪ/ *n,adj,vi* ۱.اسباب‌بازی،بازیچه ۲.درخورِ بازیچه؛ کوچولو ۳.بازی کردن
trace /treɪs/ *n,vt* ۱.اثر، نشان؛ رد(پا) ۲.طرح یا ترسیم کردن، کشیدن [گاهی با out]؛ باکاغذ شفاف‌گرده برداشتن؛ رد (چیزی یا کسی را) گرفتن؛ تعقیب کردن؛ به اشکال دیدن، به اشکال پیدا کردن
trace /treɪs/ *n* تسمه یا طنابِ مال‌بند
kick over the traces لگد انداختن، سرکشی کردن، یاغی شدن
tracer *n* گلولهٔ رسام
tracery /'treɪsərɪ/ *n* نقشه؛ تزیین
trachea /trə'kɪə/ *n* [-cheae] نای، قصبة‌الریه
tracing *n* ترسیم؛ گرده؛ اثر
tracing-paper کاغذ گرده‌برداری، چربه
track /træk/ *n,vt* ۱.ردپا، پی؛ مسیر؛ خط؛ راه، جاده؛ سُراغ، اثر ۲.ردپا (ی کسی را) گرفتن
on the track of در تعقیبِ؛ مراقبِ
off the track از موضوع پرت
keep track of... در جریانِ... بودن
track down a person ردپای کسی را گرفتن و او را دستگیر کردن
make tracks for یک‌راست رفتن به
racklayer /'trækleɪə(r)/ *n* ریل‌گذار
ract /trækt/ *n* ناحیه؛ قطعه؛ رساله؛ [کالبدشناسی] دستگاه
ractability /ˌtræktə'bɪlətɪ/ *n* نرمی، استعداد رام شدن
ractable /'trækəbl/ *adj* رام شدنی، نرم، سست مهار
raction /'trækʃn/ *adj* کشش؛ نیروی کشش، اصطکاک
actor /'træktə(r)/ *n* تراکتور
ade /treɪd/ *n,vi,vt* ۱.بازرگانی، تجارت، کسب؛ حرفه، پیشه، صنعت ۲.دادوستد کردن؛ [در گفتگوی از کشتی] کالا بردن ۳.مبادله کردن، معاوضه کردن
He is a blacksmith by trade. پیشه‌اش آهنگری است.
trade in for بابت بها(ی کالای نو) دادن، معامله کردن
trade off [اصطلاح کسبه] آب کردن
trade (up)on سوءاستفاده کردن از
trader *n* بازرگان؛ کشتی بازرگانی
tradesman /'treɪdzmən/ *n* [-men] کاسب، دکاندار؛ صنعتگر
tradespeople /'treɪdzpi:pl/ = tradesfolk /'treɪdzfəʊk/ *n* کسبه، دکاندارها
trade-union /ˌtreɪd 'ju:nɪən/ *n* اتحادیه‌کارگری
tradition /trə'dɪʃn/ *n* سنت؛ رسم، عرف؛ حدیث
traditional /trə'dɪʃənl/ *adj* سنتی؛ قدیمی، کهن؛ حدیثی
traduce /trə'dju:s/ *vt* افترا زدن به؛ بدنام کردن، رسوا کردن
traffic /'træfɪk/ *n,vi* [-ked] ۱.آمدوشد، عبورومرور؛ حمل‌ونقل؛ دادوستد ۲.دادوستد کردن
traffic circle میدان، فلکه
trafficator /'træfɪkeɪtə(r)/ *n* [اتومبیل] چراغ راهنما
trafficker *n* سوداگر، فروشنده
tragedian /trə'dʒi:dɪən/ *n* [*fem* -dienne] هنرپیشهٔ تراژدی
tragedy /'trædʒədɪ/ *n* تراژدی، غمنامه؛ مصیبت
tragic /'trædʒɪk/ *adj* وابسته به تراژدی؛ غم‌انگیز
tragical = tragic
trail /treɪl/ *n,vt,vi* ۱.جاپا، رد؛ دنباله؛ [در توپ] گاوآهن؛ خط، اثر؛ کوره راه ۲.کشیدن؛ جاده درست کردن‌در؛ رد (چیزی را) گرفتن ۳.کشیده شدن
trailer *n* گیاه خزنده؛ تریلر
train /treɪn/ *n* قطار؛ [لباس] دنباله؛ رشته؛ ملتزمین
train /treɪn/ *vt,vi* ۱.تربیت کردن؛ مشق دادن، تعلیم دادن [سلاح، دوربین و غیره] نشانه گرفتن ۲.تمرین کردن، تعلیم گرفتن
train-bearer /'treɪn beərə(r)/ *n* کسی که دنبالهٔ لباس زنی را می‌گیرد
trainee /treɪni:/ *n* کارآموز
trainer *n* مربی

training *n* تعلیم؛ کارآموزی، تحصیل
trait /treɪt/ *n* ویژگی، صفت مشخصه؛ خط؛ اثر
traitor /'treɪtə(r)/ *n* [*fem* -tress] (شخص) خائن
a traitor to خائنِ، خائن نسبت به
traitorous /'treɪtərəs/ *adj* خیانت‌آمیز
trajectory /trə'dʒektərɪ/ *n* مسیر گلوله
tram /træm/ *n* تراموا
tramcar /'træmkɑ:(r)/ *n* تراموا
trammel /'træml/ *vt* [-led] دچار موانع کردن
trammels *npl* موانع
tramp /træmp/ *vi,vt,n* ۱.سنگین راه رفتن ۲.پیاده عبور کردن از ۳.صدای پا؛ پیاده‌روی؛ آدم خانه به‌دوش
tramp it به‌چاک جاده زدن
trample /'træmpl/ *vt,n* ۱.پایمال‌کردن، لگدکردن ۲.صدای پا، صدای لگد
trample on *vi* بی‌اعتنایی کردن به
tramway /'træmweɪ/ *n* (خط) تراموا
trance /trɑ:ns/ *n* خلسه؛ جذبه
tranquil /'træŋkwɪl/ *adj* آرام، آسوده
tranquillity /træŋ'kwɪlətɪ/ *n* آسایش
tranquillize /'træŋkwɪlaɪz/ *vt* آرام کردن، آسوده (خاطر) کردن
transact /træn'zækt/ *vi,vt* ۱.معامله کردن ۲.از پیش بردن
transaction /træn'zækʃn/ *n* معامله؛ انجام؛ اداره؛ [در جمع] خلاصهٔ مذاکرات
transatlantic /,trænzət'læntɪk/ *adj* ماورای اقیانوس اطلس یا عبورکنندهٔ از آن
transcend /træn'send/ *vt,vi* ۱.مافوق (چیزی) بودن ۲.فایق بودن
transcendence /træn'sendəns/ *n or* **-dency** تعالی؛ تنزیه، برتری
transcendent /træn'sendənt/ *adj* برتر، منزه؛ خارج از جهان مادی، متعالی
transcendental /,trænsen'dentl/ *adj* متعالی، برتر، منزه؛ قابل درک به وسیلهٔ اشراق؛ غیرتجربی
transcontinental /,trænzkɒntɪ'nentl/ *adj* عبورکننده از یک قاره، قاره‌پیما
transcribe /træn'skraɪb/ *vt* رونویس کردن، استنساخ کردن
transcript /'trænskrɪp/ *n* رونوشت، سواد
transcription /træn'skrɪpʃn/ *n* استنساخ، نسخه‌برداری؛ سواد
transfer /træns'fɜ:(r)/ *vt* [-red] واگذار کردن، انتقال دادن؛ نقل کردن
transfer /træns'fɜ:(r)/ *n* انتقال، واگذاری؛ نقل؛ سند انتقال، سند واگذاری؛ حواله
transferable /træns'fɜ:rəbl/ *adj* قابل انتقال
transferee /trænsfə'ri:/ *n* منتقل‌الیه
transferor *n* واگذارکننده، منتقل، انتقال‌دهنده
transfiguration /,trænsfɪgə'reɪʃn/ *n* تبدیل هیئت
transfigure /træns'fɪgə(r)/ *vt* صورت (چیزی) را تغییر دادن؛ نورانی کردن
transfix /træns'fɪks/ *vt* سوراخ کردن
He was transfixed in his place.
در جای خود خشک شد.
transform /trans'fɔ:m/ *vt* تغییر شکل دادن
transformation /,trænsfə'meɪʃn/ *n* تغییرشکل؛ استحاله؛ تبدیل؛ تأویل
transformer *n* مبدل
transfuse /træns'fju:z/ *vt* ظرف به ظرف کردن؛ [خون] از رگ شخصی به رگ شخص دیگر انتقال دادن
transfusion /træns'fju:ʒn/ *n* انتقال(خون)؛ انتقال از یک‌ظرف به‌ظرف دیگر
transgress /trænz'gres/ *vt* تجاوز کردن از
transgression /trænz'greʃn/ *n* سرپیچی، تخلف، تجاوز؛ خطا، گناه
transgressor /trænz'gresə(r)/ *n* تجاوزکار؛ خطاکار
tranship /træn'ʃɪp/ *vt* = trans-ship
transience /'trænzɪəns/ *n or* **-cy** ناپایداری، بی‌ثباتی؛ کوتاهی
transient /'trænzɪənt/ *adj* زودگذر، گذرا، فانی
transit /'trænzɪt/ *n* ترانزیت، عبور
in transit در راه
transition /træn'zɪʃn/ *n* انتقال، گذار؛ عبور؛ تحول؛ مرحلهٔ تغییر؛ ارتباط مطالب
transitional /træn'zɪʃənl/ *adj* = transitionary
transitionary /træn'zɪʃənerɪ/ *adj* انتقالی
transitive /'trænsətɪv/ *adj* [دستورزبان] متعدی
transitory /'trænsɪtrɪ/ *adj* زودگذر
translate /trænz'leɪt/ *vt* ترجمه کردن؛ انتقال دادن، بردن
translation /trænz'leɪʃn/ *n* ترجمه؛ انتقال
translator *n* مترجم
transliterate /trænz'lɪtəreɪt/ *vt* [زبانشناسی] حرف‌نویسی کردن
transliteration /,trænzlɪtə'reɪʃn/ *n* ... حروفی، نمایش تلفظ به حروفِ زبان دیگر؛ [زبانشناسی] حرف‌نویسی

translucence/trænzˈlu:sns/ *n or* **-cency** نیم‌شفافی
translucent/trænzˈlu:snt/ *adj* نیم‌شفاف
transmigration/ˌtrænzmaɪˈgreɪʃn/ *n* تناسخ
transmission/trænzˈmɪʃn/ *n* انتقال؛ عبور؛ سرایت؛ ارسال
transmit/trænzˈmɪt/ *vt* [-ted] فرستادن؛ انتقال دادن؛ رساندن؛ عبور دادن
transmitting set دستگاه فرستنده
transmutation/ˌtrænzmju:ˈteɪʃn/ *n* تبدیل، تغییر شکل؛ قلب ماهیت، استحاله
transmute/trænzˈmju:t/ *n* تبدیل کردن؛ از حیث ماهیت قلب کردن
transoceanic/ˌtrænzˌəʊʃɪˈænɪk/ *adj* ماورای اقیانوسی
transom/ˈtrænsəm/ *n* [معماری] کمرکش، آلت افقی (کلاف در و پنجره)
transparence/trænsˈpærəns/ *n* = transparency
transparency *n* شفافیت
transparent/trænsˈpærənt/ *adj* شفاف؛ روشن؛ [مجازاً] آشکار
transpire/trænˈspaɪə(r)/ *vi,vt* ۱.نفوذ کردن؛ بخار پس دادن؛ [مجازاً] فاش شدن ۲.(به‌شکل بخار) خارج کردن
transplant/trænsˈplɑ:nt/ *vt* در جای دیگر نشاندن یا نشا کردن؛ به جای دیگر پیوند کردن
transport/ˈtrænspɔ:t/ *n* بارکشی، حمل‌ونقل
transport/trænˈspɔ:t/ *vt* بُردن، حمل کردن
He was transported with joy. از خوشی در پوست نمی‌گنجید.
transportation/ˌtrænspɔ:ˈteɪʃn/ *n* حمل و نقل، بارکشی؛ تبعید؛ انتقال
transpose/trænˈspəʊz/ *vt* جابه‌جا کردن؛ [در جبر] به طرف دیگر معادله بردن
transposition/ˌtrænspəˈzɪʃn/ *n* تقدیم و تأخیر؛ جابه‌جاشدگی
trans-ship/trænˈʃɪp/ *vt* [-ped] به کشتی یا نقلیهٔ دیگر انتقال دادن
trans-shipment *n* انتقال به کشتی یا به نقلیهٔ دیگر
transverse/ˈtrænzvɜ:s/ *adj* متقاطع؛ اُریب
trap /træp/ *n,vt,vi* [-ped] ۱.تله، دام؛ [سیفون] آبگیر، زانویی برای دفع تعفن؛ دریچه ۲.تله انداختن ۳.حبس شدن
trapdoor /ˌtræpˈdɔ:(r)/ *n* دریچه
trapeze /trəˈpi:z US: træ-/ *n* ذوزنقهٔ ورزشی
trapezium /trəˈpi:zɪəm/ *n* (شبه) ذوزنقه
trapezoid /ˈtræpɪzɔɪd/ *n* شبه ذوزنقه؛ ذوزنقه
trapper *n* کسی که جانوران خزدار را با دام می‌گیرد
trappings /ˈtræpɪŋz/ *npl* تجملات
trash /træʃ/ *n* آشغال، بنجل؛ مهمل
trashy *adj* مهمل، چرند
travail /ˈtræveɪl/ *n,vi, Arch* ۱.دردِ زه؛ زایمان ۲.درد بردن
travel /ˈtrævl/ *v* [-led] *,n* ۱.سفر کردن؛ سیر کردن؛ (راه) پیمودن ۲.مسافرت؛ [در جمع] سفرنامه
traveller *n* مسافر
traveller's cheque چک مسافرتی
travelogue /ˈtrævəlɒg US: -lɔ:g/ *n* شرحِ مسافرت به وسیله عکس یا فیلم
traverse /ˈtrævɜ:s US: trəˈvɜ:s/ *n,vt* ۱.تیر یا ساختمان عرضی ۲.پیمودن، عبور کردن؛ تکذیب کردن؛ بحث کردن
It is traversed by a bridge پلی روی آن زده‌اند
travesty /ˈtrævəstɪ/ *vt,n* ۱.به صورت هجو درآوردن ۲.تقلید؛ هجو، تعبیر هجوآمیز
trawl /trɔ:l/ *vt,vi,n* ۱.کشیدن ۲.با تور کیسه‌ای ماهی گرفتن ۳.دام کیسه‌ای که در ته دریا کشیده می‌شود
tray /treɪ/ *n* سینی؛ سبدِ اوراق؛ کازیه
soap-tray جاصابونی
treacherous /ˈtretʃərəs/ *adj* خیانت‌آمیز؛ خائن
treacherously *adv* خائنانه
treachery /ˈtretʃərɪ/ *n* خیانت
treacle /ˈtri:kl/ *n* شیرهٔ قند
treacly /ˈtri:klɪ/ *adj* شیره‌مانند، چسبناک
tread /tred/ *vi,vt* [trod; trodden] *,n* ۱.پاگذاشتن، [با on] لگدکردن ۲.باپا له کردن؛ برداشتن(قدم) ۳.صدای‌پا، قدم، گام؛ کف پله؛ [لاستیک] آج
tread down پایمال کردن، لگد کردن
tread the boards هنرپیشگی کردن
tread in a person's (foot-) steps به‌کسی تأسی کردن
tread a measure رقصیدن
tread on air از خوشی در پوست نگنجیدن
treadle /ˈtredl/ *n* پاتخته، رکاب
treason /ˈtri:zn/ *n* خیانت

high treason خیانت به پادشاه یا دولت
treasonable /'tri:zənəbl/ *adj* خیانت‌آمیز
treasure /'treʒə(r)/ *n,vt* ۱.گنج، خزانه ۲.ذخیره کردن [بیشتر باup]؛ نفیس داشتن
treasure-trove گنج، دفینه
treasurer *n* خزانه‌دار
treasury /'treʒərɪ/ *n* خزانه‌داری؛ [مجازاً] گنج دانش؛ جُنگ، منتخبات
treat /tri:t/ *vt,vi,n* ۱.رفتار کردن با؛ بحث کردن (در)؛ معالجه کردن؛ مهمان کردن ۲.بحث کردن ۳.لذت، کیف؛ سور، مهمانی
treat as تلقی کردن، پنداشتن
treat with acid اسید زدن به
stand treat دیگری را مهمان کردن
treating physician پزشک معالج
treatise /'tri:tɪz US: -tɪs/ *n* رساله
treatment /'tri:tmənt/ *n* رفتار، سلوک، معامله؛ معالجه؛ طرز عمل
treaty /'tri:tɪ/ *n* پیمان، معاهده
in treaty مشغول مذاکره و عقد پیمان
treaty port بندری که طبق پیمانِ بازرگانی خارجی آزاد است
treble /'trəbl/ *adj,n,v* ۱و۲. سه‌برابر ۲.[موسیقی] صدای زیرِ پسران ۳.سه‌برابر کردن؛ سه برابر شدن
tree /tri:/ *n* درخت؛ قالب (پوتین)
up a tree حیران، مبهوت؛ گرفتار
family tree شجره، نسب‌نامه
trefoil /'trefɔɪl/ *n* شبدر؛آرایش سه‌پره
trellis /'trelɪs/ *n* شبکه؛ داربست؛ چفتهٔ مو
tremble /'trembl/ *vi,n* ۱.لرزیدن، مرتعش شدن ۲.لرزه، ارتعاش
tremendous /trɪ'mendəs/ *adj* ترسناک، مهیب؛ [در گفتگو] خیلی زیاد
tremolo /'tremələʊ/ *n* ارتعاش، تحریر
tremor /'tremə(r)/ *n* لرز، لرزش؛ تکان
tremulous /'tremjʊləs/ *adj* تحریردار، لرزش‌دار؛ ترسان، هراسان
trench /trentʃ/ *n,vt,vi* ۱.گودال، مجرا؛ خندق؛ سنگر ۲.کندن، گود کردن؛ زهکشی کردن ۳.تجاوز کردن
trenchant /'trentʃənt/ *adj* بُرنده؛ قاطع؛ نافذ
trencher /'trentʃə(r)/ *n* تختهٔ نان‌بُری
a poor trencher-man آدم کم‌خوراک
trend /trend/ *n,vi* ۱.تمایل، رَوش، روند ۲.متوجه بودن؛ تمایل داشتن

trepan /trɪ'pæn/ *vt* [-ned] سوراخ کردن (جمجمه)
trepidation /,trepɪ'deɪʃn/ *n* هراس؛ لرزه
trespass /'trespəs/ *vi,n* ۱.تجاوز کردن، تعدی کردن، تخطی کردن؛ خطا کردن ۲.تجاوز، تعدی
trespass (up) on تجاوز کردن به
trespasser *n* تجاوزکار، متخلف
tress /tres/ *n* طره؛ گیسِ بافته
golden-tressed موطلایی
trestle /'tresl/ *n* پایه، خرک
triad /'traɪæd/ *n* گروه سه‌نفری، مجموعهٔ سه جزئی
trial /'traɪəl/ *n* حاکمه؛ امتحان
on trial ـشرط امتحان؛ من‌باب امتحان
trial trip سافرت آزمایشی یا امتحانی
triangle /'traɪæŋgl/ *n* ـه‌گوشه، مثلث
triangular /traɪ'æŋgjʊlə(r)/ *adj* ـه‌گوش، ثلث؛ سه جانبه؛ سه نفری؛ سه پایه
tribal /'traɪbl/ *adj* بیله‌ای، طایفه‌ای
tribe /traɪb/ *n* بیله، طایفه، ایل؛ سِبط
tribesman /'traɪbzmən/ *n* [-men] ضوِ قبیله یا طایفه
tribulation /,trɪbjʊ'leɪʃn/ *n* حنت
tribunal /traɪ'bju:nl/ *n* دادگاه] جایگاهِ …ضی، کرسی قضاوت؛ هیئت داوری، دادگاه
tribune /'trɪbju:n/ *n* ر تاریخ روم] عضو هیئت مدافعین حقوق و آزادی …دم، حامی ملت؛ کرسی خطابه
tributary /'trɪbjʊtrɪ/ *adj,n* …خراج‌گزار، …ج‌دهنده؛ فرعی، تابع ۲.ایالت تابع؛ شاخابه، رودِ …عی
tribute /'trɪbju:t/ *n* …ج؛ [مجازاً] ستایش
pay tribute to …ایش کردن، ستودن
trice /traɪs/ *n* … لحظه
trick /trɪk/ *n,vt* حیله؛ شوخی؛ … عادت؛ حالت ویژه؛ [در بازی ورق] دست … گول زدن؛ [با out] آراستن
He did the trick (Sl) … خود راکرد، …قصود خود رسید
trick someone into doing something …ی را با حیله وادار به کاری کردن
play a trick on … زدن به
trickery *n* …ه‌گری
trickle /'trɪkl/ *vi,vt,n* چکیدن … طره‌قطره ریختن ۳.چک‌چک
trickster /'trɪkstə(r)/ *n* …ش‌بُر، شیاد
trick-track /'trɪk træk/ *n* …ی بازی نرد

tricky *adj* حقه‌باز؛ حیله‌گر؛ دشوار؛ بی‌ثبات
tricolo(u)r /'trɪkələ(r)/ *n* پرچم سه رنگ
tricycle /'traɪsɪkl/ *n* سه‌چرخه
trident /'traɪdnt/ *n* نیزهٔ سه سر
tried /traɪd/ *ppa* آزموده، قابل اطمینان
triennial /traɪ'enɪəl/ *adj* سه‌ساله؛ سه‌سال یک‌بار
trifle /'traɪfl/ *n,vi,vt* ۱.امر جزئی، مسئله کم‌اهمیت؛ چیز جزئی؛ مبلغ جزئی؛ نوعی نان مربایی با خامه ۲.بازی کردن؛ [با with] ازیچه قرار دادن، ناچیز شمردن ۳.بیهوده گذراندن [با away]
a trifle تا اندازه‌ای؛ کمی
rifling /'traɪflɪŋ/ *adj* ناچیز، جزئی
rig /trɪg/ *adj* آراسته، پاکیزه، شیک
rigger /'trɪgə(r)/ *n,vt* ۱.ماشه؛ [مجازاً] جرقه ۲.ماشه را کشیدن؛ شروع کردن، راه انداختن، به‌پا کرد
rigonometry /ˌtrɪgə'nɒmətrɪ/ *n* مثلثات
rilateral /ˌtraɪ'lætərəl/ *adj* سه‌ضلعی؛ [مجازاً] سه‌جانبه، سه‌طرفه
ilby /'trɪbɪ/ *n* نوعی کلاه نمد نرم
ill /trɪl/ *vt,vi* ۱.تحریر دادن ۲.چهچهه زدن
illion /'trɪlɪən/ *n* تریلیون
ilogy /'trɪlədʒɪ/ *n* [کتاب، نمایشنامه و غیره] سه‌تایی، ثلاثه
im /trɪm/ *adj,n,vt,vi* [-med] ۱.آراسته، پاکیزه ۲.آراستگی ۳.درست کردن، آراستن [بیش با up]؛ زدن، پیراستن [با off یا away]
n perfect trim کاملاً آراسته یا آماده
out of trim نامرتب
mmer *n* آرایشگر
mming *n* آرایش؛ چین چینی؛ [در جمع] اضافات؛ مداخل
inity /'trɪnətɪ/ *n* تثلیث [با the]
nket /'trɪŋkɪt/ *n* چیز کم‌بها
o /'tri:əʊ/ *n* قطعهٔ موسیقی برای سه نوازنده یا سه خواننده؛ گروه سه‌نفری، مجموعهٔ سه‌جزئی
p /trɪp/ *n,vi,vt* ۱.سفر (کوتاه)؛ گردش؛ لغزش، اشتباه؛ گام سبک ۲.سبک رفتن، سبک رقصی لغزیدن؛ [مجازاً] اشتباه کردن ۳. [بیشتر با لغزاندن، [در فوتبال] پشت‌پا زدن
ip up اشتباه (کسی) را کشف کردن
partite /ˌtraɪ'pɑ:taɪt/ *adj* سه‌جزئی؛ سه‌نسخه‌ای؛ سه‌جانبه
pe /traɪp/ *n* شکمبه، سیرابی
plane /'traɪpleɪn/ *n* هواپیمای سه‌باله

triple /'trɪpl/ *adj,v* ۱.سه‌گانه، سه‌جزئی؛ سه‌برابر؛ سه‌ضربی ۲.سه‌برابر کردن؛ سه‌برابر شدن
triplet /'trɪplɪt/ *n* سه چیز یکجور؛ [بچه] یکی از سه‌قلوها؛ سه‌بیتی
triplex /'trɪpleks/ *adj* سه‌جزئی؛ سه‌ضربی؛ سه‌لا
triplicate /'trɪplɪkeɪt/ *vt* سه‌برابر کردن؛ سه نسخه کردن
triplicate /'trɪplɪkət/ *adj,n* ۱.سه‌برابر ۲.(یک نسخه از) سه نسخه
tripod /'traɪpɒd/ *n* سه‌پایه
tripper *n* گردش‌کننده، سفرکننده
tripping *adj* سبک و تند
triptych /'trɪptɪk/ *n* قاب سه‌پارچه، عکس سه‌تکه
trireme /'traɪri:m/ *n* کشتی قدیمی که در هر طرف سه ردیف پاروزن داشت
trisect /traɪ'sekt/ *vt* سه‌بخش کردن
trite /traɪt/ *adj* پیش‌پا افتاده، مبتذل
Triton /'traɪtn/ *n* (نام) خدای دریاییِ یونانیان که بدن انسان و دم ماهی داشت
triumph /'traɪʌmf/ *n,vi* ۱.پیروزی؛ شادی ۲.پیروز شدن، جشن پیروزی گرفتن
triumph over the enemy بر شکستِ دشمن شادی کردن
in triumph با فیروزی و شادمانی
triumphal /traɪ'ʌmfl/ *adj* وابسته به (جشن) پیروزی؛ حاکی از پیروزی، پیروزمندانه
triumphant /traɪ'ʌmfnt/ *adj* پیروز؛ شاد
triumvir /traɪ'ʌmvə(r)/ *n* [در روم باستان] عضو اتحاد سه‌گانه
triumvirate /traɪ'ʌmvɪrət/ *n* [در تاریخ روم] گروه سه‌تن سرکردهٔ متحد
trivet /'trɪvɪt/ *n* سه‌پایه؛ دیگپایه
trivial /'trɪvɪəl/ *adj* جزئی، ناچیز
the trivial round زندگی یکنواخت روزمرّه
triviality /ˌtrɪvɪ'ælətɪ/ *n* جزئی بودن؛ سخن یا فکر عوامانه و غیر مهم
trod /trɒd/ [*P of* tread]
trodden /'trɒdn/ [*pp of* tread]
troglodyte /'trɒglədaɪt/ *n* غارنشین
Trojan /'trəʊdʒən/ *adj* منسوب به شهر قدیمیِ Troy در آسیای صغیر که به دست یونانیان فتح شد
like a Trojan با پشتکار، دلیرانه
troll /trəʊl/ *vi,vt,n* ۱.آزادانه و بدون قید خواندن ۲.با قرقره و ریسمان ماهی گرفتن ۳.غول
trolley /'trɒlɪ/ *n* چرخ‌دستی؛ [در امریکا] تراموا

trolley car /'trɒlɪ 'kɑ:(r)/ *n, US* تراموا
trollop /'trɒləp/ *n* زن شلخته؛ فاحشه
trombone /trɒm'bəʊn/ *n* [موسیقی] ترومبون
troop /tru:p/ *n,vi* ۱.گروه، دسته؛ [نظامی] عده، [در جمع] سربازان؛ اسواران ۲.با گروه رفتن
trooper *n* سوار؛ اسبِ سواره‌نظام
swear like a trooper زیاد فحش دادن
trope /trəʊp/ *n* مجاز، معنی مجازی
trophy /'trəʊfɪ/ *n* غـنیـمتِ جنگی؛ [در مسابقات ورزشی] جایزه
tropic /'trɒpɪk/ *n* مدار
tropic of Cancer مدار رأس‌السرطان
tropic of Capricorn مدار رأس‌الجدی
the tropics بین‌المدارین
tropical /'trɒpɪkl/ *adj* گرمسیری؛ گرم؛ [مجازاً] با حرارت
tropical year سال خورشیدی
trot /trɒt/ *vi,vt* [-ted] ,*n* ۱.یورتمه رفتن ۲. [با out] یورتمه بردن ۳.یورتمه
on the trot مشغول، سرگرم
troth /trəʊθ/ *n, Arch* راستی
in troth به‌راستی؛ جداً
by my troth به‌راستی؛ به شرافتم سوگند
plight one's troth قول (عروسی) دادن
trotter *n* اسب یورتمه‌رو
trotters *npl* پاچهٔ گوسفند یا خوک
troubadour /'tru:bədɔ:(r)/ *n* شاعر و سراینده فرانسوی در سده یازدهم
trouble /'trʌbl/ *n,vt,vi* ۱.زحمت، دردسر؛ رنـجوری؛ اغـتشاش ۲.زحـمت دادن؛ آشـفتن ۳.زحمت کشیدن؛ مضطرب شدن
put to trouble دردسر دادن
take trouble زحمت کشیدن
No trouble (at all) (هیچ) زحمتی نیست
get into trouble به زحمت افتادن
troubled with (*or* by) دُچارِ
fish in troubled waters از آبِ گل‌آلود ماهی گرفتن
troublesome /'trʌblsəm/ *adj* پرزحمت، پردردسر؛ مصدع
troublous /'trʌbləs/ *adj, Arch* آشفته
trough /trɒf US: trɔ:f/ *n* سنگاب، آبشخور؛ تُغار؛ فضای بین دو موج
trounce /traʊns/ *vt* زدن، شکست دادن
troupe /tru:p/ *n* دستهٔ بازیگران
trouper *n* عضو دستهٔ بازیگران
a good trouper آدم زحمتکش ومطیع

trousers /'traʊzəz/ *npl* شلوار
a pair of trousers یک شلوار
trousseau /'tru:səʊ/ *n* [-seaus *or* -seaux] لباس و اثاثهٔ عروس
trout /traʊt/ *n* [trout] ماهی قزل‌آلا
trow /traʊ/ *vt, Arch* تصور کردن، گمان کردن، اندیشه کردن
trowel /'traʊəl/ *n,vt* ۱.ماله؛ بیلچهٔ باغبانی ۲.ماله کشیدن
troy /trɔɪ/ *n* سلسلهٔ سنگهایی که برای سنجش سیم و زر به‌کار می‌رود و یک پاوند آن برابر با ۱۲ آونس است
truancy /'tru:ənsɪ/ *n* گریز از مدرسه
truant /'tru:ənt/ *n* کودک مکتب گریز
play truant از مدرسه گریختن
truce /tru:s/ *n* متارکه یا صلح موقتی
truck /trʌk/ *n,vt* ۱. کامیون؛ واگنِ روباز، واگن باری؛ چرخ باربران در ایستگاه راه‌آهن ۲.با کامیون بردن
truck /trʌk/ *n* مبادله (به ویژه دادن کالا بجای دستمزد به کارگران)؛ معامله؛ [مجازاً] مـهمل؛ [در گفتگو] آشغال؛ [در امریکا] محصول باغ که به بازار ببرند
truckle /'trʌkl/ *vi* چاپلوسانه تسلیم شدن
truckle-bed /'trʌkl bed/ *n* تختخواب تاشوکوتاه
truculence /'trʌkjʊləns/ *n or* **-lency** سبعیت، درنده‌خویی
truculent /'trʌkjʊlənt/ *adj* سبع؛ جنگجو
trudge /trʌdʒ/ *vt,vi* بزحمت (راه) پیمودن
true /tru:/ *adj* راست؛ حقیقی؛ باوفا
true to one's promise خوش‌قول
true copy رونوشتِ مطابق با اصل
true-blue /ˌtru: 'blu:/ *adj* باوفا، راسخ
trueborn /ˌtru:'bɔ:n/ *adj* حلال‌زاده؛ اصیل
truffle /'trʌfl/ *n* [قارچ‌شناسی] قارچِ دنبلان
truism /'tru:ɪzəm/ *n* حقیقت بدیهی
truly *adv* به‌راستی؛ صادقانه
Yours truly [در نامه‌های رسمی] ارادتمند شما، دوستدار شما
trump /trʌmp/ *n,vi,vt* ۱.آتو، اتو؛ [در گفتگو] شخص برجسته ۲.با اتو بازی کردن، اتو زدن ۳.با اتو از میان بردن؛ [با up] جعل کردن
turn up trumps *Col* [به] زمین زدن، برخلاف انتظار خوب درآمدن
trumpery /'trʌmpərɪ/ *n,adj* خرده ریز؛ زرق و برق‌دار

trumpet /'trʌmpɪt/ *n,v* ۱.[موسیقی] ترومپت
۲.در بوق و کرنا کردن
trumpeter *n* نوازندۀ ترومپت
truncate /trʌŋ'keɪt/ *vt,adj* ۱.بی‌سر کردن؛ شاخه (چیزی را) زدن ۲.بی‌سر، ناقص
truncheon /'trʌntʃən/ *n* باتون، باتوم
trundle /'trʌndl/ *vt,vi* ۱.غلتاندن ۲.غلتیدن
trunk /trʌŋk/ *n* تنه، بدنه؛ خرطوم؛ چمدان بزرگ؛ [در جمع] مایو مردانه
trunk line خط اصلی
truss /trʌs/ *n,vt* ۱.فتق بند؛ پایۀ مشبک، خر پا؛ دستۀ علف یا کاه ۲.با خرپا حایل شدن؛ بستن
trust /trʌst / *n,v* اعتماد، اطمینان؛ توکل؛ مسئولیت؛ امانت؛ عهده‌داری؛ ودیعه؛ [اقتصاد] تراست ۲.اعتماد کردن؛ توکل کردن (به)؛ امیدوار بودن؛ سپردن، (امانت) گذاشتن
trust in God اعتماد یا توکل به خدا
on trust امانتاً؛ روی اعتبار، نسیه
take a statement on trust به قول گوینده اعتماد کردن
I did not trust him with my car ماشین خود را به دست او ندادم (یا نسپردم)
trust a customer for goods جنس نسیه به مشتری دادن
trust-money پول امانتی
deed of trust *or* **trust-deed** سندِ توديع امانت؛ سند استیفای دین ازملک رهنی
trustee /trʌ'sti:/ *n* امین
trusteeship /trʌ'sti:ʃɪp/ *n* امانت، امانتداری
trustful *adj* مطمئن
trustingly *adv* بااعتماد
trustworthy /'trʌstwɜ:ðɪ/ *adj* قابل اعتماد، معتمد، موثق، امین
trusty *adj* قابل اعتماد
truth /tru:θ/ *n* راستی، حقیقت؛ درستی، صحت؛ ثبات
speak (*or* **tell**) **the truth** راست گفتن
in truth به‌راستی، در حقیقت، در واقع
truthful *adj* راستگو، راست
truthfully *adv* صادقانه
truthfulness *n* راستگویی
try /traɪ/ *vi,vt* [tried] ۱.کوشش کردن، سعی کردن ۲.امتحان کردن؛ محاکمه کردن، رسیدگی کردن؛ تصفیه کردن
try on برای امتحان پوشیدن
try out خوب آزمودن؛ گداختن
try the patience of صبر (کسی) را تمام کردن
He had a try (n) at it یک آزمایشی کرد، یک زوری زد
trying *apa* سخت؛ ناتو
tryst /trɪst/ *n, Arch* قرار ملاقات
tsar /zɑ:(r)/ *n* = czar
tsetse /'tsetsɪ/ *n* [جانورشناسی] تسه تسه، مگس خواب‌آور
tub /tʌb/ *n,vt* [-bed] ۱.وانِ حمام، لگن، تُغار چوبی ۲.در تغار یا وان یا تشت شستن
tuba /'tju:bə/ *n* [موسیقی] توبا: نوعی ساز برنجی بادی
tubby /'tʌbɪ/ *adj* چاق و چله، خپل
tube /tju:b/ *n* لوله؛ راه آهنِ زیرزمینی؛ لاستیک تویی اتومبیل؛ لامپ، لامپ رادیو
tuber /'tju:bə(r)/ *n* برآمدگی؛ [در سیب‌زمینی] دکمه، چشمه، سیبک
tubercular /tju:'bɜ:kjʊlə(r)/ *adj* دارایِ برآمدگیهای سلی؛ مسلول
tuberculoisis /tju:,bɜ:kjʊ'ləʊsɪs/ *n* سل
tuberculous /tju:'bɜ:kjʊləs/ *adj* مسلول؛ سلی
tubing *n* (مصالح) لوله‌سازی؛ لوله
tub-thumper /'tʌb θʌmpə(r)/ *n* ناطق (در تظاهرات)
tubular /tju:bjʊlə(r)/ *adj* لوله‌ای؛ لوله‌دار
tuck /tʌk/ *vt,n* ۱.بالا زدن؛ تو گذاشتن؛ جمع کردن؛ چین دادن ۲.چین؛ [زبان عامیانه] خوراکی، شیرینی
tuck away [به شوخی] خوردن
tuck *(vi)* **into** به اشتها خوردن
tucker /'tʌkə(r)/ *n* توری یا کتانی که گردن و شانه را می‌پوشانید
one's best bib and tucker قشنگترین لباس
tuck-in /'tʌk ɪn/ *n* خوراک حسابی
Tuesday /'tju:zdɪ/ *n* سه‌شنبه
tuft /tʌft/ *n* دسته (پر یا مو)، طره؛ منگوله، شرابه؛ ریش کم در زیر لب
tug /tʌg/ *n,vt,vi* [-ged] ۱.کشش؛ کوشش؛ تکان؛ یدک‌کش ۲.به زور کشیدن ۳.تقلا کردن
tug of war مسابقه طناب‌کشی
tugboat /'tʌgbəʊt/ *n* کشتیِ یدک‌کش
tuition /tju:'ɪʃn/ *n* آموزش، تعلیم؛ حق تعلیم، ماهیانه، شهریه
tulip /'tju:lɪp/ *n* گل لاله
tulle /tju:l/ *n* توری، تور
tumble /'tʌmbl/ *vi,vt,n* ۱.افتادن؛ لغزیدن؛ غلتیدن؛ معلق‌خوردن ۲.انداختن؛ مُچاله کردن ۳.معلق؛ وضع در هم برهم

tumble to *Sl* حالی شدن

tumbledown /'tʌmbldaʊn/ *adj* فکسنی، خراب

tumbler /'tʌmblə(r)/ *n* لیوان

tumbrel;-bril /'tʌmbrəl/ *n* نوعی ارابه

tumescent /tju:'mesnt/ *adj* اندکی متورم

tumid /'tju:mɪd/ *adj* باد کرده؛ متورم؛ [مجازاً] پرآب‌وتاب (و کم معنی)

tummy /'tʌmɪ/ *n,Col* شکم

tumour /'tju:mə(r)/ *n* [پزشکی] غده، تومر

tumult /'tju:mʌlt/ *n* همهمه، شلوغی؛ آشفتگی

tumultuous /tju:'mʌltʃʊəs/ *adj* پرآشوب؛ آشوبگر

tun /tʌn/ *n* نوعی چلیک بزرگ

tuna /'tju:nə/ *n* = tunny

tundra /'tʌndrə/ *n* جلگهٔ بی‌درخت و یخ‌زده

tune /tju:n US: tu:n/ *n,vt,vi* ۱.مقام، آهنگ، لحن ۲.کوک کردن؛ [مجازاً] میزان کردن [با in]؛ وفق دادن ۳.سازگار شدن؛ هم کوک شدن

in tune کوک؛ هم‌کوک؛ همساز

out of tune ناکوک؛ خارج (از مقام)

tune up سازها را هم‌کوک کردن؛ نواختن آغازکردن؛ راه انداختن

to the tune of به مبلغِ گزافِ، به مبلغ گزافی بالغ بر

tuneful *adj* خوشاهنگ؛ [ساز] کوک

tuner *n* ساز کوک‌کن

tungsten /'tʌŋstən/ *n* تنگستن

tunic /'tju:nɪk/ *n* بلوزنظامی یا زنانه

tuning-fork /'tju:nɪŋ fɔ:k/ *n* دوشاخه، دیاپازون

tunnel /'tʌnl/ *n,v* ۱.تونل ۲.تونل زدن

tunny /'tʌnɪ/ *n* نوعی ماهی بزرگ

tu quo que /tu: 'kwəʊ kweɪ/ *n,L* تو هم همینطور، شما هم همینطور

turban /'tɜ:bən/ *n* عمامه

turbid /'tɜ:bɪd/ *adj* گل‌آلود؛ کدر

turbidity /tɜ:'bɪdətɪ/ *n* تیرگی؛ درهم برهمی

turbine /'tɜ:baɪn/ *n* توربین

turbot /'tɜ:bət/ *n* نوعی ماهی پهن

turbulence /'tɜ:bjʊləns/ *n* اغتشاش؛ گردنکشی، یاغیگری

turbulent /'tɜ:bjʊlənt/ *adj* گردنکش، یاغی؛ متلاطم؛ آشفته؛ توفانی، سخت

tureen /tjʊ'ri:n/ *n* سوپخوری

turf /tɜ:f/ *n,vt* ۱.کلوخ چمنی؛ [با the] میدانِ اسبدوانی ۲.با خاک ریشه‌دار پوشاندن

turgid /'tɜ:dʒɪd/ *adj* بادکرده، متورم؛ [مجازاً] غلنبه، آب وتاب‌دار

turgidity /tɜ:'dʒɪdətɪ/ *n* تورم؛ آب و تاب

Turk /tɜ:k/ *n* ترک؛ بچهٔ شرور و شیطان

turkey /'tɜ:kɪ/ *n* بوقلمون

turkey-cock *n* بوقلمون نر

turkey-hen *n* بوقلمون ماده

Turkey /'tɜ:kɪ/ *n* ترکیه

Turkish /'tɜ:kɪʃ/ *n,adj* ترک؛ ترکی

Turkish bath گرمابه شرقی؛ حمام بخار

Turkish delight احت‌الحلقوم

turmoil /'tɜ:mɔɪl/ *n* شوب، اضطراب

turn /tɜ:n/ *vt,vi* ۱.گرداندن؛ برگرداندن؛ بدیل کردن؛ دور (چیزی) گشتن؛ تراش دادن؛ به م زدن ۲.چرخ خوردن؛ پیچ خوردن؛ گیج خوردن ؛ به‌هم خوردن؛ [شیر] بریدن؛ گشتن، دن [turn red]

turn about قب‌گرد کردن

turn (and turn) about ‌نوبت

turn against خالف (کسی) شدن

turn away وگرداندن؛ روانه کردن

turn down ست رو گذاشتن (ورق)؛ رگرداندن؛پیچاندن (کلید چراغ یا گاز)، قطع کردن؛ کردن (تعارف)

turn in داخل برگرداندن؛ خوابیدن

turn off گرداندن، قطع کردن، خاموش کردن؛ جام دادن؛ روانه کردن؛ کج کردن (راه)

turn on کردن؛ روشن‌کردن؛ کول بودن به؛ حمله کردن‌به

turn on a person کسی چپ شدن

turn out ون کردن؛ بیرون دادن؛ خالی کردن؛ وم شدن، ثابت شدن؛ نتیجه دادن؛ درآمدن یا وردن[از حیث وضع و لباس] ؛ آمدن

turn over ذار کردن، محول کردن؛ وردن؛ عایدی دادن؛ واژگون کردن

turn over (a page) ق زدن

turn round زدن؛ برگشتن، ید دیگری پیداکردن

turn the corner ان را گذراندن

turn to one's work ت به‌کار زدن

Let us now turn to... ن بپردازیم به...

turn up رداندن (خاک)؛ رُخ دادن

turn inside out ونه (یا پشت‌رو) کردن

turn a person's brain ی را دیوانه کردن

turn a person's head ی را مست یا ر کردن، زیر سر کسی را بلند کردن

turn one's coat مرام دادن

He didn't turn up پیدایش نشد
turn /tɜ:n/ *n* گردش، چرخ؛ نوبت؛ پیچ؛ تغییر؛ تمایل؛ وضع، حالت؛ تکان
in turn به نوبت
by turns متناوباً
out of turn خارج از نوبت
on the turn در شرف بریدن و ترش شدن
done to a turn خوب پخته شده
turn and turn about به نوبت، متناوباً
turncoat /'tɜ:nkəʊt/ *n* کسی که تغییر مسلک دهد
turn-down /'tɜ:ndaʊn/ *adj* برگشته، برگردانده
turner /'tɜ:ne(r)/ *n* خراط، تراشکار
turning /'tɜ:nɪŋ/ *n* پیچ، دوراهی
turning-point /'tɜ:nɪŋ pɔɪnt/ *n* نقطهٔ عطف؛ [مجازاً] نقطهٔ برگشت، مرحلهٔ بحرانی
turnip /'tɜ:nɪp/ *n* شلغم
turnkey /'tɜ:nki:/ *n* کلیددار زندان
turn-out /'tɜ:n aʊt/ *n* جمعیت؛ دوراهی؛ عملکرد در مدت معین؛ حشم؛ لوازم
turnover /'tɜ:nəʊvə(r)/ *n* برگشتی؛ آن قسمت از سرمایه که در کسب برمی‌گردد؛ نوعی نان شیرینی مانند قطاب؛ انبارگردانی، بازچینی
turnpike /'tɜ:npaɪk/ *n* بزرگراه عوارضی، محل اخذ عوارضی
turnstile /'tɜ:nstaɪl/ *n* تیری که چهار بازوی گردنده دارد و در محلی که دادن پول باید در آن داخل شوند نصب می‌شود
turntable /'tɜ:nteɪbl/ *n* لوکوموتیوگردان؛ [در گرامافون] صفحه‌گردان
turpentine /'tɜ:pəntaɪn/ *n* سقز
turpitude /'tɜ:pɪtju:d/ *n* فساد؛ رسوایی
turquoise /'tɜ:kwɔɪz/ *n,adj* فیروزه؛ فیروزه‌ای
turret /'tʌrɪt/ *n* مناره، بُرج کوچک؛ کنگره، قبهَ
turtle /'tɜ:tl/ *n* لاک‌پشت آبی
turn turtle واژگون شدن، چپه شدن
turtle-dove /'tɜ:tldʌv/ *n* قمری
tush /tʌʃ/ *int* = pshaw
tusk /tʌsk/ *n* [فیل و گراز] عاج
tussle /'tʌsl/ *n,vi* ۱.نزاع ۲.نزاع کردن
tussock /'tʌsək/ *n* دسته (علف)
tussore /'tʌsɔ:(r)/ *n* نوعی ابریشم زمخت
tut /tʌt/ *int* اه؛ اوه
tutelage /'tju:tɪlɪdʒ/ *n* قیمومت
tutelary /'tju:tɪlərɪ/ *adj* وابسته به قیمومت؛ سرپرست، حامی

tutor /'tju:tə(r)/ *n,v* ۱.معلم‌خصوصی؛ معلمِ سرِ خانه؛ قیم ۲.درس خصوصی دادن
tutorial /tju:'tɔ:rɪəl/ *adj* مربوط به معلمی؛ مربوط به قیمومت
tuxedo /tʌk'si:dəʊ/ *n,US* = dinner-jacket
twaddle /'twɒdl/ *n,vi* ۱.چرند ۲.چرند گفتن
twain /tweɪn/ *n, Arch* جفت
twang /twæŋ/ *n,vi* ۱.صدای تودماغی ۲.صدای تودماغی درآوردن
'twas /twɒz/ = it was
tweak /twi:k/ *vt,n* ۱.نیشگان گرفتن و کشیدن ۲.نیشگان
tweed /twi:d/ *n* توبید: نوعی پارچهٔ پشمی نرم که نخهای رنگارنگ در آن به‌کار رفته است
tweedledum & tweedledee /ˌtwi:dl'dʌm ən ˌtwi:dl'di:/ دوچیز یک‌جور؛ دو شخص که از حیث ظاهر و صفات دیگر شبیه باشند، سیبی که دونیم کرده باشند
tweeny /'twi:nɪ/ *n* کلفت جوانی که در آشپزی هم کمک می‌کند
tweet /twi:t/ *n,vi* = chirp
tweezers /'twi:zəz/ *npl* موچین
twelfth /twelfθ/ *adj,n* (یک)دوازدهم
twelve /twelv/ *adj,n* دوازده
twelvemonth /'twelvmʌnθ/ *n* سال
this day twelvemonth یک‌سال دیگر چنین روزی
twentieth /'twentɪəθ/ *adj,n* (یک) بیستم
twenty /'twentɪ/ *adj,n* بیست
twice /twaɪs/ *adv* دوبار؛ دوبرابر
twice-told مشهور، که همه می‌دانند
twiddle /'twɪdl/ *v* (شست خود را) از بیکاری گرداندن؛ (با چیزی) بازی کردن
twig /twɪg/ *n* شاخهٔ کوچک، ترکه
twig /twɪg/ *vt,Col* [-ged] فهمیدن
twilight /'twaɪlaɪt/ *n* [هوا] تاریک و روشن؛ بامداد، گرگ و میش، فلق؛ شامگاه، شفق
twill /twɪl/ *n* نوعی پارچه با خطوط اریب
twilled *adj* دارای خطوط اُریب
twin /twɪn/ *adj,n* (بچه) دوقلو، جفت
twine /twaɪn/ *n,v* ۱.نخ قند ۲.پیچیدن
twinge /twɪndʒ/ *n* تیر، درد سخت
twinge of conscience نیش وجدان
twinkle /'twɪŋkl/ *vi,n* چشمک (زدن)؛ برق (زدن)
twinkling /'twɪŋklɪŋ/ *n* چشم برهم زدن

in the twinkling of an eye به‌یک طرفة‌العین
twirl /twɜːl/ *n,vt,vi* ۱.چرخش، دور؛ پیچ (در نوشتن حروف) ۲.گرداندن ۳.چرخیدن
twist /twɪst/ *n,v* ۱.پیچ؛ تاب ۲.پیچ دادن؛ پیچ خوردن؛ تابیدن
twist off پیچاندن و پاره کردن
twister *n* پیچنده، تابنده؛ [مجازاً] شخص حیله‌گر؛ کار دشوار
tongue-twister لغتی که تلفظ آن دشوار است
twisty *adj* پیچدار؛ نادرست
twit /twɪt/ *vt* [-ted] سرزنش کردن
twitch /twɪtʃ/ *vt,vi,n* ۱.ناگهان کشیدن ۲.جمع شدن ۳.کشش؛ انقباض ناگهانی، حرکت غیر ارادی عضله، تیک
twitter /ˈtwɪtə(r)/ *vi,n* ۱.چهچه‌زدن؛ با ترس و دستپاچگی من‌من کردن ۲.چهچه؛ هیجان
'twixt /twɪkst/ *prep,adv* = betwixt
two /tuː/ *adj,n* دو؛ شمارهٔ دو
two-edged /ˌtuː ˈedʒd/ *adj* دودَم؛ دوپهلو
twofold /ˈtuːfəʊld/ *adj,adv* دوبرابر؛ دولا
twopence /ˈtʌpəns/ *n* سکهٔ دوپنسی
twopenny /ˈtʌpənɪ/ *adj* دوپنسی؛ دوپولی؛ کم بها؛ ناچیز
'twould /twʊd/ = it would
tycoon /taɪˈkuːn/ *n* لقب موروثی فرماندهٔ کل در ژاپن؛ سرمایه‌دار بزرگ
tyke /taɪk/ *n* (آدم) تنه‌لش، بی‌عرضه؛ بچهٔ تخس؛ سگی با نژاد نامشخص
tympanum /ˈtɪpənəm/ *n* [-na] صماخ؛ گوش میانی
type /taɪp/ *n,vt* ۱.نوع، سنخ، قسم، رقم؛ نمونه؛ نشانی، کنایه؛ حرف یا حروف چاپ ۲.ماشین کردن
books of this type ین نوع کتابها
He is not of that type ز آن طبقه اشخاص نیست؛ جنبه آن را ندارد
in type زیرچاپ، آمادهٔ چاپ
type-foundry /ˈtaɪp faʊndrɪ/ *n* کارخانهٔ حروف‌ریزی
type-setter /ˈtaɪp setə(r)/ *n* حروفچین
type-write /ˈtaɪpraɪt/ *vt* ا ماشین تحریر نوشتن
typewriter *n* اشین تحریر
typhoid /ˈtaɪfɔɪd/ *n or*
typhoid fever /ˈtaɪfɔɪd ˈfiːvə(r)/ نب) حصبه
typhoon /taɪˈfuːn/ *n* وفان سخت
typhus /ˈtaɪfəs/ *n* حرقه، تیفوس
typical /ˈtɪpɪkl/ *adj* مونه؛ واقعی؛ نوعی
typical of اکی از
typically *adv* ـطورِ نمونه، نوعاً
typify /ˈtɪpɪfaɪ/ *vt* مونه (چیزی) بودن، مز بودن از؛ حاکی بودن از
typist /ˈtaɪpɪst/ *n* اشین‌نویس
typographical /ˌtaɪpəˈgræfɪkl/ *adj* اپی
typography /taɪˈpɒgrəfɪ/ *n* ، چاپ سربی
tyrannical /tɪˈrænɪkl/ *adj* تمگر، ظالم؛ الم؛ ظالمانه
tyrannically /tɪrˈænɪklɪ/ *adv* تمکارانه
tyrannize /ˈtɪrənaɪz/ *vi* لمانه حکومت کردن
tyrannous /ˈtɪrənəs/ *adj* تم‌پیشه؛ ظالمانه
tyranny /ˈtɪrənɪ/ *n* کومتِ ستمگرانه؛ م؛ استبداد
tyrant /ˈtaɪərənt/ *n* مانروای مستبد؛ م زورگو
tyre; tire /ˈtaɪə(r)/ *n* ستیکِ چرخ؛ دوره
tyro /ˈtaɪərəʊ/ *n* = tiro
tzar /zɑː(r)/ *n* = Czar

U,u

U,u /juː/ *n* بیست‌ویکمین حرف الفبای انگلیسی
ubiquitous /juːˈbɪkwɪtəs/ *adj* حاضر در همه جا (در یک‌وقت)
ubiquity /juːˈbɪkwətɪ/ *n* حُضور در همه جا
U-boat /ˈjuː bəʊt/ *n* زیردریایی آلمانی
udder /ˈʌdə(r)/ *n* پستان (گاو)
ugh /ɜː/ *int* آه
uglify /ˈʌglɪfaɪ/ *vt* زشت کردن
ugliness *n* نی، کراهت
ugly /ˈʌglɪ/ *adj* ت؛ تهدیدکننده
ugly customer خطرناک
ukase /juːˈkeɪs/ *n* ان
ukulele /ˌjuːkəˈleɪlɪ/ *n* ر هوایی
ulcer /ˈʌlsə(r)/ *n* م، قرحه
ulcerate /ˈʌlsəreɪt/ *vi,vt* خم شدن ریحه‌دار کردن

unbend /ˌʌnˈbend/ *vt,vi* ۱.راست کردن؛ رها کردن، شُل کردن ۲.باز شدن؛ راست شدن؛ [مجازاً] نرم شدن
unbending *adj* سخت، نرم نشو
unbeknown(st) /ˌʌnbɪˈnəʊn(st)/ *adj,Col* ندانسته، مجهول
unbeknownst to /ˌʌnbɪˈnəʊnst tʊ/ بی‌اطلاع از
unblushing /ˌʌnˈblʌʃɪŋ/ *adj* فاحش و بی‌پرده
unbosom /ʌnˈbʊzəm/ *vt* آشکار کردن؛ [با onself] راز خود را فاش کردن، عقدهٔ دل گشودن
unbounded /ˌʌnˈbaʊndɪd/ *adj* بی‌پایان، نامحدود
unbowed /ˌʌnˈbaʊd/ *adj* خم نشده؛ مطیع‌نشده
unbridled /ˌʌnˈbraɪdld/ *adj* غیرقابل جلوگیری
unburden /ˌʌnˈbɜ:dn/ *vt* سبکبار کردن
unburden oneself عقدهٔ دل گشودن
uncalled-for /ʌnˈkɔ:ld fɔ:(r)/ *adj* غیرضروری
uncanny /ʌnˈkænɪ/ *adj* غیرطبیعی، غریب، مرموز
uncertain /ʌnˈsɜ:tn/ *adj* نامعلوم؛ بی‌ثبات
uncertainty /ʌnˈsɜ:tntɪ/ *n* نامعلومی؛ تردید؛ عدم قطعیت
uncle /ˈʌŋkl/ *n* عمو؛ دایی؛ شوهرخاله؛ شوهرعمه
Uncle Sam کشور امریکا
unconscionable /ʌnˈkɒnʃənəbl/ *adj* نامعقول ، گزاف، بسیار زیاد
unconscious /ʌnˈkɒnʃəs/ *adj* بی‌خبر، غافل؛ بیهوش؛ بی‌اختیار
the unconscious [روانشناسی] ناهشیاری
uncouth /ʌnˈku:θ/ *adj* زشت؛ عجیب و غریب؛ ناهنجار؛ ویران
uncover /ʌnˈkʌvə(r)/ *v* باز کردن، از پوشش درآوردن؛ پرده برداشتن از
unction /ˈʌŋkʃn/ *n* روغن، مرهم؛ روغن‌مالی؛ [مجازاً] زبان چرب و نرم
unctuous /ˈʌŋktʃʊəs/ *adj* چرب، روغنی؛ چرب و نرم؛ چاپلوسانه
undeceive /ˌʌndɪˈsi:v/ *vt* از اشتباه درآوردن
under /ˈʌndə(r)/ *prep,adv* ۱.زیرِ؛ (در) تحتِ؛ کمتر از؛ به‌موجبِ، بر طبقِ؛ موردِ؛ از شدتِ، از دستِ ۲.در زیر (آن)
under repair در دست تعمیر
under various titles به عناوین گوناگون
under age صغیر، نابالغ

ulcerous /ˈʌlsərəs/ *adj* قرحه‌ای
ullage /ˈʌlɪdʒ/ *n* مقداری که ظرفِ سر خالی می‌خواهد تا پر شود؛ خالی گذاشتن سر مخزن و امثال آن
ulna /ˈʌlnə/ *n* [-nae] زند اسفل
ulster /ˈʌlstə(r)/ *n* نوعی پالتو بلند
ult /ʌlt/ [مختصرِ ultimo]
ulterior /ʌlˈtɪərɪə(r)/ *adj* بعدی، آجل؛ دور؛ پوشیده
ultimate /ˈʌltɪmət/ *adj* آجل؛ غایی
ultimately /ˈʌltɪmətlɪ/ *adv* سرانجام، عاقبت‌الامر، دست آخر، آجلاً
ultimatum /ˌʌltɪˈmeɪtəm/ *n* اتمام حجت، التیماتوم
ultimo /ˈʌltɪməʊ/ *adv,L* در ماه گذشته [مختصر آن ult است مثال letter of 3rd ult : نامهٔ سوم ماه گذشته]
ultra /ˌʌltrə/ *pref* فرا ـ ، ماورای، فوقِ؛ فوق‌العاده
ultramarine /ˌʌltrəməˈri:n/ *adj,n* آبی خالص، لاجوردی
ultramontane /ˌʌltrəmɒnˈteɪn/ *adj* ماورای کوه (آلپ)؛ [مجازاً] هواخواهِ برتری پاپ
ultraviolet /ˌʌltrəˈvaɪələt/ *adj* ماورای بنفش
ultra vires /ˌʌltrə ˈvaɪəri:z/ *adv* بیش از حدود اختیارات قانونی
umber /ˈʌmbə(r)/ *n* نوعی گل اُخری
umbrage /ˈʌmbrɪdʒ/ *n* رنجش
take umbrage at رنجیدن از
umbrella /ʌmˈbrelə/ *n* چتر
umpire /ˈʌmpaɪə(r)/ *n* سر حَکَم؛ [مسابقه] داور
umpteen /ˈʌmpti:n/ *n,Sl* خیلی، چندین
un /ʌn/ *pref* نا ـ ؛ بی ـ ؛ غیرِ
unable /ʌnˈeɪbl/ *adj* عاجز
He is unable to... قادر نیست که...
unallocated /ʌnˈæləkeɪtɪd/ *adj* بی‌محل
unanimity /ju:nəˈnɪmətɪ/ *n* اتفاق آرا
unanimous /ju:ˈnænɪməs/ *adj* همرأی، متفق‌الرأی
by a unanimous vote به اتفاق آرا
unanimously *adv* به اتفاق آرا
unassuming /ˌʌnəˈsju:mɪŋ/ *adj* فروتن، بی‌ادعا
unauthorized /ʌnˈɔ:θərˌaɪzd/ *adj* غیرمُجاز
unavailing /ˌʌnəˈveɪlɪŋ/ *adj* بی‌فایده
unaware /ˌʌnəˈweə(r)/ *adj* بی‌اطلاع، بی‌خبر
unawares /ˌʌnəˈweəz/ *adv* ناگهان، بی‌خبر

under way در جریان؛ در حرکت

under- /'ʌndə(r)/ *pref* زیر؛ کمتر از؛ در ذیلِ؛ تابع

underact /,ʌndər'ækt/ *vt* درست ایفا نکردن

underbid /,ʌndə'bɪd/ *vt* [مناقصه] کمتر قیمت دادن

underbred /,ʌndə'bred/ *adj* بی‌تربیت

underbrush /'ʌndərbrʌʃ/ = undergrowth

undercarriage /'ʌndəkærɪdʒ/ *n* ارّادهٔ هواپیما

underclothes /'ʌndekləʊðz/ *npl* = underclothing

underclothing /'ʌndəkləʊðɪŋ/ *n* زیرپوش، لباسِ زیر

undercurrent /'ʌndəkʌrənt/ *n* جریان زیرین؛ [مجازاً] وضع پشت‌پرده، احساسات درونی

undercut /'ʌndəkʌt/ *vt* [در فروش و مناقصه] رویِ دست (کسی) رفتن

undercut /,ʌndə'kʌt/ *n* گوشت زیر مازه

underdog /'ʌndədɒg/ *n,Sl* طرف مظلوم

underdone /,ʌndə'dʌn/ *ppa* [کباب و استیک] آبدار

underestimate /,ʌndər'estɪmeɪt/ *vt* کم‌برآوردکردن؛ [مجازاً] ناچیز شمردن، کم‌بها دادن

underexpose /,ʌndərɪk'spəʊz/ *vt* کم نور دادن

underfed /,ʌndə'fed/ *adj* کم تغذیه شده، دچار سوءِ تغذیه

undergarment /'ʌndəgɑ:mənt/ *n* لباسِ زیر

undergo /,ʌndə'gəʊ/ *vt* [-went;-gone] تحمل کردن، طی کردن، به‌سر بردن

undergo a change تغییر یافتن

undergone /,ʌndə'gɒn/ [*pp of* undergo]

undergraduate /,ʌndə'grædʒʊət/ *n* دانشجوی دورهٔ لیسانس

underground /'ʌndəgraʊnd/ *adj,adv* ۱.زیرزمینی ۲.در زیرزمین

underground /'ʌndəgraʊnd/ *adj,n* ۱.زیرزمینی ۲.راه‌آهن زیرزمینی

undergrown /'ʌndəgrəʊn/ *adj* رشد نکرده

undergrowth /'ʌndərəʊθ/ *n* بوته‌ها و درختان کوچک در زیر درختان بزرگ

underhand /'ʌndəhænd/ *adj,adv* نهانی، زیرجلی

underlain /,ʌndə'leɪn/ [*pp of* underlie]

underlay /'ʌndəleɪ/ [*p of* underlie]

underlie /,ʌndə'laɪ/ *vt* [-lay; -lain] در زیر (چیزی) قرار گرفتن؛ [مجازاً] مأخذ یا زمینه (چیزی) بودن

underline /,ʌndə'laɪn/ *vt* (زیر واژه‌ای) خط کشیدن؛ [مجازاً] تأکید کردن

underling /'ʌndəlɪŋ/ *n* شخص زیردست و پست

underlying /'ʌndəlaɪɪŋ/ *adj* اساسی؛ زیرین

undermentioned /,ʌndə'menʃnd/ *adj* نامبردهٔ زیر

undermine /,ʌndə'maɪn/ *vt* از زیر نقب زدن؛ وسایل خرابی یا بی‌آبرویی (کسی) را نهانی فراهم کردن؛ تحلیل بردن

undermost /'ʌndəməʊst/ *adj* پایین‌ترین

underneath /,ʌndə'ni:θ/ = beneath

underpay /,ʌndə'peɪ/ *vt* کم حقوق دادن به

underpin /,ʌndə'pɪn/ *vt* [-ned] پی بندی کردن (دیوار)

underpopulated /,ʌndə'pɒpjʊleɪtɪd/ *adj* کم‌جمعیت

underprivileged /,ʌndə'prɪvəlɪdʒd/ *adj* محروم از مزایای اجتماعی و فرهنگی

underrate /,ʌndə'reɪt/ *vt* = underestimate

underscore /,ʌndə'skɔ:(r)/ = underline

under-secretary /,ʌndə'sekrətrɪ/ *n* [در وزارتخانه] مُعاون

undersell /,ʌndə'sel/ *vt* [-sold] ارزانتر (از شخص دیگری) فروختن

undersigned /,ʌndə'saɪnd/ *n* امضاکنندهٔ زیر

We, the undersigned ما امضاکنندگان زیر

undersized /,ʌndə'saɪzd/ *adj* کوتاه (مانده)

understand /,ʌndə'stænd/ *vt* [-stood] فهمیدن، ملتفت شدن

understand one another با هم تفاهم داشتن

I was given to understand چنین فهمیدم

understanding /,ʌndə'stændɪŋ/ *n* فهم؛ تفاهم؛ مفهوم، شرط

come to an understanding توافق پیدا کردن

understate /,ʌndə'steɪt/ *vt* کمتر قلمداد کردن

understood /,ʌndə'stʊd/ [*p,pp of* understand]

understood /,ʌndə'stʊd/ *ppa* مقدر؛ بدیهی

understrapper /'ʌndəstræpə(r)/ *n* = underling

understudy /'ʌndəstʌdɪ/ *n* هنرپیشهٔ علی‌البدل

undertake /,ʌndə'teɪk/ *vt* [-took; -taken] تعهد کردن، به عهده گرفتن

undertaken /,ʌndə'teɪkən/ [*pp of* undertake]

undertaker *n* مأمور کفن‌ودفن

undertaking /ˌʌndəˈteɪkɪŋ/ *n* تعهد، تقبل، عهده‌داری؛ مقاطعه؛ شغل کفن و دفن
undertone /ˈʌndətəʊn/ *n* ته صدا؛ ته رنگ
undertook /ˌʌndəˈtʊk/ [*p of* undertake]
undervalue /ˌʌndəˈvælju:/ *vt* کم برآورد کردن، کم بها دادن
underwear /ˈʌndəweə(r)/ *n* لباسِ زیر
underweight /ˈʌndəweɪt/ *adj* کم‌وزن، لاغر
underwent /ˌʌndəˈwent/ [*p of* undergo]
underworld /ˈʌndəwɜ:ld/ *n* جهان زیرین، درک اسفل؛ جامعهٔ جنایتکاران
underwrite /ˌʌndəˈraɪt/ *vt* صادر کردن (سند بیمه دریایی)؛ تعهد مالی کردن؛ پذیره‌نویسی کردن
undesirable /ˌʌndɪˈzaɪərəbl/ *adj* نامطلوب
undid /ʌnˈdɪd/ [*p of* undo]
undies /ˈʌndɪz/ *npl,Sl* زیرپوش زنانه
undo /ʌnˈdu:/ *vt* [-did; -done] باطل کردن؛ باز کردن (گره)؛ شکافتن
Drink was his undoing.
مشروب از پا درش آورد (یا پدرش را درآورد).
undone /ʌnˈdʌn/ [*pp of* undo] ناتمام
undoubted /ʌnˈdaʊtɪd/ *adj* مسلم
undoubtedly *adv* بدون شک
undreamed of /ʌnˈdri:md ɒv/ *adj* = undreamt of
undreamt of /ʌnˈdrəmt ɒv/ *adj* در خواب ندیده، غیرقابل تصور
undress /ˌʌnˈdres/ *n,v* ۱.برهنگی ۲.لباس (کسی را) درآوردن؛ لباس (خود را) درآوردن
undue /ˌʌnˈdju: US:-ˈdu/ *adj* زاید؛ بی‌جهت
undulate /ˈʌndjʊleɪt/ *vi* موج زدن
undulation /ˌʌndjʊˈleɪʃn/ *n* تموج؛ جُنبش نوسانی
unduly *adv* بی‌جهت؛ من‌غیرحق
undying /ˌʌnˈdaɪɪŋ/ *adj* نامیرا، لایزال
unearth /ʌnˈɜ:θ/ *vt* درآوردن؛ کشف کردن
unearthly /ʌnˈɜ:θlɪ/ *adj* غیرطبیعی؛ غریب
uneasiness *n* ناراحتی، تشویش
uneasy /ʌnˈi:zɪ/ *adj* ناراحت، مضطرب
unemployed /ˌʌnɪmˈplɔɪd/ *adj* بیکار؛ بی‌مصرف
unemployment /ˌʌnɪmˈplɔɪmənt/ *n* بیکاری
unending /ʌnˈendɪŋ/ *adj* بی‌پایان، تمام نشدنی
unerring /ʌnˈɜ:rɪŋ/ *adj* بی‌خطا؛ حتمی
unexampled /ˌʌnɪgˈzɑ:mpld/ *adj* بی‌سابقه؛ بی‌مانند
unexpected /ˌʌnɪkˈspektɪd/ *adj* غیرمترقبه
unfailing /ʌnˈfeɪlɪŋ/ *adj* همیشگی، تمام نشدنی؛ پایدار
unfathomable /ʌnˈfæðəməbl/ *adj* غیرقابل پیمایش؛ [مجازاً] غیرقابل درک
unfathomed /ʌnˈfæðəmd/ *adj* ناپیموده؛ مجهول
unfeeling /ʌnˈfi:lɪŋ/ *adj* بی‌عاطفه؛ بی‌حس
unfold /ʌnˈfəʊld/ *vt* از تا باز کردن؛ [مجازاً] آشکار کردن
unforeseen /ˌʌnfɔ:ˈsi:n/ *adj* پیش‌بینی نشده
unfortunate /ʌnˈfɔ:tʃʊnət/ *adj* بدبخت؛ مایهٔ تأسف؛ ناشی از بدبختی
unfortunately *adv* بدبختانه
unfounded /ʌnˈfaʊndɪd/ *adj* بی‌اساس، بی‌پروپا
unfrock /ˌʌnˈfrɒk/ *vt* معزول کردن (کشیش)
ungainly /ʌnˈgeɪnlɪ/ *adj* زشت؛ بی‌لطافت
ungodly /ʌnˈgɒdlɪ/ *adj* بی‌دین، خدانشناس
ungrounded /ʌnˈgraʊndɪd/ *adj* بی‌اساس؛ اُمی، بی‌سواد
unguent /ˈʌŋgwənt/ *n* روغن؛ مرهم
unhand /ʌnˈhænd/ *vt* ول کردن، رها کردن
unhealthy /ʌnˈhelθɪ/ *adj* ناخوش، ناسالم؛ مضر برای تندرستی، بد [an unhealthy climate]؛ [به تحقیر] غیرطبیعی، بیمارگونه
unheard-of /ʌnˈhɜ:d ɒv/ *adj* بی‌سابقه
unhinge /ʌnˈhɪndʒ/ *vt* [مجازاً] مختل کردن
unhorse /ʌnˈhɔ:s/ *vt* از اسب پرت کردن
unicellular /ju:nɪˈseljʊlə(r)/ *adj* تک یاخته‌ای، یک سلولی
unicorn /ˈjunɪkɔ:n/ *n* اسبِ افسانه‌ای که شاخی در وسط پیشانی دارد
unifiable /ˈju:nɪfaɪəbl/ *adj* قابل یکی شدن، وحدت‌پذیر، همسانی‌پذیر
unification /ju:nɪfɪˈkeɪʃn/ *n* یگانه‌سازی؛ وحدت
uniform /ˈju:nɪfɔ:m/ *adj,n,vt* ۱.متحدالشکل؛ یکنواخت؛ همسان؛ ثابت ۲.اونیفورم، لباس متحدالشکل ۳.متحدالشکل کردن، همشکل کردن
uniformity /ju:nɪˈfɔ:mətɪ/ *n* همشکلی، یکنواختی، همسانی
unify /ˈju:nɪfaɪ/ *vt* یکی کردن؛ یک‌شکل کردن؛ همسان کردن
unilateral /ju:nɪˈlætrəl/ *adj* یکجانبه، یکسویه، یکطرفه
unimpeachable /ˌʌnɪmpi:tʃəbl/ *adj* غیرقابل تردید

union /'ju:nɪən/ *n* اتحاد؛ موافقت؛ مهره ماسوره؛ بوشن
trade union اتحادیه کارگری
the Union Jack پرچم انگلیس
unionist /'ju:nɪənɪst/ *n* عضو (یا هوادار) اتحادیه
unionize /'ju:nɪənaɪz/ *vt* دارای اتحادیه کردن
unique /ju:'ni:k/ *adj* بی‌مانند، بی‌نظیر، یکتا، یگانه، فرد؛ غیرعادی
unison /'ju:nɪsn/ *n* هماهنگی
unit /'ju:nɪt/ *n* واحد، یکه؛ دستگاه (واحد)
Unitarian /ju:nɪ'teərɪən/ *n* موحد (حقیقی)، منکر تثلیث
unite /ju:'naɪt/ *vt,vi* ۱.متحد کردن؛ وصلت دادن ۲.متحد شدن، همدست شدن
be united in marriage پیوند زناشویی بستن، با هم ازدواج کردن
united *ppa* متحد، همداستان
unitedly *adv* متحداً
unity /'ju:nətɪ/ *n* یگانگی، وحدت؛ اتحاد؛ سازگاری، موافقت؛ شماره یک، واحد
universal /ju:nɪ'vɜ:sl/ *adj* کلی، عمومی، عالمگیر؛ جامع
universalize /ju:nɪ'vɜ:səlaɪz/ *vt* عمومی کردن، تحت قاعدهٔ کلی درآوردن
universally *adv* عموماً
universe /'ju:nɪvɜ:s/ *n* عالم، جهان
university /ju:nɪ'vɜ:sətɪ/ *n* دانشگاه، دارالفنون
unjustified /ˌʌn'dʒʌstɪfaɪd/ *adj* بی‌مورد، ناحق
unkempt /ˌʌn'kempt/ *adj* شانه نکرده، ژولیده
unknown /ˌʌn'nəʊn/ *adj* مجهول؛ ناشناس
unlawful /ʌn'lɔ:fl/ *adj* نامشروع، خلاف شرع، حرام؛ ناحق؛ غیرقانونی؛ حرامزاده
unleavened /ˌʌn'levnd/ *adj* فطیر، ورنیامده
unless /ən'les/ *conj* مگر اینکه، جز آنکه
unlettered /ˌʌn'letəd/ *adj* بی‌سواد
unlike /ˌʌn'laɪk/ *adj,prep* ۱.نامساوی ۲.برخلافِ؛ ناهمانند، بی‌شباهت
unlikely *adj* غیرمحتمل، بعید
unlimited /ʌn'lɪmɪtɪd/ *adj* نامحدود
unload /ʌn'ləʊd/ *v* (بار) خالی کردن
unlooked-for /ʌn'lʊkt fɔ:(r)/ *adj* غیرمنتظره
unlucky /ʌn'lʌkɪ/ *adj* بدبخت؛ نحس

unman /ˌʌn'mæn/ *vt* [-ned] عنان اختیار از کف کسی ربودن
unmask /ˌʌn'mɑ:sk/ *vt* پرده (از روی چیزی) برداشتن؛ نمایان کردن؛ رسوا کردن
unmatched /ˌʌn'mætʃt/ *adj* بی‌مانند، بی‌نظیر
unmeaning /ʌn'mi:nɪŋ/ *adj* بی‌معنی
unmeasured /ʌn'meʒəd/ *adj* ناپیموده؛ بی‌پایان؛ زیاده از حد
unmistakable /ˌʌnmɪ'steɪkəbl/ *adj* اشتباه نشدنی
unmitigated /ʌn'mɪtɪgeɪtɪd/ *adj* مطلق، یکپارچه، به تمام معنی
unnatural /ʌn'nætʃrəl/ *adj* غیرطبیعی؛ بی‌عاطفه
unnerve /ˌʌn'nɜ:v/ *vt* = unman
unnumbered /ˌʌn'nʌmbəd/ *adj* بی‌شمار؛ بدون شماره
unofficial /ˌʌnə'fɪʃl/ *adj* غیررسمی
unpaid /ʌn'peɪd/ *adj* بدون مواجب، بدون حقوق؛ پرداخت نشده
unparalleled /ʌn'pærəleld/ *adj* بی‌مانند، بی‌نظیر
unparliamentary /ˌʌnpɑ:lə'mentrɪ/ *adj* مخالف رسوم و آدابِ پارلمانی؛ ناشایسته
unpleasantness /ʌn'plezntnɪs/ *n* خشونت؛ مخالفت؛ ناخوشایندی
unprecedented /ʌn'presɪdentɪd/ *adj* بی‌سابقه
unpretending /ˌʌnprɪ'tendɪŋ/ *adj* بی‌ادعا، فروتن
unprincipled /ʌn'prɪnsəpld/ *adj* بی‌مسلک، فاقدِ اصول (اخلاقی)
unprofessional /ˌʌnprə'feʃnəl/ *adj* غیرحرفه‌ای؛ مخالفِ اصول حرفه‌ای
unprovoked /ˌʌnprə'vəʊkt/ *adj* بی‌جهت، بی‌دلیل
unqualified /ʌn'kwɒlɪfaɪd/ *adj* فاقدِ شرایط لازم
unquestionable /ʌn'kwestʃənəbl/ *adj* مسلم
unravel /ʌn'rævl/ *vt* [-led] از هم باز کردن، ریش‌ریش کردن؛ شرح دادن
unread /ʌn'red/ *adj* نخوانده؛ بی‌سواد
unrelenting /ˌʌnrɪ'lentɪŋ/ *adj* سخت، سنگدل
unreliable /ˌʌnrɪ'laɪəbl/ *adj* غیرقابل اعتماد
unremitting /ˌʌnrɪ'mɪtɪŋ/ *adj* پیوسته، مداوم
unrequited /ˌʌnrɪ'kwaɪtɪd/ *adj* بی‌تلافی مانده، بی‌پاسخ

unrest /ʌn'rest/ *n* آشوب، اضطراب

unrival(l)ed /ʌn'raɪvld/ *adj* بی‌مانند، بی‌نظیر

unruly /ʌn'ru:lɪ/ *adj* سرکش، متمرد

unsaid /ˌʌn'sed/ *adj* ناگفته

unsatisfactory /ˌʌnsætɪs'fæktərɪ/ *adj* بد

It is unsatisfactory رضایت‌بخش نیست، بد است

unsavoury /ʌn'seɪvərɪ/ *adj* بی‌مزه؛ نفرت‌آور

unsay /ˌʌn'seɪ/ *vt* پس گرفتن (حرف)

unscathed /ʌn'skeɪðd/ *adj* بی‌زیان، قِسر

unscrupulous /ʌn'skru:pjʊləs/ *adj* بی‌همه‌چیز، بی‌مرام، فاقد اصولِ اخلاقی

unseat /ˌʌn'si:t/ *vt* خلع کردن؛ پرت کردن

unseen /ʌn'sɪn/ *adj,n* ۱.نادیده؛ غیب ۲.ترجمه متنی که قبلاً دیده‌نشده است

unsettle /ˌʌn'setl/ *vt* به‌هم زدن؛ مختل کردن

unsettled *adj* درهم (برهم)؛ مختل؛ قطعی نشده؛ تصفیه نشده؛ مستقر نشده؛ آباد نشده

unsightly /ʌn'saɪtlɪ/ *adj* بدنما، زشت

unsophisticated /ˌʌnsə'fɪstɪkeɪtɪd/ *adj* چشم و گوش بسته، ساده

unsparing /ʌn'speərɪŋ/ *adj* بـی‌دریغ، بـی‌مضایقه

unspeakable /ʌn'spi:kəbl/ *adj* نگفتنی

unspotted /ʌn'spɒtɪd/ *adj* بی‌لکه؛ بی‌شایبه

unstrung /ˌʌn'strʌŋ/ *adj* فاقد تسلط بر اعصاب

unsuccessful /ˌʌnsək'sesfl/ *adj* نتیجه‌نگرفته، ناموفق، ناکام؛ بی‌نتیجه

unsuitable /ʌn'su:təbl/ *adj* نامناسب

unsung /ˌʌn'sʌŋ/ *adj* مدح ناشده؛ قدر ناشناخته

unswerving /ʌn'swɜ:vɪŋ/ *adj* راسخ، استوار

unthinkable /ʌn'θɪŋkəbl/ *adj* غیرقابل تصور

unthinking /ʌn'θɪŋkɪŋ/ *adj* بی‌فکر، گیج

until /ən'tɪl/ *prep,conj* ۱.تا ۲.تا اینکه، تا وقتی‌که

untimely /ʌn'taɪmlɪ/ *adj* نابهنگام، بی‌موقع

untiring /ʌn'taɪərɪŋ/ = tireless

unto /'ʌntu:/ *prep, Arch* = to

[unto را نمی‌توان مانند to درجلو مصدر درآورد وگرنه در همهٔ معانی دیگر با to برابر است]

untold /ˌʌn'təʊld/ *adj* ناگفته؛ بی‌حد

untoward /ˌʌntə'wɔ:d/ *adj* ناخوشایند، نامساعد؛ فاسد

untrammelled /ʌn'træmld/ *adj* بی‌مانع، بی‌بندوبار

untruth /ʌn'tru:θ/ *n* دروغ، کذب، سقم

untutored /ʌn'tju:təd/ *adj* اُمّی، بی‌سواد

unusual /ʌn'ju:ʒl/ *adj* غیرمعقول، بعید، بعید، نامتعارف

unusually /ʌn'ju:ʒəlɪ/ *adv* (به طور) فوق‌العاده

unutilizable /ʌn'ju:tɪlaɪzəbl/ *adj* غیرقابل استفاده

unutilized /ʌn'ju:tɪlaɪzd/ *adj* بی‌استفاده (مانده)

unutilized land زمین بایر

unutterable /ʌn'ʌtərəbl/ *adj* نگفتنی

unvarnished /ʌn'vɑ:nɪʃt/ *adj* بی‌جلا

the unvarnished truth حقیقت ساده و عریان

unwelcome /ʌn'welkəm/ *adj* نامطلوب، نخواسته

unwhipped /ʌn'wɪpt/ *adj* شلاق نخورده، سزاوارِ تنبیه

unwieldy /ʌn'wi:ldɪ/ *adj* سنگین؛ بدهیکل

unwilling /ʌn'wɪlɪŋ/ *adj* بی‌میل، ناراضی

unwittingly *adv* ندانسته، سهواً

unworthy /ʌn'wɜ:ðɪ/ *adj* نالایق؛ نازیبا

up /ʌp/ *adv,prep,adj* ۱.بالا؛ [با بعضی افعال] به کلی [burnt up] ۲.به‌طرف بالایِ؛ (از) بالایِ ۳.گذشته، منقضی؛ برپا ایستاده؛ بیدار، برخاسته؛ آماده؛ خوب یاد گرفته؛ بالایی

further up بالاتر

as far up as... از جهت شمال تا...

climb up بالارفتن از

up hill سربالایی

up hill and down dale بالا و پایین، همه جا، در دره و ماهور

up to تا؛ به اندازهٔ، مطابقِ؛ آمادهٔ

It is up to him to... با اوست که...

It is all up with him. دیگر امید (یا چاره‌ای) ندارد

up against مواجه با

on the up grade بالارونده

Up (with you)! بلند شوید، یاالله!

Up with peace! زنده باد صلح!

What is going up? چه خبر است؟

ups *(n)* **and downs** پستی و بلندی

up /ʌp/ *vi,Col* پریدن، بلند شدن

up with برداشتن، بلند کردن

upbraid /ˌʌp'breɪd/ *vt* سرزنش‌کردن

upbringing /'ʌpbrɪŋɪŋ/ *n* بار آوردن، تربیت

upcountry /ˌʌp'kʌntrɪ/ *adj* دور از دریا، (واقع) در داخل یا درون کشور

upheaval /ʌp'hi:vl/ *n* بالا آمدگی؛ خیزش؛ اغتشاش، شورش، آشوب

upheld /ˌʌp'held/ [*p,pp of* uphold]

uphill /ˌʌpˈhɪl/ *adv* سربالا
uphill *adj* سربالایی؛ [مجازاً] دشوار
uphold /ˌʌpˈhəʊld/ *vt* [-held] نگاه‌داشتن؛ پشتیبانی کردن؛ تصدیق کردن
upholster /ˌʌpˈhəʊlstə(r)/ *vt* [مبل] رویه کشیدن و فنر گذاشتن؛ مفروش و مبله کردن
upholsterer مبل‌فروش، مبل‌ساز
upholstery *n* مبل (فروشی)؛ پوشش و لایی مبل
upkeep /ˈʌpkiːp/ *n* (هزینه) نگهداری وتعمیر
upland /ˈʌplənd/ *adj* واقع در ارتفاعات؛ کوهستانی، کوه‌نشین
uplift /ˌʌpˈlɪft/ *n* ترقی و تعالی معنوی
uplift /ˌʌpˈlɪft/ *vt* تعالی بخشیدن، روحیه بخشیدن
upon /əˈpɒn/ *prep* روی، بر [در محاوره on از upon مصطلح‌تر است]
  upon collecting بادریافتِ
upper *adj,n* ۱.بالایی، فوقانی ۲.رویه (کفش)
  the Upper House مجلس لردها، مجلس اعیان
  the upper storey [مجازاً] مُخ، بالاخانه
  get the upper hand of (از کسی) جلو افتادن، (برکسی) تفوق یافتن
  be (down) on one's uppers مستأصل بودن
  the upper ten (thousand) هزار فامیل، اشراف
uppermost /ˈʌpəməʊst/ *adj,adv* ۱.بالاترین؛ برجسته ۲.در بالا(ترین جا)
uppish *adj* جسور و خودبین
upright /ˈʌpraɪt/ *adj,adv,n* ۱.راست، عمودی؛ [مجازاً] درستکار ۲.راست ۳.تیر راست
uprightness *n* درستی، راستی
uprise /ʌpˈraɪz/ *vt* [-rose; -risen] برخاستن
uprising *n* قیام؛ طغیان
uproar /ˈʌprɔː(r)/ *n* غوغا، جنجال؛ آشوب
uproarious /ʌpˈrɔːrɪəs/ *adj* پرسروصدا؛ قهقهه‌زنان؛ خنده‌آور
uproot /ˌʌpˈruːt/ *vt* از ریشه کندن
upset /ˌʌpˈset/ *vt,vi* [-set] ۱.واژگون کردن، چپه کردن؛ منقلب کردن؛ برهم زدن؛ از کار انداختن (دولت) ۲.چپه شدن؛ به‌هم خوردن
upset /ˌʌpˈset/ *n* واژگونی؛ واژگون‌سازی؛ آشفتگی؛ اختلاف
upshot /ˈʌpʃɒt/ *n* نتیجه، حاصل؛ خلاصه
upside-down /ˌʌpsaɪd ˈdaʊn/ *adj,adv* وارونه، سروته؛ (به‌طور)معکوس؛ زیرورو؛ درهم برهم
upstairs /ˌʌpˈsteəz/ *adv* بالا، طبقه بالا
upstairs /ˌʌpˈsteəz/ *adj* فوقانی، مال طبقهٔ بالا
upstanding /ˌʌpˈstændɪŋ/ *adj* قوی‌بنیه؛ ثابت
upstart /ˈʌpstɑːt/ *n* شخص تازه به دوران رسیده
upstream /ˈʌpstriːm/ *adv,adj* ۱.خلاف جریان آب ۲.علیا
uptake /ˈʌpteɪk/ *n* [درگفتگو]گرفتنِ مطلب، فهم؛ [زیست‌شناسی] جذب
up-to-date /ˈʌp tə deɪt/ *adj* تازه، جدید؛ مطلّع؛ امروزی
upturn /ˈʌptɜːn/ *n* بهبود، تغییر مطلوب
upward /ˈʌpwəd/ *adj* بالا(یی)؛ رو به بالا، صعودی
upward(s) *adv* (سوی) بالا
  upwards of بیش از، متجاوز از
  and upward و بیش از آن، به بالا
uranium /jʊˈreɪnɪəm/ *n* اورانیوم
Uranus /juˈreɪnəs/ *n* اورانوس
urban /ˈɜːbən/ *adj* شهری، مدنی
urbane /ɜːˈbeɪn/ *adj* مؤدب؛ مقرون به ادب
urbanity /ɜːˈbænətɪ/ *n* ادب، تربیت؛ مدنیت، شهرنشینی
urbanize /ˈɜːbənaɪz/ *vt* مدنی کردن، شهری کردن
urchin /ˈɜːtʃɪn/ *n* بچهٔ شیطان
Urdu /ˈʊəduː/ *n* زبان اُردو
urge /ɜːdʒ/ *vt,n* ۱.اصرار کردن به؛ به اصرار وارد کردن؛ درخواست کردن؛ ترغیب کردن ۲.میل مفرط، اصرار
urgency /ˈɜːdʒənsɪ/ *n* فوریت؛ ضرورت
urgent /ˈɜːdʒənt/ *adj* فوری؛ مصرّ
  be urgent with اصرار کردن به
urgently *adv* مصرّانه؛ به‌فوریت
urinal /ˈjʊərɪnl/ *n* ظرف پیشاب، محل ادرار کردن
urinary /ˈjʊərɪnrɪ/ *adj* پیشابی، ادراری
  urinary organs دستگاه پیشاب
urinate /ˈjʊərɪneɪt/ *vi* ادرار کردن
urine /ˈjʊərɪn/ *n* ادرار، پیشاب
urn /ɜːn/ *n* ظرف خاکستر مرده؛ نوعی سماور که در رستورانها به کار می‌برند
us /ʌs/ *pr* [*pl of* me] ما را؛ (به) ما
usable *adj* قابل استفاده
usage /ˈjuːsɪdʒ/ *n* عُرف، عادت، رسم، تداول؛ استعمال، کاربرد
usance /ˈjuːzəns/ *n* وعده، مهلت
  at 30 days' usance سی روز وعده، سی روزه

use /ju:s/ *n* استعمال؛ فایده؛ مصرف، (مورد) استفاده؛ تداول
come into use معمول شدن
make use of استفاده کردن از
put to use مورد استفاده قرار دادن
He lost the use of his left hand. دست چپش از کار افتاد.
It is of no use به‌درد نمی‌خورد
use /ju:s/ *vt* به‌کار بردن، استعمال کردن، مصرف کردن؛ استفاده کردن از
We used to play there ما آنجا (عادتاً) بازی می‌کردیم
I am used to it به آن آشنا هستم، عادت دارم، معتادم
It used to be said that... گفته می‌شود که...
get used to عادت کردن به، آشنا شدن با
useful /ˈju:sfl/ *adj* سودمند، مفید
usefully *adv* به‌طور مفید
usefulness *n* سودمندی، فایده
useless *adj* بی‌فایده، بی‌مصرف
user *n* استعمال‌کننده
usher /ˈʌʃə(r)/ *n,vt* ۱.[در مجالس و غیره] راهنما ۲.راهنمایی کردن؛ خبر از آمدن (چیزی) دادن
USSR /ju: es es ˈɑ:(r)/ [مخفّف Union of Soviet Socialist Republics] اتحاد جماهیر شوروی سوسیالیستی
usual /ˈju:ʒl/ *adj* همیشگی، معمولی، عادی؛ معمول، مرسوم
as usual مانند همیشه، مطابق معمول
It is usual with us معمول ماست
usually *adv* معمولاً، غالباً
usurer /ˈju:ʒərə(r)/ *n* رباخوار
usurious /ju:ˈzjʊərɪəs/ *adj* رباخوار؛ مبنی بر رباخواری
usurp /ju:ˈzɜ:p/ *vt* غصب کردن
usurpation /ju:zɜ:ˈpeɪʃn/ *n* غصب
usurper *n* غاصب، رُباینده
usury /ˈju:ʒərɪ/ *n* رباخواری
utensil /ju:ˈtensl/ *n* ابزار، وسیله؛ ظرف یا وسیلهٔ آشپزخانه
uterine /ˈju:təraɪn/ *adj* زهدانی
uterus /ˈju:tərəs/ *n* [-ri] زهدان، رحم
utilitarian /ju:tɪlɪˈteərɪən/ *adj* مبنی بر این عقیده که سودمندی بر زیبایی یا مطبوعیت مقدم است؛ سودگرایانه؛ سودگرا، فایده‌نگر
utilitarianism /ju:ˌtɪlɪˈteərɪənɪzəm/ *n* سودگرایی، اصالت فایده
utility /ju:ˈtɪlətɪ/ *n* سودمندی؛ فایده، منفعت؛ چیز سودمند؛ [به شکل جمع] وسایل رفاهی، خدمات رفاهی
of public utility عام‌المنفعه
utilizable *adj* قابل استفاده
utilization /ju:təlaɪˈzeɪʃn/ *n* استفاده، کاربرد؛ بهره‌گیری
utilize /ˈju:təlaɪz/ *vt* مورد استفاده قرار دادن
utilized lands اراضی دایر
utmost /ˈʌtməʊst/ *adj,n* ۱.نهایی، بیشترین، حداکثر ۲.منتهای کوشش [He did his utmost]
to the utmost به منتهای درجه
Utopia /ju:ˈtəʊpɪə/ *n* آرمانشهر، مدینهٔ فاضله
utopian /ju:ˈtəʊpɪən/ *adj* آرمانی، خیالی، خیالی، غیرعملی
utter /ˈʌtə(r)/ *adj* کامل، تمام؛ محض
utter /ˈʌtə(r)/ *vt* ادا کردن، گفتن
utter a cry فریاد زدن
utter a groan ناله کردن یا برآوردن
utter a sigh آه کشیدن
utter false coin سکه قلب ساختن و به‌جریان انداختن
utterance /ˈʌtərəns/ *n* بیان، اظهار (عقیده)؛ سخن
give utterance to ادا کردن، اظهار کردن
utterly *adv* کاملاً، به‌کلی
uttermost /ˈʌtəməʊst/ *adj,n* = utmost
uvula /ˈju:vjʊlə/ *n* [-lae] زبان کوچک، ملازه
uxorious /ˌʌkˈsɔ:rɪəs/ *adj* عیال‌پرست

V,v

V,v /vi:/ *n* بیست‌ودومین حرف الفبای انگلیسی
V [مخففِ verb,versus,vide]
vacancy /ˈveɪkənsɪ/ *n* جای خالی، محل بلامتصدی؛ بیکاری
vacant /ˈveɪkənt/ *adj* خالی، بی‌متصدی؛ بی‌حال، بی‌علاقه
vacant hours ساعات بیکاری، اوقات فراغت

vacate /və'keɪt/ *vt* تخلیه کردن؛ رها کردن؛ باطل کردن
vacation /və'keɪʃn US: veɪ-/ *n* تعطیل؛ ترک
vaccinate /'væksɪneɪt/ *vt* واکسن زدن به، مایه‌کوبی کردن
vaccinate a child against smallpox واکسن آبلهٔ بچه‌ای را زدن
vaccination /,væksɪ'neɪʃn/ *n* مایه‌کوبی، واکسن‌زنی
vaccine /'væksi:n/ *n* مایه، واکسن
vacillate /'væsəleɪt/ *vi* نوَسان کردن؛ [مجازاً] دودل بودن
vacillation /,væsə'leɪʃn/ *n* نوسان؛ دودلی
vacuity /və'kju:ətɪ/ *n* خالی بودن؛ فضای خالی؛ نامفهومی؛ بی‌فکری، کودنی
vacuous /'vækjʊəs/ *adj* تهی؛ [مجازاً] بی‌معنی؛ توأم با بیکاری
vacuum /'vækjʊəm/ *n* [-ums *or* -ua] خلأ
vacuum cleaner جارو برقی
vacuum flask = thermos flask
vade-mecum /,vɑ:dɪ 'meɪkʊm, ,veɪdɪ 'mi:kəm/ *n* کتاب راهنما
vagabond /'vægəbɒnd/ *adj,n* (آدم) آواره یا خانه به‌دوش
vagary /'veɪgərɪ/ *n* بوالهوسی؛ وسواس؛ غرابت
vagrancy /'veɪgrənsɪ/ *n* آوارگی؛ ولگردی
vagrant /'veɪgrənt/ *adj,n* ولگرد، (آدم) آواره یا دربه‌در
vague /veɪg/ *adj* مبهم، نامعلوم
vain /veɪn/ *adj* بیهوده، عبث؛ باطل؛ توخالی؛ خودبین؛ ناچیز، جزئی
in vain بیهوده، عبث؛ به بطالت
vainglorious /,veɪn'glɔ:rɪəs/ *adj* لاف‌زن
vainglory /,veɪn'glɔ:rɪ/ *n* لاف و گزاف؛ غرور
vainly *adv* بیهوده، بی‌جهت
valance /'væləns/ *n* [در پرده و تختخواب و غیره] والان
vale /veɪl/ *n* دره وسیع و کم‌عمق
vale /veɪl/ *int,L* خداحافظ
valediction /,vælɪ'dɪkʃn/ *n* خداحافظی، تودیع
valedictory /,vælɪ'dɪktərɪ/ *adj* تودیعی
valentine /'væləntaɪn/ *n* یاری که کسی در روزِ ۱۴ فوریه برای خود پیدا کند؛ نامه یا عکسی که در آن روز مرد یا زنی برای زن یا مردی بفرستد
valerian /və'lɪərɪən/ *n* سنبل‌الطیب، والرین
valet /'vælɪt/ *n* نوکر
valetudinarian /,vælɪtju:dɪ'neərɪən/ *n* [روانشناسی] خود بیمارانگار
Valhalla /væl'hælə/ *n* [در افسانه‌های نروژی] کاخی که ارواح کشته شدگان جنگ در آن ضیافت می‌کنند؛ عمارتی که مشاهیر را در آن دفن می‌کنند یا مجسمه‌های ایشان را در آن قرار می‌دهند
valiant /'vælɪənt/ *adj* دلیر؛ دلیرانه
valid /'vælɪd/ *adj* معتبر؛ به قوت خود باقی
validate /'vælɪdeɪt/ *vt* معتبرساختن؛ قانونی شناختن؛ تصدیق کردن
validity /və'lɪdətɪ/ *n* اعتبار، قوت
valise /və'li:z US: və'li:s/ *n* کیف سفری
valley /'vælɪ/ *n* دره، وادی
valor /'vælə(r)/ *n* [املای امریکاییِ valour]
valorous /'vælərəs/ *adj* دلیر، شجاع
valour /'vælə(r)/ *n* دلیری، شجاعت
valuable /'væljʊəbl/ *adj* گرانبها
valuables *npl* چیزهای بهادار
valuation /,væljʊ'eɪʃn/ *n* ارزیابی، ارزش‌گذاری، تقویم؛ بها، قیمت
value /'vælju:/ *n,vt* ۱.ارزش، بها، قیمت؛ قدر ۲.تقویم کردن
It is highly valued as food
برای خوراک بسیار مطلوب است
valuer *n* ارزیاب
valve /vælv/ *n* دریچه، سوپاپ؛ شیر؛ سرپوش؛ لامپِ خلأ؛ [لاستیک اتومبیل] والف
valvule /'vælvju:l/ *n* دریچهٔ کوچک
vamp /væmp/ *n,vt* ۱.زنی که با عشوه‌گری پول درآورد ۲.با عشوه‌گری پول (از کسی) درآوردن
vampire /'væmpaɪə(r)/ *n* روحی که برخی معتقدند از قبر خارج شده خون مردم را می‌مکد؛ آدم انگل، باجگیر
vampire /'væmpaɪə(r)/ *or* **vampire bat** نوعی شبکور در امریکای جنوبی که خون جانوران دیگر را می‌مکد
van /væn/ *n* وانت؛ واگن باریِ سرپوشیده؛ ماشین زندان
van /væn/ *n* جلودار، طلایه، پیشقراول، واحد مقدم؛ جبهه؛ [مجازاً] پیشقدمان، پرچمداران
vandal /'vændl/ *n* آدم مخرب، ویرانگر، خرابکار
vane /veɪn/ *n* بادنما؛ پره
vanguard /'vængɑ:d/ *n* جلودار، طلایه، پیشقراول، واحد مقدم

vanilla /və'nɪlə/ *n* وانیل
vanish /'vænɪʃ/ *vi* ناپدید شدن؛ محو شدن
vanity /'vænətɪ/ *n* بطالت؛ چیزِ مزخرف؛ تکبر، خودبینی
vanity bag کیف لوازم آرایش
vanquish /'væŋkwɪʃ/ *vt* پیروز شدن بر
vantage-ground /'vɑ:ntɪdʒ graʊnd/ *n* موضع مساعد
vapid /'væpɪd/ *adj* بی‌مزه؛ خنک، بی‌روح
vapidity /və'pɪdətɪ/ *n* بی‌مزگی، خنکی
vapor /'veɪpə(r)/ *n* [املای امریکاییِ vapour]
vaporize /'veɪpəraɪz/ *vt,vi* ۱.به‌شکل بخار درآوردن ۲.تبخیر شدن
vaporous /'veɪpərəs/ *adj* بخاردار، مه‌دار؛ مانند بخار؛ [مجازاً] بی‌اساس
vapour /'veɪpə(r)/ *n* بخار، دمه؛ مِه
the vapours *Arch* مِراق، سودا
variability /ˌveərɪə'bɪlətɪ/ *n* = variableness
variable /'veərɪəbl/ *adj,n* ۱.تغییرپذیر، متغیر ۲.(عامل) متغیر
variableness *n* تغییرپذیری
variably /'veərəblɪ/ *adv* به‌طور متغیر
variance /'veərɪəns/ *n* اختلاف
at variance مغایر، مخالف؛ (در حال) قهر
set two men at variance میانهٔ دو نفر را به‌هم زدن
variant /'veərɪənt/ *adj,n* ۱.مغایر؛ مختلف؛ طور دیگر ۲.نسخه بدل
variation /ˌveərɪ'eɪʃn/ *n* تغییر، نوسان؛ گوناگونی، تنوع
varicoloured /'veərɪkʌləd/ *adj* رنگارنگ
varicose /'værɪkəʊs/ *adj* گشادشده
varied *adj* گوناگون، متنوع، مختلف؛ متغیر، بی‌ثبات
varied /'veərɪd/ [*p,pp of* vary]
variegate /'veərɪgeɪt/ *vt* رنگارنگ کردن
variety /və'raɪətɪ/ *n* تنوع؛ نوع، قسم، گونه؛ واریته
several varieties of چندین جور
for a variety of reasons به دلایل مختلف، به چند دلیل
variform /ˌveərɪ'fɔ:m/ *adj* مختلف‌الشکل
variorum /ˌveərɪ'ɔ:rəm/ *adj* دارای حواشی گوناگون
various /'veərɪəs/ *adj* گوناگون، مختلف؛ متعدد
for various reasons به چند دلیل، به دلایل مختلف

variously *adv* به اشکال مختلف
varlet /'vɑ:lɪt/ *n* کسی که خدمت می‌کرد تا به پایهٔ knight یا squire برسد؛ [قدیمی] شخص فرومایه
varmint /'vɑ:mənt/ *n,Sl or Col* = vermin
the varmint [در اصطلاح شکار] روباه
varnish /'vɑ:nɪʃ/ *n,vt* ۱.روغنِ جلا، ورنی؛ جلا؛ برق ۲.جلا دادن، لعاب دادن؛ [مجازاً] خوش‌ظاهر کردن
varsity /'vɑ:sətɪ/ *n,Col* = university
vary /'veərɪ/ *vt,vi* ۱.تغییر دادن ۲.تغییر کردن؛ اختلاف داشتن
varying *apa* متنوع؛ جوربه‌جور
vascular /'væskjʊlə(r)/ *adj* آوندی؛ عروقی
vase /vɑ:z/ *n* گلدان؛ ظرف
vaseline /'væsəli:n/ *n* وازلین
vassal /'væsl/ *n* رعیت ملکِ تیول؛ بنده، تابع
vassalage /'væsəlɪdʒ/ *n* بندگی، رعیتی، تبعیت؛ بیعت؛ تیول
vast /vɑ:st/ *adj* وسیع، پهناور؛ زیاد
vast /vɑ:st/ *n,Poet* پهنا، وسعت، فضا
vat /væt/ *n* خمره
Vatican /'vætɪkən/ *n* واتیکان، مقر پاپ
vaudeville /'vɔ:dəvɪl/ *n* درام کوچک؛ [در امریکا] واریته
vault /vɔ:lt/ *n,vt,vi* ۱.طاق؛ گنبد؛ سردابه، زیرزمین؛ جست، پرش ۲.طاق (در جایی) زدن؛ طاق‌نماکردن ۳.جست زدن
vaulting-horse /'vɔ:ltɪŋ hɔ:s/ *n* [ژیمناستیک] خَرک
vaunt /vɔ:nt/ *n,vi* ۱.لاف (زدن)؛ خودستایی (کردن)
veal /vi:l/ *n* گوشت گوساله
vector /'vektə(r)/ *n* بُردار؛ ناقل بیماری؛ مسیر هواپیما
veer /vɪə(r)/ *v* تغییر (جهت) دادن
veer and haul شل و سفت کردن
vegetable /'vedʒtəbl/ *n,adj* ۱.گیاه، نبات، رستنی؛ [به صورت جمع] سبزیجات ۲.گیاهی، نباتی
vegetarian /ˌvedʒɪ'teərɪən/ *n,adj* گیاهخوار، طرفدار غذای نباتی
vegetate /'vedʒɪteɪt/ *vi* زندگی نباتی داشتن؛ خوردن و خوابیدن
vegetation /ˌvedʒɪ'teɪʃn/ *n* گیاه، رستنی؛ زندگی نباتی
vehemence /'vi:əməns/ *n* تندی، شدت؛ حرارت

vehement /vi:əmənt/ *adj* تند، شدید؛ باحرارت؛ مفرط، زیاد
vehicle /'vɪəkl/ *n* گردونه؛ وسیلهٔ نقلیه؛ ناقل، وسیله
vehicular /vɪ'hɪkjʊlə(r)/ *adj* گردونه‌ای، مربوط به وسایل نقلیه
veil /veɪl/ *n,vt* ۱.تورِ صورت؛ پرده؛ ستر، بهانه، لفافه؛ غشا، شامه ۲.پوشاندن
under the veil of در لفافهٔ
take the veil در سلک راهبه‌ها درآمدن
beyond the veil پس از مرگ
vein /veɪn/ *n* سیاهرگ، ورید؛ رگ؛ رگه؛ خط؛ [مجازاً] حالت روحی؛ تمایل
I am not in the vein for it حالش را ندارم
veined /veɪnd/ *adj* رگ‌دار؛ رگه
veldt /vəlt/ *n* جلگهٔ علفزار و بی‌درخت در افریقای جنوبی
vellum /'veləm/ *n* پوست گوساله
velocipede /vɪ'lɒsɪpi:d/ *n* [قدیمی] دوچرخه؛ [در امریکا] سه‌چرخهٔ بچگانه
velocity /vɪ'lɒsetɪ/ *n* سرعت
velours /və'lɒəz/ *n,adj* ۱.پارچهٔ مخملی ۲.مخملی
velvet /velvɪt/ *n* مخمل
an iron hand in a velvet glove سختی و خشونت در لفافه نرمی و ملایمت
velveteen /,velvɪ'ti:n/ *n* مخمل نخ و ابریشم
velvety *adj* مخملی؛ نرم
venal /'vi:nl/ *adj* پولکی؛ فروشی
venality /vi:'nælətɪ/ *n* پولکی بودن، تمایل به رشوه‌گیری
vend /vend/ *vt* = sell
vendee /ven'di:/ *n* خریدار
vender; -dor /'vendə(r)/ *n* فروشنده، بایع
vendetta /ven'detə/ *n* کینهٔ خانوادگی
veneer /və'nɪə(r)/ *n,vt* ۱.روکش ۲.روکش کردن
venerable /'venərəbl/ *adj* محترم
venerate /'venəreɪt/ *vt* احترام کردن، پرستش کردن
veneration /,venə'reɪʃn/ *n* احترام، حرمتگزاری
venereal /və,nɪərɪəl/ *adj* آمیزشی، مقاربتی، زُهروی
Venetian /və'ni:ʃn/ *adj* ونیزی
Venetian blind پنجرهٔ کرکره‌ای متحرک
vengeance /'vendʒəns/ *n* کینه‌جویی
take vengeance upon انتقام‌کشیدن‌از
with a vengeance! چه جور هم! به منتها درجه!
vengeful /'vendʒfl/ *adj* کینه‌جو، انتقام کشنده
venial /'vi:nɪəl/ *adj* قابل اغماض
venial sin گناه جزئی، گناه صغیره
venison /'venɪzn/ *n* گوشت گوزن
venom /'venəm/ *n* زهر؛ [مجازاً] کینه
venomed /'venəmd/ *adj* زهرآلود
venomous /'venəməs/ *adj* زهرآلود؛ زهردار، سمی، [مجازاً] کینه‌توز
venous /'vi:nəs/ *adj* وریدی
vent /vent/ *n,vt* ۱.منفذ، سوراخ، بادخور؛ دررو؛ مخرج ۲.بادخور یا در رو (در چیزی) گذاشتن
give vent to one's wrath دِق دل را خالی کردن
vent oneself عقدهٔ دل را گشودن
vent-hole /'vent həʊl/ *n* منفذ، سوراخ هواکش
ventilate /'ventɪleɪt/ *vt* تهویه کردن؛ تصفیه کردن؛ [مجازاً] برملا کردن
ventilation /,ventɪ'leɪʃn US: -tə'leɪʃn/ *n* تهویه؛ [مجازاً] بحث آزاد
ventilator /'ventɪleɪtə(r) US: -təl-/ *n* اسباب تهویه، هواکش
ventricle /'ventrɪkl/ *n* [پزشکی] بطن، شکمچه
ventriloquist /ven'trɪləkwɪst/ *n* کسی که چنان سخن گوید که پندارند صدا از شخص یا جای دیگر می‌آید
venture /'ventʃə(r)/ *n,vi,vt* ۱.کار مخاطره‌آمیز؛ سفر مخاطره‌آمیز ۲.جرئت کردن؛ خطر کردن ۳.به مخاطره انداختن؛ با جسارت اظهار کردن
I venture to say جسارتاً عرض می‌کنم
venture (up)on something با جرئت اقدام به کاری کردن
at a venture بی‌هدف، همین‌طوری
venturesome /'ventʃəsəm/ *adj* مخاطره‌آمیز؛ متهور
venturous /'ventʃərəs/ *US* = venturesome
venue /'venju:/ *n* محل رسیدگی به جرم؛ [در گفتگو] محل اجتماع
Venus /'vi:nəs/ *n* ناهید، زهره؛ [در اساطیر] نام الههٔ زیبایی، ونوس
veracious /və'reɪʃəs/ *adj* راست
veracity /və'ræsetɪ/ *n* راستگویی؛ صحت، درستی
veranda(h) /və'rændə/ *n* ایوان
verb /vɜ:b/ *n* [دستورزبان] فعل

verbal /'vɜ:bl/ *adj* شفاهی، زبانی؛ لفظی؛ تحت‌الفظی؛ فعلی
verbal noun = gerund
verbally /'vɜ:bəlɪ/ *adv* شفاهاً
verbatim /vɜ:'beɪtɪm/ *adj,adv* کلمه به کلمه
verbena /vɜ:'bi:nə/ *n* گل شاه‌پسند
verbiage /'vɜ:bɪɪdʒ/ *n* درازگویی، لفاظی، اطناب لفاظی، اطناب
verbose /vɜ:'bəʊs/ *adj* زیاد دراز، مطول؛ درازنویس؛ درازگو
verbosity /vɜ:'bɒsətɪ/ *n* اطناب، درازنویسی
verdancy /'vɜ:dnsɪ/ *n* سبزی؛ تازگی؛ خامی
verdant /'vɜ:dnt/ *adj* سبز؛ خام
verdict /'vɜ:dɪkt/ *n* رأی، حکم؛ تصمیم هیئتِ منصفه؛ قضاوت
open verdict رأی هیئت منصفه حاکی از وقوع جرم بدون تصریح مجرم
verdigris /'vɜ:dɪgrɪs/ *n* زنگار؛ زنگ مس
verdure /'vɜ:dʒə(r)/ *n* سبزه؛ سبزی؛ [مجازاً] تازگی
verge /vɜ:dʒ/ *n,vi* ۱.کنار، لب؛ لبه؛ نزدیکی ۲.مایل شدن، متمایل شدن؛ در کنار واقع شدن
on the verge of در حدودِ؛ در شرفِ
It verges on a valley در کنار دره‌ای واقع شده است
verger /'vɜ:dʒə(r)/ *n* خادم کلیسا
verifiable /'verɪfaɪəbl/ *adj* قابل رسیدگی، اثبات‌پذیر
verification /ˌverɪfɪ'keɪʃn/ *n* صحت؛ اثبات؛ تأیید
verify /'verɪfaɪ/ *vt* صحت و سقم (چیزی) را معلوم کردن، رسیدگی (به چیزی) کردن، ممیزی کردن؛ تصدیق کردن؛ ثابت کردن
verily /'verəlɪ/ *adv, Arch* به‌راستی، حقیقتاً، در واقع، هر آینه
verisimilitude /ˌverɪsɪ 'mɪlɪtju:d/ *n* صحت، اعتبار، سندیت
veritable /'verɪtəbl/ *adj* واقعی
verity /'vərətɪ/ *n* راستی، صحت
vermicelli /ˌvɜ:mɪ'selɪ/ *n* نوعی رشته فرنگی، ورمیشل
vermilion /və'mɪlən/ *n* شنگرف، شنجرف
vermin /'vɜ:mɪn/ *n* جانوران موذی؛ آفت؛ [مجازاً] مردم پست و انگل
verminous /'vɜ:mɪnəs/ *adj* پُر از حشرات یا جانوران موذی؛ شپش گرفته
vermouth /'vɜ:məθ/ *n* ورموت، شراب افسنطین
vernacular /və'nækjʊlə(r)/ *adj,n* ۱.[زبان] بومی، محلی ۲.زبان محلی، زبان بومی؛ زبان مادری
vernal /'vɜ:nl/ *adj* بهاری، ربیعی
versatile /'vɜ:sətaɪl/ *adj* بحث‌کننده از چند موضوع؛ ماهر در چندین چیز؛ گردنده؛ بی‌ثبات
versatility /ˌvɜ:sə'tɪlətɪ/ *n* قابلیت تغییر، تغییرپذیری
verse /vɜ:s/ *n* شعر؛ نظم؛ آیه
versed /vɜ:st/ *adj* متبحر، با اطلاع
versification /vɜ:sɪfɪ'keɪʃn/ *n* منظومه‌سازی، منظومه‌سرایی
versifier *n* شاعرک، ناظم
versify /'vɜ:sɪfaɪ/ *vt,vi* ۱.به‌نظم درآوردن ۲.شعر ساختن
version /'vɜ:ʃn US: -ʒn/ *n* روایت؛ نسخه؛ ترجمه
verst /vɜ:st/ *n* ورست: واحد طول
versus /'vɜ:səs/ *prep* در مقابلِ
vertebra /'vɜ:tɪbrə/ *n* [-brae] مهره، فقره
vertebral column /'vɜ:tɪbrəl kɒləm/ *n* تیرهٔ پشت، ستون فقرات
vertebrate /'vɜ:tɪbreɪt/ *adj* [جانور] مهره‌دار
vertex /'vɜ:teks/ *n* [vertices] نوک، تارَک، رأس؛ قله؛ فرق سر
vertical /'vɜ:tɪkl/ *adj* عمودی، قایم؛ واقع در نوک یا رأس
vertically /'vɜ:tɪklɪ/ *adv* به‌طور عمود
vertigo /'vɜ:tɪgəʊ/ *n* [-es] سرگیجه، دوار، دوَران
verve /vɜ:v/ *n* ذوق؛ حرارت
very /'verɪ/ *adv,adj* ۱.بسیار، خیلی ۲.همین، همان، خود؛ هم؛ حتی؛ واقعی، حسابی
I did my very best منتهای کوشش خود را به عمل آوردم
this very house همین خانه
the very mountains کوهها هم، حتی کوهها، کوهها خود
in very deed بدون شک
in very truth = truly
very well بسیار خوب؛ چشم
Vesper /'vespə(r)/ *n* = Hesperus
vespers /'vespəz/ *npl* نماز شام
vessel /'vesl/ *n* ظرف؛ کشتی؛ [گیاه‌شناسی] آوند؛ رگ
vest /vest/ *n* جلیقه؛ زیرپوشِ کشباف

vest /vest/ *vt,vi* ۱.دادن، دارا کردن [با with]؛ واگذار کردن؛ سپردن؛ پوشاندن ۲.رسیدن، مقرر شدن
vest a property in someone ملکی را به‌کسی واگذار کردن
vested with... دارایِ...
vestal virgin /ˌvestl ˈvɜːdʒɪn/ *n* دوشیزه‌ای که پاسبانی آتش همیشه‌سوز Vesta الهۀ کانون به عهدۀ وی بود؛ تارک دنیا؛ [مجازاً] زن پاکدامن
vested *ppa* قطعی، مسلم، بی‌شرط؛ مقرر، مستقر
vestibule /ˈvestɪbjuːl/ *n* راهرو، دالان؛ هشتی، سرپوشیده؛ [کالبدشناسی] دهلیز
vestige /ˈvestɪdʒ/ *n* نشان، اثر، جاپا، رد؛ [در جملات منفی] ذره
vestment /ˈvestmənt/ *n* لباس (رسمی)
vestry /ˈvestrɪ/ *n* رختکن کلیسا؛ نمازخانه کوچک
vesture /ˈvestʃə(r)/ *n,Poet* پوشاک
vet /vet/ *vt* [-ted] *,n,Col* ۱.معاینه کردن ۲.[مختصر veterinary]
vetch /vetʃ/ *n* ماش، ماشک
bitter vetch کَرسَنه، گاودانه
chickling vetch ماش
veteran /ˈvetərən/ *adj,n* ۱.کهنه‌کار، کارآزموده ۲.کهنه سرباز
veterinary /ˈvetrɪnrɪ/ *adj* مربوط به دامپزشکی
veternary surgeon دامپزشک، بیطار
veto /ˈviːtəʊ/ *n* [-es] *,vt* [-ed] ۱.حق رد ۲.رد کردن
exercise one's veto از حقِ وتو استفاده کردن
put a veto on قدغن کردن
vex /veks/ *vt* اذیت کردن، متغیر کردن؛ مورد بحث زیاد قرار دادن، حلاجی کردن
vexation /vekˈseɪʃn/ *n* آزردگی، رنجش؛ تغیر؛ آزار، اذیت
vexatious /vekˈseɪʃəs/ *adj* آزارنده
via /ˈvaɪə/ *prep* از طریقِ
viaduct /ˈvaɪədʌkt/ *n* پلِ دره‌ای، پل روگذر
vial /ˈvaɪəl/ *n* = phial
via media /ˈvaɪə ˈmiːdɪə/ *n,L* حدّ وسط
viands /ˈvaɪəndz/ *npl* خوراک، غذا، مواد غذایی، خواربار
vibrant /ˈvaɪbrənt/ *adj* اهتزازکننده
vibrate /vaɪˈbreɪt/ *vi,vt* ۱.جنبیدن، نوَسان کردن؛ لرزیدن، ارتعاش داشتن ۲.جنباندن، به اهتزاز درآوردن
vibration /vaɪˈbreɪʃn/ *n* اهتزاز؛ ارتعاش، لرزه؛ جنبش؛ نوسان
vibrator *n* ارتعاش‌گر؛ زبانۀ نی
vicar /ˈvɪkə(r)/ *n* جانشین، قائم مقام؛ معاون اسقف
vicarage /ˈvɪkərɪdʒ/ *n* مقرّ یا درآمدِ قائم‌مقامِ اسقف
vicarious /vɪˈkeərɪəs US: vaɪˈk-/ *adj* نیابتی، توکیلی؛ جانشین
vice /vaɪs/ *n* شرارت، گناه، فساد؛ عیب، نقص؛ [ابزار صنعتی] گیره
vice /vaɪs/ *prep* به جایِ
vice-admiral /ˈvaɪs ˈædmərl/ *n,vi* دریابان
vice-chairman /ˈvaɪsˈtʃeəmən/ *n,vi* نایب رئیس
vice-consul /ˈvaɪsˈkɒnsl/ *n,vi* کنسول‌یار
vicegerent /vaɪsˈdʒiːrənt/ *n* جانشین
vice-president /ˈvaɪs ˈprezɪdənt/ *n* نایب رئیس
viceregal /vaɪsˈriːgl/ *adj* وابسته به نایب‌السلطنه یا فرمانفرما
vicereine /vaɪsˈreɪn/ *n* زن نایب‌السلطنه
viceroy /ˈvaɪsrɔɪ/ *n* نایب‌السلطنه، فرمانفرما
viceroyalty /vaɪsˈrɔɪəltɪ/ *n* نیابت سلطنت
vice versa /ˌvaɪsɪ ˈvɜːsə/ *adv,L* بالعکس، برعکس
vicinity /vɪˈsɪnətɪ/ *n* نزدیکی، مجاورت؛ حومه
vicious /ˈvɪʃəs/ *adj* بدکار؛ شریر(انه)؛ معیوب؛ چموش، رموک
vicious circle دور، دور باطل
viciousness *n* شرارت، بدی؛ بدخواهی؛ عیب، نقص
vicissitude /vɪˈsɪsɪtjuːd/ *n* تحول، انقلاب، تغییر؛ فرازونشیب
victim /ˈvɪktɪm/ *n* قربانی؛ شکار
He fell a victim to his ambition.
قربانیِ جاه‌طلبی خود شد.
victimize /ˈvɪktɪmaɪz/ *vt* قربانی کردن؛ مورد تعدی قرار دادن، ایذا و اذیت کردن
victor /ˈvɪktə(r)/ *n,adj* فاتح، پیروز
victoria /vɪkˈtɔːrɪə/ *n* درشکۀ دونفره
victorious /vɪkˈtɔːrɪəs/ *adj* پیروز(ی نشان)
victoriously *adv* مظفرانه
victory /ˈvɪktərɪ/ *n* پیروزی، ظفر
gain a victory over پیروز شدن بر
victual /ˈvɪtl/ *v* [-led] خواربار و غذا تهیه کردن (برای)

victualler /ˈvɪtlə(r)/ *n* خواربار رسان، سورسات‌چی؛ کشتی خواربار بر
victuals *npl* خوراکی
vide /ˈvaɪdɪ/ *v,L* نگاه کنید به، رجوع شود به
vide infra مراجعه شود به زیر
vide supra مراجعه شود به بالا
videlicet /vɪˈdi:lɪset/ *adv,L* یعنی [مختصر آن viz است که خوانده می‌شود namely]
vie /vaɪ/ *vi* همچشمی کردن، رقابت کردن
Viennese /ˌvi:əˈni:z/ *adj,n* [-nese] ۱.وینی ۲.اهل شهر وین
view /vju:/ *n,vt* ۱.نظر، نظریه؛ منظر(ه)؛ بازدید، معاینه؛ منظور؛ ۲.بازدید کردن؛ نگریستن
have views upon something چشم (یا طمع) به چیزی داشتن
in view of نظر به
in view of the fact that نظر به اینکه
to the view آشکارا
on view در معرض نمایش
with a view to; with the view of به منظورِ، از لحاظِ، از نظرِ، برایِ
view favourably با نظرِ مساعد نگریستن
viewfinder /ˈvju:faɪndə(r)/ *n* [در دوربین عکاسی] ویزُر
viewless *Poet* = invisible
viewpoint /ˈvju:pɔɪnt/ *n* لحاظ، (نقطه) نظر
vigil /ˈvɪdʒɪl/ *n* شب زنده‌داری؛ دعای شب [بیشتر در جمع] ؛ مراقبت، کشیک؛ شب عید، شب روزه
keep vigil بیدار ماندن، پاس دادن
vigilance /ˈvɪdʒɪləns/ *n* مراقبت؛ بیداری
vigilant /ˈvɪdʒɪlənt/ *adj* مراقب، گوش به‌زنگ، مواظب، هوشیار
vignette /vɪˈnjet/ *n* [در کتاب] تصویر صفحهٔ عنوان؛ توصیف، شرح موجز
vigorous /ˈvɪgərəs/ *adj* پرزور، نیرومند، قوی؛ خوش‌بنیه؛ شدید
vigorously *adv* باقوت؛ شدیداً
vigo(u)r /ˈvɪgə(r)/ *n* زور، نیرومندی، زورمندی، قوت؛ شدت
viking /ˈvaɪkɪŋ/ *n* جنگاور اسکاندیناویایی در سدهٔ ۸ تا ۱۰ میلادی، دزد دریایی
vile /vaɪl/ *adj* پست؛ فاسد؛ بد
vilification /ˌvɪlɪfɪˈkeɪʃn/ *n* بدگویی، بهتان
vilify /ˈvɪlɪfaɪ/ *vt* بدنام کردن، بهتان زدن به
villa /ˈvɪlə/ *n* خانهٔ ییلاقی، ویلا
village /ˈvɪlɪdʒ/ *n* ده، قریه
villager /ˈvɪlɪdʒə(r)/ *n* روستایی، دهاتی
villain /ˈvɪlən/ *n,adj* (آدم) شرور، (آدم) پست
villainous /ˈvɪlənəs/ *adj* شرارت‌آمیز، پست؛ فاسد، شریر
villainy *n* بدذاتی، شرارت
vim /vɪm/ *Col* = vigour
vindicate /ˈvɪndɪkeɪt/ *vt* حمایت کردن از؛ استیفا(ی حقوق) کردن؛ به ثبوت رساندن
vindication /ˌvɪndɪˈkeɪʃn/ *vt* حمایت، دفاع؛ اثبات؛ استیفا(ی حقوق)
vindictive /vɪnˈdɪktɪv/ *adj* کینه‌جو(یانه)
vine /vaɪn/ *n* مو، تاک؛ پیچک
vinegar /ˈvɪnɪgə(r)/ *n* سرکه
vineyard /ˈvɪnjəd/ *n* تاکستان
vintage /ˈvɪntɪdʒ/ *n* انگورچینی؛ فصل انگورچینی؛ محصول انگور؛ شراب انگور؛ سال (شراب)
vintner /ˈvɪntnə(r)/ *n* عمده‌فروش شراب
viol /ˈvaɪəl/ *n* ویول: نوعی ویلن قدیمی
viola /ˈvaɪələ/ *n* [موسیقی] ویولا
violate /ˈvaɪəleɪt/ *vt* تخلف کردن از؛ بی‌حرمت ساختن؛ بی‌سیرت کردن، هتک ناموس (زنی را) کردن
violation /ˌvaɪəˈleɪʃn/ *n* تخلف؛ نقض عهد؛ بی‌حرمتی؛ هتک ناموس
violence /ˈvaɪələns/ *n* تندی؛ سختی، شدت؛ زور، عنف؛ بی‌حرمتی
violent /ˈvaɪələnt/ *adj* سخت، شدید؛ قاهر؛ جابر(انه)؛ غیرطبیعی[violent death]
violet /ˈvaɪələt/ *n,adj* ۱.بنفشه ۲.بنفش
Violin /ˌvaɪəˈlɪn/ *n* ویلن
violinist *n* ویلن‌زن، نوازندهٔ ویلن
violoncello /ˌvaɪələnˈtʃeləʊ/ *n* ویلن سل
viper /ˈvaɪpə(r)/ *n* افعی
virago /vɪˈrɑ:gəʊ/ *n* [-es] زن شرور و سلیطه
virgin /ˈvɜ:dʒɪn/ *adj,n* ۱.باکره؛ دست نخورده؛ [مجازاً] پاکدامن، عفیف؛ خالص؛ بکر [virgin land] ۲.دوشیزه، دختر بکر
virginity /vəˈdʒɪnətɪ/ *n* دوشیزگی، بکارت
virile /ˈvɪraɪl/ *adj* مردانه؛ دارای رُجولیت یا قوه مردی؛ نیرومند
virility /vɪˈrɪlətɪ/ *n* رجولیت، مردی
virtual /ˈvɜ:tʃʊəl/ *adj* واقعی، معنوی؛ مجازی [virtual focus]
virtually *adv* در معنی، واقعاً

virtue /'vɜ:tʃu:/ *n* پرهیزگاری، تقوی؛ فضیلت، هنر؛ حسن، خاصیت
of virtue پاکدامن، عفیف
by (*or* in) virtue of به اتکای، به‌واسطهٔ
of easy virtue غیر عفیف
make a virtue of necessity روغن ریخته را نذر امامزاده کردن، «از بی‌چادری در خانه ماندن»
virtuosity /ˌvɜ:tʃʊ'ɒsətɪ/ *n* ذوقِ هنرهای زیبا
virtuoso /ˌvɜ:tʃʊ'əʊzəʊ/ *n* [-si] [موسیقی] نوازندهٔ چیره‌دست
virtuous /'vɜ:tʃʊəs/ *adj* پرهیزکار؛ پاکدامن، عفیف؛ دارای محسنات
virulence /'vɪrʊləns/ *n* تندی، تلخی
virulent /'vɪrʊlənt/ *adj* سمی؛ تلخ؛ تند، کینه‌آمیز [a virulent tone]
virus /'vaɪərəs/ *n* ویروس؛ [مجازاً] فساد
visa /'vi:zə/ *n,vt* = vise
visage /'vɪzɪdʒ/ *n* چهره، صورت
visard *or* **vizard** /'vɪzəd/ *n* = visor
vis-à-vis /ˌvi:z ɑ: 'vi:/ *prep,Fr* در مقابلِ، در برابرِ، در مقایسه با
viscera /'vɪsərə/ *npl* اندرونه، احشا
visceral /'vɪsərəl/ *adj* احشایی؛ اندرونی
viscid /'vɪsɪd/ *adj* چسبناک، لزج
viscosity /vɪs'kɒsətɪ/ *n* چسبندگی؛ غلظت
viscount /'vaɪkaʊnt/ *n* وایکانت [لقب پایین‌تر از کنت و بالاتر از بارون]
viscountcy /'vaɪkaʊntsɪ/ *n* رتبهٔ وایکانت
viscous /'vɪskəs/ *adj* چسبناک؛ غلیظ
vise *or* **vice** /vaɪs/ *n* گیره
vise /vaɪs/ *n,vt* [-vised] ۱.روادید، ویزا ۲.ویزا کردن
visibility /ˌvɪzə'bɪlətɪ/ *n* دید؛ وضوح
visible /'vɪsəbl/ *adj* نمایان، مرئی، مشهود
vision /'vɪʒn/ *n* بینایی؛ رؤیا؛ خیال؛ منظره
visionary /'vɪʒənrɪ/ *adj,n* ۱.رؤیایی؛ خیالی، تصوری؛ بصیر، دوراندیش ۲.آدم بصیر یا دوراندیش
visit /'vɪzɪt/ *vt,n* ۱.دیدار کردن، ملاقات کردن؛ عیادت کردن؛ بازدید کردن ۲.ملاقات؛ مسافرت
pay a visit to دیدن کردن
return a visit to بازدید کردن
I was on a visit to... می‌رفتم از ... دیدن کنم
We are on visiting terms با هم آمدوشد داریم، به دیدنِ هم می‌رویم
visitant /'vɪzɪtənt/ *adj,n* ۱ و ۲.دیدارکننده، زایر ۲.مرغ مُهاجر
visitation /ˌvɪzɪ'teɪʃn/ *n* دیدار رسمی، عیادت رسمی؛ بلای آسمانی
visiting card /'vɪzɪtɪŋ kɑ:d/ *n* کارتِ ویزیت
visitor /'vɪzɪtə(r)/ *n* مهمان، [در جمع] واردین، مهمانان؛ زیارت‌کننده
visor /'vaɪzə(r)/ *n* [در کلاه] آفتابگیر
vista /'vɪstə/ *n* منظرهٔ باریک، دورنما
visual /'vɪʒʊəl/ *adj* بصری، دیداری؛ مرئی، واقعی
visualize /'vɪʒʊəlaɪz/ *vt* متصور ساختن، مجسم کردن
vital /'vaɪtl/ *adj* حیاتی؛ [مجازاً] ضروری، واجب، اساسی
a vital wound زخم کاری یا مهلک
vitalism /'vaɪtlɪzəm/ *n* حیاتی‌نگری، عقیده به اینکه زندگی یا جان وابسته به‌یک عامل حیاتی است که ماورای نیروهای طبیعی یا شیمیایی است
vitality /vaɪ'tælətɪ/ *n* نیروی زیست، نیروی حیاتی؛ سرزندگی
vitalize /'vaɪtəlaɪz/ *vt* زندگی یا حیات بخشیدن (به)
vitally /'vaɪtəlɪ/ *adv* به‌طور واجب، به‌طور حیاتی
vitals *npl* اندامهای حیاتی
vitamin /'vɪtəmɪn US: 'vaɪt-/ *n* ویتامین
vitiate /'vɪʃɪeɪt/ *vt* فاسد کردن؛ پوچ کردن، باطل کردن
vitreous /'vɪtrɪəs/ *adj* شیشه‌ای، شفاف، زُجاجی
vitrify /'vɪtrɪfaɪ/ *v* تبدیل به شیشه کردن؛ تبدیل به شیشه شدن
vitriol /'vɪtrɪəl/ *n* زاج، توتیا، نمک جوهرِ گوگرد
blue vitriol کات کبود، زاج کبود
oil of vitriol عرق گوگرد، جوهر گوگرد
vitriolic /ˌvɪtrɪ'ɒlɪk/ *adj* زاجی؛ تند، سوزنده
vituperate /vɪ'tju:pəreɪt/ *vt* بد گفتن (به)، سرزنش کردن
vituperation /vɪˌtju:pə'reɪʃn/ *n* ناسزاگویی
viva /'vaɪvə/ *int,n* = viva voce
vivacious /vɪ'veɪʃəs/ *adj* باروح، بانشاط
vivacity /vɪ'væsetɪ/ *n* نشاط
viva voce /ˌvaɪvə 'vəʊsɪ/ *adj,adv,n* ۱.شفاهیِ ۲.شفاهاً ۳.امتحانِ شفاهی
vivid /'vɪvɪd/ *adj* روشن؛ آشکار، واضح؛ زنده، سرزنده، چالاک
vivisect /ˌvɪvɪ'sekt/ *vt* زنده تشریح کردن

vixen /'vɪksn/ *n* روباه ماده؛ [مجازاً] زن شرور، پتیاره
viz /vɪz/ [مختصر videlicet]
vizier /vɪ'zɪə(r)/ *n* وزیر
vizor /'vaɪzə(r)/ *n* = visor
vocabulary /və'kæbjʊlərɪ/ *n* (دایره) لغت؛ واژه‌نامه؛ واژگان
vocal /'vəʊkl/ *adj* آوایی، آوازی، صوتی؛ مصوّت؛ شفاهی
vocalist /'vəʊkəlɪst/ *n* آوازه‌خوان
vocation /vəʊ'keɪʃn/ *n* احساس وظیفه؛ انجام وظیفه؛ استعداد؛ کار، حرفه، شغل
vocational /vəʊ'keɪʃnl/ *adj* پیشه‌ای، شغلی
vocative /'vɒkətɪv/ *adj* ندایی
vocative case حالت ندا؛ اسم منادی
vociferate /və'sɪfəreɪt/ *vt,vi* ۱.با صدای بلند ادا کردن ۲.داد زدن
vociferation /və'sɪfə'reɪʃn/ *n* فریاد
vociferous /və'sɪfərəs/ *adj* پرصدا، بلند
vodka /'vɒdkə/ *n,Rus* ودکا
vogue /vəʊg/ *n* مُد؛ تمایل
in vogue متداول، معمول، باب
voice /vɔɪs/ *n,vt* ۱.صدا، آواز؛ قول؛ رأی؛ [دستورزبان] صیغه ۲.ادا کردن، اظهار کردن
voiceless *adj* گنگ؛ بی‌صدا [در آواشناسی] بی‌واک
void /vɔɪd/ *adj,n,vt* ۱.تهی، خالی؛ بی‌متصدی؛ باطل، پوچ؛ عاری [void of sense] ۲.فضا، جای خالی ۳.از درجهٔ اعتبار ساقط کردن؛ دفع کردن
voile /vɔɪl/ *n,Fr* وال
volatile /'vɒlətaɪl US: -tl/ *adj* فرّار؛ [مجازاً] دمدمی مزاج
volcanic /vɒl'kænɪk/ *adj* آتشفشانی، انفجاری
volcano /vɒl'keɪnəʊ/ *n* [-es] کوه آتشفشان
vole /vəʊl/ *n* (نوعی) موش باغی یا آبی
volition /vəlɪʃn/ *n* اراده
volitional /və'lɪʃənl/ *adj* ارادی
volley /'vɒlɪ/ *n,v* ۱.شلیک ۲.دسته‌جمعی شلیک کردن؛ با هم در رفتن، با هم صدا کردن
a volley of oaths سوگندهای پی‌درپی
volley-ball والیبال
volt /vəʊlt/ *n* ولت
voltage /'vəʊltɪdʒ/ *n* ولتاژ
voltameter /'vəʊlt'æmi:tə(r)/ *n* ولت‌سنج
volte-face /ˌvɒlt 'fɑ:s/ *n,Fr* تغییر مسلک
volubility /ˌvɒljʊ'bɪlətɪ/ *n* سلاست؛ حرّافی
voluble /'vɒljʊbl/ *adj* روان، سلیس؛ حرّاف
volume /'vɒlju:m/ *n* حجم، گُنج؛ جلد، مجلد
voluminous /və'lu:mɪnəs/ *adj* پرحجم، حجیم؛ کثیرالتألیف
voluntarily /'vɒləntrəlɪ US: ˌvɒlən'terəlɪ/ *adv* داوطلبانه
voluntary /'vɒləntrɪ US: terɪ/ *adj* ارادی، اختیاری؛ داوطلب؛ افتخاری، داوطلبانه؛ عمدی
volunteer /ˌvɒlən'tɪə(r)/ *n,vi,vt* ۱.داوطلب ۲.داوطلب شدن ۳.داوطلبانه تعهد کردن (یا دادن)
voluptuary /və'lʌptʃʊərɪ US: -ʊerɪ/ *adj* شهوتران؛ عیاش؛ ناشی از شهوترانی
voluptuous /və'lʌptʃʊəs/ *adj* شهوتران؛ شهوت‌انگیز
volute /və'lju:t/ *n* پیچک، طومار
vomit /'vɒmɪt/ *vt,n* ۱.استفراغ کردن، قی کردن ۲.چیز قی کرده، داروی قی‌آور
voodoo /'vu:du:/ *n,vt* ۱.جادو(گری) ۲.افسون کردن
voracious /və'reɪʃəs/ *adj* حریص، سیری‌ناپذیر؛ [پزشکی] مبتلا به جوع
voracity /və'ræsətɪ/ *n* پرخوری، حرص
vortex /'vɔ:teks/ *n* گرداب؛ حلقه، پیچ
vortices /'vɔ:tɪsi:z/ *n* [*pl of* vortex]
votaress [*fem of* votary]
votary /'vəʊtərɪ/ *n* هواخواه؛ مرید، شاگرد؛ پارسا، زاهد
vote /vəʊt/ *n,vi,vt* ۱.رأی ۲.رأی‌دادن؛ نظر دادن، گفتن ۳.انتخاب کردن
give one's vote to (*or* for) someone به‌کسی رأی دادن
have a vote حق رأی داشتن
vote down به اکثریت آرا رد کردن
voter *n* رأی‌دهنده
votive /'vəʊtɪv/ *adj* نذری
vouch /vaʊtʃ/ *vi* ضمانت کردن
vouch for ضمانت (کسی را) کردن
voucher *n* [هزینه] رسید، سند؛ حواله
vouchsafe /'vaʊtʃ'seɪf/ *vt* التفات کردن، اعطا کردن؛ تضمین کردن
vow /vaʊ/ *n,vt* ۱.عهد، پیمان، نذر ۲.عهد کردن، نذر کردن
I am under a vow to نذر دارم که، عهد کرده‌ام که
vowel /'vaʊəl/ *n* مصوّت؛ حرف صدادار
vox /vɒks/ *n,L* صدا؛ رأی
vox populi آرای عمومی، افکار مردم
voyage /'vɔɪɪdʒ/ *n* سفر دریایی

voyager *n* مسافر دریا

vulcanize /ˈvʌlkənaɪz/ *vt* با گوگرد محکم کردن

vulgar /ˈvʌlgə(r)/ *adj* زشت، زننده؛ بی‌نزاکت؛ هرزه؛ عامیانه؛ بازاری

the vulgar *n* توده (مردم)، عوام

vulgar fraction /ˌvʌlge ˈfrækʃn/ کسر متعارفی

vulgarian /vʌlˈgeərɪən/ *n* توانگر پست، آدم بی‌ذوق و کج روش

vulgarism /ˈvʌlgərɪzəm/ *n* اصطلاح عوامانه؛ رفتار عوامانه و پست

vulgarity /vʌlˈgærətɪ/ *n* هرزگی؛ ابتذال؛ بی‌نزاکتی؛ زشتی

vulgarize /ˈvʌlgəraɪz/ *vt* عوامانه کردن؛ پست کردن؛ زیاد مبتذل کردن

Vulgate /ˈvʌlgeɪt/ *n* ترجمهٔ لاتینی کتابِ مقدس توسط Jerome (در سدهٔ چهارم میلادی)

vulnerable /ˈvʌlnərəbl/ *adj* آسیب‌پذیر؛ [مجازاً] قابل انتقاد

vulpine /ˈvʌlpaɪn/ *adj* روبه صفت؛ روباهی

vulture /ˈvʌltʃə(r)/ *n* کرکس، لاشخور؛ [مجازاً] آدم حریص

W,w

W,w /ˈdʌblju:/ *n* بیست‌وسومین حرف الفبای انگلیسی

wabble /ˈwɒbl/ *vi,n* = wobble

wad /wɒd/ *n,vt* [-ded] ۱.لایی؛ کهنه؛ نمد ۲.فشردن؛ لایی گذاشتن در (جامه)؛ درز (چیزی) را با کهنه یا لایی گرفتن

wadding /ˈwɒdɪŋ/ *n* لایی: پنبه یا پشم

waddle /ˈwɒdl/ *vi* اردک‌وار راه رفتن

wade /weɪd/ *vi* به آب زدن، در آب یا گل راه رفتن

wade in *Col* [حرف و بحث] قطع کردن

wade into *Col* دست به کار شدن؛ یورش بردن

wafer /ˈweɪfə(r)/ *n* نان بستنی؛ [بیسکویت] ویفر؛ کاغذِ گرد و قرمزی که به جای مهر روی اوراق رسمی می‌زنند

waffle /ˈwɒfl/ *n* نوعی کلوچه

waft /wɒft US: wæft/ *v,n* ۱.سبک رفتن، وزیدن؛ [بو و صدا] بلند شدن، شنیده شدن ۲.بو، رایحه؛ وزش، نفخه

wag /wæg/ *v* [-ged] *,n* ۱.جنباندن؛ جنبیدن، تکان دادن؛ تکان خوردن ۲.جنبش، تکان؛ آدم بذله‌گو

Tongues are wagging مردم حرفها می‌زنند، شایعات بی‌اساسی هست

wage /weɪdʒ/ *n,vt* ۱.مزد، دستمزد ۲.دست زدن به، مبادرت کردن به

wage war جنگ کردن

wage-earner /ˈweɪdʒ ɜ:nə(r)/ *n* مزدبگیر

wager /ˈweɪdʒə(r)/ *n,v* شرط (بستن)، داو (گذاشتن)

She wagered me £ 5 that I would not do it. با من پنج پاوند شرط بست که آن کار را نمی‌کنم.

waggery /ˈwægərɪ/ *n* بذله‌گویی

waggish /ˈwægɪʃ/ *adj* شوخ، بذله‌گو

waggle /ˈwægl/ *vt,Col* تکان دادن

waggon /ˈwægən/ *n* واگن؛ ارابه، بارکش

waggoner *n* واگن‌چی

waggonette /ˌwægəˈnet/ *n* واگن اسبیِ چهارچرخ

wagon /ˈwægən/ *n* = waggon

wagon-lit /ˌvægɒn ˈli:/ *n,Fr* واگنِ تختخواب‌دار

wagtail /ˈwægteɪl/ *n* دم جنبانک

waif /weɪf/ *n* جانور یا شئی بی‌صاحب؛ بچهٔ بی‌خانمان

wail /weɪl/ *vi,n* ۱.شیون کردن؛ زوزه کشیدن ۲.شیون

wain /weɪn/ *n* ارابه؛ واگن

Charles's Wain دبّ اکبر

wainscot /ˈweɪnskət/ *n,vt* ۱.روکوب یا ازاره چوبی ۲.تخته‌کوبی کردن

waist /weɪst/ *n* ۱.کمر

trim-waisted کمرباریک

waistband /ˈweɪstbænd/ *n* کمربند، کمر

waistcoat /ˈweɪstkəʊt US: ˈwestkət/ *n* جلیقه

wait /weɪt/ *v,n* ۱.صبر کردن؛ منتظر (کسی یا چیزی) شدن؛ معطل کردن؛ معطل شدن ۲.کمین؛ انتظار

wait for... منتظرِ... شدن

make wait; keep waiting منتظر نگاه داشتن، معطل نگاه داشتن

wait (up)on پیشخدمتیِ... را کردن؛ خدمت... رسیدن

lie in wait (در) کمین نشستن
the waits دسته خوانندگان و نوازندگان که در عید میلاد مسیح از خانه‌ای به خانه‌ای می‌روند
waiter *n* [در رستوران] پیشخدمت
dumb waiter آسانسور مخصوص حمل غذا
waiting-room /'weɪtɪŋ ru:m/ *n* اتاق انتظار
waitress /'weɪtrɪs/ *n* پیشخدمت زن
waive /weɪv/ *vt* صرف‌نظر کردن از
wake /weɪk/ *vi,vt* [woke *or* waked; woke, woken *or* waked] ,*n* ۱.بیدار شدن؛ بیدار ماندن ۲.بیدار کردن ۳.بیداری؛ ردِ کشتی بر آب، خط کشتی
in the wake of در دنبالِ؛ به تقلیدِ
waking hours ساعات بیداری
wakeful *adj* بی‌خواب، کم‌خواب؛ بیدار
a wakeful night شبِ بی‌خوابی یا بیداری
wakefulness *n* بیداری، بی‌خوابی
waken /'weɪkən/ *v* بیدار کردن؛ بیدار شدن
wale /weɪl/ *n* جای شلاق، تاول
walk /wɔ:k/ *vi,vt,n* ۱.راه رفتن، قدم زدن؛ گردش‌کردن ۲.راه بردن؛ گردش دادن ۳.پیاده‌روی
walk away from someone به سهولت از کسی جلو افتادن
walk off (*or* away) with بلند کردن، دزدیدن؛ [جایزه] به آسانی ربودن
I walk her home به خانه رساندمش، او را تا خانه‌اش همراهی کردم
He walked me off my legs مرا از پا انداخت (یا خسته کرد)
walk out with فاسق یا معشوق پیدا کردن [در گفتگوی از کلفت یا نوکر]
take a walk گردش کردن
go for a walk (به) گردش رفتن
walk of life پیشه، شغل
walk the boards روی صحنه رفتن
walking *n,apa* ۱.پیاده‌روی ۲.متحرک؛ سیار
walking-stick عصا، چوبدستی
walking-tour راهپیماییِ تفریحی
walk-out /'wɔ:k aʊt/ *n,US* اعتصاب
walk-over /'wɔ:k əʊvə(r)/ *n* پیروزیی که به آسانی به‌دست آید
wall /wɔ:l/ *n,vt* ۱.دیوار ۲.محصور کردن؛ [با up] با دیوار مسدود کردن، دیوار کشیدن، تیغه کشیدن
drive someone to the wall کسی را در تنگنا قرار دادن
bang one's head against a wall کوشش بی‌فایده کردن، سر به دیوار کوبیدن
drive (*or* send) someone up the wall (کسی را) خوار شمردن، (کسی را) آزرده کردن
have one's back to the wall به بن‌بست رسیدن
wall off (from) با تیغه جدا کردن (از)
wallet /'wɒlɪt/ *n* خورجین؛ کیفِ بغلی
wallflower /'wɔ:lflaʊə(r)/ *n* گلِ شب‌بو؛ [مجلس رقص] زنی که از او تقاضای رقص نشده است
wallop /'wɒləp/ *vt* سخت زدن
wallow /'wɒləʊ/ *vi* غلتیدن، غوطه خوردن در
wallpaper /'wɔ:l,peɪpə(r)/ *n,vt* ۱.کاغذدیواری ۲.کاغذدیواری کردن، با کاغذدیواری پوشاندن
walnut /'wɔ:lnʌt/ *n* گردو
walrus /'wɔ:lrəs/ *n* فیل دریایی، والروس
waltz /wɔ:ls US: wɔ:lts/ *n,vt* ۱.رقص والس؛ موسیقی والس ۲.خرامیدن
wampum /'wɒmpəm/ *n* مهره‌هایی که بومیان امریکای شمالی به‌جای پول یا در کمربند به‌کار می‌بردند
wan /wɒn/ *adj* رنگ‌پریده؛ زرد، نحیف
wand /wɒnd/ *n* عصا
wander /'wɒndə(r)/ *vi* پرسه زدن؛ سرگردان بودن، آواره بودن؛ [مجازاً] منحرف شدن، پرت شدن
wandering /'wɒndərɪŋ/ *adj,n* ۱.آواره، سرگردان ۲.[در جمع] سرگردانی
wane /weɪn/ *vi,n* ۱.رو به زوال گذاشتن، نقصان یافتن ۲.کاهش؛ [در ماه] محاق
on the wane در حال نقصان یا زوال
wangle /'wæŋgl/ *v,Sl* با زرنگی (چیزی را) به‌دست آوردن؛ رندی کردن
want /wɒnt/ *vt,vi,n* ۱.خواستن؛ لازم داشتن؛ نداشتن ۲.ناقص بودن، کم بودن ۳.فقدان، عدم؛ نقصان؛ نیازمندی، احتیاج، خواست
for want of money از بی‌پولی
in want of money نیازمند به‌پول
wanting *adj* ناقص، دارای کمبود؛ [با in] بدونِ، فاقدِ
wanting in reason فاقد عقل
There is nothing wanting چیزی کم نیست، کسری نداریم
wanton /'wɒntən/ *adj,vi* ۱.بازیگوش؛ لاابالی؛ وحشی؛ بیعار، هرزه، شهوتران؛ بی‌دلیل؛ عمدی ۲.بازی(گوشی) کردن؛ جست‌وخیز کردن
wantonness *n* بازیگوشی؛ لاقیدی، لاابالیگری؛ بیعاری، بی‌عفتی
war /wɔ:(r)/ *n,vi,vt* [-red] ۱.جنگ ۲.جنگ کردن ۳.[با down] شکست دادن

be at war with در حال جنگ بودن با
war of nerves; cold war جنگ روانی، جنگ سرد
war of the elements انقلابات طبیعی
warble /'wɔ:bl/ *vt,n* ۱.چهچه زدن ۲.آوازه؛ چهچه
warbler /'wɔ:blə(r)/ *n* پرندهٔ آوازخوان
ward /'wɔ:d/ *n,vt* ۱.[بیمارستان] بخش؛ [زندان] بند؛ حفاظت، تولیت؛ مُوَلّیٰ‌عَلَیه، صغیر ۲.دفع کردن [با off]
in ward تحت تولیت
Ward No. 2 بخش ۲، ناحیه ۲
warden /'wɔ:dn/ *n* سرپرست، ولی؛ [در امریکا] رئیس زندان
warder /'wɔ:də(r)/ *n* زندانبان [در این معنی مؤنث آن wardress می‌شود]
wardrobe /'wɔ:drəʊb/ *n* کمد، جارختی
ward-room /'wɔ:d rʊm/ *n* اتاق افسران در کشتی جنگی
ware /weə(r)/ *n* کالا؛ [در ترکیب] آلات
silverware نقره‌آلات
ware /weə(r)/ *vt* بپایید؛ احتیاط کنید
warehouse /'weəhaʊs/ *n,vt* ۱.انبار ۲.در انبار نگاه داشتن، انبار کردن
warfare /'wɔ:feə(r)/ *n* جنگ
warily *adv* از روی احتیاط
wariness *n* احتیاط، ملاحظه
warlike /'wɔ:laɪk/ *adj* جنگ‌طلب؛ جنگجو؛ جنگی؛ جنگ‌طلبانه
warm /wɔ:m/ *adj,v* ۱.گرم؛ [مجازاً] خونگرم؛ صمیمی؛ صمیمانه ۲.گرم کردن؛ گرم شدن [غالباً با up]
warm to one's work در کار خود گرم شدن و شور و هیجان پیدا کردن
warm oneself at the fire خود را پهلوی آتش گرم کردن
foot-warmer پا گرمکن
have a warm *n* گرم شدن
warm-blooded /ˌwɔ:m 'blʌdɪd/ *adj* [جانور] خونگرم
warm-hearted /ˌwɔ:m 'hɑ:tɪd/ *adj* دلسوز، مهربان
warmly *adv* به‌گرمی، با خونگرمی
warmly dressed لباس گرم پوشیده
warmonger /'wɔ:mʌŋgə(r)/ *n* جنگ‌افروز
warmth /wɔ:mθ/ *n* گرمی؛ حرارت

warn /wɔ:n/ *vt* آگاهانیدن، اخطار کردن به
warning *n* اخطار، هشدار
as a warning to... برای عبرتِ...
warp /wɔ:p/ *n,vt,vi* ۱.[پارچه] تار؛ پیچ، تاب ۲.تاب دادن، پیچ دادن؛ [مجازاً] منحرف کردن ۳.تاب برداشتن؛ منحرف شدن
warrant /'wɒrənt US: 'wɔ:r-/ *n,vt* ۱.اجازه، مجوز؛ حکم (کتبی)؛ حواله؛ وسیله تضمین ۲.ضمانت کردن، تعهد کردن؛ تجویز کردن؛ توجیه کردن
I (will) warrrant (you) قول می‌دهم، اطمینان می‌دهم
warrant-officer /'wɒrənt ɒfɪsə(r)/ *n* [نظامی] استوار
warren /'wɒrən US: 'wɔ:rən/ *n* جای نگهداریِ خرگوش و برخی جانوران دیگر
warrior /'wɒrɪə(r) US: 'wɔ:r-/ *n* مرد جنگی، سلحشور
Warsaw /'wɔ:sɔ:/ *n* (شهر) ورشو
warship /'wɔ:ʃɪp/ *n* کشتی جنگی، ناو
wart /wɔ:t/ *n* زگیل
wary /'weərɪ/ *adj* ملاحظه کار؛ احتیاط‌آمیز
was /wəz US: wɒz/ [*p of* is] بود؛ بودم
wash /wɒʃ US: wɔ:ʃ/ *vt,vi,n* ۱.شستن، شستشو دادن ۲.شستشو کردن؛ رختشویی کردن؛ رنگ پس دادن ۳.شستشو؛ رختشویی؛ رختهای شستنی؛ آب کثیف مطبخ
wash off,out, *or* away با شستشو بردن، با شستشو پاک کردن
washed out *Col* خسته و رنگ‌پریده؛ وارفته
mere wash آب زیپو
washable *adj* قابل شستشو
wash-basin /'wɒʃ beɪsɪn/ *n* (لگن) دستشویی
wash-board /'wɒʃ bɔ:d/ *n* تختهٔ رختشویی؛ تخته‌ای که برای ازاره اتاق به‌کار می‌برند
washer /'wɒʃə(r)/ *n* پولک، واشر؛ ماشین لباسشویی؛ رختشو
washerwoman /'wɒʃəwʊmən US: 'wɔ:-/ *n* زن رختشو
washery *n* [-ries] دستگاه شستشو
wash-hand-basin /'wɒʃ hænd beɪsɪn/ *n* = wash-basin
wash-hand-stand /'wɒʃ hænd stænd/ = wash-stand
wash-house /'wɒʃ haʊz/ *n* رختشوخانه
washing-up /ˌwɒʃɪŋ 'ʌp US: wɔ:-/ *n* ظرفشویی
wash-leather /'wɒʃ leðə(r)/ *n* جیر

wash-out /'wɒʃ aʊt/ *n* آب بردگی؛ [زبان عامیانه] شکست؛ کار بی‌نتیجه؛ آدم بی‌عرضه
wash-stand /'wɒʃ stænd/ *n* [قدیمی] میز دستشویی
washy /'wɒʃɪ US: 'wɔ:-/ *adj* آبکی، رقیق؛ کمرنگ
wasn't /'wɒzənt/ [مختصرِ was not]
wasp /wɒsp/ *n* زنبور
waspish *adj* بدخو
wassail /'wɒseɪl/ *n, Arch* مجلسِ عیش و نوش (به ویژه در کریسمس)
wast /wɒst/ [*p of* are] بودی
wastage /'weɪstɪdʒ/ *n* اتلاف؛ ضایعات
waste /weɪst/ *vt,vi,adj,n* ۱.تلف کردن؛ ضایع کردن؛ تحلیل بردن؛ ویران کردن ۲.تلف شدن؛ تحلیل رفتن؛ هرز رفتن ۳.ویران، غیرمسکون؛ بایر، موات؛ بیکاره، باطل، بی‌مصرف ۴.اتلاف؛ آشغال، پس‌مانده؛ زمین بایر
- **lay waste** ویران کردن
- **lie waste** بایر ماندن
- **run (*or* go) to waste** هرز رفتن
- **waste water** فاضلاب
- **waste one's breath (*or* words)** سر خود را درد آوردن

waste-basket /'weɪst bɑ:skɪt/ *n* سطل آشغال، سبد کاغذ باطله
waste-book /'weɪst bʊk/ *n* دفتر باطله
wasteful *adj* مسرف؛ ولخرج؛ اسرافکارانه
waster /'weɪstə(r)/ *n,Sl* آدم مهمل و بی‌وجود و بیکار
wastrel /'weɪstrəl/ *n* آدم ولگرد و مهمل؛ آدم ولخرج
watch /wɒtʃ/ *n,vi,vt* ۱.ساعت (جیبی یا مچی)؛ مراقبت، کشیک؛ بیداری؛ پاس؛ پاسدار ۲.مواظب بودن؛ گوش به‌زنگ بودن؛ پاس دادن، کشیک کشیدن ۳.پاییدن، مراقبت کردن، توجه کردن [گاهی با over]؛ تماشا کردن
- **on the watch for...** مراقبِ ...
- **keep watch** کشیک کشیدن، پاییدن
- **watch one's time** مترصّدفرصت بودن، گوش به‌زنگ بودن

watchful *adj* مواظب، مراقب
watch-guard /'wɒtʃ gɑ:d/ *n* بند یا زنجیر ساعت
watchmaker /'wɒtʃmeɪkə(r)/ *n* ساعت‌ساز
watchman /'wɒtʃmən/ *n* [-men] مستحفظ، نگهبان؛ ناطور، شب‌پا
watchstrap /'wɒtʃstræp/ *n* بندِ ساعت
watch-tower /'wɒtʃ taʊə(r)/ *n* برج مراقبت، برج دیدبانی
watchword /'wɒtʃwɜ:d/ *n* شعار حزبی؛ اسمِ شب
water /'wɔ:tə(r)/ *n,vt,vi* ۱.آب؛ محلول ۲.آب دادن؛ آب زدن، آبکی کردن ۳.آبگیری کردن؛ آب خوردن؛ آب افتادن؛ گریان شدن
- **by water** با کشتی، از راه دریا یا رودخانه
- **blue water** دریای آزاد
- **red water** پیشاب خونی
- **spend like water** مثل ریگ خرج کردن
- **throw cold water on** نیکو ندانستن؛ ناچیز شمردن
- **get into hot water** گرفتار شدن
- **make one's mouth water** دهن را آب انداختن
- **make (*or* pass) water** ادرار کردن
- **in low water** در تنگی (از حیث پول)
- **of the first water** طرازِ اول، نمونه
- **water polo** [ورزش] واترپلو

water-borne /'wɔ:tə bɔ:n/ *adj* حمل شده از راه دریا
water-bottle /'wɔ:tə bɒtl/ *n* بطری آب؛ قمقمه
water-closet /'wɔ:tə klɒzɪt/ *n* توالت، مستراح
water-colours /'wɔ:tə kʌləz/ *npl* آبرنگ؛ نقاشی آبرنگ
watercourse /'wɔ:təkɔ:s/ *n* آبراه، آبگذر، نهر
watercraft /'wɔ:təkrɑ:ft/ *n* وسیلهٔ نقلیه آبی
watercress /'wɔ:təkres/ *n* شاهی آبی، ترتیزک آبی
watered silk /ˌwɔ:təd 'sɪlk/ حریر موجدار
waterfall /'wɔ:təfɔ:l/ *n* آبشار، آبشر
waterfowl /'wɔ:təfaʊl/ *n* مرغ(های) آبی
water-front /'wɔ:təfrʌnt/ *n* ساحل، لب دریا، لب
watering-can /'wɔ:tərɪŋ kæn/ *n* آبپاش
watering-cart /'wɔ:tərɪŋ kɑ:t/ *n* (گاری) آبپاش
watering-place /ˌwɔ:tərɪŋ pleɪs/ *n* آبشخور؛ چشمهٔ معدنی؛ جای آبتنی در لب دریا
water-lily /'wɔ:tə lɪlɪ/ *n* نیلوفرآبی
waterlogged /'wɔ:təlɒgd/ *adj* آب گرفته؛ سنگین
water-main /'wɔ:tə meɪn/ *n* شاه‌لولهٔ آب
waterman /'wɔ:təmən/ *n* کرجی‌بان؛ پاروزن
watermark /'wɔ:təmɑ:k/ *n* [در کاغذ] ته نقش

water-melon /'wɔ:təmelən/ *n* هندوانه
water-mill /'wɔ:təmɪl/ *n* آسیای آبی، آسیاب
waterproof /'wɔ:təpru:f/ *adj,n,vt*
۱.رطوبت‌ناپذیر، ضدآب ۲.لباس بارانی، بارانی ۳.رطوبت‌ناپذیر کردن، ضدآب کردن
water-rate /'wɔ:tə reɪt/ *n* آب‌بها
watershed /'wɔ:təʃed/ *n* مقسم آب؛ آبریز
waterside /'wɔ:təsaɪd/ *n* کنار دریا
waterspout /'wɔ:təspaʊt/ *n*
[زمین‌شناسی] گردبادِ مکنده
water-supply /'wɔ:tə səplaɪ/ *n*
سیستم آبرسانی، آب لوله‌کشی؛ منبع آب
watertight /'wɔ:tətaɪt/ *adj* نفوذناپذیر؛ مانعِ دخول آب، کیپ
waterway /'wɔ:təweɪ/ *n* آبراهه، راه آبی
waterworks /'wɔ:təwɜ:ks/ *npl*
دستگاه آبرسانی
turn on the waterworks *Sl* اشک ریختن
water-worn /'wɔ:təwɔ:n/ *adj* آب شسته، آب سوده
watery /'wɔ:tərɪ/ *adj* آبدار؛ آبکی؛ کمرنگ؛ حاکی از بارندگی؛ [مجازاً] بی‌مزه
watt /wɒt/ *n* [فیزیک] وات
wattle /'wɒtl/ *n,vt* ۱.چَپر؛ ترکه؛ جگن ۲.باترکه ساختن؛ با چپر محصور کردن
wave /weɪv/ *n,vi,vt* ۱.موج؛ [موی سر] فر؛ تکان دست ۲.جنبیدن؛ به‌اهتزاز درآمدن؛ با دست اشاره کردن؛ موجی بودن ۳.جنباندن، تکان دادن؛ تاب دادن (شمشیر)؛ فر زدن (مو)
waver /'weɪvə(r)/ *vi* تَزلزل پیدا کردن؛ دودل بودن، مردد بودن
wavy *adj* موجی؛ [در مو] فردار
wax /wæks/ *n,vt,vi* ۱.موم؛ [گوش] جرم ۲.روغن زدن؛ موم کشیدن، موم‌اندود کردن ۳.کم‌کم بزرگ شدن [مانند ماه] ؛ گشتن، شدن [wax hot]
wax candle *or* **taper** شمع مومی
wax-cloth /'waksklɒθ/ *n* نوعی مشمع
waxen /'wæksn/ *adj* مومی؛ مثل موم
wax-paper /'wæks peɪpə(r)/ *n* کاغذِ موم‌اندود
waxy *adj* مومی؛ چسبناک؛ نرم
way /weɪ/ *n* راه، طریق؛ جاده؛ [مجازاً] طرز، طریقه؛ رسم؛ رشته
the way to... راهِ...
He went his way به راه خود رفت
out-of-the-way پرت، دوردست
by way of من‌بابِ؛ به‌عنوانِ؛ از راهِ
in no way به‌هیچ‌وجه
this way این‌طور؛ از این‌راه
in a way از یک‌جهت، تا اندازه‌ای
live in a small way
با قناعت و بدون سروصدا زندگی کردن
on the way back در برگشتن
any way درهرحال
He always had his (own) way.
همیشه موافق میل او عمل می‌شد.
have it both ways از هر دوشق استفاده کردن
out of the way غیرعادی، غریب
get out of the way از پیش پا برداشتن، خاتمه دادن
stand in the way of مانع شدن
put out of the way نهانی توقیف کردن، نهانی کشتن
by the way راستی، ضمناً
under way در جریان؛ در حرکت
go the way of all the earth
رفتن به راهی که همه می‌روند [یعنی مردن]
in the family way آبستن، حامله
make way پیش رفتن
make one's (own) way
در کارِ خود کامیاب شدن، بار خود را بستن
gather or lose way تند یا کند شدن
way-bill /'weɪ bɪl/ *n* بارنامه؛ صورت مسافرین
wayfarer /'weɪfeərə(r)/ *n* رهرو، سالک
waylay /ˌweɪ'leɪ/ *vt* [-laid]
درکمین (کسی) نشستن یا ایستادن
wayleave /'weɪli:v/ *n* حق راه، حق‌العبور
wayward /'weɪwəd/ *adj* خودسر؛ خودسرانه
WC = water-closet
we /wi:/ *pr* [*pl of* I] ما
weak /wi:k/ *adj* ضعیف، کم‌بنیه؛ سست؛ کم‌مایه [weak tea]
weaken /'wi:kən/ *v* ضعیف کردن؛ ضعیف شدن؛ سست کردن؛ سست شدن
weakish *adj* تا اندازه‌ای ضعیف
weak-kneed /ˌwi:k ni:d/ *adj* سست رأی، بی‌عزم
weakling /'wi:klɪŋ/ *adj,adv* ۱.علیل‌المزاج، کم‌بنیه ۲.از روی سستی یا ضعف
weak-minded /ˌwi:k 'maɪndɪd/ *adj* سبک مغز
weakness *n* ضعف، سستی
weak-sighted /ˌwi:k 'saɪtɪd/ *adj*
دارای چشم کم‌سو
weal /wi:l/ *n, Arch* خیر، سعادت؛ رفاه

weal and woe خوشبختی و بدبختی
for the public weal برای رفاه عموم
weal /wi:l/ *n* جای ضربه شلاق یا چوب
wealth /welθ/ *n* ثروت، دولت
wealthiness *n* دولتمندی، ثروت
wealthy *adj* دارا، دولتمند، ثروتمند، متمول؛ فراوان، زیاد
wean /wi:n/ *vt* از شیر گرفتن
wean from a habit ترک عادت دادن
weapon /'wepən/ *n* سلاح، اسلحه
wear /weə(r)/ *vt,vi* [wore;worn] ,*n* ۱.پوشیدن، تن کردن؛ به خود گرفتن؛ ساییدن، فرسودن؛ کهنه کردن ۲.ساییده شدن؛ دوام کردن ۳.پوشش؛ پوشاک؛ پوسیدگی؛ فرسودگی؛ دوام
It wears for years سالها می ماند
wear one's years well خوب ماندن، جوان ماندن
wear a hole in سوراخ کردن
wear away ساییدن؛ ساییده شدن؛ [وقت] آهسته گذراندن یا گذشتن
wear down ساییدن؛ ساییده شدن؛ [مجازاً] فرو نشاندن، له کردن
wear off ساییدن؛ پاک شدن
wear on دیر گذشتن، سخت گذشتن
wear out کهنه کردن؛ کهنه شدن؛ زیاد خسته کردن؛ زیاد خسته شدن؛ ساییدن؛ تمام شدن
wear and tear فرسودگی عادی
wearable *adj* پوشیدنی، قابل پوشیدن
weariness *n* خستگی؛ بیزاری
wearisome /'wɪərɪsəm/ *adj* کسل‌کننده
weary /'wɪərɪ/ *adj,v* ۱.خسته؛ کسل؛ بیزار، سیر؛ خسته کننده، کسالت‌آور ۲.خسته کردن؛ خسته شدن؛ کسل کردن؛ کسل شدن؛ بیزار کردن؛ بیزار شدن
weasel /'wi:zl/ *n* راسو
weather /'weðə(r)/ *n,vt,vi* ۱.هوا ۲.باد دادن؛ به‌سلامت گذشتن از ۳.باد خوردن
under the weather *Col* بدبخت؛ بدحال
keep a weather eye open گوش به زنگ بودن
weather-beaten /'weðə bi:tn/ *adj* باد و باران؛ آفتاب‌خورده
weather-boarding /'weðəbɔ:dɪŋ/ *n* تخته‌هایی که نیمه نیمه رویِ هم می‌گذارند تا ا آمدن باران به اتاق جلوگیری کند
weather-bound /'weðə baʊnd/ *adj* ممنوع از حرکت به واسطه بدی هوا، منتظر هوای خوب
weathercock /'weðəkɒk/ *n* (خروس) بادنما

weave /wi:v/ *vt* [wove; woven] ,*n* ۱.بافتن؛ پیچیدن ۲.بافت
weave a plot توطئه چیدن
weaver *n* بافنده، نساج
web /web/ *n* بافته، پارچه، منسوج؛ پرده (بین پنجه‌های اردک)؛ تار عنکبوت
a web of lies یک رشته دروغ
webbed *adj* پرده‌دار، پوست‌دار
web-footed /ˌweb 'fʊtɪd/ *adj* = web-toed
web-toed /ˌweb 'təʊd/ *adj* دارای پنجه‌های پرده‌دار
wed /wed/ *vt* [-ded] به حبالهٔ نکاح درآوردن؛ زن دادن، شوهر دادن؛ وصلت دادن؛ [مجازاً] توأم کردن
wedded to... جداً طرفدارِ...
we'd /wi:d/ = we had; we would
wedding /'wedɪŋ/ *n* (جشن) عروسی
silver wedding بیست‌وپنجمین سال عروسی
golden wedding پنجاهمین سال عروسی
diamond wedding شصتمین یا هفتادوپنجمین سال عروسی
wedge /wedʒ/ *n,vt* ۱.گوه ۲.با گوه نگاه داشتن؛ چپاندن
the thin end of the wedge سرِ تیشه، نوک تیشه، آنچه اول ناچیز می‌نماید و بعداً زیاد می‌شود.
wedlock /'wedlɒk/ *n* زناشویی
Wednesday /'wenzdɪ/ *n* چهارشنبه
wee /wi:/ *adj* کوچولو، ریز
weed /wi:d/ *n,vt* ۱.علف هرزه؛ [مجازاً] آدم دراز و لاغر ۲.از علف هرزه پاک کردن
weed out وجین کردن
weeds /wi:dz/ *npl* لباس بیوگی
weedy *adj* پرعلف؛ دراز و لاغر
week /wi:k/ *n* هفته
week in week out هفته‌های متوالی
tomorrow week از فردا یک هفته
weekday /'wi:kdeɪ/ *n* روز معمولی هفته
weekend /ˌwi:k'end/ *n* (تعطیلات) آخر هفته
weekly *adj,n* ۱.هفتگی ۲.هفته‌نامه
weekly *adv* هفته به هفته، به‌طور هفتگی
ween /wi:n/ *vt,Poet* بر آن عقیده بودن
weep /wi:p/ *vi,vt* [wept] ۱.گریه کردن؛ چکیدن، آب پس‌دادن ۲.گریستن بر؛ [اشک] ریختن؛ چکانیدن
weeping *apa,n* ۱.گریان ۲.گریه
weeping willow بید مجنون، بید معلق
weevil /'wi:vl/ *n* شپشه

weft /weft/ *n* [پارچه] پود

weigh /weɪ/ *v* کشیدن، وزن کردن، سنجیدن؛ وزن داشتن؛ اهمیت داشتن

weigh anchor لنگر بالا کشیدن، حرکت کردن

weigh down سنگینی کردن بر

weighed down with grief شکسته شده از غصه

weigh 1 ounce یک آونس وزن داشتن

It does not weigh with me در نظر من اهمیتی ندارد

weighing-machine /'weɪɪŋ məʃi:n/ *n* ترازوی ماشینی، قپان ماشینی

weight /weɪt/ *n,vt* ۱.وزن، سنگینی؛ سنگ، وزنه؛ بار؛ آوار؛ [مجازاً] اهمیت، قدر، اثر ۲.با افزودن چیزی سنگین کردن

short weight سنگِ کم

put on weight چاق شدن

weighty *adj* وزین؛ مؤثر

weir /wɪə(r)/ *n* [رودخانه] بند، سد؛ مجموع تیرهایی که در رودخانه می‌کوبند تا ماهی در میان آنها جمع شود

weird /wɪəd/ *adj* خارق‌العاده، غیرطبیعی؛ غریب؛ تقدیری

welcome /'welkəm/ *n,int,vt,adj* ۱.خوشامد(گویی)؛ حسن استقبال ۲.خوش آمدید ۳.خوشامد گفتن، به خوشی پذیرفتن؛ به خوبی تلقی کردن ۴.مطلوب؛ مُجاز، آزاد

a welcome guest مهمانی که ورود او مایهٔ شادمانی باشد، مهمان عزیز

You are welcome خوش آمدید؛ [در پاسخ تشکر] قابلی ندارد

You are welcome to my book بفرمایید از کتاب بنده استفاده کنید

weld /weld/ *vt,vi,n* ۱.جوش دادن ۲.جوش خوردن ۳.جوش

welder *n* جوشکار

welfare /'welfeə(r)/ *n* رفاه؛ خیر

welkin /'welkɪn/ *n,Poet* = sky

well /wel/ *n* چاه (آب یا نفت)

well /wel/ *adv,adj* [better;best] *,int* ۱.خوب [Read it well]، به‌خوبی؛ بادلیل؛ خیلی ۲.تندرست، سالم، خوب ۳.خوب؛ فبها

You did well! خوب کاری کردید!

Well done! آفرین، به‌به، احسنت!

well paid دارای حقوق کافی

well off آسوده [در زندگی]

think well of خوش‌گمان بودن به

You may well ask حق دارید بپرسید

I stand well with him با من خوب است، با من نظر مساعد دارد

Well met! چه خوب رسیدید!

as well هم، به‌علاوه؛ به همان اندازه

as well as به علاوهٔ، وَ، هم

It would be well to ask him خوب است (یا بد نیست) از او بپرسیم

It is well enough بد نیست

well /wel/ *vi* روان شدن؛ جاری شدن [در گفتگوی از اشک]

we'll /wi:l/ [مختصرِ we will]

well-advised /ˌweləd'vaɪzd/ *adj* خردمندانه

well-appointed /ˌwelə'pɔɪntɪd/ *adj* مجهز

well-balanced /ˌwel'bælənst/ *adj* سالم، سلیم؛ متعادل

well-being /'welbiːɪŋ/ *n* = welfare

well-born /ˌwel'bɔ:n/ *adj* اصیل، نجیب‌زاده

well-bred /ˌwel'bred/ *adj* باتربیت؛ خوش جنس

well-disposed /ˌweldɪs'pəʊzd/ *adj* آمادهٔ کمک

well-doer /'wel'du:ə(r)/ *n* آدم نیکوکار

well-favoured /ˌwel'feɪvəd/ *adj* زیبا، خوشگل

well-found /ˌwel'faʊnd/ *adj* کاملاً مجهز

well-founded *adj* بااساس؛ موجه

well-grounded /ˌwel'graʊndɪd/ *adj* بااساس

well-head /'welhed/ *n* سرچشمه

well-informed /ˌwelɪn'fɔ:md/ *adj* بصیر، بااطلاع

wellington /'welɪŋtən/ *n* چکمه

well-knit /ˌwel'nɪt/ *adj* خوش‌ریخت، یکپارچه

well-known /ˌwel'nəʊn/ *adj* معروف

well-marked /ˌwel'mɑ:kt/ *adj* مشخص

well-meaning /ˌwel'mi:nɪŋ/ *adj* دارای حسن‌نیت

well-meant /ˌwel'ment/ *adj* مبنی بر حسن‌نیت

wellnigh /ˌwel'naɪ/ = almost

well-read /ˌwel'red/ *adj* کتاب خوانده، اهل کتاب

well-spoken /ˌwel'spəʊkn/ *adj* خوش‌صحبت

well-timed /ˌwel'taɪmd/ *adj* بموقع، بجا، بمورد

well-to-do /ˌwel tə 'du:/ *adj* ثروتمند، مرفه

well-wisher /'welwɪʃə(r)/ *n* شخص خیرخواه

well-worn /ˌwel'wɔ:n/ *adj* کهنه؛ مبتذل

Welsh /welʃ/ *adj,n* ۱.منسوب به ولز ۲.اهلِ ولز؛ زبان ولز

Welshman /'welʃmən/ *n* اهل ولز
welt /welt/ *n* [در کفش] مغزی
welter /'weltə(r)/ *vi,n* ۱.غلتیدن، آغشتن ۲.بلبشو، هرج‌ومرج
wen /wen/ *n* غده، برآمدگی
wench /wentʃ/ *n* [قدیمی یا به شوخی] دختر؛ زنِ جوان
wend /wend/ *vt, Arch* در پیش گرفتن
went /went/ [*p of* go]
wept /wept/ [*p,pp of* weep]
were /wɜ:(r)/ *v* [*pl of* was] بودیم؛ بودید؛ بودند
If I were you اگر من جای شما بودم
we're /wɪə(r)/ [مختصرِ we are]
weren't /wɜ:nt,'wɜ:rənt/ [مختصرِ were not]
wer(e)wolf /'wɪəwʊlf/ *n* [-wolves] [در قصه‌ها] آدم گرگ شده
wert /wɜ:t/ [*p of* are] (تو) بودی
west /west/ *n,adj,adv* ۱.باختر، مغرب ۲.غربی ۳.در باختر
on the west از باختر، غرباً
go west *Sl* مردن
westerly /'westəlɪ/ *adj,adv* واقع در باختر
western /'westən/ *adj,n* ۱.باختری، غربی ۲.ساکنِ باختر
westernize /'westənaɪz/ *vt* غربی کردن، راه و رسم غرب را رایج کردن
westward /'westwəd/ *adj,adv* ۱.رو به باختر ۲.سوی باختر
westwards *adv* به‌طرف مغرب
wet /wet/ *adj* [-ter,-test] *,n,vt* [-ted] ۱.تر؛ بارانی؛ اشکبار ۲.نم، آب نم؛ هوای بارانی ۳.تر کردن، مرطوب ساختن
get a wetting باران خوردن
wet to the skin (دارای لباس) خیس
wether /'weðə(r)/ *n* گوسفند اخته
wet-nurse /'wet nɜ:s/ *n* دایه
we've /wi:v/ [مختصرِ we have]
whack /wæk/ *vt* محکم و باصدا کتک زدن
whale /weɪl/ *n* بال، وال
whaler /'weɪlə(r)/ *n* کشتی‌صیدوال؛ صیادوال
wharf /wɔ:f/ *n* [wharves *or* wharfs] بارانداز، لنگرگاه
wharfage /'wɔ:fɪdʒ/ *n* حق باراندازی
what /wɒt US: hwɒt/ *adj,inter* ۱.چه؟ ۲.هرچه، آنچه
What book is that? چه کتابی است؟
What books I had هرچه کتاب داشتم

what /wɒt US: hwɒt/ *pr,inter,rel* ۱.چه ۲.آنچه، هرچه
What did you say? چه گفتید؟
You may do what you like هرچه می‌خواهی بکن
What for? برای چه؟ چرا؟
What about you? شما چطور؟
What is that to you? به شما چه ربطی دارد؟ به شما چه مربوط است؟
what with... and (what with) چه به علتِ... چه به علتِ
and what not و مانند آن، و هرچه فکر کنی
Come what may! هرچه بادابادا!
There wasn't a day but what it rained روزی نبود که نبارد
whate'er /wɒt'eə(r)/ *Poet* = whatever
whatever /wɒt'evər US: hwɒt-/ *pr,rel,adj* هر (آن) چه، آنچه؛ هرقدر؛ هیچ
He has no excuse whatever هیچ(گونه) عذری ندارد
whatnot /'wɒtnɒt/ *n* قفسه، گنجهٔ طاقچه‌دار
whatsoe'er /,wɒtsəʊ'eə(r)/ *adj,pr,Poet* = whatsoever
whatsoever /,wɒtsəʊ'evə(r)/ *adj,pr* ۱.هیچ (گونه)؛ هر قدر ۲.هر چه؛ هر آنچه
wheal /wi:l/ = weal; wale
wheat /wi:t US: hwi:t/ *n* گندم
wheaten /'wi:tn/ *adj* گندمی
wheaten bread نان گندم
wheedle /'wi:dl:/ *vt* گول زدن؛ خر کردن
wheel /wi:l US: hwi:l/ *n,vi,vt* ۱.چرخ؛ [اتومبیل] فرمان ۲.چرخ خوردن، چرخیدن؛ چرخ‌سواری کردن ۳.چرخاندن؛ با چرخ بردن
take the wheel پشت فرمان نشستن
at the wheel پشت فرمان، راننده
four-wheeled چهارچرخه
wheels within wheels کاسه زیر نیم‌کاسه
wheelbarrow /'wi:lbærəʊ/ *n* چرخِ دستی، فرقون
wheelwright /'wi:lraɪt/ *n* گاری‌ساز
wheeze /wi:z US: hwi:z/ *n,v* ۱.خِس خس ۲.خس خس کردن
whelk /welk/ *n* نوعی حلزون
whelm /welm/ *vt,Poet* = overwhelm
whelp /welp/ *n,v* ۱.[شیر و پلنگ و خرس] بچه، توله؛ [مجازاً] بچه بی‌تربیت ۲.(بچه) زاییدن
when /wen/ *adv,inter,conj* or *rel,adv* ۱.کی؟ چه وقت؟ ۲.وقتی که؛ چون؛ در صورتی که، با اینکه

at a time when در یک موقعی که

whence /wens/ *adv,inter,rel,pr* ۱.از کجا؛
از چه رو ۲.که از آن(جا)

whene'er /wen'eə(r)/ *conj,adv,Poet* = whenever

whenerver /wen'evə(r) US: hwen-/ *conj,adv*
هر وقت (که)، هر زمان (که)، هر گاه

where /weə(r) US: hweə(r)/ *adv,inter, conj or rel,adv* ۱.کجا؟ ۲.جایی که؛ در موردی که

the place where جایی که

whereabouts /'weərəbaʊts/ *adv,n*
۱.کجا؛ کجاها ۲.محل، جا

whereas /,weər'æz US: ,hweər'æz/ *conj*
در صورتی که، درحالی که؛ نظر به اینکه

whereby /weə'baɪ/ *conj,adv*
۱.که به‌وسیلهٔ آن، که به‌موجب آن ۲.به چه وسیله

where'er /weər'eər/ *conj,adv,Poet* = wherever

wherefore /'weəfɔ:(r)/ *adv,conj*
۱.به‌چه جهت، از چه‌رو ۲.که به‌موجب آن

wherefrom /weə'frɒm/ *conj,adv*
۱.که از آن (جا) ۲.از چه، از کدام

wherein /weər'ɪn/ *conj,adv* ۱.که در آن (جا)
۲.در کجا؟ از چه حیث؟

whereof /weər'ɒv/ *conj*

the rivers whereof که رودخانه‌های آن

whereon /weər'ɒn/ *conj* که روی آن

wheresover /,weəsəʊ'evə(r)/ *conj* = wherever

whereto /weə'tu:/ *conj,adv or* **whereunto** /weə'ʌntu:/ ۱.که بدان ۲.به چه؟

whereupon /weərə'pɒn/ *conj,adv*
۱.که در نتیجهٔ آن؛ که در روی آن ۲.روی چه؟
سپس، پس از آن

wherever /weər'evə(r)/ *conj,adv* هر جا که

where with /weə 'wɪð/ *conj,adv,Arch*
۱.که با آن ۲.با چه؟

wherewithal /'weəwɪðɔ:l/ *n* ۱.پول‌وپله،
مایه، امکانات

wherry /'werɪ/ *n* نوعی قایق پارویی

whet /wet US: whet/ *vt* [-ted] تیز کردن؛
[مجازاً] برانگیختن

whether /'weðə(r)/ *conj* ۱.آیا،
اعم از اینکه ۲.خواه، چه

I do not know whether it is red or white.
نمی‌دانم آیا سفید است یا قرمز.

Whether you go or not چه بروید چه نروید،
اعم از اینکه بروید یا نروید

whetstone /'wetstəʊn/ *n*
سنگِ (چاقو) تیزکنی

whey /weɪ US: hweɪ/ *n* آب پنیر

which /wɪtʃ US: hwɪtʃ/ *pr,adj,inter* کدام (یکی)

which /wɪtʃ US: hwɪtʃ/ *pr,adj,rel* ۱.که
۲.و این (هم) ۳.که این (هم)

2.Which difference shall be settled only by arbitration
و این اختلاف هم تنها از راه داوری تصفیه خواهد شد

whichever /wɪtʃ'evə(r)/ *pr,adj,rel* = whichsoever

whichsoever /,wɪtʃsəʊ'evə(r)/ *pr,adj,rel*
هر کدام

whiff /wɪf US: hwɪf/ *n,vi,vt* ۱.نسیم، نفخه؛
بو؛ دود ۲.آهسته وزیدن؛ فوت کردن ۳.دمیدن

Whig /wɪg US: hwɪg/ *n* عضو حزبِ
آزادیخواه انگلیس در سده هفدهم میلادی

while /waɪl US: hwaɪl/ *adv,n,vt* ۱.مادامی که؛
در صورتی که، و حال آنکه ۲.مدت، زمان ۳.[بیشتر
با away] گذراندن

for a while (تا) یک مدتی

once in a while گاهگاهی

Is it worth while? به زحمتش می‌ارزد؟

whiles *Arch* = while *adv*

whilst /waɪlst US: hwaɪlst/ *conj* = while

whim /wɪm/ *n* هوس، ویر

whimper /'wɪmpə(r)/ *vi* ناله کردن

whimsical /'wɪmzɪkl/ *adj* بلهوس، هوسباز؛
بلهوسانه؛ غریب

whimsicality /,wɪmzɪ'kælətɪ/ *n* بلهوسی؛
غرابت

whimsy /'wɪmzɪ/ *n* بلهوسی، هوس

whine /waɪn/ *vi* ناله کردن

whinny /'wɪnɪ/ *vi* شیهه کشیدن

whip /wɪp/ *n,v* [-ped] ۱.شلاق؛ ۲.شلاق زدن؛
[تخم‌مرغ] زدن، هم زدن؛ شکست دادن؛ (کاری را)
شلاقی انجام دادن

whip in (*or* together) هم نگاه داشتن،
پراکندگی بازداشتن

whip on ضرب شلاق بردن

a whip round جمع‌آوری اعانه

whipper-snapper /'wɪpə snæpə(r)/ *n*
جوان خودبین و جسور

whippet /'wɪpɪt/ *n* نوعی سگ کوچک که
در مسابقه دو به کار می‌رود؛ نوعی تانک سبک و
تندرو

whirl /wɜ:l US: hw-/ *vt,vi* ۱.چرخاندن؛ پرت کردن ۲.چرخیدن؛ گیج رفتن

whirligig /'wɜ:lɪgɪg US: 'hw-/ *n* فرفره؛ چرخ و فلک

whirlpool /'wɜ:lpu:l/ *n* گرداب

whirlwind /'wɜ:lwɪnd/ *n* گردباد

whir(r) /wɜ:(r)/ *n* پرّ: صدای چرخ یا پرواز تند پرنده

whisk /wɪsk US: hw-/ *n,vt,vi* ۱.گردگیر؛ مگس‌ران؛ همزن؛ تکان تند ۲.زدن (تخم‌مرغ)؛ راندن، پراندن؛ سبک بودن؛ تکان دادن، تاب دادن ۳.تند رفتن

whisk away or off گرفتن (گرد)، رُفتن؛ پراندن (مگس)؛ تند بردن

whisker /'wɪskə(r) US:'hwɪ-/ *n* [گربه و موش و غیره] سبیل؛ ریش (به استثنای چانه)

whisky /'wɪskɪ US:'hwɪ-/ *n* ویسکی

whisper /'wɪspə(r) US: 'hwɪ-/ *vt* ۱.نجوا، پچ‌پچ؛ شایعه ۲.نجوا کردن؛ پچ‌پچ کردن ۳.به نجوا گفتن، محرمانه گفتن

whist /wɪst US: hwɪst/ *int,n* ۱.هیس، ساکت ۲.نوعی بازی ورق شبیه به حکم

whistle /'wɪsl US: 'hwɪ-/ *n,vi,vt* ۱.سوت، صفیر؛ سوت سوتک؛ گلو، نای ۲.سوت زدن سوت کشیدن ۳.با سوت صدا کردن

whit /wɪt US: 'hwɪt/ *n* ذره، خرده

not a whit هیچ، ابداً

white /waɪt US: hwaɪt/ *adj,n* ۱.سفید ۲.جامهٔ سفید؛ سفیدی (چشم)؛ سفیده (تخم)

dressed in white سفیدپوش

white elephant اثاثیه دست‌وپاگیر و غیرقابل فروش؛ پیشکشی مزاحم

white ant = termite موریانه

white meat گوشت مرغ و گوساله و خوک

white slave دختری که برای فاحشگی ربوده و به خارج از کشور فرستاده می‌شود

white-caps /'waɪt kæps/ *npl* امواج دریا که کف بالای آنها سفید می‌نماید

whiten /'waɪtn/ *v* سفید کردن؛ سفید شدن

whiteness *n* سفیدی

whitening *n* نوعی گل سفید

whitewash /'waɪtwɒʃ/ *n,vt* ۱.دوغاب آهک، پنبه آب ۲.با دوغاب سفید کردن، پنبه آب زد ماست‌مالی کردن، رفع و رجوع کردن

whither /'wɪðə(r)/ *adv,inter,rel* ۱.به کجا ۲.جایی که

whiting /'waɪtɪŋ/ *n* نوعی ماهی سفید

whitlow /'wɪtləʊ US: 'hwɪ-/ *n* [پزشکی] چرک کردنِ اطراف ناخن، عقربک، کژدمه

whittle /'wɪtl US:'hwɪ-/ *vt* تراشیدن؛ کم کردن [با away یا down]

whiz(z) /wɪz US: hwɪz/ *n,vi* ۱.[صدا] ویز، ویژ ۲.ویزویز کردن، ویژ کردن

who /hu:/ *pr,inter,rel* ۱.که؟ کی؟ چه‌شخصی؟ ۲.که

Who comes? کی می‌آید؟

the girl who دختری که

he who آنکه، کسی که؛ هر که

whoa /wəʊ/ = wo

whoe'er /hu:'eə(r)/ *pr,rel,Poet* = whoever

whoever /hu:'evə(r)/ *pr,rel* هرکه، هر آنکه، هر کس (که)

whole /həʊl/ *adj,n* ۱.تمام؛ درست؛ سالم؛ دست نخورده؛ [با the] همهٔ ۲.چیز تمام؛ کل؛ همه، تمام [با the]

three whole years سه سال تمام

swallow whole درسته قورت دادن

a whole number عدد صحیح

the whole world تمام دنیا

with one's whole heart از صمیم قلب، قلباً، صمیمانه

(up)on the whole روی هم رفته

as a whole به‌طور کلی، یکجا

wholehearted /ˌhəʊl'hɑ:tɪd/ *adj* قلبی

whole-length /həʊl 'leŋθ/ *adj* تمام قد

wholeness *n* درستی، تمامیت

wholesale /'həʊlseɪl/ *adj,adv,n* ۱.عمده‌فروش؛ یکجا ۲.(به‌طور) عمده، (به‌طور) کلی ۳.عمده‌فروشی

a wholesale dealer عمده‌فروش، بنکدار

wholesale prices قیمت‌های عمده‌فروشی

a wholesale slaughter قتل‌عام

sell (by) wholesale عمده فروختن

wholesome /'həʊlsəm/ *adj* گوارا، سالم، مایه تندرستی؛ سودمند

wholly /'həʊlɪ/ *adv* تماماً، به‌کلی

whom /hu:m/ *pr,inter,rel* ۱.که را؟ که هارا؟ به که؟ به چه اشخاص؟ ۲.که او را، که آنها را؛ که به او، که به ایشان [مقایسه شود با who]

The man whom you met yesterday مردی (را) که دیروز دیدید

The man to whom you spoke مردی که با او صحبت کردید

whomsoever /ˌhu:msəʊ'evə(r)/ *pr,rel* هر که را، هر کس را (که)

whoop /wu:p,hu:p/ *n,vi* ۱.فـریـاد
۲.فـریاد کردن

whoopingcough /'hu:pɪŋkɒf/ *n* سیاه‌سرفه

whopping *adj,Sl* گنده، خیلی بزرگ؛ شاخدار [a whopping lie]

whore /'hɔ:(r)/ *n* فاحشه، جنده

whorl /wɜ:l/ *n* پیچ؛ [در گل] حلقه

whose /hu:z/ *pr,inter,rel* [who حالت مالکیتِ]

whose pencil? مدادِ کی؟ مدادِ که
Whose is it? مال کیست؟
the dog to whose neck... سگی که به گردنش ...

whosoe'er *Poet* = whosoever

whosoever /ˌhu:səʊ'evə(r)/ *pro,rel* = whoever

why /waɪ/ *adv,inter* چرا، برای چه؟؛ از چه رو؟ به چه جهت؟ چطور مگر، چرا می‌پرسید؟

the reason why دلیل اینکه، علت اینکه

why! *int* عجب! بَه!

wick /wɪk/ *n* فتیله

wicked /'wɪkɪd/ *adj* شریر، بدکار؛ بدخو؛ شرارت‌آمیز [wicked acts]

wickedness *n* شرارت، تبهکاری

wicker /'wɪkə(r)/ *n* جگن، ترکهٔ بید

wickerwork /'wɪkəwɜ:k/ *n* سبد، جِگن بافته

wicket /'wɪkɪt/ *n* دریچه؛ نیمدری

wide /waɪd/ *adj,adv* ۱.پهن، عریض؛ گشاد؛ وسـیـع؛ زیـاد؛ کـاملا؛ بـاز [در چشـم]؛ عـمومی؛ نامحدود ۲.کاملا؛ درهمه جا

How wide is the street?
It is 30 metres wide
پهنای خیابان چند متر است؟ سی متر است

wide of the subject از موضوع پرت

wideawake /ˌwaɪdə'weɪk/ *adj* هشیار، گوش به زنگ؛ آگاهانه

widely *adv* زیاد؛ در بسیاری از جاها

widely circulated کثیرالانتشار

widemouthed /'waɪdmaʊðd/ *adj* دهن‌گشاد

widen /'waɪdn/ *v* پهن‌تر کردن؛ پهن‌تر شدن، عریض کردن؛ عریض شدن

wide-spread /'waɪdspred/ *adj* رایج، متداول، معمول، گسترده

widow /'wɪdəʊ/ *n* زن بیوه، بیوه

the widow of the late... زن مرحومِ

widowed بیوه شده؛ [مجازاً] لخت

widower /'wɪdəʊə(r)/ *n* مرد بیوه، بیوه مرد

widowhood /'wɪdəʊhʊd/ *n* بیوگی

width /wɪtθ;wɪdθ/ *n* ۱.پهنا، عرض
۲.[پارچه] تخته

Two widths of the lining دوتخته آستری

wield /wi:ld/ *vt* به‌کار بردن، استفاده کردن از؛ اعمال کردن

wife /waɪf/ *n* [wives] زن، همسر، خانم، زوجه

give to wife به‌زنی دادن، شوهر دادن

wifely *adj* زنانه؛ درخورِ یک زن

wig /wɪg/ *n* کلاه‌گیس

wigged /wɪgd/ *adj* دارایِ کلاه‌گیس

wigging /'wɪgɪŋ/ *n,Col* سرزنش

wiggle /'wɪgl/ *vt,vi* ۱.تکان دادن، جنباندن
۲.تکان خوردن، وول خوردن

wight /waɪt/ *n, Arch* آدم

wigwag /'wɪgwæg/ *n* رتباط به وسیلهٔ پرچم

wigwam /'wɪgwɒm/ *n* کلبهٔ سرخپوستانِ مریکای‌شمالی که از پوست و چوب درست می‌کنند

wild /waɪld/ *adj,adv,n* ۱.وحشی، جنگلی؛ یابانی؛ خودرو؛ خودسر؛ دیـوانـه؛ تـند، شـدید؛ ی‌ملاحظه ۲.وحشیانه، بیخود؛ بی‌هدف ۳.بـیابان، مین بایر

wild about یوانهٔ، شیفتهٔ

wild ass گورخر، گور

wildcat /'waɪldkæt/ *n,adj* ۱.گربهٔ وحشی
۲.[مجازاً] مخاطره‌آمیز

wildcat strike عتصاب ناگهانی

wilderness /'wɪldənɪs/ *n* بابان

wildfire /'waɪldfaɪə(r)/ *n* کیب شیمیایی که ای آتش زدن کشتیهای جنگی به‌کار می‌رفت

wildly *adv* حشیانه؛ خودسرانه

wildness *n* حشیگری؛ خودسری، سرکشی؛ دی؛ دیوانگی

wile /waɪl/ *vt* دام انداختن

wiles /waɪlz/ *npl* ویر، حیله

wilful /'wɪlfl/ *adj* ودسر، لجباز؛ خودسرانه؛ مدی، عمد

wilfully /'wɪlfəlɪ/ *adv* ودسرانه؛ عمداً

wilily *adv* تزویر

wiliness *n* بله(گری)، تزویر

will /wɪl/ *n* ده، میل؛ نیت؛ اختیار؛ خودداری؛ قوق] وصیت(نامه)

of one's own free will طیب خاطر

good will سن نیت، رضامندی

ill will یتی، بدخواهی، نارضامندی

at will طور دلخواه، موافق میل

make a will یت کردن

last will and testament وصیتنامه

will /wɪl/ *v,aux* [*p* would] [فعل معین] خواستن؛ [جمله‌های سئوالی] میل دارید؟ ممکن است؟ لطفاً؛ خواهی نخواهی، طبعاً، طبیعتاً؛ معمولاً، احتمالاً [در موارد زیر به‌کار می‌رود: ۱.برای ساختن زمان آیندهٔ معمولی در دوّم شخص و سوّم شخص مانند: You will go «شما خواهید رفت»، They will go «آنها خواهند رفت» ۲.برای اوّل شخص جمع و مفرد در آیندهٔ الزامی مانند: I will go «من خواهم رفت» به معنی «می‌روم» یا «قول می‌دهم بروم»، We will go «ما خواهیم رفت» به معنی «می‌رویم» یا «قول می‌دهیم برویم»]

will /wɪl/ *vt,vi, Arch* ۱.خواستن، اراده کردن ۲.خواستن، اراده کردن؛ با وصیت واگذار کردن؛ با اراده وادار کردن

willful *US* = wilful

willing /ˈwɪlɪŋ/ *adj* مایل، مشتاق؛ مشتاقانه؛ میلی

God willing! اگر خدا بخواهد، ان‌شاءالله!

villingly *adv* با میل، به رضایت

villingness *n* رضایت، میل

villow /ˈwɪləʊ/ *n* بید؛ جگن

pussy willow بیدمشک

villowy *adj* بیدزار؛ نرم؛ باریک

villy-nilly /ˌwɪlɪ ˈnɪlɪ/ = will he, nill he چه بخواهد چه نخواهد، خواه نخواه

ilt /wɪlt/ *v* پژمرده شدن؛ پژمرده کردن

ily /ˈwaɪlɪ/ *adj* حیله‌گر، موذی

imple /ˈwɪmpl/ *n* کلاه زنانِ تارِک دنیا

in /wɪn/ *vt,vi* [won] ,*n* ۱.بردن، برنده شدن؛ پیروز شدن در؛ به دست آوردن؛ وادار کردن، اغ کردن؛ رسیدن به ۲.پیروز شدن، پیش بردن ۳.بُر

win a victory پیروز شدن؛ فاتح شدن

win over کشیدن، مجذوب کردن

ince /wɪns/ *vi* خود را عقب کشیدن

inch /wɪntʃ/ *n* جرثقیل کابلی، وینچ

ind /wɪnd/ *n,vt* ۱.باد؛ سازهای بادی؛ نفس؛ آبگاه، تهیگاه ۲.باد دادن، هوا دادن؛ (شکار) را با بو جستن؛ از نفس انداختن؛ استراح دادن

wind instruments سازهای بادی

There is something in the wind کاسه‌ای زیر نیم کاسه است

How does the wind blow? در روی چه پاشنه‌ای می‌گردد، ببینیم باد از کدام طرف می‌آید

ling (or throw) to the wind دور انداختن، پشت پا زدن به

et the wind up *Sl* ترسیدن

put the wind up someone *Sl* کسی را ترساندن

get wind of something پی به چیزی بردن، از چیزی بو بردن

wind /wɪnd/ *vt,vi* [wound] ۱.پیچیدن؛ نخ‌پیچ کردن؛ پیچ و خم دادن؛ برگرداندن (کشتی)؛ کوک کردن [بیشتر با up]؛ زدن (بوق) ۲.پیچ خوردن

wind off باز کردن

wind up کوک کردن؛ خاتمه دادن؛ خاتمه یافتن؛ گلوله کردن (نخ)؛ منحل کردن؛ برچیدن؛ منحل شدن

wind up to fury خشمگین کردن

windbag /ˈwɪndbæg/ *n* سخنران روده‌دراز

wind-break /ˈwɪnd breɪk/ *n* درخت یا حصاری که از فشار باد کم می‌کند، بادشکن

winder /ˈwɪndə(r)/ *n* کوک‌کننده؛ کلید کوک؛ نخ‌پیچ؛ [در ترکیب] پیچ

windfall /ˈwɪndfɔːl/ *n* (میوهٔ) بادرختی؛ [مجازاً] مال بادآورده

windflower /ˈwɪndflaʊə(r)/ *n* = anemone

wind-gauge /ˈwɪnd geɪdʒ/ *n* بادسنج

winding *adj* پیچاپیچ

winding-sheet /ˈwɪndɪŋ ʃiːt/ *n* کفن

windlass /ˈwɪndles/ *n* چرخ (چاه)

windmill /ˈwɪndmɪl/ *n* آسیای بادی

window /ˈwɪndəʊ/ *n* پنجره، روزنه

window-dressing /ˈwɪndəʊ dresɪŋ/ *n* فن چیدن جنس در ویترین [رجوع شود به shop window زیر shop]

window-pane /ˈwɪndəʊ peɪn/ *n* جام پنجره، شیشهٔ پنجره

windpipe /ˈwɪndpaɪp/ *n* نای

wind-screen /ˈwɪndskriːn/ *or*
wind-shield /ˈwɪndʃiːld/ *n* [اتومبیل] شیشهٔ جلو

wind-screen wiper برف پاک‌کن

wind-swept /ˈwɪndswept/ *adj* در معرض باد، بادخورده

windward /ˈwɪndwəd/ *adj,adv* به طرف باد

windy /ˈwɪndɪ/ *adj* بادگیر؛ بادخور؛ پرباد، توفانی؛ [مجازاً] بی‌مغز؛ لاف‌زن؛ پُرگو

wine /waɪn/ *n* شراب، می

winepress /ˈwaɪnpres/ *n* چرخشت

wing /wɪŋ/ *n,vt,vi* ۱.بال؛ پر؛ گلگیر؛ [نظامی] جناح؛ [مجازاً] پهلو، طرف؛ شاخه، شعبه ۲.بالدار کردن، تیزرو کردن ۳.پریدن

on the wing (در حال) پرواز

winged *ppa* بالدار

wink /wɪŋk/ *vi,v,n* ۱.چشمک زدن؛ برق(برق) زدن ۲.بستن و باز کردن (چشم) ۳.چشمک

wink at نادیده انگاشتن، نادیده گرفتن

not to sleep a wink نخوابیدن، چشم به‌هم نزدن

forty winks چرت، خواب مختصر

winkle /ˈwɪŋkl/ *n* نوعی صدف خوراکی

winner *n* برنده؛ فاتح

winning *apa* برنده؛ [مجازاً] جذاب

winning-post /ˈwɪnɪŋ pəʊst/ *n* [مسابقه اسبدوانی] تیرک پایان

winnow /ˈwɪnəʊ/ *vt* [غله] باد دادن، باد افشان کردن؛ [با away] سوا کردن

winsome /ˈwɪnsəm/ *adj* دلکش

winter /ˈwɪntə(r)/ *n,vi,vt* ۱.زمستان ۲.زمستان را به‌سر بردن ۳.در زمستان نگاه داشتن

wintry /ˈwɪntrɪ/ *adj* سرد؛ [مجازاً] لوس

wipe /waɪp/ *vt* خشک کردن، پاک کردن [با off و out و away]

Give it a wipe (n) آن را خشک کنید!

wipe the floor with *Sl* به‌زمین زدن

wire /ˈwaɪə(r)/ *n,vt* ۱.سیم؛ مفتول؛ تلگراف ۲.سیمکشی کردن؛ تلگراف کردن؛ با سیم به دام انداختن؛ با سیم محصور کردن [با off]

wire entanglement سیم خاردار

pull the wires گربه رقصاندن

wire-cutter /ˈwaɪə kʌtə(r)/ *n* سیم‌چین

wireless /ˈwaɪəlɪs/ *adj,n* ۱.بی‌سیم ۲.رادیو

wireman /ˈwaɪəmən/ *n* [-men] سیمکش

wire-puller /ˈwaɪəpʊlə(r)/ *n* گربه رقصان

wiring *n* سیمکشی

wiry /ˈwaɪərɪ/ *adj* سیمی؛ سفت؛ [مجازاً] پرطاقت

wisdom /ˈwɪzdəm/ *n* خرد، عقل

wisdom tooth /ˈwɪzdəm tu:θ/ *n* دندان عقل

wise /waɪz/ *adj* خردمند، عاقل؛ خردمندانه، عاقلانه [a wise act]

wise /waɪz/ *n* طریق، طور، وجه

in no wise به‌هیچ‌وجه، به‌هیچ طریق

wiseacre /ˈwaɪzeɪkə(r)/ *n* نادانِ پرمدعا

wisely *adv* خردمندانه، عاقلانه

wish /wɪʃ/ *v,n* ۱.خواستن، میل داشتن ۲.خواهش؛ آرزو، مراد؛ [در جمع] ادعیه، تبریکات

I wish you happiness خوشی یا سعادت شما را خواستارم

As you wish هرطور میل شماست

wish for آرزو کردن

I wish you a happy New Year سال نو را به شما شادباش می‌گویم

I wish I were کاش... بودم

God granted her wish خدا مرادش را داد یا حاجتش را برآورد

good wishes شادباش، تبریکات

wishbone /ˈwɪʃbəʊn/ *n* جناغ (مرغ)

wishful *adj* خواهان، آرزومند

wishy-washy /ˈwɪʃɪ wɒʃɪ US: -wɔ:ʃɪ/ *adj* بکی، رقیق؛ کم مایه؛ بی‌مزه، سست، بی‌معنی

wisp /wɪsp/ *n* سته؛ مشت

wist /wɪst/ زیر wit آمده است]

wistaria /wɪˈstɪərɪə/ *n* گیاه‌شناسی] گلیسین

wistful /ˈwɪstfl/ *adj* شتاق، آرزومند

wit /wɪt/ *n* وش، ادراک؛ شوخی؛ لطیفه، ذله(گویی)؛ بذله‌گو

out of one's wits یوانه

I am at my wits end گر عقلم به جایی نمی‌رسد

wit /wɪt/ *v, Arch* [*pres* I wot, thou wottest, he wot; *p* I wist; *pres part* witting] انستن

to wit نی

witch /wɪtʃ/ *n* احره؛ عجوزه

witching hours اعات سحرانگیز: اعاتی که برای عملیات سحره مساعد است

witchcraft /ˈwɪtʃkrɑ:ft/ *n* حر، افسونگری

witchery /ˈwɪtʃərɪ/ *n* حر؛ طلسم

with /wɪð/ *prep* به وسیلهٔ؛ مراهِ؛ از [shiver with cold]

Leave your books with me. تابهای خود را نزد من بگذارید.

with child ستن، حامله

the house with a basement نه‌ای با زیرزمین

withal /wɪˈðɔ:l/ *adv,prep, Arch* .به‌علاوه؛ مناً ۲.با

withdraw /wɪðˈdrɔ:/ *vt,vi* [-drew; -drawn] عقب کشیدن؛ برداشتن، (وا) گرفتن؛ پس گرفتن، ک کردن (دعوی)؛ جمع کردن، از رواج انداختن؛ اره‌گیری کردن از؛ دریغ داشتن؛ خارج کردن کنار کشیدن، بیرون رفتن

withdrawal /wɪðˈdrɔ:əl/ *n* اره‌گیری، ب‌نشینی؛ پس‌گیری

withdrawn /wɪðˈdrɔ:n/ [*pp of* withdraw]

withdrew /wɪðˈdru:/ [*p of* withdraw]

withe /wɪθ/ *n* نه بید یا جگن

wither /ˈwɪðə(r)/ *vi,vt* خشک شدن، رده شدن ۲.پژمرده کردن، چروک کردن؛ خره کردن؛ سرزنش کردن

withers /ˈwɪðəz/ *npl* [در اسب] برآمدگیِ میان استخوانهای کتف
My withers are unwrung
آن وصله به من نمی‌چسبد
withheld /wɪðˈheld/ [*p,pp of* withhold]
withhold /wɪðˈhəʊld/ *vt* [-held]
(از چیزی) مضایقه کردن؛ خودداری کردن
withhold one's consent رضایت ندادن
within /wɪðˈɪn/ *prep,adv* ۱.در،تویِ؛ در حدودِ، به اندازهٔ؛ در ظرفِ [within 2 days] ۲.در داخل؛ در خانه؛ از تو؛ باطناً
within 2 miles of در دو میلیِ
without /wɪðˈaʊt/ *prep,adv* ۱.بی، بدونِ؛ بیرونِ؛ بیرون از ۲.در خارج؛ از بیرون، ظاهراً
do without با نبودن (چیزی) ساختن
withstand /wɪðˈstænd; wɪθˈs-/ *vt* [-stood]
مقاومت کردن؛ تحمل کردن
withstood /wɪðˈstʊd/ [*p of* withstand]
withy /ˈwɪðɪ/ *n* = withe
witless *adj* بی‌شعور
witness /ˈwɪtnɪs/ *n,v* ۱.گواهی، شهادت؛ گواه، شاهد ۲.گواهی دادن، شهادت دادن؛ دیدن
bear witness to گواهی دادن به
call to witness به شهادت طلبیدن
in witness of برای گواهیِ، در تأیید
witness-box /ˈwɪtnɪs bɒks/ *n*
[در دادگاه] جایگاه شهود
witticism /ˈwɪtɪsɪzəm/ *n* بذله، لطیفه، شوخی
wittily *adv* به شوخی، با شوخ‌طبعی
wittingly /ˈwɪtɪŋlɪ/ *adv* دانسته، عمداً
witty *adj* شوخ، بذله‌گو؛ مطایبه‌آمیز
wives /waɪvz/ [*pl of* wife]
wizard /ˈwɪzəd/ *n* [*fem* witch] جادو(گر)، ساحر، افسونگر
wizardry /ˈwɪzədrɪ/ *n* جادو(گری)
wizened /ˈwɪznd/ *adj* خشکیده، چروک
wo /wəʊ/ *int* هش!، هیس!
woad /wəʊd/ *n* نیل؛ وسمه
wobble /ˈwɒbl/ *vi,n* ۱.جنبیدن؛ یله رفتن؛ [مجازاً] مردد بودن ۲.جنبش؛ تردید؛ تغییر رویه
woe /wəʊ/ *n* غم، محنت؛ گرفتاری، مصیبت
weal and woe خوشبختی و بدبختی
Woe (be) to him who وای بر کسی که
Woe is me! افسوس، وای بر من!
woebegone /ˈwəʊbɪgɒn/ *adj* فلاکت‌بار؛ حاکی از ملالت و افسردگی
woeful /ˈwəʊfl/ *adj* غمگین؛ بدبخت؛ تأسف‌آور؛ سهمگین، بد
woke /wəʊk/ [*p,pp* of wake]
wold /wəʊld/ *n* دشت بایر
wolf /wʊlf/ *n* [wolves] گرگ
keep the wolf from the door خود را از گرسنگی رهانیدن، گلیم خود را از آب کشیدن
wolf *(vt)* **down** حریصانه خوردن
You have cried wolf too often.
آن قدر دروغ گفته‌اید که اگر راست هم بگویید باور نمی‌کنند.
wolf-dog /ˈwʊlf dɒg/ *n* سگ گله، سگ گرگی
wolfish *adj* گرگ صفت
wolves /wʊlvz/ [*pl* of wolf]
woman /ˈwʊmən/ *n* [women] زن
woman doctor پزشکِ زن
women's apartments اندرون
womanhood /ˈwʊmənhʊd/ *n* حسِ زنانگی؛ وظایف زنانه؛ زن جماعت
womanish *adj* زن صفت؛ زنانه
womankind /ˈwʊmənkaɪnd/ *n* زن جماعت
womanlike /ˈwʊmənlaɪk/ *adj* زن‌مانند؛ زنانه
womanly *adj* زنانه، درخورِ زنان
womb /wu:m/ *n* رحم، زهدان
women /ˈwɪmɪn/ [*pl of* woman]
womenfolk /ˈwɪmɪnfəʊk/ *n* زنها؛ زنان فامیل
won /wʌn/ [*p,pp of* win]
wonder /ˈwʌndə(r)/ *n,v* ۱.شگفت، تعجب؛ چیز عجیب، [در جمع] عجایب؛ معجزه ۲.متعجب شدن، تعجب کردن، در شگفت ماندن
in wonder با حیرت، متعجبانه، با شگفت
filled with wonder متعجب، درشگفت
for a wonder خیلی عجیب است که
a nine days' wonder چیزی که چند صباحی غرابت دارد و جلب‌نظر می‌کند
(It is) no wonder (that)
جای تعجب نیست (که)، عجیب نیست (اگر)
work wonders اعجاز کردن
wonder at تعجب کردن از
I wonder what he did نمی‌دانم چه کرد
wonderful /ˈwʌndəfl/ *adj* شگفت‌آور، عجیب
wonderfully /ˈwʌndəfəlɪ/ *adv*
به‌طور عجیب یا شگفت‌انگیز؛ فوق‌العاده
wonder-land /ˈwʌdəlænd/ *n* سرزمین پریان؛ [مجازاً] سرزمین عجایب
wonderment *n* حیرت
wondrous /ˈwʌndrəs/ *adj,adv,Poet*
(به‌طور) عجیب؛ فوق‌العاده
wonky /ˈwɒŋkɪ/ *Sl* = shaky

wont /wəʊnt/ *n,adj* ۱.عادت، روش
۲.آموخته، معتاد

won't /wəʊnt/ *Col* = will not

wonted *adj* عادی، معهود

woo /wu:/ *vt,vi* [-ed]
۱.اظهار عشق (به‌کسی) کردن؛ خواستگاری کردن؛ طالب بودن؛ اصرار کردن به ۲.عشقبازی کردن

wood /wʊd/ *n* چوب؛ هیزم؛ جنگل؛ بشکه
You can't see the wood for the trees
آن قدر سمن است که یاسمن پیدا نیست
out of the wood از خطر گذشته، سالم

woodbine /ˈwʊdbaɪn/ *n* مو جنگلی؛ پیچک جنگلی

woodcock /ˈwʊdkɒk/ *n* [جانورشناسی] ابیا

woodcraft /ˈwʊdkrɑ:ft/ *n* جنگل‌شناسی از لحاظ شکار، اطلاع از شکار جنگلی

wood-cutter /ˈwʊd kʌtə(r)/ *n* هیزم‌شکن

wooded *adj* جنگل‌دار؛ پردرخت

wooden /ˈwʊdn/ *adj* چوبی؛ سفت؛ [مجازاً] زشت؛ بی‌حالت؛ بی‌روح

woodland /ˈwʊdlənd/ *n* جنگل؛ اراضی جنگلی

woodman /ˈwʊdmən/ *n* [-men] = woodsman

woodpecker /ˈwʊdpekə(r)/ *n* [جانورشناسی] دارکوب

woodsman /ˈwʊdzmən/ *n* [-men] جنگل‌نشین؛ هیزم‌شکن؛ جنگلبان

woodwind /ˈwʊdwɪnd/ *n* سازهای بادی چوبی

woodwork /ˈwʊdwɜ:k/ *n* قسمت‌های چوبی خانه

woody /ˈwʊdɪ/ *adj* جنگلی؛ چوبی

woof /wu:f/ *n* [پارچه] پود

wool /wʊl/ *n* پشم؛ نخ پشمی، لباس پشمی؛ پارچه پشمی؛ پشمینه
lose one's wool *Col* از جا در رفتن
pull the wool over a person's eyes
کسی را اغفال کردن

wool-gathering /ˈwʊl gæðərɪŋ/ *n* غازچرانی، گیجی

wool(l)en /ˈwʊlən/ *adj,n* ۱.پشمی
۲.پارچه‌های پشمی

woolly /ˈwʊlɪ/ *adj,n* ۱.پرپشم؛ پشم‌مانند
۲.[در جمع] لباس پشمی

word /wɜ:d/ *n,vt* ۱.کلمه، لغت، واژه؛ گفتار، حرف؛ پیغام؛ قول؛ کلام [word of God]
۲.به‌عبارت درآوردن

word for word لمه به کلمه، تحت‌اللفظی
by word of mouth بانی، شفاهاً
in a word; in one word لاصه، لاصه اینکه، مختصراً
have the last word
رف خود را به کرسی نشاندن
say a word خن گفتن، حرف زدن
say a good word for کسی) تعریف کردن؛ کسی) دفاع کردن
take a person at his word
قول کسی اعتماد کردن
in so many words عین این کلمات، عیناً
as good as one's word وش‌قول
of few words حرف
Word came that رسید که
They had words. فشان شد.
I take your word for it. شما را سند می‌دانم.
upon my word شرافتم سوگند

wording *n* ارت، جمله‌بندی

wordless *adj* زبان، گنگ

word-perfect /ˌwɜ:d ˈpɜ:fɪkt/ *adj* ملاً از بر

word-play /ˈwɜ:dpleɪ/ *n* ظی؛ جناس

word-splitting /ˈwɜ:d splɪtɪŋ/ *n* سطه، لطه، لفاظی

wordy *adj* سّل، مطوّل، پر از لفاضی

wore /wɔ:(r)/ [*p of* wear]

work /wɜ:k/ *n* ؛ [در جمع] الف. دیوان، ات، آثار ادبی ب. کارخانه ج. استحکامات ساختمان
set (*or* get) to work ت به‌کار زدن
at work کار، مشغول (کار)، دست در کار
public works لات عمومی، یل رفاه عمومی
out of work ر

work /wɜ:k/ *vi,vt* ار کردن؛ مؤثر واقع شدن؛ ی شدن؛ جنبیدن؛ گشتن، کار کردن ۲.به‌کار ختن (معدن)؛ گرداندن؛ بوجود آوردن؛ درست ن (خمیر)؛ پیدا کردن [one's way work]؛ کار ن (به)؛ ساختن [work clay]؛ به‌هم رساندن
work (*or* do) a sum زدن
work in ی کردن؛ وفق دادن
work into place گذاشتن
work into rage مناک کردن
work off رّ چیزی) خلاص شدن؛ ش رساندن، آب کردن
They worked their will upon him
خواستند بر سر او آوردند

work out درآوردن یا درآمدن (جمع یا مبلغ)، افتادن [در حساب هزینه]؛ پیدا کردن؛ حل کردن؛ زیاد خسته کردن؛ منتهای استفاده را (از چیزی) کردن
work up کم‌کم فراهم کردن، به‌تدریج برانگیختن؛ ترکیب کردن؛ ساختن، عمل آوردن
wrought iron آهن ساخته
workable /'wɜ:kəbl/ *adj* کارکن؛ عملی؛ قابل استخراج؛ قابل استفاده
workaday /'wɜ:kədeɪ/ *adj* متعلق به روزهای کار؛ کسل‌کننده، معمولی
workday /'wɜ:kdeɪ/ *n* روز کار، روز غیرتعطیل
worker /'wɜ:kə(r)/ *n* کارگر
working /'wɜ:kɪŋ/ *adj,n* ۱.شغلی؛ مؤثر؛ کارگر ۲.[در جمع] طرز کار
working plan نقشهٔ اجرا، نقشه کار
working day روز کار؛ ساعات کار روزانه
in good working order دایر، خوب
workman /'wɜ:kmən/ *n* [-men] کارگر
workmanlike /'wɜ:kmənlaɪk/ *adj* شایستهٔ کارگر خوب
workmanship /'wɜ:kmənʃɪp/ *n* استادی، طرز کار؛ کار، ساخت
work-people /'wɜ:k pi:pl/ *n* کارگران
workshop /'wɜ:kʃɒp/ *n* کارگاه
world /wɜ:ld/ *n* جهان، دنیا؛ روزگار
He is all the world to me همه چیز من اوست، جان من است و او
for all the world like کاملاً شبیه
to the world به‌کلی، پاک
worldliness *n* دنیاداری
worldly *adj* دنیوی؛ دنیادار
world-weary /'wɜ:ld weərɪ/ *adj* بیزار از هستی
world-wide /,wɜ:ld'waɪd/ *adj* مشهور جهان، جهانی
worm /wɜ:m/ *n,vt* ۱.کِرم؛ پیچ؛ لولهٔ مارپیچ ۲.ضدعفونی کردن، کرم‌زدایی کردن؛ کشاند خزاندن؛ جاکردن، سراندن
worm oneself into favour خودشیرینی کردن
worm a secret out of a person رازی را از زیر زبان کسی بیرون کشیدن
wormeaten /'wɜ:mi:tn/ *adj* کرم‌خورده؛ کهنه
worm-wheel /'wɜ:m wi:l/ *n* چرخ‌دندهٔ مارپیچ
wormwood /'wɜ:mwʊd/ *n* [گیاه‌شناسی] خاراگوش، افسنطین، قورت اودی
wormy *adj* کرمو؛ کرم خورده؛ کرم مانند
worn /wɜ:n/ [*p,pp of* wear]
worn-out /,wɜ:n 'aʊl/ *adj* پوسیده، فرسوده
worried *ppa* ناراحت، پریشان
worry /'wʌrɪ/ *vt,vi,n* ۱.ناراحت کردن، نگران کردن، اذیت کردن ۲.ناراحت شدن، نگران شدن ۳.فکر، غصه؛ ناراحتی، خودخوری
worry out به زحمت حل کردن
Don't worry! اهمیت ندهید، غم نیست!
worse /wɜ:s/ *adj,adv* [*comp of* bad(ly)] بدتر
so much the worse چه بدتر، همان‌قدر بدتر، دیگه بدتر
worse off در وضع بدتر
none the worse همان‌قدر (بلکه بهتر)
worsen /'wɜ:sn/ *vt,vi* ۱.بدتر کردن ۲.بدتر شدن
worship /'wɜ:ʃɪp/ *n,vt,vi* [-ped] ۱.پرستش، عبادت ۲.پرستش کردن، عبادت کردن ۳.نمازگزاردن
worshipful /'wɜ:ʃɪpfl/ *adj* [لقب] محترم
worshipper *n* پرستنده؛ عابد
worst /wɜ:st/ *adj,adv* [*sup* bad(ly)] بدترین؛ بدتر از همه
worst /wɜ:st/ *n,vt* ۱.بدترین وضع ۲.پیش افتادن از؛ شکست دادن
get the worst of it شکست خوردن
worsted /'wʊstɪd/ *n,adj* ۱.نخ پشمی ۲.پشمی
worth /wɜ:θ/ *n,adj* ۱.ارزش، بها؛ قدر ۲.ارزنده؛ برابر [از حیث بها]؛ سزاوار، لایق؛ دارا
100 dollars' worth of goods (مُعادل) صد دلار کالا
It is worth 10 rials ده ریال ارزش دارد، ده ریال می‌ارزد
It is worth nothing مفت نمی‌ارزد
What is this book worth? این کتاب چقدر ارزش دارد (یا چند می‌ارزد)؟
worthily *adv* به‌طور شایسته یا لایق
worthiness *n* لیاقت؛ آبرومندی
worthless *adj* بی‌بها، ناچیز
worthwhile /wɜ:θ'waɪl/ *adj* ارزنده، ارزشمند
It is a worth-while experiment آزمایش آن به‌زحمتش می‌ارزد
worthy /'wɜ:ðɪ/ *adj* شایسته، لایق؛ درخور، مناسب
worthy of praise شایان تمجید
wot /wɒt/ [زیر wit آمده است]
would /wʊd/ *v,aux* [*p of* will] فعل معین است و در موارد زیر به‌کار می‌رود: ۱.در شرط مانند: I should be glad if you would do that یعنی «خوشوقت می‌شدم اگر این کار را می‌کردید»

۲.در جواب یا جزای شرط مانند: I would have sold the book if I had not lost it یعنی «اگر کتاب را گم نکرده بودم آن را می‌فروختم» یا Would you do that for me? یعنی «آیا این کار را برای من خواهید کرد؟» ۳.به جای ماضی استمراری معمولی مانند: Now and then a guest would come یعنی «گاهگاهی مهمان می‌رسد» ۴.در مورد تمنا یا آرزو مانند: I wish you would go یعنی «ای کاش می‌رفتید» یا Would that یعنی «کاش، خدا می‌کرد که» ۵.برای رعایت قاعدهٔ تطابق زمانها به جای ماضی will در نقل‌قول غیرمستقیم مانند: He said (that) he would go یعنی «او گفت که می‌رود».

would-be /'wʊd bɪ/ *adj*

A would-be doctor

دکتر بعد از این (کسی که دلش می‌خواهد دکتر شود)

wouldn't /'wʊdnt/ = would not

wound /wu:nd/ *n,vt,adj* ۱.زخم؛ [مجازاً] توهین ۲.زخم زدن ۳.مجروح، زخمی؛ [مجازاً] جریحه‌دار، رنجیده

wound /waʊnd/ *[p,pp of* wind]

wove /wəʊv/ [*p of* weave]

woven /'wəʊvn/ [*pp of* weave]

wrack /ræk/ *n* گیاه دریایی که برای کود مناسب است

wrack and ruin فنا، هلاکت

wraith /reɪθ/ *n* خیال، همزاد

wrangle /'ræŋgl/ *n,vi* مشاجره (کردن)، دادوبیداد (کردن)

wrap /ræp/ *vt,vi* [-ped] ,*n* ۱.پیچیدن؛ پوشانیدن [بیشتر با up]؛ [مجازاً] پنهان کردن ۲.خود را پیچیدن، خود را پوشاندن ۳.[درجمع] لباسی که دور خود بپیچند

wrapper *n* روکش (کتاب)؛ لباس خانه، رُب دوشامبر

wrath /rɒθ US: ræθ/ *n* خشم، غضب

wrathful *adj* خشمگین، غضبناک

wreak /ri:k/ *vt* بروز دادن، ظاهر کردن؛ (تلافی) درآوردن، (دق‌دلی) خالی کردن

wreak vengeance upon someone

تلافی بر سر کسی درآوردن

wreak one's rage upon...

قهر خود را سر... خالی کردن

wreath /ri:θ/ *n* حلقهٔ گل، تاج گل، دسته‌گل؛ [دود، مه و غیره] حلقه

wreathe /ri:ð/ *vt,vi* ۱.حلقه کردن؛ پیچیدن؛ چین‌دار کردن ۲.حلقه‌ای حرکت کردن [مانند دود]

wreck /rek/ *n,adj,vt* ۱.[کشتی] شکستگی؛ توفان‌زدگی؛ خرابی؛ کشتی شکسته؛ عمارت یا ماشین خراب؛ شخص خانه خراب، شخص علیل؛ کالای بازیافتی ۲.[ساختمان] ویرانه، خرابه؛ [اتومبیل] قراضه ۳.شکستن، خراب کردن؛ [مجازاً] ناامید کردن، خنثی کردن؛ خانه خراب کردن

wreckage /'rekɪdʒ/ *n* تکه‌پاره‌ها(ی خرد شده)

wrecker *n* جرثقیل برای بردن ماشینهای خراب‌شده؛ کارگری که اموال کشتی مغروق را پیدا می‌کند

wren /ren/ *n* [جانورشناسی] سِسک، الیکایی

wrench /rentʃ/ *n,vt* ۱.پیچ‌خوردگی؛ دررفتگی؛ پیچ، پیچش؛ درد؛ غم، غصّه؛ آچار ۲.پیچاندن؛ بیرون کشیدن، با زور درآوردن؛ به زور باز کردن؛ از جا کندن؛ دچار دررفتگی یا پیچ‌خوردگی کردن

He wrenched his ankle.

مچ پایش در رفت یا پیچ خورد.

Stillson wrench آچار شلاقی

wrest /rest/ *vt* پیچاندن، غلط تعبیر کردن؛ کش دادن (توضیح دربارهٔ چیزی)؛ به‌زور گرفتن؛ انتزاع کردن

wrestle /'resl/ *vi,n* ۱.کُشتی گرفتن ۲.کُشتی؛ تقلا

wrestler /'reslə(r)/ *n* کُشتی‌گیر

wretch /retʃ/ *n* آدم بدبخت؛ آدم پست

wretched /'retʃɪd/ *adj* بدبخت، بیچاره؛ بد؛ نکبت‌بار؛ زیان‌آور

wretchedness *n* بدبختی؛ پستی

wrick /rɪk/ *vt* رگ به رگ کردن

wriggle /'rɪgl/ *vi,vt,n* ۱.لولیدن؛ [مجازاً] از این‌سو به آن سو پریدن ۲.جنباندن، تکان دادن ۳.وول، تکان

wriggle one's way out

بزحمت از میان جمعیتی بیرون آمدن

wright /raɪt/ *n* [در ترکیب] ساز

shipwright کشتی‌ساز

wring /rɪŋ/ *vt* [wrung] ,*n* ۱.فشردن، چلاندن؛ غصب کردن؛ انتزاع کردن؛ پیچاندن؛ (با شکنجه اقرار) گرفتن ۲.فشار

wringing wet خیس

wrinkle /'rɪŋkl/ *n,v* ۱.چین، چروک ۲.چین‌دادن، چین خوردن، درهم کشیدن (جبین)، اخم کردن

wrinkly /'rɪŋklɪ/ *adj* چین‌دار

wrist /rɪst/ *n* مچ (دست)

wrist-band /'rɪstbænd/ *n* سرآستین، سردست

wristlet /'rɪstlɪt/ *n* مچ‌بند؛ دستبند

wrist-watch /'rɪstwɒtʃ/ *n* ساعت مچی

writ /rɪt/ *n* حکم؛ نوشته؛ ورقه

the Holy Writ کتاب مقدس
write /raɪt/ *v* [wrote;written] نوشتن
write down ثبت کردن، یادداشت کردن؛ تنزل دادن (بهای اسمی سهام)
write off زود نوشتن؛ قلم زدن
write off to expenditure جزو خرج آوردن
write out به تفصیل نوشتن
write up ستودن (در نوشتجات)؛ به تفصیل نوشتن؛ به‌تاریخ روز رساندن؛به دیوار زدن
writer /'raɪtə(r)/ *n* نویسنده؛ دبیر
writhe /raɪð/ *v,n* ۱.(به خود) پیچیدن؛ [مجازاً] سخت رنجیدن ۲.پیچ‌وتاب
writing /'raɪtɪŋ/ *n* خط، دستخط؛ نوشته، اثر
in writing کتباً
writing-desk /'raɪtɪŋ desk/ *n* میز تحریر
written /'rɪtn/ [*pp of* write] *,ppa* نوشته؛ کتبی
wrong /rɒŋ US: rɔ:ŋ/ *adj,n,adv* ۱.نادرست، مغلوط؛ مخالف اخلاق، مخالف قانون؛ بی‌حق، در اشتباه ۲.خطا، کار غلط؛ بی‌عدالتی؛ اشتباه، غلط ۳.(به) غلط، اشتباهاً
That is wrong غلط است، درست نیست
a wrong answer جواب غلط یا نادرست
do the wrong thing کار خطا کردن
take the wrong way به راه خطا رفتن؛ (راه) عوضی رفتن
You are wrong شما اشتباه کرده‌اید
go wrong بدکار کردن، خراب شدن
Something is wrong with you یک چیزی‌تان هست
What is wrong with that? (Col) مگر این چه عیبی دارد؟
the wrong side [پتو و امثال آن] پشت
born on the wrong side of the blanket حرامزاده
I am on the wrong side of 50. من بیش از ۵۰ سال دارم.
suffer wrong مظلوم واقع شدن
put one in the wrong اشتباه (یا تقصیر) کسی را ثابت کردن
wrong /rɒŋ US: rɔ:ŋ/ *vt* بد کردن به، بی‌انصافی کردن نسبت به؛ اشتباه کردن (دربارهٔ کسی)
the wronged (one) مظلوم
wrongdoer /'rɒŋdu:ə(r)/ *n* خطاکار
wrongful *adj* نادرست، خطا
wrongly *adv* به‌ناحق؛ اشتباهاً؛ نادرست
He is wrongly informed اطلاع نادرست به او داده‌اند
wrote /rəʊt/ [*p of* write]
wroth /rəʊθ US: rɔ:θ/ *adj* خشمگین، غضبناک
wrought /rɔ:t/ *adj* ساخته، ساخته از؛ پرداخته
wrung /rʌŋ/ [*p,pp of* wring]
wry /raɪ/ *adj* کج (وکوله)؛ پیچیده
a wry mouth دهن‌کجی

X,x

X,x /eks/ *n* بیست‌وچهارمین حرف الفبای انگلیسی
xanthippe /zæn'tɪpɪ/ *n* زن ستیزه‌جو
xenophile /'zəneʊfaɪl/ *n* بیگانه‌پرست، اجنبی‌پرست
xenophobe /'zenəfəʊb/ *n* [روانشناسی] بیگانه هراسی
xerox /'zɪərɒks/ *n,vt* ۱.زیراکس ۲.زیراکس کردن
Xerxes /'zɜ:ksi:z/ *n* خشایارشا
Xmas /'krɪsməs,'eksməs/ [مختصرِ Christmas]
X-ray /'eks reɪ/ *n,vt* ۱.پرتو مجهول، اشعهٔ ایکس؛ دستگاه اشعهٔ ایکس؛ عکس (با اشعهٔ ایکس)؛ معاینه (با اشعهٔ ایکس) ۲.[با اشعهٔ ایکس] معاینه کردن، درمان کردن، عکس گرفتن
xylophone /'zaɪləfəʊn/ *n* [موسیقی] گزیلوفون، زایلوفون، زیلوفون

Y,y

Y,y /waɪ/ *n* بیست و پنجمین حرف الفبای انگلیسی
yacht /jɒt/ *n* قایق بادبانی مسابقه‌ای؛ قایق تفریحی
yachting *n* مسابقهٔ کرجی‌رانی
yahoo /jəˈhu:/ *n* جانور آدم‌نما
yak /jæk/ *n* نرّه گاوِ تبت
yank /jæŋk/ *vt,Sl* ناگهان کشیدن
Yank /jæŋk/ *n,Sl* = Yankee
Yankee /ˈjæŋki:/ *n* امریکایی، ینگه دنیایی
yap /jæp/ *vi,n* ۱.واغ واغ کردن؛ شلوغ کردن، حرف مفت زدن ۲.واغ واغ؛ حرف مفت
yard /jɑ:d/ *n,vt* ۱.یارد (برابر با ۹۱/۴۴ سانتیمتر)؛ میلهٔ افقی بادبان؛ حیاط؛ محوطه؛ کارخانهٔ روباز ۲.در حیاط طویله نگاه‌داشتن
yardstick /ˈjɑ:dstɪk/ *n* مِلاک، معیار
yarn /jɑ:n/ *n,vi* ۱.نخ، نخ بافندگی ۲.نخ تابیدن؛ [مجازاً] پیچ‌پیچ کردن
spin a yarn قصه بافتن
yarrow /ˈjærəʊ/ *n* [گیاه‌شناسی] بومادران
yashmak /ˈjæʃmæk/ *n* یاشماق، روبنده، پیچه
yaw /jɔ:/ *n,vi* ۱.انحرافِ کشتی از مسیر خود ۲.منحرف شدن
yawl /jɔ:l/ *n* نوعی کرجی یا تشاله
yawn /jɔ:n/ *n,vi* ۱.خمیازه ۲.خمیازه کشیدن
yaws /jɔ:z/ *npl* [پزشکی] پیان (بیماری گرمسیری عفونی غیرمقاربتی)
yclept /ˈi:klept/ *adj, Arch* نامیده
yd [مخفف yard]
ye /ji:/ = you شما [در انشاهای قدیمی و در شعر یا شوخی]
yea /jeɪ/ *adv,n, Arch* ۱.آری؛ در حقیقت ۲.رأی مثبت
year /jɪə(r),jɜ:(r)/ *n* سال؛ [در جمع] سن
year in year out سال دوازده ماه
year-book /ˈjɪəbʊk/ *n* سالنامه
yearling /ˈjɪəlɪŋ/ *n* جانور بیشتر از یک سال و کمتر از دوسال
yearly *adj,adv* سالیانه؛ سال به سال
yearn /jɜ:n/ *vi* آرزو کردن [با for یا after]
yeast /ji:st/ *n* مخمّر؛ خمیرترش، مایه
yeasty *adj* کف‌دار؛ [مجازاً] کم‌مایه
yell /jel/ *n,vi* نعره (زدن)، فریاد (زدن)

yellow /ˈjeləʊ/ *adj,n,v* ۱.زرد؛ رنگ پریده؛ ترسو ۲.رنگ زرد ۳.زرد کردن، به رنگ زرد درآوردن؛ زرد شدن
yellowness *n* زردی
yellowish *adj* مایل به زردی
yelp /jelp/ *n,vi* آخ و واخ (کردن)؛ جیغ (زدن)
yen /jen/ *n* [yen] ین: واحد پول ژاپن
yeoman /ˈjəʊmən/ *n* [-men] خرده مالک؛ کشاورز، زارع
yeomanry /ˈjəʊmənrɪ/ *n* (گروه) خرده‌مالکین؛ سواره‌نظامی‌که خرده مالکین تدارک می‌بینند
yes /jes/ *adv,n* ۱.بله؛ به‌چشم ۲.جواب مثبت
yes-man /ˈjes mæn/ *n,Col* بله بله چی؛ بله قربان گو
yesterday /ˈjestədɪ/ *adv,n* دیروز
the day before yesterday پریروز
yet /jet/ *adv,conj* ۱.هنوز؛ تا آن وقت؛ تاکنون؛ با وجود این؛ باز، هم ۲.ولی، و در عین حال
He has not yet seen it هنوز آن را ندیده است
as yet تاکنون؛ نقداً که
yew /ju:/ *n* [گیاه‌شناسی] سُرخدار، درخت صور
yield /ji:ld/ *v,n* ۱.(بار) دادن؛ تسلیم کردن؛ تسلیم شدن ۲.بار، حاصل
yoga /ˈjəʊgə/ *n* یوگا
yogi /ˈjəʊgɪ/ *n* یوگی، جوکی، مرتاض
yoke /jəʊk/ *n,vt,vi* ۱.یوغ؛ [حیوان] جفت؛ [لباس] سرشانه؛ چوبی که به‌هر سر آن سطلی آویخته بر دوش کشند؛ سلطه؛ قید، بند ۲.به زیر یوغ درآوردن؛ [مجازاً] وصل کردن ۳.جفت شدن
5 yoke of oxen پنج جفت گاو
yokel /ˈjəʊkl/ *n* روستایی
yolk /jəʊk/ *n* زردهٔ تخم‌مرغ
yon /jɒn/ *Arch* = yonder
yonder /ˈjɒndə(r)/ *adv,adj* ۱.برفرازِ؛ آنجا، آن‌طرف ۲.آن‌طرفی
yore /jɔ:(r)/ *n* زمان پیش، قدیم [فقط در عبارت زیر به‌کار می‌رود]
of yore سابقاً، در قدیم
you /ju:/ *pr* شما (را)
you'd /ju:d/ = you had; you would
young /jʌŋ/ *adj,n* ۱.جوان؛ ناآزموده ۲.بچه؛ [با the] بچه‌ها؛ جوانان

young days (روزگار) جوانی
The night is yet young تازه سرِ شب است
with young [در حیوانات] آبستن
youngish *adj* نسبتاً جوان
youngling /jʌŋlɪŋ/ *n* [در شعر] بچه، حیوان جوان
youngster /jʌŋstə(r)/ *n* پسربچه
your /jɔ:(r) US: jʊər/ *adj* ـ تان (یعنی مال شما)، ـ شما
your book کتابتان، کتابِ شما
you're /jʊə(r)/ [مختصرِ you are]
yours /jɔ:z/ *pr* مالِ شما

a friend of yours یکی از دوستان شما
yourself/jɔ:'self US: jʊər'self/ *pr*[yourselves] خودتان، خودِ شما [خطاب به‌یک نفر]
yourselves/jɔ:'selvz/ *pr* [*pl of* yourself] خودتان، خود شماها
youth /ju:θ/ *n* [youths] جوانی؛ جوان؛ جوانان
a youth of 20 یک‌جوان ۲۰ ساله
youthful /ju:θfl/ *adj* جوان، خردسال
youthful sports بازیهای جوانان (یا جوانی)
youthfulness *n* جوانی، شباب
yowl /jaʊl/ *vi* = howl; yell
yule /ju:l/ = Christmas

Z,z

Z,z /zed US: zi:/ *n* بیست‌وششمین و آخرین حرف الفبای انگلیسی
zany /'zeɪnɪ/ *n* دلقک؛ لوده؛ ابله
zeal /zi:l/ *n* شوق‌وذوق، شور، حرارت، غیرت، حمیت، تعصب
zealot /'zelət/ *n* هواخواه، معتقدِ دوآتشه، متعصب
zealotry /'zelətrɪ/ *n* هواخواهیِ تعصب‌آمیز
zealous /'zeləs/ *adj* با غیرت، غیور؛ پرشور، با شوق‌وذوق؛ غیورانه [zealous acts]
zebra /'zi:brə/ *n,adj* ۱.گور اسب، اسبِ کوهی ۲.مخطط
zebu /'zi:bju:/ *n* گاو کوهان‌دار
zenith /'zenɪθ/ *n* سمت‌الرأس؛ [مجازاً] اوج
zephyr /'zefə(r)/ *n* باد مغرب؛ [در شعر] باد صبا
zeppelin /'zepəlɪn/ *n* زپلین
zero /'zɪərəʊ/ *n* صفر؛ هیچ
zest /zest/ *n* مزه، تندی؛ رغبت؛ ذوق
Zeus /zu:s/ *n* [اساطیر یونان] زئوس، خدای خدایان
zigzag /'zɪgzæg/ *adj,n,vi* [-ged] ۱.جناغی، شکسته ۲.زیگ‌زاگ؛ خط شکسته ۳.زیگ‌زاگ رفتن، چپ اندر قیچی رفتن
zinc /zɪŋk/ *n* (فلز) روی
zinc oxide پنبهٔ روی، اکسید دوزنک
zinnia /'zɪnɪə/ *n* گل آهار
Zion /'zaɪən/ *n* صهیون
Zionism /'zaɪənɪzəm/ *n* صهیونیسم
Zionist /'zaɪənɪst/ *n* صهیونی

zip /zɪp/ *n,v* ۱.زیپ؛ (صدای) ویز، چرّ ۲.زیپ (چیزی را) بستن یا باز کردن؛ ویز کردن
He zipped the bag open (or shut).
او زیپ کیف را باز کرد (یا بست).
zip code /'zɪp kəʊd/ *n* کدپستی
zip-fastener /'zɪp fɑ:snə(r)/ *n* = zipper
zipper *n* زیپ
zither /'zɪðə(r)/ *n* [موسیقی] نوعی ساز شبیه قانون
zodiac /'zəʊdɪæk/ *n* منطقةالبروج
signs of the zodiac بُروج دوازده‌گانه
zonal /'zəʊnl/ *adj* منطقه‌ای، منطقه‌بندی شده
zone /zəʊn/ *n,vt* ۱.منطقه ۲.احاطه کردن؛ منطقه‌بندی کردن
zoo /zu:/ *n,Col* باغ وحش
zoological /,zəʊə'lɒdʒɪkl/ *adj* مربوط به جانورشناسی
zoological garden(s) باغ وحش
zoologist /zəʊ'ɒlədʒɪst/ *n* جانورشناس
zoology /zəʊ'ɒlədʒɪ/ *n* جانورشناسی
zoom /zu:m/ *vi,vt* ۱.[هواپیما] بلند شدن، اوج گرفتن؛ به شتاب رفتن، مثل برق رفتن؛ بالا رفتن، افزایش یافتن ۲.[دوربین] زوم کردن، متمرکز کردن رویِ
Zoroaster /'zɔ:rəʊæstə(r)/ *n* زرتشت
Zoroastrian /,zɔ:rəʊ'æstrɪən/ *n* زرتشتی
zounds /zaʊndz/ *int,Arch* حرف ندایی است که در موارد خشم یا تعجب به‌کار می‌رود

یادداشت

اختصارات انگلیسی English Abbrevations
فرهنگ فارسی ـ انگلیسی

adj.	adjective	صفت	*lit.*	literary	ادبی
adv.	adverb	قید	*mech.*	mechanics	مکانیک
anat.	anatomy	کالبدشناسی	*math.*	mathematics	ریاضیات
arith.	arithmetic	علم حساب	*med.*	medicine	پزشکی
astr.	astronomy	نجوم	*met.*	metaphorically	استعاری
bot.	botany	گیاه‌شناسی	*mil.*	military	نظامی
C.E.	customary error	غلط مشهور	*mus.*	music	موسیقی
chem.	chemistry	شیمی	*n.*	noun	اسم
conj.	conjunction	حرف عطف	*obs.*	obsolete	منسوخ
c.p.	card-playing	ورق بازی	*o.s.*	original sense(s)	معنای اصلی
dim.	diminutive	مصغر	*p.c.*	polite conversation	در تعارفات
etc.	et cetera	و غیره	*phys.*	physics	فیزیک
ext.	by extention	معنای گسترده	*prep.*	preposition	حرف اضافه
fig.	figuratively	مجازی	*pref.*	prefix	پیشوند
geog.	geography	جغرافیا	*pron.*	pronoun	ضمیر
geom.	geometry	هندسه	*rare*	rare	کمیاب
gram.	grammar	دستورزبان	*Sl.*	slang	زبان لاتی
i.e.	id est = that is	یعنی	*suf.*	suffix	پسوند
in comb.	in combination	در ترکیب	*U.S.*	United States	امریکا
infml.	informal	عامیانه	*vi.*	intransitive verb	فعل لازم
interj.	interjection	حرف ندا	*vt.*	transitive verb	فعل متعدی
L.	loosely	با مسامحه	*zool.*	zoology	جانورشناسی

اختصارات فارسی Persain Abbrevations
فرهنگ فارسی ـ انگلیسی

/ا./	اسم	/ح.ن./	حرف ندا	/فا./	فارسی
/آل./	آلمانی	/ر./	روسی	/فر./	فرانسه
/ان./	انگلیسی	/ص./	صفت	/ف.ل./	فعل لازم
/ای./	ایتالیایی	/ض./	ضمیر	/ف.م./	فعل متعدی
/پس./	پسوند	/ضا./	ضمیر استفهامی	/ق./	قید
/پی./	پیشوند	/ضر./	ضمیر ربطی	/قر./	قید ربطی
/ت./	ترکی	/ع./	عربی	/ل./	لاتین
/حا./	حرف اضافه	/عب./	عبری	/ی./	یونانی
/حع./	حرف عطف	/عف./	دو جزء عربی فارسی		

فرهنگ معاصر

تهران ۱۳۸۴

فهرستنویسی پیش از انتشار

حییم، سلیمان، ۱۳۴۸ -.

فرهنگ معاصر فارسی ـ انگلیسی، انگلیسی ـ فارسی (در یک مجلّد) / سلیمان حییم؛ ویرایش‌شده در واحد پژوهش فرهنگ معاصر. ـ تهران: فرهنگ معاصر، ۱۳۷۷.

هشت، ۴۹۶، 531 ص.: جدول.

عنوان روی جلد: فرهنگ معاصر فارسی ـ انگلیسی، انگلیسی ـ فارسی (در یک مجلد)

Persian-English dictionary.

عنوان عطف: فرهنگ معاصر دوسویه انگلیسی ـ فارسی، فارسی ـ انگلیسی.

ص.ع. به انگلیسی S. Haim. Farhang Moaser

English-Persian, Persian-English Dictionary (in one volume).

چاپ یازدهم: ۱۳۸۴:

۱. فارسی ـ واژه‌نامه‌ها ـ انگلیسی. ۲. زبان انگلیسی ـ واژه‌نامه‌ها ـ فارسی. الف. عنوان. ب. عنوان: فرهنگ معاصر دوسویه انگلیسی ـ فارسی ـ فارسی ـ انگلیسی.

1. Persian language - Dictionaries - English.

2. English language - Dictionaries - Persian.

PE ۱۶۴۵ / ۲ف ۹ح۶۶۵ فا / ۴۲۳

کتابخانه ملی ایران ۷۷-۷۰۲۰م

شابک ۰-۳۹-۵۵۴۵-۹۶۴ ISBN 964-5545-39-0

فرهنگ معاصر

فارسی ـ انگلیسی
انگلیسی ـ فارسی

(در یک مجلد)

سلیمان حییم

ویرایش‌شده در
واحد پژوهش فرهنگ معاصر

فرهنگ معاصر
تهران ۱۳۸۴

فرهنگ معاصر
شماره ۴۵، خیابان دانشگاه، تهران ۱۳۱۴۷
تلفن: ۶۴۶۵۵۳۰ ـ ۶۴۶۵۵۲۰ فاکس: ۶۴۱۷۰۱۸
E-mail: farhangmo@neda.net
Website: www.farhangmoaser.com

فرهنگ معاصر فارسی ـ انگلیسی / انگلیسی ـ فارسی

(در یک مجلد)

سلیمان حییم

ویرایش‌شده در واحد پژوهش فرهنگ معاصر

حروف‌نگاری، طراحی و چاپ:

واحد کامپیوتر و چاپ فرهنگ معاصر

چاپ یازدهم: ۱۳۸۴

سخن ناشر

امروزه نشر فرهنگ دوسویه یکی از کارآمدترین روش‌های عرضهٔ فرهنگ‌های دوزبانه به شمار می‌آید. این روش اگرچه در زبان‌های اروپایی کاملاً جا افتاده است و دامنهٔ آن روز به روز گسترده‌تر می‌شود اما در ایران چندان شناخته شده نیست. بی‌گمان ضرورت انتشار چنین فرهنگ‌هایی بر کسی پوشیده نیست، تولید و انتشار فرهنگ‌های دوسویهٔ متنوع در اندازه‌ها و حجم‌های کوچک و بزرگ در سراسر جهان خود گواه روشن این حقیقت است. ناگفته پیداست همهٔ کسانی که در جامعهٔ ما ـ دست‌کم ـ با یک زبان خارجی، مثلاً انگلیسی، سر و کار دارند تنها به معادل‌های فارسی واژه‌های انگلیسی نیازمند نیستند بلکه به دلایل گوناگون آموزشی و علمی و کاربردی، به معادل‌های انگلیسی واژه‌های فارسی نیز نیازمندند، و فرهنگ دوسویه می‌تواند این نیاز دوگانه را در آن واحد برآورده سازد. نکتهٔ مهم این است که شکل عرضهٔ چنین فرهنگی و اندازه و حجم و نوع صفحه‌آرایی آن نباید مراجعه‌کنندگان را با دشواری روبه‌رو کند. مؤسسه فرهنگ معاصر پس از بررسی‌های لازم بر آن شده است تا کمبود فرهنگ‌های دوسویه را، به اندازهٔ امکانات و توان خود، برطرف کند و کتاب حاضر را به عنوان نخستین تلاش خود در این زمینه به عموم علاقه‌مندان تقدیم می‌دارد.

فرهنگ حاضر در مجموع ۷۰,۰۰۰ مدخل (۴۰,۰۰۰ مدخل انگلیسی و ۳۰,۰۰۰ مدخل فارسی) را در خود جای داده است و می‌تواند نیازهای مراجعه‌کنندگان را در زمینه‌های گوناگون پاسخگو باشد.

فرهنگ معاصر

راهنمای استفاده از فرهنگ

فارسی ـ انگلیسی

۱. ترادف لغات

در بعضی قاموس‌های یک زبانهٔ خارجی متوسل به گروه‌بندی لغات **(grouping)** می‌شوند بدین معنی که ترکیبات هر لغت و آنچه که با آن هم ریشه و منسوب است در ذیل همان لغت بحث می‌شود و به اصطلاح تمام اعضای خانوادهٔ یک لغت دور هم در یک جا جمع‌اند لکن در فرهنگهای دو زبانه (از جمله همین فرهنگ) پشت هم انداختن لغات اعم از بسیط یا مرکب مطلقاً به ترتیب الفبایی صورت گرفته است. از این‌رو «انگلستان» بلافاصله به دنبال «انگل» آمده و بعد از آن دوباره «انگل شناسی» که از ترکیبات «انگل» است گذاشته شده و بعد از آن لغت عامیانه «انگلک» به چشم می‌خورد. همچنین کلمه فرانسوی «کمد» بین «کم‌خونی و کم‌دل» واقع می‌شود و حال آنکه به هیچیک از آن دو ارتباطی ندارد و در جای دیگر دیده می‌شود که جانوری موسوم به «گوگردانک» کلمهٔ «گوگرد» را از صفت نسبی آن که «گوگردی» باشد جدا ساخته است. تنها استثنای این قاعده آن است که هر فعل مرکبی که با «کردن و شدن» و امثال آنها ساخته شده در زیر کلمه اصلی که موجب پیدایش آن ترکیب گردیده گذاشته می‌شود. همچنین است عبارات و اصطلاحات مُرکّب یا تعبیرات مثلی و مانند آنها مثلاً «انگل کردن» زیر **انگل** آمده نه بعد از **انگل‌شناسی** و «گوگرد» زدن یا جوهر «گوگرد» با حروف ریزتر جزو ملحقات **گوگرد** در آمده است به عبارت دیگر اینگونه عبارات و اصطلاحات جزو لغات اصلی فرهنگ که با حروف درشت و سیاه چاپ شده‌اند نمی‌باشند.

۲. نکات دستوری

حالات مختلف یک کلمه از لحاظ دستوری ایجاد معانی مختلف برای آن می‌کند مثلاً «درست» چون بطور صفت بکار رود بـرای آن در انگـلیسی correct و right و honest و مانند آنها گفته می‌شود و حال آنکه در صورت قیدی در مقابل آن correctly و properly و امثال آن گذاشته می‌شود. پس دانش آموز باید قبل از پیدا کردن معانی انگلیسی «درست»، ببیند در متن فارسی که در جلو او است این کلمه چگونه به کار رفته است. در غیر اینصورت برای جستجوی معانی مطلوبه زیاد معطل و یا دچار گمراهی و یأس خواهد شد.

۳. پی‌بردن از معلوم به مجهول

برای مختصر کردن فرهنگ تدابیری به کار رفته واستنباط لغات و معانی درج نشده از روی مواد درج شده واگذار به هوش و ابتکار دانش آموزان گردیده است. مثال:

رگزن bleeder; phlebotomist

رگزنی bloodletting; bleeding

از این دو فقره چنین بر می‌آید که اولاً برای «رگزن» bloodletter نیز ممکن است بکار رود زیرا برای «رگزنی» bloodletting هم به کار رفته است و ثانیاً برای «رگزنی» ممکن بود phlebotomy نیز نوشته شود زیرا برای «رگزن» phlebotomist نیز آمده است. (البته این راهنمایی بیشتر به درد انگلیسی زبانها می‌خورد که می‌دانند زبان خودشان چه لغاتی را در مخزن دارد).

س. حییم

اختصارات انگلیسی English Abbrevations

فرهنگ فارسی ـ انگلیسی

adj.	adjective	صفت	*lit.*	literary	ادبی
adv.	adverb	قید	*mech.*	mechanics	مکانیک
anat.	anatomy	کالبدشناسی	*math.*	mathematics	ریاضیات
arith.	arithmetic	علم حساب	*med.*	medicine	پزشکی
astr.	astronomy	نجوم	*met.*	metaphorically	استعاری
bot.	botany	گیاه‌شناسی	*mil.*	military	نظامی
C.E.	customary error	غلط مشهور	*mus.*	music	موسیقی
chem.	chemistry	شیمی	*n.*	noun	اسم
conj.	conjunction	حرف عطف	*obs.*	obsolete	منسوخ
c.p.	card-playing	ورق بازی	*o.s.*	original sense(s)	معنای اصلی
dim.	diminutive	مصغر	*p.c.*	polite conversation	در تعارفات
etc.	et cetera	و غیره	*phys.*	physics	فیزیک
ext.	by extention	معنای گسترده	*prep.*	preposition	حرف اضافه
fig.	figuratively	مجازی	*pref.*	prefix	پیشوند
geog.	geography	جغرافیا	*pron.*	pronoun	ضمیر
geom.	geometry	هندسه	*rare*	rare	کمیاب
gram.	grammar	دستورزبان	*Sl.*	slang	زبان لاتی
i.e.	id est = that is	یعنی	*suf.*	suffix	پسوند
in comb.	in combination	در ترکیب	*U.S.*	United States	امریکا
infml.	informal	عامیانه	*vi.*	intransitive verb	فعل لازم
interj.	interjection	حرف ندا	*vt.*	transitive verb	فعل متعدی
L.	loosely	با مسامحه	*zool.*	zoology	جانورشناسی

اختصارات فارسی Persain Abbrevations

فرهنگ فارسی ـ انگلیسی

/ا./	اسم	**/ح.ن./**	حرف ندا	**/فا./**	فارسی
/آل./	آلمانی	**/ر./**	روسی	**/فر./**	فرانسه
/ان./	انگلیسی	**/ص./**	صفت	**/ف.ل./**	فعل لازم
/ای./	ایتالیایی	**/ض./**	ضمیر	**/ف.م./**	فعل متعدی
/پس./	پسوند	**/ضا./**	ضمیر استفهامی	**/ق./**	قید
/پی./	پیشوند	**/ضر./**	ضمیر ربطی	**/قر./**	قید ربطی
/ت./	ترکی	**/ع./**	عربی	**/ل./**	لاتین
/حا./	حرف اضافه	**/عب./**	عبری	**/ی./**	یونانی
/حع./	حرف عطف	**/عف./**	دو جزء عربی فارسی		

فرهنگ معاصر

فارسی ـ انگلیسی

آ، ا

آ، آی، بیا [بن مضارعِ آمدن] **come thou**

آب **water; juice; humour**

آب افتادن to water (as the mouth)

آب انداختن to stale, to make water: said of beasts

آب انداختن در to supply *or* fill with water

آب به آب شدن to travel for health improvement purposes; [*fig.*] to go west:die

آب برداشتن to be equivocal

آب پس دادن to leak

آبِ جوش = آبجوش

آب‌خوردن to drink water; [*fig.*] to crop up, to originate

آبِ خوردن drinking water

آب خوش از گلویش پایین نرفت. He was never happy. He led a dog's life.

آب دادن to give a drink (to); to water; to plate, to coat with silver/gold/ etc.; to temper *or* anneal

آب در گوش کسی کردن to throw dust in someone's eyes

آب در هاون ساییدن to carry water in a sieve; to flog a dead horse

آب در دست داری نخور. Don't let the grass grow under your feet.

آبِ دهان saliva; spittle

آب زدن to moisten; to water, to add water to

آب زیپو [*sl.*] wishy-washy drink/soup/etc., mere wash

آب‌زیرکاه sly (person), deep *or* shrewd (person), snake in the grass

آب در چیزی کردن to adulterate something

آب سبز، آب سیاه glaucoma

آب سفید، آبِ مروارید [*eye*] cataract

آب شدن to melt *or* thaw; to be dissolved; [*fig.*] to be sold off

آب طلا gold plating; rolled gold

آب کردن to melt; to dissolve; [*fig.*] to sell off, to trade off

آب کشیدن to rinse; to swill (out)

آبِ لیمو = آبلیمو

آب نقره silver plating, electroplating

آبِ یخ ice water

از آب درآمدن to prove (to be)

به آب انداختن to launch

آباد **habitable, populous, cultivated**

آباد کردن to make habitable; to improve

آبادانی **development, improvement; populousness**

آبادی[1] **village**

آبادی[2] = آبادانی

آباژور /فر./ **lamp-shade**

آبان [eighth month having 30 days]

آب‌انبار (underground) **water tank *or* cistern**

آب‌باز **swimmer; diver**

آب‌بازی **diving; swimming**

آب‌بندی **stopping a leak; [*mech.*] valve grinding**

آب‌بها **water-rate**

آب‌پا **water supervisor**

آب‌پاش **watering-can**

اتومبیل آب‌پاش watering-cart

آب‌پاشی **sprinkling of water**

آب‌پز **boiled** (in water)

آبتنی (cold) **bath**

آبتنی کردن to take a bath

آبجو **beer**

آبجوسازی **beer-brewing**

آبجوش **boiling water**

آب‌خشک‌کن **blotting-paper**

آبخور **irrigable area; [*ship*] draught**

آبخوری **drinking-cup, tankard**

دهنهٔ آبخوری snaffle *or* halter; bit

لیوان آبخوری glass, tumbler

آبخیز **aquiferous**

آبدار[1] **juicy; hydrous; [*fig.*] lustrous; gross, deep, full**

آبدار[2] **butler**

آبدارخانه **butler's pantry**

آبدان **bladder, vesica**

آبدانک vescicle
آبدزدک syringe; squirt; mole-cricket
آبدست (water for) ablution
آبدوغ yogurt diluted with water
آبدیده damaged by water
آهک آبدیده slaked lime
آبراهه floodway, flood-channel
آبرسان [*mech.*] injector
آبرسانی water supply
آبرُفت alluvium
آبرنگ water-colour
آبرو honour, reputation, credit
آبروی کسی را ریختن to disgrace someone
آب‌رُو watercourse; gutter
آبرود (یا آبلود) کردن to soak (as a chicken for plucking)
آبرودار[1] who maintains a respectable appearance, genteel
آبرودار[2] = آبرومند
آبرومند respectable
آبرومندانه respectably; [*adj.*] respectable
آبریز water-closet; water-shed
آبریزش [*med.*] epiphora
آبزی marine, aqueous
آبستن pregnant
آبستن بودن to expect a baby
آبستن شدن to conceive
آبستن کردن to make pregnant, to impregnate
آبستن ششماهه six months gone with child
آبستنی pregnancy
آبشار waterfall
آبشخور watering-trough; [*fig.*] destiny

آبشی، آبشیر sink
آبغوره verjuice
آبفشان geyser
آبکار plater (of metals); distiller
آبکاری plating (of metals)
آبکش strainer; water-carrier
آبکشی rinsing
آبکشی کردن to rinse; to swill (out)
آبکشیده rinsed; infected
موش آبکشیده drowned rat
آبکی liquid; watery, washy
آبگاه hypochondrium; [*rare*] pond
آبگذر watercourse
آبگردان (large) ladle; dipper
آبگرم‌کن geyser
آبگوشت broth
آبگونه liquid
آبگیر river-basin; tankage; [*adj.*] submergible
آبگیری supplying with water; tankage, tonnage
آبگیری کردن to supply *or* refill with water
آبگین aqueous
آبگینه = شیشه؛ آئینه
آبلمبو کردن [عامیانه] to soften by squeezing (as a pomegranate)
آبله small-pox; blister
آبله در آوردن، آبله کردن to be affected with small-pox
آبلهٔ گاوی cowpox
آبلهٔ کسی راکوبیدن to vaccinate someone against small-pox
آبله‌رو with a pockmarked face
آبله‌کوب vaccinator

آبله‌کوبی vaccination against small-pox
آبله‌مرغان chicken-pox
آبلیمو lemon-juice
آبلیموگیر lemon-squeezer
آب‌نارنج orange-juice
آب‌نبات sweet(s); barley-sugar
آبنما water-view
آبنوس /ع./ ebony
آبنوس‌کار /ع. فا./ ebonist, cabinet-maker
آب و تاب bombastic style, grandiloquence
آب و رنگ rosy complexion
آبونمان /فر./ subscription
آبونه /فر./ subscriber
آبونه شدن to subscribe to
آب‌وهوا climate
آبی blue; aquatic
آبی[کمیاب] ← بِهْ quince;
آبیار water-distributor, person employed in irrigation
آبیاری irrigation
آبیاری کردن to irrigate
آپارات کردن /ر. فا./ to vulcanize
آپارتمان /فر./ flat, apartment
آتش fire
آتش‌زدن to set fire to, to set on fire; to light; [*fig.*] to enrage; to squander
آتش کردن to start (as a bus), to stoke
آتش‌گرفتن to catch fire; to explode; [*fig.*] to be enraged
آتش به اختیار [*mil.*] Ready!
آتش: شروع [*mil.*] Open fire!
آتشِ گرسنگی flames of hunger

آتشبار artillery;
[*adj.*] flaming
آتشبازی fireworks
آتش‌بس cease fire
آتش‌پاره[1] fire-brand;
spark
آتش‌پاره[2]
[*fig.*] quarrelsome person;
naughty child
آتش‌پرست fire-worshipper
آتش پرستی fire-worship
آتشدان[1] hearth; fireplace
آتشدان[2] = منقل
آتش‌سوزی fire
آتشفشان، کوه آتشفشان
volcano
آتشفشانی volcanic (action)
آتشک mild chancre
آتشکده fire-temple
آتشگیر inflammable
آتشی‌مزاج /فا.ع./ of a fiery
temper, irascible
آتش‌نشان fireman
آتش‌نشانی fire-fighting
ادارهٔ آتش‌نشانی fire station
آتشی fiery; fire-red;
igneous; [*fig.*] enraged
آتشی شدن to fire up
آتشی کردن to enrage
آتشین fiery; ardent
آتِن /فر./ Athens
آتی /ع./ coming;
future; ⟶ [مؤنث: آتیه]
آتیه [مؤنثِ آتی] /ع./
the future; ⟶ آینده
آثار /ع./ traces; relics,
monuments; traditions;
⟶ [جمعِ اثر]
آثار ادبی literary works
آج rough surface,
small elevations
آجدار granulated;
having a rough surface
آجر brick

آجر نسوز fire-brick
آجرپز brick-burner
آجرپزی brick-burning
کورهٔ آجرپزی brick-kiln
آجرسازی brick-making
کارخانهٔ آجرسازی brickworks
آجرفرش /فا.ع./
brick pavement
آجری of brick,
brick-made; brick-red
آجل /ع./ ultimate
آجلا /ع./ ultimately
آجودان /فر./ aide-de-camp
آجیده quilted; [*n.*] kind of
shoe with a quilted sole
آجیل dried nuts *or* seeds,
dried fruit
آچار /ت./ screw-driver;
wrench; spanner; pickles
آجیل آچار nuts *or* seeds
seasoned with vinegar
آچاربوکس box wrench,
socket spanner
آچارپیچ‌گوشتی screw-driver
آچاردوسر
double-end spanner
آچارشلاقی stillson wrench
آچارچکش monkey-wrench
آچارزنجیری chain-wrench
آچارفرانسه
adjustable spanner
آچارقاشقی ring spanner
آحاد [جمعِ احد]
آخ [عامیانه] ah!, alas!, ouch!
آخ و واخ کردن
to moan with pain
آختن [کمیاب، بن‌مضارع: آز]
to draw *or* unsheathe
آخر [جمع: اواخر] /ع./ last;
[*n.*] end; [*adv.*] at last
آخرِ سر، آخر کار in the end;
at last
یکی به آخرمانده last but one,
penultimate

آخرالامر /ع./ at last
آخربین /ع. فا./ provident
آخرت /ع./ futurity,
future life
آخری، آخرین /ع. فا./
(the) last
آخور manger, crib
آخورک collar-bone
آخوند theologian; tutor
آخوندک praying mantis
آداب /ع./ ceremonies,
formalities; rules;
manners; ⟶ [جمعِ اَدَب]
آدامس /ان./ chewing-gum:
Adams brand
آدم /ع./ Adam; human,
mankind; man of
consequence
آدم جنگلی orang-outang *or*
other anthropoid
آدم نمی‌داند چه بکند. One
does not know what to do.
آدم‌خوار، آدم‌خور /ع. فا./
man-eating; [*n.*] man-eater
آدمک /ع. فا./ toy-man;
automaton; pupil of the
eye
آدم‌کُش /ع. فا./ homicide,
assassin
آدم‌کشی /ع. فا./ homicide
آدم‌نما، آدم‌وار anthropoid
آدمی /ع. فا./ human,
human(ity); man
آدمیت /ع./ humanity
آدمیزاد(ه) /ع. فا./
human (being)
آدینه Friday
آذر[1] [ninth month having
30 days]
آذر[2] = آتش
آذرخش، آزرخش lightning
آذرین igneous
آذوقه provisions
آذین decoration

آذین بستن to decorate
آر[1] [ادبی] = آور
آر[2] /فر./ are
آرا، آرای [بن‌مضارعِ آراستن]
آراء [جمعِ رأی]
آراستگی arrangement, adornment
آراستن [بن‌مضارع: آرای] to adorn *or* decorate; to arrange, to put in order
آراسته decorated; arranged
آرام quiet; [*n.*] tranquillity, rest
آرام شدن to quiet down, to become quiet
آرام کردن to quiet *or* pacify
آرام گرفتن to quiet (down); to find comfort
آرام‌بخش /ص./ tranquillizing; comforting
آرام‌دِه soothing, calmative
آرامش peace; tranquillity, repose
آرامگاه resting-place; tomb
آرامی calmness; ← آرامش
آرای ← آرا
آرایش decoration; adornment; toilet, dressing-up
آرایش دادن to dress up; to adorn
آرایش کردن to dress up
آرایشگاه hairdressing saloon, barber's shop
آرایشگر decorator; [*rare*] hairdresser
آرتیست /فر./ artist; [*infml.*] (female) dancer *or* singer
آرد flour
آرد برنج ground rice
آرد خود را بیخته است. He has had his fling. He has sown his wild oats.

آردبیز [کمیاب] sieve
آردی floury; farinaceous
آرزو wish, desire; aspiration; ideal; hope
آرزو بردن to aspire (for)
آرزو پختن [ادبی] to nourish a hope
آرزو کردن to wish, to aspire for; to covet
آرزو به گور بردن to die frustrated in one's wish
آرزومند desirous; hopeful
توفیق شما را آرزومندم. I wish you success.
آرژانتین /فر./ Argentine
آرشه /فر./ (violin's) bow
آرشیو /فر./ = بایگانی، ضبط
آرم /فر./ arms, armorial bearings
آرمان ideal; aim; desire
آرمیدن [ادبی، بن‌مضارع: آرام] = آرام گرفتن
آرنج elbow
استخوان آرنج crazy-bone
آرواره jaw
آروغ زدن to belch
آره [عامیانه] = آری، بله
آری yes; yea
آریایی Aryan
آز greed, avidity
آزاد free; exempt; optional; [*mil.*] stand at ease!
آزاد شدن to obtain liberty, to be released
آزاد کردن to set at liberty, to release; to lift the ban on
در هوای آزاد in the open air
ماهی آزاد salmon-trout
آزادانه freely; frankly
آزاد (درخت) azedarach
آزادگان [جمع آزاده]
آزادگی freedom; frankness; broad-mindedness

آزاد ماهی salmon-trout
آزاده[1] free(-born); noble; broad-minded; free from care
آزاده[2] [جمع: آزادگان] /ا./ freeman; broad-minded person
آزادی freedom, liberty
آزادی عقیده liberty of conscience
آزادی عمل free hand, elbow-room
آزادی مطبوعات liberty of the press
آزادیخواه freedom-loving; liberal
آزادیخواهی love of freedom
آزار[1] injury, harm; persecution
آزار کردن، آزار دادن to torment; to persecute
آزار دیدن to be hurt *or* injured
آزار[2] [بن‌مضارعِ آزردن]
آزاله /فر./ azalea
آزرخش ← آذرخش
آزردگی[1] state of being vexed, annoyment
آزردگی[2] = آزار
آزردن [بن‌مضارع: آزار] to annoy, to vex; to afflict; to torment; to oppress
آزرده annoyed, offended, vexed; harmed; lacerated
آزرده‌خاطر /فا. ع./، آزرده‌دل offended, annoyed; distressed
آزرم [ادبی] shame; modesty
آزرم‌جو [کمیاب] modest; mild
آزرمیدن [کمیاب] to feel ashamed
آزما(ی) [بن‌مضارع آزمودن]

آزمایش **test, experiment; temptation**
آزمایش کردن to test *or* experiment; to try; to tempt
آزمایشگاه **laboratory**
آزمایشگاهی **laboratorial**
آزمایشی **tentative; probational, probationary**
آزمند **greedy**
آزمودگی **experience**
آزمودن [بن‌مضارع: آزمای] **to test; to experience**
آزموده **experienced; tried**
آزمون **test, experiment**
آزوقه = آذوقه
آژانس /فر./ = نماینده، نمایندگی؛ خبرگزاری
آژنگ [کمیاب] **wrinkle**
آژور /فر./ **open-work, open work;** [*adj.*] **up-to-date**
آژیر **alarm, tocsin**
آس **ace; game similar to poker**
آسا، آسای [بن‌مضارعِ آسودن]
آسان **easy;** [*adv.,lit.*] **easily**
آسان کردن to render easy, to facilitate
آسان گرفتن to take easy, to be lenient
آسانی **easy**
به آسانی easily
آسایش **rest; tranquillity**
آسایش خاطر peace of mind
آسایشگاه **sanatorium; rest house**
آستان[1] [*lit.*] **threshold, sill**
آستان[2] [*fig.*] **audience**
آستانه **sill, threshold**
آستر **lining; priming, first coat**
آستر کردن to line
آستر زدن to prime, to put the first coat on; [*rare*] to line

آستردوز **liner**
آستین **sleeve**
باد در آستین انداختن to put on airs
آستین بالا زدن to turn up one's sleeve, [*fig.*] to gird up one's loins
آستین برافشاندن [ادبی] to dance
آستین‌سرخود (with a) **raglan sleeve**
آسمان **sky, heaven**
آسمان و ریسمان chalk and cheese, cock-and-bull story
آسمان‌خراش **sky-scraper**
آسمان غُرغُره [عامیانه] = تندر، رعد
آسمانه **canopy, baldachin, tester;** [*aircraft*] **visibility, ceiling**
آسمانی **heavenly, divine**
آبی آسمانی sky-blue
آسودگی **tranquillity, peace; ease; comfort**
آسودن [ادبی، بن‌مضارع: آسای] **to repose, to rest; to obtain peace of mind**
آسوده **tranquil, quiet; peaceful; well-to-do**
آسوده شدن to get quiet, to be relieved
آسوده کردن to quiet, to relieve, to give peace of mind; to disembarrass
آسوده‌حال /فا.ع./ **well-to-do, well-off; tranquil**
آسوده‌خاطر /فا.ع./ **enjoying peace of mind, tranquil**
آسوری **Assyrian**
آسه **axis** *or* **axle**
آسیا[1] **Asia**
آسیای صغیر Asia Minor
آسیا[2]، آسیاب **(water-)mill**
آسیا کردن to grind, to mill

آسیای بادی windmill
دندان آسیا molar tooth, grinder
سنگ آسیا millstone
آسیابان **miller**
آسیابانک **ant-lion**
آسیاسنگ [ادبی] **millstone**
آسیائی **Asiatic**
آسیب **injury, damage**
آسیب دیدن to sustain an injury, to be hurt
آسیب رساندن to injure, to harm
آسیب دیدگانِ زلزله earthquake victims
آش /ت./ (sour) **pottage** *or* **soup; starch for stiffening**
آش کردن to impregnate with infusions for tanning *or* tawing
آش دهن‌سوزی نیست it is nothing to write home (*or* shout) about, it isn't particularly good (*or* pleasant)
آش برای کسی پختن to cook someone's goose
آشام[1] **absorption**
آشام[2] [بن‌مضارعِ آشامیدن]
آشامیدن [بن‌مضارع: آشام] **to drink; to absorb**
آشامیدنی **drinkable;** [*n.*] **beverage**
آشپز /ت. فا./ **cook**
آشپزخانه /ت. فا./ **kitchen**
آشپزی /ت. فا./ **cooking, cookery**
آشپزی کردن to be a cook
آشتی **peace; reconciliation**
آشتی دادن to reconcile
آشتی کردن to make it up, to make peace
آشغال **rubbish, refuse, litter; garbage**

آشفتگی **agitation, disturbance, unrest; amazement**
آشفتن [بن‌مضارع: آشوب] **to be disturbed *or* agitated; to get excited; *vt.* to disturb; to amaze**
آشفته **disturbed; distressed; amazed; [*lit.*] dishevelled**
آشکار **manifest, evident; open, public; [*adv.*] openly**
آشکار شدن to become manifest; to be revealed
آشکار کردن to reveal, to divulge; to detect
آشکارا **openly, frankly**
آشکوب ← اُشکوب
آشنا[1] **acquainted, familiar**
آشنا شدن to get acquainted, to become familiar; to get used
آشنا کردن to familiarize, to acquaint; to intimate; to initiate
آشنا[2] [جمع: آشنایان] /ا./ **acquaintance, friend**
آشنایی **acquaintance**
آشوب **riot, disturbance, revolt; confusion**
آشوب کردن to riot, to cause a disturbance
آشوب‌انگیز **seditious *or* revolutionary** (person)
آشوب‌طلب /فا.ع./ **riotous**
آشوبگر **agitator**
آشوبی
حرکت آشوبی **revolutionary:**
آشور(ی) **Assyria(n)**
آشیان [ادبی] **nest**
آشیان بستن to build a nest
آشیان کردن to live (as in a nest)
آشیان گرفتن to choose one's nest in; to build a nest
آشیانِ مسلسل [*mil.*] pill-box
آشیانه **nest; hangar**
آغا [مؤنثِ آقا] /ت./ **eunuch**
[used in proper names: انیس آغا]
آغاز **beginning**
آغاز کردن to begin, to start
آغازگر [*races*] **starter**
آغازیان **the Protista**
آغشتن [کمیاب، بن‌مضارع: آغار، آغر] **to macerate; to impregnate; to pollute**
آغشته **mixed; soaked**
آغشته به خون
weltering in one's blood
آغل /ت./ **fold, sheep-cote**
آغوز /ت./ **beestings, colostrum**
آغوش **bosom, breast**
در آغوش کشیدن، در آغوش گرفتن to embrace
آفات [جمعِ آفت]
آفاق [جمعِ اُفق] /ع./ **horizons,** [*ext.*] (quarters of) **the world**
آفت [جمع: آفات] /ع./
calamity; plague, pest, vermin
آفتاب **sun**(shine)
آفتاب شد. ***The sun shone*** or ***is shining again.***
آفتابِ لبِ بام person having one foot in the grave
آفتاب‌پرست[1] **sun-worshipper**
آفتاب‌پرست[2]، آفتاب‌گردک **chameleon**
آفتاب‌پرستی **sun-worship**
آفتاب‌رو **exposed to the sun, sunlit**
آفتاب‌زدگی **sunburn**
آفتاب‌زده **sun-stricken**
آفتاب‌زردی **sunset**
آفتاب‌غروب /فا.ع./ **sunset**
آفتاب‌گردان **visor; sun-shade; sun-protector**
گل آفتاب‌گردان sunflower
آفتاب‌گرفتگی **sun-eclipse**
آفتاب‌گیر[1] **parasol**
آفتاب‌گیر[2] /ص./ = آفتاب‌رو
آفتابه **ewer, aiguière**
آفتابه خرج لحیم است. It's not worth powder and shot. The game is not worth the candle.
آفتابی **sunny, fair, fine; solar**
آفتابی شدن to appear on the surface; [*fig.*] to be published *or* noised abroad
آفتامات /ر./ **cutout, current and voltage regulator**
آفت‌زده /ع. فا./ **damaged; calamity-stricken**
آفریدگار **creator**
آفریدن [بن‌مضارع: آفرین] **to create**
آفریده[1] **created**
آفریده[2] [جمع: آفریدگان] /ا./ **created being**
آفرین[1] **praise, applause**
آفرین خواندن، آفرین کردن to praise *or* extol; to applaud
آفرین![2] [*interj.*] **well done!**
آفرین[3] [بن‌مضارعِ آفریدن]
آفرینش **creation**
آفریننده **creator**
آقا /ت./ **gentleman; sir**
آقایِ... Mr. (Mister)...
آقای دکتر میر Dr. Mir
آقای مهندس میر Engineer Mir
آقا و بانو میر Mr. & Mrs. Mir
آقاجان [اسم‌خاص] /ت. فا./ (dear) **papa, daddy; dear fellow**
آقازاده /ت. فا./ **son *or* daughter of a gentleman;** [*p.c.*] **your son** (*or* daughter)
آقامنش /ت. فا./ **gentlemanly**

آقایی /ت. فا./ character of a gentleman; generosity; mastership
آک [کمیاب] = عیب defect, blemish
آکتر /فر./ = هنرپیشه actor
آکتریس /فر./ actress
آکله /ع./ phagedenic ulcer
آکندن = آگندن
آگاه aware
آگاه کردن to inform
آگاهانیدن to inform; to warn
آگاهی information; advice, notice
ادارهٔ آگاهی Criminal Investigation Department
آگاهی دادن to inform, to advise
آگاهی یافتن to be informed, to come to know, to understand
آگندن [کمیاب، بن‌مضارع: آگن] to stuff *or* fill
آگه [ادبی، صورت اختصاری آگاه]
آگهی[1] notice, advertisement
آگهی[2] = آگاهی
آگین /پس./ full of; mixed with
آگینی بافتهٔ آگینی connective:
آل /ع./ descendants, posterity, people; dynasty *or* house
آلا، آلای [بن‌مضارعِ آلودن]
آلات [جمعِ آلت]
آلاچیق /ت./ arbour, bower; [*o.s.*] tent covered with felt
آلاگارسن /فر./ eton crop
آلاله buttercup
آلام [جمعِ الم]
آلایش contamination; taint; corruption; alloy
آلبوم /فر./ album

آلت [جمع: آلات] /ع./ tool; instrument; (genital) organ; glazing bar; [*fig.*] tool, cat's-paw
نقره‌آلات silverware
آلت کردن to use as one's tool
آلتر /فر./ dumb-bell
آلش beech
آلمان /فر./ Germany
آلمانها the Germans
آلمانی German
آلو plum
آلوی بخارا prune
آلوبالو black cherry
آلوبالویی ox-blood(red), puce
آلوچه damson; prunella
آلودگی contamination; implication; embarrassment
آلودن [بن‌مضارع: آلای] to contaminate; to taint
آلوده contaminated; implicated; embarrassed
آلوده شدن to be contaminated; to get involved
آلوده کردن to contaminate; to implicate, to involve
آلوزرد mirabelle
آلومینیوم /فر./ aluminium
آلونک hut, hovel
آماتور /فر./ amateur
آماج [ادبی] target
آمادگاه depot, training centre
آمادگی readiness; fitness
آماده ready, prepared; fit; equipped
آماده شدن to get ready
آماده کردن to make ready; to equip
برگِ آماده به خدمت ready-for-service certificate
آمار statistics

آمارشناس statistician
آماری statistical
آماس swelling, inflammation
آماس کردن to swell
آمال [جمعِ امل]
آمبولانس /فر./ ambulance
آمپر /فر./ ampere
آمپرسنج /فر.فا./ ammeter
آمپول /فر./ ampoule
آمد [عامیانه، از آمدن] luck
آمد کردن to bring good luck
آمدن[1] [بن‌مضارع: آ، آی] to come
آمدن[2] to become; to suit, to match
آمدن[3] [ادبی] to become
بیایید بازی کنیم. Let us play.
آمدنی coming, sure to come
آمد و رفت traffic, frequentation
آمد و رفت کردن to come and go, to ply to and fro, to traffic
آمد و شد = آمد و رفت
آمده [اسم‌مفعول فعل آمدن] come
آمر /ع./ commanding, imperious; [*n., rare*] one who gives an order
دلال و آمرِ وی the broker and his principal
آمرانه /ع. فا./ imperiously, in a commanding tone; [*adj.*] imperious
آمرز [بن‌مضارعِ آمرزیدن]
آمرزش forgiveness, absolution
آمرزنده (one) who forgives
آمرزیدگی absolution, salvation
آمرزیدن [بن‌مضارع: آمرز] to forgive
آمرزیده[1] forgiven

آمرزیده[۲] [جمع: آمرزیدگان] /ا./ one who has found salvation
آمُله emblic myrobalan
آموختگی tameness, addiction
آموختن [بن‌مضارع: آموز] to learn; [*lit.*] to teach
آموخته tame, accustomed, used, addicted
آمودریا Amudarya, Oxus
آموز [بن‌مضارعِ آموختن]
آموزانیدن [کمیاب] to teach
آموزش instruction, training
آموزش و پرورش education
آموزشگاه school
آموزگار teacher
آموزگاری teaching
آموزنده learner; instructor; [*adj.*] instructive
آمیختگی mixture
آمیختن [بن‌مضارع: آمیز] to mix; to associate
آمیخته mixed
آمیز [بن‌مضارعِ آمیختن]
آمیزش intercourse; association
آمیزش کردن to associate
آمیزشی
ناخوشی آمیزشی venereal:
آمیزه [کمیاب] alligation
آمین! /ع./ amen!
آن[۱] that; [*lit.*] the former
آنکه that which; he who
دوم‌آنکه secondly
بر آنم‌که[۱] I am determined to
بر آنم‌که[۲] I maintain that
آن[۲] [جمع: آوان] /ع./ instant, moment
آن به آن at every moment
آناً /ع./ instantaneously
آنان [جمعِ آن] they; those
آنان که they who, those who

آناناس /ل./ pineapple
آنتن /فر./ aerial
آنتیل /فر./ Antilles
جزایر آنتیل West Indies
آنجا there, (in) that place
از آنجایی که since, inasmuch as
که از آنجا whence
آنچنان so; such
آنچه what, that which
هر آنچه whatever
آنژین /فر./ angina
آنسان (in) that manner
آنفلوانزا /فر./ influenza
آنقدر ← قدر
آنک، آنکو [ادبی] = آنکه
آنکه ← آن
آنگاه then, afterwards
آنگه [ادبی، صورت‌اختصاری آنگاه]
آنورس /فر./ Antwerp
آنها [جمعِ آن] those, they [for persons/animals *or* things]
آنهاکه، آنهایی که they who; those which
آنی /ع./ instantaneous
آوا [ادبی، صورت اختصاری آواز]
آوار load, pressure, weight; debris; [*ext.*] collapse
زیر آوار ماند. ***He was buried under the debris.***
آوارگان [جمعِ آواره] /ا./ refugees, homeless persons
آوارگی vagrancy, homelessness
آواره vagrant, homeless, wandering (about)
آواره شدن to go vagrant, to wander
آواری detrital
آواز voice; tune *or* melody (not limited in time by notes); call; fame
آواز دادن [ادبی] to call out

آواز خواندن to sing (a melody)
آوازِ... (sung) by...
آوازه[۱] fame
آوازه[۲] = آواز
آوازه‌خوان (professional) singer
آوان [کمیاب، جمعِ آن] /ع./، آوان moments; time(s)
آوُخ [ادبی] ah!, alas!
آوَر [بن‌مضارعِ آوردن]
آوُرتا /ی./ aorta
آوردن [بن‌مضارع: آور] to bring; [*fig.*] to produce; to occasion;
اسلام آورد to embrace:
آورده‌اند it is related
آوَرده [اسم‌مفعول فعل‌آوردن] brought
آوَرنده bringer; bearer
آوریل /فر./ April
آوند vessel, vasculum
آوندی vascular
آونس /ان./ ounce
آونگ[۱] pendulum
آونگ[۲] = آویزان
آویختن [بن‌مضارع: آویز] to hang, to suspend; [*lit.*] to cling
آویخته suspended, hanging
آویز[۱] pendant
گل‌آویز fuchsia
آویز[۲] [بن‌مضارعِ آویختن]
آویزان hanging, suspended
آویزان کردن، آویزان شدن to hang
آویزه (earring with a) pendant; vermiform appendix
آویزه‌بند suspensor
آه! sigh; [*interj.*] ah!, alas!
آه سرد bitter (*or* discouraged sigh)

آه کشیدن to sigh, to utter a sigh
آه ندارد که با ناله سودا کند. He has not a penny to bless himself with.
آها! [عامیانه] **aha!, I see!**
آهار **starch; stiffness**
آهار زدن to starch
گل آهار zinnia
آهاردار **starched, stiff**
آهاری **starched, starchy**
آهستگی **slowness**
به‌آهستگی slowly; softly
آهسته **slow(ly); soft(ly); gradual(ly)**
آهک **lime**
آهکِ آبدیده، آهک‌کشته slaked lime
آهک آب ندیده quicklime
سنگ آهک limestone
آهک‌پز **lime-burner**
آهک‌پزی **lime-burning**
کورهٔ آهک‌پزی lime-kiln
آهکی **calcareous**
آهکی کردن to calcify
آهن **iron**
آهن سفید galvanized iron
آهن سرد کوبیدن to flog a dead horse
آهن‌آلات /فا. ع./ **ironware**
آهن‌بُر [*rare*] **iron-cutter**
ارهٔ آهن‌بُر hacksaw
آهن‌پاره **scrap iron**
آهن‌جامه **iron bands** *or* **fastenings; ironwork**
آهن‌رُبا **magnet**
آهن‌ربایی **magnetic**
آهن‌ریزی **iron-foundry**
آهن‌ساز **iron-worker; white cooper**
آهنکوب **tin-roofer, tinman**
آهنگ **tune; music, setting, air; intention,** [*lit.*] **attempt**

آهنگ رفتن کردن to intend (*or* be about) to go
آهنگر **blacksmith, ironsmith**
آهنگری **blacksmith's trade** *or* **craft, blacksmithing**
آهنگساز **composer**
آهنی (made of) **iron**
آهنین **iron; hard** (as iron)
آهو **gazelle**
آهوی ختایی musk-deer
گوشت آهو venison
آهوبره **fawn**
آهیانه **parietal bone**
آی ← آ
آیا[1] **interrogative particle**
آیا او آمد؟ Did he come?
آیا خواهید رفت؟ Will you go?
آیا[2] [*conj.*] **whether**
آیات [جمع آیه، آیت]
آیت [جمع: آیات] /ع./ **sign, miracle**
آیش **fallow** (land)
آیند و روَند = آمد و رفت
آینده[1] **coming, future**
آینده[2] [جمع: آیندگان] /ا./ **the future comer**
آینه [صورت اختصاری آئینه]
آیه [جمع: آیات] /ع./ **verse**
آیین، آئین **custom; rule; religion; formality; decoration**
آئین‌نامه **regulation(s)**
آئینه **looking-glass, mirror**
آئینه کردن [زبان لاتی] to plank down
اَب [کمیاب، جمع: آبا] /ع./ = پدر
اِباء /ع./ **refusal**
از رفتن اِباء کرد. *He refused to go.*
اباطیل [جمع باطل]
اَباً عن جَدٍّ /ع./ **from generation to generation**
ابتداء /ع./ **beginning**

ابتدایی /ع./ **primary, elementary**
کتاب ابتدایی primer
اِبتکار /ع./ **initiative; originative faculty**
اِبتلاء /ع./ **suffering** (from a disease); **addiction**
اِبتهاج /ع./ = خوشی
اِبتیاع /ع./ **buying**
اِبتیاع کردن to buy; to redeem; → خریدن
ابخره [جمع بخار]
اَبد [جمع: آباد] /ع./ **eternity** (without end)
تا اَبد forever
ابداً /ع./ **at all; never**
اِبداع /ع./ **innovation, creation**
ابدالآباد /ع./ **eternity of eternities**
تا ابدالآباد forever
ابدالدهر /ع./ (to) **eternity**
ابدان [جمع بدن]
ابدی /ع./ **eternal, everlasting**
ابدیت /ع./ **eternity**
اَبر **cloud; sponge**
هوا اَبر است. *The weather is cloudy.*
اِبراز /ع./ **divulging; expressing**
اِبراز کردن to divulge; to express
اِبرام /ع./ **insisting; importunity; confirmation**
اِبرام کردن to confirm; to insist (on)
اِبرص [کمیاب] /ع./ **leprous**
ابرو **eyebrow; brace**
ابرو درهم کشیدن to knit the brow
ابروگشاده [ادبی] **cheerful; genial; generous;** [*o.s.*] **open-browed**

آبره [کمیاب] = رویه
[*cloth*] **the outside**
ابره‌ای **variegated**
ابری **cloudy**
شیشهٔ ابری granulated glass
ابریشم **silk**
ابریشم مصنوعی rayon
کرم ابریشم silkworm
ابریشمی **silken**
گل ابریشمی
silk-tasseled acacia
اِبریق [کمیاب] /ع./ = کوزه؛ آفتابه
ابزار **tool(s); seasoning**
ابزارمند = افزارمند
اِبطال /ع./ **making void**
ابعاد [جمعِ بُعد] /ع./
dimensions
اِبقاء /ع./ **retaining**
اِبقاء کردن to retain,
to preserve
اِبلاغ /ع./ **communication**
ابلاغ کردن to communicate
اِبلاغیه /ع./ **communique**
اَبلق /ع./ **parti-coloured,**
piebald
ابله /ع./ **silly**
ابلهانه /ع. فا./ **foolishly,**
[*adj.*] **silly**
ابلهی /ع. فا./ **silliness**
اِبلیس /ع./ **Satan**
ابن [کمیاب، جمع: أبناء] /ع./ = پسر
son
ابناء [جمعِ ابن]
اِبن‌الوقت /ع./ **time-server**
اُبنه /ع./ **itching in the**
fundament, prurience
ابنیه [جمعِ بناء]
ابواب [جمعِ باب]
ابواب جمع /عف./
put in one's charge and
responsibility
ابواب جمعی /عف./
property in one's charge;
financial responsibility

ابوالزوجه /ع./ = پدر زن
ابوالمـلیـح [کمیاب] /ع./ =
چکاوک
اِبوالهول /ع./ **Sphinx**
اُبوّت [کمیاب] /ع./ = پدری
ابوعلی سینا /ع./ **Avicenna**
اَبوی /ع./ **my father,**
[*infml.*] **father;** ⟶ پدرم
ابهام /ع./ **ambiguity;**
thumb *or* **great toe**
اُبَّهت /ع./ **imposing**
presence, dignity
اَبهر /ع./ **aorta; jugular vein**
اُبهل **juniper-berries; savin**
ابی /ع./ **paternal;**
consanguine
اَبیا **woodcock**
اَبیات [جمعِ بیت] /ع./
distiches, couplets,
[*ext.*] **verses**
ابیض /ع./ = سفید
ابیقوری /ع. ی./ **Epicurean**
اَت **thy** [affixed to a word
ending in mute ه : خانه‌ات]
اتابک /ت./ **lord father:**
title of former premiers
اِتازونی /فر./
The United States
اتباع [جمعِ تبع] /ع./
followers; subjects
اِتحاد /ع./ **union**
اتحاد کردن to form a union,
to be united
اتحادیه /ع./
union: اتحادیهٔ اصناف
اِتخاذ /ع./ **adopting**
اتخاذ کردن to adopt
اتخاذ سند کردن to take note
اِتر /فر./ **ether**
اُترُج /ع./ **large variety of**
citron
اتـسـاع /ع./ **dilatation**
اتصال /ع./ **connection;**
contiguity

اتصال دادن to connect, to join;
[*telephone*] to put through
اتصالاً /ع./ = دائماً
اتصالی /ع. فا./ **short circuit**
اتفاق /ع./ **alliance;**
agreement; event, accident
اتفاق افتادن to happen
به‌اتفاق in company with each
other; by joint action
به اتفاق آراء unanimously
بر حسب اتفاق by chance
اتفاقاً /ع./ **by chance;**
occasionally
اتفاقاً او را دیدم.
I happened to see him.
اتفاقی /ع./ **casual,**
occasional; accidental
اِتکاء /ع./ **reliance;**
[*o.s.*] **leaning**
اِتکاء به‌نفس self-reliance
اِتکاء کردن to rely
نقطهٔ اتکاء fulcrum,
point d'appui
به‌اِتکاء relying on,
on the strength of
بیمه اتکائی reinsurance
اتلاف /ع./ **wasting, losing,**
loss; prodigality;
destruction
اتلاف کردن to waste;
to destroy
اتلال [کمیاب، جمعِ تل] /ع./
hills; ruins
اتلس /ی./
atlas (bone); ⟶ اطلس
اَتم [صفت تفضیلی تمام] /ع./
اُتم /فر./ **atom**
اتمام /ع./ **completion**
به‌اتمام رساندن to complete,
to finish
به‌اتمام رسیدن to be finished
اتمی /فر. فا./ **atomic**
بمب اتمی atomic bomb,
A-bomb

آتو /فر./ [*c.p.*] **trump**

اُتو = اطو

اتوبوس /فر./ **bus, omnibus**

اتوشویی /فر. فا./، **جایگاه اتوشویی** **service station**

اتوموبیل /فر./ **motor car, automobile**

اتوموبیل شماره ۱۱ Shanks's mare

اتوموبیل‌رانی /فر.فا./ **motoring**

اتهام [جمع: اتهامات] /ع./ **accusation, charge**

به اتهام on charge of

اَثاث /ع./ **furniture; chattels**

اثاث‌البیت /ع./ **house furniture**

اثاثه /ع./ **equipment; household furniture**

اثاثیه [غلط مشهور] = اثاثه

اثبات /ع./ **proving**

اثبات کردن to prove, to demonstrate; to affirm

برای اثباتِ in order to prove; in proof of

اثر [جمع: آثار] /ع./ **effect; impression; trace; mark; literary work**

اثر انگشت fingerprint

اثرِ پا footprint

اثرِ زخم scar, cicatrice

اثر کردن، اثر بخشیدن to produce an effect *or* result; to make an impression; to be efficacious

بر اثرِ in consequence of, as the result of

در اثرِ as the result of

اثقال ← ثقل، جرّاثقال

اِثم [کمیاب، جمع: آثام] /ع./ = گناه

اثمار [جمعِ ثمر]

اَثناء /ع./ [*rare*] **middle; interval**

در این اثناء in the meantime

اِثناعشر /ع./، **رودهٔ اثناعشر** = دوازده **duodenum**

اَثیر /ع./ **ethereal atmosphere**

اثیم [کمیاب] /ع./ = گناهکار

اِجابت /ع./ **accepting, granting** (a prayer)

اجابت کردن to accept, to grant; to respond to

اِجاره /ع./ **rent**

اجاره دادن to (put out to) lease; to farm out

اجاره کردن to rent, to hire

در اجاره on lease

مورد اجاره [*law*] object of lease

خانه اجاره‌ای house to rent

اجاره‌بندی /ع. فا./ **rent assessment**

اجاره بها /ع. فا./ **rent**

اجاره‌دار /ع. فا./ **tenant; farmer**

اجاره‌داری /ع. فا./ **leasehold; farming** (operations)

اجاره کار /ع. فا./ **revenue farmer**

اجاره‌نامه /ع. فا./ **lease contract**

اجاره‌نشین /ع. فا./ **tenant**

اجازه /ع./ **permission, leave**

اجازه خواستن to ask permission

اجازه دادن to give permission (to), to permit, to allow, to authorize

بااجازهٔ، به‌اجازهٔ by permission of

اُجاق /ت./ **fireplace used for cooking purposes, oven**

اجاقش کور است. He is issueless.

اجامر /ع./ **ragtag**

اجانب [جمعِ اجنبی]

اِجبار /ع./ **compulsion**

اجباراً /ع./ **compulsorily, by force**

اجباری /ع./ **compulsory**

اجتماع [جمع: اجتماعات] /ع./ **gathering, reunion; society, social life**

اجتماعی /ع./ **social; gregarious**

اجتناب /ع./ **avoiding, shunning**

از...اجتناب کردن to avoid *or* shun...

غیرقابل اجتناب inevitable, unavoidable

اجتهاد /ع./ **exegesis of divine law on matters of theology and law;** [*o.s.*] **striving hard**

اجتهاد کردن to practise religious jurisprudence

اجحاف /ع./ **overcharging, extortion**

اجحاف کردن to overcharge

اجداد [جمعِ جد، جده]

اجدادی /ع. فا./ **ancestral; traditional**

اجر [جمع: اُجور] /ع./ **reward**

اِجراء /ع./ **execution, performance; enforcement**

اجراء کردن to execute, to carry out

به‌موقع اجراء گذاشتن to put into force, to enforce; to execute, to carry out

قابل اجراء enforceable; practicable

اجرام /ع./ ← جِرم

اجرائی [مؤنث: اجرائیه] /ع./ **executive**

قوهٔ اجرائیه executive power
اجرائیه[1] /ع./ **executive order**
اجرائیه[2] /ع./
executive power
اِجرائیه[3] /ع./ ← اجرایی
اُجرت /ع./ = مزد، دستمزد
اجرت‌المثل /ع./ **fair**
equivalent remuneration
اجرت‌المسمی /ع./
specified rent, rent proper
اجزاء [جمعِ جزء] /ع./
ingredients; components; parts; [*rare*] **members**
اجساد [جمعِ جسد]
اجسام [جمعِ جسم]
اَجل /ع./ **death, end;**
[*o.s.*] **fixed term** ***or*** **period**
اجلش فرارسید. Fate overtook him. His hour was come.
اَجلّ [صفت تفضیلی جلیل] /ع./
اجلاس /ع./ **causing to sit;**
(holding a) **session**
اجلاس کردن to hold a meeting
اجلاسیه [از اجلاس] /ع./
designating a (parliamentary) **session**
دورهٔ اجلاسیه
Parliamentary session
دورهٔ اجلاسیه دوم
the second Parliament
اجلاف [جمعِ جلف]
اجلال /ع./ **glory, honour**
اجله [جمعِ جلیل] /ع./
او از اجلهٔ علما است. He is one of the greatest learned men.
اجماع /ع./ **gathering;**
consensus (of opinions)
اجماع کردن to gather together
اجماعاً /ع./ **in company**
اجمال /ع./ **brevity;**
compendium
اجمالاً /ع./ **briefly**
اجمالی /ع./ **brief, summary**
نظر اجمالی glance

اجناس [جمعِ جنس] /ع./
goods, commodities
اجنبی [جمع: اجانب] /ع./
foreigner
اجنه [جمعِ جنی] /ع./
اِجوبه [کمیاب، جمعِ جواب]
اُجور [جمعِ اجر]
اَجوف [کمیاب] /ع./ **hollow**
ورید اجوف vena cava
اجیر /ع./ **hired** (worker); **mercenary**
اجیر کردن to hire, to employ for wages
اجیر شدن to be hired
احادیث [جمعِ حدیث، احدوثه]
اِحاطه /ع./ **surrounding;**
[*fig.*] **full knowledge**
احاطه داشتن بر
to be conversant with
احاطه کردن to surround
احاله /ع./ **turning over, transfer**
احاله‌به‌محال
reduction to absurdity
احاله کردن to turn over, to leave (to another)
احباء [جمعِ حبیب]
احباب [جمعِ حبیب]
احتجاب /ع./ **being hidden;**
[*fig.*] **privation, scale;**
[*astr.*] **immersion**
احتراز /ع./ **avoiding, shunning**
احتراز کردن از to avoid ***or*** shun; to abstain from
غیرقابل احتراز unavoidable
احتراق /ع./ **burning, combustion; oxidation; explosion**
احترام [جمع: احترامات] /ع./
respect; honour
احترام گزاردن، احترام کردن
to respect ***or*** honour; to do honour to

با تقدیم احترامات بیکران
assuring you of our highest esteem
احتراماً /ع./ **respectfully**
احترام‌گزار /ع. فا./
respectful
احتساب /ع./ **calculating**
احتساب کردن to calculate
احتشام /ع./ **glory, pomp**
احتضار /ع./ **being at the point of death**
در حال احتضار بودن to be at the point of death
احتقان /ع./
[*med.*] **congestion**
احتکار /ع./ **hoarding**
احتکار کردن to hoard (up)
احتمال [جمع: احتمالات] /ع./
probability; eventuality
احتمال دادن
to consider probable
احتمال می‌رود، احتمال دارد
it is probable
به احتمالِ قریب‌به‌یقین
in all probability
احتمالاً /ع./ **probably; eventually**
احتمالی /ع./ **probable; contingent; eventual**
احتواء [کمیاب] /ع./
containing
احتیاج [جمع: احتیاجات] /ع./
need; necessity; requirement
احتیاج داشتن to need, to be in need (of); to require
احتیاجی به خدمات او نیست.
There is no need for his services.
مورد احتیاج required, needed
احتیاط /ع./ **precaution; reservation**
احتیاط کردن to be precautious
با احتیاط precautiously

به قید احتیاط with reserve, with a grain of salt

صندوق احتیاط provident fund

احتیاطاً /ع./ **by way of precaution**

احتیاطی /ع. فا./ **precautionary**

سرمایه احتیاط reserve fund

احجار [جمع حجر]

احد [جمع: آحاد] /ع./ **one; unit**

احدی نرفت. ***No one went.***

احداث /ع./ **innovation; erection, construction; establishment**

احداث کردن to erect, to establish; to create

احدوثه [کمیاب، جمع: احادیث] /ع./ **narrative**

احدیّت /ع./ **oneness;** [*ext.*] **the one God**

احرار [جمع حُرّ] /ع./ **freemen; broad-minded persons**

احراز /ع./ **obtaining; holding**

احراز کردن to obtain; to attain; to hold; to retain

احرام /ع./ **pilgrim's garb**

احزاب [جمع حزب]

احزان [جمع حزن]

احساس [جمع: احساسات] /ع./ **feeling; sentiment**

احساس کردن to feel

احساساتی /ع. فا./ **sentimental; emotional**

احسان /ع./ **favour; beneficence**

احسان کردن to do favour, to do good

اَحسن [صفت تفضیلی حَسَن] /ع./ **better *or* best**

تبدیل به احسن کردن to change for the better

احسنت! /ع./ **well done!**

احشاء [جمع حشا] /ع./ = اندرونه

احشام [جمع حشم]

احصان /ع./ **continence**

احصائیه /ع./ = آمار

احضار /ع./ **summoning, recalling**

احضار کردن to summon, to call up; to recall

احضاریه /ع./، **برگ احضاریه** **summons, subpoena**

احفاد [جمع حفید] /ع./ **grandchildren;** [*ext.*] **posterity**

احقاق /ع./، **احقاق حق** **adjudication**

احقاق حق کردن to administer justice

احکام [جمع حکم]

احلیل /ع./ (orifice of the) **penis**

احمد [اسم خاص، صفت تفضیلی حمید] [*o.s.*] **more *or* most praiseworthy**

احمر /ع./ = قرمز، سرخ

احمق /ع./ **silly, foolish;** [*n.*] **fool**

احمقانه /ع. فا./ **foolishly;** [*adj.*] **foolish**

احوال [جمع حال] /ع./ **condition(s); circumstances**

احوال شما چطور است؟ How are you?

احوال کسی را پرسیدن to inquire after a person's health, to ask after him

احوال شخصی personal status

احوَل [کمیاب] /ع./ = لوچ

احیاء /ع./ **restoring to life; revival**

احیاءلیل spending the night awake

احیاء کردن to revive; to rehabilitate; to reclaim *or* improve (land)

احیاناً /ع./ **occasionally**

اخ [کمیاب] /ع./ = برادر

اخاذی /ع. فا./ **extortion**

اخافه [کمیاب] /ع./ **intimidation**

اخبار [جمع خبر]

اِخبار /ع./ **informing**

اِخباری /ع./ [*gram.*] **indicative**

اختتام /ع./ **being finished; end, conclusion**

اختتام پذیرفتن، اختتام یافتن to come to an end

اختر [اسم خاص] **star**

گل اختر canna, Indian shot

اختراع [جمع: اختراعات] /ع./ **invention**

اختراع کردن to invent

اخترشناس [کمیاب] **astronomer; astrologer**

اختصار [جمع: اختصارات] /ع./ **brevity; abbreviation**

به‌اختصار = اختصاراً

به‌اختصار کوشیدن to be brief

اختصاراً /ع./ **briefly, summarily**

اختصاری /ع./ **summary:** محاکمهٔ اختصاری; **abbreviated, brief**

اختصاص /ع./ **allocation**

اختصاص دادن to allocate, to earmark

اختصاصاً /ع./ **specially; exclusively**

اختصاصی /ع. فا./ **allocated; special**

اختفاء /ع./ **concealment**

اختلاج [کمیاب] /ع./ **nictitation; convulsion**

اختلاج ماهیچه tic

اختلاس /ع./ **embezzlement**

اختلاس کردن to embezzle, to misappropriate

اختلاط /ع./ **mixture; intercourse; free interchange of jokes, symposium**
اختلاط کردن to interchange jokes; to talk familiarly
اختلاف [جمع: اختلافات] /ع./ **difference; dispute; discrepancy; diversity of opinions**
با مال من اختلاف دارد *it differs from mine*
اختلال /ع./ **disorder, derangement**
اختناق /ع./ **strangulation**
اخته **castrated**
اسب اخته gelding
خروس اخته capon
قوچ اخته wether
اخته کردن to castrate
اختیار [جمع: اختیارات] /ع./ **authority, power(s); option; choice; control; free will**
اختیار دادن to empower, to authorize
اختیار کردن to choose *or* adopt; to take (as a wife)
اختیار با شماست. As you wish.
اختیارداری /ع. فا./ **exercise of control; ruling the roast**
اختیارداری کردن to exercise control; to lord it; to rule the roast
اختیاری /ع./ **facultative, optional**
اخذ /ع./ **taking; receipt; seizure; imitation, adoption**
اخذ کردن to take; to collect; to imitate
اخراج /ع./ **sending out, expulsion**
اخراج کردن to send out, to discharge, to dismiss, to expel

اُخرَوی /ع./ **otherworldly**
اُخریٰ /ع./، گِل اُخری **ochre**
اَخصّ [صفت تفضیلی خاص] /ع./ **more particular**
بالاَخص more particularly
اَخضر /ع./ = سبز **green**
اِخطار /ع./ **notice, warning**
به کسی اخطار کردن to notify *or* warn someone
اخطار کم‌مدت short notice
اخطاریه /ع./ (written) **notice**
اِخفاء /ع./ **concealing**
اِخ کردن [زبان لاتی] **to plank down**
اخگر[1] **embers**
اخگر[2] = جرقه
اِخلاص /ع./ **devotion; sincerity**
اخلاط [جمعِ خلط]
اخلاف [جمعِ خَلَف]
اخلاق [جمعِ خُلق] /ع./ **morals, morality**
علم اخلاق ethics
اخلاقاً /ع./ **morally**
اخلاقی /ع./ **moral; ethical**
اخلال /ع./ **deranging, spoiling;** (causing) **trouble; intrigue**
در کاری اخلال کردن to spoil *or* derange an affair
اخلالگر /ع. فا./ **trouble-causer, agitator; intrigant**
اخم **frowning**
اخم کردن to frown
اخمو [عامیانه] **frowning, surly**
اخوالزوجه /ع./ = برادرِ زن
اخَوان [تثنیهٔ اَخ] /ع./ **two brothers**
اِخوان [کمیاب] /ع./ **brothers**
اخوت /ع./ **brotherhood, fraternity**
اَخ و تُف [عامیانه] **hawking and spitting; expectoration**

اَخوی /ع./ (my) **brother**
اَخیار [جمعِ خیر] /ع./ **good men**
اخیر /ع./ **recent**
اخیراً /ع./ **recently**
اخیرالذکر /ع./ **latter, last-mentioned**
اخیه **rope** *or* **stake to which a horse's tether is fastened; enclosure**
کسی را زیر اخیه کشیدن to keep one's nose to the grindstone
اداء /ع./ **payment;** [*duty*] **discharge, utterance**
اداء و اصول grimace, mimic
اداء در آوردن to pull a wry face; to imitate; to mimic
اداء کردن to pay; to enunciate, to pronounce; to discharge
ادات ← ادوات
ادارات [جمعِ اداره]
اداره [جمع: ادارات] /ع./ **administration, department, office; management**
اداره کردن to manage, to run
اداری /ع./ **administrative**
محکمهٔ اداری disciplinary court
هزینهٔ اداری overhead expenses
اَدام‌الله /ع./ **may God prolong**
ادامه /ع./ **continuation**
ادامه دادن to continue
ادانی [جمعِ ادنی] /ع./ **inferiors**
ادب /ع./ **politeness**
علم ادب letters, literature
ادب کردن to correct, to chastise
شرط ادب نبود *it was not polite*
اهل ادب men of letters

ادباء [جمعِ ادیب]

ادبار /ع./ adversity

ادبی [مؤنث: ادبیه] /ع./ literary

ادبیات /ع./ literature

ادخال /ع./ insertion; introduction

ادرار /ع./ urine

ادرار خونی haematuria

ادرار کردن to make water, to urinate

ادراک /ع./ perception; understanding

ادراک کردن = درک کردن

ادریس /ع./ Enoch

ادّعا /ع./ claim; pretension

ادعا کردن to claim; to pretend

ادّعانامه /ع. فا./ = کیفرخواست

ادعایی /ع. فا./ claimed; alleged

ادعیه [جمعِ دعا]

ادکلن /فر./ eau de cologne

ادله [جمعِ دلیل، /ع./]

ادنیٰ [صفت تفضیلی دنی] /ع./ lower *or* lowest, inferior; less, least; → اَدانی

اَدوات [جمعِ ادات] /ع./ instruments; tools; [*gram.*] particles

ادوار [جمعِ دور] /ع./ periods, ages, times

ادویه [جمعِ دوا] /ع./ drugs; spices

اَدهم [کمیاب] /ع./ black (horse)

ادیان [جمعِ دین]

اَدیب [جمع: اُدبا، مؤنث: ادیبه] /ع./ man of letters, literary man, critic; tutor

ادیبانه /ع. فا./ in a literary style; [*adj.*] literary

اذاراقی /ع./ nux vomica; dog's bane

اذان /ع./ call to prayer

اذعان /ع./ acknowledging

اذعان کردن to acknowledge, to admit

اِذن /ع./ = اجازه

اُذن‌الفار /ع./ wallwort

اذهان [جمعِ ذهن]

اَذیت /ع./ harm, injury; annoyance, inconvenience

اذیت کردن to tease, to annoy, to vex; to harm *or* hurt

اَر [ادبی، صورت اختصاری اگر]

ارابه cart

اراجیف [جمعِ ارجوفه، کمیاب] /ع./ rumours, false rumours

اِرادت /ع./ devotion, attachment; admiration

ارادت‌کیش /ع. فا./ = ارادتمند

ارادتمند /ع. فا./ devoted

ارادتمند شما *yours sincerely, your devoted friend*

اراده /ع./ will, determination, resolution

اراده کردن to determine, to will, to resolve

اَرّاده[1] landing-gear, undercarriage

اَرّاده[2] = ارابه

ارادی /ع./ voluntary

غیرِ ارادی involuntary

اراذل [جمعِ ارذل، کمیاب] /ع./ rascals

اراضی [جمعِ ارض]

ارامل [کمیاب، جمعِ ارمله] /ع./ widows

ارامنه [جمعِ ارمنی]

اِرائه /ع./ presentation; production: ارائه سند

ارائه دادن to show, to produce

ارائهٔ طریق کردن = راهنمایی کردن

ارباب [جمعِ رب] /ع./ master(s); landlord(s); employer; Mr. [with Zoroastrian names]; those endowed (with)

ارباب دانش the learned (people)

ارباب انواع [جمعِ رب‌النوع] gods

ارباب رجوع clients; customers

اربابی /ع. فا./ privately-owned

اَرَبیان /ع./ sea-locust

اربه water-germander

ارتباط [جمع: ارتباطات] /ع./ connection, relation; communication

ارتباط دادن to connect

اِرتجاجی /ع./ clonic: تشنج ارتجاجی

اِرتجاع /ع./ reaction; elasticity

قابل ارتجاع elastic

ارتجاعی /ع./ reactionary

اِرتجال [کمیاب] /ع./ improvisation

ارتجالاً /ع./ extemporaneously

ارتداد /ع./ apostasy

اِرتزاق /ع./ obtaining one's daily bread

اِرتزاق کردن to obtain one's daily bread; to feed

اَرتش army

اِرتشاء /ع./ receiving a bribe

ارتشتار، ارتشدار [کمیاب] = سرباز

ارتش‌کشی [*mil.*] expedition

ارتشی belonging to the army

اِرتعاش /ع./ trembling

اِرتعاش کردن to tremble

اِرتفاع [جمع: ارتفاعات] /ع./ height, altitude; elevation; [*astr.*] apparent celestial latitude

ارتفاع‌سنج /ع. فا./ altimeter

ارتفاعی /ع./ altitudinal; vertical

ارتفاق[1] /ع./ symphysis

حق اِرتفاق right of easement

ارتفاق[2] [کمیاب] /ع./ = همراهی

اِرتقاء /ع./ promotion

اِرتقاء دادن to promote

اِرتقاء یافتن to be promoted

ارتکاب /ع./ commission, perpetration

(در) حین ارتکاب in the very act

اُرتودوکس /فر./ Orthodox

اِرث /ع./ inheritance

مالیات بر ارث inheritance tax, death duties

به ارث بردن to inherit

به ارث رسیدن to come down by inheritance

به ارث گذاشتن to bequeath *or* devise

از ارث محروم کردن to disinherit, to cut off with a shilling

ارثاً /ع./ by inheritance

ارثی /ع. فا./ = موروثی

اَرج[1] worth, esteem

اَرج[2] [کمیاب] قو ← swan;

اِرجاع /ع./ referring, turning over

اِرجاع کردن to turn over, to refer

ارجاع شغل به کسی کردن to appoint someone to duty

اَرجح [صفت تفضیلی راجح] /ع./ (more) **preferable**

اَرجمند honourable, dear

اَردج juniper

تخم اَردج juniper-berry

اِردشیر [اسم خاص]

اُردَک /ت./ duck

اردک نر drake

جوجه اردک duckling

اردک ماهی **pike** (fish)

اُردُن /ع./ Jordan

اُردو /ت./ camp

اُردو زدن to camp

اردوگاه /ت. فا./ camp(ing-place), encampment

اَرده ground sesame

ارده‌ای beige

اُردیبهشت [second month having 31 days]

اَرز foreign exchange (*or* currency)

معاملات ارزی foreign exchange transactions

ارز cedar

اَرزاق [جمع رزق] /ع./ provision, foodstuffs

اَرزان cheap

ارزان کردن to make cheap, to cheapen

ارزانی cheapness

ارزانی‌داشتن، ارزانی‌فرمودن to give, to grant

اَرزش value, worth

ارزش ندارد ***it is not worth while***

ارزن millet

ارزن خوشه‌ای broomcorn millet

ارزن هندی Indian millet, durra

ارزن جو گندمی sorghum

ارزنده **that is worth** (a specified price); **worth the trouble**

ارزنی miliary

ارزیاب assessor, appraisor

ارزیابی assessment

ارزیابی کردن to assess (the value of), to appraise, to evaluate

ارزیافت assessed value

ارزیدن [بن مضارع: ارز] to be worth, to cost

دو ریال می‌ارزد ***it is worth two rials***

به‌زحمتش نمی‌ارزد ***it is not worth the trouble***

ارژن oriental almond; wild almond

اِرسال /ع./ despatch; remittance

ارسال کردن، ارسال داشتن = فرستادن to remit, to despatch *or* send

ارسالی /ع. فا./ (that is to be) **sent;** [*n.*] **remittance**

ارسطو /ع. ی./ Aristotle

اَرسلان[1] [اسم خاص] /ت./

اَرسلان[2] /ت./ = شیر [*o.s.*] **lion**

اَرَش [کمیاب] forearm; cubit

اِرشاد /ع./ showing the right way, guidance; orthodoxy

ارشاد کردن to show the right way

اَرشد [صفت تفضیلی رشید] /ع./ elder; senior

ارشدیت /ع./ seniority; eldership

ارشمیدس /ع. ی./ Archimedes

ارض [جمع: اراضی] /ع./ land; territory

کرهٔ ارض the earth

ارضاء /ع./ satisfying

ارضاع [کمیاب] /ع./ **giving suck** (to)

ارضی /ع./ = زمینی

ارعاب [کمیاب] /ع./ = تخویف

اَرغنون /ع. ی./ [*mus.*] **organ**

اَرغوان Judas-tree; purple

ارغوانی purple

اِرفاق /ع./ leniency; assistance; compassion

به کسی ارفاق کردن to assist *or* be compassionate with someone

ارفاقاً /ع./ on compassionate grounds
ارفاقی /ع./ done on compassionate grounds
ارفـع [صفت تفضیلی رفیع]
ارقام [جمعِ رقم]
ارقه [زبان لاتی] crafty; [*n.*] cheat
ارکان [جمعِ رکن]
ارکستر /فر./ orchestra
اَرگ small citadel
اُرگ /فر./ [*mus.*] organ
اُرگان /فر./ organ
ارگاندی /فر./ organdie
اِرم /فر./ earthly paradise
اِرمغان souvenir, present
اُرمک [cheap grey stuff used for making school uniform (for girls)]
ارمنی [جمع: ارامنه، /ع./] Armenian
اَرَنبیز sapan-wood, brazil-wood
ارواح [جمعِ روح] spirits
ارواحنا فدا may our souls be sacrificed to him
اروپا(یی) Europe(an)
ارّه saw
اره کردن to saw
اره کش sawyer
اره کشی sawing, sawyer's trade
اَریب /ع./ sagacious; shrewd
اُریب /ع./ diagonal, oblique
اریسا /ع. ی./ rushgrass
اِریکه [کمیاب] /ع./ = تخت
اُریون /فر./ mumps
از from; of: یکی از آنها; since; than; out of, ex; belonging to; on account of, due to; with; for: از خوشی

کتاب از من است. *The book belongs to me.*
پر از آب *filled with* or *full of water*
از بی‌کفشی *for lack of shoes*
اِزاء /ع./ lieu, stead; exchange
در ازاءِ in lieu of; in exchange for; in recognition of, in acknowledgment of
اِزاره /ع./ plinth(-course)
اِزاله /ع./ removal
اِزاله کردن to remove
ازالهٔ بکارت defloration
ازالهٔ بکارت کردن از to deflower
اَزت /فر./ nitrogen, azote
از خودراضی /فا. ع./ selfish; self-satisfied, self-important, overweening
از خودگذشتگی self-denial, abnegation
اِزدحام /ع./ crowd(ing)
ازدحام کردن to crowd; to press on one another; to swarm
ازدو، زدو gum (of wild almond)
اِزدواج /ع./ marriage
ازدواج کردن to marry
اِزدیاد /ع./ being increased, increase
رو به ازدیاد گذاشتن to begin to be increased
ازرق /ع./ = کبود
از کارافتادگی disablement
از کارافتاده disabled; laid-up
اَزگیل medlar
ازل /ع./ eternity without beginning
ازلی /ع./ eternal, pre-existent
ازمن داری blindman's-buff

ازمنه [جمعِ زمان]
ازن /فر./ ozone
ازواج [کمیاب، جمعِ زوج] /ع./ pairs, couples
ازواجِ دماغی cranial nerves
اژدر[1] torpedo
اژدر[2] = اژدها
اژدرافگن torpedo-boat
اژدرانداز torpedo-tube
اژدرمار [کمیاب] boa
اژدها، اژدرها dragon
اُسّ /ع./ basic element, basis
اساتید [جمعِ استاد]
اِسارت /ع./ captivity
به اسارت بردن to lead into captivity
اُسارون /ع. ی./ asarum, asara-bacca
اَساس /ع./ basis, foundation; base
بر اساس on the basis of
اساس ندارد it is unfounded
اساساً /ع./ fundamentally; substantially
اساسنامه /ع. فا./ articles of association; constitution
اساسی /ع./ fundamental, constitutional; basic; radical
اساطیر [جمعِ اُسطوره] /ع. ی./ myths, fables; mythology
اسافل [جمعِ اسفل]
اسامی [جمعِ اسم]
اسانسور /فر./ lift, elevator [U.S.]
اسائهٔ ادب /عف./ = بی‌ادبی
اسب horse; [*chess*] knight
اسب آبی hippopotamus
اسب کوهی zebra
اَسباب [جمعِ سبب] /ع./ things, effects, chattels; equipment; instrument, tool, apparatus; utensil; [*fig.*] means; cause

اسباب‌بازی toy, plaything
اسبابِ خانه house furniture
اسبابِ کار tools; kit; materials
اسباب زحمت خواهد شد
it will cause inconvenience
اسباب‌چینی /ع. فا./ **intrigue**
اسباب‌چینی کردن to form (***or*** weave) a plot, to make an intrigue
اسباب‌کشی /ع. فا./ **moving** (to a new place); [*o.s.*] **moving the furniture**
اسباب‌کشی کردن to move to a new place
اسباط [جمعِ سبط]
اسب‌دوانی **horse-race**
میدان اسب‌دوانی racecourse
اسب‌سوار **horseman** ***or*** **horsewoman**
اسب‌سواری **horsemanship, riding**
اسبق [صفت تفضیلی سابق] /ع./ **more** ***or*** **most previous (*or* ancient); last but one**
اسبی **horse-drawn; equine**
اِسپانیا **Spain**
اسپانیولی **Spaniard; Spanish** (language)
اِسپرت /ی./ **sport**
اِسپرز **spleen**
اسپرس [از فر. esparcette] **sainfoin**
اِسپرک **dyer's-weed, dyer's rocket;** [*hoe, spade*] **footrest**
اسپریس **racecourse**
اسپناج = اسفناج
اسپند = اسفند
اسپندیار = اسفندیار
است **is;** ⟵ هست
خوب است *it is good; we should better...*
استاپ [کمیاب] **dimmer switch**
استاخی /ع. ل./ **Eustachian**

استاد [جمع: اساتید، /ع./] **professor; master; head-artisan, master-workman,** [used before a proper name: استاد حسن]; [*adj.*] **skilled, expert**
استادانه **skilfully;** [*adj.*] **workmanlike**
استادی **professorship; mastership; cleverness**
استارت /ان./ **self-starter, starting motor, cranking motor**
استاژ /فر./ **probation**
استاژ دادن to serve on probation
استامپ /فر./ **ink-pad, stamp-pad**
اُستان (large) **province**
دادگاه استان court of appeal
استاندار **governor-general**
اِستبداد /ع./ **despotism**
اِستبدادی /ع. فا./ **despotic**
اِستبعاد /ع./ **unlikelihood, improbability**
استبعادی ندارد it is not unlikely, it is possible
اِستتار /ع./ **concealment;** [*mil.*] **camouflage**
اِستثمار /ع./ **exploitation**
استثمار کردن to exploit (unfairly)
اِستثناء /ع./ **exception**
به‌استثنایِ with the exception of
استثناء کردن to make an exception of; to exclude
استثناعاً /ع./ **exceptionally**
استثنائی /ع./ **exceptional**
اِستجابت /ع./ **granting** (a prayer)
استجاره [کمیاب] /ع./ **renting**
استجازه /ع./ **asking permission**

استجازه کردن to ask permission
استحاله /ع./ **transformation, transmutation**
اِستحداث /ع./ **producing something new**
اِستحداث کردن to reclaim from the sea
اِستحسان /ع./ **praising; approving**
اِستحصال /ع./ **seeking to acquire, acquisition; production**
اِستحضار /ع./ **information**
اِستحضار داشتن to be informed ***or*** aware
محترماً به استحضار عالی میرساند *I beg to inform you*
اِستحقار /ع./ **contempt**
اِستحقاق /ع./ **merit; right** ***or*** **title**
به چیزی اِستحقاق داشتن to merit something, to be entitled to it
اِستحکام /ع./ **firmness, solidity**
استحکامات /ع./ **fortification(s);** [جمعِ استحکام] ⟶
اِستحمام /ع./ **taking a** (hot) **bath**
اِستحمام کردن to take a bath
اِستخاره /ع./ **consulting a book (*or* bidding beads) at random in order to decide one's procedure**
استخاره کردن to consult a book, to bid beads
اِستخدام /ع./ **recruitment; engagement, service**
اِستخدام کردن to recruit, to engage
در استخدامِ in the employ of

اِستخر استخر شنا **pond; pool:**
اِستخراج /ع./ **extraction, production:** استخراج نفت ; **working;** [*mine*] **decipherment**
استخراج جذر [*math.*] evolution
استخراج آراء counting votes
استخراج سنگ quarry of stone
استخراج کردن to work *or* exploit; to decipher
اِستخلاص /ع./ **delivery, release**
استخلاص کردن to save *or* release; to recover, to reclaim
اُستخوان **bone**
استخوان لای زخم گذاشتن [استعاری] to abstain from a radical cure, to dally with an illness *or* other case
استخوان‌بندی **skeleton;** [*fig.*] **framework**
استخوان‌تراش **scalping-iron**
استخوانچه **ossicle**
استخوان‌خوار [کمیاب] **bone-eating**
مرغ استخوان‌خوار osprey
استخوان‌شناسی **osteology**
استخوانی **bony, osseous**
تب استخوانی hectic fever
سلّ استخوانی tubercular osteomyelitis
اِستدعاء /ع./ **request, prayer**
اِستدعا کردن to request *or* ask
اِستدلال /ع./ **reasoning**
اِستدلال کردن to reason
استدلالی /ع./ **based on reasoning, deductive**
استدن [بن‌مضارع: ستان] = گرفتن
اَستر **mule**
اِستراحت /ع./ **rest**
استراحت کردن to rest
استراق [کمیاب] /ع./ **stealing;** ⟵ دزدیدن
استراق سمع eavesdropping
استراق سمع کردن to eavesdrop
استراک /ی./ **styrax, storax**
استرالیا(یی) **Australia(n)**
اِسترحام /ع./ **imploration for mercy**
اِسترداد[1] /ع./ **reclamation**
اِسترداد[2] /ع./ *C.E.* **restoration, restitution**
اِسترداد کردن to reclaim, to ask restitution of; to (cause to) restore
استرلاب، اسطرلاب /ی./ **astrolabe**
اُستره [کمیاب] تیغ ⟵ **razor;**
اِستسقاء /ع./ **dropsy**
استسقاء خایه hydrocele
استسقاء رحم hydrometra
استسقاء سر hydrocephalus
استسقاء سینه hydrothorax
استسقاء عمومی anasarca
استسقاء مشیمه hydramnios
استسقاء مفصل hydrarthrosis
استسقائی /ع./ **dropsical**
اِستسناد [کمیاب] /ع./ **seeking to support oneself by a document**
اِستشاره /ع./ **consulting**
اِستشمام /ع./ **smelling**
اِستشمام کردن to smell
اِستشهاد /ع./ **summoning** *or* **producing a witness; citation**
از کسی استشهاد کردن to call someone to witness, to call him in evidence
ورقهٔ استشهاد documentary evidence signed by witnesses
استصواب /ع./ **approbation**
استطاعت /ع./ (pecuniary) **ability** *or* **means**
استطاعت خریدِ آن را ندارم. I cannot afford to buy that.
استطاله /ع./ [*med.*] **process**
اِستطلاع [کمیاب] /ع./ = استفسار
اِستظهار /ع./ **trust, confidence;** [*o.s.*] (seeking) **support**
استظهار کردن به to trust, to rely on
اِستعاره /ع./ **metaphor**
اِستعانت /ع./ **seeking help**
اِستعانت کردن to seek help
اِستعجاب [کمیاب] /ع./ **wonder, admiration**
اِستعداد /ع./ **talent, parts; aptitude, predisposition; suscebtibility, liability** (to a disease, etc.)
اِستعفاء /ع./ **resignation**
اِستعفاء دادن to resign (one's office), to send in one's papers
اِستعفاءدادن از، اِستعفاءکردن از *vt.* to resign
استعلاج [کمیاب] /ع./ **seeking a remedy**
مرخصی استعلاجی sick leave
اِستعلام /ع./ **asking for information, inquiry**
از کسی استعلام کردن to call upon someone to give information
استعلامیه /ع./ **inquiry**
اِستعمار /ع./ **colonization**
اِستعمار کردن to colonize
اِستعمال /ع./ **using, application**
اِستعمال کردن to use, to apply
استعمال دخانیات smoking
اِستغاثه /ع./ **supplication; imploration for help**
استغاثه کردن to implore for help, to supplicate
اِستغفار /ع./ **asking forgiveness**
استغفار کردن to ask forgiveness

استغفرالله! /ع./ **God forbid!, not at all!;** [*o.s.*] **I ask God to forgive me!**

اِستغناء /ع./ **showing ability to do without; independence; disdain**

اِستغناء، استغنای طبع magnanimity

اِستفاده /ع./ (making) **use, utilization;** [*infml.*] **profit**

استفاده کردن از to make use of, to utilize, to profit by

مورد استفاده قرار دادن to utilize

از حسابی استفاده کردن to operate an account

سوء استفاده کردن از to abuse; to take advantage of

قابل استفاده utilizable

غیرقابل‌استفاده unutilizable, useless

مرخصی با استفاده از حقوق leave with pay

استفاده‌جو /ع. فا./ **profiteer**

استفاده‌چی /ع.ت./ = استفاده‌جو

اِستفتاء /ع./ **seeking advice on a legal *or* religious matter**

اِستفراغ /ع./ **vomiting**

استفراغ کردن to vomit

اِستفسار /ع./ **inquiry, questioning**

اِستفسار کردن to make enquiries, to ask questions

استفسار کردن از to ask, to inquire of

اِستفهام /ع./ **interrogation**

استفهامی /ع./ **interrogative**

اِستقامت /ع./ **perseverance**

استقامت کردن to persevere, to keep *or* hold on; to be constant

اِستقبال /ع./ **going to meet**

استقبال کردن (از) to welcome, to receive gladly

به استقبال کسی رفتن to go to meet someone

اِستقراء /ع./ **inductive reasoning; a posteriori reasoning**

اِستقرار /ع./ **settlement; rehabilitation**

اِستقراض /ع./ **receiving a loan**

بانک استقراضی loan bank

سهم استقراضی bond, debenture

اِستقراع /ع./ **balloting;** ← قرعه‌کشی

اِستقرائی /ع./ **inductive**

استقصاء /ع./ **deep investigation**

اِستقطاب /ع./ **polarization**

اِستقلال /ع./ **independence**

استکان /ر./ **small glass** (for tea)

گُل استکان campanula, bell-flower

اِستکتاب /ع./ **asking** (a person) **to write with a view to verifying his handwriting**

اِستکشاف [کمیاب] /ع./ **exploration, discovery**

اِستلقاء /ع./ **decubitus** (dorsal)

اِستماع /ع./ **hearing**

استمالت /ع./ = دلجویی

اِستمداد /ع./ **seeking help**

استمداد کردن to seek help

اِستمرار /ع./ **continuation**

استمراری /ع./ **progressive:** ماضی استمراری

اِستمزاج /ع./ **sounding someone's inclination *or* consulting his opinion**

از کسی استمزاج کردن to ask someone's opinion, to sound him, to take his sense

اِستملاک /ع./ **acquisition of property**

اِستمناء /ع./ **masturbation**

استمهال /ع./ **asking for a respite**

معاملات استمهالی credit transactions

استن /فر./ **acetone**

اِستناد /ع./ **supporting oneself** (by a document)

اِستناد کردن به to rely on; to invoke: به مادهٔ دوم استناد کردند

به‌استنادِ on the strength of

اِستنباط /ع./ **inference, presumption**

استنباط کردن to infer, to gather, to deduce

اِستنتاج /ع./ **drawing a conclusion**

استنتاج کردن to draw a conclusion, to conclude

اِستنساخ /ع./ **transcription multiplication of copies**

استنساخ کردن از to copy; to make copies of

اِستنشاق /ع./ **inhalation; snuffing, drawing up through the nostrils**

استنشاق کردن از to inhale, to breathe in; to smell

اِستنطاق /ع./ **interrogation, cross-examination**

اِستنطاق کردن to interrogate

اِستنکاف /ع./ **refusal**

از رفتن استنکاف کرد. ***He refused to go.***

اِستواء، خط استواء /ع./ **equator**

استوار **firm, solid;** [*n.*] **warrant officer**

اُستوار کردن to make firm *or* solid

اِستوارنامه **credentials**

اُستوانه **cylinder**

استوانه‌ای cylindrical
استودیو /فر./ studio
استهزاء /ع./ derision
استهزاءکردن to mock, to scorn
اِستهلاک /ع./ amortization; depreciation
اِستجاری /ع. فا./ (that is to be) rented
اِستیصال /ع./ extreme poverty
اِستیضاح /ع./ interpellation
استیضاح‌کردن از to interpellate
اِستیفاء /ع./ demanding the fulfilment of a promise *or* the settlement of a debt
استیفای حقوق vindication of rights
اِستیلاء /ع./ domination, ascendancy
استیلن /فر./ acetylene
اِستیناف /ع./ appeal
اِستیناف دادن to go to appeal, to appeal to a higher court
محکمهٔ استیناف Court of Appeal
استینافی /ع./ appellate
اَسد /ع./ lion; the Leo; ← شیر
اَسدالله [اسم‌خاص] /ع./ [*o.s.*] lion of God
اُسراء [جمعِ اسیر]
اَسرار [جمعِ سرّ] /ع./ secrets
اسرارآمیز /ع.فا./ mysterious
اِسراف /ع./ lavishment, prodigality
اسراف کردن to lavish, to be wasteful *or* prodigal
اسرائیل /ع./ Israel
اسرائیلی /ع./ Israeli; Israelite
اَسرع [کمیاب، صفت تفضیلی سریع] /ع./ quicker
به اسرع اوقات at the earliest possible time
اسطخر = استخر

اسطخودوس، اسطوخودوس /ع. ی./ spike lavender
اُسطرلاب ← استرلاب
اُسطقس /ع. ی./ [*rare*] element; [*rare*] temperature; [*infml.*] stoutness
اسطوانه = استوانه
اَسعار [جمعِ سِعر] /ع./ = ارز foreign exchange
سعر price
اَسعد [کمیاب، صفت تفضیلی سعید] /ع./
اَسف /ع./ regret, sorrow
اسفالت /فر./ asphalt
اسفالت کردن to asphalt, to lay with asphalt
اسف آور /ع. فا./ = اسفناک
اسفار [جمعِ سفر]
اسفرزه، اَسپرزه fleawort
اَسفل [کمیاب، جمع: اسافل، صفت تفضیلی سفیل، مؤنث: سُفلی] /ع./ lower *or* lowest, inferior
اسافل ناس the dregs of society, the low classes
اِسفناج spinach, spinage
اسفناج رومی، اسفناج کوهی mountain spinach
اسفناج صحرایی wild spinach, good-henry
اسفناک /ع. فا./ deplorable; regrettable
اِسفنج /ع. ی./ sponge
اِسفنجی /ع./ spongy
اسفند[1] [twelfth month having 29 or 30 days]
اسفند[2] wild rue
اسفندیار [اسم‌خاص]
اِسقاء /ع./ [*rare*] giving a drink to; impregnation
اِسقاء کردن to impregnate; to give a drink to
اِسقاط[1] /ع./ waiving, relinquishing

اسقاط کردن to waive
اسقاط جنین abortion
اسقاط حق [*law*] waiver
اِسقاط[2] /ع./ [*infml.*] scrapped; dilapidated
اُسقف [جمع: اساقفه] /ع. ی./ bishop
اُسقفی /ع./ episcopal; [*n.*] bishopric
اِسکات /ع./ silencing; convincing
اِسکان /ع./ settling
اِسکلت /فر./ = استخوان‌بندی
اِسکله [از ریشه ای.] jetty
اِسکناس /ر. فر./ banknote
اِسکندر Alexander
اِسکندریّه Alexandria
اِسکنه (mortise) chisel
اِسکنه‌ای chisel-like, scalpriform
پیوند اسکنه‌ای chink-grafting, cleft-grafting
اسکی /فر./ ski
اسکیت /ان./ roller skate
اسلاف [جمعِ سلف]
اِسلام /ع./ Islam, Mohammedanism; [*o.s.*] submitting to God's will
اَسلحه [جمعِ سلاح] /ع./ weapon(s), arm(s)
اسلحهٔ گرم firearms
اسلحهٔ سرد weapons other than fire-arms
اسلحهٔ کمری side-arms
اسلحه‌سار /ع. فا./ armourer
اُسلوب [جمع: اسالیب] /ع./ method
اِسم [جمع: اسماء، اسامی] /ع./ name; [*gram.*] noun
اِسم بردن to name, to mention
اسم شب watchword
اَسماء [جمعِ اسم]

اِسماً /ع./ **nominally**

اِسمعیلیه /ع./ **the Assassins**

اِسم‌گذاری /ع. فا./ **christening, giving a name to** (a child)

اسمنجونی [کمیاب] **hyacinth**

اسم‌نویسی /ع. فا./ = نام‌نویسی

اِسموکینگ /فر. ان./ **dinner-jacket, tuxedo** [U.S.]

اِسمی[1] /ع./ **nominal**

بهای اِسمی nominal value, face value

اِسمی[2] /ع./ **substantive**

اسمی[3] [عامیانه] /ع./ **famous**

اَسناد [جمع سند]

اِسناد /ع./ **attribution, ascription; imputation**

اِسناد کردن to attribute *or* ascribe

اَسنادی /ع. فا./ **documentary**

اَسواران [*mil.*] **troop**

اَسود [کمیاب] /ع./ = سیاه

اسهال /ع./ **diarrhoea**

اسهال خونی bloody flux, dysentery

اسهالی /ع. فا./ **diarrhetic**

اَسهام /ع./ = سهام

اَسهل [کمیاب، صفت تفضیلی سهل] /ع./

اسید /فر./ **acid**

اسیدفنیک /فر./ **carbolic acid**

اَسیر [جمع: اُسراء] /ع./ **captive**

اسیر شدن to be taken captive

اسیر کردن to take captive, to reduce to captivity

اسیری /ع. فا./ = اسارت

اَش، ـَ ش **his, her, its** [affixed to a word ending in mute ه: خانه‌اش]

اِشارات [جمع اشارت، اشاره]

اِشارپ /فر./ **scarf**

اشارت [ادبی] /ع./ = اشاره

اِشاره [جمع: اشارات] /ع./ **pointing with the finger; beckon; hint, allusion; sign, indication; reference**

اِشاره کردن to point; to make a sign; to beckon; to hint, to allude; to refer

ضمیر اشاره demonstrative pronoun

صفت اشاره demonstrative adjective

اِشاعه /ع./ **publication, propagation**

اشاعه کردن to propagate, to spread about; to divulge

اشباح [جمع شبح]

اِشباع /ع./ **saturation**

اِشباع کردن to saturate; to impregnate

به‌حدّ اشباع to satiety, fully

اُشبل، اشپل **caviar(e)**

اِشپیل = اشپل

اشپیل /ر./ **split pin**

اشتالنگ **astragalus**

اِشتباه [جمع: اشتباهات] /ع./ **error, mistake**

اشتباه است ***it is a mistake; it is wrong***

در اشتباه انداختن to lead into an error

۵۰ ریال اشتباه حساب دارم. I am 50 rials out.

اشتباه کردن to make a mistake *or* an error

اشتباهاً /ع./ **by mistake, erroneously**

اشتباه‌کاری /ع. فا./ **misrepresentation**

اشتباهی /ع. فا./ **erroneous**

اشتداد [کمیاب] /ع./ **aggravation**

اُشتر [ادبی] = شتر

اِشتراء [کمیاب] /ع./ = خریداری

اِشتراک /ع./ **participation; partnership; subscription**

اشتراک مساعی cooperation

بالاشتراک = اشتراکاً

اشتراکاً /ع./ **in common, jointly, in partnership**

اشتراکی /ع./ **held in common; communal; communistic;** [*n., rare*] **communist**

اشتعال /ع./ **inflammation;** [*fig.*] **enthusiasm, ardour**

اِشتغال /ع./ **employment, occupation**

اشتغال به تحصیل دارد. He is studying.

اشتغال ورزیدن به to occupy oneself with, to address oneself to

اِشتقاق /ع./ **derivation**

اُشتلم [کمیاب] = زور **violence, force**

اِشتها /ع./ **appetite**

به اِشتها آوردن to give an appetite to

اشتها صاف کردن [عامیانه] to whet the appetite

اشتهاآور /ع. فا./ **appetizing;** [*n.*] **appetizer**

اِشتهار /ع./ **renown, notoriety; publicity**

به‌چیزی اشتهار داشتن to be famous *or* notorious for something

اِشتیاق /ع./ **eagerness, anxiousness, ardent desire**

اشجار [جمع شجر]

اشخاص [جمع شخص]

اشدّ [صفت تفضیلی شدید]

اَشرار [جمع شریر] /ع./ **insurgent people**

اَشراف [جمع شریف] **nobles; aristocrats**

حکومت اشراف aristocracy

اشرافی /ع. فا./ **aristocratic**
اشراق /ع./ **illumination; intuition**
اشـرف [اسم‌خاص، صفت تفضیلی شریف] **nobler** *or* **noblest**
جناب اشرف! His (*or* Your) Excellency
اشرفی /ع. فا./ [gold coin originally worth 10 "rials"]
گل اشرفی calendula
اَشعار [جمعِ شعر]
اِشعار /ع./ **stating**
اِشعار داشتن to state *or* advise
اشعه [جمعِ شعاع]
اِشغال /ع./ **occupation**
اِشغال کردن to occupy
ارتش اِشغالی army of occupation
اشفاق /ع./ **pitying; sympathy**
اُشق [از فا. اشه] /ع./ **Persian ammoniac, gum ammoniac**
اَشقیاء [جمعِ شقی]
اَشک **tear(s)**
اِشکاف /ر./ **wardrobe**
اشکال [جمعِ شکل]
اِشکال [جمع: اشکالات] /ع./ **difficulty**
اِشکال تراشیدن to make difficulties, to obstruct
اِشکال کردن to make *or* point out difficulties
اشکال‌تراشی /ع. فا./ **creating** *or* **making difficulties**
اشک‌آور **lachrymatory**
گاز اشک‌آور lachrymatory gas, tear gas
اشک‌بار، اشک‌ریز **shedding tears, tearful**
اشکلک **pilliwinks, thumbscrew**
اشکلک دادن، اشکلک کردن to torture by pilliwinks *or* the like

اشکنه [broth with eggs]
اُشکوب، آشکوب **storey, floor**
اشکوب اول ground floor
اشکوب دوم first floor
اِشمئزاز /ع./ **disgust, horror,** [*o.s.*] **shrink**
اُشنان **common soda-plant, salsola soda**
اُشنه **treemoss**
اشهد بالله /ع./ **I call God to witness; indeed**
اشیاء [جمعِ شیء]
اِصابت /ع./ **hitting; falling;** [*disease*] **attack**
اِصابت‌کردن به to hit; to attack
قرعه به نام من اصابت کرد. The lot fell upon me.
اِصالت /ع./ **genuineness; noble birth;** (acting on) **one's own behalf**
اِصالتاً /ع./ **in one's own right, on one's own behalf**
اَصحاب [جمعِ صاحب] /ع./ **possessors; those endowed** (with)
اصحاب دانش learned men
اصحاب کهف ← کهف
اصحاب دعوی parties to a dispute
اِصرار /ع./ **insistence, urging**
به من اصرار کرد. *He insisted on me.*
اصطبل /ع. ی./ = طویله
اِصطخر = استخر
اصطرلاب /ع. ی./ = استرلاب
اِصطکاک /ع./ **friction; conflict; clash**
اِصطلاح [جمع: اصطلاحات] /ع./ **term; terminology; idiom, collocation; acceptation**
اصطلاح کردن to accept *or* use conventionally

به اصطلاح می‌خواست زرنگی کند. He wished to be what we call clever.
مجلسِ به‌اصطلاح ملی the so-called National Assembly
اصطلاحاً /ع./ **in** (technical) **terminology; idiomatically**
اِصغاء /ع./ **listening**
اِصغاء کردن to listen; ← گوش کردن
اَصغر [اسم‌خاص، صفت تفضیلی صغیر] /ع./ **smaller, minor**
اَصفر /ع./ = زرد
اصفیاء [جمعِ صَفی] /ا./ **the chosen**
اَصل [جمع: اصول] /ع./ **origin; element; principal; basis; original** (copy); [*o.s.*] **root;** [*adj.*] **genuine, real; original**
از اصل originally; to begin with
اصل حقوق basic salary
ایرانی‌الاصل of Iranian extraction *or* origin
اصلاً /ع./ **originally; at all:** اصلاً خوب نیست ; **to begin with**
اِصلاح [جمع: اصلاحات] /ع./ **amendment; correction; improvement; reform; adjustment; redressing; reconciliation; haircut** *or* **shave, dressing the hair** *or* **shaving the beard**
اصلاح کردن to amend; to correct; to improve; to reform; to adjust; to clear up; to make peace; to make it up; to shave; to cut (another's) hair *or* to have one's hair cut
قابل اصلاح = اصلاح‌پذیر

غیرقابل اصلاح = اصلاح ناپذیر

اصلاح‌پذیر /ع. فا./ **corrigible; amendable; reformable; adjustable; reconcilable**

اصلاح‌طلب /عف./ **reformist;** [*adj.*] **who seeks to reform**

اصلاح‌ناپذیر /ع. فا./ **incorrigible; irreconcilable**

اصلاحی /ع. فا./ **amendatory; reformatory**

اصل‌السوس /ع./ **liquorice root**

اَصلح [کمیاب، صورت تفضیلی صالح] /ع./ **better; more advisable**

اَصله [کمیاب] /ع./ **single root** [used only in counting trees and the like]

سه اصله درخت three trees

اصلی /ع./ **original; fundamental, basic; main;** [*gram.*] **cardinal:** عدد اصلی

اَصمّ [کمیاب] /ع./ **deaf;** → کر

جذر اصم surd

اصناف [جمعِ صنف]

اصنام [جمعِ صَنَم]

اِصوات [جمعِ صوت]

اُصول [جمعِ اَصل] /ع./ **elements, principles; doctrines; method(s); basic principles of jurisprudence**

موافقتِ اصولی agreement in principle

اصولاً /ع./ **in principle**

اَصیل /ع./ **of noble birth, trueborn; full-blooded**

اِضاعه /ع./ **wasting, spoiling**

اِضافه[1] [جمع: اضافات] /ع./ **addition; annexation; excess**

اِضافه بر in addition to, on top of; in excess of

به اضافهٔ plus, in addition to

اِضافه[2] /ع./ [*gram.*] **relation of a noun to the genitive case *or* the adjective following it; the sign «ـِ» which expresses such relation**

اِضافه کردن to add, to annex; to increase; to connect (to the genitive case *or* to an adjective)

حالت اضافه the case of a noun governing the genitive, the possessive case

اضافه‌بار /ع. فا./ **excess luggage**

اضافه‌حقوق /عف./ **salary increment**

اضافه کار(ی) /ع. فا./ **overtime work**

اضافی /ع./ **additional**

اَضحیٰ /ع./ = قربانی **sacrifice**

عید اضحیٰ = عید قربان

اضداد [جمعِ ضد]

اِضطراب /ع./ **agitation; disturbance of mind**

اِضطرار /ع./ **distress; constraint; helplessness; emergency**

اضطراراً /ع./ **under necessity**

اضطراری /ع./ **compulsory, constrained; motivated by indigence *or* necessity**

اضلاع [جمعِ ضلع]

اِضمحلال /ع./ **overthrow**

اِطاعت /ع./ **obedience**

اطاعت کردن to obey

اُطاق /ت./ **room; chamber;** [*bus, motor car*] **body**

اِطاله [کمیاب] /ع./ **stretching**

اطالهٔ لسان = زبان‌درازی

اطباء [جمعِ طبیب]

اِطر، اتر /فر./ **ether**

اطراف [جمعِ طرف] /ع./ **sides; suburbs**

در اطرافِ around; [*fig.*] about

ملاحظهٔ اطراف کار circumspection

اطراف سافله lower extremities

اطراف عالیه upper extremities

اطرافی /ع. فا./ **outsider; by-stander**

اطرافیان [جمعِ اطرافی] **associates**

اُطریش /فر./ **Austria**

اطریشی /فر. فا./ **Austrian**

اِطعام /ع./ **feeding**

اِطعام کردن to feed

اطعمه [جمعِ طعام]

اِطفاء /ع./ **extinguishing**

اِطفاء کردن = خاموش کردن

اطفال [جمعِ طفل]

اطفائیه [مؤنثِ اطفائی، از اطفاء] /ع./ **fire station; fire fighting;** → آتش‌نشانی

اِطلاع [جمع: اطلاعات] /ع./ **information, news**

اِطلاع دادن (به) to inform; to advise

اِطلاع یافتن to be informed, to come to know

به‌اطلاع کسی رساندن to bring to the notice of someone

بدین وسیله به اطلاع عموم می‌رساند the public are hereby notified

به‌قرارِ اطلاع we understand that

اطلاعاً /ع./ **for** (your, his, etc.) **information**

اطلاع‌نامه /ع. فا./ **prospectus**

اِطلاق /ع./ **release; (general) application; relaxation; diarrhoea**

اطلاق بی‌اندازه از مسهل superpurgation

اطلاق کردن to apply (generally *or* absolutely); to loosen, to release; to relax

علی‌الاطلاق absolutely, generally

قادر علی‌الاطلاق the Almighty *or* Omnipotent

اطلس [1] /ع./ **satin**

اطلس [2] /ع. ی./ **Atlas**

اقیانوس اطلس The Atlantic Ocean

اطلسی /ع./ (made of) **satin; satin-like**

گل اطلسی petunia

اِطمینان /ع./ **confidence; assurance; safety**

دریچهٔ اِطمینان safety valve

اِطمینان دادن (به) to assure, to warrant

اطمینان داشتن to be sure, to trust

اطمینان داشتن به to have confidence on

قابل اطمینان reliable

غیرقابل اطمینان unreliable

اطناب /ع./ **prolixity, verbosity**

اطناب کردن to be verbose

اطو، اتو [از ت. اوتی] **iron, flatiron, press iron**

اطو کشیدن، اطو کردن to iron; to press

از اطو افتاده است. ***It needs ironing* or *pressing*.**

از اطو انداختن to crumple

اطوار [جمعِ طور] /ع./ **manners; mannerism; coquettish moods**

اطوار در آوردن [عامیانه] to grimace; to act coquettishly; to put on an act; to tease

اطواری /ع. فا./ **who has coquettish moods *or* makes a wry face;** → اطوار

اطوکش **presser**

اطوکشی **pressing and ironing**

ماشین اطوکشی hoffman's press

اظهار [جمع: اظهارات] /ع./ **expressing, manifesting; statement; declaration**

اظهار کردن، اظهار داشتن to state; to declare; to express

اظهارکننده /ع. فا./ **declarer**

اظهارنامه /ع. فا./ **declaration, declaration form**

اظهاریه /ع./ **statement** (of claim); **declaration**

اظهرمن‌الشمس /ع./ **too obvious *or* clear;** [*o.s.*] **clearer than the sun**

اِعاده /ع./ **giving back, returning; re-establishment**

اعادهٔ اعتبار rehabilitation (of a discredited person *or* of a bankrupt)

اعادهٔ ذکر = تکرار

اعاشه /ع./ **providing means of subsistence for, sustaining**

اعاشه کردن to provide with means of subsistence, to support

اعاظم [جمع اعظم]

اعانت [1] /ع./ **assistance**

اعانت [2] [کمیاب] /ع./ = اعانه

اعانه /ع./ **relief fund, charitable contribution**

اعتاق [کمیاب] /ع./ **emancipation, redemption**

اِعتبار [جمع: اعتبارات] /ع./ **credit solvency, good standing; esteem, weight; validity; example, lesson**

به اعتبارِ on the strength of, relying on; in respect of

بهای اعتباری nominal *or* face value

اعتبارنامه [1] /ع. فا./ **letter of credit**

اعتبارنامه [2] /ع./ = استوارنامه

اعتدال /ع./ **temperance; equinox**

به‌اعتدال moderately

اعتدالی [جمع: اعتدالیون] /ع./ **moderate** (politician)

اعتدالین [تثنیهٔ اعتدال] /ع./ **the two equinoxes**

اعتذار [کمیاب] /ع./ = عذرخواهی

اِعتراض [جمع: اعتراضات] /ع./ **objection; protest**

اِعتراض کردن to object, to take exception; to protest

اعتراف [جمع: اعترافات] /ع./ **confession**

اعتراف کردن to confess, to admit, to acknowledge

از کسی اعتراف گرفتن to confess a person

اعتزاز [کمیاب] /ع./ = عزت، بزرگی

اعتزال /ع./ **schism; abdication**

اعتزالی /ع./ **schismatic(al)**

اِعتصاب /ع./ **strike**

اِعتصاب کردن to strike, to go on strike

اعتقاد /ع./ **belief**

به کسی اعتقاد آوردن to believe in someone

اعتقاد کردن to believe

اعتقادنامه /ع. فا./ **credo, creed**

اعتکاف [کمیاب] /ع./ = گوشه‌نشینی

اعتلاء [کمیاب] /ع./ **exaltation**

اِعتماد /ع./ **confidence, trust, reliance**

اِعتماد به نفس self-reliance

به کسی اعتماد کردن to rely on someone

قابل اعتماد reliable, trustworthy

غیرقابل اعتماد unreliable

عدم اعتماد lack of confidence, distrust

اِعتنا /ع./ **heed, attention**

به کسی اعتنا کردن to take notice of *or* pay attention to a person

اعتیاد /ع./ **addiction**

اعجاب /ع./ **admiration**

اِعجاز /ع./ **miracle**

اعجاز کردن to work a miracle

اَعجب [کمیاب، صفت تفضیلی عجیب] /ع./

اعجم [کمیاب] /ع./ **who does not speak *or* write Arabic idiomatically, barbarian**

اُعجوبه /ع./ **prodigy** (of a specified thing)

اعداء [جمع عدو]

اعداد [جمع عدد]

اِعدام /ع./ **execution**

اعدام کردن to execute, to put to death

اَعراب [جمع اعرابی]

اِعراب /ع./ (change in) **the final vowel of an Arabic word**

اَعرابی [جمع: اعراب] /ع./ **nomadic Arab, bedouin**

اَعراض [جمع عرض] /ع./

اِعراض /ع./ [*rare*] **turning away the face; opposition; worry**

اِعراض کردن to turn away the face; to worry (oneself)

اعراف /ع./ **wall between hell and paradise; purgatory**

اعرج [کمیاب] /ع./ = لنگ **lame**

اعزاز /ع./ **honour; holding dear**

اِعزام /ع./ **despatch**

اِعزام داشتن to despatch *or* send

اعزامی /ع. فا./ **despatched; to be despatched**

اعسار /ع./ **insolvency**

اعشار [جمع عشر] /ع./ **decimals**

اعشاری /ع. فا./ **decimal**

اعصاب [جمع عصب]

اعصار [جمع عصر]

اعضاء [جمع عضو] /ع./

اِعطاء /ع./ **granting**

اِعطاء کردن to grant; to award; to invest with

اعطائی **granted; dative**

اَعظم [صفت تفضیلی عظیم، جمع: اعاظم، مؤنث: عُظمی] /ع./ **greater *or* greatest; grand**

اعقاب [جمع عقب] /ع./ **posterity, descendants**

اعقل [کمیاب، صفت تفضیلی عاقل]

اعلا ← اعلی

اِعلاء [کمیاب] /ع./ **exalting**

اِعلام /ع./ **announcement, proclamation**

اِعلام کردن، اِعلام داشتن to announce, to proclaim

اَعلام [جمع علم] /ع./ **standards,** [*rare*] **flags**

علمای اعلام the distinguished Ulema

اعلامیه /ع./ **manifesto, statement, advice**

اعلان [جمع: اعلانات] /ع./ **notice, advertisement; proclamation**

اعلان کردن to advertise; to publish a notice (for), to notify

اعلم [کمیاب، صفت تفضیلی عالم] /ع./ **more *or* most learned**

اعلیٰ [صفت تفضیلی عالی] /ع./، اعلا **of superior quality, extra, super, champion**

اعلیحضرت /ع./ **His Majesty**

اعلیحضرت اقدس همایونی His Majesty the Shah

اعلیحضرتین [تثنیهٔ اعلیحضرت] /ع./ **Their Majesties**

اَعمّ [صفت تفضیلی عام] /ع./ **more *or* most common; general, generic:** معنی اَعَم

اَعمّ از مرد و زن both men and women

اعماق [جمع عمق]

اَعمال [جمع عمل] /ع./ **acts, deeds**

اِعمال /ع./ **exercising, using**

اِعمال زور using force, exertion of force

اِعمال نظر showing partial views

اعمال کردن to use; to exert

اعمام [جمع عم] /ع./

اعمی /ع./ = کور

اعوان [جمع عون]

اعوَج [کمیاب] /ع./ = کج

اعوجاج [کمیاب] /ع./ = کجی، پیچ و خم

اعوذُبالله /ع./ **I take refuge in God;** ← استغفرالله

اَعوَر /ع./ **one-eyed;** [*n.*] **blind gut, coecum**

ضمیمهٔ اَعوَر vermiform appendix

اعیاد [جمع عید]

آعیان [جمعِ عین] /ع./ **nobles, dignitaries; standing property, superstructure**
مجلس اعیان House of Lords
اعیانی[1] /ع. فا./ **luxurious,** [*infml.*] **aristocratic**
اعیانی[2] /ع. فا./ [*n.*] **luxurious life**
اعیانی[3] /ع. فا./ ← اعیان
اغبرار [کمیاب] /ع./ **dustiness**
اغبرار خاطر = رنجش
اِغتشاش /ع./ **disturbance, disorder, riot**
اِغتشاش کردن to cause a disturbance *or* riot
اغتنام /ع./ **seizing;** [*rare*] **regarding as a booty**
اغتنام فرصت seizing an opportunity
اغذیه [جمعِ غذا]
اغراض [جمعِ غرض]
اغراق /ع./ **exaggeration**
اغراق گفتن to exaggerate
اغراق آمیز /ع. فا./ **exaggerated**
اغراق آمیز کردن to exaggerate, to magnify
اغشیه [جمعِ غشاء]
اِغضاب /ع./ **provocation**
اغفال کردن /ع. فا./ **to take advantage of the inadvertence of, to delude**
اغلاط [جمعِ غلط]
اَغلب [صفت تفضیلی غالب] /ع./ **most, the most part**
اغلب اوقات most of the time, very often
اِغماء /ع./ **coma, swooning**
اِغماض /ع./ **connivance; indulgence**
اِغماض کردن to connive at, to tolerate
قابل اغماض tolerable, negligible

اغنیاء [جمعِ غنی]
اِغوا /ع./ **temptation; persuasion**
اغوا کردن to tempt *or* seduce; to persuade
اِغیار [جمعِ غیر]
اُف! [ادبی] **fie!**
افادت /ع./ **conveying** (a meaning)
افاده /ع./ **conveying:** ; افادهٔ معنی **explanation; expression; causing to benefit;** [*infml.*] **pride** *or* **vainglory**
با افاده haughty, [*adv.*] haughtily
افاده کردن to convey, [*lit.*] to express; to boast, to give oneself airs
افاضل [جمعِ افضل]
افاضه /ع./ **diffusion; effusion; pouring out**
افاعی [جمعِ افعی]
افاغنه [جمعِ افغان، /ع./]
اِفاقه /ع./ **improvement in health, convalescence; margin of hope**
افاقه‌ای نمی‌بخشد It doesn't do much good
افانین [کمیاب، جمعِ فنّ، افنان] /ع./ **branches;** [*fig.*] **ways**
افت [*rare*] **fall(ing);** [*fig.*] **subsidence;** (shortage on account of) **impurities;**
افتادن ←
اِفتادگی **humility; omission**
اُفتادن [بن مضارع: افت] **to fall; to be omitted; to happen,** [*lit.*] **to happen to be**
افتان و خیزان falling and rising; [*rare*] in violent trepidation
افتاده[1] [اسم مفعول فعل افتادن] **fallen; omitted;** [*fig.*] **humble, prostrate, meek**

افتاده[2] [جمع: افتادگان] /ا./ **humble** *or* **oppressed person, underdog**
اِفتتاح /ع./ **opening, inauguration**
افتتاح کردن to inaugurate
افتتاحی /ع./ **Inaugural**
افتخار [جمع: افتخارات] /ع./ **honour**
افتخار کردن به to pride oneself on, to be proud of, to glory in
به افتخارِ in honour of
افتخاراً /ع./ **honorarily**
افتخاری /ع./ **honorary**
افتراء /ع./ **calumny, slander**
افتراء زدن به to calumniate
افتراآمیز /ع. فا./ **calumniatory, scandalous**
اِفتضاح /ع./ **disgrace, scandal**
افتضاح در آوردن to cause a disgrace; to bring disgrace on oneself
افتضاح آمیز، افتضاح آور /ع. فا./ **disgraceful, shameful**
افتکاک /ع./ **separation**
افخم [صفت تفضیلی فخیم]
اَفرا **maple**
افراختن = افراشتن
افراد [جمعِ فرد]
اِفراد [کمیاب] /ع./ **using in the singular**
اِفراد و جمع [*gram.*] number
اَفراز [بن مضارعِ افراشتن]
اِفراز /ع./ **separating; partition**
اِفراز کردن to divide, to partition
قابل افراز partible
افراسیاب [اسم خاص]
افراشتگی، افراختگی **exaltation**

افراشتن [بن‌مضارع: افراز] **to elevate, to exalt; to hoist**
افراشته **exalted; hoisted**
نیمه افراشته at half-mast
اِفراط /ع./ **extravagance; excessiveness**
افراط کردن to be extravagant; to take an extreme course
اِفراط و تفریط going to extremes
به‌حد افراط رساندن to carry to excess
افراط کار /ع. فا./ **wasteful**
افراطی /ع. فا./ **extremist**
افروختگی **blaze, being aflame;** [*fig.*] **excitement**
افروختن [بن‌مضارع: افروز] **to kindle; to burn;** [*fig.*] **to provoke**
افروخته [اسم‌مفعول فعل افروختن]
افروز [بن‌مضارعِ افروختن]
افروزش **ignition**
افریقا(ئی) **Africa(n)**
افزا، افزای [بن‌مضارعِ افزودن]
افزار[1] **spices**
افزار[2] = ابزار
افزارمند **artisan**
افزایش **addition; increase**
افزایش یافتن to be increased
افزاینده **increasing; crescent;**[*n., rare*]**augmenter**
افزودن [بن‌مضارع: افزا(ی)] **to add; to increase, to augment;** *vi.* **to be increased; to grow**
افزوده **increased; added**
افزون [*rare*]**increased;** [*lit.*]**more**
افزون از more than, exceeding
افزون شدن to be increased, to grow
افزون شدن از to exceed
افزونی **excess**

افساد /ع./ **corrupting; demoralizing; doing mischief**
اَفسار **bridle**
اَفسار کردن to bridle
افسارگسیخته **unrestrained, libertine**
افسانه **fable, myth; by-word**
افسد [صفت تفضیلی فاسد] /ع./ **more corrupt; worse**
دفع فاسد به افسد elimination of an evil by a worse evil
اَفسر **officer;** [*lit.*]**crown**
افسردگی **dejection, depression;** [*o.s.*]**congelation**
افسردن [کمیاب] **to freeze, to congeal;** [*fig.*]**to be depressed**
افسرده **dejected, depressed; disappointed;** [*o.s.*]**frozen**
افسرده‌خاطر /فا.ع./، **افسرده‌دل** **downhearted, depressed**
افسری **officer's rank**
دانشکدهٔ افسری officers' college
افسنطین /ع. ی./ **wormwood**
عرق افسنطین absinth(ium)
افسوس **regret;** [*interj.*]**alas!**
افسوس خوردن to regret
افسوس که it is to be regretted that
افسون **incantation, charm**
افسون خواندن to utter a spell
افسون کردن to enchant, to conjure
افسونگر **enchanter; magician**
اِفشاء /ع./ **revealing, disclosing**

اِفشاء شدن to be disclosed, to leak out
افشاء کردن to disclose
افشار [بن‌مضارعِ افشردن]
افشان [بن‌مضارعِ افشاندن]
افشاندن [بن‌مضارع: افشان] **to scatter; to sow; to sprinkle; to shake off; to brandish**
افشانده **scattered; sown**
افشردن [بن‌مضارع: افشار] **to press; to squeeze** (out)
افشرده [اسم‌مفعول فعل افشردن] **pressed; squeezed**
افشره **expressed juice, (lemon) squash *or* the like**
افصح [کمیاب، صفت تفضیلی فصیح]
افضل [صفت تفضیلی فاضل] /ع./ **more learned; better; predominant**
افضل از better than, superior to
افاضل [جمعِ افضل] /ا./ **learned men**
افضلیت /ع./ **superiority, preference**
افطار /ع./ **breaking one's fast**
افطار کردن to break one's fast
اَفعال [جمعِ فعل] **verbs; deeds, acts, actions**
افعی [جمع: افاعی] /ع./ **viper**
افغان[1] **groan(ing); wail(ing)**
افغان[2] [جمع: افاغنه، /ع./] **Afghan**
افغانستان **Afghanistan**
اُفق /ع./، **خط افق** **horizon;** → [جمع: آفاق]
افق حسی، افق مرئی sensible horizon
افق حقیقی rational horizon
افقا /ع./ **horizontally**
افقی /ع./ **horizontal**

افکار [جمعِ فکر] /ع./ **thoughts; opinion(s)**

افکار عمومی public opinion

مراجعه به افکارِ عمومی referendum

افکن [بن مضارعِ افکندن]

افکندگی **state of being** (over) **thrown; abjection**

افکندن [بن مضارع: افکن] **to throw; to overthrow; to project**

افکنده (over) **thrown; humiliated, abject**

افگار [ادبی] **wounded, galled; afflicted**

افگانه [کمیاب] **abortive child**

افگندگی = افکندگی

افگندن = افکندن

افگنده = افکنده

اِفلاس /ع./ = ورشکستگی؛ تهیدستی

افلاطون /ع. ی./ **Plato**

افلاطونی /ع./ **Platonic**

افلاک [جمعِ فلک]

اِفلیج /ع./ = فالج

افناء /ع./ **annihilation, destruction**

افندی /ت. ی./ **Effendi**

افواج [جمعِ فوج]

افواه [جمعِ فم] /ع./ = دهن‌ها **mouths**

در افواه است که there is a rumour that

افواهاً /ع./ **by hearsay**

اِفواهی /ع. فا./ **rumoured**

اُفول /ع./ **setting** (of stars)

اُفول کردن to set

افیون [از ریشه ی.] **opium**

اقارب [جمعِ اقرب] /ع./ **relatives**

اقاقیا /ع. ل./ **false acacia, common locust-tree**

اقاله /ع./ **rescission; cancellation**

اقاله کردن to cancel

اِقامت /ع./ **residing, staying**

محل اقامت residence

پروانهٔ اقامت residence permit

اقامتگاه /ع. فا./ **residence; domicile**

اقامه /ع./ **adducing; producing**

اقامه کردن to adduce, to raise; to produce

بر علیه کسی اقامه دعوی کردن to bring an action ***or*** lodge a complaint against someone

اقانیم [جمعِ اقنوم]

اقباض [کمیاب] /ع./ **delivering, giving delivery**

اِقبال /ع./ **fortune, luck;** [*o.s.*] **facing**

اقبح [کمیاب، صفت تفضیلی قبیح]

اقتباس /ع./ **borrowing; acquiring; extract(ion)**

اقتباس کردن to borrow; to extract, to excerpt; to acquire; to cite

اقتداء /ع./ **following an example**

اقتداء کردن به to follow ***or*** imitate

اقتدار /ع./ **power, authority**

اقتراب [کمیاب] /ع./ = نزدیکی

اقتراح [کمیاب] /ع./ **improvisation**

اقتران /ع./ **conjunction** (of stars); **association**

اِقتصاد /ع./ **economy**

مقرون به اقتصاد economical

اقتصادی /ع./ **economic**

اقتصادیات /ع./ **economics**

اقتصار /ع./ **confining oneself to little; abridgement**

اِقتضاء /ع./ **exigency, necessity, occasion; advisability**

اِقتضاء کردن to necessitate, to demand; to be expedient

لدی‌الاقتضاء when occasion arises, on occasion, as circumstances may allow

به‌اقتضای وقت on the spur of the moment

به‌اقتضای دوستی as friendship requires

اَقدام [جمعِ قدم]

اِقدام [جمع: اقدامات] /ع./ **action, measure, steps**

اقدام کردن to take action

اقدام لازم به عمل آوردن to take necessary action

اقدس [اسم‌خاص، صفت تفضیلی قدوس] /ع./

اِقرار /ع./ **confession**

اِقرار به گناهان confession of one's sins

به کسی اِقرارآوردن to believe in someone

اقرار کردن to confess

از کسی اقرار گرفتن to confess a person

اقرارنامه /ع. فا./ **affidavit**

اقران [جمعِ قرین]

اقرب [کمیاب، صفت تفضیلی قریب]

اقرباء [جمعِ قریب] /ع./ **kinsmen; relations**

اقساط [جمعِ قسط]

اقساطی [عامیانه] /ع.فا./ = قسطی

اقسام [جمعِ قسم]

اقصاء [جمعِ قصی، کمیاب] /ع./ **remote parts, extremities**

اقصر [صفت تفضیلی قصیر] **shorter *or* shortest**

اقصر طرق shortest way, bee-line

اقصی [صفت تفضیلی قاصی، کمیاب] /ع./ **farther *or* farthest**

اقطار [جمعِ قطر] /ع./ regions
اَقطیٰ /ع. ی./ common elder; elder-berry
اقلّ [صفت تفضیلی قلیل] /ع./ less *or* least
حداقل minimum
اقلاً /ع./ at least
اقلام [جمعِ قلم] /ع./
اقلیت /ع./ minority; the opposition
اِقلیدس /ع. ی./ Euclid
اِقلیم [جمع: اقالیم] /ع. ی./ [*rare*] climate; region, country; continent
اقمار [جمعِ قمر]
اقمشه [جمعِ قماش]
اِقناع /ع./ satisfying, convincing
اقنوم [جمع: اقانیم] /ع. ی./ hypostasis
اقوال [جمعِ قول]
اقوام [جمعِ قوم]
اَقویٰ [صفت تفضیلی قوی]
اقویاء [جمعِ قوی] /ع./ the strong *or* powerful, the powerful *or* influential (people)
اقیانوس /ع. ی./ ocean
اقیانوسی /ع./ oceanic
اقیانوسیه /ع./ Oceanea, Oceanica
اکابر /ع./ [جمعِ اکبر] adults; great men, nobles; ⟶
اکاذیب [جمعِ اکذوبه، کمیاب] /ع./
اکارم [جمعِ اکرم]
اکال [کمیاب، مؤنث: اکاله] /ع./ corrosive; caustic
مادهٔ اکاله corrosive
اکالیپتوس /فر./ eucalyptus
اکالیت /ع./ corrosiveness
اکباتان /فر./ Ecbatana
اکبر [اسم‌خاص، صفت تفضیلی کبیر] /ع./ [جمع: اکابر] greater *or* greatest; ⟶

اِکبیر [زبان لاتی] mangy appearance; nasty fellow
اکبیری [زبان لاتی] nasty; mangy, lousy
اکتبر /فر./ October
اِکتساب /ع./ acquisition
اِکتساب کردن to acquire
اکتسابی /ع./ acquired
اِکتشاف [جمع: اکتشافات] /ع./ discovery; exploration
اکتشاف کردن to discover; to explore
اکتشافی /ع./ exploratory
عملیات اکتشافی reconnaissance
اِکتفاء /ع./ contenting oneself
به چیزی اکتفاء کردن to content oneself with something
اکثر [صفت تفضیلی کثیر] /ع./ more *or* most; more *or* most numerous; greater *or* greatest; [*n.*] most, the most part; ⟶ اکثراً
اکثر اوقات most of the time
حداکثر maximum
اکثراً، اکثر /ع./ mostly
اکثریت /ع./ majority
با اکثریت آراء by a majority vote
از اکثریت انداختن to cause (an assembly) to lose its quorum
اکراد [جمعِ کرد، /ع./]
اِکرام /ع./ honour(ing)
اِکرام کردن to honour
اِکراه /ع./ reluctance; dislike; duress
به اکراه = اکراهاً
اکراهاً /ع./ reluctantly, underduress
اکر دو کر hopscotch
اکردئون /فر./ accordion
اکرم [اسم‌خاص، جمع: اکارم، صفتِ تفضیلی کریم] more *or* most generous; great, honourable

اکزما /فر./ eczema
اکسید /فر./ oxide
اکسیر /ع./ elixir
اکسیژن /فر./ oxygen
اکسیژنه [کمیاب] /فر./ oxygenated
آب اکسیژنه hydrogen peroxide
اکل [کمیاب] /ع./ eating
اکل از قفا doing a thing in a roundabout way
اِکلیل /ع./ bronze powder; diadem; garland
اِکلیل زدن to apply bronze powder (to)
اکلیل جنوبی Corona Australis
اکلیل شمالی Corona Borealis
اکلیل کروی sector of a sphere
اکلیل کوهی common rosemary
اکلیلی /ع./ coronary
درز اکلیلی coronary suture
اکمل [صفت تفضیلی کامل] /ع./ more *or* most perfect
اکناف /ع./ [جمعِ کنف] parts, regions, borders; ⟶
اکنون now
اکول [کمیاب] /ع./ = پرخور gluttonous; ravenous
اَکید /ع./ strict, emphatic
اکیداً /ع./ strictly
اگر if; [*lit.*] though
اگرنه otherwise *or* else, if not
اگرهم even if, even though
اگرچه although
اگیر /ت./، اگیر ترکی common sweet-flag, Asiatic calamus
اَلا! [ادبی] O!, beware!, behold!, ah!
اِلا /ع./ except, save
الا اینکه except that; only

والا otherwise, or

اُلاغ **donkey**

الاکلنگ **Spanish fly; see-saw**

الان /ع./ **just now;** [*infml.*] **presently**

الباب [کمیاب، جمعِ لُب] /ع./ **hearts, minds;** ← والالباب

الباقی /ع./ = (باقی)مانده

البته /ع./ **certainly, of course**

اَلبرز **Elburz**

البسه [جمعِ لباس]

التجاء /ع./ **taking refuge**

التذاذ [کمیاب] /ع./ **taking relish**

اِلتزام /ع./ **being bound** (over); **recognizance, undertaking**

اِلتزام دادن to give an undertaking; to be bound over

اِلتزام گرفتن از to bind over

التزامی /ع./ [*gram.*] **potential**

التصاق /ع./ **adhesion; cohesion; being affixed**

اِلتفات /ع./ **favour; attention;** [*o.s.*] **turning the face toward another**

التفات شما زیاد thank you

التفات فرمودن [*p.c.*] to give, to grant; to be good enough to...

التفات کردن to do *or* show favour; [*p.c.*] to give

التقاء [کمیاب] /ع./ **conjunction, meeting**

اِلتماس /ع./ **entreaty, supplication**

التماس کردن to entreat

التواء [کمیاب] /ع./ **twisting, contortion**

التواء قدم club-foot

التهاب /ع./ **inflammation**

التهاب آور /ع. فا./ **inflammatory**

التیام /ع./ **healing up, cicatrization;** [*fig.*] **conciliation**

التیام‌پذیرفتن to be reconciled; to heal up

التیام دادن to conciliate; to consolidate; to cause to heal up

التیام‌پذیر /ع. فا./ **reconcilable;** [*o.s.*] **that can heal up**

التیام‌ناپذیر /ع. فا./ **irreconcilable**

الجزایر **Algeria; Algiers**

الچی ← ایلچی

اِلحاح /ع./ **insisting importunately**

الحاد [کمیاب] /ع./ **atheism**

الحاصل [کمیاب] /ع./ **to sum up**

اِلحاق /ع./ **joining; annexation**

الحاقی /ع./ **annexed; supplemental**

الحال [ادبی] /ع./ = اکنون

الحان [جمعِ لحن]

الحذر! [ادبی] /ع./ **beware!**

الحق /ع./ **justly;** [ironically] **indeed**

الحمدلله /ع./ **praise be to God;** *L.* **thank you**

الخی ← ایلخی

الدنگ [زبان لاتی] **clown; unfeeling person; blockhead; coward**

الزام [جمع: الزامات] /ع./ **obligation**

الزام‌آور /ع. فا./ [*adj.*] **binding**

الزامی /ع. فا./ **obligatory**

الزم [کمیاب، صفت تفضیلی لازم] /ع./

الساعه /ع./ **just now; in a moment**

السنه [جمعِ لسان]

الشجاع /ع./ [*astr.*] **the Hydra**

اِلصاق /ع./ **affixing; attaching**

اِلصاق کردن to affix; to pin

الطاف [جمعِ لطف]

اِلغاء /ع./ **cancellation; annulment**

اِلغاء کردن to cancel, to annul

الغرض [ادبی] /ع./ **anyhow, at any rate; in a word**

الغیاث [ادبی] /ع./ **cry for help;** [*interj.*] **help!, justice!**

الف [کمیاب] /ع./ = هزار **thousand**

الفاظ [جمعِ لفظ]

الفباء /ع./ **alphabet**

به ترتیب الفباء alphabetically

الفبائی /ع. فا./ **alphabetic(al)**

الفت /ع./ **familiarity; friendship**

الفت گرفتن to become familiar; ← انس گرفتن

اِلقاء /ع./ **suggestion; infusion;** [*phys.*] **induction**

اِلقاء کردن to suggest; to inspire

القائی /ع./ [*phys.*] **inductive**

القاب [جمعِ لقب]

اِلقاح /ع./ **impregnation, fecundation; pollination**

القصه [ادبی] /ع./ **briefly stating, to make a long story short**

اَلک /ت./ **hairsieve**

اَلک کردن to sift

الکترون /فر./ **electron**

الکتریک /فر./ **electric light** *or* **current**

چراغ الکتریک electric lamp

الکتریکی /فر. فا./ **electric(al); electrically-driven**

الکل [از ع. الکحل] **alcohol**
الکحل collyrium
الکل چوب wood alcohol, wood spirit, methyl alcohol
الکل تقلیبی denatured alcohol
الکل صنعتی industrial alcohol
الکل‌سنج، الکل‌نما ← الکل **alcoholometer;**
الکلی **alcoholic; addicted to drinking alcoholic liquors**
تراز الکلی spirit level
الکن [ادبی] /ع./ [*adj.*] **stammering**
اُلگو /ت./ **pattern**
الله /ع./ = خدا **God**
الله‌الله /ع./ **for God's sake; good God!**
الله‌بختی /ع. فا./ **at random, haphazard**
الله‌یار [اسم خاص] /ع. فا./ ← الله، یار
الم [جمع: آلام] /ع./ **pain; grief**
الماس /ع. ل./ **diamond**
المپیک /فر./ **olympic**
المثنی /ع./ **duplicate** (copy)
النسق /ع./ **orion**
النگو (ring) **bracelet, bangle**
الو [عامیانه، از الاو] **flame**
الواح [جمعِ لوح]
الوار[1] **lumber**
الوار[2] [جمعِ لر، /ع./] **the Lurs, the inhabitants of Luristan**
الواط [جمعِ لوط، لوطی] /ع./ **lewd person(s); clown(s)**
الوان [جمعِ لون] /ع./ **colours;** [*adj., infml.*] **coloured**
الوداع! /ع./ **farewell!**
الوهیت /ع./ **divinity**
الویه [جمعِ لواء]
اِله /ع./ **a god; God**
اِلهام [جمع: الهامات] /ع./ **inspiration**
الهام کردن to reveal by inspiration, to inspire
الهام‌بخش /ع. فا./ [*adj.*] **inspiring**
قوهٔ الهام‌بخش muse
الهامی /ع./ **inspired**
اللهم [کمیاب] /ع./ = خدایا **O God!**
الهه [مؤنثِ اله] /ع./ **goddess**
الهی[1] /ع./ **divine**
الهی![2] /ع./ **my God!**
الهی شفا یابد. May he be cured.
الهیات /ع./ **divine matters; theology**
اِلیٰ /ع./ = تا **until, to,** (up) **to**
الیاس /ع./ **Elijah**
الیق [کمیاب، صفت تفضیلی لایق]
الیاف [جمعِ لیف]
الیکایی **wren**
الیم [کمیاب] /ع./ **painful, excruciating**
الیه [کمیاب] /ع./ **to him**
الیها [کمیاب] /ع./ **to her**
الیهم [کمیاب] /ع./ = به ایشان **to them**
اَم[1] /ض./ [affixed to a word ending in mute ه] **my:** خانه‌ام
اَم[2] /ض./ = هستم **I am**
رفته‌ام I have gone, I am going
اُمّ [کمیاب، جمع: امهات] /ع./ = مادر **mother;** [*fig.*] **source, parent**
اما /ع./ **but**
و اما (but) as to; now [introductory word]
اماثل [کمیاب، جمعِ امثل] /ع./ **equals, peers**
اُماج /ت./ **pottage with flour**
اماجد [جمعِ امجد]
امارت [جمع: امارات]، **اماره** /ع./ **indication, sign; circumstantial evidence**
امارهٔ قضائی judge-made law
اِمارت /ع./ **emirate, principality**
اَماره /ع./ **leading one by force into sin;** [*o.s.*] **imperious**
نفس اماره spirit of lasciviousness
اماکن [جمع مکان، /ع./]
ام‌الصبیان [کمیاب] /ع./ **elf; hydrocephalus of newborn children**
اِماله /ع./ **enema, injection; clyster**
امالهٔ فرنگی clysopump, injection-pump
اماله کردن to give enema to; to inject
امام [جمع: ائمه] /ع./ **Imam, pontiff**
امامت /ع./ **imamate, leadership**
امامزاده /ع. فا./ **offspring of an Imam; shrine**
اَمان /ع./ **security; safety;** (cry for) **quarter; respite**
اَمان خواستن to seek quarter
به امانِ حق good luck to you!
اَمان از دستِ who can help...?
امانات [جمعِ امانت]
اَمانت [جمع: امانات] /ع./ **honesty; trusteeship; deposit; parcel; consignment**
نزد کسی امانت گذاردن to deposit with someone
امانت نگاه داشتن to hold in trust
دفتر امانات پستی parcel post
امانت‌دار /ع. فا./ **depositary**
امانت‌فروش /ع. فا./ **commission-merchant, broker on commission**
امانت‌فروشی /ع. فا./ **sale on commission, consignment sale**

امانت‌گذار /ع.فا./ **depositor**

امانتاً /ع./ **in trust, as a deposit**

امانتی /ع. فا./ **given in trust, deposited;** [*n.*] **deposit**

وجوه امانتی trust funds

امانی /ع: فا./ **based on trusteeship; operated direct** (by the Government); **meant for sale on commission, on consignment sale**

امپراطور /ل./ **emperor**

اِمپراطوری /ل. فا./ **empire**

اُمت [جمع: امم] /ع./ **nation, people, body of believers**

اِمتثال /ع./ **complying with**

امتثالاً /ع./ **conformably**

اِمتحان /ع./ **examination; test; temptation; proof**

اِمتحان دادن to take an examination, to sit for an examination

امتحان کردن to test, to try; to examine; to try on

به شرط امتحان on trial

امتحاناً /ع./ **tentatively, by way of experiment *or* trial**

امتحانی /ع./ **experimental**

کاغذِ امتحانی examination paper

اِمتداد /ع./ **prolongation, extension**

اِمتداد دادن to extend, to prolong

اِمتداد یافتن to be extended

در امتدادِ along

اِمتزاج /ع./ **being mixed, mixture;** [*fig.*] **compatibility**

امتعه [جمعِ متاع]

اِمتلاء /ع./ **fulness; surfeit**

امتلاء معده surfeited stomach, cropsickness

اِمتناع /ع./ **refusal; abstention**

اِمتناع کردن، امتناع ورزیدن to abstain

او از رأی دادن اِمتناع ورزید.
He abstained from voting.

اِمتنان /ع./ **gratefulness; indebtedness, obligation**

اظهارِ امتنان‌کردن to express (one's) thanks

موجب امتنان خواهد بود اگر...
I shall be grateful if...

امتیاز [جمع: امتیازات] /ع./ **distinction; privilege; concession; licence**

صاحب‌امتیاز concessionaire; licence-owner

امتیازنامه /ع. فا./ **concessionary agreement, concession**

امتیازی /ع./ **concessionary**

امثال [جمعِ مَثل، مِثْل]

امثله [جمعِ مثال]

امجد [جمع: اَماجِد، صفت تفضیلی مجید] /ع./ **more *or* most glorious; nobler *or* noblest**

اِمحاء /ع./ **wiping out, effacement;** [*fig.*] **annihilation**

اِمداد /ع./ **assistance; relief**

امداد کردن to assist, to help

امدادی /ع./ **tending tœssist *or* relieve; reenforcing**

پست امدادی = تیمارگاه

مسابقهٔ امدادی relay event

اَمر[1] [جمع: امور] /ع./ **affair, matter**

وزارت امور خارجه ← خارجه

اَمر[2] [جمع: اوامر] /ع./ **order, command;** [*gram.*] **imperative**

اَمر کردن (به)، امر دادن (به) to order *or* command

امراء [جمعِ امیر]

اِمرار /ع./ **passing**

امرار وقت کردن to pass *or* idle away one's time

امرار معاش کردن to earn one's livelihood

امراض [جمعِ مرض]

امربر /ع. فا./ [*mil.*] **orderly**

امرد [ادبی، جمع: اَمارِد] /ع./ **beardless** (youth)

امرداد = مرداد

امرود[1] **fusee of a watch**

امرود[2] [کمیاب] = گلابی

امروز **to-day**

امروزه[1] **nowadays**

امروزه[2] /ص./ = امروزی

امروزی **of to-day, modern**

امری /ع./ **imperative:** وجه امری

امریکا(یی) **America(n)**

امزجه [جمعِ مزاج]

امزیک /ت./ **cigarette-holder**

اِمساک /ع./ **thrift, parsimony**

امساک کردن to be thrifty; to restrict oneself

امسال **this year**

امشب **to-night**

اِمشی /ع./ **imshi**

تلمبه اِمشی imshi sprayer

اِمضاء /ع./ **signature**

اِمضاء کردن to sign, to execute

صاحب امضاء signatory

به امضا رساندن to have signed

نامه‌ای به امضایِ a letter singed bv

امضاکنندهٔ زیر the undersinged

امضاءسازی /ع. فا./ **forgery;** [*o.s.*] **forging signatures**

امعاء [جمع معاء] /ع./ **bowels**

اِمعان، امعان‌نظر /ع./ **looking attentively**

امکان [جمع: امکانات] **possibility**

امکان داشتن to be possible

به قدر امکان as far (***or*** so far) as possible, as much as possible

در حدود امکان within possible limits

در صورت امکان if possible

عدم امکان impossibility

امکان‌پذیر /ع. فا./ **possible**

امکان‌ناپذیر /ع. فا./ **impossible**

امکنه [جمعِ مکان، /ع./]

اَمل [کمیاب، جمع: آمال] /ع./ = آرزو

اُمّل [زبان لاتی] **fogyish**

اِملاء /ع./ **spelling; dictation**

املاح [جمعِ ملح]

اَملاک [جمعِ مِلک]

املائی /ع./ **orthographic**

املح [کمیاب، صفت تفضیلی ملیح]

املیک /ت./ **newly-bornlamb**

امم [جمعِ امت]

امن /ع./ [*rare*] **security;** [*adj.,infml.*] **secure, safe, peaceful**

امنا [جمعِ امین]

امنیت /ع./ **security**

امنیه /ع./ **gendarmerie**

اموات [جمعِ میت]

امواج [جمعِ موج]

اموال [جمعِ مال]

امور /ع./ ← امر

امونیاک /فر./ (solution of) **ammonia**

امونیوم /فر./ **ammonium**

امهات [جمعِ امّ]

امهال [کمیاب] /ع./ **giving a respite**

امّی /ع./ **illiterate; uterine**

امیال [جمعِ میل]

امید **hope**

امید بستن to rely

امید بریدن [ادبی] to lose hope, to despair

امید داشتن to hope

امید است که it is hoped that

به امیدِ in the hope of

به امید شما هستم. I count on you.

امیدبخش **promising, inspiring hope, hope-giving, hopeful**

امیدوار **hopeful, expectant**

امیدوارم کامیاب شوید. ***I hope you will succeed.***

امیدواری **hopefulness**

امیر [جمع: امراء] /ع./ **emir, prince**

امیرالبحر /ع./ = دریاسالار

امیرالحج /ع./ **leader of a caravan going on pilgrimage**

امیرالمؤمنین /ع./ **commander of the Faithful: title of the Caliphs especially of Ali**

امیرنشین /ع. فا./ **emirate**

اَمین[1] /ع./ **honest**

اَمین[2] [جمع: اُمَناء] /ع./ **trustee**

امین صلح Justice of the Peace

اَن [indecent] **shit**

اِناء [کمیاب] /ع./ = ظرف

انابت /ع./ = توبه

اِناث [جمعِ اُنثیٰ] /ع./ **females, women**

اناثی [کمیاب، مؤنث: اناثیه] /ع./ **female; girls', women's**

اناجیل [جمعِ انجیل]

انار **pomegranate**

انام [ادبی] /ع./ **mankind; creatures**

اَنانیت /ع./ **egotism**

انبار[1] **warehouse, depot;** [*lamp*] **reservoir;** [*grains*] **granary**

انبار صحرائی، انبارکاه barn

انبار گمرکی bonded warehouse

انبار کردن to store; to hoard

انبار[2] [کمیاب، بن‌مضارعِ انباشتن]

انباردار **storekeeper, warehouseman**

انبارداری **warehousing**

انبارگردانی **stock-taking**

انباره **accumulator**

انباز [ادبی] = شریک **partner; companion**

انبازی [ادبی] = شریک **partnership; companionship**

انباشتگی **ful(l)ness, repletion**

انباشتن [بن‌مضارع: انبار] **to store; to fill up; to hoard**

انباشته [اسم مفعول فعل انباشتن]

انبان **scrip, leathern bag**

انبان‌شناور life-buoy

انبانچه [*anat.*] **utricle**

اَنبُر **tongs**

انبر جراحی، انبر قابلگی forceps

انبردست **pliers**

انبرک **pincers; forceps; nippers; bodkin**

اِنبساط[1] /ع./ **expansion**

قابل انبساط expansible

اِنبساط[2]، **انبساط خاطر** [*fig.*] **exhilaration; cheerfulness**

انبوه **crowded; numerous; thick; bushy:** ریش انبوه ; [*n.*] **multitude; large number**

انبوه شدن to crowd; to become thick; to luxuriate

انبوهی **abundance; bushiness; thickness; congestion**

انبه **mango**

انبیاء [جمعِ نبی]

انبیق /ع. ی./ **alembic**

انتباه [کمیاب] /ع./ **waking; vigilance**

انتحار /ع./ = خودکشی

انتحال /ع./ **plagiarism**

اِنتخاب /ع./ **selection, choice; election**

انتخاب‌کردن to select *or* choose; to elect

انتخابات [جمعِ انتخاب] /ع./ **general elections**

انتخابی [مؤنث: انتخابیه] /ع. فا./ **elective; elected**

حوزهٔ انتخابیه electorate, constituency

انتزاع /ع./ **wresting; separation; abstraction**

انتزاعی /ع./ **abstract**

انتساب /ع./ **relationdescent**

اِنتشار /ع./ **spreading; abroad, publication; circulation:** انتشار اسکناس **; rumour**

انتشار دادن to spread *or* noise abroad; to give ublicity to; to divulge; to circulate *or* issue

انتشار یافتن to be published; to be spread abroad

انتشار دارد که *there is a rumour that*

انتشارات [جمعِ انتشار] **publications, information**

اِنتصاب /ع./ **appointment**

حکم‌انتصابِ امین ترکه [*law*] letters of administration

انتصابی /ع./ **appointed; dative**

اِنتظار [جمع: انتظارات] /ع./ **waiting; expectation; anticipation**

اطاق انتظار waiting room

انتظار خدمت [status of an employee who is on the waiting list]

انتظار داشتن to expect, to anticipate

انتظار کشیدن to be waiting

در انتظارِ کسی بودن to be waiting for someone

در انتظار گذاشتن to keep waiting

از انتظار در آوردن to relieve from waiting

اِنتظام [جمع: انتظامات] /ع./ **order, discipline**

انتظام دادن to put in order; to arrange (methodically)

انتظامی /ع. فا./ **disciplinary; pertaining to the police**

انتفاع /ع./ **profit(ing), benefit(ing)**

عمل انتفاعی exploitation

اِنتقاد [جمع: انتقادات] /ع./ **criticism**

فن انتقاد critique, critic

اِنتقاد کردن to criticize

انتقادی /ع./ **critical, based on criticism**

اِنتقال /ع./ **transfer; transmission; change-over, switch-over**

انتقال بانکی clearing

انتقال خون transfusion of blood

انتقال دادن to transfer, to make over; to transmit

انتقال یافتن to be transferred

قابل انتقال = انتقال‌پذیر

غیرقابل انتقال = انتقال‌ناپذیر

انتقال‌پذیر /ع. فا./ **transferable**

انتقال‌دهنده /ع. فا./ **transferor**

انتقال‌گیرنده /ع. فا./ **transferee, assignee**

انتقال‌ناپذیر /ع. فا./ **not to be transferred; inalienable**

انتقال‌نامه /ع. فا./ **conveyance, deed of transfer**

انتقالی /ع. فا./ **transferred; ceded**

انتقام /ع./ **vengeance, revenge**

انتقام گرفتن، انتقام کشیدن to take vengeance

انتقام خود را از کسی کشیدن to revenge oneself on someone

انتقام مرا از او بگیرید. Avenge me on him.

اِنتهاء /ع./ **end, extremity**

در انتهایِ at the end of

انتیک /ان. فر./ **antique, ancient relic**

انتیمون /ع. ل./ **antimony**

انتیمون مقی tartar emetic

انجبار ← انگبار

انجدان ← انگدان

انجام **conclusion, end; accomplishment**

انجام دادن to accomplish, to do, to perform; to complete; to fulfil; to comply with, to grant: خواهش مرا انجام داد

انجام گرفتن، انجام یافتن to be accomplished *or* achieved; to be fulfilled; to come to an end

به انجام رساندن to bring to a conclusion; to accomplish

به انجام رسیدن = انجام گرفتن

انجام وظیفه کردن to perform *or* discharge one's duty

حین انجام وظیفه while on discharge, in the harness

امر انجام شده accomplished act, fait accompli

انجامیدن [بن‌مضارع: انجام، کمیاب] **to** (come to an) **end; to be accomplished;** *vi.* **to lead**

به‌طول انجامیدن to take a long time; to be prolonged

انجره **male nettle**

انجم [جمعِ نجم، /ع./]

انجماد /ع./ **freezing; concretion**

اَنجمن **society, association; meeting**

انجمن شهر(داری) town council, municipal council

انجمن کردن to hold a meeting; to gather together

انجیر **fig**

انجیر بابا آدم Adam's fig

انجیر هندی Indian fig, cactus

انجیرخور، مرغ انجیرخور[1] **beccafico**

انجیرخور، مرغ انجیرخور[2] **oriole**

انجیل [جمع: اناجیل] /ع. ی./ **gospel**

انچوچک (dried) **pear seeds; kind of prune** (Prunus Syriaca)

انحاء [جمعِ نحو]

اِنحراف /ع./ **deviation; digression**

انحراف ورزیدن to deviate

زاویهٔ انحراف [*phys.*] declination

اِنحصار /ع./ **monopoly; restriction**

به... انحصار داشتن to be a monopoly of..., to be confined to...

گواهی‌نامه انحصارِ وراثت probate

انحصاراً = منحصراً

انحصاری /ع./ **exclusive; monopolistic**

انحطاط /ع./ **decline; decadence**

رو به انحطاط گذاردن to begin to decline

انحطاط افق depression of the horizon

اِنحلال /ع./ **dissolution, disorganization; winding up**

انحناء /ع./ **curvature**

قابل انحناء flexible

غیرقابل انحناء inflexible

اَند [کمیاب] **small number, fraction**

دو سال و اندی something over 2 years

دو هزار و اندی two-thousand odd

اندا(ی) [بن مضارعِ اندودن]

انداختن [بن مضارع: انداز] **to throw, to cast; to fell; to omit; to lay low; to force to stay in bed**

انداخته [اسم‌مفعول فعل انداختن] **thrown; omitted**

انداز [بن مضارعِ انداختن]

اَندازه **size; measure; gauge**

اندازه کردن to measure

اندازه گرفتن to measure, to take measure; to dip

اندازه نگهداشتن to keep within bounds

به اندازه of the required size; moderate(ly)

به همان اندازه to the same extent; proportionately

تا یک اندازه to some extent

اندازه گیری **measurement**

اَندام **limb; organ; body; figure**

عرض اندام‌کردن to put oneself forward, to attract attention

اَندر [ادبی] **in(to)**

اَندرز (piece of) **advice**

اندرزا = گاودارو

اندرون **interior; women's apartment; bowels; heart**

اندرونه **viscera**

اندرونی **internal; middle;** [*n.*] **women's apartment**

اندک **few, little;** در مدت اندکی **short:**

اندکی نان a little bread

اندک‌اندک **little by little**

اندک‌رنج = زودرنج

اَندوختن [بن مضارع: اندوز] **to amass, to accumulate, to heap up; to save; to acquire**

اندوخته [اسم‌مفعول فعل اندوختن] **amassed; saved;** [*n.*] **saving(s); reserve** (fund); **amassed wealth**

اندود **plaster; coating**

اندود کردن = اندودن

اندودکار، اندودگر **plasterer; inlayer**

اَندودن [بن مضارع: اندای، کمیاب] **to plaster; to plate, to coat; to inlay**

اندوده [اسم مفعول فعل اندودن]

اندوز [بن مضارعِ اندوختن]

اندونزی /فر./ **Indonesia**

اَندوه **grief, sorrow**

اندوهگین، اندوهناک **sad**

اندیش [بن مضارعِ اندیشیدن]

اندیشناک **apprehensive; mistrustful**

اندیشه **thought, reflection; fear, apprehensiveness**

اندیشه کردن [ادبی] to think, to reflect; to fear

اندیشیدن [ادبی، بن مضارع: اندیش] **to reflect, to think; to fear**

انذار [کمیاب] /ع./ **prognosis**

اِنزال /ع./ **seminal effusion, ejaculation of sperm**

سرعت انزال hasty discharge of sperm

اِنزجار /ع./ **aversion, repulsion**

انزروت **sarcocolla**

انزوا /ع./ = گوشه‌نشینی

انس [کمیاب] /ع./ human being

اُنس /ع./ familiarity; tameness; sociability

اُنس گرفتن to become familiar; to (come to) feel at home; to associate

انجمن اُنس social party

اِنسان /ع./ man, human

انسان‌شناسی /ع. فا./ anthropology

انسانی /ع./ human

انسانیت /ع./ humanity

انسب /ع./ fitter *or* fittest

بقای انسب survival of the fittest

انسداد /ع./ obstruction

انسولین /فر./ insulin

اِنشاء /ع./ style; composition; letter-writing; [*o.s.*] creation

انشاء کردن to compose, to write, to indite

انشاءالله /ع./ God willing, D.V. (Deo volenti); may (it please God that); I hope so

انشاد /ع./ reciting verses

انشائی /ع./ creative, originative; epistolary

اِنشعاب /ع./ branching out; service line, extension

انشقاق /ع./ being split

انصار [جمعِ ناصر] /ع./

اِنصاف /ع./ equity, justice

انصاف دادن to judge fairly

انصافاً /ع./ justly, indeed

اِنصراف /ع./ dispensing (with)

انصراف ورزیدن از to dispense with

انضباط /ع./ discipline, order

انضباط دادن to put in order; to bring under control

انضباطی /ع./ disciplinary

اِنضجار /ع./ disgust

اِنضمام /ع./ being annexed

به انضمامِ including

اِنطباع [جمع: انطباعات] /ع./ being printed; publication

اِنطباق /ع./ conformity; applicability; coincidence; [*geom.*] superposition

اَنظار [جمعِ نظر] /ع./ looks; views

در انظار عموم in the sight of the public, to the public view, openly

اَنعام [کمیاب، جمعِ نَعم] /ع./ cattle, camels

اِنعام /ع./ prize, bonus, gratuity

اِنعدام /ع./ annihilation

اِنعطاف /ع./ inflection; inclination

قابل انعطاف flexible

غیرقابل انعطاف inflexible

انعقاد[1] /ع./

conclusion: انعقاد قرارداد

انعقاد[2] /ع./

holding: انعقاد جلسه

انعقاد[3] coagulation

اِنعکاس /ع./ reflection; reaction

اِنعکاس پیدا کردن to have a reaction

انعکاس صدا echo

عمل انعکاس reflex action

قابل انعکاس reflexible

اَنف [کمیاب] /ع./ = بینی nose

اَنفش معیوب است. [عامیانه] He is not right in his upper storey.

انفاذ [کمیاب] /ع./ = اجرا

انفاس [جمعِ نَفَس]

اِنفاق /ع./ spending money; nourishing

اِنفاق کردن to sustain, to nourish

اِنفجار /ع./ explosion, detonation; eruption; [*o.s.*] bursting

قابل انفجار explosive

اِنفراد /ع./ singleness; isolation

بالانفراد = انفراداً

انفراداً /ع./ individually; singly; alone

اِنفصال /ع./ discharge, dismissal; separation

اِنفعال /ع./ reaction; passion; shame

انفکاک /ع./ separation; redemption

انفیه /ع./ snuff

انفیه‌دان /ع. فا./ snuff-box

اِنقباض /ع./ contraction; condensation

انقباض حدقه myosis

انقباض قلب و شرائین systole

انقباض ماهیچه muscular contraction, myonicity

حجرهٔ انقباض condenser

قوهٔ انقباض contractile force

انقدر ← قدر

اِنقراض /ع./ overthrow, decline, extinction, fall

تا انقراضِ عالم forever

انقسام [کمیاب] /ع./ being divided, division

اِنقضاء /ع./ expiry, termination

انقطاع /ع./ being cut off, separation; cessation

انقلاب [جمع: انقلابات] /ع./ revolution; sudden *or* radical change; [*astr.*] solstice; [*med.*] nausea, revolt

انقلاب کردن to revolt

انقلابات زمان vicissitudes of time

انقلاب رحم retroversion of the womb

انقلابی [جمع: انقلابیون] /ع./
revolutionary;[*n.*]**revolutionist**
انقوزه **asaf(o)etida**
اِنقیاد /ع./ **submission, obedience**
تحت انقیاد درآوردن to reduce to submission
اِنکار /ع./ **denial**
اِنکار کردن to deny; to renounce
قابل انکار deniable
غیرقابل انکار undeniable; indisputable
انکاری /ع./ **based on denial; negative**
استفهام انکاری positive interrogation with a negative implication
اِنکسار /ع./ **despondency; contrition**
انکسار نور refraction of light
انکساف /ع./
being eclipsed (as the sun)
اِنکشاف [جمع: انکشافات] /ع./
being discovered; discovery
انگ **hall-mark, brand**
اَنگار[1] **supposition, imagination;** [*adv.*] **as if, you'd think...**
انگار کردن to suppose
انگارِ چیزی را کردن to consider as if one has never had (*or* owned) something; to forget about it
اَنگار[2] [بن مضارعِ انگاشتن]
انگاره **rough dimension: rough draft; measure; dose**
انگاشتن [کمیاب، بن مضارع: انگار] **to suppose; to consider as if**
انگبار، انجبار **bistort**
انگدان، انجدان **sweet asa**
انجدان رومی lavage

انگشت **finger**
انگشت پا toe
انگشت کردن to put one's finger
در انگشت کردن to wear (as a ring)
اثرِ انگشت finger-print
انگشت به دندان گزیدن [ادبی] to bite one's finger, to regret *or* repent
انگشت توی شیر کردن to queer some one's pitch, to put a spoke in his wheel
اَنگِشت [کمیاب] = زغال
انگشتانه **thimble**
انگشتر(ی) **ring**
انگشترِ خاتم signet-ring
انگشت‌شمار **to be counted on one's fingers, few**
انگشت‌نگاری **dactyloscopy**
ادارهٔ انگشت‌نگاری Fingerprint Department
انگشت‌نما **flagrant, notorious**
انگشت‌نما شدن to become a by-word
خود را انگشت‌نما کردن to make an exhibition of oneself
انگشتوانه = مضراب؛ انگشتانه
اَنگل **parasite, hanger-on**
انگلِ کسی شدن to hang on a person, to sponge on him
انگلستان **England, Great Britain**
انگل‌شناسی **parasitology**
انگلک [زبان لاتی] **slight touch with the finger**
انگلک کردن to fool *or* mess about with
انگل‌کش **parasiticide**
انگلی **parasitism;** [*adj.*] **parasitical**
انگلیس **Great Britain**

دولت انگلیس the British Government
انگلیس‌ها the British people
انگلیسی **British; English;** [*n.*] **Britisher; Englishman; Englishwoman**
زبان انگلیسی English, the English language
انگلیسی‌زبان **English-speaking**
انگم (cherry-tree) **gum**
اِنگنار **artichoke**
انگور **grape**
انگور جنگلی fox grape, wild wine
انگور روباه، انگور سگ = تاجریزی
انگورفرنگی **gooseberry; red currants**
انگورچینی **vintage**
انگوری **vinaceous; grape-like**
باغ انگوری = تاکستان
انگیختن [بن مضارع: انگیز] **to rouse, to provoke; to excite, to stimulate; to instigate;** [*rare*] **to cause**
انگیخته [اسم مفعول فعل انگیختن]
انگیز [بن مضارعِ انگیختن]
انگیزش **exciting, provocation**
انگیزنده **exciter; instigator**
انگیزه **motive; stimulant**
انموذج [کمیاب، از فا. نمونه] /ع./ **model, exemplar**
انوار [جمعِ نور]
انواع [جمعِ نوع]
انوَر /ع./ **luminous**
انوری /ع./ **Anvari: a Persian poet**
انوریسما /ع. ی./ **aneurism**
انوشیروان [Iranian king in whose reign the Prophet was born]
انهار [جمعِ نهر]

اِنهدام /ع./ destruction, demolition; overthrow

انهزام [كمياب] /ع./ being routed, defeat

انی /ع./ inductive, a posteriori

انياب [جمعِ ناب]

اَنيس [اسمِ خاص] /ع./ companion, associate, comrade; [*adj.*] familiar, friendly

او he; she; [*prep.*] him; her

اواخر [جمعِ آخر] /ع./ last part(s), last days

در اواخر سال at (*or* toward) the end of the year

در این اواخر recently

اواسط [جمعِ اوسط] /ع./ middle part(s): در اواسط سال

اوامر [جمعِ امر] /ع./ orders, commands

اوائل [جمعِ اول] /ع./ early part, beginning

در اوائل سال at the begining of the year

اوباش [جمعِ وبش، كمياب] /ع./ ruffians, rogues; [*adj.,infml.*] ruffianly

اوت /فر./ August

اوتاد [جمعِ وتد]

اوتار [جمعِ وتر]

اوتو = اطو

اوج /ع./ culmination, highest point, zenith, peak, pinnacle; [*astr.*] apogee; [*aircraft*] ceiling; [*mus.*] highest pitch

اوجا [كمياب] = نارون elm

اوجب [كمياب، صفت تفضيلی واجب]

اوچ و پس /ت./ [*c.p.*] full hand

اوخ! [عاميانه] ouch!

اوراد [جمعِ ورد]

اوراق [جمعِ ورق] /ع./ documents, papers; [*o.s.*] leaves

اين كتاب اوراق است. *The leaves of this book have come off* (or *apart*).

اوراق كردن to dismantle

اورانوس /فر./ Uranus

اورانيوم /فر./ uranium

اورشليم /ع./ Jerusalem

اورمُزد Ormuzd

اورنگ = تخت throne

اوزان [جمعِ وزن]

اوزوم /ت./ = انگور grape

اوزوم و انگور six of one and half a dozen of the other

اوستا Avesta

اوسط [جمع: اواسط، مؤنث: وُسطیٰ] /ع./ median; intermediate; osculant

اوشن [عاميانه] = اويشن

اوصاف [جمعِ وصف]

اوضاع [جمعِ وضع] /ع./ conditions; situation, state of affairs

اوضاع و احوال circumstances

اوطان [جمعِ وطن]

اوطراق [كمياب] /ت./ halting

اوطراق كردن to halt *or* rest

اوف! ah!, ouch!

اوقات [جمعِ وقت] /ع./ times; hours

اوقات شما تلخ است. You are upset. You seem to be angry.

اوقاتم تلخ شد. I was upset. I got angry.

اوقات تلخی /ع. فا./ anger, indignation; ill humour

با كسی اوقات تلخی كردن to speak angrily to someone

اوقاف [جمعِ وقف]

اوكاليپتوس /فر./ eucalyptus

اوّل /ع./ first; [*fig.*] foremost; (of) superior quality, first-rate; [*adv.*] firstly; [*n.*] beginning

عدد اول prime number

عدد غير اول composite number

اولاً /ع./ in the first place, first(ly); to begin with

اولاد [جمعِ ولد] /ع./ children, offspring, descendants; [*o.s.*] sons; -*Note:* اولاد is also construed as singular meaning "child".

اولتيماتوم /فر./ ultimatum

اولوالابصار [كمياب] /ع./ those having foresight

اولوالالباب [كمياب] /ع./ men of mind, intelligent people

اولوالامر [كمياب] /ع./ = فرمانروا

اولوالعزم /ع./ resolute (men)

پيغمبر اولوالعزم arch (*or* prominent) prophet

اولويت /ع./ priority, preference

اولويت داشتن بر to be prior to

اولیٰ [مؤنثِ اوّل]

اَوّلی [مؤنث: اوليه] /ع. فا./ (the) first *or* former; initial; primary

حقايق اوليه primary truths

كمک‌های اوليه first aid

مواد اوليه raw materials

اُولیٰ [صفت تفضيلی ولی] /ع./ prior, superior, better

به طريق اولی all the more, a fortiori

اُوليتر [صفت‌برتر ولی] /ع. فا./ better; preferable

اولياء [جمعِ ولی] /ع./ guardians; saints

اوليای امور authorities of the state

اولین /ع. فا./ **first, foremost** [used before a noun]
اوهام [جمعِ وهم]
اَویشن **origan(um); wild marjoram**
اویون /ت./ **psora**
آه! [interjection expressing disgust] **ugh!**
اهالی [جمعِ اهل] /ع./ **inhabitants**
اِهانت /ع./ **contempt; insolence**
اِهانت کردن (به) to affront, to treat with insolence
اهانت آمیز /ع. فا./ **insolent; contemptuous**
اِهتزاز /ع./ **shaking, oscillation; pulsation;** [*fig.*] **joy, mirth**
پرچمی را به اهتزاز در آوردن
to fly a flag
اِهتمام /ع./ **effort**
به اهتمامِ by the good offices of
اِهداء /ع./ **dedication**
اِهداء کردن to dedicate, to offer
اهرام [جمعِ هرم]
اهرُم **lever; crow-bar**
اهرم کردن to raise with a lever
اهرم نوع اول
lever of the first order
اهریمن **the Evil Principle** (in the Zoroastrian religion); **the Devil**
اهریمنی **devilish, fiendish**
اهل /ع./ **native(s), citizen(s), inhabitant(s); one who is (*or* those who are) endowed with *or* possessed of a specified quality/ belief/ etc.);** [*adj.*] **capable, fit; tractable, docile**
اهل ایمان believer(s)
اهل بیت = خانواده
اهل حال pleasure-seeking, jovial
اهل حرفه professional (man); craftsman
اهل دنیا cosmopolitan; worldly (persons)
اهل فن technician(s)
اهل قلم literary person(s)
اهل کتاب those possessing bibles
اهل و عیال wife and children, family
اهل هنر [*rare*] those who possess virtues; artists *or* technicians
اهلی /ع./ **domestic**
اهلی کردن to domesticate
اهلیت /ع./ **legal capacity**
اهلیلجی /ع. فا./ **elliptical**
اهمّ [صفت تفضیلی مهم] /ع./
اِهمال /ع./ **negligence, remissness**
اِهمال کردن در to neglect; to delay through remissness
اهمال‌کار /ع. فا./ **negligent, careless**
اهمیت /ع./ **importance**
اهمیت دادن (به) to attach importance to; to emphasize, to lay stress on; to mind
اهمیت داشتن to be important
اهمیت ندارد It doesn't matter
اهورمزدا = اورمزد
اِی! **O!**
ای پادشاه O king!
ای وای oh!, alas!
آیا! **O!**
ایاب /ع./ **returning**
ایاب و ذهاب going and returning traffic
ایادی [جمعِ ید]
ایار /ع./ **Jewish and Syriac month** (April-May)
ایاز [اسم خاص]
ایاغ [کمیاب] = پیاله، کاسه
ایالت [جمع: ایالات] /ع./ **state;** (large) **province**
ایالات متحده امریکا the United States of America
ایالتی /ع. فا./ **provincial**
ایام [جمعِ یوم] /ع./ **days**
ایتالیا، آیطالیا **Italy**
ایتالیایی **Italian**
ایتام [جمعِ یتیم]
ائتلاف /ع./ **coalition**
ائتلاف کردن to coalesce
ایثار /ع./ [*rare*] **giving in abundance; excessive generosity**
ایجاب /ع./ **necessitating; affirmation; exigency; compliance**
ایجاب کردن to necessitate; to occasion
ایجابی /ع./ **affirmative**
ایجاد /ع./ **creation; invention; establishment**
ایجاد کردن to create; to establish
ایجاز /ع./ **brevity, conciseness**
ایدآل /فر./ **ideal, aim**
ایدرات /فر./ **hydrate**
ایدروژن /فر./ **hydrogen**
ایدروژنی /فر. فا./ **hydrogenated**
بمب ایدروژنی hydrogen bomb, H-bomb
ایدروکاربور /فر./ **hydrocarbon**
ایذاء /ع./ **molestation**
ایراد [جمع: ایرادت] /ع./ **objection; adducement; delivery:** ایراد نطق **; inflicting; citing, mentioning**
ایراد کردن to deliver; to adduce; to cavil

به کسی ایراد گرفتن to find fault with someone, to object to *or* pick on him

ایرادی ندارد ***it is in order; it will meet with no objection***

ایرادگیر /ع. فا./ **of cavilling *or* nagging habits**

ایران **Persia, Iran**

ایرانی **Iranian, Persian**

ایرانیت /ع./ **Iranian nationality; Iranianism**

ایرج [اسم خاص]

ایرسا /ع. ی./ **Iris-root**

ایرلندی /فر. فا./ **Irish**

ایزد = خدا **God**

ایزدی **divine**

ایست **halt, stoppage**

ایست کردن to halt, to stay; [*rare*] to last

ایست دادن to order (someone) to halt

ایست [بن مضارعِ ایستادن]

ایستادگی **resistance; steadfastness**

ایستادگی کردن to persevere

در برابر کسی ایستادگی کردن to resist *or* withstand someone

ایستادَن [بن مضارع: ایست] **to stand; to stop, to halt; to cease; to wait**

سر قول خود ایستادن to abide by one's word

ایستاده[1] **standing**

ایستاده[2] **stood;** [*adv.*] **in a standing posture**

ایستاندَن **to cause to stand, to halt; to set up**

ایستگاه **station:** ایستگاه راه‌آهن

ایستگاه اتوبوس bus stop

ایشان **they;** [*p.c.*] **he *or* she;** [*prep.*] **them**

ایصال /ع./ **remittance; onforwarding**

ایضاً /ع./ **ditto; also**

ایضاح /ع./ **explaining**

ایفاء /ع./ **fulfilment, discharge; satisfaction; payment**

ایفاء کردن to fulfil *or* discharge; to satisfy; to pay; to perform; to play (a part)

ایفاد /ع./ **despatch**

ایفاد کردن to despatch *or* send

ایقاع /ع./ **unilateral obligation;** [*rare*] **cadence**

ایقان /ع./ **certitude; conviction**

ایل [جمع: ایلات، /ع./] /ت./ **tribe**

ایلاتی /ت. ع. فا./ **tribal**

ایلاووس /ع. ی./، قولنج ایلاووس **ileus, iliac passion**

ایلچی، الچی /ت./ = سفیر

ایلخان /ت./ **tribal chief, chieftain**

ایلخی، الخی /ت./ **stud**

ایلغار [کمیاب] /ت./ **expedition; invasion**

ایلول /ع./ **Jewish and Syriac month** (August, September)

ایلیات /ت. ع./ **tribes(men)**

ایلیاتی /ت. ع. فا./ **tribesman**

ایماء /ع./ **sign; hint; allusion**

ایمان /ع./ **faith, belief**

به کسی ایمان آوردن to believe in someone

ایمن /ع./ **secure, safe;** [*lit.*] **void of care**

ائمه [جمع امام]

این [جمع: اینها، اینان] **this;** [*lit.*] **the latter;** *-Note:* این است is often contracted in writing to اینست

این زنان these women

این‌که the fact that

خبر دوم این‌که the second news is that

این به آن در tit for tat

اینجا **here;** [*o.s.*] **this place**

اینجانب /فا. ع./ **I** [in formal usage]

اینجانب امضاءکنندهٔ زیر I the undersigned

اینچ /ان./ **inch**

اینچنین **such (a)**

اینسان، بدینسان **in this manner**

اینست ← این

اینقدر ← قدر

اینک **behold!, now**

این نه آنی **diversity**

این همانی **identity**

ایوالله![1] /فا. ع./ **well-done!**

ایوالله![2] /فا. ع./ **hear! hear!**

ایوالله آمدن to fall at one's feet, to admit one's failure *or* inability; to take off one's hat (to someone)

ایوان **veranda, portico;** [*ext.*] **palace**

ایوب [اسم خاص] /ع./ **Job**

ایهام /ع./ **amphibology *or* ambiguity, quibble, equivocation**

ایهام‌گویی /ع. فا./ **equivocation**

آیهقان /ع./ **wild mustard**

ب

ب ← به

با **with; by** (means of)

با اینکه، با آنکه in spite of the fact that; in spite of, notwithstanding

با شما است که it is up to you to

با اجازه /فا. ع./ **authorized; approved**

باادب /فا. ع./ **polite**

بااستعداد /فا. ع./ **talented, gifted**

با اسم /فا. ع./ **registered:** سهام با اسم

بااطلاع /فا. ع./ = بصیر، آگاه

باب[1] = بابا، پدر

باب[2] [عامیانه] **fashionable; suitable**

باب من نیست *it does not suit me*

باب[3] [جمع: ابواب] /ع./ **door,** [*rare*] **gate; strait; chapter, section; matter, subject**

در بابِ concerning, on the subject of, regarding

بابا **papa, daddy**

بابا بزرگ grandpa

بابا آدم /فا. ع./ (father) **Adam**

انجیر بابا آدم Adam's fig

ریشهٔ بابا آدم burdock-root

باباقوری **onyx; staphyloma**

باب‌المعده /ع./ **pylorus**

بابانوئل /فا. فر./ **Santa Claus**

بابت /ع./ **concern, matter; account, score; behalf**

از چه بابت؟ ***On what account?***

بابتِ، از بابتِ on account of

۲۰۰ ریال بابت بهای کتاب ***200 rials being cost of book,*** [in account statements] ***to cost of book 200 rials***

بابونه **matricaria**

بابونه شیرازی camomile

بابونه گاوی motherwort

بابیت /فر./ **white metal, babbit**

باتجربه /فا. ع./ = آزموده، مجرّب

باتری، باطری /فر./ **battery, cell**

باتری تر (rechargeable) battery

باتری خشک dry cell

باتلاق [از ت. باطلاق] **swamp**

باتلاقی /ت. فا./ **swampy, marshy**

باتماشا /فا.ع./ = تماشائی

باتمیز /فا. ع./ [*adj.*] **discerning**

باتُن /فر./ **truncheon**

باتیست /فر./ **batiste, French lawn**

باج **tribute, toll, tax**

باج سبیل blackmail

باجُرأت /فا.ع./ **courageous**

باجگیر [کمیاب] **tax-gatherer**

باجناغ /ت./ **brother-in-law; husband of the wife's sister**

باجه **box-office, ticket-office**

باجی /ت./ **female servant;** [*o.s.*] **sister**

باحالت /فا. ع./ **expressive:** چشمان با حالت

با حرارت /فا. ع./ **enthusiastic, fervent**

باحقوق /فا. ع./ **grateful; paid**

مرخصی باحقوق leave with pay

باحیاء /فا. ع./ **modest, decent**

باخبر /فا. ع./ = آگاه

باخت **loss; amount lost in a game**

باختر **west**

باختری **western**

باختن [بن‌مضارع: باز] [*game*] **to lose;** [*fig.*] **to give away;** [*lit.*] **to play**

باخته [اسم‌مفعول فعل باختن] **lost;** [*n.*] **amount lost**

باخدا **pious, godly**

باخرد = خردمند

باد[1] **wind; swelling;** [*fig.*] **pride; elation**

باد سرخ erysipelas

باد فتق hernia

باد مفاصل articular rheumatism

باد خوردن to be exposed to wind, to dry; [*fig.*] to be discontinued

باد به زخمش خورد. His enthusiasm cooled down.

باد دادن to air

باد زدن to fan

باد کردن to swell (with pride); to blow up, to distend; to elate

باد گرفتن to have a sudden pain

باد در سر داشتن to be proud *or* haughty

بر باد دادن to dissipate

باد[2]، بادا **may... be**

زنده باد! long live!

(هر چه) بادا باد come what may

بادافشان **winnower**

بادام **almond**

بادام زمینی peanut, earthnut

روغن بادام almond oil

مغز بادام shelled almond

بادامک **tonsil**

بادامه **chrysalis**

بادامی **oval; containing almonds**

بادآورد **blessed thistle**

بادآورده **brought by the wind; [*n.*] windfall**

بادآورده را باد می‌برد. Light come light go.

بادبادک **kite**

بادبان **sail**

بادبزن، بادزَن **fan**

بادپا **fleet-footed; [*n., lit.*] swift horse, fleet courser**

بادخور **vent; [*fig.*] interruption, intermission, discontinuance**

بادخورده **rancid; blasted**

بادخیز **wind:** ناحیهٔ بادخیز

باددار **inflated; inflamed; windy; flatulent; causing flatulence; [*fig.*] haughty**

باد در سر **haughty; empty-headed**

بادرنجبویه ← بادرنگبویه

بادرنگ[1] **cedrate**

بادرنگ[2] [variety of cucumber]

بادرنگبویه، بادرنجبویه **Moldavic calamint, Moldavian balm, balm-mint**

بادزن، بادبزن **fan**

بادزَهره **quinsy**

باد سُرخ **erysipelas**

بادسنج **wind-gauge, anemometer**

بادشکن **carminative**

بادکرده **swollen, inflamed**

بادکش **dry cupping; vent-hole; [*mine*] shaft; [*adj., sl.*] tediously long; who buttonholes one**

بادکش کردن to dry-cup

بادکنک **bladder; air-chamber**

بادگیر **ventilation-shaft; air trap; vent(-hole); louver**

بادنجان **brinjal, aubergine, egg-plant**

بادنجان دور قاب‌چین [عامیانه] /فا. ع./ **pickthank, sycophant**

بادنجانی **blue-red; solanaceous**

بادنما **weather-cock, vane, air-cock; wind-gauge**

بادوام /فا. ع./ **durable, lasting**

باده [ادبی] **wine;** ← می، شراب

بادی[1] **windy**

سازهای بادی wind instruments

آسیای بادی wind mill

چراغ بادی hurricane lantern

بادی[2] [کمیاب] /ع./ = ابتدا، آغاز

بادیان **anise**

بادیان ختائی star-anise

تخم بادیان aniseed

نقل بادیان comfits

بادیانت /فا. ع./ **pious, honest**

بادیه[1] /ع./ = بیابان

بادیه[2] [صورت نادرستِ باطیه]

باذوق /فا. ع./ **possessing a literary *or* artistic gift *or* understanding, elegant**

بار[1] **load, burden, weight, [*ship*] cargo; yield, fruit; alloy; [*tongue*] coat; audience; time, turn**

بار دیگر next time

دو بار twice

بارها many a time, frequently

بار آمدن to be brought up (in a specified way)

بار آوردن to bear fruit; to bring up (in a specified way)

بار دادن to grant audience; to fructify

بار یافتن to have the audience (of someone)

بار عام دادن to hold a levee

بار برداشتن، بار گرفتن to conceive, to become pregnant

بار خود را بستن to feather one's nest

بار کردن to load

چیزی را بار کامیون کردن to load something on to a truck, to load a truck with something

فحش بار کسی کردن to heap insults on someone

زیر بارِ چیزی نرفتن to be intolerant of something

بار دل، بار خاطر sorrow, heartache

بار[2] /ان./ **bar**(room)

باران **rain**

باران می‌بارد. باران می آید. ***It rains. It is raining.***

مرغ باران plover

باراندار **landing-place, wharf, dock**
باران‌سنج **rain-gauge**
باران‌گیر **shelter from rain, penthouse; hut**
بارانی **rainy;** [*n.*] **rain-coat**
بارانیدن **to cause to rain**
بارآور **fruit-bearing, productive**
باربر **porter**
باربردار [ادبی] **load-carrying**
باربری **porterage, handling charges**
باربندی **packing**
باربندی کردن to pack (up)
بارپیچ **pack-cloth**
بارپیچی = باربندی
بارخدا [ادبی] **God**
بارخدایا! O God!
بارخیز **fertile, productive**
بارد [کمیاب] /ع./ = سرد
باردار **fruit-bearing; pregnant**
بارِدِه **fructiferous**
بارِز /ع./ = برجسته؛ آشکار
بارِش [عامیانه] = باران
بارفتن [از فر. barbotine] **semivitrified porcelaine**
بارقه [کمیاب] /ع./ **lightning**
بارقهٔ امید flash *or* ray of hope
بارکاس /ر./ **barque**
بارک‌الله /ع./ **well done;** [*o.s.*] **may God bless thee**
بارکش **truck, lorry; cart;** [*adj.*] **load-carrying; painstaking**
اسب بارکش draught horse
بارکشی **transport**
بارگاه **hall of audience, court**
بارگی [ادبی] **pack-horse**
بارگیر **ship's tonnage; beast of burden**
بارگیری **loading; handling a ship's cargo**

بارگیری کردن to load
بارُن، بارون /فر./ **baron**
بارنامه **way-bill, road-bill,** [*cargo*] **bill of lading**
بارَندگی **rainfall**
بارنویس **tally clerk for bales *or* cargo**
بارو **rampart, wall**
باروت [از ریشه ی. وشاید از ت.] **gunpowder**
مخزن باروت powder magazine
باروت پنبه **gun-cotton**
باروح /فا.ع./ **full of life; vivacious;** [*house*] **bright and cheerful**
باروَر **fruitful**
باره[1] **regard**
دربارهٔ on the subject of, concerning, regarding
باره[2] [کمیاب] **coat of the tongue; tartar of the teeth**
باره[3] = بارو
بارهنگ، بارتنگ [کمیاب] **plantain**
باری[1] **load-carrying**
حیوان باری pack-animal, beast of burden
اتومبیل باری lorry, truck
باری[2] /ع./ = آفریدگار
باری[3] **anyhow, in any case; well; now; in short;** [*lit.*] **at least**
باریجه **galbanum**
باریدن [بن مضارع: بار] **to rain; to shed:** اشک باریدن
(باران) می‌بارد. ***It rains. It is raining.***
باریک **narrow; slender;** [*fig.*] **delicate, subtle**
باریک شدن to become narrow; to taper; to look with subtlety
باریک کردن to make narrow *or* slender

رودهٔ باریک small intestine
باریک‌بین **subtle** (observer)
باریک‌بینی **subtlety, fineness**
باریکه **strip**
باریکی **narrowness; slenderness**
باز[1] **open; clear** (as a road); [*geom.*] **obtuse**
باز شدن to open; to clear up
بازکردن to open; to establish *or* start; to break (as a fast)
از تاه باز کردن to unfold
از سر باز کردن [عامیانه] to play *or* put off, to evade; to bungle; to give a stand-off (to)
باز[2] **hawk, falcon**
باز[3] **again; still; yet; nevertheless; further**
باز[4] /پی./ **back, again, re, etc.**
باز آمدن to come back
باز ایستادن to stop
باز خریدن to buy back, to redeem
باز داشتن to prevent; to dissuade; to detain; to hold back
باز گرداندن to return; to refund; to cancel
باز گرفتن to take back; to withdraw; to requisition
باز گشتن to return
باز ماندن to be detained *or* hindered; to remain *or* lag behind
باز یافتن to recover
باز[5] [بن مضارع باختن]
بازار **market(-place), bazaar**
بازارگرمی **skill in making one's customers interested in commodities presented for sale, sales talk**

بازاری **belonging to the market; ready-made**
سگ بازاری street-dog, cur
مردم بازاری business men
بازبین **controller**
بازبینی **control**
بازبینی کردن to control
بازپُرس **examining magistrate, interrogator**
بازپُرسی **interrogation, cross examination**
از کسی بازپُرسی کردن to interrogate someone
بازپَسین [کمیاب] **last;** → آخر
روزِ بازپَسین the Last Day, the Day of Judgement
بازتاب **reflex**
بازتابِش، بازتابی **reflexion**
بازجو **investigator**
بازجویی **investigation, inquiry**
بازجویی کردن از to inquire
بازجویی کردن در to investigate
بازچینی **turn-over**
بازخاست **resurrection**
بازخواست **calling to account**
بازخواست کردن از to call to account, to take to task
روز بازخواست Day of Judgement
بازدار **falconer**
بازداری **falconry**
بازداشت **detention, arrest**
بازداشت کردن to arrest *or* detain
بازداشتگاه **house of detention; concentration camp;** [*mil.*] **detention barrack**
بازدانه **gymnospermous**
بازدم **expiration**
بازده **output;** [*machinery*] **efficiency**

بازدید **return-visit; survey; audit; control**
بازدید کردن to return a visit (to); to survey
بازرس **inspector**
بازرسی **inspection**
بازرسی کردن to inspect
بازرگان **merchant**
بازرگانی **commerce, trade;** [*adj.*] *C.E.* **commercial**
قانون بازرگانی commercial code
بازستانی **recovery, reclamation**
بازکرد **opening** (of an account)
بازگشت **return; cancellation**
بازگشت کردن to return; to refer
بازگو کردن **to repeat**
بازگیری [*mil.*] **requisition**
بازمان **residual magnetism**
بازماندگان [جمعِ بازمانده] /ا./ **survivors**
بازمانده **remaining; surviving; hindered; tired out**
بازنده **loser**
بازنشستگی **retirement; pension**
حقوق بازنشستگی old age pension, retiring pension
سنّ بازنشستگی pensionable age
بازنشسته **retired, superannuated**
بازنشسته کردن to pension off, to superannuate
بازو (upper) **arm; crank**
سعی بازو [ادبی] manual labour
بازو زدن to jostle *or* elbow
بازوبند **armlet; amulet; curtain-loop**

بازه [*aircraft*] **span**
بازی **game; sport; play(ing)**
بازی کردن to play
بازی درآوردن [*infml.*] to grimace; to start monkey-business; to dodge; to back out
بازی دادن to amuse deceitfully
به بازی نگرفتن to take no account of
بازیافتی، بازیافت **thing recovered, salvage, hit**
بازیچه **toy, plaything**
بازیکن **player; gambler**
بازیگر **buffoon**
بازیگوش **playful, wanton**
باستان **ancient;** [*n.*] **ancient times**
باستان‌شناس **archaeologist**
باستان‌شناسی **archaeology**
باستانی **ancient; traditional**
باسترک **thrush**
باسق [کمیاب] /ع./ **lofty;** → بلند
باسلیقه /فا.ع./ **having a good taste**
باسواد /فا.ع./ **literate**
باسیل /فر./ **bacillus**
باش [بن‌مضارع بودن] **be thou**
می‌باشم [ادبی] I am
می‌باشی [ادبی] thou art
می‌باشد [ادبی] he is
باشرف /فا.ع./ **honourable**
باشعور /فا.ع./ **intelligent, of sense, having common sense**
باشُکوه **splendid, magnificent**
باشگاه **club; club-house**
باشلق /ت./ **hood, cowl**
باشُلیه /فر./ **bachelor**

باشه **sparrow-hawk**

باشی [در ترکیب] /ت./ **head *or* chief**

حکیم‌باشی head physician

باصرفه /فا. ع./ **economical, advantageous**

باصِره /ع./ = بینایی **sight**

عصب باصِره optic nerve

باصفا /فا. ع./ **pleasant**

باصمه، باسمه /ت./ **type, block; stamp; printed calico**

باصمه زدن to stamp, to print

باطری ← باتری

باطل [جمع: اباطیل] /ع./ **null, void; vain, false; useless, futile**

باطل کردن to render null; to cancel; to counteract

اباطیل دنیا vanities of the world

باطله، دفتر باطله [مونثِ باطل] /ع./ **waste-book; day-book; minute-book**

باطن /ع./ **interior; heart, mind; conscience**

در باطن = باطناً

باطناً /ع./ **inwardly; in actual truth; at heart**

باطنی /ع./ **inward; heartfelt; esoteric**

باطیه /ع./ **bowl, cup**

باظرف /فا. ع./ **packed, sold in containers**

نفت باظرف packed oil

باعاطفه /فا. ع./ **sentimental, feeling**

باعث /ع./ **cause, motive**

باعث شدن to cause *or* occasion

باعزم /فا.ع./ **resolute**

باعظمت /فا. ع./ **great, glorious**

باغ [جمع: باغات، /ع./] **garden**

باغ میوه orchard

باغ وحش zoo

باغبان **gardener**

باغبانی **gardening**

باغچه **little garden; flower-bed**

باغچه‌بندی **layout of flower-beds *or* of a garden**

بـــاغی [کـــمیاب] /ع./ = یـــاغی؛ ستمگر

باغیرت /فا. ع./ **zealous.**

باف [بن مضارع بافتن]

بافایده /فا. ع./ = مفید

بافت **texture; tissue**

بافت‌برداری **biopsy**

بافت‌شناس **histologist**

بافت‌شناسی **histology**

بافتن [بن مضارع: باف] **to weave; to braid; to plait; to knit;** [*fig.*] **to fabricate**

بافتنی **textile;** [*n.*] **knitting**

بافته **woven; braided; knitted;** [*n.*] **textile; tissue**

بافراست /فا. ع./ **keen, sagacious**

بافرهنگ **cultured, educated**

بافکر /فا. ع./ = باکله، فکور

بافندگی **weaving; knitting**

بافنده **weaver; knitter**

بافه **sheaf**

باقر [اسم خاص] /ع./ [*o.s.*] **erudite**

باقرقره **grouse**

باقلا (broad) **bean**

باقلای مصری lupine

باقلوا /ت./ [kind of pastry usually cut out in lozenges]

باقی [جمع: بقایا] /ع./ **remainder, balance, difference; rest; arrear;** [*adj.*] **remaining, left; immortal**

باقی آوردن to have a deficit

باقی گذاردن to leave

باقیماندن to be left (over)

باقی‌دار /ع. فا./ **having a deficit *or* debt, owing a balance**

باقیمانده /ع. فا./ **remainder; residue;** [*adj.*] **remaining**

باک[1] **fear; anxiety; care**

باک[2] /ر./ **petrol tank, gas tank**

درِ باک tank cap

باکارا /فر./ **baccarat**

باکتری /فر./ **bacteria**

باکرگی /ع. فا./ = بکارت

باکره /ع./ **virgin,** [*adj.*] **maid**

باکفایت /فا. ع./ **capable, efficient**

باکله **able-minded**

باکمال /فا. ع./ **accomplished, educated**

باگذشت **easy to forgive, placable, forbearing, indulgent**

بال[1] **wing**

بال زدن to flap (the wings)

بال و پر plumage

بال[2]، **وال** **whale**

بال[3] [در ترکیب] /ع./ **mind**

بالا **up; upwards;** [*n.*] **upper part, top;** [*lit.*] **height;** [*lit.*] **stature;** [*adj.*] **high, superior; upper**

بالا آمدن to come up; to be trained *or* brought up (in a specified way); to cost (a specified sum); to swell

بالا آوردن to bring up, to train; to throw up, to vomit

بالا بردن to carry up; to raise (the price of); to promote

بالا رفتن to go up; to rise (in price); [*curtain*] to rise

از کوهی بالا رفتن
to climb a mountain
بالا زدن to tuck up; to do up (as one's hair); to lift
بالا کردن to raise; to carry up
بالا کشیدن to draw, to carry **or** lift up; [*infml.*]to embezzle; [*infml.*]to improve **or** prosper
بینی بالا کشیدن to sniff, to snivel
بالا گرفتن to hold up; to prosper **or** thrive
بالا و پایین رفتن to fluctuate
بالابان /ت./ **lanner(et)**
بالابَر [کمیاب] **lift, elevator** [U.S.]
بالابلند **tall**
بالابود **excess; amount paid to boot**
بالاپوش **overcoat; quilt**
بالاتفاق /ع./ = متفقاً
بالاتنه **upper part of the body, trunk;** [*dress*]**body, corsage**
بالاخانه (house in the) **upper storey, upper chamber**
بالاخره /ع./ **at last**
بالاخص /ع./ ← اخص
بالادست **something superior to another thing; superior position;** [*adj.*]**upper; superior**
بالادستِ superior to; above
بالارُتبه /فا. ع./ **senior**
بالاستقلال /ع./ = مستقلاً
بالاقتضا /ع./ **as occasion arises**
بالاکراه /ع./ = اکراهاً
بالانس /فر./ **handstand**
بالانس زدن to do a handstand
بالانشین **occupying the seat of honour**

بالایِ **above, over; on; on account of; for the sake of**
بالای سرِ ما above us
بالایی **upper**
بالبداهه /ع./ **extemporaneously**
بالت /فر./ **ballet**
بالتمام /ع./ = تماماً
بالجمله /ع./ **to sum up; totally**
بالدار **winged**
بالدست **cheiropteran**
بالذات /ع./ **by nature**
بالسویه /ع./ **equally**
بالش **pillow, bolster**
بالشت [عامیانه] = بالش
بالِشتک **small pillow, cushion; pad;**[*rails*]**tieplate;** [*automobiles*]**coil**
بالشتک مار
kind of carpet beetle
بالصراحه /ع./ = صراحتاً
بالضروره /ع./ **of necessity**
بالطبع، بالطبیعه **naturally**
بالعکس /ع./ **vice versa; on the contrary**
بالغ /ع./ **adult, of age; amounting**
بالغ شدن to come of age
بالغ شدن بر، بالغ شدن به
to amount to
بالفرض /ع./ = فرضاً
بالفعل /ع./ **actually**
بالقوه /ع./ **with all one's power; potential(ly)**
بِالکل /ع./ = کلیّتاً
بالکن /فر./ **balcony**
بالله /ع./ **by God**
بالمرّه /ع./ **all at once; at all**
بالمشافهه /ع./ **mouth to mouth; face to face**
بالمعاینه /ع./ **ocularly**
بالمناصفه /ع./ **half and half**

بالمواجهه /ع./ **face to face**
بالن، بالون /فر./ **balloon**
بالنتیجه /ع./ **as a result**
بالنسبه /ع./ **comparatively**
بالنگ **cedrate;** (variety of) **cucumber**
بالَنگو (seeds of) **calaminth**
بالوراثه /ع./ **by inheritance**
بالیدن [بن مضارع: بال]
to boast, to pride oneself
بالین[1] **bed-side**
بالین[2] = بالش
بالینی **clinical:** طب بالینی
بام[1] **house-top; roof**
بام[2] [*infml.*]**thump on the head**
بام[3] [صورت اختصاری بامداد]
بامبول [زبان لاتی] **humbug**
بامبول در آوردن
to (behave like a) humbug
بامحبت /فا. ع./
affectionate, kind, loving
بامداد = صبح **morning**
بامدادان [ادبی]
in the morning
بامروّت /فا.ع./ **humane; generous**
بامزه **tasty;** [*fig.*]**interesting**
بامسمی /فا. ع./
worthy of its name, bearing out its name
بامعنی /فا. ع./ **significant, expressive**
بام‌غلتان **roller used on house-tops**
بام‌لاحظه /فا. ع./
circumspective; regardful
بامیه **okra; confectionery resembling okra**
بان[1] /پس./ **keeper**
بان[2] /ع./ **myrobalan**
بان[3] = بیدمشک
بانام = با اسم

باند /فر./ **clique, coterie, band; landing-strip, runway**
بانژو /فر./ **banjo**
بانفوذ /فا.ع./ **influential, of consequence**
بانک /فر./ **bank**
معاملات بانکی bank transactions
بانکدار /فر. فا./ **banker**
بانکداری /فر. فا./ **banking**
بانگ **clamour, cry; cock's crow**
بانگ بر آوردن to exclaim
بانگ زدن to cry; to exclaim, to call out
بانو **lady**
آقای سیروس و بانو Mr. and Mrs. Siroos
بانی /ع./ **founder, author**
باوجود[1] /فا.ع./ **of personality; efficient**
باوجودِ[2] ← وجود
باور [*rare*] **believing as true**
باور کردن to believe
باورم نیست *I do not believe*
باورکردنی **believable, credible**
باورنکردنی **incredible**
باوفا /فا.ع./ **loyal, faithful, constant**
باوقار /فا.ع./ **graceful, stately**
باه /ع./ **virility, generative power**
باهِر /ع./ **manifest; splendid**
باهم ← هم
باهنر **ingenious, skilled**
باهو، بائو [*door*] **stile**
باهوش **intelligent, clever**
باید **must, ought to; [*o.s.*] (it) is necessary;** → بایستن
باید بروم. *I must go.*
نباید بروید. *You must not go.*
باید رفت. *It is necessary to go.*
بائر /ع./، **بایر** **unutilized:** زمین بایر
بایست، بایستی = باید
-*Note:* بایست is sometimes regarded as the past of باید
بایستن [بن مضارع: بای، کمیاب] **to be necessary**
بایسته [کمیاب] **necessary; proper**
بایستی ← بایست
بایع /ع./ = فروشنده
بایقوش /ت./ **screech-owl**
بایگان **archivist, file-keeper**
بایگانی **records; file-keeping**
بایگانی کردن *C.E.* to keep on file
بَبْر **tiger**
ببر بیان armour made of (tiger) skin
بُت **idol**
بتاوی، بتابی **pomelo**
بت پرست **idolater**
بت پرستی **idolatry**
بتخانه، بتکده **idol-temple, pagoda**
بتر [ادبی] = بدتر **worse**
بترک [ادبی] /فا.ع./ = بدرود
بتن /فر./ **concrete**
بتن آرمه /فر./ **reinforced concrete**
بتن ساز /فر. فا./ **concrete-mixer**
بتول [اسم خاص] /ع./ [*o.s.*] **virgin;** → باکره
بُته **bush; shrub; brushwood; kindling; goat's thorn**
بتهٔ سریش asphodel, king's spear
گل و بته flower design
بته‌مرده [عامیانه] **good-for-nothing, inefficient; dull, stiff, inelegant; [*o.s.*] grown on a stunted bush**
بثورات /ع./ **pustules**
بثورات سلی tubercles
بثورات گوشتی proud flesh
بجا **opportune, proper**
بجز ← جُز
بجمال [ادبی] /فا.ع./ = جمیل
بُجول **astragalus, ankle-bone**
بِچَشم ← چشم
بچگان [جمعِ بچه]
بچگانه **childish; children's:** لباس بچگانه; [*adv.*] **childishly**
بچگی **childhood; childish act**
بچه [جمع: بچه‌ها، بچگانه] **child; [*animal*] young**
بچه کردن، بچه گذاشتن [*animals*] to produce a young
بچه‌بازی **pederasty, active sodomy; [*infml.*] child's play**
بچه‌خوره **polypus of the womb**
بچه‌دار **having a child *or* children**
بچه‌داری **mothercraft**
بچه‌زا **viviparous**
بچه‌شاخ **tine**
بچه کش، بچه کشی **infanticide**
بحار [جمعِ بحر]
بُحبوحه /ع./ [*rare*] **middle part**
بحبوحهٔ جوانی flower of youth

در بحبوحهٔ جنگ in the thick of the fight

بحث /ع./ **argument, debate; discussion**

بحث کردن to argue; to debate *or* dispute; to discuss, to treat

کتابِ موضوع بحث the book in question

قابل بحث disputable, questionable

غیرقابل بحث indisputable, incontestable

بحر [جمع: بحار، بحور] /ع./ **sea; poetical metre**

ماوراء بحار overseas

بحرالجزایر /ع./ **archipelago**

بُحران /ع./ **crisis**

بحرانی /ع. فا./ **critical**

بحرپیما /ع. فا./ = دریانورد

بحری /ع./ = دریایی

بحریه [مؤنثِ بحری] /ع./، نیروی دریایی **navy**

بحل /فا. ع./ **pardon(ed)**

بحل کردن to pardon, to absolve

بحمدالله /ع./ = الحمدالله

بحور ← بحر

بخار [جمع: ابخره] /ع./ **steam, vapour**

ماشین بخار steam engine

بخارزا /ع. فا./ **steam-generating**

بخارسنج /ع. فا./ **vaporimeter**

بخاری /ع. فا./ **heater, stove; fireplace, grate;** [*adj.*] **cooked by steam**

ترمزِ بخاری steam brake

بخاری پاک‌کن /ع. فا./ **chimney-sweeper**

بخت **luck, fortune**

بخت‌آزمایی **lottery**

بخت‌برگشته **unlucky**

بختک **nightmare**

بُختی [کمیاب] **two-humped Bactrian camel**

بختیار [ادبی] **lucky**

بِخرد [ادبی] = خردمند

بخس /ع./ **very low**

ثمن بخس very low price

بخش[1] **portion, part, share; division; distribution; district; squadron; ward:** بخش چهار تهران

بخش، پخش distribution

بخش کردن to divide; to distribute

دادگاه بخش peace court

بخش[2] [بن مضارع بخشیدن]

بخشایش **forgiveness; mercy;** → بخشش

بخشایندگی (quality of) **mercy**

بخشاینده **merciful, forgiving**

بخش‌پذیر **divisible**

بخش‌دار **governor of a district, deputy-governor, lieutenant-governor**

بخشش **munificence; gift; pardon, remission**

بخشش کردن to bestow gifts; → بخشیدن

بخش‌ناپذیر **indivisible**

بخشنامه **circular** (letter)

به ادارات بخشنامه کردند *they circularized the departments*

بخشندگی **liberality, generosity; quality of mercy**

بخشنده **merciful; liberal**

بخشودگی **exemption**

بخشودن[1] **to exempt**

بخشودن[2] = بخشیدن

بخشوده **exempt**

بخشی [*arith.*] **dividend**

بخش‌یاب **divisor**

بخشیدن [بن مضارع: بخش] **to forgive *or* pardon; to excuse; to give, to grant, to bestow**

ببخشید. *excuse me; I beg your pardon; I am sorry*

تنبیه شما را به من بخشید. He spared me your punishment.

بخصوص ← خصوص

بُخل /ع./ **jealousy; stinginess**

بُخل کردن to be parsimonious (in); to be sparing (of)

بخو [از ت. بُخاو] **manacle(s), handcuff**

بُخور **incense;** [*med.*] **inhalant;** [*o.s.*] **anything which diffuses a fragrance** (as aloes/ frankincense/ etc.); **dark grey**

بخور مریم cyclamen, sowbread

بخور دادن to administer an inhalant to; [*fig.*] to play the gallant; [*obs.*] to flirt

بخورسوز /ع. فا./ **censer**

بَخولق /ت./ **pastern**

بخیل /ع./ **jealous; miserly;** [*n.*] **jealous person; miser**

بخیه **stitch**

بخیه زدن، بخیه کردن to stitch

بد **bad; of poor quality; ill; evil; base:** پول بد**;** [*n.*] **evil; adversity; foul language, insult;** [*adv.*] **badly**

بد نمی‌خواند. He sings well enough.

بد کردن to do evil

بد گذراندن to have a rough time, to be ill at ease; to live in straitened circumstances

به کسی بد گفتن to insult someone

بد گفتن از to slander *or* backbite

از او بدم می‌آید. I hate him.

بُد [ادبی] = بود **was**

بدآب و هوا **of a bad climate, unhealthy, insalubrious**

بداحوال /فا. ع./ = بدحال، بیمار

بداختر [ادبی] **ill-starred**

بداخلاق /فا. ع./ **immoral**

بداخلاقی /فا. ع./ **immorality**

بداخم **surly, morose**

بداخمی **moroseness**

بداخمی کردن to frown

بدادا /فا. ع./ **of ungraceful manners**

بداصل /فا. ع./ **low-born**

بداعت /ع./ **something new *or* strange**

بُداغ **guelder-rose**

بدان = به آن **to that**

بدانجام **turning out unsuccessfully**

بداندیش **malevolent, malicious**

بداندیشی **malevolence, malice**

بداهت /ع./ **improvisation**

بداهتاً /ع./ = بالبداهه

بِدایت /ع./ **beginning**

محکمهٔ بدایت، دادگاه شهرستان Court of First Instance

بدایع [جمع بدیعه] /ع./ **new things, rarities**

بدایتاً /ع./ **preliminarily**

بدائی [کمیاب] /ع./ **preliminary, primary**

بدآئین [ادبی] **irreligious, impious**

بدباطن /فا. ع./ **inwardly bad, ill-intentioned**

بدبخت **unlucky**

بدبختانه **unfortunately**

بدبختی **bad luck; adversity**

بدبدرقه **inconstant**

بَدبَدک، بَدبَده **quail**

بَدِبده **not prompt in paying one's dues**

آدم بدبده‌ای است. He is a poor pay.

بدبو **of a bad adour, fetid**

بدبیاری [عامیانه] **bad luck especially in gambling**

بدبین **pessimistic**

آدم بدبین pessimist

بدبینی **pessimism**

بدتبار **low-born**

بدترکیب /فا. ع./ **ugly**

بدجنس /فا. ع./ **malicious, bad-hearted**

بدجنسی /فا. ع./ **maliciousness**

بدجنسی خود را بروز دادن to show the cloven hoof

بدچشم **evil-eyed *or* jealous**

بدچشمی **envy; evil eye**

بدحال /فا. ع./ (very) **ill**

بدحالت /فا. ع./ = بدحال؛ بدخو

بدحرفی /فا. ع./ **insult, bad language, railing**

بدحساب /فا. ع./ = بدبِده

بدخط /فا. ع./ (whose writing is) **illegible**

بدخُلق /فا. ع./ **ill-humoured**

بدخُلقی /فا. ع./ **ill-humour**

بدخو، بدخوی **ill-natured**

بدخواه **malevolent**

بدخواهانه **maliciously**

بدخواهی **malevolence**

بدخوراک **disagreeable to the taste; off one's food *or* feed**

بدخویی **ill-nature, ill-humour, bad temper**

بددماغ **proud; hard to please**

بددهن **scurrilous, abusive**

بددهنه **hard-mouthed**

بدذات /فا. ع./ **roguish; mischievous; base; malicious**

بدذاتی /فا. ع./ **roguishness; meanness; mischievousness**

بَدر /ع./ = ماه پُر **full moon**

بدراه **perverted**

بدراه کردن to pervert *or* misguide

بدرفتار **misbehaving, ill-treating**

بدرفتاری **ill-treatment, bad conduct**

با کسی بدرفتاری کردن to ill treat *or* abuse someone

بدرَقه **escort, guard; convoy**

بدرقهٔ کسی رفتن to see a person off

بدرکاب /فا. ع./ **hard to mount:** اسب بدرکاب

بدرگ **of bad stock**

بِدرود **farewell**

بدرود گفتن to bid farewell

بدروزگار [ادبی] **wicked; miserable**

بدره [ادبی] **bag of gold** (money)

بدریخت **of an ugly figure**

بدزبان = بددهن

بدزندگانی [ادبی] = بدروزگار

بدسابقه /فا. ع./ **having a bad record; notorious** (for immorality)

بدساخت of poor workmanship, badly manufactured
بدسرشت ill-set
بدسِگال [ادبی] malevolent
بدسلوکی /فا. ع./ = بدرفتاری
بدسلیقه /فا. ع./ = کج‌سلیقه
بدسیرت /فا. ع./ of a bad character, immoral
بدشکل /فا. ع./ deformed, disfigured; ugly
بدطبع /فا. ع./ ill-natured
بدطینت /فا. ع./ bad-hearted, ill-intentioned; ill-natured
بدعادت /فا. ع./ having acquired a bad habit, spoiled
بِدعت /ع./ innovation; heresy
بِدعت گذاردن to introduce something new *or* heretical
بدعت‌گذار /فا. ع./ innovator; heretic
بدعمل /فا. ع./ = بدکردار
بدعنق [زبانِ لاتی] /فا. ع./ surly, ill-humoured and proud
بدعهد /فا. ع./ unfaithful to one's promise
بدعهدی /فا. ع./ infidelity, unfaithfulness; breach of one's promise
بدعهدی کردن to be untrue to one's promise
بدفرجام = بدانجام
بدقدم /فا. ع./ bringing bad luck, unlucky
آدم بدقدم [*met.*] stormy petrel
بدقلب /فا. ع./ bad-hearted, malevolent
بدقلبی /فا. ع./ bad feeling, malevolence

بدقلق [عامیانه] /فا. ت./ moody; ill-tempered
بدقُمار /فا. ع./ one who gets nervous *or* backs out in gambling, [*adj.*] bad loser
بدقول /فا. ع./ unfaithful to one's promise
بدقولی /فا. ع./ breach of one's promise
بدقولی کردن to break one's promise; to forfeit one's word
بدقیافه /فا. ع./ sinister; ugly
بدکار، بدکردار [ادبی] evil-doing, wicked
بدکیش = بدآئین
بدگذران living on scanty means, indigent
بدگل ugly, plain
بدگلی ugliness
بدگمان suspicious
بدگمانی suspicion, mistrust
بدگو slanderous, ill-speaking; [*n.*] slanderer; backbiter
بدگوهر [ادبی] base, low-born
بدگویی ill-speaking, vilification, backbiting
بدگویی کردن از to backbite *or* slander
بدل [جمع: ابدال، کمیاب] /ع./ substitute; exchange; [*gram.*] apposition, appositive; [*adj.*] false
الماسِ بدل imitation diamond
بدل ما یتحلل substitute for what is worn out, *i.e.* food
بدل‌چینی /ع. فا./ crockery
بدل سنا /عف./ coronilla
بدلقا /فا. ع./ ugly; sinister
بدلگام، بدلجام = بددهنه

بدمذهب /فا. ع./ irreligious [often used as an insult]
بدمزاج [کمیاب] /فا. ع./ cachectic; peevish
بدمزه disagreeable to the taste
بدمست drunk and disorderly
بدمستی کردن to be drunk and disorderly, to brawl (as a drunkard)
بدمعامله /فا. ع./ dishonest *or* irregular in one's dealings
بدمنش fastidious
بدن [جمع: ابدان] /ع./ body; ⟵ تن
بدنام infamous, ignominious
بدنام کردن to defame, to disgrace
بدنامی infamy, ill repute, ill fame
بدنقش /فا. ع./ unlucky
بدنقشی /فا. ع./ bad luck
بدنما unsightly; indecent
بدنه /ع. فا./ trunk; hull; frame; [*plane*] fuselage; [*column*] shaft
بدنهاد [ادبی] ill-set, ill-natured
بدنی /ع./ bodily, physical; flesh-coloured
بدنیت /فا. ع./ having a sly meaning, ill-intentioned
بدو /ع./ beginning
بِدو [ادبی] = به او to him *or* her
بِدونِ ⟵ دون
بدوی[1] /ع./ primary
بدوی[2] bedouin; rude, embryonic
بِدِه [عامیانه] = بدهی، بدهکاری

بده و بستان transaction; [*o.s.*] give-and-take

بدهضمی /فا. ع./ **dyspepsia**

بدهکار **debtor**

دو ریال به من بدهکار است. He owes me 2 rials.

برگ بدهکار debit note

بدهکار کردن to debit

بدهکاری **debt; indebtedness**

بدهوا **badly ventilated; of a bad weather *or* climate**

بدهی (sum) **due, debt; liability**

دو ریال به من بدهی دارد. He owes me 2 rials.

بدهیئت /فا. ع./ = بدقیافه

بدی **badness; evil; wickedness; wrong**

بدی کردن to do evil

به کسی بدی کردن to do an ill turn to someone

بدیع /ع./ **new; strange; [*n.*] figures of speech**

صنایع بدیعی rhetorical figures, figures of speech

بدیع‌الجمال /ع./ = بدیع شمایل

بدیع شمایل [ادبی] /عف./ **of rare beauty**

بدیعه [جمع: بدایع] /ع./ **rarity; novelty**

بدیُمن /فا. ع./ **inauspicious**

بدین [ادبی] = به این **to this**

بدیهه /ع./ **improvisation**

بالبدیهه extemporaneously

بدیهه گو /ع. فا./ **improvisator**

بدیهه گویی /ع. فا./ **improvisation**

بدیهی /ع./ **evident**

بدیهی است evidently, of course

بدیهیات /ع./ **self-evident truths, axioms**

بذر [جمع: بُذور] /ع./ **seed**

بذرافشان /ع. فا./ **seeder, corn-drill**

بذرالبنگ /ع. فا./ **henbane seeds**

بذرک /ع. فا./ = بزرک، برزک

بذل /ع./ **giving generously, munificence**

بذل کردن to give generously

بذل مساعی کردن to make an effort

بذل مساعدت کردن to give (*or* lend) one's assistance

بذله /ع./ **wit; witty jest**

بذله گو /ع. فا./ **witty** (person)

بذله گویی /ع. فا./ **witticism**

بَر[1] /حا./ **upon, on; over**

برآن بودن [ادبی] to be determined; to be planning

برآن داشتن [ادبی] to persuade

برآن شدن [ادبی] to determine; to plan

بَر[2] /پی. ق./ **up, above; over; back; away**

بَر[3] /ا./ **side; bosom**

از بر خواندن to recite from memory

از بردانستن to know by heart

در برداشتن to comprise; to entail; to wear, [*lit.*] to have on

در بر کردن [ادبی] to put on

در بر گرفتن to embrace

بَر[4] [ادبی] **fruit; [*fig.*] result, profit**

برخوردن از to enjoy

بَر[5] [بن مضارع بردن]

بُر[1] [بن مضارع بریدن]

بُر[2] [*c.p.*] **shuffling**

بر زدن to shuffle

بَرّ /ع./ **land; continent**

برّ قدیم the Old World

بُرّا **cutting, sharp**

برابر **equal, on a par; tantamount; opposite; [*adv.*] equally; [*n.*] opposite side, front; equivalent**

برابر کردن to compare, to place side by side; to bring on the same level

برابرِ equal to; opposed to; according to

برابر با equal, equivalent *or* tantamount to

در برابرِ in front of, before; against; as compared with (*or* to)

دو برابرِ twice as much *or* as many as

برابری **equality**

برابری کردن با to be equal *or* equivalent to; to oppose; to compare with

بَرات [از ع. برائت، جمع: بَروات] **draft, bill of exchange**

بَرات کردن to make a draft for

بَرات بر شاخ آهو دادن to send someone on a wild-goose chase; [*o.s.*] to draw a cheque on a gazelle's horn

برات‌کش **drawer** (of a cheque)

برات‌گیر **drawee**

برادر **brother**

برادرانه **brotherly; [*adv.*] in a brotherly manner**

برادرخوانده **adopted brother**

برادرزاده **brother's son *or* daughter**

برادرزن **wife's brother, brother-in-law**

برادرشوهر **husband's brother, brother-in-law**

برادرکش، برادرکشی **fratricide**

برادروار **brotherly; [*adv.*] in a brotherly manner**

برادری **brotherhood, fraternity**

بُراده /ع./ **filings:** برادهٔ آهن

بُراز /ع./ **feces, excrement**

برازندگی **comeliness, grace**

برازنده **comely, becoming, graceful**

برازیدن [بن‌مضارع: براز] **to become, to suit, to befit**

برآشفتن [صورت تأکیدی آشفتن]

برافروختن [صورت تأکیدی افروختن]

برافگندن = افکندن، برانداختن

بَرّاق /ع./ **shining, glittering**

براق کردن to polish, to shine

بُراق **designating a cat with bristling hair and attacking aspect**

برآمد **issue, outcome;** [*rare*] **expenditure**

برآمدگی **projection; knob; outgrowth; swelling**

برآمدن [ادبی] **to come up; to cope; to be inferred; to be accomplished; to elapse**

دروغ گفتن از من بر نمی‌آید. I am incapable of lying. I cannot lie.

برامکه ← برمکی

بُرّان **cutting, trenchant**

برانداختن **to abolish; to overthrow;** [*lit.*] **to dissipate**

برانداز کردن **to look up and down; to take stock of**

برانکار /فر./ **stretcher**

برانگیختن = انگیختن

برآورد **estimate**

برآورد کردن to estimate

هزینهٔ آن را هزار ریال برآورد کردند. ***The expenses were estimated at 1000 rials.***

برآوردن [ادبی] **to grant, to comply with; to meet; to supply**

براهین [جمعِ برهان]

برایِ **for; for the sake of; for the purpose of**

(از) برای اینکه، (از) برای آنکه because; in order that

برای چه؟ why?, what for?

برائت /ع./ **acquittance; exemption**

برائت ذمه acquittal, clearance from obligation

برآیند **resultant**

بربر (native of) **Barbary; Barbarian**

بربری **native of Barbary;** [*adj.*] **rude; savage, barbarian**

بربریت /ع./ **barbarity, savagery**

بربط **harp, lyre**

بربط‌زن **harper**

برتر [صفت تفضیلی بر] **higher; superior; preferable**

برتری **preference, superiority**

برتری داشتن بر to have preference over, to be superior to, to be better than

بَرج [عامیانه] **minor** ***or*** **secondary expenses**

بُرج [جمع: بُروج] /ع./ **tower; sign of the zodiac;** [*ext.*] **solar month**

برج کبوتر columbarium

برج زهرمار [*met.*] sore as a boil

برج ناقوس belfry

برج نور lighthouse

بُرج و بارو ramparts

برجستگی **relief; saliency;** [*fig.*] **prominence**

برجسته **relief, embossed; salient;** [*fig.*] **outstanding, prominent distinguished, of distinction**

برجسته کردن to raise in relief; to emboss

برجسته‌کاری **embossed work**

بُرجی /ع./ **zodiacal; solar**

بِرجیس **Jupiter;** ← مشتری

برچسب **label**

برچه [*bot.*] **carpel**

برچیدن **to pick up; to gather; to remove; to wind up**

سفره را برچیدن to clear the table, to draw the cloth

برحق /فا. ع./ **true**

برخاستن [بن‌مضارع: برخیز] **to rise, to get up;** [*rare*] **to adjourn a meeting;** [*rare*] **to disappear;** ← خاستن

برخورد **encounter; contact; conjunction; attitude**

برخورد کردن با to encounter, to come in contact with

برخوردار **enjoying; successful; prosperous**

برخوردار شدن از to enjoy (the fruits of)

برخورداری **enjoyment; fruition; success**

برخوردگی **wounded feelings, offence**

برخوردن ← خوردن

برخورنده **hurting the feelings,** [*adj.*] **irritating**

برخه **fraction; portion**

برخه‌شُمار **numerator**

برخه‌نام **denominator**

بَرخی[1] [کمیاب] **offering, ransom**

برخی[2] [از برخ، کمیاب] **some** (of), **part of**

برخیزانیدن **to cause to rise**

بَرد [کمیاب] /ع./ = سرما

بُرد[1] **winning; amount won; range;** [*fig.*] **advantage**

بُرد کردن to be better off, to have an advantage

بُرد[2]، برد یمانی **striped cloth from Yemen**

بَردار [بن مضارع برداشتن]

بُردار[1] **vector**

بُردار[2] = برنده

بردار و برمال = وردار و ورمال

برداشت **withdrawal, taking(s); deduction in advance; offtake; lifting; harvest**

برداشت کردن از to withdraw from, to draw on

برداشتن [بن مضارع: بردار] **to take** (up); **to pick up; to remove; to take off:** کلاه خود را بردار**; to run away** (with); **to take the bit between one's teeth; to permit of:** تعبیر بردار نیست **to raise; to shoot** (as a film)

دست برداشتن to desist

بُردبار **meek, forbearing**

بردباری **forbearance, fortitude, patience, meekness**

بردست **aid, mate**

بردگان [جمعِ برده]

بَردگی **slavery**

بُردن [بن مضارع: بَر] **to carry, to take; to steal; to take to wife, to marry; to lead; to win**

کلاهش را باد برد. His hat blew off.

بَرده [جمع: بردگان] **slave, bondman**

بُرده [اسم‌مفعول فعل بردن] **carried; stolen; won;** [*n.*] **amount won**

برده‌فروشی **dealing in slaves**

بردی [کمیاب] **papyrus**

بررسی **study(ing)**

بررسی کردن to study, to consider

بَرز [کمیاب] = تخم؛ کشاورزی

بُرز [ادبی] **tallness, stature**

برزخ **isthmus;** [*fig.*] **perilous** *or* **awkward situation,** [*infml.*] **rough time; connecting link**

برزخ شدن to be upset

برزک **linseed; flax**

برزگر **agriculturist, farmer**

برزگری **farming**

برزن **municipal division** (of a town), **quarter**

بَرسام **diaphragm(at)itis**

برزنت /ر./ **tarpaulin**

بُرش /ر./ **borsch**

بَرش، گِل بَرش **yellow ochre**

بُرِش **cut(ting); slice; section; coupon**

برشته **torrefied; toasted; roasted**

برشته کردن to torrefy, to parch

برشمردن [ادبی] **to enumerate;** → شمردن

برص /ع./ **leprosy**

برطرف → طرف

برعکس → عکس

برعلیه → علیه

برف **snow**

برف می‌بارد. برف می آید.
It snows.

زیر برف ماندن to be snowed under

گل برف snow-berry

برفاب **snow-water; slush**

برف‌انبار **heaped up** (like snow); [*n.*] **snow-drift**

برف‌پاک‌کن **snow-sweeper; snow-plough; windscreen wiper**

برف‌خوره **small drizzling rain**

برف‌روب **snow-sweeper; snow-plough**

برف‌روبی **cleaning the snow**

برف‌ریزه **hoar-frost; sleet**

برفک **thrush, aphtha**

برفی **snowy:** روز برفی **; of snow**

آدم برفی snowman

برق /ع./ **lightning; electricity; flash; lustre; polish**

برق انداختن to polish, to cause to glitter

برق زدن to glitter, to scintillate, to shine

چراغ برق electric light

کارخانه برق power station

مهندس برق electrical engineer

برق‌آسا /ع. فا./ **flashlike; sudden;** [*adv.*] **suddenly**

برق‌بین /ع. فا./ **electroscope**

برق‌زا /ع. فا./ **electromotive**

برقرار /فا. ع./ **confirmed, established; in working order**

برقرار کردن to institute; to instal; to commission

برقراری /فا. ع./ **establishment; working order; installation; appointment**

برق‌زدگی /ع. فا./
electrical shock
بُرقَع [ادبی] /ع./ **veil; mask**
بـرق‌گیر /ع. فا./
lightning-rod, lightning-conductor; fuse
بُرقو **reamer**
برقو زدن to ream
برقی /ع. فا./ **electric(al); electrically-driven; quick and sudden, foudroyant,** [*infml.*] **galloping;** [*adv.,infml.*] **like a shot**
چرم برقی patent leather
موتور برقی electromotor
بَرَک **cloth made of camel's hair**
برکات [جمعِ برکت]
برکت [جمع: برکات] /ع./
blessing; abundance; prosperous effect
برکت دادن (به) to bless
برکت کردن to be multiplied (as if by blessing)
برکنار **discharged, dismissed**
برکنار شدن to be discharged
برکنار کردن to dismiss, to discharge
برکناری **dismissal, discharge**
برکه /ع./ **pool; pond; lake**
بَرگ **leaf; sheet; form; document, certificate**
برگ سبز widow's mite
برگ عطر stork's-bill
برگ گل = گلبرگ
برگ‌بال **neuropteran**
برگچه **foliole, leaflet**
بـرگدُم **petiole, footstalk**
برگذار کردن **to make shift; to dispose of; to carry on; to content oneself, to get along; to get over**

برگذار شدن
to be disposed of; to pass off:
مهمانی خوب برگذار شد
برگرد **turndown**
برگردان **refrain, burden; lapel; echo**
عکس برگردان transfer picture
یخه برگردان turndown collar
برگرداندن **to return: to send (*or* give) back; to turn, to change, to reverse; to turn off; to throw up: to vomit; to reduce; to invert**
برگ‌ریز **deciduous**
برگ‌ریزان **fall, autumn**
برگزیدن **to choose, to select**
برگزیده **chosen, selected**
برگشت **return; decline; revocation; reflection; difference, deduction**
قابل برگشت، برگشت‌پذیر
revocable
غیرقابل برگشت، برگشت‌ناپذیر
irrevocable
برگشت‌پذیر ← برگشت
برگشتن [بن‌مضارع: برگرد]
to return, to come back, to go back; to be changed;
← گشتن
او را در برگشتن ملاقات کردم.
I met him on my way back.
برگشت‌ناپذیر ← برگشت
برگشته **turned up *or* down; changed; converted**
یقهٔ برگشته turndown collar
برگشته‌حال [ادبی] /فا. ع./
unhappy, afflicted
برگشته‌روزگار [ادبی]
unfortunate
بـرگماشتـن [صورت تأکیدی گماشتن]
برگ‌وساز، برگ‌ونوا [ادبی]
means, riches

برگه [*coat,etc.*] **fly,** [*pocket*] **flap, tongue; index card, slip;** [*boot*] **clue: part of stolen goods discovered in a person's possession; dried peaches *or* apricots**
برگه‌دان **card-index file *or* cabinet**
برگی **leaf-shaped, foliaceous**
برلیان /فر./، الماس برلیان
brilliant
برمکی [جمع: برامکه، /ع./]
Barmecide
برملا /فا. ع./ **public; flagrant, notorious**
برملا شدن to be divulged *or* published
برملا کردن to divulge, to make public
برنا = جوان [ادبی]
young (person)
برنامه **programme, schedule; time-table;** [*ext.*] **plan**
برنج **rice; brass**
خط برنج column-rule
برنجاسف
common mugwort
برنجزار، برنجکاری
rice-field
برنجی (made of) **brass, brazen; of rice**
بَرنده **winner;** [*auction*] **highest bidder; bearer; carrier;** [*adj.*] **winning**
خال برنده [*c.p.*] trump
بُرنده **cutting, sharp; incisive;** [*infml.*] **digestive**
برنز /فر./ **bronze**
برنشاندن **to cause to sit up, to set up**
برنشیت /فر./ **bronchitis**

بِرنگِ کابُلی
Chebulic myrobalan
بِرنو **Bruno, Brno**
تفنگ برنو Bruno gun,
Bren gun
بروات [جمعِ برات]
بُروت [کمیاب] = سبیل
moustache
باد بروت airs, conceit
بروج [جمعِ برج]
برودت /ع./ = سردی **cold;**
[*fig.*] **indifference**
برودری /فر./ **embroidery**
برودری‌دوزی /فر. فا./
embroidery
برودری‌دوزی کردن
to embroider
بَرو رو [عامیانه] **good looks**
بروز /ع./ **appearing**
بروز دادن to divulge
بروز کردن to appear;
to leak out
بروس /فر./ **brush**
بروس مو hairbrush
بروکسل /فر./ **Brussels**
برومند **fruitful**
برومور، برمور /فر./
bromide
بُــرون [ادبـی، صـورت اخـتصاری بیرون]
بُرون‌رو(ی) **exogenous**
برون‌شامه
exterior membrane;
[*heart*] **pericardium**
برون‌مرزی **extraterritorial**
بَرّه **lamb**
بره /فر./ **beret**
بُرهان [جمع: براهین] /ع./
demonstration, logical
reason; theorem
برهان موجز enthymeme
برهان آنی a priori reasoning
برهان لمی
a posteriori reasoning

براهین جمجمه phrenology
برهم ← هم
برهمن [جمع: براهمه، /ع./]
Brahman
برهنگی **nakedness**
برهنه **naked, bare**
برهنه کردن to make naked,
to strip of clothing
برهنه‌پا **barefoot(ed)**
برهنه‌خوشحال [عامیانه] /فا.ع./
happy in spite of poverty
بری /ع./ **exempt;**
(de)void; weary,
[*infml.*] **disgusted**
برّی /ع./ = زمینی؛ وحشی
بری‌الذمه /ع./ **clear from**
obligation, quit, discharged
بری‌الذمه کردن to acquit from
obligation, to discharge
بریان **roasted** (whole);
grilled
گندم بریان parched corn
بریان کردن to dress *or* roast
whole, to barbecue; to parch
بریانی
liver prepared for food
بریتانیا **Britain**
بَرید = چاپار؛ قاصد
بریدگی **cut, incision;**
notch; [*fig.*] **separation**
بریدن [بن‌مضارع: بُر] **to cut;**
to pick: جیب کسی را بریدن ;
[*fig.*] **to settle, to decide;**
to sever, to separate; *vi.* **to**
be cut; to turn *or* **change**
بُریده [اسم‌مفعول فعل بریدن] **cut;**
separated; [*milk*] **turned**
بریده‌بریده in snatches
بَرین [ادبی] **highest; eternal**
بُز **goat**
بز کوهی wild goat, chamois,
ibex
بز ماده she-goat
بز نر he-goat

بزگیر آوردن to have (a
thing) a great bargain
بَزادی **beryl**
بزّاز /ع./ **cloth-dealer, draper**
بزازی /ع. فا./ **dealing in**
cloth, drapery, mercery
بُزاق /ع./ **saliva**
جوهر بزاق diastase
بُزاقی /ع. فا./ **salivary**
بَزباز **mace, nutmeg's cover**
بُزچران **goatherd**
بزخو **goatish;**
[*n.*] **ambuscade**
بزدل **chicken-hearted**
بزدلی **pusillanimity,**
timidity
بَزَرَک **linseed; flax**
بُزرگ[1] **large, big; great;**
grown up, adult
بزرگ شدن to grow up
بزرگ کردن to enlarge;
to bring up; to magnify
بُزرگ[2] [جمع: بزرگان] /ر./
person of distinction
بزرگ ارتشتاران فرمانده
Commander-in-Chief of
the Army
بُزرگتر [صفت تفضیلی بزرگ]
elder; guardian;
[*adj.*] **elder** *or* **older**
بزرگ‌زاده
person of noble birth
بزرگ سیاهرگ **vena cava**
بزرگ‌طبع /فا.ع./، بزرگ‌منش
magnanimous
بزرگمهر [اسم خاص] ← بزرگ، مهر
بزرگوار **great;**
magnanimous; [*n.*] (the
Great) **God**
بزرگواری **greatness;**
magnanimity; generosity
بزرگی **largeness;**
greatness; size; adult age

بزغاله **kid**

بُزغُنج **galls of pistachio**

بزک /ت./ **toilet, make-up, dress(ing)**

بزک کردن to make one's toilet, to dress (up)

بزل /ع./ **trepanning**

بَزم = مهمانی، سور

بُزمجه **lizard**

بِزن‌بهادر [عامیانه] **sturdy, valiant;** [*n.*] **rowdy, tough guy**

بزنگاه **proper moment, nick of time**

سر بزنگاه in the nick of time, at the right moment

بزودی ← زودی

بزه **misdemeanour;** [*lit.*] **sin**

بزهکار[1] **misdemeanant** *or* **criminal**

بزهکار[2] = گناهکار

بُزی **of** *or* **like a goat**

ریش بُزی vandyke-beard, goatee

بژ /فر./ **beige, natural-coloured**

بَس **enough; sufficient;** [*lit.*] **many a**

بس است. that is enough, that will do

بس کردن to stop, to cease

از خدا می‌ترسم و بس. I fear God alone.

(از) بس که گریه کرد ناخوش شد. He wept so much that he fell ill.

همین‌قدر بس که suffice it to say that

بسا **many (a), much;** [*adv.*] **many a time, often**

چه بسا، ای بسا [ادبی] how many!, how much!, how often!

بساتین [جمعِ بستان، /ع./]

بساط /ع./ (place for) **goods exposed for sale** [especially by one who has no shop]**; stand; layout; carpet**

بساک **anther**

بسامد [*phys.*] **frequency**

بسانِ ← سان

بساوایی (sense of) **touch**

بسباس، بسباسه /ع. فا./ = بزباز

بَسپایک **polypody**

بست **fastening; brace; clamp; sanctuary, inviolable place of refuge**

بست نشستن to take (refuge in a) sanctuary

بُستان[1] [صورت اختصاری بوستان] **garden**

بُستان[2] [جمع: بساتین، /ع./] = جالیز

بِستانکار **creditor**

مبلغی را به بستانکار حساب کسی گذاشتن to credit someone with a sum, to credit a sum to someone

بُستانکار **horticulturist**

بِستانکاری **credit(orship), amount due to a person**

بُستانکاری **horticulture**

بستر **bed**

بستر رود river-bed

بستری **confined to bed, bedridden**

بستری شدن to be confined to bed

بستگان **relatives;** ← بسته

بستگاه **place of refuge, sanctuary**

بستگی **relation, connection; dependence; relationship**

بستگی دارد با it depends on

بستن [بن‌مضارع: بند] **to close, to shut; to tie; to bind, to fasten; to pack; to dress** (as a wound)**; to turn off; to shut off; to conclude:** قرارداد بستن **; to levy:** مالیات بستن **;** [*infml.*] **to lay at the door**(of)**;** *vi.* **to freeze, to coagulate;** ← شرط بستن

به‌خود بستن to affect, to assume

بستنی **ice-cream**

بستو **earthenware pitcher;** [*bot.*] **conceptacle, follicle**

بست و بند **fastening; bracing;** [*bridge*] **spanner;** ← بند و بست

بسته[1] [اسم‌مفعول فعل بستن] **closed; fastened, tied; barred; frozen; coagulated; related; crossed:** چک بسته **;** [*fig.*] **knotty; dependent** *or* **depending;** [*n.*] **package, parcel;** [*pins, etc.*] **paper; captive** *or* **prisoner; dose of medicine enclosed in paper**

بسته است به مقتضیات it depends on circumstances

بسته[2] [جمع: بستگان] **relative**

بسته‌بندی **packing**

بسته‌بندی کردن to pack

بُسَد [ادبی] = مرجان

بسزا ← سزا

بس‌شماری **multiplication**

بس‌شمر **multiplier**

بس‌شمرده **multiplicand**

بسط /ع./ **expansion; amplification; explanation**

بسط دادن to expand, to enlarge upon, to develop, to amplify

بُسفر /فر./ **Bosporus**

بس‌که ← بس

بسم‌الله[1] /ع./
in the name of God

بسم‌الله[2] help yourself

بسم‌الله[3] please come/ sit/ say/ etc.

بسنده [کمیاب] = کافی
sufficient

بسوی ← سو

بسی [ادبی] many; much; [*adv.*] very; often

بسیار many, numerous; much; [*adv.*] very: بسیار خوب

بسیارخوار [ادبی] = پرخور

بسیاری [ادبی] numerousness; excessiveness

از بسیاری غصه
from excessive grief

بسیج، بسیچ mobilization; [*rare*] intention

بسیج کردن to mobilize

بسیجیدن [کمیاب] to intend; to prepare; to mobilize

بسیط /ع./ extensive, vast; simple; [*n.*] extent, stretch

جسم بسیط، بسیطه /ع./
element

بسیم /ع./ [*adj.*] smiling

بشارت [جمع: بشارات] /ع./ = مژده
good (*or* glad) tidings

بشاش /ع./ cheerful, smiling

بشاشت cheerfulness

بشر /ع./ mankind

بشردوست /ع. فا./
philanthropic; [*n.*] philanthropist

بشردوستی /ع. فا./
philanthropy

بشره /ع./ complexion; cuticle

بشری /ع./ = انسانی

بشریت /ع./ human nature; humanity, humanism

بشقاب /ت./ plate, dish

بشقابی /ت.فا./ placoid

بِشکن snapping one's fingers (to follow the tempo)

بشکن زدن
to snap one's fingers

بشکه /ر./ barrel

بشیر /ر./
harbinger of good news

بشیز = پشیز

بصر [جمع: ابصار] /ع./ sight; eye

بصری /ع./ optical; visual

بصل‌النخاع /ع./ = پیاز مغز

بصیر /ع./ well-informed; discerning, clear-sighted

بصیرت /ع./ insight; intelligence; expert knowledge

بضاعت /ع./ financial ability; [*o.s.*] goods *or* capital

بَط [ادبی] = مرغابی، اردک

بطالت /ع./ vanity; idleness

وقت خود را به بطالت گذراندن
to idle away one's time

بطانه /ع./ putty, filler

بطانهٔ روسی glaziers' putty

بطانه کردن to putty *or* seal (up)

بَطَر /ع./ [ادبی] insolence; petulance

بُطری [از ان. یا ر.] bottle

بطری لید leyden jar;
-Note: لید is a French word

بطش [ادبی] /ع./ attack; violence

بطلان /ع./ falseness, invalidity

بطلمیوس /ع. ی./ Ptolemy

بطلمیوسی /ع./ Ptolemaic

هیئت بطلمیوسی
Ptolemaic system

بطن [جمع: بُطون] /ع./
abdomen, belly; womb; ventricle; [*fig.*] interior

بطن پیچیدهٔ گوش
labyrinth of the ear

بطنی /ع./ uterine; abdominal

بُطوء /ع./ slowness

بطون [جمعِ بطن] /ع./
interior *or* secret part, bedrock

بطی /ع./ slow

بطی‌الانتقال /ع./
dull of apprehension

بطی‌السیر /ع./ = کندرو

بطی‌الهضم /ع./ indigestible

بَع‌بَع [عامیانه] baa, bleating

بع بع کردن to bleat *or* baa

بِعثت /ع./ prophetic mission

بعد /ع./ then, afterwards; [*adv.*] next: روز بعد

بعد از after

بعد از این، از این به بعد
hereafter

وکیل بعد از این [عامیانه]
would be deputy

بعد از آن، از آن به بعد
thereafter

بعد از آن که او رفت
after (or *when*) *he had gone*

بعد از ظهر afternoon

دو ساعت بعدازظهر (at) 2 p.m.

یکی بعد از دیگری
one after another

بعدها later (on), at a later period

بُعد [جمع: ابعاد] /ع./
remoteness, distance; dimension; [*astr.*] celestial longitude

بعداً /ع./ afterwards; subsequently; later

بعدی /ع. فا./ subsequent; next

بعض [کمیاب] /ع./ **part, few, some**
بعضاً /ع./ **partly, partially**
بعضی /ع. فا./ **some**
بعضی اوقات sometimes
بعضی از ایشان some (***or*** a few) of them
بعلبک **Heliopolis**
بعید /ع./ **far, remote;** [*fig.*] **improbable, unlikely**
از من بعید است. It is inconsistent of me.
بعید نمی‌دانم که I should not be surprised if
بُغاز /ت./ **strait, channel**
بغبغو **cooing**
بغبغو کردن to coo
بغتتاً = ناگهان
بغچه /ت./ **bundle, pack; square cloth wrapper**
بغداد **Bagdad**
بغرنج **complicated, intricate**
بغض /ع./ **spite, grudge**
بغض گلوی او را گرفت. He was choked with tears.
بغضش ترکید. He burst into tears.
بغضش گرفت. He felt a lump in his throat.
بَغل **arm(-pit); bosom; side, edge; armful**
بغل کردن to carry in the arms; to hug, to cuddle
در بغل گرفتن to embrace
بغل کسی خوابیدن to lie with ***or*** by the side of someone
بغل خالی کردن to buck (as a horse)
جیب بغل inside breast-pocket
بغل‌خوابی **sexual intercourse**
بغلی **carried in arms;** [*n.*] **flask**
بچه بغلی child in arms

کیف بغلی ← کیف
بَغی [کمیاب] /ع./ **revolt, rebellion; injustice**
بقاء /ع./ **duration; permanence; eternity**
بقاع [جمعِ بقعه]
بقال /ع./ **grocer** [selling cereals]
بقالی /ع. فا./ **grocery**
بقایا [جمعِ باقی] /ع./ **remains; arrears, dues**
بقچه = بغچه
بقر [کمیاب] /ع./ = گاو
بقراط /ع. ی./ **Hippocrates**
بقعه [جمع: بقاع] /ع./ **mausoleum**
بَقَم = بقم بنفش؛ بقم قرمز
بقم بنفش logwood
بقم قرمز sapanwood
بُقول، بُقولات [جمعِ بقل، بقله] /ع./ **cereals, vegetables**
بقیت ← بقیه
بقیه [از ع. بقیة یا بقیت] **remainder, rest, balance**
بقیة‌السیف /ع./ **remnant(s);** [*o.s.*] **what has escaped the sword**
بکارت /ع./ **virginity**
بکارتِ دختری را برداشتن to deflower a maiden
پردهٔ بکارت hymen
بکر /ع./ **virgin; intact; original;** [*adv., sl.*] **completely, categorically**
بکر حاشا کرد. He made flat denial.
بُکسل [از ر. بوکسیر] **towing, tug**
بکسل کردن to tow, to take in tow
زنجیر بکسل towing attachment, towline
بُکم [کمیاب] /ع./ **dumb** (person)

بگونگو [عامیانه] **words, argument**
بگونگو کردن to have (***or*** bandy) words with each other, to altercate
بل /ع./ = بلکه
بَلا [جمع: بلایا] /ع./ **calamity, misfortune; nuisance**
بَلا برای جان خود خریدن to make a rod for one's own back
بِلا /ع./ **without** [used in the following model phrases]:
بلااستفاده useless
بلاتخلف without fail
بلاتردید doubtless(ly)
تصدیق بلاتصور prejudgement
بلادرنگ immediately
بلاشرط unconditional(ly)
بلاعوض gratuitous(ly)
بلافاصله immediately
بلامتصدی vacant: محل بلامتصدی
بلانسبت incomparably; [*interj.*] saving your reverence
تصرف بلامعارض usucaption
بلاواسطه = بی‌واسطه
بلاد [جمعِ بلد، بلده]
بلادت /ع./ **stupidity**
بلادُر **marking-nut**
بلادن /فر./ **belladonna, deadly nightshade**
بلاعزل /ع./ **irrevocable:** وکیل بلاعزل
بلاعوض /ع./ **gratuitous(ly), exgratia**
بلاغ /ع./ **delivery of a message**
بلاغت /ع./ **eloquence**
بلافصل /ع./ **immediate:** وارث بلافصل
بلاکش /ع. فا./ **afflicted; suffering ; miserable**
بلال (roasted) **maize**

بلبل nightingale
بلبل زرد قناری ←; canary
بلد [جمع: بلدان، بلاد] /ع./ city; region or country; guide, [infml.] escort; ← شهر
بلد نیستم. [عامیانه] I do not know (such and such a place or subject).
بلدان [جمع بلد، /ع./]
بلدرچین /ت./ quail
بلدی /ع./ municipal; urban
بلدیه /ع./ = شهرداری
بلژیک /فر./ Belgium
بلژیکی /فر. فا./ Belgian
بلسان /ع./ balsam, balm
بلسان اسرائیل balm of Gilead
بلسان مکی balm of Mecca
بلسان هندی balm of Peru
روغن بلسان balm oil
بلشویک /ر./ Bolshevik
بلع /ع./ swallowing, ingestion
بلع کردن to swallow
بُلعجب /فا. ع./ wonder; buffoon; [adj.] wonderful
بلعیدن [بن مضارع: بلع] /ع. فا./ to swallow; to devour
بلغاء [جمع بلیغ]
بُلغار Bulgaria; Russian leather
بلغارستان Bulgaria
بلغار(ی) Bulgarian
بلغم /ع. ی./ phlegm, lymph
بلغمی /ع./ phlegmatic
بلغور /ت./ groats
بلفضول ← بوالفضول
بلقیس [اسم خاص] /ع./
بلکه[1] /ع. فا./ perhaps
بلکه خواب باشد *perhaps he is asleep*
بلکه[2] /ع. فا./ but, rather, on the contrary
بلکه[3] /ع. فا./ suppose...

بُل گرفتن [عامیانه] to take advantage of a (specified) situation, to seize an opportunity, [o.s.] to catch a fly
بَلَم small rowing boat
بُلند[1] tall: درخت بلند ; high: کوه بلند ; long: ریسمان بلند ; loud: صدای بلند ; [fig.] exalted, eminent
بُلند[2] [adv.] aloud, loudly
بلند شدن to rise, to get up
بلند کردن[1] to lift, to raise
بلند کردن[2] to remove
بلند کردن[3] [زبان لاتی] to embezzle; to pick up (as a woman)
بلندبالا[1] tall
بلندبالا[2] [infml.] long, detailed: عریضه بلند بالا
بلندپرواز high-flying; [fig.] of extravagant ambitions or opinions
بلندقد /فا. ع./ tall: پهلوان بلند قد
بلندگو loud speaker
بلندنظر /فا. ع./ high-minded
بلندهمت /فا. ع./ of high aspiration; of a lofty purpose; magnanimous
بلندی height, elevation; highness; tallness; loudness; [fig.] eminence
بلوا riot, disturbance
بلوا کردن to raise a disturbance
بُلور crystal; cut-glass, flint-glass
بلور کوهی rock crystal
کارخانهٔ بلورسازی glassworks, glass factory
بلورشناسی crystallography

بلورلایه crystallophylian
بلوری، بلورین crystalline; made of (cut) glass
بلوز /فر./ blouse, shirt-blouse
بلوز نظامی tunic
بلوط /ع./ acorn
درخت بلوط oak
بلوط آور /ع. فا./ glandiferous
بلوغ /ع./ maturity, puberty
به سن بلوغ رسیدن to attain puberty, to come of age
بُلوک /ت./ district, civil parish
بلوک /فر./ bloc
بلوکه /فر./ frozen, blocked
بلوکه کردن to freeze (as a capital)
بله بلی ← [infml.] yes;
بُله /ع./ stupidity
بَله‌بَله‌چی [عامیانه] /فا.ت./ yes-man
بلهوس، بوالهوس /فا. ع./ capricious, whimsical, freakish; sensual
بلهوسی، بوالهوسی /فا. ع./ capriciousness, vagary; sensuality
بلی [ادبی] بله ← yes;
بلیات [جمع بلیه]
بَلید /ع./ stupid, doltish; [n.] stupid person, dunce
بلیط /ر./ ticket
بلیط‌فروش /ر.فا./ ticket-seller; [bus,etc.] conductor
بلیغ [جمع: بُلغا] /ع./ eloquent
سعی بلیغ great effort
بلیله belleric myrobalan
بلیه [جمع: بلیات] /ع./
بلا ← calamity, misfortune;
بم bass (voice)
بمب /فر./ bomb

بمباران /فر. فا./ **bombardment**
بمباران کردن to bombard
بمباسی [عامیانه] **blackamoor, negro**
بمب‌افکن، بمب‌انداز /فر. فا./ **bomber**
بمبئی **Bombay**
گل بمبئی hybrid tea-rose
بِمل /فر./ [*mus.*] **flat**
بن [صورت اختصاری اِبن] = پسر
بُن **root; bottom;** [*fig.*] **foundation**
بنا /ع./ **builder, bricklayer**
بِنا [جمع: ابنیه] /ع./ **building, construction**
بِنا کردن to build, to erect; to begin
بِنا کرد به خوردن he began to eat
بنا گذاشتن to lay the foundation (of)
بنا است امروز برسد. He is due to arrive today.
بنا شد با هم بروند. They agreed to go together.
بنابر according to
بنابراین /ع. فا./ **therefore**
بنات [جمعِ بنت]
بَنات‌النعش [*astr.*] **the Bear**
بنادر [جمعِ بندر، /ع./]
بناگوش **cavity behind the ear**
غدهٔ بناگوشی parotid gland
آماس غده بناگوشی parotitis, mumps
بنام = نامی، معروف
بنان /ع./ = سرانگشت
بنائی /ع. فا./ **builder's profession, building**
بن‌بست **blind**
کوچهٔ بن‌بست blind alley, cul-de-sac; [*n.*] deadlock
بنت [کمیاب، جمع: بنات] /ع./ = دختر

بنجل [زبان لاتی] **unsalable *or* dead stock, drug in the market**
بنچاق **original document *or* title-deed**
بند[1] **band; rope, cord; fastening, clamp, brace; cramp-iron;** [*lit.*] **chains; dam; joint; stanza; strophe; paragraph; knack, trick, sleight;** [*paper*] **ream**
بند انگشت phalanx, knuckle-joint
بند پروانه = تسمه پروانه
بند تفنگ sling of a rifle
بند تنبان the string of drawers
بند جوراب garters, suspenders
بند رکاب stirrup-leather
بند ساعت watch-ribbon
بند شلوار pair of braces ***or*** suspenders
بند شمشیر sword-belt, baldrick
بندکفش shoe-lace
بند آمدن to stop, to cease to flow; to be blocked (as a road)
بند آوردن to stop ***or*** staunch; to block
بند زدن to tinker, to mend
به‌کسی بند شدن [عامیانه] to hang ***or*** sponge on someone
بند کشیدن[1] to point
بند کشیدن[2] to string
در بند نهادن to put in chains
بَند[2] [بن مضارع بستن]
بندباز **rope-dancing, acrobat**
بندبازی **rope-dancer, acrobatics; skipping the rope**
بندپائیان **the Arthropoda**

بندِ تنبانی [زبانی لاتی] **doggerel**
بندر [جمع: بنادر، /ع./] **port**
بندرگاه **harbour**
بندزن **tinker**
بندفنگ! [*mil.*] **Sling arms!**
بندکش **pointer; bodkin**
بندکشی **pointing;** ← بند کشیدن
بندکشی کردن to point
بندگان [جمعِ بنده]
بندگی **slavery; servitude; worship, devotion**
بندگی کردن [*p.c.*] to give
بندوبست **collusion;** ← بست‌وبند
بنده [جمع: بندگان] **slave; servant;** [*p.c.*] **I**
بنده و سرکار you and I
بنده‌زاده **my child, my son;** [*o.s.*] **son of your slave**
بنده‌پروری = بنده‌نوازی
بنده‌نواز **kind to inferiors**
بنده‌نوازی **kindness to inferiors**
بندی[1] **prisoner, captive**
بندی[2] [*adj.*] **laced:** کفش بندی
بنزین /فر./ **motor spirit, gasoline, petrol, gas, benzene**
بنزین هواپیمائی aviation spirit
بنزین گرفتن to fuel up
بُنشن **cereals, legumes, pulse**
بنصر [کمیاب] /ع./ **ring-finger**
بنفش **violet** (colour)
بنفشه **violet**
بنفشه‌فرنگی pansy
بنکدار **wholesale dealer**
بنگ **bhang, henbane**
بنگاه **institution, establishment**
بنگالی **Bengalese**

بنگی (one) **who is addicted to the use of bhang**
بُنلاد [کمیاب] **layer**
بنوّت [کمیاب] /ع./ **affiliation**
بُنه **baggage, luggage**
بَنه **Persian turpentine tree**
بُنه کن [عامیانه] **for good** (and all)
بنی [در ترکیب، جمعِ ابن] /ع./ **sons**
بنی‌آدم sons of Adam, mankind
بنی‌اسرائیل children of Israel, Jews
بنی‌عمّ cousins
بنیاد **foundation; origin**
بنیاد نهادن to lay the foundation of, to found; to begin
بنیامین /ع. عب./ **Benjamin**
بنیان /ع./ **structure, building**
بنیان‌کن /ع. فا./ **destructive**
سیل بنیان‌کن sweeping flood
بنیچه **quota of troops** *or* **of taxes in lieu thereof, matricula**
بنیه /ع./ **physical condition, health;** [*fig.*] **ability**
بو، بوی **smell, odour**
بو بردن از to suspect *or* scent, to get wind of
بو دادن to give out a smell; to stink; to roast *or* parch
بو کردن to smell
بو گرفتن to contract a smell, to turn fetid
بوی...از آن می‌آید it savours *or* smacks of...
بوآ /فر./ **boa** (constrictor)
بوّاب [کمیاب] /ع./ = دربان
بواسیر [جمعِ باسور، کمیاب] /ع./ **piles, hemorrhoids; polypus**
بواسیری /ع. فا./ **hemorrhoidal**

بوالعجب = بلعجب
بوالفضول، بلفضول /ع./ **meddler**
بوالهوس = بلهوس
بوته **crucible, melting pot**
در بوتهٔ اجمال افتاد it fell into abeyance
گل بوته crucible-earth, fire-clay
بوتیمار /ع. فا./ **bittern**
بوجار **sifter and cleaner of rice** *or* **wheat**
بوجار لنجان Vicar of Bray, time-server, trimmer
بوجاری **sifting and cleaning** (rice *or* wheat)
بود[1] **existence**
بود[2] [گذشتهٔ فعل بودن] **was**
بُوَد [ادبی] = (می)باشد **he/ she/ it is**
بودا **Buddha**
بودایی **Buddhist**
بودباش **dwelling-place**
بودجه /فر./ **budget**
بودجه‌ای /فر./ **budgetary**
بودن [بن‌مضارع: باش] **to be; to exist**
او به ... مایل است. He is fond of...
خدا هست. *God is. God exists.*
کسی اینجا نیست. *There is no one here.*
اگر من جای شما بودم *if I were you*
رفته بود. *He had gone.*
بوده **been**
بوده‌ام *I have been*
بور[1] **blond**
بور[2] [عامیانه] **baffled** (in one's plans)
بور شدن to look foolish *or* blank, to draw a blank, to fail disgracefully

بور کردن to embarrass; to trick
بوراق /ع. فا./ **borax; nitre**
بوران **sleet; squall**
بورانی، بُرانی **dish of spinach**
بورس /فر./ **stock exchange; scholarship**
بورمور [عامیانه] = برومور
بوره **nitre; borax; tincal**
بوری **blow-pipe**
بوریا **mat; rush-mat**
نی بوریا marsh-reed; wicker
بوریاباف **mat-weaver**
بوریاپوش **cased in wicker**
قرابه بوریاپوش demijohn
بوزک **barm**
بوزه = بوزک؛ آبجو
بوزینه **monkey, ape**
بوس[1] [بن‌مضارع بوسیدن]
بوس کردن to kiss
بوس[2] = بوسه
بوستان [جمع: بساتین، /ع./] **garden**
بوسه **kiss**
بوسه دادن to allow to be kissed
بوسه زدن بر to kiss
بوسیدن [بن‌مضارع: بوس] **to kiss**
بوسیر **mullein, Aaron's rod**
بوش /ان./ [*mech.*] **bush(ing)**
بوشن /فر./ (reducing) **socket, reducer, union**
بوف **owl;** ← جغد، بوم
بوفه /فر./ **buffet; side-board; refreshments**
بوق **horn; bugle**
بوق الکتریکی klaxon
بوق زدن to blow the horn
تا بوق سگ till the small *or* early hours of the morning
بوقلمون /ع./ **turkey; chameleon**

بوقلمون ماده turkey-hen
بوقلمون نر turkey-cock, gobbler
گل بوقلمون sweet-william, bearded pink
ایام بوقلمون [ادبی] fickleness of fortune
بوکس /فر. ان./، **بوکس‌بازی** **boxing**
به کسی بوکس زدن to box someone
بوگرفته **stinking, fetid**
بول /ع./ = پیشاب
بولاغ اودی /ت./ **water-cress**
بولدوگ /فر. ان./ **bulldog**
بولدوگوم /فر./ **jujube**
بوم[1] **region; country**
بوم[2] /ع./ **(stone-)owl**
بومادران **milfoil, yarrow**
بومی **native; vernacular**
بویا **odoriferous**
بویایی **sense of smell**
بوییدن [بن‌مضارع: بوی] **to smell; to snuff**
بَه![1]، بَه‌بَه **well done!**
بَه![2] **how nice!, how lovely!, oh!, wow!**
بِه، بـ **to:** آن را به من داد ; **at:** به من نگاه کرد ; **by:** به ساعت من ; **in:** به نام عدالت ; **with; against**
به‌آسانی with ease, easily
پشت به دیوار with one's back against the wall
بِهْ[1] **quince**
به می‌دهد ده بگیرد. He throws a sprat to catch a herring *or* mackerel.
به[2] [صفت تفضیلی خوب] = بهتر
بها **price, cost**
از روی بها ad valorem
بهاء /ع./ **beauty; elegance**
بهادار **valuable; negotiable**
بهادُر **valiant; warlike**
بـهار **spring;** [*rare*] **blossom**
بهار عمر prime of life
بهار نارنج orange flower
بهاران **springtide**
بهارخواب **terrace, sleeping-porch**
بهاره[1] (wool) **produced in the spring**
بهاره[2] = بهاری
بهاری **vernal**
بها گذاری **costing**
بهاکردن to cost
به‌اندازه ← اندازه
بهانه **pretext; excuse**
به‌بهانه under the pretext of
بهانه آوردن to make an excuse *or* pretext
بهانه کردن to pretend
مستی بهانه کرد. He pretended to be drunk.
بهانه گرفتن to pick quarrels; to nag; to be finical *or* finicking
بهانه‌جویی **seeking excuses; picking quarrels**
بهانه گیر = ایرادگیر
بهائم [جمعِ بهیمه]
بهبود **well-being, welfare; health; amelioration, improvement; recovery**
بهبود یافتن to gain (in health)
بَه‌بَه ← به
بهت /ع./ **consternation, amazement**
بهتان /ع./ **calumny, false accusation**
بهتان زدن به to calumniate, to accuse falsely
بـهت‌آور /ع. فا./ **astonishing**
بـهتر [صفت تفضیلی خوب] **better**
این بهتر از آنست. *This is better than that.*
این از همه بهتر است. This is the best of all.
بهترِ شما so much the better for you
بهتر شدن to improve; to gain in health
بهتر کردن to improve, to ameliorate, to make better
از ما بهتران fairies, the fair sex
بهتری **preference; improvement**
بهترین [صفت عالی خوب] **best**
بهجت [اسم‌خاص] /ع./ **cheerfulness**
به‌خود بسته **affected, assumed**
بهدار[1] **hygienist**
بهدار[2] **subassistant surgeon**
بهداری **public health**
بهداشت **hygiene**
بهداشتی **hygienic**
بهدانه **quince-seeds**
بهر **unit of length = 1,28 inches;** *L.* **inch; portion, share; quotient; sake, account**
از بهرِ for (the sake of)
(از) بهر چه؟ what for?, why?
بهرام [اسم‌خاص] [*astr.*] **Mars**
بهروز [اسم‌خاص] **prosperous**
بهره **portion, share; interest; profit**
از چیزی بهره بردن to enjoy something; to profit by something
به بهره گذاشتن to put out to interest
بهره‌برداری **revenue operation, exploitation**
بهره‌برداری کردن از to exploit *or* operate

آمادهٔ بهره‌برداری کردن to develop (as a mine)
بهره‌مند enjoying, having a share; [*fig.*] fortunate
از چیزی بهره‌مند شدن to enjoy something; to profit by something
بهره‌ور = بهره‌مند
بهریار assistant scout commissioner
به‌سزا ← سزا
به‌سوِی ← سو
بهشت paradise, heaven
بهشتی paradisaical, heavenly
مرغ بهشتی bird of paradise, lyre-bird
نان بهشتی [kind of pastry]
به‌علاوه ← علاوه
به‌عینه exactly, just; ← عین
به‌قدری ← قدر
به‌کلی entirely; ← کل
بهل‌بشو [عامیانه] easy-going; nonchalant
بهل‌بشویی [عامیانه] nonchalance, laissez-aller
بهله falconer's glove
بهمان ← فلان
به‌مراتب ← مراتب
به‌مرور ← مرور
به‌موقع[1] [*adj.*] opportune, well-timed
به‌موقع[2] [*adv.*] in time, in season; ← موقع
به‌نفسه /ع./ in (his) person, personally; ← نفس
به‌نقد ← نقد
به‌واجب [ادبی] /فا.ع./ condine, fitting
به‌واسطه /فا.ع./ [*gram.*] indirect
به‌واسطهٔ ← واسطه
به‌وقت in time; ← وقت

به‌ویژه ← ویژه
به‌هم ← هم
به‌هم‌خوردگی indisposition; derangement
به‌هم‌خورده indisposed; deranged
بهمن [اسم خاص] avalanche; eleventh month having 30 days
بهنجار normal; ← هنجار
به‌هنگام opportune, well-timed
به‌هوش conscious; ← هوش
بهی [ادبی] = خوبی، بهبود
بهیمه [کمیاب، جمع: بهائم] /ع./ beast, quadruped
بهین [کمیاب] best, better
بهینه [کمیاب] best
بهیه [اسم خاص، مونثِ بهی، کمیاب] /ع./ bright
بی /پی./ without; -less, im, in, ir, dis, un
بیابان desert; wilderness
بیابانی pertaining to the desert; wild; nomadic
بی‌آب dry; dehydrate
بی‌آب کردن to dehydrate
بی‌آبرو disgraced; impudent
بی‌آبرو کردن to disgrace, to dishonour
بی‌آبرویی disgrace; impudence
بی‌آبی drought, dryness
بی‌آزار harmless, inoffensive
بیات /ع./
نان بیات stale:
بی‌اثر /فا.ع./ ineffective; null
بی‌اجاره /فا.ع./ rent-free
بی‌اجازه /فا.ع./ unauthorized

بی‌احترامی /فا.ع./ disrespect, dishonour
به کسی بی‌احترامی کردن to disrespect *or* insult someone
بی‌احترامی به مقدسات profanity
بی‌احتیاط /فا.ع./ incautious, careless, imprudent
بی‌احتیاطی /فا.ع./ want of precaution, improvidence
بی‌احتیاطی کردن to be incautious, to be careless *or* imprudent
بی‌اختیار /فا.ع./ involuntary; [*adv.*] involuntarily
بی‌ادب /فا.ع./ impolite, rude, unmannerly
بی‌ادبانه /فا.ع./ impolitely
بی‌ادبی /فا.ع./ impoliteness
بی‌ادبی کردن to be impolite, to act rudely
بی‌اذیت /فا.ع./ = بی‌آزار
بی‌ارتباط /فا.ع./ disconnected; irrelevant; incoherent
بی‌اساس /فا.ع./ unfounded
بی‌اسباب /فا.ع./ free-hand
بی‌استعداد /فا.ع./ untalented
بی‌استطاعت /فا.ع./ lacking pecuniary ability
بی‌اسلحه /فا.ع./ unarmed
چشم بی‌اسلحه the naked eye
بی‌اسم /فا.ع./ nameless; obscure
سهام بی‌اسم bearer shares
بی‌اشتها /فا.ع./ lacking appetite
بی‌اشتهایی /فا.ع./ lack of appetite, inappetence
بی‌اصل /فا.ع./ = بی‌اساس

بی‌اُصول /فا. ع./ immethodical

بیاض [کمیاب] /ع./ whiteness; blank book

بیاض مرجان madrepore

در بیاض افتادن to be written fair

بیاض‌البیضی /ع./ albuminous

پیشاب بیاض‌البیضی bright's disease

مادهٔ بیاض‌البیضی proteid

بی‌اطلاع /فا. ع./ unaware; ignorant

بی‌اطلاعی /فا. ع./ lack of information; ignorance

بی‌اعتبار /فا. ع./ unreliable; creditless; disreputable

بی‌اعتباری /فا. ع./ unreliability; invalidity; lack of credit

بی‌اعتدال /فا. ع./ immoderate

بی‌اعتدالی /فا. ع./ immoderateness; intemperance; injustice

بی‌اعتدالی کردن to be intemperate *or* immoderate

بی‌اعتقاد[1] /فا. ع./ incredulous

بی‌اعتقاد[2] /فا. ع./ = بی‌ایمان

بی‌اعتقادی /فا. ع./ unbelief; incredulity

بی‌اعتنا /فا. ع./ heedless, taking no notice, inattentive

بی‌اعتنایی /فا. ع./ heedlessness; defiance; disrespect

به کسی بی‌اعتنایی کردن to be regardless of *or* pay no attention to someone

بی‌آلایش pure, immaculate

بی‌التفات /فا. ع./ unkind

بی‌التفاتی /فا. ع./ unkindness, disobliging treatment

بیان /ع./ statement; explanation

بیان کردن to state, to set forth; to explain

بی‌انتظام /فا. ع./ disorderly

بی‌انتظامی /فا. ع./ disorder, want of discipline

بی‌انتها /فا. ع./ endless; boundless

بی‌اندازه out of size, out of measure; extreme; [*adv.*] extremely; immeasurably

بی‌انصاف /فا. ع./ unfair, unjust

بی‌انصافی /فا. ع./ unfair dealing, injustice

بی‌انصافی کردن to be unjust, to act unfairly

بی‌انضباط /فا. ع./ lacking discipline, disorderly, confused

بی‌انضباطی /فا. ع./ absence of discipline

بیانیه /ع./ statement, manifesto

بی‌اولاد /فا. ع./ childless

بی‌اهمیت /فا. ع./ unimportant

بی‌ایمان /فا. ع./ unbelieving, unfaithful

بی‌ایمانی /فا. ع./ unbelief

بی‌بار fruitless; infecund

بی‌باک dauntless, intrepid

بی‌باکانه fearlessly

بی‌باکی intrepidity

بی‌بال wingless, apterous

بی‌بالان the Aptera

بی‌بال و پر = بی‌پر و بال

بی‌بدل /فا. ع./ peerless, matchless

بی‌بخار [زبان لاتی] /فا. ع./ good-for-nothing; [*o.s.*] vapourless;

بی‌دست و پا، بی‌عرضه ⟵

بی‌بَر fruitless; sterile

بی‌برگشت irrevocable

بی‌بصر /فا. ع./ deprived of vision; lacking foresight

بی‌بصیرت /فا. ع./ undiscerning

بی‌بقا /فا. ع./ transient

بی‌بندوبار unrestrained

بی‌بنیاد unfounded

بی‌بنیگی /فا. ع./ weakness, antony

بی‌بنیه /فا. ع./ weak

بی‌بو odourless

بی‌بو و بی‌خاصیت [عامیانه] good-for-nothing, useless

بی‌بها worthless

بی‌بهره portionless; unfortunate

بی‌بی matron; venerable lady; grandmother

بی‌بی‌طوطی poll(-parrot)

بی‌پا footless; [*fig.*] impoverished

بی‌پایان endless; infinite

بی‌پدر و مادر base-born

بی‌پرده frankly; [*adj.*] frank

بی‌پروا dauntless, reckless

بی‌پر و بال unfledged; [*fig.*] helpless, defenceless

بی‌پر و پا unfounded

بی‌پشتوانه without cover, wild-cat

بی‌پناه shelterless; bleak, exposed; [*fig.*] defenceless

بی‌پول moneyless, penniless

بی‌پیر unaccompanied by a spiritual guide

بی‌پیرایه unadorned; simple

بیت[1] [جمع: ابیات] /ع./ distich, verse, couplet

بیت[2] [کمیاب، جمع: بُیوت] /ع./ = خانه
بی‌تاب impatient; restless
بی‌تاریخ /فا.ع./ undated
بیت‌الحزن [ادبی] /ع./ house of grief; [epithet of Jacob's house]
بیت‌اللحم /ع./ Bethlehem
بیت‌الله /ع./ House of God
بیت‌المال /ع./ = خزانه
بیت‌المقدس /ع./ Jerusalem
بی‌تأمل /فا.ع./ inconsiderately, rashly; unhesitatingly
بی‌تجربگی /فا.ع./ inexperience
بی‌تجربه /فا.ع./ inexperienced
بی‌تدبیر /فا.ع./ imprudent; shiftless
بی‌تربیت /فا.ع./ ill-bred, rude, impolite
بی‌تربیتی /فا.ع./ rudeness, impoliteness
بی‌ترتیب /فا.ع./ irregular
بی‌ترتیبی /فا.ع./ lack of order *or* method
بی‌تزویر /فا.ع./ guileless
بی‌تشریفات /فا.ع./ unceremonious; requiring no formalities
بی‌تعارف /فا.ع./ unceremonious; [*o.s.*] without compliments
بی‌تعصب /فا.ع./ open-minded, unprejudiced
بی‌تقصیر /فا.ع./ guiltless, innocent
بی‌تقصیری /فا.ع./ guiltlessness, innocence
بی‌تکلف /فا.ع./ unaffected(ly); unceremonious(ly); free and easy

بی‌تکلیف /فا.ع./ at a loss what course to pursue, in suspense, at a loose end
بی‌تکلیفی /فا.ع./ suspense, undecided state of affairs; abeyance
بی‌تلبیس /فا.ع./ guileless
بی‌تمیز /فا.ع./ undiscerning
بی‌تمیزی /فا.ع./ lack of discernment
بی‌تناسب /فا.ع./ disproportionate; incongruous
بی‌توان weak, inert
بیتوته [ادبی] /ع./ passing the night
بیتوته کردن to stay during the night
بی‌توجه /فا.ع./ inattentive, careless
بی‌توجهی /فا.ع./ inattention; carelessness; want of care
بی‌تهیه /فا.ع./ off-hand
بی‌ثبات /فا.ع./ inconstant
بی‌ثباتی /فا.ع./ instability
بی‌ثمر /فا.ع./ fruitless; futile
بیجا inopportune, improper
بیجاده amber; kind of ruby
بی‌جان lifeless, inanimate
بی‌جان کردن to deprive of life
بی‌جرأت /فا.ع./ courageless
بیجک bill, invoice
بی‌جلا /فا.ع./ lustreless
بی‌جمال [کمیاب] /فا.ع./ plain, ugly
بی‌جمالی [کمیاب] /فا.ع./ want of beauty
بی‌جنس /فا.ع./ sexless, neuter

بی‌جواب /فا.ع./ unable to reply, speechless; unanswered; indisputable
بی‌جوابی /فا.ع./ inability to answer
بی‌جهت /فا.ع./ undue; [*adv.*] for no reason, unduly
بیچارگی helplessness; need
بیچاره[1] helpless; remediless; poor; [*interj.*] poor fellow!, poor thing!
بیچاره کردن to make helpless; to bring to bay; to harass
بیچاره[2] [جمع: بیچارگان] /ا./ the helpless, the poor
بی‌چون incomparable; ineffable
بی‌چون‌وچرا indisputable; [*adv.*] indisputably
بی‌چیز poor, indigent
بی‌چیزی poverty, indigence
بی‌حاصل /فا.ع./ unproductive; [*fig.*] useless
بی‌حال /فا.ع./ faint; languid, listless
بی‌حالت /فا.ع./ inexpressive, expressionless, glassy: چشمانش بی‌حالت بود
بی‌حالی /فا.ع./ faintness; listlessness; bad health
بی‌حجاب /فا.ع./ unveiled; [*fig.*] immodest
بی‌حد /فا.ع./ boundless; [*adv.*] excessively
بی‌حرف /فا.ع./ dumb; indisputable; [*adv.*] indisputably; [*interj.*] quiet
بی‌حرکت /فا.ع./ motionless, still

بی‌حرمت /فا. ع./ **disgraced**
بی‌حرمت کردن
to dishonour *or* disgrace; to profane
بی‌حرمتی /فا. ع./ **disgrace; outrage; profanity**
بی‌حس /فا. ع./ **insensible;** [*fig.*] **unfeeling**
بی‌حس کردن
to render insensible, to anaesthetize (locally)
بی‌حساب /فا. ع./
countless; irregular
بی‌حسی /فا. ع./
insensibility; torpidity; unfeelingness
بی‌حصر [ادبی] /ص. فا. ع./ = بی‌حد
بی‌حضور [ادبی] /فا. ع./
inattentive; abstracted
بی‌حفاظ /فا. ع./
unprotected; naked
بی‌حقوق /فا. ع./
ungrateful; unpaid
مرخصی بی‌حقوق
leave without pay
بی‌حقوقی /فا. ع./
ingratitude
بی‌حقیقت /فا. ع./ **false; insincere; hollow-hearted**
بی‌حمیت /فا. ع./ **cowardly; cold-hearted**
بی‌حواس /فا. ع./
absent-minded; out of spirits, in bad spirit
بی‌حواسی /فا. ع./
absence of mind *or* of good spirits
بی‌حوصلگی /فا. ع./
impatience; irritability
بی‌حوصله /فا. ع./
impatient; irritable
بی‌حیا /فا. ع./ **impudent, shameless, immodest**

بی‌حیائی /فا. ع./
impudence, immodesty
بیخ **root; bottom**
از بیخ در آوردن (یا کندن)
to root up, to eradicate
بیخ شب‌بو herb bennet
بیخ کبر رومی scolopendrium
بی‌خار **thornless**
بی‌خاصیت /فا. ع./ **useless, never-do-well, good-for-nothing;** [*o.s.*] **virtueless**
بی‌خان **smoothbore(d)**
تفنگ بی‌خان
smoothbore(d gun)
بی‌خانمان **homeless; ruined**
بی‌خبر /فا. ع./ **unaware; ignorant;** [*adv.*] **suddenly, without** (giving) **notice, unawares**
بی‌خبری /فا. ع./ **ignorance**
بیختن [بن مضارع: بیز] **to sift, to bolt**
آرد خود را بیخته است.
He's had his fling.
بی‌خرج /فا. ع./ **free of charge; inexpensive**
بی‌خرد **foolish, imprudent**
بی‌خردی **lack of wisdom, folly; injudiciousness**
بی‌خزان **evergreen; perennial**
بی‌خطا /فا. ع./ **unerring; innocent**
بی‌خطر /فا. ع./ **dangerless; harmless, safe;** [*med.*] **benign**
بیخکن **uprooted**
بیخکن کردن to eradicate; [*fig.*] to cure fundamentally
بی‌خلوص /فا. ع./ **insincere**
بی‌خواب **sleepless; napless**
بی‌خوابی **sleeplessness**

بی‌خود[1] **ecstasized; out of one's senses**
بی‌خود[2]
[*infml.*] **unwarranted, undue; motiveless;** [*adv.,infml.*] **without a good cause; to no purpose; unduly**
بی‌خودی **ecstasy, rapture**
بی‌خیال /فا. ع./
thoughtless; unintentional
بی‌خیالش باش [زبان لاتی]
never mind, don't bother about that, I don't care a fig
بی‌خیر /فا. ع./ **uncharitable, not useful to others**
بید **willow**
بیدِ بیدخشتی common crack-willow, brittle willow
بید تافته = بید بیدخشتی
بید سبدی osier
بید مجنون weeping willow
جوهر بید salicin
بید **moth, clothes'-moth**
بیداد **oppression, injustice**
بیدادگر **oppressor,** [*adj.*] **cruel**
بیدادگری **oppression**
بیدار **awake;** [*fig.*] **enlightened**
بیدار شدن to wake up
بیدار کردن to wake *or* awaken; to enlighten
بیدار ماندن to stay up, to keep awake, to keep vigil
بیداری **wakefulness; awakening; vigilance**
شیپور بیداری [*mil.*] reveille
بیدانجیر **castor(-oil plant)**
بیدانجیر ختایی، بیدانجیر هندی
Pavana wood, croton
روغن بیدانجیر castor-oil
بی‌دانش **void of learning, ignorant**

بی‌دانشی **ignorance; [*lit.*] foolish act**
بی‌دانه **seedless**
بیدخشت (manna of) **common crack-willow**
بیدخورده **moth-eaten**
بی‌درد **painless; indolent; callous, unfeeling**
بی‌دردسر **convenient, easy**
بی‌دررو **adiabatic**
بی‌درمان **irremediable**
بی‌درنگ **immediately**
بی‌دریغ **unsparing(ly), without stint; [*lit.*] immense**
بیدزده = بیدخورده
بیدستر [کمیاب] **beaver, castor**
بی‌دست و پا **shiftless, gawky**
بید سُرخ [kind of willow]
بی‌دغدغه /فا.ع./ **without mental unrest; [*adj.*] tranquil**
بی‌دل **enamoured of love; impatient; poor-spirited**
بی‌دلی **impatience, lack of self-possession; poor spirits**
بی‌دماغ [عامیانه] **out of spirits, in a bad humour; displeased**
بیدمشک **pussy willow; catkin**
بی‌دوا /فا.ع./ = بی‌درمان
بی‌دوام /فا.ع./ **not lasting long, flimsy; short-lived, transient**
بی‌دیانت /فا.ع./ **impious; dishonest**
بی‌دیانتی /فا.ع./ **dishonesty; impiety**
بی‌دین /فا.ع./ **irreligious**
بی‌دینی /فا.ع./ **irreligion, impiety**

بی‌ذوق /فا.ع./ **inelegant, void of** (literary) **taste**
بی‌راه[1] **deviated; astray; misleading; indecent**
بی‌راه[2] = بیراهه
بیراهه **deviated path; by-way**
بی‌ربط /فا.ع./ **irrelevant**
بیرحم /فا.ع./ **cruel**
بیرحمانه /فا.ع./ **cruelly; [*adj.*] cruel**
بیرحمی /فا.ع./ **cruelty**
بی‌رخنه **water-tight; air-tight**
بی‌رضایتی[1] /فا.ع./ **unwillingness**
بی‌رضایتی[2] /فا.ع./ = نارضایتی
بی‌رغبت /فا.ع./ **having no relish, nauseating; reluctant**
بی‌رغبتی /فا.ع./ **want of relish, inappetence; unwillingness**
بیرق /ت./ = پرچم
بی‌رگ **nerveless; effeminate**
بی‌رنگ **colourless, achromatic**
بیروت **Beirut, Beyrouth**
بی‌روح /فا.ع./ **inanimate, lifeless; [*fig.*] prosaic**
بی‌روزی **deprived of one's daily bread**
بیرون[1] /ق./ **[*adv.*] out(side); [*n.*] outside, external part**
بیرون آمدن to come out
بیرون رفتن to go out; to ease nature
بیرون رفتن از to leave
بیرون کردن to send out, to dismiss
از بیرون from without
بیرون[2] /ص./ = بیرونی
بیرون‌افتادگی **prolapsus**

بیرون‌بر [کمیاب] **exporter**
بی‌رونق /فا.ع./ **lustreless; dull, unsuccessful** (as a business)
بیرونی **outer, external, exterior; [*n.*] men's apartment**
بی‌رویه /فا.ع./ **irregular; immethodical; impolitic**
بی‌ریا /فا.ع./ **sincere, candid**
بی‌ریایی /فا.ع./ **lack of hypocrisy, sincerity**
بی‌ریخت [عامیانه] = بدریخت
بی‌ریش **beardless** (youth); **catamite**
بیز [بن مضارع بیختن]
بیزار **weary, disgusted, fed up**
بیزار کردن to weary, to make disgusted
بیزاری **disgust; estrangement**
بی‌زبان **dumb, speechless**
بی‌زحمت /فا.ع./ **easy, convenient**
بی‌زحمت در را ببندید.
Please close the door.
بیزر [ادبی] **moneyless, penniless, empty-handed; [*adv.*] without money**
بی‌زَوال /فا.ع./ **imperishable; eternal**
بی‌زور **weak, powerless**
بی‌سامان **homeless, unsettled**
بی‌سبب /فا.ع./ = بی‌جهت
بیست **twenty**
بیستم **twentieth**
بیستمی (the) **twentieth**
بیستمین **the twentieth**
بیستون **Behistun**
بی‌سر **headless; acephalous**

بی‌سروپا **worthless; rustic; vulgar, low**

بی‌سروته **incoherent; silly**

بی‌سروصدا **quiet, serene, insidious; hush-hush**

بیسکویت /ر. فر./ **biscuit**

بی‌سلیقه /فا. ع./ **lacking taste *or* tact; awkward, inexpert**

بیسموت /فر./ **bismuth**

بیسواد /فا. ع./ **illiterate**

بیسوادی /فا. ع./ **illiteracy**

برنامه‌های مبارزه با بی‌سوادی illiteracy programs

بی‌سیرت /فا. ع./ **having a bad character, characterless**

بی‌سیرت کردن، بی‌صورت کردن to ravish, to violate

بی‌سیم **wireless;** [*n.*] **wireless** (telegraph), **radio**

بیش[1] [صفت تفضیلی زیاد، خیلی] **more**

بیش از پیش more than ever

بیش و کم، کم یا بیش more *or* less

بیش[2] **much**

بی‌شائبه /فا. ع./ **unmixed, pure, taintless**

بی‌شبهه /فا. ع./ = بی‌شک

بیشتر [صفت تفضیلی بیش] **more; more often, oftener; rather;** [*time*] **longer;** [*n.*] **more *or* most, greater *or* greatest part**

بیشتر اوقات most of the time

بیشتری **excess**

بیشترین [صفت عالی بیش] **most;** [*n.*] (the) **most, the greatest (*or* greater) part**

بی‌شرف /فا. ع./ **knavish, roguish, dishonourable**

بی‌شرفانه /فا. ع./ **dishonourably**

بی‌شرفی /فا. ع./ **disgraceful act, outrage; knavishness**

بی‌شرم **shameless, impudent**

بی‌شرمانه **shamelessly**

بی‌شرمی **impudence, immodesty**

بی‌شُعور /فا. ع./ **lacking common sense, foolish, silly**

بی‌شعوری /فا. ع./ **lack of common sense; idiocy, folly**

بی‌شک /فا. ع./ **undoubtedly**

بی‌شکل /فا. ع./ **amorphous**

بی‌شکیب **impatient**

بی‌شمار **innumerable, countless**

بیشَه **thicket, coppice, grove**

بیشینه = حداکثر **maximum**

بی‌صبر /فا. ع./ **impatient**

بی‌صبری /فا. ع./ **impatience**

بی‌صدا **noiseless, quiet; dumb; mute, silent**

بی‌صرفه /فا. ع./ **unprofitable; disadvantageous**

بی‌صفا /فا. ع./ **not pleasant *or* cheerful,** [*fig.*] **insincere**

بی‌صفت /فا. ع./ **ungrateful**

بیضاء [کمیاب] /ع./ **white; clear**

بی‌ضرر /فا. ع./ **harmless, inoffensive; involving no loss**

بیضتین ← بیضه

بیضه [تثنیه: بیضتین] /ع./ = تخم **egg; testicle**

ورم بیضه orchitis

بیضه‌بند /ع. فا./ **suspensory**

بیضی /ع./ **elliptical;** [*n.*] **ellipse**

بیضیِ مجسم ellipsoid

بیضیت /ع./ **ellipticity**

بیطار /ع./ = دامپزشک

بیطاری /ع. فا./ **veterinary**

بی‌طاقت /فا. ع./ **impatient; unable to bear pain, susceptible to pain; wanting fortitude**

بی‌طاقت شدن to lose patience

بی‌طاقتی /فا. ع./ **impatience; inability to bear pain**

بی‌طالع /فا. ع./ **ill-starred**

بی‌طرف /فا. ع./ **impartial; neutral**

بی‌طرفانه /فا. ع./ **impartially;** [*adj.*] **impartial**

بی‌طرفی /فا. ع./ **impartiality; neutrality**

بی‌طعم /فا. ع./ **flavourless**

بی‌طمع /فا. ع./ **disinterested; not covetous**

بی‌ظرافت /فا. ع./ **inelegant**

بی‌ظرف /فا. ع./ **unpacked**

نفت بی‌ظرف bulk oil

بیع[1] /ع./ **selling, sale;** → فروش

بیع شرط revocable sale

بیع قطع irrevocable sale

بیع[2] [عامیانه] /ع./ = بیعانه

بی‌عار /فا. ع./ **profligate, shameless**

بی‌عاری /فا. ع./ **profligacy, wantonness**

بی‌عاطفه /فا. ع./ **unfeeling, heartless, cold-hearted**

بیعانه /ع. فا./ **earnest-money**

بیعت /ع./ (oath of) **allegiance, fealty**

بیعت کردن to swear allegiance

بیعد [ادبی] /فا. ع./ = بی‌شمار

بی‌عدالت /فا. ع./ unjust

بی‌عدالتی /فا. ع./ injustice

بی‌عدیل [ادبی] /فا. ع./ peerless

بی‌عرضگی /فا. ع./ inefficiency, incapability

بی‌عرضه /فا. ع./ incapable, inefficient

بی‌عزتی [کمیاب] /فا. ع./ dishonour, disrespect; disgrace

بی‌عصمت /فا. ع./ unchaste

بی‌عفت /فا. ع./ unchaste

بی‌عفتی /فا. ع./ unchastity

بی‌عقل /فا. ع./ = بی‌خرد

بی‌علاقگی /فا. ع./ disinterestedness

بی‌علاقه /فا. ع./ disinterested

بی‌علت[1] /فا. ع./ causeless

بی‌علت[2] /فا. ع./ = بی‌عیب

بی‌علم /فا. ع./ void of learning, ignorant

بی‌علمی /فا. ع./ lack of learning, ignorance

بیع‌نامه /فا. ع./ bill (*or* deed) of sale

بی‌عوض /فا. ع./ irreplaceable

بی‌عیب /فا. ع./ faultless, sound, in perfect condition

بی‌غرض /فا. ع./ having no private motive, disinterested

بی‌غرضانه /فا. ع./ without private motive *or* interest

بی‌غرضی /فا. ع./ lack of private motive, disinterestedness

بی‌غش، بی‌غلّ‌وغش /فا.ع./ unalloyed, pure, sincere

بی‌غم worriless

بیغوله cave; [*adj.*] lonely

بی‌غیرت /فا. ع./ spiritless, cowardly, zealless; callous

بی‌غیرتی /فا. ع./ lack of zeal *or* spirit, dastardliness

بیف [کمیاب] stupid, beef-headed

بی‌فایده /فا. ع./ useless; unprofitable; futile

کوشش بی‌فایده lost labour, useless effort

بیفتک /فر./ (beef) steak

بی‌فراست /فا. ع./ unintelligent

بی‌فرزند childless, issueless

بی‌فرهنگ void of culture, uneducated

بی‌فروغ lustreless

بی‌فکر /فا. ع./ mindless, thoughtless, giddy; rash; [*adv.*] rashly; offhand

بی‌قابلیت /فا. ع./ = ناقابل

بی‌قاعدگی /فا. ع./ irregularity

بی‌قاعده /فا. ع./ irregular

بی‌قدر /فا. ع./ of no value

بی‌قرار /فا. ع./ restless, uneasy; fidgety; irregular; unstable

بی‌قراری /فا. ع./ uneasiness; impatience; instability

بی‌قراری کردن to be uneasy

بی‌قرین /فا. ع./ matchless, peerless

بی‌قرینه /فا. ع./ unsymmetrical

بی‌قصد /فا. ع./ unintentional(ly)

بی‌قوت /فا. ع./ having no nourishment

بی‌قوّت، بی‌قوّه /فا. ع./ weak, powerless

بی‌قیاس [ادبی] /فا. ع./ immeasurable, immense

بی‌قید /فا. ع./ unrestrained; easygoing, careless

بی‌قیدوشرط unconditional

بی‌قیدی /فا. ع./ = لاقیدی

بی‌قیمت /فا. ع./ invaluable; priceless

بیکار unemployed, out of employment; idle; not busy

بیکارالدوله [humorous] (title of a) gentleman at large

بیکاری unemployment; idleness; leisure

بیکران [ادبی] boundless; immense

بی‌کردار [ادبی] not practising what one preaches; ungrateful

بی‌کس having no relatives *or* friends, forlorn

بی‌کفایت /فا. ع./ incapable, inefficient

بی‌کفایتی /فا. ع./ inefficiency

بی‌کله brainless, weak-minded

بی‌کمال /فا. ع./ void of accomplishments, uneducated

بی‌کمالی /فا. ع./ lack of education *or* civility

بی‌کم و زیاد /فا. ع./ exactly, neither more nor less

بی‌کم و کاست entirely; exactly

بیگ [کمیاب] /ت./ lord *or* prince

بیگار(ی) forced labour, unpaid labour, statute labour

بیگانگی foreignness, alienation

بیگانه[1] **foreign**
بیگانه[2] [جمع: بیگانگان] /ا./ **foreigner, stranger**
بیگانه‌پرست **xenophilous;** [*n.*] **xenophile**
بیگانه‌پرستی **xenophilism**
بیگاه **ill-timed, untimely**
گاه و بیگاه now and then
بی‌گدار **fordless;** [*adv.*] **inconsiderately**
بی‌گدار به آب زدن to be rash (in a specified act), to leap before one looks
بی‌گزند **harmless, inoffensive**
بی‌گلبرگ **apetalous**
بیگم [کمیاب] /ت./ **lady of rank**
بی‌گمان **undoubtedly**
بی‌گناه **innocent; sinless**
بی‌گناهی **innocence**
بیگودی /فر./ **hair-curler**
بیل[1] **spade, shovel**
بیل زدن to turn up with a spade
بیلش خیلی گِل برمی‌دارد. [زبان لاتی] He carries a lot of weight.
بیل[2] = خیش
بیلان /فر./ = ترازنامه
بی‌لبه **edgeless**
واگن بی‌لبه platform car
بی‌لپه **acotyledonous**
بیلچه **small shovel; dibble, trowel**
بیل‌زن **labourer with a shovel**
بی‌لطافت /فا. ع./ **ungainly;** ⟵ بی‌لطف
بی‌لطف /فا. ع./ **unkind; insipid; bald**
بی‌لطفی /فا.ع./ **unkindness**
بی‌لفاف /فا. ع./ **uncovered; unpacked;** [*fig.*] **frank(ly)**

بی‌لگام **unbridled;** [*fig.*] **dissolut**
بی‌لیاقت /فا. ع./ **incapable; undeserving**
بی‌لیاقتی /فا. ع./ **incapability; lack of merit**
بیلیون /فر./ **billion**
بیم **fear; danger**
بیم داشتن to fear
بیم آن می‌رود که it is to be feared that
از بیم جان for one's life
بیمار **ill, sick;** [*n.*] **sick person, patient**
بیمار عشق love sick
بیمار شدن to fall sick
بیمارداری **attendance on the sick**
بیمارستان **hospital; infirmary**
بیماری **illness; disease**
بی‌مانند **unparalleled**
بی‌مأوا، بی‌مأوی /فا. ع./ **homeless**
بی‌مایگی **superficial knowledge; indigence**
بی‌مایه **fundless; indigent; having no yeast (*or* leaven);** [*fig.*] **having a superficial knowledge**
شعر بی‌مایه doggerel
بی‌مبالات /فا. ع./ **careless**
بی‌مبالاتی /فا. ع./ **carelessness**
بی‌مثال /فا. ع./ **unparalleled**
بی‌مِثل /فا. ع./ = بی‌مانند
بی‌مُحابا /فا. ع./ **dauntless(ly); unsparing(ly); regardless(ly)**
بی‌محبت /فا. ع./ **unaffectionate, unkind**
بی‌محل /فا. ع./ **untimely; not provided for** (in the budget), **unallocated**

چک بی‌محل dud cheque: cheque for which (sufficient) funds are not available in the bank
بی‌مرحمت /فا. ع./ **unkind**
بی‌مروّت /فا. ع./ **ungenerous; unjust**
بی‌مروتی /فا. ع./ **inhumanity; injustice**
بیمزگی **insipidity; flat joke**
بیمزه **insipid, tasteless;** [*fig.*] **uninteresting; flat:** شوخی بیمزه
بی‌مسلک /فا. ع./ **unprincipled**
بی‌مسمی /فا. ع./ **not answering to its significance**
اسم بی‌مسمی name which does not answer to its meaning, misnomer; abstract term
بی‌مصرف /فا. ع./ **useless**
بی‌مطالعه /فا. ع./ **offhand**
بی‌معرفت /فا. ع./ = بی‌دانش، نادان
بی‌معطلی /فا. ع./ **prompt(ly); quick(ly)**
بی‌معنی /فا.ع./ **meaningless; good-for-nothing**
بی‌مغز **pithless; deaf** (as a nut); [*fig.*] **brainless, giddy; hollow**
بی‌مقدار [ادبی] /فا. ع./ **unworthy**
بی‌مقدمه /فا. ع./ **abrupt(ly); suddenly;** [*o.s.*] **without preamble**
بی‌ملاحظه /فا. ع./ **regardless** (of others), **careless; rash**
بی‌مناسبت /فا. ع./ **irrelevant; unwarranted; unsuitable**

بیمناک **apprehensive; afraid**

بی‌منت /فا. ع./ **freely and without reproach**

بی‌مورد /فا. ع./ **out of place, amiss, inopportune**

بی‌موقع /فا. ع./ **untimely, unseasonable,inopportune**

بیمه **insurance**

بیمه کردن to insure; [*infml.*] to guarantee

بیمهٔ اتکائی reinsurance

بیمهٔ عمر life insurance ***or*** assurance

حق بیمه premium

سند بیمه insurance policy

بی‌مهارت /فا. ع./ **unskilful, inexpert**

بی‌مُهره **invertebrate**

بی‌مِهری **unkindness**

بیمه‌گر **insurer**

بیمه‌گزار **the insured**

بیمه‌شده **insured;** [*n.*] **the insured**

بیمه‌نامه **insurance policy**

بی‌میل /فا. ع./ **unwilling**

بی‌میلی /فا. ع./ **unwillingness**

بین [بن مضارع دیدن]

بِین /ع./ **distance between, interval; middle**

در بین in the middle; between the parties

در این بین in the meantime

در بین نهادن to set forth (for discussion)

بینِ، در بینِ between; in the middle of

بین [کمیاب] /ع./ = آشکار

بینا **that can see, not blind;** [*fig.*] **clear-sighted**

بیناب **spectrum**

بینابین /ع. فا./ **halfway; in the middle**

بَینِ‌اثنین /ع./ **mutual**

بین‌السطور /ع./ **interlinear**

بین‌المدارین /ع./ **intertropical** (regions)

بین‌الملل /ع./ **between the nations;** ← بین‌المللی

بین‌المللی /فا. ع./ **international**

بین‌النهرین /ع./ **Mesopotamia**

بی‌نام **anonymous**

سهام بی‌نام bearer shares

بی‌ناموس /فا. ع./ **unprincipled; unchaste**

بی‌(نام و) نشان **untraceable, traceless**

بینایی (sense of) **sight;** [*fig.*] **clear-sightedness**

بی‌نتیجه /فا. ع./ **futile, abortive; inconclusive, indeterminate**

بی‌نتیجه گذاردن to frustrate

بین راهی /فا. ع./ **in transit**

بی‌نزاکت **inelegant, rude**

بینش **insight, perspicacity**

بی‌نشاط /فا. ع./ **joyless, mirthless**

بی‌نشان **traceless**

بی‌نصیب /فا. ع./ **portionless**

بی‌نظم /فا. ع./ **disorderly**

بی‌نظمی /فا. ع./ **disorder, confusion**

بی‌نظیر /فا. ع./ **unparalleled, incomparable**

بی‌نماز (disqualified for saying her prayers on account of being) **menstruous**

بی‌نمک **saltless; insipid;** [*fig.*] **inattractive, plain; flat** (as a joke)

بیننده[1] **seer, spectator**

بیننده[2] [ادبی، جمع: بینندگان] **the eye**

بی‌ننگ **shameless**

بینوا **indigent; helpless**

بینوایی **indigence, poverty**

بی‌نور /فا. ع./ **lustreless; blind**

بی‌نوری /فا. ع./ **dimness; stupidity**

بینه **dressing-room in a bath house**

بَیِّنه **clear proof evidence**

بی‌نهایت /فا. ع./ **extreme(ly); infinite(ly);** [*n.*] **infinite quantity**

بینی **nose**

آماس بینی rhiniti

بینی گرفتن to blow the nose

بی‌نیاز از **able to do without *or* dispense with, independent of**

بی‌نیاز کردن to free from want

بی‌نیازی **ability to do without, independence; freedom from want**

بی‌واسطه /فا. ع./ **direct; immediate**

بی‌وجود /فا. ع./ **good-for-nothing, worthless**

بیوَر [کمیاب] **ten-thousand, myriad**

بی‌وصیت /فا. ع./ **intestate**

بی‌وعده /فا. ع./ **payable at sight**

بی‌وفا /فا. ع./ **unfaithful; inconstant**

بی‌وفائی /فا. ع./ **unfaithfulness; inconstancy**

بی‌وقار /فا. ع./ **ungraceful, undignified**

بی‌وقت /فا. ع./ = بی‌موقع

بی‌وقوف /فا. ع./ **ignorant; unaware**

بیوک [اسم خاص] /ت./ = بزرگ

بیوگی **widowhood**

بیوه **widow(ed)**

زن بیوه widow

مرد بیوه widower
بـیهده [ادبـی، صـورت اخـتصاری بیهوده]
بی‌هراس **fearless(ly)**
بی‌همال = بی‌مانند، بی‌نظیر
بی‌همت /فا.ع./ **spiritless; lacking good ambition**
بی‌همتی /فا.ع./ **lack of ambition *or* spirit**
بی‌همتا **matchless, unique: epithet of God**
بی‌همه‌چیز [عامیانه] **unscrupulous,unprincipled**
بی‌هنر **void of any art *or* virtue; unskilful; good-for-nothing**
بی‌هنگام **untimely**
بی‌هوا [عامیانه] **suddenly; rashly**
بیهودگی **vanity; futility**
بیهوده **vain; useless, futile; absurd; empty;** [*adv.*] **in vain**
بیهوش **unconscious; slow-witted, dull**
بیهوش شدن to become unconscious, to swoon
بیهوش کردن to anaesthetize; to make unconscious
بیهوشی **unconsciousness; anaesthesia**
داروی بیهوشی anaesthetic (agent)
بیهوشی اعصاب narcolepsy
بی‌یار **friendless; love-lorn**

پا، پای[1] **foot; leg;**
[*fig.*] **foundation; support**
پا خوردن [عامیانه]
to be cheated
پا دادن [عامیانه] to happen
پا زدن [عامیانه] to kick away;
to keep step
به کسی پا زدن [عامیانه]
to cheat someone
پا به بخت خود زدن [عامیانه]
to forfeit one's chance
پا شدن [عامیانه] to get up,
to rise
پا کردن to put on *or*
wear (on the feet)
از پا انداختن to walk
(someone) off his legs;
to undo, to break down,
to overwhelm;
از پا در آوردن ←
از پا درآمدن to collapse,
to succumb; to be ruined;
to be undone
ازپا درآوردن to ruin,
to impoverish
مشروب او را از پا در آورد.
Drink was his undoing.
پا برای کسی انداختن [عامیانه]
to involve someone in a
difficulty
پایش توی ۲۰ (سال) است.
He is going on for the age
of 20.
پای کار on site
به پا کردن to start;
پا کردن ← to excite;

پابه‌پا کردن to barter,
to clear, to adjust
برپا کردن to erect;
to establish; to set afoot
دو ریال پای من حساب کرد.
He charged me 2 rials for it.
او هم یک پا دروغگو است.
He too is somewhat of a liar.
پای کمی از دزدی ندارد.
It is next door to *or* nothing
less than theft.
پا، پای[2] [بن مضارعِ پاییدن]
پاافزار، پای‌افزار [کمیاب]
footwear
پانداز **foot-cloth;**
[*sl.*] **pimp**
پابرجا **firm; established** *or*
regular; confirmed
پابرچین [عامیانه] **softly,**
slowly
پا برسر **cephalopod**
پابرهنه **barefoot(ed)**
پابست، پای‌بست
bound; encumbered;
[*n., lit.*] **foundation**
پابلند **long-legged**
پابه‌ماه **near her time**
پابه‌مهر **duly sealed**
پابند **fetters;**
[*fig.*] **hindrance**
پابندِ encumbered by;
particular about
پابوس [ادبی] **presence,**
audience
پابوسی (honour of
being given) **audience**

پاپ /فر./ **pope**
پاپا /فر./ **papa, daddy;**
grandpa
پاپوش **slipper;**
[*fig.*] **difficulty**
پاپیتال **English ivy**
پاپیته **saint Ignatius's bean**
پاپیچ **puttee**
پاپیروس /فر./ = بردی
papyrus
پاپی شدن **to hound** *or*
persecute; to insist *or*
urge on
پاپیون /فر./ **bowtie**
پاتابه، پاتاوه **leggings**
پاتخته **footboard; treadle**
پاتختی (feast on) **the day**
following the consummation
of a marriage
میز پاتختی /ص./
bedside table
پاتوق /فا. ت./ **haunt,**
resort, hangout, joint
پاتیل **cauldron;**
[*adj., sl.*] **dead drunk**
پاچنبری **club-footed,**
bowlegged
پاچه (sheep's) **trotters**
پاچه‌بند، پاچه‌بندقوش **jess**
پاچه‌ورمالیده [زبان لاتی]
light-fingered (person), **old**
rogue
پاچین، دامن **skirt**
پادار کردن **to provide for;**
to allocate a budget for
پاداش **reward, remuneration**

پاداش دادن (به) to reward, to remunerate

پادراز **long-legged; [*fig.*] intrusive**

پادرازی **intrusion; trespassing**

پادرازی کردن to be intrusive

پادرهوا **unconfirmed;** (quite) **in the air; illusive**

پادرهوا حرف زدن not to have a leg to stand on

پادری **door-mat**

پادزهر **bezoar-stone; antitoxin**

گیاه پادزهر milkweed

پادشاه **king**

پادشاهی **reign; sovereignty, kingship; [*adj.*] royal; kingly**

حکومت پادشاهی monarchy

پادشاهی کردن to reign

پـادشه [ادبی، صورت اختصاری پادشاه]

پادگان **garrison**

پادگانه **terrace on a slope**

پادنگ **threshing instrument worked by foot; anchor escapement**

ساعت پادنگ lever watch, watch with an anchor escapement

پادو **footboy, errand boy; footman attending a person on horseback**

پار [کمیاب، ادبی] **past, last:** سال پار

پارابلوم /آل./ **parabellum**

پارازیت /فر./ = انگل، طفیلی

پارازیت انداختن در [*wireless*] to jam

پاراف /فر./ **initials**

پاراف کردن to initial

پارافین /فر./ **paraffin**

پارالل /فر./ **parallel bars**

پاراوان /فر./ **folding screen**

پارت /فر./ **Parthia**

پارتی /فر./ (single) **consignment, lot; friend at court**

پارچ **kind of jar**

پارچه **cloth, stuff; plot:** یک پارچه زمین **; piece; block**

دو پارچه آبادی two villages

پارچه‌باف **cloth-weaver**

پارچه‌بافی **cloth-weaving**

کارخانهٔ پارچه‌بافی cloth-weaving factory

پارچه کاری **piece-work**

بطورِ پارچه‌کاری by the piece

پاردُسو /فر / **overcoat**

پاردُم **crupper**

پاردم ساییده **cunning as a fox**

پارس[1] **barking**

پارس کردن to bark

پارس[2] **panther**

پارس[3] = فارس، ایران

پارسا **devout *or* abstemious** (person)**; pious** (person)

پارسال **last year**

پارسایی **abstemiousness, devoutness**

پارسنگ **tare: allowance for tare; counterweight**

پارسی **Persian; Parsee; fireworshipper; [*adj.*] of Fars; Persian; →** فارسی

پارک /ان. فر./ **park**

پارک کردن to park

پارلمان /فر./ **parliament**

پارلمانی /فر. فا./ **parliamentary**

پارو(ب) **snow-shovel; oar**

پارو زدن to row

پارو کردن to clean with a shovel

پاروزن **oarsman, rower**

پاره **piece; part; rag, patch; [*rare*] bribe; [*adj.*] torn, ragged**

پاره شدن to be torn; to go to pieces

پاره کردن to tear, to rend; to break ***or*** cut (as bread); to devour; to wear out: در شش ماه دوجفت کفش پاره کرد

پاره‌آجر **brickbat**

پاره‌آهن **piece of iron, scrap**

پاره‌پاره **torn to piece, ragged**

پاره‌دوز **botcher, patcher**

پاریا [ازریشه tamil] **pariah**

پاریس /فر. ان./ **Paris**

پاریسی /فر. فا./ **Parisian**

پارین، پارینه **last year's; old**

پارینه‌سنگی **paleolithic**

پازند **Pazand: commentary on the «Zand»; →** زند

پاس **watch** (of the night)**; guard**

به پاسِ in consideration (***or*** recognition) of, in acknowledgment of

پاسار [*door*] **rail**

پاساژ /فر./ **arcade**

پاساوان /فر./ **passavant**

پاسبان **policeman; watchman**

پاسبانی **guardianship, policeman's duty**

پاسبانی کردن to guard; to serve (as a policeman)

پاس‌بخش **relief of sentry**

پاستوریزه /فر./ **pasteurized**

پاسخ **answer, reply**

پاسخ دادن to answer ***or*** reply

در پاسخِ in reply to

پاسدار **sentry, picket**

پاسگاه post of duty, sentry post

پاسیار colonel [in the Police Department]

پاش [بن مضارعِ پاشیدن]

پاشا /ت./ Pasha, Pacha

پاشام، پاشام مغز meninges

پاشاندن [عامیانه] to scatter about

پاشنه heel; trigger; [*ship*] stern

پاشنه را ورکشیدن to take to one's heels

در روی چه پاشنه می‌گردد؟ How does the wind blow?, what quarter is the wind in?, which way does the cat jump?

پاشنه‌بلند high-heeled

پاشنه‌ساییده [عامیانه] down at heel; [*fig.*] roguishly cunning

پاشنه‌کش shoe-horn

پاشویه foot-bath

پاشویه کردن to give a foot-bath to

پاشیدن [بن مضارع: پاش] to sprinkle; [*infml.*] to scatter

از هم پاشیدن [عامیانه] to be scattered; to break up

پاشیده [اسم‌مفعول فعل پاشیدن]

پافِشاری persistence

پافشاری کردن to persist

پافنگ! [*mil.*] Order arms!

پاک [1] clean; pure; [*fig.*] chaste; [*adv.*] absolutely; entirely

پاک شدن to be cleaned *or* purified; to be obliterated; to be settled (as a debt)

پاک کردن to cleanse; to erase, to delete; to purge; to settle, to clear up

بینی پاک کردن to blow one's nose

گِل پاک alumina

پاک [2] /فر./ passover; easter

پاکار = دشتبان

پاکباز /ص./ risking all in gambling; playing fairly

پاکت [از فر. paquet] envelope; paper bag

پاکدامن chaste, continent

پاکدامنی chastity, continence

پاکدوزی overcast stitch, whipstitch

پاکرو [ادبی] = خوبرو

پاکرُو [کمیاب، ادبی] dealing honestly

پاکزاد of noble birth

پاک‌سرشت of noble extraction

پاک‌طینت /فا. ع./ of a pure nature; well-intentioned

پاک‌طینتی /فا. ع./ noble disposition; pure nature

پاک‌کن eraser; rubber

پاک‌نژاد of a pure race

پاکنویس fair copy

پاکنویس‌کردن to write fair, to make a fair copy of, to type fair

پاکی cleanliness; purity; innocence; acquittal

آب پاکی روی دست کسی ریختن to give a flat refusal *or* a disappointing reply to someone

پاکیزگی cleanliness

پاکیزه neat; clean; proper

پاگرد landing(-place), ramp

پاگن /ر./ = سردوشی

پاگیر، پایگیر encumbrance, impediment; obstruction

پالا، پالای [بن مضارعِ پالودن]

پالان pack-saddle

پالان خر دجال Penelope's winding-sheet; ← دجال؛ خر دجال

پالانش کج است. She is loose in the hilts. she is a lightskirts. She is a woman of easy virtue

پالاندوز pack-saddle maker

پالایش filtration; refining

پالایشگاه refinery

پالتو /فر./ (over)coat; (great)coat; (top-)coat

پالگانه [کمیاب] = بالکن balcony

پالگی litter; palanguin

پالودن [بن‌مضارع: پالا(ی)] to filter; to strain; to refine

پالوده filtered; refined; [*n.*] sweet beverage containing thin fibres of starch jelly

پالونه [کمیاب] colander; strainer; filter; ← صافی

پالهنگ halter; bridle; leash

پالیز kitchen-garden; melon-bed

پامال = پایمال

پامچال primrose

پاملخ cylinder escapement

ساعت پاملخ watch with a cylinder escapement

پاندول /فر./ pendulum

پانزده fifteen

پانزدهم fifteenth

پانزدهمین the fifteenth

پانسمان /فر./ dressing of a wound

پانسیون /فر./ boarding-house

پانصد five-hundred

پانصدم five-hundredth
پانما flesh-coloured: جوراب پانما
پاورقی /فا.ع./ serial story, feuilleton
پای ← پا، پایستن
پایا permanent
پایاب shallow
پایاپای clearing, compensation; barter; ← پابه‌پا کردن
پایان end; conclusion
به پایان رساندن to bring to an end
به پایان رسیدن to come to an end
پایان‌نامه thesis
پای‌افزار ← پاافزار
پای‌انداز = پاانداز
پای‌بست ← پابست
پای‌بند [ادبی] = پابند
پای‌بوس = پابوس
پایتخت capital, metropolis
پایدار permanent; constant, faithful; firm; [*phys.*] stable
پایداری stability, durability; constancy
پایداری کردن to be constant, to stand fast
پایستن [کمیاب، بن‌مضارع: پای] to last (long), to be permanent; [*lit.*] to be constant
پایک peduncle
پایگاه [*mil.*] base; [*fig.*] degree
پایگیر ← پاگیر
پایمال trampled (upon), trodden; [*fig.*] disregarded; violated
پایمال کردن to trample upon; to devastate; to suppress, to disregard; to violate

پایمالی trampling; suppression; violation
پایمردی assistance; intercession
پایمزد (doctor's) fees, honorarium
پایندان surety, guarantor; ← ضامن
پاینده lasting, permanent
پایوَر police officer
پایه [*chair, etc.*] leg; pillar, pile; stand, rest, bracket; pedestal; [*graft*] stock; [*drill*] drill-stock; [*fig.*] foundation, basis, grounding; scale, degree, rank; [*logarithm*] base
پایه‌بلند having tall supports
مخزن پایه‌بلند overhead tank
پایه‌پایه [کمیاب] = پله‌پله
پایه‌دار legged; provided (with a stand/ pillar/ etc.); graded
پایی worked by the feet
پاییدن[1] to watch, to fix one's eyes on
پاییدن[2] [بن‌مضارع: پای] = پایستن
پائیز، پاییز autumn, fall
پائیزه autumnal (product); (wool) obtained in the autumn
پائین [*adv.*] down; [*adj.*] low(er); [*n.*] lower part
پائین آمدن to come down (stairs); to descend; [*fig.*] to fall (as prices)
پائین آوردن to bring down; to lower
پائین رفتن to go down to descend; to sink; to fall
پائین کردن to drop: to put down; to lower; to pull down

پائین‌تر farther down
پایین‌تنه[1] lower part of the body
پایین‌تنه[2] [زبان لاتی] privates
پائین‌دست lower part
پائین‌دستِ رودخانه down the river
پایین‌رتبه /فا.ع./ junior, of a low grade
پائینی lower; inferior
پپسین /فر./ pepsin
پپلین /فر./ poplin
پَت papilla
پُتک sledge: smith's hammer
پتو blanket
پته permit
پتهٔ طلب promissory note
پتهٔ کسی را روی آب انداختن to show up someone, to expose him
پتی bare
با پای پتی barefoot
پتیاره quarrelsome, termagant; [*n.*] shrew
پچ‌پچ [عامیانه] chatter
پچ‌پچ کردن to chatter
پچل [زبان لاتی] slatternly
پَخ bevel; chamfer
پخ دادن to bevel *or* chamfer
پُخت (manner of) cooking *or* baking; batch
پختگی ripeness; experience
پُختن [بن‌مضارع: پَز] to cook; to bake; [*fig.*] to talk into doing something; to nourish in the mind; *vi.* to be cooked *or* baked; to ripen
پختنی culinary
پُخته [اسم‌مفعول فعل پُختن] cooked; baked; ripe; mellow; experienced
پُخته کردن to settle (once and for all)

پَخته metalled (as a road)
پَخ‌دار **beveled, chamfered**
پخش **distribution; broadcast; scattering about; [*adj.*] scattered about**
پخش کردن to scatter; to distribute; to broadcast
پخمه [عامیانه] **shiftless; stupid**
پدال /فر./ **pedal**
پدالِ گاز [*mech.*] accelerator
پدر **father**
پدر کسی را درآوردن [عامیانه] to serve one out, to give it to him hot
پدراندر [کمیاب] **step-father**
پدرانه **fatherly, paternal; [*adv.*] in a fatherly manner**
پدربزرگ **grandfather**
پدرجد /فا. ع./ **great grandfather**
پدرزن **father-in-law**
پدرسوخته [عامیانه] **knavish, roguish**
پدرشوهر **father-in-law**
پدرکش، پدرکشی **patricide**
پدروار = پدرانه
پدری **fatherhood; [*adj.*] paternal**
پدید **visible**
پدید آمدن to come in sight, to appear; to happen; to originate
پدید آوردن to cause to appear *or* happen
پدیدار **visible; manifest**
پدیدار شدن to appear, to become visible
پدیده **phenomenon**
پذیر [بن مضارعِ پذیرفتن]
پذیرا **accepting; [*n.*] acceptor**
پذیرانیدن **to cause to accept; to make acceptable**
پذیرایی **entertainment, reception**
پذیرایی‌کردن از to entertain *or* receive
اطاق پذیرایی drawing-room
پذیرش **acceptance; agrément; admittance**
پذیرفتار **acceptor**
پذیرُفتن [بن مضارع: پذیر] **to accept; to admit; to adopt; to listen to**
پذیرفته [اسم مفعول فعل پذیرفتن] **accepted**
پذیرنده **acceptor**
پذیره [کمیاب] **accepting; obedience**
پذیره‌نویسی **subscription**
پَر[1] **feather**
پر درآوردن to be fledge; [*fig.*] to show signs of strength *or* boldness
پر ریختن to shed off one's feathers, to moult
پر زدن to flap (the wings), to fly; to flutter
پر کندن to pluck
پرِ قو swan-feather; eiderdown
پرِ کلاه plume (in a hat)
پرِ نرم down
پَر[2] [بن مضارعِ پریدن]
پِـر ← فِر
پُر **full; loaded, charged; [*adv.*] too** (much)
پر از آب full of water, filled with water
پر خوردن to eat too much, to overeat (oneself)
پر کردن to fill; to load (as a gun); to stop (as a tooth); to poison the mind of, [*infml.*] to infect with an opinion
ماه امشب پر می‌شود.
The moon fulls to-night.
پرآب **juicy**
پرآب‌وتاب **grandiloquent, bombastic, high-flown**
پرآشوب **confused, turbulent**
پرافتخار /فا. ع./ **glorious, honourable**
پراکندگی **state of being scattered; dispersion**
پراکندن [بن مضارع: پراکن، کمیاب] **to scatter, to disperse; to broadcast**
پراکنده [اسم مفعول فعل پراکندن] **scattered; dispersed; [*fig.*] disturbed; scanty**
پراکنده شدن to be scattered
پراکنده کردن to scatter
پراکنده‌حال /فا. ع./ = پریشان‌حال
پراکنش **dispersion**
پَران [بن مضارعِ پراندن]
پَرّان **flying, on the wing**
پرانتز /فر./ **parentheses *or* parenthesis, bracket(s)**
پراندن، پرانیدن [بن مضارع: پران] **to cause to fly; to blow out; [*fig.*] to blunder out, to blurt**
پربار **laden with fruit; prolific**
پُربرگ **many-leaved, multifoliate**
پُربسامد [*phys.*] **high-frequency**
پربلا /فا. ع./ **calamitous; fateful**
پُرپَر **double, many-leaved**
پَرپَر زدن **to flutter, to hover**
پرپِری[1] **thin, flimsy**
پرپری[2] = فرفری
پُرپُشت **luxuriant, lush, exuberant**
پَرت **flung, thrown down; outlying, straggling; out-of-the-way; deviated** (from the main subject), **digressed**

پَرت شدن to be thrown, to fall down; to digress, to deviate from the main subject
پرت کردن to throw, to hurl; to cause to digress
پرت گفتن to talk nonsense
از حساب پرت out in one's reckoning
از موضوع پرت wide of the subject, off the track; ⟵ مرحله
پرت و پلا [عامیانه] scattered about; [*n.*] nonsense, irrelevant talk
پرتاب **hurled; shot; [*n.*] hurling**
پرتاب وزنه putting the shot
پرتاب کردن to fling, to throw; to shoot
پُرت‌سعید [*geog.*] **Port Said**
پرتقال **Portugal; orange**
پرتقالی **orange; Portugese**
پرتکل /فر./ **protocol**
پرتگاه **cliff, precipice; [*fig.*] abyss**
پرتو **ray(s)**
پرتو افگندن to radiate
پرتوی مجهول X-rays
معالجه با پرتوی مجهول radiotherapy, treatment by X-rays
در پرتو حمایتِ under the protection *or* auspices of
پرتوافگن **radiant; [*n.*] projector**
پرتوافگنی **rediation**
پرتوبینی **radioscopy**
پرتوشناس **radiologist**
پرتوشناسی **radiology**
پرتونگار **radiographer**
پرتونگاری **radiography**
پرتوه **ray**
پرتوی [*bot.*] **radiant**

پُرجثه /فا.ع./ **huge, bulky**
پرجرأت /فا.ع./ **courageous**
پرجمعیت /فا.ع./ **thickly populated, populous**
پَرچ **rivetting, rivet**
پرچ کردن to rivet; to clench
میخ پرچ rivet
پرچانه = پرگو، پرحرف
پَرچم **flag; [*bot.*] stamen**
خدمت زیرِ پرچم military service
پرچم‌دار **standard-bearer; [*fig.*] leader, pioneer**
پرچمی **[*rare*] flag-like; [*bot.*] staminal**
پارچه پرچمی bunting
پَرچین **fence, hedge; paling; [*adj.*] riveted, bent**
پرچین کردن to rivet; to clinch; to enclose with a fence *or* hedge
پُرچین **full of curls, curly; full of wrinkles; puckered**
پرحادثه /فا.ع./ **eventful, adventurous**
پرحرف /فا.ع./ = پرگو، وراج
پرحرفی /فا.ع./ = پرگویی
پرخاش **quarrel**
پرخاش کردن to quarrel
پرخاشجو **quarrelsome**
پُرخرج /فا.ع./ **costly, expensive**
پرخطر /فا.ع./ = خطرناک
پُرخور **gluttonous**
پرخوری **gluttony**
پَرداخت **payment; polish(ing)**
پرداخت کردن to pay; to give a finish to
قابل پرداخت payable
مأمور پرداخت paymaster
سرمایهٔ پرداخت شده paid-in capital

پرداختگر **polisher, furbisher**
پرداختن [بن‌مضارع: پرداز] **to pay, to settle; to polish, to furbish; to give a finish to; to proceed**
اکنون بپردازیم به... let us now turn to...
از کاری پرداختن [*lit.*] to get through a business
پرداختنی **payable; due, mature**
پرداخته [اسم‌مفعول فعل پرداختن] **paid; polished; accomplished, cleared**
پردار **winged, flying:** ماهیِ پردار
پرداز[۱] **stump** [as used in drawing]
پرداز[۲] [بن مضارعِ پرداختن]
پردگی **chaste and secluded woman, [*rare*] odalisque; [*zool.*] pupa, nymph**
پردل **courageous**
پردوام /فا.ع./ = بادوام
پرده[۱] **curtain; screen; veil; mantle; membrane; layer, coating; film; act** (division of a play); **painting, tableau; [*fig.*] reserve; modesty**
پردهٔ دل pericardium; midriff, diaphragm
پردهٔ صماخ tympanum of the ear; ⟵ صماخ
پردهٔ عنبی iris of the eye
پردهٔ عنکبوت cobweb
پرده از روی کار برداشتن to divulge a secret, to unveil a matter
پرده بر کسی دریدن [ادبی] to disgrace someone by divulging his secrets

پارچهٔ پرده‌ای drapery
پرده[2] [*mus.*] **note**
پرده[3] [*mus.*] **scale**
پرده[4] [*mus.*] **fret**
پرده‌برداری **unveiling a statue/ etc.**
پرده‌پال **hymenopterous**
پرده‌پوشی **glossing over a fault; keeping a secret**
پرده‌دار **chamberlain; doorkeeper;** [*adj.*] **webbed**
پرده‌دَری **betrayal of secrets**
پُررنگ **richly coloured; strong:** چای پررنگ
پُررو **cheeky** *or* **saucy:** بچه پررو
پُرروئی **cheekiness**
پررویی کردن to be cheeky; to brazen it out
پُرز **villosity; nap, pile**
پُرزا **multiparous, prolific**
پُرزور **powerful; violent**
پُرزحمت /فا.ع./ **laborious**
پُرس[1] /ر./ **helping**
پُرس[2] [بن مضارعِ پرسیدن]
پرست [بن مضارعِ پرستیدن]
پرستار **nurse; baby-sitter**
پرستارخانه **infirmary**
پرستاری **nursing; attendance**
پرستاری کردن to nurse, to attend
پرستش **worship**
پرستش کردن to worship
پرستشگاه **house of worship**
پرستنده [جمع: پرستندگان] **worshipper**
پرستو(ک) **swallow**
پرستیدن [بن‌مضارع: پرست] **to worship; to adore**
پُرسش **question**
پُرسش کردن از to question *or* ask

پرسشنامه **questionnaire**
پِرسُنل /فر./ = کارکنان **personnel, staff**
پرسه زدن [عامیانه] **to prowl** *or* **moon, to hang round**
پرِ سیاوش **maidenhair, adiantum**
پُرسیدن [بن‌مضارع: پرس] **to ask**
از او بپرسید. ***Ask him.***
پرسان‌پرسان always asking (one's way)
پَرش **jumping, leap; flight**
پرش به ارتفاع high jump
پرش به طول long *or* broad jump
پرشگاه **take-off**
پُرصدا **noisy; sonorous**
پرطاقت /فا.ع./ **hardy; patient**
پرطاوسی **chatoyant, shot, pavonine**
گل پرطاوسی broom
پرطمع /فا.ع./ = طماع
پرفایده /فا.ع./ = پرمنفعت
پرفتوح /فا.ع./،روح پرفتوح **bestowed with God's grace**
پرفشار **high-pressure; high-tension**
پرَک **fin;** [*o.s.*] **small feather**
پرک هندی (seeds of) butea frondosa
پُرکار **elaborate; durable**
پَرکنده **plucked:** مرغ پرکنده
پرگار (pair of) **compasses**
پرگار بازودار beam-compass
پرگار تقسیم dividers
پَرگرد [کمیاب] **paragraph; section**
پُرگو **talkative, loquacious**
پرگویی **talkativeness**
پرمایه **strong** (as tea); **rich; pithy**

پرمدعا /فا.ع./ **pretentious; loquacious**
پرمشت [کمیاب] **decoy(-bird)**
پرمعنی /فا.ع./ **full of meaning, pithy, significant**
پرمغز **pithy**
پرمنفعت /فا.ع./ **lucrative, profitable**
پرمنگنات /فر./ **permanganate**
پُرمو **hairy, shaggy**
پرند [ادبی] **plain** *or* **painted silk**
پرنده [جمع: پرندگان] **bird;** [*adj.*] **flying;** ⟶ مرغ
بشقاب‌پرنده flying saucer
پرنده‌شناس **ornithologist**
پرنده‌شناسی **ornithology**
پرنیان [ادبی] **shot silk**
پرو /ر./ **fitting**(on)
پرو کردن to have *or* give a fitting, to fit (*or* try) on
پروا **care; fear; concern**
پروا داشتن to be concerned *or* anxious; to fear
پَروار **fattened** (animal)
پرواری **stall-fed, fattened**
پَرواز **flight**
پرواز کردن to fly; [*plane*] to take off
قابل پرواز airworthy
پرواز خوبی **aerobatics**
پرواس [کمیاب] **feel, touch**
پروانه[1] **butterfly; moth; licence, permit**
پروانه[2] [*mech.*] **fan** (of a radiator)
پروانه[3] [*mech.*] **propeller**
پروانه[4] [*mech.*] **governor**
پر و بال **plumage**
پر و بال درآوردن to fledge; [*fig.*] to grow strong *or* bold, to go too far
پروپا [عامیانه] **foundation**

پروپایی ندارد. *It is unfounded.*

پروپاقرص [عامیانه] /فا. ع./ **firm, confirmed;**

regular: مشتری پر و پا قرص

پروتست /فر./ = واخواهی

پروتستان /فر./ **Protestant**

پرور [بن مضارعِ پروراندن]

پروراندن = پروردن

پَروردگار **providence, God;** [*o.s.*] **the Nourisher**

پروردن [بن‌مضارع: پرور] **to foster, to rear, to cherish; to develop; to preserve in sugar**

پرورده [اسم‌مفعول فعل پروردن]

زنجبیل پرورده preserved ginger

پرورش **nourishment, nurture; training**

پرورش دادن to train; to foster, to cherish; to develop

پرورش یافتن to be trained *or* fostered

پـرورشگـاه **nursery; crèche**

پرورشگاه یتیمان orphan asylum, orphanage

پرورشگاه آزادی nurse of freedom

پَروَزن /فا. ع./ **feather-weight**

پروژکتور /فر./ **projector**

پروژه /فر./ = طرح **project**

پروس /فر./ **Prussia**

پروفسور /فر./ **professor;** ⟶ استاد

پروَنده **file, dossier;** [*ext.*] **case**

پرونده‌سازی **frame-up**

پرویز [اسم‌خاص]

پرویزن [کمیاب] = غربال، الک

پرویزنی **ethmoid:** استخوان پرویزنی

پروین [اسم‌خاص] **pleiades**

پَرّه **paddle; blade;** [*windmill*] **sail;** [*wheel*] **spoke;** [*nose*] **wing**

پُرهنر **skilled in arts, ingenious**

پـرهیختن [کـمیاب، بـن‌مضارع: پرهیز] = پرهیز کردن

پرهیز **abstinence; austerity; regimen, diet**

پرهیز داشتن to be on diet

پرهیز کردن to abstain, to keep away

پرهیزکار، پرهیزگار **abstemious; virtuous; chaste**

پرهیزگاری **abstemiousness; virtuousness; continence**

پَری [اسم‌خاص] **fairy**

پُری **fullness**

پری‌پیکر [ادبی] **delicate in body** (as a fairy)

پریچهر [اسم‌خاص] **fairy-faced**

پریدخت [اسم‌خاص] [*o.s.*] **fairy's daughter**

پَریدن [بن‌مضارع: پر] **to fly; to jump;** [*fig.*] **to pass away suddenly**

پریرُخ، پریرو **fairy-faced, beautiful;** ⟶ پریچهر

پریروز **day before yesterday**

پریز /فر./ **wall-plug, point**

پریزاد **fairy(-born)**

پریش [ادبی] = پریشان

پریشان **distressed; distracted; disturbed; dishevelled**

پریشان کردن to dishevel; to distress; to agitate

پریشان گفتن to speak incoherently

پریشان‌حال /فا.ع./، **پریشان‌روزگار** **distressed**

پریشان‌حالی /فا.ع./ **distressed condition**

پریشانی **distress;** (mental) **disturbance, agitation**

پری‌شاهرخ **oriole**

پریشب **night before last**

پریموس /فر./ **primus** (stove)

پریوَش [اسم‌خاص] **fairy-like**

پَز [بن مضارعِ پختن]

پُز /فر./ **posture**

پز دادن to show off; to strike an attitude

پز عالی جیب خالی great boast little toast

پزا **not tough, easily cooked**

پزشک **physician, doctor**

پزشک‌خانه **dispensary**

پزشکی **medical profession;** [*adj.*] **medical**

پزشک‌یار **medical assistant**

پَزنده (one) **who cooks** ***or*** **bakes**

پژمان [کمیاب] **dejected**

پژمردگی **withered state; dejection**

پژمردن **to fade, to wither**

پژمرده **faded, withered; pale;** [*fig.*] **sad, dejected**

پژوه [بن مضارعِ پژوهیدن]

پژوهش **search, investigation; appeal**

پژوهش‌خواسته **object of appeal**

پژوهش‌خوانده **appellee, respondent**

پژوهش‌خواه **appellant**

پژوهیدن [بن‌مضارع: پژوه] **to search, to investigate; to inquire**

پُژه **moss**

پَس [*adv.*] **then; so; afterwards; behind;** [*n.*] **back** (part)

پس‌آمدن to come back

از پسِ کسی برآمدن [عامیانه] to cope with someone, to manage someone

پس آوردن to bring back (for resale to the seller)

پس از after

پس از این after this, hereafter

پس از آن afterwards, thereafter

پس از آنکه او رفت ***after*** (or ***when***) ***he had gone***

از این پس hereafter

پس افتادن to fall behind; to fall in arrears

پس‌انداختن to delay the payment of; to postpone; [*sl.*] to give birth to

پس دادن to give back, to return; to refund; to recite (as a lesson)

آب پس دادن to leak

پس رفتن to go back; to get out of the way; to decline

پس زدن to draw back; to flow back; to displace

پس گرفتن to take back, to retake; to retract; to buy back

حرف خود را پس گرفتن to go back on one's word, to retake one's word, to eat one's words

پس نشستن to recoil; to retreat

پساب **weakest water; hog-wash**

پسادست **credit transaction**

پس‌افت **back rent**

پس‌افتاده **arreared, in arrears, outstanding**

پس‌انداز **savings**

پس‌انداز کردن to save

پس‌اندازی **saving**

پس‌پریروز **three days ago**

پَست **low; mean; humble; of inferior quality**

پَست‌باد! Down with!

پست کردن to lower; to weaken

پُست /فر./ **post, mail; post** (of duty)

با اولین پست (آینده) by next mail, by return of post

فراش پُست postman

به پست دادن to post ***or*** mail

پول پُست postage

پستا[1] **preparation**

پستا[2] = نوبت

پِستان **breast;** [*cow*] **udder**

غدهٔ پِستان mammary gland

نوک پِستان nipple

پستان‌بند **brassière**

پستاندار **mammiferous;** [*n.*] **mammal**

پستانک **nipple**

پستایی **prepared, kept as reserve; cut out: tailor's word**

پستچی /فر. ت./ **postman; member of the Post Office**

پستخانه /فر. فا./ **Post Office**

پَست‌فطرت /فا. ع./ **mean, base**

پست‌فطرتی /فا. ع./ **meanness**

پست‌قد **short, dwarfish**

پَستو **closet; back part of a shop**

پِسته **pistachio**

پستهٔ زمینی peanut

پَستی **meanness; lowness**

پستی و بلندی روزگار ups and downs

پُستی /فر. فا./ **postal**

پس‌درد **afterpains**

پس‌دوزی **overcast stitch on the wrong side of cloth**

پِسر **son; boy; baby boy**

پسربچه **boy**

پسرخاله /فا. ع./ **cousin: son of a maternal aunt**

پسرخوانده **adopted son**

پسردایی **cousin: son of a maternal uncle**

پسرعمو، پسرعم /فا. ع./ **cousin: son of a paternal uncle**

پسرعمه /فا. ع./ **cousin: son of a paternal aunt**

پَسرو **retrograde**

پس‌فردا **day after tomorrow**

پس‌قراول /فا. ت./ **rearguard**

پس‌کرایه /فا. ع./ **balance of freight** (paid on taking delivery of goods)

پس‌کوچه **by-lane, by-road**

پسِ‌گردنی [عامیانه] **slap on the neck**

پسله [عامیانه] **behind one's back, on the sly, underhand**

پس‌مانده **refuse, leavings, residue**

پَسند[1] **selection; admiration; approval**

پسند آمدن to be admired ***or*** selected; to please

پسند کردن to select; to admire

پَسند[2] [بن مضارعِ پسندیدن]

پسندیدن [بن‌مضارع: پسند] **to admire; to select, to choose**

پسندیده **praiseworthy, acceptable, admirable; pleasing**

پس و پیش **back and forth, to and fro**

پس و پیش کردن to change the places of; to adjust

پسوَند **suffix**

پسین **last; latest; posterior**

پسین‌فردا [عامیانه] **three days hence;** ← پس‌فردا

پُشت **back; back part;** [*cloth*] **wrong side;** [*leather*] **flesh** (side); [*fig.*] **support; continuation; generation**

پشتِ behind, at the behind of

پشت بام house-top, flat roof

پشت به دیوار with one's back against the wall

پشت پا instep

پشتِ پا زدن به to recalcitrate against (*or* at); to trip (up)

پشت سکه verso, reverse of a coin

پشت سرِ behind; in the absence of

پشت سر کسی حرف زدن to backbite someone

پشتِ گردن nape of the neck

پشت خود را بستن to feather one's nest

پشت کردن to turn one's back; [*lit.*] to repose

بخت به ما پشت کرده است. We are down on our luck.

پشت هم انداختن to pack (as cards); [*infml.*] *vi.* to shoot a line

پشت‌بند **fastening, brace, clamp;** [*railway*] **fish-plate;** [*fig., infml.*] **continuation, sequel**

پشت‌پوش **opaque**

پشت‌درپشت **from generation to generation**

پشت‌درد **backache**

پشتِ دری، پشت شیشه‌ای **half net curtain**

پشت رو **turned inside out**

پشت رو کردن to turn inside out

پشتک **somersault**

پشتک زدن to turn a somersault

پشتکار **perseverance**

پشتکاردار **perseverant**

پشت‌گرمی **assurance; encouragement; support**

پشتِ گلی **light red**

پشتِ گوش فراخ **neglectful, nonchalant**

پشت‌مازو، پشت‌مازه **fillet, undercut, chine**

پشتِ میزنشین [عامیانه] **white-collar**

پشت‌نویس **endorsed,** [*n.*] **endorser**

پشت‌نویسی **endorsement**

پشت‌نویسی کردن to endorse, to back

پشتواره **knapsack**

پشتوانه **cover** (for banknotes), **bullion**

پشته **mound, eminence**

پشتِ هم‌انداز **charlatan; blusterer**

پشتی **cushion** (for the back); [*fig., infml.*] **support**

پشتی‌کردن to support, to back, to give a knee to; ← پشتیبانی

پشتیبان **supporter; buttress; pillar;** [*football*] **back**

پشتیبانی **support**

پشتیبانی کردن to support *or* back; to second; to assist

پِشک **lot**

پشک انداختن to cast lots

پِشکل **orbicular dung**

پَشم **wool; fleece**

پشم چیدن to shear (a sheep)

کلاهش پشم ندارد. He is a mere figurehead. He is feared by none.

پشمش بدان [زبان لاتی] to hell (*or* heck) with it, to take it easy

پشمالو(د) **shaggy, woolly**

پشم‌چینی **sheepshearing**

پشم‌ریسی **wool-spinning**

پشمک [kind of sweets]

پشمی، پشمین **woollen**

پشمینه **woollen** (garment)

پشه **gnat; mosquito**

پشهٔ خاکی sandfly

پشه را در هوا نعل کردن to break fly on wheel

پشه‌بند **mosquito-net**

پشه‌پران **fly-net, fly-flap**

پشه‌خوار **goatsucker, fern-owl**

پشیز **copper** *or* **nickel coinage**

پشیمان **sorry, regretful, penitent, remorseful**

پشیمان شدن to repent, to regret, to rue (it)

پشیمانی **regret, remorse**

پطرِ کبیر /ی. ع./ **Peter the Great**

پفک **pea-shooter; puff** (paste)

پُف کردن **to blow out; to puff** (up), **to inflate**

پفیوز [زبان لاتی] **sullen; good-for-nothing**

پُک **puff, draught**

پک به‌چپق زدن to puff a pipe

پکر [عامیانه] **gloomy, disappointed**

پکر شدن — to be disappointed, to pull a long face

پکیدن [عامیانه، بن‌مضارع: پک] = ترکیدن

پگاه [کمیاب] = سپیده‌دم

پُل — **bridge;** [*trousers,etc.*] **loop, keeper**

پل دره‌ای — viaduct

پل دماغ — pons varolii

پل کشتی — deck

پل متحرک — drawbridge

پل معلق — suspension bridge

روی رودخانه‌ای پل زدن — to bridge a river, to construct a bridge over it

پلاتین، پلاطین /فر./ — **platinum;** [*mech.*] **contact point**

پلاس — **sackcloth**

در جایی پلاس شدن [عامیانه] — to outstay one's welcome, to plant oneself in a place

پلاسیدن = پژمرده شدن

پلاسیده = پژمرده

پلاک /فر./ — **plate, plaque, tag**

پُلخنگ — **aqueduct**

پل‌سازی — **construction of bridges**

پلشت‌بَر — **antiseptic**

پلک — **eye-lid**

پِلکی — **palpebral**

پلکیدن [زبان لاتی] — **to scratch along; to hang around**

پلگان [جمعِ پله] — **stairs, steps; staircase**

پلمب /فر./ — **lead seal**

پلمب کردن — to seal, to stamp *or* plumb with lead

پلمه [کمیاب] — **slate**

پلمه‌سنگ — **schist**

پلنگ — **leopard**

پلنگ ماده — leopardess

پلو /ت./ — **pilaw: dish of rice/ chopped meat/ vegetables and spices**

پله — **stair, step; round of a ladder;** [*fig.*] **degree; stage;** [جمع: پلگان] ⟶

پله‌پله — **by degrees, step by step**

پله‌پله رفتن — to ricochet

پلید [ادبی] — **unclean**

پلید کردن — to defile

پلیدی — **uncleanness; abomination**

پُلیس /فر./ — **police(man)**

پلی‌کپی کردن /فر. فا./ — **to duplicate, to stencil, to manifold**

پناه — **shelter; refuge, asylum;** [*fig.*] **protection**

به چیزی پناه بردن — to take (*or* seek) refuge in something

پناه برخدا ⟵ اعوذبالله، استغفرالله

در پناهِ — under the protection (*or* cover) of

پناهگاه — **refuge, shelter, asylum**

پناهنده — **refugee**

پناهنده شدن — to seek refuge; to resort

پنبه — **cotton; cotton-wool**

پنبهٔ روی — zinc oxide, flowers of zinc

پنبه فرنگی — sterilized cotton

پنبهٔ ناسوز — asbestos

پنبهٔ هیدروفیل — absorbent cotton-wool

پنبهٔ در گوش گذاشتن — to turn a deaf ear (to someone)

پنبه‌آب — **whitewash**

پنبه‌ای — (made of) **cotton; resembling cotton;** [*fig.*] **soft, mild**

پنبه‌پاک‌کن — **cotton-gin; willow(ing-machine)**

پنبه‌دانه — **cotton-seed**

پنبه‌زن — **cotton-beater, cotton-blower**

پَنج — **five**

پنج، فنج /هـ. فا./ — **punch**

پنج‌انگشت — **five-leaved chaste-tree**

پنجاه — **fifty**

پنجاهم — **fiftieth**

پنجاهمین — **the fiftieth**

پنج‌برگ — **cinquefoil, five-leaved**

پنج‌پر[1] — **pentapetalous**

پنج‌پر[2] = پنج‌برگ

پنج‌پهلو — **pentagon(al)**

پنج‌تیر — **five-loader, five-cartridge magazine rifle**

پنجره — **window; grating**

پنج‌سطحی /فا.ع./ = پنج‌وجهی

پنج‌شنبه — **Thursday**

پنج‌ضلعی /فا.ع./ = پنج‌پهلو

پنجگانه — (the) **five**

پنج‌گوش، پنج‌گوشه — **five angled, pentagonal;** [*n.*] **pentagon**

پنجگی — **toe-cap**

پنجم — **fifth**

پنجمی — (the) **fifth**

پنجمین — **the fifth**

پنج‌وجهی /فا.ع./ — **pentahedral**

جسم پنج‌وجهی — pentahedron

پنجول زدن [عامیانه] — **to scratch**

پنجه — **the hand, the five fingers; claw, paw; cross-arm**

پنجه انداختن — to gripe

دست و پنجه نرم کردن — to break a lance, to cross swords

پنجه‌ای palmate, digitate
پنجه‌بوکس /فا. ان./
knuckle-duster; → بوکس
پنجه کلاغ wild bryony,
wild grape
پنجه گرگی lycopodium,
wolf's-claw, clubmoss
پنجه‌مریم /فا. ع./ cyclamen
پنج‌یک fifth part
پند counsel,
piece of advice; maxim
پند گرفتن to take counsel
پندی به صد تومان good advice
beyond all price
پندار[1] thought;
imagination; self-conceit
پندار[2] [بن مضارعِ پنداشتن]
پنداشتن [بن‌مضارع: پندار]
to suppose, to imagine
پَنس /فر./ forceps, pincers;
hairpin
پِنس /ان./ pence
پَنکه /هـ./ punka(h), fan
پنهان hidden, secret
پنهان شدن to hide (oneself)
پنهان کردن، پنهان داشتن
to hide, to conceal
پنهانی concealment
پنیر cheese
کرم پنیر cheese-mite
پنیرتراش grater
پنیرک fairy-cheeses
پنیرکی malvaceous
پنیرکیان [جمعِ پنیرکی] /ا./
the Malvaceae
پنیرمایه rennet
پنی‌سیلین /فر./ penicillin
پو، پوی [بن مضارعِ پوییدن]
پوت ← پود
پوتین [ازفر. bottine] boot
پوچ vain, futile; empty,
hollow; blank; null, void
پوچ کشیدن to draw a blank
پود[1] woof, weft; ← تار

پود[2]، پوت /ر./ pood
پودر /فر./ گرد ← powder;
پودردان /فر.فا./ vanity(-box),
compact; puff-box
پودنه، پونه pennyroyal
پور = پسر son
پوره /فر./ purée, mash
پورهٔ سیب‌زمینی
mashed potatoes
پوز، پوزه snout
پوزبند، پوزه‌بند muzzle
پوزخند [اهانت‌آمیزِ لبخند]
پوزش apology,
excuse; ← عذر
پوزش خواستن to offer an
apology, to apologize
پوزش‌پذیر [*adj.*] forgiving
پوساندن، پوسانیدن
to cause to decay *or* rot;
to wear out
پوست skin; hide; rind;
hull; peel; shell; crust;
bark; parchment
پوست انداختن to moult;
[*fig.*] to have a hard time of it
پوست بستن to skin over,
to scab
پوست کندن to peel; to strip
of the bark; to flay; to husk;
[*fig.*] to fleece; to punish
severely
پوست بخارا astrakhan
پوست خام raw hide, pelt
پوست زخم scab
پوست سر scalp
پوست گنه گنه Peruvian bark
پوست مار slough (of a snake)
پوست‌واستخوان skinny,
bare-bone
از خوشی در پوست نمی‌گنجید.
He could not contain himself
for joy. He seemed to tread
on air.
پوست‌تراش hide-dresser

پوست‌رفته galled, chafed,
raw, excoriated
پوست‌فروش peltmonger,
furrier
پوست‌فروشی furriery
پوستک (small) pelt;
cuticle
پوست‌کلفت thick-skinned,
pachydermous;
[*fig.*] impassive
پوست‌کلفتی
impassiveness,
insensibility
پوست‌کن flayer; fleecer
پوست‌کنده peeled, shelled;
flayed; [*fig., infml.*] frank(ly)
پوسته crust; scale; pellicle
پوسته‌پوسته شدن to scale;
to exfoliate, to fall away in
flakes
پوستی made of *or* like skin
کاغذ پوستی parchment paper
پوستین fur cloak, pelisse
در پوستین کسی افتادن [ادبی]
to backbite someone
پوسیدگی decay; rottenness
پوسیدگی استخوان caries
پوسیدن [بن‌مضارع: پوس]
to decay, to rot; to wear out
پوسیده [اسم‌مفعول فعل پوسیدن]
decayed; rotten; putrefied;
worn out; flimsy,
undurable; carious
پوش[1] tarpaulin
پوش[2] [بن مضارعِ پوشیدن]
پوشاک clothing, wearing
stuff
پوشال stuffing *or* packing
(material), straw, dunnage
پوشالی made of straw *or*
dunnage; [*fig.*] fragile, flimsy
دولت پوشالی puppet
government, goverment of
straw

پوشاندن، پوشانیدن [بن‌مضارع: پوشان] to cause to wear, to clothe; to cover; to conceal
پوشش **covering; mantle**
پوشنده **wearer; concealer**
پوشه **folder, flat file**
پوشیدن [بن‌مضارع: پوش] **to wear; to put on; to cover, to conceal**
پوشیده [اسم‌مفعول فعل پوشیدن] **covered; concealed; clothed; secret, occult**
پوشیده داشتن to keep secret, to conceal
پوشینه **capsule**
پوطاس /فر./ **potash**
پوطاسیوم /فر./ **potassium**
پوک **hollow; deaf** (as a nut)
پوک کردن to hollow; to cave
پوکه **cartridge-shell, cartridge-case**
پوکهٔ زغال سنگ coke
پول **money**
پول چای tip, drink-money
پول کاغذ paper money
پولش را باید بدهید. You must pay for it.
پولاد، فولاد **steel**
پولادگر **steel manufacturer**
پولادسازی **steel manufacture**
کارخانهٔ پولادسازی steel-works
پولادی، پولادین (made of) **steel; [*fig.*] hard, irresistible**
پولدار **wealthy:** آدم پولدار
پولک **sequin, spangle; fishscale; disc; washer; confetti**
پولک فنری lock washer, spring washer
پولکی [عامیانه] **venal:** آدم پولکی
پولوور /ان./ **pull-over**

پولی **monetary; pecuniary; purchasable**
پوماد /فر./ **pomade, pomatum, ointment;** ← مرهم
پوند /ان./ **pound, sterling**
پونز /فر./ **drawing-pin**
پونط /ر./ **point**
حروف ۸ پونط 8-point type
پونه ← پودنه
پویا **searching**
پویا شدن to search, to run (after)
پوینده **searcher**
پوییدن [بن‌مضارع: پوی] **to search; to run for search**
پَه! **fie!, phew!, fudge!**
پَهلو **side; flank**
پهلو به پهلو side by side
(در) پهلوی... نشستن to sit by the side of...
از پهلوی کسی رد شدن to go past someone
پهلو زدن به [ادبی] to emulate
پهلو گرفتن to berth (as a ship)
پهلوان **hero, champion; athlete; [*adj.*] very strong; heroic**
پهلوانانه **like a champion; heroically**
پهلوان پنبه **cardboard cavalier, man of straw**
پهلوان‌کچل **punchinello**
نمایش پهلوان کچل punch and judy show
پهلوانی **athletic strength *or* game; [*adj.*] athletic; heroic**
پهلوشکن [کمیاب] **flanking** (party)
پهلوی **Pahlavi language; Pahlavi dynasty; name of a gold coin**
پهلویی **next, situated next; lateral**

پهله = بهله
پَهن **wide, broad; flat**
پهن شدن *vi.* to widen *or* flatten; [*fig.*] to spread, to get about; [*colour*] to run
پهن کردن to spread; *vt.* to flatten *or* widen
پِهِن **dung**
پهن پا زدن to hang about, to twiddle one's thumbs
پهنا **width, breadth; expanse**
پهناور **extensive, wide**
پهنک **tape, [*bot.*] limb**
پهنه **area; [*rare*] race ground**
پهنی **width, breadth**
پِی **nerve; sinew; heel; foot; [*fig.*] track, trace; foundation, groundwork**
پی‌بردن به to trace; to penetrate into; to realize
پی ریختن to lay the foundation
پی کردن to pursue
پیِ... را گرفتن to pursue *or* follow...; to apply oneself assiduously to
پی گم کردن to lose the track
پی به گربه گم کردن to lead someone off the track, to mislead him
پی کسی فرستادن to send for someone
در پیِ after, on the track of
(در) پی چیزی گشتن to look for something, to search after it
پی /فر./ [*math.*] **pi**
پیاپی = پی‌درپی
پیاده **on foot; [*n.*] pedestrian; [*chess*] pawn**
سرباز پیاده infantryman
پیاده شدن to dismount, to alight; to land; to disembark; to get off

پیاده شو با هم راه برویم.
Come off the high horse.
پیاده کردن to land; to unship; to put down, to drop: راننده کجا شما را پیاده کرد ; to dismantle; to lay down (as the plan of a building)
پیاده‌پا on foot
سرباز پیاده‌پا foot-soldier
پیاده‌رو pavement, sidewalk, footpath
پیاده‌نظام /فا. ع./ infantry
سربازِ پیاده‌نظام infantry man, foot-soldier
پیاز onion; bulb
پیاز مغز medulla oblongata
پیازچه spring onion
پیاله [از ریشه ی.] cup; bowl; goblet
پیامبر ← پیمبر، پیغمبر
پی‌بر horse winning any other prize than the first, placed horse
پی‌بندی underpinning
پی‌بندی کردن to underpin (a wall)
پیپ /فر./ pipe
پیت large tin
پیجامه /ان. فا./ pyjamah(s)
پی‌جویی search
پی‌جویی کردن to search
پیچ[1] twist, turn; curl; curve; involution; twining plant, vine; screw; bolt; [*fig.*] complication, intricacy
پیچ، پیچ کوک [*mus.*] peg *or* pin; ← گوشک، گوشی
پیچِ امین‌الدوله honeysuckle
پیچ درِ بشکه bung
پیچِ سر بطری cork screw
پیچ شبدر dodder
پیچ لامپا wick-winder
پیچ‌وخم meanders
پیچ‌ومهره bolt and nut

پیچ خوردن to turn (the corner)
از چپ پیچ می‌خورد.
It screws to the left.
پیچ دادن to twist; to wind; to turn; to screw
پیچ[2] [بن مضارعِ پیچیدن]
پیچاپیچ meandrous; winding; spiral; intricate
پیچازی plaid, checkered
پیچان[1] winding, twisting
پیچان[2] [بن مضارعِ پیچاندن]
پیچاندن، پیچانیدن
to twist; to wind; to distort
پیچ پیچ = پیچاپیچ
پیچ‌خوردگی contortion; twist; strain
پیچ‌خورده contorted; twisted; strained
پیچدار twisted; screwed; [*fig.*] complicated
پیچ در پیچ [ادبی] intricate, complicated
پیچش gripes, tenesmus
پیچک bobbin; ivy; bindweed; tendril; scroll, volute
پیچ و تاب kinks and twists; curls and plaits
پیچ و دنده endless screw
پیچه [black veil used by Moslem women wishing to cover their faces from men's views]
پیچه زدن to put on a veil, to cover one's face
پیچیدگی contortion, twist; warp; [*fig.*] knottiness, intricacy
پیچیدن [بن‌مضارع: پیچ]
to wind; to wrap; to twist; to roll up; to set (as the hair); **to coil; to compound *or* fill:** نسخه پیچیدن **; to turn; to turn the corner**

به‌خود پیچیدن to struggle, to show signs of uneasiness
پیچیده [اسم‌مفعول فعل پیچیدن]
wrapped; rolled; twisted; crooked; [*fig.*] intricate, complex, knotty, abstruse
پیخال [کمیاب] fecal matter
پیخاله fecaloid
پیدا visible, apparent; evident
پیدا شدن to be found; to become visible
پیدا کردن to find; to earn
عاقبت پیداش شد. [عامیانه]
He turned up at last.
پیدازا phanerogamous
گیاه پیدازا phanerogam
پیدایش coming into existence, genesis
پی‌درپی successive(ly); continuous(ly)
پیر old, aged; [*n.*] old person; nestor, wise, old counsellor; spiritual guide, saint
پیر شدن to grow old
پیرا، پیرای [بن مضارعِ پیراستن]
پیرارسال year before last
پیراستن [بن‌مضارع: پیرا(ی)]
to trim (off), to dress up; to decorate
پیراسته trimmed; decorated
پیرامون perimeter; skirt; environs
در پیرامونِ، پیرامونِ about, on the subject of
در پیرامون چیزی گشتن to search for (***or*** after) something; [*fig.*] to seek to do a thing, to approach it
پیرانه‌سَر [*rare*] (in) **old age**
پیراهن shirt
پیراهن خواب night shirt, night gown

پیراهن عثمان کردن
to make capital *or* a faked evidence of

پیراهن قبا کردن [ادبی]
to rend one's shirt

پیراهن‌دوز **shirt-maker**

پیراهنی **shirting**

پیرایش[1] **trimming**

پیرایش[2] = آرایش

پیرایه **ornament, decoration**

به چیزی پیرایه بستن
to ornament *or* embellish something

پیرزن **old woman**

پیرسَن‌داری **bean-capers**

پیرمرد **old man**

پیرو **follower, disciple**

پیروز **victorious**

پیروز شدن بر to gain a victory over, to defeat

پیروزمند **victorious**

پیروزه = فیروزه

پیروزی **victory**

پیروزی یافتن to gain a victory

پیرَوی (act of) **following**

پیروی کردن to follow

پیروی کردن از to go by, to observe

پیره‌زن [غلط مشهور] = پیرزن

پیرهن = پیراهن

پیری **old age**

پی‌ریزی **foundation work**

پی‌ریزی کردن to lay the foundation (of)

پیزُر **rush; padding, dunnage**

پیزُر لای پالان کسی گذاشتن
to load (*or* stuff) someone with flattery

پیزُری [عامیانه] **rushy; flimsy, frail**

پیِس /فر./ = نمایشنامه

پی‌سپار، پی‌سپر [ادبی]
travelling, proceeding on a journey

پیستون /فر./
piston; → سنبه

پیسه، پیسی **alphosis; leprosy; spot**

پیسه سر کسی درآوردن [زبان لاتی]
to give someone a hard time, to ballyrag someone

پیش[1] [*n.*] **front; presence;** [*adv.*] **forward, ahead; before, formerly; in advance;** [*adj.*] **ago; before; of old, ancient**

یک ماه پیش ***a month ago***

شب پیش ***the night before***

پیش از این before this, previous to this, formerly

پیش از آنکه او برود
before he goes

پیش‌آمدن to come forward; [*stomach*] to stick out; [*fig.*] to come up, to happen, to arise, to develop

پیش آوردن to bring forward, to present, to put forth, to offer

پیش افتادن to advance, to progress; to get the start

پیش افتادن از
to leave behind, to outrun

پیش بردن to win

پیش رفتن to advance; to make way

پیش کردن to shoo (a cat)

در را پیش کنید!
Push the door to!

پیش گرفتن to set oneself to, to take up, to choose

از پیش from old

از پیش بردن to succeed in doing

از پیش رفتن
to be accomplished

پیش خود by oneself; within oneself

دندان پیش incisor, chisel tooth

پیشِ /حا./ before, in the presence of; beside; with: کتاب را پیش او گذاشتم

پیش[2] **the vowel-point** (ـُـ)

پیشاب **urine**

پیشاب‌آور **uretic**

داروی پیشاب‌آور diuretic

پیشاب‌دان **urinal, urinary**

پیشاب‌راه **urethra**

پیشاب‌سنج **urinometer**

پیشاب‌شناسی **urinology**

پیشابی **urinous, urinary, uric**

پیشاپیش **beforehand, in anticipation;** (far) **before**

پیش‌آگهی (previous) **notice; forewarning**

پیشامد **circumstance(s), event; emergency; occurrence; development**

پیشامد کردن to occur, to arise; to develop

دستخوش پیشامد adrift, at the mercy of circumstances

کارها را به پیشامد واگذار کردن
to let things drift

پیشامدگی **projection; saliency**

پیشامدگی داشتن to project, to jut

پیشامده **projecting; salient; sticking out**

پیش‌اندیش **provident**

پیش‌اندیشی **forethought**

پیشانی **forehead**

پیشانی‌بند **fillet**

پیشانی‌گشاده **candid, ingenuous**

پیشانی‌نوشت
predestination

پیشاهنگ **leader of a flock/ file/ etc.; pioneer; scout**

پیشاهنگی **scouting; scout training**

پیشاهنگی پسران boy scouts

پیشاهنگی دختران girl guides

پیش‌بخاری **mantle-piece cloth**

آهن پیش‌بخاری fender, fireguard

پیش‌بَر **first winner**

سه دست پیش‌بَر [*backgammons*] rubber

پیش‌بند **apron; pinafore, bib**

پیش‌بندی **prevention, providing against**

پیش‌بها **earnest(-money)**

پیش‌بین **provident:** آدم پیش‌بین

پیش‌بینی **foresight, forecast, anticipation**

پیش‌بینی کردن to foresee, to anticipate; to provide for

پیش‌بینی نشده unforeseen

پیش‌پاافتاده **commonplace**

پیش‌پرداخت **advance** (money), **payment in advance**

پیش‌پرده **interlude, entre-mès**

پیش‌پیش = پیشاپیش

پیشتاب [از ان. pistol] **pistol**

پیش‌تخته = پیشخوان

پیشتر **formerly; farther ahead**

پیشخدمت /فا.ع./ **waiter, garcon, ferash**

پیش‌خرید **forward purchasing**

پیش‌خرید کردن to buy in advance

پیشخوان **counter**

پیشخور **received *or* used up in advance**

پیشخور کردن to anticipate, to use up in advance

پیش‌دامن **apron; pinafore**

پیش درآمد **prelude, overture**

پیشدستی **anticipation; dessert-plate, bread-and-butter plate, tea-plate**

بر کسی پیشدستی کردن to steal a march on someone; to anticipate *or* outreach someone

پیشرس **early, precocious**

پیشرفت **progress, advance, headway**

پیشرفت کردن to make headway, to progress; to proceed

پیشرفتگی **projection, jut; advanced state, advancement**

پیشرفته **advanced; jutting**

پیشرو **forerunner; pioneer;** [*football*] **forward**

پیشرَوی **advance**

پیشروی کردن to advance

پیش‌ساحل /فا.ع./ **foreshore**

پیش‌سینه **shirt-front, plastron**

پیش‌فاکتور /فا. فر./ **pro forma invoice**

پیش‌فروش **forward sale, short sale**

پیش‌فروش کردن to sell in advance, to sale short

پیش‌فنگ! **Present arms!**

پیشقدم /فا.ع./ **leader, initiator, pioneer**

پیشقدم شدن to take the lead, to lead the way

پیش‌قراول /فا. ت./ **advance-guard, vanguard**

پیش‌قسط /فا.ع./ **first instalment**

پیش‌قطار /فا.ع./ [*mil.*] **limber**

پیشکار **agent; steward; major-domo**

پیش کرایه /فا.ع./ **advance(d) freight**

پیشکش **given as a present; making a present of**

پیشکش کردن to make a present of

پیشکشی **present, gift; presented *or* offered**

پیشکی **in advance**

پیشگاه **presence**

در پیشگاهِ before; to: در پیشگاه وزیر مسئول است

پیش‌گفتار **foreword**

پیشگو **foreteller, predictor**

پیشگویی **prediction**

پیشگویی کردن to foretell, to predict

پیشگیر **pinafore, bib; napkin**

پیشگیری **prevention; prophylaxis**

پیش‌لنگی = پیش‌دامن

پیش‌مرگ **dying before another**

پیش‌مرگ کسی شدن to die before someone

پیش‌مزد **advance wage(s)**

پیش‌نماز **chaplain, officiant**

پیش‌نویس [*letter*] **draft**

پیشنهاد **proposal; motion; bid, offer**

پیشنهاد کردن to propose; to offer

پیشنهاد برای چیزی دادن to bid *or* make a tender for something

پیشنهادی (that is to be) **proposed *or* offered**

پیشوا **leader; pontiff, Imam**

پیشواز **going out to meet one** (returning from a journey)

(به) پیشواز کسی رفتن to go to meet someone

پیشواز گرگ رفتن [زبان لاتی] to meet one's death, to ask for it

پیشوایی **leadership; imamate**

پیشوند **prefix**

پیشه **calling, profession, trade**

پیشه کردن، پیشهٔ خود قرار دادن to choose as one's profession

پیشه‌وَر **tradesman, craftsman**

پیشه‌ای **professional**

پیشی[1] **precedence; priority**

پیشی‌گرفتن to take the lead

پیشی[2]، پیشین (the) **former**

پیشی[3] **pussy, puss**

پیشین **old, ancient, early; former, previous; anterior, front**

دندان پیشین incisor

پیشینه **antecedent; record**

پیشینیان **the ancients**

پیغام **message**

پیغام‌آور **messenger**

پیغام‌بَر = پیغام‌آور، پیغمبر

پیغمبر **prophet**

پیغمبری **prophethood; prophet's mission**

پیف! **pooh!, ugh!**

پیک **courier; messenger**

پیکاپ /ان./ **pick-up**

پیکار **battle**

پیکان **arrow-head; point of a spear, fluke;** [*ext.*] **arrow**

پیکر **figure; effigy;** [*lit.*] **body**

پیکرد **prosecution**

پیکرنگار **portraitist, painter**

پیکره **framework**

پیک‌نیک /ان./ **picnic**

پیگرد **explorer**

پیگردی **exploration**

پیل[1] **elephant;** → فیل

پیل[2] /فر./ **battery**

پیلبان **elephant-driver**

پیلتن [ادبی] **of a huge body**

پیله **cocoon; gumboil;** [*infml.*] **eyelid**

پیله بستن to pass the pupal stage in a cocoon

پیله کردن to produce a gumboil; [*fig.*] to persist, to importune; to be obstinate

پیله‌ور **pedlar** *or* **pedler**

پیله‌وری **peddling**

پیما، پیمای [بن مضارعِ پیمودن]

پیمان **contract, agreement; treaty, pact; promise;** → پیمانه

پیمان بستن to conclude a contract/ treaty/ etc.

پیمان‌شکن **guilty of perjury**

پیمان‌شکنی **breach of promise, perjury; violation of a treaty** *or* **contract**

پیمان‌کار **contractor**

پیمان‌کاری **contract** (work)

پیمان‌نامه **written contract** *or* **agreement; treaty**

پیمانه **measure**

پیمانه کردن to measure

پیمانه‌اش پرشد. پیمانه عمرش پر شد. His days are numbered.

پیمانه صبرش لبریز شد. His patience was exhausted. He was out of patience with it.

پیمای ← پیما

پیمایش **measurement**

پیمایش‌پذیر **measurable**

پیمایش‌ناپذیر **immeasurable**

پیماینده **measurer**

پیمبر [صورت اختصاری پیامبر، پیغمبر]

پیمودن [بن مضارع: پیما(ی)] **to measure; to travel, to traverse, to go;** [*lit.*] **to drink**

راه درازی پیمودیم. ***We went a long way.***

پیموده [اسم مفعول فعل پیمودن] **measured; traversed**

پی‌نوشت **recommendatory note, footnote**

پینکی **slumber, drowse, nap**

پینکی زدن to slumber

پینگ‌پونگ /ان./ **ping-pong**

پینه **patch; hard skin; callosity**

پینه خوردن to become callous, to indurate, *vi.* to harden

پینه زدن to patch up

پینه‌خورده **hardened; callous**

پینه‌دوز **cobbler; ladybug**

پینه‌دوزی **cobbling**

پیوره /فر./ **pyorrhea**

پیوست **connected;** [*n.*] **union; enclosure**

پیوستگی **connection; adherence**

پیوستن، به‌هم‌پیوستن [بن مضارع: پیوند] **to join, to connect**

پیوسته [اسم مفعول فعل پیوستن] **connected; continuous; associate; versified;** [*adv.*] **continually, consistently**

جریان پیوسته direct current

پیوسته‌جام، پیوسته گلبرگ **gamopetalous**

پیوک **guineaworm**

پیوند[1] **graft, scion; grafting; union** (by marriage); **relationship; link; ligament; joint**

پیوند زدن to graft; to join

آن را به درخت دیگری پیوند زدند. *It was engrafted into (*or *upon) another tree.*

پیوند کردن to unite in marriage, to get spliced

پیوندِ مریم Mahaleb cherry

پیوند[2] [بن مضارعِ پیوستن]

پیوندکار **grafter**

پیوندگاه **joint; commissure**

پیوندی **grafted; produced by grafting; crossbred, mongrel**

پیه **suet; fat**

پیه آب کرده tallow

پیه خوک lard

پیه چیزی را به خود مالیدن to anticipate *or* be prepared for something, to risk it

پیه‌سوز **tallow-burner**

پیه‌مالی **tallowing, greasing with tallow**

ت

ـَـ ت، تو[1] thy
نام تو، نامت *Thy name*
ـَـ ت، تو[2] thee
تو را دیدم، دیدمت. *I saw thee.*
تا[1] [*prep.*] **till:** تا فردا ; **to:** از تهران تا اصفهان ; [*conj.*] **till, until:** بمانید تا من بیایم ; **so that, in order that:** بخوانید تا من یاد بگیرم ; **as much as; as long as; as far as:** تا صفحه ۳ خواندیم ; [*lit.*] **since;** [with a negative context] **unless**
تا نکوشید کامیاب نخواهید شد. ***Unless you try you will not succeed.***
تا ابد forever
تا آن که، تا این که until; so that
تا به حال، تاکنون hitherto; (as) yet
تاکی، تا به کی how long?, until what time?
تا چند how long?
تا بتوان so far as possible
تا به بینیم we will see what we can do; it remains to be seen
تا چه رسد still less, much less
تا[2]، تاه **fold** *or* **crease; match, peer**
تا زدن to fold
تاکردن to fold; [*fig.*] to get on; to put up; to agree
من دو کتاب دارم، شما چند تا دارید؟ ***I have 2 books how many do you have?***

تاب[1] **twist; curl; swing; glow; lustre; resistance; power to stand hardship, fortitude**
تاب گرسنگی patience of hunger
تاب آمدن، به تاب آمدن to glow, to become redhot
تاب آوردن to stand, to endure, to resist
در تاب و تب بودن to glow (with passion)
تاب خوردن to swing; to be twisted
تاب دادن to swing; to twist, to twirl; to curl
تاب[2] [بن مضارعِ تابیدن]
تابان **shining, luminous**
تاباندن، تابانیدن **to cause to shine; to set in a glow**
تابه‌تا **odd:** کفشهای تابه‌تا
تاب‌داده **twisted; curled**
تابدار **curled; twisted**
تابستان **summer**
تابستانی **belonging to summer, estival**
لباس تابستانی summer wear
تابستانی شدن to get sick (as children from summer heat)
تابش **radiation; radiancy; shining; glow; heat**
تابع /ع./ **subject, citizen; follower, dependant;** [*math.*] **function;**
[جمع: تبعه، توابع] ⟵
تابع اولیه integral

تابع چیزی بودن to be subject to *or* governed by something
تابعیت /ع./ **citizenship, nationality; dependence; allegiance**
تابلو /فر./ **sign**(board); **tableau, picture**
تابلوساز /فر. فا./ **sign-painter**
تابلونویس /فر. فا./ **sign-writer**
تابناک [ادبی] **luminous, shining**
تابندگی **luminousness**
تابنده **luminous; glowing**
تابوت **bier, coffin**
تابه، تاوه **frying-pan**
تابیدن [بن مضارع: تاب] **to shine; to glow; to twist; to spin; to throw** (silk)
تابین [*mil.*] **private**
تاپو **earthen vessel, earthen jar**
تاتار **Tartar; Tartary**
تاتاری، تتری **of Tartary**
تآتر /فر./ = تماشاخانه
تآتری /فر. فا./ **theatrical**
تاتوره [عامیانه] = داتوره
تاتی کردن [عامیانه] **to toddle**
تأثر /ع./ **being impressed** *or* **touched; passion; sadness**
تأثیر /ع./ **effect; impression; influence**
تأثیر کردن در، تحت تأثیر قرار دادن to touch, to impress, to leave an impression on

تأثیر دارد، بی‌تأثیر نیست it has its effect

تاج **crown;** [*zool.*] **crest, comb**

تاج گل garland, wreath of flowers

تاج ستون chapiter

تاج‌الملوک /ع./ **aconite, monkshood, columbine**

تاج‌خروس[1] **amaranth**

تاج‌خروس[2] **cockscomb**

تاجدار **crowned;** [*zool.*] **crested**

پدر تاجدار the crowned father, *i.e.* the king

تاجر [جمع: تجار] /ع./ **merchant**

تاجریزی **nightshade**

تاجگذاری **coronation**

تاجگذاری کردن to crown, to coronate

تاجوَر /ص./ **wearing a crown**

تاجیک **Iranian** [as opposed to a Turk]

تاخت **gallop; invasion**

تاخت کردن to gallop

تاخت آوردن to make an invasion

تاختن [بن‌مضارع: تاز] **to rush, to make an inroad**

آب تاختن [کمیاب] = شاشیدن

تاخت‌وتاز **invasion, inroad**

تأخر /ع./ **coming next**

تأخیر /ع./ **delay**

تأخیر کردن to delay; to be late

تأخیر ورود tardiness, late arrival

به تأخیر افتادن to be delayed

به تأخیر انداختن to delay; to postpone

تأدیب /ع./ **chastisement, correction**

تأدیب کردن to chastise, to correct

تأدیبی /ع./ **correctional:** حبس تأدیبی

تأدیه /ع./ **payment**

تأدیه کردن to pay

تأذی /ع./ **being injured; annoyance**

تار[1] **cord; wire; fibre, staple; warp; tar: Iranian musical instrument of the guitar class**

تارآوا vocal cord

تارعنکبوت spider's web, cobweb

تار مو (single) hair

تار زدن to play on the tar

تار و پود warp and woof; [*fig.*] texture, structure, constitution

تار[2] **somewhat dark; dim; tarnished;** [*eye*] **dim, weak**

شیشهٔ تار focusing-screen

تاراج **plunder**

تاراج کردن، به تاراج بردن to plunder

تاراندن **to put to flight**

تاراجگر **plunderer**

تارزن **tarist: one who can play the tar**

تارک **crown of the head; vertex**

تارِک /ع./ [*rare*] **forsaker**

تارک دنیا anchorite

زن تارک دنیا nun

تارکش **wire-drawer; heddles**

تارُمی = طارمی

تار و مار **routed; scattered; confused**

تار و مار کردن to rout, to put to flight; to scatter

تاری **dimness; darkness**

تاریخ [جمع: تواریخ] /ع./ **date; history; era**

از تاریخِ (with effect) from

تاریخ گذاشتن to date

به‌ترتیب تاریخ in chronological order

تاریخچه /ع. فا./ **diary;** [*o.s.*] **short history**

تاریخچهٔ زندگی biography

تاریخ‌نویس /ع. فا./ **historian**

تاریخی /ع./ **historic(al)**

تاریک **dark**

تاریک‌شدن to get dark, to grow dark

تاریک کردن to darken; to dim

تاریک و روشن کردن to flicker the lights

تاریک‌خانه **dark room**

تاریک‌دل [ادبی] **dark-hearted, benighted**

تاریکی **darkness, dark**

در تاریکی in the dark

تاز [بن‌مضارعِ تاختن]

تازاندن **to cause to gallop**

تازش **attack(ing);** [*mus.*] **syncopation**

تازگی **freshness; novelty**

تازگی ندارد it is nothing new, that is no news to me

به‌تازگی recently

تازنده **galloper; invader**

تازه /ص./ **fresh; new; recent;** [*adv.*] **just; recently; newly;** [*infml.*] **after all** (this business)

خبر تازه [*n.*] news

تازه شدن to be refreshed; to be renewed

تازه کردن to make fresh; to renew; to refresh

تازه به‌دولت رسیده /فا. ع./ = نوکیسه

تازه‌ساخت، تازه‌ساز **newbuilt**

تازه‌کار **fresh, green, inexperienced**

تازه‌نفس /فا.ع./ **fresh, of a fresh vigour, untired**

تازه‌وارد /فا.ع./ **newly arrived;** [*n.*] **new comer**

تازی **Arabic; Arabian:** اسب تازی

سگ تازی greyhound

تازیانه **scourge**

تازیانه خوردن to receive a scourge

تازیانه زدن to scourge *or* whip

تازی‌بان **master of the hounds**

تازیدن = تاختن

تاس ← طاس

تأسف /ع./ **regret**

تأسف داشتن، تأسف خوردن to regret

جای تأسف است ***it is to be regretted***

باکمال تأسف most regretfully

مایهٔ تأسف regrettable

تأسف‌آور /ع. فا./ **regrettable**

تاسوعا /ع./ [the ninth day of Moharram]

تأسی /ع./ **following, imitating, taking model**

به‌کسی تأسی کردن to follow someone

تاسی **cuboid:** استخوان تاسی

تأسیس /ع./ **establishment**

تأسیس کردن to establish, to found

تأسیسات /ع./ **installations;** ← [جمعِ تأسیس]

تاشو، تاه‌شو **that can be folded; collapsible**

صندلی تاشو folding chair

تاغ /ع./ [a tree of the goosefoot family resembling the tamarisk and yielding a wood which has a long-enduring fire]

تافتن [بن مضارع: تاب] **to cause to glow, to make redhot; to twist; to shine; to become redhot**

روی تافتن [ادبی] to turn away one's face (as by displeasure)

تافته [*adj.*] **twisted, spun; set in a glow;** [*n.*] **taffeta**

تاقدیس **anticline**

تاک **vine**

تاکستان **vineyard**

تاکسی /فر./ **taxi, cab, taxi-cab**

تاکسی‌متر /فر./ **taximeter**

تأکید /ع./ **emphasis, stress**

تأکید کردن to recommend emphatically; to emphasize, to lay stress on; to impress, to impress on

تالاب **pond; pool**

تالار **hall, saloon, parlour**

تالان /ت./ = غارت، دزدی

تألم [جمع: تألمات] /ع./ **suffering, pain; sorrow**

تالم‌آور /ع.فا./ **sad:** خبر تالم‌آور

تالی /ع./ [*adj.*] **following; second; similar;** [*n.*] **consequent**

تألیف [جمع: تالیفات] /ع./ **compilation; literary work**

تألیفِ آقای... (compiled) by Mr ...

تألیف کردن to compile

تامّ /ع./ **complete, full**

تام‌الاختیار /ع./ **fully authorized**

تامپن /فر./ **(stamp-)pad**

تأمل /ع./ **deliberation, reflection; hesitation**

تأمل کردن to deliberate; to hesitate; [*infml.*] to wait

تأمین /ع./ **securing, safeguarding; security, guarantee**

تأمین کردن to secure, to give security for; to provide for, to meet, to cover

تأمین آتیه کردن to provide for one's future, [in a bad sense] to feather one's nest

ادارهٔ تأمینات = ادارهٔ آگاهی

تأمینی [مونث: تأمینیه] /ع./ **reserved for security purposes**

قوای تأمینیه security forces

تان[1]، ـِ تان، شما **your:** پسرتان

تان[2]، ـِ تان **you** [objective] **:** دیدمتان

تانک /فر./ [*mil.*] **tank**

تانگو /فر./ **tango**

تأنی /ع./ **acting slowly; delay**

تأنی کردن to delay, to act slowly

تأنیث /ع./ [*rare*] **regarding as feminine;** ← تذکیر

تاوان **indemnity, damages; penalty**

تاوان دادن to make good, to compensate

تاوان دادن به to indemnify

تاوانگاه [*football*] **penalty area**

تاوَل **blister**

تاوَل زدن to blister

تاوه ← تابه

تأویل /ع./ **paraphrase; interpretation**

تأویل کردن to paraphrase; to explain (away)

تاه ← تا

تاه‌شو ← تاشو

تأهل /ع./ **marriage; married life**

تأهل (اختیار) کردن to marry

تائب [کمیاب] /ع./ = توبه کار

تایر /ان./ **tire, tyre**

تأیید [جمع: تاییدات] /ع./ **confirmation; assistance, grace, aid**

تأیید کردن to confirm

تَب **fever**

تب داشتن to have fever, to be ill with fever, to be feverish

تب کردن to be attacked by fever, to get a fever

(درجه) تبِ کسی را گرفتن to take a person's temperature

تبادُر [کمیاب] /ع./ **making haste**

تبادر به ذهن springing to the mind first; → متبادر

تبادُل /ع./ **interchange; alternation**

تبادل نظر exchange of views

تبار[1] [ادبی] **family; extraction, origin**

تَبار[2] [ادبی] /ع./ **destruction, ruin**

تبارک /ع./ **may... be blessed**

تبارک و تعالی blessed and exalted

تباشیر [*rare*] **chalk**

تباشیر فرنگی magnesia

تباعد /ع./ **divergence**

تباعد از مرکز eccentricity

تبانی /ع./ **collusion**

(باهم) تبانی کردن to collude

تَباه **corrupt, spoiled**

تباه کردن to corrupt; to spoil; to corrode

تباهکار **corrupt;** → تبهکار

تباهی **corruption; destruction**

تبایُن /ع./ **marked difference, contrast**

تب‌بُر **febrifuge, antipyretic**

تبت **Tibet**

تبحر /ع./ **erudition, profound knowledge, mastery**

تبخال **cold sore, herpes labialis**

تبختر [کمیاب] /ع./ **walking proudly *or* with airs, strutting**

تبخیر /ع./ **evaporation**

تبخیر شدن، تبخیر کردن to evaporate

تب‌دار **feverish**

تبدیل /ع./ **changing; conversion; reduction; permutation**

تبدیل شکل transformation

تبدیل قیافه یا لباس disguise

تبدیل کردن، تبدیل دادن to change *or* reduce

تبدیل یافتن to be changed *or* reduced

قابل تبدیل reducible; convertible

غیرقابل تبدیل irreducible; inconvertible

کلید تبدیل two way switch

تبذیر [کمیاب] /ع./ **dissipation**

تبر **large axe, hatchet**

تبرخون [کمیاب] = عناب **jujube**

تبردار **halberdier; sapper**

تبرزد [کمیاب] **white sugar; rock salt**

تبرزین **battle-axe, halberd**

تبرّع [کمیاب] /ع./ **doing a thing voluntarily; donation**

تبرعاً /ع./ **voluntarily; gratuitously**

تبرّک /ع./ (receiving *or* making a) **gift looked upon as bringing good luck**

برای تبرّک for luck

تُبره = توبره

تبرّی /ع./ **immunity; exoneration**

تبرّی جستن از to renounce *or* deny

تبرید کردن /ع. فا./ [*rare*] **to cool; to eat *or* drink refrigerants**

تبریزی، درخت تبریزی **poplar**

تبریک [جمع: تبریکات] /ع./ **congratulation; good wishes**

تبریک گفتن to congratulate; to wish

سال‌نو را به‌همه تبریک می‌گویم. (I wish all a) Happy New Year.

تبرئه /ع./ **acquittal, exoneration, exculpation**

تبرئه کردن to exonerate, to acquit

تبسم /ع./ **smile;** → خنده، لبخند

تبسم کردن to smile

تبشیر [کمیاب] /ع./ **giving good tidings**

تبصبص [کمیاب] /ع./ **flattery;** [*o.s.*] **wagging the tail**

تبصره /ع./ **note; nota bene**

تبعه [جمعِ تابع، /ع./] /ع./ **subjects**

تبعهٔ ایران Iranian subjects *or* nationals

تبعی /ع./ [*gram.*] **subordinate**

تبعیت /ع./ **following, imitating**

تبعیت کردن از to follow (the example of), to imitate

تبعید /ع./ **banishment, exile**

تبعید کردن to banish, to exile

تبعیض /ع./ (unjust) **discrimination**

نسبت به کسی تبعیض کردن to discriminate against someone

تب‌گیر **clinical thermometer**

تبلبل [کمیاب] /ع./ **confusion, disorder**

تبلور /ع./ **crystallization**

تبلیغ [جمع: تبلیغات] /ع./ **propaganda, propagandism**

ادارهٔ تبلیغات Department of Propaganda

تبلیغ کردن to propagandize; to (try to) convert to another religion

تبلیغاتی /ع. فا./ **propagandistic**

فیلم‌های تبلیغاتی publicity films

تبلیه /فر./ **apron**; ← پیش دامن

تبنی /ع./ **adoption of a child**

تبه [صورت اختصاری تباه] **corrupt, spoiled**

تبهکار **criminal, felon**; ← تباهکار

تبهکاری **felony, crime**

تبیان [کمیاب] /ع./ **manifestation**

تبیین [کمیاب] /ع./ **making clear**

تپاله **cow-dung dried for fuel**

تپانیدن [عامیانه] **to stuff; to cram**

تپانچه **pistol; slap, box on the ear**

کسی را تپانچه زدن to slap someone; to shoot someone with a pistol

تپ‌تپ کردن [عامیانه] **to go pit-a-pat, to beat** *or* **throb; to patter**

تپش **palpitation**: تپش قلب

تپق زدن /ت. فا./ [*horses*] **to interfere**

تپه **hill**

تپهٔ گل flower-bed

تپهٔ دریایی reef

تپیدن [عامیانه، بن‌مضارع: تپ] **to beat, to palpitate**

تتار [صورت اختصاری تاتار]

تتری [صورت اختصاری تاتاری]

تتری [کمیاب] = سماق

تتبع [جمع: تتبعات] /ع./ **research**

تتق [کمیاب] = پرده؛ چادر

تتمه /ع./ **balance; supplement, complement**

تثبیت /ع./ **stabilization**

تثبیت کردن to stabilize

تثلیث /ع./ **trinity**

تثنیه /ع./ **dual** (number)

سفر تثنیه deuteronomy

تجار [جمعِ تاجر]

تجارب [جمعِ تجربه]

تجارت /ع./ **commerce**

تجارت کردن to trade, to be a merchant

تجارتخانه /ع. فا./ **commercial firm**

تجارتی /ع. فا./ **commercial**; ← بازرگانی

تجاری /ع./ = تجارتی

تجاسُر /ع./ **insurgence**

تجانُس /ع./ **homegeneity**

تجاوز /ع./ **transgression; aggression; violation**

تجاوز کردن از to exceed, to be more than

تجاوز کردن به to encroach on; to trespass against, to violate

تجاوزکار /ع. فا./ **aggressive**; [*n.*] **aggressor; trespasser**

تجاوزکارانه /ع. فا./ **aggressively**; [*adj.*] **aggressive**: عملیات تجاوزکارانه

تجاوزی /ع./ **aggressive, offensive**

تجاهل /ع./ **feigning ignorance**

تجاهل کردن to feign ignorance

تجدّد /ع./ **revival, renaissance; modernity**

تجددخواه /ع. فا./ **modern-minded**; [*n.*] **advocate of revival**

تجدید /ع./ **renewal**

تجدید چاپ reprint, revision

تجدید روابط rapprochement

تجدید عهد renewal of friendly relations

تجدید فراش remarrying

تجدید قوا reenforcement; refreshment

تجدیدنظر revision; rehearing

تجدید هوا ventilation

تجدید کردن to renew; to revise; to repeat

تجدید نظر کردن (در) to revise; to rehear

تجدیدی /ع. فا./ (that is to be) **renewed; having to sit for another examination, conditioned**

امتحان تجدیدی resitting

تجربه [جمع: تَجارب] /ع./ **experience; experiment**

اصالت تجربه empiricism

به تجربه رسانیدن، تجربه کردن to (prove by) experience

تجربی /ع./ **experimental; empiric(al)**

طب تجربی empiricism

تجربیات /ع./ **experiences; experiments**

تجرّد /ع./ **single life; solitude**

تجرّی /ع./ **insolence; boldness**

تجرید /ع./ **abstraction**

تجزیه /ع./ **analysis, breakdown**

تجزیه کردن to analyze

تجزیه‌طلب /عف./ **separatist**

تجسس [جمع: تجسسات] /ع./ **search, investigation**

تجسس کردن to search

تجسم /ع./ **incarnation**

تجلی [جمع: تجلیات] /ع./ **manifestation; appearing with glory *or* brightness, transfiguration**

تجلید [کمیاب] /ع./ **binding, furnishing with a cover**

تجلیل /ع./ **glorification**

تجلیل کردن to glorify, to honour

تجلیلی /ع./ **honorific**

تجمع /ع./ **gathering**

تجمع خون hyperemia

تجمّل [جمع: تجملات] /ع./ **luxury; articles of luxury, articles de luxe**

تجملی /ع. فا./ **de luxe; sumptuous**

تـجنب [کـمیاب] /ع./ = احـتراز، دوری

تجنیس /ع./ **playing on words; reduction of a mixed number to an improper fraction**

تجویز /ع./ **declaring permissible, approving** (of); **recommending, advising**

تجویز کردن to recommend, to advise, to order

تجهیز /ع./ **mobilizing**

تجهیز کردن to mobilize; to equip

تجهیزات /ع./ **mobilizations, equipment;** ⟵ [جمعِ تجهیز]

تجیر **tent-walling; folding screen**

تحاشی /ع./ **abstaining**

تحاشی کردن to abstain

تحبیب /ع./ **causing to love *or* be loved**

تحت [کمیاب] /ع./ = زیر **under *or* lower part**

تحتِ، در تحتِ under

در تحتِ توجهاتِ under the auspices of

تحت‌الارضَی /ع./ = زیرزمینی

تحت‌البحری /ع./ = زیردریایی

تحت‌الجلدی /ع./ = زیرپوستی

تحت‌الحفظ /ع./ **under arrest**

تحت‌الحمایه /ع./ **under protection**

کشور تحت‌الحمایه protectorate, protégé

تحت‌الحنک [کمیاب] /ع./ **fold of the turban passed under the chin**

تحت‌السلاح /ع./ **under arms**

خدمت تحت‌السلاح، خدمت زیر پرچم military service

تحت‌الشعاع /ع./ **eclipsed** (by the rays of a specified object)

تحت‌الشعاع قرار دادن to outshine, to eclipse, to surpass

تحت‌اللفظی /ع./ [*adj.*] **interlinear, literal;** [*adv.*] **word for word**

تحتانی /ع./ = زیری **lower**

تحجر /ع./ **petrifaction**

تحدّب /ع./ **convexity;** [*brain*] **convolution**

تحدید /ع./ **limitation**

تحدید کردن to limit; to define

تحدیدِ حدود کردن to delimit

تحدیدی /ع./ **limitative**

تحذیر /ع./ **caution, warning**

تحرّی /ع./ **research; selection of the most worthy**

تحریر /ع./ **writing** (out); **kind of trill in singing**

تحریر دادن to trill (one's voice)

تحریر کردن = نوشتن

ماشین تحریر typewriter

میز تحریر desk

از حال تحریر from the present date

تحریرات [جمعِ تحریر] **writings**

تحریری /ع. فا./ **used for writing**

کاغذ تحریری writing paper

تحریص /ع./ **making greedy *or* eager**

تحریص کردن to make eager; to exhort; to excite

تحریف [جمع: تحریفات] /ع./ **alteration; tampering with** (something)

تحریف کردن to tamper with

تحریک [جمع: تحریکات] /ع./ **instigation; stimulation**

تحریک کردن to instigate; to stimulate

تحریم /ع./ **declaring as unlawful**

تحریم کردن to ban *or* boycott; to prohibit

تحسر /ع./ **regret(ting)**

تحسین /ع./ **applause, praise; admiration**

تحسین کردن to admire; to applaud *or* praise

قابل تحسین admirable, praiseworthy

تحسین آمیز /ع. فا./ **applausive**

تحصن /ع./ **taking refuge in a sanctuary**
تحصن کردن = بست نشستن
تحصنگاه /ع. فا./ **place of refuge, sanctuary**
تحصیل /ع./ **acquisition; studying; training**
تحصیل کردن to acquire, to obtain; to study, to receive training
تحصیل حاصل effort to acquire what is already acquired, vain effort
تحصیلات [جمعِ تحصیل] **studies, education**
تحصیلدار /ع. فا./ **collector**
تحصیلکرده /ع. فا./ **educated**
تحصیلی /ع. فا./ **educational; academic, scholastic:** سال تحصیلی
تحف [جمعِ تحفه]
تُحفه [جمع: تحف] /ع./ (rare object given as a) **present; gift, object of curiosity**
تحقق /ع./ **certainty; proving to be true**
تحقق پیدا کردن to prove to be true
تحقیر /ع./ **despising; contempt**
تحقیر کردن to despise, to belittle
تحقیرآمیز /ع. فا./ **contemptuous, derogatory:** سخنان تحقیرآمیز
تحقیراً /ع./ **despisingly**
تحقیق [جمع: تحقیقات] /ع./ **inquiry, investigation, research**
تحقیق کردن to inquire, to investigate
از من تحقیق کرد.
He inquired me about it.

تحقیقاً /ع./ **certainly; exactly; through** ***or*** **as a result of inquiries**
تحکم /ع./ **commanding, domineering**
به کسی تحکم کردن to order someone about, to domineer over him
تحکم آمیز /ع. فا./ **domineering, haughty**
تحکیم /ع./ **strengthening**
تحکیم کردن to strengthen
تحلیف /ع./ **administering an oath, swearing** (in)
تحلیل /ع./ **analysis; absorption; dissolving; decomposition; corrosion;** [*tumour*] **resolution; wasting, loss**
تحلیل بردن to digest *or* assimilate; to resolve
تحلیل رفتن to be digested; to be resolved; to be wasted *or* exhausted
او خیلی تحلیل رفته است.
He is much reduced.
جذب و تحلیلِ غذا
assimilation of food
تحلیلی /ع./ **analytic:** هندسه تحلیلی
تحمل /ع./ **supporting, bearing; forbearance, tolerance; patience**
تحمل کردن to tolerate; to endure; to forbear; to support, to sustain
قابل تحمل = تحمل‌پذیر
تحمل‌پذیر /ع. فا./ **tolerable, endurable**
تحمل‌ناپذیر /ع. فا./ **intolerable, insupportable**
تحمیل [جمع: تحمیلات] /ع./ **imposition**
تحمیل کردن to impose

تحمیلی /ع. فا./ **imposed; forced**
تحوّل /ع./ **change; transformation; transition; takeover,** (taking) **delivery;** تحویل ←
تحویل /ع./ **delivery; reduction**
تحویل دادن to deliver, to hand over
تحویل پاسبان دادن to give in charge, to turn over to the police
تحویل گرفتن to take delivery of; to collect; to take over
قابل تحویل reducible
غیرقابل تحویل irreducible
تحویل سال transition to the new year
تحویلخانه /ع. فا./ **cash-office**
تحویلدار /ع. فا./ **cashier**
تحویلداری /ع. فا./ **function of a cashier**
تحیات [جمعِ تحیت]
تحیت، تحیه [جمع: تحیات] /ع./ **salutation; benediction**
تحیر /ع./ **astonishment**
تحیرآور /ع. فا./ = شگفت‌آور **astonishing, surprising**
تخالف /ع./ **disagreeing with each other**
تخت [*n.*] **throne; elevated seat; couch;** [*shoe*] **sole;** [*adj.,infml.*] **flat; even, level**
تخت جمشید Persepolis
تخت روان litter, palanquin
تخت عمل operating table
تخت‌کردن to level; to fill to the brim
بر تخت نشستن to ascend to the throne
تختخواب **bed** (stead); [*child*] **cot**

بیمارستان صد تختخوابی *thousand-bedded hospital*

تخته **board; slab; sheet, layer; width:** سه تخته آستری

تختهٔ شطرنج chessboard

تختهٔ شکسته‌بندی splint

تخته کردن [عامیانه] to close (a shop); *vi.* to close up shop; to quit

تخته‌ای **made of boards *or* planks, wooden**

تخته‌بندی **boarding, planking; splintering**

تخته‌بندی کردن to board *or* plank; to splinter

تخته‌بید **wall-louse**

تخته‌پل **pontoon-bridge**

تخته‌پوست **wool-felt**

تخته‌پِهن **hotbed**

تخته‌چکش /فا. ت./ (proof) **planer**

تخته‌سنگ **slate; slab**

تخته‌سیاه **blackboard**

تخته‌شستی **pallette, pallet**

تخته‌شنا **push-up board**

تخته‌قاپو کردن /فا. ت./ **to settle** (a tribe)

تخته‌کوبی **wainscot, panelling**

تخته‌کوبی کردن to panel *or* wainscot; to board up

تخته‌نرد **backgammon(-board)**

تخدیر /ع./ **stupefying** (with a narcotic)

تخرّش /ع./ **irritation**

تخریب /ع./ **demolition**

تخریب کردن to demolish, to destroy; to ruin, to spoil

تخریبی /ع. فا./ **destructive**

عملیات تخریبی sabotage

تُخس [عامیانه] **naughty; intractable**

تخشایی، ادارهٔ تخشایی **Army's Industrial Department**

تخشب [کمیاب] /ع./ **lignification;** [*med.*] **catalepsy**

تخصص /ع./ **expert knowledge**

تخصص داشتن to be specialized *or* skilled

تخصصی /ع. فا./ **specialized**

تخصیص /ع./ **allocation**

تخصیص دادن to allocate, to appropriate

تخطی /ع./ **offending; aggression**

تخطی کردن از to offend against

تخطیط [کمیاب] /ع./ **delineation; survey**

تخطیط اراضی topography

تخطئه کردن /ع. فا./ **to charge with a fault; to condemn, to proscribe**

تخفیف /ع./ **reduction; mitigation**

تخفیف دادن to give a reduction

تخلخل /ع./ **porosity**

تخلص /ع./ **pen-name, nom de plume**

این شاعر سعدی تخلص می‌کرد. This poet adopted "sa'di" as his nom de plume.

تخلف /ع./ **offending, violation**

تخلف کردن از to offend against, to infringe

تخلیص /ع./ **delivering**

تخلیه /ع./ **evacuation; offloading**

تخلیه کردن to evacuate; to offload

تُخم **seed; egg; sperm; balls, testicle**

تخم جاروب crowfoot

تخم چشم eye-ball, globe of the eye

تخم حرام illegitimate child

تخم درمنه wormseed

تخم سفید = بارهنگ

تخم مرغ egg

تخم سگ ماهی caviare

تخم ریختن to spawn; to go to seeds

تخم گذاشتن، تخم کردن to lay (*or* deposit) an egg

از تخم در آوردن to hatch

تخم چیزی را برانداختن to annihilate something, to root it out, to leave no trace of it

تخماق /ت./ **beetle, rammer**

تخم‌پاش **seeder, seed-drill**

تخمچه **ovule**

تخمدار **seedy**

گیاه تخمدار seed plant

تخمدان **ovary**

تخم‌ریزی **spawning; running to seeds**

تخمک **ovule;** [*o.s.*] **little seed**

تخم‌کاری **cultivation;** [*o.s.*] **sowing seeds**

فصل تخم‌کاری seed-time

تخم‌کشی **breeding**

تخم‌کن **egg-laying**

مرغ تخم‌کن egg-laying bird, layer

تخم‌گذار **oviparous**

تخم‌گذاری **laying eggs, oviposition**

تخم‌مرغ **egg**

تخم‌مرغی **egg-shaped, oval**

گل تخم‌مرغی = گُل بمبئی

تُخمه **roasted seed** (of melons, etc.); **ovum, ovule;** [*fig.*] **stock, origin**

تُخَمه **indigestion**

تُخْمی **seedy, going to seeds; male, used for breeding purposes**

آدم تخمی [زبان لاتی]
odd person, freak (of nature); sloppy person

تخمیر /ع./ **fermentation**
تخمیر شدن، تخمیر کردن
to ferment

تخمین /ع./ **estimating;** (rough) **estimate; conjecture**
تخمین زدن to estimating (roughly)

تخمیناً /ع./ **approximately, roughly**

تخمینی /ع./ **approximate**

تخویف [کمیاب] /ع./
intimidation

تخیل [جمع: تخیلات] /ع./
imagination

تدابیر [جمعِ تدبیر]

تداخل /ع./ **eating between meals, eating piecemeal;** [*phys.*] **interference:** تداخل امواج

تداخلی /ع./ **interferential**

تدارُک [جمع: تدارکات] /ع./
preparation; provision
تدارُک دیدن to make preparations; to prepare, to provide
اداره تدارکات Supplies Department

تداعی /ع./ [*rare*] **calling (*or* challenging) each other**
تداعیِ معانی
association of ideas

تدافع /ع./ **defense; repulsion**

تدافعی /ع./ **defensive**

تداوُل /ع./ **usage; circulation**

تَداوی /ع./ **medical treatment** (of oneself)

تدبیر [جمع: تدابیر] /ع./ **plan; policy, expedient; prudence; management**
باتدبیر prudent(ly)
تدبیر کردن to contrive a plan; to manage
تدبیر منزل domestic economy, household management
حسن تدبیر good management *or* policy
تدابیرِ احتیاطی precaution *or* precautionary measures
تدابیرِ جنگی [*mil.*] tactics

تدخین [کمیاب] /ع./
fumigation

تدریج /ع./
[*rare*] **graduation**
به‌تدریج gradually
به‌تدریجی که as and when

تدریجاً /ع./ **gradually**

تدریجی /ع./ **gradual**

تدریس /ع./ **teaching**
تدریس کردن to teach, to give lessons

تدفین /ع./ **burial**

تدقیق /ع./ **scrutinizing**
تدقیق کردن to scrutinize: to examine minutely

تدقیقاً /ع./ **minutely**

تدلیس /ع./ **guile, hypocrisy**
تدلیس کردن to play the hypocrite

تدوین /ع./ **collection** (into a book), **compilation**
تدوین کردن to compile, to collect; to draw up; to codify

تدهین /ع./ **anointment**
تدهین کردن to anoint, to embrocate

تدین /ع./ **religiousness**

تذبذب [کمیاب] /ع./
hesitation, perplexity

تذرو [کمیاب، ادبی] = قرقاول

تذکار /ع./ **remembrance; token**

تذکاریه /ع./ **reminder**

تذکر /ع./ **reminding; pointing out; commemoration**
مجلسِ تذکر memorial service
تذکر دادن to point out
تذکر دادن به to remind; to notify

تذکراً /ع./ **by way of reminding**

تذکره[1] /ع./ **biography**

تذکره[2] /ع./ **memento**

تذکره[3] /ع./ = گذرنامه

تذکیر /ع./
[*rare*] **masculinity;** [*rare*] **regarding as masculine**
تذکیر و تأنیث [*gram.*] gender

تذهیب /ع./ **gilding;** [*book*] **illumination**
تذهیب کردن to illuminate; to gild

تذییل [کمیاب] /ع./
furnishing with an appendix; ← ذیل

تَر[1] **wet**
تر کردن to wet, to make wet
تر و تازه fresh and green; flush
تَر و خُشک
[*met.*] the good with the bad
تر و خشک کردن [عامیانه]
to look after *or* nurse

تَر[2] [suffix forming the comparative degree]

تُرا = تو را **thee**

تُراب [کمیاب] /ع./ = خاک

ترابالقی /ع./ = تریاک‌برگردان

ترادُف /ع./ **succession; synonymity**

تراز **level; balance; adornment**
تراز آبی water level
تراز الکلی spirit level

تراز کردن to level; to (cause to) balance

ترازدار **leveller, instrumentman**

ترازمند **equilibrated, balanced**

ترازنامه **balance-sheet**

ترازو **balance, scale**

یک ترازو a pair of balances

ترازوی ماشینی weighing-machine

ترازودار **weigher, salesman**

ترازی **horizontal;** ← افقی

تراژدی /فر./ **tragedy**

تراش[1] /ا./ **shave:** یک تراش پاکیزه **; shaving, lop; paring; curettage;** [*diamond,etc.*] **cut**

تراش دادن to cut; to grind (as a lens); to turn in the lathe

تراش کردن to prune, to trim, to lop; to grind

چرخ تراش lathe

تراش[2] [بن مضارعِ تراشیدن]

تراش‌دار **(diamond-)cut**

تراشکار(ی) **turner(y)**

تراشنده **shaver; cutter; parer**

تراشه، تریشه **shaving(s), excelsior; splint, chip**

تریشهٔ همان کنده chip of the old block

تراشیدگی **erasure**

تراشیدن [بن مضارع: تراش] **to shave; to scrape; to sharpen; to cut *or* hew** (as a gem)**; to sculpture; to erase; to pare; to grate;** [*fig.*] **to forge; to create**

تراشیده [اسم مفعول فعل تراشیدن] **shaven; hewn; cut; sculptured; erased**

تراضی /ع./ **mutual consent**

تراک **fissure;** ← ترک

تَراکم /ع./ **accumulation; heaping up; compression**

تراکمِ خون blood congestion

تِراکم /فر./ **trachoma**

تراکمه [جمعِ ترکمان، /ع./]

تراموای /فر./ **tramway**

ترانزیت /فر./ **transit**

ترانگبین ← ترنجبین

ترانه **song; trill**

تراورس /فر./ **sleeper, tie**

تراوش **oozing, exudation, leakage, seepage; osmosis**

تراوش فکر(ی) reflection(s), thought

تراوش کردن to exude, to ooze; [*fig.*] to flow

تراویدن = تراوش کردن

تربت /ع./ [*rare*] **dust;** [*met.*] **ashes, tomb**

تربچه، ترب **radish**

تربد **turpeth**

تربیت /ع./ **training, education; nurture; civility**

تربیت کردن to train, to educate; to manage (as a horse)

تربیت کرمِ ابریشم sericulture

تربیت‌پذیر /ع. فا./ **educable; manageable**

تربیع /ع./ **quarter of the moon; quadrature**

قوس تربیع quadratrix

ترتیب [جمع: ترتیبات] /ع./ **arrangement, order; manner, system; formula**

ترتیب اثر دادن to give effect (to), to give a follow-up (to), to entertain (an application, etc.)

ترتیب دادن to arrange, to make arrangements (for); to manage

به چه ترتیب؟ in what manner?, how?

به‌ترتیب الفباء alphabetically

ترتیبی /ع./ **serial; systematic**

ترتیزک، تره‌تیزک (garden) **cress, peppergrass**

ترتیزک آبی water-cress, brooklime

ترتیل /ع./ **chanting** (the Koran)

ترجمان[1] [صورت تحریف شده تجرمان] /ع./ **interpreter, dragoman**

ترجمانِ...بودن to manifest *or* be expressive of something

ترجمان[2] /ع./ جریمه ← **fine;**

ترجمه [جمع: تَراجِم] /ع./ **translation**

ترجمهٔ حال biography

ترجمه کردن to translate; to interpret

ترجیح /ع./ **preference**

ترجیح داشتن بر to have preference to, to be preferable (*or* better) than

ترجیح دادن بر to prefer to; *-Note:* بر may be replaced by به

ترجیع‌بند /ع. فا./ **strophe-poem, return-tie**

ترحم /ع./ **pity, compassion**

بر کسی ترحم کردن to pity *or* have mercy on someone

ترحیم /ع./ [*rare*] **wishing God's mercy for a deceased person**

مجلس ترحیم funeral service held for this purpose

ترخص /ع./ [*rare*] **being permitted**

حد ترخص، حد ترخیص tolerance, allowance, margin of difference of weight in coins

ترخون tarragon
ترخیص /ع./ releasing (from a custom-house)
حد ترخیص ← ترخص
ترخیم /ع./ [*rare*] curtailing; apocope
تُرد brittle
تردامن [کمیاب] unchaste
تردّد /ع./ traffic; going back and forth
تردّد کردن to ply (*or* travel) back and forth
تردست dexterous
تردستی dexterity; sleight-of-hand
تُردی brittleness, fragility
تَردید /ع./ doubt; hesitation
تردید داشتن to have doubts, to be doubtful, to be in two minds
تردید رأی irresolution, indecision
تردید کردن to doubt
قابل تردید dubitable, questionable
غیرقابل تردید unquestionable
ترذیلی /ع./
degrading: مجازات ترذیلی
ترس[1] /ا./ fear, dread
ترس داشتن to fear, to be afraid
ترس کردن to be shocked with fear
از ترسِ for fear of
ترس[2] [بن مضارعِ ترسیدن]
ترسا [کمیاب] = مسیحی
ترسان afraid
ترساندن، ترسانیدن
to frighten
ترسناک dreadful, frightening
ترسنده (one) who fears
ترسو timid

ترسویی timidity
ترسیدن [بن مضارع: ترس]
to fear, to be afraid
او از دزد می ترسد.
He is afraid of a thief.
ترسیده [اسم مفعول فعل ترسیدن]
ترسیم /ع./ drawing, tracing
ترسیم کردن to draw, to describe
ترسیمی /ع./
descriptive: هندسه ترسیمی
تُرش sour
گل تُرش bisulphate of lime
تُرش شدن to turn acid, to become sour
شیر دارد ترش می‌شود.
The milk is on the turn.
ترش کردن to make sour; to suffer from acidity
ترشح [جمع: ترشحات] /ع./
oozing, excretion, secretion; splash
ترشح کردن to exude, to be secreted; to splash
ترشحی /ع. فا./ secretory, excretory
ترشرو sour-faced, peevish
ترشرویی moroseness, sourness
ترشک sorrel
جوهر ترشک oxalic acid
ترش‌مزه sour, of an acid flavour
ترشی sourness; acidity; pickles (made with vinegar)
ترشیدگی rancidity; fermented state
ترشیدن to become sour, to turn acid; to get rancid
ترشیده rancid; (having) turned acid
ترصد [کمیاب] /ع./ lying in wait; observation; expectation

ترصیع /ع./ inlaying with gems; using words which correspond in measure and rime
ترضیه /ع./ securing satisfaction of, gratification
برای ترضیهٔ او in order to secure his satisfaction (*or* to please him)
ترضیهٔ خواستن to ask pardon
ترضیهٔ نفس indulgence in one's wishes
تُرعه /ع./ canal: ترعه سوئز
تَرغیب /ع./ persuasion
ترغیب کردن to persuade *or* encourage
ترفیع [جمع: ترفیعات] /ع./
promotion; [*o.s.*] elevating
ترفیع دادن (به) to promote
ترفیه [کمیاب] /ع./ (causing to have) welfare
ترقّ، ترق‌وتروق
cracking (noise)
ترُقوه /ع./ clavicle
ترقوی /ع./ clavicular
ترّقه firecracker
تَرقی /ع./ progress, improvement; rise
ترقی دادن to cause to progress; to promote; to raise the price of
ترقی کردن to make progress, to improve; to rise in price
ترقی معکوس retrogradation
رو به ترقی on the rise; on the progress
ترقی‌خواه /ع. فا./
progressive
ترقیق /ع./ dilution
تَرْک[1] /ع./ abandonment
ترک کردن، ترک گفتن
to abandon, to forsake; to renounce, to relinquish

ترک ادب impoliteness
ترک اولی failure to do the better thing; considered as venial sin
ترک دادن to cause to abandon
ترک دعوا relinquishment of a claim, disclaimer
ترک دعوا کردن to relinquish a claimer
ترک سلاح کردن to lay down arms
ترک وظیفه lapse from duty
ترک عادت دادن to wean from a (specified) habit
ترک[2] **back; pillion**
تَرَک [*infml.*] **crevice, crack**
ترک برداشتن، ترک خوردن
to crack, to (be) split, to craze
تُرک **Turk(ish)**
ترکاندن **to** (cause to) **burst; to blast, to explode**
ترک‌بند[1] [*bicycle*] **carrier**
ترک‌بند[2] **pillion**
تُرکتازی **incursion; depradation**
ترکتور /فر./ **tractor**
تَرکش **quiver**
آخرین تیر در ترکش را انداخت.
He shot his last bolt.
He had no arrow left in his quiver.
ترکمان [جمعِ تراکمه، /ع./]
Turkoman
ترکمانی
Turkoman: قالیچه ترکمانی
تَرکه **twig**
تَرَکه [جمع: ترکات] /ع./
legacy, patrimony, heirloom
مدیر تَرَکه
administrator (law term)
تُرکی **Turkish; selvage**

تَرکیب [جمع: ترکیبات] /ع./
composition; combination; mixture; compound; syntax; manner, [*infml.*] **form**
ترکیب کردن to compound ***or*** compose; to combine
به چه ترکیب؟
in what manner?, how?
ترکیب‌بند /ع. فا./ **poem of several stanzas of equal size, composite-tie**
ترکیبی /ع./ **synthetic; compound**
ترکیدن [بن‌مضارع: ترک]
to burst; to split, to crack
ترکی‌دوزی **overcast-stitch, whipstitch**
ترکیده [اسم‌مفعول فعل ترکیدن]
تُرکیه [*geog.*] **Turkey**
ترمبون /فر./ **trombone**
ترمپت /فر./ **trumpet**
ترمتای **merlin**
ترمز /ر./ **brake**
ترمز بادی airbrake
ترمز دستی hand-brake
ترمز روغنی hydraulic brake
ترمز کردن to put on the brakes, to pull up
ترمس /فر./ **thermos flask, vacuum flask**
تُرمس **lupine**
ترمه **cashmere**
تَرمیم /ع./ **reparation; amendment**
ترمیم کابینه cabinet reshuffle
ترمیم کردن to reshuffle; to amend
ترمیمی /ع./
plastic: جراحی ترمیمی
ترن /فر./ = قطار
ترنا [کمیاب]
[cloth twisted into a whip]
تُرنج **citron**

ترنجبین (manna of) **hedysarum**
تـرنّم /ع./ **singing melodiously**
ترنم کردن to sing melodiously, to trill
ترور /فر./ [*rare*] **terror**
ترور کردن to assassinate, to shoot up
تروریست /فر./ **terrorist**
تَرویج /ع./ **advancement, promotion, propagation; circulating**
ترویج کردن to propagate, to promote, to advance; to give currency to
ترّه (kind of) **leek**
ترّهات /ع./ **idle talks; trifles**
تره‌بار **fresh fruit and vegetables**
ترهیبی /ع./
afflictive: مجازات ترهیبی
تَری **wetness; freshness**
تریاق /ع. ی./ **antidote**
تریاق فاروق thebaic electuary
تریاک [از ی. theriaca] **opium**
تریاک‌برگردان **emetic resin**
تریاکی [*adj.*] **addicted to smoking opium; opium-coloured;** [*n.*] **opium-smoker, opium-fiend**
تریبون /فر./ **rostrum**
پشتِ تریبون رفتن to mount the rostrum
تَرید **broth in which pieces of bread have been dipped, sop**
ترید روغن [*met.*] buttered on both sides
تریشه = تراشه
تریلیون /فر./ **trillion**
ترین /پس./ [forming the superlative degree]

تزاید /ع./ **augmentation, growth**
رو به تزاید گذاردن to begin to increase
تزریق [جمع: تزریقات] /ع./ **injection, shot**
تزریق کردن to inject; [*fig.*] to infuse
تزکیه /ع./ **purification:** تزکیه نفس
تزلزل /ع./ **shaking; instability;** [*fig.*] **agitation**
تزلزل‌پذیر /ع. فا./ **unstable, shaky**
تزلزل‌ناپذیر /ع. فا./ **firm**
تزویج /ع./ **giving in marriage;** [*o.s.*] **coupling**
تزویج کردن to join in marriage; to couple
تزویر /ع./ **dissimulation, guile, hypocrisy**
تزویر کردن to act hypocritically
تزیید /ع./ **increasing**
تزیید کردن to increase, to augment
تزیین [جمع: تزیینات] /ع./ **decoration**
تزیین کردن to decorate
تزئینی /ع./ **decorative; ornamental**
تسامح /ع./ **negligence**
تسامح کردن to act negligently
تساوی /ع./ **equality;** → برابری
به‌تساوی equally
تساهل [کمیاب] /ع./ = مساهله
تسبیح [جمع: تسبیحات] /ع./ **rosary, chaplet; praise** (to God), **doxology**
تسبیح خواندن to praise (God) in hymns
تسبیح گرداندن to tell (*or* bid) beads
دانهٔ تسبیح bead
تسبیح‌خوان [ادبی] /ع. فا./ **who praises God in hymns**
تست [صورت اختصاری تو است]
تسجیع [کمیاب] /ع./ **giving rime *or* cadence to**
تسجیل /ع./ **confirmation**
تسحیر [کمیاب] /ع./ **enchanting**
تسخر /ع./ **mockery**
تسخیر /ع./ **conquering**
تسخیر کردن to conquer, to subjugate
تسخیرناپذیر /ع. فا./ **unconquerable, invincible**
تسخیری /ع./ [*rare*] **conquered**
وکیل تسخیری counsel briefed by the government
تسریع /ع./ **acceleration**
تسریع کردن (در) to accelerate, to expedite
تسطیح /ع./ **levelling; surfacing**
تسطیح کردن to level; to surface
تسعیر /ع./ **conversion**
تسعیر کردن to convert
تسکین /ع./ **quieting; appeasing, pacification; alleviation**
تسکین دادن to quiet, to soothe, to allay; to comfort
تسکین یافتن to become quiet; to be appeased; to find comfort
تسلسل /ع./ **interconnection, concatenation; continuity, succession; infinite series**
دور تسلسل the vicious circle
تسلط /ع./ **domination;** [*fig.*] **mastery, proficiency**
تسلط داشتن بر to dominate over
تسلط کردن to dominate *or* rule
تسلی /ع./ **consolation**
تسلی دادن to console, to comfort; → تسلیت
تسلی‌بخش /ع. فا./ **consolatory**
جایزهٔ تسلی‌بخش booby prize
تسلی‌پذیر /ع. فا./ **consolable**
تسلیت /ع./ **condolence**
تسلیت گفتن to offer one's condolences to, to condole with
تسلیت‌نامه /ع. فا./ **letter of condolence**
تسلی‌ناپذیر /ع. فا./ **inconsolable**
تسلیح /ع./ **arming**
تسلیحات /ع./ **armaments;** → [جمع تسلیح]
تسلیم /ع./ **delivery; surrendering; submission, resignation**
تسلیم شدن to surrender; to submit, to yield, to resign oneself
تسلیم کردن to surrender, to give up (*or* over); to deliver
سرِ تسلیم فرود آوردن به to bow *or* submit to, to abide by
تسمه /ت./ **belt, leather band**
تسمهٔ پروانه [*mech.*] fan-belt
آهن تسمه hoop-iron, band iron
تسمیه /ع./ **denomination, giving a name**
وجه تسمیهٔ آن این است که It is so called because
تسنن /ع./ **professing to be a sunnite**

اهل تسنن Sunnite(s)

تسوید [کمیاب] /ع./ **making a rough draft of**

تسویه /ع./ **liquidation;** [*o.s.*] **equalization**

تسویه کردن to settle, to liquidate

تسهیل /ع./ **facilitating**

تسهیل کردن to facilitate

تسهیلات /ع./ [جمعِ تسهیل] ⟶ **facilities;**

تسهیم /ع./ **sharing, dividing**

تشابه /ع./ **similarity**

تشاله **jolly-boat**

تشبث /ع./ **resort(ing); recourse; enterprise**

تشبث کردن to have recourse

اهل تشبث adventurer, one who resorts to irregular means

تشبثات [جمعِ تشبث] **hole-and-corner methods, irregular means**

تشبیه /ع./ **likening; comparison; simile; image**

تشبیه کردن to liken, to compare

تشت، طشت **flat wash-tub**

تشتت /ع./ **diversity; dispersion**

تشتک **small tub** *or* **basin; ewer-stand**

تشجیع /ع./ **emboldening; encouragement**

تشجیع کردن to brave; to encourage

تشخص /ع./ **personification; distinction; overbearing mien**

تشخیص /ع./ **distinction; discretion; discernment;** [*tax, income, etc.*] **assessment;** [*law*] **finding;** [*med.*] **diagnosis**

تشخیص دادن to distinguish, to tell; to find; to assess; to determine; to diagnose

از هم تشخیص دادن to know apart, to tell one from the other

تشخیص دادیم که فوریت ندارد.
We found that it was not urgent.

تشدّد /ع./ **severity, harshness; violence**

تشدّد کردن to speak harshly

تشدید /ع./ **aggravation; corroboration; the mark (ّ) put over a letter to indicate that it is to be pronounced hard as if it were two letters**

تشدید کردن to aggravate, to intensify

تشرزدن (به) **to tell (*or* tick) off loudly, to snap** (a person's) **head (*or* nose) off**

تشرّف /ع./ **being honoured** (by visiting a dignitary ***or*** a holy place)

تشریح /ع./ **description; anatomy**

تشریح کردن to describe ***or*** analyze; to dissect

تشریح‌دان /ع.فا./ = کالبدشناس

تشریحی /ع./ **descriptive; anatomical**

تشریف /ع./ **honouring**

تشریف آوردن [در تعارفات] to come ***or*** arrive

تشریف بردن [در تعارفات] to go

تشریف داشتن [در تعارفات] to be ***or*** stay; ⟶ تشریفات

تشریفات /ع./ **ceremonies; formalities; circumstance;** ⟶ [جمعِ تشریف]

تشریفاتی /ع. فا./ **ceremonial; formal**

تشریف‌فرما شدن [در تعارفات] /ع. فا./ **to come *or* attend**

تشریکِ مساعی /عف./، توحید مساعی **cooperation**

تشرین /ع./ **either of two Jewish and Syriac months**

تشرین‌اول September-October

تشرین ثانی October-November

تشعشع /ع./ **radiation; brilliancy**

تشفی‌خاطر /عف./ **cooling** (after anger)

تشک [از ت. دوشک] **mattress;** [*motor car*] **seat**

تشک بیمار air-cushion

تشکچه /ت. فا./ **small mattress; pad; seat**

تشکر /ع./ **thanking**

تشکر کردن to thank

از زحمات او تشکر کردم.
I thanked him for his troubles.

تشکرات [جمعِ تشکر] **thanks**

تشکل /ع./ **formation; being organized**

تشکی /ع./ **complaining**

تشکیل /ع./ **formation; framing; organizing**

تشکیل دادن to form; to call (as a meeting); to organize

تشکیل یافتن to be formed; to be held

تشکیلات /ع./ = سازمان [جمعِ تشکیل] ⟶ **organization;**

تشمس [کمیاب] /ع./ **insolation**

تشمع /ع./ **inceration; cirrhosis**

تشنج /ع./ **convulsion, spasm;** [*fig.*] **confusion**

تشنج آبستنی eclampsy

تشنج آرواره، کزاز lockjaw

تشنج زهدان uterine spasm

تشنج موضعی spasm
تشنجی /ع./ **spasmodic**
تَشنک **fontanel**
تشنک [*bot.*] **sage**
تشنگی **thirst**
تشنه **thirsty;** [*fig.*] **eager; greedy**
تشنه به خون bloodthirsty
تشنه کردن to make thirsty
تشنه thirsty *or* eager for
تشویر [کمیاب] /ع./ **confusion; shame**
تشویش /ع./ **anxiety, uneasiness, agitation**
تشویش خاطر fear, apprehension
تشویش کردن to be disturbed; to have a fear *or* apprehension
تشویق /ع./ **encouragement**
تشویق کردن to encourage
تشی **porcupine**
تشیع /ع./ **professing to be a shiite**
اهل تشیع Shiite(s)
تشیید /ع./ **strengthening**
تشییع جِنازه /عف./ **escorting a funeral, funeral ceremonies, exequies**
تصاحب کردن /ع. فا./ **to take possession of, to make oneself the owner of**
تصادف /ع./ **coincidence; collision**
تصادف کردن to arrive by chance; to collide
در راه با من تصادف کرد. He happened to meet me on the way.
نوروز با قتل تصادف کرد. The New Year fell on the Martyrdom Day.
حسن تصادف happy chance *or* hit

تصادفاً /ع./ **by chance**
تصادم /ع./ **collision;** [*med.*] **concussion**
تصادم کردن to collide; to strike
تصاعد /ع./ **progression**
تصاعدی /ع. فا./ **progressive**
تصانیف [جمعِ تصنیف]
تصاویر [جمعِ تصویر]
تصحیح [جمع: تصحیحات] /ع./ **correction**
تصحیح کردن to correct; to read (a proof)
تصحیف /ع./ (making an) **error in reading *or* writing; changing the diacritical points of words**
تصحیف خوانی /ع. فا./ **misreading**
تصدّق /ع./ **almsgiving; alms** (supposed to avert calamities), **ransom**
تصدّق کردن to give (away as) alms
تصدقت گردم. May I be sacrificed to thee [form of addressing the Shah *or* other dignitaries].
تصدی /ع./ **being in charge, tenure of office, incumbency**
دورهٔ تصدی period of office
تصدیع /ع./ (causing) **inconvenience**
تصدیع دادن to trouble *or* inconvenience; to importune
تصدیق /ع./ **confirmation, certification; attestation; legalization:** تصدیق امضاء
تصدیق کردن to confirm; to certify; to admit; to legalize
تصدیقِ بلاتصوّر prejudgement

تصدیق نامه /ع. فا./ = گواهینامه
تصرف [جمع: تصرفات] /ع./ **possession**
تصرف بلامعارض usucaption
تصرف کردن to take possession of, to possess; to deflower
در چیزی تصرفات کردن to bring about changes in the condition of something
تصریح [جمع: تصریحات] /ع./ **specifying; stipulating, stipulation**
تصریح کردن to stipulate; to specify
تصریف [جمع: تصریفات] /ع./ **conjugation; declension;** [*med.*] **revulsion**
تصعید /ع./ **sublimation**
تصعید کردن to sublimate
تصغیر /ع./ **diminution**
اسم تصغیر diminutive (noun)
تصفیه /ع./ **filtration; refining, refinement;** [*fig.*] **settlement**
تصفیه کردن to refine; to filter; to settle, to liquidate
تصفیهٔ هوا air-conditioning
مدیر تصفیه liquidator
تصفیه خانه /ع. فا./ = پالایشگاه
تصلب /ع./ **induration**
تصلب انساج scleroma
تصلب پوست scleroderma
تصلب پیله tylosis
تصمیم /ع./ **decision, resolution, determination; ruling**
تصمیم گرفتن، تصمیم اتخاذ کردن to take a decision, to arrive at a conclusion; to determine
تصنع /ع./ **affectation, artificiality**

تصنیف [جمع: تصنیفات، تصانیف] /ع./ [*book, etc.*] **composition; musical composition, popular song, ditty**
تصنیف کردن to compose *or* write
تصنیف‌ساز /ع. فا./ **composer of popular songs, sonneteer**
تصوّر [جمع: تصورات] /ع./ **imagination, conception; idea**
اصالت تصوّر idealism
تصورات اولیه [*logic*] first intentions
تصور کردن to imagine, to conceive; to suppose, to think
به تصورِ اینکه thinking *or* supposing that
قابل تصور conceivable, imaginable
غیرقابل تصور inconceivable, unthinkable
تصوّف /ع./ **Sufism**
تصویب /ع./ **approval, sanction, ratification**
تصویب کردن to approve, to pass, to ratify, to sanction
به تصویب رساندن to have approved
به تصویب رسیدن to be approved, to meet approval
تصویب‌نامه /ع. فا./ **decree** (of the Council of Ministers)
تصویر [جمع: تصاویر] /ع./ **picture, effigy; image; description; painting; drawing**
تصویر کردن to draw, to paint
خط تصویری hieroglyph
تضادّ /ع./ **contrast, contrariety; antilogy**

تضامن /ع./ **standing surety for each other; joint and several responsibility**
تضامنی /ع. فا./ [*liabilities*] **joint and several**
شرکت تضامنی general partnership
تضرع /ع./ **supplication, entreaty**
تضرع کردن to entreat
تضعیف /ع./ **doubling; weakening**
تضعیف کردن to double; to weaken
تضمن /ع./ **inclusion; implication**
تضمین [جمع: تضمینات] /ع./ **guarantee, security; giving a security; insertion of another's verses in one's own poem**
تضمین کردن to guarantee
تضییع /ع./ **spoiling; wasting**
تضییع کردن to spoil; to waste
تضییق [جمع: تضییقات] /ع./ **restraining, restriction;** [*med.*] **stricture**
تطابق /ع./ **conformity; agreement**
تطاول /ع./ **trespassing; usurpation; arrogance**
تطبیق /ع./ **comparing; checking, verification; collation; application**
تطبیق قانون با مواردِ application of the law to instances
تطبیق کردن to compare, to collate; to check; to adapt, to apply; *vi.* to conform
تطبیقی /ع./ **comparative**

تطمیع /ع./ **alluring; corruption**
تطمیع کردن to allure; to corrupt
تطوّر /ع./ **gradual change, development, evolution**
تطویل /ع./ **prolongation**
تطهیر /ع./ **purification**
تطیر [کمیاب] /ع./ **ornithomancy; regarding as a bad omen**
تظاهر [جمع: تظاهرات] /ع./ **affectation; demonstration; eyewash**
تظاهر کردن to act, to make a show, to demonstrate
تظلم [جمع: تظلمات] /ع./ **complaining against an injustice; grievance**
تظلم کردن to complain against an injustice
تعادل /ع./ **equilibrium; par**
به‌حال تعادل درآوردن to equilibrate
مسابقهٔ تعادلی handicap race
تعارف [جمع: تعارفات] /ع./ **compliment(s); ceremony; offer; present**
تعارف کردن to offer; to stand on ceremony; to make a present of
تعارفِ آب حمام worthless *or* insincere compliment
تعارف‌آمیز /ع. فا./ **complimentary**
تعارفی /ع. فا./ [*adj.*] **offered, made a present of; ceremonious;** [*n., infml.*] **present**
تعاطی /ع./ **exchange:** تعاطی افکار
تعاقب /ع./ **pursuing**
تعاقب کردن to pursue, to chase, to follow

تعالی /ع./ **elevation, rise**

تعالی /ع./ [*o.s.*] **may he be exalted;** [*adj.*] **exalted, Most High:** خدای تعالی

تعالیم [جمعِ تعلیم]

تعاوُن /ع./ **cooperation, mutual assistance**

صندوق تعاون aid fund

تعاونی /ع. فا./ **cooperative**

شرکت تعاونی cooperative society

تعب [ادبی] /ع./ **toil; fatigue**

تعبد /ع./ **devoutedness,** (obligatory) **obedience**

تعبداً /ع./ **for mere obedience**

تعبیر [جمع: تعبیرات] /ع./ **explanation, interpretation:** تعبیرخواب ; **expression; phrase**

حسن تعبیر euphemism

تعبیر کردن to interpret; to construe

تعبیه /ع./ **preparation; arrangement**

تعبیه کردن to prepare *or* arrange

تعجب /ع./ **surprise, wonder**

تعجب کردن to be surprised, to wonder

جای تعجب است *it is surprising*

تعجب آور /ع. فا./ **surprising**

تعجیل /ع./ **haste, hurry**

تعجیل کردن to haste, to make hurry

تعداد /ع./ **number**

تعدّد /ع./ **plurality**

تعدد زوجات polygamy

تعدی [جمع: تعدیات] /ع./ **encroachment; injustice**

تعدی کردن به to oppress, to do injustice to; to wrong

تعدیل /ع./ **adjustment**

تعدیل کردن to adjust

قابل تعدیل adjustable

تعرّض /ع./ **aggression; molestation; expostulation**

تعرّض کردن to make an attack; to molest; to object; to expostulate

تعرضی /ع. فا./ **aggressive, offensive**

تعرفه /ع./ **tariff**

تعرفه‌بندی /ع. فا./ **tariff classification**

تعریض /ع./ **widening; exposition**

تعریض کردن to widen

تعریف /ع./ **definition; commendation; description**

تعریف امراض nosography

تعریف کردن to define; to give an account of, to narrate

تعریف کردن از to speak highly

حرفِ تعریف (definite) article

تعریفی [عامیانه] /ع. فا./ **commendable**

تعریق /ع./ **causing to perspire**

تعزیت /ع./ **condolence; mourning**

تعزیت گرفتن to mourn

تعزیم [کمیاب] /ع./ **exorcism**

تعزیه[1] /ع./ **passion-play, miracle play**

تعزیه[2] [معنای حقیقی] /ع./ = تعزیت

تعزیه گردان /ع. فا./ **stagemanager** (in a passion-play); [*fig.*] **ringleader**

تعشق /ع./ **showing love, amorousness**

تعشق ورزیدن to show love

تعصب /ع./ **fanaticism, bigotry; intolerance; prejudice; party-spirit**

تعصبی [عامیانه] /ع. فا./ **jealously sensitive; arising from fanaticism;** → متعصب

تعطیل [جمع: تعطیلات] /ع./ **cessation *or* suspension of work; standstill**

روز تعطیل holiday, vacation

تعطیل شدن to be closed *or* shut down

تعطیل کردن to suspend *or* stop; to close (*or* shut) down; *vi.* to cease to work

یک روز تعطیل کردم. I took a day off.

تعظیم /ع./ **homage, reverence; bowing down**

تعظیم کردن to bow down; to do homage (to)

تعفن /ع./ **fetidness; putrefaction**

بوی تعفن fetid smell

تعفین /ع./ **tincture**

تعقل /ع./ **reasoning, intellection**

تعقل کردن to reason

تعقیب /ع./ **pursuance, following; prosecution**

تعقیب کردن to pursue, to follow; to continue; to sue, to prosecute

در تعقیبِ in pursuance of, further to, following

در تعقیب کسی بودن to be on someone's track

قابل تعقیب suable, indictable; liable to prosecution; traceable

تعقید /ع./ **abstruseness; obscurity of meaning**

تعلق /ع./ **belonging; attachment; dependence; connection; possession**

تعلق داشتن to belong; to depend

تعلق گرفتن to be chargeable *or* payable; to accrue; to be incumbent; to go *or* fall (to)
مبالغی به من تعلق می‌گیرد. I am entitled to certain sums.

تعلل /ع./ **making excuses; procrastination**
تعلل کردن، تعلل ورزیدن to make excuses; to procrastinate

تعلم /ع./ **learning, being taught**

تعلیف /ع./ **putting to grass**
تعلیف کردن to put to grass, to graze

تعلیق /ع./ **suspension; abeyance**
تعلیق به محال stipulation of a condition which is impossible of realization

تعلیل [کمیاب] /ع./ **explaining the causes of**
حُسن تعلیل poetical aetiology

تعلیم [جمع: تعلیمات، تعالیم] /ع./ **teaching; instruction**
تعلیم دادن to teach, to instruct; to train
تعلیم گرفتن to train, to receive training
علم تعلیم pedagogy, art of teaching

تعلیم‌پذیر، تعلیم‌بردار /ع. فا./ **teachable, disciplinable**

تعلیمی[1] /ع./ **didactic**

تعلیمی[2] /ع./ **martingale; switch;** [*rare*] **walking stick**

تعمد /ع./ **acting intentionally; intention, design**
تعمد کردن to act intentionally

تعمداً /ع./ = دانسته، قصداً

تعمدی /ع. فا./ **intentional**

تعمق /ع./ **deep thinking**
در چیزی تعمق کردن to go deep into something

تعمید /ع./ **baptism**
تعمید دادن to baptize

تعمیدی [کمیاب] /ع./ **baptismal**

تعمیر [جمع: تعمیرات] /ع./ **repair; building**
تعمیر کردن to repair, to mend

تعمیرگاه /ع. فا./ **repair shop, workshop;** [*ship*] **dock**

تعمیری /ع. فا./ **under repair; requiring repairs**

تعمیق /ع./ **sounding;** [*o.s.*] **deepening**
تعمیق کردن to sound

تعمیم /ع./ **generalization**
تعمیم کردن to generalize; to extend (the meaning of)

تعنت [ادبی] /ع./ **faultfinding**

تعویذ /ع./ **amulet**

تعویض /ع./ **replacement**
تعویض کردن to replace

تعویق /ع./ **putting off**
به تعویق انداختن to put off, to postpone
به عهدهٔ تعویق افتادن to be postponed *or* delayed

تعهد [جمع: تعهدات] /ع./ **undertaking, guarantee; commitment; engagement**
تعهد کردن to undertake, to agree; to guarantee; to subscribe

تعیش /ع./ **seeking means of livelihood;** [*infml.*] **living in pleasure**

تعیین /ع./ **appointment; fixing; ascertainment**
تعیین کردن to appoint, to fix; to ascertain; to determine

تغابن /ع./ **being cheated**

تغار /ت./ **kneading-trough; deep earthen pan; bin; large earthen flower-pot; wash-tub**

تغافل /ع./ (feigning) **negligence**
تغافل کردن to feign negligence

تَغ‌تَغ **knock, tap, rap**
تغ‌تغ در زدن to knock repeatedly at the door

تِغ‌تِغ **knocking *or* rattling noise**
تِغ‌تِغ کردن to rattle *or* knock

تغذی /ع./ **nourishment**

تغذیه /ع./ **nourishing**
تغذیه کردن to feed, to nourish

تغزل /ع./ **singing love poems**

تغلق [کمیاب] /ع./ **invagination, intussusception**

تغنی [کمیاب] /ع./ = خواندن **singing**

تغوّط /ع./ **relieving the bowels**

تغّ و لغّ، تق و لق [زبان لاتی] **slack, not confirmed; irregular**
مدرسه تغّ و لغّ است. *The school is not yet confirmed.*

تغیّر /ع./ **getting angry; indignation; harshness**
تغیّر کردن to speak angrily *or* harshly

تغییر [جمع: تغییرات] /ع./ **change, alteration**
تغییر دادن to change, to alter, to modify
تغییر کردن to change; to vary

تغییر یافتن to undergo a change
تغییر رویه change-over
تغییرپذیر /ع. فا./ changeable, variable
تغییرناپذیر /ع. فا./ unchangeable
تُف [عامیانه] spittle, sputum
تف خونی haemoptysis
به کسی تف انداختن to spit at (*or* upon) someone.
تف کردن to spit out
تف بر... shame *or* fie on...
تفاخر /ع./ vying with each other in glory; self-glorification
تفاریق [جمعِ تفریق] /ع./ = دفعات، اقساط
تفاسیر [جمعِ تفسیر]
تفاصیل [جمعِ تفصیل]
تفاضل /ع./ difference; differential; fluxion
تفاضل قطرین ellipticity
تفاضلی /ع./ differential
تفأل /ع./ divination, augury
تفأل زدن to augur; to divine
تفأل با کتاب bibliomancy
تُفاله refuse
تفالهٔ آهن dross
تفالهٔ قهوه coffee-grounds
تفالهٔ معدنی scoria
تفالهٔ نیشکر megass
تفاوت /ع./ difference
تفاوتی نمی‌کند.
It does not make any difference.
این با آن تفاوت دارد.
This is different from that.
تفاهم /ع./ mutual understanding
حسن تفاهم
good understanding
سوء تفاهم misunderstanding

تفت gardener's wicker basket, frail
تفته [صورت اختصاری تافته، /ص./]
تفتیش /ع./ = بازرسی
inspection
تفتیش کردن to inspect; to search
تفتین /ع. فا./ exciting a sedition
تفتین کردن to excite a sedition, to make mischief
تفحص /ع./ minute research
تفحص کردن to make a minute research
تفخیم [کمیاب] /ع./ honouring
تُف‌دان spittoon
تفرّج /ع./ walking for pleasure; recreation
تفرّج کردن to take a walk
تفرجگاه /ع. فا./ place for recreation, promenade, public walk
تفرس [کمیاب] /ع./
judgement by physiognomy; perspicacity
تفرعن /ع./ haughtiness; vanity
تفرّق /ع./ separation, dissipation, dispersion
تفرق اتصال solution of continuity; [*med.*] dialysis
تفرقه /ع./ disunion, dispersion
تفرقه حواس aprosexia
بین دو نفر تفرقه انداختن
to cause disunion between two persons, to separate them from each other
تفریح /ع./ recreation, diversion; fun, sport
تفریح کردن to take recreation, to recreate; to amuse (*or* divert) oneself; to act in sport, to jest

زنگ تفریح recess
تفریحی /ع. فا./ intended for fun; recreative
تفریط /ع./ wasting, dissipation; falling below a perfect state *or* limit
تفریط کردن to waste
افراط و تفریط کردن to go to extremes
تفریغ /ع./ liquidation
تفریغ کردن to settle, to liquidate
تفریق /ع./
subtraction; ← کاهش
تفریق کردن to subtract
تفسیر [جمع: تفاسیر] /ع./
comment(ary); exegesis; interpretation
تفسیر قضایی judge-made law
تفسیر کردن to comment on; to explain *or* interpret
تفصیل [جمع: تفاصیل] /ع./
detailed account, detail
به‌تفصیل in detail
با این تفاصیل [عامیانه]
in spite of all this
تفصیلاً /ع./ in detail
تفصیلی /ع. فا./ detailed
تفضل /ع./ favour, grace
تفضلاً /ع./ as a favour
تفضیلی /ع./
[*gram.*] **comparative**
تفقد /ع./ sympathy, kindness
از کسی تفقد کردن
to (be kind enough to) remember someone *or* inquire after his health; to speak kindly to someone
تفک pea-shooter, blow-tube
تفکر [جمع: تفکرات] /ع./
meditation, reflection
تفکر کردن to meditate, to reflect

تفکیک /ع./ **separation; analysis, breakdown**
تفکیک کردن to separate, to segregate
تفکیکاً /ع./ **separately**
تفنگ /ت./ **rifle, gun**
تفنگچی /ت./ **rifleman; watchman**
تفنگدار /ت. فا./ **rifleman**
تفنگ‌ساز /ت. فا./ **gunsmith**
تفنگ‌سازی /ت. فا./ **gunsmithing; gunsmithery**
تفنن /ع./ **diversion, amusement; fancy**
تفنناً /ع./ **for fun, not seriously *or* regularly; fancifully**
تفننی /ع. فا./ **fanciful,** [*adj.*] **fancy**
تُفو! [ادبی] **fie!**
تفو بر fie upon
تفوّق /ع./ **supremacy, superiority**
بر کسی تفوّق جستن to gain supremacy over someone, to surpass him
تفویض /ع./ **handing over; abdication; submission, resignation**
تفویض کردن to give *or* turn over; to entrust
تفهم /ع./ **understanding**
تفهیم /ع./ **causing to understand**
تقابل /ع./ **oppositeness; encounter; reciprocity;** [*astr.*] **syzygy**
قابل تقابل opposable
تقادیر [جمعِ تقدیر]
تقارُب /ع./، همگرائی
convergence; name of a metre
تقارن /ع./ **conjunction; simultaneity; symmetry**

تقاص /ع./ **vengeance**
تقاص دادن to suffer vengeance
تقاص گرفتن to take vengeance
تقاصیر [جمعِ تقصیر]
تقاضا /ع./ **demand; application; request; exigency**
تقاضا کردن to demand,
تقاضای کار کردن :to apply for
تقاضا کردن از to solicit
بر حسبِ تقاضایِ
at the request of, at the instance of
تقاضانامه /ع. فا./ **written application**
تقاطع /ع./ **intersection**
تقاطع کردن to intersect
تقاعد /ع./ = بازنشستگی؛ مسامحه
تقاویم [جمعِ تقویم]
تقبل کردن /ع. فا./
to accept, to undertake
تقبیح /ع./ **disapproval, condemning**
تقبیح کردن to disapprove *or* condemn; to decry *or* denounce
تقدّس /ع./ **holiness, sanctity**
تقدّم /ع./ **priority, precedence**
بر چیزی تقدّم داشتن
to be prior to something
حق تقدّم priority
تقدمة‌المعرفه /ع./
prognosis
تقدیر [جمع: تقادیر] /ع./
destiny, fate; appreciation
قابل تقدیر worthy of appreciation
غیرقابل تقدیر inappreciable
تقدیر کردن to appreciate; to predestinate

به‌هر تقدیر in any case
تقدیراً /ع./ **virtually**
تقدیرنامه /ع. فا./ **letter of commendation;** [*o.s.*] **letter of appreciation**
تقدیری /ع./
virtual; ⟵ مقدّر
تقدیس /ع./ **sanctification**
تقدیس کردن to sanctify; to appreciate greatly, [*infml.*] to praise
تقدیم /ع./ **presentation, offering; giving precedence (to)**
تقدیم کردن to offer, to present, to make a present of; [*p.c.*] to give *or* pay
با تقدیمِ احترامات بیکران
assuring you of our highest esteem...
تقدیم اعتدالین
precession of equinoxes
تقدیمی /ع. فا./ [*n.*] **present, gift;** [*adj.*] **offered; dedicatory**
نسخهٔ تقدیمی presentation copy
تقرّب /ع./ **access, approach; favour**
تقرّح /ع./ [*rare*] **ulcer**
تقرّح استخوان caries, cariosity
تقریب /ع./ **approximation**
به‌طور تقریب = تقریباً
تقریباً /ع./ **nearly, almost**
تقریبی /ع. فا./ **approximate**
تقریر /ع./ **utterance; recital**
تقریر کردن to speak out, to utter; to assert; to recite
تقریظ /ع./ **commendation, foreword**
تقسیط /ع./ **arrangement for payment by instalments**

تقسیم [جمع: تقسیمات] /ع./ **division; distribution; share,** [*infml.*] **portion**

تقسیم کردن to divide *or* share; to distribute

قابل تقسیم divisible

تقصیر /ع./ **guilt, fault; shortcoming**

تقصیرِ او است. تقصیر با اوست. ***It is his fault. He is to blame.***

تقصیر کردن to commit a fault; to be guilty of a shortcoming

تـقصیرکـار [عامیانه] /ع. فا./ = مقصر

تقطیر /ع./ **distillation**

تقطیر کردن to distil

کارخانه تقطیر distillery

تقطیرالبول /ع./ **strangury**

تقطیع /ع./ **scansion**

تقطیع کردن to scan

تقلا /ع./ **struggle, effort**

تقلا کردن to struggle, to make effort

تقلب [جمع: تقلبات] /ع./ **dishonesty, fraud**

تقلب کردن to cheat, to use trickery

تقلبی /ع. فا./ **counterfeit; fraudulent, fraudulous**

تُقلی [lamb from six months to one year old]

تقلیب [کمیاب] /ع./ **inversion; transformation**

الکل تقلیبی denatured alcohol

تقلید /ع./ **imitation; following** (a religious leader)**; mimicry**

تقلید کردن to imitate

تقلید درآوردن to mime; to play the buffoon; to mock

تقلیدی /ع./ [*adj.*] **imitation; counterfeit; mimic, mimetic; adopted** *or* **embraced by imitation**

تسمیهٔ تقلیدی onomatopoeia

تقلیل /ع./ = کاهش **diminution, reduction**

تقلیل دادن to reduce; to diminish

تقنین /ع./ **legislation**

تقنینی [مؤنث: تقنینیه] /ع./ **legislative**

دوره تقنینیه پانزدهم the Fifteenth Parliament

تق و لق ← تغ و لغ

تقویٰ /ع./ **virtue, piety**

تقویت /ع./ **strengthening, fortification; reinforcement; support**

تقویت کردن to strengthen; to support; to reinforce

تقویت مزاج کردن to establish one's health

تلمبهٔ تقویت فشار boosting-pump

تقویم [جمع: تقاویم] /ع./ **calendar; evaluation, appraisal**

تقویم کردن to appraise, to evaluate, to assess

تقی [اسم‌خاص، جمع: اتقیاء] /ع./ [*o.s.*] **virtuous** *or* **pure**

تقیه /ع./ **dissimulation**

تقیه کردن to dissimulate; to be cautious in religious matters

تَک[1]، تَگ **running, run**

تَک[2] /ت./ **single, lone; unique**

تَک[3] [کمیاب] = ته **bottom**

تُک [عامیانه] = نوک

تکاپو **search; running about**

تکاپو کردن to run about, to cast about

تکاثر [کمیاب] /ع./ **being numerous**

تکادو = تکاپو

تک آغاز **start: point of departure**

تکاسُل /ع./ **indolence**

تکافو /ع./ **sufficiency**

تکافو کردن to meet, to cover; to be sufficient (for)

تکالیف [جمعِ تکلیف]

تکامل /ع./ **gradual perfection** *or* **development; evolution**

تکاملی /ع./ **evolutional**

تکان **shake; movement, motion; jerk; shock**

تکان خوردن to shake, to move; to be shocked

تکان دادن to shake *or* move; to wag: دُم تکان دادن

تک‌انجام **winning-post**

تکایا [جمعِ تکیه] **theatre for passion-plays**

تکاندن [بن‌مضارع: تکان] **to shake** (down *or* off)**; to cause to shake**

تکاهل [کمیاب] /ع./ **indolence**

تکبد [کمیاب] /ع./ **culmination**

تکبدنما /ع. فا./ **transit-instrument**

تکبر /ع./ **pride; haughtiness**

تکبرآمیز /ع. فا./ **proud, arrogant:** سخنان تکبرآمیز

تک‌برگ **monophyllous**

تک‌تک **one by one, separately; insular; sporadic**

تکثر [کمیاب] /ع./ **abounding, being increased**

تکثیر /ع./ **increasing**

تکثیر کردن to increase, to multiply

تکثیف [کمیاب] /ع./ **condensing; thickening**

تک‌خال [*c.p.*] **ace**

تک‌خوان soloist
تک‌خوانی solo, vocal recital
تک‌دانه monospermous
تکدّر /ع./ being offended, offence
تکدّی /ع./ = گدایی
تکدیر [کمیاب] /ع./ causing offence; [o.s.] making turbid
مجازات تکدیری punishment of a minor offence
تکذیب /ع./ denial
تکذیب کردن to deny, to refute
تکرار /ع./ repetition
تکرار جرم recidivism
تکرار کردن to repeat
تکرّر /ع./ being repeated; repetition; frequency
تکریم /ع./ honour(ing)
تک‌زا uniparous
تکسر [کمیاب] /ع./ = شکستگی؛ شکسته‌نفسی
تک‌سُم soliped
تکفل /ع./ guaranteeing, undertaking; supporting
تحت تکفل من بود. *I supported him. He was dependent on me for support.*
تکفل کردن to support; to guarantee
تکفیر /ع./ excommunication
تکفیر کردن to accuse of heresy
تکلان [کمیاب] /ع./ = اعتماد، توکل
تک‌لپه monocotyledonous
تکلتو /ت./ saddle-pad, panel
تکلف [جمع: تکلفات] /ع./ (taking) pains, trouble; ceremony

تکلم /ع./ speaking, conversation
تکلم صدری pectoriloquy
تکلم کردن to speak
تکلیس /ع./ calcination
تکلیف [جمع: تکالیف] /ع./ duty; school exercise; suggestion; imposition
تکلیف کردن to suggest, to propose; to impose; to require
تکلیف چیست؟ What is the proper course to pursue?, how shall we proceed?
به‌حد تکلیف رسیدن to come of age
تکمل /ع./ completion
تکمله [کمیاب] /ع./ complement, supplement; codicil
تکمید [کمیاب] /ع./ fomentation
تکمیل /ع./ completion
تکمیل کردن to complete, to finish
تکمیلی /ع./ complementary
تک‌نواز soloist
تک‌نوازی solo, recital
تک‌وتوک [عامیانه] sporadic, few, here and there
تکوّن /ع./ coming into existence
تکوین /ع./ bringing into existence, creation, genesis
تکه /ت./، تیکه piece; morsel
تکه کردن to cut to pieces
تکه‌تکه[1] /ص./ torn to pieces, ragged; broken into pieces
تکه‌تکه[2] /ق./ a piece at a time; piecemeal

تکه‌تکه کردن to tear (to pieces); to break into pieces
تکه سر چیزی دادن to piece out something
تَکِه /ت./ he-goat; ibex
تکی[1] /ت. فا./ odd: جلد تکی
تکی[2] /ت. فا./ single
تک‌یاخته unicellular
تکیه /ع./ leaning; support, prop; [*fig.*] reliance; stress
تکیه دادن to (cause to) lean
بر چیزی تکیه کردن to lean on something
تکیه‌کلام habitual phrase *or* word
تکیه گاه /ع. فا./ support; resting-place; refuge; fulcrum
تگرگ hail
دانهٔ تگرگ hailstone
تگرگ می‌بارد. *It hails.*
تگرگی dotted, spotted
نمای تگرگی stippling finish
شیشهٔ تگرگی ground glass
تَل [جمع: تلال، اتلال] /ع./ hill; [*ext.*] heap; ← تپه
تل شدن [عامیانه] to be heaped
تِل /ت./ aigrette, plume
تلاش search; struggle
تلاش کردن to struggle
تلاشی /ع./ dispersion; disappearance
تلاطم /ع./ dashing: تلاطم امواج; collision
تلاطم کردن to dash; to collide together
تلافی /ع./ retaliation, vengeance; recompense
تلافی کردن to recompense; to retaliate; to make up for
تلافی بر سر کسی درآوردن to take vengeance on someone

تلاقی /ع./ **confluence, meeting**
تلاقی رگها inosculation of blood-vessels
تلال [کمیاب، جمعِ تل، /ع./]
تلألوء /ع./ **sparkle; shining**
تلامذه، تلامیذ [جمعِ تلمیذ]
تلان‌تلان [عامیانه] **in a stately manner**
تلان‌تلان رفتن to sail
تل‌انبار /ع. فا./ **heap, accumulation**
تلاوَت /ع./ **reading *or* chanting** (the Koran)
تلاوت کردن to chant *or* read
تلبیس /ع./ **imposture; disguise; hypocrisy**
تلبیس کردن to use guile, to dissemble
تلحین /ع./ **modulation**
تَلخ **bitter; [*fig.*] acrimonious**
تلخ کردن to embitter
اوقاتِ کسی را تلخ کردن
to make someone angry, to upset him
اوقاتش تلخ شد.
He was upset. He got angry.
تلخ‌کام **disappointed, sad, afflicted**
تلخ‌کامی **disappointment, sadness, affliction**
تلخه **darnel, tare**
تلخی **bitterness; [*fig.*] hardship**
تلخیص /ع./ **summarization**
تلخیص کردن to summarize, to make a resumé of
تلذّذ /ع./ (taking) **pleasure**
تلسکپ /فر./
telescope; ← دوربین
تلطف /ع./ **kindness, favour**
تلطف کردن to show kindness

تلطیف /ع./ **making fine *or* pure**
تلغ‌تلغ کردن [عامیانه] **to jolt; to rattle; to rumble**
تلف [جمع: تلفات] /ع./ **loss, casualty; wasting; perishing**
تلف کردن to waste; to perish
تلف شدن to perish *or* die; to be wasted
تلفظ /ع./ **pronunciation**
تلفظ کردن to pronounce
تلفن /فر./ **telephone**
تلفن زدن، تلفن کردن
to telephone
به کسی تلفن کردن
to telephone (to) *or* ring up someone
پای تلفن شما را می‌خواهند.
You are wanted on the telephone.
تلفنچی /فر. ت./ **telephone operator**
تلفن‌گرم /فر./ **telephonic message**
تلفنی /فر. فا./ **telephonic**
تلفیق /ع./ **putting together, composing**
تلفیق کردن to compose
تلقی‌کردن /ع. فا./ **to receive *or* meet**
فوری تلقی کردن to treat as urgent
خوب تلقی کردن to take in good part; to greet
با تردید تلقی کردن to take with a grain of salt, to regard as doubtful
حسن تلقی embracement
تلقیح /ع./ **fecundation; pollination; inoculation**
تلقین [جمع: تلقینات] /ع./
suggestion; inculcation; inspiration; prompting

تلقین کردن to suggest; to inculcate; to instruct; to dictate
تلکه کردن [عامیانه] **to touch for**
تلگراف /فر. ان./ **telegraph; telegram**
تلگراف کردن to telegraph, to wire
به شیراز تلگراف کردیم.
We telegraphed Shiraz.
به وسیلهٔ تلگراف
by telegram, telegraphically
تلگرافاً /فر. ع./
C.E. **by telegram, telegraphically**
تلگرافچی /فر. ت./
telegraph operator
تلگراف‌خانه /فر. فا./
telegraph office
تلگرافی /ص. فر. فا./
telegraphic
گل تلگرافی periwinkle
مخابرهٔ تلگرافی telegram;
[*adv.*] *C.E.* telegraphically
تلمبار، تلیبار **silkworm nursery**
تلمبه /ت./ **pump**
تلمبه زدن to pump
تلمبه‌چی /ت./ **pumpman**
تلمبه‌خانه /ت. فا./
pump-house
تلمّذ /ع./ **discipleship; pupilship**
نزد که تلمّذ می‌کرد؟
Whose pupil was he?
تلمیح /ع./ **allusion**
تلمیذ [کمیاب، جمع: تلامیذ، تلامذه]
/ع./ = شاگرد **pupil; disciple**
تلنگر [عامیانه] **flick, fillip**
تلنگر زدن to fillip
تلواً /ع./ = لفاً
تلواره [کمیاب] **small scaffold *or* staging**

تلواسه [کمیاب] struggle; agitation

تلوتلو خوردن [عامیانه] to stagger; to totter

تلوّن /ع./، تلون‌مزاج versatility, capriciousness, fickleness

تلویح /ع./ (making a) hint

تلویحاً /ع./ implicitly

تلویحاً به من گفت که he as good as told me that

تلویزیون /فر./ television

با تلویزیون فرستادن to televise

تله trap; → دام

در تله انداختن to trap

تله‌موش mouse-trap

تلیسه two-year-old heifer

تلئلؤ [صورت نادرست تلألؤ]

تَمّ [کمیاب، مونث: تمت] /ع./ finis, end; [*o.s.*] it has been finished

تماثیل [جمعِ تمثال]

تمادی [کمیاب] /ع./ protraction

تمارض /ع./ feigning illness

تمارض کردن to feign illness, to malinger

تماس /ع./ contact; impact; tangency

تماس داشتن to be in contact *or* touch

تماس پیدا کردن، تماس گرفتن to contact, to get into contact

تماشا /ع./ sightseeing; spectacle, show

تماشا کردن to watch, to see

تماشا دارد. *It is worth seeing. It has much to see.*

تماشاچی /ع. ت./ spectator, looker-on

تماشاخانه /ع. فا./ theatre

تماشایی /ع. فا./ worth seeing, spectacular, as good as a play

تمام /ع./ [*adj.*] whole; complete; full; round (as a number); [*n.*] the whole; all

وقت تمام است. Time is over (*or* up).

تمام دخترها all (of the) girls

تمام و کمال in full (amount)

تمام شدن to be finished, to come to an end; to be consumed; to full (as the moon); to go out of print

صدریال برای من تمام شد. It cost me (*or* I spent for it) 100 rials.

صبرم تمام شد. My patience has been tried. I am (*or* was) out of patience.

تمام کردن[1] *vt.* to finish, to complete, to bring to an end, to have done with, to get through with; to waste, to dissipate

کار را تمام کرده‌اند. They have left nothing undone *or* undiscovered.

تمام کردن[2] *vi.* to expire, to die

به زودی هرچه تمامتر as quickly as possible

تماماً /ع./ entirely, completely, fully, all

تمام‌آهنگی /ع. فا./ wholly musical

تمام‌رسمی /ع. فا./ full

لباس تمام‌رسمی full dress

تمام‌رنگی /ع. فا./ coloured by technicolor

تمام‌عیار /ع. فا./ of standard purity, sterling

تمام‌قد /ع. فا./ full-length, life-size(d)

تمامی /ع. فا./ the whole, all

تمامیت /ع./ entirety, integrity

تمایل [جمع: تمایلات] /ع./ inclination

تمایل داشتن to be inclined

رأی تمایل vote of intent *or* inclination

تمبر /فر./ stamp

تمبر خوردن to be stamped

تمبر زدن to stamp

کسر تمبر داشتن to be understamped

۵۰ دینار کسر تمبر 50 dinars postage due

تمبر جمع‌کن /فر. ع. فا./ philatelist

تمتع /ع./ enjoyment; fruition

از چیزی تمتع یافتن to enjoy something

تمثال [جمع: تَماثیل] /ع./ portrait, effigy, image; picture

تمثل /ع./ citing a proverb

تمثیل /ع./ allegory; proverb

تمجید /ع./ praise

تمجید کردن to praise

شایان تمجید praiseworthy

تمدّد /ع./ stretching oneself; tension

تمدد اعصاب relaxation *or* recreation

تمددِ ماهیچه muscular tonicity

قوهٔ تمدد tensile force

تمدن /ع./ civilization

تمدید /ع./ extension, prolongation

تمدید دادن، تمدید کردن to extend, to prolong

تمدید یافتن to be extended

تمر /ع./، تمر هندی tamarind

تمر گجرات red tamarind

تمرد /ع./ disobedience; rebellion

تمرد کردن to rebel
از فرمان کسی تمرد کردن to disobey someone
تمرکز /ع./ **centralization; concentration**
تمرکز دادن to centralize; to concentrate
تمرکز یافتن to be centralized
تمرین [جمع: تمرینات، تمارین] /ع./ **exercise, drill; rehearsal**
تمرین کردن to drill *or* exercise, to take exercises; to go over and over (again)
تمساح /ع./ **crocodile**
تمسخر /ع./ **ridicule**
تمسخر کردن to ridicule, to mock
تمسک /ع./ **obligation, bond**
تمسک کردن to take hold of; to resort to
تمشک **raspberry**
تمشیت /ع./ **managing; promoting**
تمشیت کردن to manage; to promote
تمکن /ع./ **financial ability; power**
تمکین[1] /ع./ [*lit.*] **sedateness, gravity, dignity**
تمکین[2] /ع./ [*infml.*] **submission** *or* **obedience, non-resistance**
تمکین کردن از to submit to, to obey, to condescend to
تملق /ع./ **flattery**
تملق گفتن از (یا به) to flatter
تملک /ع./ **taking possession**
تملک کردن to take possession of
تملیک /ع./ [*rare*] **giving** (in) **possession; (door-)latch**

تملیکی /ع./ [*will*] **directive, vesting possessory rights**
تمنا، تمنی /ع./ **desire, wish; request**
تمنا کردن از to request; to demand
تموّج /ع./ **undulation; fluctuation**
تموز **Jewish and Syriac month** (June-July)
تموّل /ع./ = دولت، ثروت
تمهید /ع./ **arrangement, preparation; manoeuvre; skill**
تمهیدی /ع./ **interlocutory; preparatory**
تمیز /ع./ [*n.*] **discernment; distinction; appeal to the Supreme Court of Justice;** [*adj.,infml.*] **neat, clean; proper**
دیوانِ عالی تمیز Supreme Court, High Court of Cassation
تمیز دادن to distinguish, to tell; to appeal to the Supreme Court
تمیز کردن to clean; to dust; to clear
تمیزی [عامیانه] /ع. فا./ **cleanliness**
تَن[1] **body; person**
دو تن از ایشان two of them
تن به تن carried on between two persons
تن (در) دادن to yield, to submit; to cave in; to give in
تن‌به‌کار دادن to put one's shoulder to the wheel
تن کردن [عامیانه] to put on, to wear
تن کسی کردن to cause someone to wear, to help him with (his clothes)

تنش می‌خارد. He is itching for trouble. He asks for it. He is eager for the fray.
تَن[2] [بن مضارعِ تنیدن]
تُن /فر./ **ton**
کشتی ۲۰۰۰ تنی ***two-thousand tonner***
تنازع /ع./ (mutual) **struggle**
تنازع بقاء struggle for existence
تن‌آسا(ی) [ادبی] **self-indulgent**
تن‌آسانی، تن‌آسایی [ادبی] **self-indulgence**
تناسب /ع./ **proportion**
به تناسب proportionately, proportionally
تناسب اندام symmetry
تناسخ /ع./ **metempsychosis**
تناسخی /ع./ **metempsychosist**
تناسل /ع./ **reproduction**
آلت تناسل genital organ
تناسلی [مؤنث: تناسلیه] /ع./ **genital:** آلات تناسلیه
تنافر /ع./ **mutual aversion**
تنافر اصوات dissonance
تنافر حروف cacophony
تناقض /ع./ **contradiction**
با چیزی تناقض داشتن to be contradictory to something
تناقض‌گویی /ع. فا./ **self-contradiction**
تناوُب /ع./ **alternation; intermittence**
به‌تناوب alternately; intermittently
تناور **corpulent, big**
تناول کردن [ادبی] /ع. فا./ = خوردن **to eat**
تنباکو **tobacco**
تنبان **loose breeches; loose skirt formerly worn by women**

تنبک **one-headed long (*or* chestral) drum**
تنبک زدن to play on the tombak
تنبل **lazy**
تنبلی **laziness**
تنبلی کردن to be lazy
تنبور (kind of) **guitar *or* lute**
تنبوشه (clay) **waterpipe**
تنبول **betel**
تنبه /ع./ **being roused;** [*fig.*] **notice; admonition**
تن به تن **carried on between two persons**
جنگ تن‌به‌تن duel
تنبیه /ع./ **punishment; note, remark**
تنبیه کردن to punish
تن پرست **self-indulgent; lazy**
تن پرور **self-indulgent; voluptuous**
تن پروری **self-indulgence**
تن پیمایی **anthropometry**
تنخواه **funds, capital**
تنخواهِ گردان imprest
تُند [*adj.*] **quick, rapid, express; fast:** ساعت تند است **; rash; harsh; abrupt; steep; hot-tempered; pungent; strong:** قهوهٔ تند **; deep, bright** (as a colour)**;** [*geom.*] **acute;** [*adv.*] **fast, quickly; rashly; hastily; harshly**
تند رفتن to go (*or* walk) fast; [*fig.*] to come it rather strong; to take an extreme course, to go to great lengths
تند شدن to quicken; to become strong; to get angry
تند کردن to quicken, to accelerate; to set fast; to make pungent
تند کار کردن [*watch*] to gain, to go too fast
تند و کند کردن to regulate (the speed of)
تندباد **hurricane**
تندخو **hot-tempered**
تندخویی **hot temper, fiery temper**
تندر = رعد **thunder**
تندرست **healthy**
تندرستی **good health**
تندرو **swift** (in walking)**;** [*fig.*] **extravagant; ultraprogressive;** [*train*] **express**
تندرَوی **excessive progressiveness; extravagance**
تندطبع، تندمزاج /فا. ع./ **hot-tempered**
تندکن **accelerator**
تندمزاجی /فا. ع./ **hot temper**
تند و تیز **pungent;** [*fig.*] **hot-tempered, harsh**
تند و کند کن **speed-regulator**
تنده [*n.*] **steep slope, escarpment; swift stream;** [*adj.*] **steep**
تندی **rapidity, speed; steepness; abruptness; harshness;** ← **تند**
با کسی تندی کردن to speak harshly to someone
تندیس **image**
تنزل /ع./ **decline; retrogradation; fall**
تنزل کردن to decline; to fall, to be reduced (in price); to retrograde; to be degraded
تنزل دادن to degrade; to reduce in price
تنزل رتبه degradation, demotion [U.S.]
تنزیب **tanjib, netting**
تنزیل /ع./ **discount; interest;** [*rare*] **revelation**
تنزیل کردن to discount; to borrow on interest
تنزیه /ع./ **purifying; considering inviolable; transcendence**
تنسیق /ع./ **regulating, arranging**
تنشوی **bath(ing-tub)**
تنصیف /ع./ **bisection; dividing in halves**
تنطق /ع./ **speaking**
تنطور، تنتور /فر./ **tincture**
تنظیف /ع./ **cleaning, cleansing**
تنظیف کردن to clean, to deterge
تنظیم /ع./ **putting in order, regulating**
تنظیم کردن to regulate; to compose; to draw up
تنظیمات [جمعِ تنظیم] **arrangements, regulations**
تنعم /ع./ **living luxuriously**
تنفخ /ع./ [*rare*] **inflation**
تنفخ ریه emphysema
تنفر /ع./ **aversion, dislike**
تنفر طبیعی antipathy
تنفر داشتن از to dislike *or* hate
تنفرآمیز، تنفرآور /ع. فا./ **disgusting; repugnant**
تنفس /ع./ **breathing, respiration; break, recess**
تنفس کردن to breathe
تنفسی /ع./ **respiratory**
تلمبهٔ تنفسی suction-pump
تنفیذ /ع./ **authorization; confirmation; affirmation**

تنفیذ کردن to authorize; to confirm

تنقل [جمع: تنقلات] /ع./ **dessert, junket**

تنقیح /ع./ **expurgation**

تنقید /ع./ = انتقاد

تنقیه /ع./ **purging; dredging; enema, injection**

تنقیه کردن to dredge; to purge; to give an enema *or* injection to

تُنک **thinly scattered**

تنکاب **shallow;** [*fig.*] **raw, green**

تنکار [از فر. tincal] **borax**

تنکه **knickers, panties; shorts; panel** (of a door); **flake; metal sheet**

تنکه کردن to make into sheets; to slab

تَنگ [*adj.*] **narrow; tight:** لباس تنگ; [*breath*] **short; barren** *or* **hard** (as a year); [*n.*] **girth; strap;** [*adv.*] **closely;** ⟵ تنگ نفس

تنگ کردن to make narrow; to tighten

(به) تنگ آمدن to be made helpless; to be driven to extremities; to be fed up

(به) تنگ آوردن to render helpless; to drive to extremities

خود را از تنگ و تا نینداختن [عامیانه] to save one's face, to join in the laugh

تنگِ هم close(ly), compact(ly)

خلقش تنگ است. He is in a bad mood.

دلم تنگ است. I feel lonely.

تُنگ **water-bottle, carafe; decanter; flagon**

تنگ آزمایشگاه flask

تنگ کوچک cruet, castor

تنگاب **concentrated, strong**

آبگوشت تنگاب consommé

تنگ‌بست **all-in, everything included**

تنگ‌چشم **insatiable; avaricious**

تنگ‌حوصله /ع. فا./ **impatient; testy, peevish**

تنگدست **indigent**

تنگدستی **indigence, poverty**

تنگدل **heartsick; despondent; lonely, homesick**

تنگدلی **heartsickness; loneliness**

تنگنا(ی) **narrow pass; strait;** [*fig.*] **tight corner; straitened circumstances**

تنگ‌نفس /فا. ع./ **asthmatic**

تنگ‌نظر = نظرتنگ

تنگه **strait; isthmus**

تنگه‌نفس /فا. ع./ **asthma**

تنگی **narrowness; tightness;** [*fig.*] **scarcity; difficulty, pinch**

تنندویی **arachnoid**

تنور **oven**

تنوّع /ع./ **variety, relief**

تنومند **corpulent, big**

تنومندی **corpulence**

تنویر /ع./ **illumination**

تنویرِ افکار enlightenment

تنویر کردن to (en)ligten

تنه **trunk;** [*plane*] **fuselage**

تنه خوردن to be brushed against, to be hustled

تنه زدن به to hustle *or* jostle, to brush *or* push against

تنها **alone; solitary; sole, only**

تنها کسی که the only person who

تنهایی **solitude**

به‌تنهایی alone

تنه‌دار **bulky, corpulent**

تنی **of full blood:** برادر تنی

تنیدن [کمیاب، بن‌مضارع: تن] **to spin** *or* **weave;** ⟵ ریستن، بافتن

تنین /ع./ [*astr.*] **the Dragon**

تُو **thou;** [governed by a preposition] **thee;** [preceded by an "ezafeh"] **thy:** کتاب تو

تو [*adv.*] **in; within;** [*n.*] **interior, inside**

بفرمایید تو! ***Come in please!***

تویِ [*prep.*] in, into

تو بردن to retract

تو کردن [عامیانه] to take in, to enter, to cause to enter

تو گذاشتن to take in; to hem

توابع [جمعِ تابع] /ع./ **dependencies;** [*math.*] **functions**

تواتر /ع./ (successive) **hearsay; tradition related by successive witnesses**

به تواتر رسیدن to be handed down (by tradition)

تواتراً /ع./ **by successive hearsay**

توارث /ع./ **inheritance**

از راه توارث by inheritance

تواری /ع./ **lying hid; fleeing**

تواریخ [جمعِ تاریخ]

توازن /ع./ **equilibrium, balance**

توازی /ع./ **parallelism**

تواضع /ع./ **humility; curtsy**

تواضع کردن to show humility

توافُق /ع./ **mutual agreement, mutual consent; harmony**
به توافق آراء by a unanimous vote, unanimously
توافُق کردن to agree (with each other)
توالت /فر./ **toilet, dress(ing);** ← بزک، آرایش
توالت کردن to make one's toilet, to dress (up)
توالد /ع./ **reproduction**
توالی /ع./ **succession**
به‌توالی، علی‌التوالی successively, consecutively; continuously
توام /ع./ **twin;** [*fig.*] **linked, joint**
توام کردن to twin; to join *or* link together
تواماً /ع./ (both) **together**
توان[1] [*n.*] **power; ability**
توانِ دوم second power, square
توان سوم third power, cube
توان[2] [بن مضارعِ توانستن]
آیا می‌توان آن را دید؟ Can one see it?, is it possible to see it?
تا بتوان، تا می‌توان so far as possible
توانا **powerful**
توانایی **power, ability**
توانستن [بن مضارع: توان] **to be able to**
من می‌توانم بروم. *I can go. I am able to go.*
خواهم توانست *I shall be able*
شما می‌توانید بروید یا بمانید. You may (choose to) go *or* stay.
توانگر [ادبی] **rich** (person)

توانگری [ادبی] **wealth, riches**
توبره، تبره **nose-bag**
توبه /ع./ **repentance**
توبه کردن to repent
توبه کار /ع. فا./ **penitent; regretful**
توبیخ /ع./ = سرزنش **reprimand, reproach**
توبیخ کردن to reprimand *or* reproach
توپ /ت./ **cannon, gun; ball; piece:** یک توپ چلوار**; paper:** یک توپ سنجاق**;** [*c.p.*] **bid; bluff**
توپ سلام انداختن to fire a salute
به توپ بستن to bombard, to cannonade
توپ زدن to kick a ball; [*c.p.*] to (raise the) bid; to bluff
توپ‌بازی /ت. فا./ **game of ball**
توپچی /ت./ **artillery-man**
توپخانه /ت. فا./ **artillery** (department)
توپدار /ت. فا./ **gun-boat**
توپُر **solid: not hollow**
توپوز /ت./ **mace; knobstick**
توپوزی /ت. فا./ **mace-like, clublike**
خال توپوزی [*c.p.*] spade
توپی **plug, spigot; nave, hub**
توت، تود **mulberry**
توت‌انجیر **sycamore**
توت‌فرنگی **strawberry**
توتون /ت./ (pipe) **tobacco**
توتیاء /ع./ **tutty, vitriol**
توتیای روی sulphate of zinc, white vitriol
توتیای سبز green vitriol

توتیای قرمز oxide of copper
توتیای کبود sulphate of copper
توتیای چشم = سرمه
توتیاءالبحر /ع./ **sea-urchin**
توجه /ع./ **attention; care; favour; concentration**
توجه کردن (از) to take care of, to look after
شخصِ طرف توجه favourite
مورد توجه قرار دادن to consider; to give attention to
قابل توجه worthy of attention; considerable
غیرقابل توجه not worthy of attention; insignificant
با توجه به with due attention to
توجهات [جمعِ توجه] **auspices, good offices**
توجیه [جمع: توجیهات] /ع./ **explaining** (away); **explanation**
توجیه کردن to account for, to explain (away); to justify
توحش /ع./ **horror; unsociableness; savagery**
توحید /ع./ **unification; monotheism**
توحید مساعی cooperation, team-work
تود ← توت
تودار **deep, reserved**
تودرتو **allowing free passage to one another;** [*fig.*] **intricate**
تودل‌برو [عامیانه] **of attractive features** *or* **manners, charming**
تودماغی [*adj.*] **nasal;** [*adv.*] **nasally, with a twang**
تودماغی حرف زدن to twang, to speak through the nose

توده **heap, pile; mass; the** (great) **mass; the rabble**
توده کردن to heap up; to stack
توده‌شناسی **folklore**
تودهنی [عامیانه] **rebuff**
به کسی تودهنی زدن to rebuff *or* snub someone
تودیع /ع./ (bidding) **farewell, valediction; depositing**
با کسی تودیع کردن to bid farewell to someone
تور [از فر. tulle] **net; lace; tulle**
تور سیمی wire screen
تور صورت veil
تور گیس snood
تورات، تورية /ع./ **Mosaic law; Old Testament**
توران [اسم‌خاص] **Transoxania**
تورّب /ع./ **obliquity**
توربین /فر./ **turbine**
تورّق /ع./ **lamination, scaliness**
تورّم /ع./ **swelling; inflation**
تورّم کردن to swell; to inflate
تورنُسل /فر./ **litmus**
توری [از تور] **net; lace; trimming; veil;** (incandescent) **mantle;** → تور
چراغ توری mantle-lamp
توریه /ع./ **dissimulation**
توزیع /ع./ **distribution**
توزیع کردن to distribute
توسُرخ **shaddock**
توسط /ع./ **intermediation; agency**
توسط کردن to intermediate
توسطِ، به توسطِ by, by means of, by the intermediation of; through; care of (C/O)

توسّعاً /ع./ **by extension**
توسعه /ع./ **expansion, extension, development**
توسعه دادن to expand, to extend, to develop
توسعه یافتن to be expanded/ extended *or* developed
توسعه‌طلب /عف./ **expansionist**
توسل /ع./ **resorting**
توسل کردن to resort; to be take oneself
توسن **unmanageable** (horse)
توسه (Russian) **alder**
توشه **provisions for a journey**
توشه‌دان **wallet, knapsack**
توشیح /ع./ **acrostic; double riming**
به توشیح همایونی رسید. It received royal assent. It was signed by His Majesty the Shah.
توصیف /ع./ **description; commendation**
توصیف کردن to describe, to qualify
توصیفی /ع. فا./ **descriptive**
توصیه /ع./ **recommendation**
توصیه کردن to recommend; to advise
توضیح [جمع: توضیحات] /ع./ **explanation**
توضیح دادن to explain
توضیحی /ع. فا./ **explanatory**
توطن /ع./ **settling** (as in one's own country)
در کشوری توطن کردن to choose a country as one's home, to settle in a country
توطئه /ع./ **plot, conspiracy**

توطئه چیدن to weave a plot, to conspire
توفال **lath**
توفال پهن shingle
توفال‌کوب **lather**
توفان = طوفان
توف‌بار (rain) **storm**
توفیر /ع./ **difference;** [*rare*] **increased revenues**
توفیق /ع./ **success; grace**
توفیق اجباری blessing in disguise
توفیق یافتن to succeed
توقع [جمع: توقعات] /ع./ **expectation; request; begging**
توقع داشتن از to expect
توقع کردن to request *or* ask; to beg
توقف /ع./ **staying; halting; pause; insolvency, suspension of payment**
توقف کردن to stay, to stop; to pause
توقفگاه /ع. فا./ **halting-place**
توقیر /ع. فا./ **honouring; honour, respect**
با کمال توقیر most respectfully
توقیع [کمیاب] /ع./ = امضا؛ مُهر؛ فرمان
توقیف /ع./ **arrest, confinement; attachment, confiscation; custody; ban**
توقیف کردن to arrest, to confine; to confiscate *or* attach, to sequester; to suppress, to (place under the) ban
توقیف کشتی دربندر embargo
توکا **ortolan**
توکار **built-in, tailed in**
توکل /ع./ **reliance, trust; resignation**

به خدا توکل کردن to rely on God, to trust in God
توکیل /ع./ **appointing as one's attorney; keeping in custody**
وکیل‌درتوکیل attorney with right of substitution
تولد [جمع: تولدات] /ع./ **birth**
تولد کردن to give birth to, to bring forth; ← زاییدن
تولک رفتن **to moult**
توله **young** [of certain animals]; **hunting-dog, hound**
تولهٔ خرس whelp, cub
تولهٔ سگ pup
تولهٔ شیر whelp
تولهٔ مار young of a serpent
تولی /ع./ **taking as a friend; friendship**
تولیت /ع./ [*pious foundation*] **custodianship**
تحت تولیت in ward
تولید /ع./ **generation; production**
تولید کردن to beget; to generate; to produce
تون **stove *or* furnace** (of a bathhouse)
تونل /فر./ **tunnel**
توهم [جمع: توهمات] /ع./ **imagination; misgiving, groundless fear**
توهم کردن to imagine; to suspect
توهین /ع./ **insult**
به کسی توهین کردن to insult someone; to disgrace someone, to offer an affront to him
توهین‌آمیز /ع. فا./ **disgracing, aspersive, affrontive, humiliating**
توی ← تو
تویی [عامیانه] **inner, inward**

تَه **bottom; base;** [*rifle*] **breech;** [*chair*] **seat**
از ته دل from the depth of one's heart, heartily
تا ته to the bottom *or* end
ته رفتن to sink
ته کشیدن to run out, to draw to an end
ته چیزی را بالا آوردن to consume a thing entirely, to exhaust it
ته و تو [عامیانه] the ins and outs
تهاتر /ع./ **clearing, adjustment, compensation**
تهاتری /ع./ = پایاپای
تهاجم /ع./ **invasion; offence**
تهاجم کردن to make an attack
تهاجمی /ع. فا./ **offensive, aggressive**
تهاون /ع./ **negligence, slackness**
ته‌بندی، ته گیری **snack**
ته‌پُر **breech-loading**
تفنگ ته‌پُر breech-loader
ته‌پیاله [عامیانه] **a half, heel-tap**
تهجّی /ع./ **spelling**
حروف تهجی the alphabet
ته‌چک /فا. ان./ **counterfoil *or* stub** (of a cheque)
ته‌دوزی **taping; stapling**
تهدید /ع./ **threat, menace**
تهدید کردن to threat
او را تهدید به اخراج کردند. ***They threatened to discharge him.***
تهدیدآمیز /ع. فا./ **threatening**
تهذیب /ع./ **refining, polishing**
تهذیب کردن to refine, to edify

تهلیل /ع./ [*rare*] **praising God; chorus; antiphon**
ته‌مانده **leavings**
تهمت /ع./ **accusation**
به کسی تهمت زدن to accuse someone, to bring a charge against him
تهمت دروغ calumny, false accusation
تهمت‌آمیز /ع. فا./ **accusatory**
تهمتن **title of Rostam;** [*o.s.*] **stout *or* valiant**
ته‌نشست [*n.*] **sediment, deposit;** [*adj.*] **settled, deposited**
ته‌نشسته **sedimentary**
ته‌نشین شدن **to settle**
ته‌نقش /فا. ع./ **watermark**
تهنیت /ع./ **congratulation**
به کسی تهنیت گفتن to congratulate *or* felicitate someone
تهنیت‌آمیز /ع. فا./ **congratulatory**
تهوّر /ع./ **impetuosity, rashness;** *L.* **courage**
تهوّع /ع./ **nausea**
تهویه /ع./ **ventilation**
تهویه کردن to ventilate
تهی [ادبی] **empty; bare**
تهیدست **indigent**
تهیدستی **indigence**
تهیگاه **hypochondrium, flank**
تهی‌مغز **empty-headed**
تهیه /ع./ **preparation; supply**
تهیه دیدن to make preparations
تهیه کردن to prepare, to supply, to provide; to procure
تهییج /ع./ **exciting, stimulation**

تهییج کردن to stimulate

تیار کردن **to prepare; to equip**

تیاری **preparation; manipulation:** تیاری تریاک

تیان **cauldron**

تیپ [*n.*] **brigade;** [*adj.*] **closely set, rank**

تیپچه **bird-call;** [*quail*] **quail-pipe**

تیر **arrow; beam, girder; post, pole; pile; shaft; shot; shooting pain, twinge; fourth month having 31 days;** [*astr.*] **Mercury**

تیر انداختن to shoot

تیر خوردن to be shot

تیر زدن to shoot

تیر کردن to edge *or* set on

تیر کشیدن to shoot (as a pain); to twinge with pain

تیرانداز **shooter; archer**

تیراندازی **shooting; archery**

تیراندازی کردن to shoot

تیرباران کردن **to shoot down, to execute by shooting**

او را به تهمت جاسوسی تیرباران کردند.
She was shot for a spy.

تیررس **rifle-shot; gunreach**

تیرک **rolling-pin**

تیرک زدن to roll out (as dough)

تیرکوب **pile-driver**

تیرکوبی **pile-driving; staking**

تیرگی **darkness, dullness; turbidity**

تیرگی روابط strained relations

تیره[1] **dark, dull; turbid;** [*fig.*] **gloomy; strained:** روابط تیره

تیره کردن to darken; to disturb; to tarnish

تیره[2] **sect;** [*zool.,bot.*] **family**

تیرهٔ پشت vertebral column

تیره‌بخت [ادبی] = بدبخت

تیره‌دل [ادبی] **obscure-minded; ignorant**

تیره‌روز(گار) [ادبی] = بدبخت

تیز [*adj.*] **sharp; pungent; shrill;** [*adv.*] **quickly, swiftly**

تیز کردن to sharpen, to whet

تیزاب **nitric acid**

تیزاب تیزکرده pure nitric acid

تیزاب سلطانی aqua regia

تیزاب شوره و نمک nitro-muriatic acid

تیزابِ صابون‌پزی lye

تیزاب نقره impure nitric acid

نمک تیزاب nitrate

به چیزی تیزاب زدن to nitrate *or* nitrify something

تیزابی **nitrated, nitrified**

تیزبین **sharp-sighted**

تیزبینی **sharp-sightedness**

تیزپا **swift-footed**

تیزپر(واز) [ادبی] **swift-winged**

تیزچشم = تیزبین

تیزچنگ [ادبی] **having sharp claws**

تیزدندان [ادبی] **sharp-toothed; fierce**

تیزرفتار، تیزرو [ادبی] **quick-paced, walking swiftly**

تیزکن **grinder; sharpener**

تیزگر [ادبی] = چاقو تیزکن

تیزگوش **sharp of hearing**

تیزهوش [ادبی] = باهوش

تیزی **sharpness; shrillness; pungency; swiftness**

تیشه **chip-axe, adze**

تیشه به ریشهٔ خود زدن to be self-destructive

سرِ تیشه، نوک تیشه [استعاری] the thin end of the wedge

تیغ **razor; thorn;** [*lit.*] **sword**

تیغ زدن to strike with a sword; to make an incision into; [*sl.*] to touch for

تیغ‌تیزکن **grinder**

سنگ تیغ تیزکن whetstone, hone

تیغ‌زن [ادبی] = شمشیرزن

تیغه **blade; partition-wall; bulk-head**

استخوان تیغه‌ای vomer

تیفوس /فر./ **typhus**

تیفوئید /فر./ **typhoid**

تیک‌تیک **click, tick**

تیکه ← تکه

تیله **marble, taw; potsherd**

تیم /ان./ **team**

تیماج **goat leather**

تیمار [ادبی] **care, attendance;** [*lit.*] **sorrow**

تیمار کردن[1] to groom

تیمار کردن[2] to attend, to care for, to look after, to nurse

تیمارستان **lunatic asylum**

تیمارگاه **first-aid station**

تیمچه **arcade**

تیمسار، آقا [preceding titles of brigadiers and higher ranks]

تیمم /ع./ **ablution with earth *or* sand**

تیمور [اسم‌خاص]

تیول **fief, feud**

تیهو **dull-yellow partridge**

ثابت /ع./ **fixed; firm, immovable, steady, constant; proved;** [*math.*] **invariable;** ← [مؤنث: ثابته]
حقوق ثابت basic salary
رنگ ثابت fast colour
روغن ثابت fixed oil
ثابت کردن to prove, to demonstrate; to fix (as a colour); to make steady
ثابت‌قدم /عف./ **resolute, steadfast**
ثابته [ادبی، جمع: ثوابت، مؤنثِ ثابت] /ع./ **fixed star**
ثاقب /ع./
[*rare*] **penetrating; shooting**
شهاب ثاقب shooting-star, meteor
ثالث /ع./ = سوم **third**
شخص ثالث third party
ثالثاً /ع./ = سوم آنکه **thirdly, in the third place**
ثامن [کمیاب] /ع./ = هشتم
ثانوی /ع./
[*rare*] **second;** ← دوم، دومی
تا اخطارِ ثانوی until further notice
ثانی /ع./ = دوم **second**
ثانیاً /ع./ = دوم آنکه **secondly, in the second place**
ثانیه [مؤنثِ ثانی] /ع./ **second**
ثانیه‌شمار /ع. فا./
[*time piece*] **second hand**
ثبات /ع./ **constancy, firmness; perseverance; resoluteness**

ثبات /ع./ **registrar**
ثبت /ع./ **registration; register, record; inscription;** [*book*] **entry**
ثبت کردن to register, to enter, to record, to write down; to patent
به ثبت عمومی گذاردن to bring under general registration
ثبتی /ع.فا./ **registered;notarial**
ثبوت /ع./ **demonstration; proof**
به ثبوت رساندن to prove, to demonstrate
به ثبوت رسیدن to be proved
محلول ثبوت fixing-bath
ثرب /ع./ **omentum**
ثروت /ع./ **wealth**
ثروت اقتصادی political economy
ثروتمند /ع. فا./ = دولتمند
ثری [کمیاب] /ع./، ثرا = خاک
ثریا /ع./ = پروین
ثعلب /ع./ **salep, male orchis**
ثغور [جمعِ ثغر، کمیاب] /ع./ = حدود **frontiers, borders**
ثُفل /ع./ **apple-core; dregs**
ثُقبه [کمیاب] /ع./ = سوراخ
ثقل [جمع: اثقال] /ع./ **weight; gravity; surfeited stomach**
ثقل سرد sporadic cholera
ثقل‌سنج /ع. فا./ **gravimeter**
ثَقیل /ع./ **heavy; indigestible;** ← سنگین
جرثقیل ← جَر
ثلاث /ع./ = سه **three**

ثلاثه [کمیاب] /ع./ = سه گانه **the three**
ثُلث[1] /ع./ **third;** ← سوم
ثُلث[2] [third portion of a person's property which may be bequeathed to persons other than his heir]
ثمر [جمع: اثمار] /ع./ **fruit;** [*fig.*] **result;** ← میوه
ثمربخش /ع.فا./ **fruitful; useful**
ثمره [جمع: ثمرات] /ع./ (single) **fruit;** [*fig.*] **offspring**
ثَمَن [جمع: أثمان] /ع./ = بها
ثُمْن[1] /ع./
[*rare*] **eighth;** ← هشتم
ثُمْن[2] [eighth portion of a man's estate which is inherited by his widow in case she has children]
ثمین /ع./ = گرانبها، قیمتی
ثناء /ع./ **eulogy, praise**
ثناخوان /ع. فا./ **panegyrist**
ثنایا [جمعِ ثنیه، کمیاب] /ع./ **incisors, chisel-teeth**
ثنیه ← ثنایا
ثواب[1] /ع./ (spiritual) **reward**
ثواب[2] [عامیانه] **good deed**
ثواب دارد there is a spiritual reward for it
ثواب‌کردن to do a pious *or* good act
ثوابت ← ثابته
ثوب [کمیاب، جمع: ثیاب] /ع./ **garment; suit**
ثور /ع./ = گاو نر **bull,** [*rare*] **ox;** [*astr.*] **Taurus; old name of** اردیبهشت

ج

جا، جای **place; seat; room, space; [*fig.*] occasion, cause, ground; margin**

جا دارد که it is proper ***or*** befitting to

جای شما خالی بود. جای شما سبز بود. We thought of you. We missed you.

جایِ، به‌جایِ instead of; in place of; for, in behalf of

جا افتادن to be set ***or*** reduced (as a bone)

جا انداختن to set ***or*** reduce

جابه‌جا کردن to displace, to dislocate; [*infml.*] to dispose of ***or*** allocate (prudently); to rearrange; to put in shape

جابه‌جا شدن درد [*med.*] revulsion

جای اعتراض ground for objection

جاخالی کردن to give way; to side-step (a rush ***or*** attack); to duck

جا خوردن [عامیانه] = یکه خوردن

جادادن to accommodate, to house; to seat, to place; to insert

جا زدن to fake, to adulterate

جا کردن [عامیانه] to get a firm footing; to make oneself popular; to curry favour

جا گذاردن to leave out

جا گرفتن to hold; to take room

از جا در رفتن to lose one's temper

خلقش به جا آمد. He resumed his spirits. He cheered up.

به جا آوردن to do, to execute; to comply with, to grant; to recognize

سرکار بنده را می‌شناسید ولی بنده سرکار را به‌جا نمی‌آورم. You have the advantage of me.

به جایی نرسیدن to fail, to come to nothing

به جا رساندن to do, to achieve

در جا زدن to mark time

کسی را سر جای خود نشاندن to show one his seat, to put him in his place, to settle his hash

جایی که، آنجا که where

از آنجایی که since, in view of the fact that

جااُفتاده **well-matured; mellow**

جاانگشتی **keyboard; fingerboard**

جابجا[1] [with the stress on the first syllable] **on the spot; right away; as the case may be**

جابجا[2] → جا

جابر [مؤنث: جابره] /ع./ [*adj.*] **oppressive, despotic; coercive;** [*n.*] **oppressor; despot**

قوهٔ جابره [کمیاب] force majeure

جابرانه /ع.فا./ **forcibly; extortionately**

جاپا **footprint; foothold**

جاپاکتی **paper-rack;** → پاکت

جاجیم /ت./ **coarse loosely-woven woollen cloth**

جادار **roomy, spacious, commodious**

جادو **magic(ian)**

جادو کردن to exercise magic; to bewitch

جادو(گر) magician

جادوگری **sorcery, magic**

جادویی **magic(al)**

جادّه /ع./ **path, road**

جاده‌صاف‌کن /ع. فا./ **road-roller, steam-roller**

جاذب /ع./ **attractive; absorbent;** → [مؤنث: جاذبه]

جاذبه [مؤنثِ جاذب] /ع./ **attractive force; allure;** [*earth*] **gravity**

جاذبهٔ جنسی sex appeal

جاذبیت /ع./ **attractiveness**

جار[1] /ت./ **proclamation, public crying**

جار زدن، جار کشیدن to cry, to proclaim

جار[2] **chandelier**

جار[3] [کمیاب، جمع: جیران] /ع./ = همسایه

جارچی /ت./ **town crier**

جارختی **coat-hanger, dress-hanger;** ← چوب رخت
جاروب، جارو [عامیانه]
broom
جارو کردن to sweep
جارو کشیدن to sweep; to be a sweeper
تخم جارو crowfoot
جاروکش **sweeper**
جاروکشی **sweeping**
جاری[1] [مؤنث: جاریه] /ع./
flowing, running; current: حساب جاری
سوم ماه جاری the third instant
جاری شدن to flow, to run
جاری کردن to cause to flow; to execute: صیغه عقد را جاری کردند
مقررات جاری
regulations in force
جاری[2] /ع./ **sister-in-law, wife of the brother of one's husband**
جاز /ان./ **jazz(-band)**
جازغالی **bin** (for coal); **coal-hod**
جازده **adulterated, base, faked**
جازم [کمیاب] /ص. ع./
resolving
جاسوس /ع./ **spy**
جاسوسی /ع. فا./
espionage, spying
جاسوسی کردن to spy
جاشو **member of ship's crew**
جاشویان [جمعِ جاشو]
ship's crew
جاشیر ← جاوشیر
جاصابونی
soap-tray; ← صابون
جاکاغذی **paper-rack**
جاکش **pimp, panderer**
جاکشی **panderism**
جاکشی کردن to pander *or* pimp

جاگیر ← جایگیر
جالب /ع./ **attractive**
جالب توجه interesting
جالباسی /فا. ع./ = جارختی
جالیز **kitchen-garden; melon ground**
جالینوس /ع. ی./ **Galen**
جالینوسی /ع./ **Galenic**
طب جالینوسی Galenism
جام **cup;** [*bot.*] **corolla**
جامِ پنجره window-pane
جام پیروزی cup
جام انداختن به to glaze
جامد /ع./ **solid**
اسم جامد primitive noun
جامع[1] /ع./ **comprehensive, full; catholic**
جامع[2] [جمع: جوامع] /ا. ع./
(principal) **mosque**
جامع‌الاطراف /ع./
comprehensive
جامع‌الشرایط /ع./
fully qualified
جامعه [جمع: جوامع، مؤنثِ جامع] /ع./ [*n.*] **society; community**
حساب جامعه [کمیاب]
integral calculus
کتاب جامعه ecclesiastes
جامعه‌شناسی /ع. فا./
sociology
جامعیت /ع./
comprehensiveness; universality
جامه [ادبی] **garment, clothing;** [*rare*] **cloth**
جامهٔ عمل پوشیدن
to materialize
جامه‌بُر [کمیاب] = مقراض، قیچی
جامه‌دار **one who keeps the clothes in a public bathhouse**
جامه‌دان، چمدان [عامیانه]
suitcase

جان **life, soul**
جان دادن to give up one's life; to give life (to); [*infml.*] to be very suitable
جان تسلیم کردن، جان سپردن
to give up one's life, to give up the ghost
جان کندن[1] to be in the agony of death
جان کندن[2]، جان مفت کندن
[*fig., infml.*] to drudge *or* fag
جان مفت به در بردن
to have a narrow escape
از دل و جان most heartily *or* willingly
جانش را روی آن گذاشت.
It cost him his life.
پدرجان dear father [said also by a man to his child]
جانم! my dear fellow!, darling!
جان من[1] for my life's sake
جان من[2] = جانم
به جان خودم upon my life
جان من است و او. He is all the world to me.
جانّ، جان بن جانّ
[name of the first jinnee]
از دُور جانِ بن‌جانّ
from immemorial times
جان‌آزار، جان‌خراش [ادبی] /ص./ **tormenting, vexing**
جان‌آفرین [ادبی]
creator (of the soul)
جانان [ادبی]، **جانانه**
sweetheart
جانانه **lovely;** ← جانان
جانب [جمع: جوانب] /ع./ **side, direction; quarter**
ملاحظه اطراف و جوانب کار
circumspection
به‌جانبِ in the direction of, toward
از جانبِ من on my part (*or* behalf); from me

جانب کسی را نگاه داشتن to take the part of someone
اینجانب I
جانبازی risking one's life; dangerous calling; self-sacrifice
جان‌بخش [ادبی] life-bestowing
جانبدار(ی) /ع. فا./ = طرفدار(ی)
جانبین [تثنیهٔ جانب] /ع./ both parties; → طرفین
جان‌پرور [ادبی] animating
جان‌پناه parapet; life-line; trench
جان‌جانی [عامیانه] very dear *or* close; → جان در یک قالب
جاندار [*adj.*] animate; living; [*sl.*] durable *or* tough; [*n.*] living creature, animal; → جانور
جان‌دارو [کمیاب] antidote; theriac
جان در یک قالب [عامیانه، صورت اختصاری دو جان در یک قالب] /فا. ع./ united as two kernels in one shell, very dear/ close *or* intimate
جان‌سخت die-hard
جان‌سوز [ادبی] doleful, heart-rending
جانشین successor, locum tenens, substitute; replacement
جانشینِ ... شدن to succeed...; to replace...
جانشین خود کردن to declare one's successor
جانشینی succession; replacement
جان‌فشانی self-sacrifice, devotion
جانکاه [ادبی] = جان‌آزار
جان‌کن [عامیانه] drudge, fagger
جان‌کنی drudgery, fag
جانگداز [ادبی] = جانسوز
جانماز prayer-carpet
جانماز آب کشیدن [*met.*] to be prudish *or* hypocritical
جان‌نثار /فا. ع./ ready to sacrifice one's life
این بندهٔ جان‌نثار your devoted servant, *i.e.* I
جانوَر animal; monster; vermin
جانورشناس zoologist
جانورشناسی zoology
جانی[1] sincerely devoted
دشمن جانی bitter enemy
دوست جانی bosom friend
جانی[2] /ع./ criminal; murderer
جانی‌خانی [*obs.*] hair-sack
جاودان = جاوید(ان)
جاودانی eternal
جاوَرس /ع. فا./ = گاورس
جاوشیر /ع./ [از فا. گاوشیر] opopanax
جاوید(ان) [*adj.*] eternal; immortal; [*n.*] eternity
جاه rank, dignity
جاهد /ع./ diligent, industrious
جاه‌طلب /فا. ع./ ambitious [used in an ill sense]; greedy of honours
جاه‌طلبانه /فا. ع./ ambitiously
جاه‌طلبی /فا. ع./ greed for honours, ambitiousness
جاهل /ع./ ignorant
جاهلانه /ع. فا./ ignorantly
جاهلیت /ع./ the pagan state of the Arabs before Mohammad
جای = جا
جایز [از ع. جائز] permissible, allowable; revocable, voidablel:
عقد جایز
جایز دانستن to allow, to consider lawful
جایزالخطا /ع./ peccable, liable to sin *or* make a mistake
جایزه [جمع: جَوائز] /ع./ prize; premium; award
جایزه‌دار /ع. فا./ who has won a prize, laureate
جایگاه place, centre, station
جایگاه فروش بنزین filling station
جایگزین شدن to supersede *or* replace
جایگیر، جاگیر fixed, established; impressed
جایگیر کردن to fix; to impress
جایی [ناشایست] = مستراح
جبار /ع./ powerful; tyrannical; almighty; [*n.*] tyrant; oppressor; [*astr.*] the Orion
جبال [جمع جبل]
جبان /ع./ = ترسو timid, cowardly
جبر /ع./ constraint; oppression; fatalism; [*med.*] reduction
جبر و مقابله algebra
خاصیت جبر inertia
جبر کردن to use force
جبر کردن بر to oppress
جبراً /ع./ by force, compulsorily
جُبران /ع./ compensation, amends
جُبران کردن to make good, to compensate, to make amends for; to cover

جبران پذیر /ع. فا./ **that can be compensated, indemnifiable**
جبران ناپذیر /ع. فا./ **irreparable**
جبروت [ادبی] /ع./ **almightiness**
عالم جبروت celestial kingdom
جبری[1] /ص. ع./ **forced; algebraic**
جبری[2] [جمع: جبریون] /ا./ **fatalist**
جبرئیل، جبرائیل /ع. عب./ **Gabriel**
جبل [کمیاب، جمع: جِبال] /ع./ = کوه **mountain**
جبل‌الطارق /ع./ **Gibraltar**
جبلت [کمیاب] /ع./ **natural disposition**
جبلی /ع./ **natural, inborn**
جُبن /ع./ = ترس، ترسویی
جبون [صورت نادرستِ جبان]
جُبه /ع./ **tall gown, cloak**
جَبه [کمیاب] = زره
جبهه[1] /ع./ **front**
خدمت در جبهه active service
جبهه[2] [معنای حقیقی] /ع./ = پیشانی
جبیره [کمیاب، جمع: جبائر] /ع./ **splint**
جبین [ادبی] /ع./ **forehead, brow**
جبین در هم کشیدن to knit the brow
جبین گشادن to smooth the brow
جت /ان./ **jet(-propelled plane)**
جثه /ع./ **bulk(iness);** [*infml.*] **body**
جثه‌دار /ع. فا./ **bulky, huge**
جَحد [کمیاب] /ع./ **denial; negation**
جحد کردن to deny; to abjure one's faith
جحیم /ع./ = دوزخ، جهنم
جَخت [عامیانه] (only) **just**
جخت اگر ۳ سال داشته باشد. He is scarcely 3 years old.
جَدّ [جمع: اَجداد] /ع./ = نیا **grandfather, ancestor**
جدّ اعلی great grandfather
جِدّ /ع./ **endeavour**
جد کردن to try hard; to be dogmatic
جد و جهد great effort
به جد seriously, in earnest
جُدا [*adj.*] **separate; isolated; loose;** [*adv.*] **separately**
جُدا جُدا separate, one by one
جدا شدن to be separated
از هم جدا شدن to part with each other
جدا کردن to separate; to detach; to select
جِدّاً /ع./ **seriously, in earnest**
جداً می‌گوئید؟ Do you mean what you say?
جدابرگ /ص./ **loose-leaf**
جدار /ع./ **wall; partition; casing**
جداری
parietal: استخوان جداری
casing لوله جداری
جداشدنی **separable**
جداگانه **separate(ly)**
جدانشدنی **inseparable**
جدال /ع./ **dispute, debate; quarrel**
جدال کردن to dispute *or* quarrel
جداول [جمعِ جدول]
جدایی **separation; departure; parting**
جدل /ع./ **dispute, debate**
جدل کردن to dispute; to polemize
جدلی /ع./ **polemic; given to controversy**
جدوار /ع. فا./ = زدوار
جِدوگاه **withers**
جدوَل [جمع: جداوِل] /ع./ **table, schedule, list; kerb;** [*o.s.*] **brook**
جدول معمایی crossword puzzle; [*o.s.*] brook
جدول‌بندی /ع. فا./ **tabulation**
جدّه [مؤنثِ جد] /ع./ **ancestress, grandmother**
جِدّی /ع./ **serious; earnest; bona fide; energetic; conscientious**
شوخی را به درجهٔ جِدّی رسانید. He carried the joke too far.
جَدْی[1] /ع./ [*astr.*] **the Capricorn**
جَدْی[2] [کمیاب] /ع./ = بزغاله
جُدَی /ع./ **the Pole Star;** [*o.s.*] **small kid**
جدیت /ع./ **effort, endeavour**
جدیت کردن to effort
جَدید /ع./ **new; modern;** → تازه
جدیداً /ع./ **newly; recently**
جدیدالاحداث /ع./ = نوبنیاد
جدیدالاسلام /ع./ **new convert to Islam**
جدیدالبناء /ع./ = تازه ساز، تازه ساخت **new-built**
جدیدالنسق /ع./ **newly cultivated**
جدیدالورود /ع./ **newly-arrived**
جدیدالولاده /ع./ = نوزاد
جذاب /ع./ (very) **attractive**
جذابیت /ع./ **attractiveness**
جُذام /ع./ **black leprosy**
جذامی /ع./ **leprous**

جَذب /ع./ **attraction; absorption**
جذب کردن to attract; to absorb
جذبه /ع./ **rapture**
جذر [جمع: جُذور] /ع./ **square root**
جذر اصم surd, irrational
جذر مکعب cube root
جذر منطق rational root
جذری [*math.*] **radical**
جَرّ /ع./ **dragging, hauling;** → جریه
جرّ اثقال، جرثقیل crane
جرثقیل کابلی winch; → کابل
جِر [عامیانه] **fissure; foul play, backing out**
جر آمدن to play the woman
جر آوردن to infuriate, to make mad
جر دادن to tear with a noise
جر زدن [*game*] to back out, to cheat
جِرَم می‌گیرد it gets on my nerves, it gets my goat
جرأت /ع./ **courage**
جرأت دادن to give courage to, to embolden
به خود جرأت دادن to muster (up) one's courage
جرأت کردن to dare
به جرأت می‌توان گفت I dare say
جرّاح /ع./ **surgeon**
جراحت[1] /ع./ **pus;** → چرک
تولید جراحت suppuration
جراحت[2] [جمع: جراحات] /ع./ = زخم
جرّاحی /ع. فا./ **surgery**
عمل جراحی surgical operation
جرّار [ادبی] /ع./ **numerous; warlike**
جرائد [جمعِ جریده]
جرائم [جمعِ جریمه]

جَرب /ع./ (dry) **scab, mange**
کرم جَرب acarus
جُربز [از فا. گربز] /ع./ **sly** *or* **deceitful** (person)
جُربُزه **slyness;** [*infml.*] **capability**
جرثومه [کمیاب] /ع./ **germ; origin**
جِرجیس /ع./ **saint George**
جَرح /ع./ **wound(ing)**
جرح و تعدیل کردن to modify *or* adapt
جِرز **pier, pillar**
جرس [ادبی] /ع./ = زنگ **bell**
جرعه [ادبی] /ع./ **drink, draught, gulp, sip**
جرقه **spark**
جَرگه **circle, ring**
جرگه زدن to form a circle
جِرم [جمع: اَجرام] /ع./ **body; incrustation; mass;** → جسم
جرم آسمانی celestial body, orb
جرمِ دماغ cerebrum
جرمِ دماغ کبیر encephalon
جرم گرفتن to be covered with incrustation
جُرم /ع./ **crime, offence; fine**
جرم کردن to commit a crime; to fine
اعلام جرم بر علیه کسی کردن to lay an information against someone
جرمانه /ع. فا./ = جریمه
جرم‌شناسی /ع. فا./ **criminology**
جرنگ **jingling sound, clangour**
جــرنگی [زبان لاتی]، پــول‌ــ **جرنگی** **hard cash**
جُرّه **of medium size**

قوش جَرّه male falcon
مرغابی جُرّه teal
جَـری /ع./ **bold**
جَریان[1] /ع./ **flow(ing); course; current, draft; circulation;** [*med.*] **flux**
جَریان[2] /ع./ [*fig.*] **progress, conduct:** جریان امتحانات
جَریان[3] /ع./ **proceeding**
جریان داشتن to take place, to come to pass; to be in circulation
در جریان بودن to be under way; to be in circulation
در جریان اوضاع بودن to be acquainted with what is going on, to be up to date in affairs, to keep a breast of the times
جریانات [جمعِ جریان] /ع./ **incidents, circumstances**
جریب /ع./ (Iranian) **acre**
جریبا [کمیاب] **north-west wind**
جریحه /ع./ **wound**
جریحه‌دار /ع. فا./ **wounded**
جریدبازی /ع. فا./ **mock combat with lances; jousting**
جریده [جمع: جرائد] /ع./ **newspaper;** → روزنامه
جریده‌نگار /ع. فا./ **journalist**
جریده‌نگاری /ع. فا./ **journalism**
جَریمه [جمع: جرائم] /ع./ **fine, penalty**
جریمه کردن to fine
جرّیه /ع./ **Traction Service;** → جرّ
جُز، به‌جز **except; other than**
جز اینکه except that; unless
جز [عامیانه] **sizzling, frizz**
جزء [جمع: اجزاء] /ع./ **part, portion**

ذکر جزء و ارادهٔ کل metonymy
صورت جزء detailed statement
به جزء in detail
جزء ترکیبی ingredient [mostly in the plural form اجزاء]
جزا /ع./ **retribution, punishment; reward**
روز جزا Day of Judgement
جزای شرط [*gram.*] apodosis
جزا دادن (به) to reward; to punish
جزائر [جمعِ جزیره]
جزائی /ع./ = کیفری **penal**
جِزجِز [عامیانه] **sizzling; skirl** (in the pan)
جِزجِز کردن to sizzle
جُزدان /ع. فا./ **wallet; pocket-book**
جَزر /ع./ **ebb-tide**
جزر و مدّ /عف./ **tide, flow and ebb;** ← مدّ
جزع /ع./ **onyx; [*rare*] anxiety**
جَزَع [کمیاب] /ع./ **grief complaint**
جزغال **dripping, fried fat**
جزغاله[1] **burnt, fried**
جزغاله[2] = جزغال
جزم /ع./ (taking a) **definite decision, resolution**
عزم خودرا جزم‌کردن to resolve (upon doing something)
جزمی [کمیاب] /ع./ **dogmatic**
فلسفهٔ جزمی dogmatism
جزو /ع./ **part, ingredient**
جزوِ، در جزوِ among
جز و جمع /عف./ (tax) **rolls**
جز و وز [عامیانه] **sizzle**
جُزوه /ع. فا./ **fascicle; section**
جزوه‌جزوه in numbers; in pamphlets
جزوه‌دان /ع. فا./ **box-file**

جزیره [جمع: جَزایر] /ع./ **island**
جزیرةالعرب /ع./ **the Arabian Peninsula**
جزیل [کمیاب] /ع./ = فراوان، زیاد
جزیه /ع./ **poll-tax anciently paid in lieu of conversion to Islam; [*rare*] tribute**
جُزئی /ع./ **slight, little; trivial, petty, insignificant**
کسوف جزئی partial eclipse
جزئیات /ع./ **details**
جسارت /ع./ **boldness, presumption**
جسارت کردن، جسارت ورزیدن to venture; to presume; to take (the) liberty
جسارت‌آمیز /ع. فا./ **bold, presumptuous:** جواب جسارت‌آمیز
جسارتاً /ع./ **venturingly, presumptuously**
جسامت [کمیاب] /ع./ **bulkiness**
جِست **leap, jump**
جِست زدن to jump *or* leap
جستجو **search**
جستجو کردن to search, to make investigations; to look for
در جستجویِ in search of
جستن [بن‌مضارع: جِه] **to jump, to leap**
جستن از [*fig.*] to escape
بیخ گلو جستن [*food in the mouth*] to go the wrong way
مفت جست he had a narrow escape
جُستن [بن‌مضارع: جو(ی)] **to search, to seek; to find**
جست و خیز **leaping; caper**
جست و خیز کردن to leap

جسته [اسم‌مفعول فعل جستن]
جَسته‌جَسته **little by little; at odd moments; by catches**
جسته(و) گریخته **desultory; fragmentary; here and there**
جسد [جمع: اَجساد] /ع./ **body; corpse**
جِسر /ع./ **bridge; ferry-boat;** ← پل
جِسم [جمع: اَجسام] /ع./ **body; flesh; [*geom.*] solid**
جسماً /ع./ **physically; corporeally**
جسمانی /ع./ **corporeal; bodily; material, worldly**
جسمی /ع./ **corporeal; bodily**
جسمیت /ع./ **corporeality; [*rare*] substance**
جسور /ع./ **bold, daring; pert, saucy; presumptuous**
جسورانه /ع. فا.
[*adv.*] **boldly; pertly;** [*adj.*] **bold, presumptuous**
جسیم [ادبی] /ع./ **bulky, huge, massive; corpulent**
جَشن **celebration; festival**
جشن گرفتن to hold a celebration; to celebrate
جعبه /ع./ **box**
جعبه‌آئینه /ع. فا./ **showcase**
جعبه‌تقسیم /عف./ **junction box, distribution-box**
جعبهٔ خزانه /عف./ [*rifle*] **magazine**
جعبه‌دنده /ع. فا./ **gear-box**
جعد [ادبی] /ع./ **curl, lock of hair, ringlet**
جعفر [اسم‌خاص] /ع./ [*o.s.*] **small river**

جعفری /ع./ **parsley**
گل جعفری French marigold
زر جعفری pure variety of gold
مار جعفری adder, green viper
جعل[1] /ع./ **forging**
جعل اسناد forgery
جعل کردن to forge, to counterfeit
جعل[2] /ع./ **making, creating**
جعلق [زبان لاتی] **loutish, lumpish** *or* **stupid** (fellow)
جَعلی /ع./ **forged; fictitious**
جغتایی **old language of Central Asia, a branch of Turkish**
جغ‌جغ [عامیانه] **rattling noise**
جغجغه **rattle(-box); ratchet**
متهٔ جغجغه rattle brace
جغد **owl**
جغرافی = جغرافیا
جغرافیا /ع. ی./ **geography**
جغرافیادان **geographer**
جغرافیایی **greographical**
جِغله [عامیانه] **tiny child**
جغور بغور [عامیانه] **roasted pluck**
جغه = جقه
جفا[1] /ع./ **oppression** *or* **persecution**
جفا[2] [ادبی] **unkindness** *or* **unfaithfulness**
بر کسی جفا کردن to oppress someone; to treat someone unkindly
رضا به جفای معشوق masochism
جفاپیشه /ع. فا./ = ستمگر
جفّ القلم /ع./ **the pen** (that wrote the words of Fate) **has dried up,** *i.e.* **fate is unchangeable**

جفاکار [ادبی] /ع. فا./ = ستمگر
جَفت **tan-bark**
جُفت [*n.*] **pair; even number; mate, fellow;** [*adj.*] **even; double; associate**
جُفت آوردن to throw doublets
جفت زدن to leap
جفت شدن to pair; to fit
جفت شدن با to match, to go with
جفت کردن to couple *or* pair; to fit together; [*fig.*] to fabricate; to compose
جفت‌جفت in pairs, two by two
جفت جنین placenta
جفتک **fling(ing)**
جفتک زدن، جفتک انداختن to fling; to caper; [*fig.*] to kick *or* recalcitrate against (*or* at) rules/ etc.
جفتک‌چارکش **leapfrog**
جفته [کمیاب] = جفتک؛ کفل
جفتی [*adj.*] **double;** [*adv., infml.*] **two by two, in doubles**
جفتگیری **pairing, coupling**
جفتگیری کردن to pair, to couple
جفر /ع./ **arithmomancy**
جفن [جمع: اجفان] /ع./ = پلکِ چشم
جفنگ [عامیانه] [*n.*] **nonsense, rubbish;** [*adj.*] **nonsensical**
جفنی /ع./ **palpebral**
جقه /ت. فا./ **aigrette, tuft**
جک /ان./ **jack;** ⟵ خرک
جُکِر، جوکر /ان./ [*c.p.*] **joker;** ⟵ شوخ
جگر **liver;** [*fig.*] **courage, pluck, guts**

جگرسفید lung(s)
جگرسیاه liver
جگرم کباب شد. [عامیانه] I felt great sorrow (for him).
جگربند [ادبی] **the liver/ the heart and the lungs**
جگربند پیش زاغ نهادن [ادبی] to choose misery for oneself
جگرپاره، جگرگوشه **lobe of the ear;** [*fig.*] (dear) **child**
جگردار **plucky, courageous**
جگرسوز **heart-rending; painful**
جگرکی [عامیانه] **crimson**
جگری **hepatic; crimson**
جگن **osier; (bul)rush**
جلّ /ع./ **may he be glorified;** [*adj.*] **glorious**
حق جلّ و علا the Glorious and Most High God
جُل **horse-cloth, housing**
جل‌وَزَغ frogspawn; moss
جل و پلاس [زبان لاتی] things, chattels, outfit
جَلا[1] /ع./ **emigration, exile**
جلای وطن کردن to go into exile, to emigrate
جَلا[2] /ع./ **polish; lustre**
روغن جلا French polish, varnish
جلا دادن to polish
جُلاب [از فا. گلاب] **julep**
جلاجل [کمیاب، جمعِ جلجل] /ع./ **bells hung to an animal's neck**
مار جلاجل، مار زنگی rattle-snake
جلاد /ع./ **executioner**
جلاگر /ع. فا./ **polisher**
جلال [اسم‌خاص] /ع./ **glory**
جلالت /ع./ **dignity, glory**

جل‌الخالق /ع./ may the creator be glorified: said while admiring God's wonderful works
جَلْب /ع./ arrest; procuring
جلب کردن to arrest; to attract; to summon; to acquire
توجه کسی را جلب کردن to draw a person's attention
جَلَب[1] [زبان لاتی] base; deceitful; ⟵ زن جلب
جلب[2]، جلپ jalap
جُلبک alga, seaweed
جلت [زبان لاتی] rascal; trickish
جَلْد /ع./ quick(ly)
کبوتر جلد homing pigeon, homer
جِلد /ع./ [*rare*] skin; cover, binding; volume; copy: یک جلد آن را فروخت
شش جلد کتاب *six books*
جلد دومِ... است he is the dead image (*or* spit) of...
جلد کردن to bind, to furnish with a cover; to encase
در جلد نمی‌گنجد. He seems to tread in the air.
جلدگر /ع. فا./ = صحاف
جَلدی quickness, agility
جِلدی /ع./ cutaneous
بیماریهای جلدی skin diseases
جلز و ولز [زبان لاتی] frizz(le)
جلساء [جمعِ جلیس]
جلسات [جمعِ جلسه]
جلسه [جمع: جلسات] /ع./ session; sitting, meeting
جلف[1] /ص.ع./ frivolous; rude
جلف[2] /ع./ gay, [*infml.*] gaudy
جلف[3] [جمع: اَجلاف] /ا.ع./ [*n.*] frivolous *or* rude person; dandy

جلق، جرقه masturbation
جلق زدن to masturbate
جُلگه plain
جلنـار [ادبی] /ع. فا./ = گلنار
جلنگ، جلنگ‌جلنگ [عامیانه] clink(ing noise)
جلنگ کردن to clink
جِلو [*n.*] front (part); bridle; [*adv.*] forward; [*adj.*] ahead, advance(d); fast: ساعت جلو است
پول جلو advance money
جلوِ in front of, before
از کسی جلو افتادن to get ahead of someone, to get the start of someone, to leave someone behind, to get the upper hand of someone
جِلو انداختن to push forward; to promote
جلو آوردن to set forward (as a clock)
جلو زدن [*watch*] to gain
جلو زدن از[1] to outpace
جلو زدن از[2] [*vehicle*] to overtake
جلو کسی را گرفتن to restrain *or* control someone
جلو بردن to carry *or* push forward; to advance
جلوش ول شده است. He is unrestrained *or* lewd.
خوب از جلوش در آمدم. I treated him well. I gave him hot. I gave it to him hard.
جلوخان frontage, bay; forecourt
جلودار postillion; outrider; herald; van(guard)
جُلوس /ع./ accession (to the throne)
به تخت جُلوس کردن to come to *or* ascend the throne

جلوگرد single-breasted
جلوگیری prevention; anticipation; restraint, repression
جلوگیری از آبستنی birth-control
جلوگیری کردن از to prevent; to repress, to stop; to control
داروی جلوگیری prophylactic *or* preventive medicine
جلوه /ع./ manifestation; airs
جلوه کردن to show off, to set off; to display; to make a parade of; to cut a figure, to show, to have a show
جلوه گاه [ادبی] /ع. فا./ place where beauties are displayed; ⟵ حجله
جلوه گر /ع. فا./ appearing in full beauty; showy
جلویی situated in front
اطاق جلویی the front room
جَلیّ /ع./ manifest, clear
به خط جَلیّ in bold characters
جلیتقه /ر./ waistcoat, vest
جلیس [ادبی، جمع: جلسا، کمیاب] /ع./ = همنشین
جِلیدیه /ع./ = زجاجیه
جلیل [جمع: اجله] /ع./ great, glorious, honourable
جلیل‌القدر /ع./ (very) great *or* honourable
جم [صورت اختصاری جمشید]
جمّ [کمیاب] /ع./ = گروه، جمعیت
جماجم [جمعِ جمجمه]
جماد [جمع: جَمادات] /ع./ inanimate object; solid body
جمادی /ع./ inanimate, solid

جمادی‌الاخری /ع./ [sixth month of the Arabic lunar year]
جمادی‌الاولی /ع./ [fifth month of the Arabic lunar year]
جماز /ع./
swift-footed: شترجماز
جمازه /ع./ **dromedary**
جماع /ع./
sexual intercourse
جماع کردن to unite in sexual intercourse, to lie
جماعت [جمع: جماعات] /ع./
congregation, assembly; community
جَمال [اسم‌خاص] /ع./
beauty
جماهیر [جمعِ جمهور]
جمجمه [جمع: جماجم] /ع./
skull, cranium
براهین جمجمه ⟵ برهان
جمجمه‌شناسی /ع. فا./
craniology
جمشید [اسم‌خاص]
جَمع[1] /ع./ [*n.*] **crowd; number** (of people); **conjunction; receipt(s);** [*adj.*] **collected; compact**
حواسش جمع نیست.
He is absent-minded. He cannot concentrate.
جمع آوردن [ادبی] to gather together, to rally
جمع شدن to gather together; to assemble; to accumulate; to shrink
جمع کردن to gather, to assemble; to rally; to collect; to amass; to gather up; to add; to withdraw from circulation
جمع‌تر بنشینید! Close up!
جمع کل grand total
شیپور جمع
[*mil.*] assembly call

جَمع[2] /ع./ [*arith.*] **addition, sum, total**
جمع بستن، جمع زدن to add up, to count up; to do (*or* work) a sum
به جمعِ...گذاشتن to credit (a sum) to...
جَمع[3] /ع./ [*gram.*] **plural**
اسم جمع collective noun
جمعاً /ع./ **in all, totally**
جمع‌المال /ع./ **having things in common; intercommunal**
جمع‌آوری /ع. فا./
collecting, gathering
جمع‌آوری کردن to collect; to levy, to muster; to rally
جمع‌بندی /ع. فا./ **adding up**
جمع‌بندی‌کردن to add up, to totalize
جمعه /ع./ = آدینه **Friday**
جمعی /ع. فا./ **collective; cumulative**
رأی جمعی scrutin-de-liste, voting for several members (out of a list)
جمعیت /ع./ **crowd, mob; population; association**
جمعیتِ خاطر [ادبی] peace of mind, composure
جَمل [کمیاب] /ع./ = شتر
جُمل [جمعِ جمله]
جملگی /ع. فا./ **all, the whole crowd**
جُمله[1] /ع./ **the whole, all**
جُمله[2] [جمع: جمل] /ع./
[*gram.*] **sentence;** [*math.*] **term**
جُمله خریدن to buy in a lump
جمله فروختن
to deal (by) wholesale
از آن جمله among them
جمله کردن to integrate; to consolidate

جمله‌بندی /ع. فا./
phrasing, wording, phraseology
جُمود /ع./ **stiffness; congelation**
جمود مفصل stiffness of a joint; ankylosis
جمود نعش rigor mortis
جمهور [جمع: جماهیر] /ع./
the public; republic
جمهور اهل ادب
republic of letters
رئیس‌جمهور
president of a republic
جمهوری /ع. فا./ **republic**
جمهوریت /ع./
republicanism
جمهوری‌خواه /ع. فا./
republican
جمیع /ع./ (the) **whole, all;** ⟵ همه
جمیع مردم all people, everybody
جمیعاً /ع./
all; ⟵ تماماً، همه
جمیل /ع./ **handsome, beautiful; good, reputable**
جمیله [اسم‌خاص، مؤنثِ جمیل] /ع./
جنّ [اسم جمع جنی] /ع./
the genii *or* **fairies**
جناب /ع./ **excellency**
جناب آقایِ His Excellency
جنابت /ع./ **pollution**
جنابعالی[1] /عف./
Your Excellency
جنابعالی[2] [در تعارفات] = شما
جنات [جمعِ جنت]
جناح[1] [کمیاب، جمع: اجنحه، کمیاب] /ع./ = بال **wing**
جناح[2] /ع./ [*mil.*] **flank**
جناحی /ع./ **lateral; pertaining to the wing of an army; alar, wing-shaped**

جنازه /ع./ corpse; funeral
جناس /ع./ play on words, pun
جناغ wishing-bone
جناغ سینه sternum
جناغی herring-bone, forked: zigzag
جنان [جمعِ جنت، /ع./] /ع./
جنایت /ع./ felony, crime
جنایت‌آمیز /ع. فا./ felonious
جنایت‌کار /ع. فا./ criminal
جنایت‌کارانه /ع. فا./ feloniously
جنائی /ع./ criminal
جَنب /ع./ side, flank
جنبِ، در جنبِ next to
غشاء جنب ریه pleura
جُنب [بن مضارعِ جنبیدن]
جنب خوردن [عامیانه] to move
جُنُب /ع./ polluted, ceremonially unclean
جنباندن [بن مضارع: جنبان] to move; to shake; to wag; to nod
جنبش movement, motion; oscillation
جنبش دادن to move
جنبش کردن to start a movement
به جنبش در آوردن to set moving; to shake
جنبش‌پذیر movable; unstable
جنبش‌شناسی kinematics
جنبش‌ناپذیر unshakable, stable
جنبنده[1] [*adj.*] moving; oscillating; creeping
جنبنده[2] [جمع: جنبنده] /ا./ creeping animal, reptile
جَنبه /ع./ aspect, nature
جنبی /ع./ lateral
جُنبیدن [بن مضارع: جنب، بجنب] to move, to shake; to oscillate; to get a move on, to stir one's stump, to buck up
جنت[1] [کمیاب، جمع: جنات، جنان] /ع./ = باغ
جنت[2] /ع./ = بهشت
جنت‌مکان [ادبی] /ص. عف./ dwelling in paradise
جنجال tumult, jangle, brawl
جنجال راه انداختن [عامیانه] to kick up a row
جُنحه /ع./ misdemeanour
جُند castoreum
جِنده prostitute, harlot
جنده‌باز whoremonger
جنده‌بازی whoring, fornication
جنده‌خانه = فاحشه‌خانه
جِنس[1] /ع./ kind; genus; sex; stamp, quality
جنسِ آن بد است. *It is of an inferior quality.*
جِنس[2] [جمع: اَجناس] /ع./ goods, commodity *or* commodities
جنساً /ع./ in kind; with regard to quality; by nature
جنسی /ع./ sexual; generic
مالیات جنسی taxes in kind
جاذبهٔ جنسی sex appeal
جنسیت /ع./ sexuality
جنطیانا /ع. ل./ gentian
جنکه bull-calf (from 1 year to 3 years old)
جَنگ[1] war; quarrel
جنگِ تن‌به‌تن duel
جنگ کردن to fight, to wage (*or* make) war
جَنگ[2] [بن مضارعِ جنگیدن]
جُنگ (literary) miscellany *or* miscellanea
جنگ‌آزموده experienced in warfare
جنگاور warlike
جنگجو warlike, quarrelsome
جنگل forest, wood, jungle
جنگل مولیٰ incongruous community; thickset growth of hairs, wild tangled mass
علم احداث جنگل forestry
جنگلبان forester, woodman
جنگل‌بُری deforestation
جنگل‌دار = جنگلبان
جنگل‌داری، جنگلبانی forestry
جنگل‌نشین woodsman
جنگلی living *or* growing in the forest, wild
چوب جنگلی hardwood
درخت جنگلی forest-tree
آدم جنگلی orang-outang
جنگنده fighter
جنگولک‌بازی، جنقولک ـ بازی [زبان لاتی] monkey-business, dodging
جنگی martial; warlike
کشتیِ جنگی warship, man-of-war
جنگیدن [بن مضارع: جنگ] to fight, to wage war; to quarrel
جن‌گیر /ع. فا./ exorcist
جَـنَم [عامیانه] stamp, type
جنم آن را ندارد. He is not of that stamp (*or* type).
جنوب /ع./ south
در جنوبِ on the south of; in the southern part of
جنوب شرق south-east
جنوب غرب south-west
جنوباً /ع./ on the south
جنوب‌شرقی /عف./ south-eastern

جنوب غربی /عف./
south-western
جنوبی /ع./ **southern**
افریقای جنوبی South Africa
جنود [کمیاب، جمعِ جند(ی)] /ع./
soldiers, host; ← ربالجنود
جُنون /ع./ **insanity,**
lunacy; mania
جنون الکلی dipsomania
جنون خمری delirium tremens
جنون شهوانیزن nymphomania
جنون شهوانی مرد satyriasis
جنون عشق frenzy of love
جنی [جمع: اجنّه، جانّ] /ع./
[*n.*] **jinnee, genus, fairy;**
[*adj.*] **demoniac,possessed**
of an evil spirit
جنیبت [کمیاب، جمع: جنائب] /ع./
= اسب یدک **led horse**
جنین /ع./ **foetus**
اسقاط جنین abortion
جنین ساقط abortive foetus
جنین کاذب mola
جنینشناسی /ع. فا./
embryology
جنینکشی /ع. فا./ **foeticide**
جنینی /ع./ **foetal**
جو، جوی[1] **brook, stream**
به قیمت آب جو dirt-cheap
جو، جوی[2] [بن مضارعِ جستن]
جُو[1] **barley; barley-corn;**
[*fig.*] **particle, grain**
جو برهنه،جو دو سر، جو صحرایی
oats
جو[2] [بن مضارعِ جویدن]
جَوّ /ع./
هوا ← **atmosphere;**
علم کائنات جوّ = هواشناسی
جواب /ع./ = پاسخ **answer,**
reply
جواب سر جواب rejoinder
جواب دادن to answer,
to reply to; to meet
جواب کردن to dismiss;
to condemn, to pronounce
hopeless
در جوابِ in reply to
جواباً /ع./ **in reply**
جوابدِه، جوابگو /ع. فا./ =
مسئول
جوابگویی /ع. فا./ = مسئولیت
جوابی [مؤنث: جوابیه] /ع./
responsive
جواد [اسم خاص] /ع./
[*o.s.*] **generous**
جوار /ع./ **neighbourhood,**
vicinity
در جوارِ in the vicinity *or*
neighbourhood of, near
جوارح [جمع جارِحه،کمیاب] /ع./
members, limbs
جواز /ع./ = پروانه **permit,**
licence
جوال **large woollen sack**
جوال رفتن [زبان لاتی]
to grapple, to fight; to cope
با خرس به جوال رفتن
to catch a Tartar
جوالدوز **sack-maker**
سوزن جوالدوز packing needle
جوان [*adj.*] **young;**
[*n.*] **young person, youth**
جوان شدن، جوان کردن
to rejuvenate *or* rejuvenize
جوان ماندن
to wear one's years well
جوانب [جمعِ جانب]
جوانبخت **fortunate,**
promising
جوانک **youngster, lad**
جوانمرد **generous** *or*
brave youth
جوانمردانه **generously;**
bravely; gentlemanly
جوانمردی **generosity;**
manliness
جوانمرگ /ص./
dying in youth
جوان‌نما /ص./ **looking young**
جوانه **sprout, bud**
جوانه زدن to bud *or* sprout,
to germinate
جوانی **youth**
جوانی از سر گرفتن to rejuvenize
جواهر [جمعِ جوهر] /ع./
jewels, gems
جواهرآلات /عف./ **jewelled**
articles; *L.* **jewels**
جواهرتراش، جواهرساز
/ع. فا./ **lapidary, jeweller**
جواهرنشان /ع.فا./ = گوهرنشان
جواهری /ع. فا./ **jeweller**
جوائز [جمعِ جایزه]
جوجو = ساس
جُوجُو **grain by grain,**
little by little
جوجه **chicken**
جوجه‌تیغی **porcupine**
جوجه‌خروس **young cock,**
cockerel
جوجه‌کشی، جوجه‌سازی
incubation
اسباب جوجه‌کشی incubator
جوخه [*mil.*] **section**
جوخه‌یار **assistant patrol**
leader
جود /ع./ = بخشش، بخشندگی
جودانه **barley-corn**
کافور جودانه purified camphor
جودت [کمیاب] /ع./
good qualities, excellence;
bounty
جور [*n.*] **sort, kind; mate,**
pair, fellow; [*adj.*] **alike,**
similar; assorted;
harmonious
جور شدن to be assorted;
to become alike;
vi. to harmonize
جور کردن to assort,
to classify; to harmonize;
to pack (as cards)

صندلی با پرده جور نیست. The chair does not match the curtain.
چه جور what kind (of)?, how?, in what manner?, like hell!
چه جور پرنده‌ایست؟ *What kind of a bird is it?*
این‌جور thus, in this manner
این‌جور اشخاص such people
همه‌جور all sorts (of); in every way
جور به جور of all kinds, various
و چه جور هم with a vengeance, and no mistake
جُور /ع./ **oppression**
جور کردن بر to oppress
جور همه را می‌کشم. I will stand treat all round.
جوراب **sock *or* stocking, hose**
جوراب ساقه‌بلند stocking
جوراب‌باف **knitter** (of socks and stockings)
جوراب‌بافی **knitting** (of socks and stockings)
جوراب‌فروش **dealer in socks and stockings, hosier**
جوربه‌جور ← جور
جوری **assortment; similarity**
جوز /ع./ **nut(s); walnut;** ← گردو
جوز بویا، جوز هندی nutmeg
پوست جوز بویا، گل‌جوز بویا mace
جوهر جوز بویا myristic acid
جوز سرو cypress-cone
جوز کلاغ pine-cone
جوز کوثل gardenia
جوز مائل stramonium
جوزاء[1] /ع./ = دوپیکر
جوزاء[2] /ع./ **old name of** خرداد

جوز(ا)غند /ع. فا./ [dried apricots *or* peaches stuffed with pulverized walnut and sugar]
جوزالقی /ع./ **nux vomica**
جوزآور /ع. فا./ **coniferous**
جوزق /ع. فا./ **cotton-pod**
جوزک /ع. فا./ **Adam's apple**
جوش[1] **boiling; fermentation; cinder, slag, scoria; welding; skin eruption; granulation**
جوش اکسیژن oxygen acetylene welding
جوش ترش tartaric acid
جوش زغال‌سنگ clinker
جوش شیرین sodium bicarbonate, soda
جوش صورت acne, pimple
جوش و خروش fermentation, foam(ing), effervescence
(به) جوش آمدن to boil
خونش به جوش آمده است. His blood is up.
(به) جوش آوردن to cause to boil
خون کسی را به جوش آوردن to stir one's blood
جوش دادن to weld; to cause to heal up; to conciliate; to boil
جوش خوردن to weld; to heal up; to grow together; [*fig.*] to be settled *or* conciliated
جوش زدن to boil; to effervesce; [*fig.*] to fret, to (roar with) worry
از جوش افتادن to cease boiling
آب جوش boiling water
جوش[2] [بن مضارعِ جوشیدن]
جوشان[1] /ص./ **boiling**
جوشان[2] [بن مضارعِ جوشاندن]

جوشاندن [بن‌مضارع: جوشان] **to boil**
جوشانده[1] **ptisan, decoction**
جوشانده[2] [اسم‌مفعول فعل جوشاندن]
جوشش **enthusiasm, effort**
جوشکار، جوشگر **welder**
جوشکاری، خوشگری **welding**
جوشن [ادبی] **cuirass**
جوّشناس /ع. فا./ = هواشناس
جوشیدن [بن‌مضارع: جوش] **to boil; to gush;** [*fig.*] **to be agitated;** ← جوش زدن
جوشیده [اسم‌مفعول فعل جوشیدن] **boiled:** آب جوشیده
جوع /ع./ = گرسنگی **hunger**
جوع بقری، جوع کلبی bulimia, polyphagia
جوف /ع./ **cavity, hollow; interior**
در جوفِ inside, enclosed with
ورمِ جوف دهان stomatitis
جوفاً /ع./ (herewith) **enclosed**
جوفروش **barley-dealer**
جوفروش گندم‌نما who cries wine and sells vinegar
جوقه[1] /ع. فا./ **crowd**
جوقه[2] /ع. فا./ = جوخه
جوکر /ان./ **joker;** ← شوخ
جوکی [عامیانه] **stingy;** ← خسیس
جوگندُمی **half-grey:** ریش جوگندمی
جولان /ع./ **flaunt, parade, career**
جولان دادن to career; to run across a race course; to show off
جولانگاه [کمیاب] /ع. فا./ **circus; hippodrome**

جولاه **weaver; knitter**

جونده[1] /ص./ [*adj.*] **chewing**

جونده[2] [جمع: جوندگان] /ا./ **rodent**

جونه گاو، جوانه گاو **young ox**

جوهر [از فا. گوهر] /ع./ **essence, substance; nature; dyestuff; ink** (containing a coloring matter); [*fig.*] **efficiency, natural ability**

جوهر آبلیمو citric acid

جوهر بزاق diastase

جوهر فرد[1] monad

جوهر فرد[2] atom

جوهر مخدر افیون narcotine

جوهر مسکن افیون codeine

جوهر منوّم افیون morphine

جوهری /ع. فا./ **aniline;** ← گوهری

جوی ← جو

جوّی /ع./ **atmospheric; meteoric**

جویا شدن **to inquire**

جویا شدن از to inquire about

جویبار **place abounding in streams;** [*rare*] **brook**

جویدن [بن‌مضارع: جو] **to chew; to gnaw**

جویده [اسم‌مفعول فعل جویدن] **chewed**

جویده حرف زدن to mutter *or* mumble

جوین [ادبی] **made of barley**

نان جوین barley bread

جوینده [جمع: جویندگان] **seeker**

جوینده یابنده است. Who seeks will find. He that seeketh findeth.

جه [بن‌مضارعِ جهیدن]

جهات [جمعِ جهت]

جهاد /ع./ **holy war**

جهاز[1] [جمع: جهازات] /ع./ **ship; apparatus; dowry, dower; rigging;** [*camel*] **saddle;** ← کشتی

جهاز[2] [*anat.*] **organ; system**

جهال [جمعِ جاهل، /ع./] **the ignorant**

جهالت /ع./ **ignorance**

جهان[1] [ادبی] **world;** ← دنیا

جهان[2] [ادبی] **leaping;** [*fig.*] **transient**

جهان‌آفرین [ادبی] **creator of the world**

جهانتاب [ادبی] /ص./ **illuminating the world:** آفتاب جهانتاب

جهاندیده (one) **who has travelled very much; experienced** (tourist)

جهانگرد **tourist**

جهانگردی **travelling over the world**

جهان‌مطاع [ادبی] /فا. ع./ **universally obeyed**

جهان‌نما **cosmorama; stereoscope; planisphere**

جهانی **world-wide:** شهرت جهانی ; [*rare*] **worldly;** [*rare*] **mortal**

جهانیان **inhabitants of the world, mortals;** ← جهانی

جهاندن، جهانیدن [بن‌مضارع: جهان] **to cause to leap** *or* **escape**

جَهت [جمع: جهات] /ع./ **direction, side; cause; respect**

جهاتِ چهارگانه the four cardinal points

به‌چه جهت؟ for what reason?, why?

(به) جهتِ for, for the sake of

از این جهت for this respect, therefore

به جهت اینکه، از این جهت که because

از جهتِ for; with regard to

به جهاتی for certain reasons

به هر جهت at any rate, anyhow

از هر جهت in every respect

جَهد /ع./ = کوشش **effort, endeavour**

جَهد کردن to endeavour

جهراً /ع./ **publicly, openly**

جهره **reel, skein-winder**

جهش **leap(ing), jump;** [*biology*] **mutation**

جهل /ع./ = نادانی **ignorance**

جهلاء [جمعِ جاهل، /ع./] **the ignorant**

جهندگی **resilience; elasticity**

جهنده **jumping; resilient; elastic; salient**

جهنم /ع. عب./ **hell!**

به جهنم hell with it!, never mind; I don't care a fig

سر به جهنم زدن [عامیانه] to come to an exorbitant amount

سنگ جهنم silver nitrate

سنگ جهنم قلمی pencil of silver nitrate, lunar caustic

جهنم شو! hell with you!, go to hell!, get off!

جهنمی /ع. فا./ **infernal;** [*met.*] **damned**

جُهود = یهودی

جهودانه [کمیاب] **sausage**

جهول [کمیاب] /ع./ **very ignorant**

جهیدن [بن‌مضارع: جه] **to leap, to jump**

جهیدن از to escape

جهیز، جهیزیه /ع./ **dowry, dower;** ← جهاز

جیب **pocket; opening in the collar;** [*geom.*] **sine**

جیب بغل ← بغل

جیب ساعتی watch pocket, fob

جیب تمام cosine

جیب مقلوب reversed sine

به جیب زدن [زبان لاتی] to pocket *or* appropriate

پول جیبی pocket-money

جیب‌بر /ع. فا./ **pickpocket**

جیپ /ان./ **jeep**

جیحون /ع./ = آمودریا

جید /ع./ **benign**

جیر **suède, chamois *or* shammy, wash-leather**

جیرجیر **chirp; chirr**

جیرجیر کردن to chirp *or* chirr

جیرجیرک **cricket**

جیرجیرک دشتی cicada

جیرو /ای./ = پشت‌نویسی

جیره **ration**

جیره دادن (به) to ration

جیره‌بندی **rationing** (system)

جیش [کمیاب، جمع: جُیوش] /ع./ = لشکر

جیغ **scream**

جیغ زدن، جیغ کشیدن to scream; to squeak

جیفه /ع./ **carcase**

جیفهٔ دنیا mammon, pelf, yellow dirt

جیک، جیک جیک [عامیانه] **peep *or* chirp**

جیک زدن to dare to speak, to breathe

دیگر حالا جیک نمی‌زند. He sings small now.

جیک‌جیک [عامیانه] **chirp; peep**

جیک‌جیک کردن to chirp; to peep

جیک و بُک **the two larger surfaces of the astragalus;** [*fig.*] **ins and outs, secrets**

جیم شدن [زبان لاتی] **to sneak out**

جین [صورت اختصاری دوجین] **dozen** [now often = ten]

جیوش [جمعِ جیش]

جیوه **mercury, quicksilver**

جیوه زدن (به) to silver (as a mirror)

جیوه‌ای **mercurial; hydrargyric**

چابُک **nimble, agile, quick**
چابک‌دست **clever, dexterous**
چابک‌سوار = سوارکار
چابُکی **agility, nimbleness**
چاپ /ت./ (from Chinese) **impression, print; edition:** چاپ دوّم
چاپ خوردن to be printed
سه چاپ خورد *it ran into three editions*
چاپ زدن to print; [*fig.*] to fabricate, to invent
چاپ کردن to print *or* publish; to print off
چاپ سربی typography
چاپ سنگی lithography
حروف چاپ type, print
زیر چاپ in the press, in print
ماشین چاپ printing machine, press
چاپار /ت./ **courier**
چاپچی [عامیانه] /ت./ **impostor; charlatan**
چاپخانه /ت. فا./ **printing-house, press**
چاپلوس **flatterer**
چاپلوسانه **flatteringly**
چاپلوسی **flattery**
چاپلوسی کردن to flatter
چاپی **printed**
مواد چاپی printed *or* printing material, print
چاپیدن [بن مضارع: چاپ] **to plunder**
چاتمه /ت./ **stack, pile** (of arms)
چاتمه زدن to pile arms
چاچول‌باز **quack, charlatan**
چاچول‌بازی **charlatanry**
چاخان [زبان لاتی] **boasting, bragging; braggart, quack**
چاخان کردن to play the quack; to flatter; to draw the long bow
چادُر **tent; awning; large veil worn by a woman to cover her body and dress**
چادر قلندری bell-tent, gypsy-tent
چادر زدن to pitch a tent
چادرشب [wrapper for bed clothes]
چادرنشین **tent-dweller, nomad**
چادرنماز [veil worn by women when they are indoors especially when they say their prayers]
چار [در ترکیب] = چهار
چارآئینه **caparison**
چاربَر **quadrilateral**
چاربند **the hips**
چارپا [جمع: چارپایان] **quadruped**
چارپادار **driver of beasts of burden, carrier, sumpter**
چارپاره **lead ball, buckshot**
چارپایه **stool**
دندان چارپایه molar tooth
چارپر **case-bottle**
چارپهلو **four-sided, quadrilateral**
چارترک، چهارترک **four-sided**
شیروانی چارترک mansard roof
چارچار [period of eight days in midwinter]
چارچوب (wooden) **frame**
چاردانگ [کمیاب] **of medium size;** [*o.s.*] **two-thirds**
قوش چاردانگ tercel, male falcon
چاردیواری ← چهاردیواری
چارراه، چهارراه **crossroads**
چارزانو **with legs crossed**
چارسو **crossroads**
چارشانه **square-shouldered**
چارشکاف، چهارشکاف **crucial incision**
چارشکاف کردن to make a crucial incision in
چارطاق **flung open; wide open**
چارطاقی **pent-house, lean-to**
چارطبع [ادبی، کمیاب] /فا. ع./ **the four temperaments**
چارغ، چارق = چاروغ
چـارک = چهاریک **quarter; old weight = 750 grammes**
چارگوش، چارگوشه [*adj.*] **quadrangular;** [*n.*] **quadrangle, square**
چارمیخ **cross**
به چارمیخ کشیدن to crucify
چارمیخ کردن [عامیانه] to confirm *or* corroborate; to silence *or* refute

چارنعل /فا. ع./ **gallop**
چارنعل رفتن to gallop
چاروادار [عامیانه] = چارپادار
چاروغ، چاروق
[shoe consisting of a piece of hide and a few thongs]
چاروناچار، چارناچار
of necessity, nolens volens
چاره **remedy; cure**
چاره کردن to remedy
چاره‌ای نیست، چاره ندارد
it cannot be helped, there is no alternative
چاره‌اش نمی‌شود. [عامیانه]
He is incorrigible.
چاره‌پذیر **remediable**
چاره‌جوئی **seeking a remedy**
چاره‌جوئی کردن to seek a remedy
چاره‌ناپذیر **irremediable; inevitable**
چاریک، چهاریک **quarter, one-fourth**
چاشت **middle hour of the forenoon;** [*rare*] **early lunch**
چاشنی **percussion-cap; detonator; sauce; (fore)taste; relish**
چاشنی زدن
to season with a sauce
چاق /ت./ **fat**
چاق شدن to grow fat, to put on weight; [*infml.*] to be cured
چاق کردن to fatten; to cure; [*infml.*] to prepare for smoking
چاق و چله [عامیانه] plump
چاقو /ت./ **knife**
چاقو دسته کردن to squat (oneself) down; [*o.s., rare*] to shut a knife
چاقو کشیدن to (threaten to) knife someone, to stab at someone

چاقوتیزکن /ت. فا./
knife-grinder
چاقوکش /ت. فا./
ruffian (armed with a knife), **cosh-boy**
چاقوکشی /ت. فا./
(hooligan's practice of) **knifing** *or* **stabbing**
چاقی /ت. فا./ **fatness; obesity**
چاک **rent; slit; cleft, fissure**
چاک‌صوت، چاک‌نای glottis
چاک زدن، چاک کردن، چاک دادن
to tear; to slit
به‌چاک جاده زدن [زبان لاتی]
to tramp it, to pad the hoof
بزن به چاک! [زبان لاتی]
Buzz off!, hop it!, scram!
چاک‌چاک [ادبی] **full of slits**
چاکر **servant;** [*p.c.*] **your obedient servant,** *i.e.* **I**
چاکری [*rare*] **servitude; devotion**
چال **hollow, pit**
چال کردن [توهین‌آمیز] to bury
چالاک [ادبی] **nimble, quick**
چالاکی **nimbleness, agility**
چاله **hollow, pit**
چانه **chin**
چانه زدن to haggle, to bargain
چاودار /ت./ **rye**
چاوُش، چاووش /ت./
herald; mace-bearer; leader of a caravan
چاه **well; pit**
چاه زنخدان dimple
چاه مستراح cesspool
چاه هوائی air-pocket
چاه کندن to sink/ drill *or* dig a well
چاهک **soak-away-pit; sink; sump**
چاه‌کن **well-digger, sinker**
چاه‌کنی **well-drilling**

چای، چایی [از ریشه چینی] **tea**
گل چای tea-rose
چای‌خوری، فنجان/ چای‌خوری **tea-cup**
روزی دو فنجان چای‌خوری
two tea-cupfuls a day
چای‌دان **(tea-)caddy**
چای‌صاف‌کن /فا. ع./
tea-strainer
چائیدن [بن‌مضارع: چای]
to catch cold; to cool
چائیمان **chill, cold**
چپ **left;** [*eyes*] **squint**
دست چپ بروید!
Keep to the left!
به‌چپ‌چپ! ***Left face!***
چپ نگاه کردن
to look daggers (at)
با کسی چپ افتادن to fall out *or* be at loggerheads with someone
از دندهٔ چپ پا شدن to get out of bed on the wrong side
چپانیدن **to cram, to jam, to thrust**
چپاول /ت./، **چپو** [عامیانه] = غارت
چپ‌چپی **cornel, dogwood**
چپ‌چشم **squint-eyed**
چپ‌دست **left-handed**
چَپر[۱] **wattle, hurdle of wattled twigs**
چَپر[۲] = چاپار
چپراست، چپراس **clasp; buckle**
چپق [از ت. چبوق] **pipe with a long stem**
چَپه [عامیانه] **capsized**
چپه شدن، چپه کردن to capsize
چپیدن [بن‌مضارع: چپ]
to be crammed *or* **packed into a small space; to press together; to thrust**
چتائی /هـ./ **jute**

چتر **umbrella**
چتر نجات parachute
چتر زلف bang
چتر زنانه parasol
چتر انداختن، چتر زدن to strut (as a peacock)
چترباز **parachutist**
چترک **umbellule; spleenwort**
چتری [*bot.*] **umbelliferous**
آرایش چتری umbel
ضمیمهٔ چتری umbraculum
چتکه /ر./ **abacus**
چخماق [از ت. چقماق] **steel for striking a light; hammer** *or* **cock of a gun**
سنگ چخماق flint, silex
تفنگ چخماقی flintgun
چُدن **cast iron**
چدن‌ریزی **foundry**
چدنی **made of cast iron**
چر [بن مضارعِ چریدن]
چرا؟[1] **why?**
چرا[2] **yes** [affirmative reply to a negative]
چراکه = زیرا که
چَرا **grazing**
چراکردن = چریدن
چراغ **lamp, light**
چراغ جلو headlight
چراغ خطر stop-light
چراغ راهنما[1] traffic-light
چراغ راهنما[2] indicator
چراغ عقب tail-light
چراغ موشی lampion
روغن چراغ (unclarified) castor-oil
چراغان کردن **to illuminate**
چراغ آویز **lustre**
چراغ روشن [عامیانه] **at dusk**
چـراگاه **pasture, pasturage**
چراندن، چرانیدن **to** (cause to) **graze** *or* **pasture**
چرب **fat; oily, greasy**

چرب کردن to oil, to lubricate; to anoint; to make rich (as food); to allow to exceed the due weight, to give the baker's dozen
چرب‌زبان **glib-tongued**
چرب و چیل [زبان لاتی] **fat, rich in fat**
چرب و نرم **honeyed, glib; sleek**
چربه **tracing-paper, oil-paper**
چربی **fatness; fat, grease**
چربیدن [بن مضارع: چرب] **to exceed the due weight, to preponderate, to turn the scale**
زورش به من می‌چربد. He prevails over me in force.
چرت، چرت‌وپرت [زبان‌لاتی] **irrelevant talk, nonsense**
چُرت **nap, slumber, forty winks**
چرت زدن to take a nap; to doze off, to nod, to drowse
چرت کسی را پاره کردن [عامیانه] to give one a start, to interrupt his day-dream
چرتنه [کمیاب] **octopus**
چرتی [عامیانه] **given to dozing**
چَرخ[1] **wheel; machine; vehicle; cart; turn, whirl;** *L.* **bicycle;** [*fig.*] **firmament; fate, fortune**
چرخ خیاطی sewing machine
چرخ دستی[1] trolley
چرخ دستی[2]، چرخ خاک‌کشی wheel-barrow
چرخ کردن[1] to mince; to sew in a sewing-machine
چرخ کردن[2]، چرخ گذاشتن to burr (as a tooth)

چرخ خوردن to turn round and round, to whirl, to spin
چرخ دادن = چرخاندن
چرخ زدن to turn *or* spin; to whirl
چرخ و فلک[1] girandole, sun-and-planet wheel
چرخ و فلک[2] merry-go-round
چهارچرخه four-wheeled
چرخ[2] [بن مضارعِ چرخیدن]
چرخاندن **to turn round; to spin; to rotate**
چرخچی /فا. ت./ **carter**
چرخ‌دار **wheeled**
صندلی چرخ‌دار، صندلی گردنده[1] wheel-chair
صندلی چرخ‌دار، صندلی گردنده[2] swivel-chair
میز چرخدار trolley
چرخ‌ریسک **titmouse**
چرخ‌ساز **wheelwright**
چرخ‌سواری **cycling**
چرخش **rotation**
چرخشت **wine-press**
چرخک **reel; rowel; trundle**
چرخکار **machine-operator; turner**
چرخه **reel; rotation**
چرخی [عامیانه] [*adj.*] **machine-made; circular; churned;** [*n.*] **carter**
چرخیدن [بن مضارع: چرخ] **to rotate; to spin; to turn; to whirl**
چرس **Indian hemp-juice**
چرغ **lanner(et); kestrel**
چِـرک [*n.*] **dirt; pus;** [*adj.*] **dirty**
چرک گوش ear-wax, cerumen; [*med.*] otorrhea
چرک شدن to get dirty
چرک کردن to soil, to make dirty

چرک نشستن، چرک کردن to suppurate
چرک گرفتن = چرک شدن
چرکِ... را گرفتن to clean, to dry-clean, to remove the dirt of...
چرک‌تاب [of a colour that does not show the dirt]
چرک‌نویس **rough copy, draft**
چرکه [صورت نادرست چتکه]
چرکین [ادبی] **dirty**
چرکین کردن to make dirty; [*fig.*] to disgrace
چَرم **leather; hide**
چرم‌ساز **currier**
چرم‌سازی **curriery**
چرمی **leathern, of leather**
چرمین [ادبی] = چرمی
چرند [عامیانه]، **چرند و پرند** [زبان لاتی] **nonsense, balderdash**
چرند گفتن to talk nonsense
چرنده [جمع: چرندگان] **grazing** (animal), **beast**
چریدن [بن‌مضارع: چر] **to graze, to pasture**
چریک /ت./ **irregular troops**
چزیدن [عامیانه] **to burn;** [*fig.*] **to implore earnestly**
چِسان [ادبی] = چگونه، چطور
چسان‌فسان کردن [زبان لاتی] **to tog oneself up (*or* out)**
چَسب[1] **paste, gum, glue, mucilage; sticking-plaster**
چَسب[2] [بن‌مضارعِ چسبیدن]
چسبان[1] **close-fitting**
چسبان[2] = چسبیده
چسبان[3] [بن‌مضارعِ چسباندن]
چسبانده [اسم‌مفعول فعل چسباندن]
چسباندن **to stick; to cause to adhere; to sew on** (as a button)
به دیوار چسباندن to paste up

چسبناک **sticky**
چسبندگی **adhesiveness; tenacity**
چسبنده **sticky, adhesive; tenacious**
چسبیدن [بن‌مضارع: چسب] **to stick; to cling; to adhere**
به او نمی‌چسبد. I can't see him having done it, his withers are unwrung
چسبیده [اسم‌مفعول فعل چسبیدن]
چست [ادبی] **quick, nimble**
چسِ‌فیل **pop-corn, puffed maize**
چشان [بن‌مضارعِ چشانیدن]
چشانیدن **to cause to taste**
چشایی **sense of taste**
چشته [کمیاب] **food given to hunting animals; whet, little food as a taste**
چشته‌خوار [ادبی] (person) **spoiled by too much kindness** (originally by being fed too much or too often)
چَشم، به‌چَشم! [*interj.*] **right oh!, very well!**
چِشم [*n.*] **eye;** [*fig.*] **expectation, hope**
چشم پوشیدن از to renounce; to connive at, to tolerate
چشم داشتن to expect *or* hope
چشم زدن to influence by an evil eye
چشم کسی را بستن to blindfold someone
با دو چشم دیدن to make a difference between
چشم چیدن to counteract (the effect of) an evil eye
چشم خوش باز نکردن to lead a dog's life
چشمش به دست شما است. He is looking forward to you.
چشمم آب نمی‌خورد. I have little hope in that. I doubt it very much. I wonder

چشم بد دور!، چشم شیطان کور! Touch wood!
چشمم به دست او است. I depend on him.
چشم شما روشن، چشم ما روشن I congratulate you (for the arrival of such a one)
چشم برهم زدن to wink (the eyes), to bat an eyelid
به‌یک چشم برهم زدن in the twinkling of an eye
تا چشمش هم کور شود that serves him right
تا چشم کار می‌کند as far as the eye can reach
چشم‌انداز **view, perspective; outlook**
چشم‌بسته **blindfold(ed);** چشم و گوش بسته ←
چشم‌بند **conjuror, juggler; blinkers**
چشم‌بندی **conjuring**
چشم‌به راه **waiting impatiently, kept waiting**
چشم‌پزشک **oculist, ophthalmologist**
چشم‌پوشی **connivance; renouncement**
چشم‌ترسیده **scared, deterred, discouraged**
چشم‌چرانی **gloating** (from lust)
چشمخانه [ادبی] **eye-socket, orbit of the eye**
چشم خروس **Indian licorice**
چشم‌داشت **prospect, hope**
چشم‌درد **sore eyes, ophthalmia**
چشم‌درشت **ox-eyed**
چشم‌دریده **impudent**
چشم‌رس **purview, eyeshot**
چشم‌روشنی **present**

چشم‌زخم injury caused
by an evil eye
چشم‌غرّه [عامیانه] glaring,
glare
به کسی چشم غرّه رفتن to glare at
someone, to look at him
menacingly
چشمک wink, twinkling
چشمک زدن to wink, to twinkle
چشم و گوش‌باز sophisticated
چشم و گوش‌بسته
unsophisticated
چشم و هم‌چشمی [عامیانه] = هم‌چشمی
چشمه spring, fountain;
source; opening; span (of a
bridge); eyelet, mesh
چشمهٔ آب گرم thermal spring
چشمه‌دوزی meshwork
چشیدن [بن مضارع: چش]
to taste
چطور ← طور
چغر [عامیانه] tough
چُغلی tale-bearing
چغلی کردن to tell tales
چغندر، چقندر beetroot
چغیدن [کمیاب] to breathe
چِفت hasp
چِفت کردن to hasp,
to fasten by a hasp
چفته trellis, vine-prop
چقدر ← قدر
چقماق ← چخماق
چَک[1] slap, box on the ear
چَک[2] drop; ← چکه
چَک[3] [بن مضارع چکیدن]
چِک /از ان. یا فر./ cheque
چِک کشیدن to draw (a cheque)
چَکاچاک [ادبی]
clank(ing noise)
چکامه [ادبی] = قصیده
چکان [بن مضارع چکاندن]
چکاندن، چکانیدن
to cause to drop *or* trickle

چکاوک lark
چک‌چک drop by drop
چک‌چک کردن to fall in drops
چَکچکی stone-chat
چکر /ان./ chequers,
draughts
چکش /ت./ hammer
چکش چوبی mallet
چکش در knocker
چکش برق distributor rotor
چکش دوشاخ claw-hammer
چکش دق [*med.*] plexor
چکش خوردن to be hammered
چکش زدن to hammer;
to malleate
چکش‌خور /ت. فا./ malleable
چکشی[1] /ص./
hammer-hardened
نبض چکشی dicrotic pulse
چکشی کردن to hack,
to dress with a hammer
چکشی[2] /ق./ harshly,
in a stiff manner
جواب چکشی [عامیانه]
harsh answer
چکمه /ت./ high boots,
riding boots, wellingtons
چکمه‌دوز /ت. فا./ bootmaker
چک و چانه [زبان لاتی]
chops *or* jaws; haggling
چکمیزک strangury
چکه drop
چِکه کردن to leak
سقف چکه کرده است. The rain
has seeped (*or* soaked)
through the roof.
چکی by the job
چکیدن [بن مضارع: چک]
to drip; to trickle
آب از دستش نمی‌چکد.
He is close-fisted.
چِکیده [*adj.*] distilled;
dropped; [*n.*] extract; distillate
چگال dense

چگالی density
چگونگی quality;
circumstance
چگونگی امر fact(s)
چگونه how?; ← گونه
چِل [عامیانه] half-witted
چُلاق crippled, lame
چلاق کردن to cripple, to maim
چلاندن [بن مضارع: چلان]
to squeeze, to press
چَلپاسه small lizard
چلتوک /ت./ paddy
چلچراغ chandelier
چلچله = پرستوک
چلچلی [زبان لاتی]
youthful and wild acts
چلچلی خود را کردن to sow one's
wild oats
چلر beech
چلمن [زبان لاتی] nincompoop
چلنگر /ت./ locksmith
چلو plain boiled rice
چلوار [از "چل" (۴۰) + "وار" صورت
نادرست yard] longcloth,
white cambric
چلوصاف‌کن /ع. فا./ strainer
چلّه period of 40 days
especially of retirement and
asceticism *or* of fasting;
bowstring; selvage
چلیپا [از ع. صلیب] cross
چلیپائی [*bot.*] cruciferous
چلیک drum, cask
چم [بن مضارع چمیدن]
چماق /ت./ club, mace
چمچه ladle, scoop
چمدان [صورت نادرست جامه‌دان]
suit-case, trunk
چمن lawn, grass
چمن‌بُر lawn-mower
چمنزار grass-plot, lawn
چمنی grass-green
چم و خم [زبان لاتی] coquettish
elegance; knack, trick

چموش **mulish, vicious**
چمیدن [ادبی، بن‌مضارع: چم] **to strut; to flaunt**
چنار **plane-tree**
چنان [*adj.*] **such** (as that); [*adv.*] **such, so, thus;** [*prep.*] **like**
چنانچه[1] **in the event that, if**
چنانچه[2] = چنان‌که
چنان‌که = به‌طوری که **as**
چنباتمه /ت./ **squatting posture**
چنباتمه زدن to squat
چنبر **hoop; loop; circle; dog's collar;** [*anat.*] **clavicle**
چرخ کسی را چنبر کردن to queer someone's pitch, to harass ***or*** worry him
چنبره **circle; coil; bend; pad** (used by porters); **air-cushion;** [*ear*] **helix**
چنبره زدن to wreathe oneself
چنبری **circular; curved**
چنته /ت./ **satchel, bag**
چنته‌اش خالی شد. He is (***or*** was) at the end of his tether.
چَند **some, several, a few; how many?,** [*money*] **how much?,** [*lit.*] **how long?**
چندتا؟ [*pron.*] how many?
چندی for some time; a little while
چندی است که for some time past
یک چند [ادبی] for a while; a few
تا چند [ادبی] how long?
چند وقت پیش، چندی پیش
sometime ago
چند وقت است که ...؟
how long is it since...?
چند درصد، صدی چند
how many per cent?
چندان **so; so many; so much**
چندان سرد نیست.
It is not so (very) ***cold.***
ده چندان ten times as many (***or*** as much)
نه چندان not so very; not so much (***or*** many)
چندان که [ادبی] as much as, as many as
چندبرابر **manifold, several times as much (*or* as many)**
چندجمله‌ای /فا.ع./
polynomial
چنددرصد **percentage**
چندروزه **of short duration, short-lived, precarious**
چندش **horripilation, goose-flesh**
چندک زدن [عامیانه] **to squat, to crouch**
چندگوشه **many-cornered, polygonal**
چندوجهی، چندسطحی /فا.ع./ **polyhedral**
جسم چندوجهی polyhedron
چندی **quantity**
چندین **many; so many; so much**
چنگ[1] **claw; grip; clutch**
چَنگ زدن به to grip, to grapple, to clutch at
به چنگ آوردن to seize ***or*** obtain
چنگی به دل نمی‌زند it does not appeal to one
چنگ[2] [*mus.*] **harp *or* lyre**
چنگ زدن to play on the harp
چَنگ[3] [*mus.*] **quaver**
چنگار [*med.*] **cancer**
چنگال **fork; claws; clutches**
چنگال مرگ the jaws of death
چنگ‌زن **harpist**
چنگک **hook, grappling-iron**
پیوند چنگکی claw-coupling
چنگیز [اسم خاص]
چنین **such.... as this; so, thus**
چنین کتابی such a book (as this)
چو [زبان لاتی] **rumour**
چو انداختن to spread a rumour
چو [ادبی، صورت اختصاری چون]
چوب **wood; stick; staff;** [*ext.*] **cane, rod;** *i.e.* **beating**
چوب بیلیارد cue
چوب پاسبان truncheon
چوب پرده curtain-rod
چوب چپق pipe-stem
چوب ذرت corn-cob
چوبِ طبل drumstick
چوبِ زیر بغل crutch(es)
چوب سفید deal
چوب خوردن to be beaten
چوبِ چیزی را خوردن to suffer the evil consequences ***or*** pay the price of something
چوب دیگری را خوردن to be a whipping-boy ***or*** scapegoat
چوب زدن to beat
چوبش توی آب است. We have a rod in pickle for him.
چوب‌بست **scaffolding, staging**
چوب‌پا **stilt**
چوب‌پنبه **cork**
چوب‌پنبه‌کش **corkscrew**
چوب‌خط /فا.ع./ **tally, notch, score**
چوب‌خط زدن to tally
چوبدار **cattle-man, drover**
چوب‌دستی **walking-stick, cane**
چوب‌رخت **hat-rack, clothes-rack, hat-and-coat rack**
چوب‌ساب **float-cut**
سوهان چوب float-cut file, rasp
چوب‌ساب نرم bastard file
چوب‌شدگی **lignification; stiffness**

چوب‌شکاف = گوه **wedge**
چوبک **kind of soapy root; amole: the root of the soap plant**
چوبکاری [*rare*]**beating**
چوبکاری کردن to give a (good) beating to; [*fig.*]to make one blush
چوبه **shaft; staff; rolling-pin**
چوبهٔ دار gallows-tree
چوبی **wooden; coach-built** (as the body of a bus)
چوپان = شبان
چوروک، چروک **shrinkage**
چوروک دادن، چوروک کردن to wrinkle, to shrink, to shrivel
چوروک خوردن، چوروک شدن to shrink, to shrivel (up), to pucker
چوگان **polo-stick; bat**
جفتِ چوگانی battledore
placenta
چوگان‌بازی **game of polo**
چوله، چاوله [عامیانه] **crooked**
چون **since, as; when;** [*prep.*]**like,** (such) **as;** [*adv.*]**how?**
چون و چرا کردن to dispute
چونکه **because; since**
چونه **cake of dough, pat**
چونه زدن [عامیانه] = چانه زدن
چونی **quality**
چَه [ادبی، صورت اختصاری چاه]
چِه[1] [*pron.*]**what?;** [*conj.*][repeated]**whether... or:** چه‌بیاید چه‌نیاید من خواهم رفت; **as, because**
چه خبر است؟ What is up?, what is going on?
چه شده است؟ What has happened?
من چه می‌دانم؟ How do I know?
چه بهتر so much the better

چه وقت؟ when?
به شما چه what is that to you, that is none of your business
چِه[2] /ق./ = چقدر **how**
چه خوش است how pleasant (it) is...
چه پسر خوبی است! There's (*or* that's) a good boy!
چهار **four**
چهاربرابر **fourfold, quadruple**
چهارپا ← چارپا
چهارپاره ← چارپاره
چهارپایه ← چارپایه
چهارجانبی /فا.ع./ **quadripartite**
چهارجمله‌ای /فا.ع./ **quadrinomial**
چهارچرخه [*adj.*]**four-wheeled;** [*n.*]**four-wheeled vehicle**
چهارچوب ← چارچوب
چهارحرفی /فا.ع./ **quadriliteral**
چهاردست **four-handed, quadrumanous**
چهاردست و پا **on all fours**
چهاردست و پا رفتن to crawl
چهاردکمه(ای) [*jacket*]**double-breasted**
چهارده **fourteen**
چهاردهم **fourteenth**
چهاردهمی (the) **fourteenth**
چهاردهمین **the fourteenth**
چهاردیواری، چاردیواری **within enclosure four walls; one's private house;** [*fig.*]**framework, limits**
چهارراه ← چارراه
چهارزانو ← چارزانو
چهارسر [*c.p.*]**double-pair royal;** [*o.s.*]**four-headed**
چهارسو ← چارسو
چهارشانه ← چارشانه

چهارشنبه **Wednesday**
چهارصد(م) **four-hundred(th)**
چهارطاق /فا.ع./ ← چارطاق
چهارطاقی ← چارطاقی
چهارطبع ← چارطبع
چهارگانه **the four...**
چهارگوش ← چارگوش
چهارلا **four-fold; four-ply**
چهارلاچنگ **sixty-fourth note**
چهارم **fourth**
چهارمی (the) **fourth**
چهارمین **the fourth**
چهچه **warbling, twittering**
چهچه زدن to twitter, to trill, to warble
چهر = چهره
چهره [ادبی] **face; cheek; countenance**
چهره‌ای **rose-coloured; pink**
چهل **forty**
چهلم **fortieth**
چهلمی (the) **fortieth**
چهلمین **the fortieth**
چیت /هـ./ **chintz, printed calico (*or* cotton)**
چیت‌سازی /هـ. فا./ **chintz-making (factory)**
چیدن [بن مضارع: چین] **to pick** (off), **to pluck; to mow; to clip, to cut, to shear; to pare; to arrange, to put in order; to lay** (as a table); **to set** (as type); ← قیچی‌کردن
چیرگی [ادبی] **victory; valour; violence**
چیره **prevailing, victorious**
چیره شدن بر to prevail over
چیز **thing; matter; effects**
(یک) چیزی something
هر چیز everything; anything
هر چیزی که = هر چه

هیچ چیز nothing
چیزی نیست. *It is nothing serious. It doesn't matter.*
چیزی که هست *only, the thing is*
هزار ریال (و) چیزی بالا *something over 1000 rials*
چیزخور کردن [عامیانه] **to poison**
چیزدار **well-to-do, wealthy**
چیست [صورت اختصاری چه‌است] **what is (it)?**
چیستان [ادبی] = معما **riddle, enigma**
چیله **small piece of firewood, chat**
چین[1] **wrinkle; pleat; crease; fold; math, crop**
چین دوم aftermath
چین طاقی anticline
چین خوردن to be wrinkled; to be puckered (up)
چین دادن to wrinkle; to plait; to curl; to knit (as the brow); to purse (as the lips)
چین[2] **China**
جنگ چین و ژاپن the Sino-Japanese War
چین[3] [بن مضارعِ چیدن]
چین‌چین **full of wrinkles *or* folds**
چین‌چینی **trimming**
چین‌خوردگی **fold; wrinkle; rugosity**
چین‌خورده **wrinkled; puckered; rugose**
چین‌دار **wrinkled; puckered; creasy; curly; corrugated**
چیننده **picker, plucker; mower; shearer; cutter;** ← چیدن
چینه **clay-wall, pisé-wall; stratum, layer;** [*birds*] **grain**
چینه کشیدن to build *or* enclose in a clay-wall
چینه‌دان **crop, maw**
چینی [*adj.*] **Chinese;** [*n.*] **Chinese language; Chinaman; china, porcelaine**
چوب چینی china-root
خاک چینی kaolin
گِل چینی porcelaine-clay
چینی‌آلات /فا.ع./ **chinaware**
چینی‌بندزن **mender of chinaware, tinker(er)**

ح

حاج [جمع: حجاج، مؤنث: حاجیه] /ع./ **pilgrim** (to Mecca) [used before the name of a man]

حاجات [جمع حاجت]

حاجب [کمیاب] /ع./ **doorkeeper, chamberlain; curtain; eyebrow**

حاجب ماوراء opa que

حاجت [جمع: حوائج، حاجات] /ع./ **need, want**

به چیزی حاجت داشتن to need *or* want something

حاجت خواستن to pray for one's needs

حاجت کسی را برآوردن to grant a person's request

چه حاجت به no need of

قضای حاجت کردن to ease nature

حاجتمند /ع.فا./ = محتاج، نیازمند

حاجز /ص.ع./ **hindering; separating**

حجاب حاجز diaphragm

حاجزی /ع./ **phrenic**

حاجی [عامیانه] = حاج

حاجی فیروز [زبان لاتی] /ع.فا./ **nigger minstrel**

حاجیه [مؤنثِ حاجی، حاج]

حادّ[1] [مؤنث: حادّه] /ع./ **acute**

زاویهٔ حاده acute angle

حاد[2] [معنای حقیقی] /ع./ = تیز **sharp**

حادث /ع./ **new; created, not eternal;** → تازه

حادث شدن to happen, to occur

حادثه [جمع: حوادث، حادثات] /ع./ **accident; event; phenomenon**

حاذق /ع./ **proficient, ingenious**

حارّ [مؤنث: حارّه] /ع./ = گرم **hot, torrid**

حارس [کمیاب] /ع./ **guardian**

حاسد [کمیاب، جمع: حُساد] /ع./ = حسود

حاسه ← حواس

حاشا /ع./ [*n.*] **denial**

حاشا که [ادبی] [*interj.*] [with the stress on the first syllable] far from it!, God forbid!

حاشا کردن to deny

حاش لله [ادبی] /ع./ **God forbid that**

حاشیه /ع./ **margin; marginal note; edge, border; list, selvage;** [*astr., bot.*] **limb**

حاشیه رفتن [عامیانه] to make an indirect remark

حاشیه‌دار /ع. فا./ **having a margin; hemmed; rimmed**

حاشیه‌نشین /ع. فا./ (one) **who sits on the outskirts of an assembly;** → فضول

حاصل [مؤنث: حاصله] /ع./ [*n.*] **crop, produce;** [*fig.*] **result;** [*adj.*] **obtained**

مزایای حاصله از benefits accruing on

حاصل جمع sum, total

حاصل ضرب product

حاصل کردن to obtain, to get; [*lit.*] to grant; [*lit.*] to fulfil

ما را از آن چه حاصل؟ What will it profit us?

حاصلخیز /ع. فا./ **fertile**

حاصلخیزی /ع. فا./ **fertility**

حاضر /ع./ **ready, prepared; present; willing**

در حال حاضر at present

حاضر شدن to get ready; to appear

حاضر شد برود. He agreed (*or* was prepared) to go.

حاضر کردن to prepare, to make ready

حاضر خدمت complaisant, obliging

حاضر و غایب کردن to call the rolls

حاضرالذهن /ع./ **ready-witted; having presence of mind**

حاضرجواب /عف./ **quick at repartee**

حاضرجوابی /عف./ **readiness to answer *or* retort, power of repartee**

حاضری [عامیانه] /ع. فا./ **hastily prepared (*or* frugal) food, simple dish**

حاضریراق [عامیانه] /ع. ت./ **ready for service, equipped and prepared**

حافظ [مؤنث: حافظه] /ع./
[*n.*] **keeper, preserver;**
[*adj.*] **retaining, retentive;**
→ حافظه
خداحافظ، خداحافظِ شما
good-bye

حافظ‌الصحه [کمیاب] /ع./
preservative

حافظه [مؤنثِ حافظ] /ع./، قوهٔ حافظه
retentive faculty, memory; → حافظ

حاق‌الفخذ /ع./ **acetabulum**

حاکم [جمع: حکام، مؤنث: حاکمه] /ع./
governor; magistrate;
[*lit.*] **judge; winning party;**
[*adj.*] **ruling, governing;**
→ فرماندار
هیئت حاکمه the ruling *or* governing class

حاکم‌نشین /ع. فا./
chief town *or* **residence, governor's seat**

حاکمیت /ع./، حق حاکمیت
sovereignty; jurisdiction

حاکی /ع./ [*adj.*] **indicating, stating**
حاکی بودن از to indicate; to state; to forebode

حال [جمع: احوال] /ع./
[*n.*] **condition** (of health);
state, circumstance;
natural disposition;
ecstasy; [*gram.*] **present tense;** [*adv.*] **now;**
[*adj.*] **due**
حال شدن to fall due, to mature
حالِ شما چطوراست؟ How are you?, how is your health?
حال ندارم. I do not feel well.
حالِ کردن کاری را داشتن to be in a mood to do something, to feel like doing it
حال دعوا کردن mood to fight

حالش جا آمد. [عامیانه]
He came round. He came to his senses. He recovered.
حال کسی را جا آوردن to bring someone to his senses;
[*fig.*] to give it to someone hot, to serve him out
تا به حال hitherto, up to now
به هر حال، در هر حال in any case
از حال رفتن to faint
به حال آمدن to come to one's senses, to come round
حال آمدن[1] [عامیانه]
to put on weight *or* flesh
حال‌آمدن[2] [عامیانه] = به حال آمدن
به‌حال آوردن to bring round, to bring to one's senses;
to make fat
علی‌ایّ‌حال in any case
اهل حال pleasure-seeking *or* jovial (person)
حال کردن [*rare*] to be in an ecstasy; [*sl.*] to go pleasuring, to have fun
زبان حال mute language
و حال آنکه whereas

حالا /ع. فا./ **now, at present;**
[*infml.*] **in a moment**
از حالا به بعد from now on, henceforth, hereafter
تا حالا up to now, hitherto
حالا که [عامیانه] now that, seeing that, since

حالاً /ع./
with regard to health
حالاً چطورید؟
How is your health?

حالات [جمعِ حالت]

حالب /ع./ **ureter**

حالت [جمع: حالات] /ع./ **state, condition; condition of health; rapture, ecstasy;**
[*gram.*] **case;**
[*mus.*] **expression**

حال‌ندار [عامیانه] /ع. فا./ = ناخوش
sick, ill [used mostly attributively]

حالی [عامیانه] /ع. فا./
explained; coming to understand
حالیم نشد I did not get it into my head
چیزی حالیش نیست.
He is unconscious.
حالی کردن to explain, to bring home; to cause to understand

حالیا [ادبی] /ع. فا./ **in the present circumstances**

حالی‌به‌حالی شدن /ع. فا./
to go to ecstasies;
[*sl.*] **to have a funny feeling; to undergo an emotional change**

حالیه /ع./ **at present**

حامض /ع./ **acid;** → ترش

حامِل /ع./ **bearer;**
[*mus.*] **stave, staff;**
→ [مؤنث: حامله]
خط حامِل vector
شعاع حامِل radius vector

حاملگی /ع. فا./ = آبستنی

حامله [مؤنثِ حامل] /ع./ = آبستن
pregnant, expectant;
→ حامل
حامله شدن to conceive, to become pregnant

حامی /ع./ **protector; defender, supporter; patron**

حانوت [کمیاب] /ع./ = دکان

حاوی /ع./ **containing**
حاوی بودن to contain, to comprise

حاویه /ع./ = روده‌بند
mesentery

حائز /ع./ **possessing; holding**
حائز اهمیت important

حائز مقامی شدن to (come to) hold a position
حائزحداکثربودن to be the highest bidder
حائل [1] /ص. ع./ **intervening, standing between; guarding; retaining:** دیوار حائل
حائل [2] /ا. ع./ **screen; guard; fender**
حَبّ [1] /ع./ **pill; berry**
حب خوردن to take a pill *or* pills
حب کردن to pill, to form into pills
حَبّ [2] [جمع: حبوبات، حبوب، کمیاب] /ع./ **grain**
حُبّ /ع./ = دوستی **love**
حُب جاه ambitiousness
حُب نفس self-love
حب وطن patriotism
حب و بغض bias, likes and dislikes
حب ولد love of offspring
حُباب /ع./ **bubble; globe; lampshade**
حبّ‌الاثل /ع./ **gall of the tamarisk**
حبّ‌الآس /ع./ **myrtle-berry**
حبّ‌الغار /ع./ **laurel-berry**
حبّ‌القرع /ع./ = کرم کدو، کدودانه
حبّ‌المشک /ع./ **abelmosk**
حبّ‌النیل /ع./ **blue water-lily seeds**
حباله [کمیاب] /ع./ **trap**
زنی را به حبالهٔ نکاح درآوردن to marry a woman
حبذا [ادبی] = زهی
حَبس /ع./ **imprisonment; [*law*] entailment, tail; [*med.*] retention, suppression**
حبس ابد imprisonment for life
حبس با اعمال شاقه ← شاق
حق حبس کالا lién on goods
حبس مجرد solitary confinement
حبس شدن to be imprisoned
حبس کردن to imprison; to suppress; to record (as a sound); [*law*] to tie up, to entail
حبسی [1] [عامیانه] /ع. فا./ **imprisonment**
حبسی خود را گذراندن to serve one's term of imprisonment
حبسی [2] [عامیانه] /ع. فا./ = زندانی
حبش /ع./ **Abyssinia, Ethiopia**
حبشی /ع./ **Abyssinian, Ethiopian**
حبل‌الورید /ع./ **jugular vein**
حبوب ← حَب
حُبوبات [جمعِ حَب، حبوب] /ع./ **grains; cereals**
حَبه /ع./ **grain, seed; berry**
حبهٔ انگور a single grape
حَبیب [اسم خاص، جمع: اَحباب، احباء] /ع./ [*n.*] **friend; lover;** [*adj.*] **beloved;** ← دوست
حبیب‌الله [اسم خاص] /ع./ **beloved one of God**
حبیبه [اسم خاص، مؤنثِ حبیب] /ع./ **sweetheart**
حَتم [1] /ع./ [*rare*] **making up one's mind;** [*adj.*] **obligatory, necessary, incumbent**
برمن حتم است که بروم. ***It is incumbent on me to go.***
حتم داشتن to be sure *or* positive
حتم کردن to make sure; to resolve
حَتم [2] /ق. ع./ = حتماً
حتماً /ع./ **by all means, certainly; inevitably**
حتماً بیایید. Do not fail to come.
حتمی /ع./ **sure, certain**
رفتن وی حتمی است. ***He is sure to go.***
حتمی‌الوقوع /ع./ **sure to happen, unavoidable**
حتی /ع./ **even**
حتی اینکه not only that but...; moreover
حتی‌الامکان /ع./ **as far as possible**
حتی‌القوه /ع./ **to the best of one's ability**
حتی‌المقدور /ع./ = حتی‌الامکان
حجّ /ع./ **pilgrimage to Mecca**
حِجاب /ع./ **veil; [*rare*] curtain; [*fig.*] modesty**
حجاب حاجز ← حاجز
حجاج [جمعِ حاج]
حَجّار /ع./ **stonecutter, mason**
حجاری /ع. فا./ **stone-cutting**
حجاری کردن to carve (stones)
حِجاز /ع./ **Arabia Petrae**
حجام [کمیاب] /ع./ = رگزن
حجامت /ع./ **cupping, phlebotomy**
حجامت کردن to bleed, to cup
شاخ حجامت cupping-glass
حُجب /ع./ **modesty, shyness**
حُجت [جمع: حجج] /ع./ **argument, reason; proof; plea**
حُجت آوردن to raise an argument
اتمام حجت ultimatum
اتمام حجت کردن to pronounce an ultimatum

اتمام حجت کردن به
to deliver an ultimatum to, to present with an ultimatum

حضرت حجت ⟵ صاحب‌الزمان

حجت‌الاسلام /ع./
(his) **eminence *or* reverence**

حجج [جمع حجت]

حجر [جمع: أحجار] /ع./ = سنگ
stone

احجارِ کریمه — precious stones

حجر رملی — sandstone

حجر [کمیاب] /ع./ **protection; prohibition; interdiction**

حجرالاسود /ع./
the Black Stone which pilgrims kiss at Mecca

حجرالبرق /ع./ **aventurine**

حجرالدم /ع./ **bloodstone**

حجرالرحمن /ع./
lapis divinus

حجرالقمر /ع./ **moonstone**

حجرالنور /ع./، حجرالطور
marcasite

حجرالولاده /ع./ **eaglestone**

حجرالیهود /ع./
lapis judaicus

حُجرَوی /ع./ **cellular**

حُجره [جمع: حجرات، حُجر] /ع./
cell; chamber; commercial office

حجری [کمیاب] /ع./ = سنگی
petrous

حَجله /ع./ **bridal chamber**

حَجم /ع./ **volume; bulk**

حَجیم /ع./ **voluminous, huge**

حدّ [جمع: حدود] /ع./ **limit, boundary; extent**

حدّاقل — minimum

حدّاکثر — maximum

به حدّ بلوغ رسیدن — to come of age, to attain the age of puberty

حدِّ متوسط، حدِّ وسط — average, mean

حدّ زدن
to penance by the lash

تا چه حدّ؟ — to what extent?

تا حدّی که
to the extent that

از حدّ بیرون است
it knows no bounds

از حدّ گذرانیدن /ف. م./، از حدّ گذشتن /ف. ل./ — to exceed bounds

به حدّ امکان — as far as possible

حداثت [کمیاب] /ع./ = تازگی، جوانی

حدّاد /ع./ = آهنگر

حدبه [کمیاب] /ع./ **convexity; gibbosity; protuberance**

حدّت /ع./ **acuteness; force; vehemence**

حدّت مرض، شدّت مرض
paroxysm

حَدَث [کمیاب] /ع./ = حداثت، حادثه

حَدس /ع./ **guess**

حدس زدن — to guess (at)

درست حدس زدن — to guess right, to hit the mark

حدساً /ع./ **by guess; roughly**

حدسی /ع. فا./ **based on guess-work, rough**

حدشکنی /ع. فا./
encroachment, trespass

حدقه[1] /ع./ **pupil of the eye;** ⟵ مردمک

حدقه[2] [عامیانه] /ع./
eye-socket

حدوث /ع./ **occurrence, taking place**

حُدود [جمعِ حد] /ع./ **limits, boundaries; extent; regions; neighbourhood**

در حدودِ — in the neighbourhood (*or* region) of, about; within the limits of

حَدیث [جمع: أحادیث] /ع./
tradition; [*lit.*] **discourse**

حدید /ع./ = آهن

حدیده /ع./ قلاویز ⟵ **die;**

حدیقه [کمیاب، جمع: حَدایق] /ع./ = باغ

حذاقت /ع./ **ingenuity**

حَذَر /ع./ **avoiding; caution; warning**

حذر کردن از — to beware, to avoid

بر حذر بودن — to be on one's guard, to beware

حَذف /ع./ **omission; elimination**

حذف کردن = انداختن — to omit; to eliminate

مسابقهٔ حذفی
knockout competition

حُرّ [کمیاب] /ع./ = آزاد(ه)

حراج /ع./، هراج
(sale by) **auction**

حراج کردن — to sell by auction, to put up to auction

چوبِ حراج خوردن — to come under the hammer

حرارت /ع./ = گرما
heat; temperature; [*fig.*] **enthusiasm; dash**

حرارت ذوب و تبخیر
latent heat

حرارتش خوابید. — ***He lost his enthusiasm. He cooled down. He lost interest.***

حراست /ع./ = نگهداری
guarding; custody

حراست کردن — to protect

حرّاف /ع./ **talkative; glib tongued, eloquent**

حرام /ع./ **unlawful, religiously prohibited; ceremonially unclean; illegal, illegitimate**

حرام‌گوشت — unlawful to eat

حرام کردن to declare unlawful; to forbid (the eating or drinking of)

چیزی را بر خود حرام کردن to deny oneself something

خواب به من حرام شد. Sleep was lost to me.

حرام‌خور /ع. فا./ **usurer; bribee; profiteer**

حرام‌زادگی /ع. فا./ **illegitimacy; [*fig.*] roguery; [*infml.*] slyness**

حرامزاده /ع. فا./ **illegitimate, bastard; [*fig.*] roguish; [*infml.*] sly**

گِل حرامزاده mixture of clay/ sand and lime, puddle

حرام‌گوشت /ع. فا./ ← حرام

حرام‌لقمه /عف./ = حرامزاده

حرامی [ادبی] /ع./ = دزد، غارتگر

حرب [کمیاب] /ع./ ← جنگ، جنگیدن **fight(ing)**

ارکان حرب = ستاد

دیوان حرب court martial

حرباء [کمیاب] /ع./ = بوقلمون **chameleon**

حَربه /ع./ **weapon**

حَربی [مؤنث: حربیه] /ع./ **pertaining to war**

تدابیر حربیه tactics

کافر حربی infidel deserving to be fought with

حَرَج /ع./ **fault, [*rare*] sin**

بر او حرجی نیست. He is not guilty on that account.

حِرز [کمیاب، جمع: احراز] /ع./ **amulet**

حِرص /ع./ **greed, avidity;** ← آز

حرص زدن to be greedy; to eat greedily, to guzzle

حَرف [جمع: حُروف] /ع./ **letter; talk, speech; saying**

حرف اضافه preposition

حرف بد bad language

حرف تعریف (definite) article

حرف ربط، حرف عطف conjunction

حرف ندا interjection

حرف زدن to speak, to talk

با من حرف نمی‌زند. He is not on speaking terms with me.

حرف معترضه زدن to throw in a remark

حرف مفت idle talk; bad language

اسباب حرف شدن to cause trouble; to meet with an objection

حرفشان شد. They had words.

حرفش دوتا شد. He contradicted himself.

یک کلمه با شما حرف دارم. I have a word with you.

حِرَف [جمعِ حرفه]

حرف‌شنو، حرف‌گوش‌کن /ع. فا./ **obedient**

حرف‌نشنو /ع. فا./ **disobedient**

حِرفه [جمع: حِرَف] /ع./ **profession, trade; craft**

اهل حِرفه professional man, craftsman

حرفه‌ای /ع. فا./ **professional; occupational:** بیماری حرفه‌ای

حَرفی[1] /ع./ **literal**

حَرفی[2] [عامیانه] /ع./ **on speaking terms**

حرقت‌البول /ع./ **blennorrhoea, gleet**

حرقفی /ع./ **iliac**

حرکات [جمعِ حرکت]

حَرَکت [جمع: حرکات] /ع./ **motion, movement; act, gesture; start(ing), departure; stimulation; erection;** ← جنبش

حرکت انقلابی revolution

حرکت وضعی rotation

حرکت دادن، تکان دادن to move

حرکت کردن to move; to start; to proceed, to leave

حَرَم[1] /ع./ **harem, women's apartment;** ← حرمسرا

حَرَم[2] /ع./ **sanctuary**

حِرمان /ع./ **privation; disappointment**

حُرمت /ع./ **reverence, respect; inviolability**

حرمت کردن to regard with reverence

حرمت‌گزار /ع. فا./ **respectful, deferential**

حرمسرا /ع. فا./ = حرم

حرمین [تثنیهٔ حرم] /ع./ **the Two Sanctuaries at Mecca and Medinah**

حروف [جمعِ حرف] /ع./ **letters; type(s); [*gram.*] particles**

حروف‌چین /ع. فا./ **typesetter, compositor**

حروف‌چینی /ع. فا./ **type setting, typesetter's profession**

حروف‌ریزی /ع. فا./ **type-foundry**

حروفی /ع. فا./ **literal**

قفل‌حروفی combination-lock, letter-lock

حُرّیت /ع./ = آزادی

حَریر /ع./ (fine) **silk; silk cloth**

حریرباف /ع. فا./ **silk-weaver**

حریربافی /ع. فا./ **silk-weaving**

حریرنما /ع. فا./ **silk-like; mercerized**

حریره /ع./ [kind of pap]

حریری /ع./ [*adj.*] **silk(en); very thin;** [*n., rare, infml.*] **silk merchant**

حَریص /ع./ **greedy**

حریصانه /ع. فا./ **greedily**

حَریف /ع./ **rival; opponent; match, partner**

حریف من نیست. *He is not a match for me. He cannot cope with me.*

حریف او نشدم که برود. I couldn't get him to go. I could not prevail on him to go.

حَریق /ع./ = آتش‌سوزی **fire**

حریق‌زده [جمع: حریق‌زدگان] /ع. فا./ **victim of** ***or*** **sufferer by a fire**

حَریم[1] /ع./ **limits, frontage**

حَریم[2] [ادبی] /ع./ = حرم

حِزب [جمع: اَحزاب] /ع./ **party**

حزب کارگر the Labour Party

حزبی /ع./ **pertaining to a (political) party**

تعصب حزبی party spirit

حَزم /ع./ **prudence, sound judgement; resolution**

حُزمه /ع./ **corymb**

حُـزن /ع./ = اندوه، غصه

حزن‌آور، حزن‌انگیز /ع. فا./ **sorrowful, sad**

حزیران /ع./ **Jewish and Syriac month** (May-June)

حزین /ع./ = غمگین؛ غم‌انگیز

حِس [جمع: حَواس، حاسه] /ع./ **sense; feeling; go,** [*infml.*] **energy**

حس پیش از وقوع presentiment

حس تشخیص sensibility, scent

حس مشترک common sense

حس کردن to feel; to perceive

حِساب /ع./ **account;** [*fig.*] **number, limit**

علم حساب arithmetic

حساب پس دادن to render an account

از کسی حساب خواستن to call someone to account

حساب کردن to calculate, to compute, to reckon

بد حساب کردن to miscalculate

به حساب آوردن to take into account

به حساب خودم ***on my own account***

مبلغی را به‌حساب بدهی کسی گذاشتن to charge a sum to (*or* against) someone, to debit it to him, to debit him with it

چقدر پای شما حساب کرد؟ How much did he charge you for it?

مبلغی را به بستانکار حساب کسی گذاشتن to credit a sum to someone, to credit him with a sum

از حساب پرت است. He is out in his reckoning.

از کسی حساب بردن to hold someone in reverence, to think much of him, to look up to him

حرف حساب زدن to talk sense

صورت حساب account (statement); invoice, debit note

حسابی نداریم. حساب بی‌حساب [عامیانه] We are quits.

حسابدار /ع. فا./ **accountant**

حسابداری /ع. فا./ **accountancy, accounting**

ادارهٔ حسابداری Accounts Department

حسابدان /ع. فا./ **arithmetician**

حسابرس /ع. فا./ **auditor**

حسابرسی /ع. فا./ **audit(ing); auditorship**

حساب‌سازی /ع. فا./ **manipulation of accounts**

حسابگر /ع. فا./ **arithmomancer**

حسابی /ع./ **arithmetical; tenable, logical**

یک آشپز حسابی a regular cook

یک کتک حسابی a good beating

حسادت /ع./ **jealousy**

حسادت کردن to be jealous, to act jealously

حسادت‌آمیز /ع. فا./ **jealous, envious:** نگاه حسادت‌آمیز

حَساس /ع./ **sensitive, quick; feeling, sentimental; delicate; precise; susceptible; essential**

حساسیت /ع./ **sensitiveness; susceptibility**

حسام‌الدین [اسم خاص] /ع./ [*o.s.*] **sword of religion**

حَسْب /ع./ [*rare*] (sufficient) **quantity** ***or*** **measure;** ⟵ حَسَب

برحسبِ according to; in proportion to; in terms of

بر حسب اینکه according as

حَسَب /ع./ (noble) **descent; personal merit; quantity, proportion; manner;** ⟵ حَسْب

حسب و نسب descent *or* lineage

برحسبِ according to; in proportion to; in terms of

حسب‌الامر /ع./ **according to your/ his/ etc. order**

حسب‌المعمول /ع./ **as usual**

حسب‌الوظیفه /ع./ **in view of one's duty**

حَسبی /ع./ **non-litigious**

قانون امور حسبی non-litigious; jurisdiction act

حَسد /ع./ **envy, jealousy**

به کسی حَسد بردن to be jealous of someone

حَسرت /ع./ **regret, rue**

حسرتِ مال دیگران را خوردن to begrudge other's wealth

حسرت بردن (به) to begrudge; to envy

گُل حسرت snowdrop

حسرت‌به‌دل [عامیانه] /ع. فا./ **hope-sick**

حسرت‌خور /ع. فا./ **green-eyed**

حَسک **star-thistle**

حَسن[1] [اسم خاص] /ع./

حَسن[2] [مؤنث: حسنه، معنای حقیقی] /ع./ = نیکو

حُسن /ع./ **beauty; goodness; advantage; virtue**

از حسنِ اتفاق by some lucky chance

حسنات [جمعِ حسنه] /ع./ **good acts;** → حسن

حسن لبه /ع. فا./ **benzoin, gum benjamin**

جوهر حسن لبه benzoic acid

حسود /ع./ **jealous, envious**

حسودی [عامیانه] /ع. فا./ **jealousy**

حسودی کردن to be jealous

حسودی کردن به to envy

حِسی /ع./ **felt** (by the senses), **palpable**

حسی است it is a matter of common sense, [*infml.*] it is (too) obvious

حُسین[1] [اسم خاص] /ع./

حُسین[2] [معنای حقیقی] /ع./ = نیکو

حشاء → احشاء

حَشر /ع./ [*rare*] **assembling**

روزِ حَشر Resurrection day

حشرات [جمعِ حشره]

حشره [جمع: حشرات] /ع./ **insect**

حشره‌خوار /ع. فا./ **insectivorous**

حشره شناسی /ع. فا./ **entomology**

حشره‌کش /ع. فا./ **insecticide**

حشفه /ع./ (glans) **penis**

حَشَل [عامیانه] **awkward *or* dangerous situation**

حَشَم [جمع: احشام] /ع./ **retinue**

حِشمت [اسم خاص] /ع./ **retinue, pomp**

حَشو /ع./ **redundant word(s), pleonasm; marginal note**

حشو قبیح cacopleonasm, tautology

حشو ملیح eupleonasm

حشیش /ع./ **narcotic preparation from Indian hemp**

حشیشة‌البرص /ع./ **buckhorn plantain**

حشیشة‌البرق /ع./ **Star-of-Bethlehem**

حشیشة‌الجرب /ع./ **common field scabious**

حشیشة‌الطحال /ع./ **spleenwort**

حشیشیون /ع./ **the Assassins;** [*o.s.*] **those addicted to the use of hashish**

حصات /ع./ = ریگ **calculus, gravel**

حِصاد /ع./ **harvest**

حصار /ع./ **fence, wall;** → محاصره

دور آن حصار بکشید. ***Enclose it with a fence.***

حَصبه /ع./ **typhoid fever, enteric fever**

حصر /ع./ **restriction, limit**

حصر وراثت → انحصار وراثت

حصری [کمیاب] /ع./ **limitative**

حصص [جمعِ حصه]

حِصن /ع./ **fortress; fortification;** → دژ، قلعه

حُصول /ع./ **acquisition; attainment**

قابل حصول obtainable

غیرقابل حصول unobtainable

حِصه [جمع: حصص] /ع./ **share, portion**

حَصیر /ع./ = بوریا **mat**

حصیرباف /ع. فا./ **mat-weaver**

حصیری /ع. فا./ **mat-like**

صندلی حصیری cane-seated chair

کلاه حصیری straw hat

حَصین /ع./ **well-fortified**

حضار، حاضرین [جمعِ حاضر] /ا./ **those present, the audience**

حَضَر /ع./ (being at) **home; residence**

حضرات [جمعِ حضرت] /ع./ **excellencies; gentlemen; they, these gentlemen**

حَضرت[1] /ع./ **excellency, highness, majesty/etc.**

حضرت اشرف His (***or*** Your) Excellency

حضرت والا... His Excellency Prince...

حَضرت[2] /ع./ = حضور

حضرتعالی /عف./ [*p.c.*] **You**

حُضور /ع./ **presence; attendance; appearance**

حضور ذهن presence of mind
عدم حضور non-attendance; non-appearance
حضور داشتن to be present
حضور داشتن در to attend
حضور به هم رساندن، حضور یافتن to be present, to come
حضور به هم رساندن در، حضور یافتن در to attend
حضوراً /ع./ **in** (your/ etc.) **presence, verbally**
حضوری /ع. فا./ **performed in one's presence; verbal**
حضیض /ع./ **perigee;** [*sun*] **perihelion;** [*fig.*] **abyss**
حُطام، حطام دنیا [کمیاب] /ع./ **vanities of the world, mammon**
حَطب [کمیاب] /ع./ = هیزم
حَظّ /ع./ **delight, enjoyment, delectation**
حَظّ نفس sensual gratification *or* pleasure
حَظّ بردن از to enjoy *or* like very much
حظ کردم ***I enjoyed it very much, I loved it***
حَفّار /ع./ **digger, excavator**
حفاری /ع. فا./ **excavation**
حِفاظ /ع./ **fence; protection; guard(ing);** [*fig.*] **modesty; reserve**
حِفاظت /ع./ = نگهداری **guardianship, custody; keeping, safeguarding**
حفاظت کردن to keep
حفاظی /ع./ **protective**
حَفر /ع./ **digging, excavation**
حفر کردن = کندن to dig
حُفره /ع./ **pit; ditch; socket;** [*anat.*] **fossa, cavity**
حفریات /ع./ **excavations**
حِفظ /ع./ **protection, preservation**

از حفظ خواندن to recite from memory
حفظ کردن to protect, to preserve; to memorize, to learn by heart
از حفظ بودن، از حفظ داشتن to know by heart
حفظ ظاهر کردن to save (*or* keep up) appearances
حفظ‌الصحه /ع./ = بهداشت
حفظ‌الغیب /ع./ **sticking up for someone**
حِفظی /ع. فا./ **memory work**
حفید [کمیاب] /ع./ = نواده، نوه
حَق [جمع: حقوق، مؤنث: حقه] /ع./ [*n.*] **right, title; fee; duty, moral obligation; truth; God;** [*adj.*] **just, true; legitimate**
دعاوی حقه legitimate *or* rightful claims
حق ارشدیت birthright
حق تقدم priority
حق رأی right to vote, suffrage
حق شارع right of way
حقِ همسایگی tie of neighbourhood
حق با شما است. حق دارید. ***You are right.***
او حق به گردن شما دارد. You are indebted to him.
حق دادن به to consider rightful, to justify; to entitle
حق دوستی را به جا آوردن to do what friendship requires
حق مطلب را ادا کردن to do justice to the subject
به‌حق justly
به حقِّ [*oaths*] by, in the name of
برخلاف حق unjustly
حق و حساب [زبان لاتی] bribe

پا روی حق گذاشتن [عامیانه] to be unfair, to turn away from justice
به‌حق دانستن to justify, to consider rightful
مرغ حق screech-owl
حقاً /ع./ **justly, rightfully, by rights**
حقاً که indeed!, forsooth!
حقّابه /ع. فا./ **right of water**
حقارت /ع./ **contempt**
به چشم حقارت نگریستن to regard with contempt, to think little of, to despise
حق‌الارض /ع./ **land-right**
حق‌الامتیاز /ع./ **royalty**
حق‌التألیف /ع./ **compiling fees, author's fees**
حق‌التحریر /ع./ **notary public's fees** (for drawing up documents)
حق‌التعلیم /ع./ **tuition fees**
حق‌الثبت /ع./ **registration fees**
حق‌الحفاظه /ع./ **interest on money loaned by pawnshops** (disguised under the phrase "fees for protection of the object pawned")
حق‌الحکومه /ع./ [humorous] **parson's nose;** [*o.s.*] **fees going to the governor** ('s office), **governor's share**
حق‌الزحمه /ع./ **fees, remuneration**
حق‌السعی /ع./ = کارمزد
حق‌السکوت /ع./ **hush-money**
حق‌الشرب /ع./ = آب‌بها
حق‌الضرب /ع./ **seignorage, mintage**
حق‌العبور /ع./ **passage(-money);** [*goods*] **transit duty**

حق‌العمل /ع./ = کارمزد

حق‌العمل‌کار /ع. فا./ **commission agent, factor**

حق‌العمل‌کاری /ع. فا./ **commission, factorage**

حق‌القدم /ع./ = پایمزد

حق‌الله /ع./ **what is due to God; sin against God**

حق‌الناس /ع./ **what is due to men; sin against mankind**

حق‌الورود /ع./ = ورودیه

حق‌الوکاله /ع./ **lawyer's fees, honorarium**

حقانی /ع./ **true; rightful**

حقانیت /ع./ **truth; rightfulness, legitimacy**

حقایق [جمعِ حقیقت]

حق‌به‌جانب /ع. فا./ **specious, plausible; pitiable:** صورت حق به جانب

حق‌بین /ع. فا./ **just, fair**

حق‌بینی /ع. فا./ **justice, equity**

حق‌پرست /ع. فا./ = خداپرست

حق‌پرستی /ع. فا./ = خداپرستی

حق‌تعالی /ع./ **The Most High God**

حق‌جو /ع. فا./ **truth-seeking**

حقد /ع./ = کینه

حقدار [کمیاب] /ع. فا./ **rightful** (person), **entitled** (party); ← ذیحق

حق‌شناس /ع. فا./ **grateful**

حق‌شناسی /ع. فا./ **gratitude**

حق‌کشی /ع. فا./ **unjust attitude, partiality**

حق‌گو /ع. فا./ **just, impartial;** [*rare*] **truthful**

حق‌گویی /ع. فا./ **impartial judgement;** [*rare*] **truthfulness**

حق‌ناشناس /ع. فا./ **ungrateful**

حق‌ناشناسی /ع. فا./ **ingratitude**

حقنه /ع./ = اماله

حق‌نیوش [ادبی] /ع. فا./ **who listens to what is right**

حقوق [جمعِ حق] /ع./ **rights; fees; dues; salary, pay**

علم حقوق law: دانشکده حقوق

دکتر در حقوق doctor of laws

حقوق گمرگی customs duties

حقوق‌بگیر /ع. فا./ **salaried**

حقوقدان /ع. فا./ **lawyer; jurist**

حقوقی /ع. فا./ **legal; civil**

آئین دادرسی حقوقی civil procedure

شخص حقوقی legal person

حَقه ← حق

حُقه /ع./ [*opium smoker's pipe*] **bowl; capsule; calyx;** [*infml.*] **trick(y person)**

به کسی حُقه زدن to play a trick on someone

حُقه‌باز /ع. فا./ **conjuror; impostor**

حُقه‌بازی /ع. فا./ **conjuring** (tricks), **jugglery**

حقه‌بازی کردن to conjure, to juggle; [*infml.*] to play tricks

حَقیر /ع./ **humble, despised;** [*p.c.*] **your humble servant,** *i.e.* **I**

حقیر شمردن to despise

حقیقت [جمع: حقایق] /ع./ = درستی **truth; reality**

حقیقت امر fact

در حقیقت in fact, indeed

حقیقت ندارد there is no truth in it

حقیقتاً /ع./ **truly, in truth**

حقیقی /ع./ **real, true**

حک /ع./ **rubbing; erasing, obliteration**

حک کردن = پاک کردن to erase

حک و اصلاح کردن to alter, to modify

حکاک /ع./ **engraver; polisher of gems**

حکاکی /ع. فا./ **engraving; polishing of jewels**

حکاکی کردن to engrave

حکام [جمعِ حاکم]

حکایات [جمعِ حکایت]

حکایت [جمع: حکایات] /ع./ **story, anecdote**

حکایت کردن to narrate, to tell (a story)

حکایت می‌کنند که the story goes that

عجب حکایتی است! [عامیانه] It is strange indeed!

حُکم[1] [جمع: اَحکام] /ع./ **order, commandment; sentence, judgement, verdict;** [*rare*] **control**

حکم اعدام death sentence

حکم توقیف writ of attachment

احکام دینی religious commandments *or* precepts

حکم دادن to issue an order; to pass a judgement

حکم کردن to judge

به حکم آنکه inasmuch as

به حکمِ ضرورت of necessity

در حکمِ tantamount to

حُکم[2] /ع./ [*geom.*] **axiom, theorem**

حُکم[3] /ع./ [*c.p.*] **trump; whisk**

حَکَم /ع./ داور ← **arbitrator;**

حِکَم [جمعِ حکمت]

حُکماً /ع./ **without fail; certainly; peremptorily**

حکماء [جمعِ حکیم]

حکم‌انداز [کمیاب] /ع. فا./ **marksman, sharpshooter**

حِکمت[1] /ع./ **wisdom; philosophy; metaphysics**
حکمت ابیقور Epicurean philosophy, philosophy of the Garden
حکمت ارسطو philosophy of the Lyceum
حکمت افلاطون philosophy of the Academy, Platonism
حکمتِ الهی theology
حکمت رواقیون philosophy of the Porch, stoic philosophy
حکمتِ طبیعی [*rare*] physics
گِل حکمت lute
حِکمت[2] [جمع: حِکَم] /ع./ **wise saying, motto**
حکمت آمیز /ع. فا./ **wise:** سخنان حکمت‌آمیز
حکمران /ع. فا./ **ruler; governor**
حکمرانی /ع. فا./ **rule; governorship**
حکمرانی کردن بر to govern, to rule over
حکمفرما /ع. فا./ **ruling, dominant; prevailing**
حُکمی /ع./ **peremptory; incorporeal; appointed *or* engaged by an official order**
حکمیت /ع./ **arbitration;** ← داوری
حکومت /ع./ **government; governorship; small province**
حکومت کردن to govern, to rule
حکومت‌نشین /ع. فا./ **governor's seat**
حِکه /ع./ **itching; prurience**
حکیم [جمع: حکماء] /ع./ **sage; philosopher; doctor, physician;** ← پزشک
حکیم‌الهی theologian

حکیمانه /ع. فا./ [*adv.*] **wisely, philosophically;** [*adj.*] **wise**
حکیم‌فرموده [عامیانه] /ع. فا./ **prescribed by a physician;** [*fig.*] **indispensable**
حکیم فرموده است it is doctor's orders; it is very essential
حَلّ /ع./ **dissolving, melting, solution**
حل و عقد management
حل و فصل settlement
حل کردن to dissolve, to melt; to solve
حل شدن to be dissolved *or* melted
راه حل solution
قابل حل dissolvable, soluble
غیرقابل حل insoluble
حِلّ [کمیاب] **absolution, pardon;** ← بحل (کردن)
حلاج /ع./ = پنبه‌زن
حلاجی /ع. فا./ **cotton-blowing, cotton-beating;** [*fig.*] **analysis, discussion**
حلاجی کردن to beat cotton; to analyze, to discuss in detail
حلال /ع./ **lawful; ceremonially clean**
حلال‌گوشت lawful to eat
حلال کردن to declare lawful; to absolve; to waive
پول حلال درآوردن to turn an honest penny
حلال /ع./ **dissolver; solvent;** [*fig.*] **resolver**
حلال‌زاده /ع. فا./ **legitimate** (child)
حلال‌گوشت /ع.فا./ ← حلال
حلّ‌المسائل /ع./ **key to solutions**

حلاوَت /ع./ **sweetness; flavour;** ← شیرینی
حَلب /ع./ **tin;** [*geog.*] **Aleppo**
حَلب نفت packed oil
حلب‌پرکن /ع. فا./ **tin-filler**
حلبی /ع. فا./ **tin-plate**
حلبی‌ساز /ع. فا./ **tinman**
حلزون /ع./ **snail;** [*ear*] **cochlea**
حلزون بی‌صدف slug
حلزونی /ع./ **limacine; spiral**
منحنی حلزونی helix
حَلق /ع./ **throat; pharynx;** ← گلو
از حلق gutturally
آماس حلق pharyngitis
علم امراض حلق pharyngology
حلق و جلق و دلق creature comforts
حلق‌بین /ع. فا./ **pharyngoscope**
حلقوم /ع./ = حلق
حلقوی /ع./ **ring-shaped; annelid**
حَلقه /ع./ **ring; hoop;** [*bot.*] **whorl;** [*zool.*] **segment;** [*fig.*] **circle** (of men), **assembly**
حلقهٔ زلف [ادبی] ringlet
حلقهٔ زنجیر link
حلقهٔ گل wreath
گره حلقه‌ای، گره خرگوشی bowling-knot
حلقه بر در زدن [ادبی] to knock at a door
حلقه زدن to form a ring *or* circle
حلقه در گوش کسی کردن to reduce someone to slavery
حلقه‌به گوش /ع. فا./ **bondman, slave;** [*o.s.*] (one) **who wears the earring** (of slavery)

حلقه‌حلقه /عف./ annulated, annular; [*zool.*] segmentary
حلقی /ع./ guttural; pharyngeal
حِلم /ع./ meekness, forbearance
حلوا /ع./ [kind of sweetmeat *or* sweet paste]
حلوای قدرت [کمیاب] manna
ماهیِ حلوا sole
حلواماهی /ع. فا./، ماهیِ حلوا sole
حُلول /ع./ penetration; coming, approach; [*phys.*] osmosis
حلول کردن to penetrate; to enter; to approach
حلول‌پذیر /ع. فا./ penetrable
حلول‌ناپذیر /ع. فا./ impenetrable
حَلَویات /ع./ sweets, sweet pastes; ← شیرینی
حُله [ادبی] /ع./ robe; priestly vestment
حلیت [کمیاب] /ع./ pardon; leave
حَلیم[1] /ع./ meek, forbearing
حلیم[2] ← هلیم
حلیه /ع./ ornament; external appearance
حما ← حمی
حمار /ع./ = خر ass
حماری [مؤنث: حماریه] /ع./ asinine
قضیهٔ حماریه the asses' bridge, pons asinorum
حماسه /ع./ epic poem
حماسی /ع./ epic
حماقت /ع./ silliness, foolishness
حماقت کردن to act foolishly
حماقت‌آمیز /ع. فا./ silly, foolish: سخنان حماقت‌آمیز

حمال /ع./ = باربر porter; [*ext.*] fagger
تیرِ حمال girder
حمالی /ع. فا./ porterage
حمالی کردن to be a porter, to carry loads; [*fig.*] to drudge *or* fag
حمام /ع./ = گرمابه Turkish bath(-house), hammam
حمامی /ع. فا./ bath-keeper
حمایت /ع./ protection, support
حمایت کردن از to support *or* protect; to take the part of; to patronize
حمایت اقربا، حمایت از خویشاوندان nepotism
حمایل /ع./ shoulder-belt; sword belt; baldrick
حمایل کردن to hold *or* carry about diagonally
حمایل‌فنگ /ع. فا./ [position of a rifle slung diagonally across the back]
حَمد /ع./ praise, eulogy
حمد کردن to praise (God), to thank (God)
حمراء [مؤنثِ احمر]
حُمره [کمیاب] /ع./ = سرخی؛ باد سرخ
حمزه [اسم خاص] /ع./
حَمل /ع./ transport; shipment; forwarding; pregnancy
حمل کردن to carry; to ship, to forward
حمل کردن بر to interpret as, to attribute to
حمل برداشتن to conceive
حمل و نقل transport
قابل حمل portable
متصدی حمل و نقل forwarding agent, carrier
حمل کاذب pseudo-pregnancy

حَمَل /ع./ Aries; old name of فروردین
حَمله [جمع: حملات] /ع./ attack, rush; epilepsy, falling sickness
حمله آوردن بر [ادبی] to attack
حمله کردن to make an attack
حمله کردن بر to attack; to fall into a fit of epilepsy
حمله‌دار /ع. فا./ courier
حمله‌ور /ص. ع. فا./ attacking
حمله‌ور شدن to make an attack
حموضت /ع./ = ترشی acidity
حمی /ع./، حما = تب
حمیت /ع./ ardour, enthusiasm; zeal
حمید[1] [اسم‌خاص، مؤنث: حمیده] /ع./
حمید[2] /ص. ع./ praiseworthy
حنا /ع./ henna, (Egyptian) privet
دست کسی را توی حنا گذاشتن to leave someone holding the baby, to leave him in a muddle
حنایش پیش من رنگ ندارد. I know him too well to think much of him. His words have no weight with me.
گُل حنا garden balsam
حنان [کمیاب] /ع./ compassionate: epithet of God
حنایی /ع. فا./ reddish-brown, russet, henna
حنجره /ع./ = خشک‌نای larynx
حنجری /ع./ laryngeal
حنظل [ادبی] /ع./ colocynth
حُنوط /ع./ embalmment
حنوط کردن to embalm
حنیف /ع./ orthodox (Moslem)

حوّا [اسم خاص] /ع./ **Eve**
حواجب [جمعِ حاجب]
حوادث [جمعِ حادثه]
حواری [جمع: حواریون] /ع./
disciple; apostle
حواس [جمعِ حاسه، کمیاب] /ع./
senses
حواس ندارم.
I am not in the mood.
حواسش پرت است.
He is out of his mind.
He is absent-minded.
He is all abroad.
حواسِ خود را جمع کردن
to focus one's attention, to concentrate; to collect one's wits
حواس پنجگانه، حواس ظاهره
the five (external) senses
حواس‌پرت /ع. فا./
absent-minded
حواس‌پرتی
absent-mindedness
حواشی [جمعِ حاشیه]
حواصل /ع./، **حواصیل** = ماهی‌خوار
حوالت [کمیاب] /ع./ **leaving** (an affair to another's care)
حوالجات [جمعِ حواله]
حواله [جمع: حوالجات] /ع./
(money-)order, draft; transfer; assignment
حواله کردن
to order (the payment of), to draw a cheque for; to delegate, to refer
حواله‌اش با خدا. [عامیانه]
I refer his case to God.
I leave it to God to judge him.
حواله کرد /ع. فا./ **order**
به حواله کرد to the order of
حَوالی /ع./ **environs, neighbourhood; suburbs**
حوائج [جمعِ حاجت، /ع./]

حوت /ع./ **large fish;**
[*astr.*] **Pisces; old name of** اسفند
حور /ع./
Houris of Paradise
حورپیکر [ادبی] /ع. فا./
like a fairy in body *or* figure
حوری /ع./ **houri, nymph**
حوزه /ع./ **area; domain, realm, extent; range of influençe**
حوزهٔ انتخابیه constituency
حوش [کمیاب] /ع./
enclosure; courtyard;
حول و حوش ⟵
حوصله /ع./ **crop,**
[*lit.*] **maw;** [*fig.*] **compass, scope, comprehension; patience; mood**
حوصله کردن to have *or* use patience
حوصلهٔ نامه‌نویسی ندارم.
I am not in the mood to write. I don't feel like writing a letter.
حوصله‌ام سررفت، حوصله‌ام تنگ شد.[1]
I was (*or* am) fed up.
حوصله‌ام سررفت، حوصله‌ام تنگ شد.[2]
I lost patience.
حوض /ع./ **tank, pond; basin**
حوض تعمیر(گاه) dock
حوضچه /ع. فا./ **little pool; small basin**
حوضه /ع./ (river) **basin**
حول [کمیاب] /ع./ = قوه
حَوَل [کمیاب] /ع./ = لوچی
حول و حوش /عف./
environs, suburbs, outskirts
حوله **towel**
پارچهٔ حوله‌ای towelling
حومه /ع./ **outskirts, environs**

حَی [جمع: احیاء] /ع./
[*adj.*] **alive *or* living;**
[*n., rare*] **tribe, family;**
زنده ⟵
حیّ و حاضر ready, accessible
خودش حیّ و حاضر است.
There he is. *i.e.* You may ask himself.
حیا، حیاء /ع./ **pudency, modesty, modest reserve**
حیا کردن to feel ashamed; to be coy
حیاش را (با نان و ماست) خورده است. [عامیانه]
He has swallowed shame and drunk after it.
حیات /ع./ **life;**
lifetime; ⟵ زندگی
در حیات بودن to be living
ترک حیات گفتن
to pass away, to die
اگر حیاتم باقی باشد ***if my life should not fail me***
حیاتی /ع./ **vital, of vital importance**
اندامهای حیاتی vital organs, vitals
موضوع حیاتی و مماتی
matter of life and death
حیازت /ع./ **possession**
حَیاط /ع./ **court-yard, compound**
حیاط خلوت back-yard, back-court
حیاط طویله (stable-)yard; outhouse
حیث /ع./ **respect**
از حیثِ with respect to, in regard to
حیثیت /ع./ **prestige; respect**
حیدر [اسم خاص] /ع./
[*o.s.*] **lion;** ⟵ شیر
حیران /ع./ **perplexed, astonished**

حیران شدن to be perplexed *or* astonished

حیران کردن to perplex, to astonish

حیرانی /ع. فا./ = حیرت

حیرت /ع./ **perplexity, amazement;** ← شگفت

حیرت کردن to be astonished

حیرت‌انگیز /ع. فا./ = شگفت‌انگیز **wonderful, astonishing**

حیرت‌زده /ع. فا./ **astonished**

حَیّز /ع./ **space; extension; limit, reach**

از حیزِ امکان بیرون است it is impossible

حیص و بیص /ع./ **dilemma; perplexity**

حیض /ع./ [*n.*] **menstrual discharge;** [*adj.*] *C.E.* **menstruous**

حیض شدن to menstruate

حیطه /ع./ **reach, compass, range;** [*o.s.*] **enclosure**

به حیطهٔ تصرف درآوردن to take possession of

حیف /ع./ [*n., lit.*] **injustice, oppression;** [*interj.*] (what a) **pity!**

برای این کار حیف است it is too good for this purpose, an inferior quality will do

حیف کردن [*rare*] to do injustice

حیف و میل embezzlement

حیف و میل کردن to embezzle

حیف که نمی‌توانم او را ببینم.
If I could only meet him.
Pity I can't meet him.

حیل [جمعِ حیله]

حیله [جمع: حیل] /ع./ **trick; deceit**

به کسی حیله زدن to play a trick on someone

حیله اندیشیدن to think of a trick *or* artifice

حیلهٔ جنگی stratagem

حیله‌باز، حیله گر /ع. فا./ **cunning, artful**

حیله‌بازی /ع. فا./ **trickery**

حِین [جمع: احیان] /ع./ **time; moment**

در حینِ at the moment of, during; ← هنگامِ

حیوان[1] [جمع: حیوانات] /ع./ = جانور **animal**

حیوان[2] [کمیاب] /ع./ **life**

حیوان‌شناس /ع. فا./ = جانورشناس

حیوان‌شناسی /ع. فا./ = جانورشناسی

حیوانی /ع./ [*adj.*] **animal; brutal**

جغرافیای حیوانی zoogeography

غذای حیوانی animal food

حیوانیت /ع./ **animal nature; brutality**

حیوة /ع./ = حیات

حَیِه [کمیاب] /ع./ = مار؛ کرمک

خ

خا، خای [بن مضارعِ خاییدن]

خاتَم [جمع: خواتم، خواتیم] /ع./ **signet, seal; inlaid work; mosaic**

انگشترِ خاتم signet-ring

خاتِم /ع./ **finisher, the last**

خاتم‌ساز، خاتم‌کار /ع. فا./ **inlayer**

خاتم‌کاری /ع. فا./ **inlaying, inlaid work**

خاتم‌کاری کردن to inlay with mosaic/etc.

خاتمه [جمع: خواتیم، کمیاب] /ع./ **end, conclusion; adjournment;** ← پایان

به چیزی خاتمه دادن to put an end to something, to bring it to a conclusion; to settle something

خاتمه‌پذیرفتن، خاتمه‌یافتن to be finished, to come to a conclusion; to be settled

در خاتمه finally, in conclusion

خاتمتاً /ع./ **finally, in conclusion**

خاتون [کمیاب، جمع: خواتین، /ع./] (noble) **lady, matron**

خاج[1] [از ارمنی خاچ] [*c.p.*] **club**

خاج[2] چلیپا، صلیب ← **cross;**

خاجدیس **cruciform**

خاج‌شویان **epiphany;** [*o.s.*] **baptizing the Cross**

خاجی **cross-shaped**

استخوان خاجی sacrum

خاچ ← خاج

خادِم [جمع: خَدَمه، خدام، مؤنث: خادمه] /ع./ = نوکر **servant**

خادِمه female servant, housemaid

خار [*n.*] **thistle; thorn; pin;** [*scale*] **tongue;** [*machines*] **key**

خار پولوس half shaft key; [*adj.*] neat and tidy (as the hair)

خارماهی fish-bone

بتهٔ خار bramble, teasel

خار زدن to tease

خارا **granite; moire: watered silk**

خاراگوش **common wormwood**

خاراندن [بن مضارع: خاران] **to scratch:** سرخاراندن

فرصت سر خاراندن breathing-gap

خارایی **granitic**

خاربست **hedge of thorns**

خاربُن **bramble, heath(er)**

خارپشت **porcupine; hedgehog**

خارپوست **echinodermatous**

خارتوت (spiny) **gooseberry**

خارِج[1] /ا. ع./ **outside**

از خارج from abroad

در خارج abroad, outside

خارج شدن to go *or* come out

خارج کردن to send out, to discharge, to expel; to emit

خارج از ضرب [*mus.*] out of tempo *or* rythm

خارج از مقام [*mus.*] off key, out of tune

خارج از موضوع not to the point, irrelevant

خارج از قاعده irregular

خارج از وصف beyond description

خارج‌قسمت quotient

خارِج[2] /ع./ **foreign destination(s)**

خارج[3] /ص. ع./ = خارجی

خارج‌الارضی /ع./، برون ـ مرزی **extraterritorial**

خارجه [مؤنثِ خارج] /ع./ [*adj.*] **foreign;** [*n.*] **foreign destinations** *or* **countries**

وزارت امور خارجه Ministry of Foreign Affairs, Foreign Office

وزیر امور خارجه Secretary of State for Foreign Affairs, Minister of Foreign Affairs

در خارجه abroad, in foreign countries

خارجی /ع./ [*adj.*] **external, outer, exterior;** [*n.*] **foreigner**

خارخسک **star-thistle, caltrop**

خاردار **thorny, prickly, spinous**

سیم خاردار barbed wire

ماهی خاردار perch

خارِش itching; mange
خارِش کردن
to itch; → خاریدن
خارشتر camel's-thorn, alhaghi, hedysarum
خارق‌العاده /ع./ unusual; supernatural; wonderful
خارکن، خارکش one who digs up prickly bushes
خارماهی sword-fish
خاره[1] rock; → صخره
خاره[2] [med.] papula; → خارا
خاریدن[1] [بن مضارع: خار]
to itch: دستم می‌خارد
خاریدن[2] [ادبی] = خاراندن
خازن[1] /ع./ condenser
خازن[2] /ع./ = خزانه‌دار
خاستگاه [کمیاب] = مبدأ origin
خاستن [بن مضارع: خیز] = برخاستن
خاسته [در ترکیب] risen
خاشاک [ادبی] motes, chips; brushwood
خاشع /ع./ = خاضع، فروتن
خاصّ /ع./ special, particular; private; sacred; [logic] subaltern; [gram.] proper; → ویژه؛ [مؤنث: خاصه]
اسم خاص proper noun
خاص و عام
people of all classes
خاصره /ع./ flank, hypocondrium
لگن خاصره pelvis
خاصّه[1] /ق. ع./
especially; → به‌ویژه
خاصّه[2] [مؤنثِ خاص] /ص. ع./
خاصه‌خرجی، خاصه و خرجی /عف./ unjust discrimination (especially in serving dinner to guests)
خاصه ململ /ع. فا./
cheese-cloth, mull

خاصیت [جمع: خَصائِص] /ع./
virtue; property; [infml.] use(fulness); → خواص
خاصیت بخشیدن
to be efficacious
خاضع /ع./ = فروتن humble
خاطر [جمع: خواطر] /ع./
mind, heart; memory; sake: برای خاطر شما ; behalf
به خاطر آوردن to remember, to call to mind
به خاطر کسی آوردن
to remind someone of
به خاطر داشتن to remember
به خاطرم رسید
it occurred to me
خاطر کسی را خواستن [عامیانه]
to be sweet on *or* fond of someone; → خاطرخواه
خاطر عالی مستحضر است
you are aware [in formal style]
خاطرم جمع است. I am sure.
خاطرجمع /عف./ sure, certain; tranquil, [lit.] composed
خاطرجمع بودن
to feel *or* be sure
خاطرجمع شدن to be assured
خاطرجمع کردن to assure
خاطرجمعی /ع. فا./
assurance, sureness; → جمعیت خاطر
خاطرخواه /ع. فا./
[adj.] loving, fond; [n.] lover
خاطرخواهی /ع. فا./
fondness, love
خاطرنشان کردن /ع. فا./
to point out, to notify; [o.s.] to fix in the mind
خاطره [جمع: خاطرات] /ع./
reminiscence, remembrance

خاطی /ع./ = خطاکار
خاقان /ت./ [emperor of China *or* of Chinese Torkestan]
خاک earth; dust; soil; [ext.] land; territory; [met.] ashes; tomb
خاک آهک‌دار marl
خاک اره sawdust
خاک چینی kaolin
خاک رُس، خاک رُست clay, argil
خاک زغال charcoal dust
خاک زغال سنگ coal-dust, breeze
خاک سرخ ferrous oxide
خاک گلدانی loam
خاک بر سرش! Shame on him!, damn him!
خاک (عالم) بر سرم!
Alas for me!
چه خاکی به سر کنم؟
What on earth can I do?, how can I help it?
خاک شدن to be reduced to powder; [fig., lit.] to humble oneself
به‌خاک سپردن، در خاک نهادن
to bury
به خاک سیاه نشاندن
to ruin utterly
به خاک پای اعلیحضرت
to His Majesty
خاک‌آلود soiled, dusty
خاک‌انداز dust-pan
خاک‌برداری excavation
خاک‌دان dust-bin
خاکروبه sweepings, rubbish
خاکروبه‌بر dustman
خاکروبه‌دان dust-bin
خاکریز embankment; earthwork
خاکریزی earthfilling, earthwork

خاکریزی کردن (در) to fill (in); to embank
خاکزاد [ادبی] **earth-born, human**
خاکزی [*zool.*] **terrestrial**
خاکسار **humble**
خاکستر **ashes**
طلای زیر خاکستر [*met.*] dark horse
خاکستردان **ash-tray, ash-hole**
خاکستری **grey**
روغن خاکستری grey unguent, mercurial unguent
خاکشو **gold-washer**
خاکشی، خاکشیر [عامیانه] **London rocket-seeds**
خاک‌صفت [ادبی] /فا.ع./ **humble as dust**
خاک‌کش **barrow; navvy**
کامیون خاک‌کش dump truck
خاک و خُل [عامیانه] **dust and dirt, dust and refuse**
خاکه **dust, powder**
خاکی [*adj.*] **dusty; earthly; terrestrial; earth-coloured, khaki;** [*fig., lit.*] **mortal; humble**
جادهٔ خاکی dirt-road
خاکیان [ادبی، جمعِ خاکی] /ا.ا./ **mortals**
خاگینه (kind of) **omelet** *or* **scrambled eggs**
خال[1] /ع./ **spot, speckle; mole; beauty-spot; freckle;** [*c.p.*] **suit**
خال سوزنی tattoo
خال مادرزاد mother's mark, birth-mark
خال کوبیدن to tattoo the skin
خال[2] [کمیاب] /ع./ = دایی
خال‌خال /عف./ **speckled, spotted**

خالد [اسم‌خاص] /ع./ = جاودانی
خالدار /ع. فا./ **spotted; having a beauty-spot** *or* **mother's mark**
خالص /ع./ **pure, unmixed; net;** ← ویژه
غیر خالص gross
خالصاً /ع./ **sincerely**
خالصانه /ع. فا./ [*adv.*] **sincerely;** [*adj.*] **sincere:** ادعیه خالصانه
خالصجات [جمعِ خالصه]
خالصه [جمع: خالصجات، مؤنثِ خالص] /ع./ **public domain, crown land**
خالق /ع./ = آفریننده **creator**
خالقیت /ع./ **creative power**
خالکوبی /ع. فا./ **tattooing**
خالو /ع. فا./ = خال، دایی
خاله /ع./ (maternal) **aunt**
خالی /ع./ **empty; vacant; void;** ← تهی
خالی کردن to empty; to evacuate; to unload; to discharge, to fire off
جا خالی کردن to give way; to side step
جای شما خالی بود. We missed you. We thought of you.
دستش خالی نیست. He is busy. He is not through with his work.
نان خالی mere bread (*i.e.* without any other food)
خالی‌از همه چیز
to leave all jokes aside
خام [*adj.*] **raw; crude;** [*fig.*] **green, fresh; vain:** خیال خام ; [*n.*] **raw hide**
خیالات خام پختن to build castles in the air
خام‌دست **unskilful, awkward**
خامس /ع./ = پنجم **fifth**

خامساً /ع./ **fifthly**
خامسوز **raw hide, pelt**
خامش [ادبی، صورت اختصاری خاموش]
خام‌طمع /فا.ع./ (one) **who has vain hopes**
خاموت /ر./ **collar of a draught horse**
خاموش **silent;** [*adj.*] **extinct; off;** [*interj.*] **hush!**
خاموش کردن to extinguish; to put out, to blow out; to switch off (as an engine); to silence
خاموش شدن to keep silent; to go out: چراغ خاموش شد
وادیِ خاموشان [استعاری] necropolis, cemetery
خاموشی **silence**
شیپور خاموشی [*mil.*] last post, taps
خامه [*lit.*] **pen; cream; raw silk;** [*bot.*] **style**
خامه‌ای **containing** *or* **resembling cream**
نان خامه‌ای creampuff
خامه‌گیر **cream separator**
خامی **rawness, crudeness;** [*fig.*] **greenness**
خان[1] **caravanserai, inn; rifle, groove**
خان[2] [ازریشه مغولی] **khan: obsolescent title**
خاندار **rifled:** تفنگ خاندار
خاندان **house(hold), family**
خانقاه **monastery; convent**
خانگی **domestic; house-made, home-baked; internal, civil**
خانم [ازریشه مغولی، مؤنثِ خان] **lady; wife; mistress;** [*infml.*] **mother;** [title placed after the first name of a lady: اشرف خانم]

خانمان **house; family; household goods**
خانمان‌برانداز **ruinous, destructive**
خانوادگی **pertaining to a family**
پزشک خانوادگی family doctor
خانواده **family; tribe**
خانوار **family, house**
خانه[1] **house; home;** [*o.s.*] **room;** [*backgammon-board*] **point;** [*chessboard*] **square**
آن را بردم (به) خانه. *I took it home.*
خانه روشن کرده است. This is only a lightening before death.
خانه[2] [*anat.*] **alveolus**
خانه[3] [*anat.*] **socket**
خانه به‌دوش **vagabond, homeless** (person), **nomad(ic)**
خانه‌پرورد(ه) **homebred**
خانه‌تکانی **spring-cleaning**
خانه‌خانه **chequered; cellular; honeycombed**
خانه‌خُدا [ادبی] = صاحبخانه
خانه‌خراب /فا. ع./ **ruined**
خانه‌خراب شدن to be ruined
خانه‌خراب کردن to ruin, to impoverish
خانه‌خواه **familiar, intimate**
خانه‌دار [*adj.*] **economical, thrifty;** [*n.*] **housekeeper; good manager**
خانه‌داری **housekeeping**
خانه‌داری کردن to keep house
خانه‌زاد [*adj.*] **home-born;** [*n.*] **child of a slave**
خانه‌شاگرد **servant-boy**
خانه‌کش **drawer**
خانه‌نشین **stay-at-home; confined at home, retired**

خاوَر [اسم خاص] **east**
خاورشناس **orientalist**
خاورشناسی **orientalism**
خاوری **eastern**
خاویار [فر. از ای. از ت.] **caviare**
خائف /ع./ = ترسان؛ ترسو
خائن /ع./ [*adj.*] **treacherous;** [*n.*] **traitor**
خائنِ کشور traitor to the country
خائنانه /ع. فا./ **treacherously**
خایه[1] **testicle**
خایهٔ غول را شکستن to perform a Herculean task
خایه[2] [*rare*] **egg**
خایه‌مالی **cringing,** [*indecent*] **servile flattery**
خاییدن [ادبی، بن‌مضارع: خـای] = جویدن
خباثت /ع./ **malice; villainy**
خباز /ع./ = نانوا
خبائث [جمعِ خبیثه]
خُبث /ع./ **malice; villainy; impurity**
خَبر [جمع: اخبار] /ع./ **news, information; announcement; notice; tradition;** [*gram.*] **predicate**
خبر خوش good news
خبر دادن to inform, to let know; to announce; to send word; to warn
از من خبر ندارد. He has not heard from me.
خبر کردن to call, to invite; to give notice
خبر شدن to come to know, to become aware
خبر گرفتن to obtain information
خبر گرفتن از to inquire after
چه خبر است؟ What is going on?, what is up?

خبری نیست.[1] There is nothing going on.
خبری نیست.[2] Nothing doing.
خبر رسید که word came that
شیپور خبر [*mil.*] first post
لولهٔ خبر overflow pipe
خبربر /ع. فا./ **tale-bearer**
خبرت [ادبی] = خبرگی، دانایی
خبردار /ع. فا./ [*rare*] **aware**
خبرکردن to inform; to warn
خبردار! /ع. فا./ [*mil.*] **attention;** [with the stress on the first syllable] **look out!**
به حال خبردار ایستادن to stand at attention
خبرگزار /ع. فا./ **news-agent**
خبرگزاری /ع. فا./ **news agency**
خبرگی /ع. فا./ = کارشناسی
خبرگیری /ع. فا./ **inquiry;** ← جاسوسی
خبرنگار /ع. فا./ (newspaper) **correspondent; annalist**
خُبرویت /ع./ = خبرگی، کارشناسی
خُبره /ع./ **expert;** ← کارشناس
خَبری /ع./ [*rare*] **predicative, containing news**
فیلم خبری، فیلم اخباری news-reel
خَبط /ع./ **mistake**
خبط کردن to make a mistake
خبط دماغ mental alienation, aberration
خبیث /ع./ **malicious; malignant, evil; impure**
خبیثه [جمع: خَبائث، خبیثات، مؤنثِ خبیث] /ع./ **impure thing; evil**
خبیر /ع./ **well-informed; omniscient**
خپل، خپله [عامیانه] **squab** *or* **squat**

ختا cathay
خِتام [ادبی] /ع./ = پایان end, conclusion
حسن خِتام happy conclusion
ختائی of cathay
آجر ختایی [kind of brick 25 cm. by 25 cm.]
خَتم /ع./ finishing; adjournment; (reading the whole of the Koran in the) days of mourning
ختم کردن to finish; to settle
ختم گزاردن to commemorate the dead by reading the whole of the Koran
مجلس ختم service held for this purpose
ختنه /ع./ circumcision
ختنه کردن to circumcize
ختنه‌سوران /ع. فا./ circumcision party
خجالت /ع./ shame
خجالت دادن to put to shame; to cause to blush
خجالتم ندهید. *Spare my blushes.*
خجالت کشیدن to blush, to feel (*or* be) ashamed
خجالت‌آور /ع. فا./ shameful
خجالت‌زده /ع. فا./ put to shame, disgraced
خجالت‌کش /ع. فا./ bashful, shy
خجستگی auspiciousness
خُجسته [ادبی] happy, auspicious
خَجل /ع./ ashamed; ← شرمنده
خجل شدن to feel ashamed
خجل کردن to put to shame, to put to the blush
خجلت /ع./ = خجالت
خجند [ادبی] = خجسته

خَجول /ع./ shamefaced, bashful
خَدّ /ع./ = گونه cheek
خدا God
خدا را [ادبی] for God's sake
خدا کند I hope *or* God grant that
خدا نکند! heaven forbid!
به خدا by God
شما را به خدا for God's sake; I swear you by God
خداحافظ، خداحافظِ شما! good-bye!, farewell!
خدا به دور! [عامیانه] Devil take him!
خدا می‌کرد که would to God that
از خدا می‌خواست که... he was too glad to...
خدابیامرز [عامیانه] of blessed memory
خدابین who discerns the truth; godly
خدابینی discerning the truth; godliness
خداپرست [*adj.*] pious, godly; [*n.*] theist
خداپرستی theism; godliness
خداپسندانه pious, godly
خداترس God-fearing
خداترسی fear of God, piety
خداحافظی /فا. ع./ good-bye, farewell
خداحافظی کردن با (یا از) to say good-bye to, to take one's farewell of
خداداد [اسم‌خاص] [*o.s.*] granted by God, Theodore
خداداده granted by God, gifted
خداشناس pious, godly; theist

خداشناسی piety; theism
خدام [جمعِ خادم، /ع./]
خدانشناس impious; irreligious
خُداوَند Lord; God; Master; **Possessor** (of a specified thing *or* quality)
خداوندگار Lord; Master
خداوندی lordship
خدایا! [stress on the second syllable] O God!
خدایار [اسم‌خاص] ← خدا، یار
خدایگان (powerful) monarch
خدایی [*adj.*] divine; providential; [*n.*] godship, divinity
خَدَر[1] /ع./ torpidity
خَدر[2] /ع./ torpid, benumbed
خدشه /ع./ scratch, (mark of) alteration
خدشهٔ خاطر inquietude, anxiety
خُدعه /ع./ deceit; ← حیله، فریب
خدعه‌آمیز /ع. فا./ deceitful
خدم [جمعِ خادم، /ع./] /ع./ servants
خدم و حشم retinue, suite
خدمات [جمعِ خدمت]
خِدمت [جمع: خَدَمات] /ع./ service
او ده سال (سابقه) خدمت دارد. *He has ten years service.*
خدمت کردن to do service, to serve
در خدمت کسی بودن to be in the employ of someone, to be in his presence
(به) خدمتِ کسی رسیدن to go to see someone, to be admitted to his presence
(به) خدمتش خواهم رسید. *I will serve him out.*

(در) سر خدمت on duty
در حین انجام خدمت while on duty
برگ خاتمه خدمت discharge certificate
خدمت شما عرض کنم [*p.c.*] allow me to say
خدمتانه /ع. فا./ **tip, drink-money**
خدمتگار /ع. فا./ **servant**
خدمتگزار /ع. فا./ [*n.*] **servant;** [*adj.*] **serving, willing to serve**
خدمتگزاری /ع. فا./ **service; willingness to serve**
خدمه [جمعِ خادم، /ع./] /ع./
خدنگ [ادبی] (arrow from) **white poplar**
خُدو [کمیاب] = خیو
خدیجه [اسم‌خاص] /ع./
خدیو **khedive**
خذلان [کمیاب] /ع./ = ترک، واگذاری
خَر[1] **ass;** [*fig.*] **fool, silly person;** [*adj.*] **silly, stupid**
خرِ خاکی woodlouse
خر ماده she-ass
خر شدن [عامیانه] to be(come) silly; to be fooled *or* cajoled
خر نشو! *Don't be silly!*
خر خود را راندن to look after one's own business, to be regardless of others
خر خود را از پل گذراندن to get over one's difficulties, to hit the right nail on the head
یاسین به گوش خر خواندن to play a lyre in vain to an ass
خرم به گل نخوابیده است. I am not so hard up as to.
خر کردن to fool, to cajole
خرش می‌رود. [زبان لاتی] He is a big shot *or* bug. He carries much weight.
خَر[2] [بن مضارعِ خریدن]
خراب /ع./ *C.E.* **ruined, demolished; desolate; in bad repair, out of repair, impaired; decayed, spoiled;** [*n., rare*] **ruin, destruction**
خراب شدن to be demolished *or* ruined, to collapse; to be decayed, to go bad, to go off (as meat); to be impaired
خانه‌اش خراب شود! The devil take him!, may he be ruined!
در این شهر خراب شده in this blooming city
خراب کردن to demolish, to destroy; to impair; to spoil
خراب‌آباد /ع. فا./ **desolate place;** [*met.*] **the world**
خرابات [ادبی] /ع. فا./ **pot-house, tavern**
خرابکاری /ع. فا./ **sabotage**
خرابه /ع. فا./ **ruined place**
خرابی /ع. فا./ **ruined condition; impairment**
خرابی اوضاع bad state of affairs
خراتین [کمیاب] **earthworm;** → کرمِ‌خاکی
خَراج [ادبی] /ع./ **tax, tribute; revenue**
خَرّاج /ع./ **lavish**
خُراج /ع./ **anthrax**
خراج‌گزار /ع. فا./ **tributary**
خرّازی /ع. فا./ **haberdashery**
خرّازی‌فروش /ع. فا./ **haberdasher**
خرّازی‌فروشی /ع. فا./ **haberdashery, haberdasher's trade**
خراس [کمیاب] **ass-mill**
خراش[1] **scratch; slight wound**
خراش[2] [بن مضارعِ خراشیدن]
خراشه **filings; chips**
خراشیدگی **abrasion; scratch; slight wound**
خراشیدن [بن مضارع: خراش] **to scratch, to scrape**
خراشیده [اسم‌مفعول فعل خراشیدن] **scratched, scraped**
خرّاط /ع./ **turner**
خرّاطی /ع. فا./ **turnery, turning**
دستگاه خرّاطی lathe
خُرافات /ع./ **extravagant talks; ridiculous stories;** [*ext.*] **superstitions**
خرافاتی /ع. فا./ **superstitious**
خرام[1] **graceful gait**
خرام[2] [بن مضارعِ خرامیدن]
خرامان **strutting; of a graceful gait**
خرامیدن [بن مضارع: خرام] **to strut; to walk gracefully**
خَربَط **goose;** → غاز؛ بط
خربق **hellebore**
خربوزه، خربزه **melon**
خربوزه کوتور [کمیاب] musk-melon
خرپا **roof-truss**
خرپُشت **convex**
خرپشته **ridge; sharp roof**
خرپوزکی **hinny**
خرپول [عامیانه] **stinking of money**
آدم خرپول money-bags
خِرت و پرت [عامیانه] **trumpery, frippery, pedlary; lumber**
خَرتوخر [عامیانه] **higgledy-piggledy; rough-and-tumble; chaotic**
خَرج /ع./ **expenditure, expense; costs;** [*firearm*] **priming, amorce;** → محارج

خرج سفر travelling expense
خرج شدن to be spent
خرج کردن [*money*] to spend
به خرج دادن to display *or* show, to pass off
پند من به خرجش نمی‌رفت. He was impervious *or* he would not listen to my advice
خرج‌بیار [عامیانه] /ع. فا./ **purveyor**
خرج دررفته /ع. فا./ **after deduction of expenses, net**
خرجی /ع. فا./ **money for expenditure; subsistence; alimony**
خُرجین /ع./ **saddle-bag, carpet-bag; satchel;** (beggar's) **wallet**
خرچُسنه **blaps, churchyard beetle**
خرچنگ، خرچنگال
crab *or* **lobster**
خرچنگ‌قورباغه‌ای [زبان‌لاتی] **crabbed:** خط خرچنگ‌قورباغه‌ای
خرچنگی **crustacean**
خرحمالی [عامیانه] /فا. ع./ **drudgery**
خِرخِر **ruckle**
خرخر کردن to ruckle; to rattle
خُرخُر **snoring; purring; growl(ing), snarl(ing)**
خُرخُر کردن to snore; to purr; to growl; to grunt
خِـرخِـره [عامیانه] = خشک‌نای
خُرخُره **snore; ruckle, death-rattle**
خِرخِری **hoarse:** صدای خرخری
خرخشه **ado; disturbance; dispute; anxiety**
خرخیار **wild cucumber**
خُرد **little, small, young; minute**

خُرد کردن to break to pieces, to shatter; to crush; to grind; to change (as money); [*fig.*] to suppress
پول خُرد small change
خرَد **wisdom, intellect**
خُرداد
[third month having 31 days]
خُردخُرد **little by little; gradually; piecemeal**
خردسال **of tender years**
خُردسالی **childhood**
خُردسنج **micrometer**
خَردل **mustard**
ریشهٔ خردل horse-radish
ضماد خردل sinapism
مشمع خردل mustard-plaster *or* sinapism
خردل پارسی penny-cress
خردمند [ادبی] **wise**
خردمندی **wisdom**
خردمندانه [*adv.*] **wisely;** [*adj.*] **wise**
خُردنگاری **micrography**
خُرده[1] /ا./ **bit, fragment; minute point**
خرده استخوان پا tarsus
خرده استخوان دست carpus
خرده‌الماس diamond-dust
خرده گرفتن بر (یا از)
to find fault with, to cavil
بیست‌وخرده‌ای کتاب
twenty odd books
خُرده[2] **retail**
خُرده[3] /ص./ = خُرد
خرده‌بین **critical; cavilling**
خرده‌بینی **critical** *or* **acute observation, scrutiny**
خرده‌حساب /فا. ع./ **small accounts** (to settle)
خرده‌ریز **sundries; trumpery; trinkets**
خرده‌سنگ **gravel; aggregate**

خرده‌سیاره /فا. ع./
planetoid, asteroid
خرده‌شیشه **glass-dust**
خرده‌فرمایش [عامیانه]
sundry orders
خرده‌فرمایش به کسی دادن
to order one about
خرده‌فروش **retailer; huckster**
خرده‌فروشی **retail** (dealing)
خرده‌فروشی کردن
to sell by retail; to peddle
خرده کاری **minor repairs**
خرده گیر [*adj.*] **cavilling, of cavilling habits;** [*n.*] **caviller**
خرده گیری **cavilling**
خرده‌مالک /فا. ع./
(owned by) **petty landowners**
خُرده‌نان **crumbs**
خُردی **littleness; minuteness; childhood, infancy**
خر رنگ‌کن [عامیانه]
[*n.*] **impostor;** [*adj.*] **showy but worthless**
خرزه **glass bead; false pearl**
خَرزهره **oleander**
خِرس **bear**
خرسِ ماده she-bear
خرسک **bear's cub, whelp;** [*rare*] **badger;** [*rare*] **kind of children's game; thick-napped** *or* **piled carpet**
خُرسند **satisfied, content; glad**
خرسندی **satisfaction; contentment; gladness**
خَرسواری **riding an ass**
خرشف **squama**
خُرطوم /ع./
(elephant's) **trunk**

خرطوم‌دار /ع. فا./
proboscidian
خوک خرطوم‌دار [کمیاب] tapir
خرطومی /ع./ **trunk-like; flexible**
لولهٔ خرطومی hose (pipe)
خَرَف /ع./ **dotage, anility**
خَرِف /ع./ **stupid, weak-minded; anile**
خُرفه /ع./ **purslane**
خرفهم کردن /فا. ع./
to demonstrate (something) **so that even the fool can understand it; to inculcate** (on *or* upon) [not to be used in p.c.]
خَرق /ع./ [*rare*] **rending**
خرق‌عادت supernatural thing *or* act
خِرقه [منسوخ] /ع./ **robe, gown; wadded cloak; pelisse**
خِرقه تهی کردن [ادبی، استعاری] to resign one's life
خرقه‌پوش /ع. فا./
(dervish) **wearing a wadded** (*or* **tattered**) **robe**
خرک **little ass, foal; jack;** [*mus.*] **bridge**
خرک پرش vaulting-horse
خرک چوب‌بری saw-horse, saw-buck
شوخی خرکی horse-play
خرکی بار کردن [زبان لاتی]
to make a pig of oneself, to overeat oneself
خرکچی /فا. ت./ **ass-driver**
خرکی ← خرک
خرگاه [ادبی] **shed; pavilion; cottage**
خرگوش **hare**
خرگوش خانگی rabbit
خرگوش فرنگی = خرگوش خانگی

خرگوش ماده doe-rabbit
خرگه [ادبی، صورت اختصاری خرگاه]
خُرَم **fresh, green; pleasant; cheerful**
خُرُم /ر./ **chrome; box-calf**
خُرما **date**
درخت خرما date-palm
خرماخرک، خرماخارک
kind of astringent date; unripe dried date
خُرمالو **persimmon**
خرماندو **date-plum, ebony-tree**
خرمایی (reddish) **brown**
خرمقدس /فا. ع./
foolishly pious *or* **religious**
خرمگس **gad-fly, horse-fly**
خرمگس معرکه [استعاری] kill-joy
خرمن **stack, heap; harvest;** [*moon*] **halo**
خرمن کردن to stack, to heap up; to gather in
خرمن‌سوخته [ادبی] **ruined, impoverished**
خرمن‌کوب **thresher, flail**
خرمن‌کوبی **thrashing corn**
خَرمُهره **glass bead, cowrie**
خرّمی **freshness; cheerfulness;** ← خرّم
خُرناس، خرنش **snoring**
خرناس کشیدن to snore
خرند **walk, footpath, apron; parapet** (of a gallery)
خَرنوب **carob** (bean), **saint, John's bread**
خَروار **ass-load** (roughly = 300 kilogrammes)
خُروج /ع./ **going out; exit; egress; exodus;** [*med.*] **prolapse, prolapsus**
خروج چشم exophthalmus

خروجی /فا. ع./ **balcony**
خِرّوخر [عامیانه] **death-rattle**
خروس **cock**
جوجه‌خروس [compound word] young cock, cockerel
خروس اخته capon
خروس جنگی game-cock
خروسک **cockerel;** [*rifle*] **hammer;** [*med.*] **croup**
خروس‌کولی **black cock; lapwing**
خروس‌وزن /فا. ع./
bantam weight
خُروش[1] **clamour; roaring**
خُروش برآوردن to clamour, to roar
خُروش[2] [بن مضارعِ خروشیدن]
خروشان **roaring, shouting**
خروشیدن [بن مضارع: خروش]
to shout, to roar, to clamour
خَرّه [کمیاب] = لجن
mud sticking to the bottom of a tank
خُرّه = خرناس
خَری **silliness, asininity**
خریت [غلط مشهور] /فا. ع./ = خری
خرید **purchase; shopping**
خرید کردن to make a purchase; to shop; ← خریدن
خریدار **purchaser, buyer**
خریدار ندارد there is no demand for it
خریداری [*n.*] **act of buying, purchase;** [*adj.*] **purchased**
به چشم خریداری نگاه کردن
to make eyes at
خریداری کردن = خریدن
خریدن [بن مضارع: خر] **to buy, to purchase**
خریده [اسم مفعول فعل خریدن]
bought, purchased
خریطه [کمیاب] /ع./ **chart; leathern bag**

خریف /ع./ = پائیز
خریفی /ع./ = پائیزه
autumnal
اعتدال خریفی
autumnal equinox
خَز[1] **fur; fur coat**
خزدست muff
خز گردن tippet, fur necklet, boa
خز سمور sable
خَز[2] [بن‌مضارعِ خزیدن]
خَزان[1] **fall, autumn**
خَزان شدن
to turn yellow (as trees)
خَزان[2] **creeping, crawling**
خِزانه [جمع: خَزائِن] /ع./
treasury; rifle-magazine; silkworm nursery
خزانه کردن to store up
خزانه‌دار /ع. فا./ **treasurer**
تفنگ خزانه‌دار magazine-rifle
خزانه‌داری /ع. فا./ **treasury**
خزانه‌داری کل
Treasury General
خزانی **autumnal**
خزائن [جمعِ خزانه]
خزر **tribe formerly inhabiting the Caspian littoral**
بحر خزر the Caspian Sea
خزف /ع./ **pottery**
خزف‌ریزه potsherd
خزفروش **furrier, dealer in fur coats**
خزفروشی **furriery**
خَزنده[1] /ص./ **creeping**
خَزنده[2] [جمع: خزندگان] /ا./
reptile
خزنده‌شناسی **herpetology**
خزوک[1] **cicada**
خزوک[2] = سوسک
خَزه **moss**
شبه خزه muscoid
خزه‌شناس **muscologist**

خزه‌شناسی **muscology, bryology**
خزیدن [بن‌مضارع: خز]
to creep, to crawl
خزیده [اسم‌مفعول فعل خزیدن]
crept; lying hid
خزینه [جمع: خزائن] /ع./
treasury; reservoir of a Turkish bath
خَس **small chip of wood, mote; thorn;** [*fig.*] **mean fellow**
خسارت /ع./ **damage(s); loss;** [*maritime insurance*] **average**
خسارت دیدن to sustain a loss *or* damage
خسارت وارد آوردن بر
to damage
عرض حال خسارت دادن
to sue for damages
خسارت‌آمیز /ع. فا./
prejudicial
خساست /ع./ = خست
خسبیدن [کمیاب، بن‌مضارع: خسب] = خوابیدن
خس‌پرور [ادبی]
cherishing the mean: epithet of the world
خِست /ع./ **meanness, miserliness; stinginess**
خَستگی **fatigue, weariness**
خستگی‌ناپذیر **indefatigable**
خَستن [ادبی، بن‌مضارع: خَل]
to gall *or* **wound; to tire**
خُستو شدن [کمیاب] **to confess**
خسته **tired; weary; wounded,** [*rare*] **galled**
خسته شدن to get tired
خسته کردن to weary;
to make tired, to tire out
خسته‌خاطر [ادبی] /فا. ع./،
خسته‌دل **wounded at heart** *or* **in spirit**

خسته کننده **tiresome, tedious**
خس‌خس **râle, rattle**
خس‌خس کردن to râle;
to wheeze
خُسران /ع./ = خسارت، زیان
خسرو [اسم‌خاص] **name of a king;** [*ext.,lit.*] **king**
خَسک **small thorn** *or* **chip;** → حسک
خُسوف /ع./ **lunar eclipse**
خسیس /ع./ **stingy; mean**
خسیسی /ع. فا./ = خست
خشاب **loader** (of a magazine-rifle)
خشایارشا **Xerxes**
خِشت **sun-dried brick**
خشت زر ingot of gold
خشت زدن، خشت مالیدن
to make (*or* mould) bricks
خشت بر آب زدن [ادبی]
to carry water in a sieve,
to throw stones on the sea
خشت‌خشتی **chequered**
خشت‌زن = خشتمال
خِشتک **seat** (of trousers)
خشتمال **maker of sun-dried bricks**
خشتی **brick-shaped; made of sun-dried bricks**
خال خشتی [*c.p.*] diamond
خشخاش **poppy**
تُخم خشخاش mawseed
گل خشخاش corn-poppy
خشخاشی **papaverous; flavoured with poppy-seeds**
خِش‌خش، خش و خش
rustle, frou-frou
خش‌خش کردن to rustle
خُشک **dry; dried;** [*fig.*] **brainless, hollow; lifeless, prosaic; strict, severe**
خشک افتادن to run dry,
to dry up

خشک انداختن to dry up, to drain
خشک شدن to (become) dry; to freeze (to death)
در جای خود خشک شد. He was astounded. He was transfixed in his place.
خشک کردن to (make) dry; to wipe; to parch
خشک و تر، تر و خشک the good and the bad
خشک و خالی empty, nonsensical; outward, lukewarm, left-handed; mere
خشکاندن to (cause to) **dry; to desiccate; to drain**
خشکبار، خشکه‌بار dried fruits
خشک‌دست close-fisted
خشک‌ریشه eschar, slough
خشکسال year of drought
خشکسالی drought, dearth
خشک‌کن blotter, blotting-paper, blotting-pad; drier
خشک‌مغز [ادبی] **crack-brained, rattle-brained, rattle-pated**
خشک مقدس /فا.ع./ **sanctimonious, pharisaical**
خشک‌نای larynx
خشکه[1] everything included, all-in, as a fixed sum; in (hard) **cash**
خشکه[2] tool steel, cast steel
خشکی dryness; drought; land; stinginess; severity; stiffness
خشکی زدن، خشکی شدن [عامیانه] to chap
خشکیدن [بن‌مضارع: خشک] **to dry** (up)**, to drain; to freeze** (to death)

خُشکیده [اسم‌مفعول فعل خشکیدن] **dried, withered up; frozen; shrivelled, skinny**
خشل [کمیاب] = مقل **bdellium**
خَشم anger, indignation
خشم گرفتن = خشمگین شدن
به خشم آوردن to make angry, to provoke
خشم‌آلود = خشمگین
خشمگین، خشمناک angry
خشمگین شدن to get angry
خشمگین کردن to make angry, to provoke
خَشن /ع./ **rough, rude; coarse; harsh**
خُشنود glad; satisfied, content
از کسی خشنود بودن to be satisfied *or* pleased with someone
خشنودی satisfaction; gladness
خُشوع /ع./ = خضوع، فروتنی
خُشونت /ع./ **rudeness, harshness**
خشونت کردن to speak harshly; to be rude
خصال [جمعِ خصلت]
خصائص [جمعِ خاصیت] /ع./ **properties; special qualities; special features, characteristics**
خصائل [جمعِ خصیلت، کمیاب] /ع./ **qualities; habits**
خِصلت [جمع: خصال] /ع./ **quality; character; virtue; habit**
خَصم /ع./ = دشمن **enemy**
خصمانه /ع. فا./ [*adv.*] **hostilely;** [*adj.*] **hostile**
خُصوص /ع./ **regard, concern**
در خصوصِ on the subject of, concerning, about, regarding

به‌خصوص، علی‌الخصوص especially; particularly, in particular
خصوصاً /ع./ = به‌ویژه **especially, particularly**
خصوصی /ع./ **private; special**
خصوصیات /ع./ **particulars, specifications;** ← خصوصیت
خصوصیت /ع./ [*infml.*] **close acquaintance;** [جمع: خصوصیات] ←
خصومت /ع./ = دشمنی
خصومت‌آمیز /ع. فا./ **hostile**
خصی [کمیاب] /ع./ [*adj.*] **castrated;** [*n.*] **eunuch**
خصیب [کمیاب] /ع./ = حاصلخیز؛ آباد
خُصیه /ع./ = خایه **testicle**
خصیتین [تثنیهٔ خصیه] /ع./ **the two testicles**
خِضاب /ع./ **henna used for tinging the beard and the hands**
خَضراء [مؤنثِ اخضر]
خُضوع /ع./ = فروتنی **humility**
خَط [جمع: خُطوط] /ع./ **line;** (hand) **writing, character; streak**
خط آهن railway (track)
خط استوا equator
خط افق horizon
خط اتحاد، خط اتصال [*mus.*] slur
خط برنج column-rule
خط جامع المیاه thalweg
خط دو راهی siding
خط سبز [ادبی] the down on the cheek of a young man
خط سیر route, itinerary
خط فرعی side-track, siding, branch line
خط مشی policy

خط مصوّر — projection of a point
خط مماس — tangent
خط ناظم — normal
خط زدن — to cross out, to write off
خط کشیدن — to draw a line; to cross out
خط و نشان کشیدن — to prewarn someone, to make a point (of)
زیر چیزی خط کشیدن — to underline something
از خط بیرون افتادن — to be derailed, to get off the track
خَطا /ع./ — **sin; mistake, error; wrong**
خطا رفتن — to go the wrong way, to make a mistake
خطا کردن — to make a mistake; to slip; to miss (a mark)
خِطاب /ع./ — **address; speech**
خطاب کردن — to address; to speak
خطاب به من — addressed to me
خطاب من به اوست. — *I am addressing him.*
خطابخش [ادبی] /ع. فا./ — **forgiving, merciful**
خِطابه /ع./ — **oration, lecture, sermon;** → نطق، وعظ
خطاپوش [ادبی] /ع. فا./ — **who glosses over men's faults**
خَطاط /ع./ — **penman, calligraphist**
سر قلم خطاط — relief pen-nib
خطاکار /ع. فا./ — [*adj.*] **sinful, guilty;** [*n.*] **sinner, wrongdoer**
خطاکاری /ع. فا./ — **sinfulness**

خِطام [کمیاب] /ع./ — **rope; mooring**
خطایا [جمعِ خطیه]
خطبا [جمعِ خطیب]
خطبان /ع. فا./ — **linesman**
خُطبه /ع./ — **public homily, sermon;** → خطابه، نطق
خط تراش /ع. فا./ — **scraper**
خط خط [عامیانه] /عف./ — **streaky; scratchy**
خط دار /ع. فا./ — **striped; ruled**
خطر /ع./ — **danger; peril**
در خطر انداختن — to endanger; to peril; to stake
در معرض خطر — exposed to danger; at stake
خطرناک /ع. فا./ — **dangerous**
خط زده /ع. فا./ — **crossed out**
خط کش /ع. فا./ — **rule(r)**
خط کشی /ع. فا./ — **ruling; drawing lines**
خط کشی کردن — to rule
خطمی /ع./ — **marshmallow, rose-mallow**
خطمی درختی — Syrian mallow
خطمی صحرایی — abutilon
خطمی فرنگی — holly hock
خطمی مجلسی — china rose
خُطور /ع./ — **occurring** (to the mind)
به خاطرش خطور کرد که — *it occurred to him that*
خطوط [جمعِ خط]
خِطه /ع./ — **territory, country**
خطی /ع. فا./ — **handwritten, manuscript; linear**
خطیب [جمع: خُطباء] /ع./ — **orator; preacher**
خطیر /ع./ — **serious, momentous**
خطیه [جمع: خطایا] /ع./ = خطا
خَف [عامیانه] — **stuffy:** هوا خف است

خفا /ع./ — **concealment**
در خفا — secretly
خفاش /ع./ = شبپره — **bat**
خُفت — **abscissa;** [*o.s.*] **sleeping**
خِفت — [*n.*] **running noose; tight necklace;** [*adj.*] **tight;** [*adv.*] **tightly**
گره یک‌خفتی — half-hitch
گره دوخفتی — two half-hitches
خِفَّت /ع./ — **lightness; disgrace**
خفّت دادن — to disgrace
خفت عقل — light-mindedness
خفت مزاج — flightiness, caprice
خفت‌آمیز /ع. فا./ — **disgraceful, derogatory**
خفتان [کمیاب] — **caftan, under-tunic**
خُفتن [ادبی، بن‌مضارع: خواب] — **to sleep**
خفته — [*adj.*] **asleep; slept;** [*n.*] **sleeping person**
خفجه، خفچه — **haw** (thorn)
خفضِ جناح /ع./ — **humility;** [*o.s.*] **lowering the wing**
خفقان /ع./ — **palpitation, throbbing**
خفگی — **stuffiness, closeness; hoarseness; extinction**
خفه — **suffocated, choked; close, stuffy**
خفه شدن — to be suffocated ***or*** stifled; to go out
خفه شو! — Shut up!
خفه کردن — to choke, to suffocate, to strangle; to drown; to damp ***or*** extinguish; [*fig.*] to suppress
خفه‌کن — **damper; extinguisher; silencer;** [*mus.*] **sourdine**
خَفی [مؤنث: خفیه] /ع./ — **secret**

خفیف /ع./ **light; slight; contemptible; frivolous;** → سبک

خفیات [جمعِ خفیه] /ع./ **hidden things**

خُفیه /ع./ = پنهانی **concealment**

در خفیه secretly

خفیه‌فروش /ع. فا./ **smuggler**

خُفیتاً /ع./ **secretly**

خُل [عامیانه] **half-witted**

خَلاء /ع./ **vacuum**

خَلا **water-closet**

خلاص /ع./ [*n.*] **deliverance;** [*adj.*] *C.E.* **delivered, rid**

خلاص شدن to get rid; to be released

خلاص کردن to rescue, to save; to despatch, to kill

دندهٔ خلاص neutral gear

خُلاصه /ع./ **resumé, summary;** [*adv.*] **to sum up, in short**

خلاصهٔ مذاکرات minutes, proceedings

خلاصه کردن to summarize

خلاصی [غلط مشهور] /ع. فا./ = رهایی

خلاف /ع./ **minor (*or* petty) offence; diversity; contrary, opposite**

خلاف رویه irregular (act)

خلاف شرع (act) contrary to spiritual law

خلاف قاعده irregularity, anomaly

خلاف کردن to commit a minor offence; to do wrong

خلاف چیزی را گفتن to contradict a statement

بر خلافِ contrary to, unlike

محکمهٔ خلاف court of minor offences, police-court

خَلافت /ع./ **caliphate; succession**

خلاف‌کار /ع. فا./ **guilty of a minor offence; offender**

خلاق /ع./ = آفریدگار

خلاقیت /ع./ **creative power, creatorship**

خلال /ع./ **interval; interstice**

در خلال این احوال in the meantime

در خلال این مدت since, during this time

خلال دندان toothpick

خلال گوش earpick

خلال نارنج orange peel

خلائق [جمعِ خلیقه، کمیاب] /ع./ [*rare*] **creatures; people**

خلبان **pilot** (of a plane)

خلبانی **pilotage**

خلجان /ع./ **agitation; palpitation of the heart**

خُلد [ادبی، جمع: خلود] /ع./ = بهشت

خلدالله /ع./ **may God perpetuate...**

خُلر (variety of) **green pea**

خَلسه /ع./ **ecstasy;** [*o.s.*] **seizing**

خلش **prick; prickle; sting;** → نیش

خُلص /ع./ **pure, unmixed**

خَلط /ع./ **mixing**

خلط مبحث confused discussion *or* reasoning

خِلط [جمع: اخلاط] /ع./ **humour; sputum**

خُلطه /ع./ = آمیزش

خَلطی /ع./ **humoral; plexiform**

خَلع /ع./ **deposal, removal from an office; dethronement**

خلع سلاح disarmament

خلع سلاح کردن to disarm

کسی را از چیزی خلع ید کردن to dispossess a person of something

خلع کردن to depose

از سلطنت خلع کردن to dethrone

خَلعت /ع./ **robe of honour**

خُلعی /ع./ [designating a kind of divorce]

طلاق خلعی granted at a woman's request against compensation

خَلف /ع./ = پشت **back, hind part**

برهان خَلف inverse process (in reasoning)

خَلَف [جمع: اخلاف] /ع./ **successor;** → جانشین

فرزند خلف son worthy of his father, good son

خُلف /ع./ **breach**

خلف وعده کردن to break one's promise, to breach an appointment

خلفا [جمعِ خلیفه]

خَلفی /ع./ **posterior; retral**

خَلق /ع./ **creation; creature; people;** → مردم

خُلق /ع./ **humour, temper;** → [جمع: اخلاق]

حسن خلق good nature, good humour *or* temper

خلقش تنگ است. He is not in a good mood.

خلقش تنگ شد. He was upset.

سرِ خلق in good humour *or* spirits

خلق‌الساعه /ع./ **spontaneous generation**

خُلقان [ادبی] /ع./ **shabby** (garment)

خِلقت /ع./ **creation; natural disposition;** → آفرینش

خلقت کردن = آفریدن

خَلل /ع./ **disorder; injury, harm**

خلل رساندن (به) to damage, to harm, to injure

خللپذیر /ع. فا./ **destructible**

خللناپذیر /ع. فا./ **indestructible; permanent, constant**

خُلل و فرج /عف./ **pores**

خلل و فرجدار /ع. فا./ **porous**

خلنگ [کمیاب] **heath(er)**

خلنگزار **heath, moor**

خلوت /ع./ [*n.*] **retired** *or* **private place, privacy; solitude;** [*adj.*] *C.E.* **private, retired, lonely; not crowded**

در خلوت in private

خلوت کردن to retire; to let no one in, to clear

خلوت کردن با to give a private audience to

خُلود[1] [ادبی] /ع./ **eternity**

خُلود[2] [جمعِ خلد] /ع./

خلوص /ع./ **sincerity**

با خلوصِ نیت sincerely

خَلیج /ع./ **gulf; bay**

خلیج فارس the Persian Gulf

خلیدن [ادبی، بنمضارع: خَل] **to prick** *or* **sting;** → نیش زدن

خلیعالعذار [کمیاب] /ع./ **shameless**

خلیفه [جمع: خُلفاء] /ع./ **caliph; successor; monitor;** → جانشین؛ مبصر

خلیق /ع./ **polite; moral**

خلیل [اسمخاص] /ع./ **friend;** → دوست

خَم[1] /ا./ **curve, bend**

خم آورتا arch of the aorta

خم سینی sigmoid flexure

خم بهابرو نیاورد. He did not turn a hair.

خَم[2] /ص./ **bent, curved**

خم شدن to bend, to stoop

خم کردن to bend, to bow; to curve

خُم [کمیاب، ادبی] = خمره

خُمار[1]، خماری /ا. ع./ **wine-headache, hangover**

خُمار[2] /ص. ع./ **half-drunk;** [*eyes*] **languishing**

خُماسی [کمیاب] /ع./ (word) **of five letters**

خمپاره **mortar-shell**

خمپارهانداز **mortar; bombardier**

خَم خَم **in a stooping posture**

خَمر /ع./ = شراب، باده

خُمره **large earthenware jar;** [*dyeing*] **vat**

لیوان خمرهای barrel-glass

خَمری [ادبی] /ع./ [*rare*] **vinous**

جنون خمری delirium tremens, drunkard's delirium

خُمس /ع./ = (یک) پنجم

خَمسه /ع./ **pentad; quintlet**

خمسهٔ آل عبا the Five Holy Ones: Mohammad/ Fatemah/ Ali/ Hassan and Hossein

خمسین[1] /ع./ **the Khamsin**

خمسین[2] [معنای حقیقی] /ع./ = پنجاه

خمود /ع./ **going out; abatement; torpor**

خَموش = خاموش

خَمیازه **gaping, yawning**

خمیازه کشیدن to gape, to yawn; [*fig.*] to aspire

خمیدگی **curvature**

خمیدن [بنمضارع: خم] **to bend** *or* **stoop**

خمیده [اسممفعول فعل خمیدن] **curved; bent**

خمیر[1] /ا. ع./ **dough; paste**

خمیر دندان toothpaste

خمیر شیشه frit

خمیر کاغذسازی pulp

خمیر[2] /ص. ع./ *C.E.* **half baked, underdone**

خمیر کردن to knead, to mix with water

خمیرتُرش /ع. فا./ **yeast, leaven**

خمیرمایه /ع. فا./ = خمیرترش

خمیره /ع. فا./ **natural disposition, stamp; mettle, grain**

خمیری /ع. فا./ **pasty, doughy; pulpy; plastic**

خَن **hold** (of a ship)

خنازیر /ع./ **scrofula**

خنازیری /ع./ **scrofulous**

خُناق /ع./ **croup** *or* **asphyxia**

خنثی /ع./ **hermaphrodite, androgynous;** [*chem.*] **neutral**

خنثی کردن to neutralize; [*fig.*] to frustrate

خنجر /ع./ (curved) **dagger, poniard**

خنجر زدن to stab (with a dagger)

خنجری /ع./ **ensiform, xiphoid**

خَندان **laughing, smiling**

پسته خندان half-cracked pistachio; [*met.,lit.*] smiling lips

خنداندن **to cause to laugh** *or* **smile, to make laugh**

خندق [Arabicized form of کنده] **moat, fosse**

خنده **laughter, laugh**

خنده انداختن to cause to laugh, to set off laughing

زیر خنده زدن to break into a laugh, to burst out laughing

خنده راه انداختن to raise a laugh

خنده زدن [ادبی]، خنده کردن to smile *or* laugh

خنده‌ام گرفت. خنده‌ام افتاد. ***It made me laugh.***

خنده‌آور **provoking laughter, laughable; funny**

خنده‌دار **laughable**

خنده‌رو **given to smiling; cheerful**

خندیدن [بن مضارع: خند] **to smile *or* laugh**

به چیزی خندیدن to laugh at something

خنزیر [جمع: خنازیر] = خوک **pig**

خنس و فنس [زبان لاتی] **pretty kettle of fish, awkward situation**

خنصر [کمیاب] /ع./ **the little finger**

خُنک **cool; fresh;** [*fig.*] **flat** (as a joke); **frigid** (as a verse)

خنک شدن to (get) cool

خنک کردن to cool; to refrigerate

خنک‌کن **cooling; refrigerating, refrigerant**

خنکی **coolness;** [*med.*] **refrigerant;** [*fig.*] **frostiness**

خِنگ [کمیاب] **grey *or* white** (horse); **stupid**

خنیاگر **professional musician, minstrel**

خو، خوی **habit; disposition**

به چیزی خو گرفتن to get used *or* accustomed to something; to acquire the habit of something

خواب[1] [*n.*] **sleep; dream; pile, nap;** [*adj.*] **asleep**

خواب دیدن to dream

خواب چیزی را دیدن to dream of something

خواب رفتن to go to sleep; to get benumbed

خواب کردن to (put *or* lull to) sleep; to hypnotize; [*fig.*] to blind the eyes of

خواب ماندن to oversleep (oneself)

خوابم برد. ***I went off. I fell asleep.***

خوابم نمی‌برد. ***I can't get to sleep.***

خوابم می‌آید. ***I feel sleepy.***

خود را به‌خواب زدن to sham sleep, to pretend to be asleep

به خواب گذراندن to sleep away

اطاق خواب bedroom

در عالم خواب دیدم ***I saw in my dream***

خواب[2] [بن مضارعِ خوابیدن]

خواب‌آلود **drowsy, sleepy**

خواباندن، خوابانیدن **to cause to sleep (*or* lie down); to lull to sleep; to lower *or* strike** (as a flag); [*fig.*] **to cause to subside; to suppress; to lay up, to put out of commission; to lay low; to put by;** ⟵ انداختن

مرغ خواباندن to set eggs

خوابانده [اسم مفعول فعل خواباندن]

خواب‌آور **soporific**

خواب‌دار **piled, napped**

خواب‌رفته **benumbed, torpid**

خواب‌شناس **hypnologist**

خواب‌شناسی **hypnology**

خوابگاه **bedroom; dormitory**

خوابیدگی **lying *or* stooping posture;** [*fig.*] **standstill**

خوابیدن [بن مضارع: خواب] **to sleep; to lie down;** [*watch*] **to run down, to stop;** [*hen*] **to brood, to sit;** [*fig.*] **to subside; to be settled** (as dust); **to come to a standstill**

خوابیده [اسم مفعول فعل خوابیدن] **lying; asleep; run down; laid-up; stagnant**

خوابیده گردی [کمیاب] **sleep-walking**

خواتین [جمعِ خاتون]

خواجه [جمع: خواجگان] **eunuch;** (title of a) **man of distinction**

خواجه‌تاش [ادبی] /فا. ت./ **fellow servant**

خواجه‌سرا **eunuch**

خوار[1] **despised, abject**

خوار شمردن to hold in contempt, to despise

خوار کردن to hold in disrespect, to humiliate

خوار[2] /پس./ **eater *or* drinker**

خوار[3] /پس./ **-vore, -vorous**

علفخوار herbivorous

خواربار **foodstuffs, provision, grocery**

خواربارفروش **grocer, provision merchant**

خواری **abjectness; contempt**

خواست **wish, will**

خواستار [*adj.*] **asking for, soliciting**

خواستار شدن to ask for, to solicit

خواستار شدن از to request

خواست‌برگ subpoena
خواستگار suitor
خواستگاری suit
خواستگاری کردن *vi.* to act as a suitor; *vt.* to ask for the hand of (a woman) in marriage
خواستن [بن مضارع: خواه]
to wish; to want; to intend; to need
خواستن از to ask, to request
از من هزار ریال می‌خواهد.
I owe him thousand rials.
خواهم رفت. خواهید رفت.
I shall go. You will go.
خواسته [اسم مفعول فعلِ خواستن]
[*adj.*] **wished, wanted; claimed;** [*n.*] **possessions; desire; object of claim**
خواص [جمعِ خاصه] /ع./
the (upper *or*) noble classes; [*phys.*] **properties**
خواطر [جمعِ خاطر]
خوان[1] [ادبی] = سفره **table, dinner table;** ← خوانچه
خوان[2] [کمیاب] **adventure, exploit:** هفت خوان رستم
خوان[3] [بن مضارعِ خواندن]
خوانا **legible**
خوانایی **legibility**
خوانچه **large wooden tray**
خواندن [بن مضارع: خوان]
vt. **to read; to sing; to crow:** خروس می‌خواند; **to study;** [*lit*] **to call: invite; name;** *vi.* **to tally *or* correspond**
خواندنی **interesting to read, readable**
خوانده[1] [*adj.*] **called, invited;** [*n.*] **defendant**
خوانده[2] [اسم مفعول فعل خواندن]
خوان‌سالار [کمیاب]
major-domo

خوانندگان [جمعِ خواننده]
خواننده [جمع: خوانندگان]
[*n.*] **reader; singer;** [*adj.*] **singing**
خوانین [جمعِ خان، /ع./]
the tribal chiefs; the nobility
خواه[1] **whether**
خواه[2] **or** [correlative of whether]
خواه بروم خواه نروم
whether I go or ***not***
خواه[3] [بن مضارعِ خواستن]
خواهان [*adj.*] **desirous; willing; fond;** [*n.*] **plaintiff**
خواهر **sister**
خواهراندر [کمیاب] **half-sister**
خواهرانه **sisterly**
خواهرخوانده **adopted sister**
خواهرزاده **sister's child: nephew *or* niece**
خواهرزن **wife's sister, sister-in-law**
خواهرشوهر **husband's sister, sister-in-law**
خواهری **sisterhood**
خواهش **request, wish; asking**
خواهش کردن to ask ***or*** request
خواهش کردن از to beg
از من خواهش کرد بمانم.
He asked me to stay.
خواهش دارم بمانید. I shall be glad if you will stay. Please stay.
خواهشمند بودن
to ask *or* request
خواهشمندم بمانید. I shall be glad if you will stay. Please stay.
خواه‌ناخواه، خواهی‌نخواهی
willy-nilly
خوب [*adj.*] **good; nice; well; proper;** [*adv.*] **well; properly; thoroughly**

بد و خوب /ا./ the good with the bad, the good and the wicked, the rough with the smooth
خوبان the fair (sex); the good (people)
بسیار خوب very well; all right
خوب کردن [عامیانه] to cure
خوب شدن [عامیانه]
to be cured; to recover
خوب کرد که رفت.
He did well to go.
خوبرو [ادبی] **fair, handsome**
خوب‌سیرت [ادبی] /فا. ع./
of a good character
خوب‌صورت [ادبی] /فا. ع./ = خوبرو
خوب‌منظر [ادبی] /فا. ع./
good-looking
خوبی **goodness; kindness;** [*lit.*] **beauty**
خوبی کردن to do good
به‌خوبی well; nicely; thoroughly; in a good way
خوپذیر [ادبی]
apt to acquire a habit, capable of being trained
خود **helmet**
خُود[1] /ا./ **self**
خود من، خودم ***(I) myself***
خود[2] /ض./
oneself: به خود آمدن
خود[3] **myself, yourself, etc.** [preceded by a personal pronoun: [من خودم]
خود[4] **my, your, etc.** [according to the verbal pronoun following it]
آیا کتاب خود را به من خواهید داد؟
Will you give me your book?
کتاب خود را به شما خواهم داد.
I will give you my book.
خودآرا **dandyish, foppish**

خودآرایی prinking up oneself, dandyism
خودآموز self-teaching *or* self-taught
خودآموز فرانسه *"French self-taught"*
خودبه‌خود automatic(ally); spontaneous(ly)
صرافت خودبه‌خود spontaneity
خودبین self-conceited
خودبینی self-conceit
خودپرست egotist(ic)
خودپرستی egotism
خودپسند selfish, egotistic
خودپسندانه selfishly
خودپسندی selfishness
خودخواه egotistic, selfish
خودخواهی selfishness, egotism
خودخوری worry
خوددار having self-control; self-possessed
خودداری self-control; forbearance
خودداری کردن to restrain oneself; to abstain, to refrain: از صحبت خودداری کرد
خودرأی /فا. ع./ obstinate, opinionated
خودرأیی /فا. ع./ wilfulness, obstinacy
خودرنگ natural-coloured, beige
خودرو self-growing, wild; self-grown
خودرُو self-propelling, self-propelled
خودزا autogenic, autogenous
خودساز dandyish, foppy
خودستایی self-praise
خودسر headstrong, obstinate
خودسرانه[1] wilfully
خودسرانه[2] [عامیانه] without consulting anyone
خودسرانه[3] without being told
خودسری stubbornness, obstinacy
خودسوز self-consuming
خودسوزی worry; anguish
خودشکنی self-humiliation
خودشیرینی officiousness, ingratiation
خودشیرینی کردن to be officious, to suck up *or* make up (to someone)
خودفروز self-luminous
خودفروش ostentatious
خودفروشی ostentation
خودکار automatic
خودکام ← خودسر arbitrary;
خودکشی suicide
خودکشی کردن to commit suicide
خودمانی familiar
زیاد خودمانی شدن to take freedoms
خودمختار /فا. ع./ self-determined, autonomous
خودمختاری /فا. ع./ self-determination, autonomy
خـودنما showy; ostentatious
خودنمایی ostentation; gaudiness
خودنمایی کردن to show off
خودنوشت written by oneself
وصیت‌نامه خودنوشت holograph
خودنویس self-writing; self-recording
قلم خودنویس fountain-pen
مداد خودنویس mechanical pencil, self-propelled pencil
خودی [*adj.*] **familiar**; [*n.*] **relationship**
به خودی خود = خودبه‌خود
خور[1] [ادبی] = خورشید
خور[2] estuary; narrow gulf
خوراک food; meal; dish; course; dose
خوراک دادن to feed; to board
خوراک ندارد. He has no appetite.
خوراکَ‌پز = آشپز
خوراکَ‌پزی cookery, cooking
چراغ خوراک‌پزی cook-stove, cooker, primus
خوراکی = خوردنی
خوراندن، خورانیدن
to cause (*or* give) to eat; to feed
خورد [*rare*] **eating**; [*rare*] **food**
خورد دادن to rub in
به خورد کسی دادن to give someone to eat
خوردن [بن‌مضارع: خور]
vt. **to eat, to drink; to take** (as a medicine); **to gnaw; to corrode, to wear away; to swallow** (as one's words); *vi.* **to fit** (on)
مبلغی به او قـرض دادم و آن را خورد. I lent him a sum and that was the last I saw of my money.
خوردن به to hit, to collide with
سنگ به دستم خورد. The stone touched (*or* hit) my hand.
برخوردن به to hurt the feelings of; to come across; to meet
به‌هم خوردن to match (with) each other; to be cancelled; to be disbanded; to collide with each other

خوردنی **eatable, edible**
خورده [اسم‌مفعول فعل خوردن]
خورسند = خرسند
خورش [dish of meat and vegetables served with rice]
خورش دل‌ضعفه
barmecide feast
خورشت [عامیانه] = خورش
خورشید **sun**
خورشیدی **solar**
خورند **suitable, fit**
خورند ما نیست.
It is not fit for us.
خورنده [جمع: خورندگان] **eater**
خوره = آکله؛ جذام
خُوش [*adj.*] **happy; gay; well; pleasant; good; lucky, prosperous,** [*adv.*] **merrily; well; gently, sweetly**
بوی خوش sweet smell
خواب خوش
sound *or* sweet sleep
زبان خوش soft words, sweet tongue
خوش آمدید.
You are welcome.
خدا را خوش نمی‌آید.
It does not please God.
خوش باشید! Have a good time!, enjoy yourself!
شبِ شما خوش، شب به شما خوش! Good night!
خوش به حال شما! good for you!, how lucky you are!
خوش داشتن to pleasant *or* like
خوش گذراندن to live in pleasure; to enjoy oneself
خوش گذشت.
We had a good time.
از او خوشم می‌آید. I like him. I am fond of him.
دل خود را خوش کردن
to flatter oneself

آب خوش از گلویش پائین نرفت.
He was never happy. He led a dog's life.
خوش **seton**
خوشا **how good** (is)!, **good for...**
خوشا به حال کسی که happy (*or* blessed) is he who...
خوش‌آب **of the first water; lustrous**
خوشاب **compote**
خوش‌آب و هوا
of a healthy climate
خوش‌آتیه /فا. ع./
promising to have a good future, likely
خوش‌آواز **sweet-singing**
خوش‌آمد **welcome**
به کسی خوش‌آمد گفتن
to welcome someone
خوش‌آهنگ **melodious**
خوش‌آیند **pleasing; nice, decent**
خوش‌اخلاق[1] /فا. ع./
having good morals
خوش‌اخلاق[2] /فا. ع./ = خوش‌خلق
خوش‌اخلاقی /فا. ع./ **good morals; good behaviour**
خوش‌اقبال /فا. ع./ = خوشبخت
خوش‌الحان [ادبی] /فا. ع./
مرغ خوش‌الحان **sweet-singing:**
خوش‌اندام **of a nice figure**
خوش‌باطن /فا. ع./
inwardly good
خوشبخت **lucky; happy, prosperous**
خوشبختانه **fortunately**
خوشبختی **prosperity, happiness; good luck**
خوش‌برخورد **sociable; accessible**
خوش‌بنیه /فا. ع./ **physically strong, robust, hearty**

خوشبو **sweet-smelling; perfumed**
خوش‌بین **optimistic**
شخص خوش‌بین optimist
خوش‌بینی **optimism**
خوش‌ترکیب /فا. ع./
good-looking; of a nice figure, shapely
خوش‌جنس /فا. ع./ **good-natured, kind-hearted;** [*horse*] **thoroughbred**
خوشحال /فا. ع./ **glad, happy**
خوشحال شدن to become glad
خوشحال کردن to make happy; to give joy *or* pleasure (to)
خوش‌حالت /فا. ع./ **good-natured; well-disposed**
خوشحالی /فا. ع./ **gladness; joy**
خوشحالی کردن to rejoice
خوش‌حساب /فا. ع./
prompt to pay one's dues
آدم خوش‌حساب good pay
خوش‌خبر /فا. ع./
[*adj.*] **bringing good news**
خوش‌خدمتی /فا. ع./
sycophant and supererogatory service
خوش‌خط[1] /فا. ع./
nicely written
خوش‌خط[2] /فا. ع./ = خوشنویس
خوش‌خط و خال /فا. ع./
having beautiful stripes and spots; [*fig.*] **outwardly good**
مار خوش‌خط و خال
snake in the grass
خوش‌خُلق /فا. ع./ **good humoured, good-natured**
خوش‌خُلقی /فا. ع./ **good humour, good nature**
خوش‌خو **good-natured, good humoured**

خوشخوان = خوش‌آواز
خوش‌خوش [عامیانه] = کم‌کم
خوشخویی good nature
خوش‌دست having a lucky hand (*or* touch)
خوش‌دل merry, gay, cheerful
خوش‌دلی gaiety, cheerfulness
خوش‌ذات /فا. ع./ inwardly good, good-natured
خوش‌رفتار /ص./ behaving well; [*lit.*] walking elegantly
خوش‌رفتاری good behaviour
خوش‌رقصی /فا. ع./ supererogatory service; [*o.s.*] perfect *or* coquettish dancing
خوش‌رنگ of a pretty colour; coloury
خوش‌رو of a cheerful face, smiling
خوش‌رَوش thorough-paced
خوش‌رویی cheerfulness
خوش‌ریخت of a well-cut *or* nice figure, well-knit
خوش‌زبان fair-spoken
خوش‌سابقه /فا. ع./ having a clean (*or* good) record; reputable
خوش‌ساخت of a good make, of exquisite workmanship
خوش‌سخن = خوش‌صحبت
خوش‌سلیقه /فا. ع./ of an exquisite taste, of good choice
خوش‌سوز briquette
خوش‌صدا having a good voice, sweet-singing; melodious; euphonious
خوش‌صحبت /فا. ع./ talking attractively, conversable

خوش‌طبع /فا. ع./ good-natured; jocular
خوش‌طعم /فا. ع./ = خوشمزه
خوش‌طینت /فا. ع./ good-natured
خوش‌ظاهر /فا. ع./ outwardly good
خوش‌ظاهر و بدباطن outwardly good and inwardly bad
خوش‌عکس /فا. ع./ who photographs well
خوش‌قدم /فا. ع./ bringing good luck, lucky
خوش‌قلب /فا. ع./ kind-hearted, having a good feeling
خوش‌قلم[1] /فا. ع./ having a good pen *or* style
خوش‌قلم[2] /فا. ع./ written elegantly
خوش‌قلم[3] /فا. ع./ = خوش‌خط
خوش‌قواره nicely cut out; ← خوش‌ریخت
خوش‌قول /فا. ع./ true to one's promise, punctual
خوش‌قولی /فا. ع./ faithfulness to one's promise, punctuality
خوش‌قیافه /فا. ع./ of pleasant features, personable; [*o.s.*] of a good physiognomy
خوش‌کردار of good conduct
خوشگذران who lives in pleasure
خوشگذرانی living in pleasure, free living
خوشگل [عامیانه] beautiful, handsome; pretty
خوشگلی beauty, handsomeness

خوش‌گمانی favourable opinion
خوشگوار wholesome; digestible; agreeable to the taste
خوش‌گوشت /ص./ giving a delicious meat; whose wound is easily healed; [*n., infml.*] sweetbread; ← لوزالمعده
خوش‌لباس /فا. ع./ well-dressed
خوش‌لهجه /فا. ع./ having a good accent
خوش‌محضر /فا. ع./ sociable, conversable, accessible
خوشمزگی facetiousness, waggery, jest
خوشمزگی کردن to jest *or* joke
خوشمزه tasty, delicious; [*fig.*] facetious; interesting
خوش‌مشرب /فا. ع./ good-natured; sociable; convivial
خوش‌معاشرت /فا. ع./ sociable
خوش‌معامله /فا. ع./ fair in one's dealings
خوش‌منظر /فا. ع./ good-looking, comely
خوش‌نشین colonizer, new settler
خوش‌نقش /فا. ع./ lucky
خوش‌نما well-seeming; decent; glossy
خوش‌نمک savoury, saltish
خوش‌نوا [ادبی] sweet-singing
خوشنود = خشنود
خوشنویس [*adj.*] who writes elegantly; [*n.*] calligrapher
خوش‌نهاد [ادبی] good-natured

خوش‌نیت /فا. ع./ well-intentioned, well-meaning

خوش‌وعده /فا. ع./ self-invited, who calls on friends and relatives without waiting to be invited [usually in خاله خوش‌وعده jocular proper name of a woman of such description]

خوشوقت /فا. ع./ pleased, glad

خوشوقتم‌که به شما اطلاع دهم که I have pleasure in informing you that

خوشوقتی /فا. ع./ pleasure

اظهار خوشوقتی کردن to express one's pleasure *or* joy

خوشه ear of corn; cluster, bunch (of grapes); gleanings

خوشه برچیدن to glean

خوشه‌ای [*bot.*] racemose

ذرت خوشه‌ای giant millet

خوشه‌چین gleaner; [*fig.*] compiler, plagiary

خوشه‌چینی gleaning; compilation; plagiarism

خوش‌هوا having a fine weather; of a good climate

خوش‌هیکل /فا. ع./ of a nice figure, well-set, of a handsome stature

خوشی happiness; joy; pleasure

خوشی کردن to rejoice, to make merry

خوشیدن [کمیاب] = خشکیدن

خوش‌یُمن /فا. ع./ lucky, auspicious

خوض [کمیاب] /ع./ plunging, deep consideration

خوف /ع./ = ترس fear

خــوف داشــتن، خـوف کـردن = ترسیدن to fear, to be afraid

خوفناک /ع. فـا./ = تـرسناک، ترسان

خوک hog, pig

خوکِ آبی seal

خوک دریایی sea-hog, porpoise

خوک ماده sow

چربی خوک lard

گوشت خوک pork

خوک‌چران swineherd

خوکرده، خوگرفته accustomed; addicted; tame

خوک‌ماهی porpoise, sea-hog

خول = زغن kite

خولان buckthorn

خولنجان galingale, galangale

خون blood

از دماغش خون می‌آید. *His nose is bleeding. He is bleeding at the nose.*

خون افتادن to bleed

دماغش خون افتاد. *His nose began to bleed.*

خونش به جوش آمده است. His blood is up.

خون کسی را به جوش آوردن to stir one's blood

خـون او از خـون مـن رنگـین‌تر نیست. He is no better than I am. A man is a man. We should both suffer equally.

خونش به گردن ما. His blood be on us.

خــون جگـر خـوردن، خـون دل خـوردن to eat one's heart out, to suffer very much (in silence)

خون ریختن، خون کردن [عامیانه] to shed blood, to commit murder

خون سیاوشان dragon's-blood

خونابه thin transparent blood

خونبار [ادبی] /ص./ shedding (tears of) blood

خون‌بند styptic, haemostatic

خون‌بها، خون‌تاوان blood-money

خونخوار bloodthirsty, cruel

خونخواری atrocity, cruelty

خونخواه avenger of murder *or* bloodshed

خونخواهی vengeance for bloodshed

خون‌دماغ [*adj.*] bleeding at the nose; [*n.*] nose-bleed, epistaxis

خون‌دماغ شدن to bleed at the nose

خون‌رَوی haemorrhage

خونریزی bloodshed

خونسرد cold-blooded; [*fig.*] calm; indifferent; lenient, easy-going

خونسرد بودن to be calm, to keep one's head, to keep one's hair on

خونسردی cold blood; coolness; indifference, calmness

خون‌شناسی haematology

خون‌فشان [ادبی] shedding bloody (*i.e.* bitter) tears

خونگرم warm-blooded; [*fig.*] warm-hearted

خونگرمی warm-heartedness, sympathy

خون‌مردگی ecchymosis

خونی[1] /ص./ bloody, sanguinary; haematic

خلط خونی sanguine humour, haemoptysis

خونی[۲] /ا./ **murderer**
خونین **sanguinary, bloody**
خونین و مالین [زبان لاتی] covered all over with blood, weltering in one's blood
خوی ← خو
خُوی **sweat, perspiration** ← عرق
خوی‌آور **diaphoretic**
خَوید **unripe ear of corn**
خویش[۱] /ا./ **relative, kinsman**
خویش[۲] /ض./ **oneself;** [according to the verbal pronoun following it] **my** (own)**/ your** (own)**/ etc.:**اسب خویش را به او دادم; **myself/ yourself/ etc.** [used objectively] **:** خود را به دست دشمن سپرد
خویشاوند **relative, kinsman**
خویشاوندی **relationship**
خویشتن = خویش /ض./
-Note: خویشتن and not خویش is used in combination]
خویشتن‌دار[۱] **who takes care of himself**
خویشتن‌دار[۲] = خوددار
خویشتن‌نگری **introspection**
خویشی **relationship**
با کسی خویشی کردن to ally oneself to someone by marriage
خهی! [ادبی] **bravo!, well done!**
خیابان **avenue, road, street; walk, alley**
خیابان‌بندی **layout of a garden**
خیار[۱] **cucumber**
خیارِ چنبر، خیار شنبر corrugated variety of cucumber; [*med.*] cassia fistula, purging cassia
خیار ریز gherkin

خیار[۲] /ع./ **option**
خیارک **bubo**
خیاره **fluting, gadroon; groove**
خیاط /ع./ **tailor**
خیاط زنانه dressmaker
خیاطه [مؤنثِ خیاط] /ع./ **tailoress**
خیاطی /ع. فا./ **tailoring, sewing**
سوزن خیاطی sewing needle
خیاطی کردن to sew, to be a tailor
خیاطیِ اتوموبیل car upholstery
خیال [جمع: خیالات] /ع./ **phantom; hallucination; thought; reflection; intention**
خیالات خام پختن to build castles in the air
خیال داشتن to intend
خیال باریدن دارد. It threatens to rain.
خیال کردن to reflect; to think; to suppose, to take as if
به خیال افتادن to come to think
به خیال انداختن to set thinking
به خیال آنکه on the supposition that
خیال برش داشت. [عامیانه] He was carried off by illusion. He began to think much of himself.
خیالاتی /ع. فا./ **visionary, hypochondriac**
خیال‌باف /ع. فا./ **visionary**
خیالی /ع./ **imaginary, visionary; fanciful; chimerical**
خیام /ع./ **penname of the author of Robaiyat** ***or*** **Quatrains;** [*o.s.*] **tent-maker**

خیام [کمیاب، جمعِ خیمه]
خیانت /ع./ **treachery, perfidy**
خیانت در امانت breach of trust
خیانت کردن to be treacherous
به من خیانت کرد. ***He was treachery to me. He betrayed me.***
خیانت‌آمیز /ع. فا./ **treacherous**
خیانتکار، خیانتگر /ع. فا./ [*adj.*] **treacherous;** [*n.*] **traitor**
خیر[۱] /ا. ع./ **welfare, benefit, good; charity; blessing**
خیر دیدن to have a happy ending, to see one's better days; to be blessed
از اولادش خیری ندید. His children brought him no happiness.
خیرش را ببینید. I wish you joy of it.
خیرِ مقدم address of welcome
خیر کردن to distribute in charity
خیر و شر کردن to divine by counting beads at random (calling one "good" and the other "evil")
خیر[۲] /ص. ع./ **good, charitable**
امر خیر the good ***or*** pious act, *i.e.* marriage
خیر[۳]، نخیر /ق. ع./ **no**
خیّر /ع./ **charitable; pious**
خِیرات [جمعِ خیره، کمیاب] /ع./ **charitable deeds, charities**
خیراندیش /ع. فا./ = خیرخواه
خیربده [عامیانه] /ع. فا./ **charitable, habitually giving alms**

خیرخواه /ع. فا./ **benevolent; public-spirited**

خیرخواهانه /ع. فا./ [*adv.*] **benevolently;** [*adj.*] **benevolent**

خیرخواهی /ع. فا./ **benevolence**

خیرگی **impudence**

خیره [*adj.*] **impudent; bold; headstrong; astonished; dazzled;** [*adv.*] **staringly**

خیره شدن to be dazzled (as the eye); to act impudently; to stare

خیره کردن to dazzle; to bewilder

خیره نگریستن to stare

خیره‌چشم [ادبی] **impudent**

خیره‌چشمی **impudence**

خیره‌خیره **staringly**

خیره‌رأی [ادبی] **stupid; mean**

خیره‌سر = خودسر

خیری = شب‌بو

خیریت /ع./ **welfare**

خیریه /ع./ **charity institution**

خیز[1] [*n.*] **jump; swelling; upheaval;** [*archit.*] **rise** (of an arch), **flèche**

خیز گرفتن to jump, to leap

خیز[2] [بن‌مضارعِ خاستن]

خیزاب [کمیاب] = موج **wave, billow**

خیزان **rising**

خیزاندن [کمیاب] = بلند کردن **to cause to rise, to raise**

خیزران **bamboo, rattan**

عصای خیزران bamboo cane, Malacca cane

خیزیدن [کمیاب، بن‌مضارع: خیز] = خاستن **to rise**

خیس **drenched, wet all over; soaked in water**

خیس شدن to become wet all over

خیس کردن to drench; to soak

خیساندن **to soak, to steep**

خیسیدن [بن‌مضارع: خیس] **to soak; to become wet all over**

خیسیده **soaked; macerated**

خیش **ploughshare; trail of a gun**

خیش زدن to plough

خیط شدن [زبان لاتی] ← بور شدن، بور

خیک **skin(-churn)**

خیکی بالا آوردن [زبان لاتی] to make a mess of it, to fizzle out, to make oneself ridiculous

خیل [کمیاب] /ع./ **army; horsdmen; swarm;** ← سپاه، لشکر

خیلتاش /ع. ت./ **fellow-soldier**

خیلی[1] /ص. ع. فا./ [stress on the first syllable] **many, a lot of:** خیلی کتاب **; much:** خیلی باران

خیلی[2] /ق. ع. فا./ **very:** خیلی بد **; greatly**

خیلی متاسفم که I much regret that

خیلی خوب very good, very well, all right

خیلی از مردم، خیلی‌ها a great many people

خیم [کمیاب] = خو، خُلق

خیمگی [کمیاب] /ع. فا./ **officer in charge of tents**

خیمه [جمع: خیام، کمیاب] /ع./ **tent; tabernacle; pavilion;** ← چادر

خیمه شب‌بازی puppet-show

خیمه زدن to pitch a tent

خیو **saliva;** ← بزاق

خیومایه **petiolin**

خیوی **salivary**

د

داءالاسد /ع./ **leontiasis**

داءالثعلب /ع./ **alopecia**

داءالحیه /ع./ **icthyosis**

داءالخمر /ع./، **جنون خمری** **delirium tremens**

داءالذقن /ع./ **mentagra**

داءالرقص /ع./ **chorea, saint Vitus's dance**

داءالزیبق /ع./ **mercurialism**

داءالسبات /ع./ **catalepsy**

داءالفیل /ع./ **elephantiasis**

داءالکلب /ع./ = هاری **rabies**

دأب [کمیاب] /ع./ = عادت؛ رسم

داتوره، تاتوره **stramonium, datura**

داخل[1] /ا. ع./ **inside, interior**

در اطاقی داخل شدن، داخلِ اطاقی شدن to enter (into) a room

داخل کردن to enter, to bring in; to mingle

از داخل from within

داخل، در داخل [*prep.*] in(side)

داخل[2] /ص. ع./ **mixed**

داخل[3] /ص. ع./ **involved**

داخل[4] /ص. ع./ = داخلی

داخله [مؤنثِ داخل] /ع./ [*adj.*] **internal**; [*n.*] **interior**

داخلی /ع./ **internal; inner; civil:** جنگ داخلی; **local:** مصرف داخلی

داد [*lit.*] **justice; cry** (for justice), **shout**

داد خواستن to plead for justice

داد سخن دادن [ادبی] to be most eloquent

داد زدن to shout

داد کردن[1] to shout

داد کردن[2] to do justice

داد کسی را دادن to do justice to someone

دادِ مرا از او بگیرید! Avenge me on him!

به دادم برسید! Come to my rescue!

ای داد! mercy!, good gracious!, good God!

دادوقال کردن to kick up a row; to fuss

دادا [کمیاب] **house-maid; old nurse**

دادار [ادبی] **just, righteous: epithet of God**

داداش [عامیانه] /ت./ = برادر **brother**

دادخواست **petition**

دادخواه **one who pleads for justice; petitioner**

دادخواهی **pleading for justice**

دادخواهی کردن to implore *or* plead for justice

دادرَس **judge**

دادرسی **legal procedure, trial, hearing; judgement**

دادرسی کردن to judge; to try

دادستان **public prosecutor**

دادسرا **public prosecutor's office**

دادگاه **court of justice**

دادگر [ادبی] **just, righteous**

دادگستری، وزارت دادگستری **Ministry of Justice**

دادن[1] [بن‌مضارع: دِه] **to give**

آن را به من داد. ***He gave it to me.***

قدری پول به من بدهید. ***Give me some money.***

دادن[2] **to pay**

دادنامه (written) **judgement**

دادنی **payable; that must be given**

داد و بیداد **row, brawl**

داد و بیداد راه انداختن to kick up a row

داد و بیداد کردن to shout *or* uproar

داد و ستد **transaction**

داد و ستد کردن to do *or* carry on business, to transact

داده[1] [اسم‌مفعول فعل دادن] **given; paid**

داده[2] /ا./ **payment(s), amount(s) paid**

دادیار **assistant to the public prosecutor; counsel for the Crown**

دار[1] [کمیاب] /ع./ **tree; gallows; staff** (of a flag); → درخت

دار زدن، به دار آویختن to hang

دار[2] [کمیاب] /ع./ **house;** → خانه

دار[3]، **دار دنیا** /ع./ = دنیا [*met.*] **world**

دارا[1] **having, possessing, containing**

دارای سه‌اطاق است. *It has three rooms.*

دارا[2] **rich**

داراها و ندارها the haves and have-nots

دارا[3] = داریوش

دارابی [kind of fruit allied to shaddock]

داراشکنک = دارکوب

داراشکنه **sublimate**

دارالانشاء /ع./ = دبیرخانه

دارالایتام /ع./ **orphan asylum**

دارالتأدیب /ع./ **house of correction;** ← تأدیب

دارالترجمه /ع./ **translation office**

دارالحکومه /ع./ = حکومت‌نشین

دارالخلافه [کمیاب] /ع./ **capital;** [*o.s.*] **caliphate's seat**

دارالرضاعه /ع./ = شیرخوارگاه

دارالسلطنه [کمیاب] /ع./ **capital; royal seat**

دارالشفاء /ع./ = بیمارستان

دارالشوری /ع./ **consultative assembly**

دارالضرب [کمیاب] /ع./ = ضرابخانه

دارالعجزه /ع./ **asylum for invalids**

دارالعلم /ع./ **scientific institute**

دارالفنون[1] /ع./ **polytechnic institution**

دارالفنون[2] /ع./ = دانشگاه

دارالمجانین /ع./ = تیمارستان

دارالمساکین /ع./ **almshouse, poorhouse**

دارالمعلمین /ع./ = دانشسرا

دارالوکاله /ع./ **lawyer's office**

دارایی **wealth; assets**

وزارت دارایی Finance Ministry

داربست **trellis; scaffolding**

دارخین، دارخینی **cinnamon**

داردانل /فر./ **Dardanelles**

دارفلفل **long pepper**

دارکوب **woodpecker**

دارموش **white arsenic**

دارندگی **wealth(iness)**

دارنده [جمع: دارندگان] **possessor; holder:** دارندهٔ گواهی‌نامه

دارو **medicine, drug**

داروخانه **pharmacy, drugstore**

دار و دسته **gang**

داروساز **druggist, chemist**

داروسازی **pharmacy, pharmaceutics**

داروشناسی **pharmacology**

داروغه [کمیاب] = کلانتر؛ فرماندار

داروگر [کمیاب] = داروساز

داروندار **all** (one has), **one's all**

دارویی **pharmaceutical**

دارین [کمیاب، تثنیهٔ دار] /ع./ **the two houses;** *i.e.* **the two worlds**

دازه [کمیاب] **perch, hen-roost**

داس **scythe, sickle**

داس مغز falx

داستان **story, tale; fable**

داستان‌سرا **story-teller**

داسغاله **pruning-knife; sickle**

داسه **awn**

داسی **falcate, falciform**

داش [زبان لاتی، صورت اختصاری داداش] **rowdy, rough, rogue, loafer**

داشبورد /ان./ **dashboard**

داشتن [بن مضارع: دار] **to have;** [*fig.*] **to call for:** این مژده سور دارد ; *-Notes:* the imperative of داشتن in modern colloquial present is داشته باش ; the present tense of داشتن is دارم not می‌دارم which is reserved for cases when داشتن occurs in compounds; دارید، دارم etc. before the present and داشتید، داشتم etc. before the past indicate progressive forms in colloquial Persian

دارم کار می‌کنم. I am working.

داشتم غذا می‌خوردم. I was eating.

ندارد *he hasn't got, he doesn't have* [U.S.]

داشته [اسم مفعول فعل داشتن]

داعی /ع./ **motive, cause;** (the) **one who prays** (for you), *i.e.* **I;** [*rare*] **missionary**

داعیه /ع./ **motive; desire; claim**

داغ[1] [*n.*] **brand; scar;** [*fig.*] (effect of) **bereavement; remorse**

داغ فتیله‌ای moxa

داغ نخود issue-pea

داغ زدن to brand *or* cauterize

داغ دیدن to be bereaved (of a relative)

داغ[2] [*adj.*] **hot;** ← گرم

داغ شدن to grow hot

داغ کردن to make hot, to heat; to cauterize *or* brand

داغان **shattered**

داغان شدن to be shattered, to go to smithereens

داغان کردن to shatter

داغ‌آهن **cauterizing-iron**

داغدار[1] **branded**

داغدار ۲ = داغدیده

داغدیده **bereaved;** → داغ

دافع [مؤنث: دافعه] /ع./ **repulsive; counteracting, curing; expelling**

دافع رطوبت waterproof, impermeable

قوهٔ دافعه repellent force

دال **eagle;** → عقاب

دالّ (بر) **suggestive *or* expressive of; denoting**

دالان **long passage-way *or* entrance-hall;** *L.* **vestibule**

دالبر **festoon; scallop**

دالگوش **lop-eared**

دالیهٔ سودا /عف./ **clematis**

دام ۱ **net; trap, snare**

به دام انداختن to catch in a net; to trap; [*fig.*] to allure

دام ۲ **domesticated animals**

دامَ /ع./ **may... last**

داماد **bridegroom; son-in-law**

داماد کردن to take a wife for

دامان = دامن

دامپرور **animal husbandman**

دامپروری **animal husbandry**

دامپزشک **veterinary surgeon**

دامپزشکی **veterinary**

دامَن **lap; skirt**

یک دامن هیزم a lapful of firewood

دامن زیر petticoat

دامن درکشیدن [ادبی] to turn aside, to keep aloof

آتش را دامن زدن to add fuel to the fire, to fan the fire; [*fig.*] to aggravate the condition

دست به دامن کسی شدن to appeal to a person for help

دامن کشیدن [ادبی] to walk mincingly *or* arrogantly

دامن (همت) بر کمر زدن to be prepared to serve willingly *or* to embark on something with a high ambition

دامن‌گیر **holding fast; involving; chronic**

دامن‌گیر او هم شد. ***He too was involved in it.***

دامنه **slope, skirt;** [*fig.*] **extent, scope**

دامنهٔ کوه the foot of a mountain

دامنه‌دار **extensive, comprehensive**

دان ۱ **bait, decoy**

دان ۲ = دانه

دان ۳ [بن مضارعِ دانستن]

دانا ۱ /ص./ **learned *or* wise**

دانا ۲ [جمع: دانایان] /ا./ **learned *or* wise person**

دانایی **learning; sagacity**

دان‌پاشی **decoying, allurement**

دان‌پاشی کردن to use decoying means; to throw a sprat to catch a herring

دان دان **granulated, granular; grained, pebbled; frosty**

دان دان کردن to granulate; to pebble *or* grain (as leather)

دانستگی **knowingness; knowledge; intention**

به دانستگی intentionally

دانستن [بن مضارع: دان] **to know;** -*Note:* the Persian form دانستم is rare in colloquial Persian and should be replaced by می‌دانستم "I knew"

لازم می‌دانم I deem it necessary

آنچه من می‌دانم ***from what I know***

من چه می‌دانم؟ ***How (on earth) do I know?***

دانستنی (something) **worth knowing**

دانسته [اسم‌مفعول فعل دانستن] [*adj.*] **known;** [*adv.*] **intentionally**

دانش **knowledge; learning**

دانش‌آموز **pupil; student**

دانش‌پایه **class, grade**

دانش‌پرور **patron of learning**

دانش‌پژوه [ادبی] **seeking/ seeker of knowledge**

دانشجو **student; scholar**

دانشسرا **teacher's college**

دانشکده **faculty, college**

دانشگاه **university**

دانشمند [*adj.*] **learned, scholarly; wise;** [*n.*] **learned person, scholar; sage;** → دانا

دانش‌نامه **university degree, licence**

دانشوَر [کمیاب] = دانشمند

دانشیار **lecturer**

دانگ **share; sixth part** (of a real state *or* of the entire pitch of the human voice)

دانگی **shared *or* paid by all**

سور دانگی Dutch treat

دانمارک /فر./ **Denmark**

دانمارکی [*adj.*] **Danish;** [*n.*] **Dane**

دانه **grain; seed;** [*med.*] **granulation, small eruption, papula;** -*Note:* دانه is also used after a numeral to mean "piece"

دانه کردن to break up (as a pomegranate); to get the pips off

دانه بستن to go (*or* run) to seed

دانهٔ تسبیح rosary bead

دانهٔ فلفل peppercorn

سه دانه مداد three pencils

دانه‌آور **gran(ul)iferous**

دانه‌خوار **gallinaceous**

دانه دانه [*adj.*] **granulated, granular;** [*adv.*] **one by one**

داو [*games*] **move; stake**

داو کردن to increase the stake; to move

داود /ع. عب./ **David**

داودی /ع. فا./ **David's**

گُل داودی chrysanthemum, Christmas daisy, ox-eye daisy

داوَر **arbitrator; judge; referee**

داوری **arbitration; judgement**

داوری کردن to judge

داوطلب /فا. ع./ **candidate; volunteer**

داوطلب شدن to volunteer, to offer voluntarily

داوطلبانه /فا. ع./ **voluntarily**

داهیه [کمیاب] /ع./ **calamity; accident**

دایر /ع./ **in working order (*or* commission), commissioned**

زمین دایر utilized land

دایر بر concerning

دایر بر اینکه to the effect that

دایر کردن to commission, to put in working order; to establish, to set up; to set afoot

دایره [جمع: دوائر] /ع./ **circle; section; tambourine** [with *or* without metal discs]

دایرهٔ اعتدال equinoctial line *or* colure

دایرهٔ انقلاب solstitial colure

دایره زنگی timbrel, tambourine

دایرهٔ طول، دایرهٔ نصف‌النهار meridian

دائرةالمعارف /ع./ **encyclopedia**

دایره کش /ع. فا./ = پرگار

دایگی **nursing;** ← دایه

دائم /ع./، **دائمی** **continual; permanent; perpetual**

دائماً /ع./ **constantly, continually, always;** ← همیشه

دائم‌غلط /عف./، **تب دائم‌غلط** [*med.*] **remittent**

داین، دائن /ع./ = بستانکار

دایه [جمع: دایگان] (wet) **nurse**

دایهٔ مهربانتر از مادر nurse kinder to child than its mother, one who is more catholic than the Pope

دایی، دائی (maternal) **uncle**

دُبّ [کمیاب] /ع./ = خرس **bear**

دب‌اصغر the Lesser Bear, Ursa Minor

دب‌اکبر the Greater Bear, Ursa Major

دَبّاغ /ع./ **tanner**

دباغ‌خانه /ع. فا./ **tannery**

دباغی /ع. فا./ **tanning, tannery**

دباغی کردن to tan

دبدبه /ع./ **pomp**

دُبر [کمیاب] /ع./ = عقب؛ مقعد

دَبَران /ع./ **the Aldebaran**

دَبستان /ع. فا./ **primary school**

دِبش **astringent**

دبور [کمیاب] /ع./ **west wind**

دبه /ع./ **flask**

دبهٔ باروت powder flask (*or* horn)

دبه درآوردن، دبه کردن to go back on one's bargain, to ask for more

دبیت **satin *or* percaline** (used for lining)

دبیر **secretary; clerk; teacher** (of a middle school)

دبیرخانه **secretariat(e)**

دبیرستان **middle school**

دبیری **secretaryship**

دبیقی /ع./ [kind of damask]

دِج [کمیاب] [*earth*] **solid, hard**

دجاجه /ع./ [*astr.*] **Cygnus, Swan**

دَجّال /ع./ **the Impostor: epithet of the Islamic Antichrist**

خردجال [the monstrous ass on which the Impostor rides before the advent of the Twelfth Imam]

دَجله /ع./ **Tigris**

دُچار، دوچار **involved; encountering, meeting**

دچارِ affected with; involved in

به چیزی دچار شدن، دچارِ چیزی شدن to encounter something, to be involved in it

دچار کردن to involve

دخالت /ع./ **interference**

دخالت کردن to interfere; to intervene; to mix, to mingle

دُخانی [مؤنث: دخانیه] /ع./ [*rare*] **used for smoking**

مواد دخانیه tobacco products

دُخانیات [جمع دخانیه] /ع./ **tobacco products**

دُخانیات استعمال کردن
to smoke
ادارهٔ انحصار دخانیات
the Tobacco Monopoly Department
دخت [ادبی] = دختر
دختر **daughter; girl; maid**
دختر برادر، دختر خواهر niece
دخترخاله، دخترداییٍ، دخترعمو، دخترعمه cousin
دخترانه **fit for girls**
لباس دخترانه girls' dress
دختربچه (little) **girl**
دخترخوانده
adopted daughter
دخترک **little girl**
دَخل /ع./ **earning, drawing; connection**
به من دخلی ندارد.
It does not concern me.
کتاب شما دخلی به کتاب من ندارد. Your book cannot be compared to mine.
دخل پول till, money-drawer
دخل کردن to earn
دخل و خرج income and expenditure, receipts and expenses
دخلِ کسی را آوردن [زبان لاتی]
to serve one out, to settle his hash, to ruin him
دخمه **tower of silence; crypt;** [*ext.*] **tomb**
دُخول /ع./ **entrance**
حق دخول، اجازهٔ دخول
admittance
دَخیل /ع./ **interfering; important, material; seeking quarter;** [*words*] **of foreign origin, introduced**
دَد **wild beasts**
دَدَر [childish word] **out**
ددر رفتن [زبان لاتی]
to gad about

دَدَری [زبان لاتی] **gadabout**
دده /ت./ **negress; nurse**
در[1] **door; lid;** [*fig.*] **topic**
در (بزرگ) خانه gate
در خانه‌اش همیشه باز است.
He is open-doored. *i.e.* hospitable
در زدن to knock at a door
درش را بگذار [زبان لاتی]
shut up; stop it; hold your tongue (*or* jaw)
دری به تخته خورد [عامیانه]
it was a coincidence, an unexpected occasion offered
دَر[2] /حا./ **in:** در شهر ; **within:** در دو روز ; **at:** در سه ساعت ; **on:** در هر دو طرف ; **by:** یک متر در دو متر ; **per**
در صلاحیتِ اوست
within the limits of
دو در صد two per cent
دَر[3] /ق./ **out;** [*lit.*] **in; away**
از اطاق در آمد.
He came out of the room.
در گذشتن to pass away
این به آن در tit for tat
دُرّ [جمع: دُرَر، اسم جمعِ دُرّه] /ع./ **pearl;** ← مروارید
دُرّ کوهی quartz
دُراج /ع./ **francolin**
دراز **long**
دراز شدن to stretch out; to lie down
دراز کردن to lengthen; to prolong; to stretch
دراز کشیدن to lie down
درازا **length**
از درازا lengthwise
به درازا کشیدن
to be protracted, to become lengthy

درازدستی [ادبی] **aggression; oppression; violence;** ← دست‌درازی
درازگوش **long-eared: epithet of the ass** ***or*** **of the hare**
درازنفس /فا. ع./ **prolix**
درازنفسی **prolixity**
درازی **length**
در افتادن **to engage, to grapple**
دَرّاکه /ع./، قوهٔ دراکه
perceptive faculty
درام /فر./ **drama, play**
درآمد **income, revenue; prelude**
مالیات بر درآمد income-tax
درآمد کردن [عامیانه] to begin; to prelude
درآمدن **to come out;** [*lit.*] **to come in; to be earned; to submit of solution; to shine** ***or*** **rise; to shoot, to spring; to turn, to prove, to fall out:** خوب درآمد ; **to work out**
به گریه درآمدن to melt into tears
درآمیختن [ادبی] = آمیختن
درانیدن **to** (cause to) **tear** ***or*** **rend**
درآوردن **to bring out, to take out; to produce; to earn** ***or*** **make:** پول در آوردن ; **to clear** (from the Customs); **to put forth** (leaves, etc.); **to work out, to solve;** [*infml.*] **to compose**
درآویختن [ادبی] = آویختن
دراویش [جمعِ درویش، /ع./]
درایت /ع./ **intelligence**
دَرب /ع./ **gate;** ← در
دَربار **court:** وزیر دربار
درباری **courtier**

دَربان doorkeeper, gatekeeper, porter
دربانی porter's office
دَربچه shutter; trap-door
دَر بردن[1]
to save: جان به در بردن
جان سالم به در بردن
to save one's hide
دَر بردن[2] to acquire *or* learn (cleverly)
از راه در بردن to pervert, to lead astray
دربست whole
دربست کرایه کردن
to hire (*or* charter) whole
خانهٔ دربست a house in its entirety, a whole house
دربسته closed (tightly)
دربند narrow pass; canyon; bolt for a door
دَربه‌در vagrant, errant, homeless
دربه‌دری vagrancy, homelessness
درپوش bung; cap
دَرج /ع./ insertion
درج کردن to insert
دُرج /ع./ jewel-box, casket
درجات ← درجه
دَرجه [جمع: درجات] /ع./
degree, honours; grade; rank
قطارِ درجهٔ اول first-class train
درجه به درجه by degrees, gradually
تا این درجه to this extent
صد درجه‌ای [*adj.*] centigrade
به درجات by degree; by far
درجه دادن به to confer honours on; to promote to a higher rank *or* degree
درجهٔ گرما temperature
درجهٔ تبِ کسی را گرفتن to take a person's temperature

درجه‌بندی /ع. فا./
classification; gradation
درجه‌بندی کردن to grade; to classify; to rate
درجه‌دار[1] /ص. ع. فا./
graded; adjustable
درجه‌دار[2] /ع. فا./ [opposed to پایه‌دار] non-graded; [*n.*] non-commissioned officer
درِ خانه‌باز hospitable
دِرخت tree
درختستان plantation, grove
درخش [کمیاب] lightning; lustre
درخشان bright; [*fig.*] brilliant
درخشانیدن [کمیاب]
to cause to shine
درخشندگی luminosity
درخشنده shining, luminous
درخشیدن [بن‌مضارع: درخش]
to shine
درخواست request; application; requisition
درخواست کردن از to request, to ask
درخواستِ شغل کردن
to apply for a job
درخور، درخورد
suitable; ← مناسب
در خور من نیست
it is not suitable for me
دَرد pain, ache; ailment; trouble; affliction
درد چشم = چشم دَرد
درد دل کردن to tell out one's grievances, to open out one's heart, to unboso oneself
درد زه pangs of childbirth
دردسر[1] inconvenience, trouble

دردسر[2] = سردرد
درد سر دادن (به)
to inconvenience, to put to trouble
(به) درد آمدن to become painful, to ache
(به) درد آوردن to give pain to, to hurt
درد بردن، درد کشیدن
to suffer pain; to travail
درد کردن to ache, to be painful
سرم درد می‌کند.
I have a headache.
همه جای بدنم درد می‌کند.
I ache all over.
دست شما درد نکند.
Thank you for the trouble. Small thanks to you.
به درد خوردن to be of use, to serve some purpose
دُرد، دُردی [ادبی] dregs, lees
دَردار lidded; having a gate
دردگین [ادبی] painful
دردمند [ادبی] ill; afflicted
دردناک painful; diseased; sad
دردنشان calmative, anodyne
دردُو [زبان لاتی] pert
دُردی‌کش [ادبی] drinking the very dregs of wine
دُرَر [جمعِ درّ]
در رسیدن [ادبی]
to overtake; to happen
دررفتگی dislocation; luxation; leakage; strain; [*stocking*] ladder
در رفتن [عامیانه] to run away; to be dislocated; [*gun*] to go off
از زیرِ... در رفتن to dodge *or* shirk...

حسابش از دستم در رفت. I lost count of it.

از دهنش در رفت. He let the cat out of the bag.

دررفته **dislocated**

دررو **outlet; [*fig.*] effect, result**

کوچهٔ بی‌دررو blind alley

دَرز /ع./ **seam; suture; crevice**

درز گرفتن to seam up; [*fig., sl.*] to take in, to cut short

درز کردن [زبان لاتی] to leak

درزی(گر) **tailor;** → خیاط

دَرس [جمع: دُروس] /ع./ **lesson**

درس دادن (به) to teach

درس خواندن to study

درس گرفتن to take lessons; [*fig.*] to take an example **or** lesson

درسش را خوب بلد است. [عامیانه] He understands his business very well. He is in the know.

کتاب درسی text-book

دُرست [*adj.*] **correct, right; upright, honest; proper; sound; whole; [*adv.*] correctly; properly; just; whole:** آن را درست غورت داد

یک سیب درست a whole apple

درست کردن to rectify, to correct; to adjust; to tidy; to do (one's hair); to make **or** prepare; to fix; to mend; to forge, to fabricate

درست‌پیمان **true to one's promise**

درستکار **honest**

درستکارانه **honestly**

درستکاری **honesty; uprightness**

درستی **honesty; integrity; truth; correctness**

درس‌خوانده /ع. فا./ **educated**

دُرشت **large; coarse; harsh**

درشت کردن to magnify

درشت‌بافت، درشت‌باف **coarsely woven**

درشت‌خو(ی) **harsh-tempered**

درشتی‌نی **tibia**

درشتی **coarseness; largeness; violence**

درشتی کردن to act **or** speak harshly

درشکه /ر./ **carriage**

درشکهٔ بچگانه pram, perambulator

درشکهٔ برفی sledge, sleigh

درشکه‌چی /ر. ت./ **carriage-driver, cabman**

درشکه‌رو /ر. فا./ **drive**

درصد **per cent:** پنج درصد

درفش **awl; [*lit.*] banner**

درفشیدن [کمیاب] = درخشیدن؛ لرزیدن

دَرقی /ع./ **thyroid**

بزرگ شدگی غدهٔ دَرقی goitre [now usually گواتر the French word]

دَرک /ع./ **perception**

درک کردن = دریافتن to perceive, to understand

دَرَک /ع./ = دوزخ

درکردن [عامیانه] **to fire** (off)**, to touch off; to sift; to deduct**

از راه در کردن، از راه در بردن to pervert, to lead astray

درکشیدن **to retract; to swindle out; to pump out**

پول از کسی درکشیدن to swindle money out of someone

درکه [کمیاب، جمع: درکات] /ع./ **abyss; hell**

درگاه **doorway; sill, threshold; [*met.*] palace, court, audience**

به درگاه خدا to/ before **or** in the sight of God

درگذشت **death**

درگذشتن **to pass away**

از چیزی درگذشتن to overlook **or** connive at something

درگرفتن **to be kindled or spread; to break out** (as a war)**; [*lit.*] to overtake; [*lit.*] to overspread**

درگیر شدن [کمیاب] **to break out, to begin;** → در گرفتن

دِرَم [از ریشه ی.] **certain unit of weight; drachm(a)**

دَرمان **remedy, cure;** → چاره

درمان کردن to remedy **or** cure

درمان‌پذیر **remediable, curable**

درماندگی **distress; insolvency**

درماندن **to be distressed**

درمانده **helpless; overpowered; stuck up; insolvent**

درمان‌شناسی **therapeutics**

درمانگاه **clinic**

درمان‌ناپذیر **irremediable**

درمنه **wormseed, santonica**

تخم درمنه semen contra

جوهر درمنه santonin

دُرنا /ت./ **crane** (bird)

درندگان [جمعِ درنده]

درندگی **fierceness**

درنده [جمع: درندگان] **fierce or rapacious** (animal)

درنده‌خو(ی) **of a fierce or brutal nature, fierce**

درنده‌خویی **fierce nature; brutality**

درنگ **delay; hesitation, pause**

درنگ کردن to delay; to hesitate *or* pause

درنگیدن[1] [کمیاب] **to tinkle *or* clink, to tick** (as a clock)

درنگیدن[2] [کمیاب] = درنگ کردن

درنوردیدن [ادبی] **to fold *or* roll up**

درنوشتن[1] [ادبی] **to obliterate, to set aside**

درنوشتن[2] [ادبی] = درنوردیدن

دِرو **reaping**

موسم درو harvest

درو عرضی [*mil.*] enfilade

درو کردن to reap

دَروازه **gate; goal;** ← درب

دروازه‌بان **gate-keeper**

دُرود [ادبی] **greeting; praise**

بر کسی دُرود فرستادن to praise *or* send greetings to someone

درودگر **carpenter**

درودگری **carpentry**

دُروس [جمعِ درس] /ع./ **lessons**

مدیر دروس registrar

دُروغ **falsehood, lie;** [*adj.*] **false, untrue**

دُروغ درآمدن to prove to be false; to contradict itself

دروغ درآوردن to give the lie to, to belie

دروغ گفتن to lie, to tell a lie

به دروغ falsely

دروغ‌پرداز **one who supports a liar;** ← دروغگو

دروغگو [*n.*] **liar;** [*adj.*] **mendacious**

دروغگو درآمدن to turn out a liar, to contradict oneself

دروغگویی **telling lies**

دروغی [*adj.*] **false; sham; spurious;** [*adv., infml.*] **falsely**

دروگر **reaper**

دَرون [ادبی] **inside, interior;** [*fig.*] **heart, mind**

دَرونَج، دَرونَج عقربی **doronicus**

درون‌رو(ی) **endogenous**

درون‌ریز **endocrine**

درون‌سوز **internal-combustion**

درون‌شامه(دل) **endocardium**

درونی [ادبی] **inner, internal**

درویدن [ادبی، بن‌مضارع: درو] = درو کردن

درویش [جمع: دراویش، /ع./] [*n.*] **dervish, mendicant;** [*adj.*] **poor**

درویش‌صفت /فا. ع./ **humble and sociable, hail fellow well met, easy-going;** [*o.s.*] **possessing the qualities of a dervish**

درویشی **life as a dervish, mendicity**

درویشی کردن to act *or* live as a dervish, to be humble and sociable

دَرّه **valley**

پل دره‌ای viaduct

دُرّه [جمع: دُرَر، اسم جمع: دُرّ] **single pearl**

دَرهَم **confused, mixed up; interlaced; intricate**

درهم آمیختن to mix together

درهم افتادن to get mixed up; to fall to blows

درهم بافتن to interweave

درهم پیچیدن to wind *or* twist together; to interlace

درهم شدن [ادبی] to get angry; to frown

درهم شکستن to break up

جبین درهم کشیدن [ادبی] to knit the brow

درهم گیر کردن to become entangled *or* snarled; to mesh

دِرهم /ع. ی./ **drachma**

درهم‌برهم **higgledy-piggledy, confused**

درهم برهم کردن to put in complete disorder; to muddle

دَری **ancient Persian dialect**

دَریا **sea**

از راه دریا by sea

دریای پر جزیره archipelago

دریای روم Mediterranean Sea

دریای علم mine of information

دریای محیط the Ocean

دریای نیل [ادبی] the Nile River

دریابان **vice-admiral**

دریاچه **lake**

دریادار **rear-admiral**

دریاسالار **admiral**

دَریافت **receipt; perception**

دریافت کردن to receive, to collect

دریافتن [بن‌مضارع: دریاب] **to perceive, to understand; to find out**

دریافتی (amount) **received**

دریاکنار **sea-shore**

دریانورد **navigator**

دریانوردی **navigation**

دریایی **marine, maritime**

نیروی دریایی navy

دَریچه **trap-door, hatch; shutter; valve** [now usually the French word سوپاپ]

دریچهٔ نای epiglottis

دریدگی **rent;** [*fig.*] **impudicity**

دریدگی دهان rictus

دَریدن [بن‌مضارع: در] **to rend *or* tear; to devour; to be torn**

دریده [اسم‌مفعول فعل دریدن]
rent, torn; [*fig.*] **impudent;** [*eyes*] **glaring**
دریغ /ا./ **sparing; refusal; regret**
دریغ داشتن از to refuse, to withhold from
دریغ کردن to withhold; to spare
دریغ خوردن = افسوس خوردن
دریغا، دریغ [ادبی] **alas!, oh!**
دری‌وری [عامیانه] **nonsense; gossip**
دری‌وری گفتن to talk nonsense, to tattle
دریوزه = گدایی
دُزد **thief**
دزد دریایی pirate
دزدانه، دزدکی [عامیانه]
[*adv.*] **stealthily;** [*adj.*] **surreptitious; thievish**
دزدبازار [عامیانه]
[disorderly place where everyone steals *or* embezzles]
دزد ریگ **quicksand**
دزدگاه **place infested with thieves**
دزدی **theft, robbery**
دزدی کردن to commit theft. to steal
دزدیدن [بن‌مضارع: دزد]
to steal
بچه دزدیدن to kidnap a child
دزدیده [اسم‌مفعول فعل دزدیدن]
[*adj.*] **stolen; surreptitious;** [*adv., lit.*] **surreptitiously**
دِژ **fortress, fort, castle**
دژبان **military policeman;** [*o.s.*] **keeper of a fortress**
دژبانی، اداره دژبانی
Military Police Department
دژپیه **ganglion, gland**
دژخیم [کمیاب] **executioner**
دژکوب [کمیاب] **battering-ram**

دژم = خشمگین؛ مست؛ افسرده
دسامبر /فر./ **December**
دسائس [جمعِ دسیسه]
دَست **hand; arm;** [*fig.*] **skill;authority;**
suit: یک دست صندلی؛
set: یک دست صندلی؛
[*rooms*] **suite;** [*cards*] **pack;**
connections [commercial term]
دست آخر in the end; finally
دستِ بالا at most
دست بالا کردن to prepare for work; to make preparations (for marriage)
دست به گریبان، دست به یقه
at close quarters, hand to hand
دست پشت سر ندارد.
He is born on a bus.
دست کم at least
دست کمی از... ندارد
it is nothing short of...
دست از جان شستن to despair
دست انداختن to pull the legs of
دست به دست رساندن to pass on (from hand to hand)
دست به دست رفتن
to change hands
دست به آب رساندن to ease nature (and purify oneself with water)
دست به دست کردن
to procrastinate, to dilly-dally, to gain time
دست برداشتن to desist
دست به سر کردن to put off: get rid of
دست دادن to shake hands; to afford an opportunity; to take place
دست خوردن to be touched; to be tampered with
دست دراز کردن to reach out the hand; to beg

دست زدن to touch; to clap; to set one's hand (to), to embark (on); to set (to)
دست کردن[1]، در دست کردن
to wear on the hand *or* on the fingers
دست کردن[2] to put *or* thrust one's hand (in a thing)
دست کسی را از پشت بستن
to make rings round a person
دست کسی را گرفتن to give someone aid *or* relief
دست کشیدن از to leave off, to stop; to desist from; to abandon
دست نگاه داشتن to hold, to forbear
دست یافتن [ادبی] to find an opportunity; to acquire skill
دست به یکی کردن to unite, to collude; ← دست یکی
از دست دادن to lose, to miss, to let slip, to give away, to forfeit
از دست رفتن to be lost *or* missed; to perish
از دستش برنمی‌آید he is not in a position (to do it)
به‌دست آمدن to come to hand, to be obtained
آن را روی دست می‌برند.
It sells like hot cakes.
به‌دست آوردن to obtain
براش دست گرفتند. [عامیانه]
They started mocking (*or* flouting) him.
دست و بالش بسته است.
He is hard up for money. He is tied down.
دستم نمی‌رسد I find no leisure (to do that); I am not tall enough (to reach that); I have no access (to it)
در دستِ in the course of, in the process of

در دست تهیه است it is in preparation
دست به‌دست سپرده است. One good turn deserves another.
دست خر کوتاه! Hands off!, don't meddle with it!
دستش خوب است. He has a lucky touch.
دست‌آموز **pet, tame, cade**
دست‌ابزار **hand-tool**
دست‌ارّه، دستّره **handsaw**
دستار [ادبی] = دستمال؛ عمامه
دستاس **hand-mill**
دست‌افشار **hand-pressed**
دست‌افشانی [ادبی] **dancing**
دستان [ادبی] = داستان
دست‌انداز **handrail; puddle**
دست‌اندازی **encroachment; laying hands**
دست‌اندرکار [عامیانه] **initiated into business; involved; exercising influence** (in a specified sphere); **in practice, keeping one's hand in something**
دستاویز **document; pretext**
دستِ باز **liberal; open-handed**
دست‌بافت، دست‌باف **hand-woven, hand-knitted**
دست‌به‌دهن [عامیانه] [who lives from hand to mouth]
دستبرد **larceny; embezzlement;** [*mil.*] **sneak raid**
به چیزی دستبرد زدن to embezzle something
دستِ برقضا [عامیانه] /فا.ع./ **it happened that, by chance**
دست‌به‌سینه **with arms folded** (on the breast), **cap in hand**

دست‌به‌کار /ص./ **embarked** (on a business)
دست‌به‌کار شدن to start (on a) business; to get busy
دست به کارِ... شدن to embark on...
دست‌به گریبان، دست‌به‌یخه **at close quarters; man for man**
دستبند **bracelet; handcuff**
دستبوس **kissing a superior's hand;** [*fig.*] **in one's presence and ready to serve him**
دستبوسی **kissing of hands**
دستپاچگی **hastiness; excitement; embarrassment**
دستپاچه **hasty; excited; embarrassed**
دستپاچه کردن to make excited; to abash
دستپاچه نشوید! Don't get excited!, keep cold!, keep your hair on!
دست‌پخت [*o.s.*] **hand-cooked;** [*fig.*] **tenderly brought up**
دست پخت کیست؟ ***Who has cooked it?***
دست‌پرورده **pet**
دست‌پناه **hand-guard**
دستجات **classes; groups; numbers;** ⟵ [جمعِ دسته]
دست‌چپ **left-handed**
دست‌چین **hand-picked, selected**
دست‌چین کردن to hand-pick ***or*** select
دستخط /فا.ع./ **handwriting; manuscript**
دستخطی /فا.ع./ **handwritten, manuscript**
دست‌خورده **tampered with; touched; violated**

دستخوش **exposed, subject**
دستخوش اغراض او شدم. I fell a victim to his private motives.
دست‌دانی [عامیانه] **cubby-hole** (used for storage)
دست‌درازی **aggression; violence;** ⟵ درازدستی
دست‌دوز **hand-sewn**
دسترس **accessible, within reach, available**
دسترسی **access; resort; ability**
دسترنج **product of one's labour**
دست‌ساخت، دست‌ساز [کمیاب] **hand-made**
دست‌شکسته **unskilled; shiftless**
دست‌شویی **wash-basin; wash-hand-stand; lavatory**
دستفروش **pedlar, hawker**
دستفروشی **pedlary, hawking**
دستک **pad used as a rough day-book;** [*rare*] **clapping of hands; prop; staff**
دستک مساحی levelling-staff
دستک زدن [کمیاب] to clap
دستک و دنبک [عامیانه] details, enlargement; difficulties; monkey business
دستکاری **minor repairs; finishing touch; stroke**
دستکاری کردن to do minor repairs (in); to give a finish to
دستکش **glove(s);** [*boxing*] **boxing-glove, muffler, mitt**
دستگاه **apparatus; plant, machinery; mechanism; installation; organization; scheme;** [*building*] **flat; system:** دستگاه تنفس ; [*fig.*] **pomp; power, ability**

دستگاه بافندگی weaving-loom
دستگاه بی‌سیم wireless set
سه دستگاه عمارت three buildings
دستگیر **arrested; captured;** [*lit.*] (one) **who gives relief to others**
دستگیر شدن to be arrested *or* captured; to be grasped *or* understood
دستگیر کردن to arrest, to apprehend, to capture, to take prisoner
مطلب دستگیرش شد. ***He grasped the matter.***
دستگیره (door) **handle**
دستگیری **help, aid; arrest, capture**
از کسی دستگیری کردن to help someone, to give him a relief
دستلاف **handsel, luckpenny**
دستمال **handkerchief**
دستمالِ پا سفره napkin
دو دستماله رقصیدن to run with the hare and hunt with the hounds
دستمالی (rough) **handling; palpation**
دستمالی کردن to rub with the hand, to handle roughly
دستمزد **wage(s);** ← اجرت، مزد
دستنبو [variety of small fragrant melon]
دست‌نشانده **satellite;** (mere) **instrument**
دست و پا [عامیانه] **struggle; shift, resource**
دست و پا زدن to struggle with twitching limbs, to fling one's limbs about to flop; to flounce

دست و پا کردن to use one's resources, to shift
دست و دل‌باز **open-hearted; open-handed**
دَستور **instruction(s), directions; order; prescription**
دستورزبان grammar
دستورِ جلسه order of the day, agenda
دستور دادن to instruct, to give instructions (to); to order; to prescribe, to advise
از دستور خارج شدن to lie on the table
از دستور خارج کردن to lay on the table
دُستور [کمیاب] /ع. فا./ **minister; instruction; rule; law;** ← وزیر؛ [جمع: دساتیر]
دستورالعمل /ع./ **directions; prescription, recipe**
دستوَرز **handicraftsman**
دستورزی **handicraft**
دستوری **grammatical; inspired**
دسته[1] **handle; party; faction; group;** [*sword*] **hilt;** [*mil.*] **platoon, squad**
دستهٔ قلم penholder
دستهٔ هاون pestle
دستهٔ کاغذ quire
یک دسته کلید a bunch of keys
یک دسته ماهی a shoal (*or* school) of fish
دسته[2] [*mech.*] **starting-handle**
دسته[3] [*mech.*] **lever**
دسته‌بندی **faction; classification**
دسته‌بندی کردن to classify; to form factions
دسته‌جلو **bridle, ribbons**

دسته‌جمعی /فا.ع./ [*adj.*] **collective; communal;** [*adv.*] **all together, in company; collectively**
بمباران دسته‌جمعی mass bombing
دسته‌کوک [*adj.*] **stem-wound**
ساعت دسته‌کوک stem-winder
دسته گُل **bunch of flowers, bouquet**
دستی [*adj.*] **handmade; manual; artificial; hand-operated**
صنعت دستی manual art, handicraft; [*adv., infml.*] on purpose
امضای دستی sign manual
کیف دستی handbag; ← کیف
دستیار (technical) **assistant, aid; accomplice**
دستیاری **assistance; complicity**
دست‌یافت [ادبی] **opportunity; success; victory**
دست‌یکی **united**
دِسر /فر./ **dessert, sweet, pudding, after**
دسقاله = داسغاله
دسیسه [جمع: دسائس] /ع./ **intrigue, plot**
دسیسه کردن to intrigue
دسیسه‌کار /ع. فا./ **intriguer, intrigant**
دسیمتر /فر./ **decimetre**
دُشبل **gland;** ← غده
دشت **plain; field; first money earned on a business day; handsel**
دشت کردن [عامیانه] to receive (money) for the first time; [*ext.*] to start selling something
دشتبان **field watchman**
دشتی **pastoral; wild**

دشخوار [کمیاب] = دشوار
دشک، دشکچه = تشک
دُشمن **enemy**
دشمن داشتن [ادبی]
to hate: بدگویی را دشمن بدارید
دشمن‌کام، دشمن‌شاد [ادبی] **suffering from a plight such as is wished by one's enemy**
دشمنی **enmity**
دُشنام **insult, bad language, abuse**
دشنام دادن to abuse *or* insult
دِشنه **short straight poniard, whinger**
دُشوار **difficult, hard;** → سخت
دشوارگیر [ادبی] **impregnable**
دشواری **difficulty; hardship**
دُعا [جمع: ادعیه] /ع./ **prayer; blessing; benediction**
دعاکردن to pray; to bless
دعا خواندن to pray
دعای سفره blessing
ادعیهٔ خالصانه sincere wishes
دعاخوان /ع. فا./ (one) **who prays** (for others)
دعاگو /ع. فا./ (one) **who prays for another**
دعاگو هستم. ***I (am quite well and) pray for you.***
به دعاگویی مشغولم = دعاگو هستم
دعانویس /ع. فا./ **writer of amulets and benedictions**
دعاة [جمعِ داعی]
دعاوی [جمعِ دعوی]
دَعوا [از ع. دعوی] **quarrel; lawsuit**
دعواکردن to quarrel; to go to law, to litigate
دعواکردن به to tell off, to speak angrily to

میان دعوا نرخ طی کردن
to fish in troubled waters
دعوت /ع./ **invitation**
دعوت کردن to invite, to call, to summon
دعوت داشتن to be invited
دعوت حق را اجابت کردن
to pay the debt of nature, to go the way of all flesh
دعوت‌نامه /ع. فا./ **invitation card**
دعوی [جمع: دعاوی] /ع./ **claim**
دعوی کردن، دعواکردن to claim
دَغا [ادبی] [*n.*] **deceit**(ful person); [*adj.*] **deceitful; base**
دغاباز **deceitful** (person)
دغابازی **fraudulousness**
دغدغان **nettle-tree**
دَغدغه /ع./ **apprehension; disturbance;** [*rare*] **tickling sensation**
دغدغهٔ خاطر
mental disturbance
دغَل [*n.*] **fraud; adulteration;** [*adj.*] **fraudulent; base**
دغل‌باز = دغاباز
دغلی = دغل /ا./
دغلی کردن to cheat; to falsify
دف [ادبی] /ع./
tambourine → دایره
دفاتر [جمعِ دفتر، /ع./]
دفاع /ع./ **defence**
از کسی دفاع کردن
to defend someone
دفاعی /ع./ **defensive**
دفائن [جمعِ دفینه]
دفتر [جمع: دفاتر، /ع./] **book, account-book; blank-book, note-book**
اتاق دفتر office
دفتر باطله rough day-book
دفتر بغلی، دفتر جیبی
pocket-(note) book

دفتر روزنامه، دفتر یومیه
day-book *or* journal
دفتر کل ledger
دفتر مشق copy-book
در دفتر واردکردن، واردِ دفترکردن
to enter in a book; to register
از دفتر خارج کردن to write off
دفترچه **blank-book, notebook**
دفترچه چک cheque-book
دفترچه انفرادی regimental sheet, company sheet
دفترخانه **notary public's office**
دفتردار **bookkeeper**
دفترداری **bookkeeping**
دفتری **clerical**
کار دفتری clerical *or* office work
دفتریار **notary public's assistant**
دفتین **weaver's comb**
دفرا [*ship*] **fender**
دَفع /ع./ **repelling, repulse; warding off, parrying**
دفع کردن to repel; to parry, to ward off; to pass off; to fight; to discharge
دفعات [جمعِ دفعه]
دفع‌الوقت /ع./
procrastination
دفع‌الوقت کردن
to procrastinate; to gain time, to temporize
دَفعه [جمع: دفعات] /ع./
time; → بار
یک دفعه once
دو دفعه twice
سه دفعه thrice, three times
دفعه دیگر next time; again
چندین دفعه many times
به دفعات in instalments
دَفعتاً /ع./ **all at once; in a lump sum**

دفن /ع./ burial
دفن کردن to bury
دفینه [جمع: دفائن] /ع./ buried treasure; ⟵ گنج، گنجینه
دَقّ /ع./ [med.] percussion
تختهٔ دق pleximeter
چکش دق plexor
دِق /ع./ marasmus
تب دق hectic fever
دق کردن to die from hectic fever; to die of grief
دق دل را خالی کردن ⟵ دل
دَق‌الباب کردن /ع. فا./ to knock at a door
دقائق [جمعِ دقیقه]
دِقت /ع./ accuracy; precision; subtility; minuteness; abstruseness
دقت کردن to be careful, to take care
به دقت carefully
دقیانوس /ع. ل./ Decius (a Roman emperor)
از عهدِ دقیانوس from immemorial times
دقیق /ع./ minute, subtle; punctual, exact; ⟵ [مؤنث: دقیقه]
دقیقه [جمع: دقائق] /ع./ minute; minute point; [lit.,rare] knack
دقیقه‌شمار /ع. فا./ minute-hand
دکاکین [جمعِ دکان]
دکان [جمع: دکاکین] /ع./ shop
دکاندار /ع. فا./ shopkeeper
دکانداری /ع. فا./ shopkeeping; showmanship
دکـتر /فر./ doctor; physician
آقای دکتر بلور Dr. Bolour
دکترا /فر./ doctorate
دکتری /فر. فا./ medical profession

دِکُر /فر./ scenery, setting, stage-effects
دکرساز /فر. فا./ stage-designer, scene-painter
دَک کردن [زبان لاتی] to put off, to get rid of
دکلته /فر./ low-necked, décolleté
دُکمه[1] /ت./ button
دکمهٔ یخه collar stud
دکمهٔ چیزی را انداختن to button something
دکمه چیزی را باز کردن to unbutton something
دُکمه[2] /ت./ [bot.] tuber
دُکمه[3] /ت./ [bot.] stigma
دُکمه[4] /ت./ [bot.] gemma
دکمه‌ای /ت. فا./ [rare] button-like
کلم دکمه‌ای Brussels sprouts
گل دکمه‌ای immortelle, bachelor's button
دکمه‌دار /ت. فا./ tuberous; [pen-nib] having a rounded flaring point
شمشیر دکمه‌دار foil
دک و پوز [زبان‌لاتی] chops; ⟵ جربزه
دک و دهن [زبان لاتی] head and mouth
دک و دهن کسی را خرد کردن to beat one black and blue
دکه [ادبی] /ع./ stone-bench; shop
دِگر [ادبی، صورت‌اختصاری دیگر]
دگردیس metamorphic
دگرگون changed; metamorphosed
دگرگون کردن to change in form
ارث دگرگون mutation
دگل mast
سه دگله three-masted
دِل heart; [infml.] stomach; [fig.] mind; courage; patience; middle
دل باختن to lose one's heart
دل به دریا زدن to take a leap in the dark, to run the hazard
دل کسی را به دست آوردن to humour a person, to gratify him
دل بستن به to depend on, to let one's heart be won by
دستت را بگذار روی دلت! You need not worry!, you may rest assured!
دق دل خود را خالی کردن to give vengeance to one's anger *or* other feelings, to get a thing off one's chest
دست به دلم‌نزن! [عامیانه] Leave me to my sorrows!, don't put your finger in my sore!
دل دادن to hearten, to encourage; to give one's heart (as to a sweetheart); to pay close attention
دل کسی را شکستن to disappoint someone
دل از چیزی کندن to abandon something
دلم به هم می‌خورد. I feel sick.
دلم تمام شد. I am (*or* was) out of patience.
دلم تنگ است. I am heavy-hearted *or* depressed. I am homesick.
دلم باز است. I felt light-hearted. I was relieved of my depression.
دلش به هم برآمد. [ادبی] He was moved with compassion.
دلِ خوشی از او ندارم. I haven't had a good experience with him.
دلم حال آمد. It did my heart good.

دلش خوش است که he flatters himself that
دلم می‌خواهد بروم. I like (*or* please) to go. I feel like going.
دلم رحم آمد. I felt sorry. I was moved with compassion.
دلم برایش می‌سوزد. I pity him.
دلم گرفته است. I am depressed.
به دلم افتاد که it occurred to me to, I had a presentiment that
دلم ریخت پائین. I almost had a fit. I was shocked.
با دل و جان with all one's heart
به دل گرفتن to take to heart, to take offence at
دلار /فر. ان./ **dollar**
دلارام [ادبی] [*n.*] **sweetheart;** [*adj.*] **lovely**
دل‌آزار **heart-rending, vexatious**
دل‌آزرده **offended; afflicted**
دل‌آشوب [*adj.*] **nauseating;** [*n.*] **chaste-tree, Agnus castus**
دل‌افروز [ادبی] **cheering** (the heart), **mirthful**
دل‌افکار [ادبی] **heart-sore, heartsick**
دلاک /ع./ [*Turkish bath*] **rubber** *or* **masseur, barber**
دلاکی /ع. فا./ **rubber's** *or* **barber's craft;** ← دلاک
دلال /ع./ **broker, middleman**
دلال معاملات ملکی real estate broker, land-agent
دلال‌خانه house-agent
دلالت /ع./ **guidance**
دلالت کردن to lead, to direct
دلالت کردن بر to denote, to express

دلاله [مؤنثِ دلال] /ع./ **procuress**
چرخ دلاله idle-wheel
دلالی /ع. فا./ **brokerage, broking**
دلالی کردن to be a broker
دلاوَر **valiant, brave**
دلاوری **valour, bravery**
دلاویز [ادبی] **pleasant, attractive**
دلائل [جمعِ دلیل، /ع./]
دل‌باخته **enamoured of love**
دلباز **bright and cheerful:** **said of a house**
دل‌بخواه [عامیانه] **arbitrary, optional, done at pleasure**
دل به دریا زن [عامیانه] **adventuresome**
دلبر [ادبی] [*adj.*] **charming; coquettish;** [*n.*] **sweetheart**
دلبری **charm; coquettishness**
دلبستگی **attachment, affection; interest**
دلبسته **attached; interested**
دلبند [ادبی] **darling; attractive**
دلپذیر [ادبی] **agreeable, pleasant**
دلپسند **desirable, agreeable**
دل‌پیچه **gripes, tenesmus**
دلتنگ **cheerless; homesick**
دلتنگ شدن to feel homesick; to be annoyed, to take offence
دلتنگی **homesickness, nostalgia; annoyance; loneliness**
دلتنگی برای میهن کردن to pine for home, to feel homesick
دلجو [ادبی] **affable; agreeable**
دلجویی **affability; encouragement by soft words; conciliation**

دلجویی کردن از to speak affably to
دلچسب **desirable; fit, meet**
دلخراش [ادبی] **heart-rending, harrowing, grating**
دلخسته [ادبی] **heart-sore**
دلخواه [*n.*] **desire; pleasure, will;** [*adj.*] **desired**
به دلخواه at pleasure
دلخور **offended; annoyed; indignant**
دلخور شدن از to be annoyed by, to take offence at
دلخور کردن to annoy, to offend
دلخوری **annoyance, indignation; grievance**
دلخوش **happy, contented**
دلخوش‌کنک [زبان‌لاتی] **object** (*or* **subject) of self-flattery**
دلخوشی **cheer,** (object of) **delight; satisfaction**
دلخوشی به خود دادن to flatter oneself
دل‌خون [ادبی] **heart-sore**
دلداده **enamoured of love**
دو عاشق دلداده two plighted lovers
دلدار [ادبی] **sweetheart**
دلداری **consolation**
دلداری دادن (به) to console *or* comfort
دل‌درد **stomachache**
دل‌دل کردن **to waver, to dilly-dally**
دلربا [ادبی] **charming;** ← دلکش
سنگ دلربا aventurine
دلربایی [ادبی] = دلبری
دل‌ریش [ادبی] **wounded at heart**
دل‌زنده **enjoying a green old age, hearty and hale; genial; lively;** ← زنده‌دل

دل‌سخت = سخت‌دل

دلسرد **discouraged, dispirited**

دلسرد شدن to be dispirited *or* discouraged

دلسرد کردن to discourage

دلسردی **discouragement**

دلسوخته [ادبی] **bereaved**

دلسوز **compassionate, sympathetic**

دلسوزی **pity, sympathy**

برای کسی دلسوزی کردن to feel pity for someone

دلشاد **happy**

دلشده [ادبی] = دلداده

دل‌شکسته **disappointed, broken-hearted**

دل‌ضعفه [عامیانه] /فا.ع./ **fainting from hunger, gnawing sensation in the stomach**

خورش دل ضعفه barmecide feast

دلفریب [ادبی] **charming, attractive**

دَلق /ع./ **coarse woollen garment;** ← حلق

دلقک /ع. فا./ **harlequin, clown, buffoon**

دلکش [ادبی] **fascinating, winsome, attractive**

دلکو /ان./ **delco: trade-mark; [*motor car*] distributor**

دلگران **heavy-hearted; displeased**

دلگرم **confident; sanguine**

دلگرم کردن to assure; to encourage

دلگرمی **assurance; encouragement**

دلگشا **pleasant; exhilarant**

دلگیر = دلخور

دل‌مرده **low-spirited; discouraged**

دَلمه **gelatine *or* jelly**

دلمهٔ غضروفی chondroma

دلمه شدن to coagulate

دُلمه /ت./ [dish of cabbage *or* other vegetables stuffed with meat-balls and rice]

دلنشین **agreeable; easily accepted**

دلنواز(ی) [ادبی] = دلجو(ئی)

دَلْو /ع./ **bucket; [*astr.*] Aquarius; old name of** بهمن

دلواپس **anxious, uneasy, worried, concerned**

دلواپسی **anxiety**

دله **marten; [*fig.*] mean glutton; pig(gish person)**

دله‌دُزد **pilferer, petty thief**

دِلهره [عامیانه] **apprehension, anxiety; worry**

دلیجان [از فر.] **stage-coach**

دلیر **brave; intrepid**

دلیرانه **bravely**

دلیری **bravery; intrepidity**

دلیل [جمع: ادله، دلائل] /ع./ **reason; proof; [*rare*] guide;** ← راهنما

دلیل غیبت او the reason for his absence

دلیل اینکه the reason why

دلیل ندارد که there is no reason why

به چه دلیل why?, for what reason?

به دلیلِ اینکه because, for the reason that

دلیل آوردن to give reasons (for something), to adduce an argument

دَم[1] **breath; choke-damp; edge; bellows; [*fig.*] instant, moment**

دمِ در at the door

دم صبح (at) dawn; early (in the) morning

دم دست near at hand

دم بر آوردن [ادبی] to breathe out; to speak

دم (فرو) بستن [ادبی] to hold one's breath

دم زدن [ادبی] to breathe; to speak

دم از... می‌زند he talks frequently of *or* pretends to advocate..., he boasts of...

دم فرو بردن [ادبی] to inspire

دم کردن to allow (tea) to draw; to steam *or* stew

دم کشیدن [*tea*] to draw

با دم و دستگاه [عامیانه] with great pomp, in state

از دم one with the other, without selection

دَم[2] [کمیاب] /ع./ = خون

دُم **tail**

دم گاو yellow mullen

دمش را روی کولش گذاشت. He put his tail between his legs.

پا روی دم کسی گذاشتن to twist a person's tail, to pester him

دمادم [ادبی] **incessant(ly)**

دمار /ع./ **perdition**

دمار از روزگارِ کسی برآوردن to take complete vengeance on someone

دُم اسبی **like a horse's tail; equisetaceous**

گیس دُم اسبی ponytail

دِماغ /ع./ **brain;** ← مخ

دماغ صغیر cerebellum

دماغ کبیر cerebrum

دماغ **nose; [*fig.*] mood; talent;** ← بینی

دماغش چاق است. [عامیانه] He is well-to-do.

دماغ کسی را سوزاندن to discourage someone; to snub someone

دماغم سوخت. I was discouraged.
دماغ خود را پاک کردن یا گرفتن to blow one's nose
موی دماغ intrusive person, bore
دماغه cape; [*door*] parting bead; [*anvil*] horn; [*ship*] nose *or* prow; ← سینه
دماغی /ع./ cerebral; nasal
کار دماغی brain work
دَمان [ادبی] blowing; terrible
پیل دمان furious elephant
دم به دم، دمبدم every moment, incessantly
دمبریده[1] [زبان لاتی] [*fig.*] sly, cunning
دمبریده[2] = دُمکُل
دمبلیچه fat at sheep's coccyx; parson's nose
دَمخور [*adj.*] congenial, [*n.*] congenial friend, close associate
دَمپایی، سرپایی slippers
دَم‌پخت [kind of rice dish]
دُم‌جنبانک wagtail
دَم‌دار suffocating, stifling
دُم‌دراز long-tailed
دم‌دستی [عامیانه] designated for everyday use
سرویس دم دستی everyday set
دمدمه [کمیاب] redoubt
دَمدمی fickle, irresolute
دمدمی‌مزاج /فا.ع./ = دمدمی
دمده [از فر. démodé] out of fashion, not fashionable
دمده شدن to go out of fashion
دَمر [عامیانه] prostrate, prone
دُمریز [زبان لاتی] off the reel, uninterruptedly
دمساز [ادبی] [*n.*] confidant; [*adj.*] intimate
دمشق /ع./ Damascus

دُم فاخته‌ای dove-tailed
دُم قیچی /فا. ت./ snippings, scraps
دمکرات، دموکرات /فر./ democrat
دُم‌کل docktailed, bobtail
دُم‌کلفت [زبان لاتی] wealthy and influential; [*o.s.*] thicktailed
دُم‌کلفت‌ها the bigwigs *or* magnates
دُمگاه parson's nose, rump
دمگیر stifling; sultry
دُمل boil, abscess
دُم لابه [کمیاب] fawning
دَم‌نگار pneumograph
دموکراسی /فر./ democracy
دموی /ع./ = خونی sanguine
دمه vapour; ← بخار
دمی [kind of rice dish]
دمیدن [بن مضارع: دَم] to blow; to breathe upon (*or* into); to inflate; to appear (as the dawn); to sprout
دمیر /ت./، سنگ‌دمیر lapstone
دمیرآغاجی /ت./ ironwood
دمیسزون /فر./ light overcoat, spring suitings
دمینو /فر./ domino
دنائت /ع./ = پستی، فرومایگی
دُنبال rear; trail; tail
در دنبالِ، دنبالِ behind; after
از دنبال (from) behind
دنبال کردن to follow, to pursue
دنبالچه coccyx
دنباله trail; tail; [*astr.*] coma; [*fig.*] continuation; cue (of speech)
دنباله‌دار protracted, continued
ستارهٔ دنباله‌دار comet
دنبک = تنبک

دُنبلان lamb's-fry; truffle
دُنبه fat (tail)
دِنج [عامیانه] cosy, snug, tight
دندان tooth
دندان درآوردن to teethe, to cut one's teeth
دندان روی جگر گذاشتن to grin and bear it
دندان زدن to bite with the teeth
دندان کسی را شمردن to find the length of one's foot
دندان‌پاک‌کن، دندان‌شوی [کمیاب] = مسواک
دندان‌درد toothache
دندانساز dentist
جراح دندانساز dental surgeon
دندانسازی dentistry, dental surgery
دندان‌شکن
جواب دندان‌شکن knockdown:
دندان‌قروچه [عامیانه] gnashing of the teeth
دندان‌قروچه کردن to gnash the teeth
دندان‌گرد [عامیانه] covetous; stingy
دندان‌گیر [عامیانه] suitable; lucrative
دندان‌موشی notched; denticulate
دندانه tooth, cog; jag
دندانه‌دار toothed; serrate; jagged
چرخ دندانه‌دار cogwheel
دندانی [کمیاب] dental; dentate
دَنده rib; gear
دنده خلاص neutral gear
دنده خودکار automatic shift gear
دنده عقب reverse gear
دنده کمک auxiliary gear; [*differential*] double speed rear axle

دنده یک یا دو **first** *or* **second gear**
با دنده یک رفتن to drive in first gear
با دنده خلاص رفتن to go in neutral; to coast, to freewheel
دنده عقب زدن to (put into) reverse, to back
دنده عوض کردن to change gear
یک دنده‌اش کم است. She is a button short.
دنده‌اش نرم شود. That serves him right.
دنده‌ای **costal; ribbed**
ارگ دنده‌ای barrel-organ
دَنگ **flail, pestle, heavy pounder worked by the feet; fulcrum, pivot;** [*time pieces*] **lever escapement**
چرخ دنگ escapement wheel
دنگادنگ [کمیاب] **equipoised**
دنگ و فنگ [زبان لاتی] **pomp and circumstance**
دنی /ع./ = پست **mean**
دُنیا /ع./ **world**
به دنیا آمدن to be born
از دنیا رفتن to pass away, to go one's last home
یک‌دنیا [عامیانه] lots of, tons of
یک‌دنیا با هم فرق‌دارند. They are poles apart.
دنیاپرست /ع. فا./ **worldly, mammonish**
دنیادار **worldly**
دنیاداری /ع. فا./ **worldliness; address, tact**
دنیادیده /ع. فا./ = جهاندیده
دنیوی /ع./ **mundane; secular**
دنیی [ادبی] /ع./ = دنیا
دو[1] **two**

هردو both
هر دوی ایشان ***both of them, they both***
دو[2] **running, run; race**
دو[3] [بن‌مضارعِ دویدن]
دَوا /ع./ **medicine; remedy;** → [جمع: ادویه]
دوا زدن to apply a medicine to
دواکردن to cure *or* treat
دواب [جمعِ دابه، کمیاب] /ع./ **beasts of burden, livestock**
دوات /ع./ **inkpot, inkwell**
دوآتشه **overheated, superheated:** تجار دوآتشه ; **double-distilled; browned** (as bread); [*fig.*] **full-blooded, hearty**
دواتگر /ع.فا./ = چَلَنگر؛ میناگر
دواج [کمیاب] = لحاف
دواخانه /ع. فا./ = داروخانه
دوار /ع./ = سرگیجه
دوّار /ع./ [*adj.*] **revolving;** [*n.*] **capstan**
دوازده **twelve**
دوازده‌ضلعی /فا.ع./ **dodecagon**
دوازده‌وجهی /فا.ع./ **dodecahedral**
دوازدهم **twelfth**
دوازدهمی **the twelfth** (one)
دوازدهمین **the twelfth**
دوازدهه **duodenum**
دواساز /ع. فا./ = داروساز
دوافروش /ع. فا./ = داروفروش
دوال **thong; belt; deceit**
دوال‌باز **deceitful** (person)
دوال‌پا **bugbear; octopus**
دواله **treemoss**
دوالی [جمعِ دالیه] /ع./ **varix**
دوالی ضفن varicocele
دَوام /ع./ **durability, strength**
دوام ندارد It does not wear (*or* last) long

دوان[1]**، دوان‌دوان** **running**
دوان[2] [بن‌مضارعِ دوانیدن]
دوانیدن *vt.* **to run, to cause to run**
دواوین [جمعِ دیوان]
دوائر /ع./ **departments; sections;** → [جمعِ دائره]
دوباره **again, once more**
دوبال **two-winged**
دوبالان the Diptera
دوباله **two-winged, dipterous**
هواپیمای دوباله biplane
دوبرابر **double, twice as much, twice as many**
او دو برابر من سال دارد. ***He is twice as old as I am.***
دوبرگه **bifoliate; bipetalous**
دوبله کردن /فر. فا./ **to dub** (as a film)
دوبه /ت./ **barge**
دو به دو **two by two; tête-à-tête**
دوبه‌هم‌زن **mischief-maker**
دوبه‌هم‌زنی **mischief-making**
دوبیتی /فا.ع./ **distich, couplet**
دوبینی **diplopia**
دوپا [*n.*] **biped;** [*adj.*] **two-footed**
دوپایه **two-legged; bicuspid**
دوپشته[1] **in two rows**
دوپشته[2] = دوترکه
دوپوسته **two-shelled; twice-shelled; of double thickness** (as a wall)
دوپهلو **equivocal(ly)**
دوپیکر **the Gemini**
دوتا[1] [with the stress on the first syllable] **two** [not before a noun]
دوتا[2] [with the stress on the second syllable] **doubled, bent**

دوتخمه [عامیانه] **mongrel, of two breeds**

دوترکه
double: دو ترکه سوار شدن

دوتنه [*bicycle*] **with two horizontal frame tubes**

دوجانبه /فا. ع./ **reciprocal(ly)**

دوجنسه[1] /فا. ع./ **bisexual**

دوجنسه[2] /فا. ع./ = دو تخمه

دوجمله‌ای /فا. ع./ **binomial**

دوجین [از فر.، ان.] **dozen**

دوچار ← دچار

دوچرخه **bicycle**

دوچرخه‌سوار **cyclist**

دوچرخه‌سواری **cycling**

دوچشمه **binocular**
دوربین‌دوچشمه opera-glass, field-glass

دوچندان **twofold, double; as much again**

دوحرفی /فا. ع./ **biliteral**

دوحه [کمیاب، ادبی] /ع./ **large tree**

دوخال **double aces, ambsace**

دوخت **sewing; stitch**
دوخت گرفتن to sew up, to sew together

دوختن [بن‌مضارع: دوز] **to sew; to stitch together**
چشم به چیزی دوختن to fix one's eyes on something

دوخته [اسم‌مفعول فعل دوختن] **sewn; ready-made**

دوخته‌فروش **dealer in ready-made clothes**

دود[1] **smoke**
دود از کله‌ام بلند شد.
I was astounded.
دود و دم necessaries
دود دادن *vt.* to smoke; to fum(igat)e; to steam, *vi.* to emit smoke
دود شدن to pass off (*or* end) in smoke; to be dissipated
دود کردن to (give off) smoke; to turn to smoke
دود چراغ خوردن to burn the midnight oil

دود[2] [کمیاب] /ع./ = کِرم **worm(s)**

دو درجه‌ای /فا. ع./ **having two classes *or* degrees**
انتخابات دودرجه‌ای
election in two instances

دودست **bimanous**
دودستان the Bimana

دودستی **ceremoniously; willingly; with both hands**

دودکش **chimney; smoke-stack**

دودل **double-minded, wavering**

دودلی **irresolution, indecision**

دودم **double-edged; ancipital**

دودمان [ادبی] **family; lineage**

دوده **soot, lamp-black, smut**

دودی[1] **smoky, smoke-coloured; smoked:** عینک دودی
ماهی دودی smoked herring, bloat herring

دودی[2] /ع./ **worm-like**
حرکت دودی peristaltic motion, peristalsis

دودید **bifocal:** عینک دودید

دور **far, remote;** [*fig.*] **improbable; inconsistent; removed**
دور از میهن away from one's home
از مطلب دور افتادن to digress, to deviate from the main subject
دور انداختن to throw away, to discard
دور شدن to go out of sight; to keep out of the way
دور کردن to keep at a distance; to banish
از دور from the distance

دُور [جمع: ادوار] /ع./ **cycle, revolution; turn; perimeter; period, time; epoch; orbit; generation**
دورِ (a)round
دور زدن to go (*or* turn) round; to turn about; to make a U turn; to make a detour; [*fig.*] to centre
دور برداشتن [عامیانه] to rev up, to gather speed
دورِ چیزی را گرفتن
to surround something
دورگردون [ادبی]
vicissitudes of time
دوروبر، دورِ بر entourage, environment
یک‌دور [عامیانه] once

دورادور **from a distance**

دَوَران /ع./ = گردش **circulation; rotation; vertigo**
دوران کردن to circulate; to turn round

دُوران /ع./ **period; era**

دوراندیش **provident, far-sighted:** شخص دوراندیش

دوراندیشی **providence, foresight**

دوراهی **siding, side-track;** [*fig.*] **parting of the ways, dilemma**
سوزن دو راهی
(railway) switch *or* point

دورِ بر /ع. فا./ **pericarp**

دوربین [*adj.*] **far-sighted; presbyopic;** [*n.*] **field-glass, opera-glass**

دوربین دوچشمه binoculars, field-glass
دوربین صحرائی field-glass
دوربین عکاسی camera
دوربین‌فیلمبرداری cine-camera
دوربین نجومی telescope
دوربین یک‌چشمه spy-glass
دوربینی **far-sightedness**
دورتادور /ع. فا./ **all round**
دوردست **remote; outlying**
دوررس **far-reaching**
دورشمار /ع. فا./ **revolution-counter;** ← دور
دورگ، دورگه **mongrel, half-breed, cross-bred; hybrid**
دورگرد /ع. فا./ **rotating, revolving**
چراغ دورگرد inspection lamp
دورنگ **bicolour;** ← دورو
دورنگی = دورویی
دورنما **landscape;** [*photograph*] **background**
دورنمای مسلسل panorama
دورنماساز **landscape painter**
دورو، دورنگ **double-faced;** [*fabrics*] **reversible;** [*fig.*] **hypocritical, decetiful**
دورویی /ا./ **double-dealing**
دوره /ع./ [*n.*] **period; cycle; course; generation; set:** سه‌دوره فرهنگ **; review, recapitulation; perimeter, contour;** [*wheel*] **rim;** [*adj.*] **going round, given in turn:** مهمانی دوره ; [*adv.*] **round**
دورهٔ تصدی tenure of office
دورهٔ زندگی career
دوره چای دادند. They served tea round.
دوره کردن to review; [*fig.*] to pull the legs of; to bay

دوره گرد /ع. فا./ **hawker, pedlar**
دوره گردی /ع.فا./ **hawking, pedlary**
دوری **remoteness, distance; abstention; keeping aloof; separation**
دوری کردن از to keep aloof from; to avoid
دُوری[1] /ع./ **periodic(al);** [*math.*] **recurring**
دُوری[2] /ع. فا./ **paten, patina; dish**
دوز[1] [بن‌مضارعِ دوختن]
دوز[2] /ت./ [game with marbles and rectangles drawn on paper *or* on the ground]
دوز و کلک چیدن [عامیانه] to form a complot; to intrigue
دوزبانه **bilingual**
دوزبانی[1] **self-contradiction**
دوزبانی[2] = دوزبانه
دوزخ [ادبی] **hell;** ← جهنم
دوزخی /ع./ [*adj.*] **infernal;** [*n.*] **dweller of hell**
دوزندگی **sewing, tailoring**
دوزنده **sewer, tailor**
دو زنه **having two wives**
مرد دو زنه bigamist
دوز و کلک ← دوز[2]
دوزیست **amphibious**
دوزیستان the Amphibia
دو ساق یکی /فا.ع./ **isoceles**
دوساله[1] **two-year-old:** بچهٔ دوساله
من دوساله بودم. ***I was two years old.***
دوساله[2] **biennial**
دوست **friend**
دوست داشتن to love, to like
دوست‌تر داشتن to love more, to prefer

با کسی دوست شدن to make friends with someone
دوستانه [*adv.*] **in a friendly manner, amicably;** [*adj.*] **friendly, amicable**
دوستدار [*adj.*] **loving;** [*n.*] (your) **loving friend**
دوست‌داشتنی **lovely, nice**
دوستکام **who is as one's friends wish one to be, fortunate**
دوستکانی، دوستکامی [کمیاب] **large vessel for wine**
دوستی **friendship**
با کسی دوستی کردن to contract friendship *or* make friends with someone
دوسر **two-headed, bicephalous**
تبر دوسر double axe
جو دوسر، دوسر oats
ماهیچهٔ دوسر biceps (muscle)
دوسره[1] [*fig.*] **mutual, reciprocal**
بلیط دوسره return ticket
خدمت دوسره two session service
دوسره کرایه کردن to pay reciprocal fare for; to freight out and home
دوسره[2] = دوسر
دوش[1] **shoulder**
به دوش گرفتن to carry on one's shoulder *or* back
دوش‌به‌دوش shoulder to shoulder
دوش‌به‌دوش هم کار کردن to collaborate *or* cooperate
دوش[2] /فر./ **shower-bath**
دوش گرفتن to take a shower
دوش[3] [ادبی] = دیشب
دوش[4] [بن‌مضارعِ دوشیدن]
دوشا = شیره **milch**
دوشاب **syrup of grapes**

دوشاخ [*n.,mech.*] **radius rod;** [*adj.*] **two-horned, bicornous**

دوشاخه [*n.*] (contact) **plug; fork; pitchfork; tuning-fork;** [*adj.*] **bifurcate;** [*stethoscope*] **binaural**

دوشانیدن **to** (cause to) **milk**

دوش‌تُبره /فا.ت./ **knapsack**

دوشش **double six**

دوش‌فنگ! **Shoulder arms!**

دوشک = تشک

دوشنبه **Monday**

دوشیدن [بن مضارع: دوش] **to milk** (as a cow); **to express** (as milk); [*fig.*] **to bleed**

دوشیزگان [جمعِ دوشیزه]

دوشیزگی **maidenhood**

دوشیزه [جمع: دوشیزگان] **maiden, girl; miss**

دوشین [ادبی] **last night's**

دوشینه = دوشین؛ دیشب

دوصد = دویست

دوطرفه /فا.ع./ **bilateral; mutual, reciprocal; double-breasted**

دوطرفی /فا.ع./ = دوطرفه

دوغ **churned sour milk, yogurt diluted with water**

دوغ و دوشاب پیشش یکی است. He can't tell eggs from money.

دوغاب **grout**

دوغاب زدن to grout

دوفتیله‌ای /فا.ع./ **duplex**

دوفلزی /فا.ع./ **bimetallism**

دوقاب /فا.ع./ **double-cased**

دوقبضه /فا.ع./ ← سفارشی

دوقُلی، دوقولو /فا.ت./ **twin(s)**

دوقولی /فا.ع./ **self-contradiction**

دوک[1] **spindle**

دوک[2] /فر./ **duke**

دوکپه **bivalve**

دوکرانه [*math.*] **the two extremes;** ← دومیان

دوکرّه **having two beakirons**

سندان دوکرّه bickern

دوک‌مانند **fusiform**

دوکمانه [کمیاب] [*arrow*] **rebounding**

دوک‌نشین /فر.فا./ **dukedom**

دوکور **double aces, ambsace**

دوکوهانه **two-humped**

شتر دوکوهانه two-humped *or* Bactrian camel

دوگانه [*adj.*] **the two; binary;** [*n.,rare*] **prayer based on two genuflexions**

دول [عامیانه] **bucket**

دُوَل [جمعِ دولت]

دولا، دولایی **of double thickness, two-ply; twofold**

دولا شدن to stoop

دولا کردن to double; to bend; to fold double

دولاب **diabetes**

دولابچه **locker, wall-cupboard**

دولابی [کمیاب] **diabetic; labyrinthine**

دولاپهنا [عامیانه] **of double width**

دولاچنگ [*mus.*] **semiquaver**

دولادولا [عامیانه] **in a stooping posture**

دولایی [عامیانه] **of double thickness**

دولپه **dicotyledonous**

دولت[1] /ع./ **wealth**

دولت[2] [جمع: دُوَل] /ع./ **government, state**

دول بزرگ the great powers

از دولت سرِ... thanks to...

دولتسرا /ع. فا./ **palace;** [*p.c.*] **your house**

دولتمند /ع. فا./ **rich, wealthy**

دولتمندی /ع.فا./ **wealth(iness)**

دولتی /ع./ **governmental, belonging to the state**

دوائر دولتی government departments

دولچه **small bucket;** ← دول

دولختی **mitral:** دریچهٔ دولختی

دولو **deuce, two**

دولول **double-barrelled**

دوّم **second**

دوّم آنکه in the second place, secondly

دوم‌باره **twice-done; second; double**

دومحوره /فا.ع./ **biaxial**

دومو(ی) **whose beard is turning grey**

دوّمی **the second** (one)

دوّمی ندارد [عامیانه] it is second to none

دومیان [*math.*] **the two means;** ← دوکرانه

دومین **the second**

دون /ع./ **base; inferior;** ← پَست

دونِ مقام اوست it is below his position

دون‌پرور [ادبی] /ع. فا./ **fostering mean people:** دنیای دون‌پرور

دوندگی **chasing, running about, drive,** (special) **effort**

دوندگی کردن to run about

دونده [*adj.*] **running;** [*n.*] **runner**

دونفره /فا.ع./ **double, intended for two persons**

رختخواب دونفره double bed

دون‌همت /عف./ **of low ambition, low-minded**

دونی /ع. فا./ = پستی، دنائت
دونیم **cut in two halves**
دونیم‌کردن to cut in two halves, to bisect
مثل اینکه یک سیب را دو نیم کرده‌اند. They are as like as two peas in a pod.
دوهفتگی **biweekly, fortnightly**
دویدن [بن‌مضارع: دو] **to run**
چشم و دلش می‌دود. He is greedy.
دویست **two-hundred**
دویستم **two-hundredth**
دویک [کمیاب] = دوکور، دوخال
دوئیت [عامیانه، ترکیب دو و ع. ئیت] **discord; enmity**
دَه **ten**
دِه[1]، دیه **village**
دِه[2] [بن‌مضارع دادن]
دهاء [کمیاب] /ع./ = زیرکی، دانایی
دهات [جمع ده، /ع./] **villages**
دهاتی /ع. فا./ = روستایی
دهاقین [جمع دهقان]
دَهان[1] **mouth**
دهن بدی خواندن to strike the wrong note
دستش به دهنش می‌رسد. He can make both ends meet.
دم دهنت را بگذار! [زبان لاتی] Hold your clack *or* jaw!
خاکم به دهن! [ادبی] May God forgive me for the blasphemy!
دَهان[2] = دهانه
دهان‌اژدر **ringent, with ringent corolla: said of certain species of petunia**
دهان‌بند **muzzle**
ده‌انگشتی [done by all the ten fingers]
اسلوب ده‌انگشتی [*typing*] the touch method

دهانه **opening mouth; nozzle;** [*volcano*] **crater;**
دهنه →
ده‌برابر **tenfold**
ده‌برابرِ ten times as many (*or* as much) as
ده‌چندان **ten times as many (*or* as much); tenfold**
دهخدا [کمیاب] **headman of a village;** → کدخدا
دهدار **governor of a rural district**
ده‌دهی **decimal;** → اعشاری
دهر [ادبی، جمع: دهور] /ع./ **time; world; fortune**
دهره **reaping-hook, sickle**
دهری /ع./ **materialist(ic); atheist *or* atheistic(al)**
ده‌ساله **ten-year-old**
دهستان **rural district**
دِهش [ادبی] = بخشش
دهشت /ع./ **fear; amazement;** → ترس
دهشت‌زده /ع. فا./ **frightened; amazed**
ده‌ضلعی /فا. ع./ = ده‌گوشه
دهقان [جمع: دهاقین] **peasant; farmer;** [Arabicized form of دهگان]
دهقانی /ع. فا./ **rural *or* rustic**
دهکده **small village, hamlet**
دَهگان [*arith.*] **tens**
دِهگان [کمیاب] → دهقان
دهگانه **the ten**
احکام دهگانه the Ten Commandments
ده‌گوشه، ده‌گوش **decagon**
دُهُل **kettledrum**
دهل زدن to beat a kettledrum
دِهلیز[1] [*heart*] **auricle;** [*ear*] **labyrinth**
دِهلیز[2] = دالان
دهم **tenth**

دَهْمَسْتْ [کمیاب] = غار **laurel**
دهمی، دهمین **the tenth**
دهن = دهان
دُهُن [کمیاب] /ع./ = روغن **oil**
دهن مصری balsam oil
دهن‌بین **lacking ideas of one's own; capricious; irresolute**
دهن‌دره **yawning; gaping**
دهن دره کردن to yawn *or* gape
دهنده [*adj.*] **who gives;** [*fig.*] **charitable;** [*n.*] **giver**
دهن‌سوز **very hot:** آش دهن‌سوز ; [*o.s.*] **burning the mouth**
دهن‌کجی **grimace, wry mouth**
دهن‌کجی کردن to grimace, to make grimaces, to make faces
دَهنه **bit of a bridle, rein; opening;** [*river*] **mouth; orifice**
دهنه کردن to bridle; [*fig.*] to rein *or* curb
دهنی **played by the mouth**
ساز دهنی mouth-organ, harmonica
دُهنی [مؤنث: دهنیه] /ع./ = روغنی **oily**
دُهنیات [جمع دُهنیه] /ع./ **oily substances;** → دُهنی
ده‌نیم **five per cent** (dues)
ده‌وجهی /فا. ع./ **decahedron**
دهور [جمع دهر]
دهه **period of ten days**
ده‌هزار **ten-thousand**
ده‌یک **one-tenth; tithe**
دی[1] **last**
دی[2] = دیروز
دِی **tenth month having 30 days;** [*ext.*] **winter**
دیاپازن /فر./ **tuning-fork**

دیار [ادبی، جمعِ دار] /ع./
region; territory; country
دیافرام[1] /فر./
[*gramophone*] sound-box
دیافرام[2] /فر./ diaphragm
دیاق /ت./ [*machines*] bracket
دیاکلیون، مشمع دیاکلیون
/ع. ی./ diachylon
دیاگنال /فر./ diagonal (cloth)
دَیّان /ع./ Judge *or*
Rewarder: epithet of God
دیانت /ع./ piety,
honesty; religion; → دین
دیبا fine silk *or* brocade
دیباچه [مصغرِ دیبا] preface
دیپلم /فر./ diploma
دیپلمات /فر./ diplomat(ist)
دیپلماسی /فر./ diplomacy
دیپلمه /فر./ diploma-holder,
graduate
دیت، دیه /ع./ mulct,
blood-money
دیجور [ادبی] dark, moonless
دید sight; vision
دید زدن to estimate *or*
appraise
دید و بازدید interchange of,
i.e. paying and repaying visits
دیدار (act of) meeting;
view; sight; → ملاقات
دیداربینی meeting of
friends/ etc.
دیداری /ص./ sight,
payable at sight
برات دیداری sight draft
دیدبان signal-man;
observer; watchman
برج دیدبان = دیدبانگاه
دیدبانگاه، برج دیدبان
watch-tower, control tower
دیدبانی look-out;
observation
دیدسنج optometer
دیدگان [جمعِ دیده]

دیدن [بن مضارع: بین] to see;
to meet; to visit; [*fig.*] to
sustain, to incur: زیان دیدن ;
to go through; دورهٔ طب را دید ;
to experience, to suffer
از کسی دیدن کردن to pay a
visit to *or* call on someone
به دیدن من آمد.
He came to see me.
مشکل می‌بینم I find it
difficult..., I don't think...
دیدنی [*n.*] (paying a) visit,
call; [*adj.*] worth seeing
از کسی دیدنی کردن
to pay a visit to someone,
to call on someone
دیدنی‌ها attractions
دیده[1] [اسم مفعول فعل دیدن] seen
دیده[2] [ادبی، جمع: دیدگان] /ا./
eye; → چشم
دیده‌ور(ی) scout(ing)
دیر late
دیر آمدن، دیر رسیدن
to come (*or* be) late
دیر کردن to be late
وقت دیر می‌گذرد.
Time hangs heavy.
دیر شدن to be (*or* get) late
دیرم شد. ***I was late.***
دیر زمانی است [ادبی]
It is a long time since
دیر یا زود sooner or later
دِیر[1] [ادبی] /ع./ convent
دِیر[2] [ادبی، مجازی] = جهان؛ میخانه
دیرآشنا slow to become
sociable, unsociable
دیرباز long time ago
از دیرباز since long
دیرباور incredulous
دیرباوری incredulity
دیرپای [ادبی] lasting long;
constant
دیردیر، دیربه‌دیر at long
intervals, seldom

دیررَس late
دیرغضب [ادبی] /ع. فا./
slow to wrath
دیرفرست deferred
دیرک pole; mast; rolling pin
دیرکرد delay
جریمهٔ دیرکرد delayed
payment penalty
دیرگاه [کمیاب، ادبی]
long time; → دیر وقت
تا دیرگاه نشستیم.
We sat (up) late.
دیرگداز hard to melt;
refractory
دیرگشا hard (as a knot)
دیروز yesterday
دیروقت /فا. ع./ late (hour);
long time
دیرهضم /فا. ع./ hard to
digest, indigestible
دیریاب [ادبی] hard to
obtain; rare
دیرین [ادبی] ancient, old;
inveterate
دیرین‌شناس paleontologist
دیرین‌شناسی paleontology
دیرینگی [کمیاب] long service
دیرینه old; long; inveterate
دِیز /فر./ [*mus.*] sharp
دیزپرده /ت.فا./
hammer-cloth
دیزل /فر./ diesel (engine)
دیزه [*horse*] dark grey, black
خردیزه [a kind of ass having
a stripe which extends from
the head to the tail-proverbial
for endangering its life in order
to cause a loss to its owner]
دیزی small earthen pot,
pipkin
دیژیتال /فر./ digitalis
دیس /فر./ dish
دیسانتری /فر./ dysentery
دیشب last night

دیفتری /فر./ **diphtheria**
دیفرانسیل /فر./ **differential gear**
دیکتاتور /فر./ **dictator**
دیکتاتوری /فر./ **dictatorship**
دیکتافن /فر./ **dictaphone**
دیکته /فر./ **dictation, spelling**
دیکته کردن to dictate
دیگ **pot**
دیگ بخار (steam) boiler
دیگ‌پایه، دیگدان **trivet**
دیگچه **small pot, saucepan**
دیگر[1] /ص./ **other, another, else; next; hence**
دو سال دیگر ***two years hence***
چیز(ی) دیگر ***something else***
اشخاص دیگر ***other people, others***
جای دیگر elsewhere
دیگر[2] /ق./ **any longer; any more; next time**
سال دیگر next year
این جمعه نه، جمعهٔ دیگر a week from next Friday
چند کتاب دیگر some more books
بار دیگر next time; again
یک دفعه دیگر once more
طور دیگر in another manner; otherwise
دیگر آنکه moreover, furthermore
دیگر ندارم I have no more of that
هرگز دیگر never again
دیگران [جمعِ دیگر، /ا./] **others, other people**
دیگربار [ادبی] **again, next time**
دیگری **the other (one), the second (one);** [with the stress on the second syllable] **another**

یکی بعد از دیگری one after another
دیگ‌ساز **boiler-maker**
دیگه [عامیانه] = دیگر
دیگه بهتر so much the better
دیلاغ **year-old camel; lanky** (person), **gaunt**
دیلم **crow-bar**
دیلماج [منسوخ] /ت./ **interpreter**
دِیم /ع./ (crop) **produced by dry farming**
دیم‌کاری /ع. فا./ **dry farming**
دیمهاج [کمیاب] = گاوزبان
دیمی /ع. فا./ **cultivated by dry farming;** [*fig.*] **not acquired systematically, immethodical;** ← دیم
دین [جمع: ادیان] /ع./ **religion**
علم‌دین، علم‌الادیان [کمیاب] theology
دِین [جمع: دیون] /ع./ **debt, amount due;** ← بدهی
دینار[1] /ع. ل./ **dinar: money of account** (= one-hundredth of a rial)
دینار[2] /ع. ل./ **Iraqi monetary unit**
دینار[3] /ع. ل./ **denarius**
دینارسنج [ادبی] /ع. فا./ **assayer of coins**
دینام /فر./ **dynamo, generator**
دینامیت /فر./ **dynamite**
دیندار /ع. فا./ **religious, pious**
دینداری /ع. فا./ **piety, religiousness**
دینی /ع./ **religious**
دیو **demon; fiend; devil**
دیوار **wall**
دیوار کشیدن to wall
دیوار کوتاه [*met.*] person whose meekness is taken for weakness and who is wronged for that matter; [*o.s.*] low hedge (which is easily leaped over)
از در و دیوار from every direction
دیوارکوب [*adj.*] **fixed on the wall;** [*n.*] **anything fixed on a wall: a bracket** (light)**/ a sampler/ etc.**
چراغ دیوارکوب bracket candlestick, sconce
دیواره [*bridge*] **parapet; rim;** [*anat.*] **septum;** [*zool.*] **paries**
دیواری **wall-type:** صندوق دیواری ; **posted on the wall**
آگهی دیواری poster, placard
ساعت دیواری clock
دیوان [جمع: دَواوین، /ع./]
poetical works; court, tribunal
دیوان عالی کشور Supreme Court, High Court of Cassation
دیوانگی **insanity, lunacy, madness**
دیوانگی کردن to behave madly *or* foolishly
دیوانه [جمع: دیوانگان]
mad(man), insane (person), **lunatic;** *L.* **fool(ish)**
دیوانه شدن to run mad
دیوانه کردن to drive mad; to enrage
دیوانهٔ عشق frenzied with love
دیوانه‌وار **madly; frantically**
دیوانی **governmental**
دَیوث /ع./ **cuckold**
دیون [جمعِ دِین]
دیه ← دیت
دِیه، ده [عامیانه] **village**
دیهیم = تاج؛ تخت

ذ

ذات [جمع: ذَوات] /ع./
substance, nature; person(age), individual
ذات لا یزال **The Supreme Being**
ذات ملوکانه His Majesty the Shah
اسم ذات concrete noun
حب ذات self-love
فی حَدّ ذاته in itself, intrinsically
ذاتاً /ع./ **by nature; in essence, in substance**
ذات البین /ع./ **mutual relationship,** [*rare*] **friendship**
اصلاح ذات البین reconciliation of two parties
ذات الجنب /ع./ **pleurisy**
ذات الریه /ع./ **pneumonia**
ذات الکرسی /ع./ **cassiopeia**
ذات الکلیه /ع./ **nephritis**
ذاتی /ع./ **inherent, natural**
ذائقه /ع./ (sense of) **taste**
برای تغییر ذائقه for a change
به‌ذائقه‌اش خوش نیامد ***it did not suit his taste, it did not please him***
ذِبائح [جمعِ ذبیحه]
ذبح /ع./ **slaughtering**
ذَبح کردن to slaughter, to sacrifice
ذِبح /ع./ **slaughtered animal**
ذبذبه = دو دلی
ذبیح /ع./ **sacrificed *or* slaughtered** (animal *or* person)
ذبیح‌الله [اسم خاص] /ع./ [*o.s.*] **sacrificed for God**

ذبیحه [جمع: ذبائح] /ع./ **sacrifice, sacrificed animal**
ذخائر [جمعِ ذخیره]
ذخیره [جمع: ذخائر] /ع./ **reserve; store(s)**
ذخیره کردن to reserve; to put in store
افسر ذخیره، سرباز ذخیره reservist
ذِرات [جمعِ ذره]
ذُراح /ع./ **cantharis, Spanish fly**
ذَراریح [جمعِ ذُراح] **cantharides**
مشمع ذراریح fly-blister
ذِراع /ع./ **cubit**
ذُرّت /ع./ **maize, Indian corn, sweet corn**
ذرت بوداده popped corn
ذرت جاروبی guinea-corn
آرد ذرت corn-meal
ذَرع [منسوخ] /ع./ [unit of lenght = 41 inches]
ذرع کردن to measure (by the zar')
ذروه [ادبی] /ع./ **pinnacle, apex**
ذرّه [جمع: ذرات] /ع./ **minute particle, molecule; corpuscle;** [*infml.*] **little bit**
ذره‌بین /ع. فا./ [*n.*] **magnifying-glass, burning-glass;** [*adj., rare*] **meticulous;** ⟵ میکروسکوپ
ذره‌بینی /ع. فا./ **minute, microscopic; animalcular**

ذره‌پرور [ادبی] /ع. فا./ **kind to inferiors;** [*o.s.*] **fostering particles**
ذره‌ذره /عف./ **bit by bit**
ذریعه [کمیاب] /ع./ = وسیله؛ بهانه؛ نامه
ذُرّیه /ع./ **offspring, seed**
ذغال = زغال
ذَقن [ادبی] /ع./ = چانه، زنخدان
ذکاء، ذکاوت /ع./ **sagacity; wit; intelligence**
ذَکَر /ع./ **penis;** ⟵ [جمع: ذکور]
ذِکْر /ع./ **mention; memory; recital**
ذکر کردن to mention; to remember, to commemorate; to cite
قابل ذکر worthy of mention, mentionable
ذُکور /ع./ **males, men *or* boys;** ⟵ [جمع ذَکَرْ]
ذکوریت [کمیاب] /ع./ **masculinity, masculinity,** ⟵ رجولیت
ذکی /ع./ = با ذکاوت **keen; intelligent; sagacious**
ذُلّ /ع./ = ذلت، خواری
ذلاقت [کمیاب] /ع./ **sharpness** (of the tongue); **volubility**
ذلت[1] /ع./ **abjectness**
ذلت[2] /ع./ [*infml.*] **suffering, hardship**
ذله [عامیانه] **harassed, wearied**
ذلیل /ع./ **abject; weak(ened)**

ذلیل کردن to humiliate; to weaken *or* overthrow
ذَمّ [جمع: ذُموم] /ع./ **vilification, slander; blaming; vice**
ذمائم [جمعِ ذمیمه]
ذمه /ع./ **obligation; due**
برائت ذمه clearance from obligation; acquittal
ذمه‌دار /ع. فا./ [*adj.*] **having an obligation;** [*n.*] **responsible person; obligor; debtor**
ذِمّی [کمیاب] /ع./ **who pays tribute**
ذَمیم [مؤنث: ذمیمه] /ع./ = نکوهیده **blameworthy**
ذمیمه [کمیاب، جمع: ذمائم، مؤنثِ ذمیم] /ع./ **blameworthy act; moral imperfection**
ذَنْب [کمیاب، جمع: ذنوب] /ع./ **sin**
ذَنَب /ع./ = دم **tail**
ذنب‌الدجاجه /ع./ [*astr.*] **Deneb**
ذَنَبی [کمیاب] /ع./ **caudal**
ذُنوب [جمعِ ذنب]
ذوات[1] /ع./ **those endowed with**
ذوات[2] [جمعِ ذات] /ع./
ذوات‌الاوتار /ع./ = آلات‌سیمی **stringed instruments**
ذوات‌الضرب[1] /ع./ **instruments of percussion**
ذوات‌الضرب[2] /ع./ = ذوات‌الاوتار
ذوات‌النفخ /ع./ = آلات‌بادی **wind instruments**
ذواحتمالین [کمیاب] /ع./ **susceptible of two probabilities; equivocal**
ذوالاحترام /ع./ = محترم
ذوالجلال /ع./ **glorious**
ذوالفنون [کمیاب] /ع./ **master of arts**
ذوالقافیتین، ذوقافیتین /ع./ (verse) **of double rime**
ذوالقربی [کمیاب، جمع: ذوی‌القربی] /ع./ = خویشاوند
ذوالمنن [کمیاب] /ع./ = بخشنده
ذوائب [کمیاب، جمعِ ذوابه] /ع./ **hanging ringlets**
ذوب /ع./ **melting**
ذوب شدن /ف. ل./، ذوب کردن /ف. م./ to melt
کارخانهٔ ذوب فلز foundry
ذوجسدین /ع./ [*astr.*] **bicorporeal**
ذوجنبتین /ع./ = دوزیست
ذوحیاتین /ع./ = دوزیست
ذوحدین /ع./ **having two limits *or* alternatives, dilemmatic**
برهان قاطع‌ذوحدین dilemma
ذوذنب /ع./ = ستاره دنباله‌دار **comet**
ذوزنقه /ع./ **trapezium;** [*gymnastics*] **trapeze**
شبه ذوزنقه trapezoid
ذوق /ع./ **taste, elegance, verve, literary talent;** [*infml.*] **joy**
ذوق کردن = خوشی کردن
توی ذوق زدن [عامیانه] to be repulsive
توی ذوق کسی زدن [عامیانه] to snub *or* discourage someone
ذوق‌زده /ع.فا./ **overwhelmed with joy**
ذوقی /ع. فا./ **connected with taste *or* talent**
ذولقی [کمیاب] /ع./ **lingual**
ذوی‌العقول /ع./ **rational beings**
غیر ذوی‌العقول irrational beings
ذوی‌القربی [جمعِ ذوالقربی]
ذهاب /ع./ = رفتن **going**
ذَهب [کمیاب] /ع./ = زر، طلا
ذِهن [جمع: اذهان] /ع./ **mind; opinion**
در ذهن سپردن to commit to memory
حضور ذهن presence of mind
ذهنی /ع./ **mental; subjective**
ذهنی کردن to fix in the mind
ذهول [کمیاب] /ع./ = فراموشی
ذهین [کمیاب] /ع./ **having a good memory**
ذی‌الحجه، ذیحجه /ع./ [twelfth Arabic lunar month]
ذی‌القعده، ذیقعده /ع./ [eleventh Arabic lunar month]
ذیجاه [کمیاب] /ع. فا./ **of dignity *or* rank**
ذیحساب /عف./ **responsible accountant; financial controller**
ذیحقّ /ع./ **rightful** (person); (one) **having a just claim**
ذی‌حیات /عف./ = زنده **living**
ذی‌روح /ع./ **animate, living**
غیر ذی‌روح inanimate
ذی‌شأن /ع./ **of dignity *or* rank, dignified**
ذی‌علاقه /ع./ **interested, concerned**
ذیفقار /ع./ **vertebrate**
غیرِ ذیفقار invertebrate
ذی‌قیمت /ع./ = گرانبها
ذیل [جمع: اذیال، ذیول] /ع./ **appendix; footnote; bottom; trail;** [*o.s.*] **skirt**
در ذیل below, hereunder
در ذیلِ under
از قرار ذیل، به شرح ذیل as follows
امضاکنندگان ذیل the undersigned; → زیر
ذیلاً /ع./ **hereunder**
ذی‌نفس /ع./ **breathing** (creature)
ذی‌نفسی آنجا نبود. There was not a soul there.
ذی‌نفع /ع./ **beneficiary; interested party**

ر

را [particle serving as a sign of the (definite) direct object]

سیب را خورد. *He ate the apple.*

رابط /ع./ [*n.*] **liaison; intermediary;** [*adj.*] **communicating**

فعل رابط copulative (verb)

رابطه [جمع: روابط] /ع./ **connection, relation; tie**

رابطهٔ نامشروع liaison

روابط دوستانه friendly relations

رابع /ع./ = چهارم

رابعاً /ع./ **fourthly**

راتبه [کمیاب] /ع./ = جیره، حقوق

راتیانج /ع. فا./ = راتیانه

راتیانه **rosin, colophony**

راج **holly**

راجع /ع./ [*rare*] **returning; referring**

تب راجع relapsing fever

راجع به concerning, regarding, on the subject of

راجه /ه./ **raja(h)**

راحت /ع./ **rest; comfort; ease;** [*adj.*] **comfortable; convenient; quiet; in easy circumstances; feeling at home**

راحت شدن to be relieved; to find comfort

راحت کردن *vi.* to rest; *vt.* to relieve; to disburden; to give the coup de grace to

راحت‌الحلقوم /ع./ **Turkish delight**

راحت باش! /ع. فا./ [*mil.*] **Rest!**

در جا راحت باش! Stand easy!

راحت‌بخش /ع. فا./ **rest-giving; soothing**

راحت‌طلب /عف./ **comfort loving** (person)

راحتی [غلط مشهور] /ع. فـا./ = راحت [*n.*] **rest; ease**

صندلی راحتی easy chair

به راحتی easily; comfortably

راد [ادبی] **liberal; gentlemanlike; brave**

رادار /فر./ **radar**

رادع /ع./ [*adj., med.*] **revulsive, derivative;** [*n.*] **obstacle**

رادمرد [کمیاب] **liberal man; gentleman**

رادّه /ع./ **mark of reference**

رادیاتور /فر./ **radiator; cooling system**

رادیان /فر./ **radian**

رادیو /فر./ **radio**

در رادیو on the radio

راز **secret, mystery**

راز و نیاز [*rare*] silent prayer for one's needs; amorous talks ***or*** complaints

رازدار[1] /ا./ **confidant**

رازدار[2] /ص./ **faithful to a secret**

رازدار[3] **green alder**

رازقی /ع./ **Arabian jasmine**

رازک **hop(-plant)**

رازیانه **fennel**

عرق رازیانه fennel water

رأس [جمع: رؤوس، رئوس] /ع./ **head; headland, cape; summit, foremost position;** → دماغه؛ سر

در رأسِ at the head of, presiding over

سه‌رأس گوسفند *three head of sheep*

رأساً /ع./ **direct(ly); on one's own initiative;** → مستقیماً

رأس‌الجدی /ع./ **Capricorn**

رأس‌السرطان /ع./ **Cancer**

رأس‌المال /ع./ **purchase price, cost price; stock-in-trade**

راست [*adj.*] **straight; right; true;** [*n.*] **true remark, truth;** [*adv.*] **truly; straight**

دست راست بروید. *Turn to the right.*

راست آمدن to come true, to be fulfilled

راست کردن to straighten

مو بر بدن انسان راست می‌کند it makes one's flesh creep (***or*** one's hair stand on end), it freezes one's blood

راست گفتن to tell the truth

به راست راست! Right turn!

نظر به‌راست! Eyes right!

راست حسینی fair and square, above-board

راستا **direction**

راست‌باز [ادبی] **candid; dealing (*or* playing) fairly**

راستبال orthopteran
راستساز rectifier
راستگو truthful (person)
راست گوشه [*adj.*] **rectangular;** [*n.*] **rectangle**
راستگویی **truthfulness**
راسته [*n.*] **row; series of shops; fillet;** [*chess*] **file;** [*bot.*] **order;** [*adj.*] **round as a sum**
راستی [*n.*] **truth; straightness; uprightness;** [*adv., lit.*] **indeed; by the way**
به راستی truly, honestly
راسخ /ع./ = استوار، پابرجا
راسخت **red antimony**
راسن **elecampane**
راسو **weasel**
راشد /ع./ **orthodox**
راشی /ع./ ← مرتشی **briber;**
راضی[1] /ع./ **satisfied, pleased**
از من راضی است. ***He is satisfied*** or ***pleased with me.***
راضی[2] **content(ed)**
راضی[3] **willing**
راضی به رفتن willing to go
راضی به مرگ او نیستم. I do not wish him dead.
راضی شدن to consent, to agree; to be satisfied ***or*** pleased
راضی کردن to satisfy, to consent; to persuade; to please
راعی [کمیاب، جمع: رُعاة] /ع./ = شبان
راغ [ادبی] **meadow; mountain-slope**
راغب /ع./ **inclined; desirous**
به چیزی راغب بودن to be fond of something, to have a predilection for it

رأفت /ع./ = مهربانی **kindness**
رافد [کمیاب] /ع./ **Euphrates;** ← فرات
رافدان، رافدین **Tigris and Euphrates**
رافضی /ع./ **heretic**
رافع [کمیاب، مؤنث: رافعه] /ع./ [*adj.*] **raising**
عضلهٔ رافعه levator
راقم /ع./ **writer *or* painter** [used before the name of an artist]
راقم: «درویش» Darvish pinxit
راقی [مؤنث: راقیه] /ع./ **advancing *or* advanced:** ملل راقیه
راک [کمیاب] **fighting ram; drum of battle; kind of melody**
راکب [کمیاب] /ع./ = سوار
راکد /ع./ **stagnant**
بایگانی راکد dead records
بازار راکد است. The market is dull.
رآلیسم /فر./ **realism**
رام **tame; familiar**
رام شدن to be tamed ***or*** managed
رام کردن to tame, to domesticate; to manage, to handle, to break in (as a horse)
رامح [کمیاب] /ع./ **lancer**
سماک رامح [*astr.*] Arcturus
رامش [ادبی] **rest; cheerfulness**
رامشدنی **tamable, tractable, manageable**
رامشگر **minstrel**
رامکا /ر./، رانکا **slip-galley**
رامی[1] **tameness; gentleness**
رامی[2] /ان./ [*c.p.*] **rummy**

رامی[3] [کمیاب] /ع./ = تیرانداز
رامی[4] [ستاره‌شناسی] /ع./ = قوس
ران[1] **thigh;** [*pig*] **ham;** [*beef*] **beefsteak**
گوشت ران gigot
ران[2] [بن‌مضارع راندن]
راندمان /فر./ **efficiency**
راندن [بن‌مضارع: ران] **to drive; to sail; to propel;** [*fig.*] **to expel**
بر زبان راندن [ادبی] to utter, to pronounce
رانده [اسم‌مفعول فعل راندن] **driven; driven away; expelled; outcast**
رانده‌وو **rendezvous, appointment, date**
رانش [کمیاب] **driving, expulsion; purging effect**
رانکی **crupper**
رانندگی **driving: being a driver**
راننده [جمع: رانندگان] **driver**
رانی **femural**
راوی [جمع: رُواة] /ع./ **narrator**
راوید **clary**
راه **way; road, path; route;** [*fig.*] **channel; method; cause**
در راه فرهنگ for the cause of education
راه آب watercourse; gully(-hole)
راه افتادن to start, to set out, to move
پول راه نیفتاد. Money could not be raised (***or*** made available).
راه انداختن to start, to put in working order, to commission; to raise (money)
راه بردن *vt.* to walk
راه به جایی نبرد. ***He did not find his way. He could find no means.***

راه نمی‌برم. [لهجه محلی] I don't know (how to do it).
راه پیمودن to travel:
در یک روز ۴۰ کیلومتر راه پیمود
راه دادن (در) to admit to
راه رفتن to walk
راه یافتن to be admitted; to slip in
اشتباهاتی در آن راه یافت. ***Certain errors slipped in.***
سر راه گذاشتن to expose (as a child)
رفت به راه خود. ***He went his way.***
از راهِ[1] via.
از راهِ[2] through
۲ ساعت راه است تا it is 2 hours' distance from
در راه خدا for God's sake; by way of charity
راه‌آهن، راهِ آهن **railway**
راه‌انداز **starter**
راهب [جمع: رُهبان] /ع./ **monk**
راه‌بردار **able to find one's way;** [*fig.*] **having means** (of livelihood)
راه‌بندان **road obstruction**
راهبه [جمع: راهبات، رواهب، مؤنثِ راهب] /ع./ **nun**
راه‌پیما **traveller,** [*rare*] **wayfarer**
راه‌پیمایی **walking; walking tour**
راهدار [منسوخ] **road-guard**
راهدارخانه [منسوخ] **toll-house**
راه‌راه **ribbed; striped**
راهرو **corridor, passageway**
راهزن **brigand, bandit**
راهزن سواره highwayman
راهزنی **highway robbery**
راه‌سازی **road construction**
راه‌گذر **passer-by; wayfarer**

راهن /ع./ **mortgager**
راهنامه **road-book**
راهنما، رهنما **guide; usher; traffic indicator**
تیر راهنما guide-post, finger-post
خط راهنما [*geom.*] directrix
کتابچهٔ راهنما guide-book, directory
راهنمای شناور = گویه buoy
راهنمایی **guidance**
راهنمایی کردن to guide, to show the way (to)
ادارهٔ راهنمایی و رانندگی Traffic Department
راه‌نورد = راه‌پیما
راهوار، رهوار **easy-paced**
راهی [کمیاب] **about to start**
راهی شدن to proceed (***or*** start) on a journey
راهی کردن to prepare (one) for proceeding (on his journey)
رای **counsel; opinion, judgement; prudence**
رای زدن [ادبی] to pronounce a judgement, to express one's opinion; to deliberate
رأی [جمع: آراء] /ع./ **vote, voice; opinion, judgement**
با رأی مخفی by ballot
رأی دادن to vote; to pronounce a judgement
رأی کسی را زدن [عامیانه] to dissuade a person (from doing something)
در موضوعی رأی گرفتن to take a vote on a question, to put a question to the vote
حق رأی franchise, suffrage
رأی‌العین /ع./ **witness of the eye**
به‌رأی‌العین ocularly
رایت [ادبی، جمع: رایات] /ع./ **banner, flag**

رایج [از ع. رائج] **current**
رایحه /ع./ = بو **odour**
رایزن **counsellor; advisor**
رایزنی **counsellorship**
رایگان **free** (of cost), **gratuitous(ly); in vain**
به رایگان gratuitously
رَبّ /ع./ **lord; master;** ← ارباب
رُبّ /ع./ **inspissated juice**
رب‌سوس ← سوس
ربا /ع./ **usury**
رُبا، ربای [بن مضارعِ ربودن]
رُباب /ع./ **rebeck, viol**
ربابه [اسم خاص] /ع./
رباخوار /ع. فا./ **usurer**
رباخواری /ع. فا./ **usury**
رباط /ع./ **inn, caravanserai; ligament**
رباطی /ع./ **ligamentous**
رباعی [جمع: رباعیات] /ع./ **quatrain**
رب‌الجنود [کمیاب] /ع./ **Lord of Hosts**
رب‌النوع [جمع: ارباب انواع] /ع./ **a god *or* divinity,** [*o.s.*] **god of species**
ربانی /ع./ **divine**
دعای ربانی The Lord's prayer
عشاء ربانی The Lord's Supper
ربایش [کمیاب] **seizure; attraction**
رباینده **seizing; attractive;** [*zool.*] **raptorial**
ربح /ع./ **interest**
رب‌دوشامبر /فر./ **dressing-gown; robe-de-chambre**
ربس، رپس **reps**
ربط /ع./ **relation, connection; coherence**
ربط دادن to connect
ربطی به موضوع ندارد. ***It has no connection*** or ***nothing to do with the subject on hand.***

ربط داشتن از [عامیانه] to be conversant with
حرف ربط conjunction
ربُع /ع./ **one-fourth; quarter**
یک ربع مانده به سه، سه و ربع کم *a quarter to 3*
سه و ربع، یک ربع از سه گذشته *a quarter past 3*
ربع دایره quadrant
ربع مسکون inhabited quarter of the world
تب ربع quartan fever
نوبهٔ ربع معکوس double quartan fever
ربعی /ع. فا./ [*adj.*] **quarto; quarterly;** [*n.*] **small bottle of the size of one-fourth of the ordinary bottle**
ربنا [کمیاب] /ع./ **Our Lord!**
رُبودن [بن مضارع: ربای] **to seize** *or* **snatch, to abduct; to ravish**
ربی! [کمیاب] /ع./ **My Lord!**
ربیع /ع./ = بهار **spring**
ربیع‌الاخر، ربیع‌الثانی /ع./ [fourth Arabic lunar month]
ربیع‌الاول /ع./ [third Arabic lunar month]
رپتیسیون /فر./ **rehearsal;** → تمرین
رپورتاژ /فر./ (newspaper) **report, reporting; set of contributed articles on a topical subject**
رُتبه [جمع: رُتب] /ع./ **grade, rank**
رُتبه دادن (به) to promote to a higher grade
رُتبه گرفتن to be promoted
رتق و فتق[1] /عف./ **managing, handling:** رتق و فتق امور
رتق و فتق[2] /عف./ [*o.s., rare*] **closing and opening**

رتوش کردن /فر. فا./ **to retouch**
رُتیل /ع./ **tarantula**
رتیل باغی bird-spider, crab-spider
رثاء [کمیاب] /ع./ = مرثیه؛ مدیحه
رَج **row; line; layer**
رجاء /ع./ = امید(واری) **hope**
رجاست /ع./ **filth; crime**
رِجال [جمع رَجُل] /ع./ **distinguished men, dignitaries**
رجاله /ع./ **lackey(s); vulgar people**
رجب [اسم خاص] /ع./ [seventh Arabic lunar month]
رج‌بندی **stacking**
رُجحان /ع./ = برتری **preference**
رُجحان داشتن بر to have preference over, to be better than
رَجز /ع./ **name of several poetical metres;epic verses**
رجزخوانی /ع. فا./ **declamation** (while defying an enemy); [*o.s.*] **recital of epic verses**
رِجس /ع./ **filth(y act)**
رجع /ع./ **returning** (of a divorced woman to her husband)
طلاق رجعی revocable *or* voidable divorce
رجعت /ع./ **returning; resurrection;** → برگشت
رجعت کردن to return; → برگشتن
رجل [جمع: رجال] /ع./ **man** (of distinction)
رجل [کمیاب] /ع./ = پا **foot**
رجل‌الجبار /ع./ [*astr.*] **Rigel**
رجل‌الغراب /ع./ **crowfoot**
رُجوع /ع./ **reference; returning**

رجوع کردن to refer
رجوع کردن از to revoke
رجوع شود به to refer to; to vide
رجولیت /ع./ **virility**
آلت رجولیت pudendum virile
رجه، بند رجه **clothes-line**
رجیم /ع./ = ملعون
رَحل /ع./ **book-rack, lectern;** [*rare*] **camel's saddle**
رحل اقامت افکندن [ادبی] to take abode
رحلت /ع./ **departure; death**
رحلت کردن to pass away, to die; to emigrate
رحم /ع./ **compassion, mercy**
بر کسی رحم کردن to have pity (*or* mercy) on someone
رحم آوردن [ادبی] to have pity *or* mercy
دلش رحم آمد. ***He was moved with compassion.***
رحم /ع./ = زهدان **womb**
رحمانی /ع./ **divine**
رَحِم‌بند /ع. فا./ **pessary**
رحمت /ع./ **mercy, commiseration; pardon; grace, blessing**
بر کسی رحمت آوردن [ادبی] to have mercy on *or* pity someone
به رحمت ایزدی پیوستن to go to glory, to go the way of all the earth
رحمت فرستادن to invoke God's blessing
خدا فلان را رحمت کند. May such a one rest in peace.
رحمت به... may... be blessed, may... rest in peace
رحم‌دل /ع. فا./ **compassionate**

رحمن /ع./ **clement, merciful**
رحیق [کمیاب] /ع./ **pure** (wine)
رحیل /ع./ **departure; journey**
رحیم[1] /ص. ع/ **merciful**
رحیم[2] [اسم خاص] /ا. ع./
رُخ **face; cheek;** [*chess*] **castle;** [*leather*] **grain side**
رُخ دادن to happen; to arise
به رخ کسی کشیدن to cast in a person's teeth
رخام /ع./ = مرمر **marble**
رخاوت /ع./ = نرمی، سستی
رخت **clothes; outfit**
رختِ شستنی washing, laundry
رخت (بر) بستن [ادبی] to pack off, to pack away
رخت کندن to take off *or* change one's clothes
رخت و پخت [زبان لاتی] duds, (old) clothes
رخت آویز = چوب رخت؛ جالباسی
رختخواب **bedding,** *L.* **bed**
رختخواب پیچ [منسوخ] **wrapper for bedclothes**
رخت‌دار **clothes-keeper**
رخت‌شو(ی) **washerwoman, laundress, laundry-man**
رختشوی‌خانه **laundry, wash-house**
رختشویی **washing, laundry**
رخت‌کن **cloak-room; dressing-room; locker**
رُخسار [ادبی] **cheek, face**
رخساره[1] **facies**
رخساره[2] = رخسار
رخش **Rakhsh: name of Rostam's horse**
رخشان = درخشان
رخشنده = درخشنده
رخشیدن = درخشیدن

رُخصت /ع./ **leave, permission**
رُخصت خواستن to ask permission
رخصت گرفتن to obtain permission, to take leave
رخنه **breach, chink**
رخنه کردن to leak, to ooze out; to penetrate; to make a hole; to slip in
رِخوَت /ع./ = سستی؛ نرمی
ردّ /ع./ **restitution; rejection; track, trace**
حق رد veto
رد شدن to be rejected *or* repealed; to fail; to pass through; to be cleared
رد شو! Go away!
رد کردن to return *or* refund; to reject; to turn down (as an offer); to refute, to disprove; to defeat (as a bill); to clear (from the customs); to pass (on)
ردّ احسان کردن to rebuff a favour
رد پای کسی را گرفتن to follow a person's footprints, to track him down
رد و بدل کردن to (ex)change; to bandy
رداء /ع./ **cloak**
ردالعجز علی الصدر /ع./ **anadiplosis, epizeuxis**
ردائت [کمیاب] /ع./ **malignity**
ردائت مزاج general bad health, cachexia
ردخور [عامیانه] /ع. فا./ **something that is likely to be rejected**
ردخور ندارد it is sure, it is final
ردع /ع./ [*med.*] **revulsion**

ردنگت /فر./ **frock-coat; riding-coat**
رده[1] **line;** [*bot.*] **class**
رده[2] [*mil.*] **echelon, array**
رده‌بندی **classification**
ردیّ /ع./ **malignant;** ← ردائت
رَدیف /ع./ **row; range, order**
در ردیف چیزی قرار گرفتن to range with something
رذالت /ع./ **meanness, rascality**
رذایل [جمعِ رذیله]
رذل، رذیل /ع./ = پست **mean**
رذیله [جمع: رذائل، مؤنثِ رذیل] /ع./ **mean quality; wicked act**
رز **vine**
دختر رز [ادبی] wine
رزّاز /ع./ **rice merchant**
رزّاق /ع./ **provider** *or* **supplier: epithet of God**
رزانت /ع./ **firmness; sedateness**
رِزستان = تاکستان
رِزق [جمع: ارزاق] /ع./ **daily bread;** ← روزی
رَزم **combat;** ← جنگ
رزم کردن to fight
رزم آرا [کمیاب] (one) **who arrays troops**
رزم‌جو(ی) **warlike**
رزم‌دیده [ادبی] **experienced in warfare**
رزم‌نامه **book of epic poems**
رزم‌ناو **cruiser**
رزمی **epic(al)**
رزه **staple:** چفت و رزه
رَزین /ع./ **firm; sedate**
رِزین /فر./ **resin**
رژه **march past, marching past**

رژه رفتن to march past

رژیم /فر./ **régime; regiment**

رژیم گرفتن to be on diet

رژیم لاغری slimming

رَس [بن‌مضارعِ رسیدن]

رُس ← رُست

رَسا **audible, loud; expressive**

رسالت /ع./ **prophetic mission**

رساله [جمع: رسالات، رسائل] /ع./ **epistle; thesis; treatise**

رَسام /ع./ **designer; draftsman; tracer**

گلولهٔ رَسام tracer bullet

رسان [بن‌مضارعِ رساندن]

رساندن [بن‌مضارع: رسان] **to** (cause to) **reach, to extend; to remit, to send; to deliver:** پیغام را نرساندم ; **to supply:** جنس رساندن ; **to communicate; to prompt; to denote, to indicate**

به‌خانه رساندن to see *or* reach home

به‌هم رساندن to contract (as a debt); to procure, to obtain

مقصود را نمی‌رساند it does not carry the point

رساننده [*n.*] **bearer; conveyor; prompter;** [*adj.*] **expressive**

رسائل [جمعِ رساله، /ع./]

رسایی **audibility; range**

رُست[1]، رُس [*rare*] **firm**

خاک رُست، گِل رست clay

رُس کسی را در آوردن [عامیانه] to sap someone, to exhaust his vigour, to overpower *or* overload him

رُست[2] [*geom.*] **ordinate**

رستاخیز **Resurrection** (Day)

رُستگار **delivered, saved**

رستگار شدن to be saved

رستگاری **deliverance; salvation**

رستم [اسم‌خاص] **Rostam**

رستم درِ حمام [استعاری] man of straw, cardboard cavalier

رَستن [بن‌مضارع: ره] **to be delivered; to escape**

رُستن [بن‌مضارع: روی] **to grow; to sprout**

رُستنی = گیاه

رستوران /فر./ **restaurant**

رَسته[1] [اسم‌مفعول فعل رستن] **delivered, saved**

رَسته[2] **class; Guild**

رُسته [اسم‌مفعول فعل رُستن]

رُستی **argillaceous;** ← رست

سنگ رستی shale

رسد = دسته **platoon**

رسدبان **police lieutenant**

رسدیار **scout-master**

رسل [جمعِ رسول]

رسم [جمع: رسوم] /ع./ **custom, usage; rule; drawing, design**

رسم نیست که... it is not customary to...

رسم کردن to draw, to trace, to design

من غیررسم unofficially

اسم و رسم fame; reputation

رسماً /ع./ **officially; formally; as a rule; customarily**

رسم‌الخط /ع./ **prescribed form of writing**

رسمانه /ع. فا./ = رسماً؛ رسمی

رسمی /ع./ **official, formal**

لباس تمام رسمی full dress

غیر رسمی unofficial, informal

به‌طور غیررسمی unofficially, informally

رسمیت /ع./ **state of being official; vogue; popular acceptation**

رسمیت پیدا کردن to have a quorum

رسمیت جلسه را اعلام کردن to open the meeting, to declare it official

رسمیت دادن to enable to transact business (as by a quorum); to bring into vogue

به رسمیت شناختن to recognize

رَسن /ع./ = ریسمان، طناب

رُسوا **disgraced**

رسوا شدن to be disgraced

رسوا کردن to disgrace *or* put to shame (publicly)

رسوایی **shame, disgrace**

رُسوب /ع./ **sediment**

رسوب کردن = ته‌نشین شدن

رسوبی /ع./ **sedimentary**

رسوخ /ع./ **firmness, constancy**

رسوخ کردن to be firmly rooted

رسول [جمع: رُسُل] /ع./ **messenger; apostle**

رسوم [جمعِ رسم]

رُسومات [جمعِ رسوم، رسم] **excise** (an olcoholic liquors)

رسید **arrival; receipt**

قبض رسید receipt (form)

رسید نامه‌ای را اطلاع دادن to acknowledge receipt of a letter

رسیدگی **investigation; audit, verification; ripeness**

رسیدگی کردن to investigate; to check; to look after, to handle; to verify

رسیدگی کردن به to take care of

رسیدن [بن‌مضارع: رس] **to arrive; to be received; to become available; to ripen; to** (find a leisure to) **attend** (to a specified business)

رسیدن به[1] to reach, to attain
دستم به آن نمی‌رسد. *I cannot reach it.*
رسیدن به[2] to overtake
رسیدن به[3] to suffice
به‌همه خواهد رسید. It will go round.
به‌هم رسیدن to be available, to exist; to meet each other (again), to reunite
باشد تا به‌هم برسیم. *Thou shalt meet me at Philippi.*
تا چه رسد still less, much less
رسیده[1] [اسم‌مفعول فعل رسیدن]
imported: کالای رسیده
رسیده[2] **ripe**
رسیده[3] **mature**
رشادت /ع./ **valour, bravery**
رِشتن = ریستن
رشته [اسم‌مفعول فعل رشتن]
[*adj.*] **spun;** [*n.*] **field, line; string; range; series, train; tie, bond; filament; fibre; staple** (of wool *or* cotton)**; strip(s) of dough; ribbon vermicelli; guinea-worm**
رشته‌فرنگی vermicelli *or* macaroni
یک‌رشته دروغ a tissue of lies
به‌رشتهٔ نظم در آوردن to versify; to compose
رَشتی (native) **of Rasht**
گل رشتی brier
مرغ رشتی variety of guinea-fowl *or* pintado
رَشحه [ادبی، جمع: رشحات] /ع./ **exudation; sweat; drop**
رُشد /ع./ **growth;** [*fig.*] **development; maturity**
رشد کردن to grow up; to attain maturity
رَشک [ادبی] **jealousy; emulation**

رشک بردن، رشک ورزیدن (به) to be jealous of, to envy
رَشک‌آمیز
envious: نگاه رشک‌آمیز
رِشکک [*bot.*] **burnet**
رِشوه /ع./ **bribe; manure**
رشوه خوردن، رشوه گرفتن to receive a bribe
رشوه دادن to give a bribe to, to corrupt
رشوه‌خور /فا. ع./ **corruptible**
رشید /ع./ **brave; of an elegant *or* tall stature;** [*law*] **mature**
رصدخانه /ع. فا./ **observatory**
رَصن /ع./ **clubmoss**
رِضا [اسم‌خاص] /ع./ **will, pleasure; consent; resignation**
رضا دادن to consent, to agree
رضا دادن به to yield *or* submit
رضا داشتن to be willing
محض رضای خدا for God's sake, to please God
رضاعی /ع./
[*adj.*] **foster:** برادر رضاعی
رضامندی /ع. فا./ **satisfaction; good will**
رِضایت /ع./ **satisfaction; consent; willingness**
از کسی رضایت داشتن to be satisfied (*or* pleased) with someone
رضایت دادن to express one's consent; to give up *or* relinquish one's claim
به رضایت خاطر of one's own free will
عدم رضایت dissatisfaction
رضایت‌بخش /ع. فا./ **satisfactory**

رضایت‌نامه /ع. فا./ **letter of satisfaction, testimonial**
رِضوان /ع./ = بهشت
رَضوی /ع./ **descended from Imam-Reza**
رضیع /ع./ = شیرخوار
رطب [کمیاب] /ع./ = تر **moist**
جرب رطب moist tetter
رطب و یا بسی را به هم بافتن to fabricate a mixture of truth and fiction
رُطب /ع./ **fresh dates**
رطل /ع./ **rotl, pound;** [*lit.*] **large cup**
رُطوبت /ع./ **moisture; humour**
رطوبت‌نما /ع. فا./ **hygrometer, psychrometer**
رطوبتی /ع. فا./ **of a moist and cold temperament**
رُطوبی /ع. فا./ **moist; phlegmatic**
رَعاد /ع./، ماهی رَعاد **torpedo *or* cramp-fish**
رُعاف [کمیاب] /ع./ = خون دماغ
رعایا [جمع رعیت]
رعایت /ع./ **observance; regard; favour**
رعایت کردن to observe; to assist *or* favour
برای رعایتِ in response to; to assist
رُعب /ع./ = بیم
رَعد /ع./ **thunder**
رَعد زدن to thunder
رعدآسا /ع. فا./ **thunder-like, thunderous**
رَعشه /ع./ **tremour, shaking palsy**
رعشهٔ عضلات dystaxia
رَعنا [ادبی] /ع./ **of an elegant stature; elegant; tender;** [*o.s.*] **foolish**
رعنا زیبا /ع. فا./ **China aster**

رعیت [جمع: رُعایا] /ع./ **peasant, farmer; subject**
رعایای ایران Iranian subjects *or* nationals
رعیت‌پرور /ع. فا./ **kind to one's subjects; kind to inferiors**
رعیتی /ع. فا./ [*n.*] **farming;** [*adj.*] **rural**
رغبت /ع./ **liking; delight; relish**
به چیزی رغبت داشتن to have a relish for *or* take a delight in something
رغم /ع./ **spite; reluctance**
علی‌رغم in spite of, in the teeth of, in defiance of
رف **built-in shelf** *or* **niche in the upper part of a room**
رفاده /ع./ **compress; bandage**
رفاقت /ع./ **friendship, companionship**
رفاقت کردن to make friends, to keep company
رِفاه، رفاهیت /ع./ **welfare; ease, convenience**
رفتار **behaviour, act**
رفتار کردن to behave, to act
رفتگر **street-sweeper**
رفتگان [جمعِ رفته] /ا./ **the dead**
رفتن [بن‌مضارع: رو] **to go;** [*lit.*] **to walk slowly; to pass** (away)
رفتن، خاموش شدن to go out
این راه به کجا می‌رود؟ Where does this road lead to?
به پدرش رفته است. He has taken after his father.
رُفتن [بن‌مضارع: روب] **to sweep**
رَفتنی **about to go; sure to go; on the point of death**
رفت و آمد = آمد و رفت

رفته [اسم‌مفعول فعل رفتن]
رفته‌رفته **gradually, in process of time**
رفراندُم /فر./ **referendum**
رفری /ان./ **referee**
رَفض /ع./ **heresy**
رَفع /ع./ **raising; removal; elimination;** [*arith.*] **reduction of an improper fraction; settlement:** رفع اختلاف **; supplying** *or* **meeting:** رفع احتیاجات
رفع حجاب the unveiling of women
رفع‌مزاحمت abatement of nuisance
رفع کردن to remedy; to remove; to settle, to adjust; to abolish; to suppress
رفع توقیف از چیزی کردن to lift the ban on something
رفع خستگی کردن to rest, to refresh oneself
رفع عطش کردن to quench one's thirst
رفع و رجوع کردن [عامیانه] to gloss over; to remedy
رَفعت /ع./ **high position, dignity**
رِفق /ع./ **leniency, gentleness**
رفقاء [جمعِ رفیق]
رفو کردن **to darn**
رفوگر **darner**
رفوگری **darning**
رفیع[1] /ص. ع./ = بلند **elevated**
رفیع[2] [اسم‌خاص] /ا. ع./
رفیق [جمع: رفقا] /ع./ **companion, comrade; friend**
رفیق‌باز [عامیانه] /ع. فا./ **faithful to friendship, constant; devoted to one's friends**

رقاب [جمعِ رقبه] /ع./ **necks;** [*met., lit.*] **slaves**
رقابت /ع./ **competition**
رقابت کردن to compete; to vie
رّقاص /ع./ (professional) **dancer; balance-wheel**
رقاص‌بازی [زبان‌لاتی] /ع. فا./ **monkey-business**
رّقاصه [مؤنثِ رقاص] /ع./ **danceuse, ballet-girl**
رقاصی /ع. فا./ **dancing**
رقاصی کردن to be a dancer; to caper
کسی را به رقاصی واداشتن [عامیانه] to lead one a dance; to make a tool of
رقبا [جمع رقیب]
رقبه [کمیاب، جمع: رقبات] /ع./ (nape of the) **neck;** [*met., lit.*] **slave; register of crown properties**
رُقبیٰ /ع./ **right for a prescribed period**
رِقت /ع./ **tenderness;** [*fig.*] **pity** *or* **sympathy**
رقت قلب tender-heartedness, pity
بر کسی رقت آوردن to feel pity for someone
به رقت آوردن to move (to pity), pity
رقت‌آمیز، رقت‌آور، رقت - انگیز /ع. فا./ **pitiable, pitiful**
رقص /ع./ **dance, dancing**
رقص کردن to dance
رقص محوری [*astr.*] nutation
رقصاندن /ع. فا./ **to cause to dance,** *vt.* **to dance**
رقصیدن [بن‌مضارع: رقص] /ع. فا./ **to dance**
رُقعه /ع./ **letter, note; sheet** (of paper); **patch** (of cloth); **scrap**
کاغذ رقعه‌ای letter-paper

رقم [جمع: رقوم، ارقام] /ع./ **figure, digit; character; writing;** [*lit.*] **signature; kind, brand,** [*infml.*] **grade**
رقم‌بندی /ع. فا./ **sorting, assortment**
رقمی /ع./ **numerical**
رُقوم [جمعِ رقم، /ع./]
رقومی /ع./ **numerical**
هندسهٔ رقومی descriptive geometry dealing with one plane of projection
رَقیب [جمع: رقبا] /ع./ **rival, antagonist; competitor**
رِقیت /ع./ **slavery**
رقیق /ع./ **dilute, thin; soft, watery;** [*fig.*] **tender**
رقیق کردن to dilute; to rarefy
رقیمه /ع./ = مرقومه؛ نامه
رقیه [اسم‌خاص] /ع./
رک[1] **frank(ly)**
رک حرف زدن to be frank, to speak frankly
رک[2] [معنای حقیقی] = راست
رِکاب[1] /ع./ **stirrup; pedal, treadle; running-board, coachstep**
رکاب کشیدن to spur and ride full speed, to clap spurs to one's horse; ⟵ رکاب‌کش
رکاب[2] /ع./ [*garment*] **strap**
رکاب[3] /ع./ [*garment*] **brace**
رکابدار، رکابی /ع. فا./ **strapped**
رکاب‌کش [عامیانه] /ع. فا./ **with full speed;** [*o.s.*] **spurring one's horse**
رکورد /ان./ **record**
رکورد را شکستن to break the record [this is not genuine Persian but an imitation of the English]
رَکعت /ع./ [unit of prayer consisting of three postures]

رُک‌گو **frank, outspoken**
رک‌گویی **outspokenness**
رُکن [جمع: ارکان] /ع./ **pillar; (main) element**
ارکان دولت Dignitaries of the State
رُکود /ع./ **stagnancy; standstill**
رُکوع /ع./ **genuflexion**
رکیک /ع./ **indecent, risqué**
رکین /ع./ **firm; sedate**
رگ **blood-vessel; vein;** [*fig.*] **nerve, zeal; strain, vein**
رگ زدن to bleed, to phlebotomize
رگ خواب کسی را بدست آوردن to get the length of one's foot
رَگباد **squall**
رگبار **shower**
رگ‌برگ [*bot.*] **vein, rib**
رگ‌بندی [*bot.*] **venation**
رگ‌به‌رگ **sprained**
مچ پایم رگ‌به‌رگ شد. *I sprained my ankle.*
رگزن **bleeder, phlebotomist**
رگزنی **bloodletting, bleeding**
رگ‌شناسی [کمیاب] **angiology**
رگه **vein, nervure; course; ledge**
رگه‌دار **veined**
رُل /فر./ **steering-wheel; rôle, part;** ⟵ نقش
پشت رل نشستن to take the wheel
رل بازی می‌کند. He is only acting. He is pretending (*or* playing false).
رل‌نویسی /فر. فا./ **casting**
رله /فر./ **relay**
رَم[1] **shying; stampede**
رم دادن to rouse; to cause to shy; to scare

رم کردن to stampede *or* shy
رَم[2] [بن‌مضارعِ رمیدن]
رُم[1] /فر./ **Rome**
رُم[2] /فر./ **rum**
رَمارم [کمیاب] **of an equal footing**
رّمال /ع./ **geomancer**
رّمالی /ع. فا./ **geomancy**
رَمان **shy, timid; scared**
رُمان /فر./ **novel**
رمان کوچک novelette
رُمّان [کمیاب] /ع./ = انار
رمان‌نویس /فر. فا./ **novelist**
رُمانی [کمیاب] /ع./ **ruby-coloured;** [*o.s.*] **pomegranate-coloured**
رَمانیدن **to rouse; to scare**
رُمبیدن [بن‌مضارع: رمب] **to collapse, to topple over; to cave in**
رَمد /ع./ **ophthalmia**
رمد یابس، رمد خشک xerophthalmia
رَمز [جمع: رموز] /ع./ **mystery; allusion; symbol**
تلگراف رمز ciphered telegram
کتاب رمز code
رمزنویسی /ع. فا./ **writing of ciphered telegrams; cryptography**
رمزی /ع./ **mysterious; cryptic; allegorical**
رمضان [اسم‌خاص] [ninth Arabic lunar month]
رَمق /ع./ **last breath of life**
سدّ رمق bare subsistence
رمل /ع./ **sand**
رمل انداختن to practise geomancy
رمل کلیه renal gravel, renal calculus
رملی [کمیاب] /ع./ **sandy**
سنگ رملی sandstone

رموز [جمعِ رمز]
رموک، رمو **skittish**
رمه **herd, flock**
رمیدگی **disillusion; indignation**
رمیدن [بن مضارع: رم] **to shy; to startle; to stampede;** [*fig.*] **to be disillusioned; to be scared**
رمیده [اسم‌مفعول فعل رمیدن] **scared; disillusioned**
رمیم /ع./ = پوسیده **decayed, carious**
رنج[1] **pains, sufferring; disease**
رنج باریک [کمیاب] = سلّ
رنج بردن، رنج کشیدن to take pains, to toil, to suffer
رنج[2] [بن مضارعِ رنجیدن]
رنجاندن **to offend, to annoy; to displease**
رنجبر **toiling, painstaking**
طبقهٔ رنجبر the proletariat(e)
رنجش **offence, umbrage**
رنج‌کش **painstaking;** ⟵ رنجور
رنجور[1] **afflicted**
رنجور[2] = بیمار
رنجوری [ادبی] **illness**
رنجه [ادبی] **troubled; tired; painful**
رنجه کردن to give trouble (**or** pain) to
قدم رنجه فرمودن [*invitation cards*] to take the trouble **or** be kind enough to come
رنجیدگی **state of being offended, indignation**
رنجیدن [بن‌مضارع: رنج] **to take offence, to be offended**
رنجیدن از to take amiss

رنجیده [اسم‌مفعول فعل رنجیدن] **offended; indignant**
رِند **slyboots; libertine; tippler;** ⟵ رُنود
رنده **plane**
رنده کردن، رندیدن to plane (wood); to grate (cheese)
رَنگ **colour; dye(stuff); paint**
نقاشی رنگ و روغنی oil painting
دیوار چه رنگ است؟ ***What colour is the wall?***
رنگ دیوار آبی است. ***The (colour of the) wall is blue.***
رنگ باختن to turn pale, to lose one's colour
رنگ گذاشتن و رنگ برداشتن [عامیانه] to blush
رنگ و بو attractive quality
رنگ و رو complexion
رنگ ریختن [*infml.*] to work out a scheme
رنگ زدن to paint **or** colour, to dye
رنگ کردن[1] [*infml.*] to dupe
رنگ کردن[2] to gloss over
رنگ کردن[3] = رنگ زدن
خر رنگ کردن [عامیانه] to deceive a dupe
از آب رنگ گرفتن to skin a flint, to draw blood from a stone
رِنگ **tune designed for dancing, dance;** *L.* **the finale**
رنگارنگ **variously-coloured, many-coloured; various**
رنگ‌آمیزی **colour-blending**
رنگ‌به‌رنگ = رنگارنگ
رنگ‌بندی **colour-scheme**
رنگ‌پذیر **that can be coloured or stained,**

chromatine
رنگ‌پریده، رنگ‌رفته **pale**
رنگرز **dyer**
رنگرزی **dyeing**
رنگ‌ریزان [ادبی] = برگ‌ریزان
رنگ‌زن، رنگ‌کار **painter**
رنگ‌شناسی **chromatics**
رنگی[1] **stained:** شیشه رنگی
رنگی[2] **coloured**
رنگی نشوید! Wet paint!
رنگین **coloured;** [*fig.*] **florid**
رنگین‌کمان، رنگ کمان [کمیاب] **rainbow;** ⟵ قوس قزح
رنود [جمعِ رند، /ع./] [*infml.*] **those who are (or were) in the know, the interested party;** ⟵ رند
رو، روی[1] **face; surface; right side:** روی پارچه**; obverse:** روی سکه
روی گدایی audacity to beg
خیلی رو دارید! You have a nerve!
تو روی من دروغ گفت. ***He lied to my face.***
اطاق رو به خیابان است. The room looks on the street.
رو آوردن to proceed; [*fig.*] to resort, to appeal
پیش کسی رو انداختن to stoop to a request
رویم نمی‌شود که... I don't have the face to...
رو(ی) دادن to happen, to take place
رو دادن به to make cheeky, to embolden; to indulge
رو کردن [*rare*] to face **or** look; to look favourably; [*c.p.*] to show **or** declare
رو(ی) گرداندن to turn away (the face)
روی سخن با شما است. The remarks are aimed at you.

روی کسی را به زمین انداختن to let one down
رو گرفتن to cover one's face, to veil oneself
رو نشان ندادن to abscond
رو به بهبود گذاشتن to begin to improve
روی خوش نشان ندادن to give a cold shoulder (to)
آن روی کسی را بالا آوردن [عامیانه] to rough one up the wrong way
رویش سیاه شد. He was put to shame; → روسیاهی
از رو بردن to face down, to look down; to put (*or* stare) out of countenance
رویِ /حا./ on; over; on top of, in addition to
روی هم altogether
روی هم رفته on the average, [*rare*] on the whole
از رویِ over: از روی طناب ; out of, from: از روی دشمنی ; after the model of
از چه رو(ی)؟ for what reason?, on what account?
به روی خود نیاورد. He ignored the act.
جانش راروی این کار گذاشت. It lost him his life.
رو، روی[2] [بن‌مضارعِ روییدن]
رُو [بن‌مضارعِ رفتن]
رَوا **allowable; admissible; lawful**
روا داشتن to allow, to pronounce lawful; to supply, [*lit.*] to meet: حاجت وی روا داشت
در فلان کار غفلت روا نیست. ***Such a thing does not admit of negligence.***
روابط [جمعِ رابطه]
رواج[1] /ا.ع./ **currency, circulation; good market, ready sale**

رواج دادن to propagate; [*infml.*] to perform
رواج داشتن to be current; to sell well
رواج[2] [غلط مشهور] /ص. ع./ = رایج
روادید **visa, visé** [this newly coined word is unsuitable for making a verb and we use ویزا کردن for "to visé"]
ویزا کردن to vise
رواق /ع./ = ایوان **porch**
رواقی [جمع: رواقیون] /ع./ **stoic**
حکمت رواقیون stoicism, philosophy of the Porch
روان [*adj.*] **flowing, running; fluent;** [*n.,lit.*] **soul, spirit**
روانش شاد باد. ***Peace be to his departed spirit.***
روان شدن to flow, to run; to learn perfectly; to proceed
روان کردن، روان ساختن[1] to learn, to prepare
روان کردن، روان ساختن[2] to cause to flowing; to lubricate
روانامه **exequatur**
روان‌بخش [*adj.*] **animating;** [*n.*] **the Dispenser of the Soul**
روانپزشک **psychotherapist**
روانپزشکی **psychic medicine, psychiatry, psychotherapy**
روانشناس **psychologist**
روانشناسی **psychology**
روانکاوی **psycho-analysis**
روان‌نگاری **psychography**
روانه **despatched; (set) going**
روانه شدن to set out, to proceed, to launch

روانه کردن to despatch *or* send; to dismiss
روانی[1] **psychic(al);** → روحی
روانی[2] **fluency; smoothness**
رواة، روات [جمعِ راوی]
روایات [جمعِ روایت]
روایت [جمع: روایات] /ع./ **narrative; tradition**
روایت کردن to relate, to narrate
روایح [جمعِ رایحه] /ع./
روب [بن‌مضارعِ رفتن]
روباز **uncovered, open, exposed**
روبان /فر./ **ribbon;** [*hat*] **hatband**
روباه **fox**
روباه ماده vixen, she-fox
روبکی **rudbeckia, cone-flower** [from rudbeck Swedish botanist]
روبند شدن [عامیانه] **to comply with a request from bashfulness**
روبوسی **kissing** (each other)
روبه [ادبی، صورت اختصاری روباه]
روبه‌باز [ادبی] **cunning;** [*o.s.*] **playing the fox**
روبه‌بازی **slyness, cunning**
روبه‌راه **ready** (to start), **prepared**
روبه‌رو **opposite, vis-à-vis**
روبه‌رو شدن با to face, to confront
روبه‌رو کردن to confront as for cross-examination
روبیان = میگو
روبیدن [بن‌مضارع: روب] **to sweep**
روپاک [کمیاب] = حوله
روپوست **epidermis, cuticle**
روپوش **cover; bed-sheet**

روپوشی **veiling oneself; abscondence**
روپیه /هـ./ **rupee**
روتختخوابی **counterpane, coverlet**
روح [جمع: ارواح] /ع./ **spirit, soul, ghost; life; essence**
روح، روی zinc
روح توتیا oil *or* spirit of vitriol
روح بخشیدن to give life to, to animate
روحاً /ع./ **spiritually; at heart**
روح‌افزا /ع. فا./ **animating, exhilarating; cheerful**
روح‌الاطلس /ع./ **satinet**
روح‌الامین /ع./ (title of) **Gabriel**
روح‌القدس /ع./ **Holy Spirit**
روح‌الله [اسم خاص] /ع./ [*o.s.*] **Spirit of God**
روحانی /ع./ **spiritual**
روحانیت /ع./ **spirituality; purity**
روحانیون [جمعِ روحانی] /ع./ **the clergy**
روح‌پرور /ع. فا./ **nourishing the spirit; animating**
روحی /ع./ **spiritual; mental**
روحیات [جمعِ روحیه]
روحیه [مؤنثِ روحی] /ع./ **morale; mentality**
رود **river;** [*rare*] **kind of harp**
رودبار [ادبی] **place abounding in rivers**
رودخانه **river**
رودربایستی **reserve; delicate situation** (preventing the refusal of a request in the presence of him who makes it); **standing on ceremony**
رودربایستی کرد. He was too bashful to refuse it.

رودربایستی را کنار گذاشتن to throw off disguise, to speak frankly
رودررو **to one's face; face to face**
رودست خوردن [عامیانه] **to be done in**
رودست زدن به **to play a trick on, to circumvent**
رودل **surfeited stomach, cropsickness, foul stomach**
رودماغی /فا. ع./ **nose-band**
روده **intestine, gut, casing**
رودهٔ باریک small intestine
رودهٔ راست rectum
رودهٔ فراخ large intestine
آماس روده enteritis
درد روده enteralgia
روده شدن [عامیانه] to tangle, to get snarled
رودهٔ... را درآوردن to disembowel...
رودهٔ ماهی را درآوردن to gut a fish
روده‌ای **intestinal, enteric**
روده‌بُر شدن **to split one's sides**
روده‌بند **mesentery**
آماس روده‌بند mesenteritis
روده‌دراز **garrulous, long-winded**
روده‌درازی **garrulity**
روده‌درازی کردن to be garrulous
روده‌شناسی **enterology**
روروه **go-cart; rocker**
روز **day**
روز بد adversity
روز خوش prosperity
روز به شما خوش! Good day to you!, good bye!
روزافزون **increasing from day to day, ever-increasing**

روزانه [*adj.*] **daily;** [*adv.*] **per day**
روزخیر [*zool.*] **diurnal**
روزکوری **day-blindedness, hemeralopia**
روزگار [ادبی] **time, days;** [*geology*] **age;** [*fig.*] **fortune; world**
روزگار بردن [ادبی] to pass one's days, to associate
روزگار کسی را سیاه کردن to ruin someone
روزمرّه /فا. ع./ [*adv.*] **from day to day;** [*adj.*] **daily**
روزمزد **daily-paid**
کارگرِ روزمزد day-worker, day-labourer, daily-wage worker
کار روزمزد day-labour
روزن = روزنه
روزنامه **newspaper, journal; daybook**
روزنامهٔ رسمی gazette, official journal
روزنامه‌فروش **newsboy**
روزنامه‌نگار **journalist**
روزنامه‌نگاری **journalism**
روزن‌دار **foraminate(d)**
روزن‌داران the Foraminifera
روزنه **opening; window;** [*zool.*] **foramen;** [*bot.*] **stoma;** [*mil.*] **loophole;** [*ship*] **porthole**
روزنهٔ امید ray of hope, gleam of hope
روزه **fast, fasting**
روزه داشتن to be fast
روزه گرفتن to fast, to observe a fast
روزه خوردن، روزه شکستن to break one's fast
روزه‌دار **fasting, who has observed the fast**

روزی **daily bread, sustenance; man's daily portion fixed by Providence**
روزی‌خور [*adj.*] **receiving daily food from Providence**
روژ /فر./ سرخاب ← **rouge;**
روس[1] **Russian**
روس[2] = روسیه
جنگ روس و ژاپن Russo-Japanese war
رؤسا [جمعِ رئیس]
روسازی، روکاری **superstructure**
روسپی، روسبی [کمیاب] **prostitute**
روستا [ادبی] **village; rustic**
روستایی [*n.*] **villager;** [*adj.*] **rural**
روسری **kerchief, headdress**
روسفید **acquitted**
روسفید شدن to prove to be innocent; to be acquitted
روسفید کردن to acquit
روسی **Russian** (language)
روسیاه **put to shame, disgraced**
روسیاه شدن to be put to shame, to be disgraced
روسیاهی **shame, disgrace**
روسیاهی بار آوردن [عامیانه] to disgrace oneself
روسیه **Russia**
رَوِش **method; policy, course; custom; gait,** [*lit.*] **walk**
روشن **bright; lit, lighted; on;** [*person*] **that can see;** [*coal*] **live;** [*furnace*] **in blast;** [*fig.*] **clear; well-informed;** ← بینا
آبی روشن light blue
روشن شدن to light up; to clear up; to be kindled; to be made clear; to be enlightened
روشن کردن to light (up); to kindle; to switch on; to make clear, to throw light upon
روشنایی **light; luminosity**
چشم کسی را به روشنایی انداختن to inveigle and allure someone
روشن‌بین **clear-sighted**
روشن‌بینی **clear-sightedness**
روشن‌رأی **of a sound *or* clear judgement**
روشندل = روشن‌بین؛ روشن‌ضمیر
روشن‌ضمیر /فا.ع./، روشن‌روان **of an enlightened mind, illumined**
روشن‌فکر /فا. ع./ **enlightened, broad-minded**
روشنی **brightness;** [*fig.*] **clearness**
روشویی **wash-stand**
روضه[1] /ع./ (gathering for the) **recital of the tragedies of Karbela**
روضه[2] [معنای حقیقی، جمع: ریاض] = باغ **garden**
روضهٔ رضوان = بهشت
روضه‌خوان /ع. فا./ **professional narrator of the tragedies of Karbela**
روغن **oil; ghee; fat; ointment**
روغن خاکستری ← خاکستری
روغن ماشین lubricating-oil
روغن ماهی cod-liver oil
روغن مو bandoline
روغن ترمز brake-fluid
روغن تلخ mustard oil
روغن دنده gear (compound) oil
روغن موم cerate
روغن زدن to lubricate, to grease
روغن گرفتن to extract *or* press oil
روغن مالیدن to anoint, to embrocate
روغن‌داغ کن **(sauce)pan, casserole**
روغن‌دان **oil-can, lubricator; oil-cruet**
روغن‌زن **lubricator, oil-can**
روغن‌کشی، روغن‌سازی **oil-pressing, oil-manufacture**
دستگاه روغن‌کشی oil -press
روغن‌مالی **unction, embrocation**
روغن مالی کردن to anoint
روغنی **oily; dressed with butter; hydraulic**
ترمز روغنی hydraulic brake
کلید روغنی oil immersed switch
رؤف ← رووف
روقوری **tea-cosy**
روکار [*adj.*] **built on the surface;** [*n.*] **external part, surface**
کلید روکار surface-mounting switch
روکش **plating; veneer; slip, pillow-case**
روکش طلا rolled gold
روکش کردن to plate, to coat; to veneer; [*fig.*] to instigate, to use as a tool
روکفشی **galosh, overshoe**
روکوب **beading, moulding**
روکوب چوبی wainscot
روگاه **runway; waterway**
روگردان بودن **to abstain, to refrain**
روگردان بودن از to reject, to refuse

از هیچ چیز روگردان نیست.
He sticks at nothing.
Nothing is too hot *or* too heavy for him.

روگیری **partiality;**
طرفداری → **veiling oneself;**
روگیری کردن to be partial
رولباسی /فا.ع./ **overall(s)**
رولور /فر./ **revolver**
روله /فر./ **relay**
روم **Rome**
رومی **Roman;**
یونانی → [*rare*] **Greek;**
طاق رومی semicircular arch
رومیزی **table-cloth, cover**
رومیه /ع./ = روم
روناس **madder(-root); alizarine**
رَوَند **process; procedure; going;** → آیند و روند
رونده [جمع: روندگان] [*n.*] **goer; wayfarer, traveller;** [*adj.*] **going, about to go**
رونرو **sure-footed** (as a horse)
رونق /ع./ **splendour, brightness; briskness**
رونق یافتن to brisk up; to flourish
رونما **present given to a bride unveiling herself for the first time; present on the occasion of seeing a new-born child for the first time**
رونوشت **copy**
رونوشت از چیزی برداشتن
to copy something
رونویس **copyist**
رونویسی **copying, transcription**
رؤوس /ع./
[جمع رأس] → **main topics;**
رووف، رؤف /ع./ = مهربان

روه [عامیانه] = رویه
روی[1] → رو
روی[2] → روح
روی[3] → رو[1]
رَوی /ع./ [last letter of a riming word which remains unchanged throughout a poem]
رویا **growing**
رؤیا /ع./ **vision, dream;** → خواب
رؤیابین /ع. فا./ **visionary**
رویان [*bot.*] **embryo**
رویان‌شناسی **embryology**
رویانیدن **to** (cause to) **grow**
رؤیت /ع./ = دیدار **sight**
رؤیت کردن to see; to sight (as a bill)
برات رؤیت sight-draft
رویداد **event, incident; account, narrative**
روی‌زرد [*lit.*] **pale;** [*fig.*] **disgraced**
روی‌زردی **paleness;** [*fig.*] **shame**
رویگر **zinc-worker; brazier**
روینده **growing**
رویه **surface;** [*cloth*] **outside, right side;** [*shoe*] **upper, vamp;** [*pillow*] **slip, case;** [*mattress*] **tick**
روّیه /ع./، رویّت **policy, method, tack;** [*rare*] **reflection**
روی هم رفته → رو
رویی **upper; outer, exterior**
روییدن [بن‌مضارع: رو(ی)]
to grow
روئین [ادبی] **made of zinc/ brass/ copper** *or* **iron, iron, metallic**
روئین‌تن [ادبی] **brazen-bodied;** [*fig.*] **invulnerable: epithet of Esfandiar a hero of the Shahnameh**

روئین‌چنگ [ادبی]
of brazen claws
ره[1] [صورت اختصاری راه]
ره[2] [بن‌مضارعِ رستن، رهیدن]
رها **loose; set at liberty**
رها شدن to be delivered *or* released; to drop
رها کردن to set at liberty, to drop, to let go; to abandon; [*rare*] to divorce
رهان [بن‌مضارعِ رهانیدن]
رهانیدن [بن‌مضارع: رهان]
to deliver, to save
ره‌آورد **present brought from a journey**
رهایی **deliverance**
رهایی دادن to deliver, to save
رهایی یافتن to be delivered
رهایی یافتن از to escape
رهبان [جمعِ راهب] /ع./
monk *or* **monks**
رهبانیت /ع./ **monastic** *or* **single life**
رهبر **leader, guide; conductor**
رهبری **leadership; guidance**
رهبری کردن to lead, to guide
رهج‌الغار /ع./ **realgar**
رهرو [ادبی] **wayfarer**
رهسپار شدن **to proceed, to set out; to travel**
رهگذر [صورت اختصاری راهگذر]
passer-by; wayfarer
از این رهگذر in this way; on this account
در هر رهگذر on every hedge, everywhere
رهن = گرو **mortgage**
رهن دادن، رهن گذاشتن
to mortgage; to pledge

رهن کردن to obtain a mortgage on, to take on mortgage
از رهن در آوردن to redeem
رهنما [صورت اختصاری راهنما]
رهنمایی = راهنمایی
رهنمون [ادبی] = رهنما، راهنما
رهنورد [صورت اختصاری راه‌نورد]
رهنی /ع. فا./ **hypothecary,** (that is to be) **mortgaged; bonded**
بنگاه رهنی pawnshop
رهوار ← راهوار
رهیدن [ادبی] = رَستن
رَهین /ع./ **indebted**
رَهین مراحم او indebted to his favours
ری[1] **Ray: obsolete weight = 12 kilogrammes**
ری[2] **the ancient rages** or **rhagae: town south of Tehran**
ریا /ع./ **hypocrisy**
ریا کردن to dissimulate
ریاح [جمع ریح]
ریاحین [جمعِ ریحان]
ریاست /ع./ **directorship;chairmanship; presidentship**
ریاست کردن to be (*or* act as) a chief/director/chairman/etc.
کمیسیونی به ریاست او a committee presided over by him
مقامِ محترمِ ریاست... the Honourable/ the Director of...
ریاست‌طلب /عف./ **ambitious of position**
ریاست‌مآب /عف./ **who assumes the mien of a chief**
ریاض [جمعِ روضه]
ریاضت /ع./ **mortification, rigour; self-discipline; laborious study, lucubration**

ریاضت کشیدن to take great pains; to undergo mortification
ریاضت‌کش /ع. فا./ **ascetic, practising strict self-discipline;** *L.* **laborious, painstaking**
ریاضی [مؤنث: ریاضیه] /ع./ **mathematical;**
[جمع: ریاضیات] ⟵
ریاضیات [جمعِ ریاضیه] /ع./ **mathematics;** ⟵ ریاضی
ریاضی‌دان /ع. فا./ **mathematician**
ریاضیون [جمعِ ریاضی] /ع./ **mathematicians**
ریاضیه [جمع: ریاضیات]
ریاکار /ع. فا./ **hypocritical**
ریاکارانه /ع. فا./ **hypocritically**
ریاکاری /ع. فا./ **hypocrisy**
ریال **rial:** monetary unit = 100 dinars
ریّان [کمیاب] /ع./ = سیراب
ریائی /ع. فا./ **hypocritical**
ریب /ع./ = تردید
ریتین [تثنیهٔ ریه] /ع./ **the lungs**
ریح [کمیاب، جمع: ریاح] /ع./ **wind; odour; breath; flatulency;** ⟵ نفس؛ بو؛ باد
ریحان [اسم‌خاص، جمع: ریاحین] /ع./ **sweet basil**
ریخت [عامیانه] **shape, figure, cast**
ریختگی **cast; moulded**
ریختن [بن‌مضارع: ریز] *vt.* **to pour; to shed; to spill; to strew; to cast, to mould, to found; to throw** (as dice)**; to injure:** آبرویم را ریخت ; **to have a rasping effect on:** گوشت آدم را می‌ریزد ; *vi.* **to pour; to be spilt; to fall**

روی‌هم ریختن to click; to get off (with someone)
ریخت و پاش **spillage; waste, extravagance; profuseness**
ریخته [اسم‌مفعول فعل ریختن] **spilt, spilled; poured; strewn; cast, moulded**
ریخته و پاشیده all over the shop
روغن ریخته را نذر امامزاده کردن to make a virtue of necessity
ریخته‌گر **moulder; founder**
ریخته‌گری **moulding**
ریدن [بن‌مضارع: رین] [indecent] **to shit**
ریز [*adj.*] **tiny; fine;** [*adv.*] **in fine grains (***or* **drops), finely;** [*n.*] **details**
باران ریز drizzle
صورت ریز detailed statement
ریز باریدن to drizzle: rain in fine drops
ریز [بن‌مضارعِ ریختن]
ریزان /ص./ **pouring; falling**
ریزبافت، ریزباف **fine-woven**
ریزبین **microscope**
ریزخوار **microphagous**
ریزخواری **microphagy**
ریزدانه **microlithic**
ریزریز **minced, chopped**
ریزریز کردن to mince; to crumble
ریزش (act of) **pouring; effusion; falling in; landslip;** [*med.*] **coryza, nasal catarrh**
ریزش مو alopecia
ریزش برف snowfall
ریزش کردن to fall in, to collapse; to pour out, to flush

ریزنده /ص./ **falling** (off); **flowing**
ریزه [*n.*] **gleanings; crumbs;** [*infml.*] **little bit;** [*adj.*] **tiny, minute**
ریزه‌چین، ریزه‌خور **gleaner**
ریزه‌خوانی **sarcastic slander; grumbling indirectly**
ریزه‌ریزه[1] /ق./ **little by little, bit by bit**
ریزه‌ریزه[2] /ص./ = ریز ریز
ریزه کاری **elaborate work, nicety**
ریزی **minuteness; tininess**
ریس[1] [کمیاب] **soft** *or* **liquid food**
ریس[2] [بن‌مضارعِ ریستن]
ریستن [بن‌مضارع: ریس] **to spin**
ریسته [اسم‌مفعول فعل ریستن] **spun**
ریسمان **string; rope; line**
ریسمانِ کار = شاقول
ریسمانِ ماهیگیری fishing-line
ریسمان‌بافی **cotton-spinning**
ریسندگی **spinning**
ریسنده **spinner**
ریسه **file, queue**
ریسه کردن to set in a file, to cause to stand in a queue
ریش[1] **beard**
ریش و قیچی هر دو در دست شما است. I am at your mercy. I am wholly in your power.
ریش به‌دست کسی دادن to leave a security *or* credit with someone
ریش گذاشتن to grow a beard
به ریش کسی خندیدن to snap one's fingers at someone
ریشش درآمد.[1] His beard started to grow.
ریشش درآمد.[2] [*fig.*] He lost his juvenile beauty.
ریشش درآمد.[3] It was no more new. It became commonplace.
ریش گرو گذاشتن to pledge one's honour
ریش بز [*bot.*] goatsbeard *or* meadowsweet
ریش[2] /ا./ **ulcer, sore**
ریش[3] /ص./ **wounded**
ریش کردن [ادبی] to wound
ریش‌تراش [کمیاب] **barber**
ریشخند **mocking, derision; coaxing**
ریشخند کردن to ridicule; to coax
ریش‌دار **bearded**
ریش‌ریش **lacerated, wounded; sore; unravelled**
ریش‌ریش کردن to unravel; to ulcerate
ریش‌سفید [*adj.*] **grey-bearded;** [*n.*] **grey-bearded man; dean, elder**
ریشگی **radical** (sign)
ریشو [عامیانه] **having a bushy beard** [not in a polite use]
ریشه **root; fringe; frill;** [*fig.*] **origin;** [*tooth*] **root** *or* **stump;** [*word*] **stem**
ریشهٔ دوم square root
ریشهٔ سوم cube root
ریشهٔ ناخن hangnail
ریشهٔ دواندن، ریشهٔ کردن to take root, to strike root
از ریشه درآوردن to eradicate
به ریشه زدن to strike at the root
ریشه‌ای **rooty; radical**
ریشه‌پایی **rhizopod(an)**
ریشه‌خوار **rhizophagous**
ریشه‌کن کردن **to eradicate, to extirpate; to cure radically**
ریشه‌گیری [*math.*] **evolution**
ریع /ع./ **redundance; swelling**
ریع کردن to swell
ریعان /ع./ **best part, choice part**
ریعان جوانی flower of youth
ریغ [ناشایست] **thin excrement, soft stool**
ریغماسی [زبان لاتی] **weak and sickly**
ریغو [زبان لاتی] **good-for-nothing, sluttish**
ریگ **pebble, shingle; sand; gravel**
ریگ روان moving sand
ریگ در کفش داشتن to have something up one's sleeve; to have a sly meaning
مثل ریگ خرج کردن to spend like water
ریگ‌پُشته، ریگ‌توده **sand-hill**
ریگزار **sandy** (region)
ریگستان **sandy region**
ریگ‌شور کردن **to scour with sand**
ریگ‌ماهی **skink**
ریگی **sandy**
ساعت ریگی sand-glass
ریل /ان./ **rail**
ریل کشیدن to lay the track
ریل‌گذاری /ان. فا./ **track-laying**
ریم [کمیاب] **pus; dross; dregs;** → چرک
ریم‌آلود **purulent**
ریم‌آور **suppurative**
ریمل /فر./ **eyelash makeup, mascara**
ریمن [کمیاب] **purulent;** [*fig.*] **dirty**
رینگ /ان./ [*mech.*] **ring**
ریو [ادبی] **deceit, fraud;** → فریب

ریواس، ریباس rhubarb
ریوند rhubarb
ریوند چینی China rhubarb
ربُ ریوند gamboge
ریَوی /ع./ pulmonary
ریه [تثنیه: ریتین] /ع./ lung
ریةالبحر /ع./ jelly-fish

رئیس [جمع: رؤسا] /ع./ chief, head; director; manager; [*republic*] **president**; [*board of directors*] **chairman**; [*police station*] **magistrate**; [*school*] **headmaster**; [*university*] **chancellor**; [*college*] **principal**; [*bank*] **governor**
رئیس تشریفات
Master of Ceremonies
رئـیـس‌الـوزراء /ع./ = نخست‌وزیر
رئیسه [مؤنثِ رئیس] /ع./ = هیئت

ز

زا[1]، زای [بن مضارعِ زائیدن]

زا[2] [کمیاب] = زاییمان

سرِ زا رفتن to die in labour

زاپاس /ر./ [*n.*] **reserve;** [*adj.*] **retired**

زاج [از فا. زاگ] /ع./ **alum**

زاجِ سبز sulphate of iron, green vitriol

زاج سفید alum

زاج کبود blue *or* copper vitriol

زاج مکلس colcothar

زاد[1] **natality;** [in comb.] **child**

زاد[2] /ع./ = توشه

زادبوم **birthplace**

زادگان [جمعِ زاده]

زادن [ادبی، صورت‌اختصاری زاییدن]

زاد و ولد /ع. فا./ **reproduction**

زاد و ولد کردن to procreate

زاده[1] [اسم‌مفعول فعل زادن] **born**

زاده[2] [جمع: زادگان] /ا./ **child, offspring**

شاهزاده [در ترکیب] prince

زار[1] [*adj.*] **deplorable; bitter; wounded;** [*adv.*] **bitterly; cruelly**

کارش زار است. He's done for.

زار[2] [بن‌مضارعِ زاریدن]

زار[3] /پس./ **place**

ریگزار ⟵ **abounding in;**

زار زار **bitterly:** زار زار گریه کرد

زارع /ع./ **farmer; cultivator**

زارکش کردن **to kill cruelly, to kill with torture**

زاری **weeping, lamentation; beseeching, supplication**

زاری کردن to weep

زاریدن [بن‌مضارع: زار] **to weep, to lament**

زاستر [کمیاب، صورت‌اختصاری زانسوتر] **transcendent**

زاغ[1] **raven**

زاغ کبود jay

زاغ سیاه کسی را چوب زدن to be on someone's track, to shadow him

زاغ[2] [*n.*] **alum; vitriol;** [*adj.*] **blue** (as an eye); زاج ⟵

زاغ زدن (به) to taw

زاغچشم **blue-eyed**

زاغچه، زاغی **(mag) pie, jackdaw**

زاغه **cave; hut**

زاگ [کمیاب] ⟵ زاغ، زاج

زال [اسم‌خاص] **very old man (*or* woman); albino**

زالزالک [kind of wild plum]

زالو **leech**

زالوی اسبی horse-leech

زالو انداختن to apply a leech

زاماسکه /ر./ **glaziers' putty**

زان[1] **beech**

زان[2] [ادبی، صورت‌اختصاری از آن]

زانکه [ادبی، صورت‌اختصاری از آن که] **because**

زانگه [ادبی، صورت‌اختصاری از آن‌گاه] **from (*or* since) that time**

زانگه که ever since

زانو، زانویی **knee; knee-joint, bend, goose-neck**

زانو انداختن to get baggy at the knees

زانو زدن to kneel down

به‌زانو درآمدن[1] to yield *or* surrender

به‌زانو درآمدن[2] = زانو زدن

به‌زانو درآوردن to cause to yield *or* surrender

زانوبند **shackle for a camel; knee-piece, knee-cap**

زانودرد **gonalgia**

زانویی **knee-joint, goose-neck**

زانی [مؤنث: زانیه] /ع./ **adulterer**

زانیه adulteress

زاویه [جمع: زوایا] /ع./ = گوشه **corner, angle**

زاویهٔ مقدسه shrine

سنگ زاویه cornerstone

زاویه‌کش /ع. فا./ = نقاله **protractor**

زاویه‌سنج /ع. فا./ **goniometer;** ⟵ نقاله

زاهد [جمع: زهاد] /ع./ **devout *or* ascetic** (person)

زاهدانه /ع. فا./ **devoutly; ascetically; as a hermit**

زاهدی /ع. فا./ devoutness; abstemiousness
زای ← زا
زایا [adj.] generating; [n.] generator
زایچه birth certificate; [rare] horoscope
زائد /ع./ superfluous
زائد بر surplus to; more than
سبب زائد hypermetrical syllable
زائده [جمع: زوائد] /ع./ [anat.] process
زائر [جمع: زوار] /ع./ visitor; pilgrim
زایش birth; production
زایشگاه maternity hospital
زایل، زائل /ع./ passing away, disappearing
زایل شدن to disappear; to be forgotten; to lapse
زایل کردن to cause to disappearing; to remove
زایمان، زائیمان childbirth, childbed, accouchement
در حال زایمان in childbirth, in labour
زاییده giving birth to; [fig.] productive; self-increasing
زائو parturient
زاییدن [بن مضارع: زای] to be delivered of, to give birth to; to generate; [fig.] to originate
زائیده [اسم مفعول فعل زائیدن] born
زباب [کمیاب] /ع./ = موش صحرائی
زباد /ع./ civet(-cat), musk-cat
زُباله /ع./ sweepings, rubbish, dirt

صندوق زباله orderly bin
زبان tongue; language
زبانِ خوش soft words
زبان بی‌زبانی، زبان حال dumb language, mute language
زبانش می‌گیرد. He stammers.
زبانِ کوچک uvula
زبان نمی‌فهمد. He is not amenable to reason.
زبان در کشیدن، زبان بر بستن [ادبی] to keep silent
زبان زدن to taste *or* lick
به‌زبان آمدن to begin (*or* learn) to speak
به زبان آوردن to mention; to cause to speak
زیر زبان کسی را کشیدن to draw one out
دو زبان [یا دو زبانه] درآمدن to contradict oneself
دل بر سر زبان داشتن to wear one's heart on one's sleeves
زبان خود را خسته کردن to waste one's breath (*or* words)
زبان‌آور[1] eloquent
زبان‌آور[2] = چرب‌زبان
زبان‌باز charlatan; blusterer
زبان‌بازی charlatanry; blustering; flattery
زبان‌بُر [کمیاب] [n.] hush-money; [adj.] silencing
زبان‌بریده [ادبی] dumb
زبان‌بسته tongue-tied; dumb
زبان‌دار expressive
زبان‌دان linguist
زبان‌دراز(ی) abusive(ness)
زبان در قفا، زبان پس‌قفا /فا.ع./ delphinium
زبانزد idiom; [rare] colloquialism
زبانک uvula; [bot.] ligula
زبان‌گرفتگی stammering

زبان‌گنجشگ ash-tree
زبانه [bell] tongue, clapper; [scale] index; [lock] bolt; [key] bit; [pipe] reed; [fire] flame, blaze
کام و زبانه mortise and tenon
زبانه کشیدن to spread (as fire), to flame
زبانی [adj.] verbal, oral; lingual; [fig.] professed; [adv.] verbally
زُبده /ع./ choice part; compendium, gist; [o.s.] cream
زبْر coarse, rough
زبر و زرنگ [عامیانه] quick, active
زبَر[1] [ادبی] upper part, top
زبَر[2] the vowel-sign (ـَـ)
زبرتنگ surcingle
زبرجد chrysolite
زبرجد هندی topaz
زبردست [adj.] proficient, skilled, clever; [n., lit.] man in power
زبردستی proficiency, skill; superiority, upper hand
زبره‌آرد middlings
زبره‌سنگ trochyte
زبری coarseness, roughness
زبرین [ادبی] upper; superior, higher
زبل، زبیل /ع./ dung
زَبور /ع./ (book of) Psalms
زبون despicable, humble; weak
زبون ساختن to humble; to vanquish
زُبیده [اسم خاص] /ع./
زبیل /ع./ dung
زپرتی [زبان لاتی] flimsy; phon(e)y

زجاج [کمیاب] /ع./ = شیشه **glass**

زُجاجی /ع./ **vitreous; hyaloid;** [مؤنث: زجاجیه] ←

زجاجیت /ع./ **vitreosity**

زجاجیه [مؤنثِ زجاجی] /ع./ **crystalline lens;** ← زجاجی

ورم زجاجیه crystallitis

زجر **torment; persecution**

زجر دادن، زجر کردن to torment; to persecute

زجرکُش کردن **to kill by slow and cruel torture**

زحُل /ع./ = کیوان **Saturn**

زحمات [جمعِ زحمت]

زحمت [جمع: زحمات] /ع./ **trouble, inconvenience; pains**

زحمت دادن to trouble, to give trouble (to)

زحمت کشیدن to take pains, to take trouble, to be at pains

زحمت کسی را کم کردن to spare on the trouble

زحمت را کم کنیم. Allow us to be excused.

زحمت‌کش /ع. فا./ **painstaking, hard-working**

زحیر /ع./ **dysentery**

زخارف [کمیاب، جمعِ زخرف] /ع./ **allurements** *or* **vanities of the world**

زخم[1] /ا./ **wound, sore**

زخم رختخواب bedsore, decubitus ulcer

زخم زبان a blow with a word

زخم[2] [عامیانه] /ص./ **sore, ulcerous**

زخم زدن to wound; to scratch *or* injure (as a wall)

زخم خوردن، زخم برداشتن to be wounded

زخم کردن to wound; to gall

زخم‌بند **dresser** (of wounds); **dressing, bandage**

زخم‌بندی **dressing** (of wounds)

زخم‌خورده **wounded**

زخم‌ناپذیر **invulnerable**

زخمه [ادبی] = مضراب

زخمی **wounded**

زخمی شدن to be wounded

زخمی کردن to wound

زدا(ی) [بن‌مضارعِ زُدودن]

زدگی **cancellation; omission**

زدگی، زده hole in a cloth

زدن [بن‌مضارع: زن]

vt. **to strike, to beat, to hit; to play** (on): ویولن‌زدن **; to ring:** زنگ زدن **; to blow:** بوق زدن **; to knock at; to shoot; to cut** (off), **to lop; to blow:** پنبه زدن **; to cross out, to cancel; to cite:** مَثَل زدن **; to inflict; to wear:** عینک زدن **; to pitch:** خیمه زدن **; to break into:** دکانش را زدند **;** *vi.* **to beat, to pulsate; to pinch; to rush; to incline:** به سفیدی می‌زند

می‌زند برای ریاست جمهوری. He runs for president. [عامیانه]

زد به کتاب (خواندن). [عامیانه] He took to books.

به زن به چاک ← چاک

به آب زدن to splash into water

اسید به آن می‌زنند. They treat it with acid.

به هم زدن to disturb; to break up; to stir; to procure: ثروت به هم زدن

خود را به دیوانگی زد. He pretended to be mad.

زدنگاه **tee**

زدو **gum** (of wild almonds)

زدوار **zedoary**

زدوار ختائی zedoary of China

زد و بند **collusion**

زد و بند کردن to collude

زد و خورد **conflict, fight**

زد و خورد کردن to fight; to skirmish

زدودن [ادبی، بن‌مضارعِ زِدای] **to rub off, to file away; to furbish**

زنگ از دل کسی زدودن [ادبی] to soothe the heart of someone, to console him

زده [اسم‌مفعول فعل زدن] [*adj.*] **beaten; struck; smitten, stricken; cloyed, blasé;** [*n., cloth*] **hole;** ← زدگی

زر **gold;** [*fig.*] **money;** ← پول، طلا

زرّادخانه **arsenal**

زراعت /ع./ **tilling, cultivation**

زراعت کردن to do farming

زراعتی /ع. فا./ **agricultural; designed for cultivation**

زرّافه /ع./ **giraffe**

زراندود(ه) **overlaid with gold**

زراندود کردن to plate *or* overlay with gold, to gild

زراوَند **birthwort**

زربافت، زربفت [*adj.*] **woven with gold;** [*n.*] **brocade, gold cloth**

زرپرست **mammonist**

زرپور **roan** *or* **sorrel**

زرپوست **chrysalis**

زرتشت **Zoroaster**

زرتشتی **Zoroastrian**

زرتک **safflower**

زرخرید **bondsman**

زرخیز **auriferous;** [*ext.*] **rich** (in natural resources)

زَرد، زردرنگ **yellow**
رنگ زرد فرنگی chromate of lead
زرد کهربائی amber
پول زرد gold money
گل زرد yellow rose
زرد شدن to turn yellow; to grow pale
زرد کردن to paint yellow; to make pale
زرداب gall, bile
زرداب‌ریز biliary, choleric
زردابی biliary, bilious, choleric
زردآلو apricot
زردپی tendon
زر(د)چوبه turmeric
گردِ زردچوبهٔ هندی curry powder
زردرویی shame; [*rare*] **paleness**
زرد زخم impetigo, ringworm
زردشت = زرتشت
زردفام yellowish
زردک = هویج **carrot**
زردنبو [زبان لاتی] **pale**
زرد وره yellow-hammer
زردوزی gold embroidery
زرده yolk (of an egg)
زردی yellowness; paleness; chlorosis
زردیان jaundice
زِرزر [عامیانه] **thrumming** ***or*** **strumming** (noise), **fiddling**
زِرشک barberry
زرشکی maroon
زَرع /ع./ **cultivation, tilling**
قابل زرع arable
غیرقابل زرع barren
زرفین [*zool.*] **segment**
زرفینی [*zool.*] **annelid**
زَرق /ع./ **hypocrisy; deceit**
زرق و برق [عامیانه] /ع. فا./ **gaudiness**
زرق و برق‌دار /ع. فا./ **gaudy, garish, tawdry**
زرقوری crowfoot
زرقون، زرگون jargon, zircon, cinnabar
زرک = زرورق؛ اکلیل
زرکش gold-wire drawer; gold embroiderer
زرکوب = طلاکوب
زرگر goldsmith, silversmith
زرگری goldsmith's ***or*** **silversmith's trade**
جنگ زرگری sham fight *or* quarrel (between two to deceive a third party)
زرگون ⟵ زرقون
زرُنا [kind of oboe]
زرناد /ع. فا./ = زدوار
زرنشان inlaid with gold
زِرَنگ clever; bright; smart
زرنگار adorned ***or*** **overlaid with gold**
زرنگی cleverness; smartness
زرنگی کردن to (try to) be clever
زرنیخ orpiment
زرنیخ قرمز realgar
زرورَق /فا.ع./ **gold leaf, gold foil**
زرورق بدل Dutch gold
از لای زرورق درآمدن to come out of a bandbox
زرورقی /فا.ع./ **made of gold leaf; very thin**
کاغذ زرورقی tissue paper
زِرِه chain mail, coat of mail
زره بازو brassart
زره ران cuisse
زره ساعد vambrace
زره ساق greave
زره سینه cuirass, breast-plate
زره شانه camail
زره‌باف manufacturer of chain mails
زره‌پوش armour-clad, armoured
کشتی زره‌پوش iron-clad
زره‌دار armour-plated
زرهی armour-plated
زَری brocaded silk
زرّین [ادبی] **golden**
زِشت[1] **ugly; clumsy**
زِشت[2] [*fig.*] **notdecent** ***or*** **befitting, indecent**
زِشت[3] [*fig.*] **obscene**
زشت‌خوی ill-tempered
زشت‌خویی ill temper
زشت‌رو(ی) ugly, ill-favoured
زشت‌رویی ugliness
زشت‌گویی [ادبی] = بدگویی؛ بدحرفی
زشت‌نام [ادبی] = بدنام
زشتی ugliness; [*fig.*] **indecency**
زعفران /ع./ **saffron**
زعفران‌الحدید /ع./ **Crocus of Mars, Crocus Martis, colcothar**
زعفرانی /ع. فا./ **flavoured with saffron; saffron-coloured, pale**
زَعم /ع./ **opinion**
به زعمِ in the opinion of, according to
زعیم [کمیاب، جمع: زُعماء] /ع./ **spokesman, chief; feudal lord**
زعمای قوم men of distinction
زُغال (char)coal; carbon
زغال‌چوب charcoal

زغال‌اخته dogberry, wild cornel
زغال‌سنگ، زغالِ‌سنگ coal
زغال سنگ خالص anthracite
زغال سنگ نارس peat
زغره، زقره sweat-band
زغ زغ clattering, chirping, peeping; throbbing
زغن kite (bird)
زغنبوت [زبان لاتی] gall and wormwood; very bitter thing [used as an abuse]
زِفاف /ع./ consummation of a marriage; *L.* marriage; ← عروسی
زِفت pitch
زفت رومی asphalt, Jews'-pitch
زُفت = ترشرو؛ خسیس
زَفْره[1] [کمیاب] mandibule
زَفْره[2] [کمیاب] = پوزه
زفیر /ع./ expiration
زُکام /ع./ cold (in the head), coryza
زُکام شدن to have a cold in the head
زکریا[1] /ع. عب./ Zachariah
زکریا[2] /ع. عب./ Zacharias
زَکوة، زکاة /ع./ poor-rate as prescribed by Islam
زَکی [کمیاب، جمع: ازکیاء] /ع./ pure; pious
زکی! [زبان لاتی] fudge!
زگیل wart
زگیل مقعد و عجان condyloma
زَلّ [کمیاب] /ع./ = لغزش
زل ← زیل
زُلال /ع./ limpid (water)
زلالی [مؤنث: زلالیه] /ع./ aqueous; synovial
زُل زل نگاه کردن [عامیانه] to stare *or* glare
زِلزله /ع./ = زمین‌لرزه earthquake

شرح زلزله seismography
زلـزله‌زده [جمـع: زلـزله‌زدگـان] /ع. فا./ [*adj.*] stricken by earthquake; [*n.*] victim of earthquake
زلزله‌سنج /ع. فا./ seismometer, seismograph
زلزله‌شناس /ع. فا./ seismologist
زلزله‌شناسی /ع. فا./ seismology
زُلف lock of hair, ringlet; [*ext.*] hair
زلوبیا، زلیبیا [kind of confectionery]
زلیخا [اسم خاص]
زماره [کمیاب] /ع./ flute, pipe; ← نی
زمام /ع./ rein, bridle
زمامِ امور را در دست گرفتن to take the reins of government
زمامدار /ع. فا./ statesman in authority, person at the helm, ruler
زمامداری /ع. فا./ statesmanship; tenure of office
زمان [جمع: ازمنه] /ع./ time; epoch, age; [*gram.*] tense
در زمانِ in the days of
زمانه /ع. فا./ times, fortune; (vicissitudes of the) world
زمانی /ع./ [*adj.*] chronological; temporal
زمانیان [کمیاب، جمعِ زمانی] /ا./ [*rare*] mortals
زمخت coarse, gross; rude
زمختی coarseness; rudeness
زمرد /ع. فا./ emerald
زمردگیاه [کمیاب] = شاهدانه

زمردین [ادبی] emerald-coloured
زُمره /ع./ category, group
در زمرهٔ among
زمزمه humming; [*fig.*] rumour
زمزمه کردن to hum, to croon
زمستان winter
زمستانی hibernal; suitable for winter
لباس زمستانی winter clothes
زمهریر /ع./ intense cold
زمین earth; land; ground, floor; landed property
زمین بوسیدن [ادبی] to do homage
(به) زمین خوردن to fall (down to the ground); [*fig.*] to be overthrown
(به) زمین زدن to throw down; to overthrow
(به) زمین گذاشتن to lay down; [*fig.*] to abandon
زمین‌پیما land-surveyor
کرم زمین‌پیما geometer
زمین‌پیمایی land-survey, land-measurement
زمین‌شناس geologist
زمین‌شناسی geology
زمین‌گیر paralytic; [*o.s.*] confined to the ground
زمین‌لرزه earthquake
زمـینـه background; ground (work); [*fig.*] basis; footing
در این زمینه in this connection; on these lines
زمینهٔ چیزی را فراهم کردن to pave the way for something
زمینه‌سازی planning; laying plots, intrigue
زمینی terrestrial; territorial; overland

پست زمینی surface mail
نیروی زمینی land force
سیب‌زمینی potato
زن[1] **woman; wife**
کارگر زن female worker
زن دادن to take a wife for, to marry
زن گرفتن، زن بردن to take a wife; to marry a woman
زن[2] [بن مضارعِ زدن]
زِنا /ع./ **adultery**
زناکردن to commit adultery
زنا دادن to commit adultery: said of a woman
زنای اقربا incest
زنای به عنف rape
زنای محصنه adultery with a married woman
زنادقه، زنادیق [جمعِ زندیق]
زنار /ع. ی./ **Christian's *or* Jew's girdle distinguishing him from a Moslem**
زنازاده /ع. فا./ = حرامزاده
زناشویی **matrimony; marriage**
زندگی زناشویی married life
زناشویی کردن to join in marriage
زناکار /ع. فا./ **adulter-er, -ess**
زناکاری /ع. فا./ **adultery**
زنانگی[1] **femininity**
داروی زنانگی nostrum
زنانگی[2] = زنانه
زنانه [*adj.*] **women's, ladies':** کفش زنانه ; **feminine:** خوی زنانه ; [*n.*] **women's apartment**
علم بیماری‌های زنانه gynecology
زنانه‌دوز **dressmaker**
زن‌بابا = زن‌پدر
زنبر **hand-barrow**
زن‌برادر **brother's wife, sister-in-law**
زنبرک **crossbow;** [*rare*] **spring;** ← فنر
زنبرکی [کمیاب] = فنری **operated by a spring**
کمان زنبرکی arbalest, crossbow
زنبق [از فا. زنبه] /ع./ **socket of a candlestick, sconce; iris, lily**
زنبق رشتی white lily
زنبق زرد day-lily, hemerocallis
زنبور **bee; wasp**
زنبور عسل bee
زنبور درشت، زنبور سرخ hornet
زنبور طلایی cockchafer
زنبور غله sawfly, cephus
زنبور عسل نر drone
چوب در لانهٔ زنبورکردن to bring hornets' nest about one's ear
زنبورخوار، مرغ‌زنبورخوار **bee eater; titmouse**
زنبورداری **apiculture**
زنبورک[1] **falconet**
زنبورک[2] = زنبرک
زنبورکی[1] **alveolar, cellular**
زنبورکی[2] **reticular**
زنبورکی[3] = فنری
زنبوری **cellular, honeycombed**
زَنبه[1] = زَنبر
زَنبه[2] ← زنبق
زنبیل [از ع. زبیل] **basket**
زن‌پدر **step-mother**
زنجبیل [از ریشه سانسکریت] /ع./ **ginger**
زنجبیل پرورده preserved ginger
زنجبیل سگ smart-weed, water-pepper
زنجبیل شامی elecampane
زنجره **cricket, grig**
زن‌جلب [زبان لاتی] **cuckold**
زنجیر **chain**
زنجیر برف skid-chain
زنجیر خوشبختی chain-letter
زنجیر راهداری toll-bar
زنجیر کوچک chainlet
حلقهٔ زنجیر link
مأمور زنجیر tollman
پنج زنجیر فیل [کمیاب] five elephants
زنجیر کردن to put in chains
زنجیره **chain mark; chain-work; milling; ripple**
زنجیری **chain-like, catenary; chain-driven; chained**
آچار زنجیری chain-wrench
پل زنجیری chain-bridge
دکمه‌سردست‌زنجیر sleeve-link
زنخ (pit in the) **chin**
زنخدان **chin**
چاه زنخدان dimple (*or* pit) in the chin
زنخی **genial, mental**
زند[1] **Zand: exposition of the Avesta;** [*rare*] **commentary**
زند[2] /ع./ (bone of the) **forearm**
زند اعلی radius
زند اسفل ulna
زن‌دار **married:** مرد زن‌دار
زِندان **prison**
در زندان افگندن to put in jail, to imprison
زندانبان **gaoler *or* jailer**
زندانی **prisoner**
زندانی کردن to imprison
زند اوستا **Zand-Avesta: the Avesta and its commentary**
زن‌دایی **wife of one's maternal uncle, aunt**
زندخوان [ادبی] **priest chanting the Zand;** [*met.*] **sweet-singing bird;** ← زند[1]

زندقه /ع./ **dualism; atheism**

زندگان [جمعِ زنده] /ا./ **the living**

زندگانی **life; living**

زندگانی کردن to live

زندگی **life; living; lifetime**

شرح زندگی biography

زندگی کردن to live

زن‌دوست **philoginous; uxorious**

زن‌دوستی **philoginy; uxoriousness**

زنده /ص./ **alive, living**

زنده کردن to restore to life; [*fig.*] to revive

زنده شدن to be restored to life; to be revived; to be refreshed

شب زنده داشتن [ادبی] to spend the night awake

زنده باد! Long live!

زنده به گور کردن to bury alive

سر زنده به گور بردن to die a natural death

سر زنده به گور نخواهدبرد. He will come to the gallows.

زنده‌دل **enjoying a green old age, hearty and hale; lively, vigilant; pious**

زندی /ع./ **cubital: radial *or* ulnar;** → زند[1]

زندیق [جمع: زنادیق، زنادقه] /ع. فا./ **sadducee; atheist; dualist**

زن‌صفت /فا.ع./ **effeminate, womanish**

زن‌عمو /فا.ع./ **wife of one's paternal uncle, aunt**

زن‌قحبه /فا.ع./ **cuckold**

زنگ **bell;** [*school*] **period; rust**

زنگ آهنی ferrous oxide

زنگ سیاه smut

زنگ گیاهی blight, mildew

زنگ مس verdigris

زنگ زدن to ring (a bell); to rust

زنگاب، زنجاب **stain left after a distemper**

زنگار[1] **verdigris; rust**

زنگار مس acetate of copper

زنگار[2]، زنگال **leggings**

زنگاری **rust-coloured, rubiginous**

زنگبال **florican**

زنگ‌زده **rusty**

زنگ‌نزن **rustproof; stainless**

زنگوله **hawkbell, little bell**

زنگولهٔ پای تابوت [استعاری] little children of an old man; [*o.s.*] small bells hanging from a coffin

زنگی[1] **furnished with a bell, ringing**

ساعت زنگی repeating watch, repeater

دایرهٔ زنگی tambourine, timbrel

زنگی[2] (native) **of Zanzibar; Ethiopian; blackamoor**

زننده[1] /ص./ **repulsive; shocking; forbidding; pungent, biting, mordant**

زننده[2] [جمع: زنندگان] /ا./ **hitter, beater; player, performer**

زنهار [ادبی] [*n.*] **caution; quarter, mercy;** [*interj.*] **beware!, take care!**

زنهار اگر... [ادبی] God forbid that..., don't you...

زنهار خواستن to seek quarter *or* protection

زنی [کمیاب] **womanhood**

به زنی گرفتن to marry, to take for a wife

زنیان **aniseed**

عرق زنیان anisette

زو [ادبی، صورت‌اختصاری از او]

زوّار /ع./ **pilgrim**

زوار مکه pilgrim to Mecca

زُوار [جمعِ زائر]

زوال /ع./ **decline; decadence**

رو به زوال گذاردن to begin to decline *or* disappear, to be on the wane

زوایا [جمعِ زاویه]

زوائد /ع./ **superfluities;** → زائده

زوبین **javelin, dart**

زوج [جمع: ازواج] /ع./ **pair, couple; even number; husband**

زوجات [جمعِ زوجه]

زوجه [جمع: زوجات] /ع./ **wife;** → زن

زوجین [تثنیهٔ زوج] /ع./ **married couple, husband and wife**

زود **quickly; soon; early; easily**

زود باشید. Be quick!; hurry up!

زود باشد [ادبی] before long

یک روز صبح زود an early morning

هر چه زودتر as early as possible

زودآشنا **apt to become sociable *or* friendly**

زودانداز [کمیاب] **extemporaneous** (speech)

زودباور **credulous, easy of belief**

زودباوری **credulity**

زودبند **quick-setting:** سیمان زودبند

زودپز **easily cooked**

دیگ‌زودپز pressure-cooker

زودجوش **apt to mix *or* become sociable**

آدم زودجوش a good mixer

زودخیز **early riser**

زودرنج **touchy, quick to take offence**

زودرس = پیشرس

زود غضب /فا.ع./، **زودَ خشم** **prone to anger, hot-tempered**

زودگذر **transient**

زودی [کمیاب] **quickness**

به‌زودی soon, shortly, before long

به این زودی so soon

زودیاب **easily obtained**

زور **force; power, strength, might; violence**

حرف زور unfair *or* illogical remark

زور آوردن to press

به کار زور آوردن to work hard, to exert oneself

زور دادن to press upon, to push

زور زدن [عامیانه] to exert force

یک زوری زد. [عامیانه] He had a try at it.

به زور by force

به زور خندیدن to force a laugh

راه خود را به زور باز کردن to force one's way

به زور گرفتن to extort, to exact

زورم به او نمی‌رسد. I am not a match for him. I cannot cope with him (in strength).

زورآزما [کمیاب] **athlete**

زورآزمایی **measuring one's strength**

با کسی زورآزمایی کردن to measure one's strength *or* try conclusions with someone

زورآور **powerful**

زورتپان کردن، زورچپان کردن [زبان لاتی] **to cram *or* thrust with force**

زورخانه **gymnasium, palestra**

زُورق /ع./ **boat**

زورقی /ع./، ناوی **scaphoid**

زورکی[1] [عامیانه] /ص./ **forced:** خنده زورکی

زورکی[2] [عامیانه] /ق./ **barely**

زورگو (one) **who makes illogical remarks *or* unreasonable demands**

زورمند **powerful, strong**

زورمندی (exercise of) **power**

زور و زَری **exertion of force**

زوزه **howling**

زوزه کشیدن to howl, to pule, to yelp

زوفا **hyssop**

زِه[1] **catgut; cord; bowstring; rim; chord, hypotenuse**

زه کردن to string (as a bow)

زه زدن [زبان لاتی] to peter *or* back out, to show the white feather

زه[2] **childbirth**

درد زه pains of childbirth, labour

زِه[3] **water oozing through a stream**

زِه[4] = زهی

زُهاد [جمعِ زاهد]

زهار **privy parts**

موی زهار pubes

زهتاب **cord-twister**

زُهد /ع./ **asceticism, abstemiousness**

زهدان **uterus**

آماس زهدان metritis, uteritis

زهدفروش /ع. فا./ **hypocritical**

زهدفروشی /ع. فا./ **hypocrisy**

زهر **poison**

زهر دادن به to poison

زهر کردن [عامیانه] to make disagreeable *or* bitter

زهرمار کردن [زبان لاتی، تحقیرآمیز خوردن] to eat

زهر خوردن to poison oneself

زهر چشم از کسی گرفتن to settle a person's hash, to intimidate him by severe measures

زهر خود را به من ریخت. [عامیانه] He served me out at last as he had planned.

زهرا [اسم خاص] /ع./

زَهراب **urine;** → پیشاب

زهرابه **toxin**

زهرآلود، زهرآگین **poisoned**

زهرباد **quinsy, tonsillitis**

زهردارو = پادزهر

زهرشناس **toxicologist**

زهرشناسی **toxicology**

زهرکش [کمیاب] [*adj.*] **antidotal, antitoxic;** [*n.*] **antidote**

زُهروی /ع./ **venereal**

زَهره **gall-bladder**

زهره‌ام ترکید، زهره‌ام آب شد. I was frightened to death.

زُهره /ع./ = ناهید **venus**

زَهره‌تراک **frightened to death**

زهره‌تراک شدن to be frightened to death, to have one's heart in one's mouth

زهره‌تراک کردن to frighten to death, to freeze one's blood, to make one's blood run cold

زه‌قلاب /فا. ع./ **fishing-line**

زهکش **drain pipe**

زهکشی **drainage**
زهکشی کردن to drain
زِهگیر، سیمگیر **archer's thumbstall; tailpiece of a violin**
زُهم /ع./ **fetid smell** (of meat); **stinking fat**
زِهوار **lace, groove; rim**
زهوارش در رفت. [زبان لاتی] He pegged out.
زهوار دررفته [زبان لاتی] **done up, impotent**
زهی! [with the stress on the first syllable] **well done!**
زی[1] [کمیاب] = سویِ **towards, to**
زی[2] /ع./ **garb, appearance**
زیاد /ع. فا./ [*adj.*] **much:** پول زیاد ; **many:** کتاب(های)زیاد ; **excessive; great:** عدهٔ زیاد ; **too many:** سیگارهایکی زیاد است ; [*adv.*] **very much** *or* **too much:** زیاد خورد ; **too**
زیاد شدن to be increased; to grow
زیاد کردن to increase *or* multiply
مرحمت سرکار زیاد. Thank you (very much).
زیادت /ع./ **excess; increase**
زیادتی /ع. فا./ **surplus, excess; abundance**
زیاده /ع./ **more;** ⟵ بیشتر، بیش
زیاده از آن است که بتوان شمرد. ***It is*** (or ***they are***) ***more than can be counted.***
زیاده از حد excessively
زیاده بر more than, in excess of
زیاده‌روی /ع. فا./ **extravagance; intemperance**

زیاده‌روی کردن to go beyond due bounds; to be intemperate
زیاده‌ستانی /ع. فا./ **extortion**
زیادی /ع. فا./ [*n.*] **excess, surplus;** [*adj.*] **extra; surplus, superfluous; spare:** وقت زیادی ; [*adv.*] **too much, extra**
زیارت /ع./ **pilgrimage**
زیارت کردن to visit as a pilgrim; [*p.c.*] to meet
به‌زیارت رفتن to go on a pilgrimage
زیارتگاه /ع. فا./ **sacred place visited by pilgrims**
زیاک = خروس کولی
زیان **loss; detriment; injury**
زیان دیدن to incur (*or* sustain) a loss; to be injured
زیان رساندن به to cause to sustain a loss; to injure; to be prejudicial to
زیان کردن، زیان بردن to sustain a loss
زیان‌آور **prejudicial; injurious**
زیانکار (one) **who incurs a loss in whatever he does**
زیب **ornament; beauty**
زیب دادن to ornament, to adorn
زیبا **beautiful; handsome; nice**
مرغ زیبا lapwing, pewit
زیبایی **beauty**
سالن زیبایی beauty-parlour
زیبایی‌شناسی **aesthetics**
زیبق /ع./ = سیماب، جیوه
زیبندگی **becomingness; elegance**
زیبنده **becoming; elegant; graceful**

زیبیدن [بن‌مضارع: زیب] **to become, to suit; to seem beautiful**
زیپ /ان./ **zip** (fastener), **slide fastener**
زیپلن /فر./ **zeppelin**
زیپو [زبان لاتی] **wishy-washy;** ⟵ آب، آب زیپو
زیتون /ع./ **olive**
زیتون تلخ margosa-tree, azedarach
زیتونی /ع./ **olivaceous; olivary; olive-green**
زیج /ع. فا./ **astronomical tables**
زید [اسم‌خاص] /ع./
یک زیدی such a one, a certain person
زید و عمر Tom/Dick and Harry
زیر[1] [*n.*] **bottom, lower part; the vowel-sign (ـِـ)**
زیــر[2] [*adj.*] **high-keyed, shrill; following, undermentioned;** [*adv.*] **below, underneath**
زیرِ /حا./ under, below
نامبرده در زیر mentioned below, undermentioned
زیر پا گذاشتن to trample; to repress
زیر پای کسی نشستن to seduce someone
زیر سرش بلند شده است. His head has been turned (with the promise of a better position).
زیر سر گرفتن to secure beforehand
زیر خنده زدن to burst into a laughter
زیر چیزی زدن [عامیانه] to recalcitrate at (*or* against) something; to deny something

زیر گریه خوابیدن
to cry oneself to sleep
به زیر آمدن to come down; to fall
زیر و زبر کردن to turn upside down; to turn to chaos, to destroy completely
زیر و رو کردن to turn upside down; to ransack, to rummage
زیر گرفتن to run over; to ride out
زیر[3] /ص./ = زیری
زیرا، زیراکه **because**
زیراب **voidance water; outlet**
زیراب حوضی را کشیدن
to drain a pond
زیراب کسی را زدن [زبان لاتی]
to do away with someone by underhand means, to knife him
زیرانداز [کمیاب] **carpet** ***or*** **linen cloth spread under it**
زیرپایی **foothold; footstool**
زیر پوست **cutis, derma**
زیر پوستی **hypodermic, subcutaneous**
زیرپوش **underwear**
زیرپوشِ کشباف vest
زیرپیراهنی **undershirt, vest**
زیرتنگ **belly-band**
زیرجامه = زیرشلواری؛ زیرپوش
زیرجلی **clandestine(ly)**
زیرحوله‌ای **towel-horse, towel-rack, towel-rail**
زیرخاکی (relic) **dug out of the ground**
زیرخان **ground floor**

زیرخوان **sopranist**
زیردریایی **submarine**
زیردست **inferior, subordinate**
زیردست کردن to subjugate
زیردستی[1] **inferiority**
زیردستی[2] **writing-pad; blotting-pad; maulstick**
زیرزبانی **sublingual, hypoglossal**
زیرزمین **basement; cellar**
زیرزمینی **subterranean; underground:** ساقه زیرزمینی ; **subsurface**
زیرسازی **foundation** (work), **substructure; road-bed; core**
زیرسوپاپ، زیرسوپاپی /فا. فر./ [*mech.*] **tappet**
زیرسیگاری **ashtray**
زیرشلواری **pant, drawers**
زیرفون **linden, barren jujube tree, basswood**
زیرک **clever, smart; shrewd**
زیرکی **cleverness; ingenuity; sagacity; keenness**
زیرگلدانی **doily;** ← گلدان
زیرگوشی **cushion**
زیرنوشت **sub-title**
زیرنویس [غلط مشهور] = زیرنوشت
زیره[1] **cumin** ***or*** **caraway** (seed)
زیرهٔ سبز، زیرهٔ سفید cumin-seed
زیرهٔ سیاه caraway-seed
زیره به کرمان بردن to carry coals to Newcastle

زیره[2] **outsole** (of a shoe)
زیری **lower; inferior**
زیرین **undermentioned, following; lower; inferior**
زیست **subsistence; life**
زیست کردن to live
زیست‌شناس **biologist**
زیست‌شناسی **biology**
زیستن [بن مضارع: زی] **to live, to subsist; to exist**
زیغ‌الشمس /ع./
declination of the sun
زیل، زل (tailless) **sheep**
قوچ زیل merino sheep
زیلو [kind of pileless carpet]
زین[1] **saddle**
زین کردن to saddle
زین بر گرگ نهادن [ادبی]
to bell the cat
زین[2] [ادبی، صورت اختصاری از این]
زین‌العابدین [اسم خاص] /ع./
[*o.s.*] **the worshippers' beauty**
زینب [اسم خاص] /ع./
زین‌پوش **saddle-cover, housing**
زینت /ع./ **ornament, decoration**
زینت‌دادن to decorate ***or*** ornament
زین‌ساز **saddler**
زین‌سازی **saddlery**
زینه **degree**
زینه‌بندی **grad(u)ation**
زینهار = زنهار
زیور [اسم خاص]
(set of) **ornaments**

ژاپن /فر./ **Japan**
ژاپنی /فر. فا./ **Japanese**
گل ژاپنی double-cone flower
ژاژ [کمیاب] [kind of camelthorn which camels find too tough to chew]
ژاژ خاییدن [ادبی] to babble, to talk nonsense
ژاژخا(ی) **idle talker, babbler**
ژاژخایی **idle talk, babbling**
ژاکت /فر./ **jacket**
ژاکت کشباف cardigan
ژاله **dew; hoar-frost**
ژاندارم /فر./ **gendarme**
ژاندارمری /فر./ **gendarmerie**
ژانطیانا /فر./ (root of the) **gentian**

ژانویه /فر./ **January**
ژتن /فر./ **chip, jeton, counter**
ژرژت /فر./ **georgette**
ژرف [*lit.*] **deep;** [*fig.*] **hard**
ژرفا، ژرفی **depth**
ژرف‌یاب، ژرفایاب **sounding-instrument, sounder**
ژست /فر./ **gesture, business**
ژست گرفتن to strike an attitude, to assume a pose
ژله /فر./ **jelly;** ⟶ لرزانک؛ دلمه
ژلین‌بیت /فر./ **gelignite**
ژن /فر./ **genoa**
ژنده [*adj.*] **shabby, worn-out;** [*n.*] **rag, patched garment**
ژنده‌پوش **clothed in rags**
ژنرال /فر./ **general**
ژنو /فر./ **Geneva**
ژور /فر./ **open work**
ژور زدن to do open work; *vt.* to pink, to hemstitch
ژولیده **untidy, ruffled**
ژوئن /فر./ **June**
ژوئیه /فر./ **July**
ژیان **formidable, devouring:** شیر ژیان
ژیگلور /فر./ (carburettor) **jet,** (spray) **nozzle, atomizer**
ژیگو /فر./ **leg of mutton** *or* **lamb** (when cooked)
ژیگولو /فر./ **gigolot**
ژیمناستیک /فر./ **gymnastics;** ⟶ ورزش

س

سا[1]، سای [بن‌مضارع ساییدن]
سا[2]، سار /پس./ [*suf.*]**-like**
ساباط /ع./ **penthouse, lean-to**
سابعاً /ع./ **seventhly**
سابق /ع./ [*adj.*]**former, previous, old; preceding;** [*n.*]**old days, former time**
سابق بر این formerly, in the past
سابقاً /ع./ **formerly, previously, previous to this**
سابق‌الذکر /ع./ **aforementioned**
سابقه [جمع: سوابق] /ع./ **antecedent,** (previous) **record; precedent, example; acquaintance**
سابقهٔ خدمت record of service
او ۲۰ سال سابقهٔ خدمت دارد.
He has 20 years service.
سوء سابقه bad record
عدم سوء سابقه clean record
در شهربانی سوء سابقه دارد.
He is known to the police.
سابقه‌دار /ع. فا./ **having** (long) **service**
سابقی /ع. فا./ = پیشین، سابق
سابیدن = ساییدن
ساتر [کمیاب] /ع./ = پوشنده **hider**
ساتگین [کمیاب] **bumper, large cup**
ساج /ت./ **teak; pan used in baking bread**

چوب ساج teak wood, black-wood
ساچمه /ت./ **pellet,** (small) **shot;** [*motor car*]**ball(s)**
تفنگ ساچمه‌ای shotgun
یاتاقان‌ساچمه‌ای ball-bearing
ساحت [جمع: ساحات] /ع./ **open space; square; area**
ساحر [مؤنث: ساحره] /ع./ = جادو(گر) **magician, sorcerer**
ساحره sorceress, witch
ساحل [جمع: سواحل] /ع./ **shore;** [*river*]**bank**
ساحلی /ع. فا./ **coastal, littoral; riparian:** حقوق ساحلی
ساخارین /ر./ **saccharin**
ساخت **make**
ساخت انگلیس British make, made in England
ساختگی **artificial; forged; feigned, simulated**
ساختمان **construction; building; structure**
ساختمانی **constructional; structural**
مصالح ساختمانی building materials
ساختن[1] [بن‌مضارع: ساز]
to build, to construct; to make, to manufacture; [*fig.*]**to forge, to fabricate;** *-Note:* after an adjective *or* a concrete noun ساختن means "to make *or* render"
او را ناخوش ساخت.
It made him sick.

او را شاه ساختند.
They made him king.
ساختن[2] *vi.* **to agree**
این خوراک به من نمی‌سازد. ***This food does not agree with me.***
ساختن[3] **to put up**
ساختن[4] **to collude**
ساختن[5] **to provide means**
ساخت و پاخت [عامیانه] **collusion, covin**
ساخت و پاخت کردن to collude
ساخته [اسم‌مفعول فعل ساختن]
manufactured, made; built; ready-made; [*fig.*]**forged; feigned**
کاری از او ساخته نیست.
He is not in a position to do anything. He is incapable of doing anything.
ساخلو /ت./ = پادگان
سادات /ع./ **the descendants of the Prophet**
سادساً /ع./ = ششم آنکه **sixthly**
سادگی **simplicity; easiness; simple-mindedness; austerity**
ساده **simple; plain; easy; artless; unmixed, pure**
ساده‌بافت **plain-woven**
ساده‌دل **simple-hearted**
ساده‌دلی **simple-heartedness**
ساده‌لوح /فا.ع./ **simple-minded, credulous;** [*n.*]**simpleton**
ساده‌لوحی /فا. ع./ **credulity; simpleness**

سار[1] starling

سار[2] /پس./ place

abounding in

سار[3] /پس./ full of

سار[4]، سا /پس./ [*suf.*] -like

سارا [کمیاب، ادبی] pure; excellent

ساربان camel-driver

ساردین /فر./ sardine

سارِق /ع./ = دزد thief

سارَنگ، سارنج [kind of melody; kind of small bird]

ساروج plaster of lime and ashes *or* sand, mortar

ساروج کردن to plaster with mortar

ساری [کمیاب] /ع./ flowing, circulating

ساز[1] /ا./

musical instrument

سازدهنی mouth-organ, harmonicon

ساز[2] /ص./ in good condition; equipped; tuned

ساز کردن [ادبی] to tune up, to start; to prepare

ساز[3] [بن‌مضارعِ ساختن]

سازَن musical performer, instrumentalist

سازِش composition, arrangement; agreement; compatibility; collusion

سازش کردن to compound; to agree; to put up; to collude

سازگار agreeable, wholesome; sociable

با هم سازگار بودن to agree *or* be compatible with each other

سازگاری compatibility; suitability; agreement

سازمان organization; structure

سازمان خیریه

(charitable) foundation

سازندگی، نوازندگی

musical performance; musical profession

سازنده maker, manufacturer; builder; compositor; musical performer

ساز و برگ equipment, accoutrements

سازه

[*math.*] factor; ⟶ عامل

سازی [*mus.*] instrumental

ساس (bed) bug

ساسات /ر./ [*mech.*] choke

ساطع [کمیاب] /ع./ radiant; clear

ساطور /ع./ large chopping-knife

ساعات [جمعِ ساعت]

ساعت[1] [جمع: ساعات] /ع./

hour

ساعت[2] /ع./ watch *or* clock

ساعت آبی clepsydra

ساعت آفتابی sundial

ساعت بغلی، ساعت جیبی watch

ساعت دیواری clock

ساعت سیلندر [*mech.*] dial cylinder gauge

ساعت مچی wrist watch

چه ساعتی است؟، ساعت چند است؟ What time is it?

ساعت سه و نیم است.

It is half past three.

نیم ساعت مانده به ظهر.

It is 11:30 a.m.

ساعت، گل‌ساعتی

passion-flower

ساعت‌دار /ع.فا./ [*rare*] timed

کنتورساعت‌دار

double-acting meter

ساعت‌ساز /ع. فا./

watchmaker

ساعت‌سازی /ع. فا./

horology

ساعت‌شمار /ع. فا./

hour-hand

ساعد /ع./ = ارش forearm

ساعدین [تثنیهٔ ساعد] /ع./

ساعدین مبدأ نخاع

cerebral peduncles

ساعی /ع./ = کوشا diligent, industrious

ساغر [ادبی] cup; [*ext.*] wine

سافل [کمیاب، مؤنث: سافله] /ع./

low(er)

اطراف سافله lower extremities

ساق /ع./ foreleg; [*geom.*] leg; [*bot.*] stem, stalk; [*zool.*] peduncle

ساقدار /ع. فا./ pedunculate

ساقدوش /ت. فا./

groomsman

ساقط /ع./ lapsed; miscarried; [*o.s.*] fallen *or* falling

شعاع ساقط incident ray

ساقط شدن to lapse; to cease to be valid

حق وی ساقط شد. ***He forfeited his right. His right lapsed.***

ساقط کردن to render null, to invalidate; to deprive *or* bereave

از هستی ساقط کردن

to bleed white

از درجهٔ اعتبار ساقط است.

It is no longer valid.

ساقه /ع. فا./ stem; stalk; [*flower*] peduncle; [*leaf*] petiole, footstalk

ساقهٔ زیرزمینی rootstock, rhizome

ساقه‌دار /ع. فا./ stemmed; [*bot.*] pediculate, peduncular; caulescent

ساقی [ادبی] /ع./ cupbearer

ساقی‌نامه /ع. فا./

(kind of) bacchanalian verse

ساک، آش‌ساک [pottage **or** soup with verjuice]
ساکت /ع./ **quiet, silent;** ← آرام، ساکن
ساکت شدن to keep silent **or** still; to be calmed **or** soothed; to subside
ساکت کردن to quiet **or** soothe; to silence
ساکسوفون /فر./ **saxophone**
ساکن [1] /ص.ع./ **resident, dwelling; still, motionless;** [*gram.*] **quiescent;** ← آرام
اقیانوس ساکن Pacific Ocean
ساکن [2] [جمع: ساکنین، سکنه] /ا.ع./ **inhabitant, resident**
ساکن شدن to dwell **or** reside
ساکن کردن to lodge; to settle
سال **year; age**
چند سال دارید؟
How old are you?
من ۶۰ سال دارم.
I am 60 years old.
ده ریال در سال
Rials 10 per annum
سال به سال from year to year, each year
صد سال به این سال‌ها
many happy returns of the day [cited on festivals not on birthday occasions]
بچهٔ دو ساله
a two-year-old child
سال دوازده ماه [عامیانه]
year in year out
سالاد /فر./ **salad**
سالانه ← سالیانه
سالار [ادبی، کمیاب] **chief, leader**
سالب [مؤنث: سالبه] /ع./
privative, negative
سالخورده **stricken in years, aged**

سالک **Aleppo boil, Aleppo button**
سالِک /ع./ **wayfarer; disciple**
سال‌گردش [کمیاب]
anniversary
سالم [1] /ص.ع./ **healthy; safe; intact;** ← تندرست
سالم [2] [اسم‌خاص] /ع./
سالمند **adult**
سالمندی **adult age**
سالن /فر./ **hall, saloon**
سالنامه **year-book**
سالن‌دار /فر. فا./ **having a saloon**
واگن سالن‌دار saloon car
سالنما **calendar**
سالوس [ادبی] **hypocrite; impostor; hypocrisy**
سالواره **annuity**
سالیان = سال‌ها **years**
سالیانه، سالانه **yearly, annual(ly)**
سام /ع./، بادسام
pestilential wind
سامان **house furniture; welfare; order**
سر و سامان گرفتن to range oneself, to marry and settle down
سامره /ع./، سامریه
the Samaritans; Samaria
سامری /ع./ **Samaritan**
گوسالهٔ سامری [the speaking calf which was raised at the time of Moses]
سامعه /ع./ = شنوایی
sense of hearing
سامی [1] /ع./ **Semitic**
سامی [2] [کمیاب] /ع./ = بلند
high, elevated
سان [1] **parade, review**
سان دادن to parade; to pass review

سان دیدن to parade (troops), to pass in review
سان [2] /پس./ [*suf.*] **-like, resembling;** [*n.,rare*] **manner**
این‌سان، بدین‌سان
in this manner
بسانِ [ادبی]
چسان، یکسان ← like;
سانتیگراد /فر./ **centigrade**
سانتیگرم /فر./ **centigramme**
سانتیم /فر./ **centime(tre)**
سانتیمتر /فر./ **centimetre**
سانحه [جمع: سوانح] /ع./
accident
ساندویچ /فر. ان./ **sandwich**
سانسور کردن /فر. فا./
to censor
سایبان **shady place; bower**
سایبان کرباسی awning
سایر /ع./ **rest, remainder**
سایر کتابها other books
سایرین [جمعِ سایر] /ع./ = دیگران
others, other people
سائس [جمع: سائسین] /ع./
politician, diplomat, statesman
سایش **rubbing; trituration**
سائل /ع./ = گدا
ساینده [*n.*] **grinder;** [*adj.*] **grinding; abrading**
سایه **shade; shadow;** [*fig.*] **protection *or* care**
به سایه شما under your protection **or** auspices
سایه شما کم نشود. ***Thank you for your protection or kindness*** (***which I hope will never cease***).
سایه افگندن، سایه گستردن
to cast a shadow
سایه زدن to shade **or** shadow
در سایهٔ under the protection of; thanks to

سایه‌اش سنگین است. He mounts (*or* rides) the high horse. He is inaccessible.

سایه‌پرورده **reared in indulgence, tenderly brought up**

سایه‌دار **shaded, shady**

سایه‌روشن **light and shade** (effect), **chiaroscuro; contrast**

سایه کوهی [*taffetas*] **shot;** [*o.s.*] **like a shadow on a mountain**

سایه‌گستر [ادبی] **adumbrant;** [*fig.*] **of a protecting *or* benevolent nature**

سایه‌نشین [کمیاب] [*adj.*] **sitting in the shade;** [*fig.*] **pampered;** [*n.*] **protégé**

ساییدگی **wear; erosion; fret**

ساییدن [بن‌مضارع: سای] **to pulverize, to grind; to wear** (away), **to erode; to rasp; to rub hard**

ساییده [اسم‌مفعول فعل سائیدن]

سبابه /ع./ **forefinger, index**

سُبات /ع./ **lethargy**

سبات سنگین coma

شریان سبات carotid artery

سباتی /ع./ **lethargic, comatous**

سباط /ع./ **Syriac and Jewish month** (January-February)

سباع [جمع سبع] /ا./ **fierce animals'**

سباعی [کمیاب] /ع./ **sevensome, heptamerous; seven-lettered; heptasyllabic**

سبب /ع./ **cause; means;** → [جمع: اسباب]

سبب شدن to cause *or* occasion

به چه سبب؟ why?, for what reason?

سبب‌ساز /ع. فا./ **the Provider of Means, Providence**

سببی /ع./ **causative, causal**

خویشاوند سببی relative-in-law

سببیت /ع./ **causality**

سبت /ع./ **sabbath; rest**

سُبحان /ع./ **praise, glory; the Glorious God**

سُبحان‌الله /ع./ **praise be to God, Good God!**

سبحه [کمیاب] /ع./ **rosary; prayer;** → تسبیح

سبد **basket; pannier; wicker-work; side-car**

سبد کاغذ waste-basket

گل‌سرسبد [*met.*] pick of the basket

سبدی **resembling *or* made like a basket**

کلاه سبدی straw-hat

سبز [*adj.*] **growing; green;** [*n.*] **the green colour**

روغن سبز oil of roses

سبز چمنی meadow green

سبز زیتونی olive-green

سرش سبز باد. [ادبی] May he be prosperous.

سبز شدن to turn green; to germinate, to spring; [*fig., infml.*] to appear suddenly

سبز کردن to colour *or* paint green; to grow; [*infml.*] to confirm

سبزفام **green(ish)**

سبزقبا /فا. ع./ **greenfinch**

سبزه [*n.*] **grass-plot, verdure; green raisins;** [*adj.*] **of an olive complexion, of a dark complexion**

سبزه‌زار **verdure, meadow, grass-plot**

سبزی[1] [جمع: سبزیجات] (fresh) **vegetables, greens, legume**

سبزی پختنی pot-herb

سبزی پاک کردن [*met.*] to flatter *or* toady, to curry favour with someone

سبزی[2] **greenness**

سبزی‌پاک‌کن **flatterer, fawner**

سبزی‌دار **containing vegetables *or* greens**

خوراک سبزی‌دار vegetable diet

سبزی‌فروش **green-grocer**

سبزیکاری **market-garden, vegetable garden, kitchen-garden**

سبزینه **chlorophyl(l)**

سِبط [کمیاب، جمع: اسباط] /ع./ **tribe**

سبع /ع./ **fierce**

سبعه /ع./ = هفتگانه **the seven...**

سبعیت /ع./ **fierceness**

سبق /ع./ **precedence; excellence;** [*rare*] **lesson**

سبق بردن (از) to surpass, to excel

سبقت /ع./ **precedence; lead; overtaking and passing**

سبقت جستن بر to take precedence of, to get the start of; to anticipate; to forestall

سبقت گرفتن [*driving*] to overtake and pass

سَبْک /ع./ **method; style**

سبُک **light; digestible;** [*mus.*] **gay, quick, lively;** [*fig.*] **frivolous, undignified**

خواب من سبک است. ***I am a light sleeper.***

سبک شدن to become light
سبک کردن to lighten; to alleviate
سبک و سنگین کردن to weigh (in one's hand)
سبک گرفتن to make light of; to despise
سُبک بیا! [زبان لاتی] Draw it mild!, come off the high horse!
سبک‌اسلحه /فا.ع./ **light-armed**
سبکبار **disburdened, disencumbered; free from care**
سبکباری **disencumbrance**
سبکبال [*zool.*] **passerine**
سبک‌رفتار **light-footed;** [*fig.*] **light, undignified**
سبکسر **light-minded; rash; stupid; frivolous; sober**
سبک‌مغز **crack-brained, silly**
سبک‌وزن /فا.ع./ **light(-weight)**
سبکی **lightness;** [*fig.*] **frivolousness, levity**
سَبل /ع./ [*med.*] **pannus**
سَبو **pitcher; pot** (of wine)
سبوس **bran, pollard**
سبوسه **dandruff, scurf**
سَبیل /ع./ **way, road;** [*fig.*] **manner; cause;** → راه
بر سبیلِ by way of
چای سبیل بود. [عامیانه] Tea was served free of charge.
سِبیل **moustache**
سبیل گذاردن to wear a moustache
سبیل کسی را چرب کردن to grease the palm of a person
سبیل کسی‌را دوددادن [زبان لاتی] to give it to someone hot
زیر سبیل در کردن [عامیانه] to pocket/ swallow *or* brook

سبیل به سبیل [زبان لاتی] close together; [*o.s.*] with moustaches close to each other
سبیلش آویزان شد. [زبان لاتی] He hung his lip. He looked blue.
سپار [بن مضارعِ سپردن]
سپارنده **depositor;** [*rare*] **betrayer**
سپاس **thanks**
سپاس گزاردن to give thanks, to thank
سپاسگزاری **thanksgiving**
سپاسگزاری کردن to give thanks
سپاسگزاری کردن از to thank
سِپاه **army; host**
سپتامبر /فر./ **September**
سِپر **shield;** [*mech.*] **bumper**
سپر انداختن to throw up the sponge
سپردن [بن مضارع: سپار، سپر] **to deposit; to (en)trust**
پول در بانک سپردن to deposit money with (*or* in) the bank
به‌ذهن‌سپردن to commit to memory
به خاک سپردن to bury
جان سپردن to give up the ghost
سپرده [اسم‌مفعول فعل سپردن] [*adj.*] **deposited;** [*n.*] **deposit**
سپرز [صورت‌اختصاری اسپرز]
سپرماهی **turbot; brill**
سِپری **elapsed; finished**
سپری شدن to expire
سپری [*zool.*] **scutellate, scutiform;** [*anat.*] **thyroid**
سپس **afterwards, then**
از این سپس hereafter
سپستان **sebestan**
سپلشت **"the three unlucky throws" in the game of knuckle-bones;** [*fig.*] **bad luck;** *-Note:* پلشت means "impure"
سپنج **three/ four** ***or*** **five, few;** [*fig.*] **transient**
سپوختن [کمیاب، بن‌مضارع: سپوز] **to pierce** ***or*** **thrust;** → سوراخ کردن
سپور /ت./ = رُفتگر
سپه [صورت‌اختصاری سپاه]
سپهبد **lieutenant-general**
سِپهر [ادبی] **sphere; world; sky**
سپهسالار [old title] **commander-in-chief**
سپید = سفید
سپیده‌دم **dawn**
ستا، ستای [بن‌مضارعِ ستودن]
سِتاد **army staff**
ستار [kind of cittern played with the nail of the index]
ستارگان [جمع ستاره]
ستاره [جمع: ستارگان] **star**
ستارهٔ بامداد morning-star, Venus
ستارهٔ دریایی star-fish, jelly
ستارهٔ دنباله‌دار comet
ستارهٔ زمین talc
ستارهٔ شام evening star, Hesperus
ستاره شمردن [ادبی] to count sheep
ستاره‌ای **star-shaped, stellar; astral**
گل ستاره‌ای cosmos
ستاره‌پرست **star-worshipper**
ستاره‌شناس = اخترشناس
سِتام **harness, trappings**
ستان [بن‌مضارعِ ستدن، ستاندن]
ستاندن = استدن
ستاننده **one who takes, receiver, recipient;** → گیرنده
ستایش **praise**

ستایش کردن to praise, to pay tribute to
قابل ستایش praiseworthy
سِتبر **thick; sturdy; coarse; big;** → کلفت
ستبرا **thickness**
ستبرپوست **pachydermatous**
ستدن [صورت اختصاری استدن] **to take**
سَتر [کمیاب] **covering**
سترعورت کردن to cover one's nakedness
سِتر /ع./ **veil, screen, covering;** [*fig.*] **modesty**
سِتردن [ادبی، بن مضارع: ستر] **to shave; to scrape; to erase;** → تراشیدن
سترده [اسم مفعول فعل ستردن]
سترگ [ادبی] **large; gross**
سترون **sterile**
سترون کردن to sterilize
سترونی **sterility**
سَتل **pail;** [*coal*] **hod**
یک ستل آب a pailful of water
سِتم **oppression**
ستم کردن بر to oppress, to do injustice to
ستمدیدگان [جمعِ ستمدیده] /ا./ **the oppressed**
ستمدیده /ص./ **oppressed, injured**
ستمکار = ستمگر
ستمگر [*adj.*] **oppressive, cruel;** [*n.*] **oppressor, tyrant**
ستمگری **oppression**
ستمی [کمیاب] **bill of lading;** → بارنامه
ستوان **lieutenant;** [*airforce*] **flight-lieutenant**
ستوانی **lieutenantship**
ستودن [بن مضارع: ستا(ی)] **to praise**
ستوده[1] **praiseworthy**
ستوده[2] [اسم مفعول فعل ستودن]
ستور **quadruped, especially horse**
ستون **pillar; column; army corps**
ستونِ بدهکار debit side
ستون پله [*mil.*] echelon
ستون فقرات spinal column
ستون یک Indian file
چهارستون بدن [عامیانه] the whole framework of the body, physical condition
ستون کردن to make a pillar of; to make stiff
ستون‌بندی **columniation;** [*mil.*] **arrangement in echelons**
ستونک [*zool.*] **columella**
ستونی /ص./ **pillar-shaped, columnar**
نمونهٔ ستونی galley-proof
ارقام را ستونی بخوانید. /ق./ Read the figure down.
ستوه **harassment**
به ستوه آوردن to harass, to put out of patience by harassment
سِتِه **berry**
ستیز[1] = ستیزه
ستیز[2] [بن مضارعِ ستیزیدن]
ستیزگر **quarrelsome; stubborn**
ستیزه، ستیز **quarrel, strife; anger; obstinacy**
ستیزه کردن = ستیزیدن
ستیزه‌جو **quarrelsome**
ستیزیدن [بن مضارع: ستیز] **to quarrel; to be angry; to use violence**
ستیغ **mountain ridge**
سجاده /ع./ **prayer-carpet**
سِجاف **false hem, border**
سجاف کردن to border
حرف شما به سجاف قبای او برخورد. [زبان لاتی] Your remarks have trodden on his corns.
سجایا [جمعِ سجیه]
سجده /ع./ **prostration, bowing down**
سجده کردن to bow down
سجع /ع./ **harmonious cadence; riming prose**
سجلّ /ع./ **register, record**
سِجن [کمیاب] /ع./ = زندان
سُجود /ع./ **prostration** (in prayer), **touching the ground with the forehead**
سجیه [جمع: سجایا] /ع./ (natural) **disposition** *or* **quality**
سحاب[1] /ع./ **nebula**
سحاب[2] /ع./ = ابر
سحابی /ع./ **nebular**
سحر /ع./ (time just before the) **dawn**
مرغ سحر bird of morn: nightingale *or* cock
سِحر /ع./ **magic, witchcraft**
سحر کردن to practise magic; *vt.* to fascinate
سحرآمیز /ع. فا./ **magical;** [*fig.*] **enchanting**
سحرخیز /ع. فا./ [*n.*] **early riser;** [*adj.*] **rising early**
سحرخیزی /ع. فا./ **early rising**
سحرگاه /ع. فا./ **dawn**
سحره [جمعِ ساحر]
سحری /ع. فا./ [*adj.*] **pertaining to the dawn; matutinal;** [*n.*] **food eaten before the dawn of a fasting day**
سخا(وت) /ع./ **generosity**
سخت [*adj.*] **hard, difficult;** [*fig.*] **severe; rigid; irresistible; violent;** [*adv.*] **hard; severely; violently; terribly; very**

سخت شدن to get hard, to harden; to be aggravated
سخت کردن to harden; to render difficult; to aggravate
سخت گرفتن to be severe *or* strict
سخت گرفتن بر to press hard upon
سخت نگیر! [عامیانه] Take it easy!
سخت‌پی **sinewy, strong**
سخت‌جان **die-hard; hard-hearted**
سخت‌دل **hard-hearted**
سخت‌دلی **cruelty**
سخت شامه **dura mater**
سخت‌گیر **severe, exacting, hard, difficult**
سخت‌گیری **severity, rigour, harsh treatment; exactingness**
سختی **difficulty; hardship**
سختی کشیدن to suffer hardship
سختیان **morocco leather**
سُخره[1] /ع./ **forced labour; requisition**
به سخره گرفتن to call in requisition, to impress
سُخره[2] /ع./ **derision; laughing-stock**
سُخریه /ع./ **derision**
سخط [کمیاب] /ع./ **discontent; anger**
سُخمه /ت./ **rapier**
سخمه زدن to thrust *or* stab (with a rapier)
سُخن **speech; word; remark**
سُخن راندن to deliver a speech
سخن گفتن to speak, to talk
که پیشتر از آن سخن رفت which was mentioned before

سخن‌پراکنی **broadcasting**
سخن‌چین **tale-bearer**
سخن‌چینی **tale-bearing**
سخن‌چینی کردن to tell tales
سخندان **eloquent**
سخندانی **eloquence, mastery of words**
سخنران **lecturer; orator**
سخنرانی **lecture**
سخنرانی کردن to give a lecture, to deliver a speech
سخن‌رسان **prompter**
سخنگو **spokesman**
سخنور [*adj.*] **eloquent;** [*n.*] **eloquent writer** *or* **speaker**
سخنوری **eloquence poetic gift**
سخی /ع./ **generous, liberal**
سخیف[1] /ع./ **weak**
سخیف[2]، سخیف‌العقل /ع./ **weak-minded**
سد، صد **one-hundred**
سَدّ /ع./ **dam, dike; barrier; bar**
سد رمق bare subsistence
سد بستن to construct a dam
سد کردن to obstruct, to block; to close
سدّ سکندر را شکستن to perform a Herculean task, [*lit.*] to break Alexander's barrier (which had been erected by him to stem the advance of the Gogs and Magogs)
سُداب **rue**
سداب کوهی = اسپند
سداب کهنه wall-rue
سداد /ع./ **obstruction in the nose**
سدبندی /ع. فا./ **construction a dam** *or* **dams, barrage**

سدر /ع./ = کنار **lotus**
سُدس /ع./ = یک ششم **sixth**
سدساله **hundred-year-old; centennial**
جشن سدساله centenary
سدلیس **seidlitz powder**
سدم **hundredth**
سدمی **the hundredth** (one)
سدمین **the hundredth**
سده **century**
سُدّه /ع./ [*med.*] **obstruction**
سدی چند **percentage**
سدید [کمیاب] = درست **right, just**
سر[1] **head; top; end, extremity; cover, lid;** [*fig.*] **intention**
سرِپا standing (on foot)
سر خُلق in good humour
سردست over the hand
سر راه on the way
سر ساعت at the exact time, on time
سر سواری (while) riding
سرِ بی‌گناه an innocent *or* guiltless person
سرِپا standing; [*fig.*] out and abroad
سرِ چشمه ← سرچشمه
سرِ شب the first part of the night
سر شب است. The night is young.
سر کار at work, on duty
سر میز at table
سر تا پا from head to foot; all over
سر تا پا غلط است. It is all wrong.
سر تا سرِ throughout: سرتاسر ایران ; all over, across
سر از پا نشناختن [ادبی] to be utterly confused

سرآمدن to expire; to excel, to attain perfection

سرباز زدن از [ادبی] to refuse to do, to recalcitrate at (*or* against)

سر بردن to ride (*or* run) as if one goes to fetch a midwife; [*o.s.*] to carry away the head of one who has been slain

سر به سر کسی گذاشتن to tease *or* annoy someone, to fool him, to be funny with him

سر بلند کردن to rise, to attain a (better) social position

سر به زمین گذاشتن to take one's last sleep, to drop (down) dead

سرِ بی‌شام به زمین گذاشتن to go without supper

سری توی سرها آوردن [عامیانه] to show up in society

سر بریدن to behead

سر پیچیدن از to disobey; to recalcitrate at (*or* against)

سرِ حال in good health (*or* spirits)

سرِ خلق in good spirits (*or* humour)

از سر خود، سر خود without permission; spontaneously

سرِ دست in labour; over the hand

سر خوردن to be disillusioned, to look back

سر دادن to free, to let go; to set afoot, to start: گریه سر دادن

سر درآوردن to make head *or* tail; to show up new courage

سر دواندن to put off, to put by

سرِ دو راهی گیر کردن to be in a dilemma

سر رفتن to boil over; to go over again

سر رسیدن to arrive unexpectedly; to come to maturity

سر زدن to be committed; to originate; to drop in

سر زدن به to call on; to run into, to amount to

سر به جهنم زدن [عامیانه] to come to a fabulous amount

سر کردن to wear (as a kerchief); to put up; to start

سر کشیدن to drink off, to quaff; to inspect

بچه‌ای را سر راه گذاشتن to expose a child

سر گرداندن to put off, to get rid of

سر گرفتن to be realized; to set in (as rain)

سرِ کسی را گرم کردن to amuse *or* beguile someone

سر قول خود ایستادن to abide by one's word

سر و ته چیزی را به هم آوردن to finish hastily, to bungle

از سر و ته یک کرباس of the same leaven

سر و صورت دادن to settle; to put into shape

سر وعده پرداختن to meet at maturity

سر هم دادن to patch up, to bungle

از سر from the beginning; over again

از سرِ from, by way of

از سر باز کردن to rid oneself of; to bungle

از سرچیزی گذشتن to abandon something; to dispense with something

دست از سر کسی برداشتن to leave one alone, to cease annoying him

از سر گرفتن to resume, to start again

باسر head first

به سر آمدن to expire

چه به سرش آمد؟ What happened to him?

به سرم آمده است I have had the experience

به سر درآمدن [ادبی] to fall headlong

به سر بردن to pass, to spend; to live, to get along; [*lit.*] to complete; [*rare*] to succeed

سرش به کلاهش می‌ارزد. He carries much weight. He is influential. [*o.s.*] His head is worth his hat.

سرش نمی‌شود [عامیانه] he does not know it

محبت سرش نمی‌شود. He is blind to kindness.

چه در سر دارید؟ ***What are you intending to do?***

سر[2] [جمع: سران] **chief**

سِر [عامیانه] **insensible**

سِر کردن to anaesthetize locally

سُر **slide**

سر خوردن to slide *or* glide

سِرّ [جمع: اسرار] /ع./ = راز **secret, mystery**

سَرا، سرای **house; inn; commercial warehouse**

سُرا، سُرای [بن مضارعِ سُرائیدن]

سِرّاً /ع./ **secretly**

سراب **mirage**

سراپا **all over**

سراپا گوش بودن to be all ears

سراپرده [ادبی] (curtain at the door of a) **royal court; harem; tent; enclosure**

سِراج /ع./ = چراغ

سَرّاج /ع./ = زین ساز

سراجه /ع./ **farcy**

سَرّاجی /ع. فا./ = زین‌سازی

سراچه [*lit.*] **small house** ***or*** **palace; ventricle of the heart**

سرادق /ع. فا./ = سراپرده

سرازیر **sloping, downhill**

سرازیر شدن to slope, to slant; to be turned upside down; to come ***or*** fall down

کار(م) سرازیر شد. I broke the neck of the task. It is nearing completion.

سرازیر کردن to turn upside down; to cause to spill

سرازیری **declivity, slope, downhill**

سرآستین **cuff, wrist-band**

سراسر [*adv.*] **all over, throughout; everywhere;** [*adj.*] **quits**

سراسیمگی **confusion; amazement**

سراسیمه [*adj.*] **confused; amazed;** [*adv.*] **headlong**

سرآشپز **head-cook, chef**

سراشیب [*adj.*] **sloping;** [*n.*] **slope, declivity**

سُراغ /ت./ **clue, track; sign**

سراغ داشتن to know of

سراغ کردن to trace, to locate

از کسی سراغ گرفتن to inquire someone

سراغ کسی را گرفتن to inquire about someone

سرآغاز [ادبی] **exordium, proem, preamble**

سرافراز **honoured**

سرافراز شدن to be honoured

سرافراز کردن to honour, to exalt

سرافرازی **honour, credit**

سرافکندگی **shame**

سرافکنده **ashamed**

سرافیل = اسرافیل

سرافین /ع. عب./ **Seraphim**

سرآمد **eminent; perfect**

سرانجام [*n.*] **conclusion, end;** [*adv.*] **in the long run**

سرانداز **head-carpet**

سُراندن **to cause to slide;** [*fig.*] **to foist**

سراندیب **ceylon**

سرانگشت **finger-tip**

سرانه [*n.*] **share; head-money; something given to boot;** [*adv.*] **per head**

سرای ⟵ سرا

سرایت /ع./ **contagion, transmission**

سرایت کردن to be communicated by contagion

سرایدار **custodian, caretaker**

سرایداری **custodianship**

سرائر [جمع سریره]

سرایش، سرایندگی **singing**

سراینده [جمع:سرایندگان] **singer**

سراییدن [بن مضارع: سرای] **to sing**

سُرب **lead**

سرب طبیعی، سرب معدنی galena

سرب مدادی graphite, plumbago, black lead

سربار(ی) **small load on top of a heavier one**

سرباز **soldier;** [*c.p.*] **jack**

سرباز پیاده infantry-man

سرباز وظیفه conscript

سرباز گرفتن to recruit for the army

سرباز = باز، روباز

سربازخانه **barrack**

سربازگیری **conscription, recruitment**

سربازی **military service, soldiering**

سربازی کردن to serve in the army

سربالا **ascending, uphill**

جواب سربالا دادن to give an irrelevant ***or*** vague answer

سربالایی **uphill, acclivity**

سربرگ [*c.p.*] **elder hand**

سربرهنه **bare-headed**

سربریده **beheaded**

سربسته [*adj.*] **closed; water-tight; air-tight;** [*fig.*] **secret; general;** [*adv.*] **generally**

سر بطری **stopper, cork**

سربطری پهن، سربطری آبجویی cork-screw

سُرب‌کار [کمیاب] **artisan working in lead; plumber**

سربگم **with an untraceable end, tangled;** [*fig.*] **intricate; at a loss to understand, fogged**

سربلند **honoured; proud**

سربلندی **honour; pride**

سربند [کمیاب] **head-band, fillet**

سربهر **captain** (in the Police)

سربه‌تو **sly**(ly silent), **insidious**

سربه‌راه [عامیانه] **manageable, tractable, humble**

سربه‌زیر **humble, tractable**

سربه‌سر [*adv.*] **throughout, all over;** [*adj.*] **quits;**⟶ سراسر

سربه‌مهر **sealed, closed up tightly**

سربه‌نیست کردن [عامیانه] **to take on a one-way ride**

سربه‌هوا giddy; careless
سربی leaden; lead-blue, livid
سرپاس brigadier-general (in the Police)
سرپاسبان sergeant in the police
سرپایی intended for indoor wear; [visit] flying
کفش سرپایی slipper
بیماران سرپایی outpatients
سرپُر muzzle-loading
تفنگ سرپُر muzzle-loader
سرپرست supervisor, guardian, person in charge; [law] administrator
سرپرستی guardianship, protection, supervision
ادارهٔ سرپرستی the Administration
سرپزشک chief medical officer
سرپستانک nipple
سرپنجه hand or palm; claws; [fig.] the mailed fist, might
سرپوش dish-cover; lid; cap; valve
سرپوش‌چاک‌صوت epiglottis
سرپوش معده pylorus, pyloric valve
سرّپوش /ع. فا./ = سرّ نگهدار
سرپوشیده [n.] porch, covered passage; [adj.] covered; lidded
نهر سر پوشیده culvert
سرپیچ burner (of a lamp); bung (of a cask); socket
سرپیچی disobedience
سرپیچی کردن to turn away
سرپیشاهنگ district commissioner, provincial scout executive
سرتاسر ← سر

سرتاسری extended from one end to the other end
راه‌آهن سرتاسری ایران the Trans-Iranian Railway
سرتراش barber; ← سلمانی
سرتراشی barbery
سِرتِق [زبان لاتی] obstinate; unreasonable
سرتیپ brigadier-general
سرتیر end of a beam (resting on a girder)
سرتیز[1] /ص./ sharp-pointed
سرتیز[2] [کمیاب] /ا./ = خار
سرجُنبان [عامیانه] influential
سرجوش froth; scum; cream
سرجوخه [mil.] corporal
سرچپق /ت./ bowl of a pipe
سرچسب clasp
سرچشمه source, fountain-head
سرچشمه گرفتن از to originate in, to take its rise in
سرچین picked, choice
سرچین کردن to pick out, to select
سرحان /ع./ [astr.] lupus
سرحدّ [جمع: سرحدات] /فا. ع./ = مرز frontier; [fig.] limit
تا سر حدِ امکان as far as possible
سرحدی /فا. ع./ = مرزی
سر حکم /فا. ع./ = سرداور
سرحلقه /فا. ع./ ringleader
سرخ red; redhot
خاک سرخ ferrous oxide
گل سرخ red rose
سرخ شدن to turn red; to be roasted; to blush or flush
سرخ کردن to redden; to (roast) brown; to fry
سُرخاب[1] rouge, paint
سُرخاب[2] [zool.] barnacle

سرخالی /فا.ع./ light-weight, underweight
سرخ تیره roan (horse)
سرخجه، سرخک measles
سرخجه کاذب roseola, rose-rash
سرخدار yew
سرِخر bore; gooseberry
یک سرخر هم کم a good riddance
سُرخرگ artery
سَرَخس fern
سرخ سرک redbreast
سرخک = سرخجه؛ ساس
سرخ‌کرده browned; roasted
سرخ ماهی gurnard, gurnet
سرخ‌نای oesophagus
سرخور posthumous (child)
سرخوردگی disillusionment
سرخوش slightly intoxicated, on the spree; gay
سُرخون dark grey (horse)
سرخی redness; rouge
سرخیل [کمیاب] /فا.ع./ commander of a troop
سرد cold
آه سرد bitter sigh
سردم هست. *I feel cold.*
سرد شدن to get cold; [fig.] to be disillusioned
سرد کردن to refrigerate, to cool; [fig.] to discourage
هوا سرد کرده است. *It is* (getting) *cold.*
دل کسی را سرد کردن to discourage someone
سرد و گرم روزگار vicissitudes of fortune
سرداب cellar; crypt
سردابه cellar; crypt; catacombs
سردار [old title] commander of an army

سرداری [old-fashioned frock pleated round the waist]

سرداوَر umpire

سردبیر editor-in-chief; head clerk; [*embassy*] chancellor

سردخانه refrigerating room, cooler; cold stores

سردر facade, front; portal

سردرپیش [ادبی] = شرمنده

سردرد headache

سردرگم at a loss to understand; → سربگم

سردست cuff, wrist-band

سردسته head of a gang; [*football*] captain

سردستی [*adv.*] hastily, cursorily, carelessly; [*adj.*] cursory

سردسیر cold (region)

سردفتر notary public

سردماغ[1] [عامیانه] in good humour

سردماغ[2] [عامیانه] = سرخوش

سردوزی = پاک‌دوزی

سردوشی shoulder-strap

سردی coldness; refrigerant (food *or* drink); [*fig.*] disaffection

سرراست straightforward; round (as a sum)

سرِ راهی[1] /ص./ exposed (as a child)

بچهٔ سرِ راهی foundling

سرِ راهی[2] /ا./ present offered to a person going on a journey

سررسید expiry; due date

سررسید پرداخت آن قبض فردا است. The bill will mature tomorrow.

سررشته skill; clue, track

سر رشتهٔ کار را گم کردن to be on the wrong track

سررشته‌دار Quarter-Master-General, Chief of the Army Supply Department

سررشته‌داری commissariat

سرزده intruding(ly)

سرزده آمدن to intrude, to come in unexpectedly

سرزمین country, territory

سرزنده lively, vivaceous

سرزنش reproach

سرزنش کردن to reproach *or* taunt

سرژ /فر./ serge

سرسام delirium

سرسام‌آور delirious; [*fig.*] dazzling, stupendous, astronomical: ارقام سرسام‌آور

سرسبز prosperous

سرسپردگی devotion

سرسپرده [*adj.*] devoted; [*n.*] devotee

سرستون capital of a column

سرسخت headstrong, obstinate

سرسختی obstinacy

سرسرا hall, entrance room

سُرسُره slide; slip(way), shipway

سرسره‌بازی skating; skiing

سَرسَری perfunctorily

سرسکه /فا.ع./ die

سرسلامتی /فا.ع./ condolence

به کسی سرسلامتی گفتن to offer one's condolences to someone

سرسلسله /فا.ع./ progenitor of a dynasty

سرسنگین in an angry mood

سرسیاه و دندان‌سفید [عامیانه] raw head and bloody bones; [*lit.*] he who has a black head and white teeth

سرسیلندر /فا.فر./ cylinder-head

سرسینه cephalothorax

سرشاخه trimmings of a tree, lops, browse

سرشار [ادبی] overfilled; [*fig.*] overflowing; enormous

سرشت mould, nature

سرشتن [بن‌مضارع: سریش] to knead, to mix, to mould; to form

سرشته [اسم‌مفعول فعل سرشتن]

سرشک [ادبی] = اشک

سرشکستگی disgrace

سرشکسته disgraced, ashamed

سرشکن کردن to distribute pro rata, to prorate

سرشماری census

سرشماری کردن to take census

مالیات سرشماری capitation *or* poll-tax

سرشناس well-known

سرشیپورچی /فا.ت./ trumpet major

سرشوی، سرشور [عامیانه]

گِل سرشوی (kind of clay consisting principally of) montmorillonite

سرشیر cream

سرصفحه /فا.ع./ title-page; headline

سرطاس scoop

سرطان /ع./ cancer; [old name of تیر] the fourth month of the solar year

سرطان جلدی cancroid

سرطان جوف دهان noma

سرطان خایه sarcocele

سرطانی /ع./ cancerous, cancroid; suffering from cancer

ورم سرطانی scirrhus

تولید سرطان کردن to cancerate
سرطویله /فا.ع./ **platform in a stable where the groom reposes**
سُرعت /ع./ **speed; velocity**
سُرعت داشتن to exceed the speed limit
سرعت انتقال quickness of apprehension
سرعت انزال ← انزال
سرعت نبض frequent pulse
سرعت گرفتن to drive fast(er), to step on the gas
به سرعت rapidly, quickly; at once
سرعت‌پیما، سرعت‌سنج /ع.فا./ **speedometer, tachometer;** [*ship*] **log**
سرعمله /فا.ع./ **working foreman**
سرفراز = سرافراز
سرفرمانده **commander-in-chief**
سرفتیل /فا. ر./ **valve-cap**
سرفصل /فا.ع./ **headline, title**
سرفواره /فا.ع./ **a(d)jutage**
سُرفه **cough(ing)**
سُرفه کردن to cough
سرفیدن **to cough;** ← سلفیدن
سرقت /ع./ = دزدی **theft**
سرقت ادبی = انتحال
سرقت کردن to commit theft, to steal
به سرقت بردن = دزدیدن to steal
به سرقت رفتن to be stolen
سرقفلی /فا.ع./ **key-money, goodwill**
سر قلم /فا.ع./ **pen nib**
سرک[1] **furtive look, peep**
سرک کشیدن to peep, to look furtively

سرک[2] **excess, surplus**
سرکاپ /فا. ان./ **hub-cap**
سرکار **overseer;** [title used in addressing military ranks up to colonel inclusive and almost equivalent to] **esquire;** [*p.c.*] **you**
بنده و سرکار you and I
سرکار عالی Your Honour, Your Excellency
سرکارگر **head workman, foreman, tindal;** ← سرعمله
سرکاغذ **letter-head**
سرکتاب /فا.ع./ **"the top of a book *or* Bible"** (regarded as the proper place to touch in bibliomancy)
سرکتاب باز کردن to practise Bible, to divine by means of a book
سرکج **(in)curved**
سرکردگی **command, leadership, generalship**
سرکرده **commander, leader, head**
سرکش **refractory; unruly**
سرکشی[1] **refractoriness; mutiny**
سرکشی کردن to rebel
سرکشی[2] **inspection, visit**
سرکشی کردن to inspect *or* visit
سرکلانتری **central police station**
سرکنجبین ← سرکنگبین
سرکنسول /فا. فر./ **consul general**
سرکنسولگری /فا. فر./ **consulate-general**
سرکنگبین، سرکنجبین، سکنجبین [از سرکه "vinegar" و انگبین "honey"] **oxymel**
سرکوبی **suppression;** (severe) **punishment**

سرکوبی کردن to punish; to suppress, to crush
سرکوفت **taunt, bitter reproach**
سرکوفت دادن to taunt
سِرکه **vinegar**
بچهٔ سرکه vinegar-plant
سرکه انداختن، سرکه ریختن to manufacture vinegar
جوهر سرکه acetic acid
نمکِ جوهر سرکه acetate
سرکه با [کمیاب] [pottage made with vinegar]
سرکه‌شیره **mixture of vinegar and syrup, oxysaccharum**
سرکیسه کردن، سر و کیسه کردن [عامیانه] **to fleece** (of one's money)
سرگذشت **adventures; incidents; narrative**
سرگران = سرسنگین؛ سرخوش
سرگرد [*mil.*] **major**
سرگردان **wandering, errant; at a loose end**
سرگردان شدن to wander; to go vagrant
سرگردان کردن to cause to wander; to perplex
سرگردانی **vagrancy; perplexity; distress; suspense**
سرگرم **amused; intent; busy**
سرگرم خواندن است. *He is busy singing.*
سرگرم کردن to amuse
سرگرمی **amusement, pastime, diversion**
سرگشاده **open:** نامهٔ سرگشاده
سرگشتگی **bewilderment**
سرگشته **bewildered**
سرگل **pick, choice part**
سرگوشی، دِرگوشی **whisper**

سرگوشی حرف زدن to whisper in one's ear
سرگیجه **vertigo**
سرگین **dung, droppings**
سرگین‌خور **coprophagous**
سرگین غلتان **scarab**
سرلشکر **major-general**
سرلوحه /فا. ع./ **epigraph; title-page, frontispiece; vignette**
سرلوله **nozzle**
سرم /فر./ **serum**
سرما **cold** (weather)
سرما خوردن to catch cold
سرماخشکه **black frost**
سرماخوردگی **chill(iness), fit of cold**
من سرماخوردگی دارم. *I have caught cold.*
سرماریزه **hoar-frost**
سرمازدگی **frost-bite; chilblain**
سرمازده **frost-bitten, nipped by cold**
سرمایه **capital**
سرمایه پرداخته شده paid-in capital
سرمایه گذاشتن to invest one's capital
سرمایه‌دار **capitalist**
سرمایه‌داری **capitalism**
سرمته **drill-bit, drill-chuck**
سرمد /ع./ **perpetual**
سرمدی /ع./ **eternal**
سرمست[1] **gay**
سرمست[2] = مست
سرمشق /فا. ع./ **copy** (slip); **example**
سرمشق شدن to serve as an example
سرمشق گذاشتن to set an example
سرمشق گرفتن to take example

سرمقاله /فا. ع./ **leading article, leader, editorial**
سرمنزل /فا. ع./ (last) **halting place;** [*fig.*] **destination, goal**
سُرمه **collyrium**
سنگ سرمه (crude) antimony
سِرمه /ت./ **wire-ribbon, purl**
سُرمه‌ای **dark-blue**
سرمهندس /فا. ع./ **engineer-in-chief, chief engineer**
سُرنا [kind of oboe]
سرنا را از ته گشاد(ش) زدن to put the cart before the horse; to get hold of the wrong end of the stick
سرناچی /فا. ت./، سرنازن **oboist;** *L.* **piper**
سرناوی **navy corporal**
سُرنج **red lead, minium**
سَرند **riddle, screen**
سرند کردن to riddle *or* screen
سرنشین[1] **member of crew** (in an aeroplane)
سرنشین[2] *C.E.* **passenger of a plane**
سرنگون **head downward, inverted down**
سرنگون شدن to be turned upside down
سرنگون کردن to turn upside down
گُل سرنگون crown imperial
سِرّنگهدار /ع. فا./ **faithful to a secret**
سرنوشت **predestination, fate**
سرنی [*hookah*] **mouthpiece**
سرنیزه **bayonet**
حکومت سرنیزه sword-law
به زور سرنیزه at the bayonet-point, by military force
سَروْ **cypress**

سرو آزاد cedar (of Lebanon)
سرو کوهی juniper
سُرو [*zool.*] **antenna**
سرواد [کمیاب] **verse; song**
سروان [*mil.*] **captain**
سروته، سرته **upside down, the wrong way;** ← سر
سرود **song; hymn**
سرود ملی national anthem
سرودن [بن مضارع: سرای] **to sing; to compose** *or* **recite;** ← خواندن
سَرور [ادبی] **master; chief; leader**
سُرور /ع./ **joy, mirth**
سرورآمیز /ع. فا./ **joyful, glad**
سر و سامان ← سامان
سروستان **cypress-grove**
سُروش [ادبی] **messenger-angel; inspiration; glad tidings**
سر و صدا **noise; fuss; hue and cry**
سر و صدای آن را در نیاورید! Hush it up!
سروْقامت، سروْقد [ادبی] /فا. ع./ **of a stature like cypress, of an elegant figure**
سر و کار **dealing; intercourse; liaison; concern**
سر و کله زدن [عامیانه] **to tire out oneself** (as in explanations *or* arguments), **to talk one's head off**
سر و گوش آب‌دادن [عامیانه] **to nose about (*or* around), to smell round, to hang about, to nose out a secret**
سُرومُروگنده [زبان لاتی] **bursting with health, in rude health, in full bloom**

سُرون [*zool.*] **antenna**
سرونک **antennule**
سر و همسر [عامیانه] **equals, fellowmen;** ← همسر
سرویس /فر./
service ; سرویس چای‌خوری **set:**
سرویس کردن to service (as a motor car)
سَره **pure, unmixed**
سُرّه [کمیاب] /ع./ = ناف
سرهم‌بندی کردن [عامیانه]
to botch, to bungle, to nail up, to tinker, to knock together
سرهنگ **colonel;** ← هنگ
سرهنگ دوم **lieutenant-colonel**
سِری /فر./ **set, series;** ← دست، دسته، رشته
سِرّی /ع./ **mysterious**
سِریانی /ع./ **Syriac**
سریدن [بن‌مضارع: سُر]
to slide *or* glide
سریر /ع./ = تخت **throne**
سریره [کمیاب، جمع: سرائر] /ع./ = راز **mystery, secret**
سریش **glue, paste**
بوتهٔ سریش asphodel
سریشم **(fish-)glue, isinglass**
سریشم پنبه collodion
سریشمی **glue-like, viscous**
سرطان سریشمی colloid cancer
مشمع سریشمی court-plaster, sticking plaster
سریع /ع./ **rapid, quick** ← تند
سریعاً /ع./ **quickly, very soon, promptly**
سریع‌الاثر /ع./
(very) **efficacious**
سریع‌الانتقال /ع./
of quick apprehension
سریع‌الزوال /ع./ = زودگذر

سریع‌السیر /ع./ **express, swift**
سریع‌الهضم /ع./ = زود گوار
easily digested
سُرین **buttocks;** [*anat.*] **ilium**
سِزا **retribution**
سزا دادن to remunerate ***or*** punish duly
به سزا just, well-deserved, condign
به سزا رساندن to punish duly
به سزا رسیدن to receive one's condign punishment
سزاوار **deserving; just, right**
سزاوار سرزنش است. ***He deserves to be reprimanded.***
سزیدن [بن‌مضارع: سز]
to merit, to deserve; to be due; [*rare*] **to suit**
سُست [*adj.*] **feeble, weak, frail; languid; slack; flabby;** [*adv.*] **slowly; languidly**
سست شدن to grow feeble ***or*** weak; to droop, to flag
سست کردن to slacken; to relax; to weaken
سست‌اراده /فا. ع./
infirm of purpose
سست‌بنیاد **unstable**
سست‌پی **of weak nerves; lacking a strong foundation**
سست‌پیمان **unfaithful to one's promise**
سست‌پیمانی **unfaithfulness to one's promise**
سست‌رأی /فا.ع./ **weak-minded**
سست‌رغبت [ادبی] /فا. ع./
of blunted passions
سست‌رگ **of weak nerves; impotent; dastardly**
سست‌عنصر /فا. ع./ **void of energy; unprincipled**

سست‌کمر **impotent**
سست‌مهر **of a lukewarm affection**
سست‌مهری **lukewarm affection**
سست‌نهاد **weak-natured**
سستی **frailty; weakness; remissness; slackness**
سستی کمر impotence
سستی کردن to act sluggishly; to be lazy
سِسک **garden warbler**
سسکِ حرامزاده pipit
سطبر = ستبر
سطح [جمع: سطوح] /ع./
surface; level
سطح مستوی plane surface
سطح‌پیما /ع. فا./ **planimeter**
سطحه /ع./ = عرشه
سطحی /ع. فا./ **superficial;** [*anat.*] **sublime**
سطر [جمع: سطور] /ع./ **line**
سطرآرا /ع. فا./ **rule(r)**
سطربندی /ع. فا./
adjustment of lines
سطل [صورت عربیِ ستل]
سطوَت [ادبی] /ع./ **apalling presence; reverence; attack; power**
سطوح [جمعِ سطح]
سطور [جمعِ سطر]
سعادت /ع./ = خوشبختی
happiness, prosperity
سعادتمند /ع. فا./ **happy, prosperous**
سعایت /ع./ = بدگویی
سعتر [کمیاب] /ع./ = اُویشن
سَعد [اسم‌خاص] /ع./
good influence of the stars; [*adj.*] **lucky:** اختر سعد
سعد اصغر the lesser lucky star, *i.e.* Venus
سعد اکبر the greater lucky star, *i.e.* Jupiter

سُعد، سعدکوفی /ع./ **sedge, galingale**

سعدین [تثنیهٔ سعد] /ع./ **the two lucky stars, *i.e.* Jupiter and Venus**

سِعر [جمع: اسعار] /ع./ = نرخ، بها

سعفه /ع./ **frond; [*med.*] ulcer on the head**

سعفهٔ رطبه = زرد زخم

سعفهٔ شهدیه favus, honeycomb scall

سعفهٔ مخاطیه = کچلی

سعفهٔ نخالیه = شوره سر pityriasis capitis

سعوط[1] [کمیاب] /ع./ = انفیه **snuff**

سعوط[2] /ع./ **sternutatory**

سعه، سعت /ع./ **amplitude, extent; open space; [*fig.*] easy circumstances; liberty**

سعهٔ صدر broad-mindedness

سعی /ع./ **endeavour; exertion**

سعی کردن to endeavour, to try

سعی بازو manual labour

سعید[1] /ص. ع./ **happy, prosperous; lucky**

سعید[2] [اسم‌خاص] /ا. ع./

سفارت /ع./ **legation**

سفارتِ کبری embassy: سفارت کبرای ترکیه

سِفارش **recommendation; enjoinment; order**

سفارش کردن to recommend

سفارش کردن به to enjoin, to charge

سفارش دادن to order, to place an order for

سفارش‌نامه **letter of recommendation; (written) order**

سفارشی **made to order, bespoke; [*clothes*] tailor made, made-to-measure, custom** [U.S.]; **registered:** نامهٔ سفارشی

سفارشی دوقبضه registered with returned receipt, registered with receipt attached

سفاک /ع./ = خونریز

سفاکی /ع. فا./ = خونریزی

سِفال **earthenware**

سفال، سفال شکسته potsherd

سفالگر(ی) **potter(y)**

سفالی، سفالین **earthen**

ظروف سفالی، سفالینه earthenware

سفاهت /ع./ **foolishness; impudence**

سفاهت کردن to act foolishly

سفائن [جمعِ سفینه]

سِفت [*adj.*] **tight, tense; stiff; hard; [*adv.*] tightly; firmly, rigidly; violently**

تخم‌مرغ سفت hard-boiled eggs

سفت شدن to become hard ***or*** stiff; to tighten; to coagulate; to set, to harden

سفت کردن to harden; to make tight; to render tough; to thicken

سفت‌کن و شل‌کن درآوردن [زبان لاتی] to play fast and loose, to veer and haul; [*o.s.*] to repeat saying "loosen and tighten"

سفت‌بافت **of a close texture**

سفت‌کاری **framework** (of a building under construction)

سفتن [ادبی، بن‌مضارع: سنب] **to pierce, to bore**

سُفته **bored, pierced**

سَفته **promissory note, draft**

سفته‌بازی **speculation, stockjobbery, gambling, agiotage**

سِفتی **hardness; tightness; stiffness; toughness; solidity**

سَفر /ع./ **travel(ling); journey**

سفر دریا voyage

سفر دیگر next time

در سفر و حضر at home and abroad

سفر کردن to travel, to go on a journey

سِفر [ادبی، جمع: اسفار] /ع./ **book, volume**

سفراء [جمعِ سفیر]

سفرکرده /ع. فا./ **travelled; experienced by travelling**

سفرنامه /ع. فا./ **itinerary, diary**

سفرنگ [کمیاب] = تفسیر **commentary**

سفره /ع./ **table-cloth, -linen; (dinner-)table, food, mess**

سرسفره at table-cloth

شکم کسی را سفره کردن [عامیانه] to disembowel ***or*** rip up the belly of a person

سفره‌خانه /ع. فا./ **dining-room**

سفره‌ماهی /ع. فا./ **sole**

سفری[1] /ص. ع. فا./ **suitable for use on a journey**

چمدان سفری travelling suitcase

سفری[2] /ا. ع. فا./ **expected baby**

سفسطه /ع. ی./ **sophistry, fallacy**

سفسطه آمیز /ع. فا./ **fallacious, sophistical**

سفلگی /ع. فا./ **meanness;** → پستی

سفله /ع./ **mean** (person)

سُفلیٰ [مؤنثِ اسفل] /ع./

سِفلی /ع./ **low, inferior**

سفلیس /فر./ **syphilis**

سفلیسی /فر. فا./ **syphilitic**

سفورجنه **viper's-grass**

سفها [جمعِ سفیه]

سفید [*adj.*] **white; blank; fair;** [*n.,mus.*] **minim**

سفید شدن to turn white *or* grey

سفید کردن to whiten; to plaster with "gatch"; to tin (as copper vessels)

سفید گذاشتن to leave blank

آهن سفید galvanized iron

گِل سفید whiting, chalk

ماهی سفید whiting *or* whitefish

سفیداب **white powder, ceruse**

سفیداب سرب ceruse

سفیداب شیخ flake white

سفیدار، سپیدار **white poplar**

سفیدبخت = خوشبخت

سفیدپوست **belonging to the White Race**

سفیدچشم [ادبی] **impudent**

سفیدک **powdery mildew, oidiomycosis; whitish stains on a garment caused by perspiration**

سفیدکاری **gatch-plastering**

سفیدکاری کردن to plaster with gatch

سفیدگر **whitesmith**

سفیدگری **whitesmith's trade**

سفیده **albumen, white of the egg; dawn**

سفیده دمید. The dawn (has) appeared.

سفیدی **white(ness); blank space**

سفیر [جمع: سفراء] /ع./ **ambassador**

سفیرکبیر [جمع: سفراء کبار]

سفیل[1] /ع./، سفیل و سرگردان [*infml.*] **at a loss what to do**

سفیل[2] [کمیاب] /ع./ = پست

سفینه [جمع: سفائن] /ع./ = کشتی **ship**

سفیه [جمع: سفهاء] /ع./ **silly** (person)

سفیهانه /ع. فا./ **foolish(ly)**

سقّ [عامیانه] [short for (سقف (دهان]

سقا /ع./ **water-carrier**

مرغ سقا pelican

سقاخانه /ع. فا./ **drinking fountain**

سقایت [ادبی] /ع./ **giving to drink**

سقائک /ع. فا./ = دم جنبانک

سقر /ع./ **hell(-fire)**

سقراط /ع. ی./ **Socrates**

سقراطی /ع./ **Socratic**

سقز **Persian turpentine**

درخت سقز terebinth

سَقَط /ع./ **brick-bat, rubble**

سَقَط شدن[1] to founder (as a horse)

سَقَط شدن[2] [زبان لاتی] [*sl.*] to drop down (*or* stop) dead, to break one's neck

سقط گفتن to use bad *or* opprobrious language

سِقْط /ع./، سقط جنین **cast off foetus; abortion**

سِقط کردن to miscarry

سقط آور /ع. فا./ **abortifacient**

سَقَط فروش /ع. فا./ **wholesale dealer** (of groceries)

سقف [جمع: سقوف، کمیاب] /ع./ **ceiling; roof**

سقف دهان roof of the mouth, palate

سقف زدن to roof, to cover with a roof

سقلابی /ت. فا./ **Slavonic, Slavonian**

سقلمه /ت./ **blow with the fist into a person's side**

سُقم[1] /ع./ **untruth**

سُقم[2] /ع./ = ناخوشی

سقنقور /ع. ی./ **skink**

سقوط /ع./ **fall(ing)**

سقوط جفن ptosis

سقوط رحم prolapsus (*or* prolapse) of the uterus, hysteroptosis

سقوطِ هواپیما air crash

سقوط کردن = افتادن to fall; to crash

سقیم[1] /ع./ **untrue**

سقیم[2] /ع./ = ناخوش

سُک **goad, prod**

سک زدن to goad

سکان /ع./ **rudder**

چرخ سکان، فرمان سکان helm, steering-wheel

سکان‌دار /ع. فا./ **helmsman, steersman**

سکته /ع./ **stoppage; pause in a verse;** [*med.*] **apoplexy**

سکتهٔ قلبی heart-failure

سکتهٔ کامل foudroyant apoplexy

سکتهٔ ناقص paralysis, partial apoplexy

سکته کردن to fall into a fit of apoplexy; to have a heart-failure

سکته‌دار /ع. فا./ **lame** *or* **limping** (as a verse)

سُکر /ع./ = مستی

سکرات [جمعِ سکره، کمیاب] /ع./ pangs, throes, agony
سُکرآور /ع. فا./ intoxicating
سکسکه hiccup
سکسکه کردن to hiccup
سَکنات [جمعِ سکنه، کمیاب] /ع./ pauses, [*rare*] inactivities
حرکات و سکنات what one does and what he does not do
سکنجبین، سرکنگبین oxymel
سکنجبینی subacid
سکندری stumbling
سکندری خوردن to stumble *or* trip
سکنه [جمعِ ساکن] /ع./ inhabitants, residents, dwellers
سُکنیٰ /ع./ abode, residence
سکنی گرفتن to dwell, to reside
سَکو platform
سکوِ تلمبه pump-island
سکوِ توپ emplacement
سکوِ مجسمه entablement
سُکوت /ع./ silence; pause; [*mus.*] rest
سکوت موجب رضا است. Silence gives consent.
سکوت کردن to remain silent
سُکون /ع./ calm; repose; tranquillity; [*gram., rare*] quiescence
سکونت /ع./ residence, habitation
سکونت کردن to dwell, to live
قابل سکونت habitable
سکه /ع./ coin; stamp; [*fig.*] lustre; currency
سکه خوردن to receive the stamp of a die, to be coined
سکه زدن to coin, to mint
سکه‌ای /ع. فا./ [*rare*] coin-like; [*rare*] numismatic

تف سکه‌ای nummular sputa
سکه برو [عامیانه] /ع. فا./ tin, *i.e.* money
سکه‌شناس /ع. فا./ numismatist; [*fig.*] mammonist
سکینه [اسم خاص] /ع./
سگ dog
سگ آبی beaver
سگ تازی greyhound
سگ گله sheep-dog
سگ ماده bitch
سگ زدن [عامیانه] to loaf, to idle away one's time
سگِ کیست؟ How dare he?
سگال[1] [کمیاب] thought; word
سگال[2] [بن‌مضارعِ سگالیدن]
سگاله [از فر. seigle] spurred rye
سگالیدن [کمیاب، بن‌مضارع: سگال] to think; to wish; to speak
سگ‌انگور [کمیاب] = تاجریزی nightshade
سگبینج /ع. فا./ sagapenum
سگ‌توله pup
سگ‌جان used to drudgery, plodding, indefatigable
سگ‌خور [زبان لاتی] spoiled, wasted
سگ‌دست stub-axle, steering-knuckle; console, prop; cantilever
سگک clasp, small buckle
سگ‌کش کردن [عامیانه] to kill cruelly (like a dog)
سگ‌ماهی sturgeon; *C.E.* seal
تخم سگ‌ماهی caviar(e)
سگی doggishness
سِلّ /ع./ tuberculosis
سلاح /ع./ [جمع: اسلحه] armour, arms; ⟶

سلاح(بر)دار [کمیاب] /ع. فا./ armour-bearer
سلاخ /ع./ slaughterer, flayer
سلاخ‌خانه /ع. فا./ = کشتارگاه
سلاخی /ع. فا./ slaughtering, (of animals) butchery
سلاست /ع./ smoothness (of style), ease, fluency
سلاسل [جمعِ سلسله]
سلاطین [جمعِ سلطان]
سلاله /ع./ progeny; [*fig.*] essence
سلام /ع./ greeting, salutation; regards; [*o.s.*] peace; ⟶ سلام‌علیکم
سلام عام public levee
توپ سلام [*mil.*] salute
سلام دادن to greet, to salute
سلام کردن (به) to greet
سلام گرفتن to take the salution
سلام نشستن to hold a levee
جواب سلام دادن to return a greeting
سلامت /ع./ (good) health; safety, security; [*adj.*] healthy
سلامت عقل sound mind
سلامت‌نفس simple-heartedness; peaceableness, [*rare*] good health
به سلامت (response to good-bye) good-bye; good luck to you!
سلامت باشید. Thank you.
سر شما سلامت باشد. Please accept my condolences. [*o.s.*] May you be healthy (yourself).
سلامتی [غلط مشهور] /ع. فا./ = سلامت
به سلامتی شما to your health
به سلامتی کسی نوشیدن to drink someone's health

سلام‌علیکم، سلام /ع./ **good morning; good afternoon; good evening;** [*o.s.*] **peace be with you!**

سلانه (سلانه) [عامیانه] **swaggeringly, struttingly, boastingly**

سَلب /ع./ **negation, privation**

سلب شدن to be taken away; to lapse

سلب کردن to take away

سلبِ اختیارات از کسی کردن to divest (**or** deprive) someone of his powers

سلبی [مؤنث: سلبیه] /ع./ **negative, privative**

سلحشور /ع. فا./ **gladiator; knight**

سَلخ /ع./ [last day of a lunar month which has 30 days]

سلس‌البول /ع./ **diabetes, poluria**

سلسال [کمیاب] /ع./ **flowing and limpid water**

سلسبیل /ع./ [*rare*] **nectar; name of a fountain in Paradise**

سِلسله [جمع: سلاسل] /ع./ **chain; series, train, tissue; chain or range** (of mountains)**; dynasty**

سلسلهٔ مراتب hierarchical order, hierarchy

سلسله‌جنبان /ع. فا./ **ringleader; cause, motive**

سلسله مو [ادبی] /ع. فا./ **having ringlets suggestive of the links of a chain**

سلطان [جمع: سلاطین] /ع./ **sultan, king;** [old word for سروان]

سلطانی[1] /ص. ع. فا./ **royal**

سلطانی[2] /ا. ع. فا./ = سلطنت

سلطنت /ع./ **kingdom; monarchy; reign**

سلطنت کردن to reign **or** rule

سلطنت‌طلب /عف./ **monarchist**

سلطنتی /ع. فا./ **royal**

سلطه /ع./ **rule, sovereignty, sway**

سلعه /ع./ **wen; sarcoma; excrescence**

سلعهٔ شحمی lipoma

سَلف [جمع: اسلاف] /ع./ **predecessor; ancestor**

معاملهٔ سلف forward purchase, short sale, time-bargain, dealing in futures

سلف خریدن to buy in advance, to make a forward purchase

سلف فروختن to make a short sale

سِلف[1] [صورت تحریف شده عربیِ ثُفل] **core**

سِلف[2] /ان./ **(self-)starter**

سلف زدن to press the starter button

سلف‌دان **spittoon**

سَلف‌فروشی /ع.فا./ **short sale**

سُلفیدن [زبان لاتی] **to shell out;** [*o.s.*] **to cough-vulgar for** سرفیدن

سُلُق [صورت جعلی جمعِ عربی سلیقه] **tastes**

سلق شلق (است). *i.e.* ***There is no disputing about tastes. every man to his taste***

سِلک /ع./ **range, category, class;** [*o.s.*] **string for pearls**

سَلم [*n.*] **advance money;** [*adj.*] **advanced, forward**

سلماچو **water-cress**

سلمان [name of an Iranian companion of the Prophet]

سَلمانی /ع. فا./، استاد ـ سلمانی **hairdresser or barber**

سلمه (تره) **dog's-mercury**

سُلوک /ع./ **behaviour;** ← رفتار

سلوک کردن to behave

حسن سلوک good behaviour

سلول /فر./ = یاخته **cell**

سلولوئید /فر./ **celluloid**

سَلْویٰ /ع./ = بلدرچین

سَلْوی، سلبی [عامیانه، از ل. salvia] **salvia,** (scarlet) **sage**

سله [کمیاب] /ع./ = سبد

سِلی /ع./ **tubercular**

سلیخه /ع./ **cassia, China cinnamon**

سلیس /ع./ = روان **fluent, easy**

سلیطه /ع./ **shrew**

سلیقه /ع./ **good taste, tact**

سلیم [اسم‌خاص] /ع./ **meek, humble**

عقل سلیم sound judgement

سلیم‌الطبع /ع./ **of a meek nature, simple-hearted**

سلیم‌النفس[1] /ع./ **peaceable**

سلیم‌النفس[2] /ع./ = سلیم‌الطبع

سلیمان /ع./ **Solomon**

خاتم سلیمان، نگین سلیمان Solomon's seal

مرغ سلیمان = شانه به سر

سلیمانی [*rare*] **of or like that of Solomon**

سنگ سلیمانی، عقیق سلیمانی onyx, carnelian

سَمّ [جمع: سموم] /ع./ **poison, toxin;** ← زهر

سم خوردن to take poison

سم دادن to poison

سُم، سنب **hoof**

سماء [جمع: سموات] /ع./ = آسمان

سماجت /ع./ **importunity, repeated urging**

سماجت کردن to be importunate, to press hard

سماروغ

قارچ → (white) **mushroom;**

سماط /ع./ = سفره

سُماع [ادبی] /ع./ **singing;** **song, music;** [*o.s.*] **hearing**

سماعی /ع./ **founded on usage, irregular, heteroclite**

سُماق /ع./

سماک → **sumac;**

سماق کوهی mountain-ash

سماق‌پالان /ع. فا./ **colander, cullender**

سماقی **tanned with sumac**

تیماج سماقی morocco

سماک، سنگ سماک **porphyry**

سمّ‌الفار /ع./ = مرگ موش

سماور /ر./ **samovar; urn**

سماوی /ع./ = آسمانی

سمپاش /ع. فا./ **poison-sprayer**

سمپاشی /ع. فا./ **spraying poison**

سمپاشی کردن to spray poison; [*fig.*] to poison the public mind

سَمْت[1] /ع./ **direction, side, way**

سمت[2] /ع./ [*astr.*] **apparent celestial longitude**

سمت[3]، السمت، سمت‌الرأس /ع./ **azimuth**

دائره سمت vertical circle

به سمتِ in the direction of, towards, at

از سمت مغرب from the west

سِمَت /ع./ **capacity, designation**

به سمتِ in the capacity of, as, like

سمت برادری با من دارد. ***He is like a brother to me.***

سمت‌الراس /ع./ **zenith**

سمت‌القدم /ع./ **nadir**

سُم‌تراش **butteris**

سِمج /ع./

گدای سِمج **importunate:**

سِمحاق /ع./ **pericranium**

سَمدار /ع. فا./ **poisonous**

سُم‌دار **hoofed, ungulate**

سمر [کمیاب] /ع./ **story; by-word**

سِمسار **dealer in second-hand goods**

سُم‌شکافته **cloven-hoofed, fissiped**

سَمع /ع./ **hearing; ear**

به سمع او رسید. ***He heard it.***

سمعاً و طاعتاً /ع./ **most willingly;** [*o.s.*] **I shall hear and obey**

سمعک /ع. فا./ **ear-trumpet**

سمک [جمع: سماک] /ع./ = ماهی **fish**

سمک رامح [*astr.*] Arcturus

سمن، یاسمن **jasmine**

سمناک /ع. فا./ = زهردار، سمی

سمنبر [ادبی] **of a fragrant bosom**

سمنت /ان./، سیمان **cement**

سَمند **light-bay, dun-coloured**

سمندر **salamander**

سمنقر **tarlatan**

سمنو [kind of dish with juice of germinating wheat ***or*** malt mixed with flour]

سموّ [کمیاب] /ع./ = بلندی

سموات [جمع سماء]

سموت [جمع سمت]

سمور **sable; fur from sable**

سمور آبی otter

سَموم /ع./ **simoom, scorching wind**

سُموم [جمع سم]

سموئیل /ع. عب./ **Samuel**

سمی /ع./ **poisonous, toxic**

سمیت /ع./ **poisonousness**

سمیع [کمیاب] /ع./ = شنونده **hearer: epithet of God**

سمین /ع./ = فربه

سِن[1] [kind of June-bug very destructive to wheat]

سن[2] /فر./ = صحنه **stage**

سِنّ /ع./ **age**

در سن ۵۰ سالگی ***at the age of 50***

سن شما چقدر است؟ How old are you?

پا به سن گذاشتن to enter upon old age

سَنا /ع./ **senna**

سنای مکی cassia lanceolata

جوهر سنا cathartic acid

سِنا /فر./، مجلس سنا **senate**

سناً /ع./ **in years, with respect to age**

سناتور /فر./ **senator**

سناریو /فر./ **scenario**

سنان [ادبی] /ع./ (point of a) **spear**

سنب[1] = سُم **hoof**

سنب[2] [بن مضارعِ سنبیدن، سفتن]

سنباده **emery**

چرخ سنباده buff wheel, emery wheel

سنگ سنباده corundum

کاغذ سنباده emery-paper, sand-paper

سنباده زدن to polish with emery ***or*** sand-paper

سُنبُل /ع./ **hyacinth;** (spike)**nard;** [*met.*] **ringlet**

سنبل ختائی angelica, lingwort

سنبل رومی celtic nard

سنبل کوهی wild hyacinth, valerian

سنبل هندی Indian (spike)nard
سَنبَل [زبان لاتی] **bungled work; bungling**
سنبل کردن to bungle *or* botch
سنبل‌الطیب /ع./ **valerian**
سنبلک **spikelet**
سنبله /ع./ **ear of corn; spike;** [*astr.*] **Virgo; old name of** شهریور
سنبوسه [کمیاب] **small pie; cusset**
سُنبه **ramrod; pull-through; punch; piston**
سُنبه زدن to ram
سُنبه‌اش پر زوراست. [عامیانه] He has a strong piston. *i.e.* someone to support him
سُنت [جمع: سنن] /ع./ **Sunna(h), tradition; custom; circumcision**
اهل سنت Sunnite(s)
سِنت /ان./ **cent**
سنتور [از ریشه ی.] **dulcimer**
سنتوری[1] /ا./ **pediment**
سنتوری، سنتورزن dulcimer-player
سنتوری[2] /ص./ **duclimer-shaped**
سَنج [بن مضارعِ سنجیدن]
سِنج **cymbal**
سنجاب **grey squirrel**
سنجاق /ت./ **pin**
سنجاق زلف hair-pin
سنجاق کراوات brooch
سنجاق قفلی safety-pin
سنجاق زدن to secure by a pin, to pin together, to pin up
سنجاقک /ت. فا./ **dragon-fly**
سنجاق‌گیر /ت. فا./ **pin-cushion**
سنجد [kind of tree and its fruit which resembles the mountain-ash]

سنجش **weighing; measurement;** [*fig.*] **deliberation; comparison**
سنجیدگی **deliberateness, soberness, judiciousness**
سنجیدن [بن مضارع: سنج] **to weigh; to measure;** [*fig.*] **to compare**
سنجیده [اسم‌مفعول فعل سنجیدن] **weighed; measured; deliberate, reflected, guarded; judicious**
سِنخ /ع./ **class, group, category**
سند [جمع: اسناد] /ع./ **document, deed; promissory note; bill**
ثبت اسناد registration of documents
جعل اسناد forgery
سندِ بیمه insurance policy
اتخاذ سند کردن to take note
سِنْد **the Indus River**
جزایر سند the East Indies
سِندان /ع./ **anvil;** [*anat.*] **anvil-bone**
سندان دو دماغه، سندانِ دو کرّه bickern
سندانچه /ع. فا./ **hand-anvil**
سندانی /ع. فا./ **anvil-like, incudal**
سندروس [از ریشه ی.] **sandarach**
سندروس بلوری copal resin
سندس [کمیاب] /ع. فا./ **silk brocade**
سندساز /ع. فا./ **forger of documents**
سندسازی /ع. فا./ **forgery**
سندل ← صندل
سِنْدِه [ناشایست] **thicker part of human excrement**
سنده‌سلام /فا.ع./ = گل‌مژه

سندیان /ع. فا./ **holm(-oak)**
سندیت /ع./ **binding force *or* effect, validity, legal force; authenticity**
سندیت داشتن to be valid; to be a binding record
سندیکا /فر./ **syndicate**
سنقر **gyrfalcon**
سنگ **stone; weight**
سنگ آسمانی aerolite, aerolith
سنگ آسیاب millstone
سنگ پا pumice-stone
سنگ تمام full weight; ← سنگ کم
سنگ تمام در ترازو گذاشتن to give full measure, to go the whole hog
سنگ چاپ lithographic stone *or* slate
سنگ روی یخ [*met.*] one who is played off, cat's-paw
سنگ سفید ragstone
سنگ سیاه sandstone
سنگ سیاه شیشه‌گران manganese
سنگ کم short weight; ← سنگ تمام
سنگ مثانه bladder-stone, calculus
سنگ مزار gravestone
معدن سنگ quarry
سرش به سنگ خورد. He came to himself (when it was rather too late).
سنگ زدن to throw a stone (at)
سنگ کسی را سینه زدن to strike a blow for someone
تیرش به سنگ خورد. He missed the aim. He failed.
سنگاب **stone-trough**
سنگباران **shower of stones**
سنگ‌پاره **boulder; rock**
سنگ‌پُشت **tortoise**

سنگ‌پشت آبی turtle
سنگ‌پله **ducks and drakes**
سنگتراش **stone-cutter, mason**
سنگتراشی **stone-cutting, masonry**
سنگچین **fence of stones; stone-revetment; riprap**
سنگچین کردن to riprap; to revet *or* fence with stones
سنگخوار **sand-grouse**
سنگدان **gizzard**
سنگدل **stone-hearted, hard-hearted**
سنگدلی **hard-heartedness**
سنگر **rifle-pit**
سنگر ایستاده breastwork
سنگربندی **intrenchment, fortification**
سنگریزه **gravel(-stone)**
سنگساب **grindstone**
سنگسار **stoned to death**
سنگسار کردن to stone to death
سنگستان **rocky** *or* **stony place**
سنگ‌شکن **knapping hammer**
سنگ‌شناس **petrologist, lithologist**
سنگ‌شناسی **petrology, lithology**
سنگفرش /فا.ع./ **stone-pavement, causeway, gravel-walk**
سنگفرش کردن to pave with stones, to flag
سنگ‌قلاب /فا.ع./ **sling**
سنگک، نان سنگک [kind of bread baked on heated pebbles in a furnace]
سنگ‌کار **mason**
سنگلاخ /فا.ت./ **stony** (place)
سنگ‌لوح /فا.ع./ = تخته‌سنگ

سنگ‌نوشته، سنگ‌نبشته **petrograph, petroglyph**
سنگ‌ماسه **sandstone**
سنگی **stony; of stone**
ساختمان سنگی stony building, masonry
سنگواره **fossil**
سنگین[1] [*adj.*] **heavy; burdensome; grave; solemn; sumptuous; polite;** [*food*] **indigestible, hard to digest;** [*sleep*] **profound;** [*ears*] **dull;** [*drinks*] **high-proof**
خوابش سنگین است. ***He is a heavy sleeper.***
سنگین[2] [*adv.*] **solemnly; heavily**
سنگین کردن to make heavy *or* burdensome
سنگین‌اسلحه /فا.ع./ **heavy-armed**
سنگین‌دل = سنگدل
سنگین‌قیمت /فا.ع./ **precious, costly**
سنگینک [کمیاب] **slowly; gravely**
سنگین‌وزن /فا.ع./ **heavy**
سنگینی **heaviness, weight; gravity; dullness**
سنن [جمعِ سنت]
سنوات [جمعِ سنه]
سنواتی /ع. فا./ = سالیانه؛ معمولی
سنه [جمع: سنوات، سنین] /ع./ **year; era;** → سال
سنهٔ جرت مئه [زبان لاتی] (at) some unknown date
سَنیّ [کمیاب] /ع./ =بلند، باشکوه
سُنی /ع./ **Sunnite**
سِنیّ /ع./ **elected** (pro tempore) **by virtue of his age**
سنین [جمعِ سنه] /ع./ = سالها **years**

سنین عمرم ۵۶ سال است. My age is 56.
سو[1] **direction, side**
از هر سو from every direction, from all sides
سو[2] **sight; light**
سوء /ع./ **evil;** → بدی
سوء ادب = بی‌ادبی
سوء استفاده کردن از to abuse *or* misuse; to presume upon; to take advantage of
سوء تعبیر misinterpretation
سوء تدبیر mismanagement, wrong policy
سوءتفاهم misunderstanding
سوء سابقه bad record
سوء ظن suspicion
سوء ظن داشتن از to suspect
سوء قصد attempt (upon someone's life)
سوء نیت bad intention, bad faith
سوءهاضمه indigestion, dyspepsia
سوا، سوی /ع./ **separate; different**
سوا شدن to separate
از هم سوا شدن to part with each other; to dissolve partnership
سوا کردن to separate; to select, to pick out
سواء [کمیاب] /ع./ = برابر(ی)
سوابق [جمعِ سابقه]
سواحل [جمعِ ساحل]
سواد /ع./ **literacy, ability to read and write; copy;** → رونوشت
سواد اعظم [کمیاب] large city
سواد برداشتن از، سواد کردن to make a copy of, to transcribe
سوادالبطن [کمیاب] /ع./ = جگر

سـوادالعـین [کمیاب] /ع./ = مردمک چشم

سوار [*n.*] **rider, horseman;** [*adj.*] **riding, mounted**

سوار درشکه driving in a carriage

سوار کشتی embarked in a ship, on board a ship

سوار شدن to ride; to mount

سوار اتوبوس شدن to get in a bus

سوار کاری شدن to embark upon a business, to be installed *or* skilled in it

سوار کسی شدن [عامیانه] to rule *or* exploit someone, to have a hold on him

سوار کشتی شدن to go on board a ship, to embark

سوار شوید! [*mil.*] To horse!

سوار کردن to cause to ride; to mount; to take on board; to pick up (a passenger); to assemble, to erect: ماشین سوار کردن

سوارخوبی **trick riding, horsemanship**

سوارکار **jockey**

باشگاه سوارکاران jockey-club

سوارکننده **erector** (of machinery)

سواره[1] /ق./ **on horseback**

سواره[2] /ص./ **mounted:** پلیس سواره ; **equestrian:** مجسمه سواره ; **galloping:** سَل سواره

سواره[3] /ا./ **person on horseback**

سواره‌رو **roadway**

سواره‌نظام /فا. ع./ **cavalry**

سواری **riding, horsemanship**

اتـومـوبـیـل سـواری passenger car

اسب سواری saddle-horse

سواری کردن to ride; to drive

سواری از کسی گرفتن [عامیانه] to exploit someone; [*o.s.*] to ride someone's back

سواری دادن to allow mounting

این اسب خوب سواری می‌دهد. This horse is a good mount.

سواسوا /عف./ **separately, one by one**

سؤال [جمع: سؤالات] /ع./ **question; begging**

سؤال کردن[1] to ask

سؤال کرد که آن زن کیست؟ *He asked who she was?*

سؤال کردن[2] to beg

سؤال پیچ کردن /ع. فا./ **to ply with questions**

سوانح [جمعِ سانحه]

سوایِ /ع. فا./ [stress on the first *or* second syllable] **except, save**

سوایی /ع. فا./ **separation; separate accounts, independent life**

سوبلیمه /فر./ **sublimate**

سوپ /فر./ **soup**

سوپاپ /فر./ **valve**

سوپ‌خوری /فر. فا./ **tureen**

قاشق‌سوپ‌خوری tablespoon

روزی دو قاشق سوپ‌خوری two table-spoonfuls a day

سوت **whistle**

سوت خطر siren

سوت ماشین steam whistle, hooter, siren

سوت زدن، سوت کشیدن to (blow a) whistle

سوت کردن [عامیانه] to throw (a ball, etc.) out of bounds

سوت سوتک **whistle**

سوخ [*bot.*] **bulb**

سوخاری /ر./ **rusk**

سوخت **fuel**

سوخت شدن to be written off (as a bad debt)

سوخت‌آما **carburettor**

سوخت‌پاش **carburettor-jet**

سوخت‌رسان **feeder;** [*o.s.*] **supplier of fuel**

سوختگی **burn, scald**

سوخت‌گیری **(re)fuelling;** [*ship*] **bunkering**

سوخت‌گیری کردن to fuel up *or* refuel; to bunker

سوختن [بن مضارع: سوز] *vi.* **to burn;** *vt.* **to be consumed;** [*bulb*] **to burn out;** [*fuse*] **to blow out;** [*fig.*] **to fret** *or* **worry**

دلم به حالش می‌سوزد. I pity him.

سوخت و ساز **metabolism**

سوخته **burnt; scorched; dark:** قهوه‌ایِ سوخته

بوی سوخته empyreuma

سوخته‌دل = دل سوخته

سوختی[1] **fit for fuel**

نفت سوختی fuel oil

سوختی[2] **bad** *or* **irrecoverable** (as a debt)

سود[1] **profit; benefit; advantage; interest**

حساب‌سود و زیان profit-and-loss account

سود سهام dividend

سود بردن to make a profit; to derive a benefit

سود کردن to make a profit

سود[2] /فر./ **soda; sodium**

سودا، سُدا /فر./ **soda**

سودا **transaction; trade**

سوداء /ع./ **black bile; melancholy; tetter, eczema**

سودای خام پختن [*met.*] to build castles in the air

سودابه [اسم‌خاص]

سودازده [ادبی] /ع. فا./ **melancholic; enamoured**

سوداگر **trader**

سوداگری **trade, business**

سودآور **profitable**

سودائی /ع./ **atrabilious; melancholy; passionate**

سودجو(یی) **profiteer(ing)**

سودمند **useful; profitable**

سودمندی **usefulness**

اصالت سودمندی utilitarianism

سودن [بن‌مضارع: سای] **to rub; to grind**

سوده [اسم‌مفعول فعل سودن] [*adj.*] **pulverized; rubbed;** [*n.*] **dust, powder**

سودیوم /فر./ **sodium**

سور **feast, party, junket**

سور زدن [عامیانه]، سور خوردن to feast, to play a good knife and fork

سُوَر [جمعِ سوره]

سوراخ **hole; cavity**

سوراخ و سنبه [زبان لاتی] nook and corner

پارچه سوراخ است. ***There is a hole in the cloth.***

سوراخ بینی nostril

سوراخ دعا را گم کردن [*met.*] to get hold of the wrong end of the stick

سوراخ سوزن eye of a needle

سوراخ شدن to be pierced; to spring a leak

سوراخ‌کردن to pierce, to bore; to prick

سوراخ‌سوراخ **full of holes; perforated; porous**

سوراخ‌کن **perforator; punch**

سورت = سوره

سورت /ع./ = حمله؛ شدت

سورتمه /ت./ **sledge**

سورچران **sponger, hanger-on**

سورچرانی **sponging, dinner-hunting**

سورچی /ت./ **carriage-driver**

سورسات /ت./ **provisions**

سورسات تهیه کردن to purvey (articles of food), to cater

سورساتچی /ت./ **purveyor, caterer**

سورکنتر /فر./ [*c.p.*] **redouble**

سورنجان **meadow-saffron, hermodactyl, clochium**

سوره [جمع:سُوَر] /ع./ **sura(h); chapter of the Koran**

سوری[1]، **گل سوری** **red rose**

سوری[2] **person fond of feasting *or* dinner-hunting, hanger-on**

سوریه /ع./ **Syria**

سوز[1] /ا./ **cold breeze; smart pain; anguish**

سوز دل heartache; mental vexation; grudge

سوز زدن to smart

سوز[2] [بن‌مضارعِ سوختن]

سوزا[1] **combustible**

سوزا[2] = سوزان

سوزاک، سوزنک **gonorrhoea**

سوزنک غیر مسری زنان leucorrhoea, the whites

سوزاکی **gonorrhoeal**

سوزان[1] **burning; smarting; fervent**

سوزان[2] [بن‌مضارعِ سوزاندن]

سوزاندن **to burn; to set on fire; to scorch;** [*fig.*] **to worry *or* fret**

سوزآور[1] **caustic**

سوزآور[2] = سوزناک

سوزایی **combustibility**

سوزش **burn(ing), combustion; scald; smart pain; irritation; prickling sensation**

سوزک **pimple; prickly sensation**

سوزن **needle**

سوزن‌آبله‌کوبی vaccine-point

یک سر سوزن a little bit

سوزن دو راهی switch point

سوزن زدن to prick with a needle; to have a shot (*i.e.* injection)

سوزناک **plaintive, touching**

سوزن‌بان **pointsman**

سوزن‌بند [*sewing machine*] **clamp**

سوزن‌دان **needlecase**

سوزندگی **consuming power, burning effect; causticity**

سوزنده **burning; caustic**

سوزن‌دوزی **needle-lace**

سوزن‌زنی **needlework**

سوزن‌سوزنی شدن **to feel pins and needles, to have a prickly sensation**

سوزنک ← سوزاک

سوزنی **needle-like; worked by a needle; prickly;** [*hole*] **minute**

تفنگ سوزنی needle-gun

فتیل سوزنی one way valve; → فتیل

سوزنی **small cashmere cloth**

سوزه = سوزک

سوس **liquorice**

ربّ سوس extract of liquorice

سوس، سس /فر./ **sauce**

سوسک **beetle**

سوسک غله zabrus, caraboid beetle

سوسک طلائی gold-beetle; cockchafer
سوسک گرمابه cockroach
سوسمار **lizard; crocodile**
سوسماری **crocodile-brand**
سوسن **lily** (of the valley)
سوسنی **liliaceous**
سوسوزدن [عامیانه] **to flicker**
سوسه **weevil; serration** (in a blade); [*fig.*] **flaw; doubt**
سوسه در کار آوردن to interpose difficulties; to put a spoke in one's wheel
سوسی /هـ./ **susi**
سوسیالیست /فر./ **socialist**
سوسیالیستی /فر. فا./ **socialistic**
سوسیالیسم /فر./ **socialism**
سوش /فر./ **counterfoil, stub**
سوغات /ت./ **present sent** *or* **brought by a traveller**
سوغان **breaking** (of horses), **training**
سوغان اسبی را گرفتن to pare the hoofs of a horse; to train a horse for the race
سوف **zander, whitefish**
سوفار **notch of an arrow**
سوفال **pantile;** ← سفال
سوفسطائی /ع. ی./ **sophist**
سوفلور /فر./ = سخن‌رسان
سُوق [کمیاب، جمع: اسواق] /ع./ = بازار
سوق /ع./ **impelling, driving**
سوق دادن to lead
سوق‌الجیش [کمیاب] /ع./ = لشکرکشی
سوق‌الجیشی /ع./ **strategic**
سوق‌الدواب [کمیاب] /ع./ **livestock market**
سوک = کنج، گوشه
سوکمیسیون /فر./ **sub-committee**

سوگ **sorrow; mourning**
سوگلی /ت./ **favourite** (wife)
سوگند **oath**
سوگند خوردن to take an oath, to swear
سوگند دادن to administer an oath to, to swear
سوگند دروغ خوردن to perjure oneself
سوگندشکن **guilty of perjury**
سوگندشکنی **perjury**
سوگندنامه **swearing formula**
سوگوار [کمیاب] = عزادار **mournful**
سوگواری **mourning, lamentation**
سوگواری کردن to mourn
سوگیری [کمیاب] = طرفداری **partiality**
سولفات /فر./ **sulphate**
سولفات‌دوسود /فر./ **sodium sulphate, glauber's salts**
سولفات‌دومنیزی /فر./ **sulphate of magnesium**
سولفور /فر./ **sulphide**
سوله **saker**
سولهٔ نر sakeret
سوّم **third**
سومی **the third** (one)
سومین **the third**
سوهان **file**
سوهان چوب ساب rasp
سوهان زدن to file
سوهان‌خور [کمیاب] **allowance for further rasping** *or* **filing**
سوهان‌خور ندارد [عامیانه] no margin is allowed for it; it is as sure as a gun
سوهان‌کار **filer, filecutter**
سوهان‌کاری **filing, rasping**
سوی ← سو
سِوی /ع./ ← سوا

سوِی سو ← **at, toward;**
سوئد /فر./ **Sweden**
سویداء [کمیاب] /ع./ **the heart's core**
سوئدی /فر. فا./ **Swedish**
سوئز /فر./ **Suez**
سویس /فر./ **Switzerland**
سویسی /فر.فا./ **Swiss(-made)**
سَویه /ع./ = برابری **equality**
بالسویه [*adv.*] equally
علی‌السویه [*adv.*] equally; without distinction; [*adj.*] equal, same
سه **three**
هر سه all three
سُها، سُهی [name of a dim star in Ursa]
سهام [جمع سهم]
سهامی /ع. فا./ **made up of shares, joint-stock**
سه‌آنس /فر./ **meeting, sitting;** [*cinema*] **performance**
سه‌باله **having 3** (pairs of) **wings**
هواپیمای سه‌باله triplane
سه‌بر، سه‌بری **trilateral**
سه‌برابر **threefold; three times as many** *or* **as much**
سه‌برابر کردن to triple
سه‌برگه[1] /ص./ **trifoliate**
سه‌برگه[2] /ا./ **marsh trefoil**
سه‌پا [*adj.*] **three-legged;** [*adv.*] **in triple time**
سه‌پایه **tripod; trivet; music-stand; easel**
سه‌پرچمی [*bot.*] **triandrous**
سه‌پهلو **trilateral**
سه‌تا **three** [used without a noun]: او دو قلم دارد من سه تا دارم
سه‌تیر **three-loader, three cartridge magazine rifle**
سه‌جانبه /فا.ع./ **tripartite**
سه‌جمله‌ای /فا.ع./ **trinomial**

سه‌چرخه tricycle, velocipede

سه‌چندان threefold, triple

سه‌حرفی /فا.ع./ triliteral

سه‌دوری [کمیاب]، ابعاد سه‌گانه the three dimensions

سهراب [اسم‌خاص]

سه‌راه forked road, parting of two roads; Y-track; tee

سه‌رنگ tricolour

سه‌رویه trihedral

سِهره goldfinch

سه‌ساله three-year-old

سه‌سر[1] /ص./ three-headed

ماهیچهٔ سه‌سر triceps

سه‌سر[2] /ا./ [*c.p.*] pair royal

سه‌شاخه [*adj.*] three-horned, tricorn; three-pronged; [*n.*] pitchfork

سه‌شنبه Tuesday

سه‌ضربی /فا.ع./ (in) triple time

سه‌طرفه /فا.ع./ tripartite

سه‌قاب (game played with three) knucklebones

سه‌قولو /فا.ت./، بچهٔ سه‌قولو triplet

سه‌کنج corner, solid angle

سه‌گوش [*adj.*] triangular; tricuspid; [*n.*] triangle

سه‌گوشه triangular

سهل /ع./ easy; ← آسان

سهل کردن to facilitate

سهل گرفتن to take (it) easy; to slight, to make light (of)

موسیقی ایرانی که سهل است موسیقی فرنگی هم می‌دانست. He not only knew Iranian music but European music as well.

سه‌لا three-ply; threefold

سهل‌الادراک /ع./ easy of apprehension

سهل‌الاستعمال /ع./ handy, easy to use

سهل‌الحصول /ع./ = زودیاب

سهل‌العبور /ع./ easy to cross

سهل‌الوصول /ع./ easy to collect

سهل‌الهضم /ع./ easy of digestion, digestible

سهل‌انگار /ع. فا./ careless, nonchalant

سهل‌انگاری /ع. فا./ nonchalance, carelessness; [in religious matters] latitudinarianism

سه‌لختی tricuspid

سهم[1] [جمع: سهام] /ع./ share, portion; contribution; arrow

سهم بردن to share; to partake

سهم کردن to share *or* divide

صاحب سهم = سهمدار

سود سهام dividend

سهام قرضه debentures, debenture bonds

سهم[2] = ترس dread, awe

سهم‌الرامی /ع./ [*astr.*] the Arrow *or* Sagitta

سه‌ماهه [*adj.*] three-month-old; quarterly: گزارش سه‌ماهه; [*adv.*] in three months time

سهمدار /ع. فا./ shareholder

سهمگین dreadful, formidable

سهمناک = ترسناک

سهمی /ع./ sagittal; styloid; based on (the number of) shares

سهمیه /ع./ quota; share

سه‌نوبت [کمیاب] /فا.ع./ music anciently played three times a day before the royal palace

سهو /ع./ error, slip, oversight

سهو زبان slip of the tongue, lapsus linguae

سهو قلم slip of the pen, lapsus calami

سهو کردن to make an error *or* mistake

سهواً /ع./ by mistake, inadvertently

سه‌وجهی /فا.ع./ trihedral

سُهولت /ع./ ease; fluency

به سهولت = به آسانی easily

سه‌هجائی /فا.ع./ trisyllabic

کلمهٔ سه‌هجائی trisyllable

سَهی [ادبی] straight: سرو سهی

سه یک one-third

نوبهٔ سه یک tertian fever

سُهیل /ع./ Canopus

سهیم /ع./ [*adj.*] having a share *or* shares, participant; [*n.*] partner

سهیم شدن to partake, to participate, to take part

سی thirty

سی‌سال [زبان لاتی] never in (all) my life

سیاح /ع./ tourist, traveller

سیاحت /ع./ touring

سیاحت کردن to (make a) tour, to travel (through); to explore

سیاحت‌نامه /ع. فا./ (tourist's) itinerary

سیادت /ع./ lordship, supremacy

سیار[1] /ص.ع./ itinerant

سیار[2] /ا.ع./ itinerant traveller; wanderer

سیاره [جمع:سیارات] /ع./ planet

سیارهٔ خرد asteroid

سیارات صغار minor planets, planetoids *or* asteroids

سیاس /ع./ great politician, statesman *or* diplomat

سیاست /ع./ **politics; policy; strict administration of justice; punishment**
سیاست کردن، سیاست راندن *vt.* to punish; *vi.* to exercise politics
سیاستمدار [1] /ا.عف./ **politician; statesman**
سیاستمدار [2] /ص.عف./ **versed in politics; diplomatic**
سیاسنگ **basalt**
سیاسی [مؤنث: سیاسیه] /ص.ع./ **political; diplomatic**
مرد سیاسی statesman, politician
گفتگوی سیاسی کردن to talk politics
سیاسیات [جمعِ سیاسیه] /ع./ **politics, political matters**
سیاسیون [جمعِ سیاسی] /ا./ **politicians, statesmen**
سیاق /ع./ **order; style; course; trend**
سیاق عبارت context; style of an expression
سیال /ع./ **fluid, flowing**
سیاله [کمیاب، مؤنثِ سیال] /ع./ **current**
سی‌ام **thirtieth**
سیام [*geog.*] **Siam**
سیامی **Siamese**
سیانور /فر./ **cyanide**
سیاوش [اسم‌خاص]
پرِ سیاوش maidenhair
خون سیاوش، خون سیاوشان dragon's-blood
سیاه **black; blackamoor, negro;** [*mus.*] **quarter-note**
سیاه پوشیدن to wear black
سیاه شدن to turn black
سیاه کردن to blacken
رویش سیاه شد. He was put to shame.
سیاه و سفید را (از هم) تشخیص نمی‌دهد. He doesn't know chalk from cheese. He is illiterate.
سیاه‌آب **marsh, bog**
سیاه‌بخت = بدبخت
سیاه‌پوست **dark-skinned**
سیاه‌پوش **wearing black, clothed in mourning**
سیاه‌تاوه [1] [*rare*] **black pan**
سیاه‌تاوه [2] **dark-coloured,** [*infml., adj.*] **melanoid**
سیاه‌چال **dungeon, black hole**
سیاه‌چرده، سیه‌چرده **dark-coloured, melanoid**
سیاه‌چشم **black-eyed**
سیاه‌دانه **nigella seeds; ergot of rye**
سیاه‌دل، سیه‌دل **of a blunted conscience**
سیاهرگ **vein;** ⟵ ورید
سیاه‌رنگ **black, dark-coloured**
سیاه‌رو، سیه‌رو **disgraced put to shame**
سیاه‌روز، سیه‌روز **unhappy, whose life is unsuccessful**
سیاه‌زخم **anthrax, charbon**
سیاه‌زنگ **wheat rust** [puccinia graminis]
سیاه‌سُرفه **whooping-cough**
سیاه‌سنگ، سیاسنگ **basalt**
سیاه‌قلم /فا.ع./ **niello, inlaid enamel: etching; black-and-white**
سیاهک **smut, disease affecting cereal grasses, brown rust**
سیاه‌کاج **larch**
سیاه‌کاری، سیه‌کاری [ادبی] **wickedness**
سیاه‌گوش **lynx, caracal**
سیاهه **invoice, bill**
سیاهه کردن to make out a bill for; to inventory
سیاهی **blackness, black colour**
سیاهی، کی هستی؟ Who goes there?
سیاهی لشکر mere numbers, noses, multitude
چشمم سیاهی می‌رود. [عامیانه] ***My eyes see black.***
سیب **apple**
سیب صحرائی crab-apple
یک سیب را دو نصف کرده‌اند. They are as alike as two peas in a pod.
سیب‌تراش **apple-grater**
سیبِری /فر./ **Siberia**
سیب‌زمینی **potato;** [*met.*] **nerveless *or* cowardly** (person)
سیب‌زمینی ترشی Jerusalem artichoke
سیبک [*bot.*] **tuber**
خروج سیبک prolapse of the uterus
سیبی **malaceous, pomaceous**
سیبیا [از ی. sepia] **cuttlefish**
سیحون /ع./ = سیر دریا
سیخ [1] /ا./ **skewer, spit; broach;** [*opium pipe*] **stilette;** [*cock's leg*] **cockspur**
سیخ بخاری poker
سیخ [3] /ص./ **stiff; stubby**
سیخ زدن to stir (by a poker); to goad, to prod; to give a shove off (to)
سیخ شدن to stiffen
سیخ کردن to stiffen; to cock
به سیخ کشیدن to fix on a spit *or* skewer
سیخ پَر **new-fledged**
سیخچه [1] **small spit**
سیخچه [2] = سیخک

سیخ‌شدگی **stiffness;** [*neck*] **torticollis, stiffneck**

سیخک **spur; prod, goad; tail-skid**

سیخک زدن to prod *or* goad

سیخ‌گردان **device for turning a spit** (as used in roasting meat); **smokejack**

سید [جمع: سادات، مؤنث: سیده] /ع./ **sayid: descendant of the Prophet;** [*o.s.*] **lord, master**

سیده [مؤنثِ سید] **title of a woman who has descended from the Prophet;** [*o.s.*] **lady, princess**

سیدهٔ دریاها Mistress of the Seas

سیر[1] **full, having had enough, satisfied;** [*colour*] **deep;** [*fig.*] **weary, disgusted**

سیر شدم. ***I (have) had enough.***

سیر کردن to fill, to satisfy; to feed (to satiety); to glut; to weary

سیر خوردن to eat until one is full, to eat one's fill (of)

سیر[2] **garlic**

سیر[3] [old weight almost equal to 75 grammes]

سِیر /ع./ **travelling; excursion; sightseeing; revolution**

سیر قهقرائی retrogression

سیر کردن to go sightseeing; to travel; to revolve

خط سیر route, itinerary

سِیَر [جمعِ سیرت]

سیراب **drunk to satiety; thoroughly irrigated**

سیراب کردن to give to drink to satiety, to quench the thirst of; to irrigate thoroughly

سیرابی **tripe, sheep's paunch prepared for food**

سیرت [جمع: سِیَر] /ع./ **character; conduct; nature**

سیردریا **Jaxartes**

سیرک /فر./ **circus**

سیرمانی [زبان لاتی] = سیری

سیرمانی ندارد. He is insatiable *or* greedy.

سیره[1] /ع./ [name of a book on the Prophet's character sketch]

سیره[2] /ع./ = رَوِش

سیره[3] [صورت تحریف شده سیرت] /ع./

سیروس [اسم‌خاص] /فر./ **Cyrus**

سیری **fullness: lack of hunger; satiety; weariness**

سیری‌ناپذیر **insatiable**

سیزاب **brooklime**

سیزده **thirteen**

سیزده‌بدر [thirteenth day of the New Year festival on which people go out for pleasure]

سیزدهم **thirteenth**

سیزدهمی (the) **thirteenth**

سیزدهمین **the thirteenth**

سیسنبر **wild thyme**

سیسیل /فر./ **Sicily**

سیصد **three-hundred**

سیصدم **three-hundredth**

سیطره [کمیاب] /ع./ **supremacy, rule**

سیف [جمع: سُیوف] /ع./ = شمشیر

سیف /ان./ **C. I. F. , cif**

سیف‌الجبار /ع./ [*astr.*] **Orion's Belt**

سیف‌الغراب /ع./ **gladiolus** [now usually known by its French name glaieul گلایول]

سیفن /فر./ **siphon**

سیکران **henbane seeds**

سیگار /فر./ **cigarette**

سیگار برگی cigar

سیگار کشیدن to smoke a cigar(ette)

سیگار کشیدن ممنوع است. "No smoking allowed."

سیگارآتش‌زن /فر.فا./ **cigarette-lighter**

سیگارت /فر./ [*rare*] **cigarette; small tube *or* cylinder on which thread is wound**

سیگاری /فر.فا./ [*adj.*] **cigarette-shaped, tubular;** [*n.*] **cigarette-seller**

سیل /ع./ **flood, torrent, inundation**

سیلاب /ع. فا./ **flood-water**

سیلابی /ع. فا./ **torrential**

سیلان /ع./ **flowing, flux**

سیلان ابیض leucorrhoea

سیلان بزاق salivation; ptyalism

سیل‌آورده /ع. فا./ **torrential**

سیل‌برگردان /ع. فا./ **bund for flood prevention**

سیل‌خیز /ع. فا./ **giving rise to inundations, submergible**

سیل‌زده [جمع: سیل‌زدگان] /ع. فا./ **flood victim**

سیل‌گیر /ع. فا./ **submergible**

سیلندر /فر./=استوانه **cylinder**

کلاه سیلندر top hat, chimney-pot hat

سیلو /فر./ **silo, store-pit**

سیلی **slap, box on the ear**

سیلی خوردن to be slapped in the face

سیلی روزگار خوردن to experience a hardship

سیلی زدن to give a slap (to)

صورت خود را به سیلی سرخ نگهداشتن to keep up appearances

سیلیس /فر./ **silica**

سیلیسی /فر. فا./ **silicious, siliceous**

سیلیکات /فر./ **silicate**

سیم **silver,** [*ext.*] **money; wire, line;** [*mus.*] **string, cord**

ماهی سیم bream

به سازی سیم انداختن to string an instrument

سیم کشیدن to wire; to be infected by exposure to cold weather

سیم سفید برای روز سیاه shining gold for dark days

سِیُّم = سوم

سیما **mien; physiognomy**

سیماب [ادبی]، جیوه **quicksilver, mercury**

سیمابی **mercurial**

سیمان /فر./ **cement**

سیم‌اندام [ادبی] **of a silvery** *or* **delicate body**

سیمان‌کار /فر. فا./ **cement layer**

سیمان‌کاری /فر. فا./ **cement laying; terrazo-works**

سیمانی /فر. فا./ **made of cement**

پلهٔ سیمانی precast concrete step

سیم‌بَر [ادبی] **of a silvery bosom**

سیم‌بُر **wire-cutter**

سیم‌پرست = زرپرست

سیم‌پوش **wire insulator**

سیم‌پیچ [*n.*] **armature winder;** [*adj.*] **tied by wires**

سیم‌پیچی **armature winding**

سیمتن [ادبی] = سیم اندام

سیم‌دار **wired; stringed**

سیمرغ [fabulous bird variously identified]

سیمکش **wireman, lineman**

سیمکشی **wire-extension, wiring**

سیمکشی کردن (در) to wire

سیمگون [ادبی] **silver-white**

سیمگیر **tailpiece of a violin**

سیمی **made of wire;** [*mus.*] **stringed:** آلات سیمی

تور یا پارچهٔ سیمی wire-gauze, wire cloth

سیُّمی = سومی

سیمین [ادبی] **silvery;** (made) **of silver;** [*fig.*] **silver-white, fair**

سینا [اسم خاص] /ع.عب./ **Sinai**

سینرر /فر./ **cineraria, fleawort**

سینما /فر./ **cinema, pictures**

او عاشق سینما است. He is a film-fan.

سینماتوگراف /فر./ **cinematograph**

سینه **breast, bosom; chest;** [*joint of meat*] **brisket;** [*ship*] **bow;** [*mountain*] **slope**

سلّ سینه pulmonary tuberculosis

سینه زدن to beat one's breast

سینه سپر کردن to take up the cudgels

سینه صاف کردن to clear the throat, to hem, to hum and ha(w), to hawk

سنگ چیزی را سینه زدن to strike a blow for something

سینه کردن to ricochet

سینه‌ای **pectoral; thoracic; pulmonary;** → ریوی

سینه‌بند **breastband; bib; poitrel**

سینه‌پهلو **pneumonia**

سینه‌چاک [ادبی] **greatly afflicted**

سینه‌درد **pectoralgia, pneumonalgia** *or* **any other disease connected with the chest**

سینه‌ریز **necklace with part covering the breast**

سینه‌زن [member of religious procession of mourners beating their breasts especially on the anniversary of the martyrdom of Imam-Hosein]

سینه‌سوزی **anguish**

سینه‌کش **slope**

سینه‌مال رفتن **to creep, to crawl, to glide**

سینی **tray; salver;** [*mech.*] **shield** *or* **tray**

سی‌وجهی /فا.ع./ **triacontahedral**

سیورسات /ت./ = سورسات

سیه [ادبی، صورت اختصاری سیاه]

سیه‌چرده، سیه‌دل، سیه‌روز ← سیاه‌چرده

سیئه [کمیاب، جمع: سیآت] = گناه **evil act, sin**

ش [1] [برابر صفت ملکی، جمع: شان]
his *or* her: دلش
ش [2] [ضمیرمفعولی، جمع: شان]
him *or* her
برایش ***for him*** or ***her***
دیدمش. ***I met him*** or ***her.***
شاب [کمیاب] /ع./
young man; ← جوان
شاباش [صورت اختصاری شادباش]
money strewn about at weddings
شاپور [اسم‌خاص]
شاتون /ر./ **connecting-rod**
شاخ **horn; branch**
شاخ حجامت cupping-glass
شاخ و برگ foliage, herbage; [*fig.*] details, enlargement, embellishment
شاخ به شاخ کسی گذاشتن [کمیاب] to quarrel with *or* oppose someone, to come to grips with him
شاخ درآوردن [زبان لاتی] to be struck (*or* knocked) all of a heap; [*o.s.*] to have a horn grow on one's head
شاخ را برداشتن [زبان لاتی] to cease bothering *or* babbling; [*o.s.*] to remove the cupping glass
شاخ زدن to butt, to gore
شاخ شکستن to break *or* train (as a horse)
شاخ و شانه کشیدن [زبان لاتی] to bully someone; [*o.s.*] to thrust one's horns and shoulders forward
این‌که روی شاخش است. [عامیانه] That is taken for granted.
شاخابه **tributary** (stream)
شاخ‌بزی **resembling a goat's horns**
طاق شاخ‌بزی Persian *or* Saracenic arch
شاخدار **horned**
دروغ شاخدار rousing *or* swingeing lie, thumper
مرغ شاخدار guinea-fowl
عینک شاخدار spectacles
شاخسار [*adj.*] **full of branches *or* trees;** [*n.*] **thicket, grove**
شاخص **gnomon, sun-dial; indicator**
شاخک **small horn *or* branch; antenna**
شاخک حساس feeler, tentacle
شاخه **branch; branch-line; branch-pipe; tributary**
لوستر سه شاخه 3-armed chandelier
شاخه‌شاخه **branching**
شاخه‌شاخه شدن to branch out, to ramify
شاخی **horny,** (made) **of horn**
شاد **glad, happy**
شاد شدن to become glad
شاد کردن to gladden, to make happy
روحش شاد باد! Peace (be) to his departed spirit!
شاد باشید! Cheerio!, good-bye
شاداب **juicy, succulent; fresh**
شادان [ادبی] = شاد
شادباش = تبریک **congratulation; good wishes**
شادباش گفتن to congratulate; to offer one's good wishes
شادبهر [کمیاب] **merry, joyful**
شادخوار(ه) [1] [کمیاب] **merry, joyful**
شادخوار(ه) [2] [کمیاب] **easy-going**
شادخوار(ه) [3] [کمیاب] = میگسار
شادروان **the deceased** (whose soul may be happy), **the late;** ← مرحوم
شادُروان [کمیاب] **cornice; eaves; ornamental tent *or* carpet; large curtain; shady place**
شادکام **happy; triumphant**
شادکامی **happiness; success**
شادمان **glad; joyful**
شادمانی **joy, rejoicing**
شادمانی کردن **to rejoice, to make merry**
شادی **joy, merry-making**
شادی کردن to rejoice
شاذّ /ع./ = کمیاب **rare**
شارِب [جمع: شوارب] /ع./ **hair of the moustache growing beyond the upper lip**
شارت و شورت [زبان لاتی] **fuss, bluster**

شارح /ع./ **commentator, expositor**

شارِع [جمع: شوارع] /ع./ **legislator, lawgiver; road**

شارع خاص private road

شارع عام public road, thoroughfare, highway

شارق [کمیاب] /ع./ = تابان

شارلاتان /فر./ **charlatan**

شاسی /فر./ **chassis, frame**

شاش [ناشایست] **piss, urine**

شاش کردن = شاشیدن

شاش‌بند (suffering from) **retention of the urine**

شاش‌بند شدن to suffer from retention of the urine

شاشدان **chamber-pot; bladder**

شاشو [عامیانه] [who has the habit of pissing in his clothes *or* bedclothes]

شاشیدن **to piss, to urinate** [not in polite use]; ← ادرار کردن

شاطِر /ع./ [*n.*] **footman,** [*rare*] **outrunner; baker;** [*adj., rare*] **nimble; clever**

شاطریون /ع. ی./ **satyrium**

شاعِر [جمع: شُعرا] /ع./ **poet**

شاعرانه /ع. فا./ [*adv.*] **poetically;** [*adj.*] **poetical**

شاعرک /ع. فا./ **poetaster**

شاعره [مؤنثِ شاعر] /ع./ **poetess**

شاعری /ع. فا./ **poetical art**

شاغِل /ع./ **having a** (specified) **business; occupying**

شاف ← شیاف

شافع [1] [کمیاب] /ع./ **preemptor**

شافع [2] [کمیاب] /ع./ = شفیع

شافی /ع./ **categorical** *or* **satisfactory:** جواب شافی ; [*o.s.*] **healing**

شاقّ [مؤنث: شاقه] /ع./ = سخت **difficult, hard**

حبس با اعمال شاقه imprisonment with hard labour, penal servitude

شاقول **plumb-line, bob; plummet**

شاقه ← شاق

شاکِر /ع./ = شکرگزار

شاکی /ع./ **complainant**

شاکی بودن to complain

شاگرد **apprentice; shop-boy; journey-man; student, pupil; disciple**

شاگرد شدن to be bound apprentice

شاگردآشپز cook's mate, scullion

شاگرد راننده driver's mate; *-Note:* the last two items are also read without the "ezafeh" being regarded as compound words

شاگردانه **tip given to shop-boy**

شاگردی **apprenticeship; discipleship**

شاگردی کردن to serve as an apprentice

شال **long piece of cloth wound by men as a belt round the waist; sash; scarf; shawl**

شال کشمیر cashmere (shawl)

شال عماری pall

شال گردن muffler

شالسنجان **azedarach**

شالنگی [کمیاب] **ropemaker**

شالوده **foundation**

شالودهٔ چیزی را ریختن to lay the foundation of something

شالی [1] **paddy;** [*ext.*] **rice**

شالی [2] **camlet, camleteen**

شام [1] **evening; supper**

شام جهل night of ignorance

شام خوردن to sup

شام غریبان گرفتن to pass the night in darkness; [*o.s.*] to do as the forlorn survivors of Imam-Hosein did on the night after the disastrous event of Karbela

شام [2] = دمشق

شامات [جمعِ شام] **Syria**

شامپانی /فر./ **champagne**

شامپو /فر./ **shampoo, hairwash**

شآمت /ع./ **inauspiciousness**

شامخ /ع./ **lofty, eminent;** ← بلند

شامگاه **eventide;** [*mil.*] **tattoo**

شامِل /ع./ **containing, including; applicable**

شامِل بودن to include

قانون شامل این مورد نیست. ***The law does not apply to this case.***

شامه **membrane**

شامّه /ع./ **sense of smell; scent**

عصب شامّه olfactory nerve

شامی **damascene, Syrian; food consisting of pulverized peas minced with meat**

شان [1] [جمعِ ش، اش] **their** *or* **them**

شان [2] **(honey)comb;** ← شانه

شأن [جمع: شؤون] /ع./ **dignity; case; behalf**

شأن او نیست که... ***it is below his dignity to...***

شانزده **sixteen**

شانزدهم **sixteenth**

شانزدهمی (the) **sixteenth**

شانزدهمین **the sixteenth**

شانس[1] /فر./ **chance**

شانس[2] /فر./ = بخت

شانکر /فر./ **chancre**

شانه[1] **comb; hackle;**
loader (of a magazine-rifle)
شانه کردن، شانه زدن
to comb; to card (as cotton);
to hackle (as flax).
شانهٔ عسل honeycomb
شانه‌نکرده
[compound] uncombed, untidy, unkempt

شانه[2] **shoulder**
شانه بالا انداختن
to shrug the shoulders
شانه خالی کردن از to shirk, to avoid, to crave at

شانه‌به‌سر **hoopoe**

شانه‌پهن **broad-shouldered**

شانه‌دان **comb-case**

شانه‌ساز، شانه‌تراش **comb-maker**

شاه **shah: king** [especially at chess]

شاه‌اندازی **ostentation, vaunting**
شاه‌اندازی کردن to vaunt, to brag, to boast

شاهانه[1] /ص./ **kingly, royal**

شاهانه[2] /ق./ **in a kingly manner**

شاهباز **royal falcon**

شاه‌بلوط /فا.ع./ **chestnut**

شاه‌بلوطی /فا.ع./ **chestnut** (colour)

شاه‌بوی = عنبر

شاه‌بیت /فا.ع./ **best verse of a poem**

شاهپر **quill, pen-feather, pinion**

شاه‌پرست **royalist**

شاه‌پرستی **royalism**

شاه‌پسند، گل شاه‌پسند **verbena**

شاهپور **prince**

شاه‌تره **fumitory**

شاه‌توت **black mulberry**

شاه‌تیر **main beam, summer** (tree)

شاه‌چین [*fruits*] **choice;** [*o.s.*] **picked by *or* for the king**

شاهِد [جمع: شهود، شواهد] /ع./ **witness; example;** [*lit.*] **beautiful woman *or* handsome youth;** → مثال؛ گواه
شاهد آوردن
to cite (as) an example
شاهد گرفتن to call to witness

شاهدانه **hemp-seed; main bead in a rosary**
شاهدانه عدسی nummulite

شاهدُخت **princess**

شاهراه **main road, arterial road**

شاهرُخ [اسم خاص] **the great rook**

شاهرَگ **jugular vein**

شاهزاده **prince**

شاهزاده خانم **princess**

شاهسپرم **sweet basil**

شاه‌سیم **main line (*or* wire); trunk line**

شاه‌فنر **main spring; main leaf** (in a leaf spring)

شاهق [کمیاب] /ع./ = شامخ، بلند

شاهکار **masterpiece; feat**

شاه‌لوله **main pipe(line)**

شاه‌مات /فا.ع./ **(check)mate**

شاه‌ماهی **red mullet; herring**

شاهنامه **"Book of Kings": epic poetry and legendary history of Iran by Ferdowsi**

شاهنده [کمیاب] = پرهیزکار

شاهنشاه **Shahinshah: king of kings, emperor**

شاهنشاهی **imperial:** دولت شاهنشاهی

شاه‌نشین **dais, alcove, bay**

شاهوار [ادبی] **kingly, royal:** دُر شاهوار

شاهی **kingship, sovereignty; reign;** [*bot.*] **cress**
شاهی آبی watercress

شاهی اشرفی /فا.ع./ [*bot.*] **cosmos**

شاهین[1] **royal falcon**

شاهین[2] [*scale*] **beam**

شاهین[3] [*scale*] **index, tongue, pointer**

شایان **worthy, deserving**
شایان تمجید praiseworthy

شائبه [جمع: شوائب] /ع./ **taint, stain; alloy**

شاید [usually with the stress on the first syllable] **perhaps**

شایستگی **merit; suitability; competence**

شایستن [بن مضارع: شای، کمیاب] **to befit, to become, to suit; to merit, to be worthy of**
چنان که باید و شاید
as one ought, duly

شایسته[1] **worthy, deserving**
شایستهٔ انعام است.
He deserves a bonus.

شایسته[2] **suitable**

شایسته[3] **competent**

شایسته[4] **decent**

شایع /ع./ **prevalent, rife, spread abroad, going abroad**

شایعه [جمع: شایعات، مؤنثِ شایع] /ع./ **rumour, gossip**

شایق، شائق /ع./ = مشتاق

شایگان [ادبی] **worthy, befitting; abundant; immense**

شب **night; eve:** شب عید

شبِ گذشته = دیشب
فردا شب tomorrow night
شبِ شنبه Friday night
شب بخیر!، شب به شما خوش! Good night!
شب و روز day and night; double tides
همه شب[1]، هر شب every night
همه شب[2] [ادبی] all night long
روز را شب کردن to end (*or* pass) the day
شب را به سر بردن to pass (*or* stay during) the night
شب را به‌سر نبرد. شب را صبح نکرد. ***He did not live out the night.***
شب زنده داشتن [ادبی] to stay up all night, to spend the night awake
شَباب /ع./ = جوانی
شُباط **Jewish and Syriac Month** (January-February)
شب‌افروز = شب‌تاب
شبان **shepherd**
شبانگاه [*n.*] **night(fall), evening;** [*adv.*] **at night; overnight**
شبانه [*adj.*] **nightly, nocturnal;** [*adv.*] **by night; overnight**
آموزشگاه شبانه night school, evening class
شبانه‌روز، شبانروز **day and night; in one day**
شبانــه‌روزی **boarding-house**
آموزشگاه شبانه‌روزی boarding-school
شبانی [*n.*] **being a shepherd, pastoral occupation;** [*adj.*] **pastoral, bucolic**
شبانی کردن to be a shepherd, to tend flocks
شباویز، مرغ شباویز **screech-owl**

شباهت /ع./ **resemblance, similarity**
شباهت خارجی تام protective mimicry
با هم شباهت دارند. ***They resemble each other.***
شباهنگ [کمیاب] **morning-star; dog-star; nightingale**
شب‌بو، گل شب‌بو **wallflower, gillyflower, common stock**
شب‌بوی هراتی garden rocket, dame's violet
شب‌پره، شبپره **bat**
شب‌پره‌ای
استخوان شب‌پره‌ای **sphenoid:**
شِبت **common dill**
شب‌تاب **shining at night**
کرم شب‌تاب glowworm
شب‌چراغ، گوهر شب‌چراغ **kind of gem *or* pearl said to radiate by night;** *L.* **carbuncle**
شب‌چره [sweetmeat *or* dried fruits keeping a person busy during the night *or* enabling him to stay up]
شبح [جمع: اشباح] /ع./ **figure seen from a distance; phantom**
شبخوان[1] [کمیاب] **night singer**
شبخوان[2] [کمیاب] = بلبل
شبخیز (one) **who rises at midnight; nocturnal** (animal)
شبدر **clover**
شبدر سگ cowgrass
شبدیز **Shabdiz: name of the horse of Khosrow Parviz;** [*o.s.*] **night-coloured, dark**
شبرو[1] /ص./ **going out by night**
شبرو[2] /ا./ = دزد

شب‌زنده‌دار **vigilant during the night**
شب‌زنده‌داری (all-night) **vigil**
شبستان[1] [part of a mosque designed for sleeping *or* nocturnal paryers]
شبستان[2] = حرم؛ خوابگاه
شبــق [کمیاب] /ع./ = شهـوت **lust**
شب‌کار **night-shift** (worker)
شب‌کاری **night-shift, -work**
شب‌کلاه **night-cap**
شب‌کور [*n.*] **bat;** [*adj.*] **nyctalopic**
شب‌کوری **nyctalopia**
شبکه /ع./ **network; lattice, grating; grid; section;** (electrical) **substation;** [*telescope*] **reticle**
شبکهٔ خاردار wire entanglement
شبکیه /ع./ **retina**
ورم شبکیه retinitis
شبگرد **night-prowler; thief; somnambulist; watchman**
شبگز[1] = کیک **flea**
شبگز[2] = ساس **bedbug**
شب‌گشا [*bot.*] **vespertine**
شبگیر[1] [ادبی]
دعای شبگیر **nocturnal:**
شبگیر[2] [ادبی] **singing *or* travelling by night**
شب‌مانده **left over from the preceding night, stale**
شب‌نشینی[1] **evening party**
شب‌نشینی[2] = شب زنده‌داری
شبنم **dew**
شبنم نخود ciceric acid
شبنم زدن to dew
شَبه **black coral; jet; black beads**
شَبَه [جمع: اشباه] /ع./ **likeness; analogue, similar thing**

شِبْه[1] [جمع: اشباه] /ع./ شباهت، شبیه ⟵ **likeness;**
شبه جزیره peninsula
شبه ظل penumbra
شِبْه[2] /پس./ [rendering the English suffix -oid]
شبه استوانه cylindroid
شبه بلور crystalloid
شبه دایره cycloid
شبه ذوزنقه trapezoid
شبه فلز metalloid
شبه کره spheroid
شبه منشور prismoid
شُبهه /ع./ **doubt; misgiving**
القای شبهه کردن to instil (*or* instill) doubts into one's mind; to misrepresent a case
شبهه را قوی گرفتن to admit for the sake of argument
رفع شبهه کردن to remove all doubts
شبهه‌ناک /ع. فا./ **doubtful; suspicious**
شبیخون **surprise attack by night**
شبیخون زدن بر to surprise by night
شبیه /ع./ = مانند [*adj.*] **similar, alike;** [*n.*] **portrait;** (religious) **representation**
شبیه درآوردن to represent a drama, to dramatize
شبیه کسی را در آوردن to play the part of someone
شبیهِ like, similar to
شبیه‌ساز /ع. فا./ **dramatist**
شپره = شب‌پره
شپش **louse**
شپش زهار pediculus (*or* phthirius) pubis, crab-louse
شپش گرفتن to be infested with lice, to verminate

شپش در کلاه داشتن to have a thorn in one's side (*or* flesh)
شپش در کلاه کسی انداختن to give one cause for suspicion
شپشک[1] (kind of) **pediculus**
شپشک[2] = شپشه
شپشو **lousy**
شپشه **weevil, plant-louse, acarina; animal-louse**
شپلاق [کمیاب] /ت./ = سیلی **slap**
شت [کمیاب] [old title meaning حضرت]
شِتا /ع./ = زمستان
شِتاب **hurry;** [*phys.*] **acceleration**
شتاب منفی negative *or* minus acceleration
به‌شتاب quickly, hurriedly
شتاب کردن = شتابیدن
شتابان [*adv.*] **hastily, quickly;** [*adj.*] **hurrying**
شتابانیدن **to hasten; to expedite**
شتاب‌زدگی **precipitance**
شتاب‌زده **precipitate, hasty**
شتاب‌کار **rash; quick in action**
شتاب‌کاری **rashness**
شتاب‌نما **hodograph**
شتابی [*phys.*] **accelerative**
شتابیدن [بن‌مضارع: شتاب] **to make haste, to hurry** (up)
شتافتن = شتابیدن
شُتر **camel**
شترماده she-camel
شتر دیدی؟ نه say you saw me not (*i.e.* relieve yourself of all commitments)
شتر را کشتند. All is quiet (again). Nothing doing.
شتربان = ساربان

شتردار **carrier using camels**
شترگاوپلنگ **camelopard;** [*met.*] **medley, hotchpot(ch)**
شترگربه [عامیانه] **contrarieties, incongruous statements;** ⟵ شترگاوپلنگ
شترگلو **subterranean siphon**
شترمرغ **ostrich**
شتری **of the colour of camel's hair**
بار شتری camel's load
کینهٔ شتری deep rancour, vindictiveness
شَتل **handsel given by winners to those present at a game;** [*fig.*] **windfall**
شَتْم /ع./ = بدگویی
شَتْوی /ع./ = زمستانی **raised in winter; belonging to winter**
شَته **aphis**
شتهٔ مو phylloxera, vineborer
شجاع /ع./ **brave**
شجاعانه /ع. فا./ **bravely**
شجاعت /ع./ **bravery**
شجر [جمع: اشجار] /ع./ = درخت **tree(s)**
شجره /ع./ (a single) **tree;** ⟵ شجره‌نامه
شجره‌نامه /ع. فا./ **genealogical tree, pedigree, family tree**
شَحم [جمع: شُحوم] /ع./ = چربی
شَحنه [منسوخ] /ع./ **chief of the police; policeman** *or* **watchman**
شَخ[1] [ادبی، صورت اختصاری شاخ]
شَخ[2]، شق [عامیانه] **stiff; inelastic; erect**
شق کردن to erect; to stiffen
شخار **pearl-ash**
شخار خاکستر potash
شخانه [کمیاب] **meteor(ite);** ⟵ شهاب

شخص [جمع: اشخاص] /ع./
person; individual
شخص وزیر
the minister (himself)
خیلی اشخاص many persons, many people
شخصاً /ع./ personally
شخصی /ع./ personal; private; individual; civilian
شخصیات /ع./ personalities; [جمعِ شخصیت] ←
وارد شخصیات شدن
to become personal
شخصیت /ع./ personality; character
شُخم plough(ing)
شخم زدن، شخم کردن to plough
شخیص /ع./
of note: شخصِ شخیص
شِداد [کمیاب، جمعِ شدید] /ع./ = سخت severe
شداد و غلاظ hard and fast
شَدّاد /ع./ [Shadad: name of a tyrant king who founded the earthly paradise]
شدائد [جمعِ شدیده، کمیاب] /ع./ = سختی‌ها hardships
شدّت /ع./ intensity, vehemence
شدّت ناخوشی paroxysm
شدّت کردن to be intensified *or* aggravated
خیلی شدّت کند [عامیانه]
at the worst, at its highest degree, at most
به‌شدت severely
شدگان [ادبی، جمعِ شده]
those who have departed, the dead
شُدن [بن‌مضارع: شو]
to become; to get: خسته شدن; to grow: تاریک شدن; to happen: بعد چه شدن; [*lit.*] to go

نمی‌شود رفت. *It is impossible to go. One cannot go.*
او را چه می‌شود؟ [ادبی]
What is the matter with him?, what ails him?
برده شد it was carried
خورده می‌شود it is (*or* will be) eaten
شدنی feasible, practicable
شُده[1] [اسم‌مفعول فعل شدن]
شُده[2] ← شدگان
شَدّه[1] /ع./ string (of pearls)
شَدّه[2] /ع./ = تشدید
the sign (ّ)
شدید [مؤنث: شدیده] /ع./ = سخت intense, violent; severe
شدیداً /ع./ severely; strongly
شدیداللحن /ع./ strong, rude *or* abrupt, rough-spoken
شدیده ← شدید، شدائد
شرّ [جمع: شرور، کمیاب] /ع./
evil; mischief
از شرش خلاص شدیم.
We got rid of him (*or* it).
شرش ما را گرفت. We had to take the consequences.
شراء /ع./ = خرید purchase
شراب /ع./ wine
شراب انداختن، شراب ریختن
to make (*or* vint) wine
شراب‌خور /ع. فا./
wine-bibber
شراب‌خوری /ع. فا./
drinking wine
گیلاس شراب‌خوری
wine-glass
شرّابه /ع./ tassel; sword-knot
شرابی vinaceous
گل شرابی Carolina anemone
شرار [جمعِ شراره، /ع./]

شرارت /ع./ wickedness; insurgence; mischief
شرارت کردن to do mischief; to act wickedly
شرارت‌آمیز /ع. فا./ evil, wicked
شراره [جمع: شرار، شرر] /ع./
single spark
شراع /ع./ = بادبان sail
شراع‌الحنک [کمیاب] /ع./
velum, soft palate
شراعی /ع. فا./ furnished with a sail *or* sails
کشتی شراعی sailboat
شرافت /ع./ honour; nobleness
شرافت نفس self-respect
شرافتمند /ع. فا./
honourable, of a noble character
شرافتمندانه /ع. فا./
[*adv.*] honourably, nobly; [*adj.*] honourable
شراکت /ع./ partnership; joint action
شراکت کردن to enter into partnership
به شراکت = شراکتاً
شراکتاً /ع./ in joint partnership; jointly
شراکتی /ع./
joint: سرمایه شراکتی
شرایط [جمعِ شرط، شریطه] /ع./
conditions, terms; qualifications
واجد شرایط qualified
واجد شرایط شدن to qualify for something
فاقد شرایط unqualified, disqualified
شرایع [جمعِ شریعت]
شرایین [جمعِ شریان]
شُرب /ع./ act of drinking
قابل شُرب = آشامیدنی

شَربَت /ع./ **cooling drink, sherbet; syrup, elixir; medicinal draught**
شربت اپیکا ipecacuanha wine
شربت آبلیمو lemon squash
شربت بنفشه syrup of violets
شربت خشخاش diacodion
شربت سرفه، شربت سینه cough mixture
شربت نارنج orangeade
شربت‌خانه[1] /ع. فا./ **servery**
شربت‌خانه[2] /ع. فا./ = آبدارخانه
شربت‌دار [کمیاب] /ع. فا./ = آبدار **butler**
شربین = سیاه کاج **larch**
شرپنل /ان./ **shrapnel**
شرح [جمع: شُروح، کمیاب] /ع./ **description; exposition, explanation; recital; account, statement, report; details**
شرح دادن to give an account of; to describe, to explain
شرحی به من نوشت که he wrote to me to say that
به شرح زیر as follows
شرحه [کمیاب] /ع./ **slice**
شِرذمه [کمیاب] /ع./ **small party *or* detachment**
شرر [جمعِ شراره، /ع./]
شرربار [ادبی] /ع. فا./ **scintillant;** [*o.s.*] **raining sparks**
شرزه [ادبی] **fierce:** شیر شرزه
شِرشِر [عامیانه] **murmuring** (noise)
شرشر کردن to murmur *or* purl
شُرشُر [عامیانه] (noise of) **flowing *or* falling water; freshet**
شرشر کردن to flow *or* fall (as water)
شُرشُره [عامیانه] **freshet, rapids**

شرط [جمع: شروط، شرایط] /ع./ **condition, term, stipulation; wager, bet;** [*logic*] **protasis**
شرط بستن to bet, to lay a wager *or* bet
شرط کردن to make (it) a condition, to stipulate, to lay down
شرط باشد برگردد. ***I bet you*** (or ***guarantee that***) ***he will return.***
آن کار شرط ادب نبود. That was not polite.
شرط انصاف نیست justice forbids
به شرط امتحان خریدن to buy on trial (*or* approval)
به شرط آنکه، به شرطی که on the condition that, provided (that)
به شرط حیات if my life does not fail me
بیع شرط revocable sale
شرط‌بندی /ع. فا./ **betting, wagering, staking money on something**
شرط‌بندی در اسب‌دوانی sweepstake(s)
شرط‌بندی بستن to bet, to lay a wager, to stake money on something
شُرطه [ادبی] /ع./ **favourable** (wind)
شَرطی [مؤنث: شرطیه] /ع./ **conditional**
وجه شرطی subjunctive mood
قضیه شرطیه conditional clause
شرع /ع./ **religious law, canon**
شرعاً /ع./ **according to religious law, canonically**
شرعی [مؤنث: شرعیه] **lawful, legal; religious, canonical**

شرعیات [جمعِ شرعیه] **religious laws, canon law**
شرف /ع./ **honour, dignity; moral distinction, superiority**
شرف کسی را بردن to cast aspersions on a person's character
به شرف عرضِ ... رساندن to bring to the attention of (a specified dignitary)
شُرُف [جمعِ شرفه] /ع./ **cornices,** [*rare*] **merlons;** [*fig.*] **verge, point**
در شرفِ رفتن بود. He was about to go.
شُرفَاء [جمعِ شریف]
شُرفه ← شرف
شرفیاب شدن [در تعارفات] /ع. فا./ **to come** (to meet); [*o.s.*] **to seek the honour of** (the person whom one wishes to meet)
شرفیابی /ع. فا./ **honour of being received in audience**
شَرق /ع./ = خاور **the East *or* Orient**
شمال شرق north-east
شرقاً /ع./ **on the east**
شرقی /ع./ **eastern; oriental**
شرقی غربی lying east and west
شِرک /ع./ **polytheism**
شرکاء [جمعِ شریک]
شِرکت /ع./ **company, firm; part(nership)**
شرکت تعاونی cooperative society
شرکت داشتن to have a share; to participate, to take part; to attend (as a member)
شرکت کردن to enter into partnership

در مسابقه‌ای شرکت کردن to sit for a selection (*or* competitive) examination

شرکت‌نامه /ع. فا./ **memorandum**

شرم **shame; pudency**

شرم حضور shame caused by looking one in the face, coyness; ← رودربایستی

شرم داشتن، شرم کردن to be ashamed

از سخن گفتن شرم داشت. ***He was ashamed** (or **too modest**) **to speak.***

شرم‌آور **indecent, shameful**

شرم‌رو **bashful; modest**

شرم‌زده = شرمسار

شرمسار **put to shame, ashamed**

شرمسار شدن to be put to shame

شرمسار کردن to put to shame

شرمساری **shame, disgrace**

شرمساری بردن، شرمساری کشیدن to be put to shame, to be disgraced

شرمگاه **privy parts**

استخوان شرمگاه (os) pubis

شرمگین، شرمناک = شرمسار

شرمندگی **shame; blush**

شرمنده **ashamed; put to shame**

شرمنده شدن to be ashamed; to be put to the blush

شرمنده کردن to make ashamed, to put to the blush by one's favours *or* compliments

شرنگ [ادبی] = زهر؛ حنظل

شَرور [تلفیق شَریر و شُرور] **wicked; restive**

شُرور [جمعِ شرّ]

شروط [جمعِ شرط]

شُروع /ع./ = آغاز **beginning, start, commencement**

شروع شدن *vi.* to begin

شروع کردن to begin *or* commence

شروع کرد به سخن گفتن. ***He began to speak.***

شروع به تیراندازی کردن to open fire

آتش شروع! Open fire!

شِر و ور [زبان لاتی، صورت اختصاری شِعر و ورد] **balderdash, rigmarole, nonsense;** ← ورد؛ شعر

شَرّه [کمیاب] /ع./ = آز، حرص

شرِه [کمیاب] /ع./ = آزمند

شریان [جمع: شرائین] /ع./ **artery**

ورم شریان arteritis

شریان‌بند /ع. فا./ **tourniquet**

شریانی /ع./ **arterial:** خون شریانی

شریر /ع./ **wicked** (person); ← [جمع: اشرار]

شریطه ← شرایط

شریعت [جمع: شرایع] /ع./ **religious law**

شریعت‌گزار /ع. فا./ **lawgiver**

شریعتمدار /عف./ **versed in religious law; holy, spiritual**

شریف[1] /ص. ع./ **noble, honourable**

شریف[2] /ا. ع./ **nobleman; aristocrat**

احوال شریف چطور است؟ [در تعارفات] How are you?

شریک [جمع: شرکاء] /ع./ **partner; associate; accomplice**

لاوی و شرکاء Levi and company

شریک شدن to join hands; to enter into partnership

شریک ارث joint heir, coheir

شریک جرم [*law*] abettor

شریک دزد receiver of stolen goods

شریک دزد و رفیق قافله jack-on-both-sides, one who runs with the hare and hunts with the hounds

شریک‌الارث /ع./ **coheir, joint heir**

شریک‌الملک /ع./ **joint owner** (of a landed property)

شست[1] **thumb; fishing-net, fishing-hook; thumbstall**

شست پا big toe, great toe

شستم خبردار شد. A little bird told me so.

شست[2] = شصت

شُستشو **washing; bathing;** [*med.*] **irrigation**

شستشو دادن to wash, to bathe

شستشو کردن to bathe, to wash oneself; to irrigate

شستن [بن مضارع: شو(ی)] **to wash; to wash away;** [*fig.*] **to wipe away;** [*sl.*] **to pay** (one) **out well**

شستنی **that is to be washed**

رختهای شستنی laundry, wash

شسته [اسم مفعول فعل شستن] **washed**

شسته و رُفته neat, tidy, shipshape, clear, explicit

شستی **push-button**

شش **six**

شُش **lung(s)**

شِش‌انداز [کمیاب] = نرّاد

شش‌بر **hexagon(al)**

شش‌پر **mace with six prongs, knobstick**

ششدانگ [*n.*] **the entire six parts into which a real estate is divided;** [*mus.*] **highest pitch;** [*adv., infml.*] **entirely, clean**

ششدانگی entire, whole
شِشدَر
[*backgammons,n.*] position of a piece that is locked up behind six consecutive points; [*adj.*] blocked
ششسطحی /فا.ع./ = شش‌وجهی
ششصد six-hundred
ششصدم six-hundredth
ششصدمی (the) six-hundredth
ششصدمین the six-hundredth
شش‌ضلعی /ع. فا./ = شش‌بر
شش‌گوش، شش‌گوشه [*n.*] hexagon; [*adj.*] six-angled
ششلول six-shooter; revolver
ششم sixth
ششم آنکه sixthly
شش‌ماهه biannual, semi-annual; six-month-old
ششمی (the) sixth
ششمین the sixth
شش و بش /فا. ت./ [*backgammons*] six and five
شش‌وجهی /فا.ع./ hexahedral
جسم شش وجهی hexahedron
شُشی pulmonary; light red
شصت، شست sixty
شصت‌تیر machine-gun
شصتم sixtieth
شصتمی (the) sixtieth
شصتمین the sixtieth
شَط [جمع: شطوط، کمیاب] /ع./ large river
شط‌العرب /ع./ Shattel-Arab: the rivers Tigris and Euphrates united
شطرنج /ع. فا./ chess
شطرنجی /ع. فا./ checkered
شطوط [جمعِ شط]

شعار /ع./ standard, colour, device; slogan, motto; party-cry; battle-cry; [*infml.*] profession
شعار دادن to demonstrate by means of a slogan
شعاع [جمع: اشعه] /ع./ ray, beam; radius; → پرتو
شعاع بُردار، شعاع حامل radius vector
شعاع عمل cruising-range
شعاع‌افکن /ع. فا./ = پرتوافکن
شعاع‌گستر /ع. فا./ radiant
شعاعی /ع./ radial
شعائر [جمعِ شعیره] /ع./ rites, observances, mores
شِعب [جمع: شعاب] /ع./ = گردنه mountain-pass, defile
شُعَب [جمعِ شعبه]
شعبات [جمعِ شعب، شعبه]
شعبان [اسم‌خاص] /ع./ [eighth Arabic lunar month]
شعبده [از ریشه سامی] jugglery, legerdemain
فانوس شعبده magic lantern
شعبده‌باز juggler
شعبده‌بازی jugglery, legerdemain
شعبه [جمع: شعب] /ع./ branch (office); section; tributary stream
شَعر [کمیاب] /ع./ = مو hair
شِعر [جمع: اشعار] /ع./ poem; poetry, verse
شعر گفتن، شعر ساختن to compose a poem *or* poems
به شعر درآوردن to versify
شعراء [جمعِ شاعر]
شَعرباف /ع. فا./ = نساج، بافنده
شَعری [مؤنث: شعریه] /ع./ capillary
شِعری /ع. فا./ poetical
شِعریٰ /ع./ Dog-star
شعرای شامی Procyon

شعرای یمانی Sirius
شعشعه /ع./ radiance
شعف /ع./ = خوشی joy, delight
شُعله /ع./ flame; [*phys.*] calorie
شعله زدن to flame *or* blaze
شعله‌زن، شعله‌ور /ع. فا./ flaming
شُعور /ع./ sense; intelligence
شعور حیوانی instinct
شُعیب /ع./ Jetro: the father-in-law of Moses
شعیره [جمع: شعائر] barley corn
شغار(ه) badger
شغال jackal
شغال به wild quince
شغب [کمیاب] /ع./ = غوغا
شغل [جمع: اشغال] /ع./ employment; vocation; → کار، پیشه
شفاء /ع./ cure; remedy
شفا دادن to cure
شفا یافتن to be cured
شفابخش /ع. فا./ curative, health-giving
شفاخانه /ع. فا./ dispensary (for students)
شفاعت /ع./ intercession
از او نزد من شفاعت کردند. *They interceded for him with me.*
شفاعت‌آمیز /ع. فا./ intercessory, mediatory
شفاف /ع./ transparent; limpid
شفاهاً /ع./ verbally, orally
شفاهی /ع. فا./ verbal, oral
شفت [*bot.*] drupe
شفتالو [variety of peach]
شفترنگ، شبرنگ [عامیانه] [variety of peach of a dark red colour]

شِفته **concrete**
شفتهٔ طبیعی conglomerate, clastic rock
شفتین [تثنیهٔ شفه، کمیاب] /ع./ [*o.s.*] **the two lips**
شفتین صغری labia minora
شفتین کبری labia majora
شفعه /ع./، **حق شفعه** **right of preemption**
شفق [جمع: اشفاق، کمیاب] /ع./ **aurora; evening twilight**
شفق جنوبی aurora australis
شفق شمالی aurora borealis
شفقت /ع./ **compassion, pity**
شفقت کردن بر to have pity on
شفوی، شفهی /ع./ = لبی **labial**
شفیع [اسم خاص] /ع./ **intercessor; preemptor**
شفیق /ع./ **compassionate; kind**
شق ← شخ
شَقّ /ع./ **splitting; crack**
شِقّ [جمع: شقوق] /ع./ **alternative; possibility; subdivision; phase**
شِقاق /ع./ **schism; discord; split**
شقاقُل **wild carrot**
شقاقل برّی cow-parsnip
شقاقل مصری wild parsnip, parsnip of the desert
شقاقلوس [از ی. sphakelos] **gangrene**
شقاقلوس شدن to sphacelate
شق‌القمر /ع./ **Herculean task;** [*o.s.*] **splitting of the moon**
شقاوت /ع./ **adversity; villainy**
شقایق /ع./ **corn-poppy**
شقایق پُرپَر، شقایق فرنگی peony
شقایقِ نعمان anemone

شقوق [جمع شِق]
شَقه /ع./ **side** (of mutton, etc.)
شقه کردن to cleave lengthwise in two parts
شقی [جمع: اشقیاء] /ع./ **wretched** (person); **vicious** (person)
شقی /ع./ **temporal**
صداع شقی hemicrany
شقیقه[1] /ع./ **temple**
شقیقه[2] /ع./ [*rare,med.*] **hemicrany, megrim**
شَکّ /ع./ **doubt; suspicion**
شک فلسفی scepsis
بدون شک doubtless
شک به چیزی آوردن to hesitate in believing something
شک کردن to doubt
به شک افتادن to fall into suspicion
به شک انداختن to cause to doubt, to lead into doubt
شکی در آن نیست. ***There is no doubt about that.***
در رفتن او شک دارم. ***I doubt whether he will go.***
شکار **hunting; prey, game;** [*fig.*] **victim; booty**
شکار شدن [عامیانه] to be upset ***or*** disconcerted; [*o.s.*] to be hunted
شکار کردن to hunt
شکاربان **game-keeper**
شکارچی /فا. ت./ **hunter, huntsman**
شکاردُزد **poacher**
شکارگاه **hunting-ground, park**
شکارگردان **huntsman, member of the hunt**
شکاری[1] **used for hunting**
سگ شکاری hunting-dog

ساعت شکاری hunting-watch, hunter, capped watch
مرغ شکاری bird of prey
هواپیمای شکاری chaser
شکاری[2] **predatory**
شکاف[1] /ا./ **split, fissure; gap**
شکاف درجه hindsight
شکاف خوردن to split (partially)
شکاف دادن to split
شکاف[2] [بن‌مضارعِ شکافتن]
شِکافتن [بن‌مضارع: شکاف] *vt.* **to split, to cleave; to unsew, to unstitch, to undo;** [*fig.*] **to analyze;** *vi.* **to split; to be unstitched**
شکافته [اسم‌مفعول فعل شکافتن] **split, cloven; forked; undone**
شکافدار **having a crack *or* crevice**
گره شکافدار clove-hitch
شکاک /ع./ **doubter; sceptic(al)**
شکاکیون [جمعِ شکاکی] /ا./ **sceptics**
مسلک شکاکیون scepticism
شکال [کمیاب] /ع./ **shackle**
شِکایت [جمع: شکایات] /ع./ **complaint; grievance;** ← گله
شکایت کردن to complain
شکایت مرا پیش رئیس برد. He reported me to the director.
شکایت‌آمیز /ع. فا./ **plaintive**
شِکر (granulated) **sugar**
شکر خام moist sugar, moscovado
شکر سرب acetate of lead, sugar of lead
شکر سرخ brown sugar
شُکر /ع./ **thanks(giving)**
خدا را شکر thank God

شکر کردن to thank (God), to give thanks to (God)
شکر گزاردن to give thanks
شِکراب **estrangement, coolness**
شکران /ع./ **thankfulness, gratitude**
شکرانه /ع. فا./ (sign of) **gratitude *or* thankfulness**
به شکرانهٔ ... as a sign of gratitude for, in acknowledgment of
شکرپاره [variety of apricot]
شکر پنیر [kind of confectionery]
شکرخا [ادبی] **sweet-spoken**
شکرخنده [ادبی] (person with a) **sweet smile**
شکردان **sugar-bowl**
شکردن[1] **to drive away**
شکردن[2] [ادبی، کمیاب، بن مضارع: شکر] = شکستن
شکردهان [ادبی] **sweet-spoken**
شکرریز = قناد، شیرینی‌ساز
شکرک **manna**
شکرگزار /ع. فا./ **giving thanks** (to God), **thankful**
شکرگزاری /ع. فا./ **thanksgiving** (to God)
شکرگزاری کردن to give thanks
شکرلب [ادبی] **sweet-lipped; sweet-spoken**
شکری **sugared, sugary; cream-coloured**
شِکست **defeat; failure; breakage, fracture;** [*phys.*] **refraction**
شکست خوردن to be defeated; to fail
شکست دادن to defeat, to beat; [*fig.*] to surpass
شکستگی **breakage, fracture; breakdown;** [*words*] **contraction**

شکستن [بن مضارع: شکن] *vt.* **to break;** [*fig.*] **to infringe;** *vi.* **to break** (up)
در هم شکستن to break up; to rout
شکست‌ناپذیر **invincible**
شکستنی **breakable**
شکسته [اسم مفعول فعل شکستن] **broken; broken down;** [*tunes*] **sad, doleful**
خط شکسته broken *or* crooked line; kind of cursive writing
شکسته شدن to be weighed, to be broken *or* bowed down
شکسته‌بال[1] [*o.s.*] **broken-winged**
شکسته‌بال[2] [مجازی] = بیچاره؛ بدبخت
شکسته‌بسته **fragmentary**
شکسته‌بند **bone-setter**
شکسته‌بندی **bone-setting**
شکسته‌خاطر /فا. ع./،
شکسته‌دل = دل شکسته
شکسته‌نفسی /فا. ع./ **modesty, humility**
شکسته‌نفسی کردن to be modest, to show humility
شکفتگی **state of being opened** (as a flower); [*fig.*] **cheerfulness**
شکفتن [بن مضارع: شکف] **to open:** غنچه شکفت ; [*fig.*] **to cheer up; to smile**
شکفته [اسم مفعول فعل شکفتن] **opened;** [*fig.*] **cheerful**
شکل [جمع: اشکال] /ع./ **shape, form; figure; syllogism**
به چه شکل؟ how?, in what manner?
شکلاً /ع./ **in shape**
شکلات /فر./ **chocolate**
شکلاتی /فر. فا./ **chocolate brown**
شکل‌پذیر /ع. فا./ **plastic**

شکلک /ع. فا./ **grimace, wry face**
شکلک در آوردن to make mouths (at someone), to pull a wry face
شکلی /ع./ **dealing with forms and procedure**
قانون شکلی law of procedure, adjective law
شکم **belly, stomach; womb;** [*fig.*] **interior**
شکم گرسنه hungry belly, hunger
شکم دادن to sag; to bulge
شکمش کار نمی‌کند. His bowels do not move.
شکم خود را صابون زدن [زبان لاتی] to expect a feast, to whet one's appetite
شکمی از عزا درآوردن [زبان لاتی] to play a good knife and fork, to do justice to a meal
سه شکم زائید. She gave birth to three children.
شکم‌بند **corset, stays**
شکم‌بنده [ادبی، کمیاب] **glutton**
شکمبه **paunch, rumen**
شکم‌پا **gastropod**
شکم‌پایی **gastropodous**
شکم‌پرست **glutton(ous)**
شکم‌پرستی **gluttony**
شکمچه **cerebral ventricle**
شکم‌خوار(ه) [ادبی] = شکم‌پرست
شکم‌درد[1] **gripes**
شکم‌درد[2] = دل‌درد
شکم‌رَوِش **diarrhoea;** ← اسهال
شکم‌گنده [عامیانه] **big-bellied, gluttonous**
شکمو [عامیانه] **gluttonous**
شکمه **ventricle of the heart**
شکمی **abdominal; ventral; uterine**

پیوند شکمی (shield-)budding
گودال شکمی abdomen
شکن[1] [ادبی] **curl, ringlet; fold, crease**
شکن[2] [بن مضارعِ شکستن]
شکنج [ادبی] **bend, twist; wrinkle**
شکنجه **torture, rack**
شکنجه کردن to (put to the) torture, to excruciate
شکنندگی **fragility; brittleness**
شکننده **brittle; breakable**
شکور [کمیاب] /ع./ **very grateful**
شکوفه **blossom**
شکوفه کردن to blossom
شُکوه **splendour, magnificence**
شِکوه /ع./ **complaint**
شکوه کردن to complain
شکیب **patience**
شکیبا، شکیبنده **patient**
شکیبایی **patience, fortitude**
شکیبیدن [کمیاب] = صبر کردن
شکیل [ساخته شده از واژه عربی شکل] = خوش ترکیب
شگرف [ادبی] **wonderful, great; excellent**
شِگفت **wonder, astonishment**
در شگفت شدن
to be astonished *or* surprised
شگفتا! [ادبی] [with the stress on the second syllable] **wonder!, how surprising it is!**
شگفت آمیز، شگفت انگیز
surprising, wonderful
شگفتن = شکفتن
شگفتی **wonder(ful thing)**
شگون **good omen**
شَل **lame**
یک پایش شل است. ***He is lame in*** (or ***of***) ***one leg.***
شل کردن to lame, to cripple
شُل **slack; loose, lax; (too)** soft; [*fig.*] **languid; too lenient**
شل دادن [عامیانه] to relax one's efforts
شل شدن to loosen; to be slackened
شل کردن to loosen; to slack(en); to make lax
شلاق /ع./ **whip, lash**
شلاق خوردن
to be whipped *or* flogged
شلاق زدن to whip, to flog, to lash
شلاق خور [عامیانه] /ع. فا./
knockabout, durable, tough
شلاق کش [عامیانه] /ع. فا./
at full drive, post-haste
شلاقی /ع. فا./
[*adj.*] **flagelliform;**
[*adv.,mus.*] **fortissimo**
آچار شلاقی stillson wrench
شلال **long stitch**
شلال کردن to sew with long stitches
شل بافت، شل باف **loosely woven, of a loose texture**
شلتوک **paddy, rough rice**
شلجمی [از فا. شلغمی] /ع./
parabolical
شلخته **slovenly, sluttish, slipshod, untidy**
شلغم **turnip**
شلغمی[1] [کمیاب] **turnip-like**
شلغمی[2] = شلجمی
شِلم /فر./ [*bridge*] **slam**
شلم شوربا [زبان لاتی، صورت اختصاری شلغم شوربا]
higgledy-piggledy, confused;
[*o.s.*] **pottage of turnip**
شلنگ /ر./ **flexible hose**
شِلنگ **stride**
شلنگ زدن، شلنگ برداشتن
to stride
شلنگ انداز [عامیانه]
with rapid (*or* giant) strides, by leaps and bounds
شلوار (pair of) **trousers**
شــلوق /ت./، **شــلوق پلوق** [عامیانه]
[*n.*] **confusion, disorder; bustle, noise; riot;** [*adj.*] **crowded; noisy; disorderly, confused**
شلوق کردن
vi. to make noise; to riot, to disturb public peace;
vt. to put in disorder
شله، شله قلمکار [kind of soft dish with rice and vegetables]
آش شله قلمکار [عامیانه]
hodge-podge, medley
شِله **red twill, Turkey red**
شله‌ای **scarlet** (colour)
شَلی **lameness**
شُلی **looseness; slackness; softness**
شلیته [old-fashioned short petticoat worn under the dress]
شلیک **volley, salvo; report of a gun**
شلیک پی‌درپی fusillade
شلیک خطر distress-gun
شلیک کردن to volley; to fire a gun
شلیل **nectarine**
شَمّ /ع./ **flair;** [*o.s.*] **smelling**
شم چیزی را داشتن to have a flair for something
شُما **you** [plural of, and polite substitude for تو];
[preceded by an "ezafeh"] **your**
کتاب شما ***your book***
شماها [real plural] you
شماتت /ع./ **rejoicing at another's misfortune**

شماتت کردن to rejoice at another's misfortune; to taunt

شمار[1] /ا./ **reckoning; number**

به شمار آمدن، به شمار رفتن to be reckoned (among); to allow of counting

به شمار آوردن to reckon (among)

شمار[2] [بن مضارعِ شمردن]

شمارش (act of) **counting**

شمارنده (one) **who counts**

شماره **number;** **issue:** در شماره... روزنامه

شمارهٔ ۵ ***No. 5***

صفت شماره numeral adjective

شماره گیر (telephone) **dial**

شماس [کمیاب] /ع./ **deacon**

شماطه /ع./ **din, uproar**

ساعتِ شماطه‌ای alarm-clock

شماع [کمیاب] /ع./ = شمع ساز

شمال /ع./ **north**

شمال‌شرق north-east

شمال‌غرب north-west

شِمال [کمیاب] /ع./ **left** (hand); ⟶ چپ

شمالا /ع./ **on the north**

شمال‌شرقی /عف./ **north-eastern**

شمال‌غربی /ع. فا./ **north-western**

شمالی /ع. فا./ **northern; arctic**

شمایل [جمعِ شمیله، کمیاب] /ع./ (good) **qualities; portrait, icon; character sketch**

شمایل‌پرست /ع. فا./ **iconolater**

شمایل‌پرستی /ع. فا./ **iconolatry**

شمائم [جمعِ شمیمه]

شمخال /ت./ **harquebus**

شمد **(bed)sheet**

شمر [بن مضارعِ شمردن] = شمار

شِمْر /ع./ **Shemr: general who slew Imam-Hossein;** [*met.*] **cruel person**

دست شمر را از پشت بستن to out-Herods Herod

شمردگی **distinctness**

شمردن [بن مضارع: شمار، شمر] **to count, to compute;** [*fig.*] **to reckon**

شمرده [*adj.*] **distinct;** [*o.s.*] **counted;** [*adv.*] **distinctly:** شمرده بخوان

پول نشمرده immense wealth

شمس [جمع: شُموس، اسم‌خاص] /ع./ **sun;** ⟶ خورشید، آفتاب

شمس کاذب parhelion

شمس‌الدین [اسم‌خاص] /ع./ [*o.s.*] **sun of the faith**

شمسه /ع./ **frog: ornamental fastening *or* loop**

شمسی **solar**

منظومهٔ شمسی solar system

شمسی‌قمری /عف./، **شمسی و قمری** **lunisolar**

شمسیه [اسم‌خاص، مؤنثِ شمسی] /ع./

شِمش **bullion, ingot; bar**

شمشاد **box-tree**

چوب شمشاد boxwood

شمشه **rule used in pointing**

شمشیر **sword, sabre**

شمشیر زدن to strike with a sword; to use a sword

شمشیر کشیدن to draw one's sword

شمشیر پیش! [*mil.*] Present sabre!

شمشیرکش! [*mil.*] Draw sabre!

شمشیرجا! [*mil.*] Return sabre!

زخم شمشیر sword-cut

شمشیرباز **fencer**

شمشیربازی **fencing**

شمشیربازی کردن to fence

شمشیرزن **swordsman**

شمشیرساز **sword-cutler**

شمشیرسازی **sword-cutlery**

شمشیرماهی **swordfish**

شمشیری **sword-shaped;** [*anat.,bot.*] **ensiform, gladiate**

شَمع [جمع: شُموع، کمیاب] /ع./ **candle; shore, prop; candle-power,** *L.* **watt;** [*mech.*] **spark plug**

شمع زدن to shore up, to support by a shore, to prop

شمعدان /ع. فا./ **candlestick**

شمعدانی /ع. فا./ **geranium, cranesbill**

شمعدانی عطر pelargonium

شمع‌ساز /ع. فا./ **candle-maker**

شمعک /ع. فا./ **shore, prop;** [*o.s.*] **small candle, taper**

شمعون /ع. عب./ **Simon; Simeon**

شموس [جمعِ شمس]

شموع [جمعِ شمع]

شمول /ع./ **comprisal, inclusion; applicability; scope**

شمه /ع./ **small part, slight notion, short account**

شمیم [اسم جمعِ شمیمه] /ع./

شمیمه [کمیاب، جمع: شمائم] /ع./ (sweet) **odour**

شِن **sand; gravel**

به شن نشستن to strand, to run aground

شِنا **swimming**

شنا کردن to swim

شناخت = شناسایی

شناختن [بن مضارع: شناس] **to recognize; to know** (a person)

شناخته [اسم‌مفعول فعل شناختن] **known; recognized**

شناس [بن‌مضارعِ شناختن]
شناسا [adj.] acquainted; [n.] acquaintance
شناسانیدن to make known, to introduce
شناسایی recognition; acquaintance
شناسنامه identity card (or certificate)
شناسنده (one) who knows or recognizes
شناعت، شنعت /ع./ obscenity
شناگاه swimming-pool(s), baths
شناگر swimmer; float, buoy
شناگری swimming, natation
شناور floating; buoyant
رهنمای شناور buoy
شناور ساختن to (cause to) float
شناور شدن to float; to buoy
شناوری buoyancy; swimming
شنبلید [ادبی] = شنبلیله
شنبلیله fenugreek
شنبه Saturday
شن‌پاش sand-box
شن‌پاشی sandblasting
شنجار، شنگار alkanet
شنجرف /ع. فا./ = شنگرف
شندرغاز [زبان لاتی] [with the stress on the second syllable] insignificant amount, nothing to shout about [used adverbially or objectively]
شندرغاز حقوق می‌گیرد.
He receives a very small salary.
شن‌ریزی ballasting
شن‌ریزی کردن to ballast
شنزار [adj.] sandy, beachy; [n.] sandy place, beach, strand

شنفتن = شنیدن
شن‌کش rake
شن‌کشی raking, working with a rake
شَنگ [عامیانه] = شوخ؛ قشنگ
شِنگ salsify
شنگار ← شنجار
شنگرف cinnabar, vermilion
شنگول [عامیانه] gay, sportful; tipsy
شنگیدن [عامیانه] to be ticklish
شنل cape, mantle, cloak
شنو [بن‌مضارعِ شنیدن]
شنوا that can hear: گوش شنوا
شنوانیدن to cause to hear or to be heard
شنوایی hearing
از من شنوایی دارد.
He listens to me.
شنود، شنید hearing
گفت و شنید conversation
شُنودن = شنیدن
شنونده [جمع: شنوندگان] hearer, listener, auditor
شِنی sandy, sand-like
شنید ← شنود
شنیدن [بن‌مضارع: شنو] to hear; to listen to; to smell
شنیدن کی بود مانند دیدن.
Seeing is believing.
شنیدنی interesting, worth hearing; strange
شنیده [اسم‌مفعول فعل شنیدن]
شنیع /ع./ = زشت obscene, abominable; [مؤنث: شنیعه] ←
شنیعه [جمع: شنایع، مؤنثِ شنیع] /ع./ obscene act
شو، شوی[1] [بن‌مضارعِ شستن]
شو، شوی[2] [صورت‌اختصاری شوهر]
شو[1] [بن‌مضارعِ شدن]
شو[2] [در برخی لهجه‌ها] = شب

شوارب [جمعِ شارب]
شوارع [جمعِ شارع]
شوّال [tenth Arabic lunar month]
شوالیه /فر./ knight
شواهد ← شاهد
شوخ [adj.] gay, jovial; witty; saucy; [n., c.p.] joker
شوخ‌چشم [ادبی] impudent, saucy
شوخ‌چشمی impudence, insolence
شوخ‌طبع /فا. ع./ of a gay or witty nature
شوخی joke, jest, fun; witticism; trick; sauciness, [lit.] impudence
حس درک شوخی
sense of humour
شوخی کردن to joke, to jest
شوخیِ بدتر از جدّی half jest and whole earnest
شوخی به کنار joking apart
شِوِد [عامیانه] = شبت
شِوِدی asparagus; love-in-a-mist
شور [adj.] salt(y), brackish; [n.] sensation, emotion, passion; fervour, enthusiasm; anxiety
آب شور salt water
شور درسر داشتن
to be fervent or passionate; to be full of emotions
شور و شعف نشان دادن
to go into rhapsodies
دلم شور می‌زند. *I am anxious* or *uneasy (about it)*.
شورش را درآوردن [عامیانه]
to go too far, to be outrageous in one's conduct
شُور /ع./ deliberation, consultation, reading: شور دوّم لایحه

شور کردن to deliberate, to consult

شورا ← شوری

شوراب **salt** *or* **brackish water**

شورانیدن **to cause to revolt**

شورانگیز **sensational**

شوربا **pottage**

شوربخت [ادبی] = بدبخت

شورچشم = بدچشم

شورش **revolution, revolt**

شورش کردن to revolt

شورش‌طلب /فا. ع./ [*adj.*] **revolutionary;** [*n.*] **revolutionist**

شورشی **revolutionary**

شورمزه **salt(ish)**

شِوْرو /فر./ **kidskin**

شوروی /ع./ **consultative, deliberative**

دولت شوروی the Soviet Government

شوره **nitre, saltpetre;** [*head*] **scurf, dandruff, furfur;** [*skin*] **pityriasis**

شوره بستن to form scurfs; to effloresce

علف شوره saltwort, glasswort

شورهٔ قلمی potassium nitrate

زمین شوره brackish ground

شوره‌پز **saltpetre-maker**

شوره‌پزی **saltpetre-making**

شوره‌زار [*n.*] **salt-marsh;** [*adj.*] **brackish, saltish**

شوری **saltiness, salinity**

شوریٰ /ع./ **council**

شورایِ امنیت the Security Council

مجلسِ شورای ملی the National Consultative Assembly

شوریدگی **frenzy,** (love) **madness**

شوریدن [بن‌مضارع: شور] **to revolt, to rise**

شوریده[1] **frenzied, (love-)mad**

شوریده[2] [اسم‌مفعول فعل شوریدن]

شوریده بخت [ادبی] = بدبخت

شوریده‌حال /فا. ع./ = پریشان حال

شوریده‌مغز [کمیاب] = دیوانه

شوسه [از فر. chaussée] **road, high road, roadway**

شوشکه /ر./ **Circassian sabre**

شوشه **prism; ingot**

شوفر /فر./ **driver; chauffeur**

شوق [جمع: اشواق، کمیاب] /ع./ **strong desire; great interest, enthusiasm; delight, pleasure**

شوک [کمیاب] /ع./ = خار **thorn**

شوک مبارک = باد آورد

شوکا **(roe)buck**

شوکت [اسم‌خاص] /ع./ **glory; power**

شوکت‌الیهود [کمیاب] /ع./ **acanthus**

شوکران **hemlock**

شوکران آبی water hemlock, cowbane, water dropwort

شولا **quilt-like mantle** *or* **cloak**

شُوم /ع./ **bad omen;** [pronounced شوم and treated as an adjective] ; **inauspicious**

شومی /ع. فا./ **inauspiciousness**

شومیز [از فر. chemise] = پوشه **folder, flat file**

شونیز = سیاه دانه **nigella seeds**

شوون [جمعِ شأن] [erroneously spelled شئون]

شوونات [جمعِ شوون، شأن] [erroneously written شئونات]

شوهر **husband**

شوهر دادن to give in marriage; [*fig.*] to give away

شوهر کردن to get married, to marry

مادرشوهر mother-in-law

دوشوهره، دو زنه bigamist

شوهردار **married**

زن شوهردار married woman, feme covert

شوی ← شو

شویگاه، شورگاه [عامیانه] = غسالخانه

شه [ادبی، صورت اختصاری شاه]

شهاب /ع./ **shooting-star, meteor**

کانون شهاب [*astr.*] radiant point

شهادت [جمع: شهادات] /ع./ **witness; martyrdom;** ← گواهی

شهادت دادن to witness, to bear witness (to), to give evidence (of); to profess (one's faith)

به شهادت رسیدن to suffer martyrdom

به شهادت طلبیدن to call to witness

کلمهٔ شهادت credo *or* formula (of the Islamic faith)

شهادتگاه /ع. فا./ **scene** *or* **site of martyrdom**

شهادت‌نامه[1] [کمیاب] /ع. فا./ **passional, passionary**

شهادت‌نامه[2] /ع.فا./ = گواهینامه

شهامت /ع./ **moral heroism, the courage of one's opinion, bravery; greatness;** [*o.s.*] **vigour**

شهباز [صورت اختصاری شاهباز]

شهپر **aileron**

شهد /ع./ **honey(comb); nectar, honey-dew**

شهدا [جمعِ شهید]

شهداب /ع. فا./ **hydromel; mead**

شهددار /ع. فا./ **nectariferous**

شهدالله /ع./ **indeed, truly;** [*o.s.*] **may God witness**

شهدخت [صورت اختصاری شاهدخت]

شهدی [مؤنث: شهدیه] /ع./ **nectareous**

سعفهٔ شهدیه honeycomb scall

شهر[1] **city, town**

شهرِ هرت [زبان لاتی] place where there is no law *or* justice, babel, scene of confusion

شهر[2] [جمع: شُهور] /ع./ = ماه **month**

شهرآرا(ی) [کمیاب] **officer in charge of town decorations**

شهربانی **police**

ادارهٔ کل شهربانی Police Headquarters

شهربانو [اسم‌خاص]

شُهرت /ع./ **fame, renown; rumour; surname;** → نام

شهرت دادن to spread a rumour (about); to give publicity to

شهرت یافتن to win fame

شهرت دارد که there is a rumour that

شهرتاش /فا. ت./ = همشهری

شهردار **mayor**

شهرداری **municipality**

انجمن شهرداری town council, municipal council

شهرستان **small province, township**

دادگاه شهرستان Court of First Instance

شهرِ فرنگ **peep-show;** [*fig.*] **medley, omnium gatherum**

شهرنشین **burgess**

شهروا [کمیاب] **base money with a nominal value**

شُهره [از ع. شهرت] **celebrated** (person *or* thing)

شهری [*adj.*] **urban; civic; municipal;** [*n.*] **townsman, citizen; variety of melon**

شهریار [ادبی] **sovereign, monarch**

شهریاری **sovereignty;** (His) **Majesty**

شهریور [sixth month having 31 days]

شهریه /ع./ = ماهانه **monthly tuition**

شهزاده [صورت اختصاری شاهزاده]

شهنشاه = شاهنشاه

شهوات [جمعِ شهوت]

شهوانی /ع./ **sensual, carnal**

شهوانیت /ع./ **sensuality**

شهوت [جمع: شهوات] /ع./ **lust, passion; inordinate desire** *or* **appetite**

شهوت‌آمیز /ع. فا./ **lustful, carnal**

شهوت‌انگیز /ع. فا./ **exciting lust; aphrodisiac**

شهوت‌پرست /ع. فا./ **lascivious**

شهوت‌پرستی /ع. فا./ **voluptuousness, lasciviousness**

شهوتران /ع. فا./ **sensual, voluptuous, libidinous**

شهوترانی /ع. فا./ **sensuality**

شهوترانی کردن to gratify one's passions; to be sensual

شهود[1] /ع./ **witnessing; presence; intuition**

شُهود[2] [جمعِ شاهد] /ع./

شهور [جمعِ شهر]

شهی [ادبی، صورت اختصاری شاهی]

شهید [جمع: شهدا] /ع./ **martyr**

شهید شدن to suffer martyrdom

شهید کردن to martyr(ize)

شهیر /ع./ = مشهور

شهیق /ع./ **inspiration, inhalation**

شیی [جمع: اشیاء] /ع./ **thing, object; affair;** → چیز

شیاد /ع./ **impostor**

شیادی /ع. فا./ **imposture**

شیار **furrow, groove; plough-land**

شیار کردن to plough *or* furrow

شیاردار **grooved; ploughed**

شیاطین [جمعِ شیطان]

شیاف /ع./ **suppository**

شیب **gradient, grade; slope**

شیب پیما **grad(i)ometer**

شیب‌سنج[1] **gradienter**

شیب‌سنج[2] = شیب‌پیما

شیپسی /ر./ **small pincers, bodkin**

شیپور **trumpet, bugle**

شیپورِ اوستاش Eustachian tube, syrinx

شیپور بیداری [*mil.*] reveille

شیپور جمع [*mil.*] assembly

شیپور خاموشی [*mil.*] last post

شیپور خبر [*mil.*] first post

شیپور رحمی Fallopian tube

شیپور زدن to blow a trumpet

گلِ شیپوری trumpet-flower, bignonia

شیپورچی /فا. ت./ = شیپورزن

شیپورزن **trumpeter, bugler**

شیت [عامیانه] **crushed; mashed; squashy; spread out**

شیخ [جمع: شیوخ] /ع./ **sheik(h): venerable old man, elder, learned man, chieftain** [used as a title]

شیخ زنگوله به پا sheikh wearing small bells on his ankles to scare ants and save them from being trodden on; [*fig.*] hypocritical ***or*** prudish person

شیخی را دیدن [زبان لاتی] to slip away (***or*** off), to make oneself scarce

شیخ‌السفرا /ع./ **doyen, dean**

شیخ‌نشین /ع.فا./ **sheikhdom**

شیخوخت /ع./ **eldership; old age**

شید /ع./ = فریب، مکر

شیدا [ادبی] **frenzied** (with love)

شیدالله /ع./ **may God strengthen**

شیدایی [ادبی] **madness; frenzy** (of love)

شیر[1] **lion; tap, cock, valve**

شیربرفی [استعاری] cardboard cavalier, man of straw

شیر ماده lioness

شیر یا خط head ***or*** tail; toss

شیر کردن to brave

شیر[2] **milk**

شیر دادن to feed ***or*** nurse (a child)

از شیر گرفتن to wean

شیر خشک powdered milk, milk powder

شیر مادیان lac equinum

شیر ماک colostrum, beestings

شیرمرغ [استعاری] goat's wool, blue diamond

شیر به شیر زائیدن، شیره به شیره زائیدن to be delivered of another child before weaning the one who is being nursed

شیرازه **headband** (of a book); [*fig.*] **order; tie**

شیربان **lion-keeper**

شیربچه (lion's) **whelp**

شیربر **lactiferous**

شیربرنج **rice-milk, rice-pudding**

شیربندی **dairy**

شیربها [gift to a bride's mother (for having nursed her): now part of the marriage portion settled upon the wife which is paid beforehand in cash]

شیرجه **dive, header**

شیرجه رفتن to plunge head foremost, to dive

شیرچای **tea with milk**

شیرچنگ [ادبی] [having claws like those of a lion]

شیرخانه [کمیاب] **dairy; lion-cage**

شیرِخشت **purgative manna**

طبع شیرخشتی hot liver

شیرخوار(ه)، شیرخور **at the breast, breast-fed**

بچهٔ شیرخواره child at the breast, suckling

شیرخوارگاه **nursery**

شیرخوری **milk-jug**

فنجانِ شیرخوری milk cup

شیردان **abomasum**

شیردرقرابه **yellowish *or* pale green;** → قرابه؛ شیر

شیردل **lion-hearted**

شیردوش **breastpump**

شیرده[1] **milch:** گاو شیرده

شیرده[2] **nursing:** مادران شیرده

شیرزا **galactogogue**

گیاه شیرزا milkwort

شیرزن **heroine, virago**

شیرزور [ادبی] **strong** (as a lion)

شیرسنج **lacto(densi)meter**

شیرشکری **yellowish-white, white dotted with yellow**

شیرقلاب /فا.ع./ (large) **buckle**

شیرقهوه /فا.ع./ **coffee with milk**

شیرک‌چی /فا.ت./ **distiller**

شیرک‌خانه **distillery;** [*rare*] **tavern**

شیرگرم **milkwarm**

تخم‌مرغ شیرگرم soft-boiled egg

شیرگیاه **milkweed; milkwort**

شیرمال (pastry) **made with milk**

شیرمرد **lion-heart, hero**

شیرمست [*adj.*] (of a child at the breast) **sufficiently fed with milk;** [*n.*] **young fatling**

شیروانی **gable roof**

شیره **juice; sap; syrup; molasses; emulsion, milk:** شیرهٔ بادام ; **preparation from opium residue**

شیرهٔ کسی را کشیدن to sap ***or*** exhaust a person('s vigour), to bleed him white

شیره به شیره زائیدن = شیر به شیر زائیدن

شیره‌ای[1] /ص./ **like sirup, sirupy, sticky**

دستش شیره‌ایست. He is light-fingered.

شیره‌ای[2] /ا./ = شیره‌کش

شیره‌کش [person addicted to smoking opium residue]

شیری **milky, milk-white; lacteal, lactic**

بچهٔ شیری child at the breast, breast fed child

حباب شیری opal globe

دندان شیری milk-tooth

شیرین[1] /ص./ **sweet; melodious**

آب شیرین fresh water

شیرین شدن to be in demand, to have a good market

شیرین کردن to sweeten; to soften (as water); to improve (as land)

شیرین[2] [اسم خاص] /ا./

شیرین بیان /فا.ع./ [*adj.*] **of attractive speech;** [*n.*] **sweet-root, liquorice;** سوس ←

شیرین‌زبان **sweet-spoken:** بچه شیرین زبان

شیرین سخن **sweet-spoken**

شیرینک **lamb's-lettuce; kind of infantine eczema;** [*plants*] **exanthema**

شیرین‌کاری **feat, achievement, stroke of policy; masterpiece;** [*mus.*] **grace, figure**

شیرینی **sweetness; sweets, confectionery; tip** ***or*** **bribe**

نان شیرینی pastry

شیرینی‌پز، شیرینی‌فروش **confectioner**

شیرینی‌پزی **confectionery**

شیرینی‌خوران **betrothal party**

شیرینی‌خوری **sweet-dish**

شیرینی‌فروشی **confectionery**

دکان شیرینی‌فروشی confectioner's shop

شیشک **year-old-lamb, yearling**

شیشکی بستن، شیشکی در کردن [زبان‌لاتی] **to give the raspberry**

شیشه **glass; glass bottle;** [*motor car*] **windscreen**

شیشهٔ داروئی vial

شیشهٔ ساعت watch-glass

شیشهٔ سنگ plate-glass

شیشهٔ عدسی lens

شیشهٔ عکاسی plate, negative

شیشه انداختن به to glaze

خونِ مستأجرین را شیشه می‌کرد. He racked his tenants.

شیشه‌آلات /فا.ع./ **glassware**

شیشه‌ای (made) **of glass,** [*adj.*] **glass; vitreous; vitriform**

شیشه‌باز، شیشه گردان [کمیاب] **juggler**

شیشه‌بُر **glazier; glass-cutter**

شیشه‌بری **glazing, glaziery**

شیشه‌جان **over-precautious about one's life;** [*o.s.*] **whose life is** (as brittle as) **glass**

شیشه‌سازی **glass manufacture**

کارخانهٔ شیشه‌سازی glassworks

شیشه گر **glass-blower**

شیشه گرخانه **glassworks**

شیشه گری **glass-blowing**

شیطان [جمع: شیاطین] /ع./ [*n.*] **Satan, Devil;** [*adj.*] **devilish; naughty**

از خر سیاه شیطان پایین آمدن to come off one's high horse

شیطان را درس می‌دهد. ***He knows one point more than the Devil.***

شیطانک /ع. فا./ **click, pawl, detent;** [*guitar, similar instrument*] **nut**

شیطانی /ع./ [*adj.*] **satanic, devilish;** [*n.*] **devilishness; naughtiness**

شیطانی شدن to have a nocturnal pollution

شیطانی کردن to be naughty; to do mischief

شیطنت /ع./ **naughtiness; mischief;** [*o.s.*] **devilish acts**

شیطنت کردن to be naughty ***or*** mischievous; to do mischief

شیعه /ع./ **Shiite; sectarian**

شیعی /ع./ **Shiite; pertaining to the Shiites**

شیفتگی **infatuation, state of being enamoured**

شیفتن [بن مضارع: شیو، کمیاب] **to enamour; to infatuate**

شیفته [اسم مفعول فعل شیفتن] **enamoured; infatuated**

شیفته شدن to be enamoured ***or*** infatuated

شیفن /فر./ **chiffon**

شیک /فر./ **smart, stylish, fashionable;** [*infml.*] **pretty**

شیک‌پوش /فر. فا./ **smartly dressed**

شیکی /فر. فا./ **smartness;** [*infml.*] **prettiness**

شیل [جمع: شیلات، /ع./] **fishery**

شیلات ← شیل

شیلان [کمیاب] **royal feast**

شیلنگ [عامیانه] = شلنگ

شیلـه پیلـه [زبان لاتی] **nigger in the woodpile (*or* fence)**

شیلینگ /ان./ **shilling**

شیمی /فر./ **chemistry**

شیمیایی /فر. فا./ **chemical**

شیمیدان /فر. فا./ **chemist**

شیوا **charming; eloquent**

شیوخ [جمعِ شیخ]

شیوع /ع./ **outbreak, prevalence**

شیوع دادن to publish, to noise ***or*** spread abroad

شیوع یافتن to be spread ***or*** published

شیون **wailing, wail, loud mourning**

شیون کردن to wail, to mourn loudly

شئون [جمعِ شأن، شوون]

شیوه (peculiar) **style *or* method;** [*infml.*] **trick**

به کسی شیوه زدن to play a trick on someone

شیهه **neighing**

شیهه کشیدن to neigh

ص

صابر /ع./ = شکیبا

صابون /ع. ی./ **soap**

صابون زدن to soap

صابون دستشویی toilet-soap, wash-ball

صابون مایع soft soap

صابون‌پز /ع. فا./ **soap-boiler, soap-maker**

صابون‌پزی /ع. فا./ **soap-boiling**

کارخانهٔ صابون‌پزی soapworks

صابونی /ع. فا./ **soapy**

صابونی کردن to (wash with) soap

آب صابونی soap-suds

صابئی، صابی /ع./ **Sabian**

صاحِب /ع./ **owner, master;** [with *or* without the "ezafah"] **possessor** (of), **one endowed** (with)

صاحب ثروت wealthy

صاحب کتابِ... author of...

صاحب کرامت (person) endowed with a miraculous power; generous

صاحب‌اختیار /عف./ (man) **of authority**

صاحب‌استخوان /ع. فا./ **of noble birth**

صاحب‌الزمان /ع./ [title of the Twelfth Imam]

صاحب امتیاز /عف./ **concessioner** *or* **concessionaire, grantee;** [*newspaper*] **proprietor**

صاحب‌جمال /عف./ = خوبرو

صاحبخانه /ع. فا./ **proprietor** *or* **owner of a house, landlord; host** *or* **hostess;** → میزبان

صاحب‌خیر /عف./ **benefactor**

صاحب‌دل /ع. فا./ **pious** *or* **devout person; wise person**

صاحب‌کار /ع. فا./ **client; employer**

صاحب‌کرم [1] /ص. عف./ **beneficent, generous**

صاحب‌کرم [2] /ا. عف./ **benefactor; giver, bestower**

صاحب‌کمال /عف./ **accomplished**

صاحب‌مال /عف./ **owner** (of a specified property)

صاحب‌محضر /عف./ = سردفتر

صاحب‌مرده /ع. فا./ **whose owner is dead;** [*infml.*] **dirt-cheap**

صاحب‌ملک /عف./ **landlord**

صاحب‌منصب [1] /عف./ **civil official, functionary**

صاحب‌منصب [2] [نظامی] /عف./ = افسر؛ پایور

صاحب‌نظر /عف./ **clear-sighted**

صاحب‌نفس /عف./ **one whose prayers** *or* **curses are effective**

صاحب‌هنر /ع. فا./ = هنرمند

صادِر [مؤنث: صادره] /ع./ **issued; exported; outgoing:** مراسلات صادره

صادر شدن to be issued; to be exported; to emanate

صادر کردن to issue; to export

صادرات [جمعِ صادره، مؤنثِ صادر] /ع./ **exports**

صادرکننده /ع. فا./ **exporter**

صادِق [1] /ص. ع./ **truthful; true;** → راستگو

صادِق [2] [اسم خاص] /ع./

صادق‌القول /ع./ = راستگو

صادقانه /ع. فا./ **truthfully; sincerely**

صارِم [کمیاب] /ع./ **sharp; austere; intrepid**

صاریغ /فر./ **opossum**

صاعِقه [جمع: صوائق، کمیاب] /ع./ **thunderbolt;** → تندر، آذرخش

صاغرمار /ت. فا./ **deaf adder**

صاغری /ت./ **shagreen; croup** *or* **rump of a horse**

صاف [1] /ص. ع./ **clear, limpid, pure; smooth;** [*fig.*] **candid, sincere**

صاف [2] [عامیانه] /ق. ع./ **direct(ly)**

صاف کردن to filtrate, to clarify, to strain, to rack; to smooth; [*fig.*] to clear, to settle, to square *or* balance (accounts with someone); to pave

صاف و صوف کردن [زبان لاتی] [humorous] to shave

سینه صاف کردن to clear the throat

صاف شدن to clear; to be filtered *or* clarified; to smooth
هوا دارد صاف می‌شود. ***It is clearing up.***
صاف و پوست‌کنده in plain words, frankly
صاف و ساده ingenuous, straightforward
صاف‌کرده /ع. فا./ **filtered, clarified; shaved, smoothfaced**
صاف‌کن /ع. فا./ **strainer**
صافِن /ع./، ورید صافن **saphena, internal saphenous vein**
صافی[1] /ع./ **clear, pure**
صافی[2] /ع. فا./ **strainer; filtre; air-cleaner; clearness, purity; smoothness;** [*fig.*] **candour**
صالح[1] [مؤنث: صالحه] /ص. ع./ **good, pious; competent:** محاکم صالحه
صالح[2] [اسم‌خاص، جمع: صلحاء] /ا. ع./ **good** *or* **pious man**
صامت [کمیاب] /ع./ = گنگ **silent, mute**
صانع /ع./ = سازنده، آفریننده
صائب /ع./ = درست **right, correct**
صائم /ع./ = روزه‌دار
صبا /ع./، باد صبا **zephyr; the morning breeze**
صباح /ع./ = صبح، بامداد **morning**
علی‌الصباح in the morning
صباحت /ع./ = زیبایی **beauty**
صباغ /ع./ = رنگرز
صباوت /ع./ **childhood; nonage**
صبایا [جمعِ صبیه]
صبح /ع./ = بامداد **morning**
صبح زود early (in the) morning
امروز صبح this morning
فردا صبح tomorrow morning
صبح روز بعد the next morning
صبح شما بخیر good morning
صبحانه /ع. فا./ **breakfast**
صبحدم /ع. فا./ [*n.*] (early) **morning;** [*adv.*] **early in the morning**
صبحگاه /ع. فا./ = صبحدم
صبحگاهان [ادبی] /ع. فا./ (in the) **morning; early in the morning**
صبحگاهی [ادبی] /ع. فا./ **of the morning, matin**
صبر[1] /ع./ = شکیبایی، شکیب **patience**
کاری را سر صبر انجام دادن to take one's time in doing something
صبرم تمام شد ← تمام
صبر زرد juice of aloes
صبر کردن to wait; to have patience
صبر کردن بر [ادبی] to tolerate
صبر[2] /ع./ = عطسه **sneeze**
صبر آمد. ***There is a sneeze so we must make a a pause: superstitious belief.***
صبوح [ادبی] /ع./، صبوحی **morning draught**
صبوحی زدن [ادبی] to take a morning draught
صبور /ع./ (very) **patient**
صبورانه /ع. فا./ **patiently**
صبوری /ع. فا./ = شکیبایی **patience**
صبوری کردن to use patience; ← صبر کردن
صبیّ [کمیاب، جمع: صبیان] /ع./ **lad, youth;** ← [مؤنث: صبیه]
صبیان [کمیاب، جمعِ صبیّ]
صبیح [کمیاب] /ع./ = خوبرو
صبیه [جمع: صبایا] /ع./ = دختر **daughter,** [*infml.*] **my daughter**
صَحابت /ع./ **companionship, company**
به صحابتِ. in companionship with, together with
صحابه [جمعِ صاحب] /ع./ **companions**
صحاری [جمعِ صحرا]
صحّاف /ع./ **bookbinder**
صحافی /ع. فا./ **bookbinding**
صحافی کردن *vt.* to bind; *vi.* to be a binder
صحائف [جمعِ صحیفه]
صحبت /ع./ **conversation;** [*lit.*] **company;** ← گفتگو
صحبت کردن to talk; to associate, to keep company
چون صحبت از ... میان آمد ***talking of ...***
در صحبت را باز کردن to start a conversation
صحت /ع./ (good) **health; correctness;** ← درستی؛ تندرستی
صحت عمل honesty, integrity
صحت مزاج good health
صحت داشتن to be true
صحت یافتن to recover from illness
صحت باشد!، صحتِ آب‌گرم! I wish you good health! [said to one who has just had a bath]
صحت خواب! I hope you have had a sound *or* good sleep!
صحت‌بخش /ع. فا./ **healthful: promoting good health**
صحرا [جمع: صحاری] /ع./ **desert; field**
صحرانشین /ع. فا./ **nomadic**

صحرانورد /ع. فا./ (one) **who travels in the desert**

صحرایی /ع. فا./ **pertaining to the desert, wild; open-air**

توپخانهٔ صحرایی field-artillery

صحف [جمعِ صحیفه]

صحن /ع./ **court(-yard); precinct; large dish**

صحنه /ع. فا./ **stage; theatre, sphere of operations**

صحنه‌آرا /ع. فا./ **stage-designer**

صحه /ع./ **signature, endorsement**

صحه گذاشتن to endorse, to sign; to sanction

صحهٔ ملوکانه royal assent *or* signature

صِحی /ع./ **sanitary, hygienic, [*adj.*] health**

صحیح /ع./ **true; correct, right, proper; authentic; sound; integral;** → درست

صحیح است *that is right; O.K.; approved*

عدد صحیح integer

صحیحاً /ع./ **correctly; intact**

صحیح‌البنیه /ع./ = تندرست

صحیح‌العمل /ع./ = درستکار

صحیح‌المزاج /ع./ = تندرست

صحیفه[1] [جمع: صحائف] /ع./ **leaf *or* page**

صحیفه[2] [جمع: صحف] /ع./ **book**

صحیه [مؤنثِ صحی] /ع./ = اری

صخره /ع./ = خاره **rock**

صد **hundred**

صدی پنج، پنج درصد five per cent

صدا /ع./ **sound; voice; noise; vowel-sound**

صدای پا foot-fall

با صدای آهسته slowly, with a low voice

با صدای بلند with a loud voice, loudly

صدا به صدا نمی‌رسد. One can hardly hear himself out.

صداشان درآمد. They showed discontent. They began to grumble *or* complain.

صدا درآوردن to make a noise; to produce a sound

صدا زدن to call

صدا کردن *vt.* to call; *vi.* to make a noise; to (produce a) sound; to ring: زنگ صدا می‌کند

گوشم صدا می‌کرد. My ears were burning.

به صدا درآمدن to ring; to complain (publicly)

به صدا درآوردن to sound; to ring

یک دست صدا ندارد. One hand makes no (clapping) noise. *i.e.* Union is strength.

صداپیچ شدن /ع. فا./ **to resound**

صدادار /ع. فا./ **sonorous; having a vowel(-sound); phonetic**

صدارت /ع./ **premiership, rank *or* office of a chancellor;** → صدراعظم

صدارس /ع. فا./ (within) **hearing distance**

صداسنج /ع. فا./ **phonometer**

صداشناس /ع. فا./ **phonologist**

صداشناسی /ع. فا./ **phonology; acoustics**

صداع /ع./ **headache;** → سردرد

صداق /ع./ = مهریه

صداقت /ع./ = راستگویی **truthfulness, truth**

صداکرکن /ع. فا./ **sourdine**

صدانویس /ع. فا./ **phonographist**

صدایی /ع. فا./ **phonetic; vocal**

حروف صدایی the literal vowels, *i.e.* ا ـ و ـ ی

صدبرگ **hundred-leaved, centifolious**

گل صدبرگ hundred-leaved rose

صدپا **centipede**

صدتومانی /فا. ت./، گل صدتومانی **peony; [*o.s.*] worth 100 tomans;** → تومان

صدد /ع./ **plan, design; [*rare*] neighbourhood**

در صدد کردن کاری بودن to be planning (*or* about) to do something

در صدد (چیزی) برآمدن to intend (to); to seek

صددرجه‌ای /فا. ع./ **centigrade**

صدر[1] /ع./ **upper part, first part**

صدر مجلس seat of honour

صدر[2] /ع./ = سینه

صدراعظم /ع./ **grand vizier, chancellor**

صدری /ع./ = سینه‌ای **[*rare*] pectoral; [*rare*] thoracic**

تکلم صدری pectoriloqui

برنج صدری [variety of rice]

صدغی /ع./ **[*anat.*] temporal**

صدف [جمع: اصداف، کمیاب] /ع./ **mother of pearl, nacre; shell; shellfish, (pearl-) oyster**

صدف حلزونی conch

صدف گوش cochlea

صدف‌شناس /ع. فا./ **conchologist**

صدف‌شناسی /ع. فا./ **conchology**

صدفی /ع./ (made) **of shell, shelly;** [*adj.*] **nacreous**

صِدق /ع./ **truth**

صدق کردن to hold true; to satisfy the condition

صدقه [جمع: صدقات] /ع./ **alms**

امین صدقه almoner

صدقه رفع بلا است. Alms are the golden key that opens the gate of heaven. [*o.s.*] Alms avert calamity.

صدقه‌خور /ع. فا./ **almsman, eleemosinary**

صدم، صدمی = سدم

صدمه [جمع: صدمات] /ع./ = آسیب **injury; collision, shock; hardship;** ← سختی

صدمه دیدن to be injured; to experience hardship

صدمه زدن (به) to injure, to damage, to hurt

صدور /ع./ **issuance; export**

صدور یافتن to be issued

صده، سده **century**

صدی چند، سدی چند **percentage**

صدیق [جمع: اصدقاء، کمیاب] /ع./ **true** ***or*** **sincere friend**

صِدّیق /ع./ (very) **truthful; pious**

صِدّیقه [مؤنثِ صدیق] /ع./ **truthful** ***or*** **pious** (woman)

صَدیک **one per cent**

صَراحَت /ع./ **clearness, explicitness**

صراحت لهجه frankness

با صراحت لهجه frankly

صراحت داشتن to be clear; to be clearly stipulated

صراحتاً /ع./ **clearly, explicitly**

صُراحی /ع./ **decanter; flask; baluster**

صِراط [کمیاب] /ع./ **road, way;** ← راه

پل صراط bridge which the righteous only can cross on the road to Paradise

صَرّاف /ع./ **money-changer**

صراف سخن [ادبی] critic ***or*** weigher of words, eloquent speaker

صرافت /ع./ **notion, thought, idea; design**

از صرافت چیزی‌افتادن to forget something gradually, to lose interest in it

از صرافت چیزی انداختن to cause to dispense with ***or*** forget something

به صرافت انداختن to set thinking, to put it in the mind of

صرافت خودبه‌خود spontaneity

صرافخانه /ع. فا./ **money-changer's hall**

صرّافی /ع. فا./ **money-changing; testing coins; agiotage**

صرّافی کردن to be a money-changer, to do banking; [*fig.*] to criticize, to test

صرب /فر./ **Serbia(n)**

صَرصَر [کمیاب، جمع: صَراصِر] /ع./ **hurricane; cold wind**

صَرع /ع./ **epilepsy;** ← حمله

صَرف /ع./ **spending; using, consuming, eating;** [*gram.*] **conjugation, inflexion**

صرف برات agio

صرف شدن to be used/ spent/eaten ***or*** drunk

صرف کردن *vt.* to spend: ; وقت صرف کردن to use(up), to consume; to eat ***or*** drink; to conjugate; to decline ***or*** inflect; *vi.* to pay: be profitable

صرف نظر کردن از to dispense with; to waive ***or*** relinquish; to abandon ***or*** disregard

صرف نظر از apart from, irrespective of

صِرف /ع./ **mere, pure**

به صرف گفته شما باور می‌کنم. /ا./ I believe your bare word.

صِرفاً /ع./ **merely, purely**

صرف و نحو /عف./ **grammar;** [*o.s.*] **inflexions and syntax**

صرف و نحوی /ع. فا./ **grammatical**

صرفه /ع./ **profit, advantage; economy**

به صرفه نزدیک است *it is economical*

صرفه داشتن to be profitable or economical

صرفه‌جو /ع. فا./ **thrifty, saving, economical**

صرفه‌جویی /ع. فا./ **economy, thrift, saving**

صرفه‌جویی کردن to economize; to save

صرفی[1] /ص.ع./ **grammatical**

صرفی[2] [جمع: صرفیون] /ا.ع./ **grammarian**

صُرّه [کمیاب، جمع: صرَر] /ع./ **purse of silver** ***or*** **gold** (money)

صریح /ع./ **explicit, clear**

صریحاً /ع./ **explicitly, clearly**

صریح‌اللهجه /ع./ = رک‌گو

صریر [کمیاب] /ع./ **cry; grating sound**

صعب /ع./ = دشوار
صعب‌الادراک [کمیاب] /ع./ **difficult to understand**
صعب‌الحصول /ع./ **difficult to obtain**
صعب‌العبور /ع./ **difficult to pass, impracticable**
صعب‌العلاج /ع./ **difficult to cure, refractory**
صعوبت /ع./ = دشواری، سختی
صُعود /ع./ **climbing; ascension**
صعود کردن to ascend, to rise
صعود کردن (از) to climb, to mount
صعوه /ع./ = سهره
صِغار [جمعِ صغیر] /ع./ **minors**
صِغر /ع./ **childhood; minority**
صغری[1] [مؤنثِ اصغر] /ص.ع./ **lesser, minor**
صغری[2] [اسم خاص] /ا.ع./ **minor premiss**
صغیر[1] /ص.ع./ **small; young, minor;** ⟵ کوچک
آسیای صغیر Asia Minor
صغیر[2] [جمع: صغار] /ا.ع./ **minor** (child), **infant**
صغیره [جمع: صغایر] /ع./ **venial sin**
صَفّ [جمع: صفوف] /ع./ **rank; row, line**
صف آراستن to array troops
صف بستن، صف کشیدن to line up, to marshal; to queue up
خارج از صف out of the ranks, *i.e.* irregular *or* non-combatant
به حالت صف درآوردن [*mil.*] to deploy
در صف آوردن to array, to draw up, to marshal
در صفِ ... قرار گرفتن to rank with ...

صفا /ع./ **purity; clearness, limpidity; pleasantness; pleasure, enjoyment**
صلح و صفا peace(ful life), quiet life
صفای خاطر sincerity, good heart
صفا دادن to make pleasant; to reconcile
صفا کردن to enjoy oneself, to have a good time
صفابخش /ع. فا./ **pleasant, enlivening**
صفات [جمعِ صفت]
صفار [کمیاب] /ع./ **worker in brass**
صف‌آرایی /ع. فا./ **arrayal of troops**
صفاف [کمیاب] /ع./ **stacker**
صفافی [کمیاب] /ع.فا./ **stacking**
صِفاق /ع./، پرده صِفاق **peritoneum**
ورم صفاق peritonitis
صف‌بندی /ع. فا./ **arrayal** (of troops); **alignment**
صفت [جمع: صفات] /ع./ **quality; attribute;** [*gram.*] **adjective**
صفحات [جمعِ صفحه]
صفحه [جمع: صفحات] /ع./ **page; sheet; plate; surface, expanse, area**
صفحهٔ شطرنج chessboard
صفحهٔ شماره گیر [*telephone*] dial
صفحهٔ گرامافون gramophone record
صفحهٔ گردنده turntable
صفحه گذاشتن [زبان لاتی] to spin a (long) yarn
صفحه‌بندی /ع. فا./ **make-up, paging, imposition**
صفحه‌بندی کردن to page up, to make up, to impose pages in type

صفحه کلید /ع. فا./ **switch-board**
صفحه گردان /ع. فا./ **turntable**
صفدر [کمیاب] /ع. فا./ **valiant**
صفر [اسم خاص] /ع./ [second Arabic lunar month]
صِفر [جمع: اصفار] /ع./ **zero, cipher**
صَفراء [مؤنثِ اصفر] /ع./ **bile; biliousness;** [*o.s.*] **yellow**
صفرابُر، صفراشکن /ع. فا./ **antibilious**
صفراوی، صفرائی /ع./ **biliary; bilious, choleric**
صفوت [کمیاب] /ع./ **choicest** (part)
صفوف [جمعِ صف]
صُفه [کمیاب] /ع./ **platform; stone-bench**
صفی [کمیاب] /ص.ع./ **pure; choice**
صفی‌الله /ع./ **Safiollah: epithet of Adam;** [*o.s.*] **God's chosen one**
صفیر /ع./ = سوت **whistle**
صفیر زدن، صفیر کشیدن to whistle
صفیری /ع./ [*gram.*] **sibilant**
صفیه [اسم خاص، مؤنثِ صفی] /ع./
صَلا [ادبی] /ع./ **call, invitation; proclamation**
صلا در دادن، صلا زدن to call; to proclaim
صلابت /ع./ **hardness; firmness; awe;** ⟵ سختی
صُلابه /ع./ **gallows, gibbet**
صلات /ع./ = نماز [جمع: صلوات] ⟵ **prayer;**
صلاح /ع./ **goodness, moral soundness; advisability; interest(s); well-being;** [*adj., infml.*] **advisable, expedient**

گفتن این حرف صلاح نیست.
It is not advisable to say this.
صلاح دانستن to deem (it) advisability
صلاحدید /ع. فا./ **discretion; expediency**
صلاحیت /ع./ **competence; jurisdiction**
صلاحیت پرواز airworthiness
در صلاحیت او نیست. *It lies beyond his competence.*
صلاحیت‌دار /ع. فا./ **competent**
صلایه کردن /ع. فا./ **to pulverize, to bray, to pound**
صُلب[1] /ا. ع./ کمر ← **loins;**
صُلب[2] /ص. ع./
نبض صُلب **hard:**
صلبی /ع./ **consanguineous**
صلبیه /ع./ **sclerotic** (coat)
آماس صلبیه scleritis
صُلح[1] /ع./ = آشتی **peace**
صلح موقتی truce
با هم صلح دادن to reconcile, to make it up between
صلح کردن to make peace; to convey, to transfer
امین صلح Justice of the Peace
صُلح[2] /ع./ **compromise**
صُلح[3] /ع./ **conveyance**
صلحا [جمعِ صالح]
صلح‌آمیز /ع. فا./ **conciliatory**
صلح‌جو، صلح‌دوست /ع. فا./ **peaceable, pacific**
صلح‌طلب /عف./ = صلح‌جو
صلح‌نامه /ع. فا./ **peace pact; deed of conveyance**
صلحیه /ع./ ← دادگاه‌بخش، بخش
صلوات [جمعِ صلات] /ع./ (special formula of) **praise and greeting to God Mohammad and his descendants**
صلوات فرستادن to utter this formula
صِلـه /ع./ **bond; relationship; prize given to a poet**
صلهٔ رحم (observation of) relationship
صلیب /ع./ **cross**
صلیب کردن = مصلوب کردن
صلیبی /ع./ **cruciform**
جنگ صلیبی crusade
صُمّ [جمعِ اصم] /ع./ **the deaf;** ← کران
صماء [مؤنثِ اصم] /ع./ = سخت
صخره صماء **hard:**
صماخ /ع./ **orifice of the ear**
پردهٔ صماخ ear-drum
صم‌بکم /ع./ (the) **deaf and dumb**
صمد[1] /ص. ع./ **eternal**
صمد[2] [اسم خاص] /ا. ع./ **lord**
صمصام [اسم خاص] /ع./ [*o.s.*] **finely-tempered** (sword)
صمغ /ع./ **gum**
صمغ صنوبر pine resin; galipot; common frankincense
صمغ عربی gum arabic
صمغ کاج (white) resin
صمغ نشاسته dexterin(e)
صمغی /ع./، صمغ‌آور **gummy; gummiferous**
صمیم /ع./
از صمیم قلب **bottom:**
صمیمانه /ع. فا./ [*adv.*] **heartily, sincerely;** [*adj.*] **heartfelt, sincere**
ادعیهٔ صمیمانه sincere wishes
صمیمی[1] /ع./ **intimate**
دوست صمیمی intimate *or* close friend
صمیمی[2] /ع./ **heartfelt, sincere**
صمیمیت /ع./ **sincerity; cordiality; close friendship**
صناعت [جمع: صناعات] /ع./ **industry; art, craft**
صنایع [جمعِ صنیعه، کمیاب] /ع./ **arts, industries**
صنایع بدیعی figures of speech
صندل[1] /ع. فا./، چوب صندل **sandal wood**
جوهر صندل santalic acid, santaline
صنـدل[2]، کفـش صندل **sandal**
صندلی کرسی ← **chair;**
صندوق /ع./ **box, chest; case**
دایرهٔ صندوق cash office
صندوق آراء ballot-box
صندوق آهنی safe
صندوق زباله orderly bin
صندوق عقب اتومبیل rear booth
صندوق‌بندی /ع. فا./ **packing**
صندوقچه /ع. فا./ **small chest *or* box**
صندوقچهٔ اسرار one who is faithful to secrets, the chest of such a person
صندوق‌خانه /ع. فا./ **closet, store-room**
صندوقدار /ع. فا./ **cashier**
صندوقه /ع. فا./ **box-wall(ing)**
صندوقی /ع. فا./ **box-shaped, coffer-shaped; carried *or* sold in cases**
سدّ صندوقی coffer-dam
صندید [کمیاب، جمع: صنادید] /ع. **chief, lord**
صُنع /ع./ **make, manufacture; creative power**

صنعت [جمع: صنایع] /ع./ **industry, art; handicraft, trade; manufacture; workmanship**

صنعتکار، صنعتگر /ع. فا./ **artisan**

صنعتی /ع. فا./ **industrial; artistic**

آموزشگاه صنعتی = هنرستان

شهر صنعتی manufacturing city

صنعتی کردن to industrialize

صِنف [جمع: اصناف، صنوف] /ع./ **trade, guild; class**

اتحادیهٔ صنفی trade union

صنم [جمع: اصنام] /ع./ = بت **idol**

صِنوبر [اسم خاص] /ع./ **spruce-fir; pine**

صنوف [جمعِ صنف، /ع./]

صنیع[1] [کمیاب] /ا. ع./ **work, deed**

صنیع[2] [کمیاب] /ص. ع./ **trained, skilful**

صنیعه [کمیاب] /ع./ **work, deed;** → [جمع: صنایع]

صواب /ع./ **right action; pious act;** [*adj.*] **right, correct;** → درست

صواب کردن to do a pious act

صوابدید /ع. فا./ **approbation; advice**

صواعق [جمعِ صاعقه]

صوامع [جمعِ صومعه]

صوب /ع./ **direction**

به صوبِ in the direction of

صوت [جمع: اصوات] /ع./ = صدا **sound; voice;** [*gram.*] **interjection**

صور[1] /ع./ **horn *or* trumpet blown on the Day of Resurrection**

صور[2] /ع./ [*geog.*] **tyre**

صُوَر [جمعِ صورت]

صورت[1] [جمع: صُوَر] /ع./ **face; figure; effigy; picture; list, statement; bill; circumstance, case;** [*fraction*] **numerator;** [*c.p.*] **coat card, court-card**

صورت[2] /ع./ [*astr.*] **phase of the moon**

صورت[3] /ع./ = صورت فلکی

صورتحساب account statement; bill, invoice, debit note

به صورت ظاهر outwardly, on the outside

صورت خوشی نخواهد داشت. It will not look nice ***or*** decent.

صورت فلکی constellation

صورت مجلس procès-verbal

صورت مجلس سیاسی protocol

صورت موجودی inventory

از چیزی صورت برداشتن to inventory ***or*** make a list of something

صورت دادن[1] to render an account (of)

صورت دادن[2] = انجام دادن

سر و صورت دادن to get into shape

صورت گرفتن to be accomplished ***or*** realized; to take place

در صورت امکان if possible

در صورت لزوم if necessary

در صورتی که in case, in the event that; whereas; provided (that)

در این صورت in this case, in the circumstances

در غیر این صورت otherwise

در هر صورت in any case, at any rate

صورت‌پذیر /ع. فا./ **achievable**

صورت‌پرست[1] /ع. فا./ **adorer of** (superficial) **beauties**

صورت‌پرست[2] /ع. فا./ = شمایل‌پرست

صورت‌ساز /ع. فا./ **forger of statements and documents;** → صورتگر

صورت‌سازی /ع. فا./ **forging statements, forgery**

صورتگر /ع. فا./ **portraitist**

صورتگری /ع. فا./ **portraitism**

صورتی[1] /ع. فا./ **light red**

صورتی[2] /ع. فا./، صورت‌دار **figured**

صورتاً /ع./ **outwardly; in the face**

صورتاً زیبا است. ***Her face is pretty. She is pretty in the face.***

صوری /ع./ **external, formal, apparent; sham, feigned**

صوف /ع./ **camlet *or* other woollen stuff**

صوفی /ع./ **Sufi, mystic**

صوفیه /ع./ **the Sufi sect; Sufism;** [*geog.*] **Sofia**

صولت [ادبی] /ع./ **attack; violence; authority; awe**

صوم /ع./ = روزه **fast(ing)**

صومعه [جمع: صوامع] /ع./ **monk's cell, monastery**

صَهباء [ادبی، مؤنثِ اصهب] **wine**

اصهب reddish

صهیونی /ع. عب./ **Zionist(ic)**

صیاد /ع./ **hunter; fisherman**

صیاد مروارید pearl-fisher, pearl-diver

صیادی /ع. فا./ **hunting, chase; fishing;** → شکار

صیام /ع./ = روزه **fasting**

صیانت /ع./ = نگهداری **protection, preservation**

صیت /ع./ **fame, renown;** → آوازه، شهرت

صیحه /ع./ **shout, cry**

صیحه زدن، صیحه کشیدن to shout *or* cry

صید /ع./ **prey; hunting; fishing;** → شکار

صید کردن to hunt *or* fish

صیدگاه /ع. فا./ = شکارگاه

صیغه [جمع: صیغ] /ع./ **fashion;** [*marriage* **or** *other contract*] **formula;** [*infml.*] **concubine;** [*gram.*] **form, model, paradigm**

صیغه جاری کردن to pronounce the formula (*i.e.* complete the formalities) of a specified legal transaction

صیف /ع./ = تابستان

صیفی /ع./ = تابستانی **estival**

محصول صیفی summer crop

صیفی‌کاری /ع. فا./ **cultivation of summer crops**

صیقل /ع./ **polish**

صیقل زدن، صیقل دادن to polish, to furbish; to lustre

صیقل‌گر /ع. فا./ **polisher, furbisher**

صیقلی /ع. فا./ **polished**

صیقلی کردن to polish, to furbish

ض

ضابِط [1] /ا. ع./ **bailiff, executive officer**

ضابِط [2] [مؤنث: ضابطه] /ص. ع./ **retentive**

قوهٔ ضابطه retentive faculty

ضـارب /ع./ = زنـنـده **striker, person guilty of battery**

ضالّ [مؤنث: ضاله] /ع./ **stray**

ضامِن /ع./ **surety, guarantor; safety-bolt, sere *or* sear; [*knife*] lock-back**

ضامن کسی شدن to stand guarantor for a person

من ضامن می‌شوم که حاضر شود. ***I guarantee his appearance.***

ضامن دادن to give security

ضامنِ دست به کیسه [guarantor required to pay at any moment whether the original debtor declines ***or*** is ready to pay]

ضامن‌دار /ع. فا./ **sponsored by a surety; guarded**

چاقویِ ضامن‌دار clasp-knife (with a lock-back)

ضایع /ع./ **spoiled; damaged; lost, futile**

ضایـع شدن to be decayed; to be lost (as labour)

ضایـع کردن to spoil; to damage; to render futile

ضایعات [جمع ضایعه]

ضایعه [جمع: ضایعات] /ع./ **wastage; loss**

ضباط /ع./ = بایگان

ضبط /ع./ **confiscation, forfeiture; restraint; retention; archives**

ضبط دولت forfeit to the State

دستگاه ضبط صوت recorder; sound recorder

ضبط و ربط management, control

ضبط کردن to file, to keep on file; to confiscate; to restrain; to record (in a gramophone); to manage, [*rare*] to govern

ضجور /ع./ = تنگدل، بیزار

ضجه /ع./ = فریاد؛ ناله

ضِحک [کمیاب] /ع./ = خنده

ضحاک [Zahak: tyrant king in Iranian mythological history]

ضخامت /ع./ = کلفتی **thickness**

ضخیم /ع./ **thick; coarse;** → کلفت

ضخیم‌الجلد /ع./ **pachydermatous;** → پوست کلفت

ضِدّ [جمع: اَضداد] /ع./ [*n.*] **contrary, opposite; antagonist;** [*adj.*] **opposite *or* opposed**

سفید ضدّ سیاه است. ***White is the opposite of black.***

بر ضد against, contrary to

ضدعفونی کردن to disinfect ***or*** antisepticize

ضد و نقیض [*adj.*] contradictory; [*n.*] contrariety; antithesis

معالجهٔ به ضدّ allopathy

ضدّ جرب antiscorbutic

ضدّ زنگ anticorrosive

ضدّ صفرا antibilious

ضد ضربه shock proof

ضدّ قی antemetic

ضدّ ورم antiphlogistic

ضدّگویی [1] /ع. فا./ **contradictory speaking**

ضدّگویی [2] /ع. فا./ = بدگویی

ضدّیت /ع./ **opposition**

با کسی ضدّیت کردن to oppose someone

ضرّا /ع./ = بدبختی **adversity**

ضرابخانه /ع. فا./ **mint**

ضرائب [جمع ضریب]

ضَرب [1] /ع./ **beating; blow, stroke; bruise; coining; pressure, force; multiplication;** → ضربت

ضـرب، ایـراد ضـرب [*law*] battery

ضرب کردن to multiply

۲ را در ۴ ضرب کنید. ***Multiply 2 by 4.***

به‌ضرب، باضرب by force, hard

به ضربِ by force of, by dint of

ضَرب [2] /ع./ [*mus.*] **tempo, time, rythm, measure**

ضَرب [3] [موسیقی] /ع./ = تنبک

ضرب گرفتن = تنبک زدن

ضربات [جمعِ ضربت، ضربه]
ضرب‌الاجل /ع./
grace (period)
ضرب‌المثل /ع./ proverb
ضرب‌المثل شدن to become a by-word
ضربان /ع./ beating
ضربت [جمع: ضربات] /ع./
stroke, blow; contusion
ضربت وارد آوردن بر
to inflict a blow on
ضرب‌خور /ع. فا./ buffer, bumper
ضربدر /ع. فا./، علامت ـ ضربدر sign of multiplication
ضربه [جمع: ضربات] /ع./
stroke, blow; shock
بیست ضربه شلاق خورد.
He was given 20 lashes.
ضربه فنی knockdown (blow) [used also figuratively]
موتور چهارضربه
four-stroke engine
ضربه‌خفه‌کن [کمیاب] /ع. فا./
shock-absorber
ضربی /ع. فا./ shaped like a ضرب or تنبک , barrel-shaped; ← ضرب ،تنبک
طاق ضربی barrel-vault, barrel-arch
ضَرَر /ع./ = زیان loss; harm
ضرر داشتن to be harmful or noxious
چه ضرر دارد؟ *What harm will it do?* [phrase meaning "very well"]
ضرر دیدن to sustain or incur a loss
ضرر زدن به to cause
to sustain a loss; to be noxious to
ضرر کردن، ضرر دادن to lose, to sustain a loss

به‌ضرر فروختن
to sell at a lose
به من ضرر خورد.
I sustained a loss.
ضرطه /ع./ = گوز
ضرغام [کمیاب، اسم‌خاص] /ع./ lion = شیر
ضرورت /ع./ necessity; exigency; emergency; distress
ضرورت داشتن
to be necessary
بر حسب ضرورت
as occasion arises, if necessary
ضرور(ی) /ع./
(very) necessary, essential
غیرضروری unnecessary, non-essential
ضروریات /ع./ necessaries
ضریب [جمع: ضرایب] /ع./
coefficient
ضریب انتفاع efficiency
ضریح /ع./ = گور، قبر
ضریر /ع./ = کور blind
ضریع /ع./، ضریع استخوان periosteum
ضریع غضروف perichondrium
آماس ضریع periostitis
ضریعی /ع./ periosteal
ضعف /ع./ weakness; swoon; fainting
ضعف بنیه weak health or constitution, adynamia
ضعف اعصاب neurasthenia
ضعف عضله myasthenia
ضعف کردن، ضعف رفتن
to swoon or faint, to fall into a fit
نقطهٔ ضعف weak point, weak side, foible
ضِعف [جمع: اضعاف] /ع./
double
ضعفاء [جمعِ ضعیف]

ضعیف[1] [جمع: ضعفا] /ص. ع./
weak, feeble; faint; thin; [*fig.*] poor; defenceless
ضعیف کردن to weaken
ضعیف شدن to grow thin, to lose flesh; to be weakened
ضعیف[2] [جمع: ضعفاء] /ا. ع./
weak or poor man
ضعیف‌البنیه /ع./ of a weak constitution, adynamic
ضعیف‌الجثه /ع./ of a weak body; small in size
ضعیف‌الحال /ع./ = ضعیف، علیل
ضعیف‌العقل /ع./
weak-minded
ضعیف‌المزاج /ع./ of a poor health, weak
ضعیف‌النفس /ع./ wanting self-reliance; cowardly
ضعیفه [مؤنثِ ضعیف] /ع./
one of the weak sex, i.e. woman [not used by the educated classes]
ضغطه /ع./ pressure; shock
تلمبهٔ ضغطه‌ای force-pump
ضفدع[1] /ع./ وزغ ← ranula;
ضفدع[2] [معنای حقیقی] /ع./ = وزغ
ضفن /ع./ = کیسهٔ خایه
scrotum
ضلال، ضلالت /ع./
straying; deviation; perdition; error
ضِلع [جمع: اضلاع] /ع./ rib; [geom.] side; ← دنده
پنج ضلعی pentagonal
ضلعی [کمیاب] /ع./ lateral; costal
ضَمّ [کمیاب] /ع./ annexation
ضماد /ع./ poultice
ضماد خردل mustard poultice, sinapism
ضماد گرم fomentation

ضماد لب lipsalve

ضمان /ع./ = ضمانت

ضمانت /ع./ **guaranty, security, surety(ship)**

ضمانت کردن to guarantee; to warrant

ضمانت کسی را کردن to stand guarantor for someone

ضمانت اجرائی داشتن to be protected by sanctions

ضمانت‌نامه /ع. فا./ **surety-bond, guaranty**

ضمائر [جمعِ ضمیر]

ضمائم [جمعِ ضمیمه]

addenda; ← ضمیمه

ضِمن /ع./ **meantime, interim**

در ضمن in the interim, meanwhile

در ضمنِ among; while

ضمناً /ع./ **in the meantime, meanwhile; incidentally; by the way; implicitly**

ضمنی /ع. فا./ **implicit, tacit:** رضایت ضمنی ; **incidental**

اشارهٔ ضمنی implication, connotation

واقعهٔ ضمنی circumstantial event

ضَمه /ع./ **name of the vowel point** «ـُ» (called in Persian پیش)

ضمیر [جمع: **ضمائر**] /ع./ **heart, mind; conscience;** [*gram.*] **pronoun**

ضمیری /ع./ **pronominal**

ضمیم [کمیاب] /ع./ = پیوسته

[مؤنث: **ضمیمه**] **annexed;** ←

ضمیمه [جمع: **ضمائم**] /ع./ **enclosure, annex; appendix, addendum, supplement**

ورم ضمیمهٔ اعور appendicitis

ضمیمهٔ خایه epididymis

ضمیمه کردن to attach, to annex

رونوشت نامهٔ وی ضمیمه است. ***Copy of his letter is herewith enclosed.***

ضـوء [کـمیاب]، **ضـیاء** /ع./ = روشنایی

ضیاءالدین [اسم‌خاص] /ع./ [*o.s.*] **light of the faith**

ضیاع [جمعِ ضیعه، کمیاب] /ع./ **properties, estates**

ضیافت /ع./ = مهمانی

ضیغم [کمیاب] /ع./ = شیر **lion**

ضیف [کمیاب] /ع./ = مهمان

ضیق /ع./ = تنگی **tightness;** [*med.*] **stricture**

ضیق مجرای بول coarctate urethra

ضیق وقت short time

ضیق‌النفس /ع./ = تنگه نفس

ضیمران [کمیاب] /ع./ **wild basil**

ط

طابْ‌ثَراه [کمیاب] /ع./ **may his dust** (*i.e.* grave) **be fragrant**

طابق‌النعل‌بالنعل /ع./ **word for word, strictly, to the letter**

طاحنه [جمع: طواحن] /ع./ = دندان آسیاب

طاحونه [جمع: طواحین] /ع./ = آسیاب

طارُم [کمیاب، از فا. تارم] /ع./ **wooden house with a dome; palisade round a garden;** [*met.*] **the sky**

طارمی /ع. فا./ **balustrade**

طاس[1] [از فا. تاس] /ا. ع./ **copper bowl used in bath-houses; die** *or* **dice**

طاس لغزنده ant-hill

طاس انداختن، طاس ریختن to throw dice

طاس‌گرفتن to cog the dice (*or* a die)

طاس[2] [از فا. تاس] /ص. ع./ **bald**

طاس‌کباب [kind of dish]

طاسی[1] /ا. ع. فا./ **baldness**

طاسی[2] /ص. ع. فا./ **cuboid:** استخوان طاسی

طاعات [جمع طاعت]

طاعَت [جمع: طاعات] /ع./ **worship; obedience**

طاعون /ع./ **plague, pestilence**

طاعونی /ع./ **pestilential**

طاغی /ع./ **rebel(lious)**

طاق[1] /ا. ع. فا./ **arch, vault;** (arched) **roof**

طاق[2] /ص. ع. فا./ **odd;** [*fig.*] **unparalleled**

طاق پیروزی، طاق نصرت arch of triumph

طاق زدن to construct an arch (over)

طاقتم طاق شد. I lost patience.

طاق‌باز[1] /ص. ع. فا./ **supine**

طاق‌باز[2] /ق. ع. فا./ **in a supine position, on one's back**

طاقت /ع./ **endurance; fortitude**

طاقت آن را ندارم. ***I cannot support*** (or ***endure***) ***that.***

دلم طاقت نمی‌آورد که I cannot find it in my heart to

طاقت‌فرسا /ع. فا./ **insupportably tiresome; intolerable, oppressive**

طاقچه /ع. فا./ **niche, ledge; shelf**

طاقچه دیوارکوب bracket, console

طاقچهٔ روی بخاری mantel (shelf)

طاقدار /ع. فا./ **arched; roofed**

طاقدیس [کمیاب] /ع. فا./ [*adj.*] **arch-like;** [*n.*] **anticline; name of the arched throne of Khosrow**

طاق‌نما /ع. فا./ **false arch**

طاقه **piece** (of cashmere, etc.)

طالار = تالار

طالب /ع./ (one) **who seeks** *or* **demands;** ← [جمع: طالبین، طلبه، طلاب]

طالبِ چیزی بودن to seek something, to be fond of something

طالب ندارد. There is no demand for it.

طالبی /ع. فا./ [variety of deep ribbed melon]

طالبین /ع./ [جمع طالب] ← **those interested;**

طالح /ع./ = بدکار **wicked**

طالع /ع./ [*adj.*] **rising, appearing;** [*n.*] **horoscope; lucky star; luck**

طالع دیدن to cast a horoscope; to tell fortunes

طالع‌بین /ع. فا./ **fortune-teller**

طالع‌بینی /ع. فا./ **horoscopy, fortune-telling, genethlialogy**

طامات [کمیاب] /ع./ **idle talk**

طاوس، طاووس /ع./ **peacock**

طاوس ماده peahen

طاول = تاول

طاهِر [اسم خاص] /ع./ = پاک **clean, pure, chaste**

طاهره [اسم‌خاص، مؤنثِ طاهر] /ع./

طایر[1] [از ع. طائر] [*astr.*] **Altair**

طایر[2] [جمع: طیور، از ع. طائر] = مرغ

طایر قدس [ادبی] = فرشته

طائف [کمیاب] /ع./ **one who performs the rites of circumambulation at Ka'beh**

طایفه [جمع: طوائف، از ع. طائفه] **clan, tribe; sect**
طِبّ /ع./ **medicine;** ← پزشکی
طب قانونی medical jurisprudence, forensic medicine, legal medicine
طبابت /ع./ **medical profession**
طبابت کردن to practise medicine
طباخ /ع./ = آشپز
طباطبائی /ع./ **descended from the Prophet on both sides**
طباع[1] /ع./ **natural disposition**
طباع[2] [جمع طبع] /ع./
طبال /ع./ = طبل‌زن
طبایع [جمع طبیعت]
طبخ /ع./ **cooking; batch, bake**
طبری **Hyrcanian; native of Tabarestan** ***or*** **Mazandaran**
طبع /ع./ **impression, printing; nature, temper**
طبع شعر poetic gift (***or*** verve)
تحت طبع in the press, in print
طبع و نشر کردن to publish
طبعاً /ع./ **naturally**
طَبَق [جمع: اطباق] /ع./ **tray; large dish;** [*bot.*] **receptacle;** [*mech.*] **plate**
طِبق /ع./ **conformity**
برطبقِ in conformity with, according to
طبقات [جمع طبقه] /ع./ **storeys; categories, classes; strata, layers**
اختلاف طبقاتی class distinctions
طبقات‌الارض /ع./ **strata of the earth**
علم طبقات‌الارض، زمین‌شناسی geology
طبقات‌الارضی /ع. فا./ **geological**
طبق‌کش /ع. فا./ **porter using a tray for carrying things**
طبقه [جمع: طبقات] /ع./ **layer, stratum; class, category; stage; grade; order, group; storey;** ← چینه
طبقه اول ground floor
طبقه دوم first floor
طبقه‌بندی /ع. فا./ **classification**
طبقه‌بندی کردن to classify
طبل /ع./ **drum;** ← کوس
طبل گوش drum of the ear, tympanum
طبل وارونه drum of mourning
طبل زدن to drum, to beat a drum
طبل عقب‌نشینی زدن to beat a retreat
طبل‌زن /ع. فا./ **drummer**
طبله /ع. فا./ [*rare*] (perfumer's) **tray**
طبله کردن to come off
طبلی /ع./ **drum-like; tympanic**
استسقاء طبلی tympanites
طِبی /ع./ **medical; medicinal**
طبیب [جمع: اطباء، مؤنث: طبیبه] /ع./ = پزشک **physician, doctor**
طبیب قانونی medical examiner, medico-legal examiner
طبیعت [جمع: طبایع] /ع./ **nature; temper**
طبایع چهارگانه the four temperaments
طبیعتاً /ع./ **naturally**
طبیعی [مؤنث: طبیعیه] /ع./ [*adj.*] **natural; physical; normal**
غیرطبیعی unnatural, violent:
مرگ غیرطبیعی
طبیعیات [جمع طبیعیه]، علوم ـ طبیعی **natural sciences**
طبیعیون /ا./ **naturalists**
طپانچه /ت./ = تپانچه
طپاندن = تپانیدن
طحال /ع./ = اسپرز **spleen**
ورم طحال splenitis
طُحال /ع./ **splenalgia**
طرّاح /ع./ **designer, modeller, sketcher; schemer**
طَراحی /ع. فا./ **designing, planning, sketching**
طراحی کردن to sketch, to plan
طرّار /ع./ **impostor; pickpocket**
طراز /ع. فا./ = تراز
طراوت /ع./ = تازگی **freshness**
طَرَب /ع./ = خوشی **joy, mirth**
اهل طرب = خنیاگر، مطرب
طرب‌انگیز /ع. فا./ **exciting joy, joyful**
طربناک /ع. فا./ **joyful**
طرح /ع./ **plan, design, sketch; rough draft; scheme; project**
طرح ریختن to make a scheme, to draw a rough plan
طرح کردن to draw ***or*** sketch; to plan ***or*** project; to propose, to set forth, to propound
طرحِ آئین‌نامه draft regulation
طرح قانونی members' bill
طرح‌ریزی[1] /ع. فا./ **laying a foundation**
طرح‌ریزی[2] /ع. فا./ = طراحی

طـردأ لـلباب /ع./ **incidentally**

طرد کردن /ع. فا./ **to reject; to banish; to excommunicate**

طرز /ع./ **manner, method, mode**

طرف [جمع: اطراف] /ع./ **side, direction; end, extremity;** ⟵ سو؛ سر

طرف دعوی party to a suit, litigant

باکسی طرف شدن to enter into quarrel with someone; to oppose someone

باکه طرف هستی؟ Who are you getting at?

برطرف کردن to eliminate, to do away with; to cure (radically)

از طرفِ on behalf of, for; on the side of; by

از یک طرف on the one hand; on one part

از طرف دیگر on the other hand; on the other part

از طرفی هم moreover; on the one hand

به طرفِ to(ward); at

طرف غروب towards evening

طرف اعتماد trustworthy

در اطراف [*adv.*] about

در اطرافِ [*prep.*] about

اطراف سافله the lower extremities

اطراف عالیه the upper extremities

طَرْف /ع. فا./ = طَرَف؛ سود؛ گوشه

طرف (بر) بستن to gird oneself; [*fig.*] to derive advantage

طرفی [ادبی] a portion of, some of

طرفدار /ع. فا./ [*n.*] **adherent, partisan, advocate;** [*adj.*] **partial**

طرفدار کسی بودن to take the part of *or* side with someone

طرفدار عقیده‌ای بودن to favour an opinion

طرفداری /ع. فا./ **partiality**

از کسی طرفداری کردن to take the part of *or* side with someone

طُرفه /ع./ **novelty, new** *or* **rare** (thing)

طرفة‌العین /ع./ **twinkling of the eye**

طرفیت /ع./ **being party to a dispute, interest** *or* **involvement; opposition**

طرفین[1] [تثنیهٔ طرف] /ع./ **the two parties, both parties**

طرفین[2] [تثنیهٔ طرف] /ع./ [*math.*] **the extremes**

طُرق [جمع طریق]

طرقه [از ت. طورغای] **ouzel**

طُرّه /ع./ **lock of hair, tress**

طریق [جمع: طُرُق] /ع./ = راه **way, road; channel**

از طریقِ via

به طریقِ by way of

به چه طریق؟ how?, in what manner?

ارائه طریق کردن to guide

مهندس طرق و شوارع civil engineer

طریقت /ع./ (religious) **way, rule of life**

طریقه /ع./ **method, manner**

طشت /ع. فا./ = تشت

طـعام [جـمع: اطـعمه] /ع./ = خوراک **food**

طعام گزاردن to serve food

طعم /ع./ **flavour;** ⟵ مزه

طُعمه /ع./ **bait**

طعمهٔ آتش prey to fire

طعن [اسم جمع طعنه] /ع./

طعنه /ع./ **taunt(ing), sarcasm, sneering; irony**

طعنه زدن to speak ironically, to say one thing and mean another

طعنه زدن به to taunt, to reproach

طعنه‌آمیز /ع. فا./ **sarcastic; ironical**

طُغری، طغرا /ت./ **piece, No;** [used in counting bills, etc. but not rendered in English]

سه طغری قبض three bills;

[*o.s.*] royal monogram

طغیان /ع./ **overflowing; inundation;** [*fig.*] **rebellion; outburst**

طغیان کردن to overflow (its banks); to rage; to rebel

طفره /ع./ **evasion, elusion**

طفره رفتن to elude, to evade, to dodge

طفره‌آمیز /ع. فا./ **evasive:** جواب طفره‌آمیز

طفل [جـمع: اطـفال] /ع./ = بـچه، کودک

طفلانه /ع. فا./ = بچگانه

طفلک /ع. فا./ **little child;** [used sympathetically] **poor boy, poor fellow**

طفولیت /ع./ **childhood;** ⟵ بچگی

طفیلی /ع./ **parasite;** [*met.*] **uninvited person accompanying a guest;** the Arabic has طفل with the same meaning]

طلا، تلا = زر **gold**

ساعت طلا gold watch

طلای سفید platinum

طلاآلات /فا. ع./ **gold ware**

طلاب، طلبه /ع./ **scholars, templars;** ⟵ [جمع طالب]

طلاق /ع./ **divorce**

طلاق دادن to divorce
طلاق گرفتن از to be divorced from, to be granted a divorce by
طلاقت /ع./ **freedom from impediment; glibness**
طلاق‌نامه /ع. فا./ **bill of divorce (*or* divorcement), legal instrument of divorce**
طلاکوب **glod blocker**
طلاکوبی **gold blocking; tooling**
طلایع [جمعِ طلیعه]
طلایه [ادبی، از ع. طلایه] **vanguard, advance-guard**
طلایی **golden; gilt;** (of the colour of) **gold**
ماهی طلایی gold fish
طلایی کردن to gild
طلب /ع./ **search; request; begging; demand; claim**
دو ریال از من طلب دارد. I owe him 2 rials. 2 rials is due him by me.
طلب کردن[1] to search, to seek
طلب کردن[2] = طلبیدن
طلب کردن از to ask, to request, to beg
طلبکار /ع. فا./ = بستانکار
طلبکاری[1] /ع. فا./ **pressing for the payment of one's due**
از کسی طلبکاری کردن to press someone for payment of a debt, to dun him
طلبکاری[2] /ع. فا./ = بستانکاری
طلبه ⟵ طلاب
طلبیدگان [جمعِ طلبیده] **those invited**
طـــلبیدن [بن‌مضارع: طـلب] /ع. فا./ **to call, to invite; to summon; to ask; to seek**
طلبیده [اسم‌مفعول فعل طلبیدن]
طلسم /ع. ی./ **talisman, charm, spell; amulet**
طلسم شدن to be spell-bound; to become inextricable
طلسم کردن to spell, to cast a spell upon; to charm, to enchant
طلسم‌گر /ع. فا./ **witch-doctor, medicine-man, exorcist**
طلعت [ادبی، اسم‌خاص] /ع./ **countenance, face; mien**
طَلق /ع./ **mica, isinglass, talc**
طِلـق /ع./ **free, unconditional**
طلقی /ع. فا./ **talcose, talcous; micaceous**
طُلوع /ع./ **rising:** طلوع آفتاب ; **appearance**
طلوع کردن to rise
طلیسه **one-to-three-year-old heifer**
طلیعه [جمع: طَلایع] /ع./ **vanguard; [*fig.*] van, leader**
طماع /ع./ **very covetous *or* greedy**
طمأنینه /ع./ = آرامش، وقار
طمث /ع./ **the menses**
طُمطراق **pomp; grandiloquence**
طمع /ع./ **covetousness**
طمع فطری acquisitiveness
طمع بریدن to give up hope
طمع کردن *vt.* to covet; *vi.* to be covetous
چشم طمع به چیزی داشتن to have views upon something
طمعکار /ع. فا./ **covetous**
طناب /ع./ **rope, cord**
طناب انداختن to hang
یک مو را طناب کردن to make mountains of mole-hills
طناب‌پیچ کردن /ع. فا./ **to tie *or* bind with a rope**
طناب‌خور /ع. فا./ **depth measured by a rope**
چاه طناب‌خور /ص./ draw-well
طناب‌سازی /ع. فا./ **rope-making**
کارخانهٔ طناب‌سازی ropery, ropewalk
طناب‌بازی /ع. فا./ **skipping the rope**
طناب‌کشی /ع. فا./، مسابقهٔ ـ طناب‌کشی **tug of war**
طنابی /ع. فا./ **rope-like, restiform**
نردبان طنابی rope-ladder
طناز [ادبی] /ع./ **coquettish**
طنازی /ع. فا./ **coquettishness**
طنبی، تنبی [کمیاب] /ع. فا./ **parlour**
طنز /ع./ **scoffing**
طنطنه /ع./ **pomp; fuss; [*o.s.*] tinkling; buzz; din**
طنطور /فر./ **tincture**
طنین /ع./ **tingle (*or* ringing) in the ears**
طنین انداختن to ring, to tingle; to resound
طواحن [جمعِ طاحنه]
طواحین [جمعِ طاحونه]
طواف /ع./ **[*Kaaba*] circumambulation**
طواف کردن، طواف زدن to circumambulate, to go round
طوّاف /ع./ **peddling fruiterer, coster(monger)**
طوایف [جمعِ طایفه]
طوبی [اسم خاص] /ع./ **name of a tree in paradise; [*o.s.*] blessedness**
طوج [کمیاب] /ت./ **bronze**
طور، طور سینا، کوه‌طور /ع./ **Mount Sinai**
طُور /ع./ **manner, method; kind;** ⟵ [جمع: اطوار]

چه‌طور، چطور how?, in what manner?

احوال شما چطور است؟ How are you?

چطور مگر؟ why?

این‌طور thus, in this method, (in) this way

این‌طور اشخاص such people

همین‌طور است exactly; that is right

همین‌طورها so so

به‌طوری so

به‌طوری که so that; as

به‌طور کامل perfectly

همان‌طور که (just) as

هرطور هست، هرطورشده [عامیانه] by all means

طوسی **dark grey**

طوطی **parrot**

طوطی ماده hen-parrot

طوطی‌وار[1] /ص./ **parrot-like**

طوطی‌وار[2] /ق./ **by rote**

طوعاً /ع./ **willingly, of one's own accord**

طوعاً(و)کرهاً willy-nilly, nolens volens, whether one wishes *or* not

طوفان /ع. ی./ **deluge, flood; storm, tempest**

طوفان‌زاد /ع. فا./ **diluvian**

طوفان‌نما /ع. فا./ **storm-card**

طوفانی /ع. فا./ **stormy**

طوق /ع./ **necklace; collar; ruff; chain, torque;** [*officer*] **gorget;** [*fig.*] **yoke, tie**

طوق لعنت [*met.*] ball and chain, the battleaxe

طوق در گردن کردن to wear a necklace

طوق‌دار /ع. فا./ **collared, ring-necked; ruffed**

طوقه /ع. فا./ **curb, puteal**

طول /ع./ **length;** → درازا

طول، درجه طول longitude;

طول زمان، طول مدت length of time, duration

پرش به طول broad jump

طول دادن to protract, to prolong; to be long (in doing something)

طول کشیدن to last

دو سال طول کشید. It took (*or* lasted) two years.

طولی نخواهد کشید که before long

طولی نکشید که soon after

به طول انجامیدن to take a long time

به طولِ سه متر 3 metres long

طولاً /ع./ **in length, lengthwise**

طولانی /ع. فا./ = دراز **long**

طولی /ع. فا./ **linear; longitudinal**

پرش طولی broad jump

طومار /ع./ **scroll; roll**

طوماری /ع. فا./ [*bot.*] **volute;** [*architecture*] **voluted**

طویل /ع./ = دراز **long**

طویل‌العمر /ع./ **longeval**

طویل‌القامت /ع./ = قدبلند

طویل‌المدت /ع./ [*adj.*] **long-term**

طویله /ع. فا./ **stable; shed**

طویله‌دار /ع. فا./ **livery-man**

طهارت[1] /ع./ **ceremonious purification after easing nature**

طهارت[2] [معنای حقیقی] /ع./ = پاکی

طهارت گرفتن to wash oneself after easing nature

طُهر [کمیاب] /ع./ **purity of women when not menstruous**

طیّ /ع./ **going *or* travelling through**

طی کردن to go *or* travel through, to traverse; to fix: قیمت آن را باید طی کرد

در طیِ in the course of; (enclosed) with

طیار /ع./ **flying; volatile**

چرخ طیار fly-wheel

طیارات [جمعِ طیاره]

طیاره [جمع: طیارات] /ع./ = هواپیما

طیب /ع./ [*adj.*] **sweet-smelling;** [*n.*] **sweet smell**

به طیب خاطر with a good will *or* mind, of one's own free will

طَیِّب [کمیاب، مؤنث: طیبه] /ع./ **good; sweet-smelling; delightful**

طیبات [جمعِ طیبه] /ع./ **Tayebat: poetical work by Sa'di: the "Fine Odes"**

طیبت /ع./ = خوش طبعی، شوخی

طیبه [مؤنثِ طیب] /ع./ **good deed;** → [جمع: طیبات]

طیر [جمع: طیور] /ع./ = پرنده

طیران /ع./ = پرواز

طیره [کمیاب] /ع./ **bad omen**

طیش /ع./ **levity; unsteadiness**

طیف /ع./ **spectre; spectrum**

طیف‌بین /ع. فا./ **spectroscope**

طیفی /ع./ **spectral**

طیلسان [کمیاب] /ع. فا./ **mantle; hood; pall**

طیموس /ع. ی./ **thymus** (gland)

طین [کمیاب] /ع./ = گِل **clay, mud**

طینت /ع./ **nature, inborn disposition;** → طین

طیور [جمعِ طیر، طایر]

ظ

ظالم [جمع: ظلمه] /ع./ [*n.*] **oppressor, tyrant; top dog;** [*adj.*] **cruel**

ظالمانه /ع. فا./ [*adv.*] **tyranically;** [*adj.*] **unjust, oppressive**

ظاهر[1] [جمع: ظواهر] /ص.ع./ **apparent; outward,** [*adj.*] **external**

در ظاهر outwardly, on the surface

صورت‌ظاهر outward appearance

ظاهرشدن to become apparent

ظاهر کردن to cause to appear; to develop (as a film)

ظاهر[2] [جمع: ظواهر] /ا.ع./ **outward appearance; external conduct**

وضع ظاهر outward appearance, the outer man

حکم به ظاهر کردن to judge by appearances

ظاهراً /ع./ **apparently; outwardly, on the face of it**

ظاهرالصلاح /ع./ **outwardly good**

ظاهربین /ع. فا./ **superficial observer**

ظاهرسازی /ع. فا./ **simulation**

ظاهری /ع. فا./ **external, outward**

ظرافت /ع./ **elegance; wit, humour**

ظرائف [جمعِ ظریفه، کمیاب] /ع./ **witty sayings, humours**

ظربان [کمیاب] /ع./ **polecat**

ظرف [جمع: ظروف] /ع./ **vessel, container; dish;** [*gram.*] **adverb of time** ***or*** **place; duration, course;** [*fig.*] **capacity; forbearance**

نفت با ظرف و بی‌ظرف packed and bulk oil

در ظرفِ during, within (a period of)

در ظرفِ دو ماه in two months' time

ظرفاء [جمعِ ظریف] /ا./ **the witty** ***or*** **elegant**

ظرف‌شویی /ع. فا./ **washing-up;** (scullery) **sink**

ظرفیت /ع./ **capacity**

ظرفیت، واحد ظرفیت [*chem.*] valency

ظروف [جمعِ ظرف]

ظریف /ص.ع./ **elegant; nice; delicate; miniature; subtle; witty; clever**

ظفر /ع./ پیروزی ⟶ **victory;**

ظفرکردن، ظفر یافتن = پیروز شدن

ظِلّ /ع./ **shadow;** [*fig.*] **shelter;** [*astr.*] **umbra;** ⟶ سایه

ظل تمام cotangent

شبه ظل penumbra

در ظل توجهاتِ under the auspices of

ظل‌الله /ع./ **shadow of God** [old title of kings]

ظلام /ع./ = ظلمت، تاریکی

ظُلم /ع./ = ستم **oppression, cruelty**

ظلم کردن بر to oppress; to do injustice to

ظلمات /ع./ **deep darkness; dark region where the "water of life" was believed to be**

ظلمانی /ع. فا./ = تاریک **dark**

ظلمت /ع./ **darkness**

ظلمه [جمعِ ظالم]

ظَنّ /ع./ = گمان **opinion; suspicion; conjecture**

ظن بردن به to be suspicious of

حسن ظن good/ high ***or*** favourable opinion

به من حسن ظنی داشت.
He had a good opinion of me.

سوء ظن suspicion, mistrust

ظن قوی presumption

ظنین /ع./ = بدگمان

ظواهر [جمعِ ظاهر]

ظَهر /ع./ **back, reverse;** ⟶ پشت

در ظهر ورقه overleaf

ظُهر /ع./ **noon**

پیش‌از ظهر[1] before noon

پیش‌از ظهر[2] forenoon

سه ساعت پیش‌از ظهر 9 a.m.

ظَهرنویس /ع. فا./ = پشت‌نویس

ظهور /ع./ **appearance; advent;** [*med.*] **outburst;** [*obstetrics*] **presentation**

به ظهور رسیدن to appear; to happen

ظهور کردن to appear

ظهیر /ع./ **assistant;supporter**

ظهیرالدین [اسم خاص] /ع./ [*o.s.*] **supporter of the faith**

ع

عابد [جمع: عباد] /ع./ [*n.*] **worshipper;** [*adj.*] **pious, devout**

عابر [جمع: عابرین] /ع./ **passer-by**

عاج /ع./ **ivory**

عاج دندان dentin(e), ivory

عاج‌تراش /ع. فا./ **ivory-turner**

عاجز [جمع: عجزه] /ع./ [*adj.*] **disabled, crippled; unable;** [*n.*] **cripple; disabled person**

از بردن آن عاجز بود. ***He was unable to carry it.***

قلم از شرح آن عاجز است. My pen is inadequate to describe it.

عاجز شدن to be disabled ***or*** crippled; to be brought to bay; to be rendered unable

عاجز کردن to harass; to disable; to confound ***or*** confute, to argue down

عاجزانه /ع. فا./ **humbly**

عاجل /ع./ [*adj.*] **immediate; hasty; transitory;** [*n., rare*] **one who makes haste**

عاجلاً /ع./ **immediately; with a view to the present**

عاد /ع./ **aliquot part**

عادات [جمع عادت]

عادت [جمع: عادات] /ع./ **habit; custom;** → خو

عادت زنانه the menses

عادت دادن to accustom; to habituate

عادت شدن to grow into a habit

عادت کردن to fall into the habit (of)

برحسب عادت habitually (as a rule)

حبس عادت amenorrhoea

خلاف عادت unusual (thing), abnormal(ity)

عادِل[1] /ع./ **just;** → دادگر

عادِل[2] /ع./ **righteous** [Biblical]

عادلانه /ع. فا./ [*adv.*] **justly; righteously;** [*adj.*] **just:** قضاوت عادلانه

عادله [مؤنثِ عادل] /ع./ **fair, reasonable:** قیمت عادله

عادتاً /ع./ **habitually**

عادی[1] /ع./ **ordinary, usual**

غیرعادی unusual

عادی[2] /ع./ = معتاد

عار /ع./ **shame, disgrace; disdain**

از دروغ گفتن عار دارم. I scorn to lie.

عارِض[1] /ع./ **petitioner**

عارض شدن to go to law, to lodge a complaint in the court

عارِض[2] [ادبی] /ع./ **face, cheek**

عارِض شدن = رخ دادن

عارضه /ع./ **accident, event;** → [جمع: عوارض]

عارضهٔ کسالت illness ***or*** indisposition

عارضی /ع./ **accidental, non-essential, adventitious**

عارِف[1] /ص. ع./ **gnostic, learned**

عارف[2] [جمع: عرفا] /ا. ع./ **gnostic, learned person**

عاری /ع./ **devoid, destitute; void;** [*o.s.*] **naked;** → برهنه

عاری از حقیقت false, unfounded

عاریت [ادبی] = عاریه

عاریه /ع./ **loan**

عاریه دادن to loan ***or*** lend

عاریه گرفتن to borrow, to have the loan of

عاریتی [ادبی] /ع. فا./ **borrowed;** [*fig.*] **false, fictitious**

عازِم /ع./ **starting, setting out, on the point of leaving; resolved, determined**

عازِم سفر شدن to start on a journey

عازِم آبادان شد. ***He left for Abadan.***

عاشِق [جمع: عشاق] /ع./ [*n.*] **lover;** [*adj.*] **amorous, fond**

به کسی عاشِق شدن، عاشِقِ کسی شدن to fall in love with someone

عاشقانه /ع. فا./ **amorous(ly)**

نامهٔ عاشقانه love-letter

عاشقی /ع. فا./ being in love; ← عشقبازی

عاشورا /ع./ [the tenth day of the lunar month "Moharam" on which the martyrdom of Imam Hossein took place]

عاصی /ع./ = گناهکار؛ یاغی

عاطر /ع./ fragrant

خاطر عاطرِ ... the good *or* noble mind of ...

عاطفه [جمع: عواطف] /ع./ feeling; kind feeling; sentiment

عاطل /ع./ idle; useless

عافیت /ع./ good health; welfare

عافیت باشد. (God) bless you!, I wish you good health.

عاق /ع./ disobedient; anathematized; disinherited

عاقبت[1] [جمع: عواقب] /ا. ع./ end; consequence; futurity; ← انجام

عاقبت[2] /ق. ع./ = عاقبت‌الامر

عاقبت‌الامر /ع./ = سرانجام at last, in the long run

عاقبت‌اندیش /ع. فا./ provident

عاقبت‌اندیشی /ع. فا./ foresight, providence

عاقبت‌بخیر /ع. فا./ ending well *or* successfully, successful

عاقد /ع./ [*contract*] concluder; priest *or* notary marrying a couple

عاقرقرحا /ع./ pellitory of Spain

عاقل[1] /ص. ع./ = خردمند wise

عاقل[2] [جمع: عقلاء] /ا. ع./ wise man

عاقلانه /ع. فا./ [*adv.*] wisely; [*adj.*] wise: کارهای عاقلانه

عاقله [مؤنثِ عاقل] /ع./ [*woman*] of ripe years; elderly

عاکف /ع./ devotee praying in seclusion

عالَم [جمع: عوالم] /ع./ = جهان world, universe

او در این عوالم نیست. He does not think of these things.

یک عالم [عامیانه] heaps, lots (of)

عالِم /ع./ = دانشمند [*adj.*] learned; [*n.*] learned man, scholar; scientist; ← [جمع: علماء]

عالماً /ع./ = عمداً، دانسته

عالَم‌افروز، عالم‌تاب [ادبی] /ع. فا./ world-illuminating

عالم‌الغیب /ع./ knowing the invisible *or* occult, omniscient

عالمگیر /ع. فا./ world-conquering; [*fig.*] universal

عـالمیان [جمعِ عـالمی، کـمیاب] /ع. فا./ inhabitants of the world

عالی [مؤنث: عالیه] /ع./ high; sublime; grand; excellent; of superior quality

عالی‌جاه /ع. فا./، **عالی‌جناب، عالی‌مقام** /عف./ high in position

عالیه [اسم‌خاص، مؤنثِ عالی]

عالی‌رتبه /عف./ = بالارتبه

عام[1] [مؤنث: عامه] /ص. ع./ common: اسم عام ; general; generic; public; vulgar

فوائدعامه works of public utility

دوای عام panacea, catholicon, heal-all

عام[2] [جمع: عوام] /ا. ع./ one of the common people, commoner; layman

عام‌المنفعه /ع./ of public utility

عامداً /ع./ = عمداً، دانسته

عامِل /ع./ [*n.*] agent; [*math.*] factor; [*adj.*] active; skilled; managing, executive; ← [جمع: عمله، عوامل، عمال]

مدیر عامل managing director

عاملیت /ع./ skill

عامه[1] /ا. ع./ the public

عامه[2] [مؤنثِ عام] /ص. ع./

عامی[1] /ص. ع./ illiterate; vulgar; popular; laic

عامی[2] /ا. ع./ = عام

عامیانه /ع. فا./ vulgar

عانه /ع./ = استخوان شرمگاه os pubis

عایِد [از ع. عائد] [*adj.*] returning; (being) earned; [*n.,mil.*] counter-recoil mechanism

عاید داشتن to pay *or* return, to fetch

عاید شدن to be earned

منافعی که عاید جامعه می‌شود advantages accruing to society

عایدات [جمع عائده] /ع./ incomes; revenue

عایده [کمیاب، مؤنثِ عـاید، جـمع مکسر: عواید]

عایق /ع./ detent, click

عایقِ گرما non-conductor

عایق‌دار /ع. فا./ insulated

عایق‌کاری /ع. فا./ lagging; water-proofing

عائله /ع./ wife (and children), family

عائله‌مند /ع. فا./ = عیال‌مند

عبا /ع./ men's loose sleeveless cloak open in front

عِـباد [جمع عبد]

ع غ ف

عُباد [جمعِ عابد]
عبادت /ع./ **worship;**
پرستش، بندگی ← **servitude;**
عبادت کردن to worship;
to serve *or* obey
عبادتگاه /ع. فا./ = پرستشگاه
عبارت [جمع: عبارات] /ع./
expression, phrase,
language; wording; style
عبارت بودن از to consist of
به عبارت دیگر in other words
اصلاحات عبارتی
amendments in wording
عبارت‌پردازی /ع. فا./
speaking in style,
(pedantic) **phraseology**
عباس [اسم‌خاص] /ع./
عبث[1] /ص. ع./ **vain,**
useless
عبث[2] /ق. ع./ **in vain,**
to no avail
عبد [جمع: عِباد] /ع./ = بنده
[*rare*] **servant** *or* **slave;**
worshipper
عبدالله [اسم‌خاص] /ع./
[*o.s.*] **servant of God**
عِبرانی /ع./ **Hebrew,**
Hebraic
عبرت /ع./ **example,**
lesson, warning
عبرت شدن to serve as an
example
عبرت گرفتن to take an
example *or* lesson
عبرت‌انگیز /ع. فا./
serving as an example;
surprising
عبرت‌بین /ع. فا./ **that can**
see (*or* take) an example
عبرتاًللناظرین /ع./
as a lesson for observers
عِبری /ع./ **Hebrew** (language)
عبودیت /ع./ = بندگی
servitude, slavery; devotion

عبور /ع./ **passing,**
passage, crossing; transit
عبور دادن to cause to pass;
to ferry
عبور کردن از to pass *or* cross
غیر قابل عبور impassable,
impracticable
عبور و مرور traffic, passage
منع عبور و مرور شب curfew
عبور و مرور ممنوع (است).
"No thoroughfare."
عبور و مرور شب را آزاد کردن
to lift the curfew
عبوراً /ع./ **in passing,**
in transit
عبوس /ع./ **stern;**
grim(-faced)
عبهر[1] [کمیاب] /ص. ع./
elegant
عبهر[2] [کمیاب] /ا. ع./ = نرگس؛
یاسمن
عَبید [کمیاب، جمعِ عبد، /ع./] /ع./
عُبید [اسم‌خاص] /ع./
[*o.s.*] **little servant**
عبیر /ع./ **compound**
perfume
عتاب /ع./ **reproof**
عتاب کردن to reprove;
to be angry (with)
عتبه [جمع: عتبات] /ع./
threshold; [*rare*] **step;**
round, [*ext.*] **royal**
court; ← پله
عتبات عالیات
the Holy Shrines
عَته [کمیاب] /ع./
insanity; ← دیوانگی
عته شیخی dotage, senility,
second childhood
عتیق /ع./ **old,**
antiquated; ← کهن، کهنه
عهد عتیق[1] the Old Testament
عهد عتیق[2] the old *or*
ancient days

عتیقه [جمع: عتیقات، مؤنثِ عتیق]
/ع./ [*n.*] **antique, relic;**
[*adj.*] **old** *or* **antique**
اشیاء عتیقه antiquities,
antiques, relics
عثمان [اسم‌خاص] /ع./
عثمان لنگ [*met.*] an old
lame rogue
عثمانی /ع./ **Ottoman;**
Turkish
عجاله /ع./ [*rare*] **thing**
hastily done *or* **food hastily**
prepared
علی‌العجاله for the time being
عجالتاً /ع./ **for the present,**
for the time being
عجان /ع./ **perineum**
عجانی /ع./ **perineal**
عجایِب [جمعِ عجیبه، کمیاب] /ع./
wonders
عَجَب[1] /ا. ع./ **wonder**
عجب است it is surprising
عجب داشتن to be surprised
عَجَب[2] /ح. ن. ع./ **strange!**
عُجب /ع./ = خودبینی
عجز /ع./ **inability,**
impotence, weakness; failure
از انجام کاری عجز داشتن
to be unable to do a thing
عَجُز /ع./ **hinder part of**
the body; [*rare*] **buttocks;**
last word of a verse
استخوان عجز sacrum
عجزه [جمعِ عاجز]
عِجل [کمیاب] /ع./ = گوساله
عجله /ع./ = شتاب **hurry,**
haste
عجله کردن to make haste,
to hurry up
عجله دارم. ***I am in a hurry for it.***
به‌عجله، باعجله hurriedly,
hastily
عجم /ع./ **non-Arabs;**
Iranians

عجمی /ع./ [*adj.*] **foreign** (to the Arabs), **barbarian;** [*n.*] **non-Arab; Iranian**
عجوز(ه) /ع./ **old woman, crony**
عجول /ع./ **hasty, rash**
عجیب [مؤنث: عجیبه] /ع./ **wonderful, strange**
عجیب‌الخلقه /ع./ **monstrous, of a queer formation**
عجین [کمیاب] /ع./ = سرشته
عِداد /ع./ = شمار **number; class, category**
در عدادِ among
عدالت[1] /ع./ **justice**
عدالت[2] /ع./ [*Biblical use*] **righteousness**
عداوَت /ع./ **enmity; hatred; grudge;** ← دشمنی
با کسی عداوت داشتن to be an enemy of someone, to bear him a grudge
عداوت ورزیدن to act like an enemy
عدد [جمع: اعداد] /ع./ **number; figure; piece, No.** [word used as a unit in counting objects]; ← شماره
۳ عدد سیب three apples
عددکوب /ع. فا./ **figure-punch**
عددنویسی /ع. فا./ **notation**
عددی[1] /ع. فا./ **sold by the piece**
عددی[2] /ع. فا./ = رقمی
عدس /ع./ **lentil**
عدسک /ع. فا./ [*bot.*] **lenticel**
عدسی /ع./ **lentiform**
شیشه‌عدسی lens
عدسی شیئی object-glass, objective
عَدل /ع./ **justice**
عِدل /ع./ **bale; half a load**

عدل‌بندی /ع. فا./ **packing, baling**
عدل‌پرور /ع. فا./ **who fosters justice, just**
عدلیه /ع./ [old word for دادگستری]
عدم /ع./ **non-existence; lack, absence, want;** ← نیستی
عدم رعایت non-observance
عدم‌النفع /ع./ **loss of prospective profits**
عَدْن /ع./ **Eden**
عَدَن /ع./ [*geog.*] **Aden**
عدو [جمع: اعداء] /ع./ = دشمن
عُدوانی /ع. فا./ **unjust; forcible**
تصرف عدوانی forcible (entry and) detainer
عُدول /ع./ **deviation**
عدول کردن to deviate
از قول خود عدول کردن to go back on one's word, to revoke one's promise
عِدّه[1] /ع./ **number;** ← شماره
عِدّه[2] /ع./ [*mil.*] **detachment**
عِدّه[3] /ع./ **period during which a divorced *or* widowed woman may not be married to another man**
عدید [مؤنث: عدیده] /ع./
numerous: در موارد عدیده
عدیل /ع./ [*n.*] **peer, equal;** [*adj.*] **equiponderant, equivalent**
عدیم‌المثال /ع./ = عدیم‌النظیر
عدیم‌النظیر /ع./ **peerless, incomparable;** ← بی‌مانند
عذاب /ع./ **torture, torment; punishment**
عذاب دادن (به)[1] to trouble, to give trouble
عذاب دادن (به)[2]، عذاب کردن to torture *or* punish

عذار [ادبی] /ع./ **cheek *or* face**
عذب‌البیان [کمیاب] /ع./ **of a sweet *or* agreeable expression**
عُذر /ع./ **excuse; pretext;** ← بهانه؛ پوزش
عُذر آوردن to offer an excuse
عذر خواستن to apologize, to excuse oneself
عذر می‌خواهم. ***Excuse me. I beg your pardon.***
عذرش خواسته است. ***He has a good excuse. He is out.*** [often ironical]
عذر کسی را خواستن to dismiss someone from service
عذر بدتر از گناه lame *or* pitiful excuse
عذرا [اسم‌خاص] /ع./ [*o.s.*] **virgin**
عذرخواهی /ع. فا./ **apologizing, apology**
عذرخواهی کردن to offer an apology, to apologize
عرابه [variation of ارابه]
عرّاده /ع./ **(gun-)carriage**
سه عرّاده توپ three guns
عرایض [جمع عریضه]
عرب [جمعِ عربی] /ع./ [*n.*] **the Arabs;** *C.E.* **Arab(ian)**
عربده /ع./ **drunken brawl**
عربده کردن، عربده کشیدن to brawl from drunkenness, to raise an uproar, to paint the town red
عربده‌جو /ع. فا./ **quarrelsome**
عربستان /ع. فا./ **Arabia**
عربی[1] /ص. ع./ **Arabic; Arabian**
اسب عربی Arab (horse)
یخه عربی stand-up collar

عربی [2] /ا. ع./ **the Arabic language**

عربیت /ع./ **Arabic literature**

عرش /ع./ **the empyrean;** [*o.s.*] **throne;** → تخت

عرشه /ع. فا./ **deck:** عرشهٔ کشتی

عرصات /ع./ **open space where the last judgement is carried on;** → [جمعِ عرصه]

عرصه /ع./ **open space, square; arena; building-site, ground, land;** → [جمع: عرصات]

عرصهٔ شطرنج chessboard

عرض [1] /ع./ **width, breadth;** → پهنا

به عرض دومتر 2 metres wide

درعرضِ during, within, in the course of

عرض [2]، درجهٔ عرض /ع./ [*geog.*] **latitude**

عرض [3] /ع./ [*geom.*] **abscissa**

عرض [4] /ع./ **presentation;** [*p.c.*] **remark** [by an inferior to a superior]; **petition**

عرض کردن [*p.c.*] to say; to present, to exhibit; to submit

به عرض رساندن to have the honour to submit *or* communicate (to a higher authority)

به عرض ... رسیدن to hear *or* consider the case of, to listen to

چه عرض کنم؟ what shall I say? [usually meaning "I do not know."]

عَرَض [جمع: أعراض] /ع./ **accident, form**

عِرْض /ع./ = آبرو **reputation, honour**

عرض خود را بردن to damage one's reputation

عرضاً /ع./ **in width, breadthwise; transversally**

عرضحال /عف./ = دادخواست

عرضه /ع./ **presentation; proposal**

عرضه و تقاضا offer and demand

عرضه داشتن to present, to offer for view; to propose

عُرضه /ع./ **capability, efficiency**

عرضی /ع./ **transversal**

عَرَضی [1] /ع./ **accidental**

عَرَضی [2] /ع./ [*bot.*] **adventitious**

عَرعَر [1] /ع./ **juniper-tree**

عرعر [2] **braying, heehaw**

عرعر کردن to bray

عُرف /ع./ **common law; usage; common language *or* parlance; secular law**

عرفاً /ع./ **according to common law, commonly**

عرفاء [جمعِ عارف]

عِرفان /ع./ **knowledge; gnosticism**

عِرفانی /ع./ **based on gnosticism, gnostic**

عَرَفه /ع./ [day before the festival of sacrifices]

عَرَق /ع./ **perspiration, sweat; arrack, aqua vitae;** → خوی

عرق آلوبالو cherry brandy, maraschino

عـرق بادیان، عـرق زنیان anisette

عرق بید willow-water

عرق خونی haematidrosis

عرق رازیانه fennel-water

عرق مرگ death-damp

عرق ریختن to perspire (from blushing)

عرق کردن to perspire; to have one's temperature fall by perspiring; [*fig.,sl.*] to shell out, to pay (as a bribe)

عرق کسی را درآوردن [عامیانه] to put someone to the blush

عرق کشیدن (از) to distil

عِرق [جمع: عروق] /ع./ **blood-vessel; root;** [*fig.*] **origin;** → رگ

عروق شعریه capillary vessels.

عرق‌النساء /ع./ **sciatic nerve;** [*med.*] **sciatica**

عرق‌آور /ع. فا./ **sudatory**

عرقچین /ع. فا./ **skull-cap**

عرق‌سوز /ع. فا./ **heat-rash**

عرق‌کش [کمیاب] /ع. فا./ **distiller**

عرق‌کشی /ع. فا./ **distillation**

کارخانهٔ عرق‌کشی distillery

عرق‌گز /ع. فا./ (pimples caused by) **overheating**

عرق‌گیر /ع. فا./ **numnah *or* namda, pad, saddle-cloth**

عُرقوبی /ع. فا./ **false:** مواعیدِ عُرقوبی

عرقی /ع./ **perspiratory**

غدهٔ عرقی sweat-gland

عروج /ع./ **ascension**

عروج کردن to ascend

عروس /ع./ **bride; daughter-in-law**

قضیهٔ عروس the pythagorean theorem

عروسک /ع. فا./ **doll**

عروسکِ پسِ پرده alkekenji

عروسکِ خیمه‌شب‌بازی puppet, marionette

عروسکِ پای نقاره mere tool, cat's-paw

عروسک‌بازی /ع.فا./ **playing with dolls; childish act**

عروسی /ع. فا./ **marriage, wedding**

باکسی عروسی کردن
to marry someone

عــروض /ع./ **prosody; metre**

عروضی /ع. فا./
[*adj.*] **prosodic(al);**
[*n.*] **prosodist**

عروق [جمعِ عِرق]

عُروَه /ع./ [*astr.*] **ansa**

عروةالوثقی [کمیاب] /ع./
firm handle *or* **support;**
[*fig.*] **true faith**

عُریان /ع./ = برهنه **naked;**
[*fig.*] **bare, unvarnished**

عریان کردن = برهنه کردن

عریانی /ع. فا./ = برهنگی

عریض /ع./ **wide, broad;**
[*fig.*] **extensive**

to widen عریض کردن

عریضه [جمع: عرایض] /ع./
petition

عریضه‌نگاری /ع. فا./
writing a letter *or* **petition**

عــریکــه [کمیاب، جمع: عــرائـک] /ع./ = خو

عِزّ /ع./ **honour, glory, power**

عزا /ع./ **mourning**

لباس عزا پوشیدن
to wear mourning

to mourn عزا گرفتن

عزادار /ع. فا./
[*adj.*] **in mourning, mournful;** [*n.*] **mourner**

عزاداری /ع. فا./ = سوگواری

عزاداری کردن = سوگواری کردن

عزازیل /ع./
[name of a fallen angel]

عزایم /ع./ [verses designed to conjure away evil spirits]; ⟵ [جمعِ عزیمت]

عزب [جمع: عزّاب] /ع./
[*n.*] **bachelor, unmarried person;** [*adj.*] **unmarried, single**

عِزّت /ع./ **honour, glory**

self-respect عزت نفس

عزت دادن، عزت نهادن (بر)
to honour *or* respect

عزت‌الله [اسم‌خاص]
[*o.s.*] **glory of God**

عزرائیل /ع./ **Azrael**

عَزل /ع./ **deposal, removal from office**

to depose, to discharge عزل کردن

removable قابل عزل

irremovable غیرقابل عزل

عزلت /ع./ **retirement, seclusion**

to retire *or* seclude oneself عزلت اختیار کردن

عزم /ع./ **resolution, firm purpose; intention;**
[*phys.*] **moment;** ⟵ گشتاور

to resolve, to determine; to intend عزم کردن

to start on a journey, to set about for a journey عزم سفر کردن

عُزوبت /ع./ **celibacy**

عَزّ و جلّ /ع./ **may... be honoured and glorified**

خدای عزّ و جلّ /ص./
the Glorious God

عزیز /ع./ [*adj.*] **dear; honoured; powerful;**
[*n.*] **darling;** ⟵ گرامی

my dear one!, darling! عزیزم!

to endear *or* esteem; to take tender care of عزیز داشتن

tin god عزیز بی‌جهت

عزیزالله [اسم‌خاص] /ع./
[*o.s.*] **God's dear one**

عزیزدُردانه [عامیانه] /ع. فا./
(spoiled) **darling, unique child** (who has been spoiled);
⟵ دردانه

عزیزکرده /ع. فا./ **darling; favourite**

عــزیزه [اسم‌خاص، مؤنثِ عـزیز] /ع./

عزیمت[1] /ع./ **starting, leaving;** (fim) **resolution**

to start, to leave عزیمت کردن

به رشت عزیمت کرد.
He left for Rasht.

to give up the idea of going, to cancel a journey فسخ عزیمت کردن

عزیمت[2] [جمع: عزایم] /ع./
incantation, [*rare*] **prayer for the sick**

عساکر [جمعِ عسکر]

عسرالبول /ع./ **dysuria**

عسرالطمث /ع./
dysmenorrhoea

عسرالنفس /ع./ **dyspnoea**

عسرت /ع./ = سختی
hardship

عسس /ع./ = گزمه، شحنه

عسکر [جمع: عساکر] /ع./ = لشکر

عسل /ع./ = انگبین **honey**

bee, honey-bee زنبور عسل

عسلک /ع. فا./ **honey-dew**

عسلی[1] /ص.ع. فا./
honey-like; honeyed; yellow

عسلی[2] /ا.ع. فا./ **small tea-table; (foot)stool**

عَشاء [کمیاب] /ع./ = شام
supper

عِشاء[1] /ع./ **evening prayer**

عِشاء[2] /ع./ = شام، غروب

عشاق [جمعِ عاشق]

عشایر [جمعِ عشیره، کمیاب] /ع./
tribes

عُشبه /ع./ **sarsaparilla**

عُشر [جمع: عشور] /ع./ = ده‌یک
tenth

عشرات [جمعِ عشره] /ع./
tens; ⟵ دهگان

عِشرت /ع./ **pleasure, feasting**
عشرت کردن to live in pleasure
عشره [جمع: عشرات] /ع./ = ده(گانه)
عُشریه /ع./ **tithe, ten per cent dues**
عِشق /ع./ **love**
عشق ورزیدن to make love
وقتی که عشقش بکشد [زبان لاتی] when the humour takes him
عشق‌انگیز /ع. فا./ **exciting love**
عشقبازی /ع. فا./ **love-affair, love-intrigue; gallantry**
عشقبازی کردن to make love
عشق‌ورزی /ع. فا./ **love-making**
عشقه /ع./ **bindweed**
عشور [جمعِ عُشر]
عشوه /ع./ **coquetry, amorous gest**
عشوه کردن to coquet
عشوه گر /ع. فا./ **coquettish**
عشوه گری /ع. فا./ **coquettishness**
عشیره ← عشایر
عصا /ع./ **cane, stick**
عصای چوپانی shepherd's staff *or* crook
عصای زیر بغل crutch(es)
عصای سلطنتی sceptre
عصای موسی Moses' rod
عصای پیری prop *or* stay of one's age
دست به عصا رفتن to act cautiously
عصابه [کمیاب] /ع./ **headband; bandage; turban;** ← عمامه
عصار /ع./ **oil-presser**
عصاری /ع. فا./ **oil-pressing**
دستگاه عصاری oil-press

عُصاره /ع./ **extract, expressed juice; ooze**
عصاکش /ع. فا./ **leader of a blind man, guide**
عَصَب [جمع: اعصاب] /ع./ **nerve;** ← پی
درد اعصاب neuralgia
سلسلهٔ اعصاب nervous system
ورم اعصاب neuritis
عصبانی /ع./ **high(ly)-strung, easily excited, excitable; nervous; mad**
عصبانی شدن to get excited *or* highly strung, to fly into a rage; to get angry *or* mad
عصبانی کردن to make nervous *or* mad, to get on one's nerves
عصبانیت /ع./ **nervousness; fury**
عصبی /ع. فا./ **nervous:** مرض عصبی
عصبیت /ع./ **party-spirit**
عصر[1] /ع./ (late) **afternoon**
امروز عصر ***this afternoon***
عصر[2] [جمع: اعصار] /ع./ **epoch, age**
عصر تازه‌ای در تاریخ باز کرد. ***It made an epoch.***
عصرانه /ع. فا./ **afternoon tea, five o'clock tea**
عُصعص /ع./ **coccyx**
عِصمت [اسم‌خاص] /ع./ **chastity**
هتک عصمت rape
عصیان /ع./ **sin; rebellion**
عصیان ورزیدن to sin; to rebel
عصیر /ع./ (expressed) **juice;** ← شیره
عصیرمعده gastric juice
جوهرِ عصیر معده pepsin
عِضاده /ع./ **alidade**

عضد [کمیاب] /ع./ **upper arm;** [*fig.*] **aid, support;** ← بازو
عضلات [جمع عضله]
عضلانی /ع. فا./ **muscular**
عضله [جمع: عضلات] /ع./ = ماهیچه **muscle**
آماس عضله myositis
انقباض عضله myonicity
درد عضله myalgia
عضو [جمع: اعضاء] /ع./ **member; limb; organ**
کشورهای عضو ***member countries***
عضوِ انجمنی شدن to join a society (as a member)
عضو کردن to admit as a member
عضویت /ع./ **membership**
عطاء /ع./ **grant, gift**
عطاء کردن to bestow, to give; ← بخشیدن
عطاءالله [اسم‌خاص] /ع./ [*o.s.*] **gift of God**
عطابخش [ادبی] /ع. فا./ **bestower of gifts**
عطار /ع./ **grocer** (dealing in tea/ sugar/ spices and the like); [*o.s.*] **perfumer**
عطارد /ع./ = تیر **Mercury**
عطاری /ع. فا./ **grocery**
عطایا [جمعِ عطیه]
عطر /ع./ **perfume, scent**
عطرگل attar *or* otto of roses
برگ عطر، شمعدانی عطر geranium
به چیزی عطر زدن to scent something
(به خود) عطرزدن to perfume oneself
عطرپاش /ع. فا./ **atomizer**
عطردان /ع. فا./، شیشهٔ عطری **scent-box, scent-bottle**

عطرساز /ع. فا./ perfumer
عطرسازی، عطرکشی /ع. فا./ perfumery, manufacture of perfumes
عطری /ع. فا./ perfumed; aromatic; ⟵ معطر
شیشهٔ عطری scent-bottle
عطریات [جمعِ عطری] /ع./ perfumes, perfumery; ⟵ عطری
عطسه /ع./ sneeze, sneezing
عطسه کردن، عطسه زدن to sneeze
عطسه‌آور /ع. فا./ sternutatory
عطش /ع./ = تشنگی thirst
رفع عطش کردن to quench one's thirst
عطشان [کمیاب] /ع./ = تشنه
عطش‌آور /ع. فا./ causing thirst, dry
عطف /ع./ inclination; adverting, turning; connecting; doubling, bending; [*book*] backing
نقطهٔ عطف turning-point
عطف کردن *vi.* to refer, to advert; *vt.* to connect; to cause to return
عطف به ماسبق کردن to be retroactive *or* retrospective
حرف عطف [*gram.*] conjunction
عُطوفت /ع./ = مهربانی affection, kindness
عطیه [جمع: عطایا] /ع./ = بخشش gift, present
عظام [جمعِ عظم، عظیم]
آقایان عظام honourable gentlemen
عَظم [کمیاب، جمع: عِظام] /ع./ = استخوان

عظمت /ع./ = بزرگی greatness, grandeur; pomp; magnificence; immensity
عُظمی [جمعِ اعظم] /ع./
عظیم[1] /ص. ع./ = بزرگ great; grand; magnificent; immense
عظیم[2] [کمیاب، جمع: عظام] /ا. ع./ the high(est): epithet of God
عظیم‌الجثه /ع./ huge, of enormous size
عظیم‌الشأن /ع./ great, glorious; [*o.s.*] of high rank
عظیمه [اسم‌خاص، مؤنثِ عظیم] /ع./
عِفاف [کمیاب] /ع./ = عفت
عفت [اسم‌خاص] /ع./ chastity, modesty
عِفریت [مؤنث: عفریته] /ع./ demon, afrit; [*met.*] fiendish person
عفَن [کمیاب] /ع./ = عفونت
عفِن /ع./ = گندیده
عفو /ع./ forgiveness; ⟵ بخشش
عفو عمومی amnesty
عفو کردن = بخشیدن to pardon, to forgive
قابل عفو pardonable
غیرقابل عفو unpardonable
عُفونت /ع./ putrefaction; stink; infection
بوی عفونت دادن to stink, to give off an offensive odour
دفع عفونت disinfection
عفونی[1] /ع. فا./ infectious: بیماریهای عفونی
عفونی[2] /ع. فا./ infected
ضدعفونی کردن to disinfect
عفیف [مؤنث: عفیفه] /ع./ chaste
عِقاب /ع./ punishment; requital

عُقاب /ع./ = دال eagle
عقابی /ع./ aquiline
عقار [کمیاب] /ع./ landed property
عقارب [جمعِ عقرب]
عِقال [کمیاب] /ع./ shackle; headband (of the Arabs); ⟵ پابند
عقاید [جمعِ عقیده]
عقب[1] /ع./ [*n.*] back, rear; [*adj.,adv.*] behind (hand); slow; ⟵ [جمع: اعقاب] ؛ پشت
عقبِ [حا.]، درعقبِ behind, at the back of
عقبِ کسی فرستادن to send for someone
از عقبِ (from) behind; [*lit.*] after (the death of)
از عقب کسی رفتن to follow someone
عقب افتادن to be deferred *or* postponed; to remain behind; to fall into arrears
عقب انداختن to postpone; to retard
عقب بردن to set back (as a clock)
عقب زدن *vt.* to push back; to keep back; to withdraw; *vi.* to recoil; to retreat
عقب کردن to pursue, to follow; to chase; to push back
عقب کشیدن *vt.* to draw back; to withdraw; *vi.* to retreat; to flinch
عقب گذاشتن to leave behind; to outpace, to outstrip
عقب[2] [معنای حقیقی] /ع./ = پاشنه
عقب‌افتادگی /ع. فا./ retardation; lag; arrearage; backwarded state

عقب‌افتاده /ع. فا./ **arreared; lagging behind; backwarded:** ملل عقب‌افتاده
کرایهٔ عقب‌افتاده backrent
عقب‌دار /ع. فا./ **rear-guard**
عقب‌گرد /ع. فا./ **about turn**
عقب‌گرد کردن to turn about
عقب‌نشینی /ع. فا./ **retreat**
عقب‌نشینی کردن to retreat
عَقَبه **continuation; follow up; consequence**
عَقِبی /ع. فا./ **hinder**
در عقبی back door
عُقبیٰ /ع./ **futurity, life to come**
عَقد [جمع: عقود] /ع./ **contract; conclusion** (of an agreement)
عقد کردن to conclude a marriage contract with; to marry; to hold, to convoke; [*o.s.*] to tie
عقد بستن to enter into *or* conclude a contract
عقدِ نماز بستن [ادبی] to prepare for prayer
عِقد [جمع: عقود] /ع./ = گردن‌بند
عقدکنان /ع. فا./ **party given on the occasion of performing marriage ceremonies**
عقدنامه /ع. فا./ **marriage contract**
عُقده /ع./ **knot, node; lump** (in one's throat); [*anat.*] **ganglion;** [*fig.*] **problem; difficulty;** [*speech*] **impediment; obligation; pressure;** ← گره
عقدهٔ دل گشادن to get a thing off one's chest
عقدهٔ کهتری inferiority complex
عقده‌گشا /ع. فا./ **resolver of difficulties**
عقدی /ع. فا./ **married under a contract of unlimited period**
عَقرَب[1] [جمع: عقارب] /ع./ = کژدم **scorpion**
عَقرَب[2] /ع./ [*astr.*] **Scorpio**
عَقرَب[3] /ع./ [آبان] [old name of
عقربک /ع./ [*watch or clock*] **hand; style** *or* **gnomon** (of a sun-dial); **cramp-iron;** [*med.*] **whitlow**
عقربه[1] /ع. فا./ = عقربک [*timepiece*] **hand**
عقربه[2] /ع. فا./ **pointer**
عقل [جمع: عقول] /ع./ **intellect, reason; wisdom**
عقل معاش domestic economy
عقلش به جایی نرسید. He was at his wit's end.
خلاف عقل injudicious *or* imprudent
دندان عقل wisdom-tooth
عقل کسی را دزدیدن to throw dust in someone's eyes
عـقـلاً /ع./ **rationally, logically**
عُقلاء [جمع عاقل] /ع./ **wise man**
عَقلانی /ع. فا./ = عقلی
عُقلائی /ع. فا./ **reasonable**
عقلی [مؤنث: عقلیه] /ع./ **intellectual; rational; reasonable**
عقلیون [جمعِ عقلی] /ع./ **rationalists**
عُقوبت /ع./ **requital, punishment; torment**
عقوبت کردن to punish; to torment
عقود [جمعِ عَقد، عِقد]
عقول [جمعِ عقل]
عقیده [جمع: عقاید] /ع./ **belief; opinion; idea**
عقیده به چیزی داشتن to believe in something, to have faith in it
به عقیده من *in my opinion*
اظهار عقیده کردن to express an opinion, to make a suggestion
عقیده‌مند /ع. فا./ = معتقد
عقیق /ع./ **carnelian**
عقیق، عقیق سلیمانی red chalcedony
عقیق، عقیق یمانی agate
عقیم /ع./ **barren; abortive, vain**
عقیم گذاردن to render abortive; to paralyze
عقیم ماندن to come to nought
عکا [*geog.*] **Acre**
عکاس /ع./ **photographer**
عکاسخانه /ع. فا./ **photographer's studio**
عـکـاسـی /ع. فا./ **photography**
عکس /ع./ **photograph, picture; image; reverse**
عکس انداختن to take a photograph; to have one's photograph taken
عکس از چیزی برداشتن to photograph *or* take the photograph of something
برعکس on the contrary; vice versa
کتاب عکس picture-book, album
عکس‌العمل /ع./ = واکنش **reaction**
عکس‌برداری /ع. فا./ **photography; film-taking**
از چیزی عکس‌برداری کردن to photograph something; to shoot films of something
عکس‌دار /ع. فا./ **illustrated; pictorial**
کارت پستال عکس‌دار picture post-card
عکسی /ع. فا./ **photographic; pictorial; illustrated**

علاء /ع./ = بلندی **high rank**
علاءالدین [اسم خاص] /ع./ [*o.s.*] **grandeur of religion**
عِلاج /ع./ **remedy; medical treatment**
عِلاج کردن، شفادادن to remedy *or* cure
علاج‌بخش /ع. فا./ **remedial, medicatory**
علاج‌پذیر /ع. فا./ **remediable**
علاج‌ناپذیر /ع. فا./ **irremediable**
علاف /ع./ **forage-seller; corn-chandler**
علاقه [جمع: علائق] /ع./ **attachment, interest, concern; tie;** [*ext.*] **estate, property;** → مِلک؛ دلبستگی
علاقه‌بند /ع. فا./ **dealer in thread and trimmings, laceman**
علاقه‌بندی /ع. فا./ **dealing in thread** *or* **lace, passementerie**
علاقه‌مند /ع. فا./ **interested, concerned**
من به آن علاقه‌مند هستم. ***I am interested in that.***
علاقه‌مندی /ع. فا./ = دلبستگی **interest; attachment**
علامات [جمعِ علامت، /ع./]
علامت [جمع: علامات، علائم] /ع./ **sign, mark; symptom; signal; standard, flag;** → نشان، نشانه؛ پرچم
علامت گذاشتن to mark
علامه[1] /ص. ع./ **very learned**
علامه[2] /ا. ع./ **great scholar**
علانیه /ع./ **publicity, notoriety**
علانیتاً = آشکارا /ق./
عِلاوه /ع./ **excess, surplus; addition**
علاوه کردن to add; to increase
علاوه بر in addition to
علاوه‌براین، به‌علاوه furthermore, besides
بعلاوهٔ in addition to; plus
نشان بعلاوه the plus sign
علائق [جمعِ علاقه]
علائم [جمعِ علامت، /ع./]
عِلت [جمع: علل] /ع./ **cause, reason; defect; illness; excessive menstruation**
ذکر علت به جای معلول metonymy
به چه علت، چه علت دارد که why?
به علتِ by reason of, because of
به علت اینکه because, for the reason that
علت‌العِلَل /ع./ **first cause;** [*o.s.*] **cause of causes**
علت‌شناسی /ع. فا./ **aetiology**
علف /ع./ **grass; herb; forage, fodder, provender**
علف تگرگی star-of-Bethlehem
علف خشک dry grass, hay
علف خنازیر figwort
علف شیطان broom rape, choke-weed
علف قورباغه ironwort
علف ماه moonwort, lunarium
علف هرزه weed
علف دادن to feed with fodder; to graze
علف‌بُر /ع. فا./ = علف‌چین
علف‌چَر /ع. فا./ **grazer**
علف‌چین /ع. فا./ **lawn-mower**
علف‌خوار /ع. فا./ **herbivorous**
علف‌زار[1] /ا. ع. فا./ **grass-plot**
علف‌زار[2] /ص. ع. فا./ **grassy**
علفی /ع. فا./ **grassy; made of hemp** *or* **jute fibres**
عَلَقه[1] /ع./ **coagulum, grume**
عَلَقه[2] [کمیاب] /ع./ **embryo**
علقه‌مُضغه embryo and foetus; [*fig.*] deformed *or* misshaped person *or* creature, overweening but mean person
عَلَقه[3] /ع./ = زالو
عُلْقه[1] **property**
عُلْقه[2] [کمیاب] = علاقه
عَلَک = الک
عِلک /ع./ **gum** *or* **resin**
عِلک رومی = مصطکی
علل [جمع علت]
عَلَم [جمع: اعلام] /ع./ **standard, flag;** → پرچم
علم شدن to signalize oneself
علم کردن to erect, to raise; to signalize, to use as a proper noun
علمای اعلام the distinguished Ulema
عِلم [جمع: علوم] /ع./ **science; learning;** → دانش
با علم به اینکه in spite of being aware that
علماً /ع./ **scientifically**
عُلماء [جمعِ عالم] /ع./ **scientists; learned men; the Ulema** *or* **religious authorities**
عَلمدار /ع. فا./ = پرچمدار
عِلم‌شناسی /ع. فا./ **epistemology**
علم‌شنگه [زبان لاتی] = غوغا
عِلم‌فروش /ع. فا./ **pedantic, arrogant, ostentatious**
علم‌قلم [زبان لاتی] **tricky**
عِلمی [مؤنث: علمیه] /ع./ **scientific; theoretical**
علناً /ع./ = آشکارا /ق./

عُلوّ /ع./ = بلندی **elevation, eminence**
علوشأن high rank
علوطبع magnanimity
علو همت high ambition; generosity
عَلو /ت./ **flame**
علوفه /ع./ **provender, fodder, forage**
علوم [جمعِ علم]
علویّ [مؤنث: علویه] /ع./ **descendant of Ali**
عُلوی /ع./ **high; celestial**
عَلی [اسم‌خاص، مؤنث: علیه] /ع./ [*o.s.*] **high, eminent**
علیٰ /ع./ = بر **upon, on** [used only in Arabic phrases and compounds]
عُلیٰ [کمیاب] /ع./ = بلندی **eminence**
علیا [مؤنثِ اعلی] /ع./ **higher; greater**
علیاحضرت Her Majesty
علی‌الاتصال /ع./ = اتصالاً
علی‌الاصول /ع./ = اصولاً
علی‌الاطلاق /ع./ **absolutely; generally**
حکیم علی‌الاطلاق the All-Wise (God)
علی‌البدل /ع./ **serving as a reserve, appointed as substitute**
عضو علی‌البدل substitute, reserve
علی‌التحقیق /ع./ = محققاً
علی‌التوالی /ع./ = متوالیاً
علی‌الحساب /ع./ **on account, in part payment** [often redundantly به‌طور علی‌الحساب or به‌رسم علی‌الحساب]
علی‌الخصوص /ع./ = مخصوصاً، به‌ویژه
علی‌الدوام /ع./ = دائماً
علی‌السویه /ع./ ← سویه

علی‌الطلوع /ع./ **at dawn**
علی‌الظاهر /ع./ = ظاهراً
علی‌العجاله /ع./ ← عجاله
علی‌العمیا /ع./ = کورکورانه
علی‌الله[1] /ع./ [short for توکلاً علی‌الله] **let us trust on God** (and see what will happen)
علی‌الله![2] [عامیانه] /ع./ **the hell with it!**
علی‌ای‌حال /ع./ **in any case**
علیت /ع./ **causality**
علیحده /ع./ = جداگانه **separate(ly)**
علی‌رغم ← رغم
علیق /ع./ **fodder** ***or*** **barley**
علیک /ع./ = برتو **upon thee** [in (peace be upon thee) سلام علیک and علیک‌السلام (the reply to it)]
علیکم /ع./ ← سلام
علیل /ع./ **sickly, infirm, invalid**
علیلی /ع. فا./ **infirmity**
علیم /ع./ **omniscient**
علیون، علیین، اعلیٰ علیین /ع./ **the highest** ***or*** **seventh heaven**
علیه /ع./ = بر او **upon him; against him**
بر علیهِ، علیهِ against, con
علیه‌السلام peace be upon him, greetings to him
علیه ← علی
علیها [مؤنثِ علیه] /ع./ **upon** ***or*** **against her**
علیهذا /ع./ = بنابر این
علیهم /ع./ = بر ایشان **upon** ***or*** **against them** (the men)
علیین ← علیون
عَمّ /ع./ **paternal uncle;** ← عمو
عِماد [اسم‌خاص] /ع./ **pillar; support;** ← ستون

عمادالدین [اسم‌خاص] *i.e.* **Pillar of the faith**
عمارات [جمعِ عمارت]
عمارَت [جمع: عمارات] /ع./ **building;** ← ساختمان
عمارت کردن = ساختن؛ تعمیر کردن
عماری /ع. فا./ **catafalque, litter**
عماًقریب /ع./ = قریباً
عمال /ع./ **agents; functionaries, public officers;** ← [جمعِ عامل]
عَمامه [جمع: عمائم] /ع./ **turban**
عمد /ع./ **intention, design**
از روی عمد = عمداً
عمداً /ع./ = دانسته **intentionally**
عُمده[1] /ص. ع./ **chief, main, leading**
عُمده[2]، عمدهٔ مطلب /ا. ع./ **main subject, chief point**
عمده فروختن /ق./ to sell by wholesale
عمده‌فروش /ع. فا./ **wholesaler, wholesale dealer**
عمده‌فروشی /ع. فا./ **wholesale trade**
عمدی /ع. فا./ **intentional, deliberate**
غیرعمدی unintentional
عَمر /ع./ [fictitious name]
عمر و زید Tom/ Dick and Harry
عُمر /ع./ **life(time)**
عمر کردن to live (a specified number of years)
عمرش وفا نکرد. ***His life failed him.***
درازی عمر longevity
عمر دوباره new lease of life
عُمَر /ع./ [Omar: the second successor of the Propbet]
عِمران /ع./ **Amram: father of Moses**

عُمران /ع./ = آبادانی improvement, reconstruction

عِمرانی /ع. فا./ intended for development *or* improvement, (re)constructive

عُمْریٰ /ع./ life-estate; life-interest

عُمق [جمع: اعماق] /ع./ = گودی، ژرفا depth

عمق آن چقدر است؟ How deep is it?

عمق‌پیما /ع. فا./ sounder; sounding-instrument, plummet

عمق‌پیمایی /ع. فا./ sounding

عُمقی[1] [کمیاب] /ع. فا./ based on depth

عُمقی[2] [کمیاب] /ع. فا./ = عمیق deep

آتش عمقی [*mil.*] file-firing

عَمَل [جمع: اعمال] /ع./ act, deed; action; work; process; operation; practice

(به) عمل آمدن to be manufactured; to be raised *or* produced; to grow

خوب عمل نیامده است it has not been properly cooked

چه اقدامی به عمل آمد؟ *What action was taken?*

(به) عمل آوردن to produce, to manufacture; to raise; to grow; to take: اقداماتی به عمل آوردم

عمل کردن to do, to practise, to act; to operate on:

در کدام بیمارستان او را عمل کردند؟

شکمش عمل نمی‌کند. His bowels do not move; → کار کردن

اصالت عمل pragmatism

اطاق عمل operating-room, operating-theatre

حُسن عمل good behaviour *or* deed

قابل عمل operable

نامهٔ اعمال record of deeds (religious term)

عملِ (فلان کس) sculpsit (such and such a person)

عملاً /ع./ in practice

عملجات → عمله

عملکرد /ع. فا./ revenue (operation)

عملگی /ع. فا./ work done by a coolie, menial labour

عملگی کردن to work as a coolie *or* labourer

عَمله[1] /ع./ labourers, coolies; → [جمعِ عامل]

عَمله[2] [جمع: عملجات] /ع./ [treated as singular] labourer, coolie

عَملی /ع. فا./ practicable; artificial; requiring surgical operation; [*infml.*] addicted to smoking opium

عملی کردن to put in practice, to carry out; to render practicable

عملیات [جمعِ عمل] /ع./ operations, activities

عمو /ع. فا./ (paternal) uncle

پسرعمو، دخترعمو cousin

عمواقلی /ع. فا. ت./ cousin [son of a paternal uncle]

عَمود[1] /ع./ perpendicular

خطی را بر خط دیگر عمود کردن to draw a perpendicular to a line

عَمود[2] /ع./ = ستون

عَمود[3] [کمیاب] /ع./ = گرز

عموداً /ع./ perpendicularly, vertically

عمودی /ع./ vertical, perpendicular

عموزاده /ع. فا./ cousin [child of a paternal uncle]

عُموم /ع./ the public

به اطلاع عموم رسانیدن to notify the public

عموماً /ع./ generally, universally; all

عمومی /ع./ general; public; universal

عمومی کردن to generalize; to popularize

عمومیت /ع./ generality, universality

عمومیت دادن to generalize

عَمه /ع./ (paternal) aunt

پسرعمه، دخترعمه cousin

عمه‌اقلی /ع. ت./ = پسرعمه cousin [son of a paternal aunt]

عمه‌زاده /ع. فا./ cousin [child of a paternal aunt]

عَمیاء [مؤنثِ اعمی]

عمید [اسم‌خاص] /ع./ [*rare*] chief

عَمیق /ع./ = گود deep; profound

عمیم [کمیاب] /ع./ general; comprehensive

عنا [کمیاب] /ع./ = رنج، محنت

عناب /ع./ = شیلان jujube

عِناد /ع./ contumacy; rebellion

عناصر [جمعِ عنصر]

عنان /ع./ rein, bridle; → دهنه

عنان تافتن [ادبی] to turn away

عنانت [کمیاب] /ع./ impotency

عناوین [جمعِ عنوان]

عنایات [جمعِ عنایت]

عنایت [جمع: عنایات] /ع./ favour

عنایت کردن to favour (with); to grant

عنایت‌الله [اسم‌خاص] /ع./ [*o.s.*] God's favour

عنبر /ع./ ambergris; [*met.*] ringlets, curls

عنبربوی [ادبی] /ع. فا./ fragrant as ambergris

عنبرچه /ع. فا./ sachet, perfume-cushion, perfume-bag; [*rare*] kind of necklace

عنبرماهی /ع. فا./ sperm-whale

عنبرنصارا /عف./ dung of a she-ass

عنبری /ع./ fragrant as ambergris; perfumed with ambergris; amber-coloured

گل عنبری jonquil

عنبرین [ادبی] = عنبری

عنبی [کمیاب] /ع./ grape-like; vinous; ← انگوری

پردهٔ عنبی = عنبیه

عنبیه /ع./ iris of the eye

عَنتر [از ی. entellus] /ع./ barbarian ape, baboon

عِندالاقتضا = لدی‌الاقتضاء ← اقتضا

عندالحاجت /ع./ in time of need

عنداللزوم /ع./ in case of need

عندالله /ع./ before God

عندالمطالبه /ع./ on demand, at call

عندلیب [جمع: عنادل، کمیاب] /ع./ = بلبل

عنزوجديين /ع./ [*astr.*] the Kids

عُنصر [جمع: عناصر] /ع./ element; principle

عنصری[1] [کمیاب] /ص. ع./ elemental

عنصری[2] /ا. ع./ [name of a poet]

عُنصُل /ع./ squill, sea-onion

پیاز عنصل [*rare*] bulb

عنعنات /ع./ series of traditions each beginning with the عن "from" (*i.e.* word from such and such a person); hence traditions descended from generation to generation

عُنف /ع./ = زور violence

عنفاً /ع./ by violence; ← به‌زور

عُنفوان /ع./ bloom (of youth), prime of life

عُنق [جمع: اعناق، کمیاب] /ع./ = گردن

عنقا /ع./ mythical bird of great wisdom, *L.* phoenix

عَنقریب /ع./ = به‌زودی shortly, soon

عنکبوت [جمع: عناکب، کمیاب] /ع./ = کارتنه

عنکبوتی /ع./ arachnidian; arachnoid; ← تنندویی

عنن /ع./ impotence, impotency

عنوان [جمع: عناوین] /ع./ title, heading, score; address, [*fig.*] ground, superscription; plea, excuse

به عناوین مختلف on various grounds, under various excuses

به عنوانِ[1] to (the address of)

به عنوانِ[2] on the ground of

به عنوانِ[3] as

به‌عنوانِ وام ***as a loan***

عِنوان کردن to set forth, to propound; to introduce; to address

عنیف /ع./ = سخت؛ زشت

عِنین /ع./ impotent

عوّا /ع./ [*astr.*] bootes

عَوار [کمیاب] /ع./ = عیب؛ سوراخ

عوارض /ع./ charges, taxes; accidents; ← [جمعِ عارضه]

عواریه [از فر. avarié] damaged

عواطف [جمعِ عاطفه]

عواقب [جمعِ عاقبت]

عوالِم ← عالَم

عوام، عوام‌الناس /ع./ the vulgar, the common *or* illiterate people; ← [جمعِ عام]

مجلس عوام House of Commons

عوامانه /ع. فا./ vulgar(ly); popular(ly)

عوام‌پسند /ع. فا./ popular

عوام‌فریب /ع. فا./ demagogical

عوام‌فریبی /ع. فا./ demagogy

عَوامِل [جمعِ عامل] /ع./ agents; factors

عوامل مکانیکی mechanical powers

عواید [جمعِ عائده، کمیاب]

عود /ع./ aloes-wood; [*mus.*] lute

عود /ع./ = برگشت returning; [*med.*] reappearance

عود کردن = برگشتن to reappear; to return

عودالصلیب /ع./، عود صلیب orpine

عودت /ع./ returning; [*mil.*] counter-recoil

عودت دادن to return, to give back; ← برگرداندن

عودزن /ع. فا./ lutist

عور [جمعِ اعور] /ع./ *C.E.* naked

عور آمدن [زبان لاتی] to show flippant moods; to act coquettishly

عورَت[1] /ع./ [*ext.*] privy parts

عورَت[2] /ع./ = زن

عورَت[3] /ع./ = برهنگی

ستر عورت کردن ← سَتر

عوضَ /ع./ **substitute; exchange; reward, compensation**
در عوض instead
در عوضِ، به عوضِ instead of, in lieu of; for; in exchange for, in return for
عوض نگهبان = پاس بخش
عوض دادن to reward; to give in exchange
عوض کردن to change; to replace; to relieve
عوضی /ع. فا./ **wrong:** کتاب عوضی; **changed, exchanged**
عوضی گرفتن to mistake (for another person *or* thing)
عوضی گرفته‌اید. I am not the man you are looking for. You have chosen the wrong person.
عوعو [عامیانه] **bowwow;** → پارس
عوعو کردن to bowwow
عون [جمع: اعوان] /ع./ **help, aid;** → یاری، کمک
بعون‌اللّه[1] by divine help
بعون‌اللّه[2] = انشاءاللّه
عـهـد [جمع: عُهود] /ع./ **promise; covenant, treaty; testament; time, era, epoch**
عهد بستن to conclude a treaty; *L.* to make a promise
عهد کردن to promise, to pledge one's word
در عهدِ، در عهد سلطنتِ in the reign of
عهدشکن /ع. فا./ = پیمان‌شکن
عهدنامه /ع. فا./ **treaty**
عُهده /ع./ **charge, trust; responsibility; undertaking**
از عهدهٔ کاری برآمدن to be able to do *or* succeed in doing something
بر عهده گرفتن to undertake (to do), to assume the responsibility of; to guarantee
به عهدهٔ کسی گذاشتن to charge (*or* entrust) someone with (a duty), to entrust to a person
به عهدهٔ تعویق افتادن to be postponed *or* delayed
عهدهٔ بانک ملی (drawn) on the National Bank
عهده‌دار /ع.فا./ **responsible; charged *or* entrusted**
من عهده‌دارِ آن وظیفه هستم. ***I am charged with that duty.***
عهده‌دار شدن to undertake
عهده‌داری /ع. فا./ **charge, responsibility, incumbency**
عَهدی /ع./ [*will*] **directive**
عهود [جمعِ عهد]
عیادت /ع./ **visit**
عیادت کردن to visit (a sick person)
عیاذ /ع./ = پناه **refuge**
العیاذباللّه God forbid!
عیار[1] /ع./ **fineness, standard** (of coins); **criterion; assay**
طلای ۱۸ عیار gold 18 carats fine
عیار گرفتن to assay
عیار[2] /ا. ع./ **impostor**
عیار[3] /ص. ع./ **deceitful, sly**
عیارگیر /ع. فا./ **assayer**
عیاری /ع. فا./ **imposture; charlatanry; slyness**
عیاش[1] /ص. ع./ **pleasure-seeking**
عیاش[2] /ا. ع./ **man of pleasure, luxurious person, reveller**
عیاشی /ع. فا./ **living in pleasure; revelry**
عیاشی کردن to live in pleasure *or* voluptuously
عیال /ع./ **wife** (and children), **family**
عیال‌وار، عیال‌مند /ع. فا./ **encumbered by a** (numerous) **family**
عیان /ع./ = آشکار **clear, (self-)evident, visible**
عیان کردن to clear *or* explain
عیب [جمع: عیوب] /ع./ **defect, fault**
عیب است it is a shame (*or* disgrace)
عیب جُستن از، عیب گرفتن از to find fault with, to cavil; to blame; to criticize
عیب کردن *vi.* to be spoiled *or* damaged; *vt.* to blame
عیب ندارد there is no harm in it; there is nothing wrong with it
چه عیب دارد all right; it will not harm
عیب‌پوش /ع. فا./ **who conceals *or* palliates others' faults**
عیب‌پوشی /ع. فا./ **connivance at others' faults**
عیب‌پوشی کردن to conceal/ to connive at *or* gloss over a fault
عیبجو /ع. فا./ **fault-finder, caviller**
عیبجویی /ع. فا./ **fault-finding**
عیبجویی کردن از to find fault with, to cavil
عیب‌گیر /ع. فا./ = عیبجو
عیبناک /ع. فا./ = معیوب
عید [جمع: اعیاد] /ع./ **festival, feast**
عید گرفتن to celebrate (a festival)

عید شما مبارک (باد).
Happy New Year.

عیدی /ع. فا./ **New-Year gift**

عیسو، عیصو /ع. عب./ **Esau**

عیسوی /ع./ **Christian**

عیسویت [کمیاب] /ع./ = مسیحیت

عیسی /ع./ **Jesus**

عیش [1] /ع./ **pleasure;** (living in) **luxury**

عیش کردن to live in pleasure *or* luxury; to enjoy oneself

عیش و نوش feasting and drinking, luxury, pleasure

عیش [2] [معنای حقیقی] /ع./ = زندگی

عیش‌طلب /عف./ **pleasure seeking** ← عیاش

عین /ع./ [جمع: عُیون، کمیاب، اعیان] = چشم؛ چشمه؛ ذات

عینِ نامه the original letter

در عین حال at the same time

عین خیالش نیست. [عامیانه] He doesn't care a fig. He couldn't care less.

عین مرحمت است it is the greatest favour

اسم عین = اسم ذات

عیناً [1] /ع./ **exactly, just**

عیناً [2] /ع./ **in the original form**

نامه عیناً پس فرستاده شد. The original letter was sent back.

عیناً [3] /ع./ **literally**

عیناً [4] /ع./ **in kind;** ← جنساً

عین‌الثور /ع./ [*astr.*] **Aldebaran;** [*o.s.*] **the eye of the Taurus**

عین‌الحیات /ع./ **fountain of life**

عین‌الشمس /ع./ **precious opal, noble opal, fire opal, girasol(e)**

عین‌الناس /ع./ = آناناس

عین‌الهر /ع./ **cat's-eye, opal**

عین‌الیقین /ع./ **positive knowledge**

عینک /ع. فا./ **glasses**

عینک زدن، عینک گذاشتن to wear glasses

عینک آتشی burning-glasses

عینک آفتابی sun-glasses

عینک دودی smoked glasses

عینک شاخدار spectacles

عینک فنری، دماغی عینک pince-nez, eye glasses

عینک یک چشمه monocle

عینک‌ساز /ع. فا./ **optician**

عینک‌سازی /ع. فا./ **optician's trade**

عینک‌فروش /ع. فا./ **dealer in glasses** *or* **optical goods**

عینکی /ع. فا./ **spectacled**

مار عینکی cobra

عینه [1] /ع./ **the thing itself, the original** (thing)

عینه [2] [عامیانه] /ع./ **exactly;** ← به عینه

عینی /ع./ [*law*] **irreplaceable** (as a right *or* property); **identical**

عینیت /ع./ **identicalness**

عیوب [جمعِ عیب]

عیوق /ع./ [*astr.*] **the Capella**

عیون [جمعِ عین، /ع./]

غ

غات‌غات، قات‌قات **cackle**
غات‌غات کردن to cackle
غار[1] /ع./ **cave, cavern; den**
یار غار epithet of Abubakr who accompanied Mohammad in his flight and on one occasion went with him into a cave; [*met.*] bosom friend
غار[2] /ع./ **laurel(-tree)**
غارت /ع./ **plunder, pillage**
غارت کردن to plunder
به غارت رفتن to be plundered
غارت‌زده /ع. فا./ **plundered**
غارتگر /ع. فا./ **plunderer; robber**
غارتگری /ع. فا./ **plundering; robbery**
غاردانه /ع. فا./ **laurel berries**
غارغار **croaking, cawing**
غارغار کردن to croak
غارگیلاس /ع. فا./ **cherry laurel**
غارنشین /ع. فا./ **cave-dweller**
غار و غور [عامیانه] **rumbling noise; croaking;** [*rare*] **rumour**
غاریقون /ع. ی./ **larch agaric**
غاز[1] [از ت. قاز] **goose**
غاز نر gander
غاز[2]**، قاز** **money of account worth half a "dinar"**

غازه، غاژه [کمیاب] = سرخاب **rouge**
غازی [کمیاب، جمع: غزات] /ع./ **warrior fighting against infidels**
غاشیه[1] [جمع: غواشی] /ع./ = زین‌پوش **saddle cover**
غاشیه کشیدن [ادبی] to be submissive
غاشیه[2] /ع./ [*zool.*] **mantle**
غاصب /ع./ [*n.*] **usurper; extortioner;** [*adj.*] **usurping; tyrant**
غافِث /ع./ **agrimony**
غافِل /ع./ **negligent; unaware; heedless**
غافل شدن to take no notice
غافِل از این‌که unaware of the fact that, little knowing that
غافل کردن to deceive the vigilance of
غافل گرفتن to surprise, to seize unawares
غافلگیر کردن /ع. فا./ **to come upon unawares, to surprise**
غافلگیری /ع. فا./ **surprisal, attacking unawares**
غافلی /ع. فا./ = غفلت، بی‌خبری
غالب /ع./ [*adj.*] **prevailing; conquering;** [*n.*] **most** (part), **majority**
غالب آمدن بر، غالب شدن بر to prevail upon, to prevail over; to overcome

غالباً /ع./ **frequently, very often, mostly**
غالبیت[1] /ع./ **predominance**
غالبیت[2] [کمیاب] /ع./ = پیروزی
غالیه [کمیاب] /ع./ **perfume composed of musk and ambergris**
غامض /ع./ **abstruse; obscure**
غامضه [جمع: غوامض، مؤنثِ غامض] /ع./ **abstruse *or* difficult problem**
غانقرایا /ع. ی./ **gangrene**
غایِب[1] [از ع.غائب] /ص./ **absent; hidden**
غایِب شدن to absent oneself; to be absent; to hide oneself, to abscond; to disappear
غایب کردن، قایم کردن to hide, to conceal
غایب[2] [جمع: غائبین، از ع. غائب] /ا./ **absent person, absentee**
غایب‌موشک، غایب‌شدنک /ع. فا./ **hide-and-seek**
غائبی /ع. فا./ **mark of absence; absent student/ soldier/ etc.**
غایَت [جمع: غایات] /ع./ **extreme limit, end;** (desired) **object**
بدین غایت to this extent
به‌غایت extremely
از دوم لغایتِ ششم from the second to the sixth inclusive

غائر [کمیاب] /ع./ **internal**
ورید غائر internal (jugular) vein
غایط [از ع. غائط] **feces**
غائله /ع./ **disturbance, riot;** [*o.s.*] **hatred; evil**
غائی /ع./ **final:** علت غائی
غِبّ [کمیاب] /ع./ **visiting every other day;** [*med.*] **tertian**
نوبهٔ غب tertian fever
غباً [کمیاب] /ع./ **every other day; alternately;** ← یک روز در میان
غُبار /ع./ **dust;** [*med.*] **nebula**
غبارآلود(ه) /ع. فا./ **dusty, soiled**
غباردار /ع. فا./ **misty, dim; dusty**
غباری /ع. فا./ **dusty, dust-coloured; misty; nebular**
غَبراء [کمیاب] /ع./ **surface of the earth**
غِبطه خوردن به /ع. فا./ **to envy *or* emulate**
غَبغب /ع./ **double chin;** [*cow*] **dewlap, jowl**
غَبن /ع./ **state of being cheated in business; fraud**
غثیان /ع./ **nausea**
غثیان کردن to nauseate; ← قی کردن
غُدّ [زبان لاتی] = کله‌شق؛ خودبین
غَدّار /ع./ = خائن
غَدّاره /ت./ **broadsword, glaive**
غدد [جمع غده]
غَدر /ع./ = خیانت (کردن)
غدغد **clucking**
غُدغُد کردن to cluck *or* chuck
غدغن = قدغن
غُدّه [جمع: غُدَد] /ع./ **gland**

غده‌ای /ع. فا./ **glandular, glandulous**
غدیر /ع./ **pool, pond**
عید غدیر [festival celebrated on the occasion of Ali being appointed successor of Mohammad: so-called because the event took place near a pool called غدیر خم]
غِذاء [جمع: اغذیه] /ع./ = خوراک **food, meal; diet**
غِذا خوردن to eat, to take food
غِذا دادن (به) to feed; to board
سرِ غذا at table, at mess
صورت غذا menu, bill of fare
غذائی [مؤنث: غذائیه] /ع./ **alimentary, nutritious**
مواد غذائیه foodstuffs, articles of food
غذائیت /ع./ **nutritiveness, nutritiousness**
غذائیت‌دار /ع.فا./ **nutritious, nutritive**
غِر(دادن) [عامیانه] **moving of the hips *or* loins in dancing, shimmy** (near parallel)
غُر[1] **ruptured; depressed, sunk**
غر شدن to contract hernia; to be depressed
غُر[2]**، غُر و لند** **grumble**
غر زدن *vi.* to grumble *or* murmur; *vt.* [*sl.*] to pinch, to pick up *or* entice away (as a woman)
غُر[3] [بن مضارعِ غریدن]
غَرّاء /ع./ **excellent, brilliant, gushing; fervent**
غُراب[1] /ا. ع./ **raven**
غُراب[2] /ع./ [*astr.*] **Corvus**
غُراب[3] /ص.ع./ [*infml.*] **arrogant and selfish**

غراب‌البین [ادبی] /ع./ [kind of raven whose appearance was supposed to forebode separation from friends]
غَرابَت /ع./ **strangeness, queerness; peculiarity**
غرابتی ندارد. There is nothing strange about it.
غُرابی /ع. فا./ **crow-like, corvine**
نان غرابی [kind of macaroon]
غَراره کردن /ع. فا./ **to rinse the mouth**
غَرامت [جمع: غرامات] /ع./ **indemnity, damages, reparations; compensation**
غرامت خسارات کسی را دادن to indemnify someone for his losses, to compensate his losses
غُرّان **roaring; thundering**
غَـرائـب /ع./ **strange things, wonders; freaks;** ← [جمع غریبه]
غَرب /ع./ = باختر **west; the West *or* Occident**
غرباً /ع./ **on the west; to the west**
غرباء [جمع غریب]
غِربال /ع./ **coarse sieve, riddle, screen**
غربال کردن to riddle *or* sift
غربالی[1] /ع./ **cribriform**
غربالی[2] /ع./ [*anat.*] **ethmoid**
غُربت /ع./ **being away from one's home** (town); **exile**
غربت اختیار کردن to travel abroad; to emigrate
غربتی /ع. فا./ (homeless and vagrant as a) **gypsy**
غَربی /ع./ = باختری **western**
غربیله **sinuous movement of the body; coquettish gesture**

غَرس /ع./ **planting**
غرس کردن
نشاندن، کاشتن → to plant;
غُرّش **roar(ing)**
غرّش کردن to roar;
to thunder
غَرَض [جمع: اغراض] /ع./
motive, purpose; private motive; grudge, spite
با من غرض دارد.
He bears me a grudge.
غرض ورزیدن to bear *or* entertain a grudge; to show partiality
غرض‌آلود، غرض‌آمیز /ع. فا./ **based on private motives *or* personal interest; tendentious; partial; spiteful**
غـرض‌رانـی، غـرض‌ورزی /ع. فا./ **act(s) based on private motives, partial behaviour**
غُرغُر، قرقر **grumbling, murmuring, muttering**
غُرغُر کردن to grumble
غُرغُرو **given to grumbling; shrewish:** زن غُرغُرو
غَرغَره /ع./ **gargling; gargle**
غرغره کردن to gargle
غِرغِره، قرقره **spool, pulley**
غرغرهٔ القاء induction-coil
غرغشه **wrangle; fuss; worry**
غرفه [جمع: غُرَف، غرفات] /ع./ **booth;** [*lit.*] **upper chamber**
غرق /ع./ **drowning, being drowned**
غرق شدن to be drowned, to drown; to sink (as a ship)
غرق کردن to drown *or* sink
غرقِ افتخارات laden with honours
غرق اندیشه absorbed in thinking
غرق بدهی plunged in debt

غرقاب /ع. فا./ **deep water; whirlpool**
غرقه /ع./ **drowned**
غرقه به خون weltering in one's blood
غُرَماء [جمع غریم، کمیاب] /ع./ [*rare*] **creditors**
غُرَماء کردن [عـامیانه]، بـه غـرما تقسیم کردن to distribute among the creditors in proportion to their claims (as a bankrupt's estates)
داخل در غرماء شدن to rank as creditor in the estates of a bankrupt
غُرنبیدن رمبیدن → **to roar;**
غُرّنده = غرّان
غُروب /ع./ = شام **sunset, evening**
غروب کردن to set
غُرور /ع./ **pride, vanity**
غرورِ جوانی[1] pride *or* impetuosity of youth
غرورِ جوانی[2] [*med.*] acne
غُروش /ت./ **piaster**
غَرّه /ع./ **deluded; proud; cocksure**
غُرّه [جمع: غُرر، کمیاب] /ع./
first day of a lunar month; blaze; [*rare*] **frontlet of a horse**
غَریب[1] [مؤنث: غریبه] /ص. ع./
strange, queer; foreign; lonely; not feeling at home; بیگانه →
غَریب[2] [جمع: غُرباء] /ا.ع./
stranger; foreigner
غریب‌گز /ع. فا./ **kind of nettle supposed to bite only strangers**
غـریب‌نواز /ع. فا./
hospitable to strangers
غریب‌نوازی /ع. فا./
hospitality to strangers

غریب‌نوازی کردن to show hospitality *or* be hospitable to strangers
غریبه[1] [مؤنثِ غریب] /ع./
[جمع: غرائب] → **strange thing;**
غریبه[2] /ع./ [*infml.*] **stranger**
غریبی[1] /ع. فا./
[obsolete] **sad verse describing the condition of a lonely stranger**
غـریبی[2] /ع. فـا./ = غـربت؛ بیگانگی
غُریدن[1] [بن‌مضارع: غُر]
to grumble, to murmur
غُریدن[2]، **غرّیدن** **to roar; to rave; to thunder**
غریزه [جمع: غرائز] /ع./
instinct; nature
غریزی /ع./ **instinctive; natural**
گرمای غریزی natural heat, animal heat
غریق /ع./ **drowned *or* drowning** (person)
غریو [ادبی] **clamour, exclamation**
غریو برآوردن، غریویدن
to clamour *or* exclaim
غزا [کمیاب] /ع./ **war** (against infidels); جنگ، جهاد →
غزال /ع./ = آهو **gazelle**
غزل /ع./ **lyric poem, love-poem, ode**
غزل غزلها Song of Songs, Canticles
غزل خداحافظی را خواندن
to prepare for going, to say good-bye
غَزلاغ **lark**
غزل‌خوان /ع. فا./ (person) **who sings lyric poems *or* odes**
غزلسرا[1] /ع. فا./ **composer of lyric poems *or* odes**

غزلسرا[2] /ع. فا./ = غزل‌خوان
غزلسرایی /ع. فا./ **singing *or* composing lyrics**
غزلیات /ع./ (collection of) **lyric poems *or* odes**
غزنوی (founder *or* member) **of the Ghaznavi Dynasty**
غَزوه [کمیاب، جمع: غزوات] /ع./ (Mohammad's) **war against infidels**
غِژ [عامیانه] **ping, whiz**
غِژغِژ [عامیانه] **creaking noise**
غسال /ع./ = مرده‌شوی
غسال‌خانه /ع. فا./ = مرده ـ شوی‌خانه
غساله[1] [کمیاب] /ص./ **washing *or* purging**
غساله[2] [کمیاب] /ا./ **woman who washes dead women's bodies**
غُسل /ع./ (ceremonial) **washing, ablutions**
غسل‌دادن to wash (ceremonially); to dip
غسل کردن to perform one's ablutions
غَش [از ع. غشی] **swooning, fit**
غش کردن to swoon, to fall into a fit, to faint
از خوشی غش کرد. He was transported with joy.
برای چیزی غش کردن to be dying (*or* crazy) for something
نوبهٔ غش convulsive *or* comatous malaria
غِش /ع./ **fraud; counterfeit coin;** ← بی‌غش
غِشاء [جمع: اغشیه] /ع./ **membrane; film, coat; covering**
اغشیهٔ دماغی meninges
ورم اغشیهٔ دماغی meningitis

غشائی /ع./ **membraneous**
غُشه [از ت. قشه] **race**
غشه گذاشتن to run a race
غَشی /ع. فا./ **habitually swooning, epileptic; syncopal**
غصب /ع./ **usurpation**
غصب کردن to usurp; to misappropriate; to extort
غصباً /ع./ **usurpingly**
غصبی /ع. فا./ **usurped**
غُصن [کمیاب، جمع: اغصان] /ع./ = شاخه
غُصه /ع./ **grief, sorrow; worry;** ← اندوه
غُصه خوردن to be grieved, to become sorrowful
چه غُصه‌ایست. There's no cause for worry. Don't bother.
غصه‌خور /ع. فا./ (one) **who gives way to grief**
غصه‌خوری /ع. فا./ **sorrowing, grieving, worrying**
غصه‌دار /ع. فا./ **having a worry *or* worries, sorrow-stricken**
غضب /ع./ = خشم **anger, wrath**
غضب کردن *vi.* to get angry; *vt.* to disfavour
به غضب آوردن to make angry, to provoke, to rouse to anger
غضب‌آلود(ه) /ع. فا./ = غضبناک
غضبان /ع./ = غضبناک؛ تندخو
غضبناک /ع. فا./ = خشمگین **angry**
غُضروف /ع./ **cartilage**
غضروف‌شناسی /ع. فا./ **chondrology**
غضروفی /ع./ **cartilageous, chondroid**

غضنفر [اسم‌خاص] /ع./ = شیر **lion**
غِطاء [کمیاب] /ع./ = پوشش، پرده
غفار [اسم‌خاص] /ع./ = بخشنده
غفرالله /ع./ **may God forgive**
غُفران /ع./ = بخشش، آمرزش
غَفلت /ع./ **neglect, carelessness**
غفلت کردن، غفلت ورزیدن to neglect
غفلت‌کار /ع. فا./ **neglectful, careless**
غفلتاً /ع./ **all of a sudden, unexpectedly**
غَفور /ع./ = غفار
غفیر /ع./ **numerous**
جمّ غفیر [کمیاب] large crowd
غِل [عامیانه] **roll(ing)**
غل خوردن /ف. ل./، غل‌دادن /ف. م./ to roll
غِلّ /ع./ = کینه؛ فریب
غُل [عامیانه] **boiling**
غل زدن to boil; ← جوشیدن
غُلّ /ع./ **iron collar, chains; yoke;** ← یوغ
غَلا /ع./ **dearth**
غلات [جمع غله]
غِلاظَت[1] /ع./ **coarseness**
غِلاظَت[2] /ع./ = غلظت
غِلاف /ع./ **sheath, scabbard; case; cover; pod; vagina;** ← نیام؛ جلد؛ پوشش
غلاف کردن *vt.* to sheathe; to invaginate; *vi.* [*sl.*] to draw in one's horns
غلافی /ع. فا./ **sheath-like; vaginal**
پیوند غلافی cleft-grafting, chink-grafting
لولهٔ غلافی casing
غُلام /ع./ **slave; page, lad; servant;** ← نوکر؛ بنده؛ [جمع: غلمان]

غلام‌باره، غلام‌پاره /ع. فا./ **sodomite**

غلامزاده /ع. فا./ **the child of your slave;** [*p.c.*] **my child** ***or*** **son**

غلام‌سیاه /ع. فا./ **negro slave**

غلام‌گردش /ع. فا./ **corridor**

غلامی /ع. فا./ = بَردگی **slave**

غَلَبه /ع./ **prevalence, predominance; victory;** [*rhetoric*] **autonomasia**

غلبهٔ خون hyperaemia, congestion

غلبه کردن (بر) to prevail (*or* win) over; to overcome, to defeat

غَلت[1] [*n.*] **roll(ing);** [*mus.*] **trill**

غَلت[2] [بن‌مضارعِ غلتیدن]

غلتان **rolling;** [*pearl*] **round and unbored**

غلتاندن *vt.* **to roll**

غَلْتبان[1] **cuckold**

غَلْتبان[2] = بام‌غلتان

غَلتک **roller; castor, small wheel; hoop; pulley;** [*fig., infml.*] **routine**

غلتک زدن to roll, to use a roller on (a house-top)

روی غلتک افتادن [عامیانه] to get into a groove, to be set on its feet

غلتگاه **inclined plane**

غلتیدن [بن‌مضارع: غلت] **to roll; to wallow; to welter:** در خون غلتیدن

غلط[1] [جمع: اغلاط] /ع./ **mistake, error**

غلط چاپی typographical error, misprint

غلط دستوری solecism

غلط مشهور error allowed by usage, customary error

غلط کردن to make a mistake

غلط کردم. ***I made a mistake. I repent.***

غلط کردید! [دشنام] You should repent for the silly act (*or* remark)!

غلط گفتم [ادبی] nay

غلط گرفتن بر، غلط گرفتن از to correct *or* criticize

غلط[2] /ص. ع./ **erroneous; incorrect; wrong:** جواب غلط**; wrongful; →** نادرست

غلط[3]**، به غلط** /ق. ع./ **erroneously, improperly, amiss; wrong:** حدس زدن

غلط افتادن [ادبی] to happen to be in the wrong place

به غلط افتادن to be led into an error

غلط‌انداز /ع. فا./ **misleading, delusive**

غلطانیدن = غلتانیدن

غلط کاری /ع. فا./ **wrong-doing, misdeed; corruption**

غلط گیری /ع. فا./ **proof-reading**

غلط گیری کردن *vi.* to read a proof; *vt.* to correct

غلط‌نامه /ع. فا./ **errata**

غلطی [عامیانه] /ع. فا./ = اشتباهی؛ اشتباهاً

غِلظت /ع./ **viscosity; concentration; density;** [*fig.*] **coarseness**

غُل‌غُل **gurgle; bubbling** (noise)**, ebullition**

غُل‌غُل زدن to bubble, to boil

غُل‌غُل کردن to gurgle; to uproar

غُلغلک **jug** (which keeps water cool)**, goglet**

غِلغلک [عامیانه] **tickling, titillation**

غلغلک دادن to tickle

غلغلکش می‌شود. ***He is ticklish.***

غِلغلکی [عامیانه] **ticklish**

غُلغله /ع./ **confused noise, hubbub, tumult**

غِلغلی [عامیانه] = غِلغلک **tickling**

غُلفه، قلفه /ع./ **prepuce, foreskin**

غلق [از ت. قِلق] **mood**

غُلک **money-pot, money-box**

غِلمان /ع./ **handsome lads dwelling in Paradise; →** غلام

غُلنبه[1] [عامیانه] /ص./ **bombastic, grandiloquent; pindaric; protuberant**

غُلنبه[2] /ا./ **lump; protuberance**

غُلوّ /ع./ [*rhetoric*] **exaggeration** ***or*** **hyperbole**

غُلوّ کردن to exaggerate

غَله [جمع: غلات] /ع./ **corn, grain, cereals**

انبار غله granary

غَلَیان /ع./ **boiling, ebullition;** [*fig.*] **excitement; →** جوش

غلیان کردن to boil; to ferment

غلیان، قلیان **nargileh, hookah**

غلیان کشیدن to smoke a nargileh

غَلیظ /ع./ **thick, concentrated, viscous; dense;** [*fig., lit.*] **rude, coarse**

غلیظ شدن *vi.* to thicken

غلیظ کردن *vt.* to thicken, to concentrate, to inspissate

غلیظی /ع. فا./ = غلظت

غلیواج **kite** (bird)

غَم [از ع. غمّ، جمع: غُموم، کمیاب] /ع./ **sorrow, grief; worry, care; →** اندوه

غم خوردن to worry
غم کسی را خوردن to care for someone, to sympathize with him
غمی نیست. *There is no cause for worry;* → غصه
غماز /ع./ **tale-bearer; slanderer; eavesdropper;** → بدگو؛ سخن‌چین
غمازک /ع. فا./ **cork-float**
غمازی /ع. فا./ **tale-bearing; slander; eavesdropping**
غم‌انگیز /ع. فا./ **sad, doleful**
غمباد /ع. فا./ **swelling** (believed to be caused by sorrow)
غمخوار /ع. فا./ [*n.*]**one who looks after a person with tender care;** [*adj.*]**sympathetic**
غمخواری /ع. فا./ **sympathetic care** *or* **attendance**
غمخور /ع. فا./ **afflicted, who partakes of others' sorrow**
غمخورک /ع. فا./ = بوتیمار
غمدیده /ع. فا./ **afflicted**
غَمز [کمیاب] /ع./ **wink; hint; tale-bearing; slander;** → اشاره
غمزدا [ادبی] /ع. فا./ **removing sorrow, cheering**
غمزده /ع. فا./ **sorrow-stricken, afflicted**
غَمزه /ع./ **ogling, amorous glance;** [*o.s.*]**a wink;** → غمز
غمزه کردن to ogle
غَمض /ع./، غَمض‌عین **connivance, condonation**
غمض کلام reticence, preterition
غمض عین کردن از to connive at

غم‌فزا [ادبی] /ع. فا./ **causing grief**
غمگسار [ادبی] /ع.فا./ = غمخوار
غمگین /ع. فا./ **sad; sorry**
غمگین شدن to feel (*or* become) sad
غمگینی /ع. فا./ **sorrow**
غمین [ادبی] /ع. فا./ = غمگین
غنا /ع./ = بی‌نیازی **freedom from want;** [*rare*]**riches;** → غنی
غِناء [جمع: اغنیه] /ع./ **singing, song, music**
غنا [کمیاب] /ع./ = خرّم **verdant**
غنائم [جمعِ غنیمت]
غَنج /فا.ع./ **amorous jest, leer**
غُنج **cutworm, plusia, cabbage butterfly**
غُنچه **bud**
غنچه کردن to bud, to put forth buds; to purse: لبهای خود را غنچه کرد
غنچه‌دهان [ادبی] **with a bud-like** (*i.e.* small) **mouth**
غُند [*adj.,rare*]**gathered together;** [*n.,phys.*]**mass**
غُنده [عامیانه] **grumbling;** → غرغر
غُنده زدن to grumble
غَنم [جمع: اغنام] /ع./ **flock**
غُــنودن [ادبی، بن‌مضارع: غنو، کمیاب] **to sleep, to repose, to nestle**
غُنه /ع./ **twang, nasal pronunciation;** → تودماغی
غَنی[1] /ص. ع./ **free from want; rich;** → دولتمند؛ توانگر؛ بی‌نیاز
غَنی[2] [جمع: اغنیاء] /ا. ع./ **rich man**
غنیمت [جمع: غنائم] /ع./ **booty, spoil;** [*fig.*]**windfall**

غنیمت دانستن، غنیمت شمردن to make the most of, to avail oneself of
غو = قو
غواشی [جمعِ غاشیه]
غَوّاص /ع./ **diver**
غواص مروارید pearl-diver, pearl-fisher
مرغ غَوّاص = اسفرود
غواصی /ع. فا./ **diving**
غواصی کردن to dive, to be a diver
غوامض [جمعِ غامضه]
غوچ [از ت. قوچ] **ram**
غوچ‌زل merino
غوچ قلعه خراب‌کن [کمیاب] battering-ram
غوچ وحشی moufflon, wild sheep
غور /ع./ **bottom,** [*rare*]**depth**
در چیزی غور کردن to go deep into something, to study it profoundly
غورت، غُرت **gulp, draught**
غورت انداختن [زبان لاتی] to talk big, to bluff
غورت دادن to swallow (as food)
غوررسی /ع. فا./ **deep investigation**
غوررسی کردن (در) to investigate deeply
غوره **sour grapes, unripe grapes**
غوره چلاندن [عامیانه] to shed forced tears, to weep (for no good reason)
غوره نشده مویز شدن to try to run before one has learned to walk (*or* creep)
غوزک **malleolus**
غوزکی **malleolar**
غوزه، قوزه **boll, cotton-pod**

کرم غوزه bollworm; cocoon

غوش، غوشه **birch**

غوص [کمیاب] /ع./ **diving;** [*fig.*] **going deep into a matter;** → غور

غوطه /ع./ **plunging, duck**

غوطه خوردن to plunge, to dive

غوطه دادن to plunge *or* dive; to immerse

غوطه‌ور شدن /ع. فا./ = غوطه خوردن

غوغا /ع./ **uproar, tumult; disturbance, riot**

غوغا (برپا) کردن to raise an uproar *or* disturbance; to quarrel

غوک = وزغ **frog**

غول [جمع: غیلان، کمیاب] /ع./ **ghoul, ogre;** [*ext.*] **giant**

غول بی‌شاخ و دم [*met.*] tall *or* burly rude fellow, huge beast

غیاب /ع./ **absence**

حکم غیابی judgement by default

غیاباً /ع./ **in one's absence; by default**

غیاث [اسم خاص] /ع./ **help; redress of grievances**

غیار کردن /ع. فا./ **to pare** (a hoof)

غیب /ع./ **the invisible *or* mysterious, hidden things**

خزانهٔ غیب God's invisible treasure *or* hidden store

عالم غیب the invisible world

علم غیب prescience; divining power

غیب شدن to vanish, to disappear

غیب گفتن to divine, to foretell (events)

غیبش زد. [عامیانه] He vanished *or* disappeared. He slipped off.

غیباندن [بن مضارع: غیبان] /ع. فا./ **to palm *or* conceal** (as in jugglery)**; to cause to vanish**

غیبت /ع./ **backbiting, speaking ill of an absent person; absence**

غیبت کردن to absent oneself, to be absent

غیبت کردن از to backbite

غیب‌دان /ع. فا./ **omniscient, prescient**

غیبگو /ع. فا./ **diviner**

غیبگوئی /ع. فا./ **divination**

غیبی /ع. فا./ **occult, invisible; oracular:** صدای غیبی

غیر[1] [جمع: اغیار] /ا./ **another** (person)**; stranger, foreigner;** → بیگانه

غیر[2] /ص./ **(an)other, different**

غیرِ /حا./ = جز، به‌جز except; other than; outside

در غیرِ ساعات اداری outside the office hours

غیر از، به غیر از except, save, with the exception of; other than

به غیرِ except; without; -*Note:* غیر usually renders the prefixes im- ,in- , un- and the like mostly before Arabic adjectives.

غیرارادی involuntary

غیررسمی unofficial

غیرت /ع./ **zeal, enthusiasm; jealousy, emulation**

سرِ غیرت آوردن to rouse the jealousy of; to put (someone) on his mettle; to defy; to give ardour to

بالای غیرتتان [عامیانه] I appeal to your sense of honour, to be generous enough to

غیرت‌کش /ع. فا./ **partisan; jealous**

غیرتی /ع. فا./ = تعصبی؛ باغیرت

غیره [عامیانه] /ع. فا./ **stranger**

غیرُه /ع./ **other than that (*or* he)**

و غیره and so forth, etc.

غیظ /ع./ **indignation, anger**

غیظ کردن to feel indignant, to get angry; → قهر کردن

غیلان [جمع غول]

غَیور /ع./ **zealous; jealous, intolerant of rivalry**

غیورانه /ع. فا./ **zealously; jealously**

ف

فابریک /فر./ = کارخانه

فاتح[1] /ص. ع./ = پیروز **victorious**

فاتح شدن to conquer, to win a victory

فاتح[2] [اسم‌خاص] /ا. ع./ **conqueror**

فاتحه /ع./ **introduction, exordium**

سورهٔ فاتحه the opening chapter of the Koran

فاتحهٔ چیزی را خواندن to ring the knell of something, to consider it done for

فاتحه برای کسی نخواندن to pay no attention to someone

فاتحه‌خوانی /ع. فا./ **assembly convened to pray for the dead;** [*o.s.*] **reciting the opening chapter of Koran**

فاتر [کمیاب] /ع./ **weak, lukewarm**

فاجر[1] /ا. ع./ **debauchee**

فاجر[2] [مؤنث: فاجره] /ص. ع./ **lewd**

فاجع /ع./ **calamitous; tragic; unexpected;** فاجعه ←

فاجعه [جمع: فواجع، مؤنثِ فاجع] /ع./ **calamity, disaster; tragic event, tragedy**

فاحش /ع./ **notorious; obscene**

شکست فاحش signal defeat

غبن فاحش gross fraud

فاحشگی /ع. فا./ **whoredom**

فاحشه [جمع: فواحش] /ع./ **prostitute**

فاحشه‌خانه /ع. فا./ **brothel**

فاخته /ع./ **ringdove**

فاخر /ع./ **fine, sumptuous, rich, costly:** لباس فاخر

فادزهر = پادزهر

فارس **Fars: large province in south Iran; Persia(n)**

فارسه **Persepolis**

فارسی **Persian** (language)

فارِغ /ع./ **free, disengaged; through** (with one's work)

فارغ شدن to get through; to be delivered (of a child)

فارغ کردن to release; to disburden, to disengage

فارغ‌البال /ع./ = آسوده‌خاطر

فارغ‌التحصیل /ع./ **one who has finished a course of study, graduate**

فاروق /ع./ [*adj.*] **discriminating**

تریاق فاروق thebaic electuary

فاز /فر./ **phase**

سه فاز three-phased

فاستونی، فاصتونی [از فر. façonné] **serge**

فاسِد /ع./ **corrupt, depraved; rotten**

فاسد شدن to decay; to deteriorate; to be depraved

فاسد کردن to deprave, to corrupt; to decay; to vitiate; to eat away, to canker

فاسدالاخلاق /ع./ **immoral**

فاسدالعقیده /ع./ **heretic**

فاسِق /ع./ **lewd** (person), **libertine; paramour**

فاش **open(ly); frank(ly)**

فاش کردن to reveal, to divulge

فاشیست /فر./ **fascist**

فاشیسم /فر./ **fascism**

فاصِل /ع./ [*adj.*] **separating**

خط فاصِل line of demarcation

فاصله [جمع: فواصل] /ع./ **space; distance; interval; interruption**

فاصلهٔ کانونی focal distance ***or*** length

فاصله دادن to space

فاصله گرفتن to keep aloof

به فاصلهٔ دو روز in two days

بلافاصله immediately, uninterruptedly

فاصله‌زن /ع. فا./ **space-bar**

فاصله‌گیر /ع. فا./ **spacer**

فاضِل[1] [مؤنث: فاضله] /ص. ع./ **learned, scholarly; surplus**

فاضِل[2] [جمع: فضلاء] /ا. ع./ **learned man, scholar**

فاضِل[3] /ع./ **remainder, residue; surplus**

فاضلاب /ع. فا./ **sewage, surplus water**

مجرای فاضلاب sewer

فاطمه [اسم‌خاص] /ع./

فاعِل /ع./ **doer, agent**

فاعل مختار having free will

اسم فاعِل name of the agent; active participial adjective

فاعلیت /ع./ [*rare*] **agency**

حالت فاعلیت nominative case

فاق /ع./ **split; notch**

فاق خوردن /ف. ل./، فاق دادن /ف. م./ to split

فاقد /ع./ **missing, wanting**

فاقد بودن to miss, to lack

فاقدِ شرایط لازمه lacking necessary qualifications, disqualified

فاقه /ع./ = تنگدستی

فاکتور[1] [از فر. facture] = سیاهه

invoice, bill

فاکتور[2] [از فر. facteur] **factor**

فاکتورگیری factoring

فاکهه [کمیاب، جمع: فواکه] /ع./ = میوه

فال /ع./ **omen; fortune; lot**

فال گرفتن to tell fortunes, to have one's fortune told; to divine; to consult a book

به فال نیک گرفتن to augur well from, to consider as a good omen

فال ورق cartomancy

فال‌بین /ع. فا./

bibliomancer; → فالگیر

فالِج /ع./ **paralyzed** (person), **paralytic**

فالِج شدن to be paralyzed

فالِج کردن to paralyze, to maim

فالگیر /ع. فا./ **fortune-teller**

فالگیری /ع. فا./ **soothsaying**

فالگیری کردن to tell fortunes

فالوده = پالوده /ا./

فام /پس./ **colour**

فامیل [از فر. famille] = خانواده

family

فامیلی /فر. فا./ = خانوادگی

فانتزی /فر./

[*adj.*] **fancy:** اجناس فانتزی

فانسقه، فانوسقه [صورت نادرست ت. پالاسقه]

cartridge-belt

فانوس /ع./ (paper) **lantern;** [*camera*] **bellows**

فانوس دریایی pharos, lighthouse

فانوس فنری folding lantern

فانوس شعبده magic lantern

فانوس هوائی fire-balloon

فانی /ع./ **mortal; transient**

فایده [از ع. فائده، جمع: فوائد]

profit; use; utility; moral of a story; → سود

فایده بردن to derive a benefit; to make a profit

فایده بخشیدن to be useful

فایده کردن to be profitable, to sell at a profit, to make a profit

فائز شدن /ع. فا./ **to attain; to obtain**

فائض /ع./ **abundant; diffusing; liberal**

فائق /ع./ **excellent, superior**

فائق آمدن بر to surmount

فائقه[1] [مؤنثِ فائق] /ص. ع./

احترامات فائقه را تقدیم می‌دارد assuring you of our highest esteem...

فائقه[2] [اسم‌خاص] /ا. ع./

فبها /ع./ **well**

اگر پرداخت فبها وگرنه عارض خواهم شد. ***If he pays it well but if not I will go to law.***

فتادن [ادبی] = افتادن

فتان /ع./ [*adj.*] **fascinating;** [*n.*] **seducer**

فَتح [جمع: فتوح، فتوحات] /ع./

conquest, victory; [*o.s.*] **opening;** → پیروزی

فتح کردن *vt.* to conquer; to open; *vi.* to win a victory

فتح باب کردن to be the first to begin a/ business/ etc.

فتح‌الله [اسم‌خاص] /ع./

[*o.s.*] **God's conquest**

فتراک [کمیاب]

saddle-strap

فَترت /ع./ **interval**

ایام فترت interregnum

فَتق /ع./، بادفتق **hernia, rupture**

فتق‌بند /ع. فا./ **truss**

فِتنه [جمع: فِتَن، کمیاب] /ع./

sedition, revolt; nuisance, trouble

فتنه انگیختن to excite a sedition, to raise a disturbance

فتنه کردن[1] to make mischief

فتنه کردن[2] = فتنه انگیختن

گل فتنه sweet-scented acacia

فتنه‌آمیز /ع. فا./

seditious: سخنان فتنه‌آمیز

فتنه‌انگیز /ع. فا./ **seditious**

فتنه‌جو /ع. فا./ **seditious**

فتنه‌جویی /ع. فا./

seditiousness

فتوا = فتوی

فتوّت /ع./ **generosity; manliness**

فُتوح [جمعِ فتح] /ع./ **grace**

پرفتوح bestowed with God's grace

فتوحات [جمعِ فتح، فتوح] /ع./

conquests

فُتور /ع./ **langour; tepidity**

فتور کردن to grow weak *or* lukewarm; *C.E.* to go beyond all bounds, to rage

فَتوی [جمع: فتاوی] /ع./

sentence, judgement

فتوی دادن to pronounce a judgement, to give a sentence

فته = پته

فتیٰ [کمیاب، جمع: فتیان] /ع./ = جوانمرد

فتیله /ع./ **wick; fuse; quickmatch *or* slowmatch;** [*surgery*] **drain**

تفنگ فتیله‌ای matchlock

چراغ سه‌فتیله‌ای three-burner cooker

داغ فتیله‌ای moxa

فُجأه /ع./ **sudden death**

فجایع [جمعِ فجیعه]

فجر /ع./ **day-break; aurora**

فجر جنوبی aurora australis

فجرِ شمالی aurora borealis

فُجور /ع./ **debauchery**

فَجیع /ع./ **tragic; calamitous**

فجیعه [جمع: فجایع، مؤنثِ فجیع] /ع./ **tragical event; atrocious act**

فحاش /ع./ **abusive, foul-mouthed**

فحاشی /ع. فا./ **abusiveness**

فحاشی کردن to use foul language

فُحش /ع./ **abusive *or* foul language**

فُحش دادن to use bad language

فحش دادن به to revile

فَحشاء /ع./ **obscene act, fornication**

فَحل [کمیاب، جمع: فحول] /ع./ **male animal; distinguished person**

فَحل آمدن to rut, to be in heat

فحول ← فحل

فَحوی، فحوا **tenor, purport**

فخار(ی) /ع. فا./ = کوره‌پز(ی)

فخامت /ع./ **dignity**

فخذ /ع./ **thigh-bone, femur**

فخذین [تثنیهٔ فخذ] /ع./

فخذین مبدأ نخاع cerebellar peduncles

فخر /ع./ **honour; pride**

فخر کردن to pride oneself

فخرالدین [اسم‌خاص] /ع./ [*o.s.*] **Pride of the Faith**

فخیم /ع./ **great, dignified**

فدا /ع./ **ransom, redemption; sacrifice**

فدا کردن to sacrifice

فدایت شوم. [منسوخ] Dear sir [in addressing dignitaries].

فداکار /ع. فا./ [*adj.*] **devoted, self-sacrificing;** [*n.*] **devotee**

فداکاری /ع. فا./ **self-sacrifice, devotion**

فداکاری کردن to devote oneself to a cause; [*o.s.*] to sacrifice oneself

فدایی /ع. فا./ **devotee**

فَدَوی /ع./ **devoted servant *or* friend;** [*p.c.*] **I**

فدیه /ع./ **ransom**

کسی را با فدیه آزاد کردن to ransom *or* redeem someone

فَرّ **pomp, splendour**

فِر[1] **spinning, turn**

فر خوردن، فر دادن to spin

فِر[2] [از فر. fer] **curling-iron, curling-tongs; cooking-range, cooking-stove, oven**

فِر خوردن، فِر دادن، فِر زدن to curl, to friz(z), to frizzle

فَرا /پی./ [prefix with opposite sets of meanings such as] **forward and backward, up and down, near and far**

فراتر [ادبی] farther up, higher

فراچنگ آوردن [ادبی] to take hold of; to obtain

فرا خواندن to summon; to recall

گوش فراداشتن [ادبی] to lend the ear

فرا رسیدن to come (about); to befall

فرا رسیدن به to reach *or* overtake

فرا گرفتن to acquire; to envelop; to merge

فُرات /ع./ **Euphrates**

فَراخ **wide, broad; ample; large:** رودهٔ فراخ

فراخوانی **summoning; recalling**

فراخور **suitable**

فراخورِ من ***suitable for me***

به فراخورِ in proportion to; according to; such as suits

فرادید [*firearm*] **front sight**

فرار /ع./ **flight, escape;** ← گریز

فرار دادن to put to flight, to cause to escape

فرار کردن to run away, to flee

فَرّار /ع./ **volatile; fugacious**

فِراری /ع. فا./ **fugitive; runaway;** [*fig.*] **abhorrent**

فراری شدن to be put to flight

فرّاریت /ع./ **volatility**

فَراز[1] /ص./ [word with opposite sets of meanings] **open *or* closed**

فَراز[2] /ق./ **above *or* below; up *or* down; near; behind**

فَراز[3] /ا./ **top, summit; acclivity**

فراز آوردن [ادبی] to bring back *or* forward; to collect; [*rare*] to give back

فرازیاب **altimeter**

فراست /ع./ **insight; instinct, sense; keen guess**

فراسیون **true hoarhound; motherwort**

فِراش /ع./ [*rare*] **bed**
تجدید فراش کردن to marry a second time
فَرّاش /ع./ **ferash, office-boy, servant, footman, peon, valet**
فراش پست postman
فراعنه [جمعِ فرعون]
فراغ /ع./ = فراغت
فَـراغَت /ع./ **leisure; ease; rest**
فراغتِ خاطر tranquillity, peace of mind
فِراق /ع./ **separation** (especially from a friend *or* sweetheart)
فراک /ان./ **frock(-coat)**
فراکسیون /فر./ **parliamentary party**
فراماسون /فر./ **freemason**
فرامرز [اسم‌خاص]
فراموش **forgotten**
فراموش شدن to be forgotten
فراموش کردن to forget
فراموشم شد ***I forgot it.***
فراموش کرده‌ام ***I forget, I have forgotten it.***
گل مرا فراموش مکن forget-me-not
فراموش‌خانه **freemason's hall**
فراموشکار **forgetful**
فراموش‌نشدنی **never-to-be-forgotten**
فراموشی **forgetfulness; oblivion**
فراموشی داشتن to have a bad memory
فرامین [جمعِ فرمان، /ع./]
فرانسوی /فر. ع./ **French(man)**
فرانسویان [جمعِ فرانسوی] **the French people**
فرانسه **France; French** (language)
جنگ فرانسه و آلمان the Franco-German war
فرانک /فر./ **franc**
فراوان، فتّ و فراوان [زبان لاتی] [*adj.*] **abundant, in great supply;** [*adv.*] **much**
پنبه فراوان است. ***There is a great supply*** (or ***plenty***) ***of cotton.***
فراوانی **plenty, abundance, great supply**
فَراهَم **available;** (gathered) **together**
فراهم آمدن[1] [ادبی] to come together, to assemble
فراهم‌آمدن[2] = فراهم شدن
فراهم آوردن [ادبی] to bring together, to collect; to bring about, to effect
فراهم شدن to be brought about; to be made available
فراهم کردن to make available; to bring about; to obtain; to collect
فراهم کشیدن [ادبی] to draw together
فرایاز **progressive**
فرایازی **progression**
فرائد [جمعِ فریده]
فرائض [جمعِ فریضه]
فَربه **fat**
فربه شدن to grow fat, to put on weight
فربه کردن to make fat, to fatten
فربهی **fatness, obesity**
فرتوت **decrepit** (old man)
فرتوتی **decrepitude**
فَرْج [جمع: فروج، کمیاب] /ع./ **vulva**
فَرَج /ع./ **relief**
فُرَج، خلل و فرج ← فرجه **pores**
فرج‌الله [اسم‌خاص] /ع./ [*o.s.*] **relief from God**
فرجام [کمیاب] **end, conclusion; result**
فرجام خواستن to appeal to the Supreme Court
رسیدگی فرجامی investigation in the Supreme Court (*or* Court of Cassation)
فرجام‌خواسته **object of claim in respect of which an appeal is made to the Supreme Court**
فرجام‌خوانده **person against whom appeal is made to the Supreme Court**
فرجام‌خواه **one who appeals to the Supreme Court**
فُرجه /ع./ **respite**
فرچه **shaving-brush**
فرح /ع./ **cheerfulness, joy;** ← شادی، خوشی
فرح‌افزا [ادبی] /ع. فا./ **exhilarating**
فرح‌بخش [ادبی] /ع. فا./ **pleasant, enlivening, exhilarating**
فرحناک /ع. فا./ = فرح‌بخش
فرّخ [اسم‌خاص] **auspicious**
فرخندگی **auspiciousness**
فرخنده[1] [ادبی] /ص./ **happy, auspicious**
فرخنده[2] [اسم‌خاص] /ا./
فَرد [جمع: افراد] /ع./ **individual; unit; single verse;** [*adj.*] **single** *or* **unique; odd; alone**
فرد اعلی [عامیانه] of superior quality
راه حلِ منحصربه‌فرد the only solution
هر فردی از آنها each one of them
فَردا **tomorrow**
فردا شب tomorrow night
فردای آن روز on the morrow, the next day

دوشیزهٔ امروز عروس فردا
present maid prospective bride
فرداً /ع./ **singly**
فرداً فرد one by one, singly; each one (separately)
فردوس /ع./ = باغ؛ بهشت
فردوسی **Ferdowsi: author of the Shahnameh**
فَردی /ع. فا./ **individual**
فِرز [عامیانه] **quick, prompt**
فرزان [کمیاب] **learned, wise**
فرزانگان [جمعِ فرزانه]
فرزانگی **prudence, wisdom; learning; excellence**
فرزانه [جمع: فرزانگان] **wise** ***or*** **learned** (person)
فرزجه **suppository for the vulva**
فَرزند **child: son** ***or*** **daughter**
فرزندخوانده **adopted child**
فرزندکش، فرزندکشی **filicide**
فرزندی **filial** (relation)
به فرزندی قبول کردن
to adopt as one's child
فرزین [شطرنج] = وزیر **queen**
فَرَس[1] /ع./ [*astr.*] **Pegasus**
فَرَس[2] [معنای حقیقی] /ع./ = اسب
فُرس **Persia; Iran**
فـرس قدیـم
Old Persian (dialect)
فرسا(ی) [بن مضارعِ فرسودن]
فَرسایش **erosion; wearing out**
فرست [بن مضارعِ فرستادن]
فرستادن [بن مضارع: فرست] **to send, to despatch; to remit**
بیرون فرستادن to send out; to export
فرستاده[1] [جمع: فرستادگان] /ا./ **messenger; envoy; apostle**

فرستاده[2] [اسم مفعول فعل فرستادن]
فرستنده **sender**
دستگاه فرستنده
transmitting set, transmitter
فرسخ /ع. فا./ = فرسنگ
فرسـنگ [unit of length equal to 6.24 kilometres]
فرسودگی **wear, tear; depreciation;** [*lit.*] **fatigue**
فرسودن [بن مضارع: فرسا]
vt. **to wear** (out), **to rub** (off), **to obliterate; to erode; to tire; to fret;** *vi.* **to wear, to be worn** ***or*** **torn**
فرسوده [اسم مفعول فعل فرسودن]
فَرش [جمع: فـروش] /ع./ **carpet; pavement;** ← سنگفرش
فرش کردن to cover with a carpet ***or*** carpets, to carpet; to pave
فُرش (fine) **sand**
فرشتگان [جمعِ فرشته]
فرشته [جمع: فرشتگان] **angel**
فُرش‌کن **dredger, drag**
فرصت /ع./ **opportunity, leisure; chance**
فـرصت یـافتن، فـرصت کـردن [عامیانه] to find an opportunity
فرصت را غنیمت شمردن
to seize the opportunity
فرصت را از دست دادن
to miss the opportunity, to lose the chance
در نخستین(وهله) فـرصت آن را بنویسید! Write it at your earliest convenience!
فَرض /ع./ **supposition; assumption; hypothesis; duty, obligation;** [*adj.*] **incumbent**
بر من فرض است که بروم. ***It is incumbent on me to go.***

فرض کردن to suppose, to assume, to grant
مسلم فرض کردن، فـرضِ مسـلم گرفتن to take for granted
فرض شمردن to consider it one's duty
بر فرضِ این‌که، به فرض این‌که
supposing that
فرضاً /ع./ **supposedly, supposing** (that), **let us suppose that**
فرضی /ع./ **supposed; imaginary; assumed**
فرضیه [جمع: فرضیات] /ع./
hypothesis; theory
فَرط /ع./ **excess; intensity**
از فرط محبت
from excessive love
فَرع [جمع: فُروع] /ع./ **branch; interest** (on money); [*fig.*] **details, minor points;** ← شاخه
فرع consequent on, due to
فرعـاً /ع./ **including interest**
فِرعون [جمع: فراعنه] /ع./
Pharaoh
فرعی [مؤنث: فرعیه] /ع./
secondary, of secondary importance, minor; tributary; [*gram.*] **subordinate**
خط فرعی siding, side-track
محصول فرعی by-product
فِرفره **top, whirligig**
فِرفری [عامیانه] **curly, wavy**
فَرق /ع./ **distinction; difference; crown** (of the head); **parting of the hair**
با هم فرق دارند، از هم فرق دارند.
They differ from each other.
چه‌فرق می‌کند؟ ***What difference does it make?***
فرق گذاشتن to make a distinction, to discriminate
فرق باز کردن to part the hair

فرَق [جمعِ فرقه]
فرقان /ع./
distinction between truth and falsehood
فرقد [تثنیه: فرقدان] /ع./
[*astr.*] **Pointer**
فِرقه [جمع: فرَق] /ع./ **sect; caste;** → حزب
فُرم[1] /فر./ **forme**
فُرم[2] /فر./ = شکل
فرما [بن مضارعِ فرمودن]
فرمالیته /فر./ **formality, ceremony** → تشریفات، آئین
فَرمان[1] [جمع: فرامین، /ع./]
command, order; firman; control; word of command
فرمان بردن to obey, to execute a command, to go on an errand
فرمان دادن to command
فَرمان[2] [*mech.*] **steering-wheel**
فَرمان[3] [*mech.*] **governor**
فرمانبر **obedient**
فرمانبردار **obedient**
فرمانبرداری **obedience**
فرماندار **governor**
فرمانداری **governorship; governor's office or residence**
فرمانده **commander**
فرماندهی **command of an army**
فرمانروا [کمیاب] **ruler, sovereign**
فرمانروایی **rule, sovereignty**
فرمانفرما [old title of a] **governor-general**
فرمایش **order, command;** [*p.c.*] **something said, words, remarks**
فرمایش کردن to speak, to make a remarks
چه فرمایشی دارید؟[1] what do you (want to) say please?

چه فرمایشی دارید؟[2]
what can I do for you, sir?
فرمایشات [غلط مشهور، جمعِ فرمایش، /ع./]
فرمایشی[1] = سفارشی
made to order
فرمایشی[2] **ordered, inspired**
فرمز /فر./ **formosa**
فِرمُژه **eyelash curler**
فرمودن [بن‌مضارع: فرما(ی)]
to bid, to order, to command; [*p.c.*] **to say**
بفرمایید please take a seat; come; go; speak/ say *or* go on please; help yourself; there you are
فرموده[1] /ا./ **commandment, precept**
فرموده[2] [اسم‌مفعول فعل فرمودن]
فرمول /فر./ **formula**
فرنج [*mil.*] **tunic;** [from "French", *i.e.* French tunic]
فَرنجمُشک
common calamint
فرنسیس **European Leather**
فرنگ، فرنگستان **Europe**
فرنگی **European**
فِرنی [pudding made with ground rice/ milk and sugar]
فُرو [در افعال ترکیبی]
down(ward)
فرو بردن to swallow; to dip; to sink
فرو رفتن to be swallowed, to go down; to plunge
فرو ریختن [ادبی] to collapse, to fall down, to fall in, to tumble down
فرو کردن to thrust; to drive (as a nail); to stick
فرو کشیدن to subside
فرو کوفتن [ادبی]
to knock down; to give a good beating to

فرو گذاشتن to omit *or* leave out
فرو ماندن از [ادبی]
to be unable to do
فرو نشاندن [ادبی] to suppress; to quench, to cause to subside, to slake *or* slack
فرو نشستن [ادبی] to subside; to be quenched; to sink, to cave in
فُروتن **humble, meek**
فروتنی **humility**
فروتنی کردن to be modest *or* meek
فروختن [بن‌مضارع: فروش]
to sell
آن را ده ریال فروختم.
I sold it for 10 Rials.
فروخته [اسم‌مفعول فعل فروختن]
فرود[1] [ادبی] /ق./ **down, below**
فرود آمدن to come down, to descend; to land
فرود آوردن to cause to down
فُرود[2] /ا./ **descent;** [*phys.*] **cathode**
فرودگاه **aerodrome**
فروردین [first month having 31 days]
فرورفتگی **depression**
فرورفته **depressed; sunken**
فروزان [ادبی] **luminous, bright**
فروزندگی **luminosity**
فروزنده **luminous, shining**
فُروش **sale**
(به) فروش رفتن to be sold, *vi.* to sell
به فروش رساندن[1] to sale off
به‌فروش‌رساندن[2] = فروختن
فروش نکردیم. We sold nothing. There was no business.
فروش [بن‌مضارعِ فروختن]

فروش‌رفتنی salable, marketable

فروشگاه stores; [*o.s.*] selling-place

فروشندگی salesmanship

فروشنده [جمع: فروشندگان] seller, vendor, dealer; salesman

فروشی (designed) for sale, on sale, on offer

فروع [جمعِ فرع]

فروعات [جمعِ فروع، فرع]

فروغ [ادبی، اسم‌خاص] brightness; → روشنی

فروکش کردن to subside

فروگذار کردن از to omit, to neglect

فروگذاری omission, neglect

فروماندگی [ادبی] weariness; failure; distress; astonishment

فرومانده [ادبی] weary; unable (to do anything); astonished

فرومایگی baseness

فرومایه [ادبی، جمع: فرومایگان] base *or* ignoble (person)

فروَند [word used in counting ships]

ده فروند کشتی ten ships, ten sail

فُروَهر [کمیاب] = جوهر؛ ذات

فرهاد [اسم‌خاص]

فَرَهنگ culture; education: وزارت فرهنگ ; dictionary

فرهنگ جغرافیایی gazeteer

فرهنگستان academy

فرهنگ‌نویس lexicographer

فرهنگی cultural; educational

فَرّهی [ادبی] = شکوه

فَریاد shout, cry

فریاد کردن to shout *or* cry

به فریاد کسی رسیدن to come to a person's rescue

فریادرس one who comes to another's rescue

فَریب[1] /ا./ deceit, fraud

فریب خوردن to be deceived

فریب دادن to deceive

فَریب[2] [بن‌مضارعِ فریفتن]

فریبا [ادبی] = فریبنده

فریب‌آمیز deceitful: سخنان فریب‌آمیز

فریبرز [اسم‌خاص]

فریبندگی charm

فریبنده charming; fallacious; deceitful

فَرید[1] /ص.ع./ single; unique; → فریده

فَرید[2] [اسم‌خاص] /ا./

فریده [جمع: فرایـد، اسم‌خاص، مؤنثِ فرید] unique *or* precious pearl

فریدون [اسم‌خاص]

فریسی /ع. عب./ Pharisee

فریضه [جمع: فرایض] /ع./ precept (of God), religious duty

فریفتگی delusion; inveiglement

فریفتن [بن‌مضارع: فریب] to deceive; to enamour

فریفته [اسم‌مفعول فعل فریفتن]

فریق [ادبی] /ع./ party, sect; company

فـزایش [ادبی، صورت‌اختصاری افزایش]

فَزَع [ادبی] /ع./ fear; call for help

فزودن [ادبی، صورت‌اختصاری افزودن]

فزون [ادبی، صورت‌اختصاری افزون]

فساد /ع./ corruption; deterioration, decay; sedition; pus, [*infml.*] matter; [*law*] invalidity, defect; → چرک

فساد اخلاق immorality

فساد عقیده heresy

فساد بر پا کردن to excite a sedition

فسان، سنگ فسان whetstone

فسانه [ادبی، صورت‌اختصاری افسانه]

فُسحت [ادبی] /ع./ space, amplitude; [*fig.*] liberty

فَسخ /ع./ dissolution; annulment

فسخ کردن to dissolve (as a partnership); to annul, to cancel, to terminate; to rescind

غیر قابل فسخ irrevocable

فسردن [ادبی، صورت‌اختصاری افسردن]

فسرده [ادبی، صورت‌اختصاری افسرده]

فسفات /فر./ phosphate

فسفر /فر./ phosphorus

فسفری /فر.فا./ phosphorous *or* phosphoric

فِسفس کردن [عامیانه] to tarry, to linger, to dally

فِسق /ع./ debauchery, fornication

فِسقلی [زبان لاتی] tiny, contemptible

فِسنجان [kind of dish with ground walnut as its chief ingredient]

فسوس [ادبی، صورت‌اختصاری افسوس]

فسون [ادبی، صورت‌اختصاری افسون]

فِشار pressure; stress, strain

فشار آوردن to bear pressure, to press

فشار آوردن بر to press against

فشار دادن to press *or* squeeze
فشار خون (high) blood pressure
فشار زندگی press of life
فشار فقر grip of poverty
ماشین فشار compressor
فشارسنج **pressure-gauge, compression-gauge, manometer**
فشارنگار **barograph**
فشاری **pressed:** آجر فشاری
دکمهٔ فشاری snap (fastener)
فشردن [بن‌مضارع: فشر، فشار] **to tread** (as grapes); ← افشردن، فشار دادن
فشرده [اسم‌مفعول فعل فشردن] **pressed, squeezed;** [*fig.*] **condensed, compressed**
فِش‌زدن [عامیانه] **to squirt; to gush**
فِشفشه **(sky-)rocket, jet**
فشنگ /ت./ **cartridge**
فشنگ‌پُرکن /ت. فا./ **cartridge-filler**
فشنگی /ت.فا./ **cartridge-shaped**
فیوز فشنگی cartridge-fuse; ← فیوز
یاتاقان فشنگی roller-bearing
فصاحت /ع./ **eloquence**
فصاد [ادبی] /ع./ = رگزن
فِصح /ع./، **عید فصح** **Passover**
فصحاء [جمعِ فصیح] /ا./ **eloquent writers *or* orators**
فَصد /ع./ **phlebotomy**
فَصل [جمع: فُصول] /ع./ **section, chapter; season; settling, deciding;** [*o.s.*] **separation**
قطع و فصل کردن to settle
فصلی /ع./ **seasonal**

فصول [جمعِ فصل]
فصیح /ع./ [*adj.*] **eloquent; clear; rhetorical**
فضاء /ع./ **space; room**
فضاحت /ع./ **disgrace**
فضاحت کردن to act disgracefully
فضاحت‌آمیز /ع. فا./ **disgraceful**
فضادار /ع. فا./ **spacious, roomy**
فضائح [جمعِ فضیحت]
فضائل [جمعِ فضیلت]
فضائی [مؤنث: فضائیه] /ع./ **dealing with space**
هندسهٔ فضائیه solid geometry
فضل /ع./ **favour, grace; excellence, merit; learning**
فضلاء [جمعِ فاضل]
فضل‌الله [اسم‌خاص] /ع./ [*o.s.*] **God's grace**
فَضله /ع./ **residue; excrement**
فُضول[1] /ا. ع./ **meddler; nosy person; intruder; blabber; know-all;** [*o.s.*] **meddling**
فُضول[2] /ص. ع./ *C.E.* **nosy, meddlesome**
فضولات /ع./ **waste matter, refuse, residue**
فضولی /ع. فا./ **meddling, officiousness;** [*o.s.*] (one) **who meddles**
معاملات فضولی unauthorized transactions
فضولی کردن to meddle; to blab
فضیح [ادبی، مؤنث: فضیحه] /ع./ **disgraced**
فضیحت، فضیحه [ادبی، جمع: فضائح] /ع./ **disgrace; shameful act**
فضیحه کردن to disgrace *or* betray: آدمی را زبان فضیحه کند

فضیحت‌آمیز، فضیحت‌آور /ع. فا./ **disgraceful, shameful, scandalous**
فضیلت [جمع: فضائل] /ع./ **virtue, excellence, superiority; attainment**
فضیلت داشتن بر to excel, to be preferable to
فطانت [ادبی] /ع./ **intelligence; sagacity**
فِطر /ع./ **breaking a fast**
فِطرت /ع./ **nature, temperament, constitution**
فطرة /ع./ **by nature**
فِطری /ع./ **natural, innate**
فطیر /ع./ **unleavened** (bread)
فَعال /ع./ **active, energetic**
فعال مایشاء one who does what he wishes, powerful monarch, dictator
فعالیت /ع./ **activity**
فِعل [جمع: افعال] /ع./ **act, action, deed;** [*gram.*] **verb;** ← کار
بـه فعـل آوردن to put in practice
فعلاً /ع./ **at present; actually**
فعلگی /ع. فا./ (menial) **labour, work done by a coolie; drudgery**
فعله [جمع فاعل] /ع./ **coolie(s)**
فِعلی /ع./ **present, actual;** [*gram.*] **verbal**
وضع فعلی the status quo, the existing state of affairs
فغان![1] [ادبی] **alas!**
فغان[2] [صورت‌اختصاری افغان[1]]
فغفوری /ص./ **belonging to the Chinese emperors**
چینی فغفوری /ا./ Chinese porcelaine
فقار /ع./ [جمع فقره] **vertebrae;** ←

فُقاع[1] [کمیاب] /ع./ **drink made of rice *or* fruits**

فُقاع[2] [کمیاب] /ع./ = آبجو

فقدان /ع./ **absence, want, lack; loss; bereavement**

فَقر /ع./ = تهیدستی **poverty**

فقراء [جمعِ فقیر] **the poor**

فقرات [جمعِ فقره]

فقرالدم /ع./ = کم‌خونی

فقره [جمع: فقرات، فقار] /ع./ [*rare*] **vertebra; passage; item, entry; point, matter**

فقط /ع./ [*adv.*] **only;** [*adj.*] **only, sole;** ← تنها

فِقه /ع./ **religious jurisprudence**

فُقها [جمعِ فقیه]

فقید /ع./ **lost, missing;** [*ext.*] **dead, deceased**

شاه فقید the late Shah

فَقیر /ع./ [*adj.*] **poor; meek;** [*n.*] **poor fellow;** ← بینوا؛ تهیدست

فقیر شدن to be reduced to poverty

فقیر کردن to reduce to poverty

فقیری /ع. فا./ = تهیدستی **poverty**

فقیه [جمع: فُقهاء] /ع./ **jurisconsult** (in Mohammedan law)

فَکّ /ع./ **separation; removal; redemption**

وثیقه‌ای را فک کردن to redeem a security

فَکّ [تثنیه: فکین] /ع./ = آرواره

فُکاهت [کمیاب] /ع./ = شوخی **humour**

فُکاهی [مؤنث: فکاهیه] /ع./ **humorous**

فکاهیات [جمعِ فکاهی] **humorous anecdotes, humours, jokes**

فِکر [جمع: افکار] /ع./ **thought, reflection, idea; mind; care;** ← اندیشه

فکر کردن to think, to reflect

به فکر انداختن to set thinking

توی فکر رفتن [عامیانه] to begin to think

در فکر چیزی بودن to care for, to think about *or* look after something

فکرت [ادبی] /ع./ **reflection, meditation**

فکری /ع./ **mental;** [*rare*] **melancholic**

فکری شدن to begin to think

فکسنی [زبان لاتی] **tumble-down, dilapidated, worn-out**

فکل /فر./ (detachable) **collar**

فکل زدن to wear a collar

فکندن [ادبی، صورت اختصاری افکندن]

فکور /ع./ **able to think deeply**

آدم فکور deep thinker, great thinker

فکی /ع./ **maxillary; mandibular**

فکیف [کمیاب] /ع./ **how then?, how much more (*or* less)?**

فکین ← فک

فگار [ادبی، صورت اختصاری افگار]

فگانه [ادبی، صورت اختصاری افگانه]

فلات [جمع: فلوات] /ع./ **extensive and waterless desert; plateau**

فلات قاره continental shelf

فَلاح /ع./ = رستگاری

فلّاح /ع./ = کشاورز **agriculturist; peasant, fellah**

فلاحت /ع./ = کشاورزی **agriculture**

فلاحت کردن to farm, to cultivate the ground

فلاحتی /ع. فا./ **agricultural**

فلاخن **sling**

فلاسفه [جمعِ فیلسوف]

فلاکت = فلک‌زدگی [word coined in the Arabic fashion from فَلک]

فلاکت‌بار **miserable; deplorable**

فلامک [از فلمنک "Fleming *or* Holland"] **rose diamond**

الماس فلامک rose diamond

فُلان /ع./ [*adj.*] **such and such, a certain;** [*n.*] **such and such a person; anyone**

فُلان و بهمان such and such a thing *or* person; so-and-so; one thing *or* other

ای فلان [ادبی] o what's-your-name

فلانل /فر./ **flannel**

فلانی /ع. فا./ **such and such a person**

فلج /ع./ **paralysis, palsy**

فلج تام (general) paralysis

فلج ناقصِ عضلات paresis

فلج نصف تن hemiplegia

فلج کردن to paralyze

فِلز [جمع: فلزات] /ع./ **metal;** [*fig.*] **mettle, nature**

شبه‌فلز metalloid

فلزآلات /ع. فا./ **hardware, metal ware**

فلزی /ع. فا./ **metallic, of metal**

فِلس /ع./ **small copper coin; scale of a fish; scab;** [جمع: فلوس] ←

فلسطین /ع./ **Palestine**

فلسفه /ع. ی./ **philosophy**

فلسفی /ع./ **philosophic(al)**

فِلفل [از فا. پلپل] /ع./ **pepper**

فلفل آبی water-pepper, smart-weed
فلفل برّی (seed of the) chaste-tree **or** Agnus castus
فلفل فرنگی red pepper
(گرد) فلفل هندی cayenne pepper
فلفل فرنگی شیرین pimento, allspice
دانهٔ فلفل peppercorn
فلفلدان **pepper-box**
فلفل‌مون **wild peppermint, savoury**
فلفل‌نمکی [*adj.*] **pepper-and-salt; grizzly**
فلفلی [عامیانه] **tiny but smart, dapper; precocious;** [*o.s.*] **peppery**
فَلـق /ع./ **morning twilight**
فَلک[1] [جمع: افلاک] /ع./ **firmament; heavenly sphere; orbit;** [*fig.*] **fortune, destiny**
فلک[2]**، فلکه** /ع./ (wooden instrument used for the) **bastinado**
فلک کردن to bastinado, to give the bastinado (to)
فلک‌زدگی /ع. فا./ **adversity; affliction**
فلک‌زده /ع. فا./ **unfortunate; afflicted**
فلکه /ع./ **belt-pulley; whirl of a spindle; traffic circle, roundabout;** → فلک
شیر فلکه‌ای gate-valve
فلکی [مؤنث: فلکیه] /ع./ **celestial; astronomical**
فلنگ را بستن [زبان لاتی] **to pack off, to buzz off**
فلوات [جمعِ فلات]
فلوت /فر./ **flute**
فلـوت زدن to (play on the) flute

فلوت‌زن /فر. فا./ **flutist**
فُلوس /ع./ **small copper coins; scales;** [*med.*] **purging cassia, cassia-pods;** [جمعِ فلس] →
فلوکس /ان. یا فر./ **phlox**
فـم [کـمیاب، جـمع: افـواه] /ع./ = دهن؛ دهانه
فم قصبة‌الریه glottis
فم‌معده cardia
فم‌الحوت /ع./ **fomalhaut**
فَنّ [جمع: فُنون] /ع./ **art; branch** (of knowledge)**; technique; knack,** [*infml.*] **trick**
فنونِ آزاد liberal arts
فَنا /ع./ **annihilation, destruction, ruin**
فنا شدن to be annihilated; to be ruined
فنا کردن to annihilate
به باد فنادادن to annihilate; to dissipate
فناپذیر /ع. فا./ **destructible; mortal**
فناناپذیر /ع. فا./ **indestructible**
فنج، پنج [از فا. پنج "five"] **punch**
فنجان **cup**
روزی یک فنجان one cupful a day
فنجان‌بازی **thimblerig**
فنجانی **cup-shaped;** [*anat.*] **cotyloid, acetabular**
گل فنجانی cup-shaped evening primrose
گودال فنجانی acetabulum
فندق **hazel-nut, filbert**
فندق‌شکن **nut-cracker**
فندقک **ivory-nut**
فندقه **achene, akene**
فَنـدَک **lighter, strike-a-light**

فَندول [از فر.] **pendulum**
فَنر [از ریشه ی.] **spring;** [*watch*] **hairspring;** [*hatmakers*] **conformator;** [*motor car*] **leaf spring;** [*bicycle*] **coil**
فنری **resilient, elastic; working with a spring,** [*adj.*] **clock work**
پولک فنری lock washer
فَنگ [word used in military commands and corresponding to "arms"]; → دوش‌فنگ
فنون [جمعِ فن]
فنی /ع./ **technical**
فنیقی /ع./ **Phoenician**
فواحش [جمعِ فاحشه]
فؤاد [کمیاب، اسم‌خاص] /ع./ =دل **heart**
فوّاره /ع./ **jet** (of water), **jet d'eau, spout, fountain**
فوارهٔ افشان، فوارهٔ گردان girandole
فواصل [جمعِ فاصله]
فواق /ع./ = سکسکه **hiccup**
فواکه [جمعِ فاکهه]
فوائد [جمعِ فائده]
فوب **f. o. b. or fob** (free on board)
فوت **puff, blow; puffing; blowing** (out)
فوت کردن to blow out, to extinguish by blowing; to blow on
فوت بودن [زبان لاتی] to have at one's fingers' ends (**or** tongue's end)
فوت کاسه گری [عامیانه] knack; last touch
فُوت /ع./ **death, dying**
فوت شدن to elapse; to be missed
فوت کردن to die; to miss, to allow to escape; → مردن

بدون فوت وقت کاری را کردن to lose no time in doing something

فوتبال /ان./ (game of) **football**

فوتبالیست /ان. فر./ (good) **footballer**

فوت فوتک **toy whistle; kind of fife**

فُوتوی /فر./ **arm-chair, easy chair**

فوتی [عامیانه] /ع. فا./ **very urgent;** [*o.s.*] **liable to lapse**

فوج[1] [جمع: افواج] /ع./ = هنگ **regiment**

فوج[2] /ع./ **multitude**

فوراً /ع./ = بی‌درنگ **at once, immediately**

فوَران /ع./ **eruption; ebullition; effervescence**

فوری /ع./ **urgent; immediate, quick**

عکس فوری snapshot

عکس فوری برداشتن از to snap

فوریت /ع./ **urgency**

به فوریت = فوراً at once

با قید دوفوریت with a two-starred urgency ***or*** priority

فوریت اول first urgency question

فوریه /فر./ **February**

فوز [کمیاب] /ع./ = کامیابی، رستگاری

فوفل **betel-nut, areca-nut**

فوفه [کمیاب] /ع./ **leaf-brass**

فوق /ع./ = بالا **top, upper part**

در فوق above

فوقِ [*prep.*] above, beyond

فوقاً /ع./ **above**

فوق‌التصوّر /ع./ **beyond imagination**

فوق‌الجلد /ع./ = روپوست

فوق‌الذکر /ع./ *C.E.* **above mentioned**

فوق‌الطاقه /ع./ **insupportable**

فوق‌العاده /ع./ [*adj.*] **extraordinary;** [*n.*] **allowance; extra**

فوق‌العادهٔ خارج از مرکز outstation allowance, field allowance

فوق‌المعده /ع./ **epigastrium**

فوقانی /ع./ = بالایی **upper**

فولاد = پولاد

فونوگراف /فر./ **phonograph**

فِهرست **list; index**

فهرستِ موجودی inventory

فهرستِ مندرجات table of contents

فهرست کردن to make a list of; to index; to inventory

فَهم /ع./ **understanding, comprehension**

فهم کردن to understand

قابل فهم comprehensible, intelligible

غیرقابل فهم incomprehensible, unintelligible

فهماندن /ع. فا./ **to cause to (*or* give) understand; to explain**

مقصود خود را فهماندن to express oneself

فهمیدگی /ع. فا./ **intelligence; prudence, judiciousness**

فهمیدن[1] [بن مضارع: فهم] /ع. فا./ **to understand**

فهمیدن[2] [عامیانه] /ع. فا./ = شنیدن

فهمیده[1] /ص. ع. فا./ **having common sense, intelligent, judicious**

فهمیده[2] [اسم مفعول فعل فهمیدن] /ع. فا./ **of understanding;**

فهیم /ع./ **intelligent, wise**

فی /ع./ [*prep.*] **at the rate of, at; by;** [*o.s.*] **in;** [*n.*] **unit**

در ⟵ [*n.*] **unit cost;**

فی زدن [عامیانه] to estimate

فیاض /ع./ = بخشنده؛ فراوان

فی‌الجمله /ع./ **to sum up; in the abstract**

فی‌الحال [کمیاب] /ع./ **at once**

فی‌الحقیقه /ع./ **indeed**

فی‌الفور /ع./ = فوراً

فی‌المثل /ع./ = مثلاً

فی‌المجلس /ع./ **on the spot**

فی‌الواقع /ع./ = واقعاً

فیبر /فر./ **fibre(-board)**

فیثاغورث /ع. ی./ **Pythagoras**

فیثاغورثی /ع./ **Pythagorean**

فیروز = پیروز

فیروزه **turquoise**

فیروزه‌ای **turquoise-coloured; azure; of turquoise**

فیروزی = پیروزی

فیزیک /فر./ **physics**

فیزیکدان /فر. فا./ **physicist**

فیزیولوژی /فر./ **physiology**

فیس [عامیانه] (swelling with) **pride**

فیس کردن to swell with pride, to boast

فیش[1] **fizz; hiss**

فیش کردن to fizz ***or*** hiss

فیش[2] /فر./ **slip, index card**

فیش‌فیشه = فشفشه

فیصله دادن /ع. فا./ **to settle** (by arbitration); **to determine**

فیض /ع./ **grace, blessing; bounty; profusion;** [*infml.*] **profit**

فیض حضور [*p.c.*] favour to be in someone's presence

فیض‌الله [اسم خاص] /ع./ [*o.s.*] **God's grace**

فیضان /ع./ **overflowing, abundance; emission**

فرضیهٔ فیضانِ نور
emission theory

فیض‌بخش /ع. فا./ **bountiful; charitable; fertilizing**

فیف کردن [عامیانه]
to spit (as a cat)

فیل [ع./، از فا. پیل] **elephant; [*chess*] bishop**

دندان فیل elephant's tusk, ivory

گوش فیل [kind of confection]

کار حضرت فیل [زبان لاتی]
herculean task

فیلبان = پیلبان

فیلتن = پیلتن

فیلدمارشال /ان./
Field-Marshal

فیل دوقس [از فر. fil d' Ecosse]
lisle thread

فیلسوف [جمع: فلاسفه] /ع. ی./
philosopher

فیلسوفانه /ع. فا./
philosophically

فیلگوش [کمیاب] **iris; nenuphar**

فیلم /فر. ان./ **film**

فیلمش خوب می‌شود. [عامیانه]
It films well.

فیلمبرداری /فر. فا./
film-taking

فی‌مابین /ع./ (in) **between**

فین **snot**

فین کردن [عامیانه]
to blow one's nose

فین‌فینی [عامیانه] **snotty**

فینه **fez**

فیوز /ان./ **fuse(-wire)**

فیه [مؤنث: فیها] /ع./ **in him; in it**

ق

قاب[1] /ت./ plate, dish; frame; case

قاب کردن، قاب گرفتن to frame; to provide with a case

قاب[2] knuckle-bone

قاب زدن to gamble with knuckle-bones

قاب کسی را دزدیدن [زبان لاتی] to get round someone

قاب‌بازی (game played with) knuckle-bones

قاب‌بال /ت. فا./ coleopterous

قاب‌دستمال /ت. فا./ dish-cloth, clout

قاب‌ساز /ت. فا./ framer

قابض /ع./ astringent; styptic; [o.s.] seizer, taker

قابض‌الارواح /ع./ (epithet of) the Angel of Death; → ارواح؛ قابض

قابضیت /ع./ astringency; stypticity

قابل /ع./ qualified; capable; worthy

قابل نیست don't mention

قابلِ worthy of; capable of [rendering the English suffix -able or -ible]

قابلگی /ع. فا./ = مامایی

قابلمه /ت./ steam-tight stewpan for keeping food hot; dinner-pail, tiffin-carrier

تکمهٔ قابلمه‌ای snap fastener

قابله[1] /ع./ receptacle

قابله[2] /ع./ = ماما

قابلیت /ع./ ability, merit, worth; capability; [rendering the English suffix -ability or -ibility]

قابیل /ع./ Cain

قاپ زدن [عامیانه] = قاپیدن

قاپوچی [منسوخ] /ت./ = دربان

قاپوق، قاپق /ت./ pillory

قاپیدن [بن مضارع: قاپ] /ت. فا./ to snatch

قاتق /ت./ anything eaten with bread, *L.* spread

قاتِل /ع./ [*n.*] murderer, homicide; [*o.s.*] killer; [*adj.*] deadly, fatal; → آدم‌کش، کُشنده

قاتمه /ت./ sackmaker's thread

قاجاریه [dynasty preceding the Pahlavi Dynasty]

قاچاق[1] /ص. ت./ contraband, illicit

قاچاق[2] /ا. ت./ contraband *or* smuggled goods

قاچاق[3] /ت./ smuggling

قاچاق شدن [عامیانه] to slip off; to play the truant

قاچاق کردن to smuggle

قاچاقچی /ت./ smuggler

قاچاقی /ت. فا/ contraband, smuggled

قادِر[1] /ع./ able

قادر به رفتن able to go

قادِر[2] /ع./ توانا → powerful;

قادر کردن to enable

قادر مطلق omnipotent

قاذورات [جمعِ قاذوره] /ع./ ordure, dirt

جزو قاذورات taken to no account; good-for-nothing

قارت و قورت [زبان لاتی] bragging; fuss

قارچ /ت./ mushroom; → سماروغ

قارچ‌کش /ت. فا./ fungicide

قارچی /ت. فا./ fungous, fungoid

گیاه قارچی fungus

قارش‌میش [عامیانه] /ت./ = درهم برهم

قاروره [کمیاب] /ع./ urinal

قارون /ع./ Korah; *L.* Croesus

قارّه /ع./ continent

قاری /ع./ reader of the Koran

قارئین /ع./ = خوانندگان readers; → [جمعِ قاری]

قاز → غاز

قازایاغی /ت./ goosefoot, chenopod

قازچران /ت. فا./ gooseherd

قازچرانی /ت. فا./ tending geese; [*met.*] loafing about, wool-gathering

قاسِم [اسم خاص] /ع./ [*rare*] distributor

قاسم‌الصدر /ع./ mediastinum

قاسی [کمیاب، مؤنث: قاسیه] /ع./ = سخت

قاش /ت./ slice

قاش کردن to slice, to cut (open); to splinter

قاش‌خوردن to be split *or* cut

قاش زین، قاچ زین pommel of a saddle

قاشُق /ت./ **spoon**

روزی سه قاشق ***three spoonfuls a day***

قاشق چای‌خوری teaspoon(ful)

قاشق سوپ‌خوری tablespoon(ful)

قاشق‌تراش /ت. فا./ **spoonmaker, horner**

قاشقک /ت. فا./ **castanets, clappers**

قاشقی /ت. فا./ **spoon-shaped; measured *or* sold by the spoon**

آچار قاشقی ring-spanner

قاصِد /ع./ **messenger; ovary of the dandelion flown about by the wind;** ← پیک

قاصِر /ع./ **falling short, failing; defective;** [*o.s.*] **short;** ← کوتاه

از انجام آن قاصر آمد. ***He failed to do it. He could not do it.***

قاضی [جمع: قضاة] /ع./ **judge**

تنها نزد قاضی رفتن to reckon without one's host; [*o.s.*] to go alone to the judge (to have his ear)

قاضی‌الحاجات /ع./ **provider of needs: epithet of God**

قاطبه /ع./ **the whole**

قاطبهٔ اسلام pan-Islam

قاطبةً /ع./ = عموماً

قاطِر /ت./ = آستر **mule**

قاطرچی /ت./ **muleteer**

قاطِع /ع./ **decisive, categorical;** [*geom.*] **secant;** [*o.s.*] **trenchant**

رأی قاطع casting vote

قاطع‌الطریق [جمع: قطاع‌الطریق] /ع./ = راهزن

قاطی /ت./، **قاتی** **mixed**

قاطی کردن to mix; to confound; ← آمیختن

قـاطی‌واتـی، قـاطی‌پاطی [زبان لاتی] **pell-mell**

قاعدگی /ع. فا./ **menstruation**

قاعِده [جمع: قواعد] /ع./ **rule, method; formula;** [*geom.*] **base;** [*adj.*] **unwell, having her periods**

برحسب قاعده according to the rule, as a rule

قاعده شدن to menstruate

قاعدتاً /ع./ **as a rule**

قاف [fabulous mountain identified with mountain Caucasus]

قافله [جمع: قوافل] /ع./ **caravan; convoy**

قافله‌سالار /ع. فا./ **leader of a caravan**

قافیه [جمع: قوافی] /ع./ **rime *or* rhyme**

با هم قافیه شدن to rime with (*or* to) each other

قافیه را باختن to be frustrated and unable to answer, to be stuck

قافیه‌اش تنگ شد. He ran short of rimes. [*fig.*] He was driven to extremities.

قافیه‌پرداز [ادبی] /ع. فا./ **rimer, poet**

قاق[1] /ا. ت./ **last player**

قاق[2] /ص. ت./ **dry; lank**

قاقا **nicy, goody, lollilops**

قاقُم /ع./ **ermine**

قال[1] /ت./ **smelting, refining**

قال کردن to smelt *or* refine

قال گذاشتن to leave in the lurch, to keep waiting too long

قال چیزی را کندن [عامیانه] to get something over and finished with

قال[2] /ع./ [*rare*] **speech**

قیل و قال noise

قالَ [کمیاب] /ع./ = گفت (he) **said**

قالِب /ع./ **mould; model, form, matrix; centering; shuttering;** [*shoemaking*] **last;** [*boot*] **tree;** [*soap*] **cake, tablet;** [*fig.*] **body**

قالب کردن to mould, to model; to shape, to form; [*fig.*] to pass off, to fob, to foist off (something on someone)

قالب تهی کردن [ادبی] to resign one's life

قالب‌ریز، قالبگر /ع. فا./ **moulder, modeller**

قالب‌ریزی /ع. فا./ **moulding**

قالبی /ع. فا./ **moulded; formed into cakes *or* bars;** [*infml.*] **of exact dimensions**

قالپاق /ت./ **hubcap**

قالگر /ت. فا./ **refiner (*or* smelter) of metals**

قالگری /ت. فا./ **refining of metals**

کورهٔ قالگری cupola-furnace

قال‌مقال [عامیانه] /عف./ **noise, fuss**

قالی /ت./ **carpet**

قالی‌باف /ت. فا./ **carpet-weaver**

قالی‌بافی /ت. فا./ **carpet-weaving**

قالیچه /ت. فا./ **rug**

قامَت /ع./ **stature;** ← قد

قاموس [کمیاب] /ع./ **dictionary;** [*o.s.*] **ocean;** ← فرهنگ

قامه [از ع. قائمه] [*mech.*] **bushing**
قانع /ع./ **contented**
قانع شدن to be contented/ convinced *or* satisfied
قانع کردن to satisfy; to give contentment (to); to convince
قانون [جمع: قوانین] /ع. ی./ **law, statute,** (parliamentary) **act; rule; canun: kind of zither** *or* **dulcimer**
قانوناً /ع./ **legally**
قانوندان /ع. فا./ **jurist, jurisconsult**
قانونگذار، قانونگزار /ع. فا./ **legislator; lawgiver**
قانونگذاری /ع. فا./ **legislation**
قانونی /ع./ **legal; statutory**
قاهِر /ع./ **forcible, powerful, subduing**
قاهره [مؤنثِ قاهر] /ع./ **Cairo**
قاه‌قاه[1] /ا./ **fit of laughter**
قاه‌قاه[2] /ق./ **loudly, boisterously**
قاه‌قاه خندیدن to laugh boisterously
قائد /ع./ **leader; general**
قایق /ت./ **boat**
قایق موتوری motor boat, launch
قایقران /ت. فا./ **boatman**
قایقرانی /ت. فا./ **boating, yachting; boatmanship**
قائل[1] /ع./ [*adj.*] **who believes** (in); [*n.*] **believer**
قائل شدن به to believe in; to maintain
امتیازاتی برای وی قائل شدند. They granted certain privileges to him.
قائل[2] [معنای حقیقی] /ع./ = گوینده

قائم [مؤنث: قائمه] /ع./ **erect, right, vertical;** [*fig.*] **living,** [*rare*] **existent**
قائم بالذات self-existent
زاویه قائمه right angle
قایم [عامیانه، از ع. قائم] [*adj.*] **secure, fast, firm; hidden;** [*adv.*] **firmly, fast; severely**
قایم شدن to hide (oneself)
قایم کردن to hide; to secure, to make fast
قائم‌الزاویه /ع./ **right-angled**
مثلث قائم‌الزاویه right triangle
قائم‌مقام /عف./ **successor, locum tenens, substitute**
قایم‌موشک /ع. فا./ **hide-and-seek**
قائمه[1] /ا. ع./ [*rare*] **perpendicular; side post; invoice**
قائمه[2] [مؤنثِ قائم] /ص. ع./
قائن /ع. عب./ = قابیل
قَبا /ع./ **long garment open in front worn by men**
قبا کردن [ادبی] to rend (one's shirt)
قَباحَت /ع./ = زشتی **obscenity**
قباحت دارد it is a shame
قُباد [اسم‌خاص]
قِبال /ع./ **front,** [*rare*] **face**
در قبالِ alongside of; in face of; in lieu of; in comparison with
قباله [جمع: قبالجات] /ع./ **title-deed;marriage-contract**
قباله کردن to purchase (by a deed)
قبائح، قبایح [جمع قبیحه]
قبائل، قبایل [جمع قبیله]
قُبح /ع./ **indecency; indecent appearance;** زشتی ⟵

قَبر [جمع: قُبور] /ع./ = گور **grave, tomb**
قبر کردن to bury
قِبراغ **nimble; equipped for action**
قِبرس /ع./ **Cyprus**
قبرستان /ع. فا./ = گورستان
قبرسی /ع./ **Cyprian; Cypriot**
زاج قبرسی green vitriol, sulphate of iron
گِل قبرسی Cyprus clay
قبرکن /ع. فا./ **grave-digger**
قَبض [جمع: قُبوض] /ع./ **bill, note**
قبض رسید receipt
قبض و اقباض delivery
قبضِ عندالمطالبه note of hand, promissory note
قبض کردن [*rare*] to seize; to constipate
قبضه /ع./ **handle, hilt; grasp; fist's length**
سه قبضه تفنگ three rifles
یک قبضه شمشیر one sword
در قبضهٔ تصرف درآوردن to take possession of
قِبطی /ع./ **Coptic; gipsy;** [*rare*] **Egyptian**
قَبل /ع./ = پیش **ago; before, preceding**
دو سال قبل ***two years ago***
شب قبل ***the night before***
قبل از before
قبل از این before this, previous to this
قبل‌ازآنکه شما بیائید ***before you came***
دو ساعت قبل از ظهر 10 a.m.
قبل از وقت ahead of time, beforehand
قِبَل /ع./ **side, part**
از قبل from; through
قُبُل[1] [کمیاب] /ع./ **forepart; privy parts**

قُبُل [2] /ت./ holster
قبل(و)منقل [منسوخ] outfit
قبلاً /ع./ beforehand;
previously; first of all;
already; in anticipation;
heretofore
قبلتین [تثنیهٔ قبله] /ع./
the Two Kiblahs, *i.e.* Mecca
and Jerusalem
قِبله /ع./ Kiblah: direction
to Mohammadans turn
which in praying
قبلهٔ حاجت centre-point
looked to for the attainment
of one's ends
پشت به قبله facing the north
رو به قبله facing the south,
exposed to the sun
قبله‌نما /ع. فا./
compass (showing the Kiblah)
قبلی /ع. فا./ previous,
preceding
با تقدیم تشکرات قبلی thanking
you in anticipation...
قبور [جمعِ قبر]
قبوض [جمعِ قبض]
قَبول /ع./ acceptance;
admitting; agreement,
consent; [*adj.*] accepted
قبول داشتن to maintain as
true, to believe (in)
قبول دارم *I admit, I agree*
قبول شدن to be accepted *or*
admitted; to be approved;
to be granted
قبول کردن to accept;
to believe (in); to admit;
to agree to
جواب قبول [without the
"ezafah"] reply paid
عدم قبول non-acceptance,
refusal
قبولدار شدن [عامیانه] /ع. فا./
to accept

قبولی [1] /ا.ع. فا./ = پذیرش
acceptance
قبولی نوشتن to write one's
acceptance, to accept a bill
قبولی [2] /ص.ع. فا./
accepted
قُبه /ع./ dome, cupola;
knob; pommel
قَبیح /ع./ = زشت obscene
از من قبیح است it is a shame
for me, it is beyond my
dignity
قبیحه [کمیاب، جمع: قبائح، مؤنثِ
قبیح] /ع./ shameful act
قَبیل /ع./ kind,
نوع، جور ← category;
این قبیل زنان such women
از قبیلِ such as
قبیله [جمع: قبائل] /ع./ tribe;
family
قپان /ت./ steelyard
قپان کردن to weigh by
a steelyard
قپانچه شدن /ت. فا./
to swoop
قپانداری /ت. فا./ weighing
charges
قپلان [کمیاب] /ت./ = ببر
tiger
قپی آمدن [زبان لاتی] to bluff
قِتال [کمیاب] /ع./ = کارزار،
جنگ
قتال [مؤنث: قتاله] /ع./ = کشنده
deadly
آلت قتاله lethal weapon
قَتل /ع./ killing, murder
به قتل رساندن = کشتن
to murder, to kill
به قتل رسیدن
to be murdered *or* killed
قتل عام general massacre
قتل عمدی (wilful) murder
قتل غیرعمدی manslaughter
قچاق /ت./ = چابک؛ خوش‌بنیه

قحبه /ع./ = فاحشه
قحط /ع./ dearth; famine
قحط‌سال /ع. فا./ year of
dearth *or* famine
قحطی /ع. فا./ famine
قحطی‌زده، قحط‌زده /ع. فا./
famine-stricken (person)
قَد /ع./ stature; size
قد خم کردن to stoop,
to bend one's back
به من قد نمی‌دهد
it is beyond my depth
قد علم کردن to signalize
oneself, to attract attention
قد کشیدن to grow tall,
to grow above one's age
قد گرفتن، اندازه گرفتن [عامیانه]
to measure
دو قدِ من *twice my size*
بچه‌های قد و نیم‌قد [عامیانه]
kids of all ages (*or* sizes)
قداره = غداره
قدامی [کمیاب] /ع./ = جلوی،
پیشین
قدبلند /ع. فا./ آدم قدبلند **tall:**
قَدْح /ع./ = ذم، سرزنش
قَدح /ع./ cup, bowl
قدر /ع./ value, worth;
merit; amount, quantity
قدر... را دانستن to appreciate,
to know the value of
آن‌قدر [1] آنقدر گرسنه بود که so:
آن‌قدر [2] as much
آن‌قدر [3] that much, this much
این‌قدر [1] so much, this much
این‌قدر [2]، اِنقدر [عامیانه] so
به قدرِ as much as;
to the extent of
قدری [*adj.*] some, a little;
[*adv.*] some what
به قدری [1]
به قدری گرم بود که ... so:
به قدری [2]
به قدری حرف زد که ... so much:

به قدری‌که، آن‌قدرکه
as much as, so much as; to the extent that
چقدر؟[1] how much?
چقدر؟[2] how long?
چقدر![3] how!
چقدر مهربان بود! ***How kind he was!, He was so kind.***
چقدر[4] many as
هرقدر[1] as much as
هرقدر[2] however
هر قدر کودن باشد
however stupid he may be
قَدَر /ع./ **divine decree; predestination;**
قدر؛ چقدر؛ اینقدر؛ آنقدر ←
قُدرَت [اسم‌خاص] /ع./
power, ability; ← توانایی
قدرت‌الله [اسم‌خاص] /ع./
[*o.s.*] **God's power**
قدرتی /ع. فا./ **brought about by Providence**
قدردان /ع. فا./ **appreciative,** *L.* **grateful**
قدردانی /ع. فا./ **appreciation**
قدردانی کردن to express one's appreciation
قدردانی کردن از to appreciate
قدرشناس /ع. فا./ = قدردان
قدری ← قدر
قَدَری /ع./ **predestinarian, fatalist**
قُدس /ع./ **holiness**
قدس شریف Jerusalem
قدس‌الاقداس /ع./
the Holy of Holies (biblical)
قدس‌سره /ع./ **may his grave be sanctified**
قدسی[1] /ص.ع. فا./ **holy; celestial**
قدسی[2] [جمع: قدسیان] /ا. ع. فا./
= فرشته
قدسیه [اسم‌خاص، مؤنثِ قدسی] /ع./

قدغن /ت./ **prohibition; order, injunction;**
[*adj.*] **prohibited, forbidden**
قدغن کردن to prohibit; to order
قدَک **buckram** (used inside garments to keep them in shape)
قدکوتاه /ع. فا./
[*person*] **short**
قَدَم[1] [جمع: اَقدام] /ع./
[*rare*] **foot;** ← پا
قَدَم[2] /ع./ **footstep, pace**
قدم برداشتن to take a step
قدم داشتن to bring good luck
قدم زدن to walk; to step, to pace
قدم رفتن to march
سر قدم رفتن to go to stool
قدم به قدم step by step
قدم بالایِ چشم you are (*or* will be) most welcome
قدم /ع./ = قدمت
قُدما /ع./ = پیشینیان
[جمعِ قدیم] **the ancients;** ←
قِدمت /ع./ **antiquity, oldness; precedence**
قدم‌پیما /ع. فا./ **pedometer; odograph**
قدم‌شمار /ع. فا./ **pedometer**
قُدّوس /ع./ **very holy**
قُدّوسیت /ع./ **extreme holiness**
قُدوم /ع./ **coming, advent**
قدومه **hedge-mustard**
قدوه [کمیاب] /ع./ **model; leader**
قدّی /ع. فا./
آینهٔ قدی **full-length:**
قدیر /ع./ **almighty**
قدیم[1] /ص.ع./ = باستانی
ancient, old
قدیم[2] /ا.ع./ **ancient times;** ← [جمع: قُدَما]

از قدیم، از قدیم‌الایام
from olden times
قدیماً /ع./ **anciently**
قدیمی /ع. فا./ **old; primitive**
قدیمی‌مسلک /عف./
fogyish, old-fashioned
قراء [جمعِ قریه]
قرابادین **pharmacopoeia**
قَرابَت /ع./ **proximity; affinity; relationship;**
← نزدیکی
قرابت صلبی consanguinity
قرابه **flask; carboy**
قرابین، قرابینه /ت. ای./
carbine, carabin(e)
قراچی /ت./ **gipsy**
قرار /ع./ **rest, repose; stability; arrangement, agreement; resolution; stipulation; ruling, order *or* decree**
قرار دادن to place; to set; to appoint, to fix; to resolve
قرار شد it was agreed *or* resolved
قرار است امروز وارد شود.
He is due to arrive today.
قرار گذاشتن to make an arrangement *or* appointment, to agree
قرار گرفتن to settle; to be comforted
رأی ما بر این قرار گرفت که
we resolved (*or* decided) to ...
قرار ملاقات appointment, rendezvous
قرار و مدار [عامیانه]
agreement, collusion
از قرارِ at the rate of; according to
به قرارِ زیر as follows
از قراری که می‌گویند
it is said (*or* reported) that

از این قرار thus; then
از همان قرار accordingly
قرارداد /ع. فا./ **agreement, contract; convention; appointment, arrangement**
قراردادی /ع. فا./ **conventional; based on a contract**
قراردم /ع. فا./ (blacksmith's) **fuller**
قرارگاه /ع. فا./ **resting-place; headquarters**
قراسوران /ت./ **escort; road-guard**
قُراص، قراصه [از ان. gross] **gross: 12 dozen**
قُراضه /ع./ [*n.*] **scrap** (metal); **filings;** [*adj.*] **worn-out, dilapidated**
قَرّاضه [مؤنثِ قَرّاض، کمیاب] /ع./ **gnawing**
قراقر /ع./ **grumbling in the stomach, borborygmus**
قراقروت /ت./ **dried black curds**
قران /ع./ **conjunction;** [*fig.*] **crisis**
قُرآن /ع./ **the Koran**
قراوُل /ت./ **sentinel, watchman, patrol**
قراول رفتن to take aim
قراول‌خانه /ت. فا./ **guard-house**
قرائت /ع./ **reading**
قرائت کردن to read; ← خواندن
قرائت‌خانه /ع. فا./ **reading-room**
قرائن [جمعِ قرینه]
قُرب[1] /ع./ **esteem, worth**
قُرب[2] /ع./ = قرابت
قُربان [اسم‌خاص] /ع./ **offering, sacrifice**
قربان کردن to sacrifice
(به) قربان کسی رفتن to be (ready to be) sacrificed for someone; to adore someone
قربانی[1] /ا. ع. فا./ **sacrifice, offering;** [*fig.*] **victim**
قربانیِ ... شدن to fall a victim to ...
قربانی کردن to sacrifice, to offer a sacrifice
قربانی[2] /ص. ع. فا./ **set aside for sacrifice**
قُربَت /ع./ **proximity; approach, drawing close; favour, grace;** ← نزدیکی
قربتاًالی‌الله /ع./ **to win God's favour, to please God**
قرتی [زبان لاتی] **effeminate beau**
قُرحه /ع./ **ulcer**
قرحهٔ آکله lupus
قُرص[1] /ا. ع./ **disk *or* disc; tablet, lozenge; round loaf** (of bread)
قرص کمر = بلادر
قرص نعناع peppermint-drop
قُرص[2] [عامیانه] /ص. ع./ **firm, strong, durable**
قرص کردن to make firm; to secure
قَرض [جمع: قروض] /ع./ **debt;** ← بدهی
قرض دادن to lend *or* loan
قرض کردن to borrow
قرض گرفتن to borrow; to have the loan of
قرض بالا آوردن، قرض به هم رساندن to contract a debt
قرض و قوله کردن [زبان لاتی] to borrow from various sources
قرض‌الحسنه /ع./ **money loaned without interest**
قرضه /ع./ = وام **loan**
قرطاجنه /ع./ **Carthage**
قِرطاس‌بازی /ع. ف./ **red-tapism, officialism**
قُرطُبه /ع./ **Cordova**
قُرعه /ع./ **lot; ballot;** ← پشک
به طریق قرعه by drawing lots
قرعه انداختن to cast lots
قرعه کشیدن to draw lots
قرعه بنام او اصابت کرد. ***The lot fell upon him.***
قرعه‌کشی /ع. فا./ **draw, drawing** (of lots)**; lottery; balloting**
قُرُق /ت./ [*n.*] **preserve, park;** [*adj.*] **reserved for exclusive use, preserved**
قرق کردن to fence, to preserve; to exclude outsiders from
قرقاوُل /ت./ **pheasant**
قرقاول ماده hen-pheasant
قرقاول نر cock-pheasant
قرقر = غرغر
قِرقره ← غرغره
قرقشه = غرغشه
قِرقی **sparrow-hawk**
قِرمِز **red**
قرمز شدن to become red; to blush
قرمز کردن to make red, to redden; to roast brown
قرمز فرنگی، قرمزِ گچ کش = قرمزدانه
قرمزدانه **cochineal, kermes of Poland**
جوهرِ قرمزدانه carmine
قرمزی **redness**
قرمساق /ت./ **pimp to his own wife, cuckold**
قُرمه /ت./ **preserved *or* potted meat, corned beef**
قرمه کردن to preserve *or* pot

قَرن [جمع: قُرون] /ع./ **century; age;** [*rare*] **horn**
قرونِ‌وُسطی Middle Ages
قرنطینه /ع. ای./ **quarantine**
قرنفل /ع. ی./ **clove gilliflower**
قرنیه /ع./ **cornea**
ورم قرنیه keratitis
قروض [جمعِ قرض]
قرون [جمعِ قرن]
قُرّه **coolness,** [*rare*] **freshness; lustre, brightness;** [*fig.*] **comfort, joy**
قُرّةالعین coolness of the eye
قره‌قوش /ت./ = دال، عقاب
قره‌کل /ت./ **caracul**
قره‌کهر /ت./ **dark bay**
قره‌مینا /ت./ **blunderbuss**
قره‌نی /ت. فا./ **clarinet**
قریب /ع./ [*adj.*] **near; approximate;** [*n.*] **kindred**
قریب دو سال ***nearly two years***
ماضی قریب present perfect
قریباً /ع./ **presently, shortly**
قریب‌الوقوع /ع./ **imminent**
قریحه [جمع: قرائح] /ع./ **inborn disposition; talent; verve**
قرین [1] /ص. ع./ **coupled; allied, cognate; symmetrical**
قرین [2] [جمع: اقران] /ا. ع./ **associate, companion; peer, match**
قرینِ امتنان = ممنون
قرین افتخار = مفتخر
قرینه [جمع: قَرائن] /ع./ **symmetry; context; analogy; indication**
قریه [جمع: قراء] /ع./ = ده **village**
قز /ع. فا./ = کژ **raw *or* floss silk**
قَزّاق /ت. ر./ **cossack**

قِزل /ت./ **red; roan**
قزل آلا /ت./ [*n.*] **trout;** [*adj.*] **shot**
قَزن‌قفلی /ت. ع./ **hook and eye**
قساوت /ع./ = سخت‌دلی
قسراق /ت./ **filly**
قَسْری [از قسر، "compelling"] /ع./ **mechanistic**
قِسط [جمع: اقساط] /ع./ **instalment**
به اقساط by instalments
قسط‌بندی /ع. فا./ (arrangement for) **payment by instalments**
قُسطنطنیه /ع. ی./ **Constantinople**
قِسطی /ع. فا./ (paid *or* to be paid) **by instalments**
قِس‌علی‌هذا /ع./ **infer** (the rest) **from this**
وقس‌علی‌هذا and so forth, etc.
قَسم /ع./ = سوگند **oath**
قسم خوردن، قسم یاد کردن
to take an oath, to swear
قسم دادن to administer an oath
قسم دروغ خوردن to swear falsely, to perjure oneself
به خدا قسم (I swear) by God
به خدا قسمت می‌دهم
for God's sake
قِسم [جمع: اَقسام] /ع./ **kind, variety;** ← نوع، جور
چه قسم؟[1] what kind of?
چه قسم؟[2]، به چه قسم how?, in what manner?
به قسمی که so that
اقسام کلمه parts of speech
قِسمت /ع./ **part, portion, share; section; lot, fortune, destiny;** ← بخش
خارج قسمت quotient

قسمت کردن to divide, to distribute; to share
قابل قسمت divisible
غیرقابل قسمت indivisible
قَسم‌نامه /ع. فا./ **swearing formula; affidavit**
قسی [کمیاب] /ع./ = سخت **hard; cruel**
قسی‌القلب /ع./ = سخت‌دل
قَسیم [کمیاب] /ع./ [*adj.*] **handsome;** [*n.*] **participant; distributor**
قِشر [جمع: قُشور] /ع./ = پوست **skin; bark; husk; rind; shell; crust**
قِشر بستن to form an incrustation
قُشعریره [کمیاب] /ع./ **horripilation, goose-flesh**
قشقون /ت./ = پاردم
قشلاق /ت./ **winter quarters**
قشنگ [1] /ص./ **pretty; handsome**
قشنگ [2] [عامیانه] /ق./ **nicely, well**
قشنگی **prettiness**
قشو /ت./ **currycomb**
قشو کردن to curry *or* comb
قشور [جمعِ قشر]
قشون /ت./ [old word for ارتش]
قصّ [کمیاب] /ع./ = سینه
عظم قص، جناغ سینه wishing-bone
قصاب /ع./ = گوشت‌فروش
قصابی /ع. فا./ = گوشت‌فروشی
قصابخانه [1] /ع. فا./ **butcher's** (shop)
قصابخانه [2] /ع. فا./ = کشتارگاه
قَصار /ع./ **fuller**
قِصار [جمعِ قصیر] /ع./
کلمات قصار aphorisms
قَصاص /ع./ **laburnum**

قِصاص /ع./ **retaliation, punishment**
قصاص کردن to punish
قصاص قبل از جنایت (act based on) prejudgement; [*o.s.*] punishment of a crime not yet committed
قصائد [جمعِ قصیده]
قصب /ع./ **reed, cane; windpipe; kind of fine linen;** ← نی
قصبات [جمعِ قصبه]
قصب‌الجیب[1] /ع./ [*fig.*] **pen**
قصب‌الجیب[2] /ع./ = نی؛ نیشکر
قصب‌الذریره /ع./ **calamus, sweetflag**
قصبه [جمع: قصبات] /ع./ **borough, small town; reed,** [*rare*] **cane**
قصبة‌الرّیه /ع./ **trachea, windpipe;** ← نای
قصبی /ع./ **tibial; fibular; tracheal**
قَصد /ع./ **intention; purpose; attempt**
قصد داشتن to have an intention, to intend; to mean
قصد کردن to intend; to determine
قصد جان وی راکردند. ***They made an attempt on his life.***
از قصد = قصداً
به قصدِ with the intention of
قصداً /ع./ **intentionally, on purpose**
قصدی /ع. فا./ **intentional**
بچهٔ قصدی changeling, elf-child
قَصر [جمع: قُصور] /ع./ = کاخ
قِصر در رفتن [عامیانه] **to go scot-free, to save one's skin**
قصص [جمعِ قصه]

قُصور[1] /ع./ **shortcoming; omission;** [*rare*] **defect;** عیب؛ کوتاهی ←
قصور ورزیدن to fail, to come short
قصور ورزیدن از to neglect
قصور[2] [جمعِ قصر]
قِصه [جمع: قصص] /ع./ = داستان **tale, story**
قصه کردن to narrate
قصه کوتاه کردن to shorten the story, to sum up
قَصیده [جمع: قصائد] /ع./ **elegy, laudatory, elegiac** ***or*** **satirical poem, "purpose-poem"**
قصیر /ع./ = (قد) کوتاه **short**
قَصیل /ع./ **green barley for fodder**
قَضاء /ع./ **judgement; decree; destiny, fate; accident, chance**
قضاء شدن to lapse
قضای حاجت کردن to ease nature
از قضا، قضا را by chance; it (so) happened that
قضاوَت [غلط مشهور] = قضا **judgement**
قضاوت کردن to judge
قضاة، قضات [جمعِ قاضی]
قضائی /ع./ **judicial, juridical, legal**
قضیب [جمع: قضبان] /ع./ = میل؛ شاخه
قضیه [جمع: قضایا] /ع./ **case; theorem, proposition, premise** ***or*** **premiss;** [*gram.*] **clause**
قضیهٔ بدیهیه axiom
بی‌خبر از قضایا unaware of what is (*or* was) going about
قُطاب /ع./ (kind of pastry like) **turnover**

قطار /ع./ **train; row, file**
قطار کردن to set in a row ***or*** file; to make a string of
قِطاع /ع./ **sector** (of a circle)
قُطّاع [جمعِ قاطع]
قَطّاعی /ع. فا./ (act of) **scissoring out**
قُطب [تثنیه: قطبین] /ع./ **pole; axis, pivot**
قطب‌نما /ع. فا./ **compass**
قطبی /ع./ **polar**
ستارهٔ قطبی the North Star ***or*** Pole-star
قُطر /ع./ [جمع: اقطار] **diameter; thickness; diagonal;** ←
قطر درونی لوله calibre
قطرِ ظلّ تمام cosecant
قطرات [جمعِ قطره]
قَطران /ع./ = قیر **tar**
جوهر قطران creosote
قُطرُب /ع./ **chorea, saint Vitus's dance**
قطره [جمع: قطرات] /ع./ **drop**
قطره‌قطره drop by drop
قطره‌قطره چکیدن to drip, to fall in drops
قطره‌چکان /ع. فا./ **dropping-tube, dropper**
قط‌زن /ع. فا./ **bone on which pens are nibbed, pen-cutter**
قَطع /ع./ **cutting, amputation; interruption; severance; settling, fixing; form, cut, size**
قطع کردن = بریدن to cut (off); to break off, to interrupt; to fell (as a tree); to settle (upon), to fix: قیمت آن را اول قطع کنید; to decide; to switch off; to ring off
قطع امید کردن to lose hope, to despair

قطع روابط کردن to break off relations, to come to a rupture
قطع رحم [کمیاب] breaking off ties of relationship
قطع زائد hyperbola
قطع مکافی parabola
قطع ناقص ellipse
قطع نظر از apart from, irrespective of
به‌طور قطع = قطعاً
بیع قطع irrevocable sale
قطع [جمعِ قطعه]
قطعاً /ع./ **certainly; absolutely;** ← اصلاً
قطعات [جمعِ قطعه]
قطع‌نامه /ع. فا./ **statement, manifesto**
قِطعه [جمع: قطع، قطعات] /ع./ **piece; section, part; segment; tract, plot; fragment of an elegy** (often an an independent poem)**; continent;** ← پاره، تیکه
قطعه قطعه کردن to cut to pieces; to parcel
قَطعی /ع./ **final; definite; decisive; positive, certain; outright; irrevocable; fixed, last:** بهای قطعی
به‌طور قطعی = قطعاً
قطعیت /ع./ **final nature**
به چیزی قطعیت دادن to finalize something
قَطور /ع./ **thick, voluminous**
قطیفه /ع./ **bath-towel; bathing-wrap, bath-robe**
قعر /ع./ **bottom; depth; abyss;** ← ته
قعود /ع./ **sitting;** ← نشستن
قفا [صورت‌اختصاری زبان در قفا] /ع./ **nape of the neck; [*ext.*] neck**
قفا خوردن [ادبی] to receive a slap on the neck
از قفایِ کسی رفتن to follow someone
قفائی [از ریشه قفا] **of the colour of lavender, mauve;** ← زبان در قفا
قفرالیهود /ع./ **jews'-pitch, bitumen of Judea**
قفس، قفص /ع./ **cage**
قفسه /ع. فا./ **cupboard, set of shelves**
قفسهٔ سینه thorax
قفسه‌بندی /ع. فا./ **arrangement of shelves, shelving**
قفقاز(ی) **Caucasia(n)**
قفقازیه **Caucasia**
قُفل /ع./ **padlock**
قفل ابجد، قفل حروفی combination lock, letter-lock
قفل مغزی lock
قفل کردن to lock
قفل‌ساز /ع. فا./ **locksmith**
ققنس /ع. ی./ **phoenix**
قُلاب /ع./ **hook; [*chem.*] valence**
قلاب کردن to curve like a hook
به قلاب زدن to hang on, to fasten with a hook
دلش قلاب شد. [عامیانه] He was affected with colic.
قلابدار /ع. فا./ **hooked**
قلابدوز /ع. فا./ **crocheter**
قلابدوزی /ع. فا./ **crochet work; crocheting**
قلاب‌سنگ /ع. فا./ = سنگ‌قلاب
قلابی /ع. فا./ **faked, phon(e)y**
قلاج /ت./ **fathom**
قَلاده /ع./ (dog's) **collar**
سه قلاده سگ three dogs
قلاش[1] **rogue**
قلاش[2] = مفت‌خور؛ میگسار؛ لوده
قلاع [جمعِ قلعه]
قُلاع [کمیاب] /ع./ = برفک
قلاویز [از ت. غلاغوز "guide"] **tap;** ← حدیده
قَلب[1] [جمع: قلوب] /ع./ = دل **heart; [*fig.*] mind; courage; centre**
از ته قلب most heartily, sincerely
قوّت قلب assurance; stout heart
قَلب[2] /ع./ **inversion; permutation; [*adj.*] counterfeit, base**
قلب کردن to invert
قلب ماهیت transmutation
قلباً /ع./ **heartily, cordially**
قلب‌الاسد /ع./ **[*astr.*] Regulus, Alpha Leonis; [*ext.*] the dog-days**
قلب‌العقرب /ع./ **[*astr.*] Antares, Alpha Scorpio**
قلبزن، قلبساز /ع. فا./ **coiner of base money**
قلبه = قلوه، کلیه
قلبی /ع./ **heartfelt, cordial**
خال قلبی [*c.p.*] heart
قلت /ع./ = کمی
قلتاق /ت./ **saddle-tree**
قلتبان **cuckold; effeminate person**
قلچاق [کمیاب] /ت./ **gauntlet**
قلچماق /ت./ **strong, robust**
قلدر /ت./ **tough guy; bully; one who by using violence imposes his unjust views on others**
حکومت قلدری sword-law
قُلزُم /ع./ **clysma**
دریای قلزم the Red Sea
قَلع، قلعی /ع./ **tin; eradication, evulsion**
قلع و قمع کردن to eradicate

قلعه [جمع: قلاع] /ع./ **castle; fort;** ← دژ
قلعه رفتن to castle
قلعی /ع. فا./، قلع **tin**
قلفه ← غلفه
قَلَق /ع./ = اضطراب
قِلِق /ت./ **mood; habit**
قلق کسی را بدست آوردن [عامیانه] to get the length of one's shoes
قلل [جمعِ قله]
قَلم [جمع: اقلام] /ع./ **pen; item, entry;** [*fig.*] **variety; style, penmanship;** ← خامه
قلم پا shin, shin-bone
قلم حجاری boasting chisel
قلم حکاکی engraving chisel
قلم گچ crayon
قلم نی reed pen
قلم خوردن to be crossed out; to be cancelled ***or*** altered
قلم زدن[1]، قلم کشیدن to write off, to cross out
قلم زدن[2] to chase, to engrave
قلم کردن to break, to cut in two (as a bone)
از قلم افتادن to be omitted in writing
به قلمِ آقای ح. by (i.e. written by) Mr. H.
قلم‌انداز [زبان لاتی] /ع. فا./ **scribblingly, rapidly**
قلمتراش /ع. فا./ **penknife**
قلم‌خوردگی /ع. فا./ **alteration; cancellation;** ← قلم خوردن
قلم‌خورده /ع. فا./ **crossed out; cancelled; altered**
قلمداد کردن /ع. فا./ **to figure; to present, to give; to declare**
قلمدان /ع. فا./ **pen-case**

قلمدوش کردن [عامیانه] /ع. فا./ **to carry astraddle on one's shoulders**
قلمرو /ع. فا./ **realm, jurisdiction; area**
قلم‌زده /ع. فا./ **crossed out; engraved; chased; etched**
قلمزن [کمیاب] /ع. فا./ **quill-driver; engraver**
قلمستان /ع. فا./ **nursery for raising trees**
قلمکار /ع. فا./ (printed) **calico, figured calico, print**
قلم‌مو /ع. فا./ **painting-brush**
قلمه /ع. فا./ **cutting, slip, scion**
قلمه زدن to propagate by slips
قلمی /ع. فا./ **tapering, slender; crystallized; etched; engraved; clerical**
شورهٔ قلمی potassium nitrate
قلمی داشتن [منسوخ] = نوشتن
قلندر /ع. فا./ **calender: mendicant *or* wandering dervish**
چادر قلندری bell tent, gipsy-tent
قلنسوه [کمیاب] /ع./ **mitre**
قلوب [جمعِ قلب]
قَلّ و دَلّ /ع./ **concise and expressive, laconic**
قلوه [از ع. کلیه] **kidney**
قلوه‌سنگ **rubble-stone**
قلوه‌کن کردن [عامیانه] **to tear** (something) **so that a piece is cut out of it, to tear it in the middle**
قله [جمع: قُلل] /ع./ **summit;** [*fig.*] **climax**
قُلی [در ترکیب، اسم‌خاص] /ت./ = پسر **son**
قَلیا /ع./ **alkali**

قلیای قمی، قلیای صابون‌پزی barilla
جوهرِ قلیا carbonate of soda
شبه قلیا alkaloid
قلیاسنج /ع. فا./ **alkalimeter**
قَلیان [از غلیان] **hookah, nargileh**
قلیانی /ع./ **alkaline**
قلیج [کمیاب] /ت./ = شمشیر
دست قلیج the decisive ***or*** odd game at backgammons
قلیل /ع./ = کم **little, few**
قلیل‌المدت /ع./ = کم‌مدت
قلیه /ع./ [dish like fricassee]
قلیهٔ انتظار barmecide feast
قُمار /ع./ **gambling**
قمار کردن to gamble (away)
قمارباز /ع. فا./ **gambler**
قماربازی /ع. فا./ **gambling**
قماربازی کردن to gamble
قمارخانه /ع. فا./ **gaming-house, gambling-house**
قماری /ع. فا./ **hazardous, aleatory, speculative**
قماش [جمع: اقمشه] /ع./ **piece goods, textile fabrics;** [*fig.*] **type**
قُمپز درکردن [زبان لاتی] **to bluff *or* swagger**
قمچی /ت./ **switch, horse-whip**
قمر [جمع: اقمار، اسم‌خاص] /ع./ **moon; satellite;** ← ماه
قمردرعقرب /ع. فا./ **mansion of the moon confronting the Scorpio and believed by some to have an unlucky consequence**
قمری /ع./ **lunar;** ← شمسی
قُمری /ع./ **turtledove, ringdove**
قَمع /ع./ **suppression; battering**

قُمقمه /ع./ flask; thermos-pot
قَمه straight poniard
قنات [جمع: قنوات] /ع./ subterranean canal
قَناد /ع./ confectioner
قنادی /ع. فا./ confectionery
قناره /ع./ butcher's hook, gambrel
قناری /فر./ canary(-bird)
قناص [n.] angulation; angular piece of land; [adj.] angular; crooked; [fig.] odd-shaped, bizarre; shabby-looking
قناعت /ع./ contentment
قناعت کردن to be contented, to content oneself
قنبر [اسم‌خاص] /ع./
قند /ع. فا./ lump sugar, cube sugar
شیرهٔ قند molasses
قند سوخته caramel
مرض قند diabetes mellitus
قند کله loaf-sugar
قند کلوخه lump sugar
قند توی دلش آب شد. [عامیانه] He was all smiles.
قنداغ hot water with sugar
قنداق /ت./ swaddling-clothes, -bands; [rifle, gun] stock
قنداق کردن to swaddle, to swathe
قنداقه /ت. فا./ gunstock
قندان /ع. فا./ sugar-bowl
قندران caoutchouc
قندگیر /ع. فا./ sugar-tongs
قندی /ع. فا./ sugared, candied
قنوات [جمعِ قنات]
قنوط /ر./ knout
قو /ت./، غو swan
پرِ قو eider-down

قو /ت./ amadou, German tinder, touchwood
قُوا /ع./ forces; faculties; → [جمعِ قوه]
تجدید قوا reinforcement
قواره (dress) length; [fig.] stature, figure *or* cut
قواره کن quarryman
قواعد [جمعِ قاعده]
قوافی [جمعِ قافیه]
قوّال /ع./ = خنیاگر، قصه‌گو
قَوام /ع./ straightness; stature
قِوام [اسم‌خاص] /ع./
[o.s.] consistency, firmness; existence; order
قوام بول pellicle of the urine
قوام گرفتن to get into shape; to be settled
قوانین [جمعِ قانون]
قوباء /ع./ tetter; herpes
قوباء اصغر [کمیاب] = زرد زخم
قوت /ع./ nourishment, food
قوت لایموت scanty food
just enough to keep one alive
قوَت /ع./ strength, force; faculty; authority; → قوه؛ زور؛ نیرو
قوت دادن to strengthen; to give nourishment (to); to reinforce
قوت گرفتن to take vigour, to gather strength
به قوت خود باقی بودن to remain in force, to continue to be valid
قوت قلب assurance; courage; stout heart
قورباغه /ت./ frog; → غوک؛ وزغ
سنگ قورباغه toadstone
علف قورباغه ironwort

قورخانه /ت. فا./ = زرادخانه
قوری tea-pot
قوز[1] /ا./ hump; protuberance
قوز بالای قوز kick in the pants, one difficulty added to another
سرِ قوز افتادن [زبان لاتی] to get one's back up, to become stubborn
قوز سینه chicken-breast
قوز[2] /ص./ humpbacked; humped
قوز کردن *vi.* to crouch *or* squat; *vt.* to hump
قوزپُشت humpbacked
قوزدار[1] protuberant
قوزدار[2] = قوزپشت
قوزک = غوزک
قوزی humpback(ed)
قوس [جمع: اقواس، کمیاب] /ع./ bow; arc; [astr.] Sagittarius; old name of آذر ; → کمان
قوس آورتا arch of the aorta
قوس تربیع quadratrix
قوس خارجی extrados
قوس داخلی intrados
قوس قُزَح rainbow
قوش /ت./ falcon
قوش جرّه male falcon
قوش طور، قوش ماده female falcon
قوش قزل goshawk
قوشی /ت. فا./ aquiline
قوطی /ت./ small box; can, tin
قوطی چای tea-caddy
قوطی سیگار cigarette-case
قوطی کبریت match-box
در قوطی ریختن to can *or* tin
قوطی بازکن /ت. فا./ tin-opener, can-opener
قول [جمع: اقوال] /ع./ promise, word; speech; saying

قول دادن to promise
قول گرفتن از
to make (someone) promise
قول شرف word of honour,
parole d'honneur
سر قول خود ایستادن
to abide by one's word
زیر قول خود زدن
to go back on one's word
از قول من به او بگو ***tell him for me***
حسن از قول علی گفت
Hassan quoting Ali said
به قول شما according to you,
as you say
قولنامه /ع. فا./ **written promise, preliminary agreement**
قولنج /ع. ی./ **colic**
قولنج امعاء gripes
قولنج ایلاوس ileus,
iliac passion
قولنج سربی lead colic,
painter's colic
قولون /ع. ی./ [*anat.*] **colon**
ورم قولون colonitis
قوم [جمع: اقوام] /ع./ **people, nation; tribe; group of followers**
قوم و خویش relative(s)
قـــوم و خـــویشی /ع. فـا./ = خویشاوندی
قومیت /ع./ **racial** ***or*** **national character; relationship; clanship**
قوّه [از ع. قوّت، جمع: قوا]
power, strength, force, energy; faculty: قوهٔ ناطقه ; **authority; battery**
قوّه دادن (به) to strengthen
از قوه به فعل آوردن to realize;
to bring into effect
قوّه‌اش نمی‌رسد که... ***he is not strong enough to..., he cannot afford to...***

پنج به قوهٔ ۳ 5^3
قوی [مؤنث: قویه] /ص. ع./
نیرومند ← **strong, powerful;**
احتمال قوی می‌رود
there is a strong probability
قویاً /ع./ **strongly**
قـوی‌البنیـه /ع./، قـوی‌بنیـه /عف./ **physically strong, robust**
قوی‌القلب /ع./
stout-hearted
قوی‌پنجه /ع. فا./ **of strong claws;** [*fig.*] **strong**
قوی‌هیکل /عف./ **huge; formidable, robust; well-set**
قهار[1] /ص. ع./ **very powerful, omnipotent**
قهار[2] /ا. ع./ **avenger** ***or*** **subduer: epithet of God**
قهر /ع./ **wrath, anger; violence, force; sulking**
من با او قهر هستم. I am not
on speaking terms with him.
قهر کردن to sulk;
to walk out in protest;
to break off relations
قهرش گرفت.
He flew into a rage.
قهر خود را سر کسی خالی کردن
to vent one's anger on
someone, to pour out one's
fury on him
قهراً /ع./ **by force, forcibly; naturally; automatically**
قهرمان **hero; champion**
قهرمان رانندگی
champion driver
قهرمانی [*n.*] **championship;**
[*adj.*] **promoting championship**
قهری [مؤنث: قهریه] /ع./
forcible; natural; automatic
قهقرا /ع./ **retrogradation**
به قهقرا رفتن to retrograde

قهقرائی /ع. فا./
retrogressive
سیر قهقرائی retrogradation
قهقهه /ع./ **boisterous laugh**
قـهقـهه زدن
to roar with laughter
قهوه /ع./ **coffee**
قهوهٔ بی‌شیر black coffee
جوهرِ قهوه caffein(e)
قهوه‌ای /ع. فا./ **coffee-brown**
قهوه‌جوش /ع. فا./ **coffee-pot**
قهوه‌چی /ع. ت./
tea-shop keeper;
[*o.s.*] **coffee-housekeeper**
قهوه‌خانه /ع. فا./ **tea-house, coffee-house, tea-shop**
قهوه‌خوری /ع. فا./، فنجان ـ
قهوه‌خوری **coffee-cup**
قی /ع./ **vomiting**
داروی ضدّ قی antemetic
قی خونی hematemesis
قـی آوردن to provoke
vomiting
قی کردن to vomit
چشمانش قی گرفته است.
He has sleep in the corner
of his eyes.
قیاس /ع./ **analogy; deduction**
قیاس کردن to infer
by analogy, to analogize;
to syllogize
قیاس به نفس کردن
to measure other people's
corn by one's own bushel
قیاس کاذب paralogism
بر قیاسِ on the analogy of
قیاساً /ع./ **analogically, by analogy** ***or*** **comparison**
قیاسی /ع./ **analogical; deductive;** [*gram.*] **regular**
قیاصره [جمعِ قیصر]
قیافه /ع./ **physiognomy, mien**

قیافه‌شناس /ع. فا./ **physiognomist**
قیافه‌شناسی /ع. فا./ **physiognomy**
قیام /ع./ **rising; insurrection, revolt;** ← جنبش، نهضت
قیام کردن to revolt *or* rise
تا قیام قیامت [عامیانه] till doomsday, for ever and a day
قیاماً /ع./ **by rising *or* standing; in a standing posture**
قیامت /ع./ = رستاخیز **resurrection**
قیامت کردن to do something marvellously well, to be a prodigy of something
قیامت بر پا کردن to kick up a row
قی‌آور /ع. فا./ **emetic**
قیچی /ت./ (pair of) **scissors**
قیچی کردن to scissor (out); to cut (up); to shear
قیچیِ باغبانی pruning-shears
قید [جمع: قیود] /ع./ **press, cramp;** [*fig.*] **tie, bond, obligation; stipulation, reservation; care;** [*gram.*] **adverb**
قید کردن to stipulate
در قید چیزی بودن to care for *or* be particular about something
قید چیزی را زدن [عامیانه] to abandon *or* forget something
بدون قید و شرط unconditional(ly)
در قید حیات بودن to be living
قیدی /ع. فا./ **adverbial**
قیر /ع./ **tar**
قیرزدن، باقیراندودن to smear with tar, to bituminize
قیر حل شده cutback
قیر خیابان asphalt
قیر معدنی bitumen
قیراط /ع. ی./ **carat**
قیراندود **tarred, smeared with tar**
قیراندود کردن to smear with tar, to bituminize
قیرگون [ادبی] **pitch-dark, black**
قیروان [کمیاب] **environs of the earth, horizon; end**
قیری[1] **bituminous**
قیری[2] = قیرگون؛ قیراندود
قیسی، قیصی [از ت. قایسی [variety of apricot] [apricot
قیش /ت./ **thong, strap**
قیصر [جمع: قیاصره] /ع./ **Caesar**
قیصوم [گیاه‌شناسی] /ع./ = خاراگوش
قیصوم ماده wormwood
قیصوم نر southernwood
قیطان /ت./ **braid, cord**
قیف **funnel;** [*brain*] **infundibulum**
قیفی **funnel-shaped**
بستنی قیفی cone icecream
نان قیفی cornet
کلاه قیفی dunce's cap
قیقاج /ت./ [*n.*] **shooting backward; Parthian shot, Parthian shaft;** [*adv.*] **obliquely; backwards;** [*adj.*] **oblique**
قیل و قال /عف./ **noise, din, fuss**
قیل و قال کردن to make a noise; to wrangle
قیلوله [کمیاب] /ع./ **siesta**
قیلی‌ویلی رفتن [زبان لاتی] **to have a gnawing sensation, to turn over:** شکمم قیلی ویلی می‌رود
قَیِم /ع./ **guardian, tutor**
دولت قیم mandatory
قیماق /ت./ **scum of milk, cream**
قیمت /ع./ = بها **price, cost, value**
قیمت کردن[1] to inquire the price of
قیمت کردن[2] = ارزیابی کردن
قیمتی /ع. فا./ = پربها
قیمومت /ع./ **guardianship, tutorship; mandate**
قیمه /ت./ **minced meat, hashed meat**
قیمه کردن to mince, to hash
قیمه و قرمه کردن [زبان لاتی] to beat black and blue, to make a mince-meat of
قُیود [جمعِ قید]
قُیودات [جمعِ قیود، قید]
قَیوم /ع./ **self-existent**

ک

کاباره /فر./ **cabaret**
کابل /فر./ **cable**
کابوتاژ /فر./ **cabotage, coasting**
کابوس /ع./ = بختک
کابین **marriage-settlement; dower**
کابینه[1] /فر./ **cabinet** (council)
کابینه[2] /فر./ = آبریز
کاپوت /ر. فر./ **bonnet;** [*automobile*] **French leather**
کاتالوگ /فر./ **catalogue**
کاتوزی [کمیاب] **clergyman**
کاتِ کبود **sulphate of copper**
کاتِب [جمع: کُتّاب] /ع./ = نویسنده **writer, scribe, amanuensis**
کاتولیک /فر./ **Catholic**
کاج (scotch *or* red) **pine**
برگ کاج pine-needle
چوب کاج deal
کاجی **pineal; coniferous**
کاجیره = کافیشه
کاچی [dish of flour/ sugar/ fat and spices given to parturient women]
کاخ **palace**
کادر /فر./ **staff, cadre, framework**
کاذِب[1] /ص. ع./ **false**
کاذِب[2] [جمع: کَذَبه] /ا. ع./ **liar**
کاذب[3] /ص. ع./ = دروغگو
کاذبانه /ع. فا./ **falsely, untruthfully**

کار[1] **work; labour; employment, job, business; task, duty; workmanship; act; affair; case; matter**
کار چند دقیقه نیست. ***It is not a matter of a few minutes.***
کارکردن to work; to operate *or* run (as a machine); to wear: کفشها یک سال کار خواهد کرد.
شکمش کار نکرد. His bowels did not move.
کاری نمی توان کرد. Nothing can be done.
کار گذاشتن to instal, to fix, to work in place
از کار افتادن to be disabled; to be laid up; to be upset: کابینه از کار افتاد
از کار انداختن to disable; to lay up (as a machine); to upset; to discharge, to remove from office
به کار آمدن، به کار خوردن to (prove to) be useful
-(به) کار افتادن to start to operate *or* run (again)
به کار انداختن to commission, to operate, to work (as a mine); to invest
به کار بردن to use
(به) کار بستن to apply; to put into practice
به کار رفتن to be used; to be useful
به کار زدن to find some use for; to use
به کار گرفتن to employ *or* exploit
سرِ کار at work
با شما کار دارم. I want to have a word with you.
چه کار دارید؟ ***What is your business*** (***here***)***?, what can I do for you?***
خیلی کار دارم. I am very busy.
این کاری به مذهب ندارد. That has nothing to do with religion.
کاری به (کار) او نداشته باشید. Let him alone.
کاری ندارد ***there is nothing hard about it, it is every man's work***
کار او نیست. ***He is not likely to have done this. He is not equal to the task.***
کار دستتان خواهد داد it will get you in trouble
کارش ساخته است. It is all over with him. He is done away with.
کارش خراب است. He is ruined. It is all over with him. She has fallen. She is spoiled.
کار از کار گذشته است. The die is cast. It is all over.
کار و بار affair; business
کار[2] [بن مضارعِ کاشتن]
کارآزموده **experienced**
کارآگاه **detective**
کارآمد **skilled; efficient**
کارآموز **trainee**

کارآموزش **training**
کارآموزی **training; probation**
کارآیی **efficiency**
کاربُر **efficient**
کاربُرد **application**
کاربُن /فر./ = کاغذ واگیره **carbon**
کاربنات /فر./ **carbonate**
کارپرداز **person in charge of supplies**
کارپردازی، ادارهٔ کارپردازی **Supply Department**
کارپیچ = بغچه
کار پیش‌بر **feed-dog**
کارت /فر./ **card**
کارت ویزیت visiting-card
کارت پُستال /فر./ **post(al) card**
کارتر /فر./ **oil-pan**
کارتِل /آل./ **cartel, kartel**
کارتن /فر./ **pasteboard box, carton; box-file**
کارتنک، کارتنه **spider**
کارچاق‌کن [زبان لاتی] **go-between who procures means by influencing *or* corrupting others**
کارخانجات [عامیانه، جمعِ کارخانه]
کارخانه **factory, works; studio;** [*watch or clock*] **mechanism**
کارخانهٔ برق power station
کارخانهٔ تعمیر repairing-shop, repair shop
کارد (large) **knife**
کاردش به استخوان رسید.
He was on his beam-ends.
He was driven to extremities.
کارد و کاردکشی داشتن
to be at daggers drawn, to be like a bull and a red rag with each other
کاردار **chargé-d'affaires**

کاردان **ingenious; skilful; experienced; sagacious**
کاردانی **ingeniousness; skill, tact; savoir faire**
کاردساز **knifesmith, cutler**
کاردسازی **cutlery**
کاردیده = کارآزموده
کارزار [ادبی]
نبرد، جنگ ⟵ **battle;**
کارساز **promoting *or* promoter of affairs** [epithet of God]
کارسازی **payment**
کارسازی داشتن
پرداختن ⟵ to pay;
کارشکنی **obstructionism**
کارشناس **expert**
کارفرما **employer**
کارکرد **earning; output**
کارکرده **used, second-hand**
کارکشته **veteran; experienced**
کارکن [*adj.*] **hard-working, toiling; durable, tough;** [*n.*] **physic, purgative**
کارکنان **personnel, employees;** ⟵ [جمعِ کارکن]
کارگاه **working-place, workshop; loom; frame** (holding canvas for embroidery)
کارگر [*n.*] **worker, workman, labourer;** [*adj.*] **efficacious**
کارگردان **stage-manager**
کارگری [*n.*] **situation of a worker;** [*adj.*] **fit for a worker**
خانه‌های کارگری labour quarters
کارگزار **agent, correspondent**
کارگزاری **agency**
کارگزینی، ادارهٔ کارگزینی **Staff Department**

کارگشایی (relieving by way of) **loaning**
بنگاه کارگشایی pawnshop, loan-bank
کارمُزد **piece-work wage; commission**
کارمند **member of staff, employee**
کارمندی **membership of staff**
کارنامه **report card**
کارنده **sower, planter**
کاروان **caravan**
کاروانسرا **carvanserai, inn**
کاروانسرادار **custodian of a caravanserai;** [*rare*] **inn-keeper**
کاروانک [*zool.*] **crane**
کاروان‌کش **dog-star, Sirius**
کاروانی **member of a caravan**
کاروَرز **intern(e)**
کاروَرزی **internship; training**
کاری **effective; mortal:** زخمِ کاری **; active, efficient:** مردِ کاری
کاریابی **procuration of employment**
بنگاه کاریابی employment agency
کاریز[1] **drain, sewer**
کاریز[2] = قنات
کاریکاتور /فر./ **caricature**
کاریکاتورساز /فر. فا./ **caricaturist**
کازینو /فر./ **casino**
کازیه /فر./ **(letter-)tray**
کاسِب [جمع: کسبه] /ع./ **tradesman, business-man**
کاسبرگ **sepal**
کاسبی /ع. فا./ **business, trading**
کاسبی کردن *vi.* to do business, to trade; [*infml.*] *vt.* to earn

کاست، کاستی [ادبی] **decrease; loss**

کاستن (از) [بن مضارع: کاه] *vt.* **to diminish, to decrease; to subtract; to deduct;** *vi.* **to be decreased; to detract**

کاسته[1] /ا./ **subtrahend**

کاسته[2] [اسم مفعول فعل کاستن]

کاسِد /ع./ **dull** (as a market)

کاسک /فر./ **helmet(-like cap)**

کاسکت /فر./ (peaked) **cap**

کاسنی **chicory**

کاسه **bowl, porringer; calyx, cup;** [*guitar*] **belly;** [*tortoise*] **carapace**

کاسهٔ چشم = چشمخانه

کاسهٔ زانو knee-cap, -pan

کاسهٔ سر skull, cranium

کاسهٔ از آش گرمتر more Catholic than the Pope

کاسه و کوزه (poor man's) odds and ends

کاسه و کوزه را سرِ کسی شکستن to lay the blame on someone, to blame it on him

زیر کاسه نیم‌کاسه‌ای هست. There are wheels within wheels. There is something in the wind.

کاسه‌پشت = لاک‌پشت

کاسه‌ترمز /فا. ر./ **brake-drum**

کاسه ساچمه /فا. ت./ **ball-bearing race**

کاسه‌لیس **sycophant; sponger**

کاسه‌لیسی **flattery; sponging on others**

کاسه‌نمد [*motor car*] **oil seal**

کاش، ای‌کاش، کاش‌که [عامیانه] **I wish, O that!**

کاش او را می‌دیدم. I wish I would (*or* could) see him.

کاشانه [ادبی] **lodging; cottage**

کاشتن [بن مضارع: کار] **to sow; to plant;** [*games*] **to spot;** [*fig.*] **to leave in the lurch**

کاشته [اسم مفعول فعل کاشتن]

کاشِف /ع./ **discoverer**

کاشِف به عمل آمد it was found out

کاشکل /فر./ **neckerchief; scarf**

کـاشکی، کـاش‌که [عـامیانه] = کاش

کاشه /فر./ **cachet, wafer**

کاشی، آجرکاشی **glazed tile**

کاشی‌پز، کاشی‌ساز **tiler: maker of glazed tiles**

کاظِم [اسم خاص] /ع./ **one who represses his anger**

کاغَذ **paper; letter; instrument, document**

پول کاغذ paper-money

کاغذبُر **paper-knife; guillotine, paper-cutting machine**

کاغذپاره **scrap of paper**

کاغذسازی **forgery**

کارخانهٔ کاغذسازی paper-mill

کاغذگیر **paper-clip**

کاغذی **of paper; thin as paper; thin-skinned**

گل کاغذی bourgainvillia

کافر [جمع: کفار] /ع./ **unbeliever, infidel; pagan**

کافرماجرا /عف./ **recalcitrant** (in religious matters)

کافری /ع. فا./ **infidelity; heathenism; blasphemousness**

کافور /ع./ **camphor**

کافوری /ع. فا./ **camphorated**

شمع کافوری spermaceti candle

کافه /فر./ **café, coffee-house**

کافه /ع./ = همگی **all**

کافی [مؤنث: کافیه] /ع./ **sufficient, enough**

کافیشه **bastard saffron, safflower**

کافئین /فر./ **caffeine**

کاکا[1] (old) **slave**

کاکا[2] = برادر

کاکاسیاه **negro slave**

کاکائو /فر./ **cocoa**

کاکل **forelock, topknot**

کاکلی [*adj.*] **crested;** [*n.*] **crested lark**

کاکوتی [از ت.] **wild thyme**

کال = نارس **unripe, green**

کالا **goods, merchandise, ware**

کالباس /ر./ **sausage**

کالبد **frame, skeleton; mould, form; body, carcass**

کالبدشکافی **dissection**

کالبدشناس **anatomist**

کالبدشناسی **anatomy**

کالبدگشایی **autopsy**

کالج /ان./ **college;** ← دانشکده

کالسکه /ر./ **coach**

کالک /فر./ **calk, tracing paper**

کام **palate;** [*ext.*] **mouth; mortise;** [*fig.*] **aim;** (object of) **gratification** *or* **fruition**

کام جُستن to seek fruition

کام کسی را دادن to gratify a person's wishes

کام دل گرفتن، به کام دل رسیدن to enjoy fruition; to attain one's aim

به کام [ادبی] as one wishes

کامران، کامَروا **successful, enjoying fruition**

کامرانی **fruition; happy life**

کامِل [مؤنث: کامله] /ع./ **perfect, complete, thorough, full; elderly, of ripe years**
کامِل کردن to complete, to bring to perfection
کامل شدن to be completed; to attain perfect
کاملاً /ع./ **completely, thoroughly, absolutely,** [*adv.*] **all**
کامل‌العیار = تمام عیار
کاملة‌الوداد /ع./ **most-favoured:** دُوَل کاملة‌الوداد
کام ناروا **unsuccessful; disappointed**
کامیاب **successful**
کامیاب شدن to be successful, to succeed
کامیابی **success(fulness)**
کامیون /فر./ **lorry, truck**
کان **mine**
کان سنگ quarry
کاناپه /فر./ **sofa, settee**
کانال /فر./ **canal; duct;** ⟵ ترعه
کاندر [ادبی، صورت‌اختصاری که اندر]
کاندید /فر./ **candidate**
کاندید کردن to nominate
کان‌شناس **mineralogist**
کان‌شناسی **mineralogy**
کان‌کن **miner**
کان کنی mining
کانگورو /فر./ **kangaroo**
کأن‌لم‌یکن /ع./ **null** (and void)
کانوا /ر./ **knitting wool**
کانون[1] /ع./ **fireplace,** [*rare*] **hearth; society** *or* **club;** [*phys.*] **focus**
کانون[2] [name of two Jewish and Syriac months]
کانون اول November, December
کانون دوم December, January
کـانونـی /ع./ **focal:** فاصله کانونی
کانه /ع./ **exactly**
کانی [کمیاب] **mineral;** ⟵ معدنی
کاو [بن مضارعِ کاویدن]
کاواک **hollow;** ⟵ پوک
کاوِش **digging;** [*fig.*] **deep search**
کاوش کردن to investigate
کاویدن [بن مضارع: کاو] **to dig;** [*fig.*] **to search deeply**
کاه[1] **straw; chaff**
پرِ کاه blade of straw
کاه راکوه کردن to make mountains out of mole-hills
کاه[2] [بن مضارعِ کاهیدن، کاستن]
کاهبن **stubble**
کاهدان **straw-rick**
کاهربا = کهربا
کاهِش **decrease; deduction; subtraction**
کاهش یافتن to be decreased *or* diminished
کاهش‌یاب **minuend**
کاهگل **plaster of clay and straw, cob**
کاهگل کردن to thatch with clay and straw
کاهِل /ع./ **indolent, lazy**
کاهلی /ع./ **indolence, laziness**
کاهِن[1] [جمع: کَهَنه] /ع./ **Jewish priest**
کاهِن[2] /ع./ = فالگیر
کاهنده **diminishing; decrescent**
کاهو **lettuce, romaine**
کاهوی پیچ curled *or* cabbage lettuce
کاهی (made) **of straw; straw-coloured**
مقوای کاهی straw-board
کای [ادبی، صورت‌اختصاری که ای]
کاین، کین [ادبی، صورت‌اختصاری که این]
کائِنات [جمعِ کائنه] /ع./ **beings; nature; universe;** [*infml.*] **circumstances**
کائنه [مؤنثِ کائن، کمیاب]
کائوچو /فر./ **caoutchouc, rubber**
کباب **meat roasted on a skewer, roast meat**
کباب کردن to grill, to cook on a skewer; [*fig.*] to cut to the heart
گوشت کبابی roast (meat), steak
کبابه /ع./ **cubeb**
کباده /ع./ **bow-shaped iron instrument used in gymnastics**
کبار [جمعِ کبیر]
کبائر [جمعِ کبیره]
کبد /ع./ = جگرسیاه **liver**
کِبر /ع./ **haughtiness, pride**
کِبَر /ع./ **advanced age**
کبرِ سن senility; majority
کبرا /فر./ **cobra**
کبره **crust; patina**
کبره بستن to form a crust; to indurate
کُبری [مؤنثِ اکبر، اسم‌خاص] /ع./ **major** (term)
کِبریاء /ع./ **grandeur; omnipotence;** [*ext.*] **the Great God**
کِبریت /ع./ **match**
کبریت زدن to strike a match
کارخانهٔ کبریت‌سازی match-factory
اتومبیل‌کبریتی station-waggon
کبست [کمیاب] **colocynth; wild cucumber**
کبک **partridge**

سرِ خود را مثل کبک زیر برف کردن to bury one's head ostrich-like in the sand

کبوتر **pigeon, dove**

کبوترخان **pigeon-house, dovecote**

کبود **dark blue, black and blue; [*sky*] azure; [*horse*] grey**

کبوده **black poplar**

کبودی **dark blue** (colour)

کبودی زدن to tattoo oneself

کبیر[1] /ص. ع./ **great; elder; [*law*] major; [*crime*] capital, mortal;** ← بزرگ

داریوش کبیر Darius the Great

کبیر[2] [جمع: کِبار] /ا. ع./ **major; elder; dignitary**

سفیر کبیر [جمع: سفرای کبار] ambassador

کبیره [جمع: کبائر، مؤنثِ کبیر] /ع./ **mortal sin, capital crime**

کبیسه /ع./ **intercalary**

سال کبیسه leap year

کُپ **demijohn**

کپر **hut, lodge**

کپسول /فر./ = پوشینه **capsule**

کپک **mould, mustiness**

کپک زدن to mould, to get musty

کَپه [از کفه] **mortar-board; pan of a scale**

کُپه **heap, pile**

کپیه /فر./ **copy**

دفتر کپیه copy letter book

مداد کپیه copying pencil, indelible pencil

کپیه کردن to copy; ← رونویس کردن

کَت [صورت تحریف شده کتف]

کتِ کسی را بستن to pinion someone, to bind his arms fast; [*fig.*] to make rings round someone

کِت [ادبی] = که‌ات، که ترا

کُت [از ان. coat] = نیمتنه **jacket**

کِتاب [جمع: کتب] /ع./ **book**

کُتّاب [جمعِ کاتب]

کتابت /ع./ **writing, inscription**

کتابچه /ع. فا./ **booklet; blank-book, note-book**

کتابخانه /ع. فا./ **library**

کتابدار /ع. فا./ **librarian**

کتاب‌فروش /ع. فا./ **bookseller**

کتاب‌فروشی /ع. فا./ **dealing in books**

دکان کتاب‌فروشی bookshop, bookseller's

کتابی /ع. فا./ **bookish; biblical**

کتان [از ع. katan] **linen; flax**

کتان صحرائی dodder

تخم کتان linseed

کتانی /ع. فا./ [*adj.*] **of linen, linen; [*n.*] drill(ing) *or* duck; cotton edging *or* trimming**

کفش کتانی canvas shoe

کتب [جمعِ کتاب]

کتباً /ع./ **in writing**

کتبی /ع. فا./

written: امتحان کتبی

کتره‌ای [زبان لاتی] (said) **with no truth *or* in jest; thoughtlessly**

کتره‌ای می‌گوید.
He doesn't know (*or* mean) what he says.

کتری **kettle; skillet**

کِتف [از ع. کَتِف، جمع: اکتاف] **shoulder(-blade)**

کتک **beating; [*rare*] cudgel**

کتک زدن to beat, to thrash

کتک خوردن to be beaten

کُتَل **steep hill; mountain pass; led horse**

کتلت /فر./ **cutlet**

کتمان /ع./ **reservation, reticence**

کتمان کردن to reserve, to refrain from saying frankly

کته **boiled rice; meal-tub, coal-bin**

کتیبه /ع./ **inscription, epigraph; frieze; coping; epitaph**

کتیرا **gum tragacanth**

کثافات [جمع کثافت]

کثافت [جمع: کثافات] /ع./ **impurity, dirt; density, [*rare*] thickness**

کثافت‌کاری /ع. فا./ **dirty work, sorry work, daubing; making a mess of something**

کثرت /ع./ **great number, large quantity; excess, superfluity**

کثرت استعمال long usage

کثرت جمعیت large crowd, dense population

کثرت خون hyperemia

کثرتِ وقوع frequency

کثیر /ع./ = زیاد **numerous, great; much**

کثیرالاضلاع /ع./ **polygon(al)**

کثیرالانتشار /ع./ **with a wide circulation**

کثیرالتألیف /ع./ **voluminous**

کثیرالزوایا /ع./ **polygonal**

کثیرالمسافره /ع./ **valid for repeated visits *or* frequent travel:** ویزای کثیرالمسافره

کثیرالوجوه /ع./ **polyhedron**

کثیرالوقوع /ع./ **frequent**

کثیف /ع./ = ناپاک، چرک **dirty; dense, [*rare*] thick**

کثیف کردن to make dirty, to soil; to pollute

کج[1] [*adj.*] **crooked; curved; inclined;** [*fig.*] **ill, wrong, unjust; dishonest; perverted;** [*adv.*] **in a crooked manner; in a tilted** *or* **oblique position**
کج شدن to slant; to be distorted
کج کردن to bend, to curve; to slant *or* tilt
دستش کج است. His fingers are lime-twigs.
کج[2]، کژ **raw** *or* **floss silk**
کُجا **where?**
از کجا؟ whence?, how?: از کجا پولدار شد
کجاتان درد می‌کند؟ ***Where do you feel the pain?***
کجاش را دیدی؟ [عامیانه] the worst (*or* best) part of it is behind, it's only the beginning
او اهل کجا است، کجائی است؟ ***Where is he from?,*** i.e. ***of what city*** or ***country is he a native of?***
این کجا و آن کجا there is no comparison between the two
کجاغند [کمیاب] **cuirass quilted with silk**
کجاوه، کژاوه **pannier used in pairs on camels** *or* **mules, camel-litter**
کج بین[1] [کمیاب] **squint-eyed**
کج بین[2] [مجازی] **of unsound judgement**
کج بینی **cross-eye;** [*fig.*] **unsound judgement** *or* **reasoning**
کج خلق /فا. ع./ = بدخلق
کج خیال /فا. ع./ = بدگمان؛ بداندیش
کجدار و مریز **in a middling position, so-so, within judicious bounds**

کج دست **thievish, light-fingered**
کجدم = کژدم
کج راه **perverted; deviating**
کج راهی **pervertedness**
کج رفتار = بدرفتار
کج روی **misbehaviour; perverseness**
کج سلیقه /فا. ع./ **of bad tastes; awkward**
کج طبع [ادبی] /فا. ع./ **ill-natured**
کج فعل /فا. ع./ = بدکار، بدکردار
کج نهاد [ادبی] **ill-set, ill-natured**
کجی **crookedness; dishonesty**
کچل **scald-headed, affected by scalp ringworm**
کچل کردن to pester *or* harass
کچلک بازی [زبان لاتی] **monkey-business**
کچلی **scalp ringworm**
کچوله **nux vomica**
کحال /ع./ = چشم پزشک
کحالی /ع. فا./ **oculist's profession**
کُحل /ع./ = سرمه
کَدّ [کمیاب] /ع./ **toil, labour**
کدِّ یمین manual labour, toil
کُدام **which** (one)**?**
کدام یک؟، کدام یکی؟ which one?
هرکدام whichever; anyone; either one
هیچ‌کدام no one, none, neither
کدامین [ادبی] = کدام
کدبانو **mistress of the house, housewife; thrifty woman**
کدخدا **headman** (of a village)
کدخدامنشی **arbitration** (such as is practised by the headman of a village)

کَدَر [کمیاب] /ع./ **turbidness**
کَدِر /ع./ **turbid;** [*fig.*] **offended**
کدر شدن to be offended; to become turbid
کدر کردن to tarnish; to offend
کدو **squash; marrow**
کدوی تنبل pumpkin
کدوی رشتی squash
کدوی قلیانی، کدوی کشکولی gourd *or* calabash
کدوی مسمایی (vegetable) marrow
کِرم کدو tapeworm
کدودانه **tapeworm**
کُدورَت /ع./ **displeasure, offence, indignation; turbidity**
کدیور = کدخدا، باغبان، برزگر
کذا /ع./ **sic;** [*o.s.*] **thus, such**
کذا و کذا such and such; so and so
کذّاب /ع./ **great liar**
کذائی [عامیانه] /ع. فا./ **the famous..., such and such a...**
کذب /ع./ = دروغ
کَر **deaf**
کر کردن to deafen; to deaden *or* stun (as a sound)
کر و لال deaf-mute
کَرّات [جمعِ کَرّه]
کُرات [جمعِ کُره]
کرّار [کمیاب] /ع./ **who attacks repeatedly**
کِراراً /ع./ **repeatedly**
کرّاسه [کمیاب] /ع./ **fascicle; fragment**
کرام ← کریم
کرامات [جمعِ کرامت]
کرامت [جمع: کرامات] /ع./ **generosity; greatness;** → بزرگی؛ بخشش

کرامت کردن *vi.* to show generosity; *vt.* to grant; بخشیدن ←
کران end; border
کرانه shore, littoral; border; [*rare*] **end**
کراوات /فر./ necktie, tie
کراهت، کراهیت /ع./ aversion; loathsomeness
از چیزی کراهت داشتن to hate *or* abominate something
کراهت‌منظر = زشتی
کراهت‌انگیز /ع. فا./ repulsive; hideous
کرایه /ع./ fare; freight, transport charges, cost of transport; hire, rent
کرایه دادن to hire out, to let out on hire
کرایه کردن to hire; to rent
کرایه‌ای /ع. فا./ on hire; public; hackney
منزل کرایه‌ای lodging(s)
کرایه‌نشین /ع. فا./ tenant, renter
کرباس tent-cloth, canvas; burlap
از سر(و ته) یک کرباس of the same leaven, tarred with the same brush
کرباسی made of canvas *or* **tent-cloth**
متر کرباسی linear metre; متر مربع ←
کرباس‌محله [زبان لاتی] **/ع. فا./ necropolis, bone-yard**
کرپ‌دوشین /فر./ crêpe-de-chine
کرپ‌ژرژت /فر./ georgette (crêpe)
کُرپی /ت./ = اسکله
کَرَجی boat
کرجی موتوری motor boat *or* launch, barque

کرجی‌بان boatman
کُرچ brooding
مرغ کرچ brooding-hen, brooder
کُرچ شدن to brood
کرچک castor beans; castor-oil plant
کرچک هندی croton seeds
روغن کرچک castor-oil
کرخ، کرخت benumbed
کرخ کردن to benumb
کُرد [جمع: اکراد، /ع./] **Kurd**
کِردار act, deed
به کردارِ [ادبی] in the manner of, like
کردارمه /فر./ (army) **corps**
کردگار creator, God
کردن[1] [بن مضارع: کُن] **to do**
کردن[2] [ادبی] **to make**
کردن[3] auxiliary verb used: (a) after an abstract noun *or* an infinitive to change it to a verb
درمان کردن ***to cure***
فرض کردن ***to suppose***
(b) after a concrete noun where it means "to change to" *or* "to make"
آب کردن ***to melt***
کسی را شاه کردن ***to make one a king***
(c) after an adjective where it means "to render" *or* "make"
سخت کردن ***to harden, to make hard***
(d) after an adverb to form a transitive verb
در کردن ***to fire*** (***a gun***)
پایین کردن ***to drop, to cause to descend***
(e) as a substitute for certain verbs of vague nature: آتش کردن
دستکش دست کردن ***to wear gloves***
(f) in impersonal verbs

آفتاب کردن *to clear up*
کَردو sown plot with a raised bank
کرده[1] /ا./ act, deed
کُرده[2] [اسم مفعول فعل کردن]
کُردی Kurdish
کرست /فر./ corset, stays
کِرسنه [کمیاب] **bitter vetch**
کُرسی [*lit.*] **chair; throne; stool; stool-like frame of wood which is covered all about with quilts and blankets and under which a fire is placed for heating the legs in winter;** [*med.*] **department, seat;** صندلی ←
کرسی خطابه rostrum, pulpit
دندان کرسی [عامیانه] molar tooth
حرف خود را به کرسی نشاندن to have the last word
کرشمه ogling, amorous gesture; nod *or* **wink**
به یک کرشمه دو کار کردن to kill two birds with one stone
کَرَف male fern
کَرَفس /ع./ celery
کَرَک = بَدبَده، بلدرچین
کُرک /ت./ down; soft wool, knitting wool; fluff; nap
کُرک شدن to mat (as the hair)
کُرکُر [curtain material like monk's cloth]
کِرکِر خندیدن [عامیانه] **to titter**
کِرکِره‌ای corrugated; made of slats
پنجرهٔ کرکره‌ای shutter; venetian blinds
درِ کرکره‌ای roller shutter
کُرکُری خواندن [زبان لاتی] **to beat about the bush, to evade the main question**

کُرکی /ت. فا./ [*adj.*](made) **of soft wool; downy;** [*n.*]**flannel**
کَرگدَن **rhinoceros**
کرگس، کرکس **vulture**
کَرَم /ع./ **generosity; greatness**
کرم کردن to be generous; to deign to...; ← کرامت
کِرم **worm;** [*fig., infml.*]**inordinate desire**
کرم ابریشم، کرم‌پیله silkworm
کرم پنیر cheese-mite
کرم پهن، کرم‌کود muckworm
کرم تاک vineborer
کرم جرب acarid
کرم حشره larva
کرم خاکی earthworm, rainworm
کرمِ‌درخت، کرم‌صدپا caterpillar
کرم روده ascarid, helminth
کرم کار [عامیانه] veteran, past-master
کرم شب‌افروز، کرم شب‌تاب glowworm
کرم کدو، کرم‌یکتا tapeworm, taenia
کرم مغز coenura (in sheep)
کرم خوردن to be worm-eaten; to decay
کرم ریختن [زبان لاتی] to grimace; to monkey *or* dodge; to act coquettishly *or* pruriently
جوهر کرم santonin
داروی (ضدّ) کرم vermifuge
کِرِم /فر./ [*n.*]**creme, cream; custard;** [*adj.*]**cream(-coloured)**
کرم‌خوردگی **decay;** [*teeth*]**caries**
کرم‌خورده **worm-eaten; decayed**
کرمک **pinworm;** [*med.*]**oxyuriasis**

کرم‌کش **vermicidal**
داروی کرم‌کش vermicide
کِرمو **worm-eaten, decayed**
کرموش **musk-rat**
کرمینه **larva**
کرنا **trumpet, horn**
کُرَند، کُرَنگ **sorrel** *or* **chestnut** (horse)
کُرنش **homage, prostration**
کُرنش کردن to do homage (to), to bow down (before)
کرو [کمیاب] **small sailboat**
کرّوبی /ع./ **cherub**
کروبیان [جمع‌کرّوبی] **cherubim**
کُروچ کُروچ کردن [عامیانه] **to crunch**
کُرور /هـ/ **half a million**
کرّ و فرّ /عف./ **pomp; pride;** [*o.s.*]**attack and retreat**
کُروک /ت./ **hood** (of a vehicle)
کِرّ و کرّ **rumbling noise**
کرّ و کرّ کردن to tarry; to drag
کُرَوی /ع./ **spherical**
کرویات /ع./ **spherical geometry**
کرویت /ع./ **sphericity**
کره **butter**
کرهٔ تقلیدی margarine
روغن کره butter-fat, clarified butter, ghee
کُره[1] [جمع: کرات] /ع./ **sphere, globe**
کرهٔ ارض، کرهٔ زمین the terrestrial globe, the earth
کُره[2] /فر./ **Korea**
کرة، کَرّت [جمع:کرّات] /ع./ **time, turn**
به کرات = بارها repeatedly, time and again
کرّه **young** (of certain animals)
کرهٔ اسب colt

کرهٔ الاغ foal
کرهٔ خر foal, [without the "ezafah"] silly person, impolite child
کرهٔ دریایی sea-horse, [*rare*] hippopotamus
کرهٔ مادیان filly
کَرهاً /ع./ **reluctantly**
کره‌ای **buttery; containing butter**
کره‌سازی، کره گیری **butter-making, churning**
کَری **deafness**
کریاس [کمیاب] = درگاه؛ دربار
کریچه [کمیاب] **cottage, hut**
کریدور /فر./ **corridor, lobby**
کریم[1] [مؤنث:کریمه] /ص. ع./ **generous; great; noble;** ← بخشنده
احجار کریمه precious stones
کـریم[2] [اسم‌خاص، جـمع: کِرام] /ا. ع./ **great** *or* **generous person**
آقایان کِرام gentlemen
اولیای کرام dignitaries, authorities
کریم‌النفس /ع./ **noble-minded**
کریه /ع./ **detestable**
کریه‌الصوت /ع./ **having an unpleasant voice**
کریه‌المنظر /ع./ = زشت
کَز [ادبی، صورت‌اختصاری که از]
کزاز /ع./ **tetanus, lockjaw**
کِز دادن [عامیانه] **to singe**
کِز کردن [عامیانه] **to crouch** *or* **squat; to shrink**
کُزَل **culm; stubble; half-threshed stalks**
کزو [ادبی، صورت‌اختصاری کـه از او]
کزین [ادبی، صورت‌اختصاری که از این]

کژ = کج [در همه مفاهیم]
کژدُم **scorpion**
کژدمه عقربک → **whitlow;**
کژی = کجی
کَس[1] **person**
کَس[2] [جمع: کسان] **companion** *or* **relative**
کَس[3] /ض./ **one**
کَس[4] [ادبی] /ض./ **no one**
کسی someone, somebody, anyone
کسی که one who, he who
هر کس anyone; whoever; everyone
همه کس everyone, everybody
هیچکس no one, nobody
کس و ناکس noble and ignoble, *i.e.* everybody
کس و کار kith and kin
کسِ بی‌کسان he who befriends the forlorn: epithet of God
کساد /ع./ **dullness** (of market); [*adj.*] **dull, stagnant**
کساد کردن to make dull
کسادی [غلط مشهور] /ع. فا./ = کساد **dull market**
کسالت /ع./ **indisposition, slight illness; indolence**
کسالت داشتن to be ill, to not feel well
کسالت‌آور[1] /ع. فا./ **causing sickness**
کسالت‌آور[2] /ع. فا./ = کسل‌کننده
کَسب /ع./ **business, trade; acquisition**
کسب کردن *vt.* to acquire, to earn; *vi.* to do business
مسائل کسبی business matters
کسبه [جمعِ کاسب]
کسر [جمع: کسور] /ع./ **fraction; deduction; discount;** [*fig.*] **detraction**
کسر بها depreciation, devaluation
کسر تمبر داشتن to be understamped
کسر شأن disdain, detraction from one's dignity
کسر صندوق cash deficit, cashier's allowance, risk-money
کسر عمل deficit
کسر آمدن to have a deficit; to run short
کسر شدن to be deducted *or* depreciated
کسر کردن to deduct *or* discount
کسر گذاردن to deduct, to recoup
کسرش می‌شود که... he is too proud to..., it is below his dignity to...
کسور ریال fractions of a rial
دوهزار و کسری 2000 odd
کسره /ع./ **the vowel-point (ـِ) called in Persian** زیر
کسری[1] /ص. ع./ **fractional, missing**
عدد کسری mixed number
کسری[2] /ا. ع./ **missing portion, balance**
کِسریٰ /ع. فا./ = خسرو
کُس شِعر [زبان لاتی] /فا. ع./ **cock and bull story**
کُسِ گربه **venus's shell**
کسِل /ع./ **indisposed,** (slightly) **ill; sluggish;** [*fig.*] **wearied; losing** *or* **having lost, interest**
کسل کردن to weary
کسل‌کننده /ع. فا./ **tedious; humdrum**
کسوَت [کمیاب] /ع./ = پوشاک، لباس
کسور [جمعِ کسر]
کسوف /ع./ **eclipse of the sun**
کِش[1] **elastic** (ribbon/ band *or* web); **India-rubber; elasticity; sash(-window);** [*fig.*] **flexibility**
کش جوراب garter
کش ران groin, inguinal region
کش شیروانی purlin
کش آمدن to stretch, to admit of being drawn out
کش آوردن، کش دادن to stretch, to draw out; [*fig.*] to strain; to wrest; to pervert
کش رفتن [زبان لاتی] to filch, to crib
کَش[2] [بن مضارعِ کشیدن]
کِش[3] [ادبی، صورت اختصاری که‌اش]
کُش [بن مضارعِ کُشتن]
کشاف /ع./ **discoverer; a commentary on the Koran**
شرح کشاف detailed description
کشاکش **struggle; contention**
کشاله **trail, tail**
کشالهٔ ران، کش ران groin
کشاله رفتن [عامیانه] to stretch oneself forward (as for an attack)
کشان کشان (by) **dragging**
کشان‌کشان بردن to carry by dragging, to drag
کشانیدن [بن مضارع: کشان] **to draw** (out); **to prolong, to protract**
کشاورز **agriculturist; farmer**
کشاورزی **agriculture**
کشباف [*n.*] **knitted work, knitwork;** [*adj.*] **knitted**

کِشت cultivation; plantation;
[*bacteria*] culture, incubation
کشت‌کردن to cultivate;
to incubate
کُشت (act of) killing
کُشتار killing; slaughter
کشتار کردن to engage in
massacre; to slaughter
animals
کشتارِ دسته جمعی massacre
کشتارگاه slaughter-house
کِشتزار sown field,
plantation
کشتکار husbandman, tiller
کشتکاری husbandry,
farming
کشتگان [جمعِ کشته]
کِشتن = کاشتن
کُشتن [بن‌مضارع: کش] to kill;
to murder; to put out,
[*lit.*] to extinguish;
[*fig.*] to suppress
به کشتن دادن to cause to be
killed
نفس کشتن [*lit.*] to mortify
one's passions
کشتنی deserving execution;
condemned to death
کِشته[1] /ا./ anything sown,
seed
کِـشته[2] [اسم‌مفعول فعل کِشتن]
کُشته[1] /ص./
آهک کُشته slaked:
کُشته[2] [جمع: کشتگان] /ا./
(body of a) killed person
کشته شدن to be killed
کُشته[3] [اسم‌مفعول فعل کُشتن]
کَشتی ship, vessel, boat
کشتی بادی sailing-vessel,
sail-boat
کشتی باری cargo ship,
freighter
کشتی‌بازرگانی merchant-man
کشتی بخار(ی) steamship

کشتی جنگی warship,
man-of-war
کشتی نوح Noah's ark
کشتی هوایی airship
کشتی یدک‌کش tugboat
کشتی راندن to sail a ship
سوارِ کشتی شدن to embark,
to go on board a ship
سوار کشتی کردن to embark,
to take on board a ship
کُشتی wrestling
کُشتی گرفتن to wrestle
کشتیبان captain *or* pilot of
a ship
کشتیران sailor; navigator
کشتیرانی navigation;
shipping
قابل کشتیرانی navigable
کشتیرانی کردن to navigate
کشتی‌ساز shipwright
کشتی‌سازی ship-building
کارخانهٔ کشتی‌سازی shipyard
کشتی‌شکستگی shipwreck
کشتی‌شکسته shipwrecked
کُشتی‌گیر wrestler
کُشتی‌گیری wrestling
کِش‌دار elastic;
[*fig.*] flexible
کشش draught, haulage,
traction; tension; [*fig.*] allure
کشف /ع./ discovery,
detection
کشف کردن to discover
کشف‌الآیات /ع./
concordance
کشف‌الابیات /ع./ index of
verses
کشفیات /ع./ discoveries
کشک dried whey
کشکت را بساب. [زبان لاتی]
Mind your own business.
کَشکول cup suspended
by a chain and carried by a
dervish; [*o.s.*] sea-cocoanut

کشکول گدایی دست گرفتن
to send round the hat
کشکی[1] [عامیانه] ironical(ly)
کشکی[2] [عامیانه] phoney *or*
sham
کشکی[3] [عامیانه] = کتره‌ای
کِشمش raisin
کشمش بی‌دانه sultana
کشمش پلوی small plums
کشمش کولی mistletoe
کشمشک mistletoe
کشمکش conflict, scuffle;
skirmish
کشمکش کردن to scuffle;
to struggle *or* contend
کشمیری (native) of
Cashmere
شال کشمیری cashmere shawl
کِشنده [*adj.*] attractive;
who draws *or* smokes;
[*n., rare*] smoker; painter
کُشنده [*adj.*] fatal;
[*n.*] murderer; → طاقت‌فرسا
کِشو drawer; slide;
[*door*] bolt
در کشوی sliding door
کش‌وا‌کش
کشاکش → convulsion;
کِشور [اسم‌خاص] country
دیوان کشور Supreme Court,
High Court of Cassation
وزارت کشور Ministry of
the Interior, Home Office
کشورگشائی [ادبی] conquest
کشوری civil; pertaining
to the State
کشیدگی protraction;
tallness
کشیدن [بن‌مضارع: کش]
to draw; to drag, to pull,
to haul; to carry: بار کشیدن;
to protract; to stretch,
to extend: سیم کشیدن;
to serve (as food);

to extract, to express;
to smoke: سیگارکشیدن ;
to weigh: آرد را بکشید ;
to paint: تصویر کشیدن ;
to lead: لشکر کشیدن ;
to last: دو روز بیشتر نکشید ;
to suffer, to endure: سختی‌کشیدن

کشیده[1] /ص./ **protracted; elongated:** صورت کشیده ; **tall**

کشیده[2] /ا./ **slap, box on the ear**

کشیده[3] [اسم‌مفعول فعل کشیدن]

کشیش **priest**

کشیشی **priesthood**

کِشیک /ت./ **watch, guard; post**

کشیک دادن to be on duty (as a sentinel), to keep watch

کشیک کشیدن to watch, to keep watch; to guard

کشیک‌چی /ت./ **watchman, sentinel**

کظم [کمیاب] /ع./ **restraining, curbing**

کظم غیظ کردن to restrain *or* curb one's anger

کَعب /ع./ **cube-root; ankle-bone;** [*rare*] **die; base,** [*rare*] **bottom**

کعبتین [تثنیهٔ کعبه] /ع./ **the two Kaabas; pair of dice**

کعبه /ع./ **Kaaba;** [*fig.*] **centre-point; chief aim**

کَف[1] **froth, foam; scum;** [*soap*] **lather**

کف دریا sea froth; cuttle-bone; meerscham

کـف آوردن to cause to lather

کف کردن to lather; to foam

کف[2] [از ع. کَف] [*hand*] **palm;** [*foot*] **sole**

کف[3] [*shoe*] **insole, sock**

کف[4] [*room, etc.*] **floor;** [*stocking*] **foot;** [*road*] **bed**

کف درگاه sill

کف زدن to clap (the hands); to applaud

از کف دادن [ادبی] to give away

مگر کف دست بـو کـرده بـودم؟ [عامیانه] How was I expected to know?

کفّ /ع./ **restraining; denial**

کف‌نفس self-restraint, self-control; ⟵ خودداری

کفار [جمعِ کافر]

کفاره، کفارت /ع./ **expiation, atonement**

کفاره دادن to make an atonement, to atone

کفاره کردن to atone for, to expiate

کفاش [غلط مشهور] = کفشدوز

کفاشی [غلط مشهور] = کفشدوزی

کفاف /ع./ **sufficiency; livelihood**

کفاف دادن to suffice

کفالت /ع./ (personal) **surety, guarantee**

کفالت کردن to act as surety, to become (*or* go) bail; to act for someone in a position

کفالت وزارت جنگ را داشت. He was the Acting Minister of War.

کفایت /ع./ **sufficiency;** [*fig.*] **capability, efficiency**

کفایت کردن to be sufficient; to suffice

به قدر کفایت sufficiently, enough

آب به قدر کفایت هست. ***There is enough*** (or ***plenty of***) ***water.***

کفایت مذاکرات closure, winding up the debate

عدم‌کفایت insufficiency; inefficiency

کف‌بین /ع. فا./ **palmist**

کف‌بینی /ع. فا./ **palmistry**

کَفتار **hyena**

کَفتر [عامیانه] = کبوتر **pigeon**

کفتر پرقیچی decoy

کفترباز **pigeon-fancier**

کفچه /ع. فا./ **ladle, skimmer**

کُفر /ع./ **blasphemy**

کفر گفتن to utter blaphemy, to swear, to curse

کفر نعمت = کفران (نعمت)

کفر کسی را بالا آوردن [عامیانه] to drive one mad; [*o.s.*] to cause him to utter blasphemy

کفرآمیز /ع. فا./ **blasphemous, profane:** سخنان کفرآمیز

کفران /ع./، **کفران نعمت** **ingratitude**

کفران نعمت کردن to be guilty of ingratitude

کَفش **shoe**

کفش برفی snow-shoe

کفش چوبی sabot, clog

کفش‌سرپایی، کفش‌دمپایی slippers

کفش کسی را جفت کردن to show one the door

هر دو پا را در یک کفش کردن to persist in one's opinion *or* demand

کفش‌پاک‌کن **door-mat; scraper**

کفشدوز **shoemaker**

کفشدوز (ک) **lady-bird, lady-bug**

کفشدوزی **shoemaking**

کفش‌کن **sill, threshold**

اطاق کفش‌کن anteroom

کف‌شناس = کف‌بین

کفشیر **solder, borax**

کفگیر **skimmer; shallow flatbladed utensil used for serving food**

کفگیرِ ماهی‌گردانی fish-slice
کفگیرش به ته دیگ خورد. He was at the end of his tether, He was driven to extremities.
کفگیرک **anthrax**
کفل /ع./ **buttocks; rump, crupper**
کَفن /ع./ **wrapping in a winding-sheet, shrouding**
کَفن /ع./ **winding-sheet, shroud**
کفن کردن to sheet, to wrap in a winding-sheet
کفو /ع./ **equal, match**
کُفّ و کُفّ [عامیانه]، کُفّ و ـ کُفّ سرفه کردن **successive coughing**
کفه /ع. فا./ = کپه **pan of a scale**
کفیل /ع./ **personal surety *or* bail; one who acts for another in a specified capacity**
کفیل وزارت جنگ Acting Minister of War
کفیل خرج supporter of a family, bread-winner
کفیل دادن to give bail
کفیل شدن to stand (*or* go) bail
به قید کفیل آزاد کردن to release on bail
کَک [عامیانه] = کیک **flea**
ککش نمی‌گزد. [زبان لاتی] He doesn't care a fig.
کک‌مک **freckles**
کَل /ع./ **baldhead *or* scaldhead**
کَلّ /ع./ سربار ← **burden;**
کُلّ[1] /ا. ع./ = همه **the whole, all**
کُلّ[2] /ص. ع./ **total; full; universal**
جمع‌کل grand total
مدیرکل director general
مهندس کل chief engineer, engineer-in-chief
علی کلِ حال = درهرحال in any case
کُلاً /ع./ = تماماً
کُلاپَرک [*bot.*] **capitulum**
کلاچ /ان./ **clutch**
کلاچ را گرفتن to take out the clutch
کلاچ را ول کردن to let in the clutch
کلاس /فر. ان./ **class, grade; classroom**
کتابهای کلاسی school books
کلاسور /فر./ **index-file, box-file; filing-cabinet; stationery rack**
کلاسیک /فر./ **classic(al)**
کلاش **sponger; swindler**
کلاغ **crow, raven**
کلاغ بغدادی carrion-crow
کلاغ جاره (mag)pie
کلاغ کاکلی jay
کلاف **skein, hank;**
cradling; [*machines*] **setting**
کلاف کردن to form into a skein *or* hank; to hobble
کلافه [*n.*] **skein, hank; network;** [*adj., infml.*] **heat-struck, stifled;** [*ext.*] **harassed, pestered**
کلالتاً /ع./ **collaterally**
کَلام /ع./ **speech, word; commandment**
خلاصهٔ کلام to sum up, in short
کَلان **huge; enormous**
بازیِ کلان کردن [عامیانه] to play high
کلانتر **magistrate; ship's pilot; harbour's master; elder; headman**
کلانتری **police station**
رئیس کلانتری magistrate (of a police station)
کُلاه **hat, cap**
کلاه سر کسی گذاشتن، کلاهِ کسی را برداشتن to defraud someone
کلاه تقی را سر نقی گذاشتن to rob Peter to pay Paul
کلاه خودرا پیش خود قاضی کردن to judge for *or* talk to oneself
کلاه خود را به هوا انداختن [عامیانه] to leap for joy, to fling up one's cap, to thank one's lucky stars
کلاهش پشم ندارد. He carries no weight.
کلاه شرعی سر چیزی گذاشتن to get round the law, to play a legal trick
کلاه‌مان توی هم رفت. [عامیانه] We came to a rupture.
کلاه‌بردار [*adj.*] **fraudulent, fraudulous;** [*n.*] **swindler**
کلاه‌برداری **fraud, swindling**
کلاه‌خود **helmet**
کلاه‌دوز **hatter, hat-maker**
کلاه‌دوزی **hat-making;** [*ladies*] **millinery**
کلاه‌فرنگی **pavilion; isolated ornamental building**
کلاه‌فروش **hatter; milliner**
کلاهک **chimney's cowl;** [*bot.*] **galea**
کلاه کلاه کردن [زبان لاتی] **to rob Peter to pay Paul, to make shifts**
کلاه گیس **wig, periwing**
کَلب /ع./ = سگ [*rare*] **dog;** [*astr.*] **Canis**
کلب‌اصغر Canis Minor
کلب‌اکبر Canis Major
کلبتین /ع./ **dentists' forceps**

کُلبه cottage, hut
کَلبی [rare] canine; cynic
کلپتره [زبان لاتی] nonsense, foolish talk
کلدانی Chaldean; Chaldaic
کلرات /فر./ chlorate
کلسیوم /فر./ calcium
کُلَش stubble
کلف /ع./ freckle; [astr.] flocculus
کُلفت[1] /ع./ maidservant
کُلفت[2] [معنای حقیقی] /ع./ = زحمت، تکلف
کُلُفت thick
کلفت شدن to become thick, to thicken; [voice] to get hoarse
کلفت کردن to thicken
کلفتی thickness
کلفن /فر./ rosin, colophony
کلفن زدن to rosin
کلک raft or float supported by inflated skins; clay brazier or chafing-dish
کلک زدن [عامیانه] to play a trick
کلک چیزی را کندن [عامیانه] to make short work of it
کلک کسی را کندن [عامیانه] to get rid of/ dispatch or make an end of someone
کِلک [کمیاب] = قلم؛ نی
کلکته Calcutta
کلک‌رانی rafting
کلکسیون /فر./ collection, set
یک کلکسیون پروانه a cabinet of butterflies
کلگی bridle, headstall; headcarpet
کلم cabbage
کلم‌پیچ white-headed cabbage, savoy cabbage
کلمِ دکمه‌ای Brussels sprouts
کلم قمری turnip cabbage
کلم گل cauliflower
کلمات [جمعِ کلمه]
کلمه [جمع: کَلمات] /ع./ word
کلمه به کلمه word for word, word by word; verbatim
کلنجار [کمیاب] = خرچنگ crab
کلنجار رفتن [عامیانه] to come into grips
کُلنگ pick; [zool.] crane
کلنگِ دوسر، کلنگ روسی pickaxe
کلنگ زدن to (use a) pick
کلوب /فر./ = باشگاه
کلوچه، کلیچه [کمیاب] cookie
کلوخ clod, lump of earth
کلوخ‌کوب clod-crusher, mallet
کلوخه clod; ore
قند کلوخه lump sugar
کلورور /فر./ chloride
کلوروفرم /فر./ chloroform
کلون [منسوخ] wooden bolt
کلون کردن to bolt (as a door)
کله head, pate; top; mind
کله‌ای دو ریال *2 rials per head*
کله زدن to push with the head; ⟶ سر و کله زدن
کُله [ادبی، صورت اختصاری کلاه]
کله پا شدن [زبان لاتی] to fall down; to be taken ill
کله‌خر [زبان لاتی] stupidly obstinate
کله‌خشک brainless; foolish
کله‌شق [عامیانه] stubborn
کله‌شقی [عامیانه] obstinacy
کله‌قند sugar-loaf; [rare] cone
کله‌قندی conical
کله گنده [زبان لاتی] bigwig, swell, grandee
کُلی /فر./ = بسته parcel
کلّی [مؤنث: کلیه] /ع./ general; total; considerable
به کلی totally; absolutely; altogether
به‌طور کلی as a general rule, generally; on the whole
کلیات [جمعِ کلیه] /ع./ generalities; poetical works, whole works
کلیات خمس the five predicables
کلی پستال /فر./ post parcel, postal packet
کلیت /ع./ generality
کلیتاً /ع./ in general; as a whole; altogether, all
کلید [از ریشه ی.] key; switch
کلید، در قوطی بازکن bottle-opener, tin-opener
کلید انداختن to apply a key to
کلید شدن to lock (as the teeth)
کلید کردن to (lock with a) key
کلیددار one entrusted with the keys; custodian, care-taker
کلیس، کولیس /فر./ slide-callipers
کلیسیا، کلیسا /ع. ی./ church
کلیسیایی /ع. فا./ ecclesiastic(al)
کلیشه /فر./ cliché, stereotype (plate)
کلیشه کردن to stereotype
کلیم /ع./ interlocutor; [epithet of] Moses کلیم‌الله
کلیمی /ع./ Jew(ish)
کلیمیان [جمعِ کلیمی] /ع./ the Jews
کلینیک /فر./ = درمانگاه
کُلیوی /ع./ renal
کلیه[1] [تثنیه: کلیتین] /ع./ = گرده kidney
کلیه[2] /ع./ all, totality; ⟶ همه

کَمْ[۱] /ص./ **few, little, insufficient; slight; missing; short:** سنگ کم ; **too short:** این پول دو ریال کم است ; **less**

کَمْ[۲] /ق./ **little; slightly**

من کمتر از او پول دارم. ***I have less money than he.***

کم آمدن to run out, to run short

کم آوردن to run short of, to run out of

کم شدن to be diminished *or* decreased; to grow less

کم کردن to diminish, to decrease, to lessen; to deduct *or* subtract

زحمت شما را کم می‌کند. It will save you trouble.

کم‌گرفتن to slight, to think nothing of

بیست فرسخ چیزی کم nearly 20 farsakhs

(یک) کمی a little; somewhat, slightly

کم و بیش، کم یا بیش، کمابیش more *or* less

کمِ [used idiomatically] made up for *or* compensated by

کچلیش کمِ آوازش ***His good voice makes up for his baldness.***

کم[۳] **rim, frame**

کما [کمیاب] /ع./ (such) **as**

کما این که ← به‌طوری که

کما فی‌السابق as before

کماکان as (it was) before

کم‌آب **droughty; dry, not juicy**

کمابیش **more *or* less**

کُماج [kind of spongy cake]

کماجدان **stew-pan; skillet**

کمال /ع./ **perfection; accomplishment; good breeding**

کمال مطلوب ideal, ideal perfection

باکمال درستی most honestly

به‌حد کمال رسیدن to attain perfection *or* maturity

کمالات /ع./ **accomplishments**

کمان **bow; arc**

کمان کردن [*rare*] to bend

کمان کشیدن to draw a bow

کمانش را نمی‌توان کشید. One cannot cope with him.

کمانچه **violin-like instrument resting on the ground during performance**

کماندو /فر./ **commando**

کمانه **rim; hoop; tyre; ricochet**

کمانی [*anat.*] **semilunar**

کم‌بَر **of little breadth**

کم‌بسامد [*phys.*] **low-frequency**

کمبود **shortage; deficit**

کم‌بها **of little value; cheap**

کمپانی /فر./ = شرکت **company**

کمپرس /فر./ **compress, packing-sheet; gauze**

کمپرسور /فر./ **compressor**

کمپرسی /فر. فا./، ماشین ـ کمپرسی **tip-cart, tip-truck, tip-waggon**

کم‌پشت **thin, of few leaves**

کمپوت /فر./ = خوشاب

کمتر [صفت تفضیلی کم] [*adj.*] **less;** [*adv.*] **less** (often); [*n.*] **lesser part**

کمتر کسی few persons

کمترین [صفت عالی کم] **least** (part)

کم‌جرأت /فا. ع./ **of little courage**

کم‌جمعیت /فا. ع./ **thinly populated**

کمچه **wooden ladle**

کم‌حافظه /فا. ع./ **of a poor memory**

کم‌حرف /فا. ع./ **of few words, quiet, taciturn**

کم‌حوصله /فا. ع./ **short-tempered, irritable; impatient**

کم‌خرج /فا. ع./ **inexpensive**

کم‌خواب **suffering from insomnia, sleepless**

کم‌خوابی **sleeplessness, insomnia**

کم‌خور(اک) **eating little, abstemious, frugal**

کم‌خون **anemic**

کم‌خونی **anemia**

کمد /فر./ **wardrobe; chest of drawers**

کم‌دل = کم‌جرأت؛ کم‌حوصله

کُمدی /فر./ **comedy**

کَمر **loins, waist; girdle, belt; rock**

کمر بستن to put on one's girdle, to gird one's clothes; [*fig.*] to resolve upon doing something

کمر کاری را شکستن to break the neck of a task

سستیِ کمر impotency

اسلحهٔ کمری side-arms

کمربسته **wearing a gird;** [*fig., lit.*] **prepared for service**

کمربند **belt, girder, waistband; sash;** [*mil.*] **sabot;** [*architecture*] **cordon**

کمردرد **lumbago**

کمرشکن **onerous, grinding, heart-breaking**

کمرکش [عامیانه] **half-way, middle**

کم‌رنگ **faint(-coloured), pale; weak:** چای کم‌رنگ

کمرو **bashful, shy, diffident**

کمرویی **bashfulness; shyness**
کمری *[rare]* **lumbar; bent under a burden, knocked up;** → کمر
کم‌زور **powerless, weak**
کمست [کمیاب] **amethyst**
کم‌سو **weak,**
dim: چشمش کم‌سو است
کم‌عرض /فا. ع./ **narrow, of little breadth;** → باریک
کم‌عقل /فا. ع./ = بی‌خرد
کم‌عمر /فا. ع./ **short-lived**
کم‌عمق /فا. ع./ **shallow**
کم‌فرصت /فا. ع./ **having little *or* no opportunity; rash**
کم‌فروش (tradesman) **who gives short weight**
کم‌فروشی **using short weights, selling underweight**
کم‌قیمت /فا. ع./ = کم بها
کمک [از ت. کومک] **help, aid**
کمک‌آشپز cook's mate
کمک‌خلبان copilot [read without the "ezafah"]
کمک دادن (به) to help, to assist, to lend one's assistance
کمک کردن (به) to help *or* assist; to contribute (to)
کمک‌خرج /ت. ع./، کمک ـ هزینه /ت. فا./ **allowance, subsidy**
کمک‌داروساز /ت. فا./
dispenser
کمک‌راننده /ت. فا./
driver's mate
کمک‌فنر **shock-absorber;** → فنر، کمک
کم‌کم **little by little, gradually; in small quantities**

کمک‌مکانیک /ت. فر./
fitter, mechanic's mate
کمکی /ت. فا./ **aid, mate; auxiliary**
کم‌گفتار = کم‌حرف
کملین **the influential, the elect, the big shots**
کم‌مایه **of a small capital; weak** (as a liquid); *[fig.]* **of little *or* superficial knowledge, shallow**
کم‌مدت /فا. ع./ *[adj.]* **short-term; of short duration**
اخطارِ کم مدت short notice
کَمند **lasso, running-noose; rope-ladder;** *[fig.]* **snare**
کمند انداختن to use a running for scaling a wall; to throw the lasso
کم‌نور /فا. ع./
weak: چشمان کم‌نور **; dim; of little light**
کموتاتور /فر./ **commutator**
کم‌وقوع /فا. ع./ **infrequent**
کمون[1] /ع./ *[infml.]* **interior**
کمون[2] /ع./ = نهفتگی
کمونیست /فر./ **communist**
کمونیستی /فر. فا./
communistic
کمونیسم /فر./ **communism**
کَمی **insufficiency, scantiness, meagreness; fewness; shortage; deficiency**
کمی /ع./ = چندی
quantitative
کمیاب **rare, scarce**
کمیابی **scarcity, dearth**
کَمیت /ع./ **quantity, magnitude**
کُمِیت [کمیاب] /ع./ **bay horse with a black tail and mane**
کمیتش لنگ است. He is hard up for money. He is distressed.

کمیته /فر./ **committee, society**
کمیسیون /فر./ **committee, commission**
کَمین[1] [ادبی، صفت عالی کم] = کمترین **least, smallest**
کَمین[2] /ع./ **ambush, ambuscade**
کمین کردن to lie in ambush (for), to lurk
در کمین نشستن to lie in wait, to lie in ambush
کمینگاه /ع. فا./ **ambush, ambuscade, lurking-place**
کمینه = کمین **least *or* smallest, minimum**
کَن [بن مضارع کندن]
کُن [بن مضارع کردن]
کِنار[1] /ا./ **side; edge; shore, coast**
در کنار من ***by my side***
کنار[2] /ق./ **aside, apart**
در کنارِ beside, by the side of
کنار آمدن to come to terms, to come to an agreement
کنار کشیدن to draw aside ***or*** to one side; to withdraw
کنار گذاشتن to lay aside; to abandon
در کنار گرفتن [ادبی]
to embrace ***or*** hug
از گوشه و کنار from every corner, from all sides
شوخی به کنار all joking apart
بوس و کنار [ادبی] kissing and cuddling (***or*** hugging), necking
میز کناری side-table
کُنار **lote *or* lotus** (tree)
کنارافتاده **set aside; laid-up**
کناره **border; side; runner, side carpet; sea-shore**
کناره کردن to keep aloof
کناره‌جویی **keeping aloof, shunning**

کناره‌جویی کردن to withdraw, to keep aloof, to sequester (*or* seclude) oneself
کناره گیر **who keeps aloof from society, stand-offish**
کناره گیری **retirement; resignation**
کناره گیری کردن to retire *or* withdraw; to hold aloof
کناره گیری کردن از to resign
کناس /ع./ **nightman; scavenger**
کنام [کمیاب] /ع./ **thicket; lair; den; pasture;** ← بیشه
کنایس [جمعِ کنیسه]
کنایه /ع./ **allusion; metaphor; symbol; sarcastic remark**
کنایه زدن to speak allusively *or* sarcastically
کنایه‌دار /ع. فا./ **allusive; sarcastic**
کُنت /فر./ **earl, count**
کنتر /فر./ [*c.p.*] **double**
کنترات /فر./ **contract;** ← پیمان، مقاطعه
کنترات کردن to contract; to employ by contract
کنتراتی /فر. فا./، **پیمانی** **employed under a contract**
کنترل /فر./ **checking, auditing, verification; control;** ← نظارت
کنترل کردن to check, to audit *or* control
کنترولور /فر./ **comptroller; auditor**
کنتور /فر./ **meter**
کنتور ساعت‌دار، کنتور دو تعرفه‌ای double-tariff meter
کُنج **corner, solid angle**
کنجاره، کنجیده **oil-cake obtained from the sesame**
کنجد **sesame**
کنجدک **freckle; mole**
کنجکاو **curious, inquisitive**
کنجکاوی **curiosity, inquisitiveness**
کنجکاوی کردن to be inquisitive, to pry, to search
کُند [*adj.*] **blunt, dull:** چاقوی کند **; slow:** ساعت کند است **; stupid;** [*adv.*] **slowly;** [*n.*] **stocks;** ← کنده
کند کردن to blunt; to retard; to set on edge
کندذهن /فا. ع./ **stupid, dull**
کندذهنی /فا. ع./ **stupidity**
کندر /ع. ی./ **frankincense**
کندر رومی mastic
کندرو **of a slow pace**
کندزبان **slow of speech**
کندش **white hellebore**
جوهرِ کندش veratrine
کندکار **slow of action, sluggish**
کندن [بن مضارع: کن] **to dig, to excavate; to pluck, to pull off:** کفش خود را کند **; to take off:** کفش خود را کند **; to engrave**
از بیخ کندن to root up (*or* out), to eradicate
موی خود را کندن to tear one's hair
کندو **beehive**
کَنده[1] /ا./ **engraved *or* carved work;** ← خندق
کَنده[2] [اسم مفعول فعل کندن]
کُنده **log, block; stump, stub**
کندهٔ زانو [عامیانه] knee-pan
کنده زدن [عامیانه] to kneel down
کَنده کار **engraver; carver**
کنده کاری **carving; engraving**
کنده‌کاری کردن to carve, to engrave
کُندی **bluntness, dullness; slowness; sluggishness**
کنزاللغات /ع./ **repository of words, thesaurus**
کنس [عامیانه] **stingy**
کنسرت /فر./ **concert**
کنسرو /فر./ **conserve**
کنسرسیوم /فر./ **consortium**
کنسول /فر./ **consul**
کنسولگری /فر. فا./ **consulate**
کنسولی /فر. فا./ **consular**
کنسول‌یار /فر. فا./ **vice-consul**
کَنش **digging**
کُنش [کمیاب] **action, doing**
کُنشت [کمیاب، از ریشه عب.] **synagogue**
کنش‌کاو **rabbet**
کنعان /ع./ **Canaan**
کنف[1] [جمع: اکناف] /ع./ **wing;** [*fig.*] **shelter;** ← بال
اکناف زمین remote parts of the earth
کنف[2] /ع. ل./ **cannabis; hemp**
کنفت [عامیانه] **shop-soiled, dirty;** [*fig.*] **disgraced**
کنفرانس[1] /فر./ **conference**
کنفرانس[2] /فر./ = سخنرانی
کن فیکون کردن [عامیانه] /ع. فا./ **to destroy utterly, to annihilate;** -*Note:* کن فیکون literally means "be and so it is" [creative phrase *or* command]
کَنگ [کمیاب] = بال؛ بازو
کنگاش [کمیاب] **deliberation**
کنگر **prickly artichoke; acanthus**
کنگر فرنگی = انگنار
کنگرزد **emetic resin**
کنگره[1] **crenation, notch; milling, milled edge; turret, pinnacle; battlement**

کنگره۲ /فر./ **congress**
کنگره‌دار **milled; crenate**
کنگره‌دار کردن to mill; to crenulate
کَننده **digger**
کُننده **doer** [rendering the English suffix ***er*** or ***or*** when the Persian verb is construed with کردن]
درست‌کننده ***maker***
کنون [ادبی، صورت‌اختصاری اکنون]
کنونه [کمیاب] **actual situation**
کنونی **present; modern**
کَنه **tick**
مثل کَنه چسبیدن to stick like a leech
کُنه /ع./ **depth, bottom;** [*fig.*] **essence, substance;** ← تَه
کنیاک [از فر. cognac] **brandy**
کَنیز **bondswoman, female slave;** ← کلفت
کنیزک **slave-girl, bondsmaid**
کنیسه [جمع: کنایس] /ع./ **synagogue**
کُنیه /ع./ **nickname**
کو۱ **where is?, where are?**
کو۲، کوی **quarter;** ← کوچه
کو۳ [ادبی، صورت‌اختصاری که او]
کُو = شپشه **weevil**
کواکب [جمعِ کوکب]
کوب [بن‌مضارعِ کوبیدن]
کوبنده **beater, pounder, knocker, rammer**
کوبه **knocker, hammer**
کوبیدگی = کوفتگی
کوبیدن [بن‌مضارع: کوب] **to pound** ***or*** **bray; to grind; to mash; to flail, to thresh; to drive:** میخ کوبیدن **; to knock** (at)**, to knock down** ***or*** **defeat**

آبلهٔ بچه‌ای را کوبیدن to vaccinate a child against smallpox
پای کوبیدن [ادبی] = رقصیدن
کوبیده۱ /ا./ **mashed meat**
کوبیده۲ [اسم‌مفعول فعل کوبیدن]
کوپال [کمیاب] **mace, club**
کوپن /فر./ **coupon**
کوپه /فر./ **coupée; compartment**
کوتاه **short; brief;** [*tree*] **low**
کوتاه آمدن۱ to draw in one's horn, to lower one's note
کوتاه آمدن۲ = قاصر آمدن
کوتاه شدن to be shortened, to shorten; [*days*] to draw in
کوتاه کردن to short; to crop (as the hair); to cut short; to abridge
دست کسی را کوتاه کردن to cut off a person's hand (from doing a specified thing)
سخن را کوتاه کنیم! Let us be brief, to be brief!
کوتاهی **shortness; brevity; shortcoming**
کوتاهی کردن to be negligent, to fail (to do something)
کوت [عامیانه] = کود
کوت کردن to heap up
کوتوله [عامیانه] **dwarf(ish)**
کوته [ادبی، صورت‌اختصاری کوتاه]
کوته‌بین **short-sighted;** [*fig.*] **improvident**
کوته‌بینی **short-sightedness; improvidence**
کوته‌فکر /فا. ع./ **lacking foresight**
کوته‌فکری /فا. ع./ **lack of foresight**
کوته‌نظر /فا. ع./ **narrow-minded**
کوته‌نظری /فا. ع./ **narrow-mindedness; illiberality**

کوثر /ع./ [a river in Paradise]
کوچ [*rare*] **family; wandering tribe;** ← خانواده
کوچ کردن to decamp; to migrate
کوچانیدن **to cause to migrate**
کوچک **small, little; short;** [*fig.*] **humble; insignificant**
جهان کوچک microcosm
کوچک شدن to dwindle in size; [*fig.*] to lose one's dignity
کوچک کردن to reduce in small; to humiliate
این حرف او را کوچک خواهد کرد. ***It would bsmall of him to say that.***
لباس او برایش کوچک شده است. ***He has outgrown*** (or ***grown out of***) ***his clothes.***
کوچک‌ابدال [کمیاب] /فا. ع./ **young disciple, novitiate**
کوچکی **smallness, small size;** [*fig.*] **humility**
کوچکی کردن to humble oneself
کوچ‌نشین **colony; immigrant**
کوچولو [عامیانه] [*adj.*] **small, tiny;** [*n.*] **little child, kid**
کوچه **lane; street; alley**
کوچه دادن (به) to open a lane (across); to give way (to)
خود را به کوچه علی چپ زدن [عامیانه] to evade the main issue, to fence with a question
کوچه‌گرد [کمیاب] **vagrant, walking in the streets**
بچهٔ کوچه‌گرد street arab
کوچیدن [بن‌مضارع: کوچ] **to decamp, to march, to migrate**
کود **manure, fertilizer**
کود گیاهی compost

کود دادن to fertilize *or* manure
کود کردن to pile *or* heap
کودتا /فر./ **coup d'état**
کودک **infant, baby**
کودکانه **childish(ly)**
کودکستان **kindergarten**
کودکش **nightman**
کودکی **infancy, childhood**
کودن **stupid, dull**
کودنی **stupidity, dullness**
کور [*adj.*] **blind;** [*n.*] **blindman**
گرهِ کور hard knot
کور شدن to go blind
کور کردن to blind, to make blind; to fill up, to close *or* cover up (as a pit); to obscure the light of
کورِ مادرزاد (one) born blind
از یک چشم کور blind of one eye
کوراب = سراب **mirage**
کوران /فر./ **draught**
کوربخت = بدبخت
کورتاژ /فر./ **curettage**
کورتاژ کردن to curette
کوردل [ادبی] **inwardly blind**
کورس /فر./ **race; course; trip *or* journey** (in a bus, etc.) **for which a single fare is payable**
دو کورس باید بدهید. ***You should pay double fare.***
کورش **Cyrus**
کورَک **boil**
کورکورانه **blindly; gropingly**
کورکور کردن [عامیانه] **to glimmer; to flare**
کورکوری [عامیانه] **flaring**
کوروک = کروک
کورمالی کردن **to grope**
کورمنجه [عامیانه] **half-blind**

کورموش **mole**
کوره **furnace; kiln**
کورهٔ آجرپزی brick-kiln
کورهٔ آهنگری forge
کورهٔ قالبگری cupola (furnace)
کوره‌پز **kilnman**
کوره‌پزی **brick-burner's *or* lime-burner's trade**
کوره‌راه **obscure narrow path**
کوره‌سواد [عامیانه] /فا. ع./ **partial ability to read and write**
کوری **blindness**
به کوریِ چشمِ دشمنان in spite of our enemies
کوزه **jug; pitcher; jar;** [*wine, flower*] **pot**
کوزه‌گر **potter**
کوزه‌گری **pottery**
گِلِ کوزه‌گری، گِل کوزه‌گران potter's clay
کوژ [ادبی] = کج **crooked**
کوژپشت [ادبی] = قوزپشت
کوس [ادبی] **(kettle-)drum; jump, start**
کوس بستن to take off for a spring, to give a start
کوس زدن [کمیاب] to beat the drum
کوس صلح می‌زنند. They claim to have introduced (*or* to be supporting) peace.
کوسِ عقب‌نشینی زدن to beat a retreat
کوس رحلت [ادبی] signal for departure
کوسه [*beard*] **thin;** [*man*] **thin-bearded;** [*gun*] **hammerless**
ماهی‌کوسه man-eating shark, sea-devil
کوسه و ریش‌پهن contradictory (remarks)

کوش [بن‌مضارعِ کوشیدن]
کوشا **diligent**
کوشاد [کمیاب] **gentiana**
کوشش **effort**
کوشش بیهوده، کوشش بی‌فایده lost labour, vain effort
کوشش کردن = کوشیدن
کوشک **villa, mansion, palace**
کوشه /فر./ **italic**
حروف کوشه italics
کوشیدن [بن‌مضارع: کوش] **to endeavour, to try, to make an effort**
کوفت **syphilis**
کوفت کردن [زبان لاتی، توهین‌آمیز] to eat
کوفتش باشد [زبان لاتی] I hope it; (*i.e.* what he has eaten) will choke him
کوفتگی **bruise, contusion; extreme fatigue**
کوفتن = کوبیدن
کوفته[1] /ص./ **bruised; pounded; exhausted, tired out**
کوفته[2] /ا./ **meatball, rissole; one who is worn out by fatigue**
کوفته[3] [اسم‌مفعول فعل کوفتن]
کوفتی **syphilitic**
کوفی /ع./ **Kufic**
نقشهٔ خط کوفی Greek fret
کوک[1] **basting**
کوک زدن to baste; to stitch loosely
کوک[2] /ص. ت./ **tuned, in tune; wound** (up); [*fig.*] **wrought up, high(ly)-strung**
کیفش کوک است. [زبان لاتی] He is in his glory. He is having fun. He is in high feather.

کوک[3] /ا. ت./ tuning
کوک کردن to tune; to key (as a piano); to wind up (as a watch); [*fig.*] to string up, to make nervous
کوک شدن to be tuned; to be wound up; [*fig.*] to be wrought up
کوک /ان./ **coke**
کوکائین /فر./ **cocaine**
کوکب [جمع: کواکب] /ع./ = ستاره **star**
گل کوکب dahlia
کوکبه /ع./ **pomp; suite, train**
کوکنار **white poppy; poppy-shell**
کوکو[1] **savoury omelet**
کوکو[2] **cuckoo; cuckoo's note**
کول **back, shoulder**
کول کردن، کول گرفتن to carry pickaback
به سر و کول هم ریختن [زبان لاتی] to jump on one another
کولاب[1] **puddle**
کولاب[2] = آبگیر
کولاک **rough sea, tempest**
کولر /ان./ **cooler**
کوله **load carried on the back, pack**
کوله‌بار، کوله‌پشتی **knapsack**
کولی[1] **riding pickaback**
کولی گرفتن to ride pickaback
کولی[2]، ماهی‌کولی **anchovy**
کولی [*n.*] **gipsy;** [*adj.*] **shrewish**
کومک [از ریشه کمک] /ت./
کومه **heap**
کون **anus**
کون خر [زبان لاتی، ادبی] arrant ass (*or* fool)

کَوْن /ع./ **existence; creation**
کَون و مکان universe
کونه **root; counter of a shoe**
کونه کردن to take root
کونین [تثنیهٔ کون] /ع./ **this world and the next world**
کوه **mountain;** [in proper names] **mount** [Mt.]
کوه آتشفشان volcano
کوه نور Koh-i-Noor
کوه یخ iceberg
کوهان (camel's) **hump**
کوهان‌دار **humped**
کوه‌بُر **rock-excavator, rock-piercer**
متهٔ کوه‌بُر rock-drill
کوهپایه (valley *or* plain at the) **foot a mountain**
کوه‌پیکر [ادبی] **of a huge body**
کوهسار **hilly** (country)
کوهستان **hilly** *or* **mountainous country, highland**
کوهستانی **mountainous, hilly**
کوه‌گرد **mountaineer; explorer of mountains**
کوه‌گردی **exploration of mountains**
کوهنورد **mountaineer; traveller of mountainous regions**
کوهنوردی **travelling in mountains**
کوهه **pommel, saddle-bow;** [*rare*] **hump**
کوهی[1] **wild**
کوهی[2] = کوهستانی
کوی ← کو
کویر **salt desert, brackish ground**
کَهْ [ادبی، صورت اختصاری کاه]

کِهْ [ادبی] [*adj.*] **young, little;** [*n.*] **young** *or* **insignificant fellow**
کُه [ادبی، صورت اختصاری کوه]
که[1]، کی /ضا./ **who?;** *-Note:* the plural of که is [کمیاب] که‌ها, [ادبی] کیان *or* [عامیانه] کی‌ها
که رفت؟ ***Who went?***
که را دیدید؟ ***Whom did you see?***
برای که؟ ***for whom?***
قلم که؟ ***whose pen?***
که[2] /ضر./ **who**
کسی که he who
که[3] /ضر./ **that** *or* **which**
کتابی که دیدید ***the book that you saw***
کاغذی که روی آن نوشتید ***the paper on which you wrote***
شهرهایی که ***cities which, such cities as***
من همانقدر خوردم که او خورد. I ate as much as he did.
که[4] [used idiomatically]
من که as for me, for my part
من که آنرا دیده‌ام. ***As for me I have seen it. I have already seen it.***
این‌که کاری ندارد. why there's nothing difficult about it, as for this there's nothing...
که[5] /قر./ **when**
در عصری که in an age when
وقتی‌که when, the time when
که[6] /قر./ **where**
جایی که او می‌خوابید ***the place where he slept***
که[7] /قر./ [used idiomatically] **when, after**
شام که خورد می‌خوابد. ***When he has eaten his supper*** (or ***after eating his supper***) ***he goes to bed.***
که[8] /حع./ **that, in order that**

نمی‌دانستم (که) او ایرانی است.
I did not know (that) ***he was an Iranian.***
رفتم (که) او را ببینم.
I went to see him.
برای این‌که، تا این‌که
in order that, so that
به طوری که، چنان که as
حال‌که now that; since
که چه؟ [عامیانه] what is the idea?, what for?
کهانت /ع./ **priesthood; divination**
کهتر [صفت تفضیلی کِهْ] **younger, junior**
کهتری **juniority; inferiority;** ← عقده
کهترین [صفت عالی کِهْ] **youngest**
کهر **bay** (horse)
کهربا **amber**
کهربای سیاه jet
کهربایی **amber-like; amber-coloured; electrical**
قوهٔ کهربایی [کمیاب] electricity
کُهسار [ادبی، صورت اختصاری کوهسار]
کهف /ع./ = غار **cave**
کهکشان **the Milky Way**
کُهن **old, ancient**
کهن‌دیر [ادبی] /فا. ع./ [*met.*] **the old world**
کهن‌سال **aged, very old**
کهنگی **oldness; antiquity**
کِهنه [جمعِ کاهن]
کُهنه [*adj.*] **old, used; worn-out; archaic;** [*n.*] **rag; wadding; lint;** [*baby*] **diaper**
کُهنه کردن to wear out, to make old; [*fig., infml.*] to have experienced
کهنه (بر) چین **rag-picker**
کهنه‌پرست **fogyish, old-fashioned**
کهنه‌پرستی **adherence to the old-fashioned, fogyism**
کهنه‌سرباز **veteran** (soldier)
کهنه‌کار **past-master, veteran**
کهولت /ع./ **ripe years; indolence**
کَهیر **nettle-rash, urticaria**
کـهین، کـهینه [ادبی] **youngest; least; smallest;** ← کهترین
کی؟ [عامیانه] **who;** ← که
کِی[1]**؟** **when?**
از کی؟ since when?
تا کی، تا به کی how long?, until when?
او کی راضی خواهد شد؟
He will never agree to that.
کی[2] [در ترکیب] [title of kings of the Keyan Dynasty: کیخسرو]
کیاست /ع./ **ingenuity; sagacity**
کیان[1] ← که /ضا./
کیان[2] [جمعِ کی] **the Keyan Dynasty**
کیانی **of the Keyan Dynasty; Royal**
کیپ [عامیانه] **water-tight; air-tight**
کیخسرو [اسم خاص]
[a king of the Keyan Dynasty]
کـیـد /ع./ = مکر؛ خیانت
کیس[1] /ا./ **shrink, strain**
کـیـس[2] /ص./ **shrunk; uneven**
کیست؟ [صورت اختصاری که است]
Who is it?, who is he?
این کتاب مال کیست؟
whose book is this?
کیسه /ع./ **bag, sack; purse; rough glove used by rubbers in a Turkish bath;** [*zool., anat.*] **pouch;** [*med.*] **cyst**
کیسهٔ خایه scrotum
کیسهٔ صفرا gall-bladder
کیسه بستن to form a cyst
کیسه دوختن [عامیانه] to have an eye on some one's money, to start swindling money out of him
سر کیسه را شل کردن to loosen the purse strings
سر (و) کیسه کردن [زبان لاتی]
to fleece, to strip of money
(در) کیسه کردن to put in a bag *or* sack
کیسه کشیدن to rub with a glove (as in a bath)
کیسه‌بُر /ع. فا./ = جیب‌بر
کیسه‌دار /ع. فا./ **pouched, marsupial; encysted**
کیش[1] **faith, religion;** ← دین
کیش![2] **shoo!** [uttered only when driving away fowls]
کیش کردن to shoo; to drive away
کیش[3] **check**
کیش کردن to check
کیش و مات checkmate
کیف **purse** (of money); **bag; briefcase, brief-bag, attaché-case, portfolio**
کیف بغلی pocket-book, letter-case, purse, wallet
کیفِ بندی satchel
کیف جراحی surgon's case
کیف‌دستی زنانه handbag
کیف سفری travelling-bag
کِیف /ع./ **intoxicating drug, opiate; kick, pleasurable thrill;** [*ext.*] **enjoyment, pleasure, treat**
کیف دادن (به) to intoxicate *or* inebriate; to give pleasure
کیف کردن to enjoy oneself; to go pleasuring; to have fun

کَیفَ [کمیاب] /ع./ = چگونه how?

کیفر punishment

کیفر دادن to punish

به کیفرِ... رسیدن to be duly punished for

کیفرخواست bill of indictment

کیفری penal

کیف‌ما‌اتفق [کمیاب] /ع./ at random

کیفی /ع./ = چونی qualitative

کیفیت /ع./ quality; circumstances, facts; manner; ⟵ چگونگی

کیفیتی /ع. فا./ modal; circumstantial

کیقباد /ع./ [a king of the Keyan Dynasty]

کیک[1]، کک [عامیانه] flea

کیک خاکی flea-beetle

کیک‌درتنبان [استعاری] disquietude

کیک[2] /ان./ cake

کیکاوس [a king of the Keyan Dynasty]

کیل [جمع: اکیال] /ع./ measure (for grains)

کیل کردن to measure

آب دریا به کیل پیمودن to try to measure sea-water by a pint-pot

کیلو [صورت‌اختصاری کیلوگرم]

کیلووات /فر./ kilowatt

کیلوس /ع. ی./ chyle

کیلوگرم /فر./ kilogramme

کیلومتر /فر./ kilometre

در یک کیلومتریِ *at a distance of one kilometre from*

کیلومترشمار /فر. فا./ kilometre-post, milestone, milepost; speedometer

کیله /ع./ (single) measure

کیمخت [کمیاب] shagreen

کیموس /ع. ی./ chyme

کیمونو kimono

کیمیا /ع. ی./ alchemy; philosopher's stone

کیمیاگر alchemist

کیمیاگری alchemy, transmutation of metals

کین[1] rancour, spite; revenge

کین خواستن to take revenge

کین[2]، کاین [ادبی، صورت - اختصاری که این]

کینه rancour, spite, grudge, hatred

کینه کشیدن، کینه گرفتن to take vengeance

کینهٔ شتری deep rancour, revengeful feeling

کینه‌توز [ادبی] = کینه‌جو

کینه‌جو revengeful (person)

کینه‌جویی revengefulness, vengeance

کینه‌جویی کردن از to take vengeance on

کینه‌خواه = کینه‌جو

کینه‌دار spiteful, revengeful

کیوان Saturn; ⟵ زحل

کیومرث [first king of the Pishdadian Dynasty]

کیهان [ادبی] = جهان

گ

گاباردین /فر./، گاواردین gabardine
گار /فر./ = ایستگاه راه‌آهن railway station
گاراژ /فر./ garage
گارد /فر./ guard; guardsman
گاردنال /فر./ phenobarbital, luminal
گاردن‌پارتی /ان./ garden-party
گارمن /ر./ harmonium
گاری /هـ./ cart, waggon
گاریچی /هـ. ت./ carter, cart-driver
گاز[1] bite, biting
گاز گرفتن to bite: سگ او را گاز گرفت
گاز[2] /فر./ gas
گازِ خفه‌کننده poison gas
گاز دستی [*mech.*] throttle
چراغ گاز gas-light
کارخانهٔ گاز gas-works
نفت گاز gas oil
گاز دادن to step on the gas, to accelerate
با گاز خفه کردن to gas
گاز[3] /فر./ gauze
گازانبر (pair of) **pincers**
گازدار /فر. فا./ gassy, gaseous; aerated
گازُر [کمیاب] washerman, launderer
گازسنج /فر. فا./ gas-meter
گازسوز /فر. فا./ gas-burner
گازویل /ان./ gas oil

گاسه، گاس [از ر. cassa] [*printing*] **case**
گال /فر./ the itch *or* scabies
گالش /فر./ galosh, overshoe
گالُن /فر. ان./ gallon
گاله wide-mouthed sack
گام[1] [ادبی] pace, step; gait
گام زدن، گام برداشتن to walk; to pace
گام[2] /فر./ gamut, scale
گامبی /فر./ gambit
گامیش، گاومیش buffalo
گاو cow, ox
گاو کوهان‌دار zebu
گاو عنبر sea-cow supposed to produce ambergris
گاو ماده cow
گاو نر ox, bull
گاو پیشانی سفید [استعاری] (one who is) as well known as the Devil *or* village pump, notorious (person)
گوشت گاو beef
گاوآهن plough; trail
گاوبازی bullfight
گاوبندی collusion, hitching horses together
گاوچران، گاوران cowherd, cowboy, goadsman
گاودار cow-keeper, dairyman
گاودارو stone in the gall bladder of an ox
گاودان cow-shed, cow-pen

گاودانه American vetch, buffalo pea
گاودوش، گاودوشه milk-pail
گاورَس Italian millet, panic grass
گاوزبان، گل گاوزبان **borage; cowslip;** [*beverage*] **cowslip tea**
گاوسر two-pronged pole, fork; mace
گاوشیر opopanax
گاوصندوق /فا. ع./ large chest *or* coffer, safe
گاومیش ← گامیش
گاوه، گوه wedge
گاوی bovine
آبلهٔ گاوی cow-pox
گاه [در ترکیب] [*n.*] **time; place;** [*adv.*] **sometimes**
گاه و بیگاه at times; every now and then
گاهی sometimes, once in a while
گاهی‌گداری [زبان لاتی] occasionally
به‌گاهِ [ادبی] at the time of
گاه است، گاه می‌شود it happens (that)
گاه‌گاه **from time to time**
گاه‌گاهی **occasional;** [with the stress on the second syllable] **occasionally, from time to time**
گاهنامه = سالنامه، تقویم
گاهواره، گهواره cradle
گاهی ← گاه

گاییدن [توهین‌آمیز، بن‌مضارع: گای] **to lie with;** [*fig.*] **to do in**

گبر **ghebre, fireworshipper;** → زرتشتی

گپ زدن [عامیانه] **to chatter; to talk idly**

گِتر /فر./ **gaiter**

گتره‌ای **in a lump sum; by the job; as a fixed sum**

گچ **gatch, Iranian plaster; plaster of Paris; chalk**

سنگ گچ gypsum

قلم گچ crayon

گچ گرفتن to dress with plaster cast

گچ‌بُر **plaster-moulder**

گچ‌بری **plaster-moulding**

گچ‌پزی **gatch-burning**

کورهٔ گچ‌پزی gatch kiln, plaster-kiln

گچ‌کار **gatch-plasterer**

گچ‌کاری **gatchwork; stucco-work; parget**

گچی **made of gatch** *or* **plaster; coated with gatch** *or* **plaster**

شمع گچی stearine candle

گدا **beggar**

گداکردن to reduce to beggary

گدای سامره importunate beggar; [*o.s.*] beggar from Samaria

گداها را می‌گیرند. [زبان لاتی] Nothing doing.

گدابازی **beggarliness, miserliness;** [*o.s.*] **playing the beggar**

گداختن [بن‌مضارع: گداز] **to melt, to fuse; to clarify** (as butter); [*fig.*] **to consume**

گداخته [اسم‌مفعول فعل گداختن] **melted; clarified**

روغن گداخته clarified butter

گدار **ford(ing-place)**

گداز[1] **fusion**

گداز[2] [بن‌مضارع گداختن]

گدازش **melting; fusion**

گدازنده **melter**

گدازه **lava**

گداصفت /فا.ع./، **گدامنش** **beggarly**

گدایی **begging, mendicity**

گدایی کردن to beg

گَدوک **mountain-pass**

گُذار[1] **passage**

گذارم افتاد به I happened to pass by

گُذار[2] [بن‌مضارع گذاشتن]

گذاردن[1]، **گذاشتن** [بن‌مضارع: گذار] **to put, to lay, to place**

گذاردن[2] **to leave**

گذاردن[3] **to allow** *or* **let**

بگذارید برود. ***Let him go.***

گذاردن[4] **to invest;** → گزاردن

گذاره [*rare*] **passage**

کِشتی گذاره ferry-boat

گذاشتن → گذاردن

گذَر[1] **passage; part of a street**

گذر[2] [بن‌مضارع گذشتن]

گُذران[1] /ص./ **passing; transient**

گُذران[2] /ا./ **subsistence, means of livelihood**

گذران کردن to subsist, to (manage to) live, to get along, to fare, to shift

گُذران[3] [بن‌مضارع گذراندن]

گذراندن[1] [بن‌مضارع: گذران] *vt.* **to pass, to spend; to pass successfully; to** (cause to) **pass, to lead; to transmit; to clear** (from the Customs); **to pass: get through, to cause to be approved** (as a bill); **to get over** (a dispute)

به خیال خود گذراند که it occurred to him that

گذراندن[2] *vi.* **to get along, to pass one's time**

بد گذراندن to have a bad time, to be ill at ease

گذرگاه **crossing; passage-way; fording-place**

گذرگاه تراز level crossing

گذرنامه **passport**

گذشت **generous disposition; remission; indulgence; concession; ability to do without a thing**

گذشت کردن از to overlook *or* remit, to waive; to do without

گذشت کردن to make concessions; to waive one's claim

گذشتگان **the deceased; the ancients;** → [جمع گذشته]

گذشتن [بن‌مضارع: گذر] **to pass; to pass away**

گذشتن از to cross; to overlook, to spare, to forgive

لایحه (از مجلس) گذشت. The bill got through the Majlis.

نادیده گذشتن از to ignore

خوش می‌گذرد. It fares well. We are enjoying ourselves.

آب از سرش گذشته است. It is all over with him.

گذشته[1] /ص./ **past, bygone; last:** سال گذشته

گذشته‌ها گذشت. Let bygones be bygones.

گذشته[2] /ا./ **past time; past tense; past event;** → [جمع: گذشتگان]

گذشته، زمان گذشته past tense

از شوخی گذشته all joking apart
گذشته از apart from, besides
از این گذشته furthermore, besides
گذشته[3] [اسم‌مفعول فعل گذشتن]
گر[1] /ا./ mange, scab
گر[2] /ص./ = گردار
گر[3] [ادبی، صورت‌اختصاری اگر]
گر[4] /پس./ (a) nouns of agency
زرگر ***gold-smith***
(b) adjectives from abstract nouns
ستمگر ***oppressive***
گُراز **boar**
گرازِ دریایی porpoise
گراز وحشی wild boar
گرافیت /فر./ **graphite**
گرامافون /فر./ **gramophone**
گرامی **dear; honourable**
گرامی داشتن to honour; to hold dear
گِران **expensive, dear;** [*lit.*] **heavy;** [*fig.*] **insupportable**
گران شدن to rise in price
گران‌کردن to raise the price of
گران خریدن to buy dear, to pay too much for
گران فروختن to sell dear, to charge too much for
برای من گران تمام شد. ***I paid dear for it. It cost me dear(ly).***
گرانبار **heavy-laden, over loaded;** ← باردار
گرانبها **precious, valuable**
گران‌جان [کمیاب] **sluggish; niggardly**
گرانفروش **one who overcharges, swindler**
گرانفروشی **overcharging, swindling**
گرانمایه [ادبی] **precious;** [*fig.*] **serious, grave; important**

گرانی **dearness, expensiveness; dearth; gravity;** [*rare*] **heaviness**
سال گرانی year of dearth
گرانیگاه **centre of gravity**
گراوور /فر./ **engraving**
گراوور کردن to engrave
گراوورساز /فر. فا./ **engraver**
گراوورسازی /فر. فا./ **engraving**
گرا(ی) [بن‌مضارعِ گراییدن]
گرایش **tendency**
گراینده **having a tendency, inclined**
گراییدن [بن‌مضارع: گرا(ی)] **to be inclined, to have a tendency**
گراییدن به to have a tendency for, to believe in
گُربزه = جربزه
گربه **cat**
گربهٔ آبی، سمورآبی otter
گربهٔ بُراق ← براق
گربهٔ دشتی، گربهٔ وحشی wild cat
گربهٔ زُباد ← زباد
گربهٔ ماده she-cat
گربهٔ نر tom-cat
بچه گربه kitten
گربه رقصاندن to wirepull, to lead one a dance
گربه را نمی‌تواند پیش کند. He can't say "bo" to a goose.
گوشت را به دست گربه سپردن to set the fox to watch the geese
گربه‌رقصانی /فا. ع./ **wirepulling; intriguing**
گربه‌رو **air-drain, gallery**
گربه‌شور کردن [عامیانه] **to give oneself a lick and a promise**

گرجستان **Georgia**
گرجی **Georgian**
گرچه [ادبی، صورت‌اختصاری اگرچه]
گَرد[1] (flying) **dust; powder**
گردِ دندان tooth-powder
گردِ گوگرد flowers of sulphur
گردِ لیمو powdered dry lime
گرد کردن *vi.* to make (***or*** raise) dust; *vt.* to reduce to powder
گرد گرفتن، گرد نشاندن to shake off the dust
به گرد کسی رسیدن to overtake ***or*** approach someone
گَرد[2] [بن‌مضارعِ گردیدن، گشتن]
گِرد [*adj.*] **round, circular;** [*n.*] **whole note, semibreve**
گردِ [*prep.*] round, around
گرد آمدن [ادبی] to assemble; to be amassed
گرد آوردن [ادبی] to amass, to accumulate; to assemble, to rally
گرد کردن [ادبی] to accumulate; to make round; to round off
گردِ کاری گشتن [ادبی] to seek to do something
عقلش گرد است. [عامیانه] He is a button short.
گُرد [ادبی] **hero**
گرداب **whirlpool, eddy**
گَردار **scabbed, mangy**
گرداگرد **all round**
گرداگردِ /حا./ all round, all around
گردآلود(ه) **dusty**
گردان[1] /ص./ **rotating, revolving; rolling**
تنخواه گردان revolving fund, imprest
گَردان[2] [بن‌مضارعِ گرداندن]
گُردان **battalion**

گرداندن [بن‌مضارع: گردان] **to turn** (round)**; to rotate; to take for a walk; to show round; to manage, to run; to ward off; to make:** مرا شاد گرداند

گردآوری **gathering; rally**

گردباد **whirlwind, cyclone**

گِردباف **selvage**

گِردبُر = مته **gimlet, auger**

گردپاش **pounce box**

گردش **walk(ing); circulation; revolution, rotation; change**

گردش بیرونِ شهر excursion, outing

گردش روزگار vicissitudes of time

گردش کردن to take a walk; to circulate; to rotate *or* revolve; to change

(به) گردش رفتن to go (out) for a walk

(به) گردش بردن to take for a walk

گردشگاه **public walk, public park, promenade**

گردکان [ادبی] = گردو **walnut**

گردکان بر گنبد [استعاری] water off a duck's back

گردگیر **duster, whisk**

گردگیری **dusting**

گردگیری کردن to dust; to clean down

گَردَن **neck**

یک سر و گردن head and shoulder

گردن زدن to behead

ماشین گردن‌زنی guillotine

گردن کشیدن [ادبی] to rebel

گردن نهادن [ادبی] to submit (to)

(به) گردن من on my responsibility; upon my conscience

(به) گردن کسی گذاشتن to lay at one's door, to hold someone responsible for; to bring home to someone

گردن کسی را گرفتن to lie at one's door

گردن گرفتن to confess, to declare oneself responsible for

(به) گردنش بار شد he had no way out (of his commitment), he was led into doing what he had said

گردنا [*anat.*] **patella**

گردن‌بند **necklace; collar**

گردنده **turning** (round)**; rotating;** [*fig.*] **changeable;** [*bot.,zool.*] **versatile**

گردن‌شمشیری **ewe-necked**

گردن‌فراز [ادبی] **haughty**

گردن‌کش **refractory, stubborn**

گردن‌کشی **refractoriness**

گردن‌کلفت [عامیانه] [*adj.*] **sturdy, in rude health;** [*n.*] **roughneck; bully; ruffian**

گردن کلفتی کردن to behave as a rude *or* bully, to use violence, to push people about

گردن‌گیر شدن **to lie at one's door, to lead into doing** (a specified act)

گردن گیرش شد = گردنش بار شد ← گردن

گردنه **pass, defile**

گِردو **walnut**

پوست گردو nutshell

دست کسی را توی پوست گردو گذاشتن not to give a person freedom of action

گردون **celestial sphere, firmament;** [*fig.*] **fortune, fate**

گردونه **vehicle;** [*rare*] **roulette**

گَرده **powdery substance; pounce;** [*bot.*] **pollen**

از چیزی گرده برداشتن to pounce *or* stencil something

از روی گردهٔ کسی کار کردن to take a leaf out of a person's book

گُرده **kidney; hip;** [*infml.*] **back** ***or*** **loins**

از گردهٔ کسی کار کشیدن [عامیانه] to exploit someone

گِرده **round loaf**

گُرده‌فشانی **pollination**

گُرده‌ماهی **convex; ridged**

گَردی **powdery, dust-like; gossamer, flimsy**

گُردی [ادبی] **bravery, heroism**

گِردی **roundness**

گردیدن [بن‌مضارع: گَرد] **to turn, to turn round; to revolve, to circulate; to walk, to ramble; to search;** [*lit.*] **to become;** ← شدن

گُردیده [اسم‌مفعول فعل گردیدن]

گُرز **mace, club**

گُر زدن [عامیانه] **to burn quickly**

گَرزن [*bot.*] **cyme**

گرسنگان [جمعِ گرسنه] **the hungry**

گرسنگی **hunger**

گرسنگی خوردن، گرسنگی کشیدن to starve

گرسنگی دادن to famish, to starve

از گرسنگی مردن to starve to death

گُرسنه **hungry** (person)

من گرسنه هستم. گرسنه‌ام هست. ***I feel hungry. I am hungry.***

گرسنهٔ چیزی بودن to hunger for (*or* after) something

گرشاسب [اسم‌خاص]

گرفتار **caught, captured;** [*fig.*] **preoccupied; tied up,** [*infml.*] **very busy; having a problem** *or* **problems**

گرفتار بدهی encumbered by debts

گرفتار عشق او enamoured of (her) love

گرفتار شدن to get into difficulty; to be captured

گرفتار کردن to capture, to arrest; to involve; to tie up

گرفتاری **preoccupation; embarrassment; worry, cares, problem(s); arrest**

گرفتگی **obstruction; depression;** [in comb.] **eclipse**

گرفتگیِ صدا hoarseness

گرفتگی هوا miserable *or* sultry weather

گرفتن[1] [بن‌مضارع: گیر] *vt.* **to take; to receive; to obtain; to catch; to arrest, to capture; to conquer; to recruit, to employ; to extract; to marry** *or* **take; to pare** *or* **trim:** ناخن گرفتن **; to use, to occupy, to take up:** همهٔ وقتم را می‌گیرد **; to cover** *or* **veil; to fill up** (a crack)**; to stop** (up)**, to clog; to bite; to admit, to suppose; to contract** (as a disease)

خود را گرفتن to put on a supercilious air

گرفتن[2] *vi.* **to be clogged:** بینی من گرفت **; to be eclipsed; to become close:** هوا گرفت **; to take fire; to catch on, to take:** آن نمایش نگرفت

شوخی او نگرفت.
His joke fell flat.

دستِ بگیر [مجازی] itching palm, grasping love of money

گرفته[1] /ص./ **dull, close, miserable:** هوای گرفته **; clogged; hoarse; depressed, dejected**

گرفته[2] [اسم‌مفعول فعل گرفتن]

گُرگ **wolf**

گرگ ماده she-wolf

گرگ باران‌دیده [استعاری] an old fox who understands a trap, old stager, old veteran

گرگ در لباس میش [مجازی] a wolf in sheep's clothing

هوای گرگ و میش twilight, gloaming

گرگاس [*bot.*] **tare**

گرگم‌به‌هوا **game of tag**

گرگی[1] /ص./ **wolfish**

سگ گرگی wolf-dog

گرگی[2] /ا./ **wolfishness**

گَرگین [ادبی] **scabbed**

گَرم **warm, hot;** [*fig.*] **ardent, enthusiastic; fiery; friendly; effective; charming;** [*entertainment or party*] **warm**

چه گرم است! ***How hot it is!***

گرمم است. ***I feel warm.***

اسلحهٔ گرم firearms

بازار گرم brisk market

مهمانی گرم بود.
The party was a success.

گرم شدن to grow hot *or* warm; to warm up

گرم کردن to heat; [*fig.*] to excite; to make brisk

با هم گرم گرفتن to get in close connections with each other, to become friends

کله‌اش گرم است.
He is tipsy (*or* lit up).

گرمِ کار absorbed in work

گرم و سردِ روزگار ups and downs, vicissitudes of fortune

گرم و نرم snug

گِرَم /فر./ **gramme**

گرما **hot weather; heat**

گرمابه **Turkish bath(s), hammam, hot bath-house**

گرمازده **heat-struck**

گرماسنج **thermometer**

گرماگرم **hot and hot; fresh**

گرمخانه **the hot chamber of a Turkish bath; greenhouse, hothouse, conservatory; place for keeping the poor during the winter**

گرمسیر **tropical country, warm climate**

گرمسیری **tropical**

گرمک [kind of early melon]

باقلا گرمک boiled beans

گرمی **heat, warmth;** [*fig.*] **ardour, enthusiasm; attractiveness; friendly** *or* **hospitable attitude**

گرمی‌دانه **prickly heat, rash**

گرنه [ادبی، صورت‌اختصاری اگر نه]

گِرُو **pledge, pawn, security; mortgage; wager**

گرو بستن = شرط بستن

گرو کردن = رهن کردن

گرو کشیدن to distrain upon

گرو گذاشتن to put in pledge, to give as a pledge; to mortgage

از گرو درآوردن to redeem

گِرِوْ /فر./ = اعتصاب

گروانیدن **to cause to adhere to** *or* **believe in; to make inclined**

گروگان **pledge; hostage; bondman**

گُرّ و گُر [عامیانه] **in torrents; in heaps; off the reel; intensely:** گُرّوگُر می‌سوخت

گُروه **crowd, band; group**
کشورهای گروه استرلینگ
sterling block countries
گروهان [*mil.*] **company**
گروهبان [*mil.*] **sergeant**
گروهبان اصطبل farrier
گروهبان‌یکم sergeant major
گروهبانی **sergean(t)cy**
گروهه **clew** (of thread); **ball**
گروی[1] /ص./ **pledged**
گروی[2] /ا./ = گرو
گرویدن = گرائیدن
گِره[1] **knot;** [*fig.*] **knotty affair**
گره بشکه barrel-sling
گره چارگوش reef-knot
گره خوردن to form a knot; to kink; [*fig.*] to come to a deadlock, to be entangled
گره دادن، گره زدن to tie, to knot
مشت گره کردن
to clench the fist
گره بر جبین زدن [ادبی]
to knit the brow
گره از جبین گشادن [ادبی]
to smooth the brow
گِره[2]
[unit of length = 2.56 inches]
گره‌دار **knotted, knotty**
گره گره **inch by inch; gradually; desultorily, irregularly**
گره گشا **resolver of difficulties**
گره گشایی **resolving of difficulties**
گَری **scab, mange**
گریان **weeping; tearful**
گریان شدن to come to tears
گریاندن **to cause to weep, to move to tears**
گریبان **collar**
گریبان کسی را گرفتن
to seize one by the collar; to befall someone

سرش توی گریبان خودش است.
He keeps to himself.
سر به گریبان فرو بردن [ادبی]
to meditate *or* muse
گریبانک [*bot.*] **involucel**
گریبانه [*bot.*] **involucre**
گریپ /فر./ **influenza, grippe**
گریختن [بن‌مضارع: گریز]
to run away, to flee
گُریخته [اسم‌مفعول فعل گریختن]
گُریز[1] /ا./ **flight, escape; metabasis;** [*fig.*] **evasion, elusion**
راه گریز way *or* means of escape; link for transition
گریز زدن [*rare*] to run away; to dodge (round); to deviate
گریز زدن از to elude *or* evade
از مدرسه گریز زدن
to play the truant
گُریز[2] [بن‌مضارعِ گریختن]
گریزان **running away**
گریزان بودن از to avoid *or* abhor
گریزاندن **to cause to escape; to smuggle; to omit**
گریزپا **runaway; truant**
گریزگاه **refuge; transition-verse**
گریزنده (one) **who escapes** *or* **avoids**
گریس /ان./ **grease**
گریستن [ادبی، بن‌مضارع: گِری]
to weep
گریس‌کاری /ان. فا./ **greasing**
تلمبهٔ گریس‌کاری grease-gun
گریل /فر./ **gorilla**
گریم /فر./ **make up**
گریم کردن to make up, to paint
گرینده [کمیاب] **weeper**
گریوه [ادبی] **mound of earth**
گریه **weeping, tears**
گریه کردن to weep, to cry

به گریه افتادن
to be driven to tears
به گریه انداختن
to move to tears
زیرِ گریه خواب رفتن
to cry oneself to sleep
گریهٔ زورکی forced tears
گریهٔ شادی tears of joy
گرییدن = گریستن
گز[1] **tamarisk** *or* **manna-tree; kind of confectionery made from manna**
گز خونسار tamarix mannifera
گز سرخ، گز مازو
gall-bearing tamarisk
گز شوره species of tamarisk growing in salt marshes
گز علفی the great prickly cupped oak (quercus valonica)
گز[2] **metre, ell**
گز کردن to measure
گز[3] [بن‌مضارعِ گزیدن]
گزاردن [بن‌مضارع: گزار]
to perform *or* **say:** نماز گزاردن ; **to serve:** ناهار گزاردن ; ⟵ گذاردن
گزارش **report, account, return**
گزارش، گزاره interpretation
گزارش دادن to submit a report
گزاره ⟵ گزارش
گزاف[1] /ص./ **exorbitant; extravagant**
گزاف[2] /ا./ = گزاف‌گویی
گزاف‌گویی **idle talk; exaggeration; bragging**
گزانگبین (manna of the) **tamarix mannifera**
گزر[1] **pestle**
گزر[2] = هویج
گزش **bite; thrilling condition**
گِزک = نوبت؛ فرصت، بهانه
گِزگِز کردن [عامیانه]
to smart (as a wound)
گَزلک **knife-poniard**

گزمه [کمیاب] /ت./ night-watch
گزند [ادبی] injury, harm
گزند رساندن (به) to harm *or* injure
گزند یافتن to be harmed *or* injured
گزندگی mordancy, bite; causticity
گزنده[1] /ص./ biting; caustic
گزنده[2] /ا./ biting creature, stinger
گزنه nettle
گزیدگی bite
گزیدگی سگ هار rabies
گَزیدن [بن مضارع: گز] to bite [not used of dogs], to sting
گُزیدن [بن مضارع: گزین] to choose, to select; to prefer
گزیده [اسم‌مفعول فعل گزیدن]
گزیر [ادبی] remedy, help
از آن گزیر نیست. We cannot help it.
گزین [بن مضارعِ گزیدن]
گزین کردن [ادبی] to choose *or* select
گزیننده selector, chooser
گُس astringent, acrid
گُساردن [ادبی، بن‌مضارع: گسار] to drink; to absorb; to consume
گُستاخ rude, impudent
گستاخانه impudently
گستاخی impudence, boldness
گستر [بن مضارعِ گستردن]
گسترانیدن to spread, to cause to spread
گستردن [بن‌مضارع: گستر] to spread
گسترده [اسم‌مفعول فعل گستردن]
گسترش [*rare*] act of spreading; deployment
گسستگی = گسیختگی

گسستن [بن‌مضارع: گسل] = گسیختن
گسل [بن‌مضارعِ گسستن، گسیختن]
گسلانیدن [ادبی] to (cause to) tear *or* break
گسله [*geology*] fault
گُسیختگی break, interruption; missing link; fault; cancellation; liberty of action
گسیختن [بن‌مضارع: گسل] to break (off), to tear, to disconnect; to cancel *or* terminate; to annul
گسیخته[1] /ص./ broken (off), interrupted; cancelled
گسیخته[2] [اسم‌مفعول فعل گسیختن]
گسیل [ادبی] despatched
گسیل داشتن = روانه کردن to despatch, to send
گشا [بن‌مضارعِ گشودن، گشادن]
گُشاد wide; loose-fitting
گشاد کردن to widen; to make loose
گشادگشاد راه رفتن to straddle
برای سرش گشاد است. [عامیانه] That is out of his depth.
گشادبازی [*backgammons*] trick of exposing intentionally one's men to be hit; [*fig.*] extravagance, burning the candle at both ends
گشادن = گشودن
گشاده open(ed)
گشاده‌دست [ادبی] open-handed, liberal
گشاده‌دل [ادبی] liberal
گشاده‌رو unveiled; cheerful
گشادی wideness; looseness
گشایش opening, inauguration; relief
گشایشی inaugural

گشاینده opener; resolver (of difficulties)
گشت walk, excursion; round, tour
گشت زدن to make one's round; to cruise
گشت زدن در to patrol
گشتاسب [اسم‌خاص] masculine proper name in the Shahnameh
گشتاور [*phys.*] moment
گشتن [بن‌مضارع: گرد] = گردیدن to turn, to turn round; to circulate; to walk *or* ramble; to search; [*lit.*] to become; ⟵ شدن
گشته[1] /ص./ [*rare*] changed; crooked; squint
گشته[2] [اسم‌مفعول فعل گشتن]
گشتی patrol(man)
گُشن آمدن to (have a) rut
گشن‌گیری fecundation
گُشنه [عامیانه] = گرسنه
گِشنیز coriander
خال گشنیزی [*c.p.*] club(s)
گشودن، گشادن [بن‌مضارع: گشا(ی)] to open; [*rare*] to conquer; [*fig., lit.*] to disclose; to resolve
گفت [ادبی] thing said, speech, word
گفت و شنید = گفتگو
گفتا [در شعر] /ف./ = گفت
گفتار speech, word; topic; discourse; [*lit.*] chapter
گفتگو conversation, talk; dispute
گفتگو کردن to converse, to talk
گفتگومان شد. [عامیانه] We had words. *i.e.* dispute
گفتگویی colloquial, conversational

گفتن[1] [بن مضارع: گو(ی)]
vt. **to say *or* tell**
گفت نمی آیم. ***He said he was not coming. He said "I am not coming".***
بـه او گـفتم بـیاید. او را گـفتم بـیاید. [ادبی] ***I told him to come.***
(می) گویند it is said, the story goes
نمی توان گفت one can't say, it is hard to tell
گوسفند نر را قوچ می‌گویند.
A male sheep is called a ram.
گفتن[2]
vi. **to talk:** می‌گفتیم و می خندیدیم
گفتنی (word) **that must *or* can be said**
گفته[1] /ا./ **saying, maxim; speech, word**
گفته[2] [اسم‌مفعول فعل گفتن]
گفتی [ادبی] **one would say;** ← گویی
گَل [کمیاب، صورت اختصاری گـله ["flock"] **flock**
تیر در میان گل زدن
to fire into the brown
گِل **mud; clay**
گلِ شُل، گل و شُل [عامیانه]
soft mud, mire
گل مالیدن to smear *or* plaster with mud; to roughcast
گل گرفتن to mud off: چاه‌ها را گل گرفتند; to conceal with mud
به گل نشستن to strand, to run aground
حق آب و گل priority arising from tenancy of long duration
گُل[1] **flower;** [*lit.*] **rose; snuff of a candle;** [*fig.*] **best *or* choice part, pick**
یک گل آتش a glowing piece of charcoal, an ember

گل انداختن
to flush (as the face)
گل چیدن to pick *or* pluck flowers; [*fig.*] to enjoy fruition
گل دادن to flower *or* blossom
گل کردن[1] [عامیانه] to hang fire; [*fig., infml.*] to show up, to appear, to come out
گل کردن[2] = گل دادن
گلی از هزار گلش نشگفته است.
[عامیانه] He is in the prime of life (*or* bloom of youth).
گل از گلش می‌شگفت.
He was all smiles.
گل گفتی! [عامیانه]
[ironical] Hear! Hear!
گل شمع را گرفتن
to snuff a candle
گل سر سبد pick of the basket (*or* the whole lot), flower of the flock
گلی به (گوشه) جمالت! [زبان لاتی]
[ironical] Well done indeed!, that was clever of you!
پرورش گل floriculture
گُل[2] /ان./ **goal**
گِلاب **mire, marsh**
گلاب **rose-water**
سیب گلاب [variety of sweet-smelling apple]
گل گلاب Damascus rose
گلاب پاش **rose-water sprinkler**
گلابتون **gold *or* silver lace; braid**
گلابدان **rose-water bottle**
گلابی **pear**
گل آذین [*bot.*] **inflorescence**
گل‌افشان [*adj.*] **strewn with flowers;** [*n.*] **benign scarlet fever**
گلافی [از فر. calfatage]
caulking

گلافی کردن to caulk
گِل‌آلود **muddy; splashed with mud; turbid**
گل‌آلود کردن to make turbid *or* muddy
از آب گل‌آلود ماهی گرفتن
to fish in troubled waters
گلاله [ادبی] **ringlet;** [*bot.*] **stigma**
گل‌اندام[1] /ص./
of a delicate body
گل‌اندام[2] [اسم‌خاص] /ا./
گل‌انگبین **rose-preserve** [originally made with honey]
گلاویز شدن **to grapple**
گلایل /فر./ **sword-lily, gladiolus**
گُلباد **compass-card**
گلباز **flower-fancier**
گلبانگ [ادبی] **shout; nightingale's note**
گلبرگ **petal; rose-leaf**
گلبن **rose-bush**
گلبند **garland**
گِل پاک‌کن **(door-)scraper**
گلپر **marjoram, origan**
گِـل‌تراش **(door-)scraper**
گُلچه [*bot.*] **floret**
گلچهره[1] /ص./
rose-cheeked
گلچهره[2] [اسم‌خاص] /ا./
گلچین **gatherer of flowers;** [*fig.*] **selector; selection**
گلچین کردن to select; to cull
گلچین ادبی anthology
گلچینی **selection, act of selecting;** [*o.s.*] **picking flowers**
گلخانه **conservatory, greenhouse *or* glasshouse**
گلخن **stove of a bath**
گلدار **flowered, figured**
گلدان **flower-vase; flower-pot**

گلدان ادرار urinal
گلدسته[1] (top of a) **minaret**
گلدسته[2] = دسته گل
گلدوز **embroiderer** (of floral designs)
گلدوزی **embroidery with flower designs**
گلرخ [ادبی] **rose-cheeked**
گلرنگ **rose-coloured**
گُلزار **rose-garden**
گِلزار **bog, marsh**
گلساز **maker of nosegays, florist**
گلِ سرخی **rosaceous; having rose patterns** *or* **designs**
گلستان **rose-garden**
گُلسنگ **lichen**
گلشن [کمیاب] **flower-garden**
گلعذار [ادبی] /فا. ع./ = گلچهره
گلف /فر. ان./ **golf**
گل‌فروش **florist**
گل‌فروشی **dealing in flowers**
دکان گل‌فروشی florist's shop
گِلفشان [کمیاب] /ص./ **ejecting mud**
کوه گلفشان mud volcano
گلفهشنگ **stalactite**
گلفهشنگِ وارونه stalagmite
گل‌قند، گل‌شکر **conserve of roses, rose-preserve**
گُلکار **floriculturist, gardener expert in layout of flower-beds**
گُلکاری **flower-work, flower-designs**
گُلگاس **cockle**
گلگشت **pleasure-ground**
گلگون [ادبی] **rose-coloured**
گلگیر **mudguard, fender, wing**
گُلگیر **snuffers**
گِل‌مالی **mud-plastering; rough-casting**

گُل‌مُژه **sty**
گلمیخ **peg; tent-nail; boss**
گلنار **pomegranate blossoms**
گلنار فارسی balaustine flowers
گَلن‌کیم /ت./ **who goes there?**
گلنگدن /ت./ **breech-block**
گل‌نم **sprinkle; gentle rain**
گلو **throat**
گلـوی زهـدان neck of the womb
گلو تر کردن to refresh oneself
گریه در گلویش گرفت. He was choked with tears.
گل و بته **floral pattern, flower design**
گلوبند **necklace**
گلوبین **pharyngoscope**
گلودرد **sore-throat, diphtheria**
گلوگاه[1] **pharynx**
گلوگاه[2] = گردنه
گل و گردن [زبان لاتی]، گلو و گردن **the parts about the neck**
گل و گشاد [زبان لاتی] **quite loose** *or* **wide**
گل و گشاد نشستن to sprawl
گلوگیر **sticking in the throat, suffocating**
لقمهٔ گلوگیر choking bit, an enterprise too big to cope with
گُلوله **ball, spherical object; bullet, shot**
گلولهٔ برف snowball
گلولهٔ توپ cannon ball, cannon-shot
گلوله کردن to form into a ball, to roll up, to conglomerate
گلوله‌باران کردن **to shell** *or* **bombard, to open fire on**

گلویی **cornice**
گَله **flock**
گلهٔ گاو cattle, herd
گِله (mild *or* friendly) **complaint, a bone to pick with someone**
گله کردن to complain
گُله [عامیانه] **spot**
گله‌آمیز **expressive of a complaint**
گلّه‌بان = شبان، چوپان
گلّه‌دار **cattle-man**
گله‌گزار **complainant**
گِله‌گزاری **complaining** (in a mild *or* friendly way)
گله‌مند بودن **to have a** (mild) **complaint, to have a bone to pick with someone**
گِلی **muddy; earthen**
خانهٔ گلی mud-house
گُلی[1] /ص./ **rose-coloured**
گُلی[2] [اسم‌خاص] /ا./
گلیسیرین /فر./ **glycerine**
گلیسین /فر./ **wistaria**
گِلیم **short-napped coarse carpet**
گلیم خود را از آب کشیدن o keep the wolf from the door
پا را به اندازهٔ گلیم دراز کردن o cut one's coat according o one's cloth
گَلین [اسم‌خاص] /ت./
o.s.] **bride;** → عروس
گُم **ost, missing; nislaid; invisible**
گم شدن be lost *or* nislaid; to disappear
گم کردن lose; to miss
گم و گور کردن [زبان لاتی] misplace *or* lose, to throw ut of sight
خود را گم کردن be above oneself

دست و پای خود را گم کردن to be confused from excitement, to lose oneself

گُم شو!، گورت را گم کن! [زبان لاتی] Get away!, get out!, get lost!

گمار [بن مضارع گماشتن]

گماردن = گماشتن

گماشتگی **appointment**

گُماشتن [بن مضارع: گمار] **to appoint**

به ریاست گماشتن to appoint (as) chief

گماشته[1] /ص./ **appointed, delegated**

گماشته[2] [جمع: گماشتگان] /ا./ **servant; agent; piquet**

گُماشته[3] [اسم مفعول فعل گماشتن]

گمان **belief, opinion; supposition**

به گمان من *in my opinion*

گمان بردن[1] to be suspicious

گمان بردن[2] = گمان کردن

به من گمان بردند. *They were suspicious of me.*

گمانم به او می‌رود. [عامیانه] *I suspect him.*

گمان کردن to believe *or* think; to be of the opinion; to imagine

به گمانم I think, I believe, I thought

گمانه **sounding-line; divining rod**

گمانه زدن to dowse, to sound (the depth of)

گُمراه **misled; astray**

گمراه شدن to go astray; to be misled; to be seduced

گمراه کردن to lead astray, to mislead; to seduce

گمراهی **state of being misled, aberration; perversion**

گمرک [جمع: گمرکات، /ع./] /ت. ای./ **customs; customs duties**

گمرک بستن to levy duties on

گمرک کردن [عامیانه] to assess and levy duties on *or* complete the Customs formalities in respect of

از گمرک در آوردن to clear from the Customs

حقوق گمرکی customs duties

گمرکچی /ت./ **custom's officer; custom appraisor *or* assessor**

گمرکخانه /ت. فا./ **custom-house**

گمره [ادبی، صورت اختصاری گمراه]

گمشده، گمگشته [ادبی] [*adj.*] **lost, missing; misled;** [*n.*] **lost person *or* object**

گملاستیک /فر./ **gum elastic**

گمنام **obscure, unknown**

قبر سرباز گمنام cenotaph

گمنامی **obscurity, want of fame**

گناه **sin; crime**

گناه کردن to sin

گناه است، گناه دارد *it is a sin to*

گناهکار [*adj.*] **sinful;** [*n.*] **sinner**

گناهکاری **sinfulness**

گنبد، گنبذ **dome, cupola, vault**

گَنج **treasure(-trove)**

گنج قارون mine of wealth, tons of money; ⟵ قارون

گُنج **volume;** ⟵ گنجیدن

گنجا [کمیاب] **voluminous**

گنجاندن **to insert; to include**

گنجایش **capacity, room**

گنجایی [کمیاب] **voluminosity**

گنجشک **sparrow**

گنجشک‌روزی **who lives from hand to mouth**

گنجفه **playing-cards**

گنجور [کمیاب] **guardian of a treasure; treasurer**

گنجه **larder, cupboard, pantry**

گنجیدن [بن مضارع: گُنج] **to be contained; to be inserted**

به عقل گنجیدن to seem reasonable

گنجینه **treasure; store, depositary**

گَند **stink, fetid smell**

گندش را درآوردن [عامیانه] to be outrageous in one's conduct, to go too far (in a notoriously indecent act); to make a mess of it

گندش بالا آمد it began to stink; [*fig.*] it was publicly known

گنداب **sewage; fetid water**

گنداب‌رو **sewer**

گنداندن **to** (cause to) **putrefy**

گندزدا **disinfectant**

گندزدایی **disinfection**

گندزدوده **disinfected**

گُندگی [عامیانه] **bigness**

گَندم[1] **wheat**

نان گندم wheat *or* wheaten bread

گَندم[2] **grain** [unit of weight]

آرد گندم flour, corn-meal

گُل گندم corn-flower, blue centaury

گندکوب **flail**

گندمگون **swarthy, tawny**

گندم‌نما **who shows wheat**

جو فروشِ گندم‌نما double-dealer

گندمه **freckle, lentigo, fleck**

گندمی [*bot.*] **graminaceous;**
گندمگون ← [*o.s.*] **wheaten;**
گندنا (variety of) **leek**
گندنای کوهی horehound
گَنده = گندیده
گَنده شدن = گندیدن
گَنده کردن = گنداندن
گُنده [عامیانه] **big, huge; corpulent**
گُنده شدن to grow big
گُنده کردن to make big
گنده‌آروغ **fetid eructation**
گنده‌تاول **anthrax, carbuncle**
گندیدگی **fetidness**
گندیدن [بن‌مضارع: گند] **to putrefy** *or* **decay**
گندیده **putrefied, fetid, addle**
گُنگ[۱] **dumb, mute**
گنگ کردن to make (*or* strike) dumb
ریشهٔ گنگ surd
گُنگ[۲] **earthen water-pipe**
گنگی **dumbness**
گنه [ادبی، صورت‌اختصاری گناه]
گنه‌گنه **quinine**
گنه‌گنه شیرین ethyl carbonate of quinine
گو [صورت‌اختصاری گوی]
گُوا [ادبی، صورت‌اختصاری گواه]
گواتر /فر./ **goitre**
گوارا **digestible; wholesome; agreeable**
گوارایی **wholesomeness; digestibility**
گوارش **digestion**
گوارنده **digestive, promoting digestion, peptic**
جوهر گوارنده pepsin
گواریدن [کمیاب، بن مضارع: گوار] *vi.* **to be digested;** *vt.* **to digest**
گواه **witness**

گواه آوردن to witness, to give evidence
گواه خواستن از، گواه گرفتن to call to witness
گواهی **witness, testimony, evidence; certification**
گواهی دادن to give evidence (of), to bear witness (to); to certify, to attest
دلم گواهی نمی‌دهد که... I do not find it in my heart to...
گواهینامه **certificate**
گواهینامه سهام share warrant
گوپال = کوپال
گوجه **greengage; plum**
گوجه‌فرنگی **tomato**
گود[۱] /ص./ **deep**
گود افتادن to sink
گود شدن، گود کردن to deepen
گود[۲] /ا./ **pit, cockpit**
گود خاک‌برداری borrow-pit
گود زورخانه gymnasium pit *or* ground
گوداب **stain left after a distemper**
گودال **pit; cavity**
گودال شکمی abdomen
گودبرداری **excavation**
گودرز [اسم‌خاص]
گوده **pit** *or* **ditch;** [*anat.*] **acetabulum**
مفصل گلوله و گوده ball-and-socket joint
گودی **depth; hollow, cavity**
گودیِ چاه چقدر است؟ ***How deep is the well?***
گور **grave, tomb**
گور کردن، گور گذاشتن to bury; to outlive
زنده به گور کردن to bury alive
پایش لب گور است. He has one foot in the grave.
گور به گور شدن to be refused burial in any graveyard

گور = گورخر
گوراسب **zebra**
گورخر **wild ass, onager**
گورزاد **pygmy, elf; gnome**
گورستان **cemetery**
گورکن **grave-digger; body-snatcher;** [*zool.*] **badger**
گورگیاه **sweet-rush, bogrush, camel's hay, lemon-grass**
گوز [ناشایست] **fart**
گوزن **deer**
گوزن ماده doe, she-deer, hind
گوزن نر stag, hart
گوزن شمالی rein-deer, caribou *or* elk
شاخ گوزن hartshorn
گوساله **calf**
گوسالهٔ اخته steer
گوسالهٔ ماده heifer
گوسالهٔ نر bull-calf
گوشت گوساله veal
گوساله‌ماهی [*zool.*] **seal**
گوسپند = گوسفند
گوسفند (fat-tailed) **sheep**
گوشت گوسفند mutton
کود گوسفندی sheep's dung
گوش **ear**
گوش خارجی external ear, auricle, pavilion
گوش داخلی internal ear
گوش میانی tympanum, middle ear
گوش به فرمان کسی بودن to be at one's beck and call
گوش‌تاگوش from one end to the other
گوش ایستادن to eavesdrop
گوش به فرمان من! Attention to orders!
گوش کسی را بریدن to swindle money out of a person, to fleece him

سراپا گوش بودن to be all ears
گوش خواباندن to wait silently for an opportunity, to lie low
گوش دادن (به) to listen; to hearken *or* obey
گوش کردن[1]، گوش گرفتن to listen (to), to obey
گوش کردن[2]، در گوش کردن to wear (as an earring)
آب در گوشِ کسی کردن to throw dust in someone's eyes
چیزی را به گوش کسی رساندن to inform someone of something
به گوش او رسید ***he heard it***
پشت گوش انداختن to pass by, to neglect, to disregard
گوشتان به من باشد. ***Listen*** or ***pay attention to me.***
گوشش به حرفهای من بدهکار نیست. He turns a deaf ear to my words.
گوشش از این حرفها پر است. He is callous to such words. He has too often heard these words to be inconvenienced by them.
گوش شیطان کر! Touch wood!
گوش‌بُر **swindler, trickster**
گوش‌بُری **swindling**
گوش‌بُری کردن to swindle *or* cheat
گوش‌به‌زنگ [عامیانه] **on the alert, on the watch; expecting anxiously**
گوش‌بریده **crop-eared**
گوش‌بین **auriscope**
گوش‌پاک‌کن **earpick, aurilave**
گوش‌پناه [کمیاب] **ear-cap, ear-tab**
گوشت **meat; flesh,** [*fruit*] **pulp**

گوشت زیادی fleshy outgrowth, excrescence
گوشت کسی را ریختن to give one a gooseflesh, to have a rasping effect on him
گوشت نو بالا آوردن to heal up
گوشت به دست گربه سپردن to set the fox to watch the geese
روغن گوشت dripping, fat of meat
گوشت گرفتن to put on weight *or* flesh
گوشتالو [عامیانه] **plump, fleshy**
گوشت‌تلخ **grumpy; morose**
گوشت‌تلخی **moroseness**
گوشتخوار **carnivorous**
گوشت‌خردکن **meat-chopper**
گوشت‌دار **fleshy, plump**
گوشت‌رُبا [کمیاب] **kite *or* crow**
گوشت‌فروش **butcher, meat-seller**
گوشت‌فروشی **butcher's shop *or* trade**
گوشت‌کوب **(meat-)masher;** [*mech.*] **silent block**
گوشتی **fleshy; carnal; consisting of meat; flesh-coloured**
گوش‌خیزک **earwig**
گوش‌درد **earache, otalgia**
گوشزد کردن **to notify; to point out**
گوشک **earlet; auricle;** [*mus.*] **peg *or* key**
گوشکِ ماهی[1] gill
گوشکِ ماهی[2] = گوش ماهی
گوشمال، گوشمالی **slight punishment; reproof**
گوشمال دادن to give a slight punishment to, to chastise; to rebuke

گوش‌ماهی **earshell, nacre**
گوشوارک [*bot.*] **stipule**
گوشوار(ه) **earring**
گوشه **corner; angle;** [*fig.*] **hint, allusion; sarcastic remark;** [*mus.*] **figure**
گوشه زدن to speak sarcastically
گوشهٔ حرفی را گرفتن to second *or* support a statement, to follow it up
گوشه‌دار **angular, cornered;** [*fig.*] **piquant; sarcastic**
گوشه گیر = گوشه‌نشین
گوشه‌نشین [*adj.*] **recluse, secluded;** [*n.*] **hermit *or* recluse**
گوشه‌نشینی **seclusion, sequestered life, retirement**
گوشه‌نشینی اختیار کردن to sequester oneself from the world
گوشی[1] [*telephone*] **receiver; ear-trumpet;** [*med.*] **stethoscope**
گوشی خدمتتان باشد! Hold the line (*or* hold on) please!
گوشی دستم است. I am wise to it. I am in the know.
گوشی دستتان باشد! Watch out!, Be wise to it!
گوش[2] [موسیقی] ← گوشک
گوگرد **sulphur**
گوگرد سرخ philosopher's stone
جوهرِ گوگرد sulphuric acid
گوگرد زدن to sulphurate
گوگردانک **tumblebug, tumbledung, scarab**
گوگردی **sulphuric, sulphurous**
گول[1] **fraud, deceit**
گول (کسی را) خوردن to be deceived (by someone)

گول زدن to deceive

گول[۲]، **ماهی گول** **carp**

گول‌خور **gullible, deceivable**

گول‌زن **dummy, comforter, pacifier;** [*o.s.*] **deceiver**

گون[۱] /پس./ **colour**

گون[۲] /پس./ **kind**

گَوَن **goat's-thorn, camel's-thorn, milk-vetch**

گوناگون **diverse, various; miscellaneous; variegated**

گونه[۱] **kind; manner; colour;** [*bot.,zool.*] **species**

چگونه؟ how?, in what manner?

گونه[۲] **cheek**

استخوان گونه malar bone

گونی **gunny** (bag)

گونیا [*gram.*] **set-square**

گُوه **wedge**

گوهر **gem, jewel; pearl;** [*fig.*] **essence; origin, descent**

گوهربار، گوهرفشان [ادبی] **eloquent; raining**

گوهرفروش [*lit.*] **jeweller, dealer in gems *or* pearls**

گوهرنشان **studded with gems, inlaid with jewels, gemmed**

گوهری [ادبی] = جواهری

گو(ی)[۱] [بن مضارعِ گفتن]

گو که، گو اینکه although

گو مباش [ادبی] let there not be, I don't want

گو(ی)[۲] **sphere, ball, globe; bead**

گوی سبقت ربودن از to outstrip *or* outdo; to excel

گویا[۱] **speaking;** [*fig.*] **expressive;** [*math.*] **rational**

گویا[۲] [stress on the first syllable] **it seems** (that)

گویا خسته هستید. ***You seem to be tired.***

گویایی **faculty of speech**

گویج **how(thorn)**

گویچه **small globe, globule**

گوینده [جمع: گویندگان] **teller; announcer; speaker; narrator**

گویه **buoy**

گویی [ادبی] **one would say (*or* think); indeed**

گوئیا [ادبی] = گویا[۲]

گَه [ادبی، صورت‌اختصاری گاه]

گُه [ناشایست] **excrement**

گهر [ادبی، صورت‌اختصاری گوهر]

گِهربار [ادبی] = گوهربار

گه‌غلتان = گوگردانک

گهگاه [ادبی، صورت‌اختصاری گاه‌گاه]

گُه گیجه [زبان لاتی] **absolute giddiness, confused *or* puzzled state**

گهگیر **restive**

اسب گهگیر restive horse, jibber

گهواره **cradle**

گهوارهٔ هوایی aerostat

بچهٔ گهواره‌ای child in cradle

صندلی گهواره‌ای rocking-chair

گهی [ادبی، صورت‌اختصاری گاهی]

گیاه **vegetable, plant; grass, herb**

گیاهخوار **herbivorous; vegetarian**

جانور گیاهخوار herbivorous animal, the Herbivora

گیاه‌شناس **botanist**

گیاه‌شناسی **botany**

گیاهک = رویان **embryo**

گیاهی **herbaceous**

غذای گیاهی vegetable food

گیتی [ادبی] **world;** → جهان، دنیا

گیج **giddy, absent-minded; confused; bewildered, puzzled; fuddled**

گیج خوردن to feel giddy; to reel; to stagger

گیج شدن to become giddy; to get puzzled; to be confused

گیج‌کردن to make giddy; to give the vertigo (to); to bewilder; to stupefy

گیجگاه [عامیانه] **temple;** → شقیقه

گیجی **giddiness, dizziness; stupour; puzzled state**

گیر[۱] /ا./ **hold,** (power to) **grasp; grip;** [*fig.*] **difficulty; entanglement**

گیر آمدن [عامیانه] to be had, to be obtainable ***or*** available; to be caught

بدجوری گیر آمده‌ام. [عامیانه] I am in a bad fix (***or*** an awkward situation).

گیر آوردن to catch; to manage to obtain; to corner

گیر افتادن to be caught ***or*** betrayed

گیر انداختن to betray, to give up; to entrap; to corner

گیر کردن to get caught; to be stuck; to meet with a difficulty; to catch; to stammer: زبانش گیر کرد ; to hesitate; to stumble

گیر کردن به to touch ***or*** hit: پایش به سنگ گیر کرد

به هم گیر کردن to collide, to fall foul; to engage, *vi.* to mesh

گیر[۲] [بن مضارعِ گرفتن]

گیرا grasping; biting; [*fig.*] effective, granted (as a prayer)

گیراندن to kindle *or* start

گیرانک، گیرانه kindling

گیرم [از ریشه گرفتن] granted (that), suppose *or* admit (that)

گیرندگی attractiveness; [*liquor*] headiness

گیرنده [*n.*] recipient; payee; [*adj.*] receiving; gripping, attractive; heady

دستگاه گیرنده receiving set, receiver

گیروانکه /ت./ pound

گیرودار conflict, scuffle; authority, pomp

در این گیرودار at this juncture

گیره clip; vise; hairpin; clothes-peg, clothes-pin

گیس (woman's) hair; tail of hair

گیس دستی wig

گیس‌بریده

زن گیس‌بریده shameless:

گیس‌بند fillet for binding the hair

گیس‌سفید elderly woman, duenna

گیسو [ادبی] (woman's) hair; ringlet, tress

گیسوپوش mob-cap, coif

گیشه /فر./ ticket-office, booking-office

گیلاس[1] cherry

گیلاس[2] [از ان. glass] glass, goblet

گیلز /ر./ unstuffed cigarette, tubular cigarette-paper

گیلک [native of Gilan a northern province of Iran]

گیله bride's ornamental veil

گین /پس./ full of, having

گیو masculine proper name in the Shahnameh

گیوه light cotton summer shoes

گیه [ادبی، صورت‌اختصاری گیاه]

گیهان [کمیاب] = کیهان، جهان

ل

لا¹ **fold, ply; thickness**
تختهٔ سه‌لا three-ply board
طناب چهارلا rope of four strands
چندلا manyfold
لایِ¹ /حا./
مداد لای کتاب است :in(side)
لایِ² /حا./ within
لاش گذاشتن [عامیانه] to (make) a fuss; to pad it
لا² = لای
لا³ /ع./ = نَه **no**
بدون لا و نعم without saying a word
لاابالی /ع./ **careless, remiss**
لاابالی‌گری /ع. فا./ **carelessness**
لاأدری /ع./ **"I do not know"-confession of one's ignorance**
لااقلّ /ع./ = دست کم **at least**
لابُدّ¹ /ق. ع./ **necessarily; certainly**
لابد² /ص. ع./ = ناچار، ناگزیر
لابراتور /فر./ = آزمایشگاه
لابه لا [*n.*] **inner folds, whole interior;** [*adj.*] **of many folds**
از لابه لایِ آنها between the lines
لابه /ع./ **entreaty**
لابه کردن to entreat, to supplicate
لاپوست = زیرپوست
لاپه **rafter**

لات، لاط **ruffian; hoodlum; tatterdemalion**
لاتعدّ و لاتحصی /ع./ **countless(ly)**
لاتکلف، بلاتکلیف /ع./ **at a loss what to do**
لات و لوت [عامیانه] **destitute, naked;** → لات
لاتی **destitution; roguishness**
لاجُرعه [ادبی] /ع./ **at one gulp**
لاجَرم [ادبی] /ع./ **necessarily;** (it follows) **therefore**
لاجواب /ع./ **unable to answer!, mute; unanswerable**
لاجوَرد **azure, cobalt blue**
لاجورد اصل، لاجورد کاشی ultramarine
لاجورد فرنگی smalt
سنگ لاجورد lapis lazuli
لاجوردی **azure**
لاجوردی کردن to azure, to colour blue
لاجون [عامیانه] **weak, sickly; thin** (as a lath), **lean** (as a rake)
لاحق /ع./ **coming next, following; adjoining**
لاحقه [جمع: لواحق، مؤنثِ لاحق] /ا. ع./ **supplement, annex**
سابقه و لاحقه context
لادَن، لادن عنبری **labdanum, ladanum**
گل لادن nasturtium, Indian cress
لاروب **dredger**

لاروبی **dredging**
لاروبی کردن to dredge
لاریز **corbie-step(s)**
لازم [مؤنث: لازمه، کمیاب] /ع./ **necessary; inherent, inseparable;** [*gram.*] **intransitive;** [*law*] **binding, enforceable**
لازم شدن، لازم آمدن [ادبی] to be(come) necessary
لازم شدن بر، لازم آمدن بر to become incumbent on
لازم داشتن to need, to require
دو روز وقت لازم دارد. It takes two days (to be done).
لازم دانستن to deem (it) necessary
لازم نکرده است. [uttered in a harsh tone] ***It is not necessary at all.***
لازم و ملزوم correlative; interdependent
غیرلازم unnecessary
لازم‌الاجراء /ع./ **that must be executed, binding, enforceable**
لازمه¹ [جمع: لوازم، مؤنثِ لازم] /ا. ع./ **requisite, essential condition; inevitable result;** → [جمع: لوازم]
لازمهٔ essential to, necessary to, integral to; incidental to
لاس **female animal;** [*rare*] **especially bitch; flirting**

لاس ابریشم coarse silk, floss-silk
نر و لاس the good with the bad, the fat with the lean
لاس زدن to flirt *or* spoon
لاستیک /فر./ **rubber; tire *or* tyre**
لاستیک رویی pneumatic tire
لاستیک تویی tube
لاستیکی /فر. فا./ (made) **of rubber,** [*adj.*] **rubber**
لاسی **flirtatious, flirty**
لاش **carcase, carcass; carrion**
لاشخور **carrion-kite; vulture**
لاشریک /ع./ **having no partner, single: epithet of God**
لاشک /ع./ = بی‌شک
لاشه **corpse; carcass**
لاشهٔ برات retired draft
لاشه‌خوار **necrophagous**
لاشیئی [کمیاب] /ع./ **worthless**
لاط = لات
لاطار، لاطری [از ان. یا فر.] **lottery; raffle**
لاطار گذاشتن to raffle (off)
لاطائل /ع./ **idle; useless; absurd**
لاعلاج /ع./ = علاج‌ناپذیر
لاعلاجی /ع. فا./ = ناچاری
لاغر **thin; lean**
لاغر شدن to grow thin (*or* meagre), to lose flesh
لاغر کردن to make thin, to emaciate
لاغرمیان [ادبی] **slender(-waisted);** [*horse*] **having thin flanks**
لاغری **thinness; leanness**
لاغیر /ع./ **no other; alone**
لاف **boasting; vaunting**
لاف زدن to boast, to brag
لاف دوستی زدن to claim to be a friend
لافزن **braggart, boaster**
لاقید /ع./ **careless, remiss**
لاقیدی /ع. فا./ **carelessness**
لاقیدی کردن to be careless
لاک[1] **sealing-wax; lac**
لاک الکل lacquer
لاک شیشه‌ای shellac
لاک ناخن nail-varnish
لاک الکل زدن to lacquer
لاک و مهر کردن to seal up
لاک[2] [کمیاب] **wooden cup; shell carapace;** → لاک‌پشت
از توی لاک درآمدن to come out of one's shell
لاک‌پشت **tortoise**
لاک‌پشت آبی turtle
لاکتاب [عامیانه] /عف./ **irreligious, impious;** [*o.s.*] **having no Bible**
لاکردار [عامیانه] /ع. فا./ **ill-treating; unprincipled**
لاکی **lac-coloured, crimson**
لال **dumb**
لال کردن to make *or* strike dumb; to silence
لالا[1] **bye-bye**
لالا کردن to go to bed
لالا[2] [ادبی] **resplendent, glittering** (as a pearl)
لالایی **lullaby**
لالایی گفتن to lullaby
لالایی برای کسی گفتن to sing a lullaby to someone, to lull him to sleep
لال‌بازی **dumb-show; dumb gestures**
لال‌بازی درآوردن to pretend to be dumb
لاله **tulip**
لالهٔ گوش auricle
لالهٔ نعمان anemone
لاله‌عباسی /فا.ع./ **marvel-of-Peru, four-o'clock**
لاله‌وَش [*zool.*] **crinoid**
لالی **dumbness**
لآلی [جمعِ لؤلؤ]
لام[1] /ع./ **name of the letter** ل
لام[2] /ع./ **frisette**
لامپ /فر./ **electric bulb;** [*radio*] **valve, tube** [U.S.]
لامپا /ر./ **lamp**
لآمت /ع./ = پستی
لامح /ع./ = درخشنده
لامحاله[1] /ع./ **inevitably**
لامحاله[2] [عامیانه] /ع./ = اقلاً
لامذهب /ع./ **irreligious**
لامذهبی /ع. فا./ **irreligion**
لامسه /ع./ **sense of touch**
لامع /ع./ = درخشنده
لامکان /ع./ **having no abode, illocal: epithet of God**
لامی /ع./ **lambdoid; hyoid**
لانجین **large copper bowl**
لانه **nest;** [*rabbit*] **burrow;** [*dog, fox*] **kennel;** [*bee*] **vespiary;** [*pigeon*] **pigeon-hole, pigeonry;** [*ant*] **ants' nest, ant-hill, formicary**
لانه کردن to nestle, to live as in a nest
لانه کردن در to make a nest of, to choose (as a nest)
لانه‌سازی **nidification**
لاوَک **wooden pan, buddle**
لاوک خاک‌شویی cradle, gold-washer
لاوُصول /ع./ [*debt*] **bad, irrecoverable**
لاوی /ع. عب./ **Levi(te)**
سفر لاویان Leviticus
لاهوت /ع./ **divinity;**
لاهوت ادبی moral theology

لاهوت نظری dogmatic theology
عالم لاهوت the spiritual world
علم لاهوت theology
لاهوتی /ع./ **divine; theological**
لاهه /فر./ **the Hague**
لا(ی) **sediment; lees**
لا(ی) افتادن to settle, to deposit, to clear itself
لا(ی) انداختن to settle
لای[1] [بن‌مضارعِ لاییدن]
لای[2] ← لا
لایتجزا /ع./ **indivisible, infinitesimal**
لایتغیر /ع./ = تغییرناپذیر
لایتناهی /ع./ **infinite**
لایحه [جمع: لوایح] /ع./ **bill; essay**
لایحه قانونی bill
لایُدرَک /ع./ **incomprehensible**
لایزال /ع./ **eternal; indestructible**
لایشعر /ع./ **lacking common sense**
ضمیرلایشعر the unconscious mind
لایعقل /ع./ = بی‌خرد
لایعلم /ع./ = نادان
لایِق /ع./ = شایسته **worthy, fit, meritorious**
لایق آن نیست. ***He is not worthy of it. He does not deserve it.***
لایُقرا /ع./ **illegible;** ← قوت
لایموت /ع./ **immortal**
قوت لایموت ← قوت
لاینحل /ع./ **insoluble, insolvable; inexplicable**
لاینفک /ع./ **inseparable**
جزء لاینفک integral part, part and parcel
لاینقطع /ع./ **incessantly**

لایه **layer**
لایی **wadding, stuffing, dunnage, padding; packing**
لاییدن [کمیاب، بن‌مضارع: لای] **to bark**
لَب **lip; edge, brink**
لب بام edge of a roof
لب دریا sea-shore
لب بستن to keep silent
لب ترکردن to refresh oneself (by a drink)
لب زدن to taste
زیر لب حرف زدن to speak below one's breath
زیر لب خندیدن to laugh in one's sleeve
لبش را تو گذاشتن [زبان لاتی] to curtail one's words, to cut it short, to hold one's tongue, to hush
لبش کلفت شد. [زبان لاتی] ← لب و لوچه‌اش آویزان شد، لب و لوچه
لُبّ [جمع: الباب] /ع./ **pith; essence; choice part;** [*o.s.*] **heart**
لباب /ع./ **choice part, pith**
لِباس [جمع: البسه] /ع./ = پوشاک **clothing, clothes, dress, garment;** [*fig.*] **garb, appearance**
لباس خانه dressing-gown, undress
لباس‌خواب زنانه night-gown, pyjamas
لباس‌خواب مردانه pyjamas
لباس زنانه (ladies') dress
لباس کار overall(s), boiler suit
لباس مبدّل disguise
لباس نظامی military uniform
دو دست لباس two suits (of clothing)
لباس پوشیدن to dress (up), to put on one's clothes

لباشه، لواشه **barnacles**
لبالب **filled to the brim**
لُبان /ع./ **olibanum, frankincense**
لبان جاوی = حسن لبه
لبان شامی pitch-resin
لب‌برگردان **turndown**
لب‌به‌لب [*adv.*] **up to the brim;** [*adj.*] **brimful**
لب‌پریده **chipped:** چینی لب پریده
لب‌ترش **sourish**
لب‌تلخ **somewhat bitter**
لبخند **smile**
لبخند زدن to smile
لبدیس [*bot.*] **labiate**
لبریز **overflowing**
لبریز شدن to overflow, to run over
لبریزکردن to cause to overflow
لب‌شکری **harelipped**
لب‌طلایی **gilt-edge(d)**
لبکی **hem(ming)**
لبلاب /ع./ **bindweed**
لبنان /ع./ **Lebanon**
لبنانی /ع./ **Lebanese**
لبنیات /ع./ **dairy products**
کارخانهٔ لبنیات(سازی) dairy farm
لبنیات‌فروش /ع. فا./ **dairyman**
لبو **boiled beetroot**
لب و لوچه [زبان لاتی] **chops**
لب و لوچه‌اش آویزان شد. He pulled a long face. His countenance fell.
لبه **edge; hem; rim; visor of a hat; eaves of a roof**
لبه‌دار **edged; having a visor**
لبه‌دوزی **edging, hemming**
لبی **labial**
لبیب [کمیاب] /ع./ = خردمند

لبیک [ادبی] /ع./ **here am I; yes**

لپّ [عامیانه] = دهن

لپ لپ خوردن to lap, to gobble, to guzzle

لپر، بازی لپر **ducks and drakes**

لپه **split peas;** [*bot.*] **cotyledon, seed-leaf**

لُپی [زبان لاتی] **of the mouth**

اشتباه لپی slip of the tongue

لَت **sheet**

در یک لتی one-leaf door

لت و پار کردن [زبان لاتی] **to smash, to beat black and blue;**

انگلیسی لت و پار کردن **to murder:**

لثوی /ع./ **gingival**

لثه /ع./ **gum of the teeth**

ورم لثه gingivitis

لَجّ /ع./ **grudge, spite**

به کسی لج داشتن، با کسی لج بودن to bear one a grudge

لج کردن to be obstinate; to get one's back up

لجاجت /ع./ **obstinacy, pertinacity; grudge**

لجاجت کردن to be obstinate; to bear a grudge

لجاره **virago, shrew**

لجام /ع. فا./ = لگام

لجباز /ع. فا./ **pertinacious, obstinate**

لجبازی /ع. فا./ = لجاجت

لَجن **black mud, slime, ooze**

لجنِ اسید acid tar

لجن‌مال **covered with mud;** [*fig.*] **disgraced**

لجن‌مال کردن to fling mud at, to disgrace

لجوج /ع./ **pertinacious, obstinate, mulish**

لُجه /ع./ **depth** (of the sea), **the deep**

لچر [عامیانه] = چرک؛ پست

لَچک **fichu, triangular shawl**

لچک‌به‌سر [derogatory word for] **woman**

لحاظ /ع./ **point of view, respect; attention;**

[جمعِ لحظه] →

آن را از لحاظ مبارک می‌گذراند. We bring it to Your Excellency's attention.

از لحاظِ for purposes of; with a view to, in the light of

لحاف /ع./ **eider-down, quilt, comforter**

لحافک [کمیاب] /ع. فا./ **pad, compress, pledget**

لَحد /ع./ **niche in the side of a tomb,** *L.* **tomb**

لحظات [جمعِ لحظه، /ع./]

لحظه [جمع: لحظات، لحاظ، کمیاب] /ع./ **moment;** [*o.s.*] **side-glance**

لحمی /ع./ **fleshy; sarcomatous**

لحن [جمع: الحان] /ع./ **tune, melody;** [*fig.*] **tone, strain**

لحیم /ع./ **solder, soldering**

لحیم کردن to solder

لحیمگر /ع. فا./ **solderer**

لحیمگری /ع. فا./ **soldering**

لِحیه /ع./ = ریش **beard**

اظهارِ لحیه کردن to throw in a remark

لَخت [۱] /ا./ **part, piece;** → لختی

لَخت [۲] /ص./ **lax; lean**

لُخت **naked, bare**

لخت شدن to take off one's clothes, to undress (oneself)

لخت کردن to strip (of one's clothes); to rob, to fleece

اسب لخت سوار شدن to ride bareback

لَخته **clot** (of blood)

لَختی [ادبی] **for a while; somewhat;** → لَخت

لُختی **nakedness**

لدانم /فر./ **laudanum**

لَدغه [کمیاب] /ع./ = نیش **sting**

لَدُنی [۱] /ع./ **divine:** علم لدُنی

لَدُنی [۲] /ع./ **theological**

لَدُنی [۳] /ع./ **mystical**

لدی‌الاقتضاء /ع./ ← اقتضاء

لدی‌الورود /ع./ **on arrival**

لِذا /ع./ **so, therefore;** → پس، بنابراین، ازاین‌رو

لذات [جمعِ لذت]

لذائذ [جمعِ لذیذه، کمیاب] /ع./ **pleasures, enjoyments**

لذت [جمع: لذات] /ع./ **pleasure, enjoyment; deliciouness**

لذت بردن از to enjoy *or* relish; to be delighted in

لذت دادن to give pleasure *or* enjoyment; to be delicious

لذت‌بخش /ع. فا./ **delightful, delectable; delicious**

لَذیذ /ع./ **delicious, dainty**

لُر [کمیاب] = لخت /ص./

لُر [جمع: الوار، /ع./] **native of Lorestan;** [*fig.*] **dupe; fool**

لُرد /ان./ **lord**

لِرد **dregs, lees**

لرز [۱] **trembling, tremor**

لرز شیر milk-fever

لرز کردن = لرزیدن

لَرز [۲] [بن‌مضارع لرزیدن]

لرزان **trembling; tottering**

لرزاندن [بن‌مضارع: لرزان] **to cause to tremble, to shake**

لرزانک **jelly** *or* **marmalade**

لرزش **tremor; vibration**

لرزنده **trembling; tremulous; shivering**

لرزه shudder(ing), trembling
لرزه بر اندامش افتاد. *He was filled with horror. He began to shudder.*
لرزیدن [بن‌مضارع: لرز] to tremble; to shudder; to shiver
لُری [n., adj.] (the dialect) of the Lurs; [adv.] frank *or* point-blank
لزج /ع./ viscous, slimy
لزگی Lesghian (dance)
لزوجت /ع./ viscosity
لزوم /ع./ need, necessity
لزوم ذاتی inherence
در صورت لُزوم، در موقع لزوم in case of necessity, if necessary
به‌قدر لزوم as much as necessary
لزومی ندارد there is no need of
لزوم پیدا کردن to become necessary
لزوماً /ع./ necessarily
لزوماً تذکر می‌دهد I deem it necessary to point out, I have to point out
لُژ /فر./ [theatre] box
لژ بالا gallery
لَس [عامیانه] flabby
لِسان [جمع: السنه] /ع./ = زبان tongue; language
لَش [n.] flesh: inner side of a skin; [infml., adj.] nerveless; good-for-nothing; wanton; lumpish; ← لاشه
لشکر army; [mil.] division
لشکرکشی military expedition
لشکری[1] /ص./ belonging to the army
لشکری[2] [جمع: لشکریان، ادبی] /ا./ soldier *or* military

لش‌گیری fleshing; ← لش
لطافت /ع./ purity; delicateness, thinness, tenderness; elegance; wit
لطائف [جمع لطیفه]
لُطف [جمع: الطاف] /ع./ kindness; grace; amenity; condescension; elegance; ← مهربانی
لطفی ندارد[1] it is not nice *or* decent
لطفی ندارد[2] it lacks point
لطف کردن to do kindness; [p.c.] to give
لطف سرکار زیاد thank you (very much)
لطفاً /ع./ kindly
لطف‌الله [اسم خاص] /ع./ [o.s.] God's favour
لطمه /ع./ injury; damage; shock; [o.s.] slap
لطمه خوردن to be injured *or* damaged
به او لطمه خورد he incurred a loss
لطمه زدن به، لطمه وارد آوردن به to injure *or* damage; to cause a serious interruption to
لطیف /ع./ fine, pure; delicate, tender, thin; elegant; kind, gentle
جنس لطیف the gentle (*or* fair) sex
لطیفه [جمع: لطایف] /ع./ wit, humour, jest; maxim
لطیفه گو /ع. فا./ witty, facetious
لطیفه گویی /ع. فا./ witticism
لعاب /ع./ mucilage; glaze, enamel; lustre
لعاب عنکبوت gossamer
لعاب دادن to glaze *or* enamel; [fig.] to embellish; to enrich with details

لعاب‌دار /ع. فا./ enamelled, glazed; mucilaginous
لعابی /ع. فا./ enamelled, glazed; ← لعاب‌دار
رنگ لعابی distemper
لَعب /ع./ = بازی
لعبت /ع./ plaything, toy; puppet, doll; [rare] game; [met.] beautiful woman; ← عروسک
لعل /ع./ spinel-ruby; garnet
لب لعل ruby (*or* red) lips
لعل‌فام، لعل‌گون [ادبی] /ع. فا./ ruby-coloured, rosy
لَعن /ع./ ban; cursing
لعن کردن to ban, to put under the ban
لعنت /ع./ curse, execration
لعنت کردن to curse, to anathematize
به لعنت خدا نمی‌ارزد it is not worth a damn
لعنت بر او! Curse on him!, damn him!
علیه‌اللعنه! Curse upon him!
لعین /ع./ cursed; damned
لغ، لق [عامیانه] [teeth] loose; [eggs] addle
لِـغ [عامیانه] = بی‌تربیت؛ پررو
لغات [جمع لغت]
لُغاز [door] cheek
لغایت ← غایت
لُغت [جمع: لغات] /ع./ word; [ext.] language *or* dialect
کتاب لغت dictionary; ← فرهنگ
لغت‌نامه /ع. فا./ dictionary
لُغز puzzle, riddle; wisecrack
لغز خواندن to wisecrack, to make sarcastic remarks
لغزاندن [بن‌مضارع: لغزان] to cause to slip, to stumble; to lubricate

لغزش **slip, stumble; blunder, error; offence**
لغزش خوردن to slip; to blunder
سنگ لغزش stumbling-block
لغزنده **slippery; rickety**
لغزیدن [بن‌مضارع: لغز] **to slip, to stumble;** [*rare*] **to blunder**
لغو /ع./ **idle talk, nonsense; nullification;** [*adj.*] **null; nonsensical**
لغو کردن to nullify; to cancel
لغوی[1] /ع./ **literal**
لغوی[2] [جمع: لغویون] /ا. ع./ **lexicographer**
لغویات /ع./ **idle talks; absurdities**
لَفّ /ع./ **wrapping,** [*rare*] **folding**
در لفّ enclosed with
لفّ و نشر [*rhetoric*] involution and evolution
لفاً /ع./ **herewith**
لفاظ /ع./ **verbose *or* pedantic** (person)
لفاظی /ع. فا./ **use of mere words and bombastic style** [often with chicanery]; **word-splitting**
لفاف /ع./ **wrapper, cover; folder**
لفاف کردن to wrap, to cover with burlap
لفافه[1] /ع./ [*fig.*] **cover, guise, veil**
در لفافه گذاردن to cover, to veil, to couch
لفافه[2] /ع./ = لفاف
لِفت دادن[1] [زبان لاتی] **to lengthen out with tiresome details;** ← لعاب دادن
لِفت دادن[2] [زبان لاتی] **to fuss**

لفت و لیس [زبان لاتی] **sponging on others**
لَفظ [جمع: الفاظ] /ع./ **word**
لفظ به‌لفظ word for word, verbatim
لفظ معنی affix
لفظ قلم bookish *or* written language, pedantic language
لفظاً /ع./ **literally; by mere words; in sound**
لفظی /ع./ **literal; verbal**
لَق ← لغ
لَقاء [ادبی] /ع./ **countenance, face**
لقاح‌الزهر /ع./ = گرده **pollen**
لقانطه /ت. ای./ **restaurant**
لقب [جمع: القاب] /ع./ **title** (of honour)
لقب دادن to bestow a title (on); to entitle
لِق‌لِق /ع. فا. ت./ = لگ‌لگ
لُقمان /ع./ **eastern fabulist often identified with Aesop**
به لقمان پند آموختن to teach one's grandmother to suck eggs
لُقمه /ع./ **morsel; mouthful;** [*zool.*] **sting ray, trygon**
لقمهٔ چرب [استعاری] a tidy sum of money, a fortune
لقمه را از پشت سر در دهن گذاشتن to do something in a roundabout way
لقمه کردن to break in morsels
لقمه لقمه کردن to make a mince-meat of
لقمة‌الصباح /ع./ **breakfast**
لقوه /ع./ **paralysis** (of the face)
لک[1] **spot; stain**
لک افتادن to stain; to become spotted

لک انداختن، لک کردن to blot *or* blur; to stain *or* soil
لک زدن to become spotted (as fruit)
جگرش برای ... لک می‌زند he is dying for...
لَک[2] **lac** (100,000)
لُک [عامیانه] **staringly**
لک نگاه کردن to stare
لکات **face-card of the lowest value in the game of ace;** ← آس
لکاته = روسپی، فاحشه
لکدار[1] **stained**
لکدار[2] = لکزده
لکزده **spotted** (as fruit)
لکن /ع./ **but; however**
لکنت /ع./ **stammering**
لکنت داشتن to stammer, to stutter
لکنتی [زبان لاتی] **tumbledown, dilapidated**
لکوپلست /فر./ **sticking-plaster**
لک و لک کردن [زبان لاتی] **to scrape along; to hang *or* lag behind**
لوکوموتیو /فر./ **locomotive**
لکه **spot;** [*fig.*] **stain; blemish, stigma**
لکه‌دار **stained; blemished**
لکه‌دار کردن to stain, to blemish, to cast aspersions on, to stigmatize
لُکه رفتن **to trot**
لکه گیری **minor repairs;** (dry) **cleaning**
لکه گیری کردن to make minor repairs (in); to dry-clean *or* dry-cleanse
لگاریتم /فر./ **logarithm**
لگام [ادبی] **bridle; reins**
لَگد **kick(ing)**
لگد پشه [استعاری] flea-bite

لگد انداختن to kick; [*fig.*] to recalcitrate against rules
لگد خوردن to be kicked
لگد زدن *vt.* to kick; *vi.* to recoil
لگد کردن to tread on, to trample
لگدخور **knockabout, tough, durable**
لگدزن **kicking; vicious**
لگدکوب **trampled; crushed**
لگدمال **trampled, trod** (upon)
لگدمال کردن to trample
لک‌لک /ت./، لق‌لق **stork**
لگن **basin; pan**
لگن بیمار bedpan
لگن خاصره pelvis
لگن زبرین false pelvis
لگن زیرین true pelvis
لگن بالای ناودان rain-water head
لگن‌پیما **pelvimeter**
لگنچه **small basin; pan**
لگنی **pelvic**
للگی **tutorship**
لَله **tutor, mentor; eunuch taking care of children**
للّه /ع./ **to God; for God's sake**
للّه‌الحمد thanks (*or* praise) to God
لَم [بن مضارعِ لمیدن]
لم دادن = لمیدن
لِم [عامیانه] **knack, trick, hang**
لم چیزی را یاد گرفتن to get the hang of something, to know the ropes
لُمباندن [زبان لاتی] **to swallow without chewing; to suck like an old man without teeth**

لمحه /ع./ **glance, glimpse; flash, moment**
لَمس[1] /ا. ع./ **palpation, touching**
لمس کردن to touch; to feel of
لَمس[2] [عامیانه] /ص. ع./ **paralyzed; lax**
لمعات [جمعِ لمعه]
لمعان /ع./ = تابش، روشنی
لمعه [جمع: لمعات] /ع./ **brightness; flash; glance**
لِمی /ع./ **deductive, a priori**
برهان لمی [*adj.*] priori argument
لَمیدن [عامیانه، بن‌مضارع: لَم] **to lounge, to loll**
لم‌یزرع /ع./ **barren, arid**
لم‌یزل /ع./، لم‌یزلی = ابدی
لنبر، لنبه = کفل
لنبر زدن [عامیانه] **to lap**
لِنت [*motor car*] **lining** [from French lint *or* Russian lenta]
لَنتر (hanging) **lantern** *or* **lamp** [from French lanterne]
لن‌ترانی [عامیانه] /ع./ **disappointing** *or* **irrelevant answer;** [*o.s.*] **thou shalt not see me**
لُندلُند **grumbling, muttering**
لُندلُند کردن to grumble *or* mutter
لَندن **London**
لندنی [*n.*] **Londoner;** [*adj.*] **of** *or* **pertaining to London**
لندوک[1] [زبان لاتی] /ص./ **lanky**
لندوک[2] /ا./ **unfledged young bird**
لُند(ه) = غُرغُر
لندهور [زبان لاتی] **giant(-like person)**

لنف /فر./ **lymph**
لنفاوی، لنفی /فر.ع./ **lymphatic**
لَنگ **lame;** [*fig.*] **wanting facilities;** ← شَل
لنگ کردن *vt.* to make lame; [*fig.*] to stop, to interrupt; to paralyze; *vi.* to halt; to linger
لِنگ [توهین‌آمیز] **leg**
لُنگ **loin-cloth, waist-cloth; apron**
لنگ انداختن to throw up the sponge, to give in, to give a person best
لنگ ملانصرالدین [مجازی] article serving various purposes
لنگان **limping**
لنگاندن **to cause to limp**
لنگان‌لنگان، لنگ‌لنگان **limpingly, haltingly**
لنگر **anchor;** [*fig.*] **preponderance; dignity**
لنگر انداختن to cast anchor, to come to anchor, [*fig.*] to halt
در جایی لنگر انداختن to stay in a place too long, to outstay one's welcome
لنگر دادن to overbalance
لنگر (بالا) کشیدن to weigh anchor
چرخ لنگر fly-wheel
لنگرگاه **anchorage, harbour**
لِنگه **half a load; bale; mate, match, fellow:** لنگه دستکش ; **leaf:** لنگه در
یک لنگه کفش، یک کفشِ لنگه an odd shoe
لنگه‌به‌لنگه ill-matched, ill-mated

نگی **lameness;** [*fig.*] **want of facilities**
نگیدن [بن‌مضارع: لنگ] **to go lame, to walk lame, to limp**
واء [جمع: الویه] = پرچم **banner, flag**
واحق [جمع لاحقه]
وازم /ع./ **equipment; necessaries, outfit; essentials;** [جمع لازمه] ←
وازم‌التحریر /ع./ = نوشت‌افزار
واش [kind of thin flat bread]
واط /ع./ = بچه‌بازی **pederasty**
وّاف /ع./ **seller (*or* maker) of tent-materials**
وایح [جمع لایحه]
وبیا **haricot-bean**
لوبیایِ چشم بلبلی black-eye bean, black-eyed cowpea
لوبیای سبز runner-beans, French bean
لوبیای قرمز kidney-bean
لوبیای سفید، لوبیای مرمری navy-bean
وت[1] = برهنه
وت[2] ← لات
وتو /فر./ **lotto, tombola**
وث /ع./ **pollution, contamination**
لوث شدن to be slurred over
وچ **squint(-eyed)**
لوچی **squint, strabismus**
وح [جمع: الواح] /ع./ **table, tablet; plate; board; tomb-stone, grave-stone**
لوح سنگ slate
لوح محفوظ (person with) divine memory
وحش‌الله [*lit.*] **well done! what a** (good)**...!, God forbid!**
وحه /ع./ **tablet; plate; signboard;** [اسم‌جمع لوح] ←

لوخ [کمیاب] = بردی **papyrus**
لو دادن [عامیانه] **to betray**
لودگی **clownery**
لوده **pannier; clown, buffoon**
لوز /ع./ **confectionery cut in the shape of lozenges**
لوزالمعده /ع./ **pancreas**
شیرهٔ لوزالمعده pancreatic juice
لوزتین [تثنیهٔ لوزه] /ع./ **the tonsils**
ورم لوزتین tonsillitis
لوزه[1] [تثنیه: لوزتین] /ع./ **tonsil**
ورم لوزهٔ سوم adenoids
لوزه[2] [معنای حقیقی] /ع./ = بادام
لوزی /ع./ **lozenge**
لوزینه /ع. فا./ **almond-cake**
لوژ /فر. آل./ **luge**
لوس **spoiled:** بچه لوس; **insipid, flat:** شوخی لوس; **who makes flat jokes; who ingratiates himself in an insipid manner; soppy, corny**
لوس کردن to spoil, to molly-coddle
لوستر **chandelier, lustre, electrolier**
لوط /ع. عب./ **Lot**
بحر لوط the Dead Sea
لوطی /ع. فا./ **pederast; rogue**
لوطی‌خور شدن [زبان لاتی] /ع. فا./ **to be misappropriated *or* dissipated;** [*o.s.*] **to be eaten by rogues**
لوطی‌گری کردن [عامیانه] /ع. فا./ **to be lavish of one's money, to be of a forgiving attitude**
لوک **male camel**
لوکس /فر./ **de luxe**
لوکوموتیو = لکوموتیو
لول[1] /ا./ **stick** (of opium); **roll**

تفنگ دو لول two-barrelled gun
لول[2] [بن‌مضارعِ لولیدن]
لول زدن [عامیانه] to toss (as in bed), to fidget
لول[3] [ادبی، کمیاب] = شوخ‌چشم؛ سرخوش
لولا **hinge**
لولا فرنگی butt-hinge
لولو **bugbear**
لولوی سرخرمن scarecrow
لوءلوء [جمع: لآلی] = مروارید
لوله **tube;** [*liquids*] **pipe;** [*gun*] **bore;** [*kettle*] **spout**
لولهٔ آتش‌نشانی fire-hose
لولهٔ جدار، لولهٔ جلد، لولهٔ غلافی casing
لولهٔ خُرطومی hose (pipe)
لولهٔ دود exhaust-pipe
لولهٔ لامپا lamp-chimney
لوله کردن to form into a tube, to tubulate; to roll
لوله کشیدن to lay a pipe(line)
لوله‌ای **tubular; tubulous**
پیوند لوله‌ای flute-grafting
لوله‌پاک‌کن **pipe-cleaner; swab**
لوله‌شو **ductile**
لوله‌کش **pipe-layer; plumber**
لوله‌کشی **pipe-laying; pipe-work; plumbing, plumbery; water reticulation**
لوله‌کشی کردن *vi.* to lay pipes; to do plumbing; *vt.* to plumb *or* pipe: to supply with pipes
لولی [کمیاب] **gipsy; harlot**
لولیدن [بن‌مضارع: لول] **to wriggle; to toss** (as in bed)**; to fidget**
لولئین (earthen) **ewer with a spout**
لولئینش خیلی آب برمی‌دارد. [عامیانه] He carries much weight.

لوم /ع./ = ملامت
لِـون [جمع: الوان] /ع./ = رنگ
لَوَند **lewd; shrewish**
لوندی **shrewishness; lewdness;** [*infml.*] **coyness**
لوئی، لویی **cat-tail, reed-mace**
لَه[1] [مؤنث: لها] /ع./ **to him; for him**
بر لهِ او، له او for him, in his favour
لَه[2] /ر./ **pole, polander**
لِه **crushed; trod; trod upon;** [*fruit*] **squashy**
له شدن to be crushed *or* trod
له کردن to squash; to crush; to squeeze; to mash; [*fig.*] to slur *or* elide; to tread
لهات /ع./ **uvula**
لهب [کمیاب] /ع./ = شعله
لهجه /ع./ **dialect; accent**
لهـذا /ع./ = از اینـرو **therefore**
لهراسب [name of a king]
لهستان **Poland**
لهستانی [*adj.*] **Polish;** [*n.*] **Pole**
لهف [کـمیاب] /ع./ = افسـوس، تأسف
له‌له زدن [عامیانه] **to pant; to yearn**
لهو /ع./ **play; sportiveness**
لهو و لعب pleasure; amusements; debauchery
لهـیب [کـمیاب] /ع./ = مـلتهب، مشتعل
لهیدن = له شدن
لیاقت /ع./ **merit, worth; capability, efficiency**
لیاقت آن را ندارد. ***He is not worthy of it. He does not deserve it.***
لیالی [جمعِ لیل]
لیبی /فر./ **Lybia**
لیت /ع./ = ای‌کاش
به لیت و لعل گذراندن to procrastinate; to gain time by saying " I wish" (کاش) *or* "perhaps" (شاید)
لیتر /فر./ **litre**
لیث [اسم‌خاص] /ع./
شیر ⟵ **lion;**
لیچار، ریچار [عامیانه] **cutting words; balderdash;** ⟵ متلک
لیر /ای./ **lira**
لیره /ای./ **pound** (sterling)
لیز **slippery**
لیز خوردن to slide; to slip
لیزی **slipperiness**
لیس[1] /ا./ **lap**
لیس[2] [بن‌مضارعِ لیسیدن]
لیسانس /فر./ **licentiate's degree**
لیسانسیه /فر./ **licentiate**
لیسک **snail;** ⟵ حلزون
لیسه **scraper; drawshave, drawknife**
لیسیدن **to lick**
لیطر ⟵ لیتر
لیف[1] [جمع: الیاف] /ع./ **fibre; filament**
لیف[2] /ع./ [*bot.*] **loofah**
لیف[3] /ع./ **flesh-brush**
لیف زدن to soap with a flesh-brush
لیف[4] /ع./ **the hem in a pair of pyjamas through which tape is drawn**
لیفه /ع./ = لیف[4]
لیفی /ع./ **fibrous; fibriform**
غضروف لیفی fibro-cartilage
لیک [ادبی، صورت اختصاری لیکن]
لیکن [از ع. لکن] **but**
لیکور /فر./ **liqueur**
لیل [جمع: لیالی] /ع./ = شب **night**
لیلاج ⟵ لجلاج
لیله /ع./ = (یک) شب (a single) **night**
لیلی [اسم‌خاص]
لِی‌لِی **hopping**
لی‌لی کردن to hop
چرخ لی‌لی scooter
لی‌لی، لی‌لی به لالایِ کسـی گذاشتن [زبان لاتی] **to bear a person's airs, to spoil him by giving too much importance to him**
لیمو (sweet) **lemon**
لیموترش[1] **lemon**
لیموترش[2] **lime**
لیموترش[3] **citron**
جوهر لیموترش citric acid
لیموفشار **lemon-squeezer**
لیموناد /فر./ **lemonade**
لیمویی **lemon-coloured; lemon-shaped; citrous**
لین /ع./ **soft; gentle**
لینت /ع./ **laxity, loose bowels**
لیوان **tumbler, glass;** [*beer*] **beer-mug;** [*laboratory*] **beaker**
لیوان خمره‌ای ⟵ خمره
لئیم، لئیم‌الطبع، لئـیم‌النـفس /ع./ **base, mean;** ⟵ پست، فرومایه

م

م[1] [شناسهٔ فعلی، ضمیر فاعلی] **I**
می‌روم *I go*
رفتم *I went*
م[2] [برابر صفت ملکی] **my**
پایم *my foot*
م[3] [ضمیر مفعولی] **me**
می‌بینم *he sees me*
م[4] /پس./ [*suf.*] **-th**
دهم *tenth*
م[5] [پیشوند نفی]
مخور *Don't eat*
ما **we;** [after a preposition] **us:** کتاب را به ما دادند ; [preceded by an "ezafeh"] **our:** شاهِ ما
ماء [جمع: میاه] /ع./ = آب **water**
مابعد /ع./ **what comes next**
مابقی /ع./ = باقی(مانده)
مأبون[1] /ص. ع./ **affected with itching; prurient**
مأبون[2] /ا. ع./ **catamite**
مابه‌التفاوت /ع./ **difference; excess**
مابین /ع./ **space between, middle**
مابینِ [*prep.*] between
مات /ع./ **checkmated;** [*glass*] **mat** *or* **ground, opaque, frosted**
مات شدن to be astonished *or* stupefied; to be checkmated
مات کردن to checkmate; to mat; to stupefy
ماتش برد [عامیانه] he was struck dumb
مآت [جمعِ مئه] /ع./ **hundreds**
ماتحت /ع./ **podex; anus**

ماترَک /ع./ **estate** (of a deceased person)
ماتم /ع./ **mourning**
ماتم داشتن to be in mourning
ماتم گرفتن to mourn (for *or* over)
ماتم‌دار، ماتم‌زده /ع. فا./ **mournful, in mourning**
ماتیک، ماتیک‌لب [صورت اختصاری فر. کسمتیک] **lipstick**
مآثر [جمعِ مأثره، کمیاب] /ع./ **memorable deeds, memorials**
ماجِد /ع./ = ارجمند، محترم
ماجرا [از ع. ماجری] **circumstances, incidents; events; adventure; dispute**
ماجراجو /ع. فا./ **adventurous; quarrelsome**
ماچ [عامیانه] = بوسه
ماچه [*dog,ass*] **female;** → ماده
ماحصل /ع./ **result; summary; average**
ماحصلِ کلام to sum up
ماحَضر /ع./ **ready victuals; food prepared in haste**
مأخذ[1] [جمع: مآخذ] /ع./ **basis**
به مأخذِ، روی مأخذ on the basis of
مأخذ[2] /ع./ **origin, source**
ماخلق‌الله /ع./ **what God has created**
اول ماخلق‌الله wisdom *or* intellect; → خرد ،عقل
مأخوذ /ع./ **taken; derived**
ماد **Media, Medes**

مادام[1] /ع./ [*rare*] **duration**
مادام که so long as; while
مادام[2] /فر./ = بانو **madam(e)**
مادام‌الحیات /ع./ **during one's lifetime**
مادح [کمیاب] /ع./ **praiser;** → مدّاح
مادَر **mother**
مادربزرگ grandmother
مادرِ مادر [ادبی، کمیاب] = مادربزرگ
مادراندر [کمیاب] **step-mother**
مادرانه **motherly, maternal**
مادربه‌خطا /فا. ع./ = خرامزاده
مادرزاد **congenital**
کورِ مادرزاد (one who is) born blind *or* congenitally blind
مادرزن **mother-in-law** [wife's mother]
مادرشوهر **mother-in-law** [husband's mother]
مادری[1] /ا./ **motherhood**
مادری کردن to act as a (kind) mother
زبان مادری mother tongue
مادری[2] /ص./ **maternal**
مادگی **buttonhole;** [*bot.*] **pistil**
مادموازل /فر./ = دوشیزه **mademoiselle; miss**
مادون /ع./ (what is) **below** *or* **inferior;** → دون
ماده **female**
الاغ ماده she-ass
سگ ماده bitch
گاو ماده cow

مادّه [جمع: مواد] /ع./ **matter;** [*fig.*] **essence; article; abscess**

ماده‌اش مستعد بود. He was disposed to do it. He was of that type.

ماده‌الاغ **she-ass**

ماده‌بز **she-goat**

ماده‌سگ **bitch, female dog**

ماده‌شیر **lioness**

ماده گاو **cow**

مادی /ع./ [*adj.*] **Median;** [*n.*] **Mede**

مادّی [جمع: مادّیون، مؤنث: مادّیه] [*adj.*] **material;** [*n.*] **materialist**

مادّیات [جمع مادّیه] /ع./ **material things (*or* concerns)**

مادیان **mare**

کرهٔ مادیان filly

ماذَریون **spurge-olive, spurge daphne, mezereon;** [*med.*] **mezereum**

مأذون /ع./ **permitted**

مار **serpent; snake**

مارجرس‌دار، مارزنگی، مار ـ جلاجل، مارزنگوله rattlesnake

مارپیچ **spiral, helical**

مارچوبه **asparagus**

مارس[1] /ت./ **gammon**

مارس کردن to gammon

مارس[2] /فر./ **March**

مارسان [*zool.*] **ophiuran**

مارش /فر./ **march**

مارش کردن to march

مارشال /ان. فر./ **marshal**

مارک[1] /فر./ **mark; monetary unit**

مارک[2] /فر./ **mark, brand;** ← نشان

مارک‌دار /فر. فا./ **marked, notorious**

مارگزیدگی **snake-bite**

مارگزیده **snake-bitten**

مارگیر **snake-charmer**

مارمالاد /فر./ **marmalade**

مارماهی **eel; moray**

مارمولک **lizard;** [*met.*] **sly person**

مارونی /ع./ **Maronite**

ماز [کمیاب] **maze; twist; fold**

مازاد /ع./ **surplus, excess**

مازاد بر surplus to:

مازاد بر احتیاجات

مازو **gallnut; harrow**

جوهر مازو tannic acid, tannin

مازوت /ر./ **mazut**

مازه، مازو، گوشت مازه **fillet, undercut**

ماساژ /فر./ **massage;** ← مشت و مال

ماسبق /ع./ **what has preceded, *i.e.* the foregoing**

ماست **yoghurt**

مـاست خـود را کـیسه کـردن [عامیانه] to draw in one's horns, to settle down, to put one's tail between one's legs

ماست را نمی‌برد. It's a good knife. It will cut butter when it's melted.

علف ماست cleavers, lady's-bedstraw

ماست‌مالی کردن [عامیانه] **to slur over**

ماسک /فر./ = نقاب **mask**

ماسک ضدّگاز gas-mask

ماسوا [از ع. ماسوی] **what is separate *or* apart**

ماسوره **bobbin, reel;** ← غرغره

پیوند ماسوره‌ای flute-grafting

ماسوره‌پیچ [*sewing machine*] **cam**

ماسوره‌نگهدار [*sewing machine*] **carrier**

ماسه (fine) **sand**

ماسه‌زی [*zool.*] **arenicolous**

ماسیدن [عامیانه]، ماستیدن **to be congealed *or* coagulated**

چیزی نمی‌ماسد [زبان لاتی] nothing doing

ماش **chickling vetch**

ماشِ هر آش [استعاری] one who has a finger in every pie

ماشاءالله [اسم‌خاص] /ع./ **well done!, may you be preserved from evil eye!, what wonders God has wrought;** [*o.s.*] **what God has willed**

ماشرا **canker**

ماشوره **culm, haulm**

ماشه **trigger; pincers**

ماشی، ماش‌رنگ **greenish yellow, mossgreen**

ماشین /فر./ **machine, plant; engine; motor-car; railway-train**

ماشین تحریر typewriter

ماشین چاپ printing-press

ماشین موزنی hair-cropper

ماشین حساب comptometer

ماشین کردن to type; to print; to crop (hair)

ماشین‌آلات /فر. ع./ **machinery**

ماشینچی /فر. ت./ **machine operator; pressman**

ماشین‌خانه /فر. فا./ **engine-house**

ماشین‌رو /فر. فا./ **carriage-way**

ماشین سوارکن /فر. فا./ **erector** (of machinery)

ماشین‌کار /فر. فا./ **engine-man, machinist; operator; pressman**

ماشین‌گردان /فر. فا./ **machine operator**

ماشینی /فر. فا./ **machine-made; engine-driven; typed**

مـــاضی [مـؤنث: مـاضیه] /ع./ = گذشته **past** (tense)

ماعدا /ع./ **what is outside a sphere *or* category**

اثباتِ شیئی نفیِ ماعدا نمی‌کند. It does not follow from affirming something as a predicate that other predicates must be negated of the subject on hand.

ماغ، ماق **mooing, lowing**

ماغ کشیدن to moo *or* low; [*ext.*] to moan

مافات /ع./ (what is) **bygone *or* past**

جبران مافات کردن to make up for the past

مافوق /عف./ **beyond, above**

مافوق طبیعت hyperphysical, supernatural

ماقَبل /ع./ **preceding** (part)

ماقبلِ before

ماقبلِ آخر penultimate

ماک ← شیر

ماکارونی /فر./ **macaroni**

ماکو **shuttle**

مأکـول [مـؤنث: مأکـوله] /ع./ = خوردنی **eatable, edible**

مأکولات [جمعِ مأکـوله، کـمیاب] /ع./ **eatables**

ماکیان **hen, fowl;** ← مرغ

ماکیانی **gallinaceous**

مال[1] [جمع: اموال] /ع./ **property, wealth; beast of burden; riding animal**

مالِ من است ***it is mine, it is my property, it belongs to me; it is for me***

مالِ سر دردش است [عامیانه] it is due to his headache

مال[2] [بن‌مضارعِ مالیدن]

مآل /ع./ **issue, result, end;** [*rare*] **return(ing)**

مالاً /ع./ **financially**

مآلاً /ع./ **ultimately; consequently**

مالاریا /فر./ **malaria**

مـــالاریاخیز، مـــالاریایی /فر. فا./ **malarial**

مال‌الاجاره /ع./ **rent**

مال‌التجاره /ع./ **merchandise**

مالامال [ادبی] /ع. فا./ **filled to the brim; heaped up**

مالاندن [زبان لاتی] **to give a good dressing to**

مال‌اندوز (one) **who amasses wealth, mammonish** (person)

مآل‌انـــدیش /ع. فـــا./ = عاقبت‌اندیش

مال‌بگیری [عامیانه] /ع. فا./ **requisition of beasts**

مال‌بند /ع. فا./ **shaft, thill**

مال‌پرست /ع. فا./ **mammonish**

مال‌پرستی /ع. فا./ **mammonism**

مالت[1] /فر./ **Malta**

تب مالت Malta fever

مالت[2] /فر./ **malt**

مالدار /ع. فا./ = توانگر

مالدُن /فر./ [*c.p.*] **misdeal**

مالِش **rubbing; friction; massage**

مالِش دادن to give a rubbing to; to knead *or* massage

مالِش رفتن [عامیانه] [*stomach*] to have a gnawing sensation

مالک [جمع: مالکین] /ع./ **owner; landlord, proprietor**

مالک بودن to own

مالک‌الرقاب /ع./ **suzerain, overlord**

مالکانه /ع. فا./ **possessory:** سهم مالکانه

مالکیت /ع./ **ownership**

حق مالکیت ownership right, right of ownership

مألوف /ع./ **usual; familiar**

ماله **trowel**

مالۀ رنگ‌آمیزی palette-knife

مالی /ع./ **financial;** [مؤنث: مالیه] ←

مالیات /ع./ **tax(es)**

مالیات بردرآمد income tax

مالیات بر چیزی بستن to levy a tax on something

مالیات بده /ع. فا./ **taxpayer**

مالیاتی /ع. فا./ **pertaining to taxes *or* taxation**

تحصیلدارِ مالیاتی tax-collector

مؤدیِ مالیاتی taxpayer

مالیخولیا /ع. ی./ **melancholia**

مالیخولیایی /ع. ی./ [*adj.*] **melancholy**

مالیدن [بن‌مضارع: مال] **to rub**

بدن خود را روغن مالیدن to rub one's body with ointment

نمد مالیدن to make felts

مالیدنی (medicine) **designed for external use**

مالیده[1] /ص./ **called off**

مالیده گرفتن، مالیده حساب کردن to call off, to start (at) scratch

مالیده[2] [اسم‌مفعول فعل مالیدن]

مالیه [مؤنثِ مالی] /ع./ **finance;** ← دارایی

مام [ادبی] = ماما؛ مادر (رضاعی)

ماما **midwife;** ← مامان

ماماچه [توهین‌آمیز ماما]

مامان /فر./، ماما **mamma**

مامایی **midwifery**

علم مامایی obstetrics

مامَضیٰ /ع./ = مافات

مأمَن /ع./ **safe place, place of refuge, haven**

مأمور [جمع: مأمورین] /ع./ [*n.*] **official, functionary; delegate;** [*adj.*] **commissioned, appointed; sent on duty**

مأمور شد آن را بازرسی کند. *He was appointed* (or *ordered*) *to inspect it.*

به رشت مأمور شد. *He was sent on duty to Rasht.*

مأمور کردن to send on duty, to commission, to appoint, to delegate

مأموریت /ع./ **duty, commission**

به قم مأموریت یافت. *He was sent on duty to Ghom.*

مأمول /ع./ (that which is) **hoped** *or* **desired**

ماميران **celandine, swallow-wort**

ماميزه **meconium**

ماميشا **common field scabious**

مان[1] [جمعِ م] **our; us**

مان[2] [بن‌مضارعِ ماندن]

ماناکه [ادبی] **as if, as though**

مانحن فیه /ع./ **subject at hand;** [*o.s.*] **what we are in**

ماندگار **permanent; staying**

ماندگار شدن to stay

ماندن **to remain; to be left; to stay; to last, to wear;**

فرو ماندن ⟵

یک‌ربع مانده به‌یک. It is a quarter to one.

رفتارش خیلی مانده است تا... *his conduct leaves much to...*

چیزی نمانده بود که در آن بیفتد. He barely missed falling into it. He came within an inch of falling into it.

ماندنی **permanent; resident; that can keep** (as food)

ماندولین /فر./ **mandolin(e)**

مانده [*adj.*] **left** (over), **remaining; tired out;** [*n.*] **difference, remainder; balance**

مانستن [ادبی، بن‌مضارع: مان] **to resemble**

به چه می‌ماند؟ *What does it resemble?, what is it like?*

مانش /فر./، دریای مانش **the English Channel**

مانع [جمع: موانع] /ع./ **obstacle, impediment**

اسب‌دوانی با پرش از موانع hurdle-race, the hurdles

مانع شدن to prevent, to hinder, to keep

مانعی ندارد there is no objection to it, it is in order, there is nothing against it

مانعةالجمع /ع./ **incompatible; impenetrable**

مانَند [*adj.*] **resembling;** [*n.*] **like, parallel**

مانندِ [*prep.*] like, as

مانند هم alike, similar

نقاشی و مانند آن painting and the like

مانور /فر./ **manoeuvre;** [*railways*] **shunting**

مأنوس /ع./ **familiar**

با کسی مأنوس شدن to become familiar with someone

با چیزی مأنوس شدن to get used to something

مانوی /ع./ **Manichaean**

مانَویت /ع./ **Manichaeism**

مانی **Manes**

مانیکن /فر./ **mannequin**

مانیکور /فر./ **manicure**

مأوا [از ع. مأویٰ] **abode, residence; shelter**

مأوا دادن to lodge; to give shelter

مأوا گرفتن to dwell, to reside

ماوَراء /ع./ **what is beyond**

ماوراءِ، ماورایِ beyond *or* besides

ماوراء اردن Transjordan

ماوراء بحار overseas

ماوراء بنفش ultra-violet

ماوراء قرمز infra-red

ماوراءالنهر /ع./ **Transoxania**

ماوَقع /ع./ = رویداد **circumstances, incidents, event**

مأوی ⟵ مأوا

ماه[1] **moon; month**

علف ماه moonwort, lunary

ماهی صد ریال ***100 Rials** **a month*** (or ***per mensem***)

بچهٔ دو ماهه ***2 month-old baby***

آبستنِ شش‌ماهه ***six months gone with child***

همه ماهه، هر ماهه every month

ماه[2] [*adj.,sl.*] **out of this world, exquisite**

ماهانه، ماهیانه

[*adj.*] **monthly:** گزارش ماهانه ; [*n.*] **monthly salary, wages** *or* **tuition;** [*adv.*] **monthly, per month, per mensem**

ماه‌پیکر [ادبی] **of a moonlike figure, beautiful**

ماهتاب ⟵ مهتاب

ماهچه [کمیاب] **half-moon; crescent**

ماه‌دَرد **false labour pain**

ماهِر /ع./ **skilful, skilled, expert; dexterous; crack**

ماهرانه /ع. فا./ **skilfully; dexterously**

ماهرُخ رفتن **to point** [said of dogs called pointers]

ماهرو(ی) [ادبی] **moon-faced**

ماه‌طلعت [ادبی] /فا. ع./ = ماهرو

ماه گرفت **lunar eclipse**

ماهوت **broadcloth; baize**

ماهوت پاک‌کن **brush**

ماهوتی **made of covered with broadcloth** *or* **baize**

توپ ماهوتی tennis-ball

ماهور[1] [*rare*] **rising ground**

ماهور [۲] [*mus.*] **kind of melody**
ماهوش **moon like**
ماهی **fish**
ماهی درشت قنات bleak
ماهی ریز قنات gudgeon
ماهی روغن cod, codfish
ماهی گرفتن to (catch) fish
روغن ماهی cod-liver oil
ماهیانه ← ماهانه
ماهی‌پرور **pisciculturist**
ماهی‌پروری **pisciculture**
ماهیت /ع./ **essence, nature, quiddity**
ماهی‌تابه **pan for frying fish, frying-pan**
ماهیچه **muscle**
ماهیچهٔ پا calf of the leg
ماهی‌خانه [کمیاب] **aquarium**
ماهیخوار **heron**
ماهی‌خور [۱] /ص./ **piscivorous, living on fish**
ماهی‌خور [۲] /ا./ = ماهیخوار
ماهی‌خورک **kingfisher**
ماهی‌درهم **in-and-out, suggestive of wriggling fish**
ماهی زهره **Indian berry**
ماهی‌شناس **ichthyologist**
ماهی‌شناسی **ichthyology**
ماهی‌فروش **fishmonger**
ماهی‌گردان **fish-slice**
ماهیگیر **fisher**(man); **angler**
ماهیگیری **fishing; angling**
کرجی ماهیگیری، کشتی ماهیگیری fishing-boat
مایتحلل /ع./ **what is wasted *or* assimilated**
بدل مایتحلل ← بدل
مایحتاج /ع./ **necessaries**
مائده [کمیاب] /ع./ (table with) **victuals, food;** ← خوراک
مایع [مؤنث: مایعه] /ع./ **liquid;** ← آبکی
مایعات [جمعِ مایعه، کمیاب]
مایِل /ع./ **inclined, oblique;** [*fig.*] **fond, desirous**
مایلِ اوست. He is fond of her.
مایل به رفتن fond of going
مایل به زردی yellowish
مخروط مایل scalene cone
مایملک /ع./ **property, possessions**
مایو /فر./ (skin-tight) **bathing *or* swimming costume**
مأیوس /ع./ **disappointed, hopeless;** ← ناامید
مأیوس شدن to be disappointed, to despair
مأیوس کردن to disappoint
مایه **ferment, leaven, yeast; capital, funds,** [*fig.*] **source, cause; grounding, background;** [*med.*] **vaccine;** [*mus.*] **key *or* pitch**
مایهٔ آبجو barm
مایهٔ پنیر rennet
مایهٔ خنده laughing-stock
مایهٔ ماست starter
او مایهٔ افتخار این آموزشگاه است.
He is a credit to this school.
مایه‌ای ندارد. It is not expensive *or* difficult.
مایه به مایه at cost
مایه گذاشتن [عامیانه] to spend, to outlay, to pay
برای کسی مایه گرفتن [عامیانه]
to insinuate against someone, to involve him in trouble by underhand methods
مایه‌دار **well-grounded; possessing the necessary funds;** [*solutions*] **strong**
مایه‌سوز **losing *or* having lost one's capital *or* stock-in-trade**
مایه کوبی **vaccination**
مائی [کمیاب] /ع./ = آبی **watery; aqueous; aquatic; serous**
خلط مائی lymph
مُباح [مؤنث: مباحه] /ع./ **open to anyone; belonging to no one; impunible;** [*acts*] **allowable**
خونش مُباح است. ***He may be killed with impunity.***
مباحات [جمعِ مباحه] /ع./ **rights *or* properties belonging to no particular person; religious acts that may *or* may not be performed**
مباحث [جمعِ مبحث]
مباحثه [جمع: مباحثات] /ع./ **controversy; argument**
مباحثه کردن to enter upon a controversy
مباحثه کردن در to controvert
مَباد [۱] [ادبی] = نباشد **let it not be; let there not be**
مَباد [۲] = مبادا
مبادا [stress on the first syllable] **lest**
از برای مبادا (just) in case
[in this sense the stress is on the last syllable]
مبادا آنرا ذکر کنید! Be careful you don't mention it!
مبادا نیایید!
Do not fail to come!
مُبادرَت /ع./ [*rare*] **making haste; embarking, setting**
به کاری مُبادرت کردن
to embark upon an undertaking
مبادلات [جمعِ مبادله]
مُبادله [جمع: مبادلات] /ع./ **exchange; barter; truck**
مبادله کردن to exchange; to bandy
چیزی را با چیز دیگر مبادله کردن
to exchange one thing for another
مَبادی /ع./ **elements, principles, fundamentals;** ← [جمعِ مبدأ]

مبادی آداب /عف./ of good manners
مُبارز /ع./ fighter; champion
مبارزطلب /عف./ challenger (to single combats)
مُبارِزه /ع./ fighting together, combat; campaign
مبارزه کردن با to fight, to campaign against
مُبارَک /ع./ blessed; auspicious
نوروز بر شما مبارک باشد. Happy New Year!
این عروسی مبارک باشد. I congratulate you (*or* wish you good luck) for this wedding
مبارک‌باد /ع. فا./ good wishes, congratulation(s)
مبارکی /ع. فا./ auspiciousness
مُباشر /ع./ supervisor; overseer; [*train*] conductor; [*labourers*] foreman
مباشرت /ع./ supervision; foremanship
مباشرت کردن (بر) to supervise, to oversee; to manage, to conduct
مَبال /ع./ = مستراح
مُبالات /ع./ care; regard
مُبالغ [جمع مبلغ]
مُبالغه /ع./ exaggeration, hyperbole
مبالغه کردن to exaggerate
مبالغه‌آمیز /ع. فا./ exaggerated
مبانی [جمع مبنی، مبنا]
مُباهات /ع./ (taking) pride, glorying
به چیزی مباهات کردن to take pride in something
مباهله [کمیاب] /ع./ cursing each other
مُباین /ع./ = مغایر

مباینت /ع./ contrast; separation
مبتدا /ع./ [*gram.*] subject
مُبتدی /ع./ beginner, novitiate
مُبتذل /ع./ commonplace, trite
مُبتکـر /ع./ [*n.*] originator, initiator; [*adj.*] original: مغز مبتکر
مبتکراً /ع./ on one's own initiative
مبتکرات /ع./ initiated things
کمیسیون مبتکرات committee initiating proposed legislation
مُبتلا /ع./ affected; suffering; addicted, given
مبتلا (به) suffering from, given *or* addicted to; enamoured of
مبتلا کردن to cause to suffer; to addict; to captivate
مُبتنی /ع./ founded, based
مَبحث [جمع: مباحث] /ع./ subject (of discourse); ← گفتار
مبدأ /ع./ origin; principle; [*geom.*] generatrix; ← [جمع: مبادی]
مبدأ نخاع medulla oblongata
مُبدع /ع./ innovator; [*rare*] creator
مبدّل /ع./ changed; transformed
مبدّل کردن to change; to transform
با لباس مبدّل in disguise
مبدِّل /ع./ transformer; converter; reducer
مُبذّر /ع./ lavish, prodigal
مَبذول /ع./ given generously; bestowed
مبذول داشتن to give generously; to allow

سعیِ وافی مبذول داشت. He spared no effort. He made every effort.
مُبرّا /ع./ innocent
مبرّا کردن to exempt; to exonerate
مبرّات [جمعِ مبرت، کمیاب] /ع./ charitable deeds
مُبرّد /ع./ refrigerant; humective
مَبرَز /ع./ = مستراح
مبرز /ع./ distinguished
مُبرَم /ع./ confirmed
مُبرِم /ع./ importunate; pressing
مبرور [کمیاب] /ع./ pious; absolved through piety
مبروص[1] /ص. ع./ leprous
مبروص[2] /ا. ع./ leper
مبرهن /ع./ demonstrated, proved; clear
مبسوط /ع./ expanded; detailed
مبسوطاً /ع./ in detail, fully
مُبشر /ع./ harbinger of good news; forerunner
مبَصّر /ع./ one who makes another see *or* understand, enlightener
مبصِر /ع./ monitor
مُبطل /ع./ [*adj.*] invalidating, rendering null, cancelling
مُبعد [مؤنث: مبعده] /ع./ abducting
عضلهٔ مبعده abductor
مبعوث /ع./ sent on a mission (as a prophet), appointed
مبعوث کردن به to appoint as
مُبل /فر./ furniture; ← مبله
مبل‌ساز /فر. فا./ furniture-maker
مبلغ [جمع: مبالغ] /ع./ sum, amount

چکی به مبلغِ a cheque
for (the sum of)
آن را در چه مبلغ خریدید؟
How much did you pay for it?
مُبَلّغ [جمع: مبلغین] /ع./
missionary; propagandist
مُبله /فر./ مبل ← **furnished;**
مبله کردن to furnish
مَبنا [از ع. مبنیٰ، جمع: مبانی]
basis, foundation; base
توپ مبنا [*mil.*] base piece, directing piece
مبنی /ع./ **based**
مبنی بر based on
مُبهم [مؤنث: مبهمه] /ع./
ambiguous, vague
ضمیر مبهم indefinite pronoun
مبهمات [جمعِ مبهمه] **indefinite pronouns** *or* **adjectives**
مبهوت /ع./ **astonished, struck dumb**
مبهوت کردن to astonish
مُبهی [مؤنث: مبهیه] /ع./
aphrodisiac
مبیض /ع./ = تخمدان
مبیع /ع./ **object of sale**
مبین /ع./ **clear; true**
مبَیّن /ع./ **explanatory**
متابعت /ع./ = پیروی
following
متابعت کردن از to follow *or* obey
مُتأثر /ع./ **touched, moved**
مُتأثر ساختن to touch *or* move
متأخر /ص. ع./ **recent, modern**
متأخرین /ا./ **moderns**
متأذی /ع./ **inconvenienced, troubled, vexed**
مُتارکه /ع./ **discontinuation; abandonment**
متارکهٔ جنگ truce, armistice
متارکه کردن to abandon; to hold a truce

مُتأسف /ع./ **sorry**
متاسفم که نمی توانم بیایم.
I am sorry I cannot come.
I regret not being able to come.
متأسفانه /ع. فا./
unfortunately; regretfully
متأسی شدن(به) /ع. فا./
to take model (from), to imitate, to follow
مَتاع [جمع: امتعه] /ع./ **goods; thing, stuff; dainty, delicacy**
مُتألم[1] /ع./ **grieved, sad**
مُتألم شدن to feel sad, to be grieved
متألم[2] [معنای حقیقی] /ع./ = دردناک
متانت /ع./ **self-possession, coolness; firmness**
مُتأهل /ع./ **married** [said of a man]
متأهل شدن to marry
مُتبادِر /ع./ **making haste to get the start**
متبادر به ذهن that first springs to the mind
مُتبادِل [مؤنث: متبادله] /ع./
interchangeable
زوایای متبادله
alternate angles
مُتبارَک /ع./ **blessed**
مُتباعِد /ع./
واگرا ← **divergent;**
مُتباین /ع./ **distinct; different;** [*arith.*] **prime**
با هم متباین هستند. ***They are relatively prime.***
مُتبحر /ع./ **versed, erudite**
متبرّک [مؤنث: متبرکه] /ع./
holy, sacred
اماکن متبرکه sacred places, shrines
متبسم /ع./ **smiling**
مُتبلوِر /ع./ **crystallized**

متبلور کردن to crystallize
مَتبوع [مؤنث: متبوعه] /ع./
followed, obeyed;
[*ext.*] **sovereign**
دولت متبوعه state to which one belongs
مُتتبع /ع./ **researcher**
متجاسر /ص. ع./ **insurgent**
متجاسرین /ا./
the insurgents
متجانس /ع./ **homogeneous**
متجاوز[1] /ص. ع./
aggressive, offensive
متجاوز از exceeding, more than
متجاوز[2] /ا. ع./ **aggressor, transgressor**
مُتجاهر به /ع. فا./
notorious for
مُتجدد /ع./ **modernized, modern, modern-minded**
متجسس /ع./ **researcher**
مُتجلی /ع./ **clear; revealed; transfigured**
مُتحابّ [مؤنث: متحابه] /ع./
(mutually) **amicable**
مُتحارِب [مؤنث: متحاربه] /ع./
belligerent: دُوَل متحاربه
متحجر /ع./ **petrified**
مُتحد[1] [مؤنث: متحده] /ص. ع./
united, allied
ایالات متحده امریکا the United States of America
متحد کردن to unite
متحد شدن to unite, to be united
مُتحد[2] [جمع: متحدین] /ا. ع./
ally
متحداً /ع./ **unitedly**
متحدالشکل /ع./ **uniform**
متحدالمال /ع./ = بخشنامه
متحدالمرکز /ع./ = هم‌مرکز
مُتحرّک /ع./ **mobile, movable, moving;** [*gram.*] **marked with a vowel-point**

مُتحصن /ع./ (one) **who takes sanctuary in an inviolable place**

متحصن شدن ← بست نشستن

مُتحمل /ع./ **who supports** *or* **suffers**

مُتحمل شدن to support; to suffer; to sustain: ضرری متحمل نشد

مُتحیر /ع./ **astonished, surprised**

متحیر شدن to be surprised

متحیر کردن to astonish

مُتخاصِم [مؤنث: متخاصمه] /ع./ **hostile**

دول متخاصمه hostile powers

مُتخالِف /ع./ **mutually discordant**

مُتخذ [مؤنث: متخذه] /ع./ **adopted, accepted; taken:** تصمیمات متخذه

مُتخصص[1] /ا. ع./ **specialist; expert;** ← کارشناس

مُتخصص[2] /ص. ع./ **specialized**

متخصص قالی expert in carpets

متخطی /ع./ **transgressor**

متخلص به /ع. فا./ **having a** (specified) **nom-de-plume** *or* **pen-name**

آقای فلان متخلص به...
Mr. so-and-so whose nom-de-plume is...

مُتخلف [جمع: متخلفین] /ع./ [*n.*] **violator, infringer;** [*adj.*] **violating**

متخلق به /ع. فا./ **endowed with** *or* **possessing** (a specified character)

متخیل [مؤنث: متخیله] /ع./ **having a strong imagination**

قوه متخیّله imaginative faculty

مُتداخِل /ع./ **of which one is the aliquot part of the other**

۲ و ۶ مُتداخِل هستند.
2 is an aliquot part of 6.

مُتداعی [تثنیه: متداعیین] /ع./ **litigant** (party)

طرفین متداعیین the litigants

مُتداوِل /ع./ **common, usual**

مُتدرّجاً /ع./ **gradually**

مُتدین /ع./ **religious**

مُتدین به دین اسلام professing the Mohammedan religion

متذکر شدن[1] /ع. فا./ [*o.s.*] **to remember**

متذکر شدن[2] [غلط مشهور] /ع. فا./ **to point out, to remind**

متر /فر./ **metre; tape-measure**

سه متر است *it is 3 metres long*

متر کردن to measure (in terms of metres)

مترادف[1] /ص. ع./ **synonymous**

مترادف[2] /ا. ع./ **synonym**

مُتراکِم /ع./ **heaped up; condensed**

متراکم شدن to be heaped up; to be condensed

متراکم ساختن to heap up; to condense

مترتب(بر) /ع./ **resulting** *or* **derived from**

فایده‌ای بر آن مترتب نیست.
It is of no avail.

مُترجِم [جمع: مترجمین] /ع./ **translator; interpreter**

مترجمی /ع. فا./ **position of a translator; translation work**

متردّد[1] /ع./ **plying back and forth**

متردّد[2] /ع./ = مردد

مَتَرس، مترسک **scarecrow**

مِترِس /ع./ **mistress**

مترسل [کمیاب] /ع./ = نویسنده، دبیر

مترشح [کمیاب] /ع./ **exuding**

مُترصد /ع./ **lying in wait**

مترصد فرصت بودن to look out for an opportunity

مترقب [مؤنث: مترقبه] /ع./ **expected**

مخارج غیرمترقبه unexpected expenses

مُترقی [مؤنث: مترقیه] /ع./ **advancing, progressive**

مترنم /ع./ **singing** *or* **trilling; performing**

مترُو /فر./ **underground** (railway), **tube**

متروک [مؤنث: متروکه] /ع./ **abandoned; obsolete**

متری /فر. فا./ (sold) **by the metre**

مُتزلزل /ع./ **unstable, shaky; uncertain**

متزلزل ساختن to shake; to weaken

مُتساوی /ع./ = مساوی

متساوی‌الاضلاع /ع./ **equilateral**

متساوی‌الزوایا /ع./ **equiangular**

متساوی‌الساقین /ع./ **isosceles**

مُتساهل [کمیاب] /ع./ **latitudinarian**

مُتسع /ع./ **dilated**

متسع کردن to dilate

مُتشابِه /ع./ = همانند **similar; homologous**

متشابه‌الترکیب /ع./ **isomeric**

متشبث شدن /ع. فا./ **to resort**

مُتشتت[1] /ع./ **divided, diversified**

مُتشتت[2] /ع./ = پراکنده

مُتشخص /ع./ **dignified, of great personality**

متشرّع /ع./ **versed in religious low; pious**

مُتشکر /ع./ = سپاسگزار **thankful, grateful**

برای... از من مُتشکر بود. he was grateful to me for...
(از شما) متشکرم. *Thank you.*
مُتشکل /ع./ **organized; formed**
مُتشنج /ع./ **convulsive**
جلسه متشنج شد. Confusion broke out in the meeting.
مُتصاعد /ع./ **ascending, rising; progressing, progressive**
متصالح /ع./ **donee** (by compromise)
مُتصدی /ع./ (person) **in charge**
مُتصرّف /ع./ **possessor; occupier**
مُتصرّف شدن to take possession of
متصرفات /ع./ **possessions**
مُتصف /ع./ **endowed**
متصف به endowed with, possessing
مُتصل /ع./ = پیوسته
connected; adjoining; continuous
ضمیر متصل inseparable pronoun
متصل شدن to be connected, to join
متصل کردن to connect, to join
متصلاً /ع./ = پیوسته
incessantly
متصوَر /ع./ **conceived, conceivable, imaginable**
مُتصوّف /ع./ **sufistic; mystical**
مُتضادّ /ع./ [*adj.*] **antithetical; opposed;** [*n.*] **antonym**
مُتضامناً /ع./ **jointly** (and severally)
مُتضرّر شدن /ع. فا./
to incur (a loss)

مُتضمن /ع./ **comprising, containing**
مُتضمن بودن to comprise; [*fig.*] to entail
مُتظاهر به /ع. فا./ **pretending** *or* **professing to be**
متظلم /ع./ [*adj.*] **having a grievance** *or* **complaint;** [*n.*] **petitioner**
مُتعارِف /ع./ **known to each other; given to compliments** *or* **gallantry**
متعارفی /ع. فا./ **common, ordinary; vulgar**
مُتعاقب /ع./ **subsequent, following immediately**
متعاقِب subsequent to, after
مُتعاقد [تثنیه: متعاقدین] /ع./
contracting
طرفین متعاقدین
the contracting parties
مُتعال /ع./ **exalted:** خدای متعال
مُتعامل [تثنیه: متعاملین] /ع./
party to a transaction
مُتعاهد [تثنیه: متعاهدین] /ع./
contracting
طرفین متعاهدین
the contracting parties
متعبد /ع./ **devout** (person)
مُتعجب /ع./ **surprised**
متعجب شدن to be surprised, to wonder
متعجب ساختن to fill with wonder
مُتعدّد /ع./ **numerous**
متعدّی /ع./ **transgressing, aggressive;** [*gram.*] **transitive**
مُتعذّر /ع./ [*rare*] **difficult** *or* **impossible**
مُتعذّر به resorting to (a specified excuse)
مُتعرّض شدن /ع. فا./
to interfere with, to prevent; to disturb *or* **molest**

متعرضِ او نمی‌شد. No one prevented him (from doing it).
متـعسـر /ع./ = دشوار؛ پیچیده
مُتعصب[1] /ص. ع./ **bigoted, prejudiced; fanatical**
مُتعصب[2] /ا. ع./
bigoted person; fanatic
متعصبانه /ع. فا./ **fanatically; out of prejudice**
متعظ /ع./ **disposed to being preached to;** [*rare*] **accepting advice**
غیرمتعظ not practising what one preaches
مُتعفن /ع./ **putrefied, stinking**
متعفن شدن to be putrefied
مُتعلق /ع./ **belonging, pertaining; dependent**
مُتعلق بودن to belong
متعلقان dependants
متعلقات /ع./ **appurtenances; attachments;** ⟵ [جمعِ متعلقه]
متعلقه [مؤنثِ متعلق] /ع./
supported *or* **dependent** (woman); *i.e.* **wife**
متعلم /ع./ = شاگرد، دانش‌آموز
متعمد /ع./ (one) **who does a thing intentionally**
متعند /ع./ = لجوج؛ دشمن
مُتعه /ع./
concubine; ⟵ صیغه
متعهد /ع./
(one) **who undertakes**
متعهد شدن to undertake
متعهدله /ع./ **obligee, guarantee**
مُتغیر /ع./ **angry, filled with indignation; changeable**
مُتغیر شدن to get angry
مُتفاوِت /ع./ **different**
متفاوت بودن با to differ from
متفرّع [مؤنث: متفرعه] /ع./
branching out

متفرعات derivatives, by-products

متفرعن /ع./ = باد درسر

مُتفرّق /ع./ dispersed; پراکنده ←

متفرق شدن to be dispersed or scattered

متفرق کردن to disperse

مُتفرّقه [مؤنثِ متفرق] /ع./ miscellaneous, sundry

مُتفق [مؤنث: متفقه] /ع./ allied; agreeing with each other

متفق شدن to be allied, to form an alliance

متفق بودن بر to agree (up)on

متفقاً /ع./ unanimously; together; unitedly

متفق‌الرای /ع./ = هم‌رأی

متفق‌القول /ع./ unanimous

متفق‌علیه /ع./ unanimously agreed upon

متفقین [جمعِ متفق] /ا. ع./ the allies

مُتفکر /ع./ reflective; pensive

متفکر شدن to (begin to) think; to reflect

مُتقابل [مؤنث: متقابله] /ع./ reciprocal; [*geom.*] corresponding: دو زاویه متقابل

دعوی متقابل counterclaim

معاملهٔ متقابله reciprocal treatment, reciprocity

زوایای متقابل به رأس vertical angles

متقارب /ع./ convergent

مُتقارن /ع./ symmetrical; simultaneous; concurrent; [*phys.*] polar

متقارناً /ع./ concurrently, simultaneously

مُتقاضی /ع./ applicant

متقاطر /ع./ antipodal; diametrical

نقاط متقاطر antipodes

متقاطراً diametrically

متقاطع /ع./ intersecting

مُتقاعد[1] /ع./ convinced

مُتقاعد شدن to be convinced; to be pensioned off

مُتقاعد کردن to convince; to pension off

مُتقاعد[2] /ع./ = بازنشسته

متقال /ر./ unbleached calico, Mexican cloth, grey sheeting

متقبل شدن /ع. فا./ to undertake; to support

متقدم /ع./ ancient

متقدمین [جمعِ متقدم] /ا. ع./ the ancients; پیشینیان ←

مُتقلب /ع./ dishonest, fraudulent

مُتقن /ع./ = استوار firm

متقی /ع./ = پرهیزگار virtuous; pious

مُتکا /ع./ = بالش pillow, bolster

متکافی /ع./ equal *or* adequate

فندول متکافی compensation pendulum

متکائی /ع. فا./ scrolled

سبک متکائی ionic order

مُتکبر /ع./ proud

متکبرانه /ع. فا./ proudly, haughtily

متکدّی /ع./ begging, of begging habits

مُتکفل /ع./ (one) who undertakes *or* supports

متکفلِ (مخارجِ) خانواده‌ای بودن to support a family

مُتکلم /ع./ speaker; [*gram.*] first person

متکلم شدن to speak

متکلم وحده است. ***You can't get a word in edgeway with him. He is the sole speaker.***

متکوّن /ع./ coming into existence

مُتکی /ع./ based; relying; [*o.s.*] leaning

متکی شدن بر to rely (up) on, to base oneself on

مُتلاشی /ع./ decomposed; scattered; shattered

مُتلاطم /ع./ rough, stormy

متلذّذ /ع./ enjoying; taking delight

متلذّذ شدن از to enjoy, to relish, to take a delight in

مُتلف /ع./ [*n.*] waster; [*adj.*] prodigal

مَتلک [زبان لاتی] wisecrack, quib

مُتلوّن[1] /ع./، متلوّن‌المزاج [*fig.*] fickle, capricious

مُتلوّن[2] /ع./ = رنگارنگ

متلهف [کمیاب] /ع./ = متأسف

مُتمادی /ع./ long, protracted

متمایز /ع./ distinct

مُتمایل /ع./ inclined, disposed

متمتع /ع./ = بهره‌مند

مُتمدّن [مؤنث: متمدنه] /ع./ civilized

نیمه متمدن، نیم متمدن semi-civilized

مُتمرّد /ع./ rebellious, disobedient

مُتمرّد شدن to rebel; to disobey

مُتمرکز /ع./ concentrated

متمرکز کردن to concentrate; to centralize

متمسک شدن به /ع. فا./ to hold, to resort to

مُتمکن /ع./ having (pecuniary) power; resident; established

مُتملق /ع./ [*n.*] flatterer, fawner; [*adj.*] flattering

متملقانه /ع. فا./ **flatteringly, fawningly**

مُتمم /ع./ **supplement(ary), complement(ary)**

متممِ... supplementary to...

مُتمنی /ع./ = خواهشمند **requesting, asking**

مُتمنی است [در تعارفات] I shall be glad if you will...

متموّج **undulating; floating;** [*med.*] **fluttering:** نبض متموّج

مُتموّل /ع./ = توانگر، دولتمند **wealthy**

مَتن [جمع: متون] /ع./ **text**

مُتنازع /ع./ **litigant**

متنازع فیه /ع./ **contentious, litigious**

مُتناسِب [مؤنث: متناسبه] /ع./ **proportional, proportionate; symmetrical, well-set**

قاعدهٔ اربعهٔ متناسبه rule of three

مُتناقض /ع./ **contradictory**

مُتناوِب /ع./ **alternate;** [*arith.*] **recurring;** [*med.*] **periodical**

خدمتِ متناوب broken service

متناوباً /ع./ **alternately**

مُتناهی /ع./ **finite; terminated**

مُتنبه /ع./ **awakened, warned**

مُتنبه کردن to give a lesson *or* warning (to)

متنبی /ع./ **pretending to be a prophet**

مُتنجن **roasted *or* fried meat; dish with dried fruits**

متنصر [کمیاب] /ع./ **converted to Christianity**

متنعم /ع./ **enjoying comforts of life, living in pleasure**

مُتنفذ /ع./ **influential**

متنفذین /ا./ **influential men**

مُتنفر /ع./ **disgusted**

از چیزی متنفر بودن to hate something, to be disgusted with it

متنفس [1] /ص. ع./ [*rare*] **breathing**

متنفس [2] /ا. ع./ **soul: living being**

متنکر /ع./ **disguised**

متنکراً /ع./ **in disguise**

متنوّع [مؤنث: متنوعه] /ع./ **various, miscellaneous**

متواتر /ع./ **successive; related by successive witnesses**

متواتراً /ع./ **by successive witnesses; successively**

مُتواری /ع./ **hidden, fled to an unknown destination**

متوازِن /ع./ **symmetrical**

مُتوازی /ع./ **parallel**

متوازی‌الاضلاع /ع./ **parallelogram**

متوازی‌السطوح /ع./ **parallelepiped**

متواضع /ع./ = فروتن

مُتوافق /ع./ **agreeing, congruous; commensurable**

مُتوالی /ع./ = پی‌درپی **consecutive, successive**

متوالیاً /ع./ **consecutively, successively;** ← پی‌درپی

متوّج [کمیاب] /ع./ = تاجدار **crowned**

مُتوجه /ع./ **careful; taking notice;** [*o.s.*] **turning the face**

متوجه شدن به to turn to, to face, to address; to take notice of

حادثه‌ای متوجه او شد. He met with an accident.

متوجه ساختن to remind, to notify; to aim

متوجه نشدم I didn't notice it; I didn't understand

متوحش /ع./ **frightened**

متوحش شدن = ترسیدن to be frightened

متوحش ساختن = ترساندن to frighten

متورّق /ع./ **laminated**

مُتورّم /ع./ **swollen;** [*fig.*] **inflated**

متورم شدن to be inflated; to swell

متورم ساختن to cause to be inflamed; to inflate

مُتوسط [1] [مؤنث: متوسطه] /ص. ع./ **intermediate, middle; mean, average**

مدرسهٔ متوسطه = دبیرستان

موج متوسط medium wave

به‌طور متوسط on the average

مُتوسط [2] /ا. ع./ [*n.*] **average, mean**

متوسل شدن(به) /ع. فا./ **to resort to, to have recourse to, to take refuge in**

متوطن شدن /ع. فا./ **to take one's abode, to choose as one's home**

متوفی [مؤنث: متوفیه] /ع./ **deceased**

مُتوقع /ع./ **expecting**

متوقع بودن to expect

از من متوقع نبود. ***He did not expect me to do*** (or ***say***) ***that.***

مُتوقف /ع./ **halting; stopped, coming to a standstill; insolvent, who has ceased payment**

مُتوقف شدن to stop, to come to a standstill; to stay; to cease payment

متوکل /ع./ **trusting**

متوکل شدن به to trust upon

متوکلاً /ع./ **resignedly**
متوکلاً علی‌الله trusting on God
مُتولد [جمع: متولدین] /ع./ **born**
متولد شدن to be born
متولدین سالِ... those born in the year...
متولی /ع./ **custodian** *or* **administrator** (of a pious foundation)
مَته **drill, auger, gimlet;** [*dentist*] **burr**
متهٔ کوه‌بری rock-drill
مته کردن to bore *or* drill
مته به خشخاش گذاشتن to strain a gnat, to split hairs, to be over stingy
متهاجم /ع./ **attacking, offensive**
متهاوِن /ع./ **negligent**
مته قرقره **ratchet-drill**
مته کمان، مته و کمان **bow-drill**
مُتهَم /ع./ (the) **accused**
متهم‌شدن به to be accused of
متهم ساختن to accuse
مُتهِم **accuser**
مُتهـوّر /ع./ **impetuous, rash**
متهورانه /ع./ فا./ **impetuously**
متیٰ /ع. ی./ **Matthew**
مُتیقن **sure, certain**
قدر متیقن آنست که so much is certain that
متیل، میتیل **slip, (pillow-)case**
مَتین /ع./ **firm;** [*fig.*] **sedate; self-possessed, cool; sound:** فرمایش متین
مثابه /ع./ **position**
به مثابهٔ as, in the position *or* manner of
مثال [جمع: امثله] /ع./ **example; likeness**

مثانه /ع./ = آبدان **vesica, urinary bladder**
مثانی [کمیاب] /ع./ (second strings of a) **lute;** (name of certain parts of) **the Koran**
مُثبَت /ع./ **affirmative**
مُثبِت /ع./ **proving, demonstrative; constructive**
مِثقال /ع./ [unit of weight nearly = 5 grammes]
مثل [جمع: اَمثال] /ع./ **parable; proverb; example**
مثلی است مشهور it is a common proverb; as the saying is
مثل زدن to cite an example *or* proverb
مِثل [جمع: امثال] /ع./ **likeness; peer**
معاملهٔ به مثل با کسی کردن to pay a man back in his own coin
مثلِ like
مثل اینکه، مثل این است که it seems as if
امثال من people like me, such as I am
کتاب و امثال آن books and the like
مُثُل /ع./ **ideas:** [جمعِ مثال] ← ; مثل افلاطون
مثـلاً /ع./ **for example, for instance,** (exempli gratia) **e.g.**
مُثلث /ع./ = سه گوش [*n.*] **triangle** [*adj.*] **triangular; marked with three dots** (as the letter ث)
مثلثات /ع./ **trigonometry**
مُثله کردن /ع. فا./ **to mutilate in order to set an example**
مَثَلی /ع. فا./ **proverbial**
مِـثلی /ع./ **fungible**
مُثمر /ع./ **fruit-bearing;** [*fig.*] **fruitful, useful** [often redundantly مثمر ثمر]

مُثمن /ع./ [*rare*] **octagon(al); consisting of eight feet**
مَثنوی /ع./ **poetry consisting of distichs riming between themselves, couplet-poems**
مَثنوی هفتاد من کاغذ شود that is (*or* will be) a long story
مثنّیٰ[1] /ص. ع./ **double(d); dual**
مثنّیٰ[2] /ا. ع./ **duplicate;** ← المثنی
مُجاب /ع./ **confuted, reduced to silence**
مُجاب کردن to confute, to defeat (in a controversy)
مُجادِله [جمع: مجادلات] /ع./ **contention, dispute**
مجادله کردن to dispute
مجار **Magyar**
مجارستان **Hungary**
مجاری [جمعِ مَجری، مجرا]
مَجاز /ع./ **trope, metaphor, figure; allegory**
مُجاز /ع./ **authorized; permissible; chartered:** حسابدار مجاز
پزشک مُجاز non-graduate licensed physician
مَجازاً /ع./ **figuratively**
مُجازات /ع./ = کیفر **punishment**
مُجازات کردن to punish
مجازی /ع./ **figurative; metaphorical; false**
آفتاب مجازی mean sun
مَجاعه /ع./ = گرسنگی؛ قحطی
مَجال /ع./ **opportunity, leisure**
مَجال (پیدا) کردن to find an opportunity
مجالس [جمعِ مجلس]
مُجالست /ع./ **sitting together; companionship**

مجامع [جمعِ مجمع]

مُجامعت /ع./ **sexual intercourse**

مُجامله /ع./ **flatterous courtesy** *or* **kindness**

مَجاناً /ع./ **gratuitously, free of cost**

مجانِب /ع./ **asymptotic**

مُجانبت /ع./ **keeping aloof**

مجانی /ع./ **gratuitous**

مجانین [جمعِ مجنون]

مُجاوِر /ع./ **adjacent, neighbouring**

مجاورت /ع./ **vicinity, neighbourhood;** ← همسایگی؛ نزدیکی

در مجاورتِ in the vicinity of, near

مُجاهد /ع./ **soldier of the holy war; fighter** (for liberty, etc.)

مجاهدت، مجاهده /ع./ **endeavour; struggle;** ← کوشش

مجاهدت کردن to endeavour *or* strive

مُجبر [مؤنث: مجبره] /ع./ **coercing**

قوه مجبره [کمیاب] force majeure

مَجبور /ع./ **compelled, forced, obliged**

مجبورم بروم. *I am obliged to go.*

مجبور کردن to force, to compel

مجبوراً /ع./ = اجباراً

مُجتبی /ع./ = برگزیده

مجتمع /ع./ **convened, assembled**

مجتمع شدن to assemble

مجتمعاً /ع./ = باهم، متحداً

مجتهد /ع./ **clergyman practising religious jurisprudence**

مجد /ع./ (traditional) **honour** *or* **greatness**

مجدّ /ع./ = کوشا **diligent, striving hard**

مجدّانه /ع. فا./ **diligently**

مُجدّد /ع./ **renewed; further**

تا اخطار مجدد until further notice

مجدداً /ع./ = دوباره **again**

مجدّر /ع./ = آبله‌رو

مَجذوب /ع./ **attracted; enchanted**

مجذوب کردن to attract; to fascinate

مجذوبیت /ع./ **enchantment**

مجذور /ع./ = توانِ دوم **square**

مجذوم /ع./ **leprous**

مجرا [از ع. مجریٰ، جمع: مجاری] **channel; passage; duct, canal**

مجرای پیشاب urethra

مجرای عصب nerviduct

مجرای نخاع neural canal

مُجرّب[1] /ع./ **experienced:** پزشک مجرّب

مُجرّب[2] /ع./ **tried:** داروی مجرّب

مُجرّد /ع./ **single, unmarried; naked; abstract;** ← برهنه

حبس مجرد solitary confinement

به مجرد immediately upon

به مجردی که as soon as

مجرّدی /ع. فا./ = جِرز

مُجرِم /ع./ **guilty** (person); **criminal**

مجرمیت /ع./ **guilt**

مَجروح /ع./ = زخمی **wounded**

مجروح شدن to be wounded

مجروح کردن to wound; [*fig.*] to injure

مجروحین [جمعِ مجروح] /ا./ **the wounded**

مَجری ← مجرا

مِجری (small) **box;** [*bot.*] **pixidium**

مُجری [مؤنث: مجریه] /ع./ (one) **who executes** *or* **enforces**

قوهٔ مجریه executive power

مُجریٰ /ع./ **enforced**

مُجری داشتن to carry out, to enforce

مجزا [از ع. مجزیٰ] **distinct, separate**

مجزا کردن to separate; to segregate

مجزی ← مجزا

مجسطی /ع. ی./ **the Almagest**

مُجسم /ع./ **incarnate; personified; solid;** ← [مونث: مجسمه]

مجسم شدن to be personified; to be imagined

مجسم کردن to incarnate *or* embody; to personify; to see in one's imagination, to imagine

مجسمات /ع./ **solid bodies;** [*rare*] **statues;** [*rare*] **ideals;** ← مجسمه

مُجسمه [مؤنثِ مجسم] /ع./ **statue, image**

مجسمهٔ پیاده pedestrian statue

مجسمهٔ سواره equestrian statue

مجسمهٔ نیمتنه bust

مجسمه‌ساز /ع. فا./ **sculptor, statuary**

مجسمه‌سازی /ع. فا./ **sculpture**

مُجعد /ع./ **curly**

مُجعول /ع./ = جعلی

مُجلد [مؤنث: مجلده] /ع./ [*adj.*] **bound, covered;** [*n.*] **volume, tome;** -*Note:* مجلدات the plural of مجلده has been adopted as the plural of جلد **or** مجلد

مَجلس [جمع: مجالس] /ع./ **assembly; house:** مجلس عوام**; meeting, session; party; scene;** ← پرده

صورت مجلس procès-verbal

مجلس آرا /ع. فا./ [*adj.*] **giving life to a party;** [*n.*] **the life and soul of a party**

مجلسی /ع. فا./ **fit for a party** *or* **assembly, presentable**

مجلسیان /ا./ **the members of a party** *or* **parliament**

مجلسین [تثنیهٔ مجلس] /ع./ **the Two Houses** (of the Iranian Parliament)

مُجلل /ع./ = باشکوه

مَجله [جمع: مجلات] /ع./ **magazine, review; gazette**

مَجمر [ادبی، کمیاب] /ع./ **censer**

مَجمع [جمع: مجامع] /ع./ **assembly; association; league**

مجمع الجزایر /ع./ **archipelago**

مجمع القوانین /ع./ **code**

مجمع الکواکب /ع./ **constellation**

مجمعه /ع./ (copper) **tray**

مُجمل[1] /ص. ع./ **brief**

مُجمل[2] /ا. ع./ **summary, compendium**

مجملاً /ع./ = اجمالاً

مَجموع /ع./ [*n.*] **total, whole;** [*adj., lit.*] **peaceful, tranquil**

مجموعاً /ع./ **totally**

مجموعه /ع./ **collection, set; miscellany; magazine**

مجنون [جمع: مجانین] /ع./ = دیوانه

مُجَوز /ع./ **authorization; justification; ground**

مجوس /ع. ی. فا./ **the Magi;** -*Note:* مجوس is collective for مجوسی a Magian

مُجوّف /ع./ = پوک، میان‌تهی

مُجهز /ع./ **equipped, well-appointed; mobilized**

مجهزکردن to equip; to mobilize

مَجهول /ع./ **unknown** (quantity); **passive** (voice)

سلسلهٔ اعصاب مجهول the sympathetic nervous system

دو مجهوله with two unknown quantities

مجهول القوا /ع./ **exponential**

مجهول المالک /ع./ **of unknown ownership, derelict**

مجهول الهویه /ع./ **of unknown identity; fameless**

مُجیب /ع./ (one) **who grants** (a prayer *or* request)

مَجید[1] /ص. ع./ **great, honourable**

مجید[2] [اسم خاص] /ا. ع./

مُجیر /ع./ = حامی، یاور

مجیز گفتن [زبان لاتی] **to flatter** *or* **cajole**

مُچ، مچ دست **wrist**

مچ پا ankle

مچ کسی را گرفتن to catch one in the act

مچ پیچ **puttee**

مُچی **carpal; tarsal**

ساعت مُچی wrist-watch

مچاله کردن [عامیانه] **to crumple** (up)

مَچل شدن [زبان لاتی] = پکر شدن؛ بورشدن؛ شکار شدن

مُحابا /ع./ **regard, consideration, respect;** ← بی‌محابا

مُحاجه /ع./ **pleading**

مُحاجه کردن to plead, to reason (together)

مُحاذی /ع./ **opposite; parallel**

مُحارب /ع./ **combatant**

محاربه /ع./ **fighting** (together), **war**

محارم [جمع محرم] /ا./ **very near relatives**

زنا با محارم incest

مُحاسب /ع./ = حسابدار

محاسبات /ع./ [جمعِ محاسبه] ← **accounts;**

اشکالات محاسباتی accounting difficulties

مُحاسبه /ع./ **calculation, computation,** [*rare*] **calling to account**

مَحاسن /ع./ **good deeds; beauties; beard;** ← ریش

مُحاصره /ع./ **siege, blockade**

مُحاصره کردن to besiege

محاضر [جمعِ محضر]

مُحاط /ع./ **surrounded; inscribed**

محاط کردن to inscribe

محافظ /ع./ = نگهدار

مُحافظت /ع./ = نگهداری **protection**

محافظت کردن از to protect *or* preserve, to look after

محافظه[1] /ع./ **sense of modesty and discretion**

محافظه[2] /ع./ = محافظه کاری؛ محافظت

محافظه کار /ع. فا./ **conservative**

محافظه کاری /ع. فا./ conservativeness
اصالت محافظه‌کاری conservatism
محافل [جمعِ محفل]
مَحاق /ع./ wane of the moon
محاقی /ع./ interlunar
مُحاکا [کمیاب] talking to *or* imitating each other; resembling
محاکم [جمعِ محکمه]
محاکمات [جمعِ محاکمه]
مُحاکمه [جمع: محاکمات] /ع./ trial, court procedure, hearing
محاکمه کردن to try (judicially)
اصول محاکمات حقوقی civil procedure
دیوان محاکمات tribunal
مَحال [جمعِ محل]
مُحال [مؤنث: محاله، کمیاب] impossible; absurd
محالات [جمعِ محاله] impossibilities; absurdities
مُحال‌علیه /ع./ = برات‌گیر
مَحامِد [جمعِ محمده، کمیاب] /ع./ laudable qualities
محامل [جمعِ محمل]
مُحاوِره [جمع: محاورات] /ع./ = گفتگو conversation
محاوره کردن to talk
محاوره‌ای /ع. فا./ colloquial
مُحبّ /ع./ = دوستدار
مَحبت /ع./ love, kindness, affection
محبت کردن to be kind
محبت‌آمیز /ع. فا./ affectionate, kind: سخنان محبت‌آمیز
محبس /ع./ = زندان
محبوب /ع./ [*adj.*] beloved, loved; favourite; popular; [*n.*] friend; darling; ⟵ محبوبه

محبوب‌القلوب /ع./ loved by all, popular
محبوبه /ع./ sweetheart; ⟵ [مؤنثِ محبوب]
محبوبیت /ع./ popularity
محبوس /ص.ع./ imprisoned; ⟵ زندانی
محبوسین [جمعِ محبوس] /ا./ prisoners
مُحتاج /ع./ needy, poor; ⟵ نیازمند
محتاج کردن to reduce to poverty
محتاجِ کسی شدن to need someone's help
محتاج به needing
محتاج به ذکر نیست it is needless to mention
مُحتاط /ع./ cautious
محتاطانه /ع. فا./ cautiously
مُحتال /ع./ = حیله‌گر
محتـرز [کمیـاب] /ع./ shunning *or* shunner; cautious (person)
محترق [مؤنث: محترقه] inflammable; explosive
محترق شدن to explode
مواد محترقه explosives
محترم[1] [مؤنث: محترمه] /ص. ع./ honourable
محترم داشتن to honour *or* respect
محترم[2] [اسم‌خاص] /ا. ع./
محترماً /ع./ respectfully
محترماً آگاهی می‌دهد I have the honour to inform you
محترمانه /ع. فا./ respectably, honourably
محترمین [جمعِ محترم] /ا./ dignitaries, notables
محتسب [ادبی] /ع./ municipal *or* police officer
محتشم /ع./ magnificent, pompous

مُحتضر /ع./ in a dying state, moribund
مُحتضر بودن to be dying, to suffer the agony of death
مُحتکر [جمع: محتکرین] /ع./ hoarder
محتلم شدن /ع. فا./ to have a nocturnal pollution
مُحتمل /ع./ probable
محتمل است رفته باشد. *He has probably gone.*
محتمل است ناخوش شود. He is likely to get sick.
محتمل‌الوجهین /ع./ equivocal verse susceptible of two opposite interpretations
محتمل‌الوقوع /ع./ contingent
مُحتوی /ع./ containing
محتویات [جمعِ محتویٰ] /ع./ contents
مَحجر /ع./ fence, railing, parapet
مُحَجَّر /ع./ petrified
محجوب /ع./ modest, coy
محجوبانه /ع. فا./ modestly; politely
محجوبیت /ع./ modesty; shamefacedness; ⟵ محجوبی
محجور /ع./ interdicted
محجور کردن to interdict
محجوریت /ع./ interdiction
مُحدّب /ع./ = کوژ convex
محدب‌الطرفین /ع./ biconvex
محدود /ع./ limited; bounded
از شمال محدود است به it is bounded on the north by...
محدود کردن to limit
محدودیت /ع./ limitation
مَحذور[1] /ص.ع./ (needing to be) avoided

مَحذور[۲] /ا. ع./ [*rare*] **dread**

مَحذوف /ع./ **omitted; eliminated**

مِـحراب /ع./ **altar, adytum**

مُحرّر /ع./ = نویسنده؛ سردفتر

مُحرَز /ع./ **established; confirmed**

مُحرَز کردن to establish *or* confirm; to prove

محرّف[۱] /ص. ع./ **tampered with**

محرّف[۲] /ا. ع./ **anagram**

نصف محرّف hemihedron

محرق /ع./ **burning; caustic**

مُحْرِقه /ع./، حِـمای مُـحرقه [مؤنثِ محرق] **typhus**

مُـحرّک [جـمع: مـحرکین، مؤنث: محرکه] /ع./ **motive, motor; stimulant; instigator, inciter**

اعصاب محرکه motor nerves

قوهٔ محرکه motor power

مَحرَم /ص. ع./ **of close relationship; with whom marriage is prohibited**

محرم راز confident

مُحرّم /ع./ [first Arabic lunar month]

محرمانه /ع. فا./ [*adj.*] **confidential;** [*adv.*] **confidentially**

محرمیت /ع./ **close relationship; privity**

مَحروس [مؤنث: محروسه] /ع./ **fortified; guarded**

مَحروم /ع./ **deprived**

محروم شدن to be deprived

محروم کردن to deprive, to divest, to bereave

محرومیت /ع./ **privation; bereavement**

محرومیت از حقوق مدنی civil degradation, civil death

مُحزِن /ع./ = غم‌انگیز

مَحزون /ع./ = غمگین

مُحسن[۱] [مؤنث: محسنه] /ص. ع./ **beneficent**

مُحسن[۲] [اسم خاص] /ا. ع./ **benefactor**

محسنات /ع./ **virtues, good qualities; advantages, merits; good points;** [*rare*] **beauties**

مَحسوب /ع./ **carried to account, taken into account**

محسوب داشتن، محسوب کردن to carry to account

بـهای آن را ده ریـال بـرای مـن محسوب داشت. He charged me 10 rials for it. He debited me 10 rials for the price.

مَحسود /ع./ **envied**

مَحسوس [مؤنث: محسوسه] /ع./ **perceptible, sensible; palpable; marked:** تفاوت محسوس

محسوسات [جمعِ محسوسه، مؤنثِ محسوس] /ع./ **perceptible** *or* **obvious things**

مَحشر /ع./ **gathering-place of mankind on the day of judgement**

روز محشـر Day of Judgement

محشر کردن [عامیانه] to perform (a specified act) wonderfully well

مَحشور /ع./ **associated**

محشور کردن to (cause to) associate

مُحصل[۱] [جـمع: مـحصلین، مـؤنث: محصله] /ع./ **student**

مُحصل[۲] /ع./ = تحصیلدار

محصلات [جمعِ محصله] **female students, school-girls**

مُحصن[۱] /ص. ع./ **continent**

مُحصن[۲] [مؤنث: محصنه] /ا. ع./ **married man**

محصنه married (woman), (feme) covert

زنای محصنه adultery (with a married woman)

زنای محصن با محصنه double adultery

مَحصور /ع./ **besieged; fenced**

مَحصول [مؤنث: محصوله] /ع./ **crop; produce, product**

محصول فرعی by-product

محصولات [جمعِ محصوله] /ع./ **products**

محصولات نفتی oil products

مَحض /ع./ **mere; downright:** دروغ محض

محضِ [*prep.*] for

محض خاطرِ for the sake of

به محض اینکه as soon as

محضاً /ع./ **merely**

محضاًلله /ع./ (merely) **for God's sake**

مَحضر /ع./ **presence; disposition, nature**

محضر، دفتر اسناد رسمی [جـمع: مـحاضـر] notary public's office

محضری /ع. فا./ **notarial, registered** (by a notary public)

مَحظور /ع./ **obstacle; impediment**

مَحظوظ از /ع./ **delighted in, enchanted by**

مَحظوظ کردن to delight *or* please

مِحفظه /ع./ **case, chest; compartment**

مَحفل [جمع: محافل] /ع./ **assembly**

محافل سیاسی political circles

مَحفوظ [مؤنث: محفوظه] /ع./ **protected; secure; reserved**

مَحفوظ داشتن to reserve; to protect

حق طبع محفوظ است. ***"Copyright reserved."***

مـــحفوظات [جـــمعِ مـــحفوظه، کمیاب] /ع./ **memories; things learnt by heart**

مُحقّ /ع./ **entitled, rightful**

مُحقر /ع./ **contemptible; small, paltry, mean**

محقَق /ع./ **certain**

محقق داشتن to ascertain *or* verify

محقِق [جمع: محققین] /ع./ **researcher, investigator** (of truth), **inquirer**

محققاً /ع./ **certainly**

مِحکّ /ع./ **touchstone;** [*fig.*] **test, criterion**

مِحکّ زدن to test

مُحکم[1] /ص. ع./ = استوار **firm, strong; secure**

مُحکم کردن to make firm, to fasten; to secure

مُحکم[2] [مؤنث: محکمه] /ق. ع./ **firmly, fast, tightly**

مُحکم گرفتن to hold fast; [*fig.*] to observe strictly

مُحکمات [جمعِ محکمه] /ع./ **verses admitting of no allegorical interpretation**

محکم‌کاری [عامیانه] /ع. فا./ **precautious *or* preventive measures**

مَحکمه[1] [جمع: محاکم] /ع./ **law court**

مَحکمه[2] /ع./ **doctor's "surgery" *or* practice**

مُحکمی /ع. فا./ **firmness**

مَحکوک /ع./ **engraved; erased, obliterated**

مَحکوم[1] /ع./ **condemned, sentenced**

محکوم به اعدام sentenced to death

محکوم[2] /ع./ **adjudged**

محکوم به پرداختِ adjudged to pay...

مـحکوم شـدن to be condemned; to be adjudged (to pay a sum), to lose the case

مَحکوم کردن to condemn *or* sentence; to adjudge

محکوم به /ع./ **judgement debt**

محکوم علیه /ع./ **losing party**

محکوم‌له /ع./ **winning party**

محکومیت /ع./ **conviction**

محل[1] [جمع: مَحال] /ع./ **place, locality; post:** محل مأموریت; **vacancy, space; credit allocation;** → جا

«مَحل ندارد.» No effects. (N/E)

مَحل اقامت residence

در محل locally

مَحل[2] /ع./ **heed**

مَحل گذاشتن to heed *or* pay attention

محل سگ به او نگذاشتند. [زبان لاتی] They did not take the least notice of him.

مُحلل /ع./ **solvent; resolvent; one who marries a "thrice-divorced" woman and dismisses her after consummation of marriage so that she may lowfully marry her former husband**

مَحلول /ع./ **solution**

محله [جمع: محلات] /ع./ **quarter, parish**

محلی /ع./ **local**

مُحَلی /ع./ = آراسته

محمد /ع./ **Mohammad;** [*o.s.*] **praised *or* praiseworthy**

محمدی /ع./ **Mohammedan**

گل محمدی Damascus rose

محمر [کمیاب] /ع./ **rubefacient**

محمل [جمع: محامل] /ع./ **camel-litter**

مَحمود [اسم‌خاص] /ع./ [*o.s.*] **laudable**

محموده /ع./ **scammony**

مَحمول[1] /ص. ع./ [مؤنث: محموله] **consigned;** →

مَحمول[2] /ا. ع./ [*logic*] **predicate**

محمولات [جمع محموله]

محمول‌الیه /ع./ **consignee**

مَحموله [جمع: محمولات، مؤنثِ محمول] /ع./ **consignment**

مَحمی[1] [کمیاب] /ص. ع./ **protected**

مَحمی[2] /ا. ع./ **protégé**

محن [جمع محنت]

مِحنت [جمع: محن] /ع./ **suffering, affliction, hardship, toil**

مِحنت کشیدن to suffer a hardship; to be afflicted

محنت‌زده /ع. فا./ **afflicted**

محو /ع./ **effacement;** [*fig.*] **abolition; suppression**

محو شدن to be obliterated; to disappear; to fade; to be eliminated

محو کردن to wipe out, to efface; to eliminate

مِحوَر /ع./ = آسه **axis, pivot**

مِحوری /ع./ **axial, pivoted**

رقص محوری [*astr.*] nutation

مفصل محوری trochoid joint

مُحوطه /ع./ **enclosure, precincts, yard**

مُحوّل /ع./ **turned over, given over**

مُحوّل کردن to devolve, to turn over, to delegate

محیرالعقول /ع./ **stupendous, wonderful**

مُحیط[1] /ا. ع./ **circumference; perimeter;** [*fig.*] **environment, milieu; atmosphere, meridian**

محیط مرئی — contour; silhouette

تغییر محیط — change of scene

مُحیط ۲ /ص. ع./ **surrounding**

بحر محیط — the Ocean

محیطی /ع./ **circumferential**

مُحیل /ع./ **cunning** (person)

مُخ **brain**

بی‌مخ [عامیانه] — brainless

مُخا **mocha**

قهوهٔ مُخا — mocha coffee

مُخابره [جمع: مخابرات] /ع./ **despatch; message; communication, signal**

مُخابره کردن — to despatch (as a telegram)

مَخارج /ع./ = هزینه **expenses;** → [جمعِ مخرج]

مخازن [جمعِ مخزن]

مخاصمه /ع./ **hostility**

مخاصمات [جمعِ مخاصمه] **hostile activities**

مُخاط /ع./ **mucus**

مخاط شیطان — [*rare*] gossamer

مخاطَب /ع./ **person spoken to,** [*gram.*] **second person**

مخاطب ساختن — to address

مُخاطِب /ع./ **addresser, speaker**

مُخاطره [جمع: مخاطرات] /ع./ **risk; adventure**

به مخاطره انداختن — to risk *or* jeopardize

مخاطره‌آمیز /ع. فا./ **perilous, hazardous; adventurous**

مخاطره‌جو /ع. فا./ **adventurous**

شخص مخاطره‌جو — adventurous person, adventurer

مخاطی /ع./ **mucous**

مخافت /ع./ = ترس؛ خطر

مخالطت /ع./ **intercourse**

مخالطت کردن — to associate *or* mix

مُخالِف /ع./ **opposed; contrary; disagreeing**

مخالفِ صلح — opposed to peace

با رفتن من مخالف است. — He does not agree to my going.

مخالفت /ع./ **opposition**

مخالفت کردن با — to oppose, to disagree with

مخالف‌خوانی /ع. فا./ (showing signs of) **opposition**

مخالفین [جمعِ مخالف] /ا./ **opponents; the opposition, those against, the cons**

مُخبر [جمع: مخبرین] /ع./ **reporter, rapporteur:** مخبر کمیسیون ; **informer**

مُخبط /ع./ **affected with a mental disorder, idiotic**

مختار /ع./ **free in one's action; empowered**

فاعل مختار — (one) having free will, free agent

وزیرمختار — minister plenipotentiary

مُخترع [جمع: مخترعین] /ع./ **inventor**

مُختصّ [مؤنث: مختصه] /ع./ **special, allocated**

مختصات [جمعِ مختصه] /ع./ **special features, characteristics;** [*math.*] **coordinates**

مختصر ۱ /ص. ع./ **brief, short; slight:** تب مختصر ; **small:** مبلغ مختصر ; ← کوتاه

مختصر ۲ /ا. ع./ **summary, résumé**

مختصر ۳، **مختصرکلام** /ق. ع./ **to sum up, to be brief**

مختصر کردن — to abridge; to abbreviate

مختصراً /ع./ **briefly**

مختفی /ع./ = مخفی؛ پنهان

مُختل /ع./ **deranged, disordered; confused**

مُختلج ۱ /ع./ **convulsive**

مُختلج ۲ /ع./

نبض مختلج — [*med.*] **thrilling:**

مُختلس /ع./ **embezzler**

مختلط /ع./ = آمیخته **mixed**

مختلف [مؤنث: مختلفه] /ع./ **different, various; sundry**

مختلف‌الاضلاع /ع./ **scalene**

مختلف‌الشکل /ع./ **heteromorphic**

مختلف‌المرکز /ع./ **eccentric**

مُختنق /ع./

فتق مختنق — **strangulated:**

مَختوم /ع./ **sealed; finished**

گِل مختوم — sealing-clay

مَختون /ع./ **circumcised**

مُخچه **cerebellum**

مُخَدَّر [مؤنث: مخدره] /ع./ **chaste**

مخدره [جمع: مخدرات] — chaste (woman)

مُخَدِّر [مؤنث: مخدره] /ع./ **narcotic, opiate**

ادویهٔ مخدره — narcotic *or* dangerous drugs, narcotics

مَخدوش /ع./ **having signs of alteration, altered, not clear and concise**

مَخدوم ۱ /ص. ع./ **served, waited on**

مَخدوم ۲ [جمع: مخادیم، کمیاب] /ا. ع./ **master**

مُخدّه /ع./ **cushion for the back**

مُخرّب /ع./ **destructive**

مخربِ اخلاق — destructive to morality

مَخرج /ع./ **outlet, egress, issue;** [*math.*] **denominator;** → [جمع: مخارج]

مَخروب /ع./ = ویران **ruined;** → [مؤنث: مخروبه]

مخروبه [مؤنثِ مخروب] /ع./
ruined (place)
مَخروط /ع./ cone
مخروط ناقص truncated cone, frustum (of a cone)
مخروطی /ع./ conic(al)
مقاطع مخروطی، مخروطیات
conic sections
مَخزَن [جمع: مخازن] /ع./
magazine; store(house), warehouse; tank;
[rare] treasure; ⟵ انبار
مخزن‌دار /ع. فا./
provided with a tank
ماشین مخزن‌دار tank-lorry
مَخصوص /ع./ special, particular; specific; proper; ⟵ ویژه
مخصوصِ specially adapted (or designed) for; peculiar to
مخصوصاً /ع./ = به‌ویژه
especially; particularly
مُخطط /ع./ striped
مخطوبه [کمیاب] /ع./ = نامزد
fiancée
مُخفَف /ع./ [adj.] abbreviated; [n.] abbreviation
مُخفِف [مؤنث: مخففه] /ع./
extenuating
جهات مخففه extenuating circumstances
مَخفی /ع./ = پنهان hidden; secret
مخفی شدن، مخفی کردن to hide
مخفی نماند be it known to all
مخفیانه /ع. فا./ in secret
مُخل /ع./ disturbing, interrupting
مخل آسایش کسی شدن
to disturb someone, to intrude upon him (or his privacy)
مُخلد /ع./ = جاودانی
مُخلص[1] /ع./
devoted (friend)

مُخلص[2] [عامیانه] /ع./
your devoted friend, *i.e.* I
مخلصانه /ع. فا./
[*adv.*] devotedly, sincerely; [*adj.*] sincere
مُخلفات [جمعِ مخلفه] /ع./
sundries
مخلف [مؤنث: مخلفه، کمیاب]
left behind (as heritage)
مَخلوط /ع./ [*adj.*] mixed, blended; complex;
[*n.*] mixture; ⟵ آمیخته
مخلوط شدن to be mixed
مخلوط کردن to mix or blend
مخلوع /ع./ deposed
مخلوق [مؤنث: مخلوقه] /ع./
[*adj.*] created; [*n.*] created being, creature; people;
⟵ آفریده
مخلوقات [جمعِ مخلوقه] /ع./
created beings, creatures
مُخَلیٰ[1] [کمیاب] /ع./ set free
مُخلیٰ[2] /ع./ = خالی
مخلی به‌طبع free from intrusion; unceremonious, easy
مُخمَر /ع./ fermented; kneaded; [*fig.*] inbred
مخمر کردن
to ferment or leaven
مخمِر [مؤنث: مخمره] /ع./
fermentative
مادهٔ مخمره ferment
مخمس[1] /ع./ fivesome (poem)
مخمس[2] [هندسه] /ع./ = پنج‌گوش
مَخمصه[1] [کمیاب] /ع./ = گرسنگی
مَخمصه[2] /ع./ = دردسر؛ اشکال
مَخمل /ع./ velvet
مخمل نخ و ابریشم velveteen, plush
گُل مَخمل globe amaranth
مخملک /ع. فا./ scarlet fever
مخملی /ع. فا./ velvety; soft

مَخمور [ادبی] half-drunk;
چشم مخمور languishing:
مُخنث[1] [ادبی] /ص.ع./
effeminate
مُخنث[2] [ادبی] /ا.ع./
effeminate man; catamite
مَخوف /ع./ = ترسناک
مُخیر /ع./ having the option or choice (to...)
در رفتن یا ماندن مُخیر است. He has the option to go or stay.
مخیله /ع./
imaginative faculty
مَد[1] /ع./ flow
جزر و مد tide
مَد[2] /ع./ the vowel placed over the "consonant alef" (as in آسمان)
در مد نظر داشتن
to have in mind
مِد /فر./ = ماد Media
مُد[1] /ا. فر./ fashion
مُد[2] /ص.ع./ fashionable, in fashion
مد نبودن to be out of fashion
از مد افتادن
to go out of fashion
مَداح /ع./ panegyrist
مداحی /ع. فا./ eulogy
مداحی کردن to panegyrize
مَداخل /ع./ earning, perquisite; ⟵ [جمع مدخل]
مُداخله /ع./ intervention
عدم مداخله non-intervention
مُداخله کردن to intervene
مداخله‌طلب /عف./
interventionist
مداد /ع./ pencil
مداد به ابرو کشیدن
to pencil one's eyebrow
مداد پاک‌کن /ع. فا./
rubber, eraser
مدادتراش /ع. فا./ pencil sharpener

مَدار /ع./ **orbit; pivot, axis**
مدار قطب شمال Arctic Circle
مدار قطب جنوب Antarctic Circle
مدار نصف‌النهار meridian
مدارات یومیه parallels of latitude
مُدارا /ع./ **moderateness; leniency; caution; fellowship**
مداراکردن to act moderately
مَدارِج [جمعِ مدرج، کمیاب] /ع./ **degrees, steps**
مدارس [جمعِ مدرسه]
مدارک [جمعِ مدرک]
مدارین [تثنیهٔ مدار] /ع./ **the two tropics**
مُدافع /ع./ **defender**
وکیل مُدافع defending attorney, barrister
مدافعه [جمع: مدافعات] /ع./ **defence**
مدافعه کردن = دفاع کردن
مدال /فر./ **(prize-)medal**
مُدام /ع./ **continual(ly)**
مُداوا [از ع. مُداویٰ] **medical treatment**
مُداواکردن to treat medically
مُداوِم /ع./ **continuous, continued; persevering**
مداومت /ع./ **continuance; perseverance;** ← پشتکار
مداومت کردن to persevere
مُداهنه /ع./ **flattery**
مُداهنه کردن to flatter, to oil the tongue
مدائح [جمعِ مدیحه]
مدائن [جمعِ مدینه] /ع./ **Ctesiphon**
مُدبَر /ع./ **swivel**
مدبِر /ع./ **efficient** *or* **prudent** (person)
مدبرانه /ع. فا./ **prudently; efficiently**

مُدّت /ع./ **period, duration; term**
در مدت سه روز
Within a period of 3 days
مدت مدیدی است که it is a long time since
مدتی for sometime, for a long time
مدت‌دار /ع. فا./ **due at a specified date**
برات مدت‌دار **after sight, payable at maturity:**
مَدح /ع./ **praise, eulogy**
مدح کردن to praise, to eulogize
مدحت /ع./ = تمجید، ستایش
مَدخل /ع./ **entrance;** [جمع: مداخل] ← [*ext.*] **prelude;**
مَدخول بِها /ع./ (woman) **lain with**
مَدد /ع./ **aid, assistance;** ← کمک
مَدد خواستن to seek help
مَدد کردن to help, to give aid
مدد معاش، کمک هزینه allowance, monetary aid
مُدرّ [مؤنث: مدرّه] /ع./ **diuretic**
مدرّ صفرا cholagogic
ادویهٔ مدرّه طمث emmenagogues
مُدرّب [کمیاب] /ع./ **trained**
مُدرّج /ع./ **graduated; scaled**
مُدرّس **teacher** (especially of theology); ← آموزگار، معلم
مَدرسه [جمع: مدارس] /ع./ = آموزشگاه **school**
مَدرَک [جمع: مدارک] /ع./ **document, evidence**
مُدرِک [مؤنث: مدرکه] /ع./ **perceptive**
مُدعا /ع./ **claim, pretension**
مدعابه = خواسته **object of claim**

تامین مدعابه کردن to levy a sum on a person's property
مَدعوّ /ع./ **invited**
مدعوین [جمعِ مَدعوّ] /ا./ **the invited, the guests**
مُدعی /ع./ **claimant; pretender;** [*law*] **plaintiff;** ← خواهان
مدعی‌العموم /ع./ = دادستان
مدعی‌علیه /ع./ **defendant;** ← خوانده
مدفن /ع./ = گور؛ آرامگاه
مَدفوع [مؤنث: مدفوعه] /ع./ **excrement, feces**
مدفوعات [جمعِ مدفوعه] **excrements**
مَدفون /ع./ **buried**
مدقق /ع./ **scrutinizer**
مدل /فر./ **model; design**
مُدِلّ /ع./ **guiding** *or* **demonstrating: that guides etc.**
مُدلل /ع./ **demonstrated, proved**
مدلل کردن to prove
مَدلول /ع./ **purport, sense**
مُدّمغ [زبان لاتی] **sniffy; foolishly proud**
مُدُن [جمعِ مدینه]
مدنی /ع./ **civil; of Medina;** ← کشوری
مدنیت /ع./ **civilization**
مُدوّر /ع./ = گِرد
مُدوّن /ع./ **collected into a book, compiled; codified**
مُدهش /ع./ = ترسناک
مَدهوش /ع./ **unconscious, senseless;** ← بیهوش
مَدهوش کردن to make unconscious; to stupefy
مدیترانـه /فر./ **Mediterranean**
مَدیحه [جمع: مدائح، مدایح] /ع./ **eulogy, praise**

مَدید /ع./ **long**
مدت مدیدی است که
it is a long time since
مُدیر [مؤنث: مدیره] /ع./
director, manager;
[*school*] **headmaster;**
[*newspaper*] **editor**
مدیر تصفیه liquidator
مدیر دروس registrar
مدیرکل director general
مدیرعامل managing director
مدیره directress; headmistress
هیئت مدیره board of directors
مدیرهٔ بیمارستان matron of a hospital
مدیریت /ع./ **directorship, management**
مَدینه [جمع: مُدُن، مدائن] /ع./ = شهر **city;** [*geog.*] **Medina**
مَدیون /ع./
debtor; ← بدهکار
مدیون بودن to owe
مدیونِ indebted to
مُذاب /ع./ = گداخته **melted**
مذابح [جمعِ مذبح]
مَذاق /ع./ **taste, palate**
به مذاقش خوش نیامد.
It did not suit his taste.
مذاکرات [جمعِ مذاکره]
مذاکره [جمع: مذاکرات] /ع./
conversation, discussion; ← گفتگو
مذاکره کردن to hold a conversation, to talk
مذاکرات مجلس proceedings of the Parliament
داخل مذاکرات شدن
to enter into negotiations
خلاصهٔ مذاکرات minutes, proceedings
مذاهب [جمعِ مذهب]
مذبح [جمع: مذابح] /ع./ **altar**
مُذبذب /ع./ = دو دل

مَذبوح /ع./ **slaughtered**
مذبوحانه /ع. فا./
like a slaughtered animal; [*fig.*] **passively; with resignation**
مُذکر /ع./ **masculine**
مَذکور [مؤنث: مذکوره] /ع./
mentioned
مذکور (در) فوق
mentioned above, aforesaid
مذلت /ع./ = ذلت، خواری
مَذمت /ع./ **reproach; slander**
مذمت کردن to reproach; to slander
مَذموم /ع./ = ناپسند؛ زشت
مَذهب [جمع: مذاهب] /ع./
آئین، کیش، دین ← **religion;**
مُذَهَّب /ع./ **gilt;**
illuminated (as a book)
مَذهبی /ع./ **religious**
مُذیل [کمیاب] /ع./ **having a specified appendix**
مَر[1] [*rare*] **counter;**
[*ext.*] **number** [only in بی‌مر]
مَر[2] **blowfly**
مَر[3] [pleonastic *or* emphatic particle used in old styles before the objective case]
مُرّ[1] [کمیاب] /ص./ = تلخ
bitter
مُرّ[2] /ا./ **myrrh**
مرّ قانون the letter of the law
مَرا[1] **me**
مَرا[2] **to me, for me**
مُرابحه /ع./ **percentage**
مُرابطه /ع./
(inter)communication, (inter)relation
مِرآت /ع./ = آئینه
mirror; ← [جمع: مرایا]
مَرّات ← مره
مَراتب /ع./ **circumstances, facts, case;** ← [جمعِ مرتبه]

به مراتب by far, out and away, infinitely
مراتع [جمعِ مرتع]
مراثی [جمعِ مرثیه]
مراجع [جمعِ مرجع]
مُراجعات /ع./ **references;**
business orders; ← مراجعه
مُراجعت /ع./ **return**
مراجعت کردن = برگشتن
to return
در مراجعت از رشت
on my return from Rasht
مُراجعه /ع./ **reference;**
recourse; ← [جمع: مراجعات]
مراجعه کردن به to refer to, to approach, to call on;
به‌پزشک مراجعه کردن: to consult:
مراحل [جمعِ مرحله]
مراحم [جمعِ مرحمت]
مُراد[1] [اسم‌خاص] /ا. ع./ **desire, wish; intention**
از آن چه مراد دارید؟
What do you mean by that?
به مراد خود رسید.
He attained his aim.
مُراد[2] /ص. ع./ **intended, looked for**
مُرادف /ع./ = مترادف
مَرارت[1] [جمع: مرارات] /ع./
hardship, suffering
مرارت کشیدن
to suffer hardship
مرارت[2] [معنای حقیقی] /ع./ = تلخی
مَراره /ع./ = زَهره، صفرا
مُراسله [جمع: مراسلات] /ع./ = نامه **letter**
دفتر ارسال مراسلات ← دفتر نامه‌رسانی
مَراسم [جمعِ مرسوم، رسم] /ع./
ceremonies, formalities; customs
مُراعات /ع./ **observance; regard; assistance**

مراعات کردن to observe; to regard

مرا فراموش مکن **forget-me-not**

مُرافعه [جمع: مرافعات] /ع./ **litigation, lawsuit;** [*infml.*] **quarrel**

مرافعه کردن to carry on a lawsuit; to quarrel

مرافعه‌جو /ع. فا./ **litigious**

مُرافقت /ع./ **comradeship, companionship**

مَراق /ع./ **hypochondria**

مُراقب /ع./ **attentive, watchful**

مراقب باشید که... see that...

پلیس مراقب او بود. The police was on his track.

مُراقبت /ع./ **attention, supervision, control;** [*lit.*] **contemplation**

مراقبت کردن to supervise, to look after; to watch, to observe

مراقبت کنید که... ensure that.., see that...

مراقد [جمع مرقد]

مراکب [جمعِ مرکب]

مراکز [جمعِ مرکز]

مَراکش **Morocco**

مراکشی **Moroccan**

مَرال = بز کوهی؛ شکار

مَرام /ع./ **aim, object; platform** (of a party)

مرامنامه /ع. فا./ **"aims"** [part of a society's constitution describing its aims]

مُراوده /ع./ **intercourse; frequentation**

مَرایا [جمعِ مرآت] /ع./ [*rare*] **mirrors**

(علم) مناظر و مرایا perspective

مُرَبّا /ع./ **jam**

مربائی /ع. فا./ **containing jam**

کیک مربائی jam tart

نان مربائی kind of swiss-roll

مُربع /ع./ **square**

متر مربع square meter

مربوط [مؤنث: مربوطه] /ع./ **connected, related; relevant, concerned**

مربوط بودن to pertain; to be connected; to depend

مربوط به من نیست ***it does not concern me***

مربوط ساختن to connect; to link

مُربی /ع./ **educator, preceptor, tutor; tamer** (of animals)

مُرتاض [جمع: مرتاضین] /ع./ (Indian) **fakir, yogi**

مُرتب /ع./ **in good shape, regular, proper**

مرتب کردن to give a good shape to, to arrange

مرتباً /ع./ **regularly**

مُرتبط [مؤنث: مرتبطه] /ع./ **connected**

ظروف مرتبطه communicating vessels

مَرتبت [ادبی] /ع./ **rank, degree;** → رتبه ؛مرتبه

مَرتبه[1] [جمع: مراتب] /ع./ **degree, rank**

مَرتبه[2] /ع./ = دفعه، بار **time**

سه مرتبه thrice

مَرتبه[3] /ع./ = اشکوب

مَرتبه[4] /ع./ [*arith.*] **place**

مُرتجع [جمع: مرتجعین] /ع./ **reactionary**

مُرتَدّ /ع./ **apostate, backslider**

مرتد شدن to apostatize

مُرتشی /ع./ **bribee**

مُرتضوی /ع./ **descended from Morteza(-Ali)**

مُرتضی [اسم‌خاص] /ع./ [*o.s.*] **approvable**

مَرتع [جمع: مراتع] /ع./ = چراگاه

مُرتعش /ع./ [*adj.*] **trembling**

مرتعش شدن to tremble; → لرزیدن

مرتعش ساختن to cause to tremble

مُرتفِع /ع./ = بلند **high, elevated; overhead**

مُرتفَع /ع./ **removed *or* eliminated**

مرتفع کردن، مرتفع ساختن to eliminate *or* remove

مُرتکب [جمع: مرتکبین] /ع./ **perpetrator**

مرتکبِ جنایتی شدن to commit a crime

مُرتَهَن /ع./ **mortgaged**

مُرتَهِن /ع./ **mortgagee**

مرثیه [جمع: مراثی] /ع./ **elegy, lamentation, threnody**

مَرجان /ع./ **coral**

مرجان سیاه black coral, jet

سنگ مرجان corallite

شبه مرجان coralloid

مرجان‌آور، مرجان‌دار /ع. فا./ **coralliferous**

مرجانی /ع./ **coral(ine), coralloid**

جزیرهٔ مرجانی coral island

مُرَجّح /ع./ **preferred, preferable**

ترجیح بلامرجح distinction without a difference

مرجع[1] [جمع: مراجع] /ع./ [*o.s.*] **place to return *or* refer to**

مرجع[2] [*fig.*] **authority:** مراجع قانونی

مرجع[3] [*gram.*] **antecedent**

مَرجُمک **lentil;** → عدس

مرجوع /ع./ **returned; brought back**

مرجوع داشتن = پس دادن
سهو و نسیان مرجوع است.
Errors and omissions excepted. [E.& O.E.]
مَرحبا[1]! /ع./ **well done!**
مَرحبا[2] /ع./ [*rare*] **hail!; welcome!**
مرحله [جمع: مراحل] /ع./ **stage; phase; process; remove**
از مرحله پرت است. He is off the track. He is all abroad.
مَرحمت [جمع: مراحم] /ع./ **favour; mercy**
مرحمت کردن to do favour, to be kind; [*p.c.*] to give
مرحمت سرکار زیاد
thank you (very much)
مرحمتاً /ع./ **by way of favour, as a favour, kindly**
مرحمتی[1] /ص. ع. فا./ **given**
مرحمتی[2] /ا. ع. فا./ **present**
مَرحوم /ع./ **deceased, defunct, of blessed memory;** [*o.s.*] **pitied** *or* **blessed**
مرحومِ فروغی the late Forughi
مرحوم شدن to pass away, to die; ⟶ مردن
مُرخص /ع./ **dismissed; excused; released**
مُرخص شدن to be dismissed *or* released; to go
مرخص‌کردن to dismiss, to send away; to release:
;جنس را از گمرک مرخص کردم
to excuse; to relieve
مرخص بفرمائید [تعارفات]
May I take my leave?
مرخصی /ع. فا./
leave of absence
در مرخصی on leave
به مرخصی رفتن to go (*or* proceed) on leave
مرخصی با (استفاده از) حقوق
leave with pay
مرخصی بابتِ ناخوشی
sick leave
مُرخَم /ع./ **apocopated**
مَرد **man; partner, playmate**
او مرد این کار نیست. *He is not* ***equal*** *or* ***adequate to the task. He is not the man for it.***
مُرداب **lagoon; marsh**
مردابی **marshy; paludal, paludine**
مُرداد
[fifth month having 31 days]
مُردار **carrion, dead corpse;** ⟶ لاشه
مردافگن [ادبی] **valiant**
مردانگی **manliness, courage; generosity**
مردانگی کردن
to be generous *or* manly
مَردانه [*adj.*] **manly; courageous; men's:** کفش مردانه; [*adv.*] **as a man, bravely; generously**
مُردَّد /ع./ **uncertain, wavering**
مردِرند [عامیانه] [*adj.*] **cheaply clever** *or* **smart;** [*n.*] **smart alec(k)**
مردک [مصغر مرد] **little fellow**
مردکه [زبان لاتی] **fellow, son of a gun, sirrah**
مردگان [جمعِ مرده]
مَردم **people, men; man(kind)**
مردم چشم = مردمک (چشم)
مردم‌آزار [*adj.*] **man-tormenting; inhumane** (to mankind); [*n.*] **oppressor, tyrant**
مردم‌آزاری **inhumanity** (to mankind); **oppression**
مردم‌خوار [ادبی] **man-eating, cannibal**
مردم‌دار **possessing tact, address and civility**
مردم‌داری **address, civility, tact**
مردم‌دَر [ادبی] = درنده
مردم‌شناس [کمیاب] **anthropologist**
مردم‌شناسی **anthropology**
مردمک **pupil** (of the eye)
مردم‌گیاه = مهرگیاه
مردم‌نوازی **courtesy, civility**
مردمی **humanity, courtesy**
مُردَن [بن‌مضارع: میر] **to die**
از سرما مردن
to freeze to death
از گرسنگی مردن
to starve to death
مرد نادیده [کمیاب] = دوشیزه، باکره
مردنگی /هـ./ **globe, shade; bell-jar**
مُردنی **dying, moribund; worn-out**
مَردوار[1] /ص./ **manly; sexless:** زن مردوار
مَردوار[2] /ق./ **like a man**
مَردود /ع./ **rejected; banned**
مردود شدن to be rejected; to fail (in the examinations)
مردود کردن to reject; to ban; [*school*] to turn down
مُرده[1] [اسم‌مفعول فعل مردن]
[*adj.*] **dead;** [*med.*] **necrosed, necrotic**
مرده باد...! down with...!
مُرده[2] [جمع: مردگان] /ا./
dead person; [*c.p.*] **dummy**
مرده را پاک شستن [استعاری]
to give full measure
مَرَده /ع./ [plural of مارد "stubborn" but erroneously adopted as the plural of مرید]
مرده‌پرستی [*rare*] **necrolatry;** [*fig.*] **praising of the dead**

مرده‌خوار، مرده‌خور necrophagous

مرده‌ریگ = میراث patrimony, heritage

مرده‌سنگ، مردارسنگ litharge

مرده‌شوی، مرده‌شور [عامیانه] washer of the dead

مرده شورش ببرد! Confound him!

مرده‌شوی‌خانه place where the dead are washed, *L.* mortuary

مرده‌وار as dead

مرده‌وار شنا کردن to swim on the back

مَردی manhood, manliness; virility

مَرز frontier; [*ext.*] land

نقاط مرزی frontier localities

مَرزبان، مرزدار frontier official, frontier controller

ادارهٔ مرزبانی Frontier Control Departmen

مرزنجوش [Arabicized form of مرزنگوش] mouse-ear, myosotis; sweet marjoram

مرزنشین frontiersman; marcher

مرز و بوم (native) country

مـرزه sweet fennel, origany

مَرس leash, couple

مِرس beech

مرسریزه /فر./ mercerized

مُرسل /ع./ sent on a mission (as a prophet)

مِرسله /ع./ thing sent, *i.e.* letter *or* consignment

مَرسول [مؤنث: مرسوله] dispatched, mailed

مرسولات [جمعِ مرسوله] letters, mail

مرسوم /ع./ custom(ary)

مرسی /فر./ thank you [better say سپاسگزارم، متشکرم]

مرشد /ع./ spiritual guide *or* preceptor, father, sheikh

مُرصع /ع./ = گوهرنشان studded (*or* inlaid) with jewels

مَرَض [جمع: امراض] /ع./ disease, illness; ⟵ ناخوشی

غرض و مرض [عامیانه] (private) motive

علم امراض pathology

مرضا ⟵ مریض

مرض‌شناس /ع. فا./ pathologist

مرض‌شناسی /ع. فا./ pathology

مَرضیٰ [جمعِ مریض]

مَرضی [مؤنث: مرضیه] /ع./ agreeable; laudable

مَرَضی /ع./ morbid; pathological

مَرضی‌الطرفین /ع./ mutually agreed to

مرضیه [اسم‌خاص]

مَرطوب /ع./ = نمسار damp, moist; humid

مَرطوب ساختن to moisten

مَرعوب /ع./ terrified

مَرعی /ع./ observed, regarded

مرعی داشتن to observe

مَرغ meadow; ⟵ چمن

مُرغ bird; hen, fowl

مرغ و خروس، مرغان‌خانگی poultry, domestic fowls

مُرغابی duck

مرغابی جره teal

مرغابی نر drake

مُرغباز bird-fancier

مرغزار meadow

مُرغ‌شناسی ornithology

مرغ‌فروش poulterer

مُرغک birdie; gusset, gore; chuck, dog, mandrel

مُرغوا [کمیاب] bad omen

مَرغوب /ع./ of good quality, in demand; [*o.s.*] desirable

مرغوبیت /ع./ desirability, good quality

مَرغوله [کمیاب] ringlet

مِرفق [کمیاب] /ع./ = آرنج

مرفه(الحال) /ع./= آسوده‌حال

مرفین /فر./ morphine

مَرَق /ع./ gravy, dripping

مَرقد [جمع: مراقد] /ع./ sepulchre

مَرقُس /ع. ی./

انجیل مَرقُس :mark

مُرقع[1] /ص. ع./ ragged

مُرقع[2] /ا. ع./ ragged garment; scrap-book, album; patchwork

مَرقوم /ع./ written

مرقوم داشتن [polite substitute for نوشتن]

مرقومه [مؤنثِ مرقوم] /ع./ letter; ⟵ نامه

مَرکب [جمع: مراکب] /ع./ animal for riding, mount; [*rare*] ship

مُرکّب[1] [مؤنث: مرکبه] /ص. ع./ composed, consisting, made up; compound

جسم مرکب compound

جهل مرکب double ignorance, ignorance of one's ignorance

ماهی مرکب cuttlefish

مُرکّب[2] /ا. ع./ ink

مرکبات [جمعِ مرکبه] /ع./ citrous fruits; compound words

مرکب‌پاک‌کن /ع. فا./ ink eraser

مرکب‌خشک‌کن /ع. فا./ blotting-paper; blotter

مَرکز [جمع: مراکز] /ع./ centre; head-office, headquarters; principal seat

مرکزجو /ع. فا./ **centripetal**
مرکزگریز /ع. فا./ **centrifugal**
مرکزی /ع./ **central**
مرکزیت /ع./ **centrality**
مرکزیت دادن to centralize
مرکوب /ع./ = مَرکب
مرکورکرم /فر./ **mercurochrome**
مَرکوز /ع./ **implanted**
مفصل مرکوز gomphosis
مرکوزِ ذهن = ذهنی
مَرگ **death**
مرگ موش rat's-bane, white arsenic
مرگِ ماهی Indian berry
در دمِ مرگ on the point of death
شهرت پس از مرگ posthumous fame
معاینه پس از مرگ postmortem examination
به مرگ خودم on my life, (I swear) by my life
آمار مرگ و میر mortality
مَرگبار **deathful, deathly**
مرگی **(cattle-)pest**
مَرمت /ع./ **repair**
مرمت کردن to repair
مَرمر **marble**
مرمر سبز malachite
مرمر سفید white marble, alabaster
مرمر سیاه basalt
مرمر مصری ophite
مرمرنما **marbled, marble-veined, marmoreal**
مرمری **marbly; marmoreal; polished**
مرمری کردن to polish *or* smooth (as marble)
مَرموز /ع./ **mysterious, secret**
مرموک **garden clary**
مِرنگ /فر./ **meringue**

مروْ **marram, marum**
مـرو خـوشبو marum-germander
مُروا [کمیاب] **good omen**
مروا زدن to wish one good luck
مَرمی [کمیاب] /ع./ **missile, projectile**
مُروارید **pearl**
صید مروارید pearl-fishing
گُل مروارید daisy
مُروّت /ع./ [*o.s.*] **manliness;** [*fig.*] **compassion; generosity**
مُروّج /ع./ **promoter**
مُرور /ع./ **passing, passage; lapse**
مرور کردن [*rare*] to pass; to go over, to review; گذشتن ⟶
مرور زمان statutory limitation, prescription
قانون مرور زمان statute of limitations
مشمول مرور زمان time-barred, barred by statute
به مرور، به مرور زمان in course of time
مَروزی /ع./ (native) **of Merv**
مروّق /ع./ = ناب؛ صاف
مَرّة [جمع: مَرّات] = بار، دفعه (single) **time**
مَرهم /ع./ (cooling) **ointment;** [*fig.*] **balm**
مرهم گذاشتن to apply an ointment (to)
مرهم‌کش /ع. فا./ **spatula, slice**
مرهم نه [ادبی] /ع. فا./ **one who applies an ointment to a wound, dresser**
مَرهون /ع./ **indebted**
مرهونِ indebted to
مَری **oesophagus, gullet**

مرّیخ /ع./ = بهرام **Mars**
مُرید /ع./ **disciple; devotee**
مریض[1] /ص. ع./ = بیمار **ill, sick**
مریض شدن to fall ill
مریض[2] [جمع: مرضیٰ، مرضا] /ع./ **morbid, diseased;** [*n.*] **patient**
مریضخانه /ع. فا./ = بیمارستان
مریم[1] /ع. عب./ **Mary**
مریم[2] /ع. عب./ **Miriam**
گل مریم tuberose
مریم گلی /ع. فا./ **garden sage**
مریم نخودی **water germander**
مَرئوس /ع./ **subordinate**
مَرئی /ع./ = پدیدار **visible**
افق مَرئی sensitive horizon
مِزاج [جمع: امزجه] /ع./ (condition of) **health, physical constitution; temperament**
استعداد مزاج [*med.*] predisposition, diathesis
مزاج شریف چطور است؟ ***How is your health?***
مزاج‌گویی /ع. فا./ **obsequiousness, flattery**
مزاجی /ع./ **constitutional**
حالت مزاجی (condition of) health
مِزاح /ع./ = شوخی
مَزاح /ع./ **jester**
مزاحم /ع./ **obtrusive**
پیشکشی مزاحم white elephant
ببخشید مزاحم شدم. I am sorry to interrupt (*or* inconvenience) you.
مزاحمت /ع./ **inconvenience**
(اسباب) مزاحمت کسی را فراهم کردن to inconvenience someone
مَزار /ع./ = زیارتگاه؛ قبر
مزارع [جمعِ مزرعه]

مُزارِع /ع./ farm lessor
مُزارِعه /ع./ contract of farm letting
مزامیر [جمعِ مزمور، مزمار]
مُزاوِجت /ع./
عروسی ⟵ marrying;
با کسی مزاوجت کردن to marry someone
مزایا [جمعِ مزیت]
مزایده /ع./ auction
به مزایده گذاشتن to put up to auction
به مزایده فروختن to sell by auction
پیشنهاد مزایده bid (at auction)
حائز حداکثر مزایده شدن to be the highest bidder
مَزبله [جمع: مَزابل] /ع./ rubbishheap
مزبور [مؤنث: مزبوره] /ع./ aforesaid, above-mentioned
مَزج [کمیاب] /ع./ mixing
مُزجات [کمیاب] /ع./ small, insignificant, of little value
مزخرف[1] [مؤنث: مزخرفه، کمیاب] /ص. ع./ absurd, nonsensical
مزخرف[2] /ا. ع./ nonsense, absurd *or* silly talk; offensive language
مزخرفات [جمعِ مزخرف] silly talks
مزد wage(s); reward
مزدَوَج [کمیاب] /ع./ coupled; conjugate
مزدور [*n.*] wage-earner, hired worker; [in a bad sense] hireling; [*adj.*] hired; mercenary
مزدور کردن to hire, to employ for wages
مزدیسنی Mazdaism
مِزراق [کمیاب] /ع./ = زوبین
مِزرع [اسم جمعِ مزرعه]
مزرعه [جمع: مزارع] /ع./ farm

مَزروع[1] /ص. ع./ cultivated
مَزروع[2] /ا. ع./ cultivated land; crop
مزروعی /ع. فا./ arable; cultivated
مُزعفر [کمیاب] /ع./ (rice dish) flavoured with saffron
مَزغل /ع./ gun-port
مُزَکیٰ /ع./ = پاک
مزلف [*young gigolot*] wearing a head of hair [coined from زلف in the Arabic fashion]
مِزمار[1] /ع./ = نی pipe, flute
مِزمار[2] /ع./ = چاک صوت
مزمزه کردن to sip, to taste a little at a time
مُزمِن /ع./ chronic
مَزمور [جمع: مزامیر] /ع./ psalm
مُزوّر[1] /ا. ع./ dissimulator, impostor
مُزوّر[2] /ص. ع./ deceitful, guilty of fraud
مَزه taste; snack, chips; [*fig.*] interest
مزه کردن[1] *vt.* to taste
مزه کردن[2] *vi.* to be eaten with relish; [*fig.*] to be interesting
مزه انداختن [عامیانه] to crack a joke
مزه دهن کسی را چشیدن [استعاری] to feel a person's pulse
مَزیت [جمع: مزایا] /ع./ preference; merit; advantage, benefit; privilege, prerogative
مَزید /ع./ increase
مزید تشکر خواهد بود اگر... I shall be (ever more) grateful if...
مزید کردن to increase, to add to
مزید برعلت شدن to aggravate the condition

مزیدن [کمیاب، بن‌مضارع: مز] = چشیدن
مُزین /ع./ adorned, decorated
مزین کردن to decorate, to adorn
مزین فرمودن [*p.c.*] to seal *or* sign: خواهشمند است مزین فرمائید
مژدگانی (reward for bringing) good news
مُژده good news *or* tidings
مُژده دادن to give glad tidings
مُژکدار [*zool.*] ciliate
مُژگان [جمعِ مژه] eyelashes
مژگان به هم زدن to twinkle; to bat an eyelid
مژه eyelash; ⟵ مژگان
مَسّ /ع./ touching
مس کردن to touch *or* feel
مِس copper; copper vessels *or* dishes
مَساء /ع./ = شام؛ غروب
مُسابقه [جمع: مسابقات] /ع./ competition
امتحان مسابقه selection examination, competitive examination
مسابقهٔ دو race
مسابقهٔ میدانی و صحرائی track-and-field sport (*or* event
مسابقهٔ فوتبال football match
با کسی مسابقه گذاشتن to have a match *or* competition with someone; to race with someone
در مسابقه شرکت کردن to sit for a competitive (*or* selection) examination
مساجد [جمعِ مسجد]
مَسّاح /ع./ = زمین‌پیما
مساحت[1] /ع./ area
مساحت[2] /ع./ = مساحی
مَساحی /ع. فا./ land-measurement, surveying

مساحی کردن *vt.* to measure **or** survey; *vi.* to do surveying, to be a surveyor

مُساعِد /ع./ **favourable**

مُساعدت /ع./ **assistance, aid**

باکسی مساعدت کردن to assist **or** aid someone; to favour someone

مُساعده [از ع. مساعدة] **advance** (money)

به‌کسی مساعده دادن to make an advance to someone

به‌طور مساعده in advance

مَساعی [جمع مسعاة، کمیاب] /ع./ **efforts;** (good) **offices**

مَسافت [جمع: مسافات] /ع./ **distance**

مسافت‌پیما /ع. فا./ **odometer**

مسافت‌سنج /ع. فا./ **speedometer**

مسافت‌یاب /ع. فا./ **range-finder**

مسافِر [جمع: مسافرین] /ع./ **traveller; passenger**

مسافربَر /ع. فا./ **fit for carring passengers**

بنگاهِ مسافربر(ی) passenger service

مُسافرت /ع./ **travel(ling), journey, visit**

مسافرت دریا voyage

مسافرت کردن to travel

مسافرخانه /ع. فا./ **inn, hotel**

مسافری /ع. فا./ **fit for travelling**

اتومبیل مسافری passenger car

مساکن [جمعِ مسکن]

مساکین [جمعِ مسکین]

مسالک [جمعِ مسلک]

مُسالِمت /ع./ **peacefulness**

مسالمت‌آمیز /ع. فا./ **peaceful**

مســام، مسـامات [جمعِ مسمّ، کمیاب] /ع./ **pores**

مُسامحه /ع./ **negligence; nonchalance; forbearance**

مسامحه کردن to be indulgent; to neglect

مسامحه‌کار /ع. فا./ **negligent, careless**

مُساوات /ع./ = برابری **equality**

مُساوی /ع./ = برابر **equal**

مساوی با equal to, same as

مساوی کردن to equalize

به‌طور مساوی equally

مُساهله /ع./ **indulgence, leniency; carelessness**

مَسائل /ع./ **problems, questions, affairs, matters;** ⟵ [جمعِ مسئله]

مِسبار (tombac/ bronze **or** other alloy) **containing copper**

مُسبب [جمع: مسببین] /ع./ **cause, one who occasions something**

قمار مسبب بدبختی است.
Gambling causes (or ***brings about***) ***adversity.***

مُسبع /ع./ (stanza) **composed of seven lines; heptagon(al)**

مَسبوق /ع./ = آگاه **aware, informed**

مسبوق به سابقه precedented

مسبوق کردن to inform, to let know

مَست [*adj.*] **drunk(en), intoxicated;** [*fig.*] **ravished; furious;** [*n.*] **drunkard**

مست شدن to get drunk

مست کردن *vt.* to make drunk; [*fig.*] to elate; *vi.* [*infml.*] to brawl (as a drunkard)

مست خراب، مست لایعقل dead drunk, blind drunk

مُستأجر [جمع: مستأجرین] /ع./ **tenant, lessee, lodger; farmer**

مستاجره /ع./ **object of lease**

مُستأصل /ع./ **driven to extremities, helpless**

مستاصل کردن to render helpless, to drive to extremities

مستأنف /ع./ = پژوهشخواه

مستانف‌علیه /ع./ = پـژوهش - خوانده

مستانف‌عنه /ع./ = پـژوهش - خواسته

مَستانه **drunken; languishing:** نگاه مستانه

مُستبد /ع./ **despotic, arbitrary**

مستبدانه /ع. فا./ [*adv.*] **despotically;** [*adj.*] **despotic(al), arbitrary**

مستبعد [ادبی] /ع./ **improbable**

مُستتر /ع./ **hidden; elliptical;** [*gram.*] **understood**

مستثنیات [جمعِ مؤنثِ مستثنی] /ع./ **exceptions**

مستثنیات دین properties not liable to distraint for debt

مُستثنیٰ /ع./ **exceptional; excepted**

مستثنی کردن to except, to exclude

مُستجاب /ع./ **granted** (as prayer)

مُستجاب شدن to be granted **or** accepted

مُستجاب کردن to hear **or** grant

مستجاب‌الدعوه /ع./ **whose prayers are accepted**

مستحاثه [جمع: مستحاثات] /ع./ = سنگواره

مُستحب /ع./ [of certain religious precepts] **recommended**

مستحسن /ع./ = پسندیده
مُستحضر /ع./ **informed, aware**
خاطر آن جناب را مستحضر می‌دارد که *I beg to inform Your Excellency that*
مُستحفظ [جمع: مستحفظین] /ع./ **guardian; caretaker**
مُستحق /ع./ **deserving, entitled; needy, poor;** نیازمند؛ سزاوار ⟵
مستحق entitled to...
مستحکم /ع./ = استوار، محکم
مُستخدم [جمع: مستخدمین] /ع./ **employee; servant**
مستخرَج [مؤنث: مستخرجه] /ع./ **extracted**
مستخرِج [کمیاب] /ع./ **extractor**
مُستخلص /ع./ **released, set free**
مستخلص کردن = رها کردن
مُستدام[1] /ع./ [*rare*] **assiduous**
مُستدام[2] /ع./ = مدام، دائمی
مُستدعی /ع./ = خواهشمند (one) **who requests** *or* **asks**
مستدعی هستم I request you to...
مُستدعیٰ /ع./ (thing) **asked for;** (object) **wished**
مستدعیات [جمعِ مُستدعیٰ] **wishes, requests**
مُستدلّ /ع./ **proved** *or* **convinced by reasoning; documentary**
مستدیر /ع./ = گرد **round**
مستدیم [کمیاب] /ع./ = دائمی؛ ابدی
مُستراح /ع./ = آبریز **lavatory, water-closet**
مُستردّ /ع./ **restored, refunded**
مُستردّ داشتن to return, to refund; to ask to be returned, to take back

مسترق [کمیاب، مؤنث: مسترقه] /ع./ = دزدیده **stolen**
خمسهٔ مسترقه the five intercalary days, *L.* the five days of epact
مُستزاد /ع./ [of some verses] **having an additional part**
شعر مستزاد complemented poem, *L.* echo verse
مُستسقیٰ /ع./ **dropsied** *or* **dropsical** (person)
مُستشار /ع./ **advisor**
مُستشرق [جمع: مستشرقین] /ع./ = خاورشناس
مستشعر /ع./ **apprehensive**
ضمیر مستشعر [کمیاب] conscience
مُستطاب /ع./ **excellent, great**
جناب مستطاب آقایِ... [منسوخ] *His Excellency...*
مُستطیل /ع./ **rectangular**
مربع مستطیل rectangle
مُستظرف [مؤنث: مستظرفه] /ع./ **fine**
صنایع مستظرفه the fine arts
مستظهر /ع./ **relying** *or* **relier**
مُستعار /ع./ **fictitious; metaphorical;** [*rare*] **transient;** [*o.s.*] **borrowed**
نام مُستعار fictitious name, pseudonym
مُستعان /ع./ **whose aid is asked for: epithet of God**
مُستعجَل /ع./ **hurried**
مُستعجِل /ع./ **hasty, precipitate**
مُستعد /ع./ **fit, talented, apt; disposed, ready; susceptible;** ⟵ آماده
مستعد تغییر susceptible of change
مستعد ناخوش شدن liable to become sick

مستعد کردن to prepare, to dispose, to incline
مستعرب [کمیاب] /ع./ **one who adopts Arabian customs; Mozarab**
مستعصم [کمیاب] /ع./ **holding fast**
مُستعفی /ع./ **resigned** *or* **resigning**
مستعفی شدن to resign
مستعمراتی /ع. فا./ **colonial**
مستعمره [جمع: مستعمرات] /ع./ **colony**
مُستعمل [مؤنث: مستعمله] /ع./ **used, second-hand; current, in common use**
مستغاث /ع./ **implored to for help: epithet of God**
مستغرب [کمیاب] /ع./ **occidentalist**
مُستغرَق /ع./ [*rare*] **drowned;** [*fig.*] **absorbed, overwhelmed, plunged**
مستغفر [کمیاب] /ع./ (one) **who asks forgiveness**
مُستغلّ [مؤنث: مستغله] /ع./ **real estate, landed property;** مستغلات ⟵
مستغلات [جمعِ مستغله] /ع./ **real estates**
مالیات مستغلات rental tax
مُستغنی /ع./ **able to do without**
مُستغنی از توصیف not needing description, beyond description
مُستفاد /ع./ **understood, gathered**
مستفسر [کمیاب] /ع./ **inquirer**
مستفید [کمیاب] /ع./ (one) **who profits by something**
مُستفیض /ع./ **benefited,** *L.* **delighted**

مستقبَل /ع./ = آینده

مستقبِل /ع./ (one) **who goes out to meet someone**

مُستقرّ /ع./ **settled, firmly fixed, established**

مُستقـلّ /ع./ **independent**

مستقلاً /ع./ **independently** (of others), **separately**

مُستقیم /ع./ [*adj.*] **direct; straight**

مستقیماً /ع./ [*adv.*] **direct**

مستلزم بودن /ع. فا./ **to necessitate** *or* **require**

مُستمَر /ع./ **continued**

مُستـمِر /ع./ = دائمی

مستمراً /ع./ **continually**

مستمرّی /ع./ **(life-)pension**

مستمسک /ع./ **pretext; ground**

مُستمع [جمع: مستمعین] /ع./ **hearer, listener**

مستمع آزاد observer

مستملک [کمیاب، مؤنث: مستملکه] /ع./ **possessed**

مستملکات [جمعِ مستملکه] /ع./ **possessions, colonies**

مُستمند = بیچاره **afflicted; needy**

مُستند /ع./ **based, supported**

مستند بر based on, supported by

مستنسخ /ع./ **transcriber, copyist**

مستنطق /ع./ = بازپرس

مستنکف /ع./ **refuser**

مستوجب /ع./ = سزاوار **deserving**

مَستور [مؤنث: مستوره] /ع./ **covered; veiled, chaste;** ⟵ پوشیده

مستوره chaste woman

مستور داشتن to hide; to cover *or* veil

مستوری /ع. فا./ **being veiled; concealment;** [*ext.*] **chastity**

مُستوفی /ع./ [old title of a] **state accountant**

مستولی /ع./ **predominant; seizing**

ترس براو مستولی شد. He was filled with terror.

مُستوی[1] /ع./ سطح مستوی **plane:**

مُستوی[2] /ع./ = برابر؛ راست

مستهجن /ع./ **obscene, immodest**

مُستهلک /ع./ **amortized; absorbed**

مستهلک کردن to amortize

مستی **drunkenness, intoxication; rut**

مسجد [جمع: مساجد] /ع./ **mosque**

مسجع /ع./ **rimed** (prose)

مُسجل /ع./ **confirmed;** [*rare*] **registered**

مُسجل کردن to confirm

مَسح /ع./ **anointing**

مسح کشیدن [to wet one's forehead and toes in performing one's ablutions]

مسحور /ع./ **fascinated**

مسحوق /ع./ **pulverized**

مسخ /ع./ **metamorphosis**

مسخ شدن to be metamorphosed

مسخ کردن to metamorphose

مُسخر /ع./ **conquered**

مُسخر کردن to conquer, to take

مسخرگی /ع. فا./ **buffoonery, mockery, drollery**

مسخرگی کردن to play the buffoon

مَسخره /ع./ **buffoon, clown; mockery, ridicule; laughing-stock**

مسخره کردن to mock *or* ridicule, to make a fool of

مسخره آمیز /ع. فا./ **ridiculous**

مسخره‌بازی /ع. فا./ **buffoonery; monkey business**

مِسدار **cupriferous**

مسدِّد [مؤنث: مسدده] /ع./ **obstructing, stopping**

پردهٔ مسدده obturator

مسدّس[1] /ص. ع./ **composed of six parts; hexagonal**

مسدّس[2] /ا. ع./ **verse composed of six lines; hexameter; hexagon**

مَسدود /ع./ **closed, obstructed**

مسدود کردن = بستن to close

مَسرّت /ع./ = خوشی **joy, pleasure**

مسـرت‌آمیز، مسـرت‌بخش /ع. فا./ **joyful**

مُسرِف /ع./ **lavish, prodigal**

مسرفانه /ع. فا./ [*adv.*] **prodigally;** [*adj.*] **prodigal, extravagant**

مسرودیطوس /ع. ی./ **mithridates**

معجون مسرودیطوس mithridate

مَسرور /ع./= شادمان، خوشحال

مُسروق [مؤنث: مسروقه] /ع./ **stolen;** ⟵ دزدیده‌شده

مُسـری [مـؤنث: مسـریه] /ع./ = واگیره‌دار **contagious**

مُسطح [مؤنث: مسطحه] /ع./ **flat; level, plane**

هندسهٔ مسطحه plane geometry

مِسطر /ع./ = سطرآرا

مَسطور /ع./ **written; aforesaid, above-mentioned;** ⟵ نوشته

مسطوره [مؤنثِ مسـطور] /ع./ = نمونه **sample**

مسعود[1] /ص. ع./ **happy, prosperous**

مَسعود[۲] [اسم‌خاص] /ع./
مُسقط [مؤنث: مسقطه] /ع./
causing to lapse
negative prescription مرور زمان مسقط
ادویهٔ مسقطهٔ جنین
abortive medicines
مسقط‌الرأس /ع./ **birthplace**
مُسقف /ع./ **roofed**
مَسک /ع./ **restraining**
مسکِ نفس self-restraint, self-control
مسکت /ع./ **silencing, convincing**
مُسکر [مؤنث: مسکره] /ع./
intoxicating (drink)
مسکرات [جمعِ مسکره] /ع./
intoxicating drinks
مَسکن [جمع: مساکن] /ع./
dwelling, abode
مُسکن /ع./ **calmative**
مسکنت /ع./ = فقر، تهیدستی
مسکوت، مسکوت‌عنه /ع./
left unsaid
مسکوت گذاردن to leave unsaid; to put in abeyance
مسکوت ماندن to fall into abeyance; to be left unsaid
مَسکوک[۱] [مؤنث: مسکوکه] /ص. ع./ **coined**
مَسکوک[۲] /ا. ع./
coin; ← سکه
مسکوکات [جمعِ مسکوکه] /ع./
coins
مَسکون /ع./ **habitable, inhabited**
ربع مسکون the inhabited portion of the earth
مسکونی /ع. فا./ **residential**
مسکه **fresh butter**
مِسکین[۱] /ص. ع./
[*adj.*] **indigent, poor**
مِسکین[۲] [جمع: مساکین] /ا. ع./
indigent person, beggar

مِسگر **coppersmith**
مسگرخانه **copperworks**
مسگری **coppersmithing**
مُسلح [مؤنث: مسلحه] /ع./
armed
بتن مسلح [از فر. béton armé]
reinforced concrete
مُسلح شدن to take up arms, to arm oneself
مسلح کردن to arm
مسلحانه /ع. فا./ [*adv.*] **with arms *or* weapons, in arms;** [*adj.*] **armed**
مَسلخ /ع./ = کشتارگاه
مُسلسل /ع./ [*adj.*] **chained *or* linked together; consecutive; fluent, flowing;** [*n.*] **machine-gun**
به مسلسل بستن
to machine-gun
مُسلط /ع./ **predominant, overruling**
مسلط شدن بر to rule over; to get mastery of
مُسلط کردن to give predominance, to set (over)
مِسلفه [کمیاب] /ع./ = مازو
harrow
مَسلک [جمع: مسالک] /ع./
principle; course, policy; method, way
مسلم [مؤنث: مسلمه] /ع./
certain, indisputable
مسلم فرض کردن، مسلم گرفتن
to take for granted
مسلم‌کردن to prove *or* establish
قدر مسلم این است که
so much is certain that
مُسلِم [اسم‌خاص، جمع: مسلمین، مؤنث: مسلمه] /ع./ **Moslem**
مسلماً /ع./ **certainly, undoubtedly**
مسلمان [جمع: مسلمانان] /ع. فا./
Mussulman, Mohammedan

مسلمانی /ع. فا./
Mohammedanism, Moslem life
مسلوب‌المنفعه /ع./
non-productive, unutilized
مَسلول [جمع: مسلولین] /ع./
tuberculous (person), **consumptive**
مسما [dish of brinjal / marrow (*or* other vegetables) and meat]
مُسمط /ع./ **multiple poem**
مسمن /ع./ = سمین؛ فربه
مَسموع [مؤنث: مسموعه] /ع./
heard; [*fig.*] **justifiable**
از قرار مسموع it is rumoured that, we understand that
مسموعات [جمعِ مسموع] /ع./
rumours, reports
مسموم /ع./ **poisoned**
مسموم شدن to be poisoned
مسموم کردن to poison; to infect
مسمومیت /ع./ **poisoning: morbid condition due to poison**
مسمومیت از جیوه
mercurialism, hydrargyrism
مسمومیت از سرب plumbism
مسمی (به) /ع./ **named, called**
مُسنّ /ع./ **advanced in years, aged, rather old**
مَسند /ع./ **seat; throne;** [*fig.*] **dignity, position;** ← تخت
مُسند /ع./
predicate; ← خبر
فعل مسندی finite verb
مُسندالیه /ع./
[*gram.*] **subject**
مسنن /ع./ = دندانساز
مِسوار[۱]
[*rare*] **resembling copper**
مِسوار[۲] = مسبار

مِسواک /ع./ **tooth-brush**

مُسوّده /ع./ **rough copy, draft**

مسوده کردن to make a rough copy of, to draft

مُسهل /ع./ **purgative, physic**

مسهل بلغم phlegmagogue

مسهل سودا melanagogue

مسهلِ صفرا cholagogue

مِسی، مِسین **made of copper**

ظروف مسی copper vessels

مَسیح /ع./ **Messiah, Christ;** [*o.s.*] **anointed**

مَسیحا [ادبی] /ع./ **Christ**

مسیحی /ع./ **Christian**

مسیحیت /ع./ **christianity**

مسیر /ع./ **course, route, itinerary; line, direction;** [*bullet*] **trajectory**

مَسیل /ع./ **dry river;** ⟵ آبراهه

مسئلت /ع./ **asking; request**

مسئلت کردن to ask *or* request

مسئله [جمع: مسائل، از مسئلت] /ع./ **problem; question, affair**

مَسئول[1] /ع./ **responsible**

پیش من مسئول است.

He is responsible to me.

مَسئول[2] /ع./ **liable**

مسئول خسارات

liable for damages

مسئول دانستن

to hold responsible

مسئولیت /ع./ **responsibility**

به مسئولیت خودم

on my own responsibility

مُشابه /ع./ = مانند، همانند **similar, analogous, resembling**

مشابهت /ع./ = شباهت

مُشاجره [جمع: مشاجرات] /ع./ **dispute, quarrel**

مشاجره کردن to quarrel *or* dispute

مُشار /ع./ **indicated; pointed to**

مشارالیه [مؤنث: مشارالیها] /ع./ **he;** [*o.s.*] **(man) referred to** = او

مشارالیها she

مشار(الیه)بالبنان /ع./ **pointed to by the finger,** *i.e.* **notable** *or* **influential**

مشارق [جمعِ مشرق]

مُشارکت، مشارکه /ع./ **partnership**

مشارکت کردن to participate *or* join; to cooperate

بالمشارکه jointly

مشاطه /ع./ **bride-dresser, tirewoman**

مُشاع /ع./ **held in undivided shares, held in common**

مالکین مشاع joint owners

مشاعاً /ع./ **jointly, in common**

مشاعر [جمعِ مشعر]

مُشاعره /ع./ **capping verses, poetical contest**

مشاغل [جمعِ مشغله]

مُشافهه [کمیاب] /ع./ **mouth to mouth conversation**

مَشاق /ع./ **instructor** *or* **teacher** (of music *or* writing)

مَشام /ع./ (organ of) **smelling;** (sense of) **smell**

مُشاوِر[1] /ا.ع./ **advisor, counsellor**

مُشاوِر[2] /ص.ع./ **consulting**

وزیر مشاور Minister without portfolio

مُشاوره /ع./ **consulting together, deliberation**

مشاوره کردن to consult together, to deliberate

مُشاهده [جمع: مشاهدات] /ع./ **observation**

مُشاهده کردن to observe, to see, to perceive; ⟵ دیدن

مشاهیر [جمعِ مشهور] /ا./ **celebrated** *or* **famous men**

مشایخ [جمعِ شیخ، /ع./] /ع./ **elders, sheiks; learned men**

مُشایعت /ع./ **seeing a person home**

مشایعت کردن to see home, to see to the door; to accompany *or* escort

مشائین [جمعِ مشاء] /ع./ **peripatetics**

مشاء (good) walker

مُشبک /ع./ **netted, reticular; latticed**

مشبک کردن to form into a net(work), reticulate

مُشبه[1] /ص.ع./ **likened, compared**

مُشبه[2] /ا.ع./ [*simile*] **the thing likened**

مشبه به /ع./ [in a simile] **that unto which a thing is likened**

مُشت **fist; blow with the fist; handful;** *L.* **a number**

مشت زدن to strike with the fist; to box

مشت کردن to take a handful of; to take up by handfuls

مشت به درفش زدن to run against the point of a spear, to kick against the pricks

مشتِ درِکونی [زبان لاتی] a kick to the fallen, a kick in the pants

مُشتاق[1] /ع./ **eager, anxious**

مشتاق دیدار او

eager to see him

مُشتاق[2] /ع./ **loving, amorous**

مشتاقانه /ع. فا./ **eagerly**

مشت‌باز مشت‌زن ← boxer;
مُشتبه /ع./ dubious,
obscure; confused; confusing
امر بر من مشتبه شد. I was under the wrong impression. I was led into error.
مشتبه ساختن to misrepresent; to render dubious
مشت‌پرکن [زبان لاتی] tangible; [o.s.] that can fill one's hand
مُشترَک¹ /ع./ common; joint; held in common
دیوار مشترک party wall
مُشترِک² [جمع: مشترکین] /ع./ subscriber; participator
مشترک شدن to subscribe (to)
مشترکاً /ع./ jointly; in common; in partnership
مشترک‌المقیاس /ع./ commensurable
مشترک‌المنافع /ع./ having common interests
کشورهای مشترک‌المنافع commonwealth
مُشت رَنده hand-plane
مُشتری¹ /ع./ customer; ← خریدار
مُشتری² /ع./ [astr.] Jupiter
مشت‌زن [ادبی] pugilist, athlete
مُشتعل /ع./ aflame, inflames, ablaze; [fig.] inflamed, excited
مشتعل شدن to take fire, to be inflamed
مشتعل ساختن to inflame, to set on flames
مشتغل [کمیاب] /ع./ = مشغول
مُشتقّ¹ [مؤنث: مشتقه] /ص. ع./ derived; derivative
مُشتقّ² /ا. ع./ differential coefficient
مشتقات [جمع مشتقه] derivatives; derivations

مشتق‌گیری /ع. فا./ differentiation
مشتلق /ت./ [reward to one who gives tidings that a lost object has been found]
مشتمال ← مشت و مال
مُشتمل بر /ع./ consisting of, containing
مُشتوک [از ر. moondshtook] hollow stem of a cigarette
مشت(و)مال، مشتمال massage, kneading
مشت و مال دادن to knead, to give a massage to
مُشته muller; wooden instrument with which a cotton beater strikes his bow; shoemaker's mallet
مشتهی [مؤنث: مشتهیه] desired
مُشتهیات [جمع مشتهیه] /ع./ desires; appetites; [fig.] temptations
مُشجر /ع./ planted with trees; figured with trees and leaves
مُشجر کردن to plant with trees
مَشحون /ع./ = پُر، مملو
مُشخَص [مؤنث: مشخصه] /ع./ distinguished, marked; specified, defined
مشخص کردن to specify *or* define; to distinguish
مُشخِص [مؤنث: مشخصه] /ع./ (one) who distinguishes *or* specifies; [med.] diagnostic; [gram.] diacritical
صفات مشخصه characteristics
مُشخصات [جمع مشخصه] /ع./ specifications, particulars
مُشدَّد /ع./ aggravated; corroborated; marked with the sign of; ← تشدید
مشدِّد [مؤنث: مشدده] /ع./ aggravating; intensifying

شرایط مشدده aggravating circumstances
مَشرب /ع./ natural disposition
مُشرَف /ع./ honoured (because of having visited a person *or* a holy place)
مشرف فرمودید [در تعارفات] it was nice having you; [o.s.] you have honoured us by your visit
مشرِف /ع./ imminent; overlooking
مشرِف بودن to be imminent
مشرف بودن بر to overlook *or* command
مشرف به موت at the point of death
مَشرق [جمع: مشارق] /ع./ = خاور east
در مشرِق on the east of
مشرق‌زمین /ع. فا./ the Orient
مشرقین [تثنیهٔ مشرق] /ع./ East and West
مُشرک /ع./ polytheist *or* dualist
مَشروب¹ [جمع: مشروبات، مؤنث: مشروبه] /ا.ع./ alcoholic liquor *or* drink
مَشروب² /ص. ع./ drinkable; irrigated
مشروب شدن to be irrigated
مشروب کردن to irrigate, to supply with water
مشروب‌فروش /ع. فا./ seller of alcoholic liquors, saloon-keeper
جایگاه مشروب‌فروشی saloon, public house
مَشروح /ع./ detailed, comprehensive; amplified
مشروح اخبار news in detail
مشروحاً /ع./ in detail

مَشروط /ع./ **conditioned, conditional**
مَشروط بر اینکه on condition that, provided (that)
مشروطه /ع./ **constitutional government, constitution**
مشروطه‌خواه /ع. فا./ **constitutionalist**
مشروطیت /ع./ **constitution**
اصول مشروطیت constitutionalism
مَشروع [مؤنث: مشروعه] /ع./ **lawful, legitimate**
غیر مشروع unlawful, illegitimate
مُشطِ پا /ع. فا./ **metatarsus**
مشطِ دست /ع./ **metacarpus**
مَشعَر [جمع: مشاعر] /ع./ **external sense; wit, intelligence**
مُشعِر /ع./ **indicating, stating**
مشعر بر اینکه to the effect that, stating that
مُشعشع /ع./ **brilliant**
مَشعل [جمع: مشاعل] /ع./ **torch**
مشعل‌دار /ع. فا./ **torch-bearer, link-boy; [*fig.*] pioneer**
مَشعوف /ع./ **delighted, pleased;** ← خشنود
مَشعوف شدن to be delighted, to become glad
مَشعوف ساختن to delight, to give pleasure (to)
مشغله [جمع: مشاغل] **occupation, work;** ← شغل؛ کار
مَشغول /ع./ **busy, occupied**
مشغولِ خواندن busy reading
مشغول شدن to get busy, to employ oneself
مشغولِ درس خود شوید!
Get busy with your lesson!
مشغول کردن to make (***or*** keep) busy; to amuse
مشغول‌الذمه /ع./ **under an obligation, indebted**
مشغولیت /ع./ **employment; amusement**
مُشفق /ع./ **kind, tender**
مشق /ع./ **exercise, drill, training**
مشق دادن to drill ***or*** exercise; to train
مشق‌کردن to exercise ***or*** drill
مشق گرفتن to take a lesson ***or*** model
مَشقت [جمع: مشقات] /ع./ = سختی **hardship; difficulty**
مشقی /ع. فا./ **under training; designed for sporting *or* exercising**
تفنگ مشقی target rifle
مَشک **large leathern bottle, water-skin**
مُشک **musk**
مِشکات، مشکاة، مشکوة /ع./ (niche for a) **lamp**
مُشکبو **musk-scented**
مشکک **salad burnet**
مُشکل[1] [مؤنث: مشکله] /ص. ع./ **difficult, hard** = سخت
مشکل ساختن، مشکل کردن to render difficult
مُشکل[2] /ا. ع./ **difficult question, problem**
مشکل دو تا شد. ***You have made it more difficult. It is no clearer than it was.***
مُشکل[3] /ق. ع./ **hardly**
مشکل بتواند آن را بخواند.
He can hardly read it. I don't believe he can read it.
مشکلات [جمع مشکله] /ع./ **difficulties, problems**
مشکل‌پسند /ع. فا./ **hard to please, fastidious, fussy, dainty**
مشکل‌گشا(ی) /ع. فا./ **resolver of difficulties**
مَشکوک /ع./ **doubtful**
مشکو(ی) [کمیاب] = حرمسرا؛ کوشک
مشکی **black; musk-coloured**
مشکیجه، گل مشکیجه **musk-rose**
مشکین [ادبی] **musk-scented; musk-coloured, jet-black;** ← مشکی
گل مشکین jonquil
مِشمش **white book muslin**
مشمشه **glanders**
مشمشه‌ای glanderous
مُشمع /ع./ **oil-cloth, floor-cloth, linoleum; [*med.*] plaster**
مشمع خردل mustard-plaster
مشمع ذراریح vesicatory
مشمع سریشمی court-plaster, sticking-plaster
مَشمول[1] /ص. ع./ **included, covered**
مشمولِ خدمتِ وظیفه liable to military service
مشمول مالیات taxable
او مشمول قانون نمی‌شود.
The law does not apply to him.
مَشمول[2] [جمع: مشمولین] /ا. ع./ **conscript (able person)**
مشمولیت /ع./ **liability** (to military service, etc.)
مُشمئز /ع./ **shrunk; [*fig.*] horrified**
مشمئز شدن to shrink; to be horrified
مَشوب /ع./ **tainted; [*o.s.*] mixed** (with an alloy)

مشوب کردن to poison,
ذهن او را مشوب کردند :to taint
مَشورَت /ع./ **counsel; consultation, deliberation**
مشورت دادن
to give a counsel (to)
با کسی مشورت کردن
to consult someone
با مشورت in consultation with
مُشوَّش /ع./ **disturbed, agitated**
مشوش کردن to disturb
مُشوِّق /ع./ **encourager; patron**
مَشهد /ع./ [place where a martyr has been buried]
مَشهود [مؤنث: مشهوده] /ع./
obvious, clear; [*o.s.*] **witnessed**
مشهودات [جمعِ مشهوده]
observations, things observed *or* **experienced**
مشهور /ع./ **celebrated, well-known**
مَشهور شدن to become famous, to celebrate oneself
مُشهی /ع./ **appetitive; aphrodisiac**
مشی [ادبی] /ع./ **walking; gait**
خط مشی = رویه policy
مَشیت /ع./ = خواست **will**
مشیتِ الهی divine will *or* decree
مُشیر /ع./ **counsellor;** [*o.s.*] **one who points to something**
مَشیمه /ع./ **amnion**
مشیمهٔ چشم choroid coat
مشیمهٔ خارجی جنین chorion
مشئوم /ع./ = شوم
مُصاحب /ع./ **companion**
مُصاحبت /ع./
companionship, society
مُصاحبت کردن to associate

مصاحبه [از ع. مصاحبت]
interview
با کسی مصاحبه کردن
to interview someone
مَصاحف [جمعِ مُصحف]
مَصادر [جمعِ مصدر]
مُصادره، مصادرت /ع./
requisition; fine; → جریمه
به مصادره گرفتن to call into requisition, to put in requisition
مصادره کردن to fine; to confiscate
مُصادِف /ع./ **coincident, concurrent**
نوروز با ... مصادف شد.
the New Year's day fell on ...
مُصادم /ع./ **colliding**
مصادمت /ع./ **collision; concussion**
مصارعت /ع./ = کُشتی
مَصارف /ع./
[جمعِ مصرف] → **expenses;**
مصافّ /ع./ **battle(-field)**
مصافّ کردن = جنگیدن
مُصافحه /ع./ **shaking hands**
مصافحه کردن = دست دادن
to shake hands (with each other)
مَصالح[1] /ع./
مصالح کشور **interests:**
مَصالح[2] /ع./
مصالح ساختمانی **materials:**
مَصالح[3] /ع./ **seasonings**
مَصالح[4] [کمیاب] /ع./
[جمعِ مصلحت] → **affairs;**
مُصالح /ع./ **donor**
مُصالحه /ع./ **compromise; exchange**
مُصالحه کردن to compromise; to agree to exchange
مصائب [جمعِ مصیبت]
مَصبّ /ع./ مصبِ رود **mouth:**
مِصباح [جمع: مصابیح] /ع./ = چراغ

مُصحح /ع./ **corrector; proof-reader**
مُصحف [جمع: مَصاحِف] /ع./
book, especially the Koran
مُصحَف [کمیاب] /ع./
misread *or* **misspelled**
مُصحِف /ع./ **one who misreads something**
مَصحوب [کمیاب] /ع./
accompanied
مِصداق /ع./ **meaning, sense; proof, evidence; applicability**
به‌مصداقِ according to (the sense of)
مصداق پیدا کردن
to prove applicable
مَصدر [جمع: مَصادِر] /ع./
infinitive; [*mil.*] **orderly**
مصادر امور the authorities (*or* high functionaries) of the State
مصدرِ کار (one) appointed to some position
اسم مصدر verbal noun (having the nature of an infinitive)
وجه مصدری
the infinitive mood
مُصدّع /ع./ **obtrusive, troublesome**
مصدعِ کسی شدن
to inconvenience *or* trouble someone
مصدَق /ع./ **certified**
رونوشت مصدق certified *or* true copy
مصدِق /ع./ **arbitrator;** [*o.s.*] **one who confirms** *or* **certifies;** → داور
مِصر[1] /ع./ **Egypt**
مِصر[2] [جمع: أمصار] /ع./
[*o.s.*] **large city**
مُصرّ /ع./ **insistent; importunate**

در عقیده‌ای مُصرّ بودن to insist on *or* hold to an opinion
مصراع، مصرع [جمع: مصاریع، کمیاب] /ع./ **hemistich**
مصرّانه /ع. فا./، مصراً **persistently, urgingly, importunately**
مُصرّح [مؤنث: مصرحه] /ع./ **stipulated, specified**
مصرحات [جمعِ مصرحه] **stipulations**
مَصرف /ع./ **consumption, use;** ← [جمع: مصارف]
مصرف کردن، به مصرف رسانیدن to consume *or* use; to dispose of
مصرفی /ع. فا./ **used, consumed;** [*n.*] **consumption**
مَصروع /ع./ **epileptic**
مَصروف /ع./ **spent; used**
مصروف داشتن to spend, to use
مِصری /ع./ **Egyptian**
روغن مِصری balsam oil
مصطبه [کمیاب] /ع./ **stone bench *or* platform; inn**
مُصطفوی /ع./ **related to *or* descended from Mostafa**
مُصطفی [اسم خاص] /ع./ [*o.s.*] **chosen: epithet of Mohammad**
مصطکی /ع. ی./ **mastic**
مُصطلح [مؤنث: مصطلحه] /ع./ **in common use; idiomatic**
غیرمصطلح not in common use, barbarous
مصطلحات [جمعِ مصطلحه] **idioms, expressions in common use**
مُصعد /ع./ **sublimated**
مُصغر /ع./ **diminutive**
مُصفا [از ع. مُصَفی] **refined; pleasant:** باغ مُصفا
مُصفا کردن to make pleasant; to refine

مصقل /ع./ **polishing-tool**
مُصلا [از ع. مصلی] **place for public prayer outside the town**
مُصلح /ع./ [*n.*] **peacemaker, accommodator; reformer;** [*adj.*] **of a conciliating disposition**
مصلحانه /ع. فا./ [*adv.*] **peacefully;** [*adj.*] **conciliatory**
مَصلحت [جمع: مصالح] /ع./ **policy; best thing to do; good purpose; interest; good intention; affair; advisable, expedient;** ← امر
مصلحت دانستن، مصلحت دیدن to think it advisable
مصلحت آمیز /ع. فا./ **directed to a good purpose, justified by its motive; politic, expedient**
دروغ مصلحت آمیز lie justified by its motive, pious fraud
مصلحتاً /ع./ **conveniently; for some motive**
مصلحتی /ع. فا./ **based on convenience**
ازدواج مصلحتی marriage of convenience
کرِ مصلحتی conveniently deaf
مصلوب کردن /ع. فا./ **to crucify,** *L.* **to hang**
مصلی ← مصلا
مُصمت /ع./ **consonant**
مُصمم /ع./ **determined, resolved**
مُصمم شدن to determine, to make up one's mind
مُصنف [جمع: مصنفین] /ع./ **author; composer**
مَصنوع [مؤنث: مصنوعه] /ع./ **manufactured, made; created**

مصنوعات [جمعِ مصنوعه] /ع./ **manufactures, industrial products**
مصنوعی /ع. فا./ **artificial;** ← ساختگی
مُصوّب [مؤنث: مصوبه] /ع./ **approved**
مصوبات [جمعِ مصوبه] **sanctioned laws *or* regulations**
مُصوّت /ع./ **vowel;** [*o.s.*] **causing** (a consonant) **to be sounded**
مُصوَر /ع./ **illustrated**
مُصّوِر /ع./ **portraitist; painter**
خط مصوّر projection of a point
مَصون /ع./ **immune; inviolable**
مَصون از خطا infallible
مصونیت /ع./ **immunity**
مصونیتِ پارلمانی privilege of Parliament
مصیب [کمیاب] /ع./ = درست **just, right;** [*o.s.*] **hitting the mark**
مُصیبت [جمع: مصائب] /ع./ **tragical event, disaster, calamity; hardship, suffering**
مصیبت‌زده /ع. فا./ **afflicted, overtaken by a calamity**
مَضارّ [جمعِ مضرت]
مضارِب [کمیاب] **bailee investor; sleeping partner**
مُضاربه /ع./ **bailment of a capital; limited partnership**
مُضاعَف /ع./ **doubled; multiplied;** [*pump*] **double-acting**
مضاعف کردن to double; to multiply
مُضاف [مؤنث: مضافه] /ع./ **noun governing the genitive: as** خواست **in:**

خواستِ خدا God's will
مضافاً /ع./ in addition
مضافات [جمعِ مضافه، کمیاب] appurtenances, additions; appendages
مضاف‌الیه /ع./ noun in the genitive case
مضامین [جمعِ مضمون]
مُضایقه /ع./ (act of) sparing
از چیزی مضایقه کردن to spare *or* withhold something
از کردن کاری مضایقه کردن to refuse to do something
مَضبوط [کمیاب] /ع./ confiscated; committed to memory; kept (on file)
مُضحک /ع./ laughable, comic; funny, ridiculous
مَضحکه /ع./ laughing-stock
مُضرّ /ع./ = زیان‌آور harmful, injurious, noxious
مِضراب /ع./ plectrum
مَضرب /ع./ multiple
کوچکترین مضرب مشترک least common multiple
مَضرّت [جمع:مضارّ،مضرات] /ع./ noxiousness, harmful effect; [*ext.*] disadvantage
مَضروب[1] /ص. ع./ beaten; multiplied
مَضروب[2] /ا. ع./ multiplicand; beaten person
مضروب‌فیه /ع./ multiplier
مُضطرّ /ع./ reduced to extremity, rendered helpless
مُضطرب /ع./ disturbed, agitated
مضطرب کردن to agitate, to disturb
مُضعف /ع./ [*adj.*] weakening
مَضغ /ع./ mastication
مُضغه [کمیاب] /ع./ lump of flesh; foetus

مُضلّ /ع./ [*adj.*] leading astray
مُضمحل /ع./ overthrown
مضمحل کردن to overthrow, to overset
مُضمر[1] /ع./ understood, implied
مُضمر[2] /ع./ = پنهان
مضمضه کردن /ع. فا./ to rinse the mouth with
مَضمون[1] /ص. ع./ guaranteed
مَضمون[2] /ا. ع./ guaranteed sum
مَضمون[3] /ا. ع./ contents, subject-matter
مَضمون[4] [جمع: مضامین] /ع./ = متلک wisecrack, quib
مَضمون کوک کردن [زبان لاتی] = متلک گفتن
مَضمون‌له /ع./ person to whom a guaranty is made *or* given, guarantee
مضمون‌عنه /ع./ person on whose behalf a guarantee is made, principal
مضیقه /ع./ difficulty, distress, pinch
از بی‌پولی در مضیقه هستم. I am hard up (*or* pushed) for money.
مُطابق /ع./ conforming, conformable; corresponding
مطابقِ according to, conformably to; similar to, like
مطابق بودن با to conform to, to be similar to; to correspond to
رونوشت مطابقِ اصل است. "True copy."
مطابق کردن to (cause to) conform; to compare
مطابقت /ع./ conformity; concordance; [*gram.*] agreement

مطابقه[1] [از ع. مطابقت] act of comparing
مطابقه کردن *vi.* to correspond, to tally; *vt.* to compare *or* check
مطابقه[2] = مطابقت
مُطاع[1] /ص. ع./ obeyed, worthy of obedience
مُطاع[2] /ا. ع./ one who is (to be) obeyed
مَطالب [جمعِ مطلب]
مُطالب /ع./ ← طلبکار؛ بستانکار
مُطالبات /ع./ claims, sums due to a person; [جمعِ مطالبه] ⟶
مُطالبه /ع./ claiming, demanding
مطالبه کردن to claim *or* demand, to dun
مطالعات [جمعِ مطالعه]
مُطالعه [جمع: مطالعات] /ع./ study; studying, perusal; consideration
اطاق مطالعه study
مطالعه کردن to study, to peruse, to consider
مطامح [جمعِ مطمح]
مطامع [جمعِ مطمع]
مُطاوِعت /ع./= پیروی؛ اطاعت
مطایبات [جمعِ مطایبه]
مُطایبه [جمع: مطایبات] /ع./ jest(ing), pleasantry, joke; ⟶ شوخی
مَطبّ /ع./ doctor's surgery (*or* practice)
مَطبخ [جمع: مطابخ] /ع./ = آشپزخانه
مَطبعه [جمع: مطابع] /ع./ = چاپخانه
مُطبقه /ع./ typhoid (fever)
مَطبوخ /ع./ cooked (food)
مَطبوع[1] [مؤنث: مطبوعه] /ص. ع./ agreeable, pleasant; printed
مَطبوع[2] /ا. ع./ printed matter

مطبوعات [جمعِ مطبوعه] /ع./
publications, printed matter; the press

مَطران /ع. ی./ metropolitan

مُطرب /ع./ = خنیاگر hired musician, minstrel

مَطرح /ع./
under consideration, on the carpet, propounded
مَطرح کردن to set forth for discussion, to propound

مِطرَقی /ع./
dicrotic: نبض مطرقی

مطرود /ع./ rejected

مطلا، مطلی /ع./ gilt
مطلا کردن to gild

مَطلب [جمع: مطالب] /ع./
subject, subject-matter; question, affair; case
مطلبی نیست *it does not matter, it is a trifling matter*
مطلب وی را برآورد.
She granted his request.

مَطْلَع [جمع: مطالع] /ع./
opening verse; [*rare*] (place of) rising of the sun
حسن مطلع beauty of exordium

مُطّلع /ع./ informed, aware; well-informed; ← آگاه
مطلع شدن to be informed, to come to know
مطلع کردن to inform

مطلعین [جمعِ مطلع] /ا./
well-informed persons

مُطلق [مؤنث: مطلقه] /ع./
absolute; unconditional; independent
حکومت مطلقه absolute *or* despotic rule
عدد مطلق abstract number
قادر مطلق (the) Almighty

مطلقاً /ع./ absolutely; invariably

مطلق‌العنان /ع./ = خودسر

مطلّقه /ع./ divorced (woman)

مَطلوب [مؤنث: مطلوبه] /ع./
desired, desirable; sought (after), demanded

مطلوبیت /ع./ desirability

مطلی ← مطلا

مَطمح [جمع: مطامح] /ع./ place looked at; object of desire

مَطمع [جمع: مطامع] /ع./ thing coveted, object of desire

مُطمئن /ع./ assured, confident, certain; secure, safe
مطمئن شدن to be assured, to persuade oneself
مطمئن ساختن to assure

مطمئناً /ع./ certainly

مُطوّل /ع./ = دراز؛ مفصل

مُطهر [مؤنث: مطهره] /ع./ pure, holy; ← مقدس؛ پاک

مُطیب [مؤنث: مطیبه] /ع./
[*rare*] perfumed
مطیبه attribute of the holy city of Medinah

مُطیع = فرمانبردار obedient
مطیع شدن to be reduced to obedience; to submit
مطیع کردن to reduce to obedient, to cause to obey, to subjugate

مَظالم [جمعِ مظلمه]
oppressions; grievances
دیوان مَظالم [منسوخ] court for the hearing of grievances

مظانّ /ع./ ← مظنه

مظاهر [جمعِ مظهر]

مَظروف[1] /ا. ع./
contents (of a vessel)
ذکر ظرف به جای مَظروف [ادبی]
metonymy (consisting of the use of the container for the contained)

مَظروف[2] /ص. ع./ packed

مُظفر[1] /ص. ع./
victorious; ← پیروز

مُظفر[2] [اسم خاص] /ا. ع./

مظفریت /ع./ = پیروزی

مُظلم[1] /ع./ gloomy; disastrous

مُظلم[2] /ع./ = تاریک

مَظلمه[1] [از ع. مظلمت، جمع: مظالم] = ستم، ظلم

مَظلمه[2] [کمیاب] = دادخواهی

مَظلوم[1] /ص. ع./ oppressed, wronged

مَظلوم[2] [عامیانه] /ع./ meek, submissive

مَظلوم[3] [جمع: مظلومین] /ا. ع./
one who is oppressed *or* wronged, the underdog

مظلومانه[1] /ق. ع. فا./
as one who is oppressed *or* wronged

مظلومانه[2] [عامیانه] /ص. ع. فا./
meekly

مظلومیت /ع./ state of one who is oppressed *or* wronged

مَظنون[1] /ص. ع./ suspected

مَظنون[2] /ا. ع./ suspected person, suspect

مَظنه [جمع: مظانّ] /ع./
market-price, price ruling, price quoted, quotation; conjecture; place where anything is likely to be
مَظنه دادن to quote prices
مَظنه کردن [عامیانه] to obtain quotations, to inquire about prices
در مظان تهمت exposed *or* liable to accusation

مَظهر [جمع: مظاهر] /ع./
manifestation; object of view

مِعاء [جمع: امعاء] /ع./ = روده

معابد [جمعِ معبد]

معابر [جمعِ معبر]

مَعاد /ع./ **future life;** **resurrection**(day); ← رستاخیز

مُعادِل /ع./ **equivalent**

معادله [جمع: معادلات] /ع./ **equation**

معادلات درجه دوم quadratics

معادن [جمعِ معدن]

مَـعـاذالله /ع./ **God forbid!, far from it!** ← نعوذبالله

معاذیر ← معذرت

مُعارِض /ع./ **interrupter; opponent;** ← تصرف

معارض شدن to interfere with, to molest; to oppose

معارضه [جمع: معارضات] /ع./ **opposition; contention, dispute**

معارضه کردن to oppose (each other)

مَعارِف /ع./ [*rare*] **learnings; education;** ← [جمعِ معرفت]

معارف‌پروَر[1] /ص.ع. فا./ **fostering education**

معارف‌پروَر[2] /ا.ع. فا./ **patron of education**

مُعارفه /ع./ (ceremonial) **introduction of persons to each other**

مجلس مُعارفه party given for this purpose

مَعاریف [جمعِ معروف] /ع./ **famous persons**

مَعاش /ع./ **livelihood, subsistence, living**

مدد معاش living allowance, subsidy

مُعاشر /ع./ [*n.*] **companion, associate;** [*adj.*] **sociable**

مُعاشرت /ع./ **association, society, company, social (*or* enjoyable) intercourse**

معاشرت کردن to associate, to keep company

حسن معاشرت sociability

قابل معاشرت sociable, companionable

مُعاشقه /ع./ **making love to each other**

مُعاصر /ع./ **contemporary, contemporaneous**

معاصی [جمعِ معصیت]

معاضد [کمیاب] /ع./ **assistant, aid**

معاضدت /ع./ **mutual aid *or* assistance, cooperation**

مُعاف /ع./ = بخشوده **exempt; excused**

معاف کردن to exempt *or* excuse; to dismiss

معافیت /ع./ **exemption**

مـع‌التاسف /ع./ = متأسفانه

مُعالج[1] /ص. ع./ **treating**

پزشک معالج treating physician, physician in attendance

مُعالج[2] [کمیاب] /ا. ع./ = پـزشکِ معالج

معالجه [جمع: معالجات] /ع./ **medical treatment**

معالجه کردن to treat, to give medical treatment to, to cure

معالجه‌پذیر /ع. فا./ =درمان‌پذیر

مـــعالجه‌ناپذیر /ع. فـــا./ = درمان‌ناپذیر

مع‌الوصف /ع./ = با وجوداین **nevertheless**

مُعامل /ع./ **one who transacts business with another**

معاملات [جمعِ معامله]

مُعامله [جمع: معاملات] /ع./ **transaction; dealing, treatment**

معاملهٔ متقابله ← متقابل

معاملهٔ به مثل باکسی کردن ← مِثل

معامله کردن to transact, to do business, to negotiate; to deal; to trade in for; ← فروختن

مـعانـد[1] /ع./ **obstinate** (person)

معاند[2] /ع./ = دشمن

معانـدت[1] /ع./ **obstinacy**

معاندت[2] /ع./ = دشمنی

معانقه /ع./ **hugging *or* embracing** (each other)

مَعانی /ع./ **meanings; semantics;** [*fig.*] **graces;** ← [جمعِ معنی]

معانی و بیان rhetoric

معاودت /ع./ **return(ing);** ← برگشت

معاوضه [جمع: معاوضات] /ع./ **exchange**

(با هم) معاوضه کردن to exchange with each other

معاوِن /ع./ **assistant; assistant director (*or* chief);** [*ministry*] **under-secretary**

معاون جُرم accessory to a crime

معاونت /ع./ (mutual) **assistance; office of an assistant *or* under-secretary;** ← کمک

معاونتِ عمومی public relief

معاونت کردن to assist *or* help (each other)

مُعاهده [جـمع: مـعاهدات] /ع./ = پیمان **treaty, pact**

معاهده بستن to conclude a treaty

معایب [جمعِ معابه، کمیاب] /ع./ = عیوب **defects, faults**

مُعاینه [جمع: معاینات] /ع./ **examination, inspection**

معاینه کردن to examine (medically); to inspect

مَعبد [جمع: معابد] /ع./ **place of worship; temple;** ← پرستشگاه

معبر [جمع: معابر] /ع./ = گذرگاه **passage; thoroughfare; ford;** [*rare*] **road**

مُعَبِر /ع./ **interpreter of dreams**

مَعبود /ع./ **object of worship, deity;** [*o.s.*] **worshipped**

مُعتاد /ع./ **addicted; accustomed**

(به چیزی) معتاد شدن to be accustomed, to addicted *or* given (over) to something, to get the habit of it

مُعتبر /ع./ **creditable, of good standing; authentic, reliable; valid, good; considerable,** [*infml.*] **great**

مُعتدل [مؤنث: معتدله] /ع./ **temperate, moderate**

منطقه معتدله شمالی North Temperate Zone

معتدلانه /ع. فا./ **moderately**

مُعتذر [کمیاب] /ع./ **one who excuses himself, apologizer**

مُعترض /ع./ **objector, protester; opposer**

به چیزی معترض بودن to object to something, to oppose it

معترضه [مؤنثِ معترض] /ع./ **coming in** *or* **between, parenthetical:** جمله معترضه

مُعترف /ع./ (one) **who confesses** *or* **acknowledges**

به چیزی معترف بودن to confess something

معتزل /ع./ **schismatic(al)**

معتصم [کمیاب] /ع./ **holding fast; abstaining from sin**

معتضد به [کمیاب] /ع. فا./ **who seeks assistance from**

مُعْتَقِد /ع./ [*adj.*] **believing;** [*n.*] **believer**

به چیزی معتقد بودن to believe in something

من معتقدم (به این) که I believe that, I am convinced that

مُعْتَقَد [مؤنث: معتقده] /ع./ **believed; persuaded**

معتقدات [جمعِ معتقده] **beliefs, articles of faith**

معتکف /ع./ (person) **retiring for prayer**

مُعتمد /ص. ع./ **reliable, trustworthy**

مُعتمدین [جمعِ معتمد] /ا./ **reliable persons**

مُعتنابه، معتنی‌به /ع./ **considerable:** یک مبلغ معتنابه

مُعجب /ع./ = خودبین

مُعجز /ع./ [*adj.*] **rendering unable, disabling;** [*n.*] **miracle**

معجزآسا /ع. فا./ **miraculous**

معجزه [جمع: معجزات، مؤنثِ معجز] /ع./ **miracle**

معجزه کردن to perform (*or* do) a miracle

معجل /ع./ **hurried**

مَهر معجل marriage-portion payable at any time after marriage, prompt dower

معجلاً /ع./ **hurriedly**

مُعجم [کمیاب، مؤنث: معجمه] /ع./ **dotted** (as a letter)

مَعجون /ع./ **electuary**

مُعدّ [کمیاب] /ع./ = مستعد؛ آماده

مُعدّل /ع./ **adjuster, rectifier; average** (mark)

مَعدلت /ع./ = عدالت

مَعدن [جمع: معادن] /ع./ **mine; ore, mineral;** ⟵ کان

معدن زغال‌سنگ coal-mine, coal-pit

معدن سنگ quarry

معدن نمک salt-pit, salt-mine, salt-marsh

معدنچی /ع. ت./ **miner**

معدن‌شناس /ع. فا./ **mineralogist**

معدن‌شناسی /ع. فا./ **mineralogy**

معدنی /ع. فا./ **mineral**

مَعدود /ع./ **computed; limited, few**

معدودی از آنها a few of them

مَعدوم /ع./ **non-existent; lost**

معدوم شدن to be annihilated; to disappear

معدوم کردن to annihilate; to destroy

مِعده /ع./ **stomach**

معده‌بین، معده‌نما /ع. فا./ **gastroscope**

معدی /ع./ **gastric, stomachic**

مُعذّب /ع./ [*rare*] **tormented; inconvenienced, uneasy**

مُعذّب داشتن to inconvenience

مَعذرت [جمع: مَعاذِر] /ع./ **apology, excuse;** ⟵ عذر؛ پوزش

معذرت خواستن to apologize

معذرت میخواهم = ببخشید I beg your pardon

معذٰلک /ع./ **nevertheless**

مَعذور /ع./ **excused**

معذور داشتن to excuse

از رفتن معذورم. I (am sorry I) cannot go.

مِعراج /ع./ **ascension** (to heaven)

معرّب /ع./ **Arabicized** (form of a word)

مَعرض /ع./ **place of exposure**

در معرضِ exposed to

مُعرّف /ع./ **introducer; recommender;** [*chem.*] **reagent**

معرف مایه [*mus.*] keynote

مَعرفت /ع./ **knowledge; acquaintance; insight; wisdom;** ⟵ [جمع: معارف]؛ دانش

معرفت‌الارض /ع./ = زمین‌شناسی

مُعرّفی /ع. فا./ **introduction, presentation;** [*chem.*] **reaction**
مُعرّفی کردن to introduce, to present
فوراً خودتان را به من معرّفی کنید!
Report to me at once!
معرفی‌نامه /ع. فا./ **letter of introduction**
معرّق /ع./ **sudorific, diaphoretic**
مَعرکه[1] /ع./ **open space where jugglers display their art**
مَعرکه[2] [عامیانه] /ع./ **row, quarrel**
مَعرکه[3] [عامیانه] /ع./
a prodigy of ...
در ویولن معرکه است.
He is a prodigy violinist.
معرکه می‌کند he does it wonderfully well
مَعرکه[4] /ع./= میدان جنگ؛ جنگ
مَعروض /ع./ **presented, offered**
معروض داشتن [*p.c.*] to say, to state; ⟵ گفتن؛ عرض‌کردن
عریضه‌ای معروض داشت.
He submitted a petition.
محترماً معروض می‌دارد
I have the honour to state
مَعروف /ع./ **famous;** ⟵ معاریف
معروف به پرخوری
notorious for gluttony
معروف به روحی known as Ruhi
معروفه [مؤنثِ معروف] /ع./
public (woman)
معروفیت /ع./ **fame**
مُعزّز /ع./ **honoured; dearly esteemed**
مَعزول /ع./ **deposed, dismissed** ***or*** **removed from office**

معزول کردن to depose, to dismiss; to discharge (as an attorney)
مُعزّی‌الیه /ع./
[polite substitute for او] **he**
معزی‌الیها [مونثِ معزی‌الیه] **she**
مُعسر /ع./ **insolvent**
مَعشر [کمیاب] /ع./ **assembly, crowd**
مَعشوق /ع./ **man who is loved by a woman;** ⟵ معشوقه
معشوقه [مؤنثِ معشوق] /ع./
sweetheart, lady-love
مِعصره /ع./ [*anat.*] **sinus**
مَعصوم /ع./ **innocent, immaculate, chaste, impeccable**
معصومه [اسم‌خاص، مؤنثِ معصوم] /ع./ [*o.s.*] **innocent** (***or*** **impeccable**) **woman**
معصومیت /ع./ **innocence; impeccability**
مَعصیت [جمع: معاصی] /ع./= گناه
مُعضل [مؤنث: معضله] /ع./
difficult; intricate
معضلات [جمعِ معضل] **intricate questions, difficulties**
معطر /ع./ **fragrant, perfumed, sweet-smelling**
معطر کردن to perfume
مُعطل /ع./ **kept waiting; detained**
معطل شدن to be kept waiting, to be detained
معطل کردن *vt.* to keep waiting, to detain; *vi.* to linger ***or*** delay
معطل ماندن to be at a loss (as to what course one should pursue); to be pinched for money
معطلی /ع. فا./ **delay, retardation; detainment; cause for delay**
بدون معطلی promptly

کرایهٔ معطلی demurrage
مَعطوف /ع./ **inclined**
معطوف داشتن to turn, to draw
خاطر عالی را معطوف می‌دارد.
I beg to draw your attention.
معطوفاً به /ع. فا./ **adverting to, with reference to**
مُعْظَم[1] [مؤنث: معظمه] /ع./
great, large, considerable
مُعْظَم[2] /ع./ = بزرگ
مُعَظَم [مؤنث: معظمه] /ع./
honourable ***or*** **honoured, dignified, great;** ⟵ بزرگ
دول معظمه the great powers
مُعَظَم‌له /ع./ **he** [used as a substitute for او for men of high position]
مَعُفو /ع./ **pardoned, excused**
معفو داشتن = بخشیدن
معقود [کمیاب] /ع./
concluded; tied
معقوده [کمیاب، مؤنثِ معقود] /ع./
married (as a woman)
مَعقول [مؤنث: معقوله] /ع./
rational, reasonable; contemplative: علوم معقوله ; [*infml.*] **polite**
معقولات [جمعِ معقوله] /ع./
rational ideas
مَعکوس /ع./ [*adj.*] **reversed; inverted; contrary;** [*n.*] **reverse; reciprocal**
ترقی معکوس retrogradation, retrogression
معکوساً /ع./ **inversely**
معلا ⟵ معلی
مُعلق[1] /ص. ع./ **hanging, suspended;** [*fig.*] **undecided; conditional**
بین زمین و آسمان معلق
on tenterhooks, in a state of suspense ***or*** anxiety
معلق کردن to suspend (from service)

مُعلق[۲] /ا. ع./ **somersault**
معلق زدن to turn a somersault
معلقی /ع. فا./ **sudden** *or* **unexpected:** اجل معلقی
مُـــعلم [جـمع: مـعلمين] /ع./ = آموزگار **teacher**
معلمه [جمع: معلمات] **school mistress** *or* **governess**
معلمی /ع. فا./ **teaching**
معلمی کردن to teach, to be a teacher
مَعلول /ا. ع./ **effect**
علت و معلول cause and effect
معلولِ caused by, due to
مَعلوم [مؤنث: معلومه] /ع./ **known; evident, obvious, clear**
بنای معلوم active voice
معلوم نیست it is not certain; nobody knows, one can't tell
از قرار معلوم evidently; we understand (that)
معلوم شد از آن آگاه است. It was revealed that he knew it. He proved to be aware of it.
معلوم کردن to make known; to ascertain *or* fix; to prove
معلومات [جمعِ معلومه، کمیاب] /ع./ **qualifications, knowledge**
معلیٰ /ع./، معلا **exalted: epithet of** کربلا
مُعما /ع./ = چیستان **riddle, puzzle;** *L.* **problem**
معما را حل کرد. *He guessed the riddle.*
مِعمار /ع./ **architect**
معمارساز [عامیانه] /ع. فا./ **jerry-built**
معماری /ع. فا./ **architecture**
مُعمر /ع./ **aged; longeval**
مُعمم /ع./ **wearing a turban**
معمور [مؤنث: معموره] /ع./ = آباد

مَعمول [مؤنث: معموله] /ع./
[*adj.*] **usual, customary;**
[*n.*] **usage, custom**
مطابق معمول as usual
معمول داشتن[۱] to do, to effect
معمول داشتن[۲] = معمول کردن
معمول کردن to introduce; to put into practice
معمولاً /ع./ **usually, ordinarily**
معمول به /ع./ **practice, usage**
معمولی /ع. فا./ **ordinary, usual; commonplace**
معنا[۱] ← معنی *-Note:*
مَعنا[۲] /ع./ **virtually**
معنبر [کمیاب] /ع./ **perfumed with ambergris**
معنعن /ع./ **descended by successive hearsay;** ← عنعنات
مَعنوی /ع./ **intellectual; moral; spiritual; contemplative; ideal(istic)**
معنویت /ع./ **intellectuality; spirituality; ideality**
معنی /ع./ **meaning, sense; spirit; reality;** [جمع:معانی] ←;
-Note: معنی is also spelled معنا especially in such cases as معنای این کلمه "the meaning of this word"
معنی کردن to explain; to define; *L.* to translate *or* interpret
معنی ندارد[۱] it has no meaning; it is nonsense
چه معنی دارد[۲]، معنی ندارد the idea!
بدین معنی که that is to say, thus; to the effect that
به معنیِ بد ور نداشتن [عامیانه] to take in good part
به تمام معنی par excellence, in the fullest sense of the word, with a vengeance

در معنی in reality, virtually
مُعوّج /ع./ = کج
مُعوّض /ع./ **replaced**
صلح معوّض gift made for a consideration
مُعوّق [مؤنث: معوقه] /ع./ **delayed; postponed; outstanding; delinquent**
معوّق گذاردن to delay, to postpone
معوّق ماندن to be delayed; to fall into arrears
معهذا /ع./ = با وجود این
معهود /ع./ **promised, agreed; usual, customary**
به عادت معهود as usual
مِعیار /ع./ **standard, criterion**
مَعیت /ع./ **company**
به معیتِ، همراهِ، با in company with
مَعیشت /ع./ **livelihood, living; means of livelihood**
مُعیل /ع./ **encumbered by a** (numerous) **family**
مُعین /ع./ **assistant; adjutant**
فعل معین auxiliary verb
معین فعل adverb (modifying a verb)
مُعَیّن[۱] [مؤنث: معینه] /ص. ع./ **fixed, specified; certain; given**
معین کردن to fix, to specify; to appoint
غیرِ معین undetermined, uncertain
مُعَیّن[۲] /ا. ع./ **rhomb, lozenge**
شبه معین rhomboid
معین‌التجاری /ع. فا./، گـل ـ معین‌التجاری **dwarf rose-bay, rhododendron**
مَعیوب /ع./ **defective, faulty; damaged, injured**

مُغ magician, fire-worshipper; [*lit.*] tavern-keeper

مُغار، مقار gouge

مَغاره /ع./ cave; den

مغاری /ع./ cavernous

مُغازله /ع./ reciting amorous verses to each other

مَغازه [از فر. magasin، از ع. مخزن] store, shop

مَغاک pit; abyss; [*met.*] grave

مَغاکی abyssal

مُغالطه /ع./ sophistry, chicanery

مغالطه کردن to sophisticate, to reason fallaciously

مُغایر /ع./ contrary, adverse; inconsistent

مغایرِ inconsistent with, contrary to

مغایرت /ع./ contradiction, disagreement

مغایرت داشتن با to be contrary to, to be inconsistent with

مُغبچه [ادبی] young tavern-keeper; [*o.s.*] young magician; ← مغ

مَغبون /ع./ cheated (in business)

مغبون کردن to cheat

مغبونیت /ع./ state of being cheated

مَغبونیت دارم. *I am cheated.*

مُغتنم /ع./ regarded as a booty; [*met.*] valued

مُغتنم شمردن = غنیمت شمردن

مُغذّی /ع./ nutritive

مَغرب /ع./ = باختر west

در مغربِ on the west of

مغربی /ع. فا./ = باختری

مُغرض[1] /ص.ع./ self-interested, having a private motive; spiteful

مُغرض[2] [جمع: مغرضین] /اِ.ع./ self-interested person

مغرضانه /ع. فا./ from self-interest, with a private motive

مَغرور /ع./ proud, haughty; deluded

مغرور شدن to be deluded; to become proud *or* haughty

مغرور کردن to elate, to make proud

مغز pith; pulp; brain; ← مخ

مغز استخوان، مغز قلم marrow

مغز بادام shelled almond

مغز تیره، مغز حرام spinal cord

مغز نان crumb

مغزِ هسته kernel

مغز بستن to kernel, to ripen into *or* produce kernels

مغز کردن to shell, to peel

مغز خر خورده است. He is a perfect ass.

مغز مرا برد. He talked my head off.

مغزپرده pia mater; ← نرم‌شامه

مغزِ پسته‌ای yellowish-green

مغزدار pithy; marrowy; pulpy; kernelled

مَغزی[1] /اِ./ nipple, adapter; [*shoe*] welt, piping

مَغزی[2] /ص./ cerebral

مَغشوش /ع./ disorderly, confused; falsified; aberrant

مَغشوش کردن to confuse, to confound; to disorder; to adulterate

مَغضوب /ع./ disfavoured, blacklisted, in one's black list

مِغفر [کمیاب] /ع./ (head covering worn under the) helmet

مَغفرت /ع./ = بخشش؛ آمرزش

مَغفور /ع./ forgiven; ← بخشیده

مرحوم مغفور نصیری the late Nassiri of blessed memory

مَغفول [مؤنث: مغفوله] /ع./ neglected

حافظه مغفوله، ضمیرِ مغفول the unconscious

مَغلطه /ع./ misleading question; sophistical statement

مَغلطه کردن to confuse different subjects; to sophisticate

مُغلق /ع./ abstruse

مُغلم [کمیاب] /ع./ = شهوت‌انگیز؛ بچه‌باز

مَغلوب [مؤنث: مغلوبه، کمیاب] /ع./ overcome, defeated

مغلوب کردن = شکست دادن

جنگ مغلوبه بود. It was the thick of the fight.

مغلوبیت /ع./ defeat

مَغلوط /ع./ wrong, erroneous; containing mistakes, foul

مغموم /ع./ = غمگین

مغناطیس /ع. ی./ magnet

مغناطیسی /ع. فا./ magnetic

مُغنی [مؤنث: مغنیه] /ع./ singer; [*ext.*] musical performer

مغنیه female singer; cantatrice

مغول Mogul (tribe)

مغولستان Mongolia

مغولی Mogul

مغیث [کمیاب] /ع./ (one) who helps

مغیلان /ع./ kind of thorny bush

مُف snot

مفاتیح [جمعِ مفتاح]

مُفاجات /ع./ unexpected attack

مرگ مفاجات sudden death

مفاخر [جمعِ مفخرت]

مُفاخرت /ع./ priding oneself, self-glorying

مفاخرت کردن to pride oneself, to glory

مُفاد /ع./ purport, substance

مُفارقت /ع./ = جدائی separation; parting with each other

مفارقت کردن از to separate from, to part with

مفاسد [جمعِ مفسده]

مُفاصا /ع./ clearance, release, certificate of liquidation

مفاصل [جمعِ مَفصل]

مفاهیم [جمعِ مفهوم]

مُفاوضه [جمع: مفاوضات] /ع./ conversation, table-talk, exchange of views

مُفت [*adv.*] gratis, free of cost; [*adj.*] gratuitous; [*ext.*] dirtcheap

جان مفت به در بردن to have a narrow escape

حرف مفت nonsense; bad language

(به) مفت هم نمی‌ارزد I would not have it at a gift

مفت از دست دادن to lose unluckily, to give away for no good cause

مفت جستن to have a narrow escape; to go scot-free

مفت شما [عامیانه] so much the better for you

مفت و مسلم [عامیانه] for nothing; dirtcheap

مفتاح [جمع: مفاتیح] /ع./ = کلید

مُفتح /ع./ [*med.*] deobstruent

مفتح‌الابواب /ع./ the opener of doors: epithet of God

مُفتخَر /ع./ honoured

مُفتخِر /ع./ proud

مفتخراً /ع./ honourably

مُفت‌خور [*adj.*] parasitic, parasitical; [*n.*] parasite, sponger

مفت‌خوری sponging on others, parasitic life

مُفتری /ع./ = افترازننده calumniator, slanderer

مُفتش [جمع: مفتشین] /ع./ inspector; detector; → کارآگاه؛ بازرس

مفتضح /ع./ = رسوا disgraced

مفتضح کردن to disgrace

مفتقر [کمیاب] /ع./ = نیازمند

مُفتن[1] /ص.ع./ seditious

مُفتن[2] /ا.ع./ seditious person, mischief-maker

مَفتوح /ع./ open(ed); conquered

مَفتول /ع./ wire (staple)

ماشینِ مفتول‌دوزی stapling machine, stapler

مَفتون /ع./ fascinated

مفتون شدن to be fascinated

مفتون کردن to fascinate, to charm

مُفتی[1] /ع./ mufti: expounder of the (Mohammedan) law

مفتی[2] [غلط مشهور] = مفت

مفخر /ع./ = مفخرت

مفخرت [جمع: مفاخر] /ع./ (object *or* cause of) glory *or* honour

مُفخم /ع./ glorious, great

مَفرّ /ع./ refuge; [*o.s.*] place to escape to; → گریزگاه

مُفرّح /ع./ exhilarating, refreshing; enlivening

مُفرد [مؤنث: مفرده] /ع./ singular; single; simple

مفردات [جمعِ مفرده] simple substances; elements; simple distiches

مَفرش /ع./ travelling-bag

مُفرط /ع./ excessive

مفرغ /ع./ admiralty-metal

مَفروز /ع./ divided; partitioned

مفروز کردن = افراز کردن

مَفروش /ع./ covered with carpets; spread (as a carpet)

مَفروض [مؤنث: مفروضه] /ع./ supposed; given, granted

مفروضات [جمعِ مفروضه] things granted *or* supposed, data

مَفروغ /ع./ liquidated, settled

مفروغ کردن to liquidate

مفروق /ع./ subtrahend

مَفروق‌منه /ع./ minuend

مُفسد /ع./ seditious (person)

مَفسده [جمع: مفاسد] /ع./ mischief; evil

مفسده‌جو /ع. فا./ = مفسد

مُفسر [جمع: مفسرین] /ع./ commentator; exegetist

مَفصل [جمع: مفاصل] /ع./ joint; → بند

مفصل خرگوشی hock, gambrel

مفصل غیرمتحرک synarthrosis

مفصل متحرک diarthrosis

بادِ مفاصل [عامیانه] articular rheumatism

مُفصّل[1] /ص.ع./ detailed, lengthy

مُفصّل[2] [عامیانه] /ق.ع./ = مفصلاً

مفصلاً /ع./ in detail, at (full) length, fully

مَفصل‌دار /ع. فا./ articulate, jointed

مفصلة‌الاسامی /ع./ mentioned *or* named (above *or* below)

مَفصلی /ع. فا./ articular

مُفضض /ع./ coated with silver, electroplated

مفضض کردن، آب نقره دادن to electroplate

مَفعول /ع./ **object** (of a verb)

اسم مفعول passive participial adjective used as a noun

مفعولی /ع. فا./ [*gram.*] **objective**

حالت مفعولیت objective case

مـفقود [مـؤنث: مـفقوده] /ع./ = گمشده **lost** *or* **missing**

مفقود شدن = گم شدن

مفقود کردن = گم کردن

مفقودالاثر /ع./ **missing, untraceable**

مُفلس[1] /ع./ **indigent**

مُفلس[2] /ع./ = ورشکسته

مفلوج /ع./ = فالج

مَفلوک /ع./ = فلک‌زده

مُفنگی [زبان لاتی] **weakly** *or* **sickly, soft, timorous of pain, raw-boned**

مُفوّض /ع./ **entrusted, turned over**

مَفهوم[1] [جمع: مفاهیم] /ا. ع./ **purport, sense, tenor; concept**

مفهوم ما اینست که it is our understanding that

مَفهوم[2] /ص. ع./ **intelligible**

مُفید /ع./ سودمند→ **useful;**

مفید واقع شدن to (prove to) be useful

مفید معنی conveying a sense

مفیدیت /ع./ = سودمندی

مقابر [جمعِ مقبره]

مُقابل /ع./ [*adj.*] **opposite; corresponding; equivalent;** [*n.*] **equivalent amount;**

روبرو →

مقابلِ opposite (to), vis-a-vis; corresponding to

در مقابلِ opposite; against; versus

سه مقابل thrice as much (*or* as many)

مقابل شدن با to encounter, to confront

مقابله /ع./ **comparison, collation, checking, verifying**

مقابله کردن to compare, to collate, to check; to confront

جبر و مقابله algebra

مُقاتله [کمیاب] /ع./ **killing** *or* **fighting with each other**

مقادیر [جمعِ مقدار]

مُقاربت /ع./ **sexual intercourse**

مقاربت کردن to have sexual intercourse, to lie

مقاربتی /ع. فا./

مرض مقاربتی **venereal:**

مُقارن /ع./ **simultaneous; near; connected**

مقارنِ ظهر about noon

مقـارن ایـن احـوال about this time

مقاصد [جمعِ مقصد]

مقاطع [جمعِ مَقطع]

مُقاطعه /ع./ **contract**

مقاطعه کردن to contract (for)

(به) مقاطعه دادن to put out to contract, to award to a contractor

مقاطعه کار /ع. فا./ = پیمانکار **contractor**

مقاطعه کاری /ع. فا./ **contract work**

مَقال /ع./ = بحث؛ گفتگو؛ گفتار

مَقاله [جمع: مقالات] /ع./ **article; essay; discourse**

مَقام /ع./ **place, position, office;** [*mus.*] **tune** *or* **mode**

مَقامات [جمعِ مقام، مقامه] /ع./ **positions; modes** *or* **tunes**

مقامات صلاحیتدار competent authorities

مُقامر [کمیاب] /ع./ **gambler**

مُـقاوِله /ع./ = گـفتگو؛ ← مقاوله‌نامه

مقاوله‌نامه /ع. فا./ **written agreement, protocol**

مُقاومت /ع./ **resistance**

مقاومت کردن با to resist; to oppose

مُقایسه /ع./ **comparison**

مقایسه کردن to compare

مَـقبره [جـمع: مـقابر] /ع./ = گورستان؛ گور، قبر

مُقبل[1] /ع./ **fortunate**

مُقبل[2] /ع./ = مساعد

مَقبول /ع./ **accepted; granted** (as a prayer); [*infml.*] **pretty**

مَقبول واقع شدن، مقبول افتادن to be accepted *or* heard

مُقتبس /ع./ **extracted, borrowed, excerpted**

مُقتدا [از ع. مقتدیٰ] [*adj.*] **imitated, followed;** [*n.*] **leader**

مقتدر /ع./ = توانا؛ قادر

مقتدرانه /ع. فا./ **powerfully**

مقترح [کمیاب] /ع./ **improvisator**

مقترن [کمیاب] /ع./ **associated, united**

مقتصد /ع./ **economical, thrifty**

مقتضا [از ع. مقتضیٰ] **exigency, necessity**

مقتضی /ع./ **appropriate; advisable; fit**

مقتضی دانستن to think fit, to deem advisable

مقتضیات [جمعِ مقتضا] **circumstances; exigencies**

مَقتول [جمع: مقتولین] /ع./ **killed** (person)

مقتول شدن to be killed

مقتول ساختن = کشتن to kill

مِقدار[1] [جمع: مقادیر] /ع./ **quantity, amount, number**

مقدار کمی آرد *small quantity of flour*

یک مقدار کتاب *a number of books*

به مقادیر زیاد *in large quantities*

برآوردکنندهٔ مقادیر *quantity surveyor*

مِقدار[2] [ادبی، مجازی] /ع./ **worth, value**

مقداری /ع. فا./ **quantitative**

مُقدّر [مؤنث: مقدره] /ع./ **destined;** [*gram.*] **understood, implied**

مقدّر کردن to predestinate

وارث مقدّر heir presumptive

مقدرات [جمعِ مقدره] /ع./ **destinies; divine decrees**

مَقدَس /ع./ **holy place**

مُقدس [مؤنث: مقدسه] /ع./ **holy**

کتاب مقدس Bible

مقدسات [جمعِ مقدسه] /ع./ **all that is sacred**

بی‌احترامی به مقدسات profanity

مَقدَم /ع./ **arrival**

خیر مقدم address of welcome

مُقدّم[1] /ص. ع./ **prior;** **preferred:** سهام مُقدّم

مُقدّم بر prior to

مُقدّم[2] /ا. ع./ **antecedent**

مقدم داشتن to give priority (to); to prefer

مقدمات /ع./ **preliminaries, first steps; elements;** [جمعِ مقدمه] ⟵

مقدماتی /ع. فا./ **preliminary**

مقدم‌السفراء /ع./ **doyen**

مُقدمه [مؤنثِ مقدم] /ع./ **introduction, preface; preamble; premiss;** [جمع: مقدمات] ⟵

مقدمه چیدن to set forth an introductory statement serving as an excuse, to build up a case *or* argument

مقدمتاً /ع./ **first of all, before everything else**

مقدمة‌الجیش [نظامی] /ع./ = جلودار

مَقدور[1] /ع./ [*adj.*] **possible, within one's power;** [*n.*] **what is in one's power, ability**

برای من مقدور نیست که

I am not in a position to ...

مَقدور[2] /ا. ع./ **what is in one's power, ability**

مقدونی /ع./ **Macedonian**

مَقَر /ع./ **domicile, residence, seat**

مُقِرّ /ع./ (one) **who confesses**

مقرّ آمدن to be reduced to confession

مقرّ شدن (به) to confess

مِقراض /ع./ **scissors;** قیچی ⟵

یک مقراض a pair of scissors

مُقرّب /ع./ **admitted to be near;** [*fig.*] **favourite, esteemed**

مقرح /ع./ **epispastic**

مُقرّر [مؤنث: مقرره] /ع./ **prescribed, specified, laid down, enjoined; appointed, arranged, agreed** (upon); **regular**

مقرّر داشتن to prescribe, to ordain; to appoint, to fix; to arrange; to resolve

مُقررات [جمعِ مقرره] /ع./ **provisions, requirements, dispositions, regulation(s)**

مقرراتی /ع. فا./ **adhering to hard and fast rules, advocating red-tapism**

مُقرری /ع. فا./ **regular salary *or* pension**

مُقرنس /ع./ **vaulted *or* arched** (building); (place) **decorated with paintings**

مَقروض /ع./ **having a** (specified amount of) **debt, indebted;** بدهکار ⟵

ده ریال به من مقروض است.

He owes me 10 rials.

مقروض شدن to run into a debt, to contract a debt

مَقرون /ع./ **connected; allied**

مقرون به حقیقت true

مقرون به صرفه economical

مَقرّه /ع./ **insulator**

مَقسم /ع./ **place of partition**

مقسم آب divide *or* watershed

مُقَسم /ع./ **divider, distributor**

مَقسوم /ع./ [*adj.*] **distributed; apportioned** (by fate); [*n., arith.*] **dividend;** بخشی ⟵

مقسوم‌علیه /ع./ **divisor;** بخش‌یاب ⟵

مُقشر /ع./ **hulled, shelled**

مَقصد[1] [جمع: مقاصد] /ع./ **destination;** [*fig.*] **aim**

مَقصد[2] [عامیانه] /ع./ = مقصود

مُقصر /ع./ **guilty** (person), **culpable** (person)

مقصرین سیاسی state criminals

مَقصود /ع./ **purpose, intention; aim, object** (of desire); **moral**

مقصود از این کلمه چیست؟

What is meant by this word?

مقصودم این است که I mean...

مقصودی ندارم I don't mean it; I have no particular motive

مَقضی‌المرام /ع./ = کامیاب

مُقطر /ع./ **distilled**

مَقطع [جمع: مقاطع] /ع./ **section; closing verse of a poem**

مقطع طولی longitudinal section, profile

حسن مقطع — beauty of peroration

مُقطَع [مؤنث: مقطعه] /ع./ **interrupted; separate(d); [o.s.] cut to pieces**

مُقطعات [جمعِ مقطعه] /ع./ **fragments**

مَقطعی /ع. فا./ **showing the section**

نقشهٔ مقطعی — profile

مَقطوع /ع./ **cut off; interrupted; fixed** (as a price)

مقطوعاً /ع./ **as a fixed sum; at a fixed price**

صد ریال مقطوعاً — ***a fixed sum of 100 rails***

مقعد /ع./ = کون **anus**

مُقعر /ع./ **concave;** → کاو

مقعرالطرفین /ع./ **biconcave, concavo-concave**

مُقفل /ع./ **locked**

مُقفی /ع./، مقفا **rhymed *or* rimed**

مُقل /ع./ **bdellium**

مقلد[1] /ع./ **imitator, mimic; [fig.] follower**

مقلد[2] /ع./ **buffoon**

مَقلوب /ع./ **[adj.] inverted, reversed; [n.] anagram**

مُقله /ع./ = تخم چشم → چشم

مقناطیس /ع. ی./ **magnet**

مقناطیسی /ع. فا./ **magnetic**

مُقنع /ع./ **convincing**

مِقنعه [کمیاب] /ع./ = چادر **veil**

مـُقنن[1] /ا. ع./ **legislator**

مُقنن[2] [مؤنث: مقننه] /ص. ع./ **legislative**

قوهٔ مقننه — the Legislative Power

مقنی /ع./ = چاه‌کن

مُقوّا /ع./ **cardboard *or* pasteboard**

مُقوّائی /ع. فا./ **of cardboard *or* pasteboard; [fig., infml.] flimsy**

جعبهٔ مقوّائی — carton, bandbox

مقوّس /ع./ **arched**

مقوله [جمع: مقولات] /ع./ **category; topic**

مُقوّم /ع./ = ارزیاب

مُقوّی [مؤنث: مُقوّیه] /ع./ **strengthening, fortifying, tonic**

مَقهور /ع./ **subdued**

مقهور کردن، مقهور ساختن — to subdue *or* vanquish

مُقی /ع./ = قی‌آور **emetic**

مِقیاس /ع./ **scale**

به مقیاس یک اینچ در یک میل — on a scale of one inch to the mile

مُقید /ع./ **tied; [fig.] bound; stipulated; particular**

عددِ مقید — concrete number

مُقیم /ع./ **resident, residing**

مقیم ایران — residing in Iran, resident of Iran

مقیم بودن — to reside

مِک [بن مضارعِ مکیدن]

مک زدن — to suck; to twinge slightly

مُک [زبان لاتی] **neither more nor less**

مُکابره /ع./ **contention**

مکابره کردن — to contend *or* dispute (saucily)

مکاتب [جمعِ مکتب]

مکاتبات [جمعِ مُکاتبه] **correspondence**

مُکاتبه /ع./ **correspondence, communicating with each other by letters**

مکاتبه کردن — to correspond

مکاتیب [جمعِ مکتوب]

مکار [مؤنث: مَکاره] /ع./ **deceitful; sly**

مکارم [جمعِ مکرمت]

مکاره /ر./ **Makariev**

بازار مکاره — fair

مُکاری /ع./ **common carrier**

مَکاسب [جمعِ مکسب، کمیاب] /ع./ **earnings, acquisitions**

مُکاشفه [از ع. مکاشفت، جمع: مکاشفات] **revelation; divine presence; spiritual contemplation**

مکافات /ع./ **retribution, retaliation**

مُکافی /ع./ **parabolic**

قطع مکافی — parabolic section, parabola

شبهِ قطع مکافی — paraboloid

مُکالمه [جمع: مکالمات] /ع./ = گفتگو **conversation, dialogue**

مکالمه کردن — to converse

مَکان [جمع: امکنه؛ اماکن] /ع./ = جا **place, locality; dwelling**

مکان هندسی — [geom.] locus

مکانی /ع./ **[geom.] local**

مِکانیزه /فر./ **mechanized**

مکانیزه کردن — to mechanize

مکانیک[1] /فر./ **mechanics**

مکانیک[2] /فر./ **[infml.] mechanic**

مکانیک‌دان /فر. فا./ **mechanic**

مکانیکی /فر. فا./ **mechanical**

آدم مکانیکی[1] — robot

آدم مکانیکی[2] — automaton

مَکائد [جمعِ مکیده، کمیاب] /ع./ **deceits; snares**

مُکبّ [کمیاب، مؤنث: مکبه] /ع./ **prostrating; humiliating**

عضلهٔ مکبه — pronator

مَکتب [جمع: مکاتب] /ع./ **old-fashioned primary school; [ext.] school**

مکتب‌گریز [کمیاب] /ع. فا./ **truant**

مکتسب [کمیاب] /ع./ **acquired**

مَکتوب [جمع: مکاتیب] /ع./ **letter; [o.s.] written;** → نوشته، نامه

مکتوم /ع./ = پوشیده؛ پنهان
مَکث /ع./ **pause; halt(ing)**
مکث کردن to make a pause; to stay
مَکتَف /ع./ **waste basket**
مُکدَّر /ع./ **offended**
از کسی مُکدّر شدن
to take offence at someone
مُکدّر کردن to offend
مَکر /ع./ **trick; deceit**
مکرآمیز /ع. فا./ **deceitful**
مُکرّر [مؤنث: مکرره] /ع./
repeated
مکرّر کردن to repeat
مکررات [جمعِ مکرره]
repetitions
مکرراً /ع./ **repeatedly, again;** ⟵ دوباره
مُکرّم [مؤنث: مکرمه] /ع./
honoured, honourable
مَکرمت [جمع: مکارم] /ع./
generosity; greatness, noble act
مکارِم اخلاق good morals
مَکروه /ع./ **abominable; disapproved but not absolutely unlawful**
مَکشوف /ع./ **discovered, revealed**
مکشوف شدن to be revealed
مکشوف کردن to reveal, to discover
مُکعب /ع./ [*adj.*] **cubic;** [*n.*] **cube**
مَکفول /ع./ **one whose presence must be produced by a person who has undertaken to do so**
مَکفول‌له /ع./ [one to whom it has been undertaken to produce the presence of a person]
مُکلس /ع./ **calcined**
مُکلس کردن to calcine
مُکلف /ع./ **bound, required; charged with a duty; having attained puberty**
مکلف کردن to bind, to charge with a (specified) duty
مکمَّل /ع./ **completed, perfect**
مکمِّل /ع./ **complementary; supplementary**
مَکمن [کمیاب] /ع./ = کمینگاه
مُکنت /ع./ **pecuniary ability;** *L.* **wealth**
مَکنون [مؤنث: مکنونه] /ع./ = پوشیده **hidden**
مکنونات [جمعِ مکنونه] /ع./
hidden things, secrets
مَکه /ع./ **Mecca**
مَکی [مؤنث: مکیه] /ع./ **Meccan**
سورهٔ مکیه
surah revealed at Mecca
مکیدن [بن مضارع: مک]
to suck; to absorb
مکیده [اسم‌مفعول فعل مکیدن]
مُکیف /ع./ [*n.*] **inebriant, intoxicant;** [*adj.*] **intoxicating**
مَکین [کمیاب] /ع./
[*adj.*] **fixed** *or* **dwelling in a place;** [*n.*] **dweller; occupier of a place**
مَکینه [کمیاب] **sucker** [pipe through which water etc. is drawn by suction]
مگر[1] [stress on the first syllable] **except**
مگر آنکه، مگر اینکه
[idiomatic use] unless
مگر شما به من کمک کنید (وگرنه دیگری نمی‌کند). It is only you who could help me (and no one else). [*o.s.*] unless you help me there is no one else... .
مگر[2] [interrogative word used by one who hears a remark contrary to his previous supposition]
مگر شما نمی‌دانید؟
You know don't you?
چطور مگر؟ why? (*i.e.* why do you ask?)
مگرمج [کمیاب] **crocodile**
مگس **fly**
مگس پراندن to idle away one's time
مگس در هوا رگ زدن
to beat the air
مگس در آنجا پر نمی‌زند.
There is not a soul there.
مگس‌پران **fly-net, fly-flap**
مگس‌پرانی **idleness, loafing**
مگس‌خوار **feeding on flies**
مرغ مگس‌خوار humming-bird
مگس‌کش [*rare*] **killing flies**
کاغذ مگس‌کش fly-paper
گَرد مگس‌کش fly-powder
مگس‌گیر **fly-trap; catch-fly**
مگس‌وَزن /فا. ع./ **fly-weight**
مگسی **flea-bitten:** اسب مگسی
مَگو **unutterable:** سرّ مگو
مُل [ادبی] = باده؛ شراب
مُلا [از ع. مولی] **mullah: person versed in theology and sacred law**
ملاء /ع./ **fullness; crowd, assembly**
ملاءاعلی heavenly court, assembly of angels
در ملاء عام in the public view, in public
ملاج، ملازگ **fontanelle**
مَلاح /ع./ = ملوان
مَلاحت /ع./ **charm, attractiveness**
ملاحده [جمعِ ملحد]
ملاحظات ⟵ ملاحظه
مُلاحظه [جمع: ملاحظات] /ع./
observation, notice; consideration, regard; remark

ملاحظه کردن[1] to observe *or* notice, to consider; to have regard for
ملاحظه کردن[2]، ملاحظه فرمودن [*p.c.*] to see
ملاحظهٔ اطراف کار circumspection
به ملاحظهٔ considering; in view of
بدون ملاحظهٔ irrespective of
قابل ملاحظه noteworthy, remarkable
ملاحظه کار /ع. فا./ **cautious, reserved, circumspective, wary**
ملاحی /ع. فا./ = ملوانی
مَلاذ /ع./ = پناهگاه
مُلازم /ص. ع./ **attending, accompanying; attached, inherent**
ملازمت /ع./ **attendance; assiduity**
ملازمت داشتن با [*rare*] to attend; to involve necessarily
ملازمین [جمعِ مُلازم] /ا./ **attendants**
ملاز(ه) = زبان کوچک **uvula**
مِلاس /فر./ **molasses**
مَلاست /ع./ **softness;** ← نرمی
ملاست استخوان [*med.*] rickets
مَلاط[1] /ع./ [*rare*] **cement**
مَلاط[2] /ع./، گِل ملاط **mortar**
مُلاطفت /ع./ = مهربانی
ملاعب [جمعِ ملعبه]
مُلاعبه[1] /ع./ **playing together**
مُلاعبه[2] /ع./ = شوخی
ملاعین [جمعِ ملعون]
ملافه [از ع. ملحفه] **bedsheet, cover**
مُلاقات /ع./ **meeting, visit, interview**
ملاقات کردن to meet *or* view
مَلاقه [از ع. ملعقه] **ladle, dipper**
مِلاک /ع./ **basis; criterion**
ملاک [جمع: ملاکین] /ع./ **landowner**
مُلاکتابی [عامیانه] /عف./ **pedantic**
مَلال /ع./ ← ملالت
مـلال‌انگیز /ع. فا./ **wearisome, annoying**
ملالت، ملال [اسم جمع] **weariness; vexation; sadness**
مَلامت /ع./ = سرزنش
مُلامسه /ع./ **feeling *or* flirting with the hand**
ملانتربوق [زبان لاتی] /ع. فا./ **misshapen/ rough-hewn *or* shabby looking person**
ملاُنقطی[1] [عامیانه] /عف./ **who searches for dots and strokes;** ← نقطه
ملاُنقطی[2] /عف./ = ملاکتابی
مَلاهی /ع./ **unlawful sports, profane delights**
ملائت /ع./ **pecuniary ability to justify bail**
مَلائک، ملائکه [جمعِ ملک]
مُلایم /ع./ **mild, gentle; temperate; soft; lenient**
مُلایم شدن to grow mild
ملایم کردن to milden; to temper; to soften; to tone down
مُلایمت /ع./ **mildness, gentleness, softness; moderateness; leniency**
مُلبس /ع./ **clothed, dressed**
ملبس به dressed with, wearing
مَلبوس /ع./ = پوشاک؛ لباس
ملت [جمع: ملل] /ع./ **nation, people**
مُلتجی /ع./ (one) **who takes refuge *or* seeks protection**
مُلتجی شدن to take refuge, to seek protection
ملتحم **healing *or* connective**
ملتحمه [مؤنثِ ملتحم] /ع./ **conjunctiva**
ورم ملتحمه conjunctivitis
مُلتزم[1] /ص. ع./ **bound over**
ملتزم شدن to be bound over, to undertake
ملتزم کردن to bind over
ملتزم[2] [جمع: ملتزمین] /ا. ع./ **attendant**
ملتزمینِ رکاب suite, retinue
مُلتفت /ع./ **aware, sensible**
ملتفت شدن to take notice (of); to understand
ملتفت باشید! take notice!, look out!
ملتفتِ پله باشید! Mind the step!
ملتقا [از ع. مُلتقی] **confluence; junction**
مُلتمس /ع./ **request(ed)**
مُلتوی[1] /ع./
غضروف ملتوی **sigmoid:**
مـلتوی[2] [مـعنای حـقیقی] /ع./ پیچیده
مُلتهب /ع./ **inflamed;** [*fig.*] **enthusiastic, fervent**
مَلجأ /ع./ = پناه(گاه)
مَلچ و مُلوچ کردن [زبانِ لاتی] **to smack one's lips, to lick one's chops**
مِلح [جمع: امـلاح، شیمی] /ع./ نمک
مُلحد [جمع: ملاحده] /ع./ **atheist**
ملحفه ← ملافه
مُلحق [مونث: ملحقه] /ع./ **joined**
ملحق شدن to be joined, to join
ملحق کردن to join; to annex

مُلحقات [جمعِ ملحقه] /ع./
additions, supplements
مَلحوظ [مؤنث: ملحوظه] /ع./
observed, seen
ملحوظ شدن، ملحوظ افتادن
to be seen *or* observed
ملحوظات [جمعِ ملحوظه] /ع./
observations; thoughts
مَلخ **locust, grasshopper;**
[*plane*] **airscrew, propeller**
مُلخص /ع./
[*adj.*] **summarized;**
[*n.*] **summary, extract**
مُلزم /ع./ **bound**
ملزم شدن to be bound
ملزم کردن to bind, to oblige; to convince
مَلزوم [مؤنث: ملزومه] /ع./
attached; inseparable
مَلزومات [جمعِ ملزومه]
supplies, necessaries; ← لازم
مَلس /ع./ = میخوش **subacid**
مُلصق /ع./ **fastened, pinned; attached**
ملعبه [جمع: ملاعب] /ع./ = بازیچه
ملعقه ← ملاقه
مَلعنت[1] [کمیاب] /ع./
abominable deed
مَلعنت[2] [کمیاب] /ع./ = لعنت
مَلعون[1] /ص. ع./ **accursed, damned**
مَلعون[2] [جمع: ملاعین] /ا. ع./
accursed person; the Devil
مَلعون کردن to curse, to anathematize
مُلغی /ع./ **cancelled**
ملغی کردن to annul, to cancel
مَلفوظ [مؤنث: ملفوظه] /ع./
pronounced; [*gram.*] **aspirate**
غیرملفوظه [*gram.*] mute
مَلفوفه /ع./ **enclosure;**
(annex of a) **firman**

ملفه /ع./ ← ملحفه؛ ملافه
ملقب به /ع. فا./ **entitled, surnamed**
مَلَک [جمع: ملائک، ملائکه] /ع./
angel; ← فرشته
مَلِک [جمع: ملوک] /ع./
king; ← پادشاه
مُلک [جمع: املاک] /ع./
landed property, estate; possession; [*lit.*] **kingdom**
ملکات [جمعِ ملکه]
ملک‌الحارس /ع./
guardian angel
ملک‌الشعراء /ع./ **prince of poets, poet laureate**
ملک‌الموت /ع./
angel of death
ملک‌المورّخین /ع./
prince of historians
ملکزاده [ادبی] /ع. فا./ = شاهزاده
مَلکوت /ع./
kingdom (of heaven)
ملکوتی /ع./ **heavenly, celestial; spiritual**
مَلکوک /ع./ = لکه‌دار
مَلَکه [جمع: ملکات] /ع./ **habit, second nature; automatism**
ملکه‌اش شد he mastered it
مَلِکه [مؤنثِ مَلِک] /ع./ **queen**
ملکهٔ مادر queen mother
مِلکی /ع. فا./
privately-owned; landed
دلال معاملات مِلکی real estate broker, land-agent
ملکیت /ع./ **ownership**
ملل [جمعِ ملت]
مُلمع /ع./ **macaronic verse, bilingual poem**
ململ **variety of muslin, mull**
مَلَنگ **gay; tipsy;**
[*rare*] **ecstasied;**
[*stone*] **irregularly shaped, irregularly cubical**
مَلوان **sailor**

ملوانی **sailorship, seamanship**
مُلوّث /ع./ **polluted; contaminated**
ملوّث کردن to defile; to contaminate
ملوس [عامیانه] **lovable, pet; mignon**
ملوط [کمیاب] /ع./ **catamite**
مُلوک [اسم خاص، جمعِ مَلِک] /ع./
ملوک‌الطوایفی /ع. فا./
feudal (system)
ملوکانه /ع. فا./ [*adj.*] **kingly, royal;** [*adv.*] **in a kingly manner**
مَلول /ع./ **wearied; fed up; dejected; tepid; indisposed**
مُلوَّن [مؤنث: ملونه] /ع./
colouring
مَله **species of tick** (argas persicus)
مُلهم /ع./ **inspired**
ملی /ع./ **national; popular**
آموزشگاه ملی private school
باغ ملی public garden
حکومت ملی democratic government
ملی کردن to nationalize
مَلی **able to justify bail, pecuniarily qualified**
مِلیت /ع./ **nationality**
مَـلیح /ع./ **charming, of attractive beauty; melodious attractive**
مَلیحه [اسم خاص، مؤنثِ ملیح] /ع./
ملیله‌دوزی **filigree(d) work**
مُلین /ع./ **laxative**
مِلیون [جمعِ ملی] /ع./
nationalists
مَمات /ع./ = مرگ؛ موت
مُمارست /ع./ **assiduity, application; practice**
ممارست کردن to practise, to exercise

مُماس /ع./ **tangent**
مُماشات /ع./ **condescension; pretended concordance**
ماشات کردن to condescend (flatteringly); to comply *or* agree
ممالک [جمع مملکت]
ممانعت /ع./
prevention; ← جلوگیری
ممانعت کردن to prevent
مُمتاز [مؤنث: ممتازه] /ع./
distinguished, excellent
سهامِ ممتاز(ه) preference shares, gilt-edged shares
دیون ممتاز(ه) preferential debts
مُمتحِن [1] [جمع: ممتحنین] /ا. ع./
examiner
مُمتحن [2] [مؤنث: ممتحنه] /ص. ع./
examining
هیئتِ ممتحنه examining board; examiners
مُمتحَن [1] [کمیاب] /ص. ع./
examined
مُمتحن [2] [کمیاب] /ا. ع./
examinee
مُمتدّ [1] /ع./ **prolonged, extended**
مُمتدّ [2] [مجازی] /ع./ = زیاد
مُمتنع [1] /ص. ع./ **impossible**
سهل و ممتنع easy but difficult to imitate (as a poem)
مُمتنع [2] [جمع: ممتنعین] /ا. ع./
abstainer
دو نفر ممتنع بودند.
There were two abstentions.
مُمثل [1] /ص. ع./ **likened, compared**
غیرممثل far-fetched
مُمثل [2] /ا. ع./ **object of comparison**
مُمدّ /ع./ **helping, promoting**
مَمدوح [1] /ص. ع./ **praised**

مَمدوح [2] /ا. ع./ **object of praise**
مَمدود [کمیاب] /ع./ **extended; marked with the sign (~)**
مَمرّ /ع./ **pass(age); outlet;** [*fig.*] **means; source; respect**
مَمرز **blue beech**
مَمزوج /ع./ = آمیخته
مُمسک /ع./ **parsimonious**
ممسک‌الاعنه /ع./ [*astr.*] **the Auriga** *or* **Charioteer**
مُمضی /ع./ **signed**
مُمکن [مؤنث: ممکنه] /ع./
possible
غیرممکن impossible
ممکن است بیاید.
He may come.
آیا ممکن است بروم؟ May I go?
تا آنجاکه ممکن است ***as much as possible; so far as possible***
مُمکنه [کمیاب، جمع: ممکنات، مؤنثِ ممکن] /ع./
possible thing, possibility
مُملّ [کمیاب] /ع./ **wearisome; disgusting**
مملِّک [کمیاب] /ع./
acquisitive
مرورِ زمان مملِّک acquisitive *or* positive prescription
مَملکت [جمع: ممالک] /ع./ =
کشور **country**
امور مملکتی state affairs
مَملوّ /ع./ = پر **full, filled**
مملوّ از full of
مَملوک [کمیاب، جمع: ممالیک] /ع./ **slave**
مَمنوع [مؤنث: ممنوعه] /ع./
prohibited, forbidden; debarred
ممنوع کردن، ممنوع داشتن
to prohibit, to forbid; to debar
ممنوعات [جمعِ ممنوعه]
forbidden things

ممنوع‌الورود /ع./ **the import of which is prohibited**
ممنوعیت /ع./ **prohibition**
مَمنون /ع./ **obliged, grateful**
(از شما) ممنونم. ***I am grateful to you. Thank you.***
از مساعدت شما ممنونم. Thank you for your assistance.
خیلی ممنون شدم. ***I was*** (or ***am***) ***much obliged*** (or ***pleased***).
ممنون کردن to oblige, to make grateful
ممنونیت /ع./ = امتنان
ممه [عامیانه] = پستان **breast**
مُمهد [کمیاب] /ع./ **arranged, prepared**
مَمهور /ع./ **sealed;**
-*Note:* this word is coined from the Persian مُهر "seal"
ممهور کردن = مهر کردن to seal
مميَز **distinguished; investigated by the Supreme Court**
ممیز [1] [جمع: ممیزین] /ا. ع./
auditor, controller; surveyor; decimal point
ممیز [2] [مؤنث: ممیزه] /ص. ع./
discerning, discriminative
قوه ممیزه the discriminative faculty
ممیزعنه /ع./ **person against whom appeal has been made to the Supreme Court**
ممیزی /ع. فا./ **audit, control; survey**
ممیزی کردن to audit; to survey
مَن [1] [ضمیر فاعلی]
من رفتم. ***I went.***
مَن [2] [ضمیر در حالت مفعولی]
[governed by a preposition]
آنرا به من گفت **me:**
مَن [3] [ضمیر در حالت اضافی]
[preceded by an "ezafah"] **my**

برادرِ من **my brother**

مَن[4] [unit of weight approximately = 3 kilogrammes]

مَنّ[1] /ع./ **grace, favour**

مَنّ[2] /ع. عب./ **manna**

مَنابر [جمعِ منبر]

منابع [جمعِ منبع]

منات /ر./ **rouble**

مُناجات /ع./ **fervent prayer (often chanted)**

مُنادِم /ع./ **companion;** ← ندیم

منادمت /ع./ **companionship**

مُنادی /ع./ **proclaimer, herald; public crier;** ← جارچی

مُنادیٰ /ع./ **addressed**

اسم منادیٰ nominative independent

منار /ع./ = مناره

مَناره /ع./ **minaret;** [*rare*] **lighthouse**

مُنازعه /ع./ **litigation; quarrel**

منازعه کردن = نزاع کردن

منازل [جمعِ منزل]

مُناسب[1] /ع./ **suitable, fit**

مناسبِ موقع fit for the occasion

مُناسب[2] /ع./ (rather) **cheap**

مُناسبات /ع./ [جمعِ مناسبت] ← **relation;**

مُناسبت /ع./ **suitability, fitness; relation; occasion;** ← [جمع: مناسبات]

مناسبت داشتن to be fit *or* opportune; to be based on some reason

به مناسبتِ on the occasion of; due to

به‌چه مناسبت؟ for what relation?, what is the occasion?

مـناسک [کـمیاب، جـمعِ مـنسک] /ع./ = مراسم

مناصب [جمعِ منصب]

مُناصفه /ع./ **dividing in halves**

مَناط /ع./ **basis, example**

مناطق [جمعِ منطقه]

مناظر [جمعِ منظره]

مناظره [جمعِ مناظرات] /ع./ **debate, dispute**

مناظره کردن to debate

مَناعت /ع./ **inaccessibility; magnanimity; proper pride**

مناف /ع./ [name of an idol]

مُنافات /ع./ **incompatibility, inconsistency**

منافات داشتن با to be inconsistent with

منافذ [جمعِ منفذ]

مَنافع /ع./ [جمعِ منفعت] ← **interests; profits;**

مُنافق[1] /ص. ع./ **hypocritical; seditious;** [*n.*] **mischief-maker; hypocrite**

مُنافق[2] [جمع: منافقین] /ا. ع./

منافقت /ع./ = دورویی؛ دو بـه ـ هم‌زنی

مُنافی /ع./ **inconsistent;** [with the "ezafah"] **inconsistent with, repugnant to**

عملِ منافیِ عفت unchaste act, criminal conversation

مناقب [جمعِ منقبت]

مُناقشه [جمع: مناقشات] /ع./ **dispute**

مُناقشه کردن to dispute

مُناقصه /ع./ **calling for tenders**

آگهی مُناقصه دادن to call for tenders

به مُناقصه گذاشتن to put out to tender, to invite bids for

حائز حداقل مناقصه شدن to be the lowest bidder

مَنال [کمیاب] /ع./ **profit** *or* **share**

منال دیوانی government's share of the proceeds of a ceded crown land

مال و منال = ثروت

مَـنام [کـمیاب] /ع./ = خـواب؛ خوابگاه

مَنان /ع./ **munificent** *or* **beneficent: epithet of God**

مَناهی [جمعِ منهی] /ع./ **prohibited acts, sins**

مِنبابِ /ع./ **by way of**

مُنبت /ع./ **inlaid; fretted**

منبت‌کاری /ع. فا./ **fretwork; inlaid work**

منبر [جمع: منابر] /ع./ **raised structure for a preacher, pulpit; baker's board on which bread is exhibited**

قبل از قاضی به منبر رفتن to prejudge

مُنبسط [مؤنث: منبسطه] /ع./ **expanded**

مُنبسط کردن to expand

عضلهٔ منبسطه extensor-muscle

منبع [جمع: منابع] /ع./ **source; cistern;** [*fig.*] **origin**

منبع موثق reliable source, authority

منابع طبیعی natural resources

مِنبعد /ع./ **henceforth**

منبه [کمیاب] /ع./ [*adj.*] **awakening**

مِنت [جمع: مِنن] /ع./ **obligation, indebtedness; praise; grace, favour**

از کسی منت داشتن to hold oneself indebted to someone for his favour

منت بر سر کسی گذاشتن to remind someone of a favour done to him, to not let him forget it, to reproach him for it

منت از کسی کشیدن
to put oneself under a person's obligation for his favour, to be beholden to someone for a favour

به منتش نمی‌ارزد it is not worth asking for the favour

مَن تبع /ع./ **follower(s)**

مُنتَج /ع./ **resulting; inferred, deduced**

مُنتج شدن
to result; ⟵ منجر شدن

مُنتِج /ع./ **producing a result** [often redundantly منتجِ نتیجه]

مُـنـتـحـل [کمیاب] /ع./
plagiarist

مُنتخَب [مؤنث: منتخبه] /ع./
elected

مُنتخِب [جمع: منتخبین] /ع./
elector; chooser

مُنتخبات [جمعِ منتخبه] /ع./
selections

منتخبین [جمعِ منتخب] /ا./
those elected

مَنتر کردن **to enchant by animal magnetism, to magnetize;** [*ext.*] **to influence, to cause, to follow** *or* **obey**

مُنتزع /ع./ (being) **wrested**

مُنتزع شدن to be wrested

مُنتزع کردن to wrest

مُنتسب /ع./ **related**

مُنتشر /ع./ **published; circulated**

منتشر شدن to be published

منتشر کردن to publish; to spread; to circulate *or* issue

مُنتصر /ع./ = پیروز

مُنتظَر [مؤنث: منتظره] /ع./
expected

غیر منتظر(ه) unexpected

منتظِر /ع./ **waiting**

منتظِر... شدن to wait for...

منتظر فرصت بودن to look for an opportunity

منتظر کردن to keep waiting

منتظرالوکاله /ع./
[humorous] **would-be deputy, aspirant to the position of M.P.**

مُـنـتـظـم /ع./
regular: نبض منتظم

مُنتفع /ع./ **deriving a benefit**

منتفع شدن از to profit by, to be benefited by

مُنتفی شدن /ع. فا./ **to cease to exist, to lose its point**

منتقد /ع./ **criticizer**

مُنتقل /ع./ **transferred; made to understand**

منتقل شدن to understand *or* grasp; to be transferred

منتقل کردن to transfer

مُنتقل‌الیه /ع./ = انتقال‌گیرنده

مُنتقم /ع./ **revenger**

منت‌گذار /ع. فا./ **obliging**

مُنتها [از ع. منتهیٰ] **maximum, utmost** (extent)

منتهای آرزوی وی his utmost desire; [used adverbially] at the most; at (the) latest; except that, only, the thing is

مُنتهیٰ /ع./ ⟵ منتها

مُنتهی /ع. فا./ **ending**

منتهی شدن به to end *or* culminate in

منتهی‌الیه، منتهاالیه /ع./
end, extremity; farthest end

مُنتهی‌درجه /عف./
highest degree

به منتهی‌درجه to the highest degree, extremely

مَنثور /ع./ **written in prose**

شعر منثور blank verse

منجانبِ /ع./ **from, on the part of, by**

منجانبُ‌الله from God

مُنجذب [کمیاب] /ع./
attracted, drawn

مُنجرّ /ع./ **leading; terminating, resulting**

منجرّ شدن به to culminate in; to result in

منجز /ع./ **unconditional**

منجزاً /ع./ **unconditionally**

مَنجلاب **voidance water**

مُنجلی /ع./ **clear, conspicuous**

مـنـجم [جـمع: مـنجمین] /ع./ = اخترشناس

مُنجمد [مؤنث: منجمده] /ع./
frozen

منجمد شدن to freeze

منجمد کردن to cause to freeze, to congeal

اقیانوس منجمد شمالی
Arctic Ocean

اقیانوس منجمدِ جنوبی
Antarctic Ocean

منطقهٔ منجمده Frigid Zone

مِن‌جمله /ع./ **among others; including; such as, such is, such are**

مَنجنیق /ع. ی./ **catapult, ballista, mangonel; war engine**

منجوق **glass beads**

مُنـجـی /ع./ = رهاننده
saviour

مُنحرف /ع./ **deviated**

منحرف ساختن to cause to deviate; to pervert

منحرف شدن to deviate *or* turn

مُنحصر /ع./ **confined, limited; exclusive**

منحصر کردن to restrict, to confine, to limit

منحصر به فرد unique, single in kind

منحصراً /ع./ **exclusively**

مُنحلّ [مؤنث: منحله] /ع./ **dissolved, disbanded, wound up**
منحل شدن to be dissolved; to break up; to wind up (as a company)
منحل کردن to dissolve, to disorganize; to wind up
مُنحنی /ع./ **curve(d)**
منحنیِ تراز contour
منحوس /ع./ **sinister; wretched**
مِن‌حیث‌المجموع /ع./ = روی‌ـ هم‌رفته **on the whole**
مَنخرین [تثنیهٔ منخر، کمیاب] /ع./ **nostrils**
مَنداب **wild rocket**
مَن درآوردی [زبان لاتی] **self-invented immethodical; eccentric**
مُندرَج [مؤنث: مندرجه] /ع./ **inserted**
مندرجات [جمعِ مندرجه] **contents**
مُندرس /ع./ **worn out; obliterated**
مندرس شدن to be worn out, to wear out
مُندفع [کمیاب] /ع./ **repulsed**
مُنزجر /ع./ = بیزار **disgusted**
مَنزِل [جمع: منازل] /ع./ **lodging, accommodation, house, quarters; halting-place; a day's journey;** [*fig.*] **stage, degree; goal;** خانه ←
منزل اجاره‌ای lodging, diggings, digs
منزل دادن (به) to lodge, to accommodate
منزل کردن to lodge
مُنزَل [مؤنث: منزله] /ع./ **sent down** (from heaven)
مَنزلت /ع./ **rank; esteem**

منزلگاه /ع. فا./ **halting-place; goal**
مَنزله /ع./ = منزلت
به منزلهٔ as, in the rank of; tantamount to
مُنزَوی /ع./ [*n.*] **hermit, recluse;** [*adj.*] **secluded**
منزوی شدن to retire, to live in seclusion
مُنزّه /ع./ **pure, guiltless; infallible; transcendent**
منزّه از free from; superior to
مَنسوب /ص. ع./ **related, allied; imputed, ascribed**
منسوب کردن به to charge with
منسوبین [جمعِ منسوب] /ا./ **relatives;** خویشاوندان ←
مَنسوج[1] [مؤنث: منسوجه] /ا. ع./ **textile, tissue**
منسوج[2] /ص. ع./ = بافته **woven**
منسوجات [جمعِ منسوجه] **textile *or* woven fabrics**
مَنسوخ /ع./ **abolished**
منسوخ کردن to abolish
مَنش **nature, disposition; relish;** رغبت ←
مَنشأ /ع./ **source**
منشأ اثر effective; valid
منشأ اثر نیست it is null and void
مُنشأ [کمیاب، مؤنث: مُنشأه]
مُنشآت [جمعِ منشأه] /ع./ **epistolary writings; compositions**
مِنشاری [کمیاب] /ع./ **saw-like, serrated; denticulate; zigzag**
مُنشعب /ع./ **branching; forked**
مُنشعب شدن to branch out (*or* off)
منشعب کردن to divide into branches
مُنشقّ /ع./ **split, forked**

مَنشور /ع./ **charter; firman, patent; prism**
مُنشی /ع./ = دبیر؛ نویسنده
مَنصب [جمع: مناصب] /ع./ **office, post**
مُنصرف /ع./ **dispensing *or* having dispensed** (with), **abandoning *or* having abondoned the idea**
منصرف شدن to change one's mind, to give up the idea
منصرف شدن از to dispense with
منصرف کردن to dissuade
منصعق [کمیاب] /ع./ **thunderstruck**
مُنصف [مؤنث: منصفه] /ع./ **just, equitable**
هیئت منصفه jury
مُنَصِّف /ع./ = نیمساز **bisector**
منصفانه /ع. فا./ [*adv.*] **equitably, justly;** [*adj.*] **fair, just**
مَنصوب /ع./ **appointed**
به ریاست منصوب شد. *He was appointed chief.*
منصوب کردن به to appoint (as)
مَنصور [اسم‌خاص] /ع./ = پیروز
مَنصه /ع./ [*rare*] **place of exhibition**
به منصهٔ ظهور آوردن to cause to appear
مُنضمّ [مؤنث: منضمه] /ع./ **annexed, joined**
منضم کردن to annex *or* join
مُنضمات [جمعِ منضمه] **annexes, appurtenances**
مُنطبق /ع./ **conforming; applicable; coincident**
مُنطبق بودن با to conform *or* be applicable to
مُنطبق کردن to conforming *or* apply; [*geom.*] to superpose
مَنطق /ع./ **logic**

منطق ارسطو the Organon *or* Organum

منطق نوین the Novum Organon

منطق بافتن [عامیانه] to chop logic

مُنطق [ریاضیات] /ع./ = گویا **rational**

مَنطقاً /ع./ **logically**

منطق‌دان /ع. فا./ **logician**

مَنطقه [جمع: مناطق] /ع./ **zone, area;** [*med.*] **shingles**

مناطق نفت‌خیز oil-producing regions, oil-field areas, oil-fields

منطقةالبروج /ع./ **zodiac**

منطقی /ع./ **logical**

منطقیون /ع./ [جمع منطقی] ← **logicians;**

منظر [جمع: مناظر] /ع./ **appearance; aspect**

دیدن مناظر sight-seeing

(علم) مناظر و مرایا (art of) perspective

مَنظره [جمع: مناظر] /ع./ **view, sight, landscape; scenery; spectacle; appearance**

مُنظم /ع./ **regular**

منظم کردن to put in good order, to give good shape to, to arrange

منظماً /ع./ **regularly**

مَنظور /ع./ [*n.*] **aim, object; intention; expectation;** [*adj.*] **provided for; considered; intended**

منظور داشتن to appreciate *or* remember, to be grateful for

منظور کردن[1] to allow for, to make allowance for, to provide for

منظور کردن[2] to carry (into an account)

منظور نظر aimed at; accepted; favourite

مَنظوم /ع./ **versified**

حکایت منظوم story in verse; ← منظومه

مَنظومه [جمع: منظومات، مؤنثِ منظوم] /ع./ **versified story, poem; system:** منظومهٔ شمسی

مَنع /ع./ **prohibition; forbidding; prevention**

مَنع کردن to prohibit; to check, to prevent

قرار منع تعقیب verdict for staying the proceedings

منعدم /ع./ = معدوم

منعزل /ع./ = معزول

مُنعقد /ع./ **concluded; in session; coagulated**

مُنعقد کردن[1] to conclude: قراردادی منعقد کردند

مُنعقد کردن[2] to hold: جلسه‌ای منعقد کردند

مُنعقد کردن[3] to coagulate: منعقد کردن خون

مُنعکس /ع./ **reflected**

منعکس شدن to be reflected; to resound

منعکس کردن to reflect; to reverberate; *L.* to show *or* mention

مُنعم [ادبی] /ع./ [*adj.*] **beneficent; rich;** [*n.*] **rich man**

مِن‌عندی [زبان لاتی] /عـف./ = من درآوردی

منغص /ع./ **disturbed**

منغص کردن to disturb; to mar; to damp

منغمز /ع./ **serrated:** نبض منغمز

من‌غیرِ رسم /ع./ **unofficially**

مُنفجر [مؤنث: منفجره] /ع./ **exploding, exploded, detonating, bursting out**

منفجر شدن to explode

منفجر ساختن، منفجر کردن to explode

مواد منفجره explosives

مَنفذ [جمع: منافذ] /ع./ **hole; pore**

مُنفرج [مؤنث: منفرجه] /ع./ **obtuse:** زاویهٔ منفرجه

منفرج‌الزاویه /ع./ **obtuse-angled**

مُنفرد /ع./ **single; solitary; isolated**

منفرداً /ع./ **severally; alone**

مَنفس /ع./ **air-hole, vent; breathing-hole;** ← منفذ

منفسخ [کمیاب] /ع./ **dissolved; cancelled**

منفصل [مؤنث: منفصله] /ع./ **separate; detached; discharged** *or* **dismissed; detachable, separable**

قطعات منفصله detached parts, accesories

ضمیر منفصل separate pronoun (as من in دست‌های من)

منفصل کردن to discharge

منفصل شدن to be discharged

مَنفعت [جمع: منافع] /ع./ **profit; benefit; interest**

منافع دولت the Government's interests

منفعت بردن to make a profit; to derive a benefit

منفعت کردن to make a profit, to gain; to bring *or* yield a profit

به منفعتِ for the benefit of

مُـنفعل [غـلط مشـهور] /ع./ = شرمنده **ashamed**

مُنفعل شدن to be ashamed, to be put to shame

مُنفعل کردن to put to shame

مُنفق /ع./ (one) **who readily gives away his money; almsgiver**

مُنفک /ع./ **separated; removed**

مَنفور /ع./ **hated, detested**
منفورِ همه hated by all
مَنفی /ع./ **negative**
منفی‌باف /ع. فا./ **negativist**
منفی‌بافی /ع. فا./ **negativism**
مُنقاد /ع./ = مطیع
مِنقار /ع./ = نوک **beak, bill**
منقارالغرابی /ع./ **coracoid**
منقاری /ع./ **rostral, rostriform**
بینی منقاری aquiline nose
مِـنقاش /ع./ = موچینه
مَنقبت [جمع: مناقب] /ع./ **virtue, merit, talent**
مُنقبض [مؤنث: منقبضه] /ع./ **contracted**
منقبض شدن to be contracted, to contract, to shrink
منقبض کردن to contract
مُنقرض /ع./ **overthrown, extinct**
منقرض شدن to be overthrown
منقرض کردن to overthrow
مُنقسم /ع./ **divided**
منقسم کردن to divide
مُنقش /ع./ **painted, illuminated**
مُنقش کردن to paint *or* illuminate
مَنقصت [کمیاب] /ع./ **deficiency, loss**
مُنقضی /ع./ **expired, elapsed; overdue**
مُنقضی شدن to elapse *or* expire
موعد آن منقضی شد. It came to maturity.
مُنقطع /ع./ **cut off; interrupted**
منقطع ساختن to cut off; to interrupt
مَنقل /ع./ **brazier, chafing dish**
منقل فرنگی stove

مُنقلب /ع./ **turned; upset; fundamentally changed; stormy**
منقلب شدن to be upset; to be deeply moved; to be changed
منقلب کردن to turn, to change, to transform; to upset; to revolutionize
مَنقوش /ع./ **engraved, carved**
منقوش کردن to engrave, to carve
مَنقوط [مؤنث: منقوطه] /ع./ **dotted** (as the letter ت)
مَنقول /ع./ **movable; narrated, quoted; traditional**
غیرمنقول immovable
منقول از صفحهٔ قبل brought forward
منقول به صفحهٔ بعد carried forward
مُنَقیٰ [کمیاب] /ع./ **cleaned, purged**
بادام منقی، بادام منقا kind of thin-shelled almonds, Jordan almonds
مُنکَر¹ /ص. ع./ **prohibited, unlawful;** [*o.s.*] **denied**
مُنکَر² /ا. ع./ **sin of commission**
مُنکِر¹ /ا. ع./ **denier**
مُنکر² /ص. ع./ **denying; disowning**
منکر شدن to deny, to repudiate
مُنکسر /ع./ **broken; refracted** (as light); [*fig.*] **broken-spirited, depressed**
منکشف /ع./ = مکشوف
مَنکوب /ع./ **vanquished; afflicted**
منکوب ساختن to vanquish
مَنکوحه /ع./ **married** (woman)
مَنگ [عامیانه] **fuddled, confused**

مَنگل **subterranean siphon**
مَنگله، منگوله **tassel, tuft**
مَنگنه **press; perforator; eyelet-ring**
منگنه کردن to press; to perforate
منگنهٔ آبی hydrostatic press
منم زدن [عامیانه] **to be egotistic; to praise oneself;** [*o.s.*] **to say "I am"** ***or*** **"it is I"**
مِـن‌مِـن کردن [عامیانه] **to mutter**
مِنوال /ع./ **manner**
منوچهر [اسم‌خاص]
مُنوّر¹ /ص./ = روشن **illuminated, bright**
منور کردن = روشن کردن
مُنوّر² [اسم‌خاص]
منورالفکر /ع./ = روشنفکر
مَنوط /ع./ **depending, subject**
مَنوط به تصویب او است it depends on *or* is subject to his approval
مُنوّم /ع./ = خواب‌آور **soporific**
جوهر منوم‌افیون [کمیاب] morphine
مَنویّ [مؤنث: منویه] /ع./ **intended**
منویات [جمع منویه] **intentions**
مِنها /ع./، منهای **minus, less**
منها کردن to subtract
مِنهاج [کمیاب، جمع: مناهج] /ع./ = راه **way, manner**
مُنهدم /ع./ **destroyed, demolished; overthrown**
منهدم شدن to be demolished *or* destroyed
منهدم ساختن to destroy *or* demolish; → خراب کردن
مُنهزم /ع./ **routed, put to flight**

منهزم کردن to rout, to put to flight, to defeat

مَنهی [مؤنث: منهیه] /ع./ **forbidden**

منهیات، مناهی [جمع منهیه] **forbidden acts, sins of commission**

مَنی /ع./، **آب‌منی** **sperm**

مُنیر /ع./ **shining, bright**

مُنیره [اسم‌خاص، مؤنثِ مُنیر]

مَنیزی /فر./ **magnesium**

منیژه [اسم‌خاص]

مَنیع /ع./ **inaccessible; lofty**

مقام منیعِ... His Highness *or* His Excellency...

منیف [کمیاب] /ع./ = بلند **eminent**

منی کردن [ادبی] = منم زدن

مو، موی **hair; flaw**

مویِ دماغ [استعاری] nuisance, bore, intruder, gooseberry

مو به مو in detail, to a hair

مو بر بدنم راست شد. My hair stood on end.

مثل موئی که از ماست بکشند as easy as shelling peas, as easy as winking

سرِ مو hairbreadth

مُو **vine**

مَوات /ع./ **waste** *or* **unutilized** (land)

مَوّاج /ع./ **swelling, rough, stormy;** [*fig.*] **fluctuating**

مَواجب /ع./ **salary**

مُواجه /ع./ **confronting, facing, encountering**

مواجه شدن با to meet, to encounter

مواجهه /ع./ (act of) **confronting**

مواجهه کردن با to meet, to confront, to encounter

مواخِذ /ع./ [who calls (another) to account *or* takes him to task]

مواخَذ **liable to be called to account *or* taken to task**

مواخذه /ع./ **calling to account; taking to task, remonstrance**

مواخذه کردن (از) to take to task; to bring to book, to call to account

مَوادّ /ع./ [جمعِ مادّه] ⟵ **materials; articles; products;**

مَوارد [جمعِ مورد]

موازات /ع./ **parallelism, being parallel**

به موازاتِ parallel *or* equivalent to; in a parallel direction with

موازِنه /ع./ **balance, equilibrium**

موازنه کردن to balance

موازنهٔ خود را از دست دادن to be off one's balance, to lose one's equilibrium

موازی /ع./ **parallel**

موازی با، موازیِ parallel to (*or* with)

مَوازین [جمعِ میزان]

مَواشی /ع./ **quadrupeds, cattle**

ماشیه [کمیاب، جمع: مواشی] **walking** (animal)

مواصلت[1] /ع./ **coming together, union;** [*rare*] **interview**

مواصلت[2] [جمع: مواصلات] **communication**

مَواضع [جمعِ موضع]

مواضعه /ع./ **agreement; connivance;** ⟵ قرارداد؛ تبانی

مواظب /ع./ **careful, attentive**

مواظب کسی بودن[1] to take care of someone

مواظب کسی بودن[2] to mind someone, to watch over him

مواظبه [مؤنثِ مواظب] /ع./

نوبهٔ مواظبه quotidian fever

مواظبت /ع./ **attention, care; assiduity, application**

مواظبت کردن to take care of, to watch (over), to mind

مواعد [جمعِ موعد]

مواعظ [جمعِ موعظه]

مواعید ⟵ موعود؛ وعده

موافق /ع./ **agreeable, agreeing; conformable; favourable**

با پیشنهادی موافق بودن to agree to a proposal

با کسی موافق بودن to agree with someone

موافقِ according to

موافقت /ع./ **agreement, consent**

با کسی موافقت کردن to agree with someone

با چیزی موافقت کردن to agree with something

مورد موافقت واقع شد it was approved, it was agreed to

موافقت‌نامه /ع. فا./ **written agreement, letter of agreement**

مواقع [جمعِ موقع]

مـواقعه [کمیاب] /ع./ **fight(ing); sexual intercourse;** ⟵ جنگ

موالید[1] [جمعِ مولود] /ع./ **natality**

موالید[2] /ع./

موالید سه گانه **kingdoms:**

موانست /ع./ **amiliarity**

موانع [جمعِ مانع]

مواهب [جمعِ موهبت]

موبد **Zoroastrian priest**

مؤبد /ع./ = ابدی

موت /ع./ = مرگ **death**

موت کاذب ethargy

مؤتلف /ع./ **oining in a coalition, united**

مؤتلف شدن to coalesce *or* unite

مؤتمن /ع./ **trusted, trustworthy**

موتو **sardine**

موتور /فر./ **engine, motor**

موتورسیکلت /فر./ **motor cycle**

موتوری /فر. فا./ **engine-driven**

دوچرخهٔ موتوری motor bicycle

قایق موتوری motor-boat, launch

موتوریزه /فر./ **motorized**

موتوریزه کردن to motorize

مؤثر [مؤنث: مؤثره] /ع./ **effective; efficacious; touching; forcible**

موثق [مؤنث: موثقه] /ع./ **reliable, authentic**

منبع موثق reliable source

موثقیت /ع./ **authenticity, reliability**

موج [جمع: امواج] /ع./ **wave**

موج زدن to swell (with waves), to roll, to surge; to have a wavy appearance; to undulate

موجب [مؤنث: موجبه] /ع./ [*n.*] **cause, motive;** [*adj.*] **causing; affirmative**

موجب شدن to cause, to occasion, to bring about

به موجبِ according to, by virtue of

موجبات [جمعِ موجبه] /ع./ **causes; means**

موجد[1] /ص. ع./ **causing**

موجد[2] /ا. ع./ **cause; inventor**

موج‌دار /ع. فا./ **wavy; watered:** حریر موج‌دار

موجِر /ع./ **lessor, landlord**

موجز /ع./ **brief, laconic**

موج‌شکن /ع. فا./ **breakwater**

موج‌گیر /ع. فا./ **antenna, aerial**

مؤجل /ع./ **ultimate; not yet due, not matured**

مهر مؤجل deferred dower

موجود [مؤنث: موجوده] /ع./ **existing; available**

موجود داشتن to have in stock

موجود نداریم [عامیانه] we are sold out (of this commodity)

موجودات [جمعِ موجوده] **beings, creatures**

موجودی /ع. فا./ **stock, inventory; cash on hand**

از موجودی out of stock, ex stock

موجودی را رسیدگی کردن to take stock *or* inventory

موجودیت[1] /ع./ **existence**

موجودیت[2] /ع./ **entity**

موجودیت ایران را ثابت کرد. ***He proved that Iran was an entity.***

موجودیت[3] /ع./ **existentialism**

موجه [مؤنث: موجهه] /ع./ **good, acceptable, well-founded**

عذر موجه good excuse

دلائل موجه adequate reasons

غیرموجه poor, unfounded, lame

موجه‌نما /ع. فا./ **plausible, glossy**

موجی /ع. فا./ **wavy; corrugated**

موج‌یاب /ع. فا./ [*phys.*] **detector**

موچینه، موچین **tweezers**

موحد[1] [جمع: موحدین] /ا. ع./ **monotheist**

موحد[2] /ص. ع./ **monotheistic**

موحش [مؤنث: موحشه] /ع./ = ترسناک

مؤخر /ع./ **hinder; latter; delayed; postponed**

مُقدم مؤخر کردن to put the first last, to reverse the order of

مؤخره [کمیاب] /ع./ **hinder part; consequent**

مودار **hairy; flawy, crazed**

مؤدَب /ع./ **polite**

مؤدِب /ع./ **chastiser; educator**

مؤدَبانه /ع. فا./ **politely**

مودّت /ع./ **cordiality; friendship;** ← دوستی

مودت‌آمیز /ع. فا./ **cordial**

مؤدی /ع./ **payer**

مؤدی مالیات، مؤدی مالیاتی taxpayer

مؤذن /ع./ **muezzin: one who calls people to prayer**

موذی[1] [عامیانه] /ع./ **sly, crafty**

موذی[2] /ع./ = زبان‌آور

موذیگری /ع. فا./ **slyness**

مور [ادبی]، **مورچه** **ant**

مثلِ مور و ملخ (swarming) like locusts, numerous

مورّب /ع./ **oblique; diagonal**

مورِث /ع./ **causing**

مورث شدن to cause, to occasion

مورّث /ع./ **legator** *or* **devisor, bequeather**

مورچال **ant-hill;** [*ext.*] **rifle-pit**

مورچه [جمع: مورچگان، ادبی] **ant;** ← مور

سوار مورچه شدن to go at a snail's pace (*or* gallop)

مورچه‌خوار[1] /ا./ **ant-eater**

مورچه‌خوار[2] /ص./ **ant-eating**

مورچه‌سواری **large** (species of) **ant**

مورَخ [مؤنث: مورخه] /ع./ **dated...**

نامهٔ مورخِ... letter dated...

مورِخ [جمع: مورخین] /ع./ **historian**

مورْد **myrtle**

مُورِد [جمع: موارد] /ع./ **instance; case; proper occasion** *or* **place;** [*adj.*] **exposed; liable**

مورد تعقیب liable to prosecution

مورد معامله object of transaction

مورد بازرسی قرار دادن to inspect

بسته است به مورد as the case may be

در مواردی که in cases when

موردانه **myrtle-berry**

مورشناسی **myrmecology**

مورمور [عامیانه] **creeping sensation, horror, shivers**

مورمورم می‌شود. ***I have a creeping sensation. I have the shivers.***

موروث /ع./ **inherited:** ملک موروث

موروثی /ع. فا./ **inherited; hereditary:** ناخوش موروثی

موریانه **termite**

موز **banana; plantain**

موزائیک /فر./ **mosaic**

آجرِ موزائیک terrazzo tile

موزر /فر./ **Mauser**

مَوزِّع /ع./ **distributor**

موزَنی **cutting (*or* cropping) the hair**

ماشین موزنی cropper

موزون /ع./ **rhythmical; well-proportioned; elegant**

موزه /فر./ **museum**

موزیک /فر./ **music, setting**

مؤسَّس /ع./ [مؤنث: مؤسسه] **established, founded;** →

مؤسِّس [مؤنث: مؤسسه، جمع: مؤسسین، مؤسسان] /ع./ **founder, promoter** (of a company); **constituent**

اعضای مؤسس founder members

مجلس مؤسسان Constituent Assembly

مؤسسات [جمعِ مؤسسه]

مؤسسه [جمع: مؤسسات، مؤنثِ مؤسس] /ع./ = بنگاه **establishment, institution**

موسم /ع./ **season; time**

موسمی /ع. فا./ **seasonal**

موسوم به /ع. فا./ **named**

به علی موسوم شد. ***He was named Ali.***

موسَوی /ع./ [*adj.*] **Mosaic; Jewish; descended from Imam Moosa;** [*n.*] **Jew**

موسی /ع./ **Moses**

موسیر **shallot**

موسیقی /ع. ی./ **music**

موسیقیدان /ع. فا./ **musician**

موسیو[1] /فر./ **Mr.** [better say آقای]

موسیو[2] /فر./ = آقا **sir**

موش **mouse**

موش دوپا jerboa

مثل موش آب‌کشیده wet to the skin, dripping wet

موش صحرائی rat; field-mouse

دو موش با هم دعوا کنند خفه میشوند. There is no room to swing a cat in.

مَوَشَّح /ع./ [*adj.*] **adorned;** [*n.*] **acrostic**

موشح کردن to adorn; to give (royal) assent to

موش‌خُرما **ferret, asiatic marmot**

موشک [مصغرِ موش] **rocket; flare; missile**

موشکِ هدایت‌شونده guided missile

موشک هوائی sky-rocket

موشک دواندن to set intrigues on foot, to lay a train; to make mischief; to queer one's pitch

موشکافی **thorough analysis, minute investigation;** [*o.s.*] **hair-splitting**

موشکافی کردن to make a thorough analysis

موشک‌دوانی **making mischief, setting intrigues of foot**

موش‌کور **bat**

موش‌کور زیرزمینی mole

موشور /ع./ = منشور؛ شوشه

موصوف[1] /ص. ع./ **qualified; characterized**

موصوف به صفات حمیده endowed with laudable qualities

موصوف[2] /ا. ع./ **substantive**

موصول /ع./ **joined;** [*gram.*] **relative:** ضمیر موصول

موصی [مؤنث: موصیه] /ع./ **estator**

موصیه estatrix

موصی به /ع./ **egacy**

موصی له /ع./ **egatee** *or* **devisee**

موضع [جمع: مواضع] /ع./ **lace, locality; position**

موضعی /ع./ **ocal; opical:** داروی موضعی

موضوع [جمع: موضوعات، مواضیع کمیاب، مؤنث: موضوعه] /ع./ **ubject(-matter); object; ase**

موضوع بحث atter on hand

مالیات موضوع بحث e tax in question

کالای موضوع پروانه ods covered by the permit

خارج از موضوع out of question, not to the point

از موضوع خارج شدن to digress, to deviate from the main subject

در موضوعِ on the subject of, concerning

موضوع کردن to deduct

موطلائی golden-tressed

موطن /ع./ (place adopted as one's) **motherland *or* home**

موظف[1] /ع./ **bound**

موظف به مراجعت است.

He is bound to return.

موظف[2] /ع./ **stipendiary, paid, salaried**

غیرموظف unpaid

موظف کردن to charge (with a duty)

موعد [جمع: مواعد] /ع./

(fixed) **time; date on which a bill falls due, maturity**

موعظه [جمع: مواعظ] /ع./

sermon; preaching

موعظه کردن = وعظ کردن

to preach

موعود[1] /ص. ع./ **promised**

موعود[2] [جمع: مواعید] /ا. ع./ = وعده

موفق /ع./

successful; ← کامیاب

من موفق شدم بلیط بگیرم.

I succeeded in obtaining or ***managed to obtain a ticket.***

موفقیت /ع./ **success**

موفقیت پیدا کردن to succeed

موقت /ع./ **temporary**

موقتاً /ع./ **temporarily**

موقتی /ع. فا./ **temporary**

موقر /ع./ **grave, dignified, demure; serious**

موقع [جمع: مواقع] /ع./

occasion, (proper) **time; opportunity**

در موقعِ at the time of, in time of; during

در موقعِ لزوم in time of need; on occasion

(در) موقعی که when, at the moment that

موقع را مغتنم شمردن to avail oneself of the opportunity

موقع‌طلب /عف./ **opportunist**

موقعیت /ع./ **situation, position; footing**

موقعیت ندارد که

the circumstances do not allow to

موقف [کمیاب] /ع./ ← جا؛ مقام؛ توقفگاه؛ ایستگاه

موقوف[1] /ع./ **depending, subject**

موقوف به تصویب اوست

it depends on his approval

موقوف[2] /ع./ **suspended**

موقوف[3] /ع./ **abolished, cancelled**

موقوف شدن to be cancelled *or* abolished

موقوف کردن to cancel; to abolish; to stop

موقوف[4] /ع./ **endowed** (as a pious foundation)

موقوف‌علیه /ع./

beneficiary (of an endowment)

موقوفه [جمع: موقوفات، مؤنثِ موقوف] /ع./ **pious foundation, endowed property**

موکب [جمع: مواکب] /ع./

retinue; cavalcade

مؤکد /ع./ **emphatic, strict**

مؤکداً /ع./ **emphatically**

مُوکَل /ع./ **delegated, appointed**

مُوکل کردن to appoint *or* delegate

موکِل /ع./ **client, principal**

موکن = موچینه **tweezers**

موکول /ع./ **depending, subject;** [*rare*] **trusted**

موکول است به ... ***It depends on..., it is subject to...***

موکول کردن to leave; to trust

موکول به بعد کردن

to postpone; to adjourn

مول [کمیاب] **paramour**

مولا ← مولی

مولانا /ع./ **our master *or* lord** [used as a title]

مُولِد [جمع: موالد] /ع./

birthplace

موَلَّد [مؤنث: مولده] /ع./

[*rare*] **born**

مُوَلِّد /ع./ [*adj.*] **producing;** [*n.*] **generator, producer**

مولدات [جمعِ مولده]

those born, births

مُؤَلَّف [مؤنث: مؤلفه]

[*rare*] **compiled**

مُؤَلِّف [جمع: مؤلفین] /ع./

compiler, author

مؤلفات [جمعِ مؤلفه]

compilations, works

مولع [کمیاب] /ع./ = حریص

مؤلم [مؤنث: مؤلمه] /ع./

painful; sad, tragic

مولود[1] /ص. ع./ **born**

مولود[2] [جمع: موالید] /ا. ع./

male child; birth(day)

مولود شدن to be born

موالیدِ سه گانه

the three kingdoms

مولی[1] /ع./ **master, lord** [written also مولا especially when it is followed by the "ezafeh": مولای ما]

مولی‌علیه /ع./ **pupil,** [*law*] **ward**

موم wax

موم کافوری spermaceti

موم معدنی paraffin wax

در دست من مثل موم است.
I have him in my pocket.
I can mould him like wax.
موم اندرآب [کمیاب] **gluten**
موم‌اندود **coated with wax; cerated**
کاغذ موم‌اندود wax-paper
مؤمن [جمع: مؤمنین، مؤنث: مؤمنه] /ع./ **believer; pious man**
مومی **waxen; waxy**
مومی‌الیه [کمیاب] /ع./
above-mentioned (person); [*o.s.*] (person) **hinted at**
مومیائی **mummy; kind of mineral asphalt used as a panacea**
مومیائی کردن to mummify
مؤنت، مؤونت [کمیاب] /ع./
allowance, alimony, money for expenditure
مؤنث /ع./ **feminine**
مونس /ع./ **companion**
موهبت [جمع: مواهب] /ع./
gift; talent
موهوب /ع./ **given, made a gift of**
موهوب له /ع./ **donee**
موهوم [مؤنث: موهومه] /ع./
imaginary; fictitious: منافع موهوم**; superstitious**
موهومات [جمعِ موهومه] /ع./
superstitions
موهوم‌پرست /ع. فا./
superstitious
موهوم‌پرستی /ع. فا./
superstitiousness
موهون [کمیاب] /ع./
weakened
موی ⟵ مو
مؤیَد /ع./ **assisted** (by God), **gifted**
مؤیِد /ع./ [*n.*] **confirmer; one who assists** *or* **favours;** [*adj.*] **confirmatory**

مؤیِدِ اظهارات من است
it confirms my statements
مَویز **large raisins; currant;** *-Note:* this English translation has been coined to serve as a parallel for the Persian; ⟵ قلندر
یک مُویز و چهل قلندر a single bone and a hundred dogs
مویزک **lousewort**
مویه [ادبی] **lamentation; weeping; sad** *or* **mournful verses**
مویی، مویین [ادبی] **hair-like, hairy; capillary**
موئیدن [کمیاب] **to mourn** *or* **weep**
مَه [ادبی، صورت‌اختصاری ماه]
مِه[1] **fog, mist**
هوا (را) مه گرفته است. *It is foggy.*
مِه[2] بزرگ ⟵ **great; elderly;**
مِه /فر./ **May**
مَهابت /ع./ = ترس؛ حرمت
مُهاجِر /ع./ [*n.*] **emigrant** *or* **immigrant** [depending on the standpoint of the speaker]; [*adj.*] **migratory**
مهاجَرت /ع./ **emigration**
مهاجَرت کردن to emigrate
مهاجرنشین /ع. فا./ **colony**
مُهاجم /ع./ **invader**
مَهار **halter, leading rope; moorings, stays, guy**
مهار کردن to halter; to moor; to cap (as a well); [*fig.*] to control
مَهارَت /ع./ **skill; dexterity**
مِه‌آلود **foggy**
مَهام [جمعِ مهمه، مونثِ مهم] /ع./
important affairs
مهبط [کمیاب] /ع./
place of descent
مَهبل /ع./ **vagina**
ورم مهبل vaginitis
مهبلی /ع./ **vaginal**

مَهتاب [صورت اختصاریِ ماهتاب]
moonlight
مهتابی[1] /ص./ **moonlit;**
لامپ مهتابی **fluorescent:**
مهتابی[2] /ا./ **terrace, belvedere**
مُهتدی /ع./ **directed to the right path**
مِهتر[1] [ادبی، صفت تفضیلیِ مه] = بزرگتر **greater, elder**
مِهتر[2] **groom**
مهتری[1] **greatness; eldership**
مهتری[2] **groom's office**
مهتری کردن to groom horses, to work as a groom
مَه‌جبین [ادبی] /فا. ع./ **of a silvery** *or* **moonlike brow**
مَهجور [مؤنث: مهجوره] /ع./
separated; excluded; forlorn obsolete: واژه‌های مهجور
مهجوری [ادبی] /ع./
separation; forlorn state
مَهد /ع./ = گهواره **cradle**
مهدِ آزادی nurse of liberty
مِه‌دار = مه گرفته
مَهدورالدم /ع./
whose blood may be shed with immunity
مهدی [اسم‌خاص] /ع./
مُهذب /ع./ **refined, polished; accomplished**
مَهر، مهریه /ع./
marriage-portion
مِهر[1] [ادبی] خورشید ⟵ **sun;**
مِهر[2] **affection;**
محبت، مهربانی ⟵
مِهر[3] **seventh month having 30 days]**
مُهر **seal, stamp; impression**
مُهر زدن seal
مهر کردن seal (up)
مهر (و) موم کردن seal up with (sealing-)wax; to keep under lock and key

مهر چیزی را برداشتن to remove the seal from something
مهرانگشت fingerprint
مِهربان **kind, affectionate**
مهربانانه **kindly**
مِهربانی **kindness**
باکسی مهربانی کردن
to do kindness *or* be kind to someone
مِهرداد **Mithridates**
معجون مِهرداد mithridate
مُهردار **keeper of a seal, chancellor**
مِهردارو [کمیاب، ادبی]
love-potion
مُهرساز **engraver of seals; counterfeiter**
مهرگان **ancient autumnal festival**
مِهرگیاه، مردم‌گیاه
mandrake, mandragora
مَهرو [ادبی، صورت اختصاری ماهرو]
مُهره **marble; bead;** [*games*] **piece, man, die; vertebra; nut**
پیچ و مهره ***bolt and nut***
مهره‌ها dice
مهره کشیدن to glaze, to gloss, to mangle
مُهره‌ای **beady:** چشمان مُهره‌ای
مُهره‌بازی **playing marbles; thimblerig;** [*fig.*] **deceitfulness**
مهره(و)ماسوره [*mech.*] union, nut and union
مَهریه ← مَهر
مَه‌طلعت [ادبی، صورت اختصاری ماه‌طلعت]
مه گرفتگی **fogginess**
مه گرفته **foggy**
مُهلت /ع./ **respite, extension of time, grace, grace period; reprieve; moratorium**

مَه‌لقا[1] [ادبی] /ص. فا. ع./
moon-faced
مَه‌لقا[2] [ادبی، اسم‌خاص] /ا. ع. فا./
مُهلک /ع./ = کُشنده **fatal**
مَهلکه [جمع: مهالک] /ع./
dangerous place, perilous situation
مهم[1] [مؤنث: مهمه] /ص. ع./
important
مهم[2] /ا. ع./ **important** *or* **serious affair**
مُهمات [جمعِ مهمه] /ع./
munitions, ammunitions
مِهمان **guest; visitor**
مهمان کردن
to treat: مرا به سینما مهمان کرد
مهمانخانه **hotel**
مهمانخانه، اطاق پذیرایی
drawing-room
مهمانخانه‌دار **hotel-keeper, innkeeper**
مهماندار[1] **officer in charge of entertaining foreign visitors/ etc.**
مهماندار[2] = میزبان
مهمانسرا **guest-house**
مهمان‌نَواز **hospitable**
مهمان‌نوازی **hospitality**
مِهمانی **banquet, feast, party, entertainment, reception**
مهمانی کردن to give a party
مُهمل [مؤنث: مهمله] /ع./
[*adj.*] **nonsensical; neglected; obsolete;** [*rare*] **undotted** (as a letter); [*n.*] **nonsense, idle talk**
مُهمل گذاشتن to abandon, to neglect
مهملات [جمعِ مهمله] /ع./
idle talks, balderdash
مِهمیز **spur**
مِهمیز زدن به to spur
مُهندس /ع./ **engineer**

مهندس برق electrical engineer
مهندسِ مکانیک mechanical engineer
مهندسی /ع. فا./ **engineering**
مهوش [ادبی، اسم‌خاص، صورت اختصاری ماهوش]
مُهوّع /ع./ **nauseating**
مِهی [ادبی] = بزرگی **greatness**
مُهیا /ع./ = آماده **prepared, ready**
مهیا شدن to get ready, to prepare (oneself)
مُهیا کردن to prepare, to make ready
مُهیب /ع./ **dreadful, formidable**
مَهیبت [کمیاب] /ع./
cause of fear
مهیج /ع./ **exciting, fiery**
مُهیمن /ع./ **protector, watcher: epithet of God**
مهین[1] /ص./ = بزرگترین
greatest
مهین[2] [اسم‌خاص]
مهینه [ادبی] = بزرگترین
greatest
می [ادبی] **wine**
مئات، مآت [جمعِ مئه] /ع./
hundreds
میادین [جمعِ میدان، /ع./]
میان **middle, centre; interior, inside; waist, loin;** [*math.*] **mean**
(در) میانِ in the middle of; between; among
میان آب‌وآتش between the devil and the deep sea
از میانِ from among(st), out of
از میان برداشتن to eliminate
به میان آوردن to put up for discussion, to raise (a question)

میان کلام شما شکر.[1] [عامیانه] (I am) sorry to interrupt you.

میان کلام شما شکر[2] by the way

میان دعوا نرخ طی کردن to fish in troubled waters

یک در میان every other one

یک روز در میان every other day

دو روز در میان every third day

میان‌بُر [*n.*] **short cut;** [*adj.*] **cut across**

میان‌بُر کردن to cut across, to crosscut; to take a short cut, to cut off a corner

میان‌پرده **interlude**

میان‌تُهی [ادبی] **hollow**

میانجی **mediator**

میانجیگری **mediation**

میانجیگری کردن to mediate; to arbitrate

میان‌چوب **heartwood**

میانسال **middle-aged**

میان‌قد /فا.ع./ **middle-sized**

میان‌گیری [*mil.*] **bracket, ladder;** → میانه‌روی

میانگین **average;** → متوسط

میان‌منزل /فا.ع./ **intermediate stage, link**

میان وزن /فا.ع./ **middle weight**

میانه[1] /ا./ **middle;** [*fig.*] **relations;** [*fig.*] **liaison** [in a bad sense]

میانهٔ دو کس را گرفتن to make it up *or* judge between two persons

میانهٔ دو نفر را به هم زدن to set two persons at variance, to embroil a person with another

میانهٔ ایشان به هم خورد. They came to a rupture.

خاور میانه Middle East

میانه[2] /ص./ **middling, mediocre;** [*math.*] **mean**

قرنهای میانه mediaeval ages

میانه‌آج **bastard:** سوهان‌میانه‌آج

میانه‌رو **moderate; economical**

میانه‌روی **moderation, the golden mean;** [*rare*] **economy**

میانه گیر = میانجی؛ میانه‌رو

میانی **middle, central**

میانین **perineum;** → عجان

میاه [جمعِ ماء] /ع./ **waters**

می‌پرست [ادبی] (one) **who is excessively fond of wine, winebibber**

می‌پرستی [ادبی] **excessive fondness of wine, wine-worship**

میت [جمع: اموات] /ع./ = مرده **dead** (person)

میتیل → متیل

میثاق [جمع: مواثیق] /ع./ = عهد؛ پیمان

میخ **nail**

میخ چوبی peg

میخ زدن to nail

میخ کوبیدن to drive (*or* hammer) a nail

میخانه [ادبی] **tavern**

میخچه **small nail;** [*med.*] **corn**

میخ‌چین **nippers**

میخک **clove**

گل میخک carnation

میخکوب [*adj.*] **nailed** (up); **studded with nails;** [*n.*] **mallet**

میخکوب کردن to stud with nail; to nail (up); [*fig.*] to ensure

میخکوبی **staking; pile-driving; driving nails; stud crossing**

میخوار(گی) = میگسار(ی)

میخوش **subacid**

میخی **nail-shaped; cuneiform**

میدان [جمع: میادین، /ع./] **square, open space; field:** میدان مغناطیسی; **furlong;** [*fig.*] **range; liberty of action**

میدانِ اسب‌دوانی race-course

میدان جنگ battlefield

میدانِ سان parade-ground

میدان طیاره، فرودگاه aerodrome

میدان نوَسان [*phys.*] amplitude

روز میدان [ادبی] field-day, day of battle

از میدان در رفتن to show the white feather

میدانگاه **open space, square**

میده **fine flour**

میر[1] [بن مضارعِ مردن] → مرگ

میر[2] [صورت اختصاری امیر]

میراب **water distributor**

میراث /ع./ **inheritance**

(به) میراث بردن to inherit

میراث‌بَر /ع. فا./ = وارث

میراخور **head-groom, master of the horse, equerry**

میراندن [کمیاب] **to cause to die, to deprive of life;** → کشتن

میرزا[1] [abolished title used before a gentleman's *or* after a prince's name]

میرزا[2] = میرزاده **son of a prince**

میرزا[3] = منشی؛ دبیر

میرزابنویس [عامیانه] **lerk who writes only what s dictated to him, yesman; ack *or* drudge**

میرشکار **naster of the hunt**

میرغضب /فا.ع./ **xecutioner**

میز **able**

میز پاتختی، میز پادیواری de-table

میز تحریر desk
سرِ میز at table
فرهنگ میزی desk dictionary
میزاب[1] **urethra**
میزاب[2] = ناودان
میزان[1] /ع./ [*astr.*] **Libra**
میزان[2] /ع./ [seventh month of the year now called مهرماه]
میزان[3] /ع./ **measure, metre**
میزان[4] /ع./ **amount**
به میزانِ amounting to
میزان[5] [جمع: موازین] /ع./ **basis, standard**
میزان[6] [عامیانه] /ع./ [*adj.*] **round** (as a sum)
میزان کردن to set (as a watch); to adjust *or* regulate, to focus; to tune up (an engine)
میزان[7] [کمیاب] /ع./ = ترازو
میزان‌الحراره /ع./ = گرماسنج
میزان‌الهوا /ع./ = هواسنج
میزانه /ع. فا./ **measure, time, tempo**
چوب میزانه baton
میزانه‌شمار /ع. فا./ **metronome**
میزبان **host(ess)**
میزبانی **duty of a host(ess), entertainment**
میزه = پیشاب **urine**
میزه‌راه **urethra**
میزه‌شناسی [کمیاب] **urinology**
میزه‌نای **ureter**
میسر /ع./ **possible; procurable; easy;** ممکن؛ شدنی ←
میسره /ع./ [*mil.*] **left wing**
میسور [کمیاب] /ع./ **successfully accomplished**
میش **ewe;** گرگ ←
میشن [از ت. میشین] **sheep leather, basil** *or* **basan**
میشوم /ع./ **inauspicious**
میشی [*eye*] **hazel, maroon**

میعاد /ع./، میعادگاه /ع. فا./ [*rare*] **rendezvous**
مَیعان /ع./ **liquidity**
میغ **fog; cloud;** مه؛ ابر ←
می‌فروش [ادبی] **tavern-keeper;** [*o.s.*] **wine-seller**
میکائیل /ع. عب./ **Michael**
میکده [ادبی] = میخانه
میکروب /فر./ **microbe, bacteria, germ**
میکروب‌شناس /فر. فا./ **bacteriologist**
میکروب‌شناسی /فر. فا./ **bacteriology**
میکروب‌کش /فر. فا./ **microbicide**
میکروسکوپ /فر./ **microscope**
میکروفون /فر./ **microphone**
میگسار [ادبی] **winebibber**
میگساری [ادبی] **wine-drinking**
میگو **prawn, shrimp**
مِیل [جمع: امیال] /ع./ **desire, wish; inclination;** [*astr.*] **celestial latitude**
میل ترکیبی [*chem.*] affinity
میل داشتن to like; to wish *or* desire; [*o.s.*] to be inclined (toward)
میل دارم (که) بروم. ***I like to go. I wish to go.***
میل فرمودن [polite substitute for آشامیدن *or* خوردن] to eat *or* drink, to take
با کمال میل most willingly
هرطور میل شما است ***just as you like; suit yourself***
میلم کشید [عامیانه] ***I felt like it; I fancied it***
میل[1] /ع./ **rod, bar, shaft; pin**
میل بافندگی knitting-needle

میل پولوس axleshaft, halfshaft; - *Note:* پولوس is a Russian word
میل جراحی probe, bougie
میل حلقوم probang
میل سگدست king-pin
میل فرمان tie-rod
میلِ قامه فنر shackle-pin
میل‌لنگ crankshaft
میل مجرای بول catheter
میل ورزش Indian club
میل زدن to probe; to catheterize
میل[2] /فر./ **mile**
میلاد /ع./ **birth; Christian era**
پیش از میلاد B.C. [before the birth of Christ]
پس از میلاد A.D. [Anno Domini]
عیدِ میلاد مسیح Christmas
میلادی /ع. فا./ **of the Christian era**
در سال شصت میلادی in the year 60 A.D.
میل‌میلی /ع. فا./ **corded, ribbed**
میله /ع. فا./ **bar, shaft,** [*piston,etc.*] **rod;** [*umbrella*] **rib;** [*bot.*] **filament**
میلهٔ اهرم tommy bar
یاتاقان میله‌ای roller-bearing
میلی [عامیانه] /ع. فا./ [*adj.*] **facultative;** [*adv.*] **of one's free will**
میلیار(د) /فر./ **milliard**
میلیگرم /فر./ **milligramme**
میلیمتر /فر./ **millimetre**
میلیون /فر./ **million**
میلیونر /فر./ **millionaire**
میمنه /ع./ [*mil.*] **right wing**
مَیمون /ع./ **auspicious, happy**
مِیمون = بوزینه **monkey, ape**

گُل میمون snapdragon
مین /فر./ [*mil.*] **mine**
مینا **enamel; blue glass, blue decanter; azure**
گُل مینا aster
میناکار، میناگر **enameller**
میناکاری، میناگری **enamel-work, enamelling**
مینایی **enamelled; glazed; azure**
مین‌جمع‌کن /فر.ع.فا./ = مین‌روب
مین‌روب /فر. فا./ **mine-sweeper**
مین‌گذار /فر. فا./ **mine-layer**
مین‌گذاری /فر. فا./ **mine-laying**
مینو [کمیاب] = بهشت
مینوت /فر./ = پیش‌نویس

مینوسرشت [ادبی] **of a heavenly nature**
مینوی [کمیاب، ادبی] = بهشتی
مینیاتور /فر./ **miniature**
مینیاتورساز /فر.فا./ **miniaturist**
میو **miaou, mewing**
میو (میو) کردن to mew
میوجات ← میوه
میوه [جمع: میوجات، /ع./] **fruit**
باغ میوه orchard
پرورش میوه pomiculture
درخت میوه fruit-tree, fruiter
قند میوه fructose
میوهٔ دل [ادبی] (beloved) child; fruit of the womb
میوه دادن to bear fruit, to fructify

میوه‌خوار **frugivorous**
میوه‌خوری **fruit-bowl**
میوه‌دار **fruit-bearing, fructiferous**
میوه‌فروش **fruitmonger**
مئه /ع./ = سده [جمع: مئات] ← **century;**
میهمان = مهمان
میهن **native land, motherland, native country**
میهن‌پرست **patriot(ic)**
میهن‌پرستانه [*adv.*] **patriotically;** [*adj.*] **patriotic:** احساسات میهن‌پرستانه
میهن‌پرستی **patriotism**
میهن‌دوست = میهن‌پرست
میهن‌فروش **traitor to one's country**

ن

ن [صورت اختصاری نه] [used in making negative verbs]
نمی‌روم. I do not go.
نرو! Do not go!
نا [پی.] in-, un-, etc.
نادرست *incorrect*
ناگفته *unsaid*
ناآزموده **inexperienced**
ناستوار **unstable, unsteady**
ناامن /فا.ع./ **insecure**
ناامنی /فا.ع./ **insecurity**
ناامید **hopeless, desperate**
ناامید شدن to despair, to give up hope
ناامید کردن to disappoint
امید کسی را ناامید کردن [عامیانه] to dash one's hopes
ناامیدی **hopelessness, despair**
نااهل /فا.ع./ **unworthy**
ناب[1] **pure:** زرِ ناب
ناب[2] **clear:** شراب ناب
ناباب **unsuitable, unfit**
نابالغ /فا.ع./ **under age**
نابجا[1] **inopportune**
نابجا[2] [*bot.*] **adventitious**
نابرجا **movable;** ← منقول
نابغه [جمع: نوابغ] /ع./ **genius**
نابکار [کمیاب، ادبی] **wicked; useless**
نابلد /فا.ع./ **unacquainted**
نابود **non-existent; annihilated**
نابود شدن to disappear; to be annihilated
نابود کردن to annihilate *or* destroy
نابهنگام **untimely, inopportune**
نابینا = کور **blind**
نابینایی = کوری **blindness**
ناپاک **unclean**
ناپاکی **uncleanness; pollution**
ناپایدار[1] **transient**
ناپایدار[2] [*phys.*] **unstable**
ناپایداری **transience; instability**
ناپخته، نپخته [عامیانه] = خام؛ نارس؛ ناآزموده
ناپدری **step-father**
ناپدید **invisible; disappeared**
ناپدید شدن to disappear *or* vanish
ناپدید کردن to cause to disappear
ناپرهیزگار **incontinent**
ناپرهیزی **inattention to diet, intemperance;** ← پرهیز
ناپسری **step-son**
ناپسند، ناپسندیده **indecent; disagreeable**
ناپیدا **invisible**
ناتمام /فا.ع./ **incomplete**
ناتمام گذاردن to leave unfinished
ناتنی **of half blood**
برادر تنی half-brother
ناتو [عامیانه] **awkward; hard to deal with**
آدم ناتو awkward customer, hard nut to crack
ناتوان **weak; infirm**
ناتوانی **weakness, debility**
ناجنس /فا.ع./ = بدجنس
ناجوانمرد **coward(ly)**
ناجوانمردانه **as a coward; foul(ly)**
ناجوانمردانه رفتار کردن to play foul
ناجوانمردی **cowardice; foul play**
ناجور **ill-matched, odd; incongruous; uncongenial**
وضع ناجور [عامیانه] bad fix, awkward situation
ناجی [کمیاب] /ع./ **one who escapes *or* is saved;** ← منجی
ناچار، به‌ناچار [*adj.*] **compelled, forced; helpless;** [*adv.*] **necessarily, of necessity**
ناچار شدن to be compelled *or* forced
ناچاری **distress, helplessness**
ناچیز **insignificant; worthless**
ناحق /فا.ع./، **به‌ناحق** [*adj.*] **unjustified, unlawful; undue; false;** [*adv.*] **unlawfully; unjustly; unduly**
ناحیه [جمع: نواحی] /ع./ **district, region; area; ward;** ← بخش

ناخدا **captain** (of a ship)

ناخدا دو

[*navy*] **lieutenant colonel**

ناخدا سه [*navy*] **major**

ناخلف /فا.ع./ **not worthy of his (*or* her) father**

ناخن **(finger-)nail**

ناخن گرفتن to pare (*or* trim) one's nails

ناخن‌خشک [عامیانه] **close-fisted;** ← جوکی؛ خسیس

ناخنک **melilot;** [*med.*] **pterygium;** [*o.s.*] **small nail**

ناخنک زدن to pick (and stéal), to pilfer

ناخنک‌زن، ناخنکی

(one) **who habitually picks *or* pilfers**

ناخن‌گیر **nail-scissors, nail-trimmer**

ناخنی **ungual:** استخوان ناخنی

ناخواسته **unwished**

ناخوانده **uninvited**

ناخوش [*adj.*] **ill, sick; unpleasant, harsh;** [*n.*] **ill person, patient**

ناخوش شدن to fall ill

ناخوش‌آواز [کمیاب] **having an unpleasant voice**

ناخوشی **illness; disease**

نادار، ندار = تهیدست

ناداری، نداری = تهیدستی

نـادان[1] /ص./ **ignorant; foolish**

نادان[2] /ا./ **ignorant person; fool**

نادانی **ignorance; foolishness**

نادختری **step-daughter**

نادِر[1] /ص.ع./ = کمیاب **rare**

نادر[2] [اسم خاص] /ا.ع./

نادرست **incorrect; untrue, false; dishonest**

نادرستی **dishonesty; incorrectness**

نادره [جمع: نوادر، مؤنثِ نادر] /ع./ **rarity, curiosity;** (witty) **anecdote**

نادِم /ع./ = پشیمان

نادیده **unseen**

نادیده پنداشتن، نادیده گرفتن to ignore, to wink *or* connive at; to be indifferent to

نار[1] [ادبی، صورت اختصاری انار]

نار[2] [کمیاب] /ع./ = آتش؛ دوزخ

ناراحت /فا.ع./

uncomfortable; uneasy; inclined to make trouble *or* mischief

ناراحت کردن to inconvenience, to disturb; to worry

ناراحت شدن to worry; to be inconvenienced

ناراحتی /فا.ع./

inconvenience,uneasiness, annoyance; worry

ناراست = نادرست؛ دروغ

ناراسته

indirect; ← غیرمستقیم

ناراستی **falsehood; dishonesty**

ناراضی /فا.ع./ **dissatisfied, displeased, discontent(ed)**

ناردان **dried pomegranate seeds**

نارَس **unripe, green**

نارسا **inaudible; inexpressive**

نارضایتی /فا.ع./

dissatisfaction, discontent

نارفته **unpassed** (as a road)

نارگیل[1] **coconut**

درخت نارگیل coconut palm

نارگیل[2]، نارگیله [کمیاب]

nargileh, hookah; ← غلیان

نارنج (sour) **orange**

نارنجستان **orangery**

نارنجک **grenade, shell**

نارنجی **orange(-coloured)**

نارنگی **tangerine**

نارو [عامیانه] **foul play, nasty trick**

نارو به کسی زدن to play someone a nasty trick, to play him false

نارَوا **inadmissible, unjust; undue**

نارون **elm-tree**

ناز **love-airs; mincing air, affected *or* lackadaisical manners; coquetry**

ناز شست tribute of praise, to prize, to credit

ناز کردن to put on airs; to play hard to get; to be coaxed; to make a fuss; to mince; to feign disdain

ناز کسی را کشیدن to bear someone's airs

گُل ناز humble plant

نازا **barren:** زنش نازا بود

نازایی **barrenness**

نازبالش **small cushion**

نازپرورده **delicately brought up, pampered**

نازدار **affected, lackadaisical; mincing; coquettish**

نازُک **thin; delicate, tender**

نازُک کردن to make thin(ner); to soften (as one's voice)

نازک‌بدن [ادبی] /فا.ع./

of a delicate body

نازک‌دل **tender-hearted**

نازک‌کاری **elaborate work, delicate touch, hair-storke**

نازک‌نارنجی [عامیانه] **hard to please, fastidious**

نازک‌نی **fibula**

نازکی **thinness; delicateness**

نازِل /ع./ low, reduced: قیمتهای نازل ; [*rare*] descending
نازِل شدن = پایین آمدن
نازنین nice, fine, lovely; tender; precious: اوقات نازنین
نازیبا = زشت
نازیدن [بن‌مضارع: ناز] to boast; to exult
نازیدن به to boast of, to plume oneself on
ناس [1] /ع./ = مردم
ناس [2] snuff; ⟵ انفیه
ناساز out of tune, discordant; unhealthy
ناسازگار unwholesome; unsuitable; unsociable; incompatible
ناسازگاری unsociability; incompatibility
ناسپاس unthankful, ungrateful
ناسپاسی ingratitude
ناسِخ [1] /ص. ع./ abrogating
ناسِخ [2] /ا. ع./ abolisher; order superseding previous one; verse abrogating another
ناسره base, bad
ناسزا abusive (language)
ناسزاوار undeserving
ناسُفته [ادبی] unbored; [*fig.*] virgin
ناسک [کمیاب] /ع./ ascetic or devout (man)
ناسوت [کمیاب] /ع./ human nature
عالم ناسوت the earthly world
ناسور [جمع: نواسیر] /ع./ fistula, sinus
ناسوز = نسوز
ناشاد = غمگین
ناشایسته indecent; undeserving

ناشتا fasting, hungry
ناشتایی [1] [*rare*] hunger, fast
ناشتایی [2] = صبحانه breakfast
ناشر [جمع: ناشرین] /ع./ publisher
ناشُکر /فا. ع./ ungrateful (to God)
ناشکری /فا. ع./ unthankfulness or ingratitude (toward God)
ناشکیب، ناشکیبا impatient
ناشکیبائی impatience
ناشمرده indistinct; uncounted or countless; ⟵ نشمرده
ناشناخت disguised, incognito
ناشناس unacquainted; disguised, incognito
ناشنیده unheard(-of)
ناشور wool in the grease; unbleached sheeting
ناشی [مؤنث: ناشیه] /ع./ arising, resulting
ناشی شدن از to arise or spring from, to be prompted by; to issue
ناشی inexpert, unskilful
ناشیگری lack of skill
ناصاف /فا. ع./ uneven; impure
ناصبور(ی) /فا. ع./ = ناشکیبا(ئی)
ناصِح [جمع: ناصحین، نصحا، کمیاب] /ع./ admonitor, adviser
ناصِر [اسم‌خاص] /ع./ assister, friend; defender
ناصرالدین [اسم‌خاص] /ع./ [*o.s.*] defender of the faith
ناصَواب /فا. ع./ = نادرست incorrect
ناصیه [1] /ع./ [*fig.*] mien, appearance

ناصیه [2] [جمع: نواصی] /ع./ = پیشانی
ناطِق [1] /ص. ع./ talking; rational
حیوان ناطق rational being: *i.e.* man
فیلم ناطق talking film
ناطِق [2] /ا. ع./ speaker, orator
ناطقه [1]، قوهٔ ناطقه /ا. ع./ faculty of speech
ناطقه [2] [مؤنثِ ناطق] /ص. ع./
ناطلبیده /فا. ع./ = ناخوانده
ناظِر [1] /ص. ع./ seeing, watching; controlling
عضو ناظر [*law*] official receiver
ناظِر [2] [جمع: ناظرین] /ا. ع./ spectator; observer; controller, overseer; ⟵ نظار
ناظر خرج steward
ناظر بودن (به) to see or watch; to govern or order, to be applicable to
ناظم [1] /ا. ع./ superintendent; regulator
ناظم [2] /ص. ع./ [*line*] normal
ناف navel; [*fig.*] centre
نافذ [1] /ع./ [*o.s.*] penetrating
نافذ [2] /ع./ [*fig.*] binding; valid
نافر [ادبی] /ع./ = بیزار، بی‌میل
نافرمان disobedient
نافرمانی disobedience
نافرمانی کردن to be disobedient
نافع /ع./ = سودمند
نافله [جمع: نوافل] /ع./ supererogatory (prayer)
نافه /ع./ bag of musk
نافهم، نفهم [عامیانه] /فا. ع./ stupid, unintelligent, foolish
نافهمی /فا. ع./ silliness, dullness of understanding

ناقابل /فا. ع./ **insignificant, trifling; unworthy, undeserving;** ناچیز، ناشایسته ←

ناقص [مؤنث: ناقصه، کمیاب] /ع./ **defective:** فعل ناقص **; deficient; imperfect**

قطع ناقص ellipsis

مخروط ناقص truncated cone

هرم ناقص truncated pyramid

ناقص شدن to be mutilated *or* deformed; [*infml.*] to be badly hurt

ناقص کردن to mutilate; to render defective

ناقص‌الخلقه /ع./ **deformed, malformed**

ناقص‌العقل /ع./ = کم‌عقل، بی‌خرد

ناقض[1] /ص. ع./ **violating; cancelling; contradicting**

ناقض[2] /ا. ع./ **violator**

ناقِل [مؤنث: ناقله] /ع./ **conductor; transmitter; narrator; vehicle**

آلات ناقله = نواقل means of conveyance, transport means

ناقُلا [عامیانه] **naughty; cagey, shrewd, cunning, sly**

ناقله[1]، آلت ناقله /ا. ع./ **means of transport;** [جمع: نواقل] ←

ناقله[2] [مؤنثِ ناقل] /ص. ع./

ناقوس /ع./ **gong, bell**

برج ناقوس belfry

ناک[1] /پس./ **meaning "full of"**

ترسناک dreadful

ناک[2] [زبان لاتی] **cleaned out, penniless**

ناکار کردن [*boxing*] **to knock out;** -*Note:* ناکار is perhaps a corruption of the English "knock out"

ناکام **unsuccessful, disappointed**

ناکامی **disappointment, failure**

ناکرده کار [کمیاب] **inexperienced**

ناکس **ignoble** (person); **coward(ly)**

ناکسی **meanness; cowardice**

ناکوک **out of tune**

ناگاه **suddenly**

ناگزیر **having no alternative; inevitable**

ناگزیر بود از اینکه حرف بزند. He could not help speaking.

ناگسستنی [ادبی] **inseparable; permanent**

ناگشا [*bot.*] **indehiscent**

ناگفتنی، نگفتنی **unspeakable, inexpressible, ineffable**

ناگفته **unsaid**

ناگفته نماند که ***let it not remain unsaid that***

ناگوار، ناگوارا **unpleasant; unwholesome; indigestible**

ناگه [ادبی، صورت‌اختصاری ناگاه]

ناگهان **sudden(ly)**

ناگهانی **sudden, unexpected**

نالان **groaning; complaining**

نالایق /فا. ع./ **incapable; unworthy**

نالش[1] **plaintive strain**

نالش[2] = ناله

ناله **groan(ing); complaint**

ناله کردن = نالیدن

آه و ناله groaning and cursing

نالیدن [بن‌مضارع: نال] **to groan, to moan; to lament; to complain**

نالیدن از to groan under

نام **name;** [*ext.*] **fame;** اسم ←

نام بردن to name *or* mention

نام نهادن to name *or* call

نام و نشان name and particulars (*or* address)

به‌نامِ in the name of; on behalf of; by the name of

شخصی حَسَن نام ***a man named Hassan***

به حسن نامی آن را فروختم. I sold it to one Hassan.

نامادری **step-mother**

نام‌آوَر [ادبی] = نامدار

نامبردگان **the above-named persons, they**

نامبرده [*adj.*] **above-named, above-mentioned;** [*n.*] **the above-named person, he *or* she**

نامتناهی /فا. ع./ **infinite**

نامجو **who seeks fame**

نامحدود /فا. ع./ **unlimited;** [*math.*] **indeterminate**

نامحرم /فا. ع./ **not intimate** (enough to have access to the women's apartment)

نامدار **celebrated, famous, illustrated**

نامرادی /فا. ع./ = ناکامی

نامربوط[1] /ص. فا. ع./ **irrelevant; incoherent**

نامربوط[2] /ا. فا. ع./ **abusive language; irrelevant speech**

نامرتب /فا. ع./ **irregular; untidy; muddled up**

نامَرد **coward(ly)**

نامردی **cowardliness, dastardliness, foul play**

نامردی کردن to play foul, to be cowardly

نامرضی /فا. ع./ = ناپسند(یده)

نامرغوب /فا. ع./ **of inferior quality, undesirable**

نامرغوبی /فا. ع./ **undesirability, inferior quality**

نامرئی /فا.ع./ = ناپیدا

نامزد [*adj.*] **engaged, betrothed;** [*n.*] **candidate; fiancé(e)**

نامزد شدن to be betrothed; to be nominated

نامزد کردن to engage; to nominate

نامزدی **engagement**

نامزروع /فا.ع./ **uncultivated**

نامُساعد /فا.ع./ **unfavourable**

نامساوی /فا.ع./ **unequal**

نامستعد /فا.ع./ **untalented**

نامشروع /فا.ع./ **unlawful, illegal**

درآمد نامشروع illicit (*or* immoral) earning

نامطبوع /فا.ع./ **unpleasant, disagreeable**

نامطلوب /فا.ع./ **undesirable, bad**

نامعتبر /فا.ع./ **wanting good reputation; unreliable, spurious**

نامعتمد /فا.ع./ **unreliable**

نامعروف /فا.ع./ **unknown; fameless**

نامعقول /فا.ع./ **irrational**

نامعلوم /فا.ع./ **unknown; uncertain, undecided**

نامعین /فا.ع./ **indefinite; uncertain**

نامفهوم /فا.ع./ **unintelligible**

نامُلایم /فا.ع./ **rough, harsh**

نامِلایمات [عامیانه] /فا.ع./ [from نامِلایم regarded as a noun and pluralized in the Arabic fashion]; **disagreeables**

ناممنون /فا.ع./ **ungrateful**

نامُناسب /فا.ع./ **unsuitable, unfit;** [*price*] **unreasonable**

نامُنظم /فا.ع./ **irregular; fitful**

نام‌نویسی **enlistment, enrolment; registration**

نام‌نویسی کردن to enrol; to register

نامُوافق /فا.ع./ **averse; unfavourable**

نامُوجه /فا.ع./ [*excuse*] **poor, unfounded, lame**

ناموَر [ادبی] = نامدار

ناموزون /فا.ع./ **unrythmical**

ناموس [جمع: نوامیس] /ع./ **principle, law; chastity;** [*ext.*] **one's wife and daughters**

نامه[1] **letter**

نامه[2] [in comb.] **book**

نامه[3] **deed, certificate**

نامه[4] [short for روزنامه]

نامه‌بر **letter-carrier**

کبوتر نامه‌بر carrier-pigeon

نامه‌رسان **postman, post-boy**

دفتر نامه‌رسانی peon-book, dispatch-book

نامهربان **unkind**

نامهربانی **unkindness**

نامه‌نگاری **letter-writing**

نامی = نامدار، معروف

نامیدن [بن‌مضارع: نام] **to name, to call**

نامیده [اسم‌مفعول فعل نامیدن]

نامیسر /فا.ع./ **impossible**

نان **bread**

نان بستنی wafer

نان شیرینی pastry

نان دادن(به) to give daily bread (to), to support

نان به‌هم قرض دادن [*met.*] to "claw each other" [adapted from the English proverb "claw me and I'll claw thee"], to " honour each other like thieves", to assist each other by dishonest means

نان را به نرخ روز خوردن [*met.*] to go with the tide, to be a time-server

نانش توی روغن است. [*met.*] His bread is buttered on both sides.

نان درآوردن، نان پیدا کردن to earn one's bread

نان توش درمی‌آید. [عامیانه] It brings grist to the mill. It is lucrative.

با کسی نان و نمک خوردن to eat salt with a person

درخت نان bread-fruit

نان‌آور **bread-winner, supporter**

نان‌پز = نانوا

نانجیب /فا.ع./ **unchaste, lewd**

نانخور **dependant, dependent**

نان‌دانی، نون‌دونی [عامیانه] **means of earning bread** *or* (illegal) **profit**

نانوا **baker**

نانواخانه **bakery; bakers collectively**

نانوایی **baking bread**

دکان نانوایی bakery

ناو **(war)ship**

ناواستوار [*navy*] **warrant-officer**

ناوبان [*navy*] **lieutenant**

ناوبر **navigator**

ناوبری **navigation**

ناوبری هوایی aeronavigation

ناوتیپ **naval brigade**

ناوچه **small battleship; vedette-boat, picket-boat, scout**

ناودان **downpipe, rain-(water) pipe;** [*mill*] **hopper, feeder**

ناودیس **synclinal**

ناوسروان **naval captain**
ناوسمان **aqueduct**
ناوشکن **destroyer**
ناوک [ادبی] **small arrow**
ناوگروه[1] [*navy*] **brigade**
ناوگروه[2] **flotilla**
ناوه **hod**
ناوه‌کش **hodman**
ناوی[1] /ص./ **boat-like;** [*anat.*] **scaphoid**
ناوی[2] /ا./ [*navy*] **soldier, sailor**
ناویژه **gross:** سودناویژه
ناه **mustiness**
بوی ناه musty smell
ناهار[1] **luncheon**
ناهار[2] [کمیاب] = ناشتا
ناهار[3] = ناآهار ← آهار
ناهارخوری **dining-room**
ناه‌کش **air-drain**
ناهمرنگ **ill-matched**
ناهموار **uneven;** [*fig.*] **disagreeable**
ناهمواری **unevenness**
ناهنجار **rough; crooked; abnormal**
ناهید [اسم‌خاص] **Venus;** ← زهره
نای[1] **windpipe**
دریچه نای epiglottis
نای[2] = نی
نایاب **unobtainable, rare**
نایب[1] [جمع: نوّاب] /ع./ [used as a title of honour] **deputy**
نایب[2] /ع./ [*legation*] **secretary**
نایب[3] /ع./ = ستوان
نایب‌الحکومه /ع./ = بخشدار
نایب‌السلطنه /ع./ **regent, viceroy**
نایب‌رئیس /عف./ **vice-president; deputy-chairman**
نایب‌مناب /عف./ **locum-tenens, vicegerent, deputy**

نائبه [کمیاب، جمع: نوائب] /ع./ **calamity**
نایچه، نایژه **bronchus;** [*o.s.*] **small reed *or* pipe**
ورم نایچه، نزلهٔ نایچه [کمیاب] bronchitis
نایره /ع./ = آتش؛ شعله
نائل /ع./، نایل **attaining**
نائل شدن به to attain *or* obtain
نائـم /ع./ = خواب، خوابیده
نبات[1] /ع./ = گیاه **plant; vegetable**
نبات[2] /ع./ **sugar-candy**
نباتی[1] /ع. فا./ **light buff**
نباتی[2] /ع. فا./ = گیاهی
نبادا = مبادا
نبرد **battle**
نبرد کردن = جنگیدن
نبردگاه [ادبی] **battlefield**
نبردناو **battle cruiser**
نبش /ع./ **exhumation; corner, angle, edge**
خانه‌اش نبشِ خیابان است. ***His house stands at an angle to the street.***
آهن نبشی angle-iron
نبض /ع./ **pulse**
نبض کسی را گرفتن to feel a person's pulse
نبض‌سنج /ع. فا./ **pulsimeter, pulsometer**
نبض‌شناسی /ع. فا./ **sphygmology**
نبض‌نگار /ع. فا./ **sphygmograph**
نبوّت /ع./ **prophecy; prophetic mission**
نُبوغ /ع./ **genius**
نَبوی /ع./ **prophetic; descended from the prophet**
نبی [جمع: انبیاء] /ع./ = پیغمبر
نبید [کمیاب] = نوید؛ نبیذ
نبیذ [کمیاب] /ع./ (date) **wine**

نبیره **great great grandchild**
نبیل [کمیاب] /ع./ **noble; generous**
نبیّه [مؤنثِ نبی] /ع./ **prophetess**
نپُخته = خام؛ نارس
نُت /فر./ [*mus.*] **note**
نتاج /ع./ **breed; progeny**
نتایج [جمعِ نتیجه]
نتراشیده و نخراشیده [عـامیانه، زبان لاتی] **rough-hewn, unlicked, uncultivated**
نتربوق ← ملانتربوق
نترس [عامیانه] **fearless**
سرِ نترس intrepidity, boldness
نتیجه [جمع: نتایج] /ع./ **result; conclusion; issue; great grandchild**
نتیجه دادن to produce a result; to be efficacious
نتیجه گرفتن to conclude; to infer; to get a good result
نتیجه آنکه to sum up
در نتیجه consequently
در نتیجهٔ as a (*or* the) result of
نتیجتاً /ع./ **consequently**
نتیجه‌بخش /ع. فا./ **efficacious, useful**
نثار /ع./ **money scattered at a wedding *or* feast; garnish**
نثار کردن to scatter *or* strew; to offer *or* sacrifice
نَثـر /ع./ **prose**
نثراً /ع./ **in prose**
نجابت /ع./ **noble character, gentleness, chastity**
نجات /ع./ = رستگاری **deliverance, salvation**
نجات دادن = رهانیدن to save, to deliver
کرجی نجات life-boat
نجات‌الله [اسم‌خاص] /ع./ [*o.s.*] **deliverance from God**
نجات‌دهنده /ع. فا./ **saviour, deliverer, redeemer**

نجار /ع./ **carpenter; joiner**
نجار شیروانی roof-truss maker
نجاری /ع. فا./ **carpentry; joinery**
نجاست /ع./ **uncleanness; excrement**
نُجاشی /ع./ **Negus**
نُجباء /ع./ **the nobles, the nobility;** ← [جمعِ نجیب]
نجس /ع./ (ceremonially) **unclean;** ← پلید، ناپاک
نجم [جمع: نجوم، انجم] /ع./ = ستاره
نجوا، نجویٰ /ع./ **whisper**
نجوا کردن to whisper
نجوم [جمعِ نجم، /ع./]
نجوم‌بین /ع. فا./ = ستاره‌شناس
نجوم‌بینی /ع. فا./ = ستاره‌شناسی
نُجومی /ع. فا./ **astronomical, astrological**
تقویم نُجومی almanach
نجیب /ع./ **noble, gentle, chaste;** [*colour*] **soft, sober, quiet;** ← [جمع: نجبا]
نحریر /ع./ = زبردست؛ دانشمند
نحس[1] /ص. ع./ **unlucky, sinister; miserable**
نحس[2] /ا. ع./ = نحوست
نحسان، نحسین [تثنیهٔ نحس] /ع./ **the two unlucky stars,** *i.e.* **Mars and Saturn**
نحسی [عامیانه] = نحوست
نحسی کردن to be miserable (as a child)
نحل [کمیاب] /ع./ = زنبورعسل
نحو[1] [جمع: انحاء] /ع./ **manner, way**
به چه نحو؟ how?, in what manner?
نحو[2] /ع./ **syntax**
نُحوست /ع./ **inauspiciousness, unlucky effect**

نحوه /ع./ **special manner of doing something;** ← نحو
نحوی[1] /ص. ع./ **syntactic**
نحوی[2] [جمع: نحویون] /ا. ع./ **grammarian**
نحیف /ع./ = لاغر، ضعیف
نخ **thread, string; yarn; (sewing-)cotton**
نخ پشم worsted
نخ کردن to thread; to string
نُخاع /ع./ **spinal cord; marrow**
نُخاعی [مؤنث: نخاعیه] /ع./ **medullary**
اشعهٔ نخاعیه medullary rays
نُخاله /ع./ **siftings, bran; rubbish**
نخالهٔ بنائی rubble
نُخبه /ع./ **best part, choice part**
نخ‌تاب = نخ ریس
نخجیر = شکار **prey; hunting**
نخجیر کردن to hunt
نخ‌ریس **spinner; spinning jenny**
نخ‌ریسی **spinning**
نخست [*adj.*] **first;** [*adv.*] **at first**
نخست‌زاده **first-born** (child)
نخست‌وزیر /فا. ع./ **Prime Minister, Premier**
نخستین **first**
نخشب **city in Torkestan, famous for a well near it from which a magician** *or* **sage was said to have raised an imitation of the moon**
نخ کوک **basting(s)**
نخ‌گیر [*sewing-machine*] **thread eyelet**
نخل [اسم جمعِ نخله] /ع./ = درخت خرما **date-palm**

نخلستان /ع. فا./ **palm-grove**
نخلی /ع./ **palmaceous**
نخ‌نما **threadbare**
نخوت /ع./ = خودبینی، غرور
نُخود **pea**
داغ نخود issue-pea
نخود همه آشی بودن to have a finger in every pie
پی نخود سیاه فرستادن to send for yardwide pack-thread, to send on a fool's errand; [*o.s.*] to keep (a child) out of the way *or* get rid of him by sending him to fetch black peas
نخودآب **broth with peas and lean meat, pea-soup; decoction of peas**
نخودچی **chick-pea**
نخودی **pea-shaped; buff** (colour); [*anat.*] **pisiform**
نخودی خندیدن to giggle
نخی /ص./ **cotton:** قماش نخی
نخیل /ع./ **(date-)palm**
نِدا /ع./ **proclamation; voice**
حالت ندا vocative case
حرف ندا interjection
ندار ← نادار
نداری، ناداری **poverty, indigence**
ندّاف [کمیاب] /ع./ = پنبه‌زن
ندامت /ع./ = پشیمانی
ندانسته **unknowingly**
ندانم‌کار [عامیانه] **tactless; inexperienced**
ندانم‌کاری [عامیانه] **lack of experience** *or* **tact**
نُدبه /ع./ = سوگواری، گریه
نُدرت /ع./ **rareness**
به‌ندرت seldom, rarely
ندما [جمعِ ندیم]
ندید بدید [عامیانه] **parvenu, sordid**

ندیده[1] unseen
ندیده[2] [عامیانه] /ا./ great
great great grandchild
ندیم [جمع: ندما] /ع./ boon
companion; king's jester
نذر /ع./ vow; oblation
نذر بستن [عامیانه] = شرط بستن
نذر داشتن to be under a vow
نذر کردن to vow, to dedicate
by a vow; to distribute
charitably
نذری[1] /ع. فا./ vowed;
votive, oblatory
نذری[2] [عامیانه] /ع.فا./ = مجانی
نذیر [کمیاب] /ع./ Nazarite
نر male
نَرّاد /ع./ (great) dicer
نِرخ rate, price
به نرخِ at the rate of
به نرخ روز at the current price
نرخ بستن to fix prices
نرخ بستن بر to rate *or* tariff
نرخ‌بندی rating, fixing
rates, tariffication
نَرد backgammons
نردبان ladder
نردبان دوطرفه pair (*or*
set) of steps
مثل نردبان دزدها [مجازی] lanky
نرده hand-rail,
palisade; → نورد
نرگس [اسم‌خاص] narcissus
نرگسی [kind of dish with eggs
and vegetables]
نَرم soft; smooth; fine;
[*fig.*] mild, gentle
نرم کردن to reduce to
powder, to pulverize;
to soften; to tame; to mollify
نرماده hermaphrodite;
→ ماده، نر
نرم‌بالک malacopterygian
نرم‌تن molluscan; [*o.s.*] of
a soft *or* delicate body

نرم‌تنان [جمعِ نرم‌تن] /ا./
mollusks
نرم‌دل tender-hearted, soft
نرمش suppleness, softness
نرم‌شامه pia mater
نرم‌نرم softly, gently
نرم‌نرمک[1] gradually
نرم‌نرمک[2] = نرم نرم
نرموک = نر ماده
نَرمه soft part; fontanel
نرمهٔ ساق پا calf
نرمهٔ گوش ear-lap,
lobe of the ear
نرمه استخوان
cartilage; → غضروف
نرمی softness, gentleness;
fineness; mildness; leniency
نرمی کردن to behave softly/
gently *or* leniently
به‌نرمی gently *or* softly
نروژ /فر./ Norway
نروژی /فر. فا./ Norwegian
نرّه‌خر [عامیانه] = خرِ نر
he-ass; [*fig.*] burly coarse
fellow
نرّه گاو [عامیانه] = گاوِ نر bull,
ox
نرّه‌غول [عامیانه] giant;
[*o.s.*] male ghoul
نری maleness; virility
نریان stallion
نریمان [اسم‌خاص]
نزار [ادبی] thin, lean
نِزاع /ع./ quarrel, dispute
نزاع کردن to quarrel *or* dispute
نزاکت elegance; courtesy
[word coined from نازک in the
Arabic fashion]
نزدِ near, by the side of;
with: ; کتاب نزد من است.
[*lit.*] in the opinion of
نزدیک near; neighbouring;
at hand; close, approximate;
related

نزدیکِ [*prep.*] near,
close to, by
نزدیکِ دو سال **nearly 2 years**
نزدیک شدن to come near(er);
to draw near, to approach
نزدیک کردن to bring near,
to cause to approach
راه را نزدیک کردن to take a
short cut; [*met.*] to meet one's
end, to go to one's last home
از نزدیک دیدن
to see for oneself
نزدیکان [جمعِ نزدیک] relatives
نزدیک‌بین[1] /ص./
near-sighted, myopic
نزدیک‌بین[2] /ا./ myope
نزدیک‌بینی
short-sightedness,
near-sightedness, myopia
نزدیکی nearness, proximity;
vicinity, neighbourhood;
relationship
در این نزدیکی in the vicinity,
nearby
در همین نزدیکی‌ها shortly,
presently
نزدیکی کردن to lie,
to have sexual intercours
نزع /ع./ agony of death
نزف‌الدم /ع./ = خون‌روی
نزله /ع./ catarrh, rheum
نزلهٔ وبایی همه‌جاگیر [کمیاب]
influenza
نُزول /ع./ descending;
revelation; interest (on
money)
نزول آب سبز glaucoma
نزولِ آب سیاه amaurosis
نزول کردن *vi.* to come
down, to descend; to arrive *or*
lodge; [in speaking of a king
[نزولِ اجلال فرمودن];
vt. [*infml.*] to borrow on
interest

نزهت /ع./ **pleasure, recreation**

نزهت خاطر [ادبی] enlivening of the mind

نِژاد **race; breed:** نژاد اسب

نژادشناس **ethnologist**

نژادشناسی **ethnology**

نژادی **racial**

نـــژند = غـــمگین؛ تـــرسناک؛ خشمگین

نساء /ع./ = زن **woman**

نسّاج /ع./ = بافنده **weaver**

نساجی /ع. فا./ = بافندگی

نسار **place not exposed to the sun**

نسب [جمع: انساب] /ع./ **lineage, parentage**

علم انساب genealogy

نِسبت /ع./ **relation; consanguinity; ratio *or* proportion; regard, respect**

نسبت به as compared with; than; with regard to; relative to, concerning; to(ward)

به نسبت proportionally

به نسبتِ in the proportion of; on a scale of

نسبت دادن to attribut, to impute *or* ascribe

نسب‌نامه /ع. فا./ **genealogy, genealogical tree**

نسبتاً /ع./ **comparatively, relatively**

نَسَبی /ع./ **consanguineous**

قرابت نسبی consanguinity

نِسْبی /ع./ **relative; proportional**

شرکت نسبی proportional liability partnership

نسبیت /ع./ **relativity**

نسترن **sweetbrier, eglantine**

نستعلیق /عف./ **style of writing used in lithography**

نسج /ع./ **tissue, texture**

نَسخ /ع./ **abrogation, abolition; style of writing used in typography**

نسخ کردن to annul, to abolish

نُسَخ [جمع نسخه]

نسختین [تثنیهٔ نسخه] /ع./ **two copies, duplicate**

نُسخه [جمع: نُسَخ] /ع./ **copy;** [*med.*] **recipe, prescription**

نسخه برداشتن از to copy *or* transcribe, to make a copy of

در دو نسخه in duplicate

در سه نسخه in triplicate

نسخه بدل /عف./ **variant**

نسر[1] [کمیاب] /ع./ = دال **eagle**

نسر طایر [*astr.*] Eagle *or* Aquila

نسر واقع [*astr.*] Lyra

نسر[2] [کمیاب] /ع./ = کرکس **vulture**

نسرین، گل نسرین **jonquil**

نسطوری [جمع: نساطره] /ع./ **Nestorian**

نسق /ع./ **mode, manner, style; order; arrangement**

النسق [*astr.*] Orion

کسی را نسق کردن to torture someone by mutilating some part of his body

بر این نسق in this manner

وحدتِ نسق coordination

نسل /ع./ **offspring, seed; generation**

نسلاً بعدِ نسل from generation to generation

نسناس /ع./ **orang-outang**

نسوان /ع./ = زنان **women**

نسوز، ناسوز **fireproof**

آجرِ نسوز fire-brick, refractory brick

پنبهٔ نسوز asbestos

نِـسیان /ع./ = فراموشی

نَسیم **breeze;** [*lit.*] **zephyr**

نِسیه[1] /ص. ع./ **credit transaction, credit sale**

نِسیه[2] /ق. ع./ **on credit, on tick**

نسیه فروختن to sell on credit

نِشا **seedling**

نشا کردن to plant out

نِشادُر **sal-ammoniac, ammonium chloride**

جوهر نشادر aqua ammonia

نشاسته **starch**

نشاسته‌ای **starchy; amylaceous**

نِشاط /ع./ = خوشی **joy, mirth**

نشاط کردن [کمیاب] = خوشی کردن

نشاط آور /ع. فا./ = نشاط‌انگیز

نشاط‌انگیز /ع. فا./ **exhilarating; lively, gay, allegro**

نشاف [کمیاب] /ع./ [*adj.*] **absorbing**

نِشان[1] **mark, trace, sign, token; symptom; decoration, badge, insignia; aim, target**

نشان شیروخورشید order of the Lion and Sun

نشان دادن to show

نـشـان زدن to wear a decoration

نشان کردن to mark (out), to mark off; to select; to aim at; to sight (a gun)

با یک تیر دو نشان زدن to kill two birds with one shot

نشان[2] [بن‌مضارعِ نشاندن]

نشاندار **marked;** [*c.p.*] **prepared**

نِشاندن، نشـانیدن [بـن‌مضارع: نشان] **to seat; to settle; to set, to plant;** [*lit.*] **to shake off** (as dust); [*lit.*] **to wash away;** [*lit.*] **to suppress;** [*lit.*] **to extinguish;** → خاموش کردن

آن زن را نشانده بودند. That woman was in keeping.

نشانده [اسم‌مفعول فعل نشاندن]

نشانگاه **butt, target**

نشانه **indication, sign, token; symptom; aim; butt, target; memento, reminder**

نشانه رفتن to (take) aim

نشانه‌رَوی **aiming, sighting**

دستگاه نشانه‌روی sighting instrument, sight

نشانی **address; indication; token, proof**

به‌نشانی «فلان‌چیز» and the proof *or* password is "such and such a thing"

نشت، نشد **leakage**

نشت کردن to leak *or* ooze

نِشتر ← نیشتر

نشتی، نشدی [*adj.*] **leaky;** [*n.*] **leakage**

نُشخوار کردن **to chew the cud**

نشخوارکننده [جمع: نشخوار‌کنندگان] **ruminant, cud-chewer**

نشدنی **impossible**

نَشر /ع./ **publication; spreading about**

حشر و نشر associating together

نشر کردن = انتشار دادن

نشریه [جمع: نشریات] /ع./ **publication; leaflet**

نِشست **act of sitting; session; subsidence, sinking**

نشست کردن to subside, to settle

نشست و برخاست association

نشستگان [جمعِ نشسته] /ا./ **those sitting, sitters**

نِشستن [بن‌مضارع: نشین] **to sit, to take a seat; to reside; to be quelled,** [*lit.*] **to cease;** ← ساکن شدن

ته نشستن to settle

آب به این زمین نمی‌نشیند. This land is too high to be irrigated.

نشسته[1] [اسم‌مفعول فعل نشستن] (having) **sat**

نشسته[2] /ص./ **sitting**

نشسته[3] /ق./ **in a sitting posture**

نشکنج = نیشگان

نشگرده **cobbler's** *or* **saddler's knife**

نشمرده **uncounted;** [*fig.*] **countless;** ← ناشمرده

نشمه = فاحشه

نشمیدن [کمیاب] **to feast and drink, to live in luxury**

نشنیدنی **unfit to be heard, shocking**

نشنیده = ناشنیده

نَشْو /ع./ **growth**

نشوونما کردن to grow up, to thrive

نُشور /ع./ = رستاخیز

نُشوق /ع./ **errhine**

نَشْوِه /ع./ **inebrity; ecstasy**

نشیب **declivity, descent**

نشید [کمیاب] /ع./ = سرود

نشیمن **dwelling; seat**

نشیمن کردن to dwell; to sit

اطاق نشیمن sitting-room

نشیمنگاه **dwelling-place;** [*bird*] **roost**

نشین[1] /ا./ **anus** *or* **podex**

نشین[2] [بن‌مضارعِ نشستن]

نشئه [صورت تحریف شده نشوه]

نصّ [جمع: نصوص] /ع./ **text**

نِصاب /ع./ **taxable limit; estate, dignity; an Arabic vocabulary with Persian translations in rime**

حد نصاب quorum

نصارا [جمعِ نصرانی] /ع./

نصایح [جمعِ نصیحت]

نَصب /ع./ **erection, installation; appointment**

نصب کردن to erect, to instal; to appoint

نصب‌العین /ع./ **set before the eyes**

نصب‌العین قرار دادن to set before the eyes, *i.e.* to observe

نُصحا [جمعِ ناصح]

نصر /ع./ = یاری؛ پیروزی

نصرالله [اسم‌خاص] /ع./ [*o.s.*] **help from God**

نصرانی [جمع: نصارا] /ع./ **Christian;** [*o.s.*] **Nazarene**

نُصرت [اسم‌خاص] /ع./ = پیروزی؛ یاری

طاق نصرت arch of triumph

نصرت‌الله [اسم‌خاص] /ع./ [*o.s.*] **God's help** *or* **triumph**

نِصف /ع./ **(one-) half**

نصف کردن to cut in two equal parts, to divide in halves; to reduce to half

نصف شب midnight

درد نصف سر hemicrany, migraine

فلج نصف بدن hemiplegia

نصف‌النهار /ع./ [*rare*] **midday;** ← ظهر

دایرهٔ نصف‌النهار meridian

نصفه /ع./ **half; half-done**

نصفه کاره /ع.فا./ **half-finished**

نصفه کاری /ع. فا./ **dividing of profits in equal shares**

نَصوح /ع./ [name of a man proverbial for his sincere repentance]

نصوص [جمعِ نص]

نَصیب /ع./ **portion, share, lot;** [*fig.*] **destiny**

نصیبِ ... شدن to fall to the lot of

موفقیت‌هایی که نصیب ما شد. Successes won by us.
خدا نصیب کند God grant
نصیحت [جمع: نصایح] /ع./ **advice, exhortation, admonition**
نصیحت کردن to admonish
نصیحت آمیز /ع. فا./ **exhortative, admonitory**
نصیر [اسم خاص، جمع: انصار] /ع./ **helper, aid; defender**
نُضج /ع./ **ripening; suppuration**
نضج گرفتن to ripen; to develop; to flourish *or* thrive; [*boil*] to come to a head
نَطاق /ع./ **great talker; orator**
نطاقی /ع. فا./ **oratory**
نطع /ع./ **leathern (table-)cloth**
نُطفه /ع./ **sperm;** [*ext.*] **seed**
نُطق /ع./ **speech; power of speech;** ← سخن، سخنرانی
نطق (ایراد) کردن to deliver a speech
نُظار [جمعِ ناظر] /ع./ **spectators; controllers**
انجمن نُظار election supervisory council
نِظارت /ع./ **control**
نظارت کردن to control *or* supervise
انجمن نظارت election supervisory council
نَظاره[1] /ع./ **looking, watching;** ← نظارت
نظاره کردن = دیدن to see, to watch
نَظاره[2] [جمع: نظارگان] /ع./ **spectator**
نظافت /ع./ = پاکیزگی **cleanliness**

نِظام [اسم‌خاص] /ع./ **order; discipline; the military**
خدمت نظام military service
نظام گرفتن to get into line, to line up; [*lit.*] to be restored to order
نظام وظیفه compulsory military service
سه نظام، چهار نظام [*mil.*] three-jawed, four-jawed
نظامات /ع./ **regulations, rules**
نظامنامه /ع. فا./ **regulation(s);** [*society*] **constitution;** ← آئین‌نامه
نظامی /ع. فا./ **military**
آجرِ نظامی kind of brick 40 centimetres by 40 centimetres
حکومت نظامی military government
قانون حکومت نظامی martial law
دادگاه نظامی court martial, military court
نظائر [جمعِ نظیره، کمیاب] /ع./ **similar cases**
مطبقه و نظائر آن typhoid and the like
نَظَر [جمع: انظار] /ع./ **sight; look; view; opinion; mind; viewpoint; consideration; intention; discretion;** (good *or* evil) **eye**
به نظر من ***in my opinion***
نظر اجمالی glance
نظر انداختن، نظر افگندن [ادبی] to look, to cast a glance
نظر دادن to express one's opinion, to make a comment
نظر زدن ← چشم زدن
نظر کردن بر to look at, to see; to regard
به نظر آمدن to seem, to appear, to look

به‌نظرم رسید که it occurred to me to
در نظر داشتن to have in mind, to bear in mind, to remember; to propose
در نظر گرفتن to take into consideration; to bear in mind; to take into account
با در نظر گرفتنِ taking into consideration, with due regard to
صرف نظر کردن از to dispense with; to waive, to relinquish
تجدید نظر کردن (در) to revise
جلب نظر کردن to attract notice *or* attention
نظر به‌اینکه in view of the fact that, considering that
از نظر اقتصادی from an economic point of view
با نظر مساعد نگریستن to view favourably
تحتِ نظر under police surveillance
تحتِ نظرِ under the supervision of, sponsored by
حسن نظر good opinion, favourable attitude
نظر به چپ! [*mil.*] Eyes left!
نظراً /ع./ **apparently; by sight**
نظرباز /ع. فا./ **ogler**
نظربازی /ع. فا./ **ogling**
نظربلند /ع. فا./ **liberal, magnanimous, high-minded**
نظرتنگ /ع. فا./ **illiberal, narrow-minded**
نظرتنگی /ع. فا./ **illiberality, insularity**
نظرکرده /ع. فا./ **favoured** *or* **favourite**
نظرگاه /ع. فا./ **viewpoint**
نظری /ع. فا./ **theoretical; speculative**

لاهوت نظری dogmatic theology
نظریات [جمعِ نظریه]
نظریه [جمع: نظریات] /ع./ **view, recommendation, suggestion**
نظریه دادن to express one's views, to make a comment
نظم /ع./ **good order; verse, poetry**
نظم دادن (به) to restore order in; to give good shape to
به نظم درآوردن to versify
نظیر /ع./ = مانند **equal, like, parallel**
نظیر ندارد ***it is unparalleled***
نظیر قضیهٔ شما است it is similar (*or* analogous) to your case
مراعات نظیر poetical congruity
نظیرالسمت /ع./ [*astr.*] **nadir**
نظیره [کمیاب] /ع./ **example; similar thing;** ← [جمع: نظائر]
نظیف /ع./ = پاک **clean**
نعال [جمعِ نعل]
نَعت /ع./ **epithet; description; praise**
نعره /ع./ **cry, clamour, roar;** (applauding) **shout**
نعره زدن to cry *or* roar
نعش /ع./ **corpse; coffin;** [*theatre*] **dummy**
نعش‌کش /ع. فا./ **hearse**
نعل [جمع: نعال، کمیاب] /ع./ **horseshoe**
نعلِ درگاه lintel
نعل کفش shoe plate
نعل وارونه [استعاری] false colours
نعل وارونه زدن to show false colours, to misrepresent facts (by deceitful means)
نعل کردن[1] to shoe
نعل کردن[2]، نعل زدن to calk

یکی به میخ و یکی به نعل زدن to run with the hare and hunt with the hounds
نعلبکی **saucer**
نعلبند /ع. فا./ **shoesmith, farrier**
نعلبندی /ع. فا./ **farriery**
نعلکی /ع. فا./ **heel(-piece), heel-tap**
نعلین [تثنیهٔ نعل] /ع./ [kind of babooches]
نَعَم [کمیاب] = بله **yes**
نِعَمْ، نعمات [جمعِ نعمت]
نِعم‌البدل /ع./ **an excellent *or* better substitute**
نعم‌المطلوب /ع./ **so much the better**
نِعمت [جمع: نعم، نعمات] /ع./ **affluence, riches; easy life; blessing, gift, favour; talent**
نعمت‌الله [اسم‌خاص] /ع./ [*o.s.*] **God's gift**
نعنا(ع) /ع./ **spearmint**
نعناعِ آبی dittany
جوهر نعناع خشک menthol
نعوذبالله /ع./ **God forbid; save us/ Good Lord!;** [*o.s.*] **we seek refuge in God**
نُعوظ /ع./ **erection**
نعوظ با شدتِ شبق [کمیاب] satyriasis
نعوظی /ع./ **erectile**
عضلهٔ نعوظی erectile muscle, erector
نعیب [کمیاب] /ع./ = غارغار
نعیم [اسم‌خاص] /ع./ **luxury, pleasure; blessing**
جنات نعیم = بهشت
نغز **excellent; marvellous**
نغمه [جمع: نغمات] /ع./ **melody**
نغمه تازه‌ای ساز کردن to say a different thing *or* offer a new excuse

باز نغمهٔ تازه‌ای ساز کرد. There he goes again!; ← ساز کردن
نغمه‌پرداز [ادبی] /ع. فا./ **musician**
نغمه‌سرا [ادبی] /ع. فا./ **singer**
نغمه‌سرایی /ع. فا./ **singing**
نِفاس [کمیاب] /ع./ = زایمان **childbirth;** [*med.*] **lochia**
نفاست [کمیاب] /ع./ **preciousness**
نفاسی /ع./ **lochial; puerperal**
نفاق /ع./ **discord; hypocrisy**
نِفاق انداختن to sow discord
نفائس [جمعِ نفیس] **precious articles**
نفت **oil, petroleum**
نفت سفید، نفت لامپا kerosene
نفتِ سوختی fuel oil
نفتالین /فر./ **naphthaline**
نفت‌اندازی [کمیاب] [game of lighting the two ends of a stick which is then turned rapidly round the finger]
نفت‌سوز **oil-burner**
نفت‌کش، اتومبیل نفت‌کش **tanker lorry, oil tank car**
کشتیِ نفت‌کش oil tanker
نفتی [*rare*] **oily; produced from petroleum**
مواد نفتی، محصولات نفتی oil products
نفخ /ع./ **blowing; swelling**
نفخ شکم tympanites, meteorism
نفخ کردن to swell; to be flatulent
نفخه /ع./ **a blowing *or* blast**
نفر /ع./ **individual, person** [placed between a numeral and a noun denoting the name of a person]
سه نفر محصل three students

سه نفرِ آنها، سه نفر از آنها three of them
نفر اول the first *or* the best one
من یک نفر I for one
ماشینِ هفت نفره seven-seater
نفرات /ع./ **soldiers, militaries;** → [جمعِ نفر]
نفرت /ع./ **aversion, disgust**
نفرت داشتن از to hate
نفرت‌انگیز /ع. فا./ **disgusting**
نفرین **curse;** → دشنام
نفرین کردن to curse, to imprecate
نَفَس [جمع: انفاس] /ع./ **breath; breath of air, breeze;** [*fig.*] **moment**
نفس برآوردن[1] [ادبی] to open one's lips, to breathe, to speak
نفس برآوردن[2] [ادبی، کمیاب] to heave a sigh
نفس زدن to breathe
نفس کشیدن to breathe
نفس‌نفس زدن to pant *or* gasp for breath
نفسش از جای گرم بلند می‌شود. He is blind to the difficulties.
از نفس افتادن to get out of breath
نفس تازه کردن to get a fresh breath of air, to rest (and refresh oneself)
نفست در بیاد! [زبان لاتی] Spit it out!
نفس کشیدن یادش رفت. [زبان‌لاتی] He resigned his breath.
نَفْس[1] /ع./ **self**
نَفْس[2] /ع./ **soul, person;** → [جمع: نفوس]
نَفْس[3] /ع./ **essence**
نَفْس[4] /ع./ **passions**

نفس کشتن [ادبی] to mortify one's passions
به‌نفسه personally, in person
فی‌نفسه in itself, intrinsically
نفس‌الأمر /ع./ **essence of a thing, the thing itself**
نفسانی /ع./ **sensual, carnal**
نفسانیت **sensuality**
نفس‌پرست[1] /ع. فا./ **sensual, carnal**
نفس‌پرست[2] /ع. فا./ = خودپرست
نفس‌پرستی /ع. فا./ = شهوت‌پرستی؛ خودپرستی
نفس‌تنگه، نفس‌تنگی /ع. فا./ **asthma**
نفس‌کش /ع. فا./ **vent; stair-head, landing; living being,** [*infml.*] **soul**
نفع /ع./ **profit; benefit; interest;** → سود
به نفعِ in the interests of; for the benefit of
نفع بردن[1] to benefit
نفع بردن[2]، نفع کردن to make a profit
نفع رساندن to do good; to be useful
نفع رساندن به to benefit
نفقه /ع./ **alimony; subsistence**
نِفله شدن [عامیانه] **to be wasted** ***or*** **spoiled; to die pitifully**
نفوذ /ع./ **penetration;** [*fig.*] **influence**
تحت نفوذ قرار دادن to influence
نفوذ کردن to penetrate
اِعمال نفوذ کردن to use one's influence, to exercise influence
اعمال نفوذ ناروا undue influence
نَفور [کمیاب] /ع./ = بیزار، متنفر

نفوس /ع./ **population**
نفوسِ بد زدن [عامیانه] to forebode an evil; → [جمعِ نَفْس]
نفی /ع./ **negation;** [*gram.*] **negative**
نفی کردن to negate, to deny
نفی بلد کردن = تبعید کردن
نفیِ در نفی double negative, two negatives
نفیر /ع./ (sound of a) **trumpet**
نفیر کشیدن to snore; to blow a trumpet
نَفیس [جمع: نفائس، مؤنث: نفیسه] /ع./ **precious; exquisite;** → پربها، گرانبها
نِقاب /ع./ **mask; black veil**
نقاب زدن to wear a mask
نقابت /ع./ = ریاست، بزرگی
نقابدار /ع. فا./ **masked; veiled**
نقاد /ع./ **critic; assayer**
نقادی /ع. فا./ **criticism; critique; assay**
نقادی کردن to act as critic
نِقار /ع./ = دشمنی؛ کینه
نقاره /ع./ **kettledrum**
نقاره زدن to beat the kettledrum
نقاره‌خانه /ع. فا./ [place where the drums are beaten at fixed intervals]
نقاش /ع./ **painter; portraitist**
نقاشخانه /ع. فا./ **painter's studio; picture-gallery**
نقاشی /ع. فا./ **painting; drawing; picture**
نقاشی کردن to paint; to draw
نقاط [جمعِ نقطه]
نقال /ع./ **narrator;** [*rare*] **conveyor**
نقاله [مؤنثِ نقال] /ع./ **protractor**
سیم نقاله aerial ropeway

سیم نقالهٔ الکتریکی telpher line
نقاهت /ع./ **convalescence**
نقائص [جمعِ نقیصه]
نقب /ع./ **burrow; tunnel; mine**
نقب افقی [*mining*] gallery
نقب زدن to burrow *or* mine
از زیر نقب زدن to undermine
نقب‌زن /ع. فا./
[*adj.*] **burrowing;**
[*n.*] **burrower; house-breaker**
نقد[1] [جمع: نقود] /ا. ع./ **cash**
نقد[2] /ق. ع./ **for cash**
نقد فروختن to sell for cash
نقد کردن to cash
نقد[3] /ص. ع./، پول نقد **cash, ready money**
به نقد[1] already, at present
به نقد[2] = نقداً
نقداً /ع./ **in cash, for cash; for the time being ;on the spot**
نقدی /ع. فا./ [*adj*] **cash: paid *or* to be paid for in cash; pecuniary:** مجازات نقدی**; monetary**
غیرنقدی non-monetary, non-pecuniary
نقدینه /ع. فا./ **cash, precious articles**
نِقرس /ع./ **gout**
نقرس دست chiragra
نقرسی /ع. یا ع. فا./ **gouty**
نُقره /ع./ = سیم **silver**
نقره‌آبی /ع. فا./ **bluish-white**
نقره‌آلات /عف./ **silverware**
نقره‌ای /ع. فا./ **silver(y), argentine; silver-white**
نقره‌داغ کردن [عامیانه] /ع. فا./
to fine, to blackmail;
[*o.s.*] **to cauterize by silver** (money)
نق‌زدن [زبان لاتی] **to nag and murmur**

نقش [جمع: نقوش] /ع./ **design, drawing; trace; painting; impression, print; part, rôle**
چه نقشی ایفا کرد؟
What part did he play?
نقش آوردن [عامیانه] to have a lucky hand *or* throw; [*ext.*] to have a lucky hit, to be lucky
در نقشِ as, playing the part of
نقش بستن to be imprinted; to be formed *or* designed
نقش کردن to draw, to paint
نقشِ بر آب کردن to bring to nought, to knock on the head, to frustrate
نقشِ زمین شدن to measure one's length, to come a cropper
نقش‌بند [کمیاب، ادبی] /ع. فا./ = نقاش
نقشه /ع./ **plan, drawing; map**
نقشهٔ دریایی chart
نقشه کشیدن to draw a map *or* plan; [*fig.*] to design
نقشه‌بردار /ع. فا./
topographer; surveyor
نقشه‌برداری /ع. فا./
topography; survey
نقشه‌کش /ع. فا./ **draftsman**
نقشه‌کشی /ع. فا./ **drawing**
نقص /ع./ **deficiency, defect; decrease**
نُقصان /ع./ **deficiency; decrease; shortage, deficit**
نقصان پذیرفتن = کم شدن
to be decreased
رو به نقصان گذاردن to be in decrease, to begin to decline
نقض /ع./ **breach, violation**
نقض عهد perjury
نقض کردن to violate; to reverse

نُقَط [جمع نقطه] /ع./ **points *or* dots;** ← ملانقطی، نقاط
نُقطه [جمع: نقاط] /ع./ **point, dot; spot, locality;** ← نقط
نقطهٔ اتکاء fulcrum
نقطهٔ مقابل reverse, opposite
نقطهٔ نظر point of view
نقطهٔ گذاشتن to point *or* dot
در بعضی نقاط in certain parts
نقطه‌چین /ع. فا./ **dotted**
نقطه‌چین کردن to dot, to mark with dots
نقطه‌دار /ع. فا./ **dotted, pointed**
نقطه گذاری /ع. فا./ **dotting; punctuation**
نقطه‌گذاری کردن to dot *or* point; to punctuate
نَقل /ع./ **conveying, transport; transfer; transmission; quotation; narration**
نقل کردن to narrate; to convey; to quote
نقل قول کردن to quote *or* cite
نقل مکان کردن to remove, to shift to a new place
او خیلی نقل دارد. [عامیانه]
There is much to tell about this man.
نقلی ندارد [عامیانه] it doesn't matter, don't worry
نُقـل /ع./ **sugar-plum, comfit**
نقل مجلس the life and soul of a party
نَقلاً /ع./ **traditionally; according to the Scriptures**
نقلی /ع./ **traditional; scriptural**
ماضی نقلی historic past, *C.E.* present perfect
نقلیه [مؤنثِ نقلی] /ع./
transport (service)

وسائط نقلیه، وسائل بارکشی transport means

نقود [جمعِ نقد]

نقوش [جمعِ نقش]

نقوعی [کمیاب] /ع./ = نمرو

نقی [اسم‌خاص، معنای حقیقی] /ع./ = پاک

نقیب [کمیاب، جمع: نقبا] /ع./ **chief, leader; apostle**

نقیصه [جمع: نقایص] /ع./ **defect *or* deficiency, lacuna**

نقیض /ع./ **contradictory** (remark), **contrary, opposite**

نقیضه [جمع: نَقایض] /ع./ **contradictory remark *or* judgement**

نَک [ادبی] = اینک

نکات [جمعِ نُکته]

نکاح /ع./ **marriage**

عقد نکاح marriage contract

زنی را به عقد نکاح درآوردن to marry a woman

نکبت /ع./ **adversity; abomination**

نکبت‌زده /ع. فا./ **stricken by adversity**

نُکته [جمع: نکات] /ع./ **point; witticism; epigram**

نکته گرفتن to cavil; to make a nice distinction

نکته‌سنج /ع. فا./ **witty, sagacious; ingenious**

نکته‌گیر /ع. فا./ **caviller; critic**

نکته‌گیری /ع. فا./ **cavilling**

نُکث [کمیاب] /ع./ **breaking a promise**

نکرده‌کار [عامیانه] = ناکرده‌کار

نکره[1] /ع./ **indeterminate noun**

یاء نکره the indefinite article ی as in:

مردی a man

نکره[2] [زبان لاتی] /ع./ **thick-set and clumsy, lumpish** [from نکره in the preceding entry]

نُکس /ع./ **relapse; decline**

نِکو [ادبی، صورت‌اختصاری نیکو]

نُکول کردن /ع./ **to dishonour** (a bill); **to abstain**

از حرف خود نکول کردن to go back on one's word, to back out

نِک و نال [زبان لاتی] **nagging and complaining (*or* groaning)**

نکونام [ادبی] = نیکنام

نِکوهش **blame, reproach**

نکوهش کردن to blame *or* reproach

نکوهیدن [کمیاب] **to blame; to despise**

نکوهیده **blameworthy**

نَکهت [ادبی] /ع./ **breath; odour**

نکیر /ع./ [name of an angel who with his companion angel Monkar interrogates the dead person in his tomb]

نگار[1] [ادبی] **picture, painting**

نگار کردن to paint, to depict

نگار[2] [ادبی] **sweetheart *or* mistress**

نِگار[3] [بن‌مضارعِ نگاشتن]

نگارخانه [ادبی] **picture-gallery;** ← نقاشخانه

نِگارش **writing; painting**

نگارشِ حییم written *or* compiled by Haim

ادارهٔ نگارش Department of Publications

نگارنده **writer, I the present writer; [*rare*] painter**

نگاره **figure;** ← شکل

نِگاری **reticulum; pipe used for smoking juice prepared from opium residue**

نگارین [ادبی] **beautiful mistress; [*o.s.*] painted *or* dyed**

نگاشتن [ادبی، کمیاب، بن‌مضارع: نگار] **to write; to paint *or* draw**

نگاشته[1] [*n., rare*] **writing; letter**

نگاشته[2] [اسم‌مفعول فعل نگاشتن]

نگاه **look**

نگاه داشتن، نگهداشتن to hold; to keep; to support; to observe; to prevent; to preserve; to retain

نگاه کردن *vi.* to look; *vt.* to see, to observe

به من نگاه کنید. Look at me.

نگاه کن!، نگاه کنید! [عامیانه] Look here!; I say!; be careful!

نگاهبان **watchman, sentinel**

نگاهبانی **watch, guard**

نگاهداری، نگهداری **keeping; maintenance; safe custody; observance**

نگاهداری کردن to keep, to have custody of; to support, to sustain

نگر [بن‌مضارعِ نگریستن]

نِگران **anxious, uneasy, exercised; [*o.s.*] looking**

نگرانی **anxiety**

نگرانی داشتن to be anxious *or* concerned

نگریستن [ادبی، بن‌مضارع: نگر] **to look, to see; to view**

نگفتنی ← ناگفتنی

نِگون [ادبی] **turned upside down; [*fig.*] adverse**

نگون کردن to turn upside down

نگون‌بخت [ادبی] = بدبخت

نگون‌سار [ادبی] **turned upside down**

نگه [ادبی، صورت‌اختصاری نگاه]

نگاه داشتن، نگهداشتن ← نگاه

نِگهبان **guard(sman); watchman; half-back**

نگهبانی **watch, guard**

نگهبانی کردن to watch *or* guard

افسر نگهبانی orderly officer

نگهدار **keeper, preserver, protector; custodian**

خدانگهدار! good-bye!

نگهداری ← نگاهداری

نگهداشت[1] **maintenance**

نگهداشت[2] = نگهداری

نِگین **stone, bezel, signet;** [*bot.*] **key-fruit**

زیر نگین درآوردن to subdue

نم[1] /ا./ **moisture, humidity**

نم، شبنم dew

نم کردن[1] to moisten, to make damp

نم کردن[2] [زبان لاتی] to reserve, to prepare beforehand

نم کشیدن to be damaged by moisture

فرانسه‌اش کمی نم کشیده است. [زبان لاتی] His French is a little rusty.

نم پس دادن to infiltrate moisture

نم پس ندادن [زبان لاتی] to be close-fisted

نم[2] /ص./ = نمسار

نما[1] [*n.*] **facing, façade; outward appearance; chart;** [*math.*] **exponent;** [*fig.*] **look, aspect**

نمای بخاری mantelpiece

نما[2] [بن مضارعِ نمودن]

نَماء[1] /ع./ **growth;** ← نشو

نماء[2] /ع./ **product**

تملک نماء [*law*] accession

نماز **prayer**

نماز خواندن، نماز کردن، نماز گزاردن to pray, to say one's prayers

نمازخانه **church**

نمام /ع./ = سخن‌چین

نمایان **visible, apparent**

نمایاندن **to show, to indicate**

نمایش **representation, exhibition, show, play; appearance**

نمایش هندسی graphic representation, graph

در معرض نمایش on view, open to public inspection

نمایش دادن to show, to exhibit, to represent; to show off; to give a show

به معرض نمایش گذاشتن to present, to show, to exhibit

نمایشگاه **fair, place of exhibition, display room**

نمایشگاه جراحی operation theatre

نمایشنامه **play(-book)**

نمایندگان [جمعِ نماینده]

نمایندگی **agency; representation, delegation**

به نمایندگیِ[1] representing, (acting) on behalf of

به نمایندگیِ[2] *C.E.* represented by

نماینده [جمع: نمایندگان] **representative; agent; indicator;** [*math.*] **exponent; index**

نمایندهٔ مجلس deputy (of the Parliament), member of Parliament [M.P.]

هیئت نمایندگان سیاسی diplomatic body (***or*** corps), corps diplomatique

نَمد[1] **felt**

نمد مالیدن to make felts

کلاه نمد felt hat

نَمد[2] **felt carpet**

ما را هم از این نمد کلاهی. Where is our cut? [often referring to a share in illicit gains]

نمدار **moist, wet**

نمدزین **woollen saddle-cloth**

نمدمال **felt-maker**

نمدی[1] /ص./ (made of) **felt**

نمدی[2] /ا./ **kind of felt jacket worn by shepherds**

نمدی آفتاب کردن [عامیانه] to be allowed a chance to look after one's own interest

نمدیده **damaged by moisture; moist**

نَمرو **infusorial**

نُمره[1] [از فر. numéro] **number; No.; private cubicle in a public bath**

نمره زدن to number

حمام نمره public bath with private cubicles

نمره[2] [جمع: نمرات، /ع./] [*school*] **mark**

نمره‌دار /فر. فا./ **numbered**

نمره‌زنی /فر. فا./ **numbering**

ماشین نمره‌زنی numbering machine

نمره گذاری /فر.فا./ **numbering**

نِمس [کمیاب] /ع./ **ichneumon**

نمسار **damp, moist**

نم‌سنج **hygrometer**

نَمسه /ت. ر./ **Austria** ***or*** **Germany**

چای نمسه Javanese tea

نَمط [ادبی] /ع./ **manner**

بدین نمط، بر این نمط in this manner

نمک **salt;** [*fig.*] **charm**

نمک ترکی rock-salt

نمک تیزاب nitrate

نمک میوه fruit-salt

جوهر نمک hydrochloric acid

نمک بر زخم کسی پاشیدن to put one's finger in another's sore, to rub it in, to aggravate one's sad condition

حق نمک ties of hospitality; → نمک‌خوارگی

نان و نمک خوردن to eat salt, to break bread

نمک زدن، نمک کردن to salt

نمک‌به‌حرام /ع. فا./ = نمک‌نشناس

نمک‌پاش **salt-sprinkler**

نمک‌پرورده **brought up** *or* **fed by another**

نمک‌خوارگی **gratitude due to hospitality received**

نمکدان[1] **salt-cellar**

نمکدان[2] [humorus] **one who makes flat jokes, one who has inelegant habits**

نمک‌زار **salt-marsh**

نمک‌زده **salted**

نمک‌سود، نمک‌سوز [عامیانه] **pickled with salt, preserved in brine**

نمک‌شناس **grateful**

نمک‌شناسی **gratitude**

نمک‌فرنگی، نمکِ فرنگی **sulphate of sodium** *or* **sulphate of magnesium;** -*Note:* the former was known as نمک فرنگیِ مصنوعی and the latter as نمک فرنگی اصل

نمک‌گیر **bound by ties of hospitality**

نمک‌نشناس، نمک‌ناشناس **ungrateful**

نمک‌نشناسی **ingratitude**

نمکین **salty, saline;** → با نمک

نمناک **damp, humid**

نم‌نم **in fine drops**

نم‌نمِ باران drizzling-rain

نُمُوّ /ع./ = رشد **growth; development**

نموّ کردن to grow (up)

نمود **appearance**

نمودار [*adj.*] **apparent, visible;** [*n.*] **graph**

نمودار شدن to appear

نمودار بارزی است از... it represents a graphic picture of *or* speaks volumes for ...

نمودن[1] [بن‌مضارع: نما] [auxiliary verb] = کردن

نمودن[2] [ادبی] **to show**

نمودن[3] **to appear, to seem**

چنین می‌نماید که it appears that

نموده [اسم‌مفعول فعل نمودن]

نمور [عامیانه] = نمناک

نمونه **sample, specimen; model**

نمونهٔ غلط‌گیری proof

نمونهٔ ستونی galley-proof

نمونه‌گیر **sample-thief, sampler**

نمونه‌گیری **sampling**

نَمیر **undying, immortal**

نُنر[1] [زبان لاتی] **foolishly selfish**

نُنر[2] [زبان لاتی] = لوس

ننگ **shame, disgrace; disdain**

مرا ننگ آید که... [ادبی] I disdain to...

ننگین **shameful**

نَنو **hammock** (for children)

نَنه **mamma, mummy**

نو **new**

نوِ نو brand-new

نو کردن to change for a new one; to renew

از نو، از سر نو anew, over again

نوا **tune, air**

نوای کسی را درآوردن to mimic someone

به نوائی رسیدن to reap profit from something, to come into money/ etc.

نَوّاب [جمعِ نایب] /ع./

نواحی [جمعِ ناحیه]

نواختن [بن‌مضارع: نواز] **to play** (on); **to strike, to beat; to caress**

نواخوان [کمیاب] **singer; mimic, imitator**

نوادر [جمعِ نادره]

نواده[1] **descendant**

نواده[2] = نوه **grandchild**

نوار **ribbon; band**

نوارپیچ **bandage(d)**

نوارپیچ کردن to (tie up with) bandage

نوارچسب **banderole**

نواز [بن‌مضارعِ نواختن]

نوازِش **caress, fondling**

نوازش کردن to caress, to fondle

نوازندگی **musical performance, playing; musical profession**

نوازنده [جمع: نوازندگان] **player, performer, musician**

نواسیر [جمعِ ناسور]

نواقص [جمعِ ناقصه، کمیاب] /ع./ **deficiencies; defects**

نواله /ع. فا./ **mess, victual, morsel; grub; draft, gulp**

نوامبر /فر./ **November**

نوآموز **beginner; apprentice**

نوامیس [جمعِ ناموس]

نوان [کمیاب] **oscillating; invalid**

نوانخانه **asylum for invalids**

نواهی [جمعِ ناهیه، کمیاب] **forbidden things** *or* **acts**

نوآئین [کمیاب] **convert**

نوباوگان [جمعِ نوباوه] /ع./ **young men, new generation**

نوباوه نوبر ← first-fruits;
نوبت /ع./ turn; time;
[*game*] **lead**
نوبت مرض paroxysm, period of a disease
به نوبت in turn
در نوبت‌های معین periodically
نوبت گرفتن to reserve one's turn, to queue up, to line up, to wait one's turn
نوبت‌کار /ع. فا./ **shift** (worker)
نوبت‌کاری /ع. فا./ **shift** (work)
نوبتی /ع. فا./ **periodical; working by shift; operating by turn**
نوبر [*n.*] **first-fruits;** [*adj.*] **new** *or* **strange**
نوبر کردن to eat for the first time
نوبنیاد **newly-established**
نوبه /ع./ **paludal fever, malaria**
تب نوبه intermittent fever
نوبهار **early spring**
نوبه‌خیز /ع. فا./ **malarious, malarial**
نوجوان **lad, stripling, youth**
نوجوانی **youth, adolescence**
نوچه **beginner, novice, neophyte, tyro; chrysalis**
نوح /ع. عب./ **Noah**
عمر نوح Methuselah's life
نوحه /ع./ **wailing; mournful songs**
نوخاسته [ادبی] **youthful** (person), **youth, lad**
نود **ninety**
نوداماد **young husband, bridegroom**
نَوَدُم **ninetieth**
نودمی، نودمین (the) **ninetieth**
نودولت /فا. ع./ = نوکیسه

نودیده = نوکیسه
نور [جمع: انوار] /ع./ = روشنایی **light; lustre**
نور چشم، نوردیده darling, dear chịld, acushla; ← نورچشمی
نورعلی‌نور[1] /ق./ so much the better
نورعلی‌نور[2] /ا./ a much better condition
نور دادن *vi.* to emit *or* give light; *vt.* to expose (as a film)
نورافشان /ع. فا./ **luminous, diffusing light**
نورافکن /ع. فا./ **searchlight; floodlight; flash-light; projector**
نورالله [اسم‌خاص] /ع./ [*o.s.*] **light of God**
نورانی /ع. فا./ **luminous; of a holy aspect; transfigured**
نورانیت /ع. فا./ **luminosity; holy aspect** *or* **appearance**
نوربخش[1] /ع.فا./ **illuminating, enlightening**
نوربخش[2] /ع. فا./ = نورافشان
نورچشمی /ع. فا./ (my) **child** *or* **darling; favourite**
نَوَرد **rolling-pin, beam, cloth-beam;** [*typewriter*] **carriage**
نوردیدن [ادبی، بن‌مضارع: نورد] **to travel over, to traverse; to roll up**
نورس **just ripened;** [*fig.*] **young, fresh**
نورُسته **newly sprung up; young, tender;** ← نوخاسته
نورسیده [*adj.*] **newly arrived;** [*n.*] **new-born child**
نوروز [اسم‌خاص] **New Year's Day**
عید نوروز New Year festival

نوروزی **New Year's; vernal**
مرغ نوروزی gull
نوره /ع./ **depilatory** (paste)
نوزاد[1] **larva**
نوزاد[2] = نوازده
نوزاده [جمع: نوزادگان] **new-born** (child)
نوزده **nineteen**
نوزدهم، نوزدهمین **nineteenth**
نوزدهمی (the) **nineteenth**
نوساخت، نوساز **new-built**
نوسان /ع./ **vacillation; oscillation**
نوسان کردن to vacillate
نوسفر /فا. ع./ **traveller for the first time**
نوسنگی **neolithic**
نوش[1] **act of drinking; wholesome drink;** [*fig.*] **enjoyment**
نوش[2] [بن‌مضارعِ نوشیدن]
نیش بیش از نوش more kicks than halfpence
نوش کردن = نوشیدن to drink
نوش‌جان[1] [reply to one who says "to your health"] cheero!; drink-hail!; drink good health!
نوش‌جان[2] [reply to one who while eating says to another "please share with me"] thank you; [*o.s.*] may it prove wholesome to you!
نوش جان کردن to eat *or* drink heartily
کتکِ خوبی نوش جان کرد.
(*He received a good beating which he deserved*).
نوشابه (alcoholic) **drink, beverage**
نوشانیدن **to give to drink**
نوش‌آور **nectariferous**
نوشت‌افزار **stationery**
نِوشتن [بن‌مضارع: نویس] **to write**

پدرم نوشت که... *my father wrote to say that ...*
مثنوی می‌نویسد که *it is written in the Masnavi that ...*
نوشتنی (that must be) **written**
مسائل نوشتنی written problems; ← کتبی
نوشتجات [جمعِ نوشته] **writings**
نوشته[1] /ص./ **written**
نوشته[2] /ا./ **writing; document**
نوشته[3] [اسم‌مفعول فعل نوشتن]
نوشدارو **antidote**
نوشگفته **new-blown**
نوشیدن [بن‌مضارع: نوش] **to drink**
نوشیدنی[1] /ص./ **drinkable**
نوشیدنی[2] /ا./ **drink, beverage**
نوشین [ادبی] **sweet:** خواب نوشین
نوظهور /فا. ع./ **new, new-fangled, new-fashioned**
نوع[1] [جمع: انواع] /ع./ **kind**
چه نوع پرنده‌ایست؟ *What kind of a bird is it?*
نوع بشر mankind
به نوعی که so that
به انواع... in a variety of, by various...
نوع[2] /ع./ **manner**
نوع[3] /ع./ **species**
نوعاً /ع./ **in a generic manner**
نوع‌پرست /ع. فا./ **philanthropic**
شخص نوع‌پرست philanthropist, altruist
نوع‌پرستی /ع. فا./ **philanthropy**
نوع‌خواه /ع. فا./ = نوع‌پرست
نوعی /ع. فا./ **representing the kind**

«شما»ی نوعی را می‌گویم I mean not "you in particular " but " you in general", anyone
نوغان **silkworm** (seeds); **first crop**
نوک **point, tip; bill, beak**
نوک قلم pen-nib
(با) نوک پنجه tiptoe
نوک زدن to peck
نوک کسی را چیدن to snub someone, to give him a rebuff
نوکار **externe, non-resident medical student**
نوک‌تیز **sharp-pointed**
نوک‌دار **pointed; nibbed**
نوک‌دراز **snipe, longbill**
نوکر **servant, domestic**
نوکری **service as a domestic**
نوکری کردن to be a servant
نوکیسه **upstart, parvenu**
نوگل **newly-blown flower**
نوم [کمیاب] /ع./ = خواب **sleep**
نومید [ادبی] = ناامید
نونوار **wearing new clothes**
نونهال **sapling;** [*fig.*] **youth**
نوه **grandchild;** ← نواده
نُوی **new state, newness**
نوید[1] **glad tidings**
نوید[2] = وعده
نویس [بن‌مضارعِ نوشتن]
نویسندگی **writing, literary composition; clerkship**
شیوه نویسندگی penmanship
نویسنده [جمع: نویسندگان] **writer, author; penman; clerk**
نوئل /فر./ **Christmas**
نوین **new; modern**
نه[1]، نخیر، خیر **no**
نه[2] **not**

نه‌ایستاد، نایستاد. *He did not stand.*
نه سفید نه سیاه neither white nor black
نه بابا! [عامیانه] you don't say so!
نِـه [بن‌مضارعِ نهادن]
نُه **nine**
نهاد **nature; habit; heart; position; structure, composition**
نهادن [ادبی، بن‌مضارع: نه] **to put, to place, to lay; to put by, to store, to save;** ← گذاشتن
بنا نهادن to build, to found; to begin
نهاده[1] [اسم‌مفعول فعل نهادن]
نهاده[2] /ا./ = اندوخته
نهار[1] /ع./ = روز
نهار[2] [غلط مشهور] = ناهار
نهال **sapling; twig; young tree**
نهالی [کمیاب] = تشک، دوشک
نهان [*adj.*] **hidden;** [*phys.*] **latent;** [*n.*] **concealment**
در نهان secretly
نهان کردن = پنهان کردن
نهان‌دانه **angiospermatous**
نهان‌زا **cryptogam(ous)**
نهانی [*adv.*] **secretly, privately;** [*adj.*] **secret, hidden**
نهایت /ع./ [*n.*] **extremity, end; limit;** [*adv.*] **extremely; at the most; except that**
الی غیرنهایت to infinity
نهب /ع./ = غارت
نهج /ع./ **manner**
بدین نهج in this manner
نَهر [جمع: انهار] /ع./ **stream, river; canal;** ← رودخانه
نهر سرپوشیده culvert
نهصد **nine-hundred**

نهصدم **nine-hundredth**
نهضت /ع./ **movement**
نه‌ضلعی /فا.ع./ **enneagon**
نهفتگی **concealment**
دورهٔ نهفتگی period of incubation
نهفتن [ادبی] = پنهان کردن؛ نهادن
نهفته [ادبی] = پنهان، پوشیده
نهق [کمیاب] /ع./ = عرعر **braying**
نُهم **ninth**
نهمی (the) **ninth**
نهمین **ninth**
نهنج [*bot.*] **receptacle**
نهنگ **crocodile**
نهی /ع./ **prohibition; inhibition; negative command, negative imperative**
نهی کردن to prohibit
نهیب **dread**
نهیب دادن to terrify; to browbeat
نی[1] **reed, cane; straw; flute, pipe**
نی قلیان tube of a hookah, hookah-snake
مثل نی قلیان barebone, thin as a lath, lean as a rake
نی بوریا rush (used in mat-making)
نی نهاوندی sweetrush, sweet-flag, calamus
وقت گل نی when two sundays meet
نی زدن to (play on a) pipe
نی[2] [ادبی] = نه **no, not, nay**
نیا [جمع: نیاکان] **grandfather; ancestor**
نیابت /ع./ **vicegerency, succession**
نیابت سلطنت regency
نیابت کردن to act on behalf of another
به نیابت، نیابتاً از طرفِ on behalf of
نیابتی /ع. فا./ **vicarious**
نیات [جمعِ نیت]
نیاز **need, necessity**
نیاز آوردن [ادبی] to supplicate *or* pray; [*o.s.*] to enumerate one's needs (before God)
نیاز کردن [کمیاب] to give, to offer
نیازمند **needy, necessitous**
به چیزی نیازمند بودن to need something
نیازمندی **need, indigence**
نیاگان [جمعِ نیا]
نیام **sheath, scabbard;** [*bot.*] **ocrea**
نیام ماهیچه aponeurosis
نیام بال **coleopterous**
نیامک [*bot.*] **pod**
نی‌انبان **bagpipe**
نیایش **benediction, praise**
نیت [جمع: نیات] /ع./ **purpose, aim; wish; heart, mind**
نیت کردن to intend, to design; to decide; to concentrate on one's wishes (before consulting a book *or* doing a religious act)
به نیتِ with the intention (*or* idea) of
با حسن نیت with good faith, bona fides
سوءنیت bad faith
نیچه **blowtube; pipette**
نَیِر /ع./ **luminary**
نیران [جمعِ نار]
نیرنگ **deceit; trick; magic**
نیرنگ زدن، نیرنگ کردن to play a trick
نیرنگ‌ساز [*adj.*] **tricky, deceitful;** [*n.*] **tricky person;** [*rare*] **juggler**
نیرو **force, power, strength**
نیروی دریایی naval force, navy
نیروی هوایی air force
نیروبر **troop-carrying**
کشتی نیروبر troopship
هواپیمای نیروبر troop-carrier
نیروسنج **dynamometer**
نیرومند **powerful**
نیرومندی **power(fulness)**
نیز **also, too; besides;** → هم
نیزار [*n.*] **reed-bed, reed-brake, rush-brake;** [*adj.*] **reedy**
نیزک **shooting star**
نیزه **spear, lance, javelin**
پرش بانیزه pole-vault
پرتاب نیزه throwing the javelin
نیزه زدن to lance, to thrust with a spear
نیزه‌بازی **combat with lances**
نیزه بازیِ سواره jousting
نیزه‌دار **lancer, spearman**
نیزه‌فنگ! [*mil.*] **fix bayonets!**
نیسان /ع./ **Jewish and Syriac month** (March-April)
نیسانی /ع./ **pertaining to** نیسان (March- April); **vernal**
نیست[1] [negative of است *or* هست] (he, she, it) **is not**
نیست[2] /ص./ **non existent**
نیست[3] /ا./ **non-existence;** → نیستی
نیست شدن to be annihilated; to disappear
نیست کردن to annihilate; to squander
نیستان = نیزار /ا./
نیستی **non-existence**
نیش **sting; canine(-tooth);** [*snake*] **fang**
نیش قلم [کمیاب] the (sharp) point of a pen

نیش وجدان — prick (*or* twinge) of conscience
نیش زدن — to sting
نیش واکردن [زبان لاتی] — to grin; [derogatory for خندیدن] to laugh
نیشتر، نشتر — **lancet**
نیشتر زدن — to lance
نیشخند — **grin(ning)**
نیشخند زدن — to grin
نیشدار — **stinged;** [*fig.*] **pungent**
نیش‌زن — **stinging, biting;** [*fig.*] **pungent**
نیشکر — **cane-sugar; sugar-cane**
نیشگان — **pinch(ing)**
نیشگان گرفتن — to pinch
نیشو [عامیانه] — **who grins habitually**
نیک — [*adj.*] **good;** [*adv., lit.*] **well; very**
نیک‌اختر [ادبی] — **fortunate**
نیک‌اختری — **good luck**
نیکان [جمعِ نیک] /ا./ — **the good** (people)
نیک‌انجام — **prosperous, ending well**
نیک‌بخت = خوشبخت
نیک‌پی — **prosperous; auspicious; of a good consequence**
نیکتین /فر./ — **nicotine**
نیکخواه — **benevolent**
نیکخواهی — **benevolence**
نیک‌سرشت — **of a good nature**
نیک‌سیرت /فا. ع./ — **of a good character, moral**
نیک‌فرجام = نیک‌انجام
نیکل /فر./ — **nickel**
نیک‌محضر[1] /فا. ع./ — **of a good disposition**
نیک‌محضر[2] /فا. ع./ = خوش‌محضر

نیکمردی — **manliness, generosity**
نیک‌منظر [ادبی] /فا. ع./ — **good-looking, handsome**
نیکنام — **of a good reputation**
نیکنامی — **good name**
نیک‌نفس /فا. ع./ — **of a noble spirit, inwardly good**
نیک‌نهاد = نیک‌سرشت
نیکو = خوب، نیک
نیکوکار — **beneficent, righteous**
نیکوکاری — **beneficence, charitable acts**
نیکویی = خوبی، نیکی
نیکی = خوبی، احسان
نِیل /ع./ — **attainment, obtaining**
نیل به مقصود — attainment of one's end
نیل /ع./ — **Nile** (river); **indigo-plant;** (indigo) **blue**
نیل فرنگی — Prussian blue
نیل زدن — to blue, to dye with blue
نی‌لبک — [*mus.*] (wooden) **pipe**
نیلگون [ادبی] — **blue, cerulean**
نیلوفر — **nenuphar, water-lily**
نیلوفر پیچ — morning-glory
نیلوفری [ادبی] — **azure**
نیله — **grey horse**
نیلی /ع. فا./ — **azure, cerulean; dyed with blue**
نیم — **half**
نیم ساعت — ***half an hour***
ساعت دو و نیم — ***half past two***
نیَم [ادبی] = نیستم — **I am not**
نیم‌باز — **half-open, ajar**
نیم‌بال — **hemipteral**
نیم‌بسمل [ادبی] /فا. ع./ — **half-slaughtered**
نیم‌پا — **partly raised**
حالت نیم‌پا — half-cock
نیم‌پایه — **abutment of a bridge**

نیم‌پرده — **semitone**
نیمتاج — **diadem**
نیم‌تخت — **tap, half-sole, clamp; sofa**
نیمتنه — **jacket**
مجسمهٔ نیمتنه — bust
نیم‌چکمه /فا. ت./ — **half-boot**
نیمچه[1] /ص./ — **half-size**
نیمچه[2] /ا./ — **pullet, fat chicken**
نیمخورده — **leavings, orts**
نیم‌خیز — **half-raised**
نیمدار — **second-hand, used**
نیم‌دایره /فا. ع./ — **semicircle**
نیم‌دور /فا. ع./ — **semi-rotary**
نیم‌راه ← نیمه‌راه
نیمرخ — **profile**
نیم‌رَس — **half-ripe**
نیم‌رسمی /فا. ع./ — **semi-official**
نیمرو — **fried eggs**
نیمرو کردن — to fry (on one side)
نیمروز [کمیاب] — **midday**
نیمساز — **bisector**
نیم‌ستون — **engaged column**
نیم‌سنگین — **light-heavy; semiportable**
نیم‌سوز — **fire-brand**
نیم‌سیر — **not quite-satisfied, half-full, half-hungry**
نیم‌شب — **midnight**
نیم‌شلواری — **knee-breeches**
نیم‌قد — **half-size**
قد و نیم قد ← قد
نیم‌کاسه — **small bowl** *or* **porringer**
نیمکت — **bench, sofa;** [*motor car*] **seat**
نیمکره — **hemisphere**
نیمکوب — **half-crushed**
نیمگرد — [*n.*] **half-note, minim;** [*adj.*] **half-round:** سوهان نیم‌گرد
نیم‌گرم — **tepid, lukewarm**

نیم‌وزن /فا.ع./
light-heavy weight

نیمه [*adj.*] **half; half-done; half-size;** [*n.*] **one-half; half-brick**

نیمه افراشتن
to (hang at) halfmast

نیمه‌آگاه **subconscious**

نیمه‌افراشته **at half-mast** (high)

نیمه‌جان **half-dead**

نیمه‌راه، نیم‌راه **half-way**

رفیق نیمه‌راه fair-weather friend

نیمه‌کاره **incomplete, half-finished**

نینوا **Ninevah**

نی‌نی **baby** [childish word]

نی‌نی کوچولو [عامیانه]
(cry-)baby

نیوشیدن [ادبی، بن‌مضارع: نیوش]
to listen, to hearken

نِئون /فر./ **neon** (light)

نئی، نیی **made of reeds** *or* **rushes**

نئین، نیین [ادبی] = نئی

و

و **and** [pronounced also *o* in poetry and in cases when the coordinate members are very closely related]

زن و بچه ***wife and children/*** *i.e.* ***family***

وا [در ترکیب] = باز

وا اَسَفا [ادبی] /ع./ = افسوس

وا افتادن **to cease; to be relaxed**

وا ایستادن [بن‌مضارع: وا ایست، وا ایستا، عامیانه] **to stand; to cease**

وابستگی **relationship; connection**

وابستن [کمیاب] **to collude**

وابسته[1] /ص./ **related; attached; depending**

اعضای وابسته adherents

وابسته[2] [جمع: وابستگان] /ا./ **attaché; relative, dependent**

واپس **back, again**

واپس آمدن to come back

واپس دادن to give back, to return

واپسین [ادبی] = بازپسین، آخرین

وات /فر./ **watt**

وات‌سنج /فر. فا./ **wattmeter**

واثِق /ع./ **firm, sure**

رجاء واثق confident hope

واجِب [مؤنث: واجبه] /ع./ (very) **necessary, essential, indispensable, due**

واجب‌الاحترام worthy of respect, honourable

واجب‌الادا due, payable

واجب‌الرعایه that must be observed, binding

واجب‌القتل who must be punished by death

به‌واجب [ادبی] condign(ly)

واجبات [جمعِ واجبه] /ع./ **duties; things necessary to be done**

واجب‌النفقه /ع./ **entitle to an alimony**

واجب‌الوجود /ع./ **self-existent**

واجبی /ع. فا./ **depilatory paste**

واجِد /ع./ **possessing**

واجد شرایط لازمه possessing the necessary qualifications, qualified

واچُرتیدن [زبان لاتی] **to be taken aback**

واحد [مؤنث: واحده] /ع./ **single, unique;** [*n.*] **unit**

مادهٔ واحده single article

واحسرتا /ع./ = وا اسفا

واحه [جمع: واحات] /ع./ **oasis**

واخ **ouch!, ah!**

واخواست **protest**

واخواست دادن = واخواستن

واخواستن **to** (lodge a) **protest**

واخواسته **object of protest**

واخواندن **to read over**

واخوانده **party against whom a protest is made**

واخواه **protester**

واخواهی **protest(ing)**

واخوردن [عامیانه] **to be refused *or* rejected; to be shocked; to be disillusioned;** → وازدن

وادادن **to give in; to be relaxed; to be soothed; to be disintegrated**

وادار کردن **to persuade; to oblige**

واداشتن *vt.* **to set up, to** (cause to) **stand; to detain; to persuade;** *vi.* **to abate; to cease**

وادنگ [عامیانه] **repudiation of one's word**

وادی /ع./ **valley;** → دره

وادی خاموشان [ادبی] = گورستان

وار[1] /پس./ **resembling, like**

وار[2] /پس./ **full of, having**

وار[3] /پس./ **befitting**

وارِث [جمع: وراث، ورثه، مؤنث: وارثه] /ع./ **heir**

وارث مسلم heir apparent

وارث مقدر heir presumptive

وارث شدن to inherit; to succeed

وارِد [مؤنث: وارده] /ع./ **arriving, entering; entered, registered; incoming:** مراسلات وارده; **imported:** اجناس وارده; [*fig.*] **justified, justifiable; acquainted, in touch**

وارد شدن to arrive;
to be imported
وارد شدن در to arrive at,
to enter, to come in, to join
«شاه وارد می‌شود.» *"Enter King."*
وارد کردن to import;
to enter *or* register;
[*fig.*] to initiate; to involve
واردات [جمعِ وارده] /ع./
imports; incoming letters
واردین [جمعِ وارد] /ع./
incomers; visitors
وارستگی **deliverance; freedom**
وارستن = رستن
وارسته **free; delivered**
وارسی **investigation, search; verification**
وارسی کردن to search;
to verify, to audit
وارفتگی **relaxation**
وارفتن [عامیانه]
to be relaxed; to become loose
وارفته **relaxed; washed out**
وارو [عامیانه] = وارونه
حروف وارونه [*printing*] turn
وارون [ادبی] **inverted;**
[*fig.*] **adverse**
وارونه [*adj.*] **inverted, turned upside down** *or* **inside out;** [*fig.*] **contrary; queer;** [*adv.*] **upside down; inside out**
وارونه جلوه دادن to distort
or misrepresent
وارونه کردن to turn inside
out *or* upside down
واریته /فر./ **variety, music hall entertainment, vaudeville** [U.S.]
سالن واریته music-hall
واریختن = واریز کردن

واریخته [اسم‌مفعول فعل واریختن]
[*account*] **settled;**
[*roof*] **sloping**
واریز [*adj.*] **settled;**
[*n.*] *C.E.* **settlement**
واریز کردن to settle,
to liquidate, to clear up
واریزی، واریخت
settlement
وازدن *vt.* **to reject;**
to refuse; *vi.* [*engine*] **to fail, to knock** *or* **pink**
وازده **rejected; refused**
وازلین /فر./ **vaseline,**
petroleum jelly
وازلین زرد amber
petroleum jelly
وازنش **repulsion**
واژگون[1] **overturned, upset**
واژگون کردن to overturn *or*
upset
واژگون کردن = وارونه کردن
واژگون[2] **reversed**
واژگون[3] = وارونه
واژه لغت، کلمه ← **word;**
واسطه[1] /ع./ **intermediator;**
medium; go-between, agent, middleman; cause
مفعول بی‌واسطه direct object
مفعول به‌واسطه indirect object
به‌واسطهٔ due to, on account
of; by; for the sake of
به‌واسطهٔ اینکه because
به این واسطه for this reason
واسطه شدن to act as an
intermediary *or* agent
واسطه[2] [جمع: وسائط] /ع./
means
وسـائـط نقلیه
means of transport
واسع[1] /ع./ **liberal**
واسع[2] /ع./ = وسیع
واسـکازین /ر./ **gear oil**
واشدن [عامیانه] = باز شدن

واشر /ان./ **washer,**
gasket; ← پولک
واشر گلویی packing oil pan
واصف /ع./ **describer;**
praiser
واصل [مؤنث: واصله] /ع./
arrived *or* **arriving; connected**
اطلاعات واصله information
obtained *or* received
واصل شدن to be received;
to reach
واصل شدن به to join
نامهٔ شما واصل شد.
I am in receipt of your letter.
واضح [مؤنث: واضحه] /ع./
clear, plain
واضح کردن to (make) clear,
to elucidate, to explain
واضحات [جمعِ واضحه] /ع./
(self-)evident matters
توضیح واضحات explaining
the self-evident, superfluous
explanation
واضع /ع./ **founder, enacter**
واضع قانون = قانون‌گزار
واعظ [جمع: واعظین، وعاظ] /ع./
preacher
کتاب واعظ
ecclesiastes; ← جامعه
واغ واغ [عامیانه] **bowwow**
واغ واغ کردن to bowwow
وافر /ع./ = فراوان، زیاد
وافور **opium-smoker's pipe**
وافوری [*adj.*] **addicted to smoking opium;** [*n.*] **opium-smoker;** ← تریاکی
وافی [مؤنث: وافیه] /ع./
sufficient, ample;
[*o.s.*] **faithful to a promise**
واقع /ع./ [*adj.*] **situated, located; happening;**
[*n.*] **reality, fact;**
← [مؤنث: واقعه]

در واقع in reality, indeed

واقع شدن = رخ دادن to happen, to occur, to take place

اقعاً /ع./ **really**

اقع‌بین /ع. فا./ **realist; actualist**

اقعه[1] [جمع: وقایع، واقعات] /ع./ **event, incident**

اقعه[2] [کمیاب] /ع./ = نبرد

اقعی /ع. فا./ **real, actual, true**

کسر واقعی proper fraction

مخارج واقعی actual *or* out-of-pocket expenses

اقعیت /ع./ **reality**

اقف[1] /ص. ع./ **aware;** → آگاه

واقف به aware of

اقف[2] /ا. ع./ **settler *or* bequeather of a pious foundation, benefactor**

اقولیدن [زبان لاتی] /فا. ع./ **to go back on one's word**

کردن [عامیانه] = باز کردن

کس /ر./ **shoe-polish**

واکس زدن to polish

کسن /فر./ **vaccine**

کسی /ر. فا./ **shoe-black**

کسیل‌بند /ر./ **aiguillette**

کنش **reaction**

گذار **left, given over**

اگذار کردن to leave, to give, to make *or* turn over, to transfer

گذاردن، واگذاشتن[1] **to abandon**

گذاردن، واگذاشتن[2] = گذار کردن

گذارنده **transferor, assignor**

گذاری[1] /ا./ **transfer**

گذاری[2] /ص./ **made over, transferred**

واگذاشتن ← واگذاردن

واگرا(ی) **divergent**

واگرایی **divergence**

واگراییدن **to diverge**

واگردان **designed for changing**

جامهٔ واگردان change of clothes

واگرداندن **to turn back; to invert; to change**

واگرفتن **to put by (*or* aside); to catch** (by contagion)

واگفتن [عامیانه] = بازگو کردن

واگن، واگون /فر./ **waggon, railway car; tramcar**

واگیر[1] **catching by contagion**

واگیر[2] [غلط مشهور] = واگیر(ه)دار

واگیره **contagion; copy(ing)**

واگیره کردن to catch, to be infected by; to copy

واگیر(ه)دار **contagious**

وال[1]، **بال** **whale**

وال[2] /فر./ **voile**

والا **eminent**

حضرت والا His Excellency [used for princes]

والا /ع./ = وگرنه **otherwise *or* (else), if not**

والا فلا otherwise, no

والاتبار [ادبی] **of a noble descent**

والاحضرت /فا. ع./ **His Royal Highness**

والان **valance**

والاهمت [ادبی] /فا. ع./ **of high ambitions; magnanimous**

والد [کمیاب] /ع./ **male parent;** → پدر

والده [مؤنثِ والد] /ع./ **female parent, mother;** → مادر

والدهٔ آقامصطفی [زبان لاتی] the missus (*or* missis), the old woman

والدین [تثنیهٔ والد] /ع./ **parents**

والس /فر./ **waltz**

والسلام /ع./ **there is nothing else to say, and there is an end of it;** [*o.s.*] **and peace** (be upon you)

والله /ع./ **by God**

واله [ادبی] **enamoured, distracted**

والی [جمع: ولات] /ع./ = استاندار

والیبال /ان./ **volley-ball**

وام **loan**

وام دادن to make a loan, to lend

وام گرفتن to borrow, to have the loan (of)

واماندگی **fatigue; lag**

واماندن **to be tired out; to lag**

وامانده[1] /ص./ **tired out, fatigued**

وامانده[2] **lagging**

وامانده[3] **disabled**

وامانده[4] [عامیانه] **damned, cursed;** [*n.*] **leavings, residue**

وام‌خواه **one who asks for a loan**

وام‌ده **lender**

وام‌فرسایی **amortization of a debt in instalments**

وام‌گیر **borrower**

وان /ر./ **bath, bathing-tub**

وانگهی **furthermore**

وانمود کردن **to pretend, to make believe, to feign**

وانیل /فر./ **vanilla**

واویلا /ع./ **woe**

واویلا بر من woe betide me!, woe is me!

واهب /ع./ **donor**

واهمه[1] /ع./ fear; → ترس، بیم
واهمه[2] /ع./ imagination
قوهٔ واهمه imaginative faculty
واهی [مؤنث: واهیه] /ع./ chimerical; vain
وای woe!, alas!, ah!
وای بر من woe is me!
وای به حالِ[1] woe is..., woe betide...
وای به حالِ[2] heaven save us from...
وای به حالِ[3] it is an ill ... (that)
وَبا /ع./ cholera
وبای پائیزه spóradic cholera
وَبال /ع./ trouble, inconvenience; (responsibility arising from) sin, evil result
وبائی /ع. فا./ choleraic; suffering from cholera
وَتد [جمع: اوتاد] /ع./ [*rare,o.s.*] **tent-peg;** [*prosody*] **foot**
وتدِ مجموع iambus
وَتر [جمع: اوتار] /ع./ chord; hypotenuse; tendon
وِتو /فر./ veto
از حق وتو استفاده کردند.
They exercised their veto.
وتیره [ادبی] /ع./ = راه، طریقه
وِثاق [ادبی] /ع./ alliance; covenant
وثوق /ع./ confidence, reliance
وثیق [کمیاب] /ع./ firm, sure
وثیقه [جمع: وثائق] /ع./ security
وجاهت /ع./ beauty
وجاهت ملی popularity
ملکهٔ وجاهت queen of beauty, reigning beauty
وَجب /ع./ span
وجب کردن to span
وجَد /ع./ ecstasy; joy
وجد کردن to be in an ecstasy; to rejoice
به وجد آوردن to enrapture
وِجدان /ع./ conscience
وِجداناً /ع./ in all conscience
وجدانی /ع./ conscientious; moral, inward
وجَع [کمیاب، جمع: اوجاع] /ع./ = دَرد
وَجنات /ع./ indications, outward appearance; → [جمعِ وجنه]
وجنه /ع./ = گونه
cheek; → [جمع: وجنات]
وَجنی /ع./ malar, jugal
وُجوب /ع./
indispensableness, necessity
وُجود /ع./ existence; presence; essence; human body; personality, influence; → هستی
وجود داشتن to exist
به‌وجود آمدن to come into existence
به‌وجود آوردن to bring into existence
با وجودِ in spite of, notwithstanding
با وجود اینکه in spite of the fact that
وُجوه /ع./ funds; phases; modes; [*o.s.*] **faces;** → [جمعِ وجه]
وجوه اهالی notables, influential citizens
وجوهات[1] [جمعِ وجوه] /ع./
وجوهات[2] [عامیانه] money
وجه [جمع: وجوه] /ع./
(sum of) **money, payment; fee; phase; manner, way; justification, cause;** [*gram.*] **mood;** [*geom.*] **surface;** [*o.s.*] **face**
به بهترین وجه، به وجه احسن in the best manner
به هیچ وجه by no means, at all [with a negative context]
وجه تسمیهٔ آن اینست که it is so-called because
در وجه to the order of
وجه‌الضمانه /ع./ guaranty, caution money, bond
وجه‌المصالحه /ع./
scapegoat
وجه خالی /عف./
cheque] **for which sufficient** 'unds are not available in he bank; → چک بی‌محل
وجهه[1] /ع./، وجهه ملی
opularity
وجههٔ خود را از دست دادن
lose caste, to fall
وجهه[2] /ع./ node, manner
وجــهـی [مؤنث: وجهیه] /ع./
acial
زاویه وجهیه cial angle
وجین کردن weed out
وجیه /ع./ = زیبا، خوشگل
وجیه‌الملّه /ع./ opular
وجیهه [اسم خاص، مؤنثِ وجیه] /ع
وحدانیت /ع./ ity (of God)
وحدت /ع./ ity;
olitary state; singularity;
meness, identity
وحدت وجود[1] onism *or*
itism
وحدت وجود[2] ntheism
وَحش [جمع: وحوش] /ع./
ld beast
باغ وحش o(logical garden)
وحشت /ع./ r (caused by eliness)
وحشت کردن
be frightened (usually loneliness); → ترسیدن
وحشــت‌انگیــز، وحشــتنا
/ع. فا./ = ترسناک

حشی /ع. فا./ savage, wild
حشیانه /ع. فا./
[*adv.*] savagely, wildly;
[*adj.*] savage: اعمال وحشیانه
حشیگری /ع. فا./ savagery
حل [کمیاب] /ع./ = گِل mud
حوش [جمعِ وحش]
حی /ع./ inspiration, revelation; voice
حید /ع./ = واحد، یگانه
خامت /ع./ seriousness; dangerousness
وخامت اوضاع serious state of affairs
خیم /ع./ serious, dangerous, grave, critical; noxious
داج /ع./ jugular vein
داد /ع./ = دوستی friendship
داع /ع./ farewell;
خداحافظی، بدرود ⟵
وداع کردن to bid farewell
داعی /ع./ valedictory
طق وداعی farewell speech
دایع [جمعِ ودیعه]
دکا /ر./ vodka
دود [کمیاب] /ع./ very affectionate
دیعه [جمع: ودایع] /ع./ = سپرده deposit
در بانک ودیعه گذاردن
to deposit in (*or* with) the bank
دیعه گذار /ع. فا./ depositor
ر[1] [ادبی، صورت‌اختصاری واگر] and if; even if, even thoug
ر[2] /پس./ endowed with, versed in
ر[3] = بر، طرف، سو side
را [ادبی، صورت‌اختصاری او را]
راء /ع./ = پشت back
راءِ beyond; besides, other than; ⟵ ماوراء
راثت /ع./ inheritance; succession

وراج [عامیانه] chatty, talkative; given to gabbling
وراجی talkativeness; babbling *or* gabbling
وراجی کردن to talk too much; to babble
وَرادید [*firearm*] rear sight
ورآمدن [عامیانه] to come off, to come loose; to peel off; to flake, to scale off; to be leavened
ورآمده leavened;
ورنیامده ⟵
ورافتادن [عامیانه] to go out of fashion; to be abolished
ورپاشیدن [عامیانه]
to dredge *or* sift
ورپریدن [عامیانه] to drop off, to drop away, to go out like snuff of a candle, to hop the twig
ورثه [جمعِ وارث، /ع./]
ورجه‌فروجه، ورجه‌وورجه
[عامیانه] gambol, frolic
ورجه‌فروجه کردن to gambol *or* frolic
وَرد [ادبی، کمیاب] = گل‌سرخ
وِرد [جمع: اوراد] /ع./
incantation; prayer recited by rote, formula
ورد زبان habitual phrase
ورد خواندن to tell one's bids, to bid beads
وَردار و وَرمال [زبان لاتی]، بردار و برمال
light-fingered; [*n.*] grab-all, snatcher
ورداشتن [عامیانه] = برداشتن
وردنه rolling-pin
وررفتن [عامیانه] to dally, to play, to fool
ورز [بن‌مضارعِ ورزیدن]
وَر زدن [عامیانه] to grizzle (as a baby)

وِر زدن [عامیانه] to gabble *or* chatter
ورزش (physical) exercise, gymnastics; training
ورزش دادن to train *or* exercise
ورزش کردن to exercise
ورزش‌خوبی acrobatism
ورزشکار one who takes physical exercises, athlete
ورزشی athletic, gymnastic
وَرزگاو ploughing-ox
ورزیدگی experience, training
ورزیدن [بن‌مضارع: ورز]
to knead; [*fig.*] to cultivate; to train; to exercise;
to commit: گناه ورزیدن
ورزیده trained; experienced
وَرس /ع./ dyer's (green) weed, dyer's woad, dye-weed
وِرساد /ر./ composing-stick
ورست /ر./ verst
وَرَش [ادبی، صورت‌اختصاری و اگرش] ⟵ اگر؛ ش[2]
ورشکست bankrupt
ورشکست شدن to go bankrupt, to fail
ورشکستگی bankruptcy
ورشکستگی به تقصیر
culpable bankruptcy
ورشکستگی به تقلب
fraudulent bankruptcy
ورشکستن to go bankrupt, to fail
ورشکسته bankrupt;
ورشکست ⟵
ورشو /ر./ Warsaw; Warsaw silver, German silver
ورطه [ادبی] /ع./ abyss, gulf
وَرَع [کمیاب] /ع./ = پرهیزکاری
وَرغلپیدن [زبان لاتی]
to heave

وَرَق /ع./ leaf; sheet;
[جمع: اوراق] playing-card; →
آهن ورق sheet iron
بازی ورق game of cards
ورق زدن to turn over (a leaf)
ورق برگشت the tide has turned
ورق‌ورق کردن to run over the leaves of (a book); to cut into layers *or* sheets
ورق‌بازی /ع. فا./ **card-playing**
ورق بزرگ /ع. فا./ **folio**
کاغذِ ورق بزرگ fool's-cap
ورق‌پاره /ع. فا./ **scrap of paper;** [*fig.*] **worthless document**
ورق‌زن /ع. فا./ **card-sharper**
ورق‌شماری /ع. فا./ **counting the leaves of a book, foliation**
ورقه [جمع: اوراق] /ع./ **sheet, leaf; paper, document; form; coat; layer; card:** ورقهٔ دعوت ; **foil:** ورقهٔ قلع
ورقه‌ورقه /عف./ **laminate, consisting of layers; foliate**
ورقه‌ورقه شدن to laminate *or* foliate
ورقه‌ورقه کردن to laminate
ورک، استخوان ورک /ع./ **ischium**
ورم [جمع: اورام] /ع./ **swelling, inflammation;** *L.* **tumour**
ورمالیدن [زبان لاتی] **to slip off (*or* away)**
ورنام **surname**
ورنه [ادبی، صورت‌اختصاری و اگرنه] **otherwise;** [*o.s.*] **and if not**
وِرنی /فر./ **varnish, polish**
ورنی زدن to varnish *or* polish
ورنیامده **unleavened**

ورنیه /فر./ **vernier**
وُرود[1] /ع./ **arrival**
لدی‌الورود on arrival
وُرود[2] /ع./ **entrance**
ورود ممنوع است! No entrance!, no admittance!
وُرود[3] /ع./ *C.E.* **import**
زاویهٔ ورود angle of incidence
ورود کردن to enter
ورودی /ع. فا./ (to be) **imported**
گمرگ ورودی import duties
دَرِ ورودی entrance door, entry
ورودیه /ع./ **entrance-fee, admission fee**
وِروِر [عامیانه] **jabbering; muttering**
وروِر کردن to jabber; to mutter (the formula of incantation)
وروِر جادو formula of incantation; [*ext.*] witch
وَرید [جمع: اورده] /ع./ = سیاهرگ **vein**
ورم ورید phlebitis
وریدی /ع./ **venous**
وز [ادبی، صورت‌اختصاری و از] **and of *or* and from**
وزارت /ع./ **ministry**
وزارتخانه /ع. فا./ **ministry**
وزارتی /ع. فا./ **ministerial**
وزان[1] [از وزیدن] **blowing**
وزان[2] [ادبی، صورت‌اختصاری و از آن] **and of (*or* from) that**
وِزر [کمیاب] /ع./ = بار؛ گناه
وزراء [جمع وزیر]
وَزَغ /ع./ **frog;** قورباغه، غوک ←
بچهٔ وزغ، بچه وزغ tadpole
سنگ وزغ toadstone
وِز کردن [عامیانه] **to frizzle up;** ← وزوز کردن
وزکرده [عامیانه] **frizzly**

وزن [جمع: اوزان] /ع./ **weight; measure, rhythm**
وزن داشتن، وزن کردن to weigh
دو کیلو وزن دارد *it weighs two kilogrammes*
وزن ظرف tare
وزن مخصوص specific gravity
وَزنه [جمع: اوزان] /ع./ **weight**
وزنه‌برداری /ع. فا./ **weight-lifting**
وزنه‌پرانی /ع. فا./ **shot-put**
وِزوِز کردن [عامیانه] **to buzz, to hum, to drone**
وِزوِزی [عامیانه] **buzzy, frizz(l)y**
وزیدن [بن‌مضارع: وَز] **to blow**
وزیر[1] [جمع: وزراء] /ع./ **minister**
وزیرمُختار minister plenipotentiary
وزیر[2] /ع./ [*chess*] **queen**
وزیری[1]، کاغذ وزیری /ص ع. فا./ **fool's cap paper**
وزیری[2] /ا. ع. فا./ = وزارت
وَزین /ع./ **heavy;** [*fig.*] **of weight *or* influence:** مردان وزین ; سنگین ←
وساده [کمیاب] /ع./ **cushion, pillow**
وساطت /ع./ **mediation, intercession**
وساطت کردن to mediate, to act as an intermediary
وساوس [جمع وسوسه]
وسائط [جمع واسطه]
وسائل [جمع وسیله] **facilities**
وسخ [کمیاب] /ع./ = چرک پلیدی
وسط[1] /ا. ع./ **middle** (part), **centre; interior**
وسط[2] /ص. ع./ **average, middling; situated in the middle**

وَسَطی /ع. فا./ = میانی
وُسطیٰ [مؤنثِ اوسط] /ع./
middle, central
وسطین [تثنیهٔ وسط] /ع./
the two means
وُسع /ع./ **ability; capacity**
وسعم نمی‌رسد آن را بخرم.
I cannot afford to buy that.
وُسعت /ع./ **extent, space; capacity;** [*fig.*] **ease** (of life)
وسعت دادن to widen; to expand
وسمه /ع./ **woad(-leaves)**
وسمه کشیدن to dye with woad *or* indigo
وَسواس /ع./ **scruple; freak, vagary; whim; obsession**
وسواسی /ع. فا./
scrupulous; whimsical; irresolute
وسوسه [جمع: وساوس] /ع./
(satanic) **temptation**
وسوسه کردن to inspire evil suggestions
وسیع /ع./ **vast, extensive**
وسیع کردن to widen; to extend *or* expand
وسیله /ع./ **means; resort; facility**
به چه وسیله؟ by what means?
بدین وسیله[1] in this manner, thus
بدین وسیله[2] hereby
به وسیلهٔ by means of, through
باتمام وسائل جدید with all modern conveniences (*or* facilities)
سیم [کمیاب] /ع./ = زیبا، خوبرو
ش /پس./ **-like, -ful**
شگون [عامیانه] = نیشگان
شم [کمیاب] = بدبده، بلدرچین
صاف [کمیاب] /ع./ **good describer**

وَصال /ع./ **patcher; tinker**
وِصال /ع./ **union; fruition**
به وصال رسیدن to succeed in uniting (again) with a sweetheart; to enjoy fruition
وَصالی /ع. فا./ **patching, patchery; rebinding**
وصایا [جمعِ وصیت]
وصایت /ع./ **executorship**
وصف [جمع: اوصاف] /ع./
description; quality
وصف کردن to describe; to praise
به وصف درنمی آید
it is indescribable
وصف‌ناپذیر /ع. فا./
indescribable
وصفی /ع./ **qualitative, descriptive**
عدد وصفی ordinal number
قید وصفی adverb of manner
وجه وصفی participial mood, participle
وجه وصفیِ مجهول
past participle
وجهِ وصفی معلوم
present participle
وَصل /ع./ **joining, union, connection**
وصل شدن to be joined *or* connected
وصل کردن to unite, to connect
وصلت /ع./ **conjugal** *or* **matrimonial union, marriage**
با کسی وصلت کردن
to marry someone
وصلت دادن to become available (*or* be ready) by a specified time [usually with a negative context:
[برای شام وصلت نمی‌دهد
وصله /ع./ **patch**
وصلهٔ تن one's own flesh and blood, kinsman, relative

وصله کردن to patch (up)
وُصول /ع./ **collection; recovery**
وصول شدن to be collected *or* recovered
وصول کردن to collect, to receive; to recover
قابل وصول recoverable
غیرقابل وصول irrecoverable, bad (as a debt)
وصولی[1] /ص. ع. فا./
(that is to be) **collected**
وصولی[2] /ا. ع. فا./ **receipt**
وَصیّ [جمع: اوصیاء، کمیاب، مؤنث: وصیه] /ع./ **executor**
وصیه executrix
وَصیت [جمع: وصایا] /ع./
(last) **will; precept; injunction**
وصیت کردن[1]
to make one's will
وصیت کردن[2] [کمیاب]
to command
وصیت‌نامه /ع. فا./
testament, will
وضع [جمع: اوضاع] /ع./
situation, status, condition, position; shape, posture; manner; disposition; enactment: وضع قانون ; **levying:** وضع مالیات ; **deduction**
پس‌از وضع ۵ دلار
After deducting $ 5
وضع کردن to enact; to levy; to deduct; to invent *or* coin (as a word)
وضع حمل کردن to have a baby, to be delivered of a child
وضع فعلی the status quo, the existing state of affairs
وضعیت /ع./ *C.E.* **situation, condition, position; state of affairs**
وُضو /ع./ **ablution before prayer; water for ablution**

وضو گرفتن to perform one's ablutions

وضوح /ع./ **clearness, clarity**

با کمال وضوح most clearly

وضیع /ع./ = پست **mean**

وَطن [جمع: اوطان] /ع./ = میهن **mother country, fatherland, home**

در مکانی وطن کردن to choose a place as one's home

وطن‌پرست /ع.فا./ = میهن‌پرست

وطـن‌پـرسـتـی /ع. فـا./ = میهن‌پرستی

وطن‌فروش /ع. فا./ **traitor to one's country**

وطنی /ع. فا./ **home-made; homespun:** پارچهٔ وطنی

وطواط [کمیاب] /ع./ = شب‌پره

وظائف [جمع وظیفه]

وظـائـف‌الاعضـاء /ع./، علـمِ- وظایف‌الاعضاء [*rare*] **physiology;** [*o.s.*] **functions; of the** (bodily) **organs**

وظیفه [جمع: وظایف] /ع./ **duty; function; pension**

وظیفه خوردن to receive a pension *or* ration

نظام وظیفه compulsory military service

وظیفه‌خور /ع. فا./ **stipendiary, pensioner**

وظیفه‌دار /ع. فا./ **having a** (specified) **duty;** ← موظف

وظیفه‌شناس /ع. فا./ **conscientious, dutiful**

وظیفه‌شناسی /ع.فا./ **sense of duty, conscientiousness**

وُعاظ [جمع واعظ]

وَعائی /ع./ = آوندی

وعد [اسم جمع وعده] /ع./

وَعده /ع./ **promise; due date, term, maturity**

وعده دادن، وعده کردن to promise; to make an appointment

وعده گرفتن to invite

با سه ماه وعده at 3 months' date

وعدهٔ آن هنوز نرسیده است. ***It is not yet due.***

سی روز وعده at 30 days' usance

بی‌وعده payable at sight

وعده‌دار /ع. فا./ **due at a specified date after sight, payable at maturity**

وعـده‌خـلافـی [عامیانه] /عف./ ← خُلف وعده

وَعـظ /ع./ **preaching; sermon**

وعظ کردن to preach

وعید /ع./ = تهدید

وغ کردن [عامیانه] **to yelp**

وَغ‌وَغ = واغ‌واغ

وغیره ← غیره

وفا /ع./ **fidelity,** (good) **faith**

وفا کردن to be faithful to (one's promise)

عمرش وفا نکرد. ***His life failed him.***

وفات /ع./ **death;** ← درگذشت، مرگ

وفات کردن to die; ← مردن، درگذشتن

وفادار /ع. فا./ **loyal, constant, faithful**

وفاداری /ع. فا./ **constance, loyalty, fidelity, faithfulness, gratitude**

وفاداری‌کردن to be constant *or* faithful

وفاق /ع./ = توافق، هماهنگی

وَفق، وِفق [عامیانه] **conformity**

وفق دادن to adapt

بر وفقِ in accordance with, in conformity with

وُفور /ع./ **abundance, plenty, affluence;** ← فراوانی، زیادی

وفور داشتن to be abundant

وقاحت /ع./ = بی‌شرمی

وقار /ع./ **dignity, gravity**

وقایع [جمعِ واقعه] /ع./ **events, incidents; proceedings**

دفتر وقایع minute-book

وقایع‌نگار /ع.فا./ **minute-writer, secretary; annalist**

وقایه [کمیاب] /ع./ = نگـهداری، دفاع

وقت [جمع: اوقات] /ع./ **time**

وقت کردن to find a leisure *or* opportunity, to afford time

وقتی once, at one time; when

وقتی‌که when

تاوقتی‌که as long as; by the time that

یک وقتی once upon a time; some time *or* other

چه وقت؟ when?, at what time?

چند وقت است (که) How long is it since?

چند وقت پیش از این some time ago

چند وقت یک بار؟ ow often?

آن‌وقت hen; afterwards

هروقت vhenever

همه‌وقت = همیشه

هیچوقت = هرگز

وقت آن است که is time to

وقت و بی‌وقت [عامیانه] om time to time; [*o.s.*] in eason and out of season

به‌وقت (good) time, season

به‌وقت خود due (course time

سر وقت کسی رفتن beat up e's quarters, to visit him

آقای جم وزیر داراییِ وقت . Jam then Minister of nance

وقت‌شناس /ع. فا./ **punctual**

وقت‌شناسی /ع. فا./ **punctuality**

وقس‌علی‌هذا ← قِس

وقع /ع./ **dignity; regard, esteem**

وقع گذاشتن به to heed, to pay attention to

وقعه [کمیاب] /ع./ = واقعه، جنگ

وقف [جمع: اوقاف] /ع./ **pious foundation**

وقف کردن to endow (for pious purposes); to dedicate; to entail

وقف‌نامه /ع. فا./ **deed of endowment**

وقفه /ع./ **pause; standstill; interruption**

وقوع /ع./ **occurring, happening, taking place; incidence**

وقوع جنگ outbreak of war

وقوع یافتن to take place, to happen

وقوف /ع./ = آگاهی؛ خبرگی

وقیح /ع./ = بی‌شرم، زشت

وقیه /ع. ی./ **ounce**

وکالت /ع./ **power** (of attorney), **procuration, proxy; attorneyship; lawyer's *or* barrister's profession; membership of the Parliament**

وکالتِ انتخابی referred brief

به کسی وکالت دادن to give someone powers, to appoint him as one's attorney (***or*** proxy)

وکالت کردن to be a lawyer, to go to the bar, to act as counsel; to act in another's right; to be a deputy (of the Parliament)

وکالت‌نامه /ع. فا./ **power of attorney**

وکالتاً /ع./ **in another's right, as a proxy**

وکلاء [جمع وکیل]

وُک‌وُک کردن [عامیانه] **to throb**

وکیل [جمع: وکلاء] /ع./ **counsel, lawyer; attorney; proxy; agent**

وکیل مرافعه barrister-at-law

وکیل خرج steward

وکیل مجلس member of the Parliament, deputy

وکیل عمومی = دادیار

وکیل کردن to elect for the Parliament; to appoint as one's counsel, to brief; to empower

وگر [ادبی، صورت‌اختصاری و اگر]

وِل **hanging loose; detached; free; [*fig.*] unrestrained**

ول شدن to hang loose; to be detached; to drop; [*fig.*] to become dissolute, to go astray

ول کردن to let go; to drop, to let fall; to abandon, to give up

ول گشتن to rove; to go about unemployed

ولاء [کمیاب] /ع./ = دوستی

وُلات [جمعِ والی]

وِلادت /ع./ **birth**

روزِ ولادت birthday

وُلان /فر./ **flounce**

وِلایت [جمع: ولایات] /ع./ **province; guardianship**

ولایت‌عهد = ولیعهد(ی)

ولایتی /ع. فا./ **provincial**

ولتاژ /فر./ **voltage**

وُلت‌سنج /فر. فا./ **voltmeter**

وِلخرج /فا. ع./ **lavish of one's money, profligate, prodigal**

ولخرجی /فا. ع./ **prodigality, lavishness, profligacy**

وَلد /ع./ **son; child;** [جمع: اولاد] ← ;فرزند؛ پسر ←

ولدالزناء /ع./ **illegitimate child, bastard;** ← حرامزاده

وِلرم [عامیانه] **tepid;** ← نیم‌گرم؛ ملول

ولع /ع./ = اشتیاق؛ حرص

ولکن /ع./ = ولیکن

وِل‌کُن، ول‌کن معامله [عامیانه] **ready to leave the matter**

ول‌کن معامله نیست. He is persistent on that matter.

وِلگرد **vagrant; idle wanderer; loafer**

وِلگردی **vagabondage, vagrancy; roving**

وِلگو **loose talker**

وِلنگار [عامیانه] **gossipy, slanderous; having no sense of responsibility**

ولنگ و باز [زبان لاتی] (left) **wide open; [*fig.*] careless, easy-going**

ولو /ع./ **though, even though**

وُلوج [کمیاب] /ع./ = دخول، ورود

ولود[1] /ع./ **prolific;** ← پرزا

ولود[2] /ع./ **viviparous;** ← بچه‌زا

غیرِ ولود oviparous

وِلو کردن [عامیانه] **to spread *or* stretch out; to scatter about; to unroll *or* unfold**

وِلوله /ع./ **clamour, tumult; wailing; clang; reverberation**

وله /ع./ **idem, by the same poet *or* author**

ولی /ع./ **guardian, warden; tutor; saint; friend; master;** ← [جمع: اولیاء]

ولی /فا.ع./ **but**

ولیّ الله [اسم خاص] /ع./ **title of the Prophet's son-in-law;** [*o.s.*] **God's friend**

ولی‌النعم /ع./ **benefactor;** نعمت؛ نعم؛ ولی ⟵

ولیعهد /عف./ **crown prince**

ولیعهدی /ع. فا./ **succession to the throne; state** *or* **rank of a crown prince**

ولیکن /ع./ = لیکن

ولیمه /ع./ **feast; housewarming**

ولینعمت /عف./ **benefactor**

وند[1] /پس./ **possessing**

وند[2] /پس./ **resembling**

ونک **cony, coney**

ونگ‌ونگ کردن **to grizzle** *or* **cry** (as a baby)

ونیزی /فر. فا./ **Venetian**

وول زدن [عامیانه]، **لول زدن** **to toss** (as in bed)

وَه [ادبی] **oh!, alas!, o that!**

وَهاب [اسم خاص] /ع./ [*o.s.*] **bestower, giver: epithet of God**

وهابی /ع./ **Wahhabi**

وهله /ع./ **instance**

در وهلهٔ اول in the first instance; by priority

وهم [جمع: اوهام] /ع./ **imagination; groundless fear**

وَهمناک /ع. فا./ = ترسناک، بیمناک

وهمی /ع. فا./ **imaginary; illusive; groundless**

وِی = او **he** *or* **she**

وی [ادبی، صورت اختصاری وَ ای]

ویار **longing of pregnant women, pica**

ویتامین /فر./ **vitamin**

ویتامین‌دار، ویتامینی /فر. فا./ **vitaminous**

ویترین /فر./ **shop-window**

ویر [کمیاب] = هوش؛ حافظه

ویران **desolate, ruined**

ویران کردن to ruin; to lay waste

ویرانه **ruined place, ruin**

ویرانی **ruined state, desolation**

ویزا /فر./ = روادید **visa; visé**

ویزا کردن to visa

ویزُر /فر./ **view-finder**

ویزیت[1] /فر./ **visit**

کارت ویزیت visiting-card

ویزیت[2] [عامیانه] /فر./ = پایمزد

ویژه **special**

سود ویژه net profit

به‌ویژه especially

ویسکی /ان./ **whisky**

ویسکی‌سودا /ان./ **high-ball** [U. S.]

ویشه **woodbine, honeysuckle**

وِیل [کمیاب] /ع./ **calamity; woe**

چاه ویل bottomless pit; [*met.*] oblivion

ویلا /فر./ **villa**

ویلان **vagrant, wandering; helpless**

ویلان و سیلان [زبان‌لاتی] vagrant, at a loose end

ویلانی = سرگردانی؛ بیچارگی

وین /فر./ **Vienna**

وینی /فر. فا./ **Viennese**

ویولن /فر./ **violin**

ویولن‌زن /فر. فا./ **violinist**

ویولن‌سل /فر./ **violoncello**

ه

ها¹ [plural ending: مدادها]

ها²! **Behold!, be careful!, here you are!, I see!**

هاتف [ادبی] /ع./ **voice of an invisible speaker, mysterious voice**

هاجر [اسم خاص] /ع./ **Hagar**

هاج و واج [زبان‌لاتی] **flabbergasted**

هادی [اسم خاص] /ع./ = راهنما **guide**

خط هادی directrix

منحنی هادی quadratrix

هار **rabid, mad**

گزیدگیِ سگ هار rabies, hydrophobia

هارون /ع. عب./ **Aaron**

هاری **rabidness, madness**

هاشور /فر./ **hatching**

هاضمه [مؤنثِ هاضم، کمیاب] /ع./ **digestive power** [short for قوهٔ هاضمه]

جهاز هاضمه digestive organs

هاف کردن [عامیانه] **to yap** *or* **yelp**

هاگ **spore**

هاگچه **sporule**

هال = دروازه [*football*] **goal**

هالو [عامیانه] **nincompoop, dupe, greenhorn**

هالُو /ان./ **hullo**

هاله /ع./ **halo;** [*med.*] **areola**

هامَن **plane surface**

هامون **plain; desert**

هان [ادبی] **Behold!, beware!**

هاون **mortar**

دستهٔ هاون pestle

آب در هاون سائیدن to carry water in a sieve

هاویه¹ /ع./ **abyss**

هاویه² /ع./ **soldering-iron**

هاویه³ /ع./ = دوزخ

هائل /ع./ = ترسناک **terrible**

هائله [مؤنثِ هائل] /ع./ **frightful event**

های و هوی [عامیانه] **tumult, uproar**

های‌های [*n.*] **cry of weeping;** [*adv.*] **with a loud cry, bitterly:** های‌های گریه کرد

هُبوط [ادبی] /ع./ **descent, fall**

هُبوط کردن to descend *or* fall

هِبه /ع./ **gift** (inter vivos), **donation**

هِبه کردن to make a donation of, to donate

هبه‌نامه /ع. فا./ **deed of gift**

هپلی‌هپو [زبان لاتی] **harum scarum, unprincipled, lawless**

هَتّاک /ع./ **asperser** (of another's reputation), **defamer**

هتاکی /ع. فا./ **aspersion, revilement**

به کسی هتاکی کردن to cast aspersions on a person's reputation

هَتک /ع./ [*o.s., rare*] **tearing**

هتکِ شرف aspersion of another's character *or* reputation

هتک ناموس violation, assault

هِجاء¹ /ع./ **syllable**

هِجاء² /ع./ **spelling**

حروف هِجاء alphabet

هِجاء³ /ع./ = هجو

هجائی /ع./ **satiric(al); alphabetical**

هِجدَه **eighteen**

هجدهم **eighteenth**

هجدهمی (the) **eighteenth**

هِجران [ادبی] /ع./ **separation, being away from friends**

هجرت /ع./ **departure; hegira**

هجرت کردن to emigrate

هجری /ع./ **reckoned from the Hegira, A.H.** [i.e. anno Hejirae]

هجو¹ /ا. ع./ **satire**

هجو کردن to lampoon, to libel

هجو² [عامیانه] /ص. ع./ **good-for-nothing**

هُجوم /ع./ **rush, attack; crowding, swarming**

هجوم کردن to rush, to make an attack; to crowd, to swarm

هجویه [جمع: هجویات] /ع./ **satirical poem, satire**

هِجی /ع./ **spelling**

هجی کردن to spell

هخامنشی **Achaemenian**

هدایا [جمعِ هدیه]

هدایت [اسم‌خاص] /ع./ **guidance; conduction:** راهنمایی → ; هدایت گرما

هدایت کردن to guide, to lead

هدایت‌الله [اسم خاص] /ع./ [o.s.] **guidance by God**

هَدَر /ع./ **useless effort**

به هَدَر رفتن، هَدَر شدن to become useless, to come to nothing; to be shed with impunity: خون وی به هدر رفت

هَدَف /ع./ **target; aim, purpose;** → آماج

هدف‌گیری /ع.فا./ = نشانه‌روی

هُدهُد = شانه‌به‌سر

هدیه [جمع: هدایا] /ع./ **present;** → پیشکشی

هدیه کردن to offer, to make a present of; to dedicate

هذا /ع./ = این **this** [only in Arabic words *or* phrases]

هُذلولی[1] /ص.ع./ **hyperbolic**

هُذلولی[2] /ا.ع./ **hyperbola**

هذیان /ع./ **delirium**

هذیان گفتن to rave; to be delirious

هذیانی /ع./ **delirious**

هَر **every, each; any**

هر آنچه = هرچه

هر آنکه = هر که

هرجا everywhere; wherever

هر کجا wherever; anywhere

هَراس ترس → **alarm, fear;**

هراسان **alarmed, frightened**

هراسانیدن **to frighten**

هراسیدن [ادبی، بن‌مضارع: هراس] = ترسیدن

هرآینه [ادبی] **indeed, verily, certainly**

هرآینه اگر if indeed, if peradventure

هَرج /ع./ **confusion, riot**

هرجاگرد = ولگرد

هرجایی **gadabout, loose**

هرج و مَرج[1] [عامیانه] /ا. ع. فا./ **anarchy; disorder, chaos**

هرج و مرج[2] [عامیانه] /ص. ع. فا./ **chaotic, anarchical**

هرج و مرج‌طلب /فا.ع./ **anarchist**

هرچ [ادبی، صورت اختصاری هرچه]

هر چقدر، هرقدر /فا.ع./ **however, no matter how much (*or* how many)**

هر قدر هم فقیر باشد however poor he may be

هرچند **although; however**

هر چه **whatever**

هر چه بادا باد come what may

هر چه زودتر بهتر the sooner the better

هردمبیل [زبان لاتی] **unprincipled** (person); **harum-scarum**

هردم‌خیال [عامیانه] /ع. فا./ **capricious, fickle**

هردو **both**

هر دوی آنها they both, both of them

هَرز[1] **loose:** این پیچ هرز است

هرز شدن to work loose

هَرز[2] **wasted, gone (*or* run) to waste**

هرز رفتن to go (*or* run) to waste

هَرز[3] = پوچ

هرزگی[1] **lewdness, debauchery**

هرزگی[2] **abusive language**

هرزگی[3] [sl.] **the genital organ**

هرزگی کردن to give up oneself to debauchery; to use bad lewdness

هرزه **profligate, dissolute; abusive**

علف هرزه weed

هرزه‌خند [ادبی] (one) **who laughs without reason**

هرزه‌درای[1] [ادبی] /ا./ **idle talker**

هرزه‌درای[2] /ص./ **given to babbling**

هرزه گرد = ولگرد

هرزه گو = هرزه‌درای

هرساله[1]، همه‌ساله **every year**

هرساله[2] = سالیانه

هرس کردن **to prune**

هرکاره = همه کاره؛ دیگ

هرکجا، هرجا **wherever**

هر کدام **each** (one), **everyone, anyone**

هر که **whoever, he who**

هر که را whomsoever

هرکه هرکه [عامیانه] **anarchical, disorderly**

هرگاه **in the event that, in case; whenever**

هرگز[1] **never** [used with a negative verb]

هرگز او را ندیده بودم. *I had never seen him.*

هرگز[2] **ever:** آیا هرگز سفر کرده‌اید؟

هِرَم [جمع: اهرام] /ع./ **pyramid**

هرمز [اسم خاص]

هرمزد = اهورمزدا، اورمزد

هِرمی /ع./ **pyramid(ic)al**

هِرّه **brick-on-edge course, string-course**

هِرهِر خندیدن [عامیانه] **to giggle**

هُرهُری [عامیانه] **irreligious** (person); (one) **who has no firm belief**

هرّی [زبان لاتی، توهین‌آمیز] **go away, move on**

هَریسه [kind of porridge]

هر یک **each** (one), **everyone, anyone**

هزار **thousand**

هزار هزار one-million

هزار هزار میلیون one milliard

در هزار per mille

هزارآوا [ادبی] = هزاردستان

هزارپا **myriapod *or* centipede**

هزارپیشه **work-box with many compartments**
هزارچشان **white bryony**
هزاردانه، تسبیح هزاردانه [designating a kind of rosary with 1000 beads]
هزاردستان = بلبل؛ سار
هزارفامیل **the upper ten thousand;** ← فامیل
هزارفن /فا.ع./ **jack-of-all-trades**
هزارلا **manyplies, omasum**
هزارم، هزارمین **thousandth**
هزارمی (the) **thousandth**
هزاره **group of 1000 persons** *or* **things; thousandth anniversary**
گل هزاره double-poppy
هُزال [کمیاب] /ع./ **emaciation**
هَزّال /ع./ = هزلگو
هزل /ع./ **facetious saying;** ← شوخی
هزلگو /ع. فا./ **facetious** (person), **wag(gish)**
هزلیات /ع./ **facetiae**
هزیمت /ع./ = شکست **rout, defeat**
هزینه **expense(s)**
هژیر [کمیاب] **praiseworthy; clever; dignified**
هست[1] **is** [third person singular present of بودن]
هست[2] = هستی
هستو[1] **nucleus**
هستو[2] = هسته
هست و نیست **all one has, one's all**
هستویه **nucleolus**
هسته **(fruit-)stone; nucleus**
هستی **existence; possession, property;** ← ساقط
از هستی ساقط شد. ***He was bereaved of his possession.***

هَسر **glazed frost, silver thaw**
هُش [ادبی، صورت اختصاری هوش]
هَشت **eight**
هشتش گرو نه است. [عامیانه] He cannot make both ends meet.
هشتاد **eighty**
هشتادم، هشتادمین **eightieth**
هشتادمی (the) **eightieth**
هشت پا **octopus**
هشت‌سطحی، هشت‌وجهی /فا. ع./ **octahedral**
جسم هشت‌سطحی octahedron
هشت‌صد، هشتصد **eight-hundred**
هشتصدم، هشتصدمین **eight-hundredth**
هشتصدمی (the) **eight-hundredth**
هشت‌ضلعی /فا. ع./ = هشت‌گوش
هشت‌گوش، هشت‌گوشه **octagon(al)**
هشتم، هشتمین **eighth**
هشتمی (the) **eighth**
هشتن [کمیاب، بن‌مضارع: هِل] = گذاشتن
هشت و نه (game like) **baccarat**
هشتی **vestibule** (originally having eight sides)
هُشدار [ادبی] **Be careful!, beware!, look out!;** ← هش
هشلهف [زبان‌لاتی] **meaningless, incoherent, silly; confused**
هشیار [ادبی، صورت اختصاری هوشیار]
هضم /ع./ **digestion;** ← گوارش
هضم کردن to digest; ← گواریدن
قابل هضم digestible
غیرقابل هضم indigestible

هفت **seven**
هفتاد **seventy**
هفتادم، هفتادمین **seventieth**
هفتادمی (the) **seventieth**
هفت‌برابر **sevenfold, septuple**
هفت‌بند **knotgrass**
هفت‌پهلو [عامیانه] **very equivocal;** [*o.s.*] **septilateral**
هفت‌تن **the Seven Sleepers of Ephesus; the seven planets**
هفت‌جوش **alloy of iron/ lead/ copper/ tin/ gold/ silver and antimony**
هفت‌خط [زبان لاتی] /فا. ع./ **extremely sly** *or* **leery**
هفتخوان **the Seven Adventures** (of Rostam); ← خوان
هفت‌سطحی، هفت‌وجهی /فا. ع./ **heptahedral**
جسم هفت‌سطحی heptahedron
هفتصد **seven-hundred**
هفتصدم، هفتصدمین **seven-hundredth**
هفتصدمی (the) **seven-hundredth**
هفت‌ضلعی /فا. ع./= هفت‌گوش
هفت‌قلم /فا. ع./ **to the nines**
هفت‌قلم آرایش کردن to dress up to the nines
هفت‌گوش، هفت‌گوشه **heptagon(al)**
هفتگی **weekly**
هفتم، هفتمین **seventh**
هفتمی (the) **seventh**
هَفته **week**
هفته کوک [*adj.*] **eight-day:** ساعت هفته کوک
هفته‌وار **weekly**
هفته‌واری [عامیانه] **weekly** (payment)
هفده **seventeen**

هفدهم، هفدهمین **seventeenth**
هفدهمی (the) **seventeenth**
هفهفو [زبان لاتی] **wrinkled with age, decrepit**
هکتار /فر./ **hectare**
هکذا /ع./ **thus, such; likewise;**→ همچنین، همینطور
هِکهِک **hiccup**
هِکهِک کردن to hiccup
هُل **push; jostle**
هل دادن to push; to jostle (against)
هِل[1] **cardamom(s)**
هِل[2] [بن مضارع هشتن، هلیدن]
هَلا **oh!, hey!, beware!**
هَلاک /ع./ **perdition, death; ruin**
هلاک شدن to perish, to die
هلاک کردن = کُشتن
هلاکت /ع./ **perdition, destruction**
هلاکو [name of a Mogul king]
هلال [جمع: اهله، کمیاب] /ع./ **new moon, crescent**
هلالی /ع./ **crescent**
هلالین [تثنیهٔ هلال] /ع./ **round brackets, parentheses**
هلاهل (fabulous creature with a) **deadly poison;** [*adj.*] **deadly:** زهر هلاهل
هُلدان، هلدانی، هلدونی [زبان لاتی] ← هول
هُلفدان، هلفدانی [زبان لاتی، صورت تحریف شده هولدان] **black hole**
هُلند /فر./ **Holland, Netherlands**
هلندی[1] /ص./ **Dutch**
هلندی[2] /ا./ **Dutchman** *or* **Dutchwoman**
هُلو **peach**
هلوی پوست‌کنده[1] [استعاری] marriageable girl with ruddy cheeks
هلوی پوست‌کنده[2] peach: beauty
هلهله /ع. فا./ **applause; cry of exultation**
هلهله کردن to cry for joy; to applaud
هله هوله [زبان لاتی] **bits and pieces** (of eatables)
هلیدن = هشتن، گذاشتن؛ رها کردن
هلیله **myrobalan**
هلیلهٔ کابلی chebulic myrobalan
هَلیم [kind of dish with wheat groats and meat]
هلیوم /فر./ **helium**
هَم[1] /ق./ **also, too**
او هم رفت. *He also went.*
هَم[2]
در خواب هم آواز می‌خواند **even:**
هَم[3] **either,** [with a negative] **neither**
من هم آن را ندیدم. *I did not see him either. Neither did I see him.*
هم کاغذ هم مرکب both paper and ink
آن‌هم and ... at that:
فرصت از دستش رفت آن‌هم چه فرصتی
هَم[4] /حا./ **each other, one another**
با هم together, with each other, with one another
با هم حرف نمی‌زنند. *They are not on speaking terms with each other.*
به هم together; to each other, to one another; against each other
برهم[1] over *or* upon each other
برهم[2] = به هم
به هم آمدن، هم آمدن [زبان لاتی] to match (with) each other; to heal up; to be closed *or* stopped (as a hole)
به هم زدن to cancel; to render null
هَمّ [ادبی، جمع: هموم] /ع./ **care, grief**
هُما [اسم خاص] = همای، همایون
هم‌ارز **equivalent**
همـاره [ادبی، صورت اختصاری همواره]
هم‌اسم /فا. ع./ = هم‌نام
هم‌آغوش = هم‌خواب
همال [کمیاب] **peer, equal, like;** → بی‌همال
همان (the) **same; that very**
همان‌دم that very moment, immediately
همان بهتر nothing better than
همانطور که just as
همان است که گفتم. There is no more to it. I will not change what I have said.
خوردنش همان و مردنش همان بود. He no sooner ate it than he died.
همان آش (است) و همان کاسه (it is) the same old story in the same old way.
همانا [ادبی] **indeed, verily**
همانند **similar, like**
همانندی **similarity, resemblance**
هم‌آواز **concordant, harmonious**
هم‌آهنگ **harmonious, concordant**
هم‌آهنگ کردن to harmonize; to coordinate, to bring in line
هم‌آهنگی **harmony, perfect agreement; coordination;** [*mus.*] **symphony**
هم‌اکنون **already; even now**
هما(ی)[1] **osprey**
هما(ی)[2] [fabulous bird of good omen]
هُمایون **auspicious, fortunate**
اعلیحضرت همایون شاهنشاهی His Imperial Majesty

مرغ همایون = همای
همایونی imperial
اعلیحضرت همایونی His Imperial Majesty
همبازی playmate
هم‌بستر = هم‌خواب
همبستگی correlation
همبسته correlated
هم‌پا going with *or* at the same pace as (another)
هم‌پای من آمد. He came (*or* went) along with me.
همپایه of the same grade *or* rank, coordinate
هم‌پیاله pot-companion
هم‌پیشه fellow-workman, fellow-tradesman; → همکار
هم‌پیمان confederate
هم‌پیمانی confederacy
هِمت [جمع: هِمَم] /ع./ ambition; aspiration, lofty purpose; magnanimous spirit; good offices, efforts
همت ورزیدن to take efforts
هَمتا mate, fellow; equal, peer
هم‌تراز = همپایه
هم‌ترازو [ادبی] = هم‌وزن؛ همپایه
همجنس /فا. ع./ homogeneous, congeneric; → هم‌نوع
هم‌جوار /ع. فا./ neighbouring
هم‌جواری /ع. فا./ = همسایگی
هم‌چشمی، چشم و هم‌چشمی [عامیانه] emulation, vying with each other; competition
هم‌چشمی کردن to vie *or* compete (with one another); to keep up with the Joneses
همچنان [*adv.*] in that manner, so, thus; ever, continuously, consistently; [*adj.*] such
همچنان که such that, so that

هم‌چند equivalent
هم‌چندی equation
همچنین [*adv.*] in this manner, thus, so; also, as well (as); likewise; [*adj.*] such
بنده همچنین so do I, the same to you
همچو، همچون such; like, as
همچین [صورت اختصاری همچنین]
هم‌خانه [*adj.*] living in the same house; [*n.*] cohabitant
هم‌خو of the same habits, congenial
هم‌خواب bed-fellow, spouse, cohabitant
هم‌خوابه = هم‌خواب
هم‌خویی congeniality
هم‌داستان[1]، همدستان [ادبی] /ا./ accomplice; companion
هم‌داستان شدن to agree with each other; to conspire
هم‌داستان[2] /ص./ = متفق
همدرد [*n.*] fellow-sufferer; [*adj.*] sympathetic
همدردی fellow-feeling, sympathy; condolence
همدردی کردن to sympathize; to condole
هم‌درس /فا. ع./ fellow-student
همدست collaborator, aid; accomplice; companion
همدست شدن to collaborate, to join hands; to conspire
همدستی collaboration; complicity
همدل = هم‌فکر؛ هم‌رأی
همدلی[1] unanimity
همدلی[2] = هم‌فکری
همدم [اسم خاص] companion, confident
همدمی companionship; familiarity

همدوش of the same rank, equal
همدیگر one another, each other
با همدیگر with one another, with each other; together
هم‌دین /فا. ع./ = هم‌کیش
همراز [*adj.*] of common secrets; intimate; [*n.*] confidant
همراه fellow-traveller, companion in the way; attendant; escort
همراه من بیائید. Come along with me.
همراه با[1] inclined to assist: با من همراه است
همراه با[2] [*mus.*] accompanied by
خدا به همراه bon voyage, pleasant journey
همراهی accompaniment, escort; [*fig.*] assistance
همراهی کردن (با) to accompany, to escort; to assist; to favour
تا دم در او را همراهی کنید. See him to the door.
به همراهیِ in company with, accompanied by
هم‌رأی /فا. ع./ unanimous, of the same opinion
هم‌رتبه /فا. ع./ of the same grade *or* rank; coordinate
هم‌ردیف /فا. ع./ civil employee enjoying the privileges of a specified military rank
همرس concurrent; convergent
هم‌رکاب /فا. ع./ fellow-rider
همرنگ of the same colour; [*fig.*] similar
همرنگ جماعت شدن to go with the stream, "do as the Romans do"

همرنگی similarity (in colour), resemblance
هم‌رو [*rare*] opposite; parallel
هم‌روزگار contemporary
هم‌ریش [عامیانه] = باجناغ
هم‌ریشه cognate
همزاد twin; co-walker, wraith *or* double
همزبان speaking the same language; [*fig.*] unanimous
هم‌زمان /فا. ع./ contemporaneous; synchronous
همزه the Arabic "consonant alef" marked thus (ء)
همزیستی symbiosis; coexistence
همسال of the same age, coeval
همسایگان [جمعِ همسایه]
همسایگی neighbourhood, vicinity
قیود همسایگی ties of neighbourhood
همسایه [جمع: همسایگان] neighbour
همسر spouse, consort
سر و همسر fellowmen, equals
همسری fellowship, companionship; emulation; marriage
همسری کردن to emulate; to be a match
همسفر /فا. ع./ fellow-traveller
همسفر شدن to travel together
همسفره /فا. ع./ who eats at the same table, commensal
همسنّ /فا. ع./ = همسال
همسنگ [ادبی] of the same weight; equal; coordinate

هم‌سوگند = هم‌پیمان، هم‌قسم
هم‌شاگردی fellow-student
همشهری fellow-citizen
همشیره sister; → خواهر
همشیره‌زاده nephew *or* niece (by a sister)
هم‌صحبت /فا. ع./ companion in conversation, interlocutor
هم‌صدا /فا. ع./ of the same voice *or* opinion
هم‌طویله /فا. ع./ of the same stable (*or* string); (humorous *or* literary) companion
هم‌عصر /فا. ع./ = معاصر
هم‌عهد /فا. ع./ = هم‌پیمان
هم‌فکر /فا. ع./ of the same mind; sympathetic
هم‌فکری /فا. ع./ thinking alike, each other's mind; knowing sympathy
هم‌قدم /فا. ع./ fellow-traveller; companion; cooperator
هم‌قَسم /فا. ع./ confederate by oath, united by oath
همقطار /فا. ع./ colleague; fellow-soldier, companion-in-arms
همقطاری /فا. ع./ colleagueship; companionship
همکار fellow-tradesman, fellow-workman; colleague; collaborator; competitor
همکاری cooperation, collaboration; competition
همکاری کردن to cooperate; to compete
هم‌کاسه [one who eats from the same dish]
هم‌کفو[1] /ص. فا. ع./ equal in family rank
هم‌کفو[2] /ا. فا. ع./ match

همکلاس /فا. فر./، همکلاسی classmate; → هم‌شاگردی
هم‌کلام /فا. ع./ = هم‌صحبت
هم‌کیش، هم‌دین coreligionist
همگان [جمعِ همه]
همگانی = عمومی public; general
همگرا(ی) convergent
همگرایی convergence
همگنان [ادبی] fellowmen; rivals; the company present
همگی /ض./ all; → همه
همگیر [*machines*] collar
هم‌گیس [منسوخ] of the same age: said of women
همم [جمعِ همت]
هم‌مذهب /فا. ع./ = هم‌کیش
هم‌مَرز having a common frontier, neighbouring, conterminous
هم‌مرکز /فا. ع./ concentric
هم‌مسلک[1] /ص. فا. ع./ of the same principles
هم‌مسلک[2] /ا. فا. ع./ colleague in a party
هم‌مشرب /فا. ع./ of the same disposition, congenial
هم‌معنی /فا. ع./ synonymous
هم‌میهن fellow-countryman, compatriot
هم‌نام [*adj.*] of the same name; homonymous; [*n.*] namesake
هم‌نفس /فا. ع./ = همدم؛ همسر
همنشین one sitting with another; companion, associate
هم‌نگار synoptic(al)
هم‌نوع /فا. ع./ fellow-creature
حسّ هم‌نوعی fellow-feeling
هموار even, level, smooth; [*fig.*] gentle
بر خود هموار کردن to tolerate

همواره always, ever, consistently

همواری evenness, levelness

هم‌وزن /فا. ع./ of the same weight

هم‌وطن /فا. ع./ = هم‌میهن

هموم [جمعِ همّ]

همه /ض. ص./ all, the whole

همهٔ ایشان رفتند. All of them went. They all went.

همه‌جا everywhere

همه روز(ه) every day

همه‌روز [ادبی] all day long

همه‌کس everyone

آن‌همه so many, so much; all that

این‌همه so many, so much, this much

با این‌همه in spite of all that

از همهٔ اینها گذشته apart from all that; furthermore

همه‌جاگیر epidemic

همه‌جایی، هرجایی gadabout; ← مبتذل

همه‌فن‌حریف /فا. ع./ all-round, factotum, "of all trades"

همه‌کاره (one) who can do anything, all-round (person)

همه‌کاره و هیچ‌کاره Jack of all trades and master of none

همه‌گوشه‌یکی equiangular

همهمه tumult, uproar; rumour

همهمه کردن to uproar

همی [particle denoting progression]

همی رفت[1] [ادبی] he was going

همی رفت[2] [ادبی] he kept on going

همیان scrip, wallet

همیدون[1] [ادبی] likewise

همیدون[2] [ادبی] = اکنون

همیشگی [n.] perpetuity; [adj.] permanent; usual

همیشه always

برای همیشه for good

همیشه‌بهار، گل همیشه‌بهار [n.] marigold; [adj., rare] evergreen

همین this same, this very; [infml.] only

همین بود that was all, that is all

همین‌طور ← طور

همین‌که as soon as, just as

همین‌طوری [عامیانه] /فا. ع./ just like that; gratuitously, ex gratia; at random; in one lot

همین‌قدر /فا. ع./ simply, only

همین‌قدر که معالجه شود فرق نمی‌کند به دست کی معالجه شده است. So he is cured it matters not by whose hand.

هنجار [rare] mason's rule or plumb-line; [fig.] manner, custom; ← بهنجار، ناهنجار

هندَباء [کمیاب] /ع./ endive

هند(ستان) [صورت اختصاری هندوستان]

هندسه /ع./ geometry [perhaps from Persian اندازه]

هندسه‌دان /ع. فا./ geometrician

هندسی /ع./ geometrical

ارقام هندسی Arabic figures

هندل [ظاهراً از انگلیسی "handle"] crank

هندل زدن to crank (up)

هِندو Hindu; Indian

هندوانه water-melon

هندوانه زیرِ بغل کسی گذاشتن to lay it on thick (*or* with a trowel), to brave someone by praising him too much

دو هندوانه در یک دست گرفتن to have two strings to one bow

هندوچین Indo-China

هندوستان India

هندوستانی[1] Hindustani

هندوستانی[2] = هندی

هندی [جمع: هُنود، /ع./] Indian

هُنر[1] art: ; هنرهای زیبا fine arts; ← صنعت

هُنر[2] virtue, excellence, merit

هُنر[3] skill

هُنر[4] feat, exploit

هنرآموز student of an industrial school

هنرپیشه [جمع: هنرپیشگان] artist, especially actor *or* actress

هنرجو scholar in arts

هنرستان industrial school; school of art; conservatory

هنرسرا technical school, institute of technology

هنرکار technician

هنرمند ingenious; skilful in arts

هنروَر [ادبی] = هنرمند

هنری artistic; skilful

هنزرپنزر [زبان لاتی، صورت تحریف شده خنزر پنزر] odds and ends, stray articles

هنگ regiment

هنگام[1] time, season

هنگامِ at the time of, while

هنگامی که when

سیکل دو هنگام two-stroke cycle

هنگام[2] [*mus.*] gamut, scale

هنگام[3] [موسیقی] = آهنگ

هنگامه[1] /ا./ uproar; scene; great crowd

هنگامه برپا کردن to make a scene

هنگامه[2] [عامیانه] /ص./ [in the phrase هنگامه است he does such and such a thing wonderfully well, he is a prodigy of...]; ← معرکه

هنگفت **enormous, excessive**
هُنود [جمعِ هندی، /ع./]
هنوز[1] هنوز زیاد سرد نیست **yet:**
هنوز[2] هنوز سرد است **still:**
هو[1] **exclamation uttered by dervishes as a curse *or* good wish**
هو[2] = هُوَ
هو **hoot, hiss; false rumour**
هو انداختن [زبان لاتی] = چو انداختن
هو کردن to boo(h), to cry down, to give a bird to
هو و جنجال راه انداختن [عامیانه] to start a big row
هُوَ [مؤنث: هی] /ع./ = او **he**
هَی she
هوَ به هوَ word for word, verbatim
هَوا [از ع. هواء، هوای] **air, atmosphere; weather;** [*mus.*] **air, tune;** [*fig.*] **hope; intention; desire**
هوا خوردن to breathe (pure) air, to take the air, to take a breath of fresh air
هوا پس است. [عامیانه] Things don't look well.
هوا دادن to air; to aerate; to expose to air
هوا کردن to fly (as a kite)
هوای چیزی را داشتن to watch something, to keep the equilibrium of it
هوای چیزی را در سر داشتن to have the intention of doing something
هوا و هوس carnal desire(s)
یک‌هوا a thought, slightly
هواپرست = نفس‌پرست
هواپیما **aeroplane, aircraft**
هواپیمابَر **aircraft carrier**
هواپیمازن **anti-aircraft**
هواپیمایی **aviation, aeronautics**
شرکت هواپیمایی ایران the Iranian Airways
هواخواه **partisan, adherent, votary**
هواخواهی **partisanship; support**
از کسی هواخواهی کردن to take the part of someone, to side with him, to support him
هواخوردگی **slight cold**
هواخوری **recreation in the open air, airing, blow**
هوادار[1] **well-ventilated**
هوادار[2] = هواخواه
هواداری = هواخواهی
هَوار[1] [عامیانه] **cry for help, shout**
هوار کشیدن to cry for help
هوار شدن to gate-crash, to hang (on someone)
هوار[2] = آوار
هواسنج **barometer**
هواشناس **meteorologist; aerologist**
هواشناسی **aerology; meteorology**
هواکش[1] **air-cleaner**
هواکش[2] = بادکش
هواگیر **air-chamber**
هوامّ [کمیاب، جمع: هامه] /ع./ **insects *or* reptiles**
هوانورد **aviator**
هوانوردی = هواپیمایی **aviation**
هوائی[1] /ص.ع. فا./ **aerial; atmospheric; overhead:** سیم هوائی ; [*fig.*] **vain; idle;** [*infml.*] **casual**
پست هوائی air mail
توپ هوائی high ball
خط هوائی air-line
هوائی زدن to sky (a ball), to hit it high
هوائی[2] /ق.ع.فا./ **as a windfall**
هوبره **bustard**
هوچی [عامیانه] /فا. ت./ **hooligan; gossip**
هوچی‌گری [عامیانه] **hooliganism**
هودج [جمع: هوادج] /ع./ **camel-litter**
هور [کمیاب] = خورشید
هورا /فر./ **hurrah, cheer**
هوراکشیدن to cheer, to shout hurrah
هورمزد = اورمزد
هَوَس /ع./ (passing) **fancy, fad, whimsy; shallow *or* temporary love; aspiration *or* desire**
هوس راندن to indulge in one's desires *or* passions
هوس کردن to take a fancy to; to aspire (at *or* after)
هوسران /ع. فا./ **sensual**
هوسرانی /ع.فا./ **indulgence in one's desires, sensuality**
هوسناک [ادبی] /ع. فا./ **fanciful; desirous**
هوش **intelligence; memory; consciousness; sense**
هوشِ اختراع ingenuity
به هوش آمدن to come to *or* recover one's senses, to come round
به هوش آوردن to bring round
از هوش رفتن to become unconscious
هوشمند **intelligent; wise**
هوشمندی **intelligence**
هوشنگ [اسم خاص]
هوشیار **sober; vigilant, cautious; intelligent;** ← مست
هوشیار شدن to become sober; to come to one's senses
هوشیاری **soberness; vigilance**
هول /ع./ **sudden fear, shock**

هول خوردن to have a shock

هول دادن (به) to give a sudden fear to, to terrify

هولناک /ع. فا./ = ترسناک

هول‌هولکی [زبان لاتی]، **هُـل - هُلکی** **hurry-scurry, helter-skelter**

هَوو **rival wife**

هوه‌چوبه **alkanet**

هوی /ع./ **passion, desire**

هوی و هوس carnal desires; ← هوا

هُویت /ع./ **identity; individuality**

هویتِ ... را تعیین کردن to identify...

هویج **carrot**

هویج فرنگی reddish short variety of carrot

هُویدا[1] **indisputable**

هُویدا[2] = آشکار، پیدا

هویزه **curb**

هی [*interj.*] **hey!, alas!,** [*adv.*] **bravo!,** [*adv., infml.*] **consistently; on and on; time and again, every now and then**

هی حرف (می)زد. He kept on speaking.

هی کردن to urge on

هی [مؤنثِ هُوَ] **she**

هیـأت = هیئت

هیاکل [جمعِ هیکل]

هَیاهو **tumult, uproar**

هیاهو کردن to raise an uproar

هیبت /ع./ **appalling presence, awe, reverence; majesty; formidableness**

هیپنو تیست /فر./ **hypnotist**

هیپنو تیسم /فر./ **hypnotism**

هیجا [ادبی، کمیاب] /ع./ = جَنگ

هیجان /ع./ **excitement, tension**

به هیجان آمدن to be excited

به هیجان آوردن to excite, to animate

هیجان‌آمیز، هیجان‌آور /ع.فا./ **exciting**

هیچ[1] /ا./ **nothing** [with a negative context]

هیچ نگفت. ***He said nothing. He did not say a word.***

هیچ[2] /ص./ **no**

هیچ پول ندارم. ***I have no money.***

هیچ[3] /ص./ **any** [in an interrogative sentence] :

آیا هیچ کاغذ دارید؟

هیچ[4] /ق./ **at all** [with a negative context]

هیچ او را ندیدم. ***I did not see him at all.***

هیچ[5] /ق./ **never** [with a negative context]

هیچ به آلمان مسافرت نکرده‌ام. ***I have never visited Germany.***

هیچ[6] /ق./ **ever**

آیا هیچ عقاب دیده‌اید؟ ***Have you ever seen an eagle?***

هیچ چیز، هیچ nothing

هیچ دیگر no longer, no more, nothing else [with negative contexts]

هیچ کار برای من نکرد. ***He did nothing for me.***

هیچ و پوچ [*n.*] nothing; trifle; vanity; [*adj.*] null and void; vain

هیچ‌کاره **good-for-nothing; idle, jobless**

هیچ‌کدام **no one, neither** [with negative contexts]

هیچکس **nobody, no one, none** [with negative contexts]

هیچکس نرفت. ***Nobody went.***

هیچگاه = هرگز **never**

هیچگونه **no... whatsoever**

هیچگونه کالائی نداشت. ***He had no goods whatsoever.***

هیچ‌مدان [*adj.*] **perfectly ignorant;** [*n.*] **know-nothing**

هیچیک = هیچکدام

هیربد **Magian** *or* **Zoroastrian priest**

هیز **infamous; effeminate**

هیزم **firewood**

هیزم‌شکن **woodcutter**

هیزم‌کش **wood-carrier**

هیزی **infamy; effeminacy**

هیضه [کمیاب] /ع./ **flux and vomiting;** ← وبا

هیکل [جمع: هیاکل] /ع./ **image, figure;** (frame of) **the body;** (biblical term) **temple**

هیکل‌تراش /ع. فا./ **sculptor**

هیکل‌تراشی /ع.فا./ **sculpture**

هیمه = هیزم

هین[1] **hurry up**

هین[2] = اینک

هیولا /ع. ی./ **matter, chaos; monster**

هَیون **dromedary, two humped camel**

هیهات[1] /ع./ **not in the least**

هیهات[2] /ع./ = افسوس

هی‌هی **hey!, alas!, oh!**

هیئت /ع./ **figure, form, aspect; body of men, board, council**

علم هیئت astronomy

هیئت اعزامی mission

هیئت‌رئیسه executive committee, managing council, officers (of a society), [*university*] senate

هیئت مدیره board of directors managing council

هیئت ممتحنه examining council, (board of) examiners

هیئت نمایندگان سیاسی diplomatic body, corps diplomatique

هیئت وزیران council of ministers

هیئت‌دان /ع. فا./ **astronomer**

هیئتی /ع. فا./ **astronomical**

ی

ی [verbal ending equivalent to هستی "thou art"]
اگر مردی *if thou art a man*
تو رفته‌ای. *Thou art gone.*
یا[1] **or; either**
یا شما یا من ***either you*** or ***I***
یا[2] /ع./ = ای **O**
یاخدا، ای‌خدا، خدایا! ***O God!***
یاالله! **O God!** [used in invocations and prayers, on meeting a person after his journey ***or*** long absence in which case it means "hallo(a)", in various senses such as "hurry up, go on, up with you!" in which cases it is vulgarly pronounced "Yal'a", in token of respect while rising before a guest who comes in, upon entering a house as an announcement to the women inside that a man has come: an obsolescent custom]
یاب [بن مضارعِ یافتن]
یابس [کمیاب] /ع./ = خشک **dry**
یابنده **finder**
جوینده یابنده است.
He who seeks will find.
یابو **pack-horse, nag, sumpter**
یابوی تاتو pony ***or*** nag
یاتاقان /ت./ [*mech.*] **bearing**
یأجوج /ع. عب./ **Gog**
یأجوج و مأجوج
Gog and Magog
یاحق! /ع./ **cheerio!, so long!;** [*o.s.*] **O God!**

یاخته **cell**
یاخته‌شناسی **cytology**
یاد **memory, remembrance, commemoration**
به یادِ in memory of, in remembrance of
(به) یاد آمدن
to be remembered
(به) یاد آوردن to remember, to call to mind
به یاد او آوردم که
I reminded him that
یادم افتاد ***I remembered, it occurred to me***
یاد دادن to instruct, to teach how to do
یاد دارم، یادم هست، یادم می‌آید [عامیانه] I remember
یاد کردن to remember ***or*** commemorate; to mention
یاد گرفتن to learn
از یاد بردن to forget
از یاد رفتن to escape the memory
(از) یادم رفت ***I forgot it.***
به یاد انداختن to remind
یادم نیست ***I do not remember it. I cannot think of it.***
یادم نماند ***It escaped my memory.***
یادش باد [ادبی] may he be ever remembered
یادش به‌خیر may he be always remembered ***or*** highly spoken of [used in speaking of ***or*** quoting from an absent friend]

یادآور شدن **to remind; to notify**
یادآوری **reminding; commemoration; remembrance, recollection**
یاد کردن to remind; to commemorate
یادبود **reminiscence; commemoration;** ← یادگار
به یادبودِ in commemoration of; (sacred) to the memory of
یادداشت **memorandum, note; memoire**
یادداشت برداشتن to take notes
یادداشت کردن to note (down)
یادداشت پرداخت یا دریافت
debit ***or*** credit note
دسته یادداشت
block note paper
دفترِ یادداشت notebook
یادکرد **mention;** ← ذکر
یادگار[1] **commemoration, memory; memorial**
به یادگارِ in memory of; for remembrance of
به یادگار گذاشتن to leave as a memorial; to hand down
یادگار[2] **monument**
یادگار[3]، **یادگاری** **keepsake, souvenir, memento**
به رسم یادگار as a souvenir, for a keepsake, for keeps
یادگاری ← یادگار
یار **friend, companion; partner; aid, mate;** [*lit.*] **sweetheart**

یارا [عامیانه]، یارایی ability *or* power; courage; ← یارستن
یارب /ع./ = خدایا O lord!
یارد /ان./ yard; yardstick
یارستن [کمیاب، بن‌مضارع: یار] to have the power *or* courage
یارو[1] [زبان لاتی] that fellow
یارو![2] mate!, sirrah! [used as a nominative independent]
یاری assistance, help; friendship, companionship
یاری کردن (با) to assist
یاریار kind of refrain in popular songs; [*o.s.*] O sweetheart!
یاریار نمی‌خواند؟ [عامیانه] what is wrong with it?, do you want bells on it?
یازده eleven
یازده‌گوشه hendecagon(al)
یازدهم، یازدهمین eleventh
یازدهمی (the) eleventh
یاس jasmin
یاس کبود، یاس درختی، یاس ـ شیروانی lilac, syringa
یاس شامپا white jasmin
یاس کرنایی، یاس شیپوری trumpet-flower
یأس /ع./ = نومیدی despair; disappointment, hopelessness
آیهٔ یأس wet blanket, damper
آیهٔ یأس خواندن to be a wet blanket, to make disappointing remarks
سنّ یأس decline of life
یاسا [کمیاب، از ریشه مغولی] ← قانون؛ رسم
یـأس‌آور /ع. فا./ disappointing
یاسمن jessamine, jasmin(e)
یاسین /ع./ title of a Surah (*or* chapter) of the Koran
یاسین به گوش خر خواندن to play a lyre (in vain) to an ass
یاعو gull (bird)
یاغی [از ریشه ت.] rebel, insurgent
به کسی یاغی شدن to rebel against someone
یاغیگری rebellion, mutiny
یافت شدن [ادبی] to be found *or* obtained, to be available *or* obtainable
یافتن [ادبی، بن‌مضارع: یاب] to find; to obtain
یافته [اسم‌مفعول فعل یافتن]
یافِث /ع. عب./ Japheth
یاقوت /ع./ ruby
یاقوت ارغوانی amethyst
یاقوت رُمانی، یاقوت آتشی carbuncle
یاقوت زرد topaz
یاقوت کبود sapphire
یاقوت‌لب [ادبی] /ع. فا./ ruby-lipped
یاقوتی /ع. فا./ resembling a ruby; ruby-coloured, red
انگور یاقوتی [kind of grapes resembling rubies]
یال mane
یالغوز /ت./ single, unmarried; [*ext.*] care-free
یالیت [کمیاب] /ع./ = (ای) کاش
یاوَر assistant *or* supporter; [old word for سرگرد]
یاوری = یاری، کمک
یاوه idle talk, nonsense
یاوه‌سرا، یاوه‌گو (one) who speaks nonsense, (person) given to babbling *or* idle talking
یاوه‌سرائی، یاوه‌گویی speak ingnonsense, idle talk
یاهو /ع./ یارب ← (O) god;
یائسه [مؤنثِ یائس، کمیاب] /ع./ woman on the decline (of life), woman on the wane
یباب /ع./، خراب و یباب ruined, desolate
یَبروج، یبروح [کمیاب] /ع./ = مهرگیاه
یُبس = خشکی؛ یبوست
معده‌اش یُبس است. *C.E.* He is constipate.
یُبوست /ع./ constipation
دچارِ یبوست constipated
یتیم[1] [جمع: ایتام] /ع./ orphan (child)
یتیم[2] /ع./ [*fig., lit.*] unique
یتیمچه /ع. فا./ [kind of dish with brinjal]
یتیم‌خانه /ع. فا./ orphanage, orphan asylum
یتیمی /ع. فا./ orphanhood
یحتمل /ع./ probably, perhaps
یحیی /ع./ John
یخ ice
یخ بستن to freeze
یخ زدن to freeze; to be freezing
یخ کردن to freeze: feel very cold; to get cold
یخش نگرفت. [زبان لاتی] His joke fell flat. The glue did not take.
کلاه یخ، کیسه یخ ice-bag
تودهٔ یخ غلتان، رودخانه یخ glacier
تودهٔ یخ شناور، کوه یخ iceberg
گل یخ chimonanthus fragrans
یخ‌باز skater
یخ‌بازی skating
کفش یخ‌بازی skate
یخ‌بسته frozen; ice-bound
یخبندان freezing-weather, (white) frost
یخچال ice-house; refrigerator
یخچه تگرگ ← hail-stone;

یخدان **chest; ice-chest, ice-box; earthen vessel from which ice-water was drunk**
یخ‌دربهشت [starch pudding (when cooled)]
یخ‌زده **frozen**
یخ‌شکن **ice-pick, ice-chopper**
کرجی یخ‌شکن ice-breaker, ice-boat
یخ‌کرده **cooled; frozen**
یخنی **name of various dishes;** [*o.s.*] **stored away, reserved**

یخه = یقه
ید /ع./ **hand;** [*fig.*] **power, authority; right;** ← دست
یدِ طولیٰ profound knowledge, great skill; [*o.s.*] long hand
یُد /فر./ **iodine**
یدالله [اسم‌خاص] /ع./ [*o.s.*] **God's hand**
یُدفرم /فر./ **iodoform**
یدک **led horse**
یدک‌کش **groom leading a horse**
کشتی یدک‌کش tug-boat
یدکی **spare**
اسباب یدکی، اشیاء یدکی spare parts, spares
یدی /ع. فا./ = دستی **manual**
صنایع یدی manual arts, handwork
یِر /ت./ **kitty, pool, stake**
یَراغ، یراق /ت./ **galloon; harness;** [*ext.*] **fittings**
یراغ کردن to harness
یرالماسی /ت./ **Jerusalem artichoke**
یرتمه، یورتمه /ت./ **trot**
یرتمه رفتن to trot
یُرغه، یورغه /ت./ **amble**
یرغه رفتن to amble
یرقان[1] /ع./ **blight or mildew**

یرقان سفید chlorosis, green sickness
یرقان کبود cyanosis
یرقان[2] /ع./ = زردیان
یرقانی /ع. فا./ **chlorotic; icteric**
یرلیغ [کمیاب] /ت./ **royal firman; safe-conduct**
یزدان[1] = ایزد، خدا **God**
یزدان[2] **Yazdan: originator of good, the Good Principle**
یزدانی = خدائی، الهی
یسار /ع./ = چپ **left**
یساوُل [کمیاب] /ت./ **mounted macebearer**
یُسر [*rare*] **easy** (circumstances)**; black coral, jet**
یَشم **jasper**
یشم ختائی blood-stone
یشم شیری رنگ galactite
یشم سبز jade
یشمی **jaspery, jasper-green**
یعقوب /ع. عب./ **Jacob;** [in the New Testament] **James**
یعنی[1] /ع./ (it) **means**
یعنی چه؟ What does ... mean?, it is surprising, there is no sense in it; the idea!
یعنی[2] /ع./ **namely, that is** (to say), *i.e.* (id est), **viz.** (videlicet)
یَغلا **small frying-pan;** ← یغلاوی
یغلاوی **mess-tin;** ← یغلا
یغما **plunder**
یغما کردن، به یغما بردن to plunder
یغماگر **plunderer**
یُقر [زبان لاتی] **stout or sturdy**
یقنعلی‌بقال [زبان لاتی] **person of low social rank;** (any) **Tom, Dick or harry;**
-*Note:* یقنعلی is perhaps a contraction of یقین‌علی typical masculine name

یقـه /ت./، یخـه [عامیانه] **collar**
یقهٔ کسی را گرفتن to seize someone by the collar
یقهٔ برگردان turndown collar; ← یقه برگردان
یقهٔ عربی stand-up collar; ← یقه عربی
یقه‌باز، یخه‌باز /ت. فا./ **low-necked, décolleté;** [*men's shirts*] **open-necked**
یقه‌برگردان /ت. فا./ **with a turn-down collar**
یقه‌عربی /ت. فا./ **with a stand-up collar**
یقین[1] /ع./ [*adj.*] **sure;** [*n.*] **positive knowledge, certainty**
یقین داشتن to be sure *or* certain
یقین کردن to make sure, to become sure
یقینم شد ***I became sure, I was convinced***
به‌یقین ← یقیناً
یقین[2] [عامیانه] /ق. ع./ = یقیناً
یقیناً /ع./ **certainly, surely**
یک[1] **one:** یک اتاق
یک‌به‌یک one by one
یک[2] **a, an**
یک شخصی ***a*** (certain) ***person***
یک[3] **single:** خدا یک است
یک‌انگشتی **monodactyllous**
یکایک **one by one**
یکبارگی، یکباره **all at once; at a single instance**
یک‌بَر **tilted;** [*ship*] **heeled**
یک‌بَر کردن to tilt (over), to tip, to cant, to heel
یک‌بردو **double, twice as many or as much**
یک‌برگه **monophyllous; monopetalous**

یک‌بند [عامیانه] = پیوسته
یک‌پارچه [*adj.*] **concrete, solid; well-knit;** [*adv.,infml.*] **sheer, absolutely**
خریک‌پارچه، یک‌پارچه‌خر a blithering ass
یک‌پهلو[1] **one-sided**
یک‌پهلو[2] = یک دنده
یکتا **single, unique; incomparable**
یکتایی **oneness; incomparableness**
یک‌تخمه **monospermous**
یک‌تنه **alone**
یک‌تیردونشان **with two aims at once**
یکجا **in a lump sum; all together, en masse**
یکجاکردن to consolidate
سودا را یکجا کردن to put all one's eggs in one basket
یک‌جانبه /فا. ع./ **unilateral**
یک‌جمله‌ای /فا. ع./ **monomial**
یک‌چشم **one-eyed**
یک‌چشمه **monocular; one-eyed; single-spanned**
عینک یک‌چشمه monocle
یک‌چند **for some time, for a while; a few**
یک‌دانه **unique** (pearl)
یک‌در **obtainable in one shop only**
یک‌درمیان **every other one, alternate(ly)**
درخت‌ها را یک در میان علامت گذاشت. *He marked every other tree.*
یکدست **pure, unmixed; entire, whole; single-armed**
قرمزِ یکدست full red
یکدستی زدن [عامیانه] **to fish for information** (in a roundabout way *or* by means of a false statement)
یکدفعه /فا. ع./ = ناگهان
یکدگر [ادبی، صورت اختصاری یکدیگر]
یکدل **unanimous**
یکدلی **unanimity, accord**
یک‌دنده **holding to one's opinion, persistent, adamant, inflexible**
یکدیگر **each other, one another**
یک‌راست [عامیانه]
direct: یک راست رفت به قم
یک‌رای /فا. ع./ = همرای
یکرنگی **sincerity;** ⟵ یگانگی
یکرو، یکرنگ **sincere, guileless**
یک‌روز در میان [*adv.*] **every other day;** [*adj.*] **tertian:** تب یک‌روز در میان
یکزبان **of one voice, unanimous**
یکزبان شدن to agree
یکزبانی **unanimity**
یکساله [*adj.*] **one-year-old, year-old;** [*bot.*] **annual;** [*adv.*] **in one year**
یکسان **alike, similar; unifrom**
یکسان کردن to unify
با خاک یکسان کردن to level to (*or* with) the ground, to raze to the ground
یکسانی **uniformity; similarity**
یکسر **totally, entirely; direct, straight**
یک سر و دوگوش **raw head and bloody bones**
یکسره **one-session:** خدمت یکسره ; **through:** بلیط یکسره ; **single trip, travelling one way only**
یکسره تا برلین پرواز کرد. He flew non-stop to Berlin.
یکسره کردن to settle, to have it out
یک‌شبه[1] /ص./ **of one night's duration**
یک‌شبه[2] /ق./ **in one night**
یک‌شبه[3] /ق./ **overnight**
یکشنبه **Sunday**
یک‌طرفه /فا. ع./، یک‌طرفی **unilateral**
یک‌قلم /فا. ع./ **in the lump, entirely, all at once**
یک‌کاره [عامیانه] **what a silly idea** (to do such a thing particularly)!; -*Note:* یک کاره means "particularly (but not for any good reason)"
یک‌کاسه [*adj.*] **consolidated; global;** [*adv.*] **in a lump sum**
یک‌کاسه کردن to consolidate
یک‌کلام /فا. ع./ **fixed** (as prices)
یک‌لا **one-fold; thin; of a single width, narrow**
یک‌لتی **single-leaf:** درِ یک لتی
یکم **first**
بیست ویکم ***twenty-first***
یک‌ماهه **a month old**
آبستن یک‌ماهه one month pregnant, one month gone (with child)
یک‌مرتبه /فا. ع./ **suddenly**
یکمی، یکمین (the) **first**
یک‌نفره، یک‌نفری[1] /فا. ع./ **single:** رختخواب یک‌نفره ; **done by one person**
یک‌نفره، یک‌نفری[2] /ق./ = تنها
یکنواخت **monotonous, humdrum**
یکنواختی **monotonousness, tedium**
یک‌وجبی [عامیانه] **tiny, wee; naughty;** ⟵ وجب

یک و دو dispute, controversy

یک و دوکردن، یکی به دوکردن to dispute, to wrangle, to have words

یکه‌تاز [ادبی] unrivalled horseman *or* cavalier; [*ext.*] champion

یکه خوردن to be shocked with wonder *or* disappointment; to bridle

یکه‌شناس [one who consistently relies on and refers to the same person in everything he does, a child who feels strange in the presence of any one other than its mother, a horse that gives ride to nobody except its owner]

یک‌هو [عامیانه] all at once; abruptly; suddenly

یکی one; someone, somebody

هر یکی از آنها ***every*** (or ***any***) ***one of them***

یکی‌یکی، یکی‌به‌یکی one by one, one at a time

یکی کردن to unite *or* unify; to consolidate

یکی‌به‌دو کردن ← یک و دو

یکی شدن to be united, *vi.* to unite

یکی بود یکی نبود once upon a time

یکی چشم گاو است. The first time doesn't count.

یک‌یک one by one

یگان [*arith.*] units

یگانگی unity, oneness

یگانه single, sole, one; only-begotten; unique

یگانهٔ عصر خود the phoenix of his time

یگان‌یگان [ادبی] one by one

یل hero, warrior; kind of jacket for women

یلپیک /ت./ heaves, broken wind in horses

یلدا، شب‌یلدا (name of) the longest night of winter

یَلَن valance

یلوه sand-piper; ortolan

یله bent, tilted; released

یله رفتن to reel

یله شدن to be bent *or* tilted; to lean

یله کردن to bend; to tilt

یم [کمیاب] /ع./ = دریا

یمن Arabia Felix, Yemen

یُمن /ع./ felicity; blessing; good offices

یمین[1] /ص. ع./ right; ← راست

یمین[2] /ا. ع./ right hand; right wing; oath; ← سوگند

ینابیع [جمع ینبوع]

ینبغی /ع./ it behooves, it ought

کماینبغی as it ought to be

ینبوع [کمیاب، جمع: ینابیع] /ع./ = چشمه source

ینگه /ت./ bridesmaid

ینگی‌چری [کمیاب] /ت./ janizary

ینگی‌دنیا [منسوخ] /ت. فا./ the New World, *i.e.* America

ینگی‌دنیائی /ت. ع. فا./ American

یواش [عامیانه] /ت./ slow(ly), soft(ly), gentle *or* gently

یواشکی [زبان لاتی] slowly, softly, hush-hush

یواش یواش[1] /ت./ gradually

یواش یواش[2] /ت./ = یواش

یوحنا /ع. ی. عب./ John

یُورت /ت./ = اطاق

یورتمه ← یرتمه

یورش /ت./ = حمله attack

یورش آوردن، یورش کردن to make an attack

یورغه ← یرغه

یوز[1] = تازی greyhound

یوز[2] [short for یوزپلنگ]

یوزباشی /ت./ [*obs.*] centurion

یوزپلنگ (hunting) panther, ounce

یوسف [اسم‌خاص] /ع. عب./ Joseph

یوغ yoke

یوغورت /ت./ = ماست

یوفت [کمیاب] leather tanned by vegetable material

یولاف /ت./ oat(s)

یوم /ع./ = روز day; ← [جمع: ایام]

یومیه[1] /ص. ع./ = روزانه daily, quotidian

یومیه[2] /ا. ع./ daily pay, daily allowance, daily wage

یونان /ع./ Greece; Ionia

یونانی /ع./ Greek

یونجه /ت./ alfalfa, lucern(e)

یونجهٔ خشک hay, dried lucern(e)

یونس [اسم‌خاص] /ع. عب./ Jonah

یونقار /ت./ (sol) cord of a violin; [*o.s.*] three-stringed lute

یهود [اسم‌جمع یهودی] /ع./ the Jews

یهودا /ع. عب./ Judah; Judas

یهودی /ع./ Jew(ish)

یهودیت /ع./ Judaism

ئیل، ایل [در ترکیب] /ت./ = سال year

ییلاق /ت./ summer-quarters, the country

ییلاقی /ت.فا./ [*adj.*] country

خانهٔ ییلاقی country-house, summer residence, villa

یادداشت

یادداشت

یادداشت

یادداشت